Theologisches Wörterbuch zum Neuen Testament

herausgegeben von

GERHARD KITTEL

Band III

Θ – K

VERLAG W. KOHLHAMMER

STUTTGART BERLIN KÖLN

CIP-Titelaufnahme der Deutschen Bibliothek

Theologisches Wörterbuch zum Neuen Testament / begr. von
Gerhard Kittel. Hrsg. von Gerhard Friedrich. – Studienausg.,
Unveränd. Nachdr. d. Ausg. 1933 – 1979. – Stuttgart; Berlin;
Köln: Kohlhammer.
  Bd. 1 – 4 hrsg. von Gerhard Kittel
  ISBN 3-17-011204-X
NE: Kittel, Gerhard [Begr.]; Friedrich, Gerhard [Hrsg.]

Studienausg., Unveränd. Nachdr. d. Ausg. 1933 – 1979
Bd. 3. Th – K. – 1990

Studienausgabe 1990
Unveränderter Nachdruck
der Leinenausgabe 1933–1979 (Bde. I–X,2)

Inhalt

Mitarbeiterliste

Herausgeber:

D Gerhard Kittel, ordentl Professor für Neues Testament, Tübingen.

Mitarbeiter:

D Otto Bauernfeind, außerordentl Professor für Neues Testament, Tübingen.
D Friedrich Baumgärtel, ordentl Professor für Altes Testament, Göttingen.
D Johannes Behm, ordentl Professor für Neues Testament, Berlin.
D Georg Bertram, ordentl Professor für Neues Testament, Gießen.
DDr Hermann Wolfgang Beyer, ordentl Professor für Kirchengeschichte, Leipzig.
Lic Günther Bornkamm, Dozent für Neues Testament, Königsberg/Bethel.
D Friedrich Büchsel, ordentl Professor für Neues Testament, Rostock.
D Rudolf Bultmann, ordentl Professor für Neues Testament, Marburg.
Dr Albert Debrunner, ordentl Professor für vergl Sprachwissenschaft, Bern.
D Kurt Deißner, ordentl Professor für Neues Testament, Greifswald.
Lic Gerhard Delling, Pfarrer, Glauchau.
Lic Werner Foerster, außerordentl Professor für Neues Testament, Münster.
Gerhard Friedrich, Pfarrer, Groß-Heydekrug (Ostpreußen).
Lic Ernst Fuchs, Pfarrer, Winzershausen (Württemberg).
Lic Heinrich Greeven, Dozent für Neues Testament, Greifswald/Heidelberg.
Dr Walter Grundmann, beauftragter Dozent für Neues Testament, Jena.
Dr Walter Gutbrod, Repetent, Tübingen.
Lic Hermann Hanse, Pfarrer, Bismarck (Altmark).
D Friedrich Hauck, außerordentl Professor für Neues Testament, Erlangen.
Dr Hans Wolfgang Heidland, Vikar, Mannheim.
Lic Volkmar Herntrich, Dozent für Altes Testament, Bethel.
D Johannes Herrmann, ordentl Professor für Altes Testament, Münster.
Lic Johannes Horst, Pfarrer und Direktor des Theologischen Seminars, Posen.
DDr Joachim Jeremias, ordentl Professor für Neues Testament, Göttingen.
Dr Hermann Kleinknecht, Oberassistent, Halle.
Dr Karl Georg Kuhn, Dozent für orientalische Sprachen, Tübingen.
Lic Rudolf Meyer, Assistent, Leipzig.
D Wilhelm Michaelis, ordentl Professor für Neues Testament, Bern.
Lic Otto Michel, Dozent für Neues Testament, Halle.
D Hugo Odeberg, ordentl Professor für Neues Testament, Lund.
D Albrecht Oepke, außerordentl Professor für Neues Testament, Leipzig.
DDr Erik Peterson, Professor, Rom.

D Herbert Preisker, ordentl Professor für Neues Testament, Breslau.
DDr Otto Procksch, ordentl Professor für Altes Testament, Erlangen.
D Gottfried Quell, ordentl Professor für Altes Testament, Rostock.
D Gerhard von Rad, ordentl Professor für Altes Testament, Jena.
Lic Karl Heinrich Rengstorf, Konventual-Studiendirektor, Loccum (Hannover).
Dr Oskar Rühle, Stuttgart.
D Hermann Sasse, außerordentl Professor für Kirchengeschichte, Erlangen.
Dr Hans Heinrich Schaeder, ordentl Professor für Iranistik, Berlin.
Lic Heinrich Schlier, Pfarrer, Elberfeld.
Dr Lothar Schmid, Maulbronn (Württemberg), Evang-Theologisches Seminar.
D Karl Ludwig Schmidt, ordentl Professor für Neues Testament, Basel.
D Otto Schmitz, Professor, Bethel.
Lic Dr Carl Schneider, ordentl Professor für Neues Testament, Königsberg.
Lic Johannes Schneider, außerordentl Professor für Neues Testament,
    Berlin/Breslau.
D Julius Schniewind, ordentl Professor für Neues Testament, Halle.
D Gottlob Schrenk, ordentl Professor für Neues Testament, Zürich.
Lic Heinrich Seesemann, Dozent für Neues Testament, Riga/Berlin.
D Hans Freiherr von Soden, ordentl Professor für Kirchengeschichte und
    Neues Testament, Marburg.
Lic Gustav Stählin, Dozent für Neues Testament, Leipzig, zZt Professor
    an der Theologischen Hochschule Gurukul in Madras (Indien).
Lic Ethelbert Stauffer, ordentl Professor für Neues Testament, Bonn.
D Hermann Strathmann, ordentl Professor für Neues Testament, Erlangen.
Dr Albrecht Stumpff, Repetent, Tübingen.
D Artur Weiser, ordentl Professor für Altes Testament, Tübingen.
D Hans Windisch, weiland ordentl Professor für Neues Testament, Halle.
Dr Ernst Würthwein, Assistent, Tübingen.

† Θαμάρ, † Ῥαχάβ, † Ῥούϑ,
† ἡ τοῦ Οὐρίου

1. Die Nennung von Frauen in dem von Mt überlieferten Stammbaum Jesu ist schon an sich auffallend, da die Namen von Frauen in jüdischen Geschlechtsregistern selten sind [1]. Vollends auffallend ist, daß Mt, wenn er Frauen als Stammütter Jesu zu nennen für nötig hält, weder, wie man es sonst wohl tat, die Mütter der bedeutendsten Vorväter, etwa des Abraham oder des David, erwähnt (oder erfindet [2]), noch die vier berühmten Patriarchinnen, deren Namen auch sonst als die der Stammütter Israels überliefert wurden [3], anführt; daß er vielmehr, wohl bewußt an deren traditionelle Vierzahl anknüpfend, an ihre Stelle vier andere Frauen setzt (Mt 1, 3. 5. 6).

Nennung und Auswahl ist also keinesfalls zufällig, sondern absichtsvoll. Der Evangelist will mit den Namen dieser Frauen auf etwas hinweisen. Was er damit meint, kann allein die Erinnerung sein, daß der Stammbaum des Christus, indem er die Geschichte Israels umschließt, nicht nur von deren Glanzpunkten zeugt, sondern zugleich von der diese Geschichte und eben diese ihre Glanzpunkte — Patriarchenzeit und davidisches Haus — durchziehenden Sünde und Unwürdigkeit: diese vier Frauen — darin geradezu Gegen-Typen jener anderen vier — sind als Unwürdige, nämlich in Sünde und als Fremde [4], von Gott gewürdigt worden, Mütter Seines Messias zu werden. Das aber heißt: e r s t e n s, daß die Geschichte des zum Volk des Christus „erwählten" Volkes nicht so sehr Glanz als vielmehr Gnade ist [5]; z w e i t e n s, daß es der Weg dieser Gnade ist, ihr Werk auch durch den Fall der Menschen zu vollbringen [6]. So umschreibt der Stammbaum einen durch das ganze Evangelium sich hindurchziehenden Grundgedanken: daß die Letzten die Ersten sein werden; daß Gott dem Abra-

---

Θαμάρ κτλ. [1] Str-B I 15.
[2] bBB 91 a; vgl GKittel, Die γενεαλογίαι der Past, ZNW 20 (1931) 49 ff, bes 65.
[3] Schl Erl I 6 f; Str-B I 29.
[4] FWGrosheide, Het Heilig Evangelie volgens Mattheus (1922) 4 weist darauf hin, daß nicht nur Ruth Moabitin, sondern auch Rahab Kanaanäerin und Bathseba die Frau eines Hethiters, also gewiß auch selbst Nicht-Israelitin war.
[5] Wie stark diese Tongebung ist, beweist die Tatsache, daß den Evangelisten nicht einmal der Name der „Frau des Urias" interessiert; alles, was ihm an dieser Stammmutter wesentlich ist, liegt in der Tatsache, daß David seinen Sohn mit dem Weib eines

andern zeugte, also in der Tatsache, daß in dem Stammbaum ein Ehebruch seinen Platz hat! Δαυὶδ δὲ ἐγέννησεν τὸν Σολομῶνα ἐκ τῆς τοῦ Οὐρίου Mt 1, 6. Man beachte ferner, wie in demselben Mt der aus dieser Verbindung geborene Salomo als einer der anerkannten Höhepunkte der heiligen Geschichte dargestellt ist: Mt 6, 29; 12, 42. Auch daß streng genommen Salomo selbst ehelich geboren ist (2 S 12, 24), nachdem das Kind des Ehebruchs gestorben war (2 S 12, 14), ändert für Mt nichts an dem Tatbestand. Auch nach ihrer Verheiratung mit David bleibt Bathseba „das Weib des Uria" und bleibt die Frucht der Verbindung ein Ehebruchskind!
[6] Schl Erl I 7.

ham „aus diesen Steinen" Kinder erwecken kann; oder paulinisch: daß Gott
erwählt hat τὰ ἀσθενῆ τοῦ κόσμου, ... τὰ ἀγενῆ τοῦ κόσμου καὶ τὰ ἐξουθενημένα ...,
ἵνα καταισχύνῃ τὰ ἰσχυρά, ... ὅπως μὴ καυχήσηται πᾶσα σάρξ ἐνώπιον τοῦ θεοῦ
(1 K 1, 27 ff).

5   Wenn gegen diese Deutung eingewendet wird, die Bezugnahme auf die Sünde oder
Illegitimität jener Frauen sei bei Mt nicht anzunehmen, weil die synagogale Überlieferung diese Frauen bzw die Sünde der zu ihnen gehörigen Männer nach Möglichkeit entschuldigt, ja sogar glorifiziert habe [7], so verkennt dieses Urteil die Lage. Einmal: das Urteil der Rabbinen ist keineswegs einheitlich; insbesondere die ältere Über-
10   lieferung neigt noch gar nicht in allen diesen Fällen zu einer solchen Umkehrung der
sittlichen Begriffe (→ 3, 6 ff. 41 ff). Sodann aber: die Hypothese, Mt habe sich jene Glori-
fikation zu eigen gemacht, ist eine durch nichts angedeutete Hypothese, die keinerlei
Wahrscheinlichkeit in Anspruch nehmen kann (→ A 5).

15   Schwerlich will die Nennung der vier Frauen als solcher, die auf seltsame Art in
den Stammbaum des Messias hereinkamen, die Außerordentlichkeit der Gestalt der
Letzten in der Reihe vorbereiten, so daß jene „Typi Mariae" [8] wären. Denn worin
sollte diese Typik bestehen? Da Maria Vollisraelitin war, kann sie nicht mit den
Nicht-Israelitinnen verglichen sein, sondern höchstens mit den illegitim Mutter-Wer-
denden. Das müßte dann Bezugnahme auf den jüdischen Vorwurf der unehelichen
20   Geburt Jesu als des Panthera-Sohnes [9] sein. Aber das wäre eine groteske Apologetik
der Jungfrauengeburt, wollte der Evangelist sie rechtfertigen durch den Hinweis auf
diejenigen, welche zugestandenermaßen Huren oder Ehebrecherinnen waren. Zudem
scheidet diese ganze Kombination deshalb aus, weil nach allem, was wir wissen, zur
Zeit des Mt jene jüdische Polemik noch nicht aufgekommen war. Zwar haben schon
25   ältere rabbinische Texte (TChul 2, 22 ff) den Namen Jeschua' ben Panthera, aber noch
ohne jegliche polemische Bezugnahme [10], wahrscheinlich weil tatsächlich Jakob, der
Vater des Joseph, den Beinamen Πανθήρ gehabt hatte [11]. Erst in späterer Zeit, in
den Texten des babylonischen Talmud (Schab 104 b; Sanh 67 a) und bei Celsus (Orig
Cels I 32 ff [vgl 28. 39]) findet sich die Behauptung, daß Panthera der Buhle der
30   Mutter Jesu und damit der uneheliche Vater Jesu gewesen sei [12].

2. Die jüdische Exegese ist in der Beurteilung der
Frauen und der zu ihnen gehörigen Männer uneinheitlich. Vor allem in den
späteren Überlieferungen ist in jedem der vier Fälle eine starke Tendenz wirksam, die vom AT berichtete Sünde bzw Illegitimität abzuschwächen oder auch
35   ins Gegenteil zu verkehren [13].

a. Thamar, die nach der Erzählung Gn 38 zweimal an Söhnen Judas kinderlose
Witwe geworden ist, hat nach der Sitte der Leviratsehe ein Anrecht auf den dritten
Bruder, den ihr der Schwiegervater vorenthält. Um ihr Recht auf den Nachkommen
zu erzwingen, verlockt sie den Schwiegervater als Hure verkleidet, der mit ihr — also
40   unehelich und zudem in Hurerei — die Zwillinge Perez und Serach erzeugt, von denen
Perez der Vorfahr des David wird (Rt 4, 18).

Schon das AT beurteilt die Handlung weniger als Sünde der Thamar wie als solche
des Juda (Gn 38, 26). Die spätere rabbinische Exegese aber sucht fast ausnahmslos
auch ihn zu entschuldigen, daß er auf Veranlassung Gottes gehandelt habe, der ihn
45   zum Ahnherrn Davids und des Messias bestimmt hatte. Gn r 85 zu 38, 15 f: „RJochanan
sagte: Er (Juda) wollte vorübergehen, aber Gott entbot zu ihm den Engel, über den
den Geschlechtstrieb gesetzt ist. Der sprach zu ihm: Juda, wo willst du hin? Woher
sollen Könige, woher sollen Große entstehen? »Und er bog zu ihr ab, zu dem Wege

---

[7] Kl Mt² 2, unter Berufung auf Str-B, wie
schon HAWMeyer⁶ (1876) zSt unter Berufung
auf Wettstein zSt. Bezeichnenderweise hat
Str-B selbst diese Folgerung nicht gezogen.
[8] So schon HGrotius, Annotationes ad NT
(1641) zu Mt 1, 3. Ebs Meyer und noch Kl
Mt² zSt.
[9] So Wettstein I 226 f.
[10] Vgl Str-B I 38. Das Fehlen des Hinweises auf die illegitime Geburt Jesu in
diesen ältesten Texten macht die Hypothese,
„Sohn des Panthera" sei aus „Sohn der

Parthenos" entstanden (JKlausner, Jesus von
Nazareth [1930] 24 f ua), unwahrscheinlich.
[11] Epiph Haer 78, 7, 5; vgl Zahn Forsch
VI 267, der Hegesipp als Quelle des Epipha-
nius vermutet.
[12] Zum Ganzen ausführlich: HLStrack,
Jesus, die Häretiker und die Christen nach
den ältesten jüd Angaben (1910); ferner:
HWindisch, Die Legende von Panthera,
Christliche Welt 49 (1935) 689—694.
[13] Zum Folgenden vgl die erschöpfende
Übersicht bei Str-B I 15—29.

hin« (Gn 38, 16): also gezwungen, nicht aus freien Stücken.« Tanch וישב 13 (Buber 92 b):
„Ein Buhler, der belohnt wurde, war Juda, denn von ihm gingen aus Perez und
Chezron, die David und den König Messias stellen sollten, der Israel erlösen wird.
Siehe, wieviel Umwege Gott machen muß, bevor Er den König Messias aus Juda er-
stehen lassen kann." Tg J II z Gn 38, 26: „Ihr seid beide unschuldig, denn von Mir 5
ist die Sache ausgegangen"[14].

Allerdings scheint diese Glorifizierung Judas erst der amoräischen, dh der späteren
Überlieferung anzugehören. Soviel wir sehen, hat die tannaitische Zeit noch anders
geurteilt. TBer 4, 17f hat zwei auf die Kreise des RTarphon und des RAḳiba zurückgehende Diskussionen über die Frage: „Womit verdiente Juda das Königtum?" auf- 10
bewahrt. Die eine Erörterung weist ohne den Versuch einer Beschönigung der Sünde
auf das Gn 38, 26 überlieferte Schuldbekenntnis Judas als Grund seiner Anerkennung
hin. Die zweite Diskussion lehnt auch diese Auffassung ab: „Wird eine Sünde belohnt?"; es müssen andere Vorgänge im Leben des Juda als Grund für seine Belohnung gesucht werden (zB seine Demut Gn 44, 33). 15

b. R a h a b [15], die Hure von Jericho, hat nach Jos 2 die israelitischen Kundschafter
vor dem Verderben bewahrt. Sie wird als Proselytin (MEx 18, 1) und als Werkzeug
des heiligen Geistes gepriesen (SDt 22 zu 1, 24). Das NT rühmt sie sowohl um ihres
Glaubens (Hb 11, 31) als um ihres Handelns willen (Jk 2, 25). — Nach der at.lichen Erzählung war ihr Lohn, daß sie selbst und ihre Familie beim Untergang Jerichos 20
geschont wurde (Jos 6, 22ff). Nach verbreiteter rabb Überlieferung soll sie die Stammmutter zahlreicher Priester und Propheten geworden sein, vor allem des Jeremia und
des Ezechiel und der Prophetin Hulda (SNu 78 zu 10, 29; Pesikt 115 a). Als Ehemann wird in den uns erhaltenen Texten nur gelegentlich Josua erschlossen [16], bei
dem dann aber angenommen wird, daß er nur Söhne, keine Töchter gehabt habe. 25
Hinweise darauf, daß, wie Mt 1, 5 voraussetzt, Rahab von Salmon den Boas geboren
habe und damit Urgroßmutter des David geworden sei, sind uns nicht erhalten, doch
mag diese Version recht wohl in der älteren Exegese bestanden haben.

c. Daß in R u t h eine Moabitin, also eine Fremde, Davids Urgroßmutter ist, gilt als
ein unter natürlichen Gesichtspunkten ernster Familienmakel, den Gegner dem David 30
hätten vorhalten können [17]. Gelegentlich tritt auch der Gedanke auf, daß die darin
liegende Demütigung es sei, die dem Königshause Davids im Unterschied von dem
Sauls Dauer verliehen habe (bJoma 22b). Beherrschend ist aber auf der einen Seite
die Erinnerung an das Verdienst in ihrem Übertritt zum Judentum, durch das sie des
Lohnes teilhaftig ist [18]; auf der anderen Seite der Hinweis auf das providentielle 35
göttliche Walten, das der Vorzeit her sie als Urmutter des Messias bestimmt hat [19].

d. Die Frau des Uria. bSchab 56 a; bQid 43 a werden Äußerungen mehrerer
Rabbinen des 3. Jhdts zitiert, die sämtlich Entschuldigungs- und Rechtfertigungsgründe
für Davids Verhalten aufzählen: daß jeder in den Krieg Ziehende seinem Weib
den Scheidebrief schrieb, Bathseba also frei gewesen sei; oder daß Uria sich gegen 40
David empört habe, also zu Recht getötet worden sei. Dem stehen freilich auch in
diesem Fall andere Äußerungen gegenüber, so schon auf RSchammai zurückgehend
bQid 43 a, in denen auch von der rabbinischen Schriftauslegung Davids Schuld eindeutig festgestellt wird [20].

Kittel 45

---

† *ϑάμβος,* † *ϑαμβέω,*
† *ἔκϑαμβος,* † *ἐκϑαμβέομαι*

1. θάμβος [1], θαμβεῖν (seit Homer), auch θάμβησις und die Komposita
ἔκθαμβος, ἐκθαμβεῖν hängen wohl mit der indogermanischen Wurzel dhabh *schlagen,
betroffen sein* zusammen. Vgl auch τάφος, τέθηπα, θῆπος, Staunen. *Verblüfft sein, Staunen* 50

---

[14] Diese und weitere Belege Str-B I 15 ff.
[15] Mas: רָחָב; LXX u Hb 11, 31; Jk 2, 25: ῾Ραάβ; Mt 1, 5: ῾Ραχάβ. Vgl weiter Zn Mt 57 ff (Text u A 26).
[16] bMeg 14 b (Str-B I 23).
[17] bJeb 76 b (Str-B I 24): „Da sagte der Edomiter Doëg: ... Frage über ihn, ob er geeignet ist, in die Gemeinde Israels einzu-

treten oder nicht, weil er von Ruth, der Moabiterin, herkommt".
[18] Belege Str-B I 25 c/d.
[19] Belege Str-B I 26 f.
[20] Vgl Str-B I 28 f.

ϑάμβος κτλ. [1] Es begegnet ὁ und τὸ θάμβος. Vgl Bl-Debr [6] § 51, 2.

1*

ist die Grundbdtg der Wortgruppe. Die Bdtg *Erschrecken* (trans) und das Passiv *in Furcht versetzt werden* hat sich daraus entwickelt und ist später, namentlich auch in LXX, vorherrschend geworden [2]. Das Kompositum ἐκθαμβεῖν, -εῖσθαι ist als Intensivum zu verstehen; es bedeutet: *heftig erstaunen, erschrecken* (wie das ältere ἐκφοβεῖσθαι). ἔκθαμβος ist Rückbildung aus dem Verbum (wie das ältere ἔκφοβος) und bedeutet *erschrocken* und *schrecklich*. Eustath Thessal Comm in Il 4, 79 (Stallbaum I 358, 12 f) gibt für die Wortgruppe folgende Begriffsbestimmung: θάμβος ist ἡ διὰ θέας ἐμβιβαζομένη ἔκπληξις εἰς ψυχήν. Die Erschütterung entspringt zugleich der Bewunderung und der Furcht. Der unmittelbare Eindruck eines Geschehens, das plötzlich vor die Augen tritt, ist die Voraussetzung des Affektes. Götter und Menschen rufen mit ihrer Erscheinung und mit ihrem Tun solches starre Staunen hervor. Zahlreich sind die Beispiele bei Homer. Die Einzelkämpfe der Helden, das wunderbare Erscheinen und Verschwinden der Götter oder Himmelszeichen können bald neugieriges, bald ergriffenes Staunen bewirken [3]. Aber es ist nicht nur das, was vor Augen ist, das ein solches Staunen erregt; Priamos, der im Zelt des Achilleus um die Leiche des Sohnes bittet, erregt Verwunderung und Staunen durch sein tragisches Schicksal [4]. So erregt auch das Wunder nicht nur als Schauwunder, sondern vielfach auch durch den Gedanken an die in ihm sich offenbarende wunderbare Macht Staunen und Erschrecken. Vgl zB Aesch Suppl 570: τέρας δ' ἐθάμβουν. Damit bekommt θάμβος geradezu die Bedeutung *Furcht*, die zB bei Plat Phaedr 254 c begegnet. Die Haltung des ἔκθαμβος ist gut charakterisiert an der nt.lichen Kommentaren gelegentlich genannten Stelle Polyb 20, 10, 9: ἔκθαμβοι γεγονότες ἔστασαν ἄφωνοι πάντες, οἱονεὶ (wie) παραλελυμένοι καὶ τοῖς σώμασι καὶ ταῖς ψυχαῖς διὰ τὸ παράδοξον τῶν ἀπαντωμένων. Plutarch sieht im θάμβος eine Folge des Aberglaubens (zB Pericl VI 1 [I 154 e/f]); ebenso schon Arat Phaen 32, 2, wo es heißt: αὐτοῖς δὲ τοῖς πολίταις θέαμα σεμνότερον ἢ κατ' ἄνθρωπον ἐφάνη, καὶ τοῖς πολεμίοις φάσμα θεῖον ὁρᾶν δοκοῦσι φρίκην (Zittern) ἐνέβαλε καὶ θάμβος, ὥστε μηδένα τρέπεσθαι πρὸς ἀλκήν (Abwehr). Ganz ähnlich lautet die Stelle bei Heliodor Aeth X 9. Nach Plutarch wird der Mensch auf seinem Todeswege durch τὰ δεινὰ πάντα, φρίκη καὶ τρόμος καὶ ἱδρὼς καὶ θάμβος gequält, um er in die Sphäre des φῶς τι θαυμάσιον eintreten darf (fr VI: Ex Opere de Anima II 6 [Doehner-Dübner V p 9, 40 ff]). In Pericl VI 1 (I 154 e f) stellt Plutarch den Aberglauben (δεισιδαιμονία) und das Erstaunen zusammen. θάμβος in diesem Sinne ist die Wurzel alles Aberglaubens, während nur auf dem Boden klarer vernünftiger Erkenntnis echte Frömmigkeit gedeihen kann. Im ganzen hat sich der griech Sprachgebrauch mit Bezug auf die vorliegende Wortgruppe nicht wesentlich gewandelt. Sie umfaßt nach wie vor die Gemütsbewegungen zwischen Staunen und Erschrecken, namentlich soweit sie durch ein Sehen hervorgerufen werden. So findet sich zB ἐκθαμβεῖσθαι in der alten Verbindung mit dem Sehen in dem wohl aus der Zeit um 400 n Chr stammenden ‚orphischen‘ Argonautenepos 1218 f (ed EAbel 1885). Im übrigen sind Inschriften und Papyri Zeugen für den Gebrauch in der Koine. Aus dem Serapistempel auf Delos ist eine Inschrift erhalten, in der von θαμβητὰ ἔργα des Serapis die Rede ist. Dort heißt es auch: ὁ θαμβήσας ἀνεγρέτο (wachte auf) ... [5].

Besonders interessant ist ein inschriftliches Zeugnis von einem in den christlichen Gebrauch übergegangenen heidnischen Tempel in Gerasa, das wohl aus der Zeit Justinians stammt. Da heißt es von dem Tempel: θάμβος ὁμοῦ καὶ θαῦμα παρερχομένοισι ἐτύχθην [6]. Beispiele in den Zauberpapyri finden sich zum sogenannten 8. Buch Mosis XI 478 ff [7], wo es heißt: ἡ Γῆ ἀκούσασα ἤχους καὶ ἰδοῦσα Αὐγὴν ἐθαμβήθη καὶ ἐκύρτανε (krümmte sich). Im großen Pariser Zauberpapyrus gehört hierher die Mahnung, man solle vor den auf die Beschwörungen folgenden Erscheinungen nicht erschrecken. Entsprechend wendet man sich an die Gottheit mit der Bitte: „Laß dich sehen ... und erschrecke nicht meine Augen ...“ [8].

2. In der griechischen Bibel sind θάμβος und die davon abgeleiteten Wörter nicht besonders häufig. Auch findet sich keine feste hebräische Grundlage für diese Wortgruppe. Sie tritt für eine Anzahl hebräischer Vokabeln auf, die eine durch Erschrecken hervorgerufene körperliche Bewegung und dann auch den entsprechenden Affekt selbst bezeichnen. So für בָּעַת *überfallen*, 2 Βασ 22, 5: χείμαρροι ἀνομίας ἐθάμβησάν με (vl: περιέπνιξάν με, ψ 17, 5: ἐξετάραξάν με) in LXX, dazu mehr-

---

[2] Bl-Debr [6] § 78; Helbing Kasussyntax 79, Wbg Mk z 1, 27. Drei Stadien sind in der Entwicklung des Verbums zu unterscheiden: *a.* intr θαμβῶ, *b.* θαμβέομαι, ἐθαμβήθην (Übergang intransitiver Aktiva namentlich bei Verben der Gemütsbewegung zu deponentialer Flexion, Bl-Debr [6] § 307), *c.* daraus trans θαμβῶ.

[3] Il 23, 728. 815; 4, 79; 8, 77; Od 3, 372; 17, 367.
[4] Il 24, 483 f.
[5] IG XI 4 Nr 1299 Z 60, vgl 30. 91. Vgl BCH 37 (1913) 319 ff.
[6] Epigr Graec 1068.
[7] Preis Zaub XIII 478 ff.
[8] Preis Zaub IV 210. 237.

fach bei ’A (ἐκθαμβεῖν ’Ιωβ 3, 5; 15, 24; 33, 7). Weiter für חפז und תִּפְזֹון vgl LXX 4 Βασ 7, 15; ’A 1 Βασ 23, 26; Ex 12, 11; Dt 16, 3; ’ΑΣ Js 52, 12 (ἐκθάμβησις, ἔκθαμβος). LXX hat mehrfach σπεύδειν, σπουδή, σαλεύεσθαι ua dafür. Ebenso für רגז *beben*, ταράσσειν, ὀργίζειν usf. 1 Βασ 14, 15: וַתִּרְגַּז הָאָרֶץ = ἐθάμβησεν (dafür vl psychologisierend: ἐθαμβήθησαν) (πᾶς ὁ λαός) ἐν τῇ γῇ ἐκείνῃ. Für חרד *zittern, beben* und die Derivate 5 חָרֵד *heilige Scheu empfindend*, חֲרָדָה *Angst, Schrecken* hat LXX meist ἐξιστάναι, ἔκστασιν ἐκφοβεῖν. Unsere Wortgruppe tritt aber gelegentlich bei ’A ’Ιερ 37 (30), 5, wohl auch Ez 21, 14 (19) und bei Σ 1 Βασ 4, 13 (ἔκθαμβος) dafür ein. Ähnlich liegt es bei פחד *sich fürchten*, vgl LXX Cant 3, 8 und Θ ψ 52, 6; Js 44, 8; bei בהל *erschreckt werden*, vgl Σ ’Ιερ 51 (28), 32 (ἔκθαμβος), und bei den selteneren Wörtern פַּלָּצוּת *Beben*, 10 *Schrecken*, LXX Ez 7, 18 = θάμβος, sonst Js 21, 4 mit ἀνομία, ψ 54, 6 mit σκότος (’A εἰλίνδησις, Σ φρίκη) und ’Ιωβ 21, 6 mit ὀδύνη übersetzt, תַּחַת *Schrecknis*, nur Qoh 12, 5 (’A τρόμος), אָיֹם *schrecklich*, Cant 6, 4. 10 (Hab 1, 7 = φοβερός) und אֵימְתָן aram, *schrecklich*, Θ Da 7, 7 (LXX φόβος). Etwas anders ist die Wiedergabe von תמה *staunen, vor Schrecken sprachlos werden* bei Σ ’Ιωβ 26, 11 mit θαμβεῖσθαι und die von 15 תִּמָּהֹון *Verwirrung, Wahnsinn* in einer unbekannten Übersetzung zu Dt 28, 28 mit θάμβος empfunden. LXX hat hier und an der 2. Stelle, an der das Subst in Mas noch vorkommt, Sach 12, 4 dafür ἐξιστάναι bzw ἔκστασις. Auch רדם und תַּרְדֵּמָה *schlafen, Zauberschlaf* werden im Griechischen mehrfach mit ἐξιστάναι, ἔκστασις übersetzt, gelegentlich aber tritt auch dafür θαμβεῖν, θάμβος ein. So LXX 1 Βασ 26, 12; Θ Da 20 8, 18 (A). Wenn die Wurzel פחז *leichtfertig, übermütig sein* in LXX Ri 9, 4 (A), bei ’A Gn 49, 4 und bei ’ΑΣ Jer 23, 32 mit Derivaten der Wortgruppe θάμβος wiedergegeben wird, so ist dabei der verbindende Gedanke vorausgesetzt, daß Leichtsinn und Übermut eine gottgewirkte Verwirrung, einen Gottesschrecken bedingen, im Sinne des: quem deus perdere vult, prius dementat. Gelegentlich kann allerdings 25 auch die griechische Wortgruppe dem ursprünglichen Sinn der hebräischen Vorlage entsprechend auf einen körperlichen Vorgang bezogen werden (vgl oben 1 Βασ 14, 15). Im allgemeinen aber setzt sich je länger je mehr das psychologische Verständnis durch. So wird auch unsere Wortgruppe, die ja eine Gemütsbewegung zum Ausdruck bringt, in den jüngeren Übersetzungen häufiger. Gegenüber dem klassischen Sprach- 30 gebrauch tritt das Moment des Augenfälligen im biblischen Griechisch mehr zurück, vielmehr ist es ein geheimnisvoll Unanschauliches, das sich als mysterium tremendum im θάμβος des Menschen wirksam erweist [9].

3. Im NT ist zunächst an mehreren Stellen das Staunen mit dem Sehen verbunden: Mk 9, 15 (ἐκθαμβεῖσθαι) [10]; 16, 5. 6; Ag 3, 10. 11; 35 vgl Apk Pt 3, 8; 4, 11. In der Wundergeschichte Ag 3, 10. 11 ist θάμβος und ἔκθαμβοι (nur hier im NT) bzw das θαμβηθέντες von D mehr im Sinne von Staunen als von Erschrecken neben ἔκστασις und θαυμάζειν [11] gebraucht. In Apk Pt 3, 8; 4, 11 ist äußerlich genommen die Plötzlichkeit der Erscheinung (4, 11) oder ihr Glanz (3, 8) der Grund des Erschreckens. Ebenso könnte es in Mk 40 16, 5. 6 liegen. Aber hier deutet doch wohl das μὴ ἐκθαμβεῖσθε [12] im Munde des Engels auf eine Offenbarungsszene hin. Das Erschrecken ist also nicht äußerlich in der Art und dem Auftreten der Erscheinung begründet. Es ist nicht die psychische Reaktion auf das Wunderbare, die hier dargestellt werden

---

[9] Sir 30, 9 (— HT) ist ἐκθαμβεῖν = „erschrecken“ in profanem Sinne. Sap 11, 19; 17, 3 dagegen handelt es sich um den Gottesschrecken. Auch 1 Makk 6, 8 wird letztlich so zu deuten sein.
[10] ἐκθαμβεῖν, ἔκθαμβος sind auch im AT selten. In LXX kommt das Verbum nur Sir 30, 9 vor, das Adj nur Sap 10, 19 א: ἐκθάμβους (Acc pl) (oder ἐκ θάμβους?) statt ἐκ βάθους ἀβύσσου. Dazu kommen die oben genannten Stellen bei ’A, Σ und Θ. ἐκθαμβεῖσθαι kommt nur bei Mk vor.
[11] Gemeint ist nach Zn Ag zSt „eine an-

dächtiger Begeisterung verwandte Bewunderung handgreiflicher Wirkung überirdischer Kräfte“. Vgl auch EJacquier, Les Actes des Apôtres (1926) 100 f. θάμβος ist ein poetischer, dem Lk eigentlicher Ausdruck, der im klassischen Griechisch selten ist.
[12] Mt 28, 5 hat μὴ φοβεῖσθε ὑμεῖς. Die häufig (zB Mt 14, 27) Epiphanien einleitende formelhafte Heilsverkündigung dient hier, durch das betonte ὑμεῖς, der Darstellung des Gegensatzes zwischen dem Verhalten der Grabeswächter und dem der Frauen.

soll. Es soll aber auch nicht etwa ein numinoses Erlebnis der Beteiligten als
solches festgehalten werden. Vielmehr gehört das Erschrecken des Menschen
zum Typischen einer Offenbarungsszene oder einer Epiphanieszene. Durch die
Verwendung von θαμβεῖν wird also die vorliegende Erzählung im Sinne des
5 Berichterstatters als Offenbarungsszene gekennzeichnet. So ist auch in Mk 9, 15
das Staunen des Volkes das Mittel des Erzählers, um das Auftreten Jesu für den
Glaubenden als Epiphanie des Herrn zu charakterisieren [13]. Die Ausdrücke der
Furcht und des Staunens (→ φοβεῖσθαι, → ἐκπλήττεσθαι, → θορυβεῖσθαι, → θαυμάζειν,
→ ἐξίστασθαι) dienen also dazu, den Offenbarungsgehalt und dh die christo-
10 logische Bedeutung zahlreicher synoptischer Jesusszenen hervorzuheben. In
diesem Sinne ist auch Mk 1, 27 zu verstehen: ἐθαμβήθησαν (-βησαν), vl: ἐθαύμαζον (-μάσθησαν). Hier handelt es sich um die διδαχὴ καινὴ κατ' ἐξουσίαν und
die voraufgegangene Dämonenaustreibung. Damit ist zugleich die auch in der
antiken Wundergeschichte übliche Beglaubigung des Wunders durch die Zu-
15 schauer gegeben [14]. Und Lk 4, 36 scheint die Bemerkung ἐγένετο θάμβος (D +
μέγας) ἐπὶ πάντας ganz so gemeint zu haben. Mk 10, 24 ist von dem Erschrecken
der Jünger über die Worte Jesu die Rede. Dabei zeigt v 26, daß es nicht um
die die Jünger nicht persönlich treffende Einzelfrage nach der Rettung des
Reichen geht, sondern um den vom Menschen her unerfüllbaren Anspruch Jesu
20 überhaupt. Der die Nachfolge fordernde Herr erregt Furcht und Schrecken
auch bei den Jüngern. Auch sie sind menschlich geredet diesem Anspruch
nicht gewachsen. Die Wirkung des Herrn ist es auch, die in Lk 5, 8 in dem
Wort des Petrus zum Ausdruck kommt: ἔξελθε ἀπ' ἐμοῦ . . ., und die der Evangelist in Lk 5, 9 mit dem Begriff θάμβος umschreibt. Dem entspricht auch die
25 Gnadenverkündigung des μὴ φοβοῦ in v 10 [15]. So steht die Person Jesu auch
im Mittelpunkt der kleinen Szene Mk 10, 32 a. Nicht der Weg nach Jerusalem
oder das, was dort zu erwarten ist, ruft Erschrecken bei den Jüngern und
Furcht bei den Nachfolgern hervor, sondern die Mächtigkeit des Herrn, der
sein und ihr Geschick in der Hand hält, offenbart sich für den Evangelisten
30 wie für seine Leser in dem ehrfurchtsvollen Schauder, der die Haltung seiner
Umgebung bestimmt.

Dieser fromme Schauder ist dem Frommen nach dem auch bei Cl Al Strom V 14, 96
erhaltenen, aus dem Ev Hebr stammenden Oxyrhynchus-Logion Jesu wesenseigentüm-
lich [16]. In diesem apokryphen Herrenwort finden sich die Begriffe Suchen, Finden,
35 Staunen, königlich Herrschen, zur Ruhe-Kommen in einer Klimax miteinander verbunden. Die fromme Haltung, die in der kanonischen Überlieferung nur der indirekten
Schilderung des Herrn als sein Abglanz dient, hat hier ihre selbständige Bedeutung
im Sinne des numinosen Erlebnisses bekommen. Es bezeichnet jedenfalls eine Vorstufe des christlichen Heilsbesitzes, und das gilt von der Haltung des Staunens gegen-

---

[13] An den Abglanz der Verklärung nach
Ex 34, 29 f ist hier nicht zu denken. Auch
andere äußerliche Gründe, wie sie von den
Komm vielfach vermutet werden, kommen
nicht in Betracht. Vgl auch Cramer·Cat zSt:
ἀλλ' αἰφνίδιον αὐτὸν θεασάμενοι, μᾶλλον δὲ
οὐκ αὐτοὶ (οὐδὲ γάρ εἰσιν ἄξιοι τὸν Σωτῆρα
θεωρεῖν) ἀλλ' ὁ πᾶς ὄχλος ἐξεθαμβήθη, τῆς θέας
αὐτοὺς εἰς ἔκπληξιν ἀγαγούσης.
[14] Vgl Kl Mk zSt; Bultmann Trad 241, und
EPeterson, Εἷς Θεός (1926) 193 ff, der religiöses
und ästhetisches Staunen unterscheidet.

[15] Vgl Zn Lk zSt.
[16] Vgl dazu die Bemerkungen von BGrenfell
und AHunt in ihrer Ausgabe der Oxyrhynchus-
Papyri (IV 654, 1 ff). Außerdem Zahn Kan
II 657; AvHarnack, SAB 1904, 175 ff; Deißmann LO 363 f. Zahn versucht über eine semitische Grundlage auf θορυβηθείς/συντετριμμέ-
νος nach Lk 4, 18 zu kommen. Harnack verteidigt die vorliegende Form. Es handele
sich um ein Staunen vor Freude wie Mt
13, 44.

über dem Herrn überhaupt. Das Staunen ist die Haltung des Außenstehenden, des noch nicht zum Glauben Gekommenen. Dem Staunenden fehlt die letzte Sicherheit des sich gläubig im Besitz des Heils wissenden Gotteskindes. Das Staunen entspringt dem Gefühl des Abstandes; es bedarf erst der Überwindung durch das göttliche Gnadenwort: μὴ ἐκθαμβεῖσθε (→ 5 A 12).   5

In Mk 14, 33, der Gethsemanegeschichte, begegnet ἐκθαμβεῖσθαι noch einmal zusammen mit ἀδημονεῖν und als Parallele zu dem λυπεῖσθαι des Mt (26, 37).

'Αδημονεῖν hat Σ ψ 115, 2 für חמד, wo 'Α θαμβεῖσθαι nimmt, während LXX den Begriff der ἔκστασις verwendet [17]. Denselben Begriff verwendet LXX ψ 30, 23 für dieselbe hbr Vokabel als Einleitung zu einem Vers, der als Parallele und zugleich als 10 Weiterführung von ψ 21, 2 zu gelten hat. Das christologische Verständnis dieser at.lichen Aussagen, das in der Gethsemanegeschichte bereits vorauszusetzen ist, sieht in ihnen nicht nur den gegebenen Ausdruck für die psychische Verfassung Jesu in der Stunde von Gethsemane, sondern findet durch diese in der at.lichen Offenbarung geprägten Formen (vgl bes ψ 115) auch Gethsemane als Offenbarungs- 15 szene gekennzeichnet. Die theologische Bedeutung der Szene hat man von je in ihrem antidoketischen Charakter gesehen [18]. Für das moderne historische Urteil gilt in einem ähnlichen Sinne die Szene als eine der festen Säulen der Geschichtlichkeit Jesu. Gerade der „zagende" [19] Christus ist der Träger der Offenbarung Gottes für uns.

Bertram   20

+-----------------------------------+
| *ϑάνατος, ϑνῄσκω, ἀποϑνῄσκω,* |
| *συναποϑνῄσκω, ϑανατόω,* | → ζωή
| *ϑνητός, ἀϑανασία (ἀϑάνατος)* |
+-----------------------------------+

ϑάνατος, ϑνῄσκω, ἀποϑνῄσκω, συναποϑνῄσκω

Inhalt: A. θάνατος im griechischen Sprachgebrauch: 1. Der klassische 25 Sprachgebrauch; 2. Der hellenistische Sprachgebrauch: a. Die Stoa; b. Der Neuplatonismus; c. Die Gnosis; d. Philo. — B. Der Todesbegriff des NT. — Über den Todesgedanken im AT und Judentum → ζωή II 850, 45 ff; II 856, 35 ff.

A. ϑάνατος im griechischen Sprachgebrauch.

1. Der klassische Sprachgebrauch.   30

Macht nach alter populärer griech Vorstellung der Tod das menschliche Dasein insofern nicht zunichte, als der Gestorbene ein Schattendasein im Hades führt, so gilt dieses doch nicht als ein Leben. Denn was Leben heißt, wird durch den Tod vernichtet, und keiner soll über das Grauen des Todes hinwegreden (Hom Od 11, 487 ff)! Das Leben ist das höchste 35 Gut [1]. Sieht man von der Vorstellung der Entrückung einzelner Heroen auf die

---

[17] θαμβεῖν wird 1 Βασ 14, 15 und λυπεῖν Js 32, 11 und wohl auch Ez 16, 43 von LXX für חרד *beben* verwendet.

[18] Vgl Cramer Cat zSt.

[19] Vgl Luther Ps 31, 23; 116, 11; Mt 26, 37; Mk 14, 33. τρέμων und θαμβῶν finden sich nebeneinander auch Ag 9, 6 ς; entsprechend übersetzen Vg, Luther. Hier handelt es sich um eine Offenbarungsszene.

ϑάνατος κτλ. → ζάω Lit-A, bes Rohde. Außerdem WFOtto, Die Götter Griechenlands (1929) 175—191; KSauer, Untersuchungen zur Darstellung des Todes in der griech-röm Geschichts-

schreibung (Diss Frankf 1930); Stob Ecl (IV 1066—1073: περὶ θανάτου, καὶ ὡς εἴη ἄφυκτος, 1074—1078: ἔπαινος ζωῆς, 1079—1096: ἔπαινος θανάτου, 1079—1112: σύγκρισις ζωῆς καὶ θανάτου. — Nachtrag zu ζάω, ζωή B → II 833 Lit-A: KFMüller, Die israelitischen Anschauungen über die Beziehungen der Toten zu den Lebenden in der Zeit des Jahvismus (ungedr Diss Kiel 1920).

[1] Hes Theog 758 ff über Schlaf und Tod: Der Schlaf wird als Freund der Menschen geschildert, τοῦ δὲ (sc τοῦ θανάτου) σιδηρέη μὲν κραδίη, χάλκεον δέ οἱ ἦτορ νηλεὲς ἐν στή-

„Inseln der Seligen" und von dem Glauben der „orphischen" und pythagoreischen Kreise, daß der Tod die Befreiung der im Leibe eingekerkerten Seele sei, und von der Seelenwanderungsvorstellung dieser Kreise ab, so gilt der Tod als das Ende des Lebens und damit als Schrecknis [2]; denn warum stürben sonst die seligen Götter 5 nicht? (Sappho nach Aristot Rhet II 23 p 1398 b 27ff). Ist der Tod auch allgemeines Menschenschicksal (θανάτῳ πάντες ὀφειλόμεθα, alter Spruch), so ist das kein Trost; vielmehr wirft das Sterbenmüssen seinen Schatten auf jedes Leben und läßt seinen Sinn als fraglich erscheinen [3]. Eher gewährt es einen Trost, daß das Leben selbst ein zweifelhaftes Gut ist mit seiner Mühsal und Not, so daß es 10 besser scheinen kann, nie geboren zu sein, oder doch gleich wieder zu sterben [4]. Der Tod bringt doch Ruhe [5], und der Selbstmord kann uU als Befreiung von Schmach und Leid erscheinen [6]. Und dennoch: wenn der Tod kommt, will keiner sterben [7]. Schließlich weiß man auch nicht, was nach dem Tode sein wird [8].

θεοῖσιν· ἔχει δ' ὃν πρῶτα λάβῃσιν ἀνθρώπων· ἐχθρὸς δὲ καὶ ἀθανάτοισι θεοῖσιν. Op 116 von den Menschen des goldenen Zeitalters: θνῆσκον δ' ὥς θ' ὕπνῳ δεδμημένοι, 152ff von denen des ehernen: καὶ τοὶ μὲν χείρεσσιν ὕπο σφετέρῃσι δαμέντες βῆσαν ἐς εὐρώεντα δόμον κρυεροῦ' Ἀΐδαο νώνυμνοι· θάνατος δὲ καὶ ἐκπάγλους (furchtbar) περ ἐόντας εἷλε μέλας, λαμπρὸν δ' ἔλιπον φάος ἠελίοιο. Vgl Sappho Fr 58; Soph Fr 64: τὸ ζῆν γάρ, ὦ παῖ, παντὸς ἥδιστον γέρας. θανεῖν γὰρ οὐκ ἔξεστι τοῖς αὐτοῖσι δίς. Fr 275: τὸν Ἀίδαν γὰρ οὐδὲ γῆρας οἶδε φιλεῖν (TGF). Eur Fr 816, 10f: τὸ ζῆν γὰρ ἴσμεν, τοῦ θανεῖν δ' ἀπειρίᾳ πᾶς τις φοβεῖται φῶς λιπεῖν τόδ' ἡλίου (TGF). Iph Aul 1251f: μαίνεται δ' ὃς εὔχεται θανεῖν. κακῶς ζῆν κρεῖσσον ἢ καλῶς θανεῖν. 1416: ὁ θάνατος δεινὸν κακόν. Aristoph Ra 1394: der θάνατος als βαρύτατον κακόν. — Über die homerische Idee vom Tode als der Region des „Gewesen" und die Sublimierung der Todeswehmut WFOtto aaO.

[2] Anders als für → Ζωή A 3 ist es zur Personifikation und künstlerischen Darstellung von θάνατος gekommen. Freilich ist die von Lessing (Wie die Alten den Tod gebildet) behandelte Darstellung von ὕπνος und θάνατος als Brüdern (vgl Hom Il 16, 671ff, auch 14, 231; Hes Theog 211f. 756ff) nicht für den populären Glauben charakteristisch. In der bekannten Lekythendarstellung übergibt wahrscheinlich ὕπνος den Toten dem Gruftdämon. Für die Volksvorstellung ist charakteristisch die Auffassung des Todes als eines grauenhaften Dämons in Eur Alc, und die künstlerische Darstellung des Todes ist nicht nur in den ausdrücklichen (seltenen) Gestalten des θάνατος zu suchen, sondern bes in den Bildern der Unterweltsungeheuer und Gespenster, die auch in der etruskischen Vasenmalerei erscheinen. — Zur Ikonographie des Todes vgl CRobert, Thanatos (Winkelmann-Programm) (1879); AAdamek, Die Darstellung des Todes in der griech Kunst und Lessings Schrift... (1885); HUbell, Vier Kapitel vom Thanatos (1903); KHeinemann, Thanatos in Poesie und Kunst der Griechen (Diss München 1913); FPWeber, Aspects of Death and Correlated Aspects of Life in Art, Epigram and Poetry [4] (1922); ferner AMan, Katalog der Bibliothek des Deutschen Archäol Instituts in Rom (1932) II 1093f. — Außerdem JMartha, L'Art Etrusque II (1889) 394; PJacobsthal, Göttinger Vasen, AGG, NF XIV 1 (1912) 8—10; FWeege, Etrusk Malerei (1921) 42ff; JKroll, Tod und Teufel in der Antike, Verhandlungen d Versammlung deutscher Philologen u Schulmänner 56 (1927) 44 f. LMalten, Das Pferd im Totenglauben, Jahrbuch des Kaiserlich Deutsch Archäol Instituts 29 (1914) 179—256. Über den Totendämon Eurynomos (Paus X 28, 7) vgl CRobert, Die Nekyia des Polygnot (1892) und OKern bei Pauly-W VI (1909) sv Eurynomos.

[3] Pind Pyth 8, 96f: . . . σκιᾶς ὄναρ ἄνθρωπος. Soph Ai 125f: ὁρῶ γὰρ ἡμᾶς οὐδὲν ὄντας ἄλλο πλὴν εἴδωλ', ὅσοιπερ ζῶμεν, ἢ κούφην σκιάν. Eur Fr 532 (TGF): der Tote ist γῆ und σκιά· τὸ μηδὲν εἰς οὐδὲν ῥέπει (sinkt) vgl Fr 638 (TGF) → Ζωή II 836, 23f. — Etwas anders Plat Phileb 51 b über die Mischung von Freude und Leid μὴ τοῖς δράμασι μόνον ἀλλὰ καὶ τῇ τοῦ βίου ξυμπάσῃ τραγῳδίᾳ καὶ κωμῳδίᾳ. — Die Kürze des Lebens wird zB in den Grabepigrammen Epigr Graec 303, 3f; 699, 5f betont.

[4] Rohde II 200; RHirzel, ARW XI (1908) 86; bes Theogn 425ff. Vgl den mehrfach variierten Satz: ὃν οἱ θεοὶ φιλοῦσιν ἀποθνῄσκει νέος.

[5] Aesch Fr 255 (TGF); Soph Trach 1173; Oed Col 955. 1225ff; Eur Tro 606f. 634ff usf.

[6] RHirzel, ARW XI (1908) 75—104, 243—284, 417—476. Zuerst Theogn 173ff.

[7] Eur Alc 669ff; Iph Aul 1252f; Lycophron Fr 5 (TGF); Aesopicae Fabulae 90 p 44 CHalm (1868): ὅτι πᾶς ἄνθρωπος φιλόζως ἐν τῷ βίῳ, κἂν δυστυχῇ (vl 90 b p 44f: ὅτι πᾶς ἄνθρωπος, φιλόζωος ὤν, κἂν μυρίοις κινδύνοις περιπεσὼν δοκῇ θανάτου ἐπιθυμεῖν, ὅμως τὸ ζῆν πολὺ πρὸ τοῦ θανάτου αἱρεῖται).

[8] Eur Hipp 189ff; Fr 816, 10f.

Aber wie die homerischen Helden für den Ruhm ihr Leben einsetzen [9], so
gibt das κλέος (die δόξα) überhaupt die Möglichkeit, den Tod als Tat in das
Leben einzubeziehen: im Nachruhm auf Erden lebt unsterblich, wer in
rühmlichem Kampf gefallen ist [10], und vielleicht hören die Toten noch etwas
von diesem Ruhm [11]. Doch braucht die ἀρετή (ἀνδρεία), die den Tod auf sich 5
nimmt, nicht immer von der Reflexion auf die δόξα begleitet zu sein: οὐδὲ ζῆν
ἂν ἐγὼ δεξαίμην δειλὸς ὤν Plat Alc 115 d [12]. Vor allem ist der Tod für die
πόλις, in der das κλέος weiterlebt, etwas Großes [13]. So wird das καλῶς ἀποθνῄσκειν zur charakteristisch griech Überwindung des θάνατος [14].

Zeigt sich also, daß griech Denken ursprünglich den Tod nicht als Natur- 10
phänomen, sondern als Schicksal spezifisch menschlichen Daseins versteht, mit
dem jeder für sich fertig zu werden hat, so ist doch für griech Denken ebenso
charakteristisch, daß es auch dadurch mit dem Tode fertig zu werden sucht,
daß es ihn als Naturphänomen interpretiert.

Für die ionische Philosophie ist die Lebenskraft, die ψυχή, unsterblich, aber nur als 15
die den κόσμος durchwaltende Kraft, die in allen Formen und Verwandlungen, zu
denen auch das individuelle Leben und sein Tod gehört, die gleiche bleibt (→ ζωή II
834, 1 ff). Das Werden des Einen ist das Sterben des Anderen, so daß Heracl fr 62 die
Gegensätze Leben und Tod ausdrücklich relativiert: ἀθάνατοι θνητοί, θνητοὶ ἀθάνατοι,
ζῶντες τὸν ἐκείνων θάνατον, τὸν δὲ ἐκείνων βίον τεθνεῶτες (I 89, 14 f Diels).   20

In für das Griechentum repräsentativer Weise ist das Todesproblem von
Euripides und von Plato behandelt worden.

Wenn auch Eur nicht selten die naturwissenschaftliche Anschauung von der unsterblichen Allseele reproduziert, in die die Einzelseele nach dem Tode eingeht [15], so weiß er
doch, daß damit das Problem, das das individuelle Sterben jedem stellt, nicht gelöst 25
ist. Ausdrücklich hat er es in der Alkestis behandelt, in der vor allem dies deutlich
gemacht ist, daß der Tod je mein Tod ist, in dem mich niemand vertreten kann, dessen ich
nicht mit Hilfe allgemeiner Erwägungen Herr werde, über dessen Grauen mich nichts
trösten kann, und der jedes Leben fraglich macht; dann aber auch, daß die Flucht
vor dem Tod das Leben schlimmer macht als das Sterben. Ob Tod und Leben über- 30
haupt Werte sind, nach denen menschliches Verhalten sich einrichten kann, und die
seinen Sinn bestimmen, ist die Frage, in die diese Dichtung hineinführt.

Die positive Antwort wird in der platonischen Philosophie gegeben.
In der Apologie wird zunächst ausdrücklich verneint, daß Tod und Leben
solche Werte sind, und daß der Mensch wissen könne, ob der Tod ein ἀγαθόν 35
oder ein κακόν ist (29 a). Das Todesproblem wird also in eine andere Sphäre
gehoben; an Stelle der Fragestellung Gut oder Übel muß die von Recht oder
Unrecht treten (28 b. 29 b), und diese Frage, die dem Handeln des Menschen

---

[9] Hom Il 18, 115 ff; 19, 420 ff.
[10] Tyrtaeus 9, 31 f (Diehl I 15); Pind Isthm
7, 27 ff; 8, 56 ff; Heracl fr 24. 25 (Diels I 82,
14 f. 16 f); Eur Tro 393 f; Hel 841.
[11] Rohde II 201, A 4.
[12] Plat Menex 247 d: es ist besser ἀγαθός
zu sein als ἀθάνατος; vgl Eur Iph Taur 502.
674.
[13] Plat Menex 248 c; Thuc II 41—44; Tyrtaeus 6, 1 ff (Diehl I 9 f): τεθνάμεναι γὰρ καλὸν
ἐνὶ προμάχοισι πεσόντα ἄνδρ᾽ ἀγαθὸν περὶ ἧι
πατρίδι μαρνάμενον.
[14] Soph Ai 473 ff; Eur Iph Taur 321 f; Plat
Menex 246 d; Leg 944 c; Aristot Eth Nic I 8
p 1169 a 18 ff; Xenoph Resp Lac 9, 1: αἱρε-
τώτερον εἶναι τὸν καλὸν θάνατον ἀντὶ τοῦ

αἰσχροῦ βίου. Daher kann der Selbstmord
den Charakter des Heroischen gewinnen,
vgl Hirzel aaO; FDornseiff, ARW 22 (1923/24)
146 f. — Wie die spätere Skepsis diese Anschauung auflöst, zeigt zB Luc Dialogi Mortuorum 15, 2: Der Tod hebt alle Unterschiede
auf: ἰσηγορία δὲ ἀκριβὴς καὶ νεκρὸς ὅμοιος
„ἠμὲν κακὸς ἠδὲ καὶ ἐσθλός“. Es bleibt: σιωπᾶν γὰρ καὶ φέρειν καὶ ἀνέχεσθαι δέδοκται
ἡμῖν. — Es findet sich im Griechentum auch
der vielfach verbreitete Gedanke, daß der
Gestorbene in seinen Kindern fortlebt, vgl
Mimnermus fr 2, 13 ff (Diehl I 40 f), die παῖδες
neben dem Ruhm bei Hypereides 6, 42 (p 113,
9 ff Jensen [1917]).
[15] Rohde II 247 ff.

gestellt ist, hat er auch zu beantworten. So geht ihn nicht das Totsein, aber das Sterben etwas an: es wird zur Tat; denn die Situation des Sterbens gibt dem Menschen noch einmal die Möglichkeit, sich als Guten oder Schlechten zu bewähren und so die letzte Probe des Gehorsams zu bestehen, die Gott ver-
5 langt (28 d. 38 e ff. 41 d ff). Darüber noch hinaus führt der Phaidon [16], der den Satz durchführt, die echte philosophische Lebenshaltung sei ein μελετᾶν ἀποθνήσκειν (64 a. 67 e. 80 e). So wird deutlich, inwiefern der Tod die Probe des Lebens sein kann: nicht eigentlich insofern er als unverständliches Schicksal in der Konsequenz eines gerechten Lebens genommen werden muß, sondern
10 positiv: das gerechte Leben findet seine Erfüllung im Tode, zu dem es immer hinstrebte. Denn der Tod trifft nur das σῶμα; das Leben des Philosophen besteht aber gerade darin, die ψυχή vom σῶμα zu befreien. Schließt sich Plato darin der „orphisch"-pythagoreischen Tradition in der Bildersprache an, so ist der Sinn doch nicht der dualistische jener Tradition, da die philosophische
15 κάθαρσις keine Askese, sondern eine positive Lebenshaltung ist. Die Bedeutung jener Tradition besteht also darin, daß sie die Ausdrucksmittel für den Gedanken liefert, daß das eigentliche Leben des Menschen nicht ein Naturphänomen ist. Im Kampf gegen die ἐπιθυμίαι und die ἡδοναί, im Dienste der ἀρετή (φρόνησις) soll diese Eigentlichkeit gewonnen werden (82 c. 107 c d. 114 c). Die eigentliche
20 ζωή ist nicht gegeben, sondern aufgegeben; der Tod aber als Naturvorgang gehört in die Sphäre des Gegebenen. Wenn also das eigentliche Leben ein Sich-frei-machen vom Leibe ist, so kann der Philosoph das Ende des leiblichen Daseins im Tode nicht fürchten. Daß die Seele weiter bestehen wird, weiß er zwar nicht, aber es besteht eine μεγάλη ἐλπίς (114 c d). Diese Hoffnung — und
25 damit die Versuche, die Unsterblichkeit zu „beweisen" — begründet nicht die philosophische Haltung zum Tode, sondern erwächst aus ihr. .Der Glaube an die Unsterblichkeit ist also ein Wagnis (κίνδυνος 114 d), unbedingt verpflichtend aber ist die Forderung der ἀρετή, und sie verbietet, die Seele als ein leibliches Ding, das Leben als einen Naturvorgang und damit den Tod als ein
30 bloßes Naturphänomen anzusehen.

In der Folgezeit wirken alle diese Motive nach. Wenn Aristot die ζωή als Naturphänomen analysiert (→ ζωή II 834, 1 ff), so kann auch der Tod nur ein Naturphänomen für ihn sein; in ihm erlischt die ψυχή, die Lebenskraft des leiblichen Organismus; da sie nur mit ihm existieren kann, hat sie im Tod ihr Ende. Unsterblich ist freilich der
35 θύραθεν in die ψυχή gekommene νοῦς, der sich im Tode von σῶμα und ψυχή trennt; aber über der Weise seiner Fortexistenz liegt völliges Dunkel [17]. Das hindert aber nicht, daß auch Aristot den Tod als Tat verstehen kann [18].

2. Der hellenistische Sprachgebrauch.

a. Die Stoa. In der Stoa wird der Tod ausdrücklich
40 als Naturphänomen aufgefaßt, jedoch in der gleichen inkonsequenten Weise wie die ζωή (→ II 838, 24 ff).

---

[16] A Tumarkin, Rheinisches Museum NF 75 (1926) 58—83. Ich kann freilich die Ansicht (vgl P Natorp, Platos Ideenlehre ² [1921]), daß die Unsterblichkeit der Seele für Plato nur ein Bild für die Überzeitlichkeit der Idee sei, nicht für richtig halten. Vgl P Friedländer, Platon II (1930) 321—344.
[17] Rohde II 801—309.
[18] Eth Nic I 8 p 1169 a 18 ff (das ὑπεραποθνήσκειν für die πατρίς oder die φίλοι ist ein καλόν).

Als Naturphänomen ist er ein ἀδιάφορον. Aber seine Übernahme als eines ἀδιάφορον muß gerade je vom Einzelnen vollzogen werden; das Sterben wird zum ethischen Problem bzw zur ethischen Tat[19]. Es kommt auch hier zur Geltung, daß der Tod je meiner ist, und wenn die Mahnung zum μελετᾶν ἀποθνήσκειν hier aufgenommen und fortgesetzt wird, so ist das Eigentümliche dieses, daß das μελετᾶν weithin gerade 5 darin besteht, daß sich der Mensch seiner als eines Naturwesens und des Todes als eines indifferenten Naturvorganges bewußt werden soll[20]. Erleichtert wird diese Selbsterziehung dadurch, daß die natürliche ζωή und ihre scheinbaren Güter nicht nur als ἀδιάφορα charakterisiert werden, sondern daß (in Wiederaufnahme alter Motive) die Güter des Lebens und der Leib in ihrer Wertlosigkeit und Verächtlichkeit, mit ihrer 10 Mühsal und Not pessimistisch abgewertet werden und eine pessimistische Geschichtsbetrachtung entwickelt wird[21]. In der Rechtfertigung des Selbstmordes findet diese Auffassung ihren deutlichen Ausdruck[22]. Wenn aber gefordert wird, daß diese ἐξαγωγή eine εὔλογος sein müsse[23], und wenn die Philosophie als die Kunst, richtig zu leben und zu sterben, bestimmt wird[24], so konkurriert mit der materialistischen und pessi- 15 mistischen Betrachtung die ethische, dh ζωή und θάνατος werden doch wieder als je meine aufgefaßt, für die ich die Verantwortung habe, und bes Epiktet warnt vor leichtfertigem Selbstmord[25]. Jenes μελετᾶν erhält dann doch — wie Epict und MAnt — wie bei Plat einen positiven Sinn: der Tod ist die Probe auf die rechte Lebensführung[26], und das μελετᾶν vollzieht sich in der Abwendung von den äußeren Dingen und dem 20 ἐπιστρέφειν εἰς ἑαυτόν[27], das zur dankbaren Übernahme des Schicksals führt, durch das Gott den Menschen begnadet und erzieht, und zur Übernahme der sittlichen Verantwortung in der Übung der ἀρετή und (bes bei MAnt) in der Erkenntnis ὅτι ἀλλήλων ἕνεκεν γεγόναμεν[28], in der εὔνοια und εὐμένεια gegen die Nächsten[29]. Der bevorstehende Tod, der das ganze Leben unter seinen Schatten stellt, hat also den positiven Sinn, 25 dem Leben eine Richtung zu geben[30]. Denn οὐδεὶς ἄλλον ἀποβάλλει βίον ἢ τοῦτον, ὃν ζῇ, οὐδὲ ἄλλον ζῇ ἢ ὃν ἀποβάλλει (MAnt 2, 14 p 18, 14 ff; vgl Sen Ep 69, 6). So führt der Blick auf den Tod gerade zur entschlossenen Übernahme des ἐν χερσί, des παρόν[31], und die Lebenslänge wird gleichgültig. Gerade dann wird der Tod den Menschen wohlvorbereitet treffen[32], und diese Bereitschaft wird von MAnt 11 3 (p 137, 22 ff) aus- 30 drücklich der christlichen Todesbereitschaft entgegengesetzt.

Man wird nicht sagen dürfen, daß hier bei Epict und MAnt die Gegenwärtigkeit, in der das Leben seine Eigentlichkeit gewinnen soll, zur Zeitlosigkeit verflüchtigt ist. Aber charakteristisch ist, daß hier das Jetzt nie in seiner Gebundenheit an die Vergangenheit, und zwar je an meine Vergangenheit, ver- 35 standen wird. Weil der Mensch nicht verstanden wird als gebunden durch Schuld oder Sünde, erscheint er als frei gegenüber dem Tode; er kann seiner Schrecken Herr werden, weil der Tod nie den Charakter eines Gerichts über ihn zu gewinnen braucht.

Ist die Eigentlichkeit des Lebens nicht vom Tode bedroht, so vom Verfall, 40 der in der unphilosophischen Lebenshaltung, in der Preisgabe der ἀρετή, in der Hingabe an das äußere Leben und seine Güter besteht. Und da dies alles eben die Bedrohung des eigentlichen Lebens ausmacht, wird es selbst als Tod oder als Sterben bezeichnet, und werden der Leib und die äußeren Güter tot genannt.

---

[19] EBenz, Das Todesproblem in der stoischen Philosophie (1929).

[20] R.Bultmann, ZNW 13 (1912) 108 f, dazu MAnt 2, 12. 17; 4, 5; 8, 25; 11, 20 (p 17, 15 ff; 20, 7 ff; 34, 12 ff; 98, 13 ff; 146, 1 ff). So auch Epic bei DiogL X 124. 126. 139.

[21] Benz aaO 59 ff.

[22] Benz aaO 54 ff.

[23] Hirzel aaO 281. Benz aaO 68 ff.

[24] Benz aaO 83 ff.

[25] Diss I 9, 24 usf, Benz aaO 76 ff.

[26] Benz 86 ff.

[27] Benz 79 ff; vgl Sen Ep 1, 1 (vindica te tibi).

[28] MAnt 8, 56; 11, 18 (p 106, 18 f; 143, 4).

[29] οἱ πλησίον, vgl MAnt 11, 1 (p 137, 9): ἴδιον δὲ λογικῆς ψυχῆς καὶ τὸ φιλεῖν τοὺς πλησίον. 6, 30 (p 69, 13 ff): βραχὺς ὁ βίος· εἷς καρπὸς τῆς ἐπιγείου ζωῆς διάθεσις ὁσία καὶ πράξεις κοινωνικαί.

[30] MAnt 2, 5. 11; 5, 29; 7, 56 (p 14, 16 ff; 16, 13 ff; 59, 1 ff; 88, 16 f).

[31] MAnt 2, 5. 14; 3, 10. 12; 6, 2; 10, 1; 12, 35 (p 14, 12 ff; 18, 17 ff; 28, 5; 29, 11; 62, 8; 122, 12 ff).

[32] Epict Diss III 5, 5—11; IV 1, 103—110; 10, 8—17; MAnt 6, 30 (p 70, 7 f) uö. Vgl auch R.Bultmann, ZNW 13 (1912) 108—110.

Ja, die Menschen, die nicht zum philosophischen Leben erweckt sind, und ihre Lebensverhältnisse werden als tot (νεκρός) bezeichnet [33].

          b. Der Neuplatonismus. Dieser Sprachgebrauch ist auch dem hellenistischen Dualismus eigen. Für Plotin ist es θάνατος für die ψυχή: αὐτῇ καὶ ἔτι ἐν τῷ σώματι βεβαπτισμένη ἐν ὕλῃ ἐστὶ καταδῦναι καὶ πλησθῆναι αὐτῆς dh in der Schlechtigkeit zu versinken [34]. Plot ist freilich, da er an das σῶμα gebundenen ψυχή positive Aufgaben zuschreibt, kein konsequenter Dualist; nur für den φαῦλος ist diese irdische ζωή schlechthin ein κακόν [35]. Aber in jedem Falle ist die leibliche ζωή doch nur ein Schatten (ἴχνος) der ἀληθινὴ ζωή [36], und der Leib ist für die Seele Fessel und Grab [37]. Ihr eigentliches Leben gewinnt sie, je mehr sie sich vom Leibe löst [38]. Deshalb ist der leibliche Tod, der die objektive Lösung von σῶμα und ψυχή ist [39], kein κακόν, sondern ein ἀγαθόν, denn er vollendet ja (wie bei Plat), wonach die Seele strebte [40]. Jedoch wird der Selbstmord als unberechtigte Eigenhilfe abgelehnt [41].

          c. Die Gnosis. Weit radikaler wird in den dualistischen Partien des Corp Herm das leibliche Leben als eigentlicher Tod angesehen, in dem die eigentliche ζωή sich nicht entfalten kann; der leibliche Tod ist deshalb, wie in der Gnosis überhaupt, die Befreiung [42]. Hier jedoch so, daß die eigentliche ζωή nicht im philosophischen Sinne verstanden ist; sondern sie ist einfach Unsterblichkeit göttlichen Lebens (→ ζωή II 840, 22 ff). Daher ist hier der Übergang in diese ζωή ein organischer Übergang nur insofern, als das irdische Leben durch Askese ertötet war [43]. Im übrigen muß die ἀθανασία oder ἀφθαρσία wie in den Mysterienreligionen — und solche liegen ja der Gnosis weithin zu Grunde — durch Sakramente gesichert werden, bzw durch mystisch ekstatische Erlebnisse, in denen ursprüngliche Sakramente spiritualisiert sind [44]. Wenn die Seele im Mysterium der παλιγγενεσία [45] oder in der Himmelsreise [46] das σῶμα ablegt, so gelangt sie zur ζωή [47].

---

[33] Das σωμάτιον des Menschen ist ein νεκρόν (Epict Diss II 19, 27); der unechte Philosoph ist tot wie sein Wort (Diss III 23, 28). Die irdischen νόμοι sind νόμοι τῶν νεκρῶν (Diss I 13, 5), νεκροί sind die am leiblichen Leben Hängenden (Diss I 9, 19; vgl noch I 3, 3; 5, 7; MAnt 2, 12; 4, 41: ψυχάριον εἶ, βαστάζον νεκρόν, 9, 24: πνευμάτια νεκροὺς βαστάζοντα, 10, 33; 12, 33). Ausführlich das Bild von der Fesselung der Seele an einen Leichnam in Ciceros Hortensius bei Aug Contra Julianum Pelagianum V 78 (MPL 44, 778). Dieser Sprachgebrauch, der in der „orphisch"-pythagoreischen Mystik vorgebildet und bei Plat (σῶμα-σῆμα) variiert ist, ist bes bei Sen ausgebildet, vgl Sen Ep 1, 2: Wer ist es, qui intellegat se cotidie mori? in hoc enim fallimur, quod mortem prospicimus: magna pars eius iam praeteriit. quicquid aetatis retro est, mors tenet. Benz 98 ff; JKroll, Die Lehren des Hermes Trismegistos (1914) 345, → ζωή II 839, 2 f. Etwas anderes ist es natürlich, wenn Eur Hel 285 f sagt, daß der Unglückliche so gut wie tot ist.

[34] Enn I 8, 13 p 112, 15 ff.

[35] I 7, 3 p 98, 12 ff.

[36] VI 9, 9 p 521, 2.

[37] IV 8, 3. 4 p 146, 6; 148, 4.

[38] I 7, 3, vgl POKristeller, Der Begriff der Seele in der Ethik des Plot (1929) 16 ff; vgl auch Porphyr Abst I 41.

[39] I 6, 6; I 9 p 92, 1 f; 115, 18 ff uö.

[40] I 6, 6; I 7, 3 p 92, 1 ff; 98, 12 ff; vgl auch Pseud-Plat Ax 366 a b.

[41] I 9.

[42] Corp Herm I 28, 29 (die die Bußpredigt nicht verstehen, sind die τῇ τοῦ θανάτου ὁδῷ ἑαυτοὺς ἐκδεδωκότες); VII 2 (πρῶτον δὲ δεῖ σε περιρρήξασθαι ὃν φορεῖς χιτῶνα . . . τὸν ζῶντα θάνατον, τὸν αἰσθη<τι>κὸν νεκρόν, τὸν περιφόρητον τάφον . .).

[43] Zur Askese vgl Corp Herm IV 5 f; VI 3; VII 2 f; X 15; XI 20 f; Ascl § 22 (Scott, I 336, 15 ff). JKroll aaO 341 f; 347, A 4; Reitzenstein Hell Myst passim(s Index).

[44] Dies ist faktisch auch dann der Fall, wenn nach kosmologisch-anthropologischer Theorie der Mensch von vornherein ein göttliches Teil in sich trägt (Corp Herm I 15; vgl Jul Or 7, 234 C: μέμνησο οὖν ὅτι τὴν ψυχὴν ἀθάνατον ἔχεις . . .). Er muß sich als ἀθάνατος erst wieder erkennen kraft göttlicher Offenbarung. Über die Konkurrenz der anthropologischen Motive vgl WBousset, GGA 1914, 724—732. — Über Unsterblichkeitsglauben in Mysterien, Zauber und Gnosis: Reitzenstein aaO 11 ff, 19 ff, 27, 30 f, 39 ff, 109 f, 220 ff, 253, 289 f uö; FCumont, Die oriental Religionen im röm Heidentum [8] (1931) 39 ff uö.

[45] Corp Herm XIII 3; vgl 14: τὸ αἰσθητὸν τῆς φύσεως σῶμα πόρρωθέν ἐστι [τῆς] <τοῦ> οὐσιώδους [γενέσεως]· τὸ μὲν γάρ ἐστι διαλυτόν, τὸ δὲ ἀδιάλυτον, καὶ τὸ μὲν θνητόν, τὸ δὲ ἀθάνατον. Vgl Κόρη κόσμου § 41 (Scott I 478, 29 ff).

[46] Corp Herm I 24—26. JKroll aaO (Index: Himmelfahrt der Seele); Ders, Die Himmelfahrt der Seele in der Antike (1930); Ders, Gott u Hölle (1932) (Index: Ascensus); WBousset, ARW 4 (1901) 136 ff, 229 ff; Mithr Liturg 179 ff.

[47] Dann kommt es zum καρποφορεῖν der ἀγαθά ἐκ τῆς ἀληθείας, der ἀθάνατα γεννήματα Corp Herm XIII 22.

d. **Philo.** Über die at.liche und jüdische Auffassung des Todes → ζωή II 850, 45 ff; II 856, 35 ff. Bei **Philo** findet sich häufig der stoisch-neuplatonische Sprachgebrauch, seinem Sprachgebrauch von ζωή entsprechend. Dem ἀψευδῶς ζῆν steht das πρὸς ἀλήθειαν τεθνάναι gegenüber[48]; es ist das Verfallensein an die αἰσθητὰ σώματα und πράγματα, die „nicht lebendig" sind[49]. So stirbt Kain bei Leibesleben beständig[50], weil er an λύπη und φόβος verfallen ist. Ebenso erwächst aus der ἡδονή der θάνατος[51]; die Schlechten sind ἔτι ζῶντες νεκροί[52].

Der leibliche Tod, der χωρισμὸς ψυχῆς ἀπὸ σώματος[53], ist demgegenüber ein ἀγαθόν oder ein ἀδιάφορον[54]. In diesem Sinne unterscheidet Philo einen διττὸς θάνατος[55]. Faktisch aber gebraucht er die Wörter ζωή und θάνατος in dreifachem Sinne[56], da er auch von dem asketischen ἀποθνῄσκειν θνητῆς ζωῆς redet, welches eben dem Erwerb des ἄφθαρτος βίος entspricht[57]. Γένεσις γὰρ τῶν καλῶν θάνατος αἰσχρῶν ἐπιτηδευμάτων ἐστίν (Deus Imm 123). Und in diesem Sinne variiert Philo das platonische μελετᾶν ἀποθνῄσκειν und charakterisiert die Seelen der echten Philosophen: μελετῶσαι τὸν μετὰ σωμάτων ἀποθνῄσκειν βίον, ἵνα τῆς ἀσωμάτου καὶ ἀφθάρτου παρὰ τῷ ἀγεννήτῳ καὶ ἀφθάρτῳ ζωῆς μεταλάχωσιν (Gig 14. 56)[58]. Wie deshalb die echte ζωή (→ II 861, 15 ff) für Philo nicht nur das tugendhafte Leben in ideeller Ewigkeit, sondern auch das zeitlich-unvergängliche Leben ist, so ist natürlich der echte θάνατος auch das ewige Verderben[59].

B. Der Todesbegriff des NT.

1. Im NT bezeichnet ἀποθνῄσκειν (Perf: τέθνηκα ohne ἀπο-) und τελευτᾶν zunächst und meist den Vorgang des Sterbens (Präs: *im Sterben liegen*, Aor: *sterben* [schlechthin], Perf: *tot sein*), θάνατος (einmal τελευτή Mt 2, 15)[60] das Sterben (zB Hb 7, 23) wie das Totsein (zB Phil 1, 20). Der Tod

---

[48] Rer Div Her 201.

[49] Ebd 242; Gig 15: ἐπὶ τὸν συμφυᾶ νεκρὸν ἡμῶν, τὸ σῶμα, vgl Leg All I 108. Daher νεκροφορεῖν von der ψυχή, die das νεκρὸν σῶμα trägt Leg All III 69. 74; Agric 25 uö → ζωή II 861, 19 f.

[50] Ζῆν ἀποθνῄσκοντα ἀεί Praem Poen 70 f, ebd das paradoxe θάνατος ἀθάνατος, vgl Poster C 44 f: ἀεὶ τὸν πρὸς ἀρετὴν βίον θνήσκοντα. In diesem Sinne die Variierung des Heraklitwortes → II 861, 21 f.

[51] Agric 98.

[52] Som II 66; Rer Div Her 290. Spec Leg I 345: ὄντως γὰρ οἱ μὲν ἄθεοι τὰς ψυχὰς τεθνᾶσιν.

[53] Leg All I 105 usf, vgl Leisegang sv θάνατος 1.

[54] Praem Poen 70.

[55] Leg All I 105; Praem Poen 70, vgl Benz 95 ff.

[56] Er kann sogar gelegentlich noch anders mit dem Worte θάνατος spielen: Conf Ling 36 f zu Ex 14, 30: θάνατον λέγων οὐ τὴν ἀπὸ σώματος ψυχῆς διάκρισιν, ἀλλὰ τὴν ἀνοσίων δογμάτων καὶ λόγων φθοράν ... λόγου δὲ θάνατός ἐστιν ἡσυχία.

[57] Fug 59; Det Pot Ins 49: ὁ μὲν δὴ σοφὸς τεθνηκέναι δοκῶν τὸν φθαρτὸν βίον ζῇ τὸν ἄφθαρτον, ὁ δὲ φαῦλος ζῶν τὸν ἐν κακίᾳ τέθνηκε τὸν εὐδαίμονα.

[58] Gelegentlich tritt dabei (wie bei ζωή) eine über die Stoa hinausgehende dualistische Auffassung hervor, zB Leg All I 108, wo das Heraklitwort (→ II 834 A 12) erklärt wird: ὡς νῦν μέν, ὅτε ζῶμεν, τεθνηκυίας τῆς ψυχῆς καὶ ὡς ἂν ἐν σήματι, τῷ σώματι ἐντετυμβευμένης (begraben), εἰ δὲ ἀποθάνοιμεν, τῆς ψυχῆς ζώσης τὸν ἴδιον βίον καὶ ἀπηλλαγμένης κακοῦ καὶ νεκροῦ συνδέτου τοῦ σώματος.

[59] Ἀίδιος θάνατος: Poster C 39; vgl Plant 37. 45; Migr Abr 189 usf.

[60] Für *sterben* gebraucht das NT auch κοιμᾶσθαι, zB J 11, 11; Ag 7, 60; 13, 36; 1 K 7, 39 usf (ebs die Apost Vät), s Pr-Bauer; entsprechend heißt οἱ κοιμώμενοι (1 Th 4, 13) oder οἱ κεκοιμημένοι (1 K 15, 20) *die Entschlafenen.* κοιμᾶσθαι wird im Griech seit Homer für den Todesschlaf gebraucht; auch auf Inschr u Pap (s Liddell-Scott; Pr-Bauer sv; Radermacher[2] 108). Es tritt in LXX in gleichem Sinne für שָׁכַב *(liegen, sich legen)* ein, zB Gn 47, 30; 2 Βασ 7, 12; 3 Βασ 2, 10. Die Rabbinen sagen entsprechend *entschlafen*

ist allgemeines menschliches Schicksal[61], während allein von Gott und seiner Welt der Tod fern ist (1 Tm 6, 16; 1 K 15, 53 f). Er ist ein Schrecken[62], den man fürchtet[63], und den man nur unter den schrecklichsten Umständen sucht (Apk 9, 6). Heroisiert wird das Sterben nirgends, und wenn Pls auch den
5 heroischen Tod für andere kennt und Christi Tod in eine gewisse Analogie dazu stellt (R 5, 7), so ist doch Christi Tod nicht als heroische Leistung verstanden (→ 18, 10 ff) und ebensowenig das Todesopfer, das der Apostel uU für andere bringt (2 K 4, 12), oder die Treue des Märtyrers bis zum Tode (Apk 2, 10; 12, 11). Denn nie ist der Gedanke der, daß der sich Opfernde den Tod
10 für seine Person neutralisiert. Charakteristisch ist, daß der Selbstmord nicht zum Problem gemacht wird[64]. Vielmehr bleibt d e r T o d s t e t s d e r S c h r e c k e n, der die ζωή zur uneigentlichen ζωή macht (→ ζωή II 864, 23 ff)[65], und Christi Werk besteht gerade darin, daß er den Tod zunichte gemacht hat (2 Tm 1, 10;
→ 19, 30). Der Tod ist der ἔσχατος ἐχθρός, mit dessen endgültiger Vernichtung
15 das Heilsgeschehen sein Ende erreicht hat (1 K 15, 26; Apk 20, 14).

Nirgends wird der Versuch gemacht, den Tod als Naturvorgang zu interpretieren und ihn dadurch zu neutralisieren, und auch da, wo an seine Aufhebung durch die Auferstehung gedacht ist und Sterben und Auferstehen nach Analogie eines Naturvorgangs beschrieben wird (1 K 15, 36; J 12, 24), wird
20 er nicht als natürlicher Vorgang begriffen, sowenig wie die Auferstehung; jener als Analogie gemeinte Vorgang darf im biblischen Sinne schon nicht als ein Naturprozeß im griechisch-naturwissenschaftlichen Sinne verstanden werden. Wohl kann das Woher? und Warum? des Todes m y t h o l o g i s c h verstanden werden, indem der Tod als dämonische Person aufgefaßt wird (1 K 15, 26; Apk 6, 8;
25 20, 13 f), oder wenn als Herr des Todes der Teufel bezeichnet wird (Hb 2, 14; für beides → ζωή II 858, 1 ff). Aber in solchen Mythologemen[66], die übrigens nie der Ätiologie dienen, kommt einmal zum Ausdruck, daß der Tod dem Leben als dem eigentlichen Wesen Gottes (→ ζωή II 864, 21 ff) entgegengesetzt ist, und sodann und damit, daß Tod und Sünde zusammengehören.

(meist דְּמַךְ; s Str-B I 1040 zu Mt 27, 45; Schl Mt 784; Schl J 249) bzw *die Entschlafenen* (דְּמִכַיָּא Str-B III 634). Auch das Subst κοίμησις, das J 11, 13 doppelsinnig gebraucht wird von der κοίμησις τοῦ ὕπνου und vom Tode, bedeutet im Griech den Todesschlaf (Audollent Def Tab 242, 30 bzw RWünsch, Antike Fluchtafeln = Kl T 20 [1907] 4, 30). Ebs in LXX Sir 46, 19; 48, 13, auf römischen Judengräbern und Herm v 3, 11, 3; s 9, 15, 6 (Pr-Bauer). Vgl noch Lidz Joh 168, 6 f.
[61] J 6, 49. 58; 8, 52 f; Hb 7, 8; 9, 27. Wir sind dem Tode versklavt Barn 16, 9. Ausnahmen: Henoch Hb 11, 5 und Melchisedek Hb 7, 3. 16 f. — Das menschliche σῶμα ist ein θνητόν, R 6, 12; 8, 11; 1 K 15, 53 f; vgl 2 K 4, 11; 5, 4; 1 Cl 39, 2: τί γὰρ δύναται θνητός; ἢ τίς ἰσχὺς γηγενοῦς; Auch von Tieren (Mt 8, 32 uö) und Pflanzen (J 12, 24; 1 K 15, 36, anders Jd 12) kann das Sterben ausgesagt werden.

[62] Apk 6, 8; 18, 8; Herm s 6, 2, 4: ὁ δὲ θάνατος ἀπώλειαν ἔχει αἰώνιον. Es begegnen die alten Wendungen wie „Krankheit zum Tode" (Phil 2, 27. 30; J 11, 4, vgl Apk 13, 3. 12), „betrübt bis zum Tode" (Mk 14, 34 par), „Verfolgung bis zum Tode" (Äg 22, 4; 1 Cl 4, 9, vgl 5, 2). Natürlich kann der Tod auch als irdische Strafe verhängt werden (Mk 10, 33 usf). θάνατος als Todesgefahr 2 K 1, 10; 11, 23.
[63] Hb 2, 15, vgl R 8, 15.
[64] Über Augustins Kritik der stoischen Auffassung vom Selbstmord vgl Benz 119 ff.
[65] Bei Ign Sm 5, 1 die Entgegensetzung θάνατος/ἀλήθεια.
[66] 2 K 11, 3 liegt eine Anspielung auf den Mythos vor, vgl Ltzm K und Wnd 2 K zSt. Bezeichnenderweise fehlt R 5, 12 ff jede Bezugnahme auf die mythologischen Gestalten Tod und Teufel.

2. Der Tod ist Folge und Strafe der Sünde[67].
Die Frage nach dem Woher des Todes muß also zur Frage nach dem Woher
der Sünde werden, und auch diese Frage wird, dem Verständnis von → ἁμαρτία
entsprechend, wo sie behandelt wird, nicht spekulativ behandelt. Freilich streifen
einige **Aussagen des Pls**, in denen er den gnostischen Anthropos-Mythos 5
übernimmt (→ ζωή II 868, 4 ff), an das Spekulative. Indem er **Adam und Christus** als die Urmenschen auffaßt, die je eine Menschheit bestimmend einleiten,
geht er über die jüd Adam-Anschauung (→ ζωή II 857, 20; → Ἀδάμ) hinaus, und
Tod (und Sünde) und Leben erscheinen als kosmische Mächte. Indessen ist
R 5, 12 ff die spekulative Betrachtung abgebogen, indem die Sünde durchaus 10
als verantwortliche Tat und der Tod als ihre Folge aufgefaßt ist. 1 K 15, 21 f
wird in diesem Sinne interpretiert werden müssen; aber 1 K 15, 44—49 klingt
so, als sei die adamitische Menschheit von vornherein als dem Tode unterworfen geschaffen worden: Adam ward nur zur ψυχὴ ζῶσα, dagegen Christus
zum πνεῦμα ζωοποιοῦν, jener ward ἐκ γῆς χοϊκός, dieser ἐξ οὐρανοῦ ἐπουράνιος. 15
Will Pls das wirklich sagen, so wäre die Konsequenz, daß er von der bloßen
Sterblichkeit, die noch nicht den Charakter des θάνατος hat, den eigentlichen
θάνατος unterscheidet. Das ist zwar nirgends ausgesprochen, wohl aber sagt
Pls, daß der θάνατος durch Adam (1 K 15, 22), nämlich Adams Sünde (R 5,
12. 17 f) in die Welt gekommen ist[68]. Einer spekulativen Fragestellung ist 20
damit nicht genügt, weil Pls durch diesen Satz nicht den Einzelnen entlasten
will: für jeden ist der Tod die Strafe seiner Sünde[69]. Und wenn Pls auch R
5, 14 (in mindestens formalem Widerspruch mit R 1, 18 ff) so redet, als ob in
der Zeit von Adam bis Mose die Menschen zwar wohl für ihren Tod als die
Folge ihrer Sünde, aber nicht für ihr in der Nachfolge Adams erfolgendes ἁμαρ- 25
τάνειν verantwortlich gewesen seien, da sie kein ausdrückliches Gebot übertraten
(→ ἁμαρτάνω, → ἐλλογέω), so ist doch ein Doppeltes deutlich: *1.* Pls führt die
Sünde nicht auf etwas, was noch nicht Sünde ist (etwa Materie, Sinnlichkeit oder
dgl) zurück, sondern sagt: die Sünde kam durch die Sünde in die Welt. *2.* Pls
hat in seiner Verkündigung nur die Menschen im Blick, die für ihre Sünde 30
und damit für ihren Tod verantwortlich sind. Soweit in R 5 und 1 K 15 spekulative Gedanken verwendet sind, dienen sie dazu, die Unentrinnbarkeit von
Sünde und Tod für den Menschen und die einzige Rettung durch Christus
deutlich zu machen; nicht die Verantwortlichkeit des Menschen aufzuheben,
sondern zu zeigen, daß er selbst in seiner Verantwortlichkeit nicht vor Gott 35
bestehen kann, → ἁμαρτία.

---

[67] Diese Überzeugung ist dem NT mit dem
Judt gemein → ζωή II 857, 19 ff. Stellen: R 1,
32; 6, 16. 21. 23; 7, 5 (καρποφορῆσαι τῷ θανάτῳ);
8, 6. 13; 1 K 15, 56 (τὸ δὲ κέντρον τοῦ θανάτου
ἡ ἁμαρτία); Jk 1, 15 (ἡ δὲ ἁμαρτία ἀποτελεσθεῖσα ἀποκύει θάνατον), vgl Gl 6, 7 f; 2 K
7, 10; J 8, 21. 24; 1 J 5, 16 f; Barn 12, 2. 5;
1 Cl 3, 4; 2 Cl 1, 6; Herm v 2, 3, 1; m 2, 1;
12, 6, 2; s 8, 8, 5; 8, 11, 3 usf. Einzelne Sünden werden als παγὶς θανάτου bezeichnet Did
2, 4; Barn 19, 7 f; das Bild aus dem AT, Prv
14, 27; 21, 6 uö.

[68] Der im Judt (→ ζωή A 191) begegnende
Gedanke der Schuld Evas wird 2 K 11, 3;
1 Tm 2, 14 gestreift und findet sich Barn
12, 5.
[69] Diesen Sinn muß das ἐφ' ᾧ πάντες
ἥμαρτον R 5, 12 haben; im übrigen → A 67
und überhaupt zu R 5, 12—21; vgl JFreundorfer, Erbsünde und Erbtod (Nt.liche Abhandlungen XIII 1/2 [1927] 216 ff).

Das zeigt auch die zweite Antwort, die Pls auf das Woher? des Todes gibt.
Ist die Sünde das κέντρον τοῦ θανάτου, so gilt zugleich: ἡ δὲ δύναμις τῆς ἁμαρτίας ὁ νόμος (1 K 15, 56). Das Gesetz ist es, das faktisch den Tod wirkt
(→ νόμος); sein Buchstabe tötet (2 K 3, 6), so daß das Gesetzesamt die διακονία
5 τοῦ θανάτου heißt (2 K 3, 7; v 9: διακονία τῆς κατακρίσεως). Wie der Ungehorsam
Adams gegen Gottes Gebot den Tod erwirkte (R 5, 12ff), wie die heidnische
Menschheit dem todbringenden Zorn Gottes verfiel, weil sie seine Rechtsforderung
(δικαίωμα R 1, 32) kannte und übertrat, so gilt für die nachmosaische Zeit des
jüd Volkes, daß das Gesetz den Tod brachte, weil durch dieses die im Menschen
10 schlummernde Sünde geweckt wurde (R 7, 5. 10. 13). Zweifellos will Pls damit
die Verantwortung des Menschen und den Strafcharakter des Todes behaupten,
ohne doch die Befreiung vom Tode als menschliche Möglichkeit erscheinen zu
lassen. Deshalb führt er die den Tod nach sich ziehende Sünde auf die σάρξ
zurück, welche das faktische Sein des Menschen charakterisiert. Die → σάρξ ist
15 aber nicht im Sinne der Gnosis eine schlechte Materie, in der die Menschen-
seele steckt, noch eine dämonische Macht, der der Mensch verantwortungslos
unterworfen ist, sondern er selbst in seiner schuldhaften Verlorenheit; der
Mensch selbst nämlich, sofern er sich aus der Sphäre der σάρξ, dh dem Sichtbaren, Aufweisbaren (R 2, 28f; 2 K 4, 18), versteht, seien es natürliche Ge-
20 gebenheiten, seien es historische Zuständlichkeiten, seien es greifbare Leistungen[70]. Da all das vergänglich, dem Tode verfallen ist, so ist auch der
Mensch von vornherein dem Tode verfallen, der von da aus sein Leben gewinnen
will. Das aber ist die Weise des Menschen, der von sich aus sein will, statt
von Gott aus; er kann dann gar nicht anders als von der σάρξ aus sein. So ist
25 also der Zshg von Fleisch, Sünde und Tod begründet und damit auch der von
Gesetz und Tod. Denn da jedes Streben des Menschen, von sich aus aus dem
Tode herauszukommen und das Leben durch Leistungen zu verdienen, auch nur
ein Von-sich-aus-sein-wollen ist, so verstrickt es ihn noch mehr in Sünde und
Tod, so daß auch das Gesetz, das zum Leben führen sollte, ihn in den Tod
30 führt (R 7, 10). Er kann sich nicht selbst befreien[71].

Nicht in expliziten Gedankengängen wie Pls, aber implizit sagt Johannes
das gleiche, daß nämlich die Menschheit außerhalb der Offenbarung in Jesus
dem Tode verfallen ist, und daß sie dafür verantwortlich ist, weil sie sündig
ist. Und zwar ist ihre Sünde nichts anderes, als daß sie sich nicht von ihrem
35 Schöpfer her in ihrer Geschöpflichkeit verstehen will (J 1, 4f, → ζωή II 872, 4ff),
sondern sich aus sich selbst versteht, wie sich daran zeigt, daß sie Gott gegenüber ihre Kriterien zu haben meint, vor denen sich seine Offenbarung ausweisen
muß (5, 31ff; 8, 13ff); daß sie frei zu sein meint (8, 33), daß sie, statt nach
Gottes Ehre zu fragen, ihre eigenen Maßstäbe von Ehre aufrichtet (5, 41ff).
40 So ist sie in der Sünde und im Tode (8, 21—24. 34—47).

3. Nicht völlig übereinstimmend sind die Aussagen des
NT darüber, wiewheit der Tod seinen eigentlichen Charakter darin hat, daß er

---

[70] Vgl RBultmann, RGG² IV 1034f.   [71] R 7, 24. vgl RBultmann, in: Imago Dei,
                                            Festschr f GKrüger (1932) 53—62.

zunichte macht, wieweit darin, daß er in jenseitige Qual hineinführt. ZT herrschen die überkommenen jüd Vorstellungen von den Höllenstrafen (Mk 9, 48; Lk 16, 23 usf → ἅδης, γέεννα). Jedenfalls gilt durchweg, daß Gott bzw Christus der κριτὴς ζώντων καὶ νεκρῶν ist (→ ζωή II 863, 25), daß der leibliche Tod nicht das letzte Ende ist, sondern daß ihm das Gericht folgt (Hb 9, 27), 5 daß also der leibliche Tod entweder durch die Auferstehung rückgängig gemacht wird, oder — wo nur eine Auferstehung der Gerechten erwartet wird — daß dem Tode eine Zeit der Qual in der Hölle folgt [72]. Pls dürfte nicht nur eine Auferstehung der Gerechten erwartet haben, wenn auch 1 K 15, 22—24; 1 Th 4, 15 ff so verstanden werden kann; R 2, 5—13. 16 und 2 K 5, 10 sprechen 10 dagegen. Über den Zwischenzustand zwischen Tod und Auferstehung enthält das NT keine ausdrücklichen Aussagen; er dürfte als Schlaf gedacht sein (→ A 60), wenn nicht etwa andere Vorstellungen manchen Verfassern selbstverständlich gewesen sind [73]. Jedenfalls wird der leibliche Tod definitiv zum Tode durch Gottes Gericht; deshalb kann gelegentlich vom δεύτερος θάνατος 15 geredet werden (Apk 2, 11; 20, 6. 14; 21, 8) [74]. Es ist dabei an Höllenqualen gedacht (Apk 21, 8: ἐν τῇ λίμνῃ τῇ καιομένῃ πυρὶ καὶ θείῳ). Soweit solche auch sonst als das eigentliche Todesgericht gedacht sind, sind sie doch nirgends im Sinne jüdischer oder „orphischer" Unterweltsvorstellungen ausgemalt. Der eigentliche Fluch des Todes ist jedenfalls die Vernichtung, wie denn φθορά und 20 ἀπώλεια dieses Ende charakterisieren [75].

Wichtiger ist, daß die nichtigende Kraft des Todes als schon das Leben beherrschend und es zu einem uneigentlichen machend verstanden wird (→ ζωή II 864, 22 ff). Der bevorstehende Tod hält das Leben im φόβος (Hb 2, 15; R 8, 15) und die, zu denen Jesus gesandt ist, gelten als καθήμενοι ἐν χώρᾳ 25 καὶ σκιᾷ θανάτου (Mt 4, 16; Lk 1, 79 nach Js 9, 1). Das Leben ist ja immer ein „Leben für . . ." (→ ζωή II 864, 13 ff), für Gott oder für den Tod (R 6, 13—23). Nur für den Glaubenden gilt, daß er dem Herrn lebt und stirbt (R 14, 7). Aber worauf alles Fleisch aus ist, ist schließlich der θάνατος (R 8, 6), so daß, wenn es keine durch Christus begründete Hoffnung gäbe, es wirklich gelten würde: 30 φάγωμεν καὶ πίωμεν, αὔριον γὰρ ἀποθνήσκομεν (1 K 15, 32). Die Ungewißheit des Morgen macht alles Sorgen sinnlos (Mt 6, 25—34); keiner weiß, ob er morgen noch lebt (Lk 12, 16—21). Wie hinter Hoffnung und Sorge, so steht auch hinter der λύπη des κόσμος der Tod (2 K 7, 10), und alle Werke des Menschen sind von vornherein νεκρά (Hb 9, 14, → ζωή II 864, 26 f). So können die 35

---

[72] Wie im Judt (→ ζωή II 858, 14 f) schwanken die Vorstellungen, ob allgemeine oder teilweise Auferstehung; letzteres Lk 14, 14, → ἀνάστασις, → ἅδης I 147, 35 ff; vgl HMolitor, Die Auferstehung der Christen und Nichtchristen nach dem Ap Pls (Nt.liche Abhandlungen XVI 1 [1933] 53 ff).

[73] → Ἅιδης.

[74] Über die Vorstellung vom zweiten Tod im Judt → ζωή A 198; möglicherweise haben auch ägyptische Vorstellungen eingewirkt, GRoeder, Urkunden zur Religion des alten Ägypten (1923), Regist sv sterben und Tod;

FBoll, Aus der Offenbarung Joh (1914) 49 A 1. Häufig bei den Mandäern, vgl Lidz Ginza Regist. — Nach Oecumenius Komm z Apk p221 (ed HCHoskier 1928) ist der πρῶτος θάνατος: ὁ αἰσθητός, ὁ χωρισμὸν ἔχων ψυχῆς καὶ σώματος, δεύτερος δὲ ὁ νοητὸς ὁ τῆς ἁμαρτίας (kurz vorher: ὁ τῆς ἁμαρτίας καὶ τῆς τότε κολάσεως).

[75] → φθορά, zB Gl 6, 8; → ἀπώλεια zB Phil 3, 19. — Barn 20, 1 redet von der ὁδός . . . θανάτου αἰωνίου μετὰ τιμωρίας, ἐν ᾗ ἐστιν τὰ ἀπολλύντα τὴν ψυχὴν αὐτῶν. Nach Herm v 1, 1, 18 ziehen sich die Bösen θάνατον καὶ αἰχμαλωτισμὸν zu.

Menschen vorwegnehmend schon als νεκροί bezeichnet werden (Mt 8, 22 par), zumal im Hinblick darauf, daß sie Sünder sind[76], so daß Pls R 7, 10 geradezu sagen kann: (ἐλθούσης δὲ τῆς ἐντολῆς) ἡ ἁμαρτία ἀνέζησεν, ἐγὼ δὲ ἀπέθανον, wie er sein σῶμα 7, 24 als ein σῶμα τοῦ θανάτου bezeichnet, und daß es 1 J 3, 14
5 vom unechten Christen, der keine Liebe hat, heißen kann: er bleibt im Tode; außerhalb der Offenbarung sind ja die Menschen Tote (J 5, 21. 25).

4. Der Tod als nichtigende Macht steht also über dem Leben der Menschen und ist unentrinnbar außerhalb der Offenbarung. In dieser aber, dh durch Christus, hat Gott den Tod zunichte gemacht (2 Tm
10 1, 10; Hb 2, 14, → Ζωή II 866, 4 ff). Christi Tod und Auferstehung sind ja das eschatologische Ereignis; sein Tod war nicht ein gewöhnliches menschliches Schicksal, sondern der Tod, den Gott ihn für uns sterben ließ. Er war seinen Tod nicht der Sünde schuldig, sondern ist von Gott für uns zum Sünder gemacht und als Sünder verurteilt worden (2 K 5, 21; R 8, 3; Gl 3, 13 f), ist
15 für uns gestorben[77]. Wieweit in solchen Sätzen die Vorstellungen eines Sühnopfers, der Stellvertretung, wieweit Mysterienvorstellungen leitend sind, kann hier dahingestellt bleiben (s je zu den Stellen die Komm). Der beherrschende Gedanke ist der, daß in Christus Gott mit der Welt handelte (2 K 5, 19), und daß, sofern solches Handeln Gottes in Christus den Tod auf sich nahm, dieser
20 Tod seinen Nichtungscharakter verloren und den Schöpfungscharakter göttlichen Handelns gewonnen hat. So ist in seinem Tode die Auferstehung begründet. Dieses Sterben hat die Sünde und damit den Tod erledigt[78]; aus ihm wuchs Leben. Wie Christus tot war, so ward er lebendig (R 8, 34; 14, 9; 1 Th 4, 14); der Tod konnte ihn nicht halten (Ag 2, 24); er hat jetzt die Schlüssel des
25 Todes und des Hades (Apk 1, 18); wie er frei sein Leben gab, so nimmt er es

[76] R 6, 11. 13; Kol 2, 13; Eph 2, 1. 5; 5, 14; dgg liegt Lk 15, 24. 32 bildlicher Sprachgebrauch vor. Zum Sprachgebrauch von νεκρός → Ζωή A 267. Wenn es Jk 2, 26 heißt: ὥσπερ γὰρ τὸ σῶμα χωρὶς πνεύματος νεκρόν ἐστιν, so ist das von einer naiven dichotomischen Anthropologie aus gesagt: wenn die Kraft der Vitalität das σῶμα nicht erfüllt, so ist es tot. Dgg ist es im hell-dualistischen Sinne gedacht, wenn Ign Sm 5, 2 den Menschen als νεκροφόρος bezeichnet, → A 33 u 49. Deshalb kann Ign die Römer auch bitten (R 6, 2): μὴ ἐμποδίσητέ μοι ζῆσαι, μὴ θελήσητέ με ἀποθανεῖν (sie sollen seinen Märtyrertod nicht verhindern). Ebs liegt hell Terminologie zugrunde, wenn Dg 10, 7 dem δοκῶν ἐνθάδε θάνατος den ὄντως θάνατος gegenüberstellt.
[77] Christi Tod ὑπὲρ ἀσεβῶν R 5, 6. ὑπὲρ ἡμῶν (ὑμῶν) R 5, 8; (1 K 1, 13; 11, 24); 2 K 5, 21; Gl 3, 13; Eph 5, 2; Tt 2, 14; 1 Pt (2, 21); 4, 1; 1 J 3, 16; Ign R 6, 1; Pol 9, 2. ὑπὲρ ἐμοῦ Gl 2, 20 (vgl R 14, 15). ὑπὲρ πολλῶν Mk 14, 24 (vgl 10, 45). ὑπὲρ ἀδίκων 1 Pt 3, 18. ὑπὲρ πάντων R 8, 32; 2 K 5, 14 f; 1 Tm 2, 6; (vgl Hb 2, 9). ὑπὲρ αὐτῆς (τῆς ἐκκλησίας) Eph 5, 25 (vgl Kol 1, 24). ὑπὲρ (τῶν) ἁμαρτιῶν (ἡμῶν) 1 K 15, 3; Gl 1, 4; Hb 10, 12 (vgl 1 Pt 3, 18: περὶ ἁμαρτιῶν).

Verschiedene Wendungen mit ὑπέρ J 6, 51; 10, 11. 15; 11, 51 f; 15, 13; 17, 19; 18, 14. Formelhafte Häufung solcher Wendungen Dg 9, 2. Entsprechende Wendungen mit περί (mehrfach in vl mit ὑπέρ) Mt 26, 28; R 8, 3; 1 Th 5, 10; 1 Pt 3, 18; 1 J 2, 2; 4, 10. Wendungen mit διά R 3, 25; 4, 25; 1 K 8, 11; 2 K 8, 9; (1 Pt 1, 20); Ign Tr 2, 1. Noch andere Beschreibungen der Heilsbedeutung des Todes Christi R 3, 24; Kol 1, 20—22; 2, 13 f usf, → αἷμα I 173, 27 ff; → σταυρός. Vgl noch Barn 5, 6; 7, 2 (ἵνα ἡ πληγὴ αὐτοῦ ζωοποιήσῃ ἡμᾶς) und die Variationen des Themas bei Ign Mg 9, 1; Tr 2, 1; 9, 1 f; Phld 8, 2; — Pol 1, 2. — Wenn gelegentlich Tod und Auferstehung Christi als zwei verschiedene Ereignisse nebeneinander genannt werden, so gehört doch beides zur Einheit eines Ereignisses; die Trennung ist nur rhetorisch wie R 4, 25; oder sie dient gerade dazu, die Einheit zum Bewußtsein zu bringen wie R 5, 10; 8, 32—35.
[78] R 6, 7—10; 8, 3. Zu der dem jüd Rechtsgrundsatz entsprechenden Formulierung s Str-B III 232 (zu R 6, 7), 234 (zu R 7, 3); KGKuhn, R 6, 7, in: ZNW 30 (1931) 305 ff; HWindisch, Taufe und Sünde (1908) 173.

wieder (J 10, 18). Weil er sich zum Kreuzestode erniedrigt hat, hat Gott ihn erhöht (Phil 2, 6—11). Für die, die sich im Glauben diesen Tod aneignen, ist damit auch ihr eigener Tod überwunden, so daß Christus der πρωτότοκος (ἐκ) τῶν νεκρῶν heißen kann (Kol 1, 18; Apk 1, 5; vgl R 8, 29).

Dem Tode als dem leiblichen Sterben bleiben die Glaubenden freilich noch 5 unterworfen; nur in der ersten Zeit der Naherwartung der Parusie meint man, daß dies Schicksal nicht Alle mehr treffen werde (Mk 9, 1; 1 Th 4, 15 ff; 1 K 15, 51 f). Die Vernichtung des Todes wird jedenfalls bei der Auferstehung bzw bei der mit der Parusie erfolgenden Verwandlung erlebt werden. Wenn die erwarteten Endereignisse ihre Vollendung erfahren haben, wird es keinen Tod 10 mehr geben (1 K 15, 26; Apk 21, 4). Damit aber hat das Sterben für den Glaubenden schon jetzt seinen Stachel verloren; der Glaubende hat schon den Sieg (1 K 15, 55). Wie der drohende Tod das ganze Leben des Ungläubigen zunichte macht, so gibt die bevorstehende Auferstehung dem ganzen Leben im voraus einen neuen Charakter. Daher finden sich bei J die 15 starken Aussagen, daß der Glaubende nicht sterben wird (6, 50; 11, 25 f), daß er aus dem Tode in das Leben hinübergeschritten ist (5, 24; 1 J 3, 14, → ζωή II 872, 18 ff). Und Pls benutzt den Anthropos-Mythos, um die Gegenwärtigkeit der ζωή deutlich zu machen (→ ζωή II 868, 4 ff). Daß dieser Gedanke im gnostischen Sinne mißverstanden werde, als der sichere Besitz einer unsterblichen Natur, 20 dagegen wendet sich offenbar nicht erst 2 Tm 2, 18, sondern in gewisser Weise schon 1 K 15. Denn die Meinung der Korinther, die Pls (freilich sie mißverstehend) bekämpft, ist offenbar nicht die, daß mit dem Tode Alles aus sei (was schon durch v 29 widerlegt wird); vielmehr glauben die Korinther nicht an ein kommendes, durch das Wunder der Auferstehung geschenktes neues Leben, 25 sondern an die schon erfolgte Verwandlung ihrer Natur, — wie denn überhaupt gnostische Gedanken die Gemeinde zu zersetzen drohen (→ γνῶσις I 709, 2 ff). Für den Glauben aber ist die Vernichtung des Todes Gegenwart einmal in der ἐλπίς (→ II 528, 14 ff). Diese ist auf das Ev gegründet, so daß geradezu gesagt werden kann, daß im verkündigten Ev die ζωή da ist und der Tod vernichtet ist (2 Tm 1, 10). 30 Solche ἐλπίς gehört organisch zur → πίστις, und in dieser ist das neue Leben Gegenwart (→ ζωή II 868, 33 ff); dh aber: die Vernichtung des Todes vollzieht sich nicht sozusagen an den Gläubigen vorbei, sondern in ihrem Glaubensgehorsam. Wie dieser die Aufnahme in die ζωή Christi ist, so gehört zu ihm die Übernahme des Todes Christi, des Kreuzes. Der Glaubende ist mit Christus 35 gestorben [79]. Pls kann das im Anschluß an Mysterien-Vorstellungen so zum Ausdruck bringen, daß er die Taufe als eine Taufe in Christi Tod und als ein Begrabenwerden mit ihm bezeichnet (R 6, 3 f; vgl 2 Tm 2, 11), als ein Zusammenwachsen mit ihm [80]. Wie wenig er freilich die Mysterien-Vorstellung

---

[79] Das ἀποθνήσκειν σὺν Χριστῷ hat R 6, 8; Kol 2, 20 eben diesen Sinn; ebs das συναποθνήσκειν 2 Tm 2, 11 wie das συσταυρωθῆναι R 6, 6; Gl 2, 19. Völlig anders das συναποθνήσκειν der erotischen Männerfreundschaft, der Gattenliebe und treuen Gefolgschaft, über das RHirzel, ARW 11 (1908) 79 A 1 handelt, und aus dem FrOlivier, Συναποθνήσκω (1929)

das ἀποθνήσκειν σὺν Χριστῷ erklären will. Um das Mitsterben des Gefolgsmannes handelt es sich nur in dem nicht technischen Gebrauch Mk 14, 31 par; J 11, 16, um das des Freundes 2 K 7, 3.

[80] R 6, 5: εἰ γὰρ σύμφυτοι γεγόναμεν τῷ ὁμοιώματι τοῦ θανάτου αὐτοῦ. Die Nachbildung (ὁμοίωμα) seines Todes ist die Taufe. τῷ ὁμοι-

2*

festhält, zeigt der Wechsel des Bildes (R 6, 6): ὅτι ὁ παλαιὸς ἡμῶν ἄνθρωπος συνεσταυρώθη, ἵνα καταργηθῇ τὸ σῶμα τῆς ἁμαρτίας, τοῦ μηκέτι δουλεύειν ἡμᾶς τῇ ἁμαρτίᾳ, dh die Übernahme des Todes vollzieht sich in einer neuen Lebensführung. Diese muß im verstehenden Entschlusse ergriffen werden (R 6, 11):
5 οὕτως καὶ ὑμεῖς λογίζεσθε ἑαυτοὺς εἶναι νεκροὺς μὲν τῇ ἁμαρτίᾳ, ζῶντας δὲ τῷ θεῷ ἐν Χριστῷ Ἰησοῦ (vgl v 2) und muß in der ὑπακοή unter Gott bzw die δικαιοσύνη von denen, die ἐκ νεκρῶν ζῶντες sind, durchgeführt werden (R 6, 12 ff). Die durch Christi Tod erfolgte Vernichtung von Sünde und Tod muß sich in einem Wandel erweisen, der die Rechtsforderung des Gesetzes erfüllt (R 8, 2—4), in
10 dem das Totsein für die Sünde (R 8, 10) sich in einem Töten der πράξεις τοῦ σώματος vollzieht (R 8, 13), in einem καρποφορεῖν τῷ θεῷ und δουλεύειν ἐν καινότητι πνεύματος (R 7, 4—6). Darin erhalten Tod und Auferstehung Christi ihren Sinn für den Gläubigen, daß er nicht mehr für sich selbst lebt, sondern daß sein Leben und Sterben im Dienste des κύριος steht (R 14, 7—9). Christus
15 ist für Alle gestorben, dh zugleich: Alle sind mit ihm gestorben, ἵνα ... μηκέτι ἑαυτοῖς ζῶσιν, ἀλλὰ τῷ ὑπὲρ αὐτῶν ἀποθανόντι καὶ ἐγερθέντι (2 K 5, 14 f; vgl R 15, 1—3). Das Vorbei des „Alten" muß sich darin vollziehen, daß ein γινώσκειν κατὰ σάρκα ausgeschlossen ist (2 K 5, 16 f). Die Übernahme des Kreuzes verwirklicht sich im Leben des Glaubens (Gl 2, 19 f) in der Weise, daß im Kreuz Christi die
20 „Welt" für den Glaubenden und er für die „Welt" gekreuzigt ist (Gl 6, 14)[81]. Wenn die Gemeindefeier des Herrenmahles den Tod des κύριος proklamiert (1 K 11, 26, → I 70, 5 ff καταγγέλλω), so hat das Leben der Glaubenden damit Ernst zu machen durch würdiges Verhalten (1 K 11, 27 ff) und den alten Sauerteig auszufegen (1 K 5, 7 f). Sein Tod hat uns zu „Tages-Menschen" gemacht, die
25 entsprechend zu wandeln haben (1 Th 5, 6—10)[82]. Solcher neue Wandel aber hat nicht die Überwindung des Todes erst zum Ziel, sondern sie ist in ihm da; denn ein Gewinnenwollen aus eigener Kraft ist gerade erledigt; mit Christi Tod ist ja das Gesetz abgetan und jede καύχησις ausgeschlossen (R 3, 27). Gerade das gehört zur Übernahme des Kreuzes, das Gesetz als erledigt wissen
30 (R 7, 1—6; Gl 3, 13). Das Gesetz, für das der Glaubende tot ist (R 7, 6; Gl 2, 19; Kol 2, 20), wieder aufrichten, würde heißen, den Tod Christi zunichte machen (Gl 2, 19—21). Die Teilhabe an seinem Tode vollzieht sich gerade in dem stets Unterwegs-sein, das sich nie am Ziele weiß, sondern den Blick nach vorwärts richtet (Phil 3, 9—14).

35 Wie sich die Übernahme des Todes Christi im Wandel so vollzieht, daß der Glaubende für den Herrn und damit für die andern lebt, so auch darin, daß er die Leiden, die ihn treffen, in der Christusgemeinschaft neu versteht, dh auch sie übernimmt er als das Kreuz, als die νέκρωσις τοῦ Ἰησοῦ. Daß der Tod überwunden ist, zeigt sich gerade darin, daß er sich διὰ Ἰησοῦν in den täglichen

---

ώματι ist entweder von σύμφυτοι abhängig; dann liegt verkürzter Ausdruck vor: „wir sind mit seinem Tode durch dessen ὁμοίωμα — die Taufe — zusammengewachsen"; oder es ist zu σύμφυτοι ein αὐτῷ zu ergänzen, und dann ist τῷ ὁμοιώματι Dat instrumentalis; vgl außer den Komm Bl-Debr[6] § 194, 2;

WSchauf, Sarx (Nt.liche Abhandlungen XI 1/2 [1924]) 48 A 1; KMittring, Heilswirklichkeit bei Pls (1929) 75 f.
[81] Imitiert bei Ign R 7, 2: ὁ ἐμὸς ἔρως ἐσταύρωται.
[82] Vgl noch Kol 1, 22 f; 3, 5; Eph 5, 2. 25 f; Tt 2, 14; 1 Pt 4, 1 f; J 17, 19; 1 J 3, 16.

Tod hingibt, und darin, daß solche Hingabe in den Tod zum Leben der anderen führt, indem er ihnen die Verkündigung bringt [83]. So werden die Leiden des Apostels geradezu zu einer Ergänzung des Christusleidens (Kol 1, 24). Der Gedanke der Einheit mit Christus im Leiden muß sowohl die einfache Mahnung an die Sklaven zum Gehorsam begründen (1 Pt 2, 18—21) wie die Mahnung 5 zur Tapferkeit in der Verfolgung (1 Pt 3, 13—18). Der Gedanke dieser Einheit ist aber ebenso ein Trost: die Glaubenden, die sterben, sind νεκροὶ ἐν Χριστῷ (1 Th 4, 16, vgl v 14; 1 K 15, 18), zumal die Märtyrer (Apk 14, 13), und der Tod des Apostels ist ein ἀποθνῄσκειν ὑπὲρ τοῦ ὀνόματος τοῦ κυρίου Ἰησοῦ (Ag 21, 13) [84]; mit dem Tode verherrlicht man Gott (J 21, 19). In anderer und 10 grundsätzlicherer Formulierung kehrt der gleiche Gedanke J 13, 34 f; 15, 11—14 wieder, wenn das Gebot der Bruderliebe auf die Erfahrung der Liebe Jesu gegründet wird, die ihn in den Tod führte (vgl 13, 1).

Sowenig die ζωή im idealistischen Sinne verstanden ist, sowenig der θάνατος: jener neue Wandel und dieses neue Verstehen von Leiden und Sterben ist nicht 15 als geistige Haltung des Menschen einfach die Überwindung des Todes, sondern diese Übernahme des Todes Jesu — wie sie nicht die Erfassung einer Christus-Idee, sondern der Anschluß an ein geschichtliches Geschehen ist — ist in unabgeschlossener geschichtlicher Bewegung, die nur deshalb Überwindung des Todes ist, weil sie der Vollendung entgegengeht. Wohl sind wir gestorben, 20 aber unsere ζωή ist noch verborgen (Kol 3, 3). Aus der Vorläufigkeit des jetzigen Lebens kann deshalb die Sehnsucht wie nach der Parusie, so nach dem leiblichen Tode erwachsen, der aus dieser Vorläufigkeit herausführt (2 K 5, 1—8; Phil 1, 21—23; 3, 9—14; vgl R 8, 18—30; Phil 3, 20 f) [85], eine Sehnsucht, die freilich ihre Grenze hat am positiven Verständnis des vorläufigen 25 Lebens als eines Dienstes für den Herrn (2 K 5, 9; Phil 1, 24), wiederum im Wissen freilich: τὸ ἀποθανεῖν κέρδος (Phil 1, 21). In diesem Sinne sind Tod und Leben relativiert (R 8, 38; 1 K 3, 22).

Hat das Heilsgeschehen den Tod vernichtet, so hat es ihn freilich endgültig gemacht für die ἀπολλύμενοι (→ ἀπώλεια). Für sie verbreitet das Ev gerade den 30 Tod (2 K 2, 16; 4, 3 f; Phil 1, 28; 1 K 1, 18); sie bleiben im Tode (1 J 3, 14; vgl J 3, 36; 9, 41; 15, 22).

† ϑανατόω

θανατοῦν ist ein altes, vom Attizismus übernommenes Wort [1]; es heißt: *töten, dem Tode überliefern, zum Tode verurteilen.* Im Sinne von *töten* erscheint 35 es in LXX für הֵמִית und הָרַג zB Ex 21, 12 ff; 1 Makk 1, 57; von Gott ausgesagt 1 Βασ 2, 6; 4 Βασ 5, 7 (→ II 876, 10 f. 36 f). Bei Jos fehlt das Wort, während Philo es verwendet. Im NT heißt θανατοῦν *töten* (Menschen als Subj gedacht) Mk 13, 12 par; 2 K 6, 9; so auch Barn 12, 2; 1 Cl 12, 2; Dg 5, 12 [2]. Hyperbolisch „*in Todes-*

---

[83] 2 K 4, 7—12; 6, 9; 11, 23; vgl R 8, 36; 1 K 15, 31: καθ' ἡμέραν ἀποθνῄσκειν, also ganz anders als das cotidie mori des Sen → A 33.

[84] Bei Ign ist dieser Gedanke ausgedrückt durch ἀποθνῄσκειν εἰς Ἰησοῦν Χριστόν (R 6, 1 vl ἐν, διὰ) und εἰς τὸ αὐτοῦ πάθος (Mg 5, 2) oder ὑπὲρ θεοῦ (R 4, 1).

[85] Bei Ign ist das schon zur Sehnsucht

nach dem Martyrium gesteigert: R 6, 1 καλόν μοι ἀποθανεῖν εἰς Χριστόν. 7, 2: ἐρῶν τοῦ ἀποθανεῖν.

ϑανατόω. [1] WSchmid, Der Attizismus I (1887) 384, IV (1896) 251, 651.
[2] Oft bei Just zB Ap I 60, 2; Dial 39, 6; 46, 7. — θανατώδη von den ἑρπετά Herm s 9, 1, 9 (vl θανάσιμα).

not (Todesgefahr) gegeben werden" R 8, 36 (nach ψ 43, 23). Von Christus 1 Pt 3, 18: θανα-
τωθεὶς μὲν σαρκί, ζωοποιηθεὶς δὲ πνεύματι [3]. Sofern die Glaubenden am Tode Christi
teilhaben (→ θάνατος 19, 34 ff), kann von ihnen gesagt werden: καὶ ὑμεῖς ἐθανατώθητε
τῷ νόμῳ διὰ τοῦ σώματος τοῦ Χριστοῦ R 7, 4. *Zum Tode verurteilen* heißt θανατοῦν Mk
5   14, 55 par; Mt 27, 1.

Im bildlichen Sinne wird θανατοῦν mehrfach von Philo gebraucht [4], und
so heißt es auch R 8, 13: εἰ δὲ πνεύματι τὰς πράξεις τοῦ σώματος θανατοῦτε,
ζήσεσθε.

Der bildliche Gebrauch auch 1 Cl 39, 7 (nach Hi 5, 2: πεπλανημένον δὲ θανατοῖ
10   ζῆλος); Herm m 12, 1, 3: ἐν ποίοις ἔργοις θανατοῖ ἡ ἐπιθυμία ἡ πονηρὰ τοὺς δούλους
τοῦ θεοῦ [5]; ferner m 12, 2, 2; s 9, 20, 4 von den Lastern.

† ϑνητός

θνητός = *sterblich*, seit alters im Griech zur Charakterisierung
der Menschen gebraucht, so daß die θνητοί die Menschen gegenüber den Göttern als
15   den ἀθάνατοι sind [1]. So auch in LXX in charakteristischen Fällen. Hi 30, 23: οἰκία
γὰρ παντὶ θνητῷ γῆ (לְכָל־חַי); Prv 3, 13 (für אָדָם in Par mit ἄνθρωπος); 20, 24 (18) (für
אָדָם in Par mit ἀνήρ); Sap 9, 14: λογισμοὶ γὰρ θνητῶν δειλοί [2]. Jos gebraucht θνητός =
sterblich (Bell 6, 84); er redet von der θνητὴ φύσις (Bell 7, 345; Ant 19, 345) und
charakterisiert das σῶμα als θνητόν (Bell 3, 372; 7, 344) [3]. Sehr reich ist die Verwen-
20   dung bei Philo; er gebraucht θνητός als Attribut zu ἀνήρ (Cher 43) und zu ἄνθρωπος
(Op Mund 77; Spec Leg IV 14); ὁ θνητός ist der Mensch (Sacr AC 76; Mut Nom 181 uö,
Plur: Leg All I 5. 18; II 80 uö). Der Mensch ist als αἰσθητὸς ἄνθρωπος nach Philo
φύσει θνητός (Op Mund 134), da er aber das göttliche πνεῦμα erhält, steht er zwischen
der θνητή und der ἀθάνατος φύσις [4].

25   Pls gebraucht θνητός zur zusammenfassenden Charakteristik menschlichen
Wesens 1 K 15, 53 f: δεῖ γὰρ τὸ φθαρτὸν τοῦτο ἐνδύσασθαι ἀφθαρσίαν καὶ τὸ
θνητὸν τοῦτο ἐνδύσασθαι ἀθανασίαν . . . Er sehnt sich nach der Bekleidung mit
dem himmlischen Leib, ἵνα καταποθῇ τὸ θνητὸν ὑπὸ τῆς ζωῆς 2 K 5, 4. Er
charakterisiert speziell die σάρξ oder das σῶμα (wie Philo und Jos) als θνητόν
30   2 K 4, 11; R 6, 12; 8, 11.

Auch bei den Apost Vät begegnet θνητός als charakteristisches Attribut des Menschen.
So 1 Cl 39, 2: τί γὰρ δύναται θνητός; ἢ τίς ἰσχὺς γηγενοῦς; Gott hat nach Dg 9, 2
seinen Sohn dahingegeben, τὸν ἄφθαρτον ὑπὲρ τῶν φθαρτῶν, τὸν ἀθάνατον ὑπὲρ τῶν
θνητῶν. Den Leib bezeichnet Dg 6, 8 als θνητὸν σκήνωμα. Das menschliche Denken
35   heißt 7, 1 θνητὴ ἐπίνοια (par ἐπίγειος und ἀνθρώπινος). Did 4, 8 wird die ganze Sphäre
des Irdischen als θνητόν bezeichnet: εἰ γὰρ ἐν τῷ ἀθανάτῳ κοινωνοί ἐστε, πόσῳ μᾶλλον
ἐν τοῖς θνητοῖς. Ebenso ist θνητός bei den Apologeten ein Charakter des Menschlichen
(Aristid Apol 9, 6; Athenag Suppl 28, 4), der nach ihrer Polemik auch den heidnischen
Göttern eignet (Tat 21, 2; Athenag Suppl 21, 3). Der Mensch bzw seine ψυχή ist
40   sterblich, weil sich Gottes πνεῦμα von ihm getrennt hat (Tat 7, 3; 8, 1; 13, 1). Christus ist in seiner πρώτη παρουσία als θνητός aufgetreten (Just Dial 14, 8).

---

[3] Auf Christi Tod angewendet auch Just
Dial 94, 2; 99, 3; 102, 2.
[4] Leg All II 87 (von den ἡδοναί); Fug
53 ff (Allegorische Auslegung des θανάτῳ
θανατούσθω Ex 21, 12—14).
[5] So auch θανατώδεις von den ἐπιθυμίαι
Herm m 12, 2, 3.

ϑνητός. [1] Daher die Mahnung, zu bedenken, daß der Mensch θνητός ist Epict Diss
III 24, 4; IV 1, 95. 104; MAnt 4, 3; 8, 44.
[2] Wenn Σ in Gn 2, 17 statt θανάτῳ ἀπο-
θανεῖσθε (für מוֹת תָּמוּת): θνητὸς ἔσῃ liest, so

ist das Korrektur (der üblichen Exegese entsprechend): nicht der Tod, sondern die
Sterblichkeit ist die Folge des Essens der
verbotenen Frucht.
[3] Vgl Sap 9, 15: φθαρτὸν σῶμα.
[4] θνητός als Attribut der φύσις auch Det
Pot Ins 87; Deus Imm 77 uö; zu ζωή Fug
39. 59 uö; zu βίος Op Mund 152; Leg All
II 57 uö; zu γένος Op Mund 61. 125 uö;
zu δόγμα Leg All III 35; zu δόξα Deus Imm
120; zu ἔννοια Det Pot Ins 87; zu νοῦς Op
Mund 165; zu σῶμα Mut Nom 36. 187 uö.

† *ἀθανασία (ἀθάνατος)* → ζωή, θάνατος

1. Ἀθανασία, ein im Griech seit Plato und Isocrates begegnendes Wort, das wesentlich der Literatursprache angehört[1], bedeutet die *Unsterblichkeit*. Diese kommt nach griech Glauben den Göttern, den ἀθάνατοι, zu, ob auch der menschlichen Seele, das steht unter Diskussion. Plato sucht [5] den „Beweis" dafür zu führen[2], und in seiner Schule wird der Satz von der Unsterblichkeit der Seele zum charakteristischen Dogma[3], so daß sich später die christlichen Apologeten auf Plato beziehen und behaupten, er habe seine Lehre aus Mose[4]. Im Hellenismus ist das Verlangen nach Unsterblichkeit groß, der Glaube an sie aber gering[5]. Man sucht, abgesehen von dem διὰ τῆς δόξης [10] ἀθανατισμός[6], sich teils durch die stoisch-pantheistische Spekulation zu beruhigen, daß das Individuum organisch zum lebendigen Kosmos gehört und in ihm eine — freilich nicht individuelle — Unsterblichkeit hat[7]. Teils sucht man die ἀθανασία durch Mysterien[8], Zauber[9] oder mystische Schau[10] zu gewinnen.

Solche ἀθανασία ist natürlich nicht nur als einfache Dauer, sondern als Teilhabe am [15] seligen göttlichen Dasein, als Vergottung gedacht[11]. Es kann daher, sofern an einem Menschen etwas Übermenschlich-Göttliches wahrzunehmen ist, dieses auch als „unsterblich" bezeichnet werden. Nach Vett Val erweist sich in dem Vermögen, die Zukunft vorauszusehen, ein μέρος ἀθανασίας (p 221, 24 Kroll), eine ἀπόρροια καιρικὴ ἀθανασίας (p 330, 20; vgl 242, 16; 346, 19 f). Dieser Sprachgebrauch zeigt sich bes im Herrscher- [20] kult. Die Entscheidung des Antiochus I von Kommagene ist eine ἀθάνατος κρίσις (Ditt Or I 383, 207). Die göttliche Majestät des Kaisers (Gaius) heißt τὸ μεγαλεῖον τῆς ἀθανασίας (Ditt Syll³ 798, 4), seine Huld ist ἀθάνατος χάρις (ebd 7 f). So kann alles

---

ἀθανασία (ἀθάνατος) → ζωή Lit-A.
[1] Nägeli 18.
[2] → θάνατος 10, 23 ff. Plat Phaedr 246 a: περὶ μὲν οὖν ἀθανασίας αὐτῆς (τῆς ψυχῆς) ἱκανῶς.
[3] Max Tyr Diss 41, 5 f p 482, 19 f Hobein: ὃν γὰρ καλοῦσιν οἱ πολλοὶ θάνατον, αὐτὸ τοῦτο ἦν ἀθανασίας ἀρχὴ καὶ γένεσις μέλλοντος βίου. Plotin handelt Enn IV 7 περὶ ἀθανασίας ψυχῆς, im übrigen → ζωή II 839, 20 ff.
[4] Just Ap I 44, 9.
[5] Vgl MAnt 4, 48: πόσοι δὲ φιλόσοφοι, περὶ θανάτου ἢ ἀθανασίας μύρια διατεινόμενοι (Behauptungen machen).
[6] Diod S I 1, 5 p 3, 22 f Vogel, vgl ebd I 2, 4: Herakles hat große πόνοι bestanden, ἵνα τὸ γένος τῶν ἀνθρώπων εὐεργετήσας τύχῃ τῆς ἀθανασίας. Auch andere Männer μεγάλων ἐπαίνων ἠξιώθησαν, τὰς ἀρετὰς αὐτῶν τῆς ἱστορίας ἀπαθανατιζούσης.
[7] Rohde II 310 ff und vgl die pantheistischen Stücke des Corp Herm: VIII 3 wird von der ἀθανασία des κόσμος als eines ζῶον ἀθάνατον gehandelt; XII 15 ff: der κόσμος ist ein πλήρωμα τῆς ζωῆς (15), πᾶν ἄρα ζῷον ἀθάνατον ... πάντων δὲ μᾶλλον ὁ ἄνθρωπος (18 f). ὑπὸ τίνος οὖν ζωοποιεῖται τὰ πάντα ζῷα; ὑπὸ τίνος ἀθανατίζεται τὰ ἀθάνατα; ... καὶ τοῦτο ἐστιν ὁ θεός, τὸ πᾶν (22). Vgl noch XIV 10.
[8] Über die alten griech Mysterien und die „Orphik" Rohde I 278 ff, II 103 ff; GAnrich, Das antike Mysterienwesen (1894) 6 ff; WKroll, RGG¹ IV 585 ff; HLeisegang, RGG² IV 326 ff; OKern, ebd 789 ff. — Über die Mysterien der hell Zeit Anrich aaO 34 ff; Leisegang aaO; FCumont, Die orientalischen

Religionen im röm Heidentum (1931); ebd über das Verlangen nach und den Glauben an Unsterblichkeit 36 ff und passim; Reitzenstein Hell Myst passim, bes 102 A 3, 222, 253 (dazu noch JHSt 4 [1883] 419—421); → σωτηρία. Als Beispiel bes Apul Met XI 21.
[9] → Ζωή A 62; Reitzenstein aaO passim bes 169 ff, 185 ff; ThSchermann, Griech Zauberpapyri (TU 34, 2 b [1909]) 40—44. Das unter dem Titel Eine Mithrasliturgie von ADieterich (1910) behandelte Stück des Großen Pariser Zauberpap (Preis Zaub IV 475—722 bzw 834) ist ein ἀπαθανατισμός (Dieterich S 16 Z 15); dem Mysten wird ἀθανασία verheißen (S 3 Z 3; vgl 4, 7 ff. 18 ff; 10, 4 ff; 12, 2 ff: ἀπαθανατισθείς).
[10] Mithr Liturg 4, 10. 18; in Verbindung mit gnostischer Spekulation und Askese steht die zur Unsterblichkeit führende Schau in den dualistischen Stücken des Corp Herm: I 20. 28 (τί ἑαυτοὺς ... εἰς θάνατον ἐκδεδώκατε, ἔχοντες ἐξουσίαν τῆς ἀθανασίας μεταλαβεῖν; ... μεταλάβετε τῆς ἀθανασίας, καταλείψαντες τὴν φθοράν); IV 5 (ὅσοι δὲ τῆς ἀπὸ τοῦ θεοῦ δωρεᾶς μετέσχον ... ἀθάνατοι ἀντὶ θνητῶν εἰσι); X 4 (der in der mystischen θέα geschaute Glanz ist πάσης ἀθανασίας ἀνάπλεως); XI 20; XIII 3 (ἐμαυτὸν <δι>εξελήλυθα εἰς ἀθάνατον σῶμα); Ascl 12. 22 (Scott I 308, 20 f; 336, 9 ff), auch 27—29 (Scott I 364 bis 370).
[11] Zu ἀποθεωθῆναι vgl Reitzenstein aaO 221 f; Die Zauberhandlung verleiht ἰσόθεος φύσις Preis Zaub IV 220.

Pneumatische als ἀθάνατος bezeichnet werden. Wo Pls R 15, 27; 1 K 9, 11 πνευματικός sagt, sagt Did 4, 8 (→ 22, 35 ff) ἀθάνατος. Die christliche γνῶσις heißt 1 Cl 36, 2 ἀθάνατος [12]. Die heilige Schrift wird auf einem Pap des 5. Jhdts als καλλίνικος καὶ ἀθάνατος bezeichnet (Preisigke Sammelbuch 5273, 8); P Oxy I 130, 21 (6. Jhdt) begegnen ὕμνοι ἀθάνατοι.

Die alte Vorstellung, daß es eine die Unsterblichkeit vermittelnde Nahrung gibt [13], spielt in der Phantasie von einem φάρμακον ἀθανασίας (oder ζωῆς) eine große Rolle.

Isis soll nach der Legende dieses Elixier erfunden haben, und Ärzte meinen auch, es verabreichen zu können [14]. Die Vorstellung spielt aber auch im Zauber und Mysterienkult eine Rolle. Das φάρμακον τῆς ζωῆς vermittelt nach der alchimistischen Schrift „Die Lehre der Königin Kleopatra" den Toten das Leben [15]. Die κόρη κόσμου (8, Scott I 460, 13) redet von ἱεραὶ βίβλοι, die (versehen?) sind mit dem τῆς ἀφθαρσίας φάρμακον. Auch in die jüd Tradition ist die Vorstellung gedrungen; in einer jüdisch-christlichen Legende sagt der Engel der Asenath, nachdem er ihr eine Honigwabe aus dem Paradies gereicht hat: ἰδοὺ δὴ ἔφαγες ἄρτον ζωῆς καὶ ποτήριον ἔπιες ἀθανασίας καὶ χρίσματι κέχρισαι ἀφθαρσίας [16]. Daß die Vorstellung bekannt gewesen sein muß, zeigt die Umdeutung Sir 6, 16: φίλος πιστὸς φάρμακον ζωῆς [17]. Auf das christliche Abendmahl wendet Ign Eph 20, 2 den Terminus an: ἕνα ἄρτον κλῶντες, ὅς ἐστιν φάρμακον ἀθανασίας, ἀντίδοτος [18] τοῦ μὴ ἀποθανεῖν, ἀλλὰ ζῆν ἐν Ἰησοῦ Χριστῷ διὰ παντός [19]. Und so beschreibt Iren Haer V 2, 2 f, wie Kelch und Brot im Herrenmahl den Logos und damit die ζωὴ αἰώνιος aufnehmen. Auch Act Thom 135 p 242, 1 ist mit dem τῆς ζωῆς φάρμακον wohl das Abendmahl gemeint. Die Valentinianer reden nach Iren I 4, 1 davon, wie der Christus der gefallenen Achamoth eine ὀδμὴ ἀφθαρσίας [20] hinterlassen habe.

2. Soweit synkretistische Vorstellungen das Judentum und Christentum beeinflußt haben, sind sie im Vorigen besprochen. Über den üblichen Gebrauch ist nur wenig zu sagen. Im AT hat ἀθανασία kein Äquivalent.

Erst in den Apkr der LXX wird ἀθανασία zur Bezeichnung des erhofften ewigen Lebens der Gerechten (Sap 3, 4; 15, 3; 4 Makk 14, 5) [21], wie denn auch die ψυχή 4 Makk 14, 6; 18, 23 als ἀθάνατος bezeichnet wird (→ ζωή II 860, 35 ff). Selbstverständlich ist Philo ἀθανασία wie ἀθάνατος und (ἀπ)αθανατίζειν geläufig [22]. Bei Jos Bell 7, 340 hält Eleazar eine Rede περὶ ψυχῆς ἀθανασίας (vgl 348), und Titus redet Bell 6, 46 von der ἀθανασία der im Kampf Gefallenen [23]. Von den Essenern heißt es Ant 18, 18:

---

[12] Dgg bedeutet Sap 1, 15: δικαιοσύνη γὰρ ἀθάνατός ἐστιν, daß die Gerechten unsterblich sind. Aber hierher gehört wohl auch Jos Ant 9, 222 (Jerobeam χαυνωθεὶς [aufgebläht] θνητῇ περιουσίᾳ τῆς ἀθανάτου ... ὠλιγώρησεν); 11, 56 (alle anderen Größen sind θνητὰ καὶ ὠκύμορα [schnell vergänglich], die ἀλήθεια ist ein ἀθάνατον χρῆμα καὶ ἀίδιον); vgl 4 Makk 7, 3 א.

[13] → ζωή A 63; HSchlier, Religionsgeschichtliche Untersuchungen zu den Ignatiusbriefen (1929) 168, A 1. Schon die griech Legende kannte ein ἀθανατοποιὸν φάρμακον, EMaaß, ARW 21 (1922) 265. Spottend Aristoph Fr 86 (CAF): ὁ δὲ λιμός ἐστιν ἀθανασίας φάρμακον. Nach Luc Dialogi Deorum 4, 3. 5 ist Ganymed, wenn er Ambrosia genießt, οὐκέτι ἄνθρωπος ἀλλ' ἀθάνατος, im Nektar trinkt er die ἀθανασία.

[14] Diod S I 25, 6 p 40, 23 f: εὑρεῖν δ'αὐτὴν (τὴν Ἴσιδα) καὶ τὸ τῆς ἀθανασίας φάρμακον, δι' οὗ τὸν υἱὸν Ὧρον, ὑπὸ τῶν Τιτάνων ἐπιβουλευθέντα καὶ νεκρὸν εὑρεθέντα καθ' ὕδατος, μὴ μόνον ἀναστῆσαι, δοῦσαν τὴν ψυχήν, ἀλλὰ καὶ τῆς ἀθανασίας ποιῆσαι μεταλαβεῖν. Weiteres bei RReitzenstein, HellWundererzählungen (1906) 104—106; ARW 7 (1904) 402; ThSchermann, Theol Quartalschrift 92 (1910) 6—19; Bau Ign z Eph 20, 2.

[15] Reitzenstein Hell Myst 314.

[16] Schürer III 400, 126, dort weiteres.

[17] Hbr liest צְרוֹר חַיִּים, was Smend unter Hinweis auf 1 S 25, 29 mit Lebenszauber übersetzt. Das Opp ist φάρμακον ὀλέθρου Sap 1, 14 oder θανάσιμον φάρμακον Ign Tr 6, 2. Auch Philo kennt die Vorstellung, wenn er Fug 199 Gott, die πηγὴ τοῦ ζῆν (Jer 2, 13), als τὸ τῆς ἀθανασίας ποτόν erklärt.

[18] Auch ἀντίδοτος ist medizinischer t t Schermann aaO.

[19] Hängt die Bezeichnung Christi als des Arztes hiermit zusammen? → ἰατρός.

[20] → ζωή A 59.

[21] Durch den griech Übers ist ἀθάνατος im Sinne von unsterblich auch in den Text Sir 17, 30; 51, 9 A hineingekommen. Nicht recht klar ist der Sinn von ἀθανασία Sap 8, 13. 17; in 4, 1 ist ἀθανασία die „mnemonische" Unsterblichkeit → A 6.

[22] Vgl zB Virt 9 u Leisegang.

[23] In der Rede des Jos selbst Bell 3, 372: τὰ μέν γε σώματα θνητὰ πᾶσιν καὶ ἐκ φθαρτῆς ὕλης δεδημιούργηται, ψυχὴ δὲ ἀθάνατος ἀεὶ καὶ θεοῦ μοῖρα τοῖς σώμασιν ἐνοικίζεται.

ἀθανατίζουσι δὲ τὰς ψυχάς, von den Pharisäern Ant 18, 14: ἀθάνατον ἰσχὺν ταῖς ψυχαῖς πίστις αὐτοῖς εἶναι.

3. Im Neuen Testament fehlt ἀθάνατος. ἀθανασία begegnet nur an zwei Stellen: 1 K 15, 53f wird wie im hell Judt die unvergängliche Seinsweise der Auferstandenen (ἀφθαρσία und) ἀθανασία genannt, wo- [5] mit nicht nur die ewige Dauer, sondern auch die σάρξ und αἷμα entgegengesetzte Seinsweise gemeint ist (→ Ζωή II 871, 22 ff), das, was sonst δόξα heißt. — Außerdem wird die ἀθανασία von Gott ausgesagt 1 Tm 6, 16: ὁ μόνος ἔχων ἀθανασίαν, in einem Zusammenhang, der den Einfluß hell-jüdischer Terminologie zeigt [24]. [10]

Beide Anwendungen finden sich auch weiterhin. Zu Did 4, 8 → 22, 35 ff. Im eucharistischen Gebet Did 10, 2 wird gedankt ὑπὲρ τῆς γνώσεως καὶ πίστεως καὶ ἀθανασίας, ἧς ἐγνώρισας ἡμῖν διὰ Ἰησοῦ τοῦ παιδός σου (vgl 9, 3: ὑπὲρ τῆς ζωῆς καὶ γνώσεως) [25]. 1 Cl 35, 2 wird unter den δῶρα Gottes als erstes genannt: Ζωὴ ἐν ἀθανασίᾳ, und 2 Cl 19, 3 wird mit dem Blick auf den ἀθάνατος τῆς ἀναστάσεως καρπός getröstet [26]. [15]

Nach Athenag Suppl 22, 5 ist ἀθάνατον der Charakter des θεῖον (vgl 28, 5). Dg 9, 2 bezeichnet Christus als ἀθάνατος. Über die ἀθανασία der Seele handeln die Apologeten, → Ζωή A 281; Dg 6, 8 nennt sie ἀθάνατος.

Bultmann

---

† *ϑαρρέω (ϑαρσέω)* [20]

1. Der in zwei mundartlichen Varianten auftretende Begriff θαρρέω-θαρσέω, von denen θαρσέω nach unseren Belegen [1] die ältere ist, hat die Grundbedeutung *wagen, kühn sein*, daraus folgt: *guten Mutes sein, fröhlich, getrost sein*, zB: θάρρει Xenoph Cyrop V 1, 6, auch V 1, 17; Jos Ant 7, 266: θάρρει καὶ δείσῃς μηδὲν ὡς τεθνηξόμενος. Daraus ergeben sich als weitere Hauptbedeutungen *a. Vertrauen haben* [25] *zu etwas, oder zu jemandem, sich verlassen auf*, zB mit Dat: τεθαρσηκότες τοῖς ὄρνισι Hdt III 76; θαρρεῖν τοῖς χρήμασι αὐτοῦ Greek Papyri from the Cairo Museum (ed EJ Goodspeed 1902) 15, 19 (4 Jhdt n Chr); mit Acc: οὔτε Φίλιππος ἐθάρρει τούτους οὔθ' οὗτοι Φίλιππον Demosth 3, 7; mit Präp: ἅμα δὲ θαρρεῖν ἐφ' ἑαυτῷ καὶ τῇ διαθέσει Plut Adulat 28 (II 69 d). — *b. mutig sein gegenüber jem oder etwas, mutig herangehen an*: [30] θάρσει τὸ τοῦδέ γ' ἀνδρός Soph Oed Col 649; κρέσσον δὲ πάντα θαρσέοντα Hdt VII 50. — Die LXX braucht die Begriffe mit Ausnahme einer einzigen Stelle (Prv 31, 11: θαρσεῖ ἐπ' αὐτῇ ἡ καρδία τοῦ ἀνδρὸς αὐτῆς, θαρσεῖν = בָּטַח) absolut [2]. An den zwölf Stellen, wo es Übersetzung aus dem masoretischen Text ist, gibt es an zehn Stellen יָרֵא cum negatione, einmal בָּטַח (→ Z 34) wieder. Es heißt also überall *guten Mutes sein*, [35]

---

[24] Vgl Dib Past zSt.

[25] Vgl dazu ThSchermann, Griech Zauberpapyri (→ A 9) 41—43.

[26] Ἀθάνατος kann auch in dem rein formalen Sinne von ewiger Dauer gebraucht werden, so daß sie nicht nur von den Seligen (Just Dial 45, 4; Tat 20, 3), sondern auch von den Verdammten gilt (Tat 13, 1; 14, 2).

ϑαρρέω. [1] θαρσέω ist im Attischen sicher viel älter als der älteste Beleg von θαρρέω: dieses tritt nur deswegen später auf, weil die attische Lit jünger ist als die nichtattische. θαρσέω (seit Homer), daraus attisch (und böotisch) θαρρέω (belegt seit Soph und Plato). Die Koine übernahm beide Lautungen, wobei im Ganzen ρσ das Vulgärere ist; vgl dazu

JWackernagel, Hellenistica (1907) 13 ff; Bl-Debr [6] § 34, 2 [Debrunner].

[2] Unsicher ist noch die Stelle Prv 1, 21: θαρροῦσα λέγει ist wohl entsprechend dem als Verstärkung empfundenen אֹמְרֶיהָ תֹאמֵר vom Übersetzer beabsichtigt. Vgl 1, 20: קוֹלָהּ תִּתֵּן = παρρησίαν ἄγει, sowie die bei Philo sich mehrfach findende Verbindung θαρρῶν λέγειν uä: Poster C 38; Rer Div Her 28. 71 (λέγε θαρροῦσα ἡμῖν, ὦ διάνοια); Fug 82. — Auch bei 1 Βασ 30, 6: ἐθάρρησεν = יִתְחַזֵּק (LXX: ἐκραταιώθη, ᾽Α: ἐνίσχυσεν [ἐν κυρίῳ θεῷ]) ist das Verbum nicht absolut gebraucht. Außer an den beiden Stellen in Prv u der bei Σ kommt θαρρεῖν im AT u NT nur im Imp vor [Bertram].

getrost sein, sich nicht fürchten. Fast überall steht θαρσεῖν, nur Da und 4 Makk[3] steht θαρρεῖν. Im NT haben die Evangelisten und Ag θαρσεῖν, während Pls und Hb θαρρεῖν verwenden.

5 Der Begriff spielt eine Rolle in Platons Phaedon gegenüber der Todesfrage als der schärfsten Bedrohung des Menschen. Kebes, einer der Gesprächsteilnehmer, stellt den Satz auf: . . . οὐδενὶ προσήκει θάνατον θαρροῦντι μὴ οὐκ ἀνοήτως θαρρεῖν, ὃς ἂν μὴ ἔχῃ ἀποδεῖξαι, ὅτι ἔστι ψυχὴ παντάπασιν ἀθάνατόν τε καὶ ἀνώλεθρον Phaed 88 b. Die Frage, um die es sich also handelt, ist die: θαρρεῖν ἢ δεδιέναι ὑπὲρ τῆς ἡμετέρας ψυχῆς 78 b.
10 Die Unterredung wird angesichts des bevorstehenden Todes des Sokrates geführt, und Sokrates stellt den Satz auf: φαίνεται εἰκότως ἀνὴρ τῷ ὄντι ἐν φιλοσοφίᾳ διατρίψας τὸν βίον θαρρεῖν μέλλων ἀποθανεῖσθαι καὶ εὔελπις εἶναι μέγιστα οἴσεσθαι ἀγαθὰ ἐπειδὰν τελευτήσῃ 63 e. Das Gespräch dreht sich um die Unsterblichkeit der Seele, die das θαρρεῖν verbürgt (87 e. 95 c), und schließt mit der Erkenntnis: τούτων δὴ ἕνεκα θαρρεῖν χρὴ περὶ τῇ ἑαυτοῦ ψυχῇ ἄνδρα 114 d; dh gegenüber der schärfsten Bedrohung der mensch-
15 lichen Existenz durch den Tod ist dem Menschen das θαρρεῖν möglich durch das Wissen um die Unsterblichkeit der Seele.

Bei Philo ist das θαρρεῖν mit der → εὐλάβεια (II 750, 22) verbunden, der Haltung Gott gegenüber: σκόπει . . . ὅτι εὐλαβείᾳ τὸ θαρρεῖν ἀνακέκραται. τὸ μὲν γὰρ „τί μοι δώσεις"; θάρσος ἐμφαίνει Rer Div Her 22. Kam in der εὐλάβεια das Distanzgefühl, gewissermaßen
20 das Tremendum zum Ausdruck, so in dem θαρρεῖν das Fascinosum[4].

In Septuaginta steht das θαρρεῖν sowohl als Ausruf, den Menschen einander zurufen in irgendwelcher Lage der Not und Bedrängnis und Angst (zB Mose zum Volke Israel Ex 14, 13; 20, 20; Elia zur Witwe von Sarepta 3 Βασ 17, 13; im Prophetenmund: Zeph 3, 16; Bar 4, 5. 21. 27. 30), wobei als Begründung des Ausrufes hinge-
25 wiesen wird auf die Hilfsbereitschaft Jahwes — so ist es auch bei Philo verwendet: θαρρεῖτε, μὴ ἀποκάμητε, . . . προσδοκᾶτε τὴν ἀήττητον ἐκ τοῦ θεοῦ βοήθειαν Vit Mos II 252 und bei Jos: οὐδὲ ἄλλῳ τινὶ θαρσήσας ἢ τῇ παρ' αὐτοῦ βοηθείᾳ Ant 8, 293 — wie als Anruf Gottes an sein Volk: Hag 2, 5; Sach 8, 13. 15, wobei der Anrufende seine Existenz als Unterpfand einsetzt.

30 **2.** Im Neuen Testament ist es als Anruf im Munde Jesu vorhanden: Dem hilflosen Gichtbrüchigen sagt Jesus: θάρσει, τέκνον, ἀφίενταί σου αἱ ἁμαρτίαι Mt 9, 2; dem blutflüssigen Weibe: θάρσει, θύγατερ· ἡ πίστις σου σέσωκέν σε Mt 9, 22; den im Seesturm und vor der Erscheinung Jesu auf dem Meer sich ängstenden Jüngern: θαρσεῖτε, ἐγώ εἰμι Mt 14, 27;
35 Mk 6, 50. Jeweils werden Menschen zum θαρρεῖν aufgerufen, im Hinblick auf das, was Jesus ihnen gibt und ihnen ist[5]. Im Aufruf zum θαρρεῖν steckt der Anspruch Jesu, daß er in seinem Sein und Werk die Sicherheit dazu gibt. Dieser Aufruf zeigt in voller Lebendigkeit, wie sich in der Christusbegegnung der Menschen das Handeln Gottes als befreiendes Handeln vollzieht. Jesu Evan-
40 gelium, das sowohl in seinem Verkünden wie in seinem Handeln besteht, schafft Freude und Zuversicht und treibt Lebensangst und Lebensnot aus, indem er die Menschen in die Güte Gottes, den er Vater heißt, hineinzieht. Mit demselben Aufruf begegnet der erhöhte Herr dem gefangenen Paulus: θάρσει, und zwar deshalb, weil er, der Christus, es sagt (Ag 23, 11). Völlig deutlich wird der
45 sicher historisch häufigere Aufruf; der mit dem μὴ φοβοῦ, μὴ φοβεῖσθε (→ φοβεῖσθαι) zusammenzufassen ist, begründet J 16, 33: ἐν τῷ κόσμῳ θλῖψιν ἔχετε, ἀλλὰ θαρσεῖτε, ἐγὼ νενίκηκα τὸν κόσμον. Die Jünger, die in der Welt durch Verfolgung und Martyrium dauernd in ihrer Existenz bedroht sind, die in der Situation der Abschiedsreden vor Golgatha stehen, die deshalb in der Angst leben,

---

[3] Die beiden Baruchstellen 4, 21. 27 sind nicht völlig sicher.

[4] Vgl die Verbindung — freilich nicht auf Gott bezogen, also rein humanistisch — bei Epict Diss II 1: ὅτι οὐ μάχεται τὸ θαρρεῖν τῷ εὐλαβεῖσθαι, bes: πρὸς τὰ ἀπροαίρετα θαρρεῖν εὐλαβεῖσθαι τὰ προαιρετικά II 1, 29.

[5] In diesem Sinne ist die Aufforderung im Munde der Begleiter Jesu gebraucht, wenn dem Jesus um Hilfe rufenden Blinden (Mk 10, 49) gesagt wird: θάρσει, ἔγειρε, φωνεῖ σε.

werden zum θαρσεῖν in jeder Hinsicht aufgerufen. Begründet wird dieser Aufruf durch den Hinweis auf den Christus: ἐγὼ νενίκηκα τὸν κόσμον. Sie stehen in der Hand des Siegers über den Kosmos und brauchen deshalb vor dem, was aus dem Kosmos kommt, keine Angst zu haben. Diese Stelle ist bedeutungsvoll. Während der griechische Mensch das θαρρεῖν gegenüber der 5 letzten Existenzbedrohung aus dem erhält, was er in sich trägt, nämlich der Unsterblichkeit seines besten Teiles, der Seele, deren Unsterblichkeit aber erst eine philosophische Überlegung begründen muß, erhält es der Christ aus dem den Kosmos überwindenden Sieg des Christus. Der Text ist aber noch nach einer anderen Richtung bedeutungsvoll. Er trägt Mysteriencharakter. Firmicus Maternus über- 10 liefert den Mysterienspruch, mit dem der Priester das Wiedererstehen der Mysteriengottheit und die darin verbürgte Rettung ankündigt: θαρρεῖτε μύσται τοῦ θεοῦ σεσωσμένου· ἔσται γὰρ ἡμῖν ἐκ πόνων σωτηρία Firm Mat Err Prof Rel 22. Hier ist es der mystische Vorgang, den der Eingeweihte nacherlebt und der ihn vergottet, der zum θαρρεῖν führt. Anders bei Christus: auf Grund seines 15 durch seinen Tod am Kreuz und sein Auferstehen errungenen Sieges über die Welt ruft er zum θαρρεῖν auf. Aus dem Mythus wurde Geschichte, aus der Sehnsucht Erfüllung. Die Stellen sowohl bei Plato wie bei Firmicus Maternus und Joh zeigen, wie bedeutungsvoll die Frage nach dem θαρρεῖν im religiösen Leben ist und wie verschieden zugleich die Antwort gegeben wird. 20

Paulus spricht 2 K 5, 6. 8 davon, daß inmitten der Lage der Christen, die durch das Getrenntsein vom Christus bezeichnet ist (→ ἐκδημεῖν II 62, 37 ff), die Möglichkeit des θαρρεῖν gegeben ist. Als θαρροῦντες sind die Christen in der Welt, und zwar deshalb, weil sie durch das Angeld des Geistes Verbindung mit dem Herrn haben und um die Erfüllung im περιπατεῖν διὰ εἴδους wissen. 25

Mit der verheißenen Hilfe des Kyrios begründet der Schreiber des Hebräerbriefes sein θαρρεῖν, wenn er die Empfänger des Briefes in ihrer durch Verfolgung bezeichneten Lage tröstet: ... θαρροῦντας ἡμᾶς λέγειν· κύριος ἐμοὶ βοηθός, οὐ φοβηθήσομαι· τί ποιήσει μοι ἄνθρωπος; Hb 13, 6.

θαρρεῖν *sich verlassen auf, Vertrauen haben zu* steht 2 K 7, 16: χαίρω ὅτι ἐν παντὶ 30 θαρρῶ ἐν ὑμῖν. θαρρεῖν *mutig sein gegen, mutig herangehen an* steht 2 K 10, 1. 2: ... ἀπὼν ... θαρρῶ εἰς ὑμᾶς· δέομαι δὲ τὸ μὴ παρὼν θαρρῆσαι ...

Grundmann

---

† *ϑαῦμα,* † *ϑαυμάζω,*
† *ϑαυμάσιος,* † *ϑαυμαστός*

35

Inhalt: A. Der Gebrauch der Vokabelgruppe in der Profangräzität. — B. Der Gebrauch der Vokabelgruppe im griechischen Judentum: 1. Das griechische AT; 2. Philo und Josephus. — C. Der Gebrauch der Vokabelgruppe im NT: 1. Synoptiker; 2. Apostelgeschichte; 3. Johannes; 4. Paulus; 5. Kath. Briefe; 6. Offenbarung. — D. Die Wortgruppe im frühchristlichen Sprachgebrauch. 40

A. Der Gebrauch der Vokabelgruppe in der Profangräzität.

θαυμάζειν und sein Grundwort θαῦμα, dessen Wurzel mit θέα „Schau", θεάομαι „schaue zu" zusammenhängt, begegnen seit Homer und Hesiod all-

---

ϑαῦμα κτλ. → θάμβος, δύναμις, ἔργον, bes | gebene Lit. — Moult-Mill sv; Preisigke 50; → II 637, 1 ff; 639, 25 ff u die dort ange- | Trench § 59.

gemein. Das Adj θαυμάσιος, das ebenfalls seit Hesiod zu belegen ist, wird von den Attizisten gegenüber dem seit den homerischen Hymnen vorkommenden Verbaladjektiv θαυμαστός bevorzugt. Im hellenistischen Griechisch, auch in der LXX, ist zwischen den beiden keine sichere sachliche Unterscheidung möglich trotz Plut Terrestriane an Aquatilia Animalia sint Callidiora 21 (II 974 d): ἧττον δὲ ταῦτα θαυμαστά, καίπερ ὄντα θαυμάσια — minus miranda quamvis mirabilia. Das Verbum bedeutet zunächst *sich wundern, staunen, erstaunen* und bringt vielfach eine kritische, zweifelnde, ja tadelnde und ablehnende Haltung zum Ausdruck, kann aber auch einfach Wißbegier oder Neugier bezeichnen. Es folgt εἰ, wenn der Anlaß als unsicher, ὅτι, wenn er als sicher erscheint. Zweitens steht das Verb für *bewundern, anstaunen*; es folgt ein Nebensatz mit ὡς oder εἰ oder τινά, τί, τινός τι, περί (in LXX auch ἐν, ἐπί), selten τινί (in LXX Sir 43, 24 [26]; 4 Makk 6, 11)[1]. Davon abgeleitet sind die Bedeutungen *schätzen, ehren, verehren*. θαῦμα ist sowohl *admiratio* (Hom Od 10, 326; Soph El 897: ἰδοῦσα ἔσχον θαῦμα vgl 928) als auch *miraculum* (Hom Od 9, 190). Das Wunder als Phänomen plötzlich und unerwartet auftretend ruft das Staunen, eine oft ungläubige Überraschung hervor, regt die kritische und rezeptive Beobachtung an (Hesych: θαυμάζειν, θεάσασθαι καὶ μανθάνειν, vgl Hdt 8, 37), enthält vielfach aber auch das Moment der Furcht, der Verehrung des Unbekannten, Geheimnisvollen (Soph Oed Tyr 777: τύχη θαυμάσαι μὲν ἀξία). So bezeichnet das Adj vielfach das Auffallende, Bemerkenswerte oder auch das Unbegreifliche. Die Vokabelgruppe begegnet daher oft in der Schilderung von Reiseeindrücken (Paus II 5, 7; III 26, 3; VI 2, 10; X 18, 5)[2] und bei der Darstellung von außerordentlichen Ereignissen wie den Taten des Herkules oder in den ätiologischen Erzählungen eines Kallimachos und in den in die Geschichtsdarstellung eingestreuten Naturwundern eines Theopompos[3], sowie auch in Enkomien und Epinikien[4]. In der religiösen Sphäre löst vor allem die Epiphanie der Gottheit Staunen aus (Hom Od 1, 323; 19, 36; Il 3, 398; Hom Hymn Ap 135[5]; Vergil Aen III 172; Lk 24, 41). Dasselbe Empfinden rufen die Wundertaten[6] und die Lehren der Priester und Propheten, der Mittler der Offenbarung hervor (Plat Phaedr 257 c). Das Staunen über δύναμις und ἀρετή der Gottheit ist die Grundlage des Kultes. Zahlreiche Beispiele für den religiösen Sprachgebrauch finden sich bei Aelius Aristides. Auch hier geht der Wunderbegriff auf die verschiedenen Phänomene des religiösen Lebens, vor allem auf die Machttaten des Gottes (48, 30: καί τινα κλίμακα, οἶμαι, ἐξήγγελλεν ἱερὰν καὶ παρουσίαν καὶ δυνάμεις τινὰς τοῦ θεοῦ θαυμαστάς. Vgl 48, 15: θαυμαστόν . . . σημαίνων οὐ μόνον εἰς τὸ σῶμα ἔχοντα, ἀλλὰ καὶ ἄλλα πολλά, und 48, 74: ταῦτ' ἐστὶ τὰ πρῶτα τοῦ θαύματος). Aber auch auf seine Vorsehung (48, 55: θαυμαστότερον τὸ τοῦ θεοῦ . . . τὴν αὐτοῦ δύναμιν καὶ πρόνοιαν ἐμφανίζοντος), auf genau eingetroffene Weissagungen (51, 18: οἱ δ'ἐθαύμαζον τῆς προρρήσεως τὴν ἀκρίβειαν) und Träume (51, 50: θαυμάσαι τε δὴ τοῦ ἐνυπνίου ἀκρίβειαν) richtet sich der Wunderglaube. Natürlich haben die Gottheiten selbst das Attribut des θαυμαστός, so Serapis und Asklepios (49, 46). Auch eine Heilungsvorschrift kann als ἔργον τοῦ θεοῦ θαυμαστόν bezeichnet werden (50, 17). Aus der religiösen Sphäre sinkt die Begriffsgruppe in die des Zaubers herab. Sie findet sich häufig in den Zauberpapyri[7] zur Bezeichnung sowohl der Zauberhandlung und des Zaubermittels (VII 643: ποτήριον λίαν θαυμαστόν, VII 919: νικητικὸν θαυμαστὸν τοῦ Ἑρμοῦ, XXXVI 134: ἀγωγὴ θαυμαστή) als Staunen erregend, als auch des Staunens als der Haltung dessen, der sich des Mittels bedient (IV 160 ff: καὶ < σὺ > δοκιμάσας θαυμάσεις τὸ παράδοξον τῆς οἰκονομίας (Zauberrezept) ταύτης, IV 233: ὃς τῷδε αὐτῷ λόγῳ χρώμενος θαυμάσεις, wendest du dieses Gebet an, wirst du staunen; vgl XIII 252).

Auch in der Philosophie ist die Begriffsgruppe grundlegend. Das zeigt sich vor allem bei Plato. Hier ist die Hauptfrage Prot 326 e: θαυμάσεις . . . καὶ ἀπορεῖς, εἰ διδακτόν ἐστιν ἀρετή. Vgl auch Xenoph Mem I 2, 7: ἐθαύμαζε δ' εἴ τις ἀρετὴν ἐπαγγελλόμενος ἀργύριον πράττοιτο. θαυμάζειν bezeichnet dabei den philosophischen Zweifel, der dazu da ist, um überwunden zu werden, so daß es schließlich heißt: θαυμάσιον ἔσται μὴ διδακτὸν ὄν (Plat Prot 361 b). Grundsätzlich ist damit das θαυμάζειν als Anfang der Philosophie erkannt. So heißt es Theaet 155 d: Μάλα γὰρ φιλοσόφου τοῦτο τὸ πάθος, τὸ θαυμάζειν. Von da aus versteht sich einerseits, daß das Prädikat des Wunderbaren auch für den Philosophen gegenüber gewissen Phänomenen erhalten bleibt, Symp 178 a: μέγας θεὸς . . . ὁ Ἔρως καὶ θαυμαστός, Leg XII 957 c: ὁ θεῖος καὶ θαυμαστὸς νόμος.

---

[1] Helbing Kasussyntax 265 f.

[2] Vom Kunstdenkmal und vom Naturwunder. Die Gottheit Thaumas ist der mythologische Inbegriff der Wunder des Meeres und gilt als Sohn des Pontos und der Gaia.

[3] UvWilamowitz-Moellendorff, Antigonos von Karystos (1881) 23 ff.

[4] OPfister bei Pauly-W, Erg-Bd IV (1924) 317.

[5] Mehrfach ist an den genannten Stellen θαμβεῖν in diesem Sinne gebraucht.

[6] So leitet Philostr Vit Ap IV 45 eine Totenerweckung des Apollonius von Tyana in Rom ein; κἀκεῖνο Ἀπολλωνίου θαῦμα.

[7] Die Stellen nach Preis Zaub.

Anderseits aber ergibt sich die dem Pythagoras zugeschriebene Anschauung: ἐκ φιλοσοφίας ἔφησεν αὐτῷ περιγεγονέναι τὸ μηδὲν θαυμάζειν (Plut Aud 13 [II 44 b]). Sie ist bei den Stoikern weit verbreitet und findet sich nach Diog L VII 123 schon bei Zenon: τὸν σοφὸν οὐδὲν θαυμάζειν τῶν δοκούντων παραδόξων[8]. Dem Plato seinerseits erscheint die sophistische Dialektik als ein θαῦμα, Kunststück (Soph 233 a), und in der 5 griechischen Rhetorik wird das Wort mehr oder weniger bloßes Mittel der Überleitung (Demosth 19, 26)[9]. Aristoteles stimmt in der Grundanschauung mit Plato überein, Metaph I 2 p 982 b 12: διὰ γὰρ τὸ θαυμάζειν οἱ ἄνθρωποι . . . ἤρξαντο φιλοσοφεῖν. Das Wundern hört auf, sobald die Ursache eines Phänomens entdeckt ist, Mechanika 1 p 847 a 11: θαυμάζεται τῶν κατὰ φύσιν συμβαινόντων, ὅσων ἀγνοεῖται τὸ 10 αἴτιον. Auch Aristoteles behält den Begriff zur Kennzeichnung merkwürdiger Phänomene bei[10].

In der Sprache der Inschriften und Papyri begegnet θαυμασιώτατος als Ehrentitel[11]; auch θαῦμα kommt gelegentlich auf einer Grabinschrift vor[12].

B. Der Gebrauch der Vokabelgruppe im griechischen Judentum.   15

1. Das griechische AT.

Wie mannigfaltig die Verwendung der Vokabelgruppe in der griechischen Bibel ist, das zeigt schon die verhältnismäßig große Zahl der hbr Wörter, die mit θαυμάζειν usf wiedergegeben werden, obwohl sie untereinander zum Teil nicht die geringste Beziehung haben. Natürlich wird 20 dadurch der Begriffsinhalt der Vokabelgruppe bis ins NT hinein mitbestimmt. Sie ist vor allem ein eigenartiger Ausdruck der anthropozentrisch bestimmten Erlebnisfrömmigkeit der LXX, gerade auch da, wo sie den Gegenstand des Erlebnisses als etwas kennzeichnet, das jenseits aller menschlichen Möglichkeiten liegt. So erfaßt sie *miraculum* und *mirabile*[13] und vermag jeden Grad des Wun- 25 ders oder der Verwunderung zum Ausdruck zu bringen.

a. Die bloß rhetorische Einleitungsformel οὐ θαυμαστὸν ἐάν . . . findet sich Prv 6, 30, wo eine Grundlage in Mas überhaupt fehlt, und Sir 16, 11: θαυμαστὸν τοῦτο εἰ . . . (‏התמה זה אם‎). Ähnlich formelhaften Charakter hat die Mahnung μὴ θαυμάσῃς Qoh 5, 7; Sir 26, 11. Diese Einleitung mit der Verneinung unter- 30 streicht die Selbstverständlichkeit einer Aussage, während die positive Form etwas als unmöglich oder unwahrscheinlich hinstellt. In jedem Fall ist geredet von einem Standpunkt aus, der als allgemein anerkannt vorausgesetzt wird. Sachlich geht es dabei im griechischen Alten Testament vielfach um Fragen der Durchschnittssittlichkeit, wie sie vor allem die Weisheitsliteratur beschäftigen. Religiös-sittlichen Cha- 35 rakter hat nur Sir 16, 11: ein hartnäckiger, unbeugsamer Mensch bleibt nicht ungestraft; Gottesfurcht, Beugung ist der selbstverständliche Inhalt dieser Frömmigkeit.

Ebensowenig wie hier kommt der tiefere Wortsinn der Vokabelgruppe zur Geltung, wo θαυμάζειν πρόσωπον zur Wiedergabe der aus orientalischer Hofsitte verständlichen Phrase ‏נָשָׂא פָנִים‎ dient. Diese Phrase ist an zwei Stellen Ausdruck für den theo- 40 logischen Gedanken: Gott kennt kein Ansehen der Person, Dt 10, 17; 2 Ch 19, 7 (vgl Hi 34, 19). Sie kann aber auch im Gegenteil die Annahme des Frommen durch Gott, die Absicht Gottes, seiner Bitte zu willfahren, feststellen sollen, Gn 19, 21. Im übrigen bezieht sie sich auf das Verhältnis der Menschen untereinander. Dabei betont sie mehrfach die Anerkennung und Ehrung, die Menschen einander schuldig sind, wie 45 das dem profanen Sprachgebrauch von θαυμάζειν *schätzen* entspricht. So ist Sir 7, 29 gegenübergestellt: ἐν ὅλῃ ψυχῇ σου εὐλαβοῦ τὸν κύριον καὶ τοὺς ἱερεῖς αὐτοῦ θαυμαζε (‏הקדיש‎). Entsprechend heißt es 7, 31: φοβοῦ τὸν κύριον καὶ δόξασον ἱερέα ‏כבד אל‎ ‏והדר כהן‎. θαυμάζειν als Übersetzung von ‏נָשָׂא פָנִים‎ kommt in der Bdtg *Rücksicht*

---

[8] Vgl auch Cic Tusc III 14: nihil admirari cum acciderit, nihil antequam evenerit non evenire posse arbitrari, und Horat Ep I 6, 1f: nil admirari prope res est una . . . solaque, quae possit facere et servare beatum.

[9] Vgl auch F W Sturz, Lexicon Xenophonteum II (1802) 511.

[10] Vgl A Bonitz, Index Aristotelicus (1870) sv.

[11] Preisigke Wört sv.

[12] Epigr Graec 591, 2: ἐνθάδε Νεῖλος κεῖται, ἀνὴρ προφερέστατος ἀνδρῶν, ῥητορικός, μέγα θαῦμα.

[13] Vgl dazu R Seeberg in RE[3] XXI 567.

nehmen Dt 28, 50 und im Sinne von *angesehen sein* 4 Βασ 5, 1 vor. Sonst ist die Phrase Ausdruck einer Forderung, die sich vor allem an den Richter wendet. Wie es vor Gott kein Ansehen der Person gibt, so auch nicht vor dem menschlichen Richter. Diese theologische Begründung gleichen Rechtes für alle darf nicht mit der profanen ethizistischen Gedankenreihe verwechselt werden, die von der humanistischen Utopie der Gleichheit aller Menschen ausgeht. An den ungerechten Richter, der die Person ansieht, denkt jedenfalls LXX in Js 9, 14, wenn sie den aktiven Begriff θαυμάζειν πρόσωπον einführt. Mas hat hier das Part Passiv (Σ: αἰδέσιμος) und denkt also wohl an den Angesehenen im allgemeinen, ohne durch eine negative sittliche Wertung das angedrohte Gericht zu begründen. Auf Parteilichkeit bezieht sich auch das Gesetz von Lv 19, 15, wo nebeneinander steht: οὐ λήμψῃ (נשא) πρόσωπον πτωχοῦ οὐδὲ θαυμάσεις (vl δοξάζεις)[14] πρόσωπον δυνάστου, vgl Ex 23, 3: הדר = ἐλεεῖν, Σ: τιμᾶν, sonst meist δοξάζειν, und Dt 1, 17: ἐπιγινώσκειν πρόσωπον. Denselben Sprachgebrauch zeigt der Grundsatz Prv 18, 5: θαυμάσαι πρόσωπον ἀσεβοῦς οὐ καλόν. Auch in dem LXX-Zusatz Da 6, 13 ist die Phrase in demselben Sinne verwendet. Im Hiob begegnet sie außer an der oben erwähnten Stelle noch dreimal. Hi 13, 10 liegt eine wörtliche Übersetzung des Grundtextes vor. Hi 22, 8 ist Aktiv und Passiv verwechselt wie Js 9, 14. In Hi 32, 22 ist כנה pi, schmeicheln, durch θαυμάζειν πρόσωπα ersetzt. Die wörtliche Wiedergabe von נָשָׂא פָנִים — λαμβάνειν → πρόσωπον begegnet demgegenüber nur selten in LXX, vgl Mal 1, 8; Sir 4, 22 (vgl 42, 1); 42, 1; 1 ˝Εσδρ 4, 39. Die Wendung πρόσωπον θαυμάζειν ist weniger als wörtliche Übersetzung von הָדַר פָנִים zu verstehen, als sie vielmehr einen stärkeren griechischen Sprachempfinden entspricht. Sie begegnet noch Ass Mos 5, 5 und Ps Sal 2, 18; dazu im NT Jd 16[15]. Außer in der erwähnten Stelle 4 Βασ 5, 1 mit ihrer schwerfälligen hebraisierenden Wiedergabe des נָשָׂא פָנִים hat LXX nur einmal das Part Passiv sinngemäß übersetzt in Js 3, 3[16], wo θαυμαστός neben σοφός und συνετός von der überheblichen Menschlichkeit gemeint ist, der Gottes vernichtendes Gericht gilt (vgl Js 2, 11. 17). Entsprechend ist Est 4, 17 p (14, 10): θαυμασθῆναι βασιλέα σάρκινον εἰς αἰῶνα von der heidnischen Menschenvergötterung zu verstehen. Dagegen bezeichnet ἐκθαυμάζειν Sir 27, 23 die Haltung des Schmeichlers, der die Ansichten eines anderen in dessen Gegenwart lobt, hinter seinem Rücken aber sie schlecht macht.

b. Auch wo die Begriffsgruppe „Staunen" im tieferen Sinne gebraucht wird, hat ihre Anwendung in der griechischen Bibel vielfach mehr stilistisch-literarische Bedeutung, dh sie dient dem Erzähler, bzw Schriftsteller dazu, durch die Feststellung des Eindruckes einer Tatsache oder eines Ereignisses auf die Augenzeugen dessen Größe und Bedeutung überhaupt zu betonen. Im griechischen AT ist diese Anwendung allerdings viel seltener als im NT.

Der indirekten Hervorhebung einer Tatsache dient der Ausdruck des Staunens in Tob 11, 16; auch Jdt 10, 23 darf vielleicht so gefaßt werden; 10, 7. 19 (bis); 11, 20 dagegen hat das Moment des Staunens unmittelbare Bedeutung im Zshg. Das ἐθαύμασαν in Hi 42, 11 erinnert geradezu an die Chorschlüsse der evangelischen Wundergeschichten (→ 36, 30 ff). LXX ist hier wie überall bei der Einführung dieses literarischen Mittels unabhängig von der hbr Grundlage. Diese lautet in Mas: וַיָּנֻדוּ לוֹ וַיְנַחֲמוּ אֹתוֹ עַל כָּל־הָרָעָה אֲשֶׁר־הֵבִיא יְהוָה עָלָיו, „sie bezeigten ihr Beileid und trösteten ihn (Σ: παρεμυθήσαντο) über all das Böse, das Jahwe über ihn hatte kommen lassen". Dagegen hat LXX, die die beiden Verben zusammenfaßt und הָרָעָה ausläßt: ἐθαύμασαν ἐπὶ πᾶσιν οἷς ἐπήγαγεν αὐτῷ ὁ κύριος. Damit gewinnt sie einen neuen, in sich geschlossenen Sinn: dem Vorsehungsglauben des hellenistischen Judentums entsprechend, tritt hier die wunderbare Führung, die Hiob erfahren hat, in den Mittelpunkt des Interesses. Ein solches Hiobschicksal scheint auch Sir 11, 13 vorauszusetzen: „Er richtet ihn aus seiner Niedrigkeit auf, und hebt sein Haupt empor, und es verwundern sich viele über ihn"[17]. Und Sap 11, 14 gewinnt derselbe Gedankengang grundsätzliche theologische Bestimmtheit: ἐπὶ τέλει τῶν ἐκβάσεων ἐθαύμασαν.

---

[14] Nach Field zSt.
[15] Vgl Wnd Kath Br zSt.
[16] JZiegler, Untersuchungen zur LXX des Buches Isaias (1934) 136, leitet das θαυμαστός σύμβουλος aus 9, 5 ab, beachtet aber nicht, daß es dort gegenüber μεγάλης βουλῆς ἄγγελος als sekundär zu betrachten ist.

[17] V 13 b ist Zitat aus Js 52, 14 (LXX: ἐκστήσονται, Θ: ἐθαύμασαν, Zitat bei Augustin, De Consensu Evangelistarum: mirabuntur). Θ denkt wie er an einen leidenden Frommen. Vgl KFEuler, Die Verkündigung vom leidenden Gottesknecht aus Js 53 in der griech Bibel (1934) 39 ff, 48.

Darin liegt die eine noch durchaus diesseitige, aber in positiver wie nega-
tiver Beziehung auch in christlicher Frömmigkeit immer wieder nachwirkende
Lösung des Problems der Theodizee. Unsere Vokabelgruppe hat terminologische
Bedeutung als Ausdruck dieses Glaubens an die wunderbaren, für den
Menschen zunächst eben nicht einsehbaren Wege Gottes[18].   5

Im Buche Hiob ist so dreimal das Subst θαῦμα verwendet, 17, 8; 21, 5 für שָׁמֵם und
18, 20 für שָׁעַר. Dabei handelt es sich um das Entsetzen (darauf weisen die hbr Vokabeln), das diejenigen packt, die hereinbrechendes Unheil als nicht unmittelbar Be-
teiligte mitansehen müssen. Das entspricht auch dem Gebrauch des Verbums in
Lv 26, 32 (שָׁמֵם) und dem Begriff der πληγαὶ θαυμασταί Dt 28, 59, den LXX von sich 10
aus in den Text einführt, während θαυμαστὰ ἔργα in Ex 34, 10 an die wunderbaren
Führungen denkt, die Jahwe seinem Volk zuteil werden läßt. In Mas steht auch hier
נוֹרָא, womit auf die Furchtbarkeit dieser Taten für die Feinde des Volkes abgezielt
ist. Auf die Wundertaten Gottes in der Führung Hiobs, allerdings in einem viel
weiteren Sinne, geht das Adj θαυμαστά in Hi 42, 3.   15
Am meisten entspricht der Gedanke der Führung des Frommen durch Gott der
Psalmenfrömmigkeit. ψ 44, 5 hat LXX ihn ausdrücklich formuliert: „Es leite dich
(den König) wunderbar deine (Gottes) Rechte", während Mas lautet: „Es lehre dich
furchtbare Taten deine Rechte"[19]. Entsprechend ist auch das Verbum θαυμαστοῦν
gebraucht; so ψ 16, 7; 30, 22. Auch ψ 138, 6. 14 gehört in diesen Zusammenhang. 20
Wenn v 14 φοβερῶς ἐθαυμαστώθην steht, so zeigt das Adv, daß auch bei den θαυμάσια
ἔργα in der Führung des Frommen das Moment des Furchtbaren nicht fehlt. Gottes
Wirken kann der Mensch nicht entfliehen; das ist die furchtbare und beseligende Erfahrung
des Psalmisten. In ψ 4, 4 bedeutet das Verbum geradezu *wunderbar leiten*, während es
in ψ 15, 3 mit *wunderbar vollbringen* wiederzugeben wäre. Außerhalb des Psalters 25
kommt das Verbum nur 2 Βασ 1, 26 und 2 Ch 26, 15 vor. Erstere Stelle redet von
der wunderbaren Erfahrung der Freundesliebe, 2 Ch 26, 15 dagegen wird wohl auf
wunderbare Gotteshilfe zu beziehen sein. In allen Fällen außer ψ 15, 3 liegen dem
Verbum θαυμαστοῦν Formen vom Stamme פלא oder פלה, die LXX nicht unterscheidet,
zugrunde. Ebensowenig beachtet LXX meist die verschiedenen Bedeutungen von פלא 30
(I: wunderbar sein; II: ein Gelübde erfüllen). Der hbr Stamm פלא, der im Qal nicht
vorkommt, wird bezeichnenderweise niemals mit θαυμάζειν wiedergegeben; er bezieht
sich also nicht auf das subjektive Erlebnis des Wunders, sondern auf das objektive
Faktum. Das Verbum, das am häufigsten im Part ni sich findet, ist in LXX mit θαυμάσιος, θαυμαστός und θαυμαστοῦν (causativ) wiedergegeben. θαυμάσιος entspricht sogar 35
fast durchweg (41mal) einer Form von פלא. Nur Nu 14, 11 bei A (B: σημεῖον) steht
es für אוֹת, das sonst in LXX ausschließlich (etwa 80mal) mit σημεῖον übersetzt wird;
nur Sir 45, 19 steht dafür τέρας und 44, 16 ὑπόδειγμα. Und einmal, Dt 34, 12, entspricht θαυμάσιος dem hbr מוֹרָא[20]. Dieses bezeichnet mehrfach die schreckenerregende
Wundertat, ist aber außer an unserer Stelle in diesen Fällen, Dt 4, 34; 26, 8; Ιερ 40
39 (32), 21, mit ὅραμα[21] wiedergegeben. Weiter begegnet מוֹפֵת für Wunder. Sir
36,5 (33, 6) ist es mit θαυμάσιος wiedergegeben, sonst mit σημεῖον Ex 7, 9; 11, 9. 10;
2 Ch 32, 24, und meist (34mal) mit τέρας. Nur einmal Hab 1, 5 steht θαυμάσατε θαυμάσια für הִתַּמְּהוּ תְמָהוּ, wo offenbar die zweite syntaktisch schwer einzuordnende Form
vom Stamme תמה als innerer Acc gedeutet wurde. Auch die Wiedergabe der Wurzel 45
פלא(פלה) mit anderen griechischen Vokabeln als θαυμάσιος usf zeigt vielfach den
objektiven Charakter des damit zum Ausdruck gebrachten Wunderbegriffes. Wunder
ist Machttat, δύναμις (→ II, 302) Hi 37, 14, es ist aber gleichzeitig das, was für
Menschen unmöglich oder auch nur außerordentlich schwierig ist, und kann deshalb
mit ἀδυνατεῖν Gn 18, 14; Dt 17, 8 (von einem für das Ortsgericht im Tor zu schwierigen 50
Rechtshandel); Sach 8, 6 (bis), ἀδύνατος Prv 30, 18 (24, 53) oder χαλεπώτερα, βαθύτερα

---

[18] In die eigentliche Wunderlegende führt
2 Makk 1, 22 die wunderbare Erhaltung und
Wiedergewinnung des Altarfeuers für den
zweiten Tempel. Vgl auch 3 Makk 5, 39.
[19] Übers nach HSchmidt (1934) zSt.
[20] Vgl PChurgin, The Targum and the
Septuagint, American Journal of Semitic
Languages and Literatures 50 (1933) 58, hält
Dt 34, 12 für die einzige Stelle, wo die ur-

sprüngliche Wiedergabe späteren Änderungen
zT exegesierender Art (Ιερ 39 [32], 21) entgangen ist.
[21] Sonst findet es sich mit τρόμος (Gn 9, 2;
Dt 11, 25 vl), mit φοβερός (ψ 75, 13) und mit
φόβος (Dt 11, 25; Mal 1, 6; 2, 5; Js 8, 12. 13;
Sir 45, 2 marg) übersetzt. ψ 9, 21 hat LXX
offenbar מוֹרֶה *Lehrer* = νομοθέτης gelesen.

Sir 3, 21 B א übersetzt werden. Auch ὑπέρογκος ist Dt 30, 11; 2 Βασ 13, 2; Thr 1, 9 in diesem Sinne eingesetzt. In Sir 39, 20 steht θαυμάσιος für נפלא וחזק: Gott ist nichts unbegreiflich und schwer [22]. Dieselbe Beobachtung ergibt sich bei dem hbr אַדִּיר, das Stärke und Größe bezeichnet, im LXX-Psalter aber mehrfach 8, 2. 10; (41, 5?);
5 15, 3; 75, 5; 92, 4 mit θαυμαστός, bzw θαυμαστοῦν wiedergegeben wird. Die Stellen reden von Gott und seinen Werken [23].

Wie in solchen Fällen das Wunder als das Schwierige, Unmögliche [24] oder nur bei Gott Mögliche erscheint, so ist es in anderen Fällen als etwas Gewaltiges, Herrliches gekennzeichnet. So tritt μέγας und μεγαλύνειν in LXX dafür ein. In Hi 42, 3 ist
10 μεγάλα zwar nur Epexegese zu θαυμαστά, aber in Js 9, 5 ist μεγάλης βουλῆς ἄγγελος offenbar ursprüngliche Wiedergabe von פלא יועץ אל גבור und θαυμαστός σύμβουλος, θεὸς ἰσχυρός erst späterer Versuch einer philologisch richtigen wörtlichen Übersetzung. So steht auch Sir 50, 22 μεγαλοποιεῖν für פלא vom wunderbaren Walten Gottes. In Nu 6, 2; 15, 3. 8 ist als Grundlage an פלא II „ein Gelübde erfüllen" zu denken, was
15 LXX aber nicht beachtet hat; so dient das μεγάλως bzw μεγαλύνειν nur zur Verstärkung des Hauptbegriffes εὐχή [25]. Die Vokabel μεγαλεῖον kommt im AT und NT mehrfach im Sinn von Wundertat vor [26]. In Ex 34, 10 bezeichnet ἔνδοξα [27], in Hi 5, 9 [28]; 9, 10 ἔνδοξα καὶ ἐξαίσια die herrlichen Taten Jahwes. ἐξαίσια, das Hi 37, 16 mit Bezug auf den Fall der Gottlosen gebraucht ist, enthält das Moment des Unge-
20 heuren, das jenseits jeder menschlichen Norm steht. Dieses Moment liegt auch bei παραδοξάζειν πληγάς (הפלא) Dt 28, 59 und bei παράδοξα καὶ θαυμάσια ἔργα von den Schöpfungswerken Sir 43, 25 vor. Auch Sir 48, 13 ist ὑπεραίρειν entsprechend zu verstehen, es bezieht sich auf die τέρατα und θαυμάσια ἔργα in 48, 14 (vgl v 4). Auch das Geheimnis, das das Wunder begleitet, bestimmt gelegentlich einmal die grie-
25 chische Übersetzung. So ist 'Ιερ 39 (32), 27 κρύπτειν wohl aufzufassen. Damit ist allerdings der Sinn des Satzes, der in Mas eine Parallele zu Gn 18, 14 bildet, völlig verändert. Wegen des Zusammenhangs empfiehlt sich die Korrektur des יפלא in יכסה oder יכלא nicht [29]. Μετατιθέναι in Js 29, 14 bedeutet *wunderbar umgehen*.

Schließlich und vor allem gehört zum Wunder das Moment des Furchtbaren,
30 des Tremendum. Es kommt in der Wiedergabe von פלא in LXX nur wenig zur Geltung. Immerhin liegt es vor, wenn Hi 10, 16 das hitp von פלא sach- und sinngemäß durch δεινῶς με ὀλέκεις ersetzt wird. Um so deutlicher tritt es hinter dem Sprachgebrauch der griechischen Bibel auf, sofern hbr Vokabeln, die dieses Moment enthalten, in den meisten Fällen die Grundlage für θαυμάζειν
35 und seine Verwandten abgeben.

Auf שמם und שער ist bereits hingewiesen (→ 31, 6 ff). Das erstere Verbum kommt außer an den genannten Stellen noch bei Da Θ 8, 27 [30]; LXX 4, 19 sowie Sir 43, 24 als Grundlage für θαυμάζειν vor. Es bedeutet *starr sein vor Entsetzen, staunen*, und ist bei

---

[22] Vgl die Übers bei RSmend, Die Weisheit des Jesus Sirach, hbr und deutsch (1906). In Ri 13, 18 weist ὄνομα θαυμαστόν (ἀγγέλου) auf den für Menschen unbegreiflichen Namen.
[23] אַדִּיר ist im Psalter nur ψ 135, 18 als Adj zu βασιλεύς mit κραταιός übersetzt.
[24] Im Gebrauch von תמה in den Tg überwiegt der Gedanke des Unmöglichen. Man staunt, weil man etwas nicht glauben kann (Abraham Tg J II Gn 17, 17; Sara Tg J I Gn 18, 12 uö). Doch kann תימהא auch das Wunder meinen (= מופת zB Tg J I Ex 7, 9). Auch in der rabb Lit liegt in תמה „Staunen" im Vordergrund, also nicht „Bewundern", sondern „Verwundern" (so etwa M Ex 14, 29: staunende Engel). Damit hängt zusammen, daß es im Zshg mit religionsgesetzlichen Diskussionen gern als Wort für Befremdung auf der einen oder anderen Seite gebraucht wird (einige Beispiele: jPes 33 b, 53 ff; ferner Pes 6, 2; Zeb 7, 4), daß das Wort aber

[25] Richtig erkannt ist פלא II von LXX in Lv 22, 21 διαστέλλειν und 27, 2 εὔχεσθαι.
[26] Zum AT vgl Hatch-Redp, im NT neben Lk 1, 49 (?) vor allem Ag 2, 11.
[27] Auch ἐνδοξάζεσθαι für פלה Ex 33, 16 und παραδοξάζειν für dasselbe Verbum Ex 8, 18; 9, 4; 11, 7 gehören in diesen Zshg.
[28] In der Einl zu dem Hymnus auf Gottes Wundermacht.
[29] Vgl BHK² zSt.
[30] Da 8, 27 hat LXX ἐκλύεσθαι und Da 4, 19 hat Θ ἀπονεοῦσθαι. Θ hat θαυμάζειν auch Ez 27, 35 und 28, 19 (LXX beide Male στυγνάζειν), sowie Js 52, 14 (LXX ἐξιστάναι). LXX setzt vielleicht auch Js 52, 5 statt משל שמם voraus (Duhm⁴ [1922] zSt). ΑΣΘ verstehen משל als „herrschen".

dem damit sich ergebenden weiten Begriffsinhalt von der LXX sehr mannigfaltig wiedergegeben worden. שָׁעַר, das viel seltener ist, wird nur Sir 47, 17 mit ἀποθαυμάζειν übersetzt; sonst begegnet ua ἐξιστάναι Ez 27, 35; 32, 10; φρίττειν Jer 2, 12 dafür. Auch die Übersetzung von מוּל ho in Hi 41, 1 mit θαυμάζειν geht von der Bdtg *hinstürzen vor Furcht* aus. Dasselbe ist bei מְהוּמָה *Unruhe, Bestürzung,* der Fall; LXX 5 übersetzt es in 2 Ch 15, 5; Sach 14, 13 mit ἔκστασις und Am 3, 9 mit θαυμαστά. Wenn חִזָּיוֹן Hi 20, 8 א* mit θαῦμα wiedergegeben ist, so versteht sich das neben den vl φάσμα, φάντασμα und neben der Parallelstelle Hi 7, 14: ἐν ὁράμασίν με καταπλήσσεις in demselben Sinne, wie ja auch umgekehrt die Übersetzung von מוֹרָא (→ 31, 39 ff) mit ὅραμα auf diesen Begriffsinhalt hinweist [31]. Schließlich und vor allem aber bildet נוֹרָא, 10 das Part ni von יָרֵא, eine häufigere Grundlage für das Adj θαυμαστός Ex 15, 11; 34, 10; Dt 28, 58; ψ 44, 5; 64, 5; 67, 36; Da Θ 9, 4; Sir 43, 2. 8 [32]. An allen diesen Stellen ist von Gott, von seinem Namen, seinem Tempel oder von seinen Werken die Rede.

Natürlich treten auch noch andere Bedeutungsabwandlungen bei der Begriffsgruppe *staunen, sich wundern, bewundern, wunderbar sein* oder *machen* auf. Die 15 behandelten aber müssen vor allem berücksichtigt werden auch da, wo im hbr oder griech Text der Begriff weniger scharf ausgeprägt erscheint, oder wo ein konventioneller Gebrauch vorliegt [33].

Immerhin läßt sich auch bei dem hbr und aram Stamm תמה mit seiner im allgemeinen blassen Bdtg das Moment des Furchtbaren feststellen. So steht das Verbum 20 Jer 4, 9 par zu שׁמם, und der Zshg ist der der prophetischen Drohrede. LXX hat: ἀπολεῖται ἡ καρδία τοῦ βασιλέως καὶ ἡ καρδία τῶν ἀρχόντων, καὶ οἱ ἱερεῖς ἐκστήσονται, καὶ οἱ προφῆται θαυμάσονται. Js 14, 16 liegt in dem Zshg begründet, daß es sich um ein erschrecktes Staunen handelt. Wenn die hbr Grundlage hier ein Verbum der optischen Wahrnehmung שׁגח hat, so weist das darauf hin, daß θαυμάζειν ursprünglich 25 die Reaktion des Menschen auf plötzlich eintretende sinnliche Wahrnehmungen bezeichnet. Ebenso liegt es wohl auch bei שׁעה hitp Js 41, 23, das *umherschauen* bedeutet, und das LXX mit θαυμάζειν wiedergibt. Die sinnliche Grundbdtg tritt vielleicht noch Sir 43, 18 hervor, wo גהה *blenden* (?) [34] durch ἐκθαυμάζειν ersetzt ist. Daß mit תמה ein erschrockenes Staunen gemeint ist, zeigt sich auch an der schon erwähnten 30 Stelle Hab 1, 5, wo übrigens ein Verbum des Sehens mit θαυμάζειν verbunden ist. Und ψ 47, 6 zeigt das Nebeneinander von ἐθαύμασαν, ἐταράχθησαν, ἐσαλεύθησαν den verwandten Inhalt der drei Begriffe. Ἀ übersetzt mit ἐθαμβήθησαν [35]. Auch hier ist einleitend vom Sehen die Rede. Jl 2, 26 ist der Sprachgebrauch ein anderer; hier bezieht sich das Wort auf die wunderbare Führung und Erhaltung des Volkes durch 35 Jahwe. Derselbe Sprachgebrauch findet sich Sir 11, 13 [36], nur daß hier von einem einzelnen, dem Heil widerfährt, die Rede ist. Von einer Erlangung des Heils und einer entsprechenden Anerkennung vor der Welt ist Js 61, 6 zu verstehen, wo LXX das Hapaxlegomenon יָמַר hitp „auswechseln" mit θαυμάζειν wiedergibt. Daß LXX hier etwa eine Form von אמר oder הדר konjiziert oder vorgefunden hätte, wie die 40 at.liche Textkritik meint [37], ist nicht wahrscheinlich. Das Verständnis des Textes bei LXX ist jedenfalls deutlich: ἰσχὺν ἐθνῶν κατέδεσθε καὶ ἐν τῷ πλούτῳ αὐτῶν θαυμασθήσεσθε. Das Verbum ist hier mit Bezug darauf gebraucht, daß an dem heiligen Volk die Wundertaten Jahwes in die Erscheinung treten und offenbar werden. Ein ent-

---

[31] Auch das Hapaxlegomenon תְּוַהּ „erstaunen, erschrecken" ist Da 3, 24 (91) LXX und Θ mit θαυμάζειν übersetzt.

[32] 2 Makk 15, 13 wird innerhalb einer Vision die Gestalt des Jeremias als wunderbar beschrieben. Damit soll wohl das Überirdische der Erscheinung zum Ausdruck gebracht werden.

[33] Die Berücksichtigung dieser Beobachtungen ist bes wichtig in den Schriften ohne hbr Grundlage.

[34] Nach Smend aaO; vgl גהה „heilen", Hos 5, 13.

[35] θαμβεῖσθαι hat Σ Hi 26, 11 für תמה. LXX hat hier ἐξιστάναι. θαυμάζειν begegnet 4 mal in LXX für תמה; ebenso oft kommt ἐξιστάναι dafür vor. Dazu kommen je einmal θαυμάσιος Hab 1, 5; ἀνα- oder ἀποθαυμάζειν Sir 11, 13 und θαυμαστός Sir 16, 11. Der Gleichklang von תמה mit θαυμάζειν hat die Vokabelwahl also höchstens gelegentlich mitbestimmt. (Vielleicht entspricht תֵּימָה תִּמְהָא in der rabbinischen Überlieferung dem griechischen θαῦμα; vgl Tg Jer 5, 30 uö [Rengstorf]).

[36] Neben dem Simplex stehen als vl Komposita mit ἀπο und ἀνα. Sie haben ebenso wie ἐκθαυμάζειν intensivierende Bdtg; vgl auch Sir 40, 7.

[37] BHK [2] zSt.

sprechender Sprachgebrauch liegt wohl auch Sir 38, 3 vor: ἐπιστήμη ἰατροῦ . . . θαυμασθήσεται, vgl v 6: καὶ αὐτὸς ἔδωκεν ἀνθρώποις ἐπιστήμην ἐνδοξάζεσθαι ἐν τοῖς θαυμασίοις αὐτοῦ (גבורתיו). Den Begriff der wunderbaren Schöpfergabe der Arzneimittel hat LXX von sich aus gebildet, wie auch θαυμάζεσθαι in יתצב keine richtige hbr Entsprechung hat. Von Gott selber ist Sir 36, 3 א: ἐθαυμάσθης ἐν ἡμῖν in ähnlicher Weise gebraucht. A B haben dem HT entsprechend ἡγιάσθης ἐν ἡμῖν. Dasselbe ist ψ 138, 14 der Fall; Gott verherrlicht sich durch das Wunder der Rettung seines Volkes vor allen Völkern. Die Bitte, die an dieser Stelle ausgesprochen wird, scheint Js 52, 15 ihre Erfüllung bei der Offenbarung des παῖς θεοῦ zu finden. LXX jedenfalls hat diesen Gedanken unabhängig vom HT formuliert: οὕτως θαυμάσονται ἔθνη πολλὰ ἐπ' αὐτῷ.

Dabei bezeichnet θαυμάζεσθαι, kaum über das ἐξιστάναι in Js 52, 14 (Θ: ἐθαύμασαν) hinausgehend, den Anstoß, den ‚Völker und Könige‘ an der Offenbarung des Gottesknechtes und seiner wunderbaren Anerkennung durch solche, die ihn gar nicht kannten, nehmen[38]. Dieser Anstoß ist von Gott gewirkt und in diesem Sinne bezeichnet θαυμάζειν die Reaktion des Menschen auf die Offenbarung des Göttlichen, eine Reaktion, die, menschlich gesprochen, zunächst negativ sein muß. Daß θαυμάζειν solchen negativen Sinn haben kann, zeigt sich vielleicht am deutlichsten in Sir 11, 21, wo es sich auf den Anstoß bezieht, den der Fromme am Leben und Ergehen des Gottlosen nimmt, und so geradezu das Irrewerden an Gottes Walten in der Welt bedeutet: μὴ θαύμαζε (תמה) ἐν ἔργοις ἁμαρτωλοῦ. Selbstverständlich bleibt es nicht bei dieser negativen Bedeutung. Vielmehr zeugen Gottes Werke von seinem Gnadenwillen über seinen Geschöpfen. Das kommt in der Verwendung von θαυμάσιος und θαυμαστός in LXX zum Ausdruck, da, wo von der wunderbaren Führung der Frommen durch Gott die Rede ist (→ 30, 48 ff; 31, 6 ff), und da, wo Gott, seine Werke und sein Wirken im allgemeinen als wunderbar bezeichnet werden.

Die LXX hat meist die Wurzel פלא in diesem Sinne verstanden. Gott tut Strafwunder und Heilswunder (Ex 3, 20; Jos 3, 5; Ri 13, 18. 19; ψ 39, 6; 71, 18; 76, 15; 77, 4. 12; 85, 10; 87, 11; 97, 1; 105, 22; 135, 4; Est 4, 17 c; Hi 37, 5; Jer 21, 2; Da 3, 43; 8, 24; 12, 6 LXX, Θ; 4, 37 a LXX)[39]. Die Frommen haben die Aufgabe, sie zu verkünden. Das wird in mannigfaltigen Wendungen immer wieder festgestellt: διηγεῖσθαι ψ 9, 2; 25, 7; 74, 3; 104, 2; 144, 5; Ri 6, 13; 1 Ch 16, 9; ἐκδιηγεῖσθαι Sir 42, 17; ἐξηγεῖσθαι 1 Ch 16, 24 (Sixtina, 1587); ἐξομολογεῖσθαι ψ 88, 6; 106, 8. 15. 21. 31; 138, 14; ἀπαγγέλλειν ψ 70, 17; ἀναγγέλλειν ψ 95, 3; ἀδολεσχεῖν ψ 118, 27; ὁρᾶν Am 3, 9; Mi 7, 15; εἰδέναι ψ 106, 24; γινώσκειν ψ 87, 13; ἐπίστασθαι Hi 42, 3; κατανοεῖν ψ 118, 18; συνιέναι ψ 105, 7; μνημονεύειν 1 Ch 16, 12; μιμνήσκεσθαι ψ 76, 12; 104, 5; ἀναμιμνήσκεσθαι 2 Εσδρ 19, 17; μνείαν ποιεῖσθαι ψ 110, 4; ἐπιλανθάνεσθαι ψ 77, 11; πιστεύειν ψ 77, 32; καυχᾶσθαι Sir 17, 8; ἐξιχνιάζειν Sir 18, 6; (ἐν-)δοξάζεσθαι Sir 38, 6; 48, 4; vgl auch ψ 138, 6: ἐθαυμαστώθη ἡ γνῶσίς σου. Gott selbst ist wunderbar in seinen Werken: ψ 67, 36 (ירא ni); 92, 4 (אדיר); Jdt 16, 13. Alle seine Werke können daher das Attribut des Wunderbaren erhalten: ὄνομα κυρίου ψ 8, 2. 10 (אדיר); σκηνή ψ 41, 5 (אדיר?); ναός ψ 64, 5 (ירא); δυναστεία Sir 43, 29 (פלא); ἔργα Tob 12, 22; Sir 11, 4 (פלא); πράγματα Js 25, 1 (פלא); μαρτύρια ψ 118, 129 (פלא); ὁδός Sap 10, 17; τέρατα Sap 19, 8; ἡμέρα ψ 117, 23 (פלא); μετεωρισμοὶ θαλάσσης ψ 92, 4 (אדיר); σελήνη αὐξανομένη Sir 43, 8 (ירא); σκεῦος Sir 43, 2 (ירא).

c. Sofern das Attribut wunderbar allen Werken Gottes zukommt, gilt es auch vom Menschen als Gottes Geschöpf, gilt es vor allem von denen, an denen Gott seine Macht wunderbar in die Erscheinung treten läßt, von seinem Volk, von den Heiligen und Frommen, bes auch von den Märtyrern. Aber es sind doch erst die hellenistischen Schriften des AT, in denen

---

[38] Vgl KFEuler aaO (→ A 17) 49 f, 107 ff. Dort auch zu יָּהּ: = Vg: asperget, ᾽ΑΘ: ῥαντίσει, oder (nach Field) = exsilire (prae admiratione) faciet.

[39] Auch 2 Makk 7, 18: ἄξια θαυμασμοῦ γέγονεν weist auf die von Gott veranlaßte Bestrafung des jüd Volkes hin.

diese Konsequenz gezogen wird, und die Gefahr der Profanisierung ist dabei keineswegs vermieden. Sie ist unmittelbar deutlich in einer so überheblichen Äußerung wie Jdt 10, 19 mit ihrem Heroinenkult. Jdt 11, 8; Est 5, 2a und 3 Makk 1, 10 liegt es ähnlich. Und Sap 8, 11 grenzt das fromme Selbstbewußtsein des weisen Königs ebenfalls an Überheblichkeit. Vor allem aber treten in der Mär- 5 tyrerfrömmigkeit der Makk-Bücher profane heroische Motive vielfach an die Stelle der wunderbaren Bezeugung der Kraft Gottes im Martyrium.

Das ist schon 2 Makk 7, 20 der Fall und durchzieht die Martyriendarstellung des 4 Makk, vgl 1, 11; 6, 11. 13; 7, 13; 8, 5; 9, 26; 17, 16. 17; 18, 3. Diese Verdrängung des mit dem Wunder verknüpften Offenbarungsgedankens entspricht ja der religiösen 10 Haltung des 4 Makk und tritt zB auch hervor, wenn das Wunder der Vererbung in 15, 4 betont wird, oder wenn schließlich vom Standpunkt der autonomen Vernunft mit Recht festgestellt wird: 14, 11: „Für etwas besonders Wunderbares braucht ihr es nicht zu halten, daß die Vernunft über jene Männer in den Martern Gewalt hatte . . .“ [40]. Dieser Profanisierung und Auflösung des Wunders im hellenistischen 15 Judentum gegenüber vertritt die at.liche Offenbarung den Gedanken, daß der Mensch nicht von sich aus in die Sphäre der Wunder Gottes eindringen kann und darf. Vgl Ex 19, 12. 13. 24 (Hb 12, 18ff); Ex 34, 30; 1 Kö 19, 13. In Js 7 vertritt Ahas an sich die legitime Anschauung, wenn er das Angebot eines Wunders durch den Propheten als Versuchung Gottes zurückweist. Aber er verachtet damit Gottes Wun- 20 dermacht. Umgekehrt wollen im NT (Mt 12, 38ff; Lk 11, 29; Mt 16, 1ff; Mk 8, 11ff) die Gegner Jesu aus dem Wunder ein Experiment machen. Ihre Wundersucht entspringt menschlicher Hybris. Demgegenüber hält sich der Psalmist frei von der Sünde der Überheblichkeit, ψ 130, 1: οὐδὲ ἐπορεύθην ἐν μεγάλοις οὐδὲ ἐν θαυμασίοις ὑπὲρ ἐμέ. Und das hbr נפלא bringt gelegentlich denselben Gedanken zum Ausdruck (Da 11, 36), 25 den die griechische Übersetzung mit ἔξαλλος (LXX) oder ὑπέρογκος (Θ) ausdrückt. Auch die Anwendung des Titels θαυμαστός ist unbiblisch. Sie findet sich nur einmal im griechischen AT 1 Εσδρ 4, 29 ohne hbr Grundlage.

2. Philo und Josephus bringen in ihrem Sprachgebrauch kaum etwas Neues, nur daß sich die profanen und die legendären Motive 30 verstärken.

Vor allem werden in der at.lichen Geschichte einzelne wunderbare Ereignisse, seien es Wundertaten wie bei Elisa (Jos Ant 9, 182), oder seien es wunderbare Fügungen und Führungen wie die Rettung Sauls vor David (Ant 6, 290), hervorgehoben. Die Geschichte des Auszuges und der Wüstenwanderung steht natürlich erst recht im 35 Zeichen des Wunders (Philo Vit Mos I 180. 206). Vor allem aber braucht Philo den Begriff des Wunderbaren von der Ordnung der Schöpfung: Op Mund 49. 90. 95. 106. 78. 172; Vit Mos I 213; Spec Leg III 188, und von der Art des Gesetzes, das überall Anerkennung findet: Vit Mos II 10. 17, und unveränderlich ist: Spec Leg IV 143, vgl auch Vit Mos II 290. Natürlich kann das Attribut auch auf die Einzelheiten der 40 Geschichte und der Gesetzgebung übertragen werden. Die Beispiele dafür sind zahlreich [41].

Das θαυμάζειν hat bei Philo, griechischer Geisteshaltung entsprechend (Plant 80, vgl Plato → 28, 49ff), theologische Bedeutung. Grundlage der religiös-sittlichen Haltung ist: μὴ θαυμάζειν . . . χρήματα, . . . δόξαν, . . . σωμάτων δύναμιν Gig 37, sondern: τὸ μόνον 45 θαυμάζετε τίμιον Agric 129, vgl 54. 116; Poster C 133; Abr 103. Aber von den Menschen gilt im allgemeinen, daß sie σοφιστείαν πρὸ σοφίας schätzen (Op Mund 45; hier wie oft bei Philo ist θαυμάζειν im Sinne von *schätzen* gebraucht). Das *Wundern* in der Welt kann zur rechten Bewunderung des Schöpfers führen oder kann bei dem Geschöpf stecken bleiben, Op Mund 7: τὸν κόσμον ἢ τὸν κοσμοποιόν, Virt 180; Praem Poen 34. 42; 50 Som II 228. Der, der alle Wunderdinge bewegt, ist der νοῦς ὁ ἐν σοὶ εἴτε ὁ τῶν συμπάντων, Fug 46. Gott selber ist θαυματοποιός, Plant 3. Aber bei dem allen handelt es sich nicht um das mysterium tremendum des göttlichen Waltens, sondern die Begriffe sind hier im Rahmen einer vernünftigen Welterklärung verwendet und dienen nicht der Ehre Gottes, sondern der Verherrlichung der jüd Religion und ihrer Bekenner. 55 So scheut sich Philo auch nicht, die Weisen und Propheten als θαυμασιώτατοι zu bezeichnen, Abr 38; Ebr 210. Auch wenn Leid und Übel für βέλτιστα und θαυμασιώτατα erklärt werden, Leg All II 16, oder wenn das Lob der Geduld θαυμασιωτάτη καὶ περι-

---

[40] Übersetzung nach ADeißmann zSt (in: Kautzsch Apkr u Pseudepigr).   [41] Vgl Leisegang sv.

μάχητος, Migr Abr 210, genannt wird, handelt es sich um säkulare Vorstellungen, wie sie ähnlich in 4 Makk hervortreten. So liegt bei Philo keine eigentlich religiöse Verwendung der Begriffsgruppe vor. Er gebraucht sie vielmehr apologetisch im Sinne einer jüd Propaganda unter Anknüpfung an gewisse Philosopheme der hell Welt.

C. Der Gebrauch der Vokabelgruppe im NT.

In der Frömmigkeit des hellenistischen Judentums sind damit offenbar die tiefen und dunklen Untertöne fortgefallen, die wir noch bei dem Übersetzungsgriechisch der LXX feststellen konnten. Durch die Bewunderung der Märtyrerfrömmigkeit in den Makk-Büchern und das Staunen vor den Werken des Schöpfers bei Philo klingt kaum noch etwas hindurch von dem mysterium tremendum, das den Menschen gegenüber der Gottesoffenbarung erfaßt. Das weltanschauliche Moment hat das offenbarungsmäßige, das im Wunder liegt, verdrängt oder gar aufgehoben.

Daher kommt es auch, daß der nt.liche Sprachgebrauch bei unserer Vokabelgruppe nicht leicht in eine Linie mit dem at.lichen zu bringen ist. Zwar, äußerlich genommen, stimmt die nt.liche Verwendung nicht nur im allgemeinen mit der at.lichen überein, sondern sie zeigt sich sogar in vielen Einzelheiten unmittelbar abhängig von der letzteren. Aber nachdem der at.liche Offenbarungsgedanke, der in der griechischen Übersetzung mit dem Begriff des Wunderns sich verbunden hatte, vom hellenistischen Judentum säkularisiert, weltanschaulich verwässert und seines theologischen Gehaltes entkleidet war, konnte die Vokabelgruppe die terminologische Bedeutung im NT nicht behalten oder zurückgewinnen, die sie im AT besessen hatte. So tritt Zahl und Bedeutung der Stellen zurück, und man muß unterscheiden zwischen dem Sprachgebrauch der einzelnen Schriftengruppen. Die Synoptiker und Akta, das johanneische Schrifttum, Paulus und die Offenbarung zeigen starke Unterschiede in der Verwendung dieser Vokabelgruppe, deren Beachtung die Voraussetzung für ein theologisches Verständnis des Begriffs *wunderbar* in seiner Bedeutung im Rahmen der nt.lichen Offenbarung bildet.

1. *a.* Die größte Zahl der Stellen findet sich bei den Synoptikern, besonders bei Lukas. Hier steht die Vokabel vor allem im Zusammenhang mit den Wundergeschichten. Neben ἐκπλήσσειν, θαμβεῖσθαι und ἐξιστάναι begegnet in der abschließenden Schilderung des Eindrucks der Wundertaten auf die Umgebung auch θαυμάζειν[42]. So heißt es am Schluß der Geschichte von dem gerasenischen Besessenen Mk 5, 20: ἤρξατο κηρύσσειν ἐν τῇ Δεκαπόλει ὅσα ἐποίησεν αὐτῷ ὁ Ἰησοῦς, καὶ πάντες ἐθαύμαζον. Bei Lk 8, 39 fehlen die drei letzten Worte; bei Mt 8, 34 schließt die Geschichte schon mit der Bitte der Einwohner, Jesus möge ihr Gebiet verlassen. Bei Lk findet sich 11, 14 die Bemerkung: ἐθαύμασαν οἱ ὄχλοι als Abschluß der Notiz von der Heilung des stummen Dämonischen. Mt hat an der entsprechenden Stelle 12, 23: ἐξίσταντο und in der parallelen Geschichte 9, 33: ἐθαύμασαν οἱ ὄχλοι. Das Staunen geht nach der letzten Stelle nicht auf die Heilung an sich, sondern wird mit dem Außerordentlichen des Vorfalls begründet. Es ist hier wie bei allen ähn-

---

[42] Vgl MDibelius, Formgeschichte (1919) 29.

lichen Wendungen deutlich, daß es dem Berichterstatter wie dem Verfasser des Evangeliums nicht um die historisch-psychologische Beschreibung des Eindrucks Jesu auf die Menge geht, sondern daß das Motiv des Staunens als vorläufiger Hinweis auf die Bedeutung des Geschehens im Interesse des Lesers zu fassen ist. So darf das exegetische Verständnis sich auch nicht damit begnügen, den 5 Ausdruck des Staunens: οὐδέποτε ἐφάνη οὕτως ἐν τῷ Ἰσραήλ vom Standpunkt derer, die eben diese Geschichte als Juden erlebten, zu deuten, sondern man wird vielmehr den Standpunkt der christlichen Gemeinde einnehmen müssen, die die ganze Heilsgeschichte übersieht, so wie das etwa bei Hugo Grotius[43] der Fall ist, der zu Mt 9, 33 sagt: tot signa, tam admirabilia, tam celeriter, neque 10 contactu tantum, sed et verbo et in omni morborum genere, a nemine antehac edita, ne a Mose quidem. Entsprechend wird man auch Mt 15, 31 das θαυμάσαι mit dem Blick auf die nt.liche Heilsgeschichte deuten dürfen: Hier erfüllt sich Js 35, 5. Das Mk-Ev, das an Stelle des Sammelberichtes die Einzelerzählung von der Heilung eines Taubstummen bringt, hat für θαυμάσαι eine viel stärkere 15 Formulierung: ὑπερπερισσῶς ἐξεπλήσσοντο (7, 37). Auch am Schluß der Geschichte von der Heilung des Gichtbrüchigen begegnet in Mt 9, 8 als vl ἐθαύμασαν neben ἐφοβήθησαν. Mk 2, 12 hat dafür ἐξίστασθαι (→ II 456 f) und Lk 5, 26 ἔκστασις und φόβος. Sachlich geht es auch hier weniger um die Heilung als um die Sündenvergebung. Die christliche Gemeinde nimmt an dem freudi- 20 gen Staunen teil, weil sie hier erfährt, daß Jesus sich nicht nur als Opfer für die Sünden der Menschen dahingibt, sondern daß er persönlich uns unsere Sünden vergibt[44]. Auf die Heilungsgeschichten blicken wohl auch die Ausdrücke des Staunens in Lk 9, 43b: πάντων δὲ θαυμαζόντων und in Mt 21, 15: τὰ θαυμάσια zurück. Sonst begegnet θαυμάζειν in der synoptischen Überlieferung 25 noch in der Epiphaniegeschichte vom Seesturm Mt 8, 27: οἱ δὲ ἄνθρωποι ἐθαύμασαν und Lk 8, 25: φοβηθέντες ἐθαύμασαν. Mk hat 4, 41 dafür: ἐφοβήθησαν φόβον μέγαν, und Mk 6, 51 in der Geschichte vom Seewandeln heißt es von den Jüngern: λίαν ἐκ περισσοῦ ἐν ἑαυτοῖς ἐξίσταντο (+ καὶ ἐθαύμαζον ist wohl nicht ursprünglich). Mt 14, 33 ersetzt das durch das bei ihm bewußt termino- 30 logische προσκυνεῖν. Hier zeigt sich deutlich, daß das Staunen höchstens „als Vorstufe zu gottgefälligem Glauben"[45] betrachtet werden kann. Mt sah in dem bloßen Staunen der Jünger einen Mangel und änderte daher den Text an dieser Stelle. Denn auch er hat zB in der Geschichte von dem verdorrten Feigenbaum von einem Staunen der Jünger gesprochen, Mt 21, 20. In der Antwort 35 Jesu zeigt sich auch deutlich, daß dieses Staunen ein kritisches Fragen und Untersuchen, ja ein Zweifeln enthält. Demgegenüber mahnt die altkirchliche Exegese, indem sie θαυμάζειν im Sinne von *bewundern*, vielleicht sogar von *preisen*[46] nimmt: μόνον δὲ τὸ θαῦμα διόρα καὶ θαύμαζε τὸν θαυματουργόν[47].

---

[43] Annotationes in NT (hsgg CE de Wind-heim 1755 f) z Mt 9, 33.
[44] Vgl HGrotius, Annotationes z Mt 9, 8.
[45] Wbg Mk 157. So ist es auch offenbar in der Lesart von D E ua zu Ag 13, 12 zu verstehen: ὁ ἀνθύπατος . . . ἐθαύμασεν καὶ ἐπίστευσεν (B usw nur: ἐπίστευσεν).

[46] EPeterson, ΕΙΣ ΘΕΟΣ (1926) 195. θαυμάζειν wird sogar von kultischer Verehrung gebraucht. → 41, 25 ff zu Apk 13, 3; 17, 8 und Orig Cels III 77: προσκυνεῖν καὶ θαυμάζειν καὶ σέβειν. Christus ist für Celsus ὁ ὑπὸ Χριστιανῶν προσκυνούμενος καὶ θαυμαζόμενος θεός (I 51).
[47] Cramer Cat zSt.

   In derselben Weise wie in dieser Wundergeschichte wird θαυμάζειν auch im
Zusammenhang der Redenüberlieferung gebraucht. Es begegnet an zwei
Stellen, Lk 4, 22 als Abschluß der sogenannten Antrittspredigt von Nazareth:
Die Hörer wundern sich über Jesu Redegabe, die sie bei einem Manne seiner
5 Herkunft nicht erwarten zu können meinen. λόγοι τῆς χάριτος geht aber nicht
nur auf die äußere Anmut der Rede [48], sondern auch auf ihren Inhalt als Gnadenverkündigung [49]. Die Haltung der Hörer bleibt kritisch: admirantes hoc
dicebant, sed vi veritatis perculsi magis, quam sincero pietatis studio [50]. Es
gilt von diesen Hörern, was Hb 4, 2 steht: „Jenen hat das Wort, das sie zu
10 hören bekamen, nichts genützt, weil es nicht durch den Glauben mit den Hörern
fest verwuchs" [51]. Auch das Streitgespräch vom Zinsgroschen Mt 22, 22;
Mk 12, 17; Lk 20, 26 schließt mit der Feststellung des Staunens der Gegner.
Mk hat nach אB mit verstärkendem Komp: ἐξεθαύμαζον ἐπ' αὐτῷ, Lk: θαυμά-
σαντες ἐπὶ τῇ ἀποκρίσει, Mt nur: ἐθαύμασαν. Wie die altkirchliche Exegese fest-
15 stellt, wundern sie sich über die göttliche Weisheit, in der er die Widersacher
durchschaut und widerlegt [52]. Andersartig ist das Staunen des Pharisäers Lk
11, 38 darüber, daß Jesus die jüdischen Reinigungsriten beim Essen außer acht
läßt. Der Pharisäer nimmt von seinem Standpunkt aus Anstoß an dem Verhalten des Herrn. Nach Mk 15, 5; Mt 27, 14 wundert sich Pilatus, daß Jesus
20 sich ihm gegenüber nicht verteidigt. Aber das θαυμάζειν hier will mehr ausdrücken, als bloß Verwunderung darüber, daß ein peinlich Angeklagter darauf
verzichtet, sich gegen offenbar falsche Beschuldigungen zu wehren. J 19, 8:
μᾶλλον ἐφοβήθη, und Mt 27, 19: der Traum der Frau des Pilatus, zeigen, worum
es hier geht: Pilatus empfindet das Geheimnis des Göttlichen in Jesus, ohne
25 daß er sich doch sein Empfinden bewußt machen und ohne daß er es für seine
Willensentscheidung fruchtbar machen kann. Natürlich geht der Versuch einer
solchen psychologischen Erfassung der Haltung des Prokurators von dem Standpunkt der christlichen Gemeinde aus. Wo sie nach Js 49, 7 [53] in der Niedrigkeit die Hoheit Christi gläubig verehrt, da muß der heidnische Machthaber,
30 von abergläubischem Schauder ergriffen, in seiner stolzen und selbstbewußten
Haltung unsicher werden [54]. Ebensowenig wie hier liegt in Mk 15, 44 ein
apologetisches Motiv vor [55]. Zwar ist das Staunen des Pilatus hier ein zwei-
felndes (θαυμάζειν εἰ). Er zweifelt an dem wunderbar schnellen Tode des Herrn
— die Strafe der Kreuzigung bedeutete ja ein qualvolles Hinschmachten, ein
35 allmähliches Erwürgtwerden — und muß sich von dem Hauptmann überzeugen
lassen, der selber durch die Art seines Todes zu dem Bekenntnis gekommen
war: Dieser Mensch war wirklich Gottes Sohn. Den lauten Todesschrei hat
der Hauptmann für ein Wunder genommen: accelerata quippe mors erat divino
consilio antequam vires eius naturales defecissent, alioqui nondum mors expec-
40 tari poterat [56]. θαυμάζειν findet sich auch noch in dem Zusatz Lk 24, 12, der

---

[48] Zn Lk zSt.
[49] Hck Lk zSt.
[50] Grotius zSt.
[51] Übers von HMenge.
[52] Cramer Cat zSt.
[53] Grotius zu Mt 27, 14.

[54] Vgl GBertram, Die Leidensgeschichte
Jesu und der Christuskult (1922) 63 f.
[55] Die apologetischen Motive hebt absichtlich hervor PWernle, ZNW 1 (1900) 50 ff.
[56] Grotius zu Mt 27, 50.

der Erzählung J 20, 3—10 entspricht. Während aber der andere Jünger, von dem dort die Rede ist, glaubt, heißt es hier von Petrus nur, daß er staunt. Dieselbe Aussage findet sich auch Lk 24, 41, hier sogar in unmittelbarer Verbindung mit ἀπιστεῖν: ἔτι δὲ ἀπιστούντων αὐτῶν ἀπὸ τῆς χαρᾶς καὶ θαυμαζόντων heißt es bei der Erscheinung des Auferstandenen vor den Jüngern in Jerusalem. 5 Zweifel und Furcht verbinden sich in diesem θαυμάζειν wie in dem berühmten Schluß der Geschichte vom leeren Grab Mk 16, 8: ἐφοβοῦντο γάρ.

In der Kindheitsgeschichte bei Lk kommt θαυμάζειν viermal vor. Die Verwunderung der Menge über das außergewöhnlich lange Verweilen des Zacharias im Tempel (Lk 1, 21) bereitet als literarisches Motiv den Hörer oder Leser 10 auf den Vorgang vor, auf den es hier ankommt. Ebenso läßt Lk 1, 63 das Staunen der Menge über das wunderbare Zusammentreffen beider Eltern bei der Namengebung etwas von dem Wirken Gottes in dieser Geschichte ahnen [57]. Auch Lk 2, 18. 33 weist das Staunen der Hörer und Eltern als Darstellungsmittel vorbereitend auf den Offenbarungscharakter der Jesusgeschichte hin. Das 15 Wunder in dieser Geschichte entspricht ja der at.lichen Weissagung. Jesus selbst hat das Psalmwort 118, 23 in dem Gleichnis von den bösen Winzern Mk 12, 11; Mt 21, 42 auf sich bezogen, wie es auch von der jüdischen Auslegung messianisch verstanden wird [58]. Das Femininum θαυμαστή bezieht sich nicht auf γωνία [59] oder auf κεφαλὴ γωνίας [60], sondern ist sklavische Nachahmung 20 des neutrisch gemeinten Femininums זאת [61]. Wie das θαυμάζειν der at.lichen Weissagung entspricht, so ist es religionspsychologisch gesehen Ausdruck der menschlichen Haltung gegenüber dem Göttlichen. Das steht auch in den schon behandelten synoptischen Aussagen überall im Hintergrund, mag an den einzelnen Stellen ahnungsvolles oder ehrfurchtsvolles Staunen vor dem Göttlichen, 25 mag kritisch ablehnende oder verständnislose Verwunderung, oder mag ehrliche, wohlgefällige Bewunderung die Haltung bestimmen. Aber wenn auch wenigstens für den Leser das furchterregende göttliche Geheimnis hier seinen Ausdruck findet, der Staunende bleibt im Vorhof; die menschliche Haltung des Staunens gegenüber dem numinosen Erlebnis ist noch nicht Glaube, ist höch- 30 stens die Vorstufe dazu, ist, psychologisch gesehen, der Anstoß, der den Glauben wecken, aber auch Zweifel hervorrufen kann.

b. Zweimal ist von einer Verwunderung Jesu die Rede. Mk 6, 6 ist die Ursache der Unglaube, der ihm in Nazareth begegnet. Sollte der Evangelist an dieser Stelle seiner Darstellung einen Einschnitt beab- 35 sichtigt haben, so würde die Feststellung als abschließende ein besonderes Gewicht erhalten [62]. Mt 8, 10; Lk 7, 9 ist es der Glaube des Hauptmanns von Kapernaum, der sein Staunen veranlaßt: καὶ ζωῆς καὶ θανάτου εἶχεν ὁ ἑκατοντάρχης τὸν Ἰησοῦν ἐξουσιαστήν· διὸ καὶ ἐθαυμάσθη, wie Origenes sagt [63].

2. Die Apostelgeschichte folgt dem Sprachgebrauch 40 der Synoptiker. Ag 2, 7 und 3, 12 steht das θαυμάζειν in Zusammenhang mit wun-

---

[57] Hck Lk zSt.
[58] Str-B zu Mt 21, 42.
[59] Wettstein bei BWeiß, Mt [10] (1910) zSt.
[60] BWeiß aaO.

[61] Zn Mt 632. Kl Mk zu 12, 11.
[62] Hck Mk zSt.
[63] Cramer Cat zSt.

derbaren Vorgängen. Ag 4, 13 liegt eine Parallele zu Lk 4, 22 und J 7, 15
vor. Ag 7, 31 ist der Terminus auf das at.liche Wunder vom brennenden Dorn-
busch, das als Vision bezeichnet wird, bezogen. מַרְאֶה Ex 3, 3 ist ὅραμα[64]. Und
Ag 13, 41 findet sich ein at.liches Zitat aus Hab 1, 5 (→ 31, 43; 33, 31). Hier dient
5 es als letzte Mahnung und Warnung an die Zweifler und Verächter des Wortes.
Das negative Moment scheint dabei zu überwiegen. Überhaupt tritt dieses negative Moment in θαυμάζειν im NT besonders hervor. Furcht und Schrecknis der
Gottesoffenbarung werden von dem Menschen erfahren, der nicht oder noch
nicht gläubig ist. Das tritt in der altkirchlichen Exegese deutlich zutage,
10 sofern sie θαυμάζειν durch Synonyma wiedergibt, die das Moment des Schrek-
kens besonders zum Ausdruck bringen[65].

3. Der Sprachgebrauch des J o h a n n e s - E v a n g e l i u m s
ist ein anderer als der der Synopse. Vor allem steht θαυμάζειν hier nicht in
so unmittelbarem Zusammenhang mit der einzelnen Wundergeschichte. Auch
15 bezeichnet es niemals die Haltung der Gläubigen, der Jünger oder der Gemeinde. Es ist vielmehr geradezu Terminus für den Anstoß, den Jesus mit
seinem Wirken hervorruft. So ist es vor allem J 5, 20[66]; 7, 21[67] zu verstehen.
J 4, 27 dient es zur Kennzeichnung des Mißverständnisses der Jünger gegenüber dem Verhalten Jesu, wie das Joh-Ev ja auch sonst von merkwürdigen
20 sarkischen Mißverständnissen der Jünger zu berichten weiß (vgl 4, 33). Die
Mahnung des Joh-Ev an die Jünger aber lautet: μὴ θαυμάσῃς J 3, 7[68] in der
Nikodemusgeschichte, und μὴ θαυμάζετε J 5, 28 in dem Wort von der Offen-
barungsstunde, und ebenso 1 J 3, 13 in dem Wort von dem Haß der Welt:
Hütet euch vor dem intellektuellen Zweifel; nehmt keinen Anstoß an der Glau-
25 bensbotschaft; laßt euch nicht irre machen durch den Haß der Welt (vgl 1 Pt
4, 12: μὴ ξενίζεσθε), der sich immer gegen den Guten wendet, wie Kain sich
gegen Abel gewendet hat[69]. Sachlich andersartig ist die Stelle J 9, 30. Da
sagt der Blinde: das ist der Anstoß (θαυμαστόν), den ich an euch nehme, daß ihr
nicht wißt, woher der ist, der mir die Augen geöffnet hat. Der Sprachgebrauch
30 aber entspricht dem der übrigen johanneischen Stellen.

4. Bei P a u l u s kommt θαυμάζειν aktivisch nur als schriftstellerische Formel vor. So ist es Gl 1, 6 Ausdruck der Befremdung über das
Verhalten der Galater und entspricht dem bei griechischen Rhetorikern häufiger begegnenden Sprachgebrauch[70]. Auch das οὐ θαῦμα ist 2 K 11, 14 eine
35 Übergangsformel, die der hellenistischen Diatribe angehört[71]. In 2 Th 1, 10
dagegen finden wir das Verbum im Passiv, so wie es auch in der LXX gebraucht wird[72]. Hier ist von der eschatologischen Offenbarung der Herr-

---

[64] Öfter für מוֹרָא → 31, 39 ff.

[65] Vgl Cramer Cat, zB Chrysostomus zu Ag
3, 12; 4, 13; 13, 41.

[66] Es sind die ungläubigen Gegner gemeint;
deshalb ist πιστεύειν vermieden (BWeiß aaO
zSt).

[67] Vgl den Sprachgebrauch Qoh 5, 7; Sir
11, 21.

[68] Zu J 3, 7 vgl Dg 10, 4: μὴ θαυμάσῃς εἰ
δύναται μιμητὴς ἄνθρωπος γενέσθαι θεοῦ. Hier
wird ein ähnlicher Zweifel wie der des Nikodemus abgelehnt.

[69] Vgl Bü J zSt.

[70] FSieffert[9] (1899) zu Gl 1, 6.

[71] Wnd 2 K z 11, 14.

[72] ZB Sir 38, 3. 6; Js 61, 6; 4 Βασ 5, 1;
Sap 8, 11.

lichkeit Gottes inmitten der Gläubigen und Heiligen die Rede. Dabei ist es selbstverständlich, daß die Gemeinde an dieser göttlichen Herrlichkeit teilnimmt, wie das ja an zahlreichen eschatologischen Stellen des NT bezeugt ist. θαυμασθῆναι ist hier sachlich und formal parallel zu ἐνδοξασθῆναι gebraucht.

So deutet auch die altkirchliche Exegese die Stelle: δι' ἐκείνων (τῶν πιστευόντων) γὰρ 5 θαυμαστὸς ἐπιδείκνυται, ὅταν τοὺς οἰκτροὺς τοὺς ταλαιπώρους καὶ μυρία παθόντας δεινὰ καὶ πιστεύσαντας εἰς τοσαύτην ἄγει λαμπρότητα. δείκνυται αὐτοῦ ἡ ἰσχὺς τότε[73]. In anderer Weise sucht Grotius die Herrlichkeit Christi und die der Gläubigen miteinander zu verbinden: tum id fiet, quum Christus, credentes eosdemque sanctos in summam claritatem evehendo, admirandam ex hoc facto claritatem consequetur[74]. 10

5. Sonst findet sich unsere Vokabel noch einmal in Jd 16 in der aus dem AT bekannten Phrase θαυμάζειν πρόσωπον. Meist hat das NT dafür πρόσωπον λαμβάνειν, βλέπειν εἰς πρόσωπον oder die Neubildung προσωπολημπτεῖν. In 1 Pt 2, 9 begegnet die stark an hellenistischen Stil anklingende Formulierung: ὅπως τὰς ἀρετὰς ἐξαγγείλητε τοῦ ἐκ σκότους ὑμᾶς καλέσαντος εἰς τὸ 15 θαυμαστὸν αὐτοῦ φῶς.

Derselbe Ausdruck kommt 1 Cl 36, 2 vor, wo es heißt: διὰ τούτου ἡ ἀσύνετος καὶ ἐσκοτωμένη διάνοια ἡμῶν ἀναθάλλει εἰς τὸ θαυμαστὸν αὐτοῦ φῶς. In den Dionysus-Mysterien geht der Weg des Mysten durch die Finsternis mit φρίκη, τρόμος, ἰδρώς, θάμβος, ἐκ δὲ τούτου φῶς τι θαυμαστὸν ἀπήντησε ...[75]. Daß auch in die Kirche solche 20 mystischen Spekulationen eingedrungen sind, zeigt das gelegentlich auftretende Verständnis von 1 Pt 2, 9 als Offenbarung des sensus mysticus von Js 42, 6. 7 und Hi 37, 21[76].

6. Schließlich kommt die Vokabelgruppe 6 mal in der Offenbarung vor. In Apk 13, 3, wo wohl ἐθαυμάσθη als passiver Aorist mit 25 intr Bedeutung zu lesen ist[77], bezieht sich die staunende Bewunderung auf die Wiederkunft Neros und die ἐξουσία des Tieres[78]. Dabei ist, wie v 4 und ebenso 17, 8 zeigen, auch an kultische Verehrung zu denken, die im Kaiserkult ja geschichtliche Wirklichkeit war. Es liegt in dem Staunen „die typische menschliche Reaktion bei Erscheinen eines widergöttlichen Wesens"[79]. Das Staunen 30 ist der erste Schritt zu dem Sich-Beugen vor dem Tier. Deshalb weist der Engel in Apk 17, 6. 7 das Staunen des Sehers zurück, obwohl es eigentlich ein ganz natürlicher Reflex in der Seele des Sehers auf die Furchtbarkeit der Erscheinung ist[80]. Es liegt also hier dem Staunen gegenüber dieselbe Einstellung vor, wie im Joh-Ev. An einer weiteren Stelle, Apk 15, 1, nennt die Offen- 35 barung ein Zeichen am Himmel groß und wunderbar, und in Apk 15, 3 in dem Hymnus auf Gott werden Gottes Werke als groß und wunderbar bezeichnet. Damit nimmt die Apk den at.lichen Psalmstil wieder auf, ohne daß man eine neue eigenartige Prägung der Begriffe feststellen könnte.

D. Die Wortgruppe im frühchristlichen Sprachgebrauch. 40

Das gilt im allgemeinen auch von der Verwendung der Begriffsgruppe im frühchristlichen Sprachgebrauch. Allerdings an einer Stelle

---

[73] Cramer Cat zSt.
[74] Grotius zSt.
[75] Vgl RPerdelwitz, Die Mysterienreligion und das Problem des I. Petrusbriefes = RVV 11, 3 (1911) 78. Plut Fr VI: Ex Opere de Anima 2, 6.
[76] Grotius zSt.

[77] Bl-Debr⁶ § 78.
[78] Bousset zSt, vgl auch EBAllo, St Jean L' Apocalypse² (1921) 187.
[79] Loh Apk zSt.
[80] Vgl Cramer Cat zSt: ὑπερβαλλούσῃ ἐκπλήξει κατάσχετον γενέσθαι τοῦτο γὰρ τὸ μέγα θαῦμα ἐμφαίνει.

findet eine **grundsätzliche Durchbrechung** des umschriebenen biblischen Rahmens statt, in dem bei Cl Al Strom II 9, 45, 4 aufbehaltenen Jesuswort aus dem Ev Hebr.

Es findet sich bei Clemens selber (Strom V 14, 96, 3) und in dem zweiten Oxyrhynchus-Logion[81] noch einmal in ähnlicher Form, aber mit dem Stichwort θαμβεῖν (→ 6, 32 ff). In der hier zu beachtenden Form ὁ θαυμάσας βασιλεύσει bietet das Wort offenbar einen Anklang an das platonische Grundmotiv der Philosophie, wie es gelegentlich auch bei Philo anklingt, und es droht von hier aus ein mystisch spekulatives Mißverständnis des biblischen Begriffes des Staunens. So wird zB fälschlich J 5, 20 neben das Logion gestellt und damit dem Begriff des Staunens im NT der Charakter des Unvollkommenen und Vorläufigen genommen. Die klare Erkenntnis der Vorläufigkeit des religiösen Erlebnisses des Staunens droht überall da verloren zu gehen, wo ähnlich wie im hellenistischen Judentum das Attribut, bzw Prädikat des Wunderbaren beliebig und in abgeblaßtem Sinne mit allen möglichen christlichen Heilsgütern verknüpft wird. So zB 1 Cl 1, 2: τὴν τε σώφρονα καὶ ἐπιεικῆ ... εὐσέβειαν, 35, 1: ὡς μακάρια καὶ θαυμαστὰ τὰ δῶρα τοῦ θεοῦ, 50, 1: ἡ ἀγάπη. Anders liegt es in 2 Cl 13, 3. 4, wo ganz im Sinne der Vorläufigkeit die Heiden als Träger des Staunens erscheinen: τὰ ἔθνη γὰρ ἀκούοντα ... τὰ λόγια τοῦ θεοῦ ὡς καλὰ καὶ μεγάλα θαυμάζει ... θαυμάζουσι τὴν ὑπερβολὴν τῆς ἀγαθότητος (Lk 6, 32 ff, vgl auch Just Apol 16, 2). Auch der Gedanke in 2 Cl 2, 6: ἐκεῖνο γάρ ἐστιν μέγα καὶ θαυμαστόν, οὐ τὰ ἑστῶτα στηρίζειν ἀλλὰ τὰ πίπτοντα besitzt seine theologische Besonderheit. In Herm v 1, 3, 3 begegnet θαυμαστῶς mit Bezug auf himmlische Offenbarungen, die für den Menschen unbegreiflich und unerträglich sind. Der Sprachgebrauch der frühchristlichen Martyrien ist nicht wesentlich verschieden von dem des 4 Makk-Buches. Vgl zB Mart Pol 3, 2: τὸ πλῆθος, θαυμάσαν τὴν γενναιότητα τοῦ θεοφιλοῦς ... γένους τῶν Χριστιανῶν, 7, 2: θαυμαζόντων ... τὴν ἡλικίαν αὐτοῦ καὶ τὸ εὐσταθές, 15, 1 ff: θαῦμα εἴδομεν, οἷς ἰδεῖν ἐδόθη ... τὸ γὰρ πῦρ ... ὥσπερ ὀθόνη πλοίου, 16, 1: θαυμάσαι πάντα τὸν ὄχλον εἰ, 16, 2: θαυμασιώτατος μάρτυς. Auch bei Justin und im Brief an Diognet kommt die Wortgruppe einige Male vor, ohne daß hier besondere Eigentümlichkeiten sich zeigten. Hingewiesen sei auf Just Dial 10, 2, wo von παραγγέλματα die Rede ist, θαυμαστὰ οὕτως καὶ μεγάλα ... ὡς ὑπολαμβάνειν, μηδένα δύνασθαι φυλάξαι αὐτά, und auf Dial 100, 1, wo es im Anschluß an Ps 22, 4 von der Auferstehung Jesu heißt: ἐπαίνου ἄξιον καὶ θαυμασμοῦ μέλλει ποιεῖν ... ἀνίστασθαι.

Bertram

ϑεάομαι → ὁράω

---

† *ϑέατρον*, † *ϑεατρίζομαι*

θ έ α τ ρ ο ν (seit Hdt; nicht in LXX): *a.* Das der Aufführung dramatischer und anderer Schauspiele, aber auch der Volksversammlung (Ag 19, 29. 31[1]) dienende *Gebäude des Theaters* (oder *Amphitheaters*); — *b.* kollektiv: *die Zuschauer* (Plat Symp 194 b uö); — *c.* (= θέαμα) *das Schauspiel*, welches man in einem Theater sieht (Aeschines Socraticus, Dialogi 3, 20; Achill Tat I 16). — θ ε α τ ρ ί ζ ω: *jmden zum Schauspiel machen.* Das Wort schien bis vor kurzem in der außerchristlichen Lit zu fehlen[2], ist aber neuerdings in einer gerasenischen Inschrift der Zeit Trajans nachgewiesen[3]. Vgl auch Polyb 3, 91, 10; 5, 15, 2; 11, 8, 7: ἐκθεατρίζω.

Bdtg *c* dient — ebenso wie θέαμα — dem beliebten stoischen Bilde, daß „der Weise im Kampf mit dem Geschick ein Schauspiel für Götter und Menschen"[4] sei. Sen, De

---

[81] Deißmann LO 363 ff.

ϑέατρον κτλ. JohW 1 K, Ltzm K z 1 K 4, 9; ABonhöffer, Epiktet u das NT (1911) 170; Wendland Hell Kult 357 A 1; MDibelius, Die Geisterwelt im Glauben des Pls (1909) 28 ff; HJCadbury, θεατρίζω no longer a NT Hapax Legomenon, ZNW 29 (1930) 60—63; ASchweitzer, Die Mystik des Ap Pls (1930) 149.

[1] Vgl die interessante zweisprachige In-

schrift aus demselben Theater in Ephesus (103/104 n Chr), in welcher der Stifter von Götterbildern bestimmt: ἵνα τίθηνται κατ᾽ ἐκκλησίαν ἐν τῷ (sic) θεάτρῳ (sic) ἐπὶ τῶν βάσεων, Deißmann LO 90 f.
[2] So noch Pr-Bauer 551.
[3] Die Inschrift aus Gerasa ist als Nr 14 veröffentlicht von AHMJones, Journal of Roman Studies 18 (1928) 144 ff; die entscheidenden Sätze auch bei Cadbury aaO.
[4] Schweitzer; Lietzmann aaO.

Providentia 2, 9 (vgl Ep 64, 4—6): Einen tapferen Mann mit dem Mißgeschick kämpfen sehen, ist ein spectaculum deo dignum. Vor allem Epiktet nennt „den wahren Philosophen überhaupt, besonders aber im Kampf mit dem Unglück, ein θέαμα, an welchem Menschen und Götter sich freuen"[5]: Diss II 19, 25; III 22, 59. Es ist ein stolzer Kampf und ein frohes Schauspiel; Jupiter hat seine Lust an dem Bilde 5 des Cato, „iam partibus non semel fractis stantem nihilominus inter ruinas publicas rectum" (Sen aaO)[6].

Äußerlich klingt daran der Gebrauch des Bildes 1 K 4, 9 an: ὅτι θέατρον ἐγε-νήθημεν τῷ κόσμῳ καὶ ἀγγέλοις[7] καὶ ἀνθρώποις[8]. Ähnlich Hb 10, 33: ὀνειδισμοῖς τε καὶ θλίψεσιν θεατριζόμενοι[9]. [10]. Natürlich ist wohl denkbar[11], daß Paulus ein 10 in seiner Zeit und in seinen Gemeinden umlaufendes popularphilosophisches Schlagwort aufgegriffen hat[12]. Aber *1.* haben sich damit Erinnerungen an Hiob verbunden, auf dessen Leiden die Engel (der Satan: einer der בְּנֵי הָאֱלֹהִים; → I 77, 2) und die Menschen (die Freunde) schauen; *2.* ist das θέατρον nach mensch-lichen Maßstäben kein stolzes, sondern ein jämmerliches (→ ἀσθένεια I 489 ff) 15 und verachtetes[13]; *3.* liegt aller Nachdruck auf dem θεὸς ἀπέδειξεν aus v 9 a. Diese Subjektsbildung gibt dem ganzen Vorgang seinen von dem stoischen Bilde völlig verschiedenen Charakter: dort ist die Gottheit Zuschauer bei dem Kampf, den der Mensch in stolzer Autonomie seines Heroentums führt; hier ist Gott selbst Urheber der Schwachheit seiner Apostel, die eben damit, als gottge- 20 wirkte, echte — nämlich Gottes — Kraft wird, so daß die Zuschauer etwas völlig anderes zu sehen m e i n e n als das wirkliche Geschehen, welches in jenem θέατρον sich abspielt.

Kittel

ϑεῖος, ϑειότης → θεός 25

┌─────────────────────────────────┐
│ *ϑέλω, ϑέλημα, ϑέλησις* │
└─────────────────────────────────┘

ϑέλω

Inhalt: A. Die gemeingriechische Bedeutung von (ἐ)θέλω. — B. Bi-blisch-theologisch Bedeutsames im Gebrauch des nt.lichen θέλω: 1. Das

---

[5] Bonhöffer aaO.

[6] Anders, ohne den philosophischen Ton, daher von dem sich als infelix fühlenden Menschen: Sallust, De Bello Iugurthino 14, 23; Plin Panegyricus (MSchuster 1933) 33; Polyb 3, 91, 10.

[7] Der vielfach als Par hierzu zitierte Vers 1 Pt 1, 12 (εἰς ἃ ἐπιθυμοῦσιν ἄγγελοι παρα-κύψαι) spricht von etwas völlig anderem: nicht vom Leiden, sondern von der Herrlich-keit der Christen, auf welche die Engel schauen möchten, weil sie nichts Gleichwer-tiges haben (→ I 85, 2).

[8] Wieder anders: slavHen 62, 9—12: Die Strafengel nehmen die Bösen in Empfang und strafen sie für ihre Missetaten. „Sie (= die bösen Menschen) werden für die Ge-rechten und seine Auserwählten (beides = die guten Menschen) ein Schauspiel abgeben; sie werden sich über jene freuen, weil der Zorn des Herrn der Geister auf ihnen ruht

und sein Schwert sich an ihrem Blute be-rauscht hat".

[9] Vielleicht ist die vl ὀνειδ- aus der Unge-wöhnlichkeit des Verbums entstanden (D*).

[10] Mit Wnd zSt an das „Schauspiel" der neronischen Pechfackeln zu denken, ist kaum nötig.

[11] Gegen Bonhöffer, der jeden Zshg scharf ablehnt.

[12] Beispiele vor Paulus finden sich in der jüdischen Märtyrergeschichte. Vgl Philo Flacc 72: ὥσπερ ἐν τοῖς θεατρικοῖς μίμοις καθ-υπεκρίνοντο τοὺς πάσχοντας, Leg Gaj 368: τοιοῦτον ἀντὶ δικαστηρίου θέατρον ὁμοῦ καὶ δεσμωτήριον ἐκφυγόντες. οἰκτροτάτη θεωρία begegnet in ähnlichem Zshg 3 Makk 5, 24 [Bertram].

[13] So richtig Bonhöffer.

ϑέλω. RRödiger, in: Glotta 8 (1917) 1 ff und weitere Lit → βούλομαι I 628. Zum

θέλειν Gottes; 2. Das θέλειν Jesu; 3. Das θέλειν des Paulus im apostolisch-autoritativen Verkehr mit den Gemeinden; 4. Das religiöse θέλειν und sein Gegensatz im NT.

Zu dem Unterschied zwischen (ἐ)θέλω und βούλομαι → I 628 ff. Der Gebrauch ist für die einzelnen Epochen zu untersuchen, da durch beide Worte fast durchweg das gleiche ausgedrückt werden kann. Über das Vorwiegen von ἐθέλω bei Hom → I 628, 19 f, über die Verdrängung durch βούλομαι seit Hdt, zumal bei den Prosaikern → I 628, 24 ff. In LXX ist das Verhältnis fast gleich → I 629, 13 ff. Bei Polyb zählte ich 150 mal βούλομαι, 29 mal θέλω, in den ersten 7 Büchern des Diod S 88 mal βούλομαι, 4 mal θέλω. Die Bedeutungen von θέλω bei Polyb und in LXX verteilen sich so: Polyb: *beabsichtigen* (17), *bereit, willig sein* (4), selten: *sich entschließen, wünschen*. LXX: *Gefallen haben an* (14), *Lust haben zu* (11), *wünschen* (14), *begehren* (2), *beabsichtigen* (9), dazu vom *entschlossenen Wollen* (7), *bereit, geneigt sein* (6), *im Begriff sein* (1), *vorziehen* (1), negativ: *sich weigern* (31), vom *göttlichen Wollen* (21), vom *königlichen Willen* (3). In der Zeit des NT hat sich das Verhältnis völlig umgekehrt → I 630, 23 ff. Dem entspricht der Gebrauch in Epikt Diss, wo ich (mit Fr) 433 mal θέλω und 42 mal βούλομαι fand.

θέλειν wird im griech AT sehr häufig mit Negation gebraucht. So ist es als Übers von אבה regelmäßig verneint. Nur חפץ = θέλειν hat meist positiven Sinn. Da אבה überwiegend in Gn, 4 Βασ, חפץ vorwiegend in den Psalmen und andren Hagiographen die Grundlage von θέλειν ist, so findet sich das positive θέλειν vor allem in den Hagiographen und den hell Büchern des AT, zT auch bei den Propheten, jedoch nicht bei Jer, der nur die Wurzel מאן mit οὐ θέλειν wiedergibt. Jedenfalls hat erst die griech Übers den Begriff des *Wollens* häufiger verwendet. Die hbr Bibel spricht mehr von einem Wünschen und Gefallen haben[1] (→ θέλημα 54, 4 ff).

Über die Verbalformen von (ἐ)θέλω, die zT in den Dialekten voneinander abweichen, vgl Liddell-Scott. ἐθέλω ist homerisch-attisch. Hom und Hes haben niemals θέλω (Il 1, 277; Od 15, 317 sind zweifelhaft). Auch frühe attische Inschr haben ἐθέλω. Selten begegnet θέλω in frühen Epikern und Lyrikern schon des 6 Jhdts. Häufiger dann im 5 Jhdt. Die attischen Prosaisten haben es spärlich. In jonischen Inschr: Ditt Syll³ 45, 16 (4 Jhdt v Chr); 1037, 7 (4 Jhdt v Chr). Seit 250 v Chr findet sich θέλω in attischen Inschr und wird allg. In den Pap überwiegt θέλω. In der Koine ist θέλω regulär, außer in augmentierten Formen. In LXX und NT findet sich ἐθέλω nicht.

A. Die gemeingriechische Bedeutung von *(ἐ)θέλω*.

Voranzustellen ist als offenbar ursprüngliche Grundbdtg[2]:

1. Die Kategorie der entgegenkommenden Haltung: *a. bereit sein, geneigt sein.* Dies Bereitsein braucht nicht der Neigung zu entspringen. Es kann uU aus Zugeständnis[3] oder gar gezwungen[4] erfolgen. Daher oft die Färbung: *sich zu etwas verstehen*[5]. Negativ entsprechend: *sich nicht geneigt sein*, zunächst ohne grundsätzliche Entschlossenheit[6]. — *b. Lust haben, belieben*, auf Grund einer Neigung, eines Wohlgefallens: *mir ist recht, mir gefällt, mir beliebt.* Die Aktivität des Wünschens und Begehrens tritt uU noch zurück[7].

2. Das Motiv des Wunsches. *a.* Das *ausdrückliche Wünschen*[8], das den Charakter eines *starken Begehrens* und *Habenwollens* besitzen kann[9]. — *b.* Hier-

---

attischen ἐθέλω vgl KMeisterhans-ESchwyzer, Grammatik der Attischen Inschriften ³ (1900) 178; θέλω in Pap: Mayser 350 f. — CHTurner, The verb θέλω as auxiliary, JThSt 28 (1927) 355—357. θέλημα: AWSlaten, Qualitative Nouns in the Pauline Epistles 2 Ser, Vol IV, Part 1 (1918) 52 ff.

[1] Zeile 17—24 von GBertram.
[2] Rödiger 14 ff. Im NT: Mt 26, 15.
[3] Hom Il 7, 364; Jos Ant 13, 257; Philo Jos 228; Jk 2, 20.
[4] Polyb 30, 31, 8.
[5] Philo Spec Leg III 31; Epict Diss I 1, 19; Mt 11, 14; Ag 26, 5.
[6] Test L 9, 2; Gn 24, 8 (לֹא אָבָה); 37, 35 (מֵאֵן ?).

[7] Hom Il 23, 894; Plat Theaet 143 d; Cant 2, 7; Jos Ant 1, 236; Philo Op Mund 88. Sehr oft bei Epikt: Diss II 14, 16. Doch kann er auch βούλομαι dafür brauchen: II 24, 6. 9. Das triebhafte θέλειν des instinktiven Geschmacks und Appetits: Lk 5, 39, vielleicht auch Mt 27, 34 negativ, wenn hier nicht willentliches Abweisen der Betäubung gemeint ist. Nicht mögen, keine Lust haben: 2 Th 3, 10; Mt 23, 4. Das willkürliche, launenhafte oder sorglose Belieben: Mk 9, 13; J 5, 35; 21, 18.
[8] Soph El 80; Hdt 2, 2; Diod S I 36, 2; LXX für חפץ: 3 Βασ 10, 13; ψ 34, 27; 2 Makk 12, 4; θέλειν εἰ: Sir 23, 14; Jos Ant 17, 137; viel bei Epikt Diss I 1, 18. Dafür IV 1, 156 f:

hin gehört auch das θέλειν in geschlechtlich-erotischem Sinn, in den verschiedensten Fassungen: vom *Gefallen haben, Trieb, Lust empfinden, sich zusammen finden,* bis zum *Zeugen*[10]. In der Gnosis von der die Emanation wirkenden Zeugung[11]. Aber auch von der Liebeswallung zum Sohn, Bruder, Freund wird es gebraucht[12]. — *c.* Ohne erotische Färbung häufig in LXX als: *Lust, Gefallen haben an jemandem oder an* 5 *etwas,* zunächst vom Menschen als Subj[13]. Das bei Ign abs stehende θέλειν als *Liebe empfinden*[14] hat sowohl seine Beziehung zu *b* (vergeistigt) als zu *c,* weil gerade Ign dem palästinischen Sprachgebrauch nahe steht. Dies θέλειν sagt LXX vorwiegend von Gott aus als Subj. Es ist die Übers von בְּ חָפֵץ oder c Acc oder von בְּ רָצָה, wofür sonst auch εὐδοκεῖν → II 736, 20 ff stehen kann. Es tritt auf, entweder mit Acc 10 konstruiert[15] oder mit ἐν c Dat[16], ganz vereinzelt mit Dat[17].

3. Das Beabsichtigen. *a.* Dies θέλειν, mit dem Wünschen oft sehr verwandt, ist aber doch zu unterscheiden als die *auf die Tat abzielende, ihr entschlossen zustrebende Bestimmtheit des Willens*[18]. Bei Homer hat es häufig den Charakter des *Wagens*[19]. — *b.* Das Beabsichtigen ist noch weiter fortgeschritten, wenn es 15 die Bdtg annimmt: *im Begriff sein, etwas zu tun.* Durch βούλεσθαι kann dies nicht ausgedrückt werden[20]. — *c.* Noch mehr ist das θέλειν Handeln geworden, wenn es besagt: *etwas zu tun pflegen*[21]. So wird es bes gern mit unpersönlichem Subj verbunden[22]. — *d.* Sehr oft, wenn auch nicht so häufig wie bei βούλεσθαι, erscheint das θέλειν des sachlichen Subj mit dem Zusatz λέγειν, σημαίνειν, εἶναι, προφαίνειν und heißt dann: 20 *abzielen, bedeuten, bezwecken*[23]. — *e.* Auch das *Behaupten im Gegensatz zum wahren Sachverhalt,* bes in der Form: θέλοντες εἶναι[24], schließt sich an *beabsichtigen* an.

βούλομαι. Corp Herm I 30; PGieß I 40 col II 25 (2 Jhdt n Chr). Beim nt.lichen θέλειν tritt diese Aktivität des Wünschens stark hervor. Das vordringende, fordernde, zur Bitte werdende θέλειν: J 9, 27; 12, 21; Mt 5, 42; 12, 38; Mk 6, 22. 25 (ἵνα); 1 K 14, 35. Das θέλειν, das ein ποιεῖν im Gefolge hat: Mk 14, 7. Der Wunsch als Weisung: Ag 10, 10. Seltener ist gemeint, daß es beim reinen Wunsch bleibt: Gl 4, 20; 2 K 12, 20; 11, 12. 1 K 7, 7 hat das Wünschen fiktiven Charakter. 1 K 14, 5 ist es nur Zugeständnis erstrebenswerter Möglichkeit. Die Gewährung ist oft unklar: Lk 8, 20, oder unerfüllbar: Hb 12, 17; Lk 10, 24. Es kann als natürlich-menschliches Begehren sich auf religiöse Ziele richten, ohne die Gewißheit des ἐλπίζειν einzuschließen: 2 K 5, 4.
[9] Hom Od 11, 566; ψ 33, 13; Mal 3, 1; Jos Bell 3, 370; PTebt 423, 21 (3 Jhdt n Chr). Im NT ist bezeichnend Mk 9, 35; 10, 43 f; Mt 20, 26 f: das naturhafte Machtbegehren, der triebhafte Drang nach Größe und Rang, dem immer in den Nachsätzen das wahre Ziel des Nachfolgers, δοῦλος und διάκονος zu sein, entgegengestellt ist.
[10] Hom Il 9, 397; Od 3, 272; 8, 316. LXX: Dt 21, 14 (בְּ חָפֵץ); Diod S IV 36, 4; Philo Vit Mos I 297. 300; Sobr 32; Poster C 175. Ähnlich 1 Tm 5, 11: γαμεῖν θέλουσιν von den jungen Witwen → 62, 44 ff.
[11] Iren Haer I 12, 1; Hipp Ref VI 38, 5; Epiph Haer 33, 1, 4 → 53, 13 ff.
[12] Epict Diss III 24, 85. Selten dafür βούλομαι: II 18, 18.
[13] Für בְּ חָפֵץ: 1 Βασ 18, 22; 2 Βασ 15, 26; 3 Βασ 10, 9; 1 Ch 28, 4; ψ 111, 1; 146, 10. Vgl Tob 4, 5. Kol 2, 18: θέλων ἐν ταπεινοφροσύνῃ καὶ θρησκείᾳ τῶν ἀγγέλων ist hiernach zu erklären als: *Gefallen haben an.* Vgl die indes zweifelhafte LA Test A 1, 6: ἐὰν οὖν ἡ ψυχὴ θέλει ἐν καλῷ. AFridrichsen, ZNW 21 (1922) 135—137 faßt θέλων als adv Näherbestimmung zu καταβραβευέτω: *gern, mit vollem*

Bedacht. Doch liegt der LXX-Sprachgebrauch am nächsten. Die Konjekturen zSt bei Ew Gefbr, Cr-Kö 483 sind unnötig.
[14] Ign R 8, 1. 3 (opp μισεῖν).
[15] Für בְּ חָפֵץ: ψ 17, 20; 40, 12; Ez 18, 23. 32; Tob 13, 8. Für חָפֵץ c Acc: ψ 36, 23.
[16] 2 Βασ 15, 26; ψ 146, 10 (בְּ חָפֵץ).
[17] 2 Ch 9, 8.
[18] Hom Il 1, 549; Test S 2, 10. LXX: Ri 20, 5 (כָּל־הַבָּא pi); 2 Ch 7, 11 A (עַל־לֵב); ψ 39, 15 (חָפֵץ c Acc); 2 Makk 15, 38; Jos Ant 2, 204 uö. Philo Conf Ling 5; Epict Diss I 24, 2 uö (dafür βούλεσθαι: ebd prooem 7). Im NT sehr oft vom Beabsichtigen einer Handlung: Lk 13, 31; 14, 28; Ag 7, 28; J 6, 67; von der grundsätzlichen Bestrebung, die ein Ziel verfolgt: Gl 1, 7; 6, 13. Als Absicht im Gespräch: J 16, 19; Lk 10, 29; 2 K 12, 6. Noch stärker: etwas in der Rede vertreten: Ag 17, 18. UU gelingt die Absicht nicht: J 7, 44; Ag 19, 33; 1 Th 2, 18. 1 K 16, 7 ist das Gelingen von der Zulassung des Herrn abhängig.
[19] Hom Od 8, 223; Il 2, 247. Vgl Lk 18, 13.
[20] Hom Il 6, 336; Tob 3, 10 א; Jos Bell 5, 99; Philo Gig 39; Cher 115. NT: Mk 6, 48; Mt 5, 40; J 1, 43; 6, 21; Ag 14, 13; Gl 4, 9.
[21] Mk 12, 38. Lk 20, 46 τῶν θελόντων ἐν στολαῖς περιπατεῖν, sie lieben es, daherzukommen, vgl das φιλεῖν Mt 23, 6; Lk 20, 46. Verwandt ist Gl 6, 12. Der Sprachgebrauch ist zugleich von der Bdtg: *es gefällt ihnen* beeinflußt. Vgl Epict Diss IV 9, 7: ἐσθῆτα ἐπιδεικνύειν θέλεις στιλπνήν.
[22] Antiphon fr 49 (II 300, 8 Diels); Hdt I 74, 21; Xenoph Mem III 12, 8. Vgl Rödiger 18 f.
[23] Hdt I 78; II 13; IV 131; Lk 15, 26 D; Ag 2, 12; 17, 20.
[24] Epict Diss I 19, 12; IV 2, 10; Herodian V 3, 11; Paus I 4, 6. Behaupten: 2 Pt 3, 5; den Anspruch machen, Gesetzeslehrer zu sein: 1 Tm 1, 7.

4. Die Kategorie des Entschlusses, der Entscheidung und Wahl. *a.* Hier begegnen folgende Spielarten: der gründlich überlegte *Willensentschluß*[25], die entschlossene, mitunter sich Gewalt antuende *Willensentscheidung*[26], das freiwillige *Sichentschließen*[27]. — *b.* Das Letzte geschieht uU beim *Wählen und Auswählen*[28] (→ II 738, 26 ff). Das θέλειν der Wahl ist manchmal erweitert durch ἤ oder μᾶλλον: *etwas bei der Wahl vorziehen*[29]. — *c.* Als *entschlossenes Willigsein im religiösen Sinn* findet sich θέλειν nicht nur in LXX, sondern auch sonst häufig[30]. — *d.* Eine große Rolle spielt die negative Fassung, das überlegte, entschlossene *Nichtwollen, Sichsträuben*[31].

5. θέλειν als gebietendes Wollen. *a.* Ausgesagt von Gott, seinem Beabsichtigen und Walten. Die Formel ἐὰν θεὸς (θεοί) θέλη (θέλωσιν) ist Gemeingut des ganzen Altertums[32]. In LXX wird dies θέλειν benutzt für *Gottes souveränes Regieren* in Schöpfung und Geschichte der Menschen[33], für sein in einzelnen Ereignissen kundwerdendes Walten[34]. Sehr viel hat Josephus Gebrauch gemacht von der gleichfalls sehr verbreiteten Wendung θεοῦ θέλοντος, oder θελήσαντος[35]. Philo benutzt θέλειν, um vom Schaffen Gottes, seinem Lenken des Weltgebäudes, seinem Offenbaren zu handeln[36]. Das gleiche kann er aber auch der φύσις zuschreiben[37]. Auch Epiktet kann statt: ὡς ὁ θεὸς θέλει sagen: ὡς ἡ τύχη θέλει[38]. Ihm ist das wahre θέλειν der philosophisch Geschulten der volle Einklang mit dem θέλειν Gottes, während τὰ μὴ θελητὰ θέλειν das θεομαχεῖν bedeutet[39]. Er hat dabei im Auge: das Erreichbare, Mögliche wollen, das Nichtmögliche meiden, sich ins Unvermeidliche fügen. So kommt also alles hinaus auf ein μὴ θέλειν unfruchtbarer Wünsche. Wer sich der schicksalhaften Bestimmung des Lebens fügt, bleibt in völliger Unterwerfung unter Gott[40]. Auch das Corp Herm zeigt einen ausdrücklichen Gebrauch vom θέλειν Gottes. Das Wollen des νοῦς bei der Schöpfung, bzw des Demiurgen, geht darauf aus, daß der Kosmos lebendig sei. Gott will, daß alles sei. Darin besteht die Existenz von allem[41]. Auch Ignatius handelt vom göttlichen Wollen, das sich auf alles richtet, was ist. 1 Cl weist hin auf Gottes erhaltendes, lenkendes, die Gnosis in Christus erschließendes Wollen[42]. — *b.* Als Herrscherhandlung von Fürsten und Hochgestellten, als Weisung des königlichen Willens[43], aber auch als Belieben des Beamten und als militärischer Befehl[44], ebs wie als Kundgebung des Gesetzes[45] tritt θέλειν der zuerst

---

[25] Plat Resp X 604 d; Jos Ant 2, 69; Philo Vit Mos I 249; Migr Abr 11. Das grundsätzlich bestimmte Wollen im NT: J 5, 6 handelt vom bestimmten Willen. Grundsätzlich motiviert ist Mk 6, 26; Phlm 14. Mt 1, 19 meint das Entschlossensein, als zur Reife gekommene Haltung des Willens, während dort βούλεσθαι → I 630 A 53 die praktische Absicht ist. Am meisten ist immer wieder in οὐ θέλειν die entschlossene Weigerung, das Nichtwollen aus bestimmten Gründen ausgeprägt: Mt 2, 18 (Ιερ 38, 15); J 7, 1; Mt 18, 30; Lk 15, 28; 18, 4.

[26] Thuc III 56, 5; Philo Ebr 167; Spec Leg III 154.

[27] Plat Prot 335 b; Philo Sobr 20.

[28] Jos Ant 8, 311; Philo Sacr AC 37. Das θέλειν der Wahl, des Entscheides im NT: Mk 15, 9; Mt 27, 15. 17. 21 (vgl ἤ in 17); Ag 25, 9; 1 K 7, 39; 10, 27.

[29] Dazu Rödiger 20 f, 22. ἤ: Hos 6, 6 B (חפץ); ἤπερ: 2 Makk 14, 42; μᾶλλον ἤ: Jos Ant 9, 240; Bell 7, 12; Epict Diss IV 1, 50 uö; BGU III 846, 15. θέλειν ἤ im NT als *lieber wollen, vorziehen*: 1 K 4, 21; 14, 19.

[30] 1 Ch 28, 9 (וּבְנֶפֶשׁ חֲפֵצָה); 2 Εσδρ 11, 11 (חפץ); Sir 15, 15; Js 1, 19 (אבה); Test A 1, 6; Jos Ant 19, 284; Philo Abr 5; Corp Herm XI 21 b; 2 Cl 6, 1.

[31] Hdt 6, 12; Polyb VI 37, 12. In LXX meist für לֹא אָבָה: 1 Βασ 26, 23; Prv 1, 30; Js 28, 12, oder für מאן: Nu 20, 21; ψ 77, 10; Hos 11, 5. Vgl Jos Bell 7, 51; Philo Leg All III 81; Epict Diss II 20, 28.

[32] Vgl Rödiger 16 f. Hom Il 1, 554; 14,

120; 19, 274; ἐὰν θεὸς θέλη: Xenoph Cyrop II 4, 19; Plat Phaed 80 d; Stobaei Hermetica, Excerptum II A 2 (Scott I 382, 16); PPetr I 2, 3 (3 Jhdt v Chr).

[33] ψ 113, 11 (חפץ); 134, 6 vgl Mt 6, 10; Hi 23, 13; Da LXX 4, 17; Jdt 8, 15; Sap 11, 25; 12, 18; Sir 39, 6. Sein Wollen in seinem Wort: Js 55, 11. Sein Wollen ist ein Geheimnis: Sap 9, 13.

[34] אָבָה לֹא: Dt 10, 10; 4 Βασ 13, 23; 24, 4.

[35] Jos Ant 2, 333; 7, 209; 18, 119 uö. Vgl POxy III 533, 10 (2 Jhdt n Chr); PGieß I 18, 10 f (Zeit Hadrians) uö.

[36] Philo Conf Ling 175; Op Mund 46; Sacr AC 40; Decal 43.

[37] Philo Gig 43.

[38] Epict Diss I 1, 17; IV 6, 21 vgl mit II 7, 9.

[39] Epict Diss IV 1, 89 f vgl IV 1, 100.

[40] Epict Diss II 17, 21 f. 28; II 16, 42. 47; III 10, 5 f; III 24, 96—99; IV 1, 100.

[41] Corp Herm I 11 b; IV 2. 3; XII 15 b; X 2; Stobaei Hermetica, Excerptum VII (Scott I 418, 25 ff).

[42] Jgn R prooem; 1 Cl 21, 9; 27, 5; 36, 2.

[43] Pind Pyth 2, 128; LXX: Est 1, 8; 6, 6 f. 11; Qoh 8, 3; 2 Makk 7, 16; Mt 18, 23 von des Königs Anordnung.

[44] Da LXX 1, 13; Epict Diss III 24, 35; Mt 13, 28 vom Befehl des Hausherrn; Lk 1, 62 von der Bestimmung des Vaters; Apk 11, 6 von der wirksamen Vollmacht der Zeugen.

[45] Plato Leg IX 923 a; vgl die um Genehmigung bittende Formel θέλησον uä in Pap, Beispiele Preisigke Wört. Weiteres Rödiger 17.

genannten Bdtg, die Gottes autoritative Willensäußerung meint, in menschlicher Analogie zur Seite.

B. Biblisch-theologisch Bedeutsames im Gebrauch des nt.lichen ϑέλειν.

1. Das θέλειν Gottes.

Das göttliche θέλειν hat stets den Charakter absoluter 5 Bestimmtheit, souveräner Selbstsicherheit und wirksamen Handelns. Es ist entschlossenes, vollkommenes Wollen. Nur einmal begegnet θέλειν als Wiedergabe des at.lichen חפץ im Sinne des erwählenden, liebenden Gefallens am Sohne (→ II 738, 4 ff): Mt 27, 43 (nach ψ 21, 9). Sonst ist immer gemeint entweder *a.* der göttliche Schöpferwille: 1 K 12, 18; 15, 38 oder *b.* seine Souveräni- 10 tät im heilsmäßigen Walten: J 3, 8 des Geistes bei der Wiedergeburt; 1 Tm 2, 4 des hoheitsvollen Gnadenwillens zur Rettung aller. Auch Mt 20, 14 f meint in Gleichnisform (der Weinbergbesitzer) die selbstmächtige, unabhängige Verfügungsgewalt Gottes, dem es frei steht, mit dem Seinigen zu tun, was er will. Pls hat R 9, 18. 22 gezeigt, wie dies θέλειν freier souveräner Verfügung 15 im Heilsgeschehen zur Kundgebung gelangt. Es äußert sich als Erweisung des Zornes und der Macht, beides, im Erbarmen und Verhärten. Bestimmt hier der Gegensatz: Heidenkirche / Juden den tiefen Ernst des Themas vom verfügenden Doppelwillen, so verweilt die Darlegung Kol 1, 27 allein bei der Herrlichkeit des Geheimnisses unter den Heiden. Den Heiligen wird dies göttliche θέλειν 20 kundgetan. Im Widerspiel zu dem souveränen göttlichen Wollen als Kennzeichen seiner Offenbarung taucht Lk 4, 6 als Zerrbild die Pseudosouveränität des satanischen Anspruchs auf. Andre auf Gott bezügliche Äußerungen bezeichnen mit dem θέλειν das, worauf es Gott in der Frömmigkeit ankommt, wobei jener prophetische Gegensatz: ἔλεος, nicht θυσία nach Hos 6, 6 und ψ 39, 7 wiederholt 25 wird: Mt 9, 13; 12, 7; Hb 10, 5. 8.

Vom göttlichen Willen in der Leitung der Glaubenden handelt 1 Pt 3, 17: die Christen haben uU für Rechttun zu leiden. Die Trübsal der Verfolgung ist durch Gottes Willen bestimmt. Aber auch in Einzelentscheidungen des Lebens, bei Entschlüssen, etwas zu planen und zu unternehmen, 30 gilt das τοῦ θεοῦ θέλοντος oder ἐὰν ὁ κύριος θελήσῃ: Ag 18, 21; 1 K 4, 19; Jk 4, 15 (→ 46, 11 ff).

2. Das θέλειν Jesu.

Hier ist zu beobachten, daß der Ausdruck sowohl für das unvergleichliche Wollen des Sohnes, des Gesandten, gebraucht wird, als 35 auch für den schlichten Anteil Jesu am gewöhnlichen menschlichen θέλειν.

a. Das Rechnen der Jünger mit der wirksamen Äußerung seines Befehls zeigt nicht nur abwegige Erwartung des Strafwunders, Lk 9, 54, phantastische Träumerei, Mt 17, 4, sondern auch Bereitschaft, seiner einfachen Anordnung zu entsprechen: Mk 14, 12 Par. Mt 15, 32 40 ist der bestimmte Entschluß, der ein Handeln in Bewegung setzt, als Einleitung eines wunderbaren Geschehens gemeint. Dies θέλειν Jesu als Bestimmen und Handeln in seiner einzigartigen Vollmacht zeigt eine andre Reihe von Stellen:

Mk 3, 13 bei der Jüngerwahl, der Erlöser auf dem Gebiet der Krankheit: Mk
1, 40 f; Mt 8, 2 f; Lk 5, 12 f. Durch das θέλω καθαρίσθητι, als Antwort auf das
ἐὰν θέλῃς, δύνασαί με καθαρίσαι, erhält die Handlung Gewicht als Ausführung
befreiender Gewalt. Den Vollmachtswillen des Sohnes hat Joh bes hervorge-
5 hoben. Er richtet sich J 5, 21 auf die Auferweckung der Toten, indem das
hoheitsvolle Wollen, das zugleich wirksames Handeln ist, in Übereinstimmung
steht mit dem erweckenden Wirken des Vaters. Mit feierlicher Betonung hat
Joh bezeugt, daß sich dies vollmächtige θέλειν des Sohnes im Blick auf die
Jünger als betende Willenserklärung äußert, das die Seinen unlöslich zu Teil-
10 habern gleicher Herrlichkeit macht: J 17, 24. Es bestimmt auch leitend den
ganzen Weg des Jüngers, so daß für die Frage, ob Joh noch die Parusie erlebt,
allein dies θέλειν in Betracht kommt: J 21, 22 f.

Die LA Ag 9, 6 vg^cl h p t syh^cl: quid me vis facere (nach Ag 22, 10: τί ποιήσω)
drückt die gleiche Überzeugung aus, daß der Wille des Auferstandenen den Apostel
15 leitet.

b. Zugleich zeigt aber das Wollen des Sohnes in der
Niedrigkeit seines irdischen Berufs seinen Anteil an der Unvollkommenheit irdischer Existenz. Die synpt Darstellung spricht uU von einem Wollen Jesu, das vereitelt wird: Mk 7, 24. Durchkreuzung des θέλειν gehört zu
20 seiner Niedrigkeit. Doch kann es ein andres Mal erfolgreich sein: Mk 9, 30,
negativ. Wichtiger aber als gelegentliche Hinderung seiner Wünsche in der
Gestaltung des Tageslebens ist die Vereitelung des Wollens der Gnadenabsicht
durch das Nichtwollen der Menschen: Mt 23, 37; Lk 13, 34. Das sehnliche
Verlangen, das in den Bahnen göttlicher Zusage geht, es möge auf Erden das
25 Feuer entfacht werden: Lk 12, 49, ist doch hinsichtlich der Erfüllung aufs
Harren angewiesen. Dieses in Jesu Leben als Synthese begegnende Nebeneinander von vollmächtigem, wirkungskräftigem Wollen und harrendem Gehorsam in der Niedrigkeit gelangt im Gethsemanegebet durch die Gegenüberstellung: ἀλλ' (πλὴν) οὐ τί (οὐχ ὡς) ἐγὼ θέλω ἀλλ' ὡς σύ: Mk 14, 36; Mt 26, 39
30 zur klarsten grundsätzlichen Aussprache. (Vgl θέλημα in Lk 22, 42: → 60, 10).
Hier begegnet als Sohnesstellung dies: er hätte menschlich die „Möglichkeit" des
Eigenwillens, aber angesichts des Gotteswillens existiert dieser Eigenwille nur
negiert. Gerade in der Feststellung dieser Negation kommt zum Ausdruck sein
vollkommener Zusammenschluß mit dem Gotteswillen.

35   **3.** Das θέλειν des Paulus im apostolisch-autoritativen Verkehr mit den Gemeinden.

Paulus liebt den Gebrauch von θέλειν, zumal wenn er
in der Unterweisung der Gemeinde einen wichtigen Punkt der Lehre hervorheben will. Er tut dies gern mit der Wendung: οὐ θέλομεν (θέλω) ὑμᾶς ἀγνοεῖν:
40 1 Th 4, 13; 1 K 10, 1; 1 K 12, 1; R 11, 25 oder: θέλω ὑμᾶς εἰδέναι: 1 K 11, 3.
Die erste Formel wird aber auch gebraucht bei sonstiger persönlicher Orientierung über sein Verhältnis zur Gemeinde: R 1, 13[46]; 2 K 1, 8; Kol 2, 1.
Von der Intention in der Auseinandersetzung, aber ebs voll aktiv auf Antwort
drängend: Gl 3, 2. Das θέλειν begegnet ferner als Ausdruck des apostolischen

---

[46] Vgl BGU I 27, 5: γινώσκειν σε θέλω.

Erzieherwillens bei seelsorgerlicher Wegweisung: 1 K 7, 32; R 16, 19; negiert: 1 K 10, 20[47]. Aufs Ganze gesehen, hat bei Pls das θέλειν den Charakter wichtiger, autoritativer Amtsäußerung. Es ist (vgl dgg die Bdtg *wünschen* → 45, A 8) in dieser Form stets gemeint als entschlossenes Wollen.

4. Das religiöse θέλειν und sein Gegensatz im NT. 5

a. In der synpt Darstellung begegnet θέλειν als entschlossene religiöse Zielsetzung einmal bei jenen Worten, welche die jüd Frömmigkeit im besten Sinne charakterisieren als: θέλειν εἰς τὴν ζωὴν εἰσελθεῖν Mt 19, 17. 21[48]. Als die neue, zur Nachfolge bereite Willensrichtung gilt das: θέλειν ὀπίσω μου ἐλθεῖν Mk 8, 34 (Mt 16, 24; Lk 9, 23: ἔρχεσθαι). Um- 10 gekehrt tritt auch der verkehrte, aber ebs bestimmte religiöse Wunsch bei der Mutter der Zebedaiden auf in der Form des θέλομεν ἵνα Mk 10, 35 vgl Mt 20, 21. Die Antwort Jesu Mk 10, 36 kann dies θέλειν einfach fragend aufnehmen. Sie hat es allein mit dem Inhalt der Bitte zu tun. Die ungehörige Einkleidung der Bitte wird nicht beachtet. 15

Auch das: οἱ ὑπὸ νόμον θέλοντες εἶναι Gl 4, 21 handelt von einem grundsätzlichen Entscheid (→ 46, A 25) der verkehrten Willensrichtung. Auf der andren Seite begegnet das πιστεύειν in der Form des Wollens, das auf die göttliche Kraftoffenbarung in Christus gerichtet ist, Mt 15, 28. Dem entspricht Mk 10, 51 Par, denn das θέλειν der Blinden ist die an den Sohn Davids gerichtete Bitte 20 um das Augenlicht. J 7, 17: ἐάν τις θέλῃ τὸ θέλημα αὐτοῦ ποιεῖν (→ 58, 33 ff) handelt von der entschlossenen Bereitschaft, Gottes Willen zu tun. Das zum Gebet werdende zielmäßige Wollen, das nicht ein willkürlich Gewünschtes ist, sondern ein pneumatisch Begründetes, ist J 15, 7 gemeint. Von der Willensrichtung der Glaubenden, die auf Heiligung bedacht ist, spricht Hb 13, 18; 2 Tm 25 3, 12. Dgg hat 1 Pt 3, 10 im Auge die durch Lebensweisheit beeinflußte grundsätzliche Bestimmtheit (nach ψ 33, 13)[49]. Das gleiche Ausgehn von einem mehr allg moralischen Grundsatz liegt vor in Mt 7, 12 (Konstr mit ἵνα). Dies θέλειν bedeutet einen die ganze Haltung bestimmenden Anspruch. Vgl Lk 6, 31. Dgg entspricht das heilsbegierige θέλειν Apk 22, 17, das nach dem Wasser des 30 Lebens verlangt, wiederum jener Gleichsetzung von θέλειν und πιστεύειν bei den Synpt.

b. Das religiöse θέλειν bei Pls erscheint stets neben ποιεῖν, ἐνεργεῖν, πράσσειν, κατεργάζεσθαι. Wenn er Phil 2, 13 sagt, Gott wirke in den Glaubenden τὸ θέλειν καὶ τὸ ἐνεργεῖν ὑπὲρ τῆς εὐδοκίας → II 744, 16 ff, so kann 35 der Sinn dieses Nebeneinander reichlich durch Parallelen bei Pls erläutert werden. Auch 2 K 8, 10 f haben wir das θέλειν neben dem ποιεῖν. Nach 8, 11 folgt auf ἡ προθυμία τοῦ θέλειν das Vollenden der Tat, es handelt sich um die Geldsammlung. Hier hat also θέλειν deutlich den Sinn: bereit, bereitwillig sein. 1 K 7, 36 begegnet, vom Liebhaber der Jungfrau gesagt (→ 61, 26 ff), die Redeweise: er tue, was er 40

---

[47] Zu 1 K 10, 20: Ign R 2, 1.
[48] Vgl dazu Epict Diss III 1, 7: εἰ θέλεις καλὸς εἶναι (mit βούλεσθαι II 14, 10, vgl aber wieder II 18, 19).

[49] Cr-Kö faßt mit Recht die Änderung aus ὁ θέλων ζωήν in ὁ θέλων ζωὴν ἀγαπᾶν als Beweis, daß man sich dem Gebrauch von יֶשְׁנוֹ entfremdete.

will, dh er führe seine Absicht aus. So wird Phil 2, 13 bedeuten, daß Gott im Glaubenden beides wirkt: die bereitwillige Absicht und das Vollbringen. Beides ist gesagt im Blick auf die Gewinnung des Zieles, des Endheils. Auch Gl 5, 17 steht beabsichtigen und tun zusammen. Fleisch und Geist liegen mit-
5 einander in Streit. Das Fleisch will hindern, daß es zur Ausführung der durch Geistesantrieb bestimmten Absicht, nämlich zur Liebe, komme (vgl 14 f), die nur durch den Wandel im Geist zur Ausführung gelangt.

In andrem Zshg steht R 7, 14—25[50], wo aber auch wiederum dem θέλειν das κατεργάζεσθαι v 15. 18. 20, das πράσσειν v 15. 19, das ποιεῖν v 15. 16. 19. 20.
10 21 gegenübertritt. Auch hier ist θέλειν die bestimmte Absicht und Bereitwillig-keit, den göttlichen Willen zu tun, nur daß nicht wie Gl 5, 17 der Kampf zwischen Fleisch und Geist behandelt wird, sondern das θέλειν des bloßen Ge-setzesmenschen, der als αὐτὸς ἐγώ (v 25) ohne Erlösung und Gnade (v 24 f), ohne die Kraft des Geistes (Kp 8) ganz allein der Gesetzesforderung gegen-
15 übersteht und den Versuch macht, auf diesem Wege zur Tat zu gelangen. An der Geltung und Würde des Gesetzes als des heiligen Gotteswillens wird nichts abgebrochen. Gerade so dient es zunächst dazu, herauszustellen, daß der Mensch fleischlich ist, unter die Sünde verkauft. Das zeigt sich darin, daß sich kein wahres Tun realisiert, das dem θέλειν entspricht, sondern nur ein solches, das
20 dem Täter selbst unerkennbar und hassenswert vorkommt. Unversöhnlich klafft θέλειν und ποιεῖν auseinander, ja, es wird getan, was man nicht will. Wichtig zur näheren Bestimmung dieses θέλειν ist das σύμφημι τῷ νόμῳ ὅτι καλός v 16 und das συνήδομαι τῷ νόμῳ τοῦ θεοῦ κατὰ τὸν ἔσω ἄνθρωπον v 22. Freilich ist θέλειν hier mehr als εὐδοκεῖν, aber weil es bei der bloßen Bereit-
25 schaft und Absicht bleibt, kann durch diese Ausdrücke für das zustimmende Wohlgefallen sein positiver Gehalt erläutert werden. Jenes kraftlose, in seiner Isolierung zur Ohnmacht gestempelte θέλειν ist doch wenigstens Zustimmung und das ist darum bedeutungsvoll, weil es herausstellt, daß sogar der fleischlich gebundene Mensch Gott in seinem Gesetz recht gibt. Darauf wird Wert ge-
30 legt. Nicht etwa, weil hier ein unerschütterter Bestand menschlichen Ethos zu würdigen ist — alles steht ja unter der σάρξ, auch νοῦς und ἔσω ἄνθρωπος. Die Zustimmung ist eine kraftlose Geste, aber sogar diese gibt Gott und sei-nem Gesetz mitten in der Gebundenheit recht. So ist also das θέλειν in R 7 die auf dem Wohlgefallen am Gesetz beruhende, aber bloß Absicht bleibende
35 Intention des inneren Menschen, das Gesetz zu tun. Es ist das θέλειν des in seiner Existenz zwiespältigen σάρκινος.

Bultmann[51] bestreitet, daß in R 7 der Zwiespalt darin bestehe, daß der Wille die Forderung des Gesetzes bejaht und die Tat sie verletzt. Obj des θέλειν sei nicht die Erfüllung der ἐντολαί, sondern die ζωή als Endresultat. Das θέλειν
40 sei keine in der Sphäre der Subjektivität gelegene Willensbewegung, sondern die transsubjektive Tendenz der menschlichen Existenz. Das κατεργάζεσθαι be-

---

[50] Zu der Ohnmacht des θέλειν vgl Philo Decal 135; Poster C 156; Migr Abr 211; „wollen und nicht können“ in andrem Zshg: ep Ar 224.

[51] R Bultmann, R 7 und die Anthropologie des Pls, in: Imago Dei, Festschr f G Krüger (1932) 55 ff.

ziehe sich nicht auf die empirische Tat der Übertretung, sondern auf das Ergebnis des Tuns, das bei jeder Tat der gesetzlichen Existenz herauskommt: den Tod. Auch das συμφάναι und συνήδεσθαι meine nicht die jeweilige Zustimmung zur einzelnen Forderung des Gesetzes, sondern die Bejahung seiner Grundintention, zum Leben zu führen. Richtig ist hier gesehen, daß R 7 nicht einfach nur vom moralischen Zukurzkommen handelt, sondern den Existenzzwiespalt des Gesetzesmenschen herausstellt, der nicht den rechten Heilsweg einschlägt. Weil es um den Heilsweg geht, steht das Ringen um Leben und Tod in Frage, nicht nur konkretes Einzelnes. Doch davon kann man nicht absehen, daß sich das θέλειν angesichts der konkreten Forderung vollzieht. Der verkehrte Heils- 10 weg wird gerade auf dem Gebiet des Wollens aufgezeigt. Konkrete Übertretung und transsubjektive Existenz werden bei Paulus niemals getrennt. Sagt man: die eigentliche Sünde des Juden ist nicht die konkrete Übertretung, sondern das Festhalten an der gesetzlichen Existenz als Heilsweg, so droht die Gefahr, daß aus der Sünde allein ein falscher Standpunkt wird. Sie ist aber, verbunden 15 mit diesem verkehrten Sein, immer zugleich konkrete Übertretung. Der Gesetzesweg muß nach Paulus gerade darum von einem neuen Heilsweg abgelöst werden, weil er mit der Übertretung nicht fertig wird. Nach R 8, 4 gelangt dann auch das δικαίωμα des Gesetzes zur Erfüllung im Leben des Geistes.

Gleichartig ist die These, das θέλειν sei nicht subjektiv bewußtes Wollen, 20 sondern, weil das menschliche Sein die Sphäre seiner Bewußtheit transzendiere, das Wollen unter der Herrschaft der σάρξ, es sei die transsubjektive Tendenz der menschlichen Existenz überhaupt, vergleichbar dem φρονεῖν R 8, dem ἐπιθυμεῖν Gl 5, 17. Nun ist Gl 5, 17 freilich ausdrücklich die Rede vom ἐπιθυμεῖν der σάρξ, R 8, 5—7. 27 vom φρόνημα τῆς σαρκός und dem φρόνημα τοῦ πνεύ- 25 ματος; gleichwohl zeigt sich R 8, 5, daß dies φρονεῖν unter der Herrschaft des Geistes oder Fleisches auch persönlich ausgedrückt werden kann. Allerdings gibt es bei Pls keine Subjektivität ohne jenes Transsubjektive, das die ganze Existenz bedingt. Jedoch bedeutet dies keine Aufhebung der Subjektivität. Jenes θέλειν in R 7 ist zwar das der durch die σάρξ gefesselten, gebrochenen 30 Subjektivität. Aber die Existenzauffassung bei Pls abstrahiert nie von der Konkretheit des Wollens und Nichtwollens, des Tuns und Nichttuns. Indem der Mensch der bestimmten Forderung des νόμος zustimmt, bejaht er dessen Grundwillen, zum Leben zu führen. Indem er konkret übertritt, erweist er sich als unter der Herrschaft der σάρξ stehend. Indem er den Gesetzesweg festhält, 35 bleibt er Übertreter auch im Einzelnen.

R 7 und Epiktet[52]. Auch Epiktet redet uU von einem: θέλειν τι καὶ μὴ γίνεσθαι: Diss I 27, 10; IV 8, 25 vgl II 1, 31; IV 1, 18. Damit ist aber gemeint, daß etwas in der Gestaltung des Lebens nicht nach Wunsch geht. Die ethische Tiefe des Kampfes von R 7 ist hier nicht erreicht. Dgg liegt eine gewisse Par vor in der Aufdeckung 40 des Zwiespaltes, daß man frei sein will, aber zu sehr an den Leib gebunden bleibt: IV 1, 151, vgl das formal ähnliche: τί γάρ εἰμι; ταλαίπωρον ἀνθρωπάριον καὶ τὰ δύστηνά (jammervoll) μου σαρκίδια in I 3, 5. Jedoch die σάρξ ist nicht wie bei Pls die metaphysische, knechtende Macht, sondern die im Verhältnis zu προαίρεσις, νοῦς, λόγος niedere Seite des menschlichen Wesens, etwas in Wirklichkeit Nebensächliches, das der wahrhaft Freie 45 außer acht lassen kann. Der Zwiespalt des ἁμαρτάνων, der das, was er will, nicht tut

[52] Vgl zum Ganzen: ABonhöffer, Epiktet und das NT (1911) 66, 160, 162. Gegen KKui- per, Epictetus en de Christelijke Moraal (1906).

und das, was er nicht will, tut: Diss II 26, 1 f. 4, ist ein logischer.   So will der Dieb tun, was ihm nützlich ist, und tut das Gegenteil.   Man muß dem ἁμαρτάνων den Widerspruch zeigen, so wird er davon abstehen: II 26, 7.   Es liegt also allein an der ἄγνοια, den falschen Begriffen.   Vgl Diss IV 1, 1; I 28, 4; IV 9, 16.   Ist also ἁμαρτάνειν die Verkehrung des ἡγεμονικόν, das Abirren vom vernünftigen Denken, so ist auch die „Sünde" ein rationaler Mangel.   Daher ist das: ποιεῖν ἃ θέλομεν das rechte Anwenden der Begriffe, das Nehmen der Dinge in der Lage und Verknüpfung, in der sie sich wirklich vorfinden: Diss II 17, 17—21.   Die μετάνοια aber wird in tadelndem Sinn unter die πάθη gerechnet[53].   Freilich darf nicht übersehen werden, daß für den Griechen die falsche Erkenntnis, ἄγνοια, nicht bloß ein verstandesmäßiger Mangel ist, sondern auch ein moralischer Defekt.   Der sokratisch-platonische Kernsatz: πάντες βούλονται τὸ εὖ schließt in sich, daß echtes Wollen nur da vorhanden ist, wo ein ἀγαθόν erstrebt wird.

Bleibt es also bei Pls in R 7 bei der Ohnmacht des Gesetzesmenschen: Wollen und nicht tun — tun, was man nicht will (v 18 vgl 16. 19), weil das Gesetz innewohnender Sünde das Wollen kraftlos hält, so ist es nach R 8 erst der Wandel nach dem Geist (→ 50, 3 ff. 11 ff; Gl 5), der jene Einheit von θέλειν und ἐνεργεῖν zustande bringt, von der die Phil 2, 13 die Rede ist.   Dies Wollen ist eine Frucht des Geistes im Glaubenden, es ist, unbedingt zusammengehörig mit der wirklichen Erfüllung des Gotteswillens, streng zu sondern von dem kraftlosen θέλειν in R 7.   Pls unterscheidet also zwischen dem Wollen des Gesetzesmenschen und dem des Geistesmenschen.   Erfolgreich ist nur das Letzte.

Auch R 9, 16, wo sich menschlicher und göttlicher Wille gegenübersteht (vgl v 18. 22), fehlt neben der Erwähnung des θέλειν nicht das τρέχειν, das für ποιεῖν eintritt.   Gemeint ist hier das Sichbemühen des Menschen um das Heil, dessen Aussicht und Zweck verneint wird, weil allein das göttliche Erbarmen und Wollen den Ausschlag gibt.

c. Der Gegensatz zum religiösen Wollen als entschlossenes Nichtwollen liegt vor in Gleichnisform Mt 21, 30 beim ungehorsamen Sohn; 23, 37 beim Abweisen Jerusalems gegenüber der Liebesbemühung Jesu.   Vgl Lk 13, 34.   Lk 19, 14 ist die schroffe, unwirsche Botschaft der Politen: οὐ θέλομεν die denkbar schärfste Fassung des sich sträubenden, abweisenden Gegensatzes.   Auch J 5, 40 begegnet die entschlossene Ablehnung Christi als οὐ θέλειν.   Vgl weiter Mt 22, 3.   Weigerung des Gehorsams bei den Vätern: Ag 7, 39.   Weigerung der Buße: Apk 2, 21.   Der entschlossene böse Wille, positiv gefaßt: J 8, 44.   Die Grundrichtung der Seele, die eigensinnig festhält an den rein irdischen Lebenswerten, in negativer Entscheidung gegen Christus, ist als θέλειν bezeichnet: Mk 8, 35 (par Mt 16, 25; Lk 9, 24).

† ϑέλημα

Inhalt: A. θέλημα im Griechentum, im Hellenismus und in der Synagoge. — B. θέλημα im NT: I. θέλημα als Gottes Wille: 1. Christus als Täter des göttlichen Willens; 2. Die Auffassung des Willens Gottes als Heilsgrund und Heilsabsicht; 3. Das neue Leben der Glaubenden und der göttliche Wille. II. θέλημα als menschlicher und teuflischer Wille. — C. θέλημα in der Alten Kirche.

---

[53] ABonhöffer 252, 371.

A. ϑέλημα im Griechentum, im Hellenismus und in der Synagoge.

1. Θέλημα findet sich vereinzelt, beim Sophisten Antiphon (5 Jhdt v Chr) fr 58 (II 302, 27 Diels) in der Bdtg *Absicht, Wunsch* im Plur, im 4 Jhdt bei Aristot, De Plantis I 1 p 815 b 21, wo im Gegensatz zu den Pflanzen, die weder ἐπιθυμία noch αἴσθησις haben, vom Menschen gesagt wird, daß τὸ τοῦ ἡμετέρου θελήματος τέλος 5 sich hinwende πρὸς τὴν αἴσθησιν. Es wird hier ἐπιθυμία und θέλημα ausgewechselt. Das Letzte soll ganz neutral, nicht irgendwie sittlich bestimmt, die begehrende Triebkraft beim Menschen bezeichnen. Vgl weiter Aen Tact (4 Jhdt v Chr), Poliorcetica (ed L W Hunter, SA Handford 1927) 2, 8; 18, 19. Diese ursprüngliche Primitivität des Gebrauchs macht es verständlich, daß das Wort auch gebraucht wurde für das Ge- 10 schlechtsbegehren und zwar des Mannes θέλησις (→ 62, 44 ff). Deutliche Spuren davon liegen vor in Preis Zaub IV (Paris), wo von der begehrten, unter Zauber gestellten Buhlerin gewünscht wird: τὰ ἐμὰ θελήματα πάντα ποιείτω: 1521 f vgl 1532 f. Dem entspricht der Gebrauch in der ptolemäischen Lehre von den beiden σύζυγοι = διαθέσεις, Ἔννοια und Θέλημα, der Gottheit Bythos: Iren Haer I 12, 1; Hipp Ref VI 38, 5—7; Epiph 15 Haer 33, 1, 2—7. Hier ist θέλημα die männlich zeugende Kraft, die ἔννοια aber die nur vorstellende Tätigkeit. Ebs ist bei den Barbelognostikern Iren Haer I 29, 1 f das θέλημα Gottes des Vaters die Zeugungskraft, die mit der ζωὴ αἰώνιος eine Syzygie bildet. (Vgl Ign, Just, Tat → 62, 12 ff, wo diese Bdtg im Hintergrund steht).

2. Eine Vertiefung oder Emporläuterung ins Sittliche und bes ins 20 Religiöse ist erst bei der **Verwendung in Septuaginta** wahrnehmbar. Dort ist es Übers von חֵפֶץ als Subst, Verb, Adj und von חָפֵץ, dazu von רָצוֹן, andre Einzelfälle → Z 31. 35. 54 ff. Auffallend ist hier die Neigung, den Plur zu gebrauchen, nicht nur wenn dies dem HT entspricht: Jer 23, 17. 26; ψ 102, 7, sondern auch wenn dort Sing steht: Js 44, 28; 58, 13; ψ 15, 3; 2 Ch 9, 12; und zwar nicht nur bei *Weisungen,* sondern auch 25 bei *Wohlgefallen,* auch wenn in Mas ein Verb vorliegt: Ιερ 9, 23. Nach Häufigkeit des Vorkommens geordnet, ist der Sprachgebrauch folgender:

Von Gott: *a.* vom göttlichen *Willen.* Sir 43, 16 (frei übersetzt) vom majestätischen *Walten* in der Schöpfung. Für die voluntaristische Auffassung ist bezeichnend die Übers von ψ 29, 6 aus Mas, durch die aus „göttliche Huld" *Wille* wird, neben 30 Leidenschaft. Da Θ 4, 35 vom Schöpfungswalten (צְבָא). Oft wird die Formel: עָשָׂה רָצוֹן, vom Tun des göttlichen Willens, wiedergegeben durch: ποιεῖν τὸ θέλημά σου, αὐτοῦ, ψ 39, 9; 102, 21; 142, 10 vgl 1 Εσδρ 9, 9; 4 Makk 18, 16. Eine wichtige Par zum Herrengebet ist 1 Makk 3, 60: ὡς δ' ἂν ᾖ θέλημα ἐν οὐρανῷ, οὕτως ποιήσει. Als *Weisung* Gottes: 1 Εσδρ 8, 16, Plur ψ 102, 7 (עֲלִילוֹת, Großtaten); Js 44, 28 (חֵפֶץ, Vorhaben); 35 2 Makk 1, 3. — *b. Huld, Wohlgefallen:* ψ 29, 8 (רָצוֹן); Ιερ 9, 23 (חפץ verb). Dabei wird das ἐν beibehalten, wie bei בְּ חפץ (θέλειν ἐν). So auch Mal 1, 10 (חֵפֶץ Subst); ψ 15, 3. Auch in LXX begegnet Js 62, 4 die erotische Färbung: θέλημα ἐμόν (חֶפְצִי־בָהּ), von der Vermählten (→ Z 10 ff), nur geadelt durch die Übertragung des Bildes auf Gott. 40

Vom Menschen. Hier steht als häufigste Bdtg voran *a. Begehren, Wunsch.* Eine voluntaristische Veränderung ist wieder ψ 27, 7, wo für לִבִּי statt ἐκ καρδίας: ἐκ θελήματος steht. 2 Βασ 23, 5 ist wohl gemeint von Davids Begehren (חֵפֶץ). 3 Βασ 5, 22 uö bei der vertraglichen Regelung zwischen Hiram und Salomo, ähnlich 2 Ch 9, 12 Plur (חֵפֶץ). ψ 106, 30 vom ersehnten Gestade (חֵפֶץ), ψ 144, 19 (רָצוֹן) vom *Begehren der Gottes-* 45 *fürchtigen.* Verwandt wäre *das Interesse, der Anteil an,* was Hi 21, 21 mit חפץ gemeint ist vgl Hi 22, 3 Mas חֵפֶץ = „Vorteil". Aber LXX scheint hier einfach mechanisch übersetzt zu haben[1]. — *b.* Vom *königlichen Willen:* Js 48, 14, wo LXX aus Gottes Willen den despotischen Willen des Kyros macht. Ebs vom willkürlichen Schalten des Despoten: Da Θ 11, 3. 16. 36 (LXX: 11, 16. 36). Auch Est 1, 8 hat LXX gegen den HT 50 den königlichen Willen hineingebracht. — *c.* Daran schließt sich der Gebrauch, der allg beim Menschen *Starrsinn, Eigensinn, Willkür* meint, darum bes lehrreich, weil hier wieder nicht gewohnheitsmäßig חפץ und רָצוֹן durch θέλημα wiedergegeben ist, sondern eine Reihe anderer Worte: Jer 23, 17 (שְׁרִרוּת) Plur: *Starrsinn.* Sir 8, 15 (נוֹכַח פָּנָיו): *Eigensinn.* Jer 23, 26 (תַּרְמִת לָבָּם) übersetzt LXX statt Trug ihres Herzens: τὰ 55 θελήματα τῆς καρδίας und hat dabei wohl an *Willkür* gedacht, was ganz deutlich Sir 32, 17 (21) (צָרְכּוֹ) vorliegt. — *d. Gefallen, Wohlgefallen, Lust,* vom Menschen: ψ 1, 2

ϑέλημα. [1] Statt ὅτι τὸ θέλημα αὐτοῦ ἐν | οἴκῳ αὐτοῦ μετ' αὐτόν ist wohl zu lesen: ὅτι τί θέλημα αὐτοῦ.

(חֵפֶץ). So wohl auch: Js 58, 13, wo schwerlich wie bei Mas עֲשׂוֹת חֲפָצֶךָ als Geschäfte ausführen (vgl *Interesse, Anteil*, Hi 21, 21 → 53, 46) gemeint ist. Dem entspräche griech: πραγματεία, ἐργασία, ἐμπορία. Verwandt ist *Gefälligkeit, Lieblichkeit:* Qoh 12, 10. Aus der Übersicht wird deutlich, daß θέλημα in LXX dazu veranlaßt, das willens-5 mäßige Moment stärker hervorzukehren und das der Liebe und Neigung mehr zurück-zustellen. Beides war in חפץ und רצון ausdrücklicher enthalten (→ θέλω 44, 22 ff).

3. Unter dem Einfluß des biblisch-christlichen Sprachgebrauchs steht die ausgiebige Anwendung in den Hermetica. Dort ist oft synon oder er-gänzend neben → βουλή I 632, 43 ff θέλημα gebraucht. Im Preisgesang: Corp Herm XIII 10 19 f. Gottes Wille ist ewig: Ascl III 26 a. b (Scott I 346, 7 ff). Er ist ἀγαθόν (vgl R 12, 2): Corp Herm X 2; Ascl III 20 b (Scott I 332, 13); 26 a. b. Bes Ascl hat dar-über spekuliert, wie sich das göttliche Wollen vollzieht, daß es aus dem Denken wird, stets ein Haben ist, dessen Ausführung naturnotwendig erfolgt, daß voluisse und per-fecisse bei ihm eines ist: III 26 b (Scott I 346, 10 ff); I 8 (Scott I 300, 9 f). Gott ist 15 immer praegnans, trächtig, strotzend (→ 53, 17 ff), voll bonitas und voluntas, er muß stets wollen: Ascl III 20 b. Von diesem Willen hängt alles ab: III 34 c (Scott I 326, 12 ff); 17 c (Scott I 316, 25 ff). Corp Herm handelt bes vom θέλημα Gottes als der unum-schränkten Schöpfermacht: X 2; V 7 und als dem zeugenden Samen der Wieder-geburt: Corp Herm XIII 2. 4. 20. Beachtenswert im Vergleich mit → 53, 10 ff, θέλημα 20 als Geschlechtsbegehren und Zeugungskraft, ist XIII 2 τίνος σπείραντος; τοῦ θελήματος τοῦ θεοῦ, charakteristisch verschieden von J 1, 13. So kann dann der Wiedergeborene sagen: δυνάμεις αἱ ἐν ἐμοὶ τὸ σὸν θέλημα τελοῦσι Corp Herm XIII 19. Vom mensch-lichen Willen XIII 17.

4. Der rabbinische Sprachgebrauch, soweit er das NT 25 beeinflußt. Gottes Wille heißt bei den Rabb hbr רצון, aram רְעוּתָא, st abs רַעֲוָא → II 743, 9. Ständige Formel der palästinischen Synagoge ist: עָשָׂה רְצוֹנוֹ bzw עָשָׂה רְצוֹנוֹ שֶׁל מָקוֹם [2] „seinen, Gottes Willen tun": Ket 66 b (R Jochanan b Zakkai); Ab 2, 4 (R Gamaliel III); M Ex 15, 1 (ed Friedmann 36 a); T Nazir 4, 7; SchE 13. „Den Willen des Vaters im Himmel tun" ist feststehende Redeweise: Ab 5, 14; S Dt § 306 30 zu 32, 3[3]. — Zu Mt 18, 14: Ex r 46, 2 zu 34, 1[4]. — Zu Mt 21, 31: jBer 5 c 3 f[5]. — Zu J 6, 38: S Dt § 306 zu 32, 1[6]. — Zu Gl 1, 4 κατὰ τὸ θέλημα τοῦ θεοῦ: Eingang des Qaddisch-gebetes: כרעותה.

Zum Herrengebet: Wille und Name Gottes stehen zus: M Ex 15, 2[7]. Name, Wille, Königsherrschaft: im Eingang des Qaddischgebetes. Zu „dein 35 Wille geschehe": S Nu § 107 zu 15, 7[8]. Sonst heißt die Formel immer יְהִי רְצוֹן oder יְהִי רְצוֹן לְפָנֶיךָ. In den Tg: ...רַעֲוָא קֳדָם. — „Wie im Himmel, also auch auf Erden": Gebet des R Eliezer (um 90 — 100 n Chr): Tue deinen Willen im Himmel oben und gib Ruhe des Geistes denen, die dich fürchten unten: b Ber 29 b[9]; Gebet des R Sa-phra (gegen 300 n Chr) b Ber 16 b[10].

40 **B. θέλημα im Neuen Testament.**

Die pluralische Fassung fehlt im NT fast ganz. Wo es sich nicht wie Ag 13, 22 um ein Zitat aus LXX handelt (Js 44, 28), haben wir sie von Gottes Willen nur in der vl Mk 3, 35 B (vgl Ev Eb 7), von den fleischlichen Begehrungen Eph 2, 3 (→ 61, 40 ff). Von Gottes Willen ist in der 45 Einzahl die Rede, denn nicht die gesetzlichen Einzelweisungen bestimmen den Begriff, sondern die Überzeugung, daß dies θέλημα Gottes eine machtvolle Ein-heit ist.

---

[2] Belege Str-B I 467, 653, vgl 219 f, 664. — Zu der Formel: „Es ist Wille vor Jahwe" → II 743, 10 f; Dalman WJ I 173. [3] Schl Mt zu 7, 21. PFiebig, Jesu Bergpre-digt (1924) 147; Str-B I 467. [4] Schl Mt 553. [5] Schl Mt 625.

[6] Schl J 175. [7] Fiebig I 114 f, II 114 f, II 53. [8] Schl Mt 209. Dazu KGKuhn, SNu über-setzt (1933 ff) zSt (p 293 A 70). [9] Fiebig I 116, II 53; Str-B I 419 f. [10] Str-B I 420.

I. *θέλημα* als Gottes Wille.

1. Christus als der Täter des göttlichen Willens.

a. Die 3. Bitte des Herrengebets[11]: γενηθήτω [12] τὸ θέλημά σου ὡς ἐν οὐρανῷ καὶ ἐπὶ γῆς (→ 54, 35 f) drückt nicht nur Ergebung aus, sondern Zustimmung zur umfassenden Durchführung des Wollens Gottes, entsprechend der Verherrlichung seines Namens und dem Kommen seiner Herrschaft. Sie bedeutet also letzte, grundsätzliche Stellungnahme des Beters. Sie kommt genau überein mit der Bitte des Sohnes in Gethsemane Mt 26, 42 (über die Sonderfassung Lk 22, 42 → 60, 8 ff). Bringt sie dort im Leiden bes die willige Beugung zum Ausdruck, so ist doch auch hier die Voraussetzung jene Grundstellung. Solche Haltung muß nach Mk 3, 35; Mt 12, 50 (→ 58, 30) auch von Jesu Nachfolgern gefordert werden, weil Jesus selbst ganz und gar im Willen Gottes wurzelt und lebt.

b. Am meisten wird diese Wahrheit bei J o h a n n e s in christologischer Vertiefung ausgeführt. Hat Mt durchweg θέλημα mit dem „Vater in den Himmeln" verknüpft (→ 57, 2 ff. 27), so Joh mit dem göttlichen Sender: 4, 34; 5, 30; 6, 38 f (→ 54, 30 f); 7, 16 f; vgl 6, 40. Der Gesandte ist als Gottes Organ schlechthin der Willensträger und Willensübermittler des Sendenden. Er ist der ganz Empfangende und ganz Verfügbare, der nichts tut als gehorchen und ausführen. Zwar sind die Worte vom θέλημα des Senders nur ein Bruchteil dessen, was Joh über die Sohnschaft des Christus zu sagen hat.

> Das gleiche bringen Wendungen wie 8, 29: ἐγὼ τὰ ἀρεστὰ αὐτῷ ποιῶ πάντοτε oder 8, 55: οἶδα αὐτὸν καὶ τὸν λόγον αὐτοῦ τηρῶ zum Ausdruck. Ferner vgl die ἐντολή des Vaters → II 550, 1 ff und alles, was in Verbindung damit vom Lieben des Vaters gesagt wird: 14, 31; 15, 10. Ferner ist zur Ergänzung heranzuziehn, was über die Abhängigkeit von der „Stunde" und über die ganze Lenkung des Lebens und Leidens Jesu ausgeführt ist.

Doch sind gerade die Worte vom θέλημα des Senders besonders wichtig, indem sie den Voluntarismus des Ev auf dem christologischen Gebiet in entscheidender Fassung ausdrücken. Wie die ganze Ethik bei Joh willensmäßig und nicht mystisch ist, so ist auch die ganze Christologie nur Wille, Tat, Gehorsam des Sohnes. Dabei eint sich fortgesetzt das Metaphysische und das Ethische der Sohnschaft. Jesus ist als ganze Person von ur an der Sohn und darum der Gesandte: 7, 28; 8, 42. Er ist im Schoße des Vaters und mit ihm eins: 1, 18; 10, 38; 14, 10 vgl 10, 30. Darum zeigt ihm der Vater alles, und er hört die Worte Gottes: 5, 20; 8, 47. Aber mit diesem seinem Sein ist aufs Engste verbunden die sich stets erneuernde, entschließende Bereitschaft aktiven Gehorsams, durch den er sich als der Sohn erweist, indem er immerdar für des Vaters Willen offen bleibt. In solchen Zusammenhängen geben die Worte vom θέλημα des Senders eine ganz umfassende Beschreibung vom Sein und Wirken des Sohnes. Nach J 4, 34 ist das Tun des Senderwillens sein Lebens- und Nahrungs-

---

[11] Did wie Mt. Lk 11, 2 fehlen die Worte in B vg^cl sys^c Markion Orig gegen ℵ C D it vg^s vl. Tert hat die Reihenfolge: Name, Wille, Reich. D abc k Tert Cypr lassen vereinfachend ὡς aus. Der dreigliedrige Gebetsanfang entspricht dem Qaddisch (→ 54, 34).

[12] Zu dem γενηθήτω vgl Ag 21, 14. Die Formel geht zurück auf die Synagoge: יהי רצון (→ 54, 85, vgl → II 743, 6 ff).

mittel genannt. Es entspricht sich hier genau: ποιεῖν τὸ θέλημα und τελειοῦν τὸ ἔργον. Der Wille wird dadurch getan, daß das von Gott angehobene Werk vollendet wird. Grund, Kraft und Ziel des Sohneslebens liegt in diesem wirksamen Ausführen.

5 Nach 6, 39f ist der Inhalt des Senderwillens die Auswirkung des Lebens bis zum Ziel: er führt alle, die ihn schauen und an ihn glauben, die ihm geschenkt sind, jetzt schon zum ewigen Leben und einst zur Auferweckung. Hiermit wird der Wille als vollendete Heilszukunft beschrieben, aber so, daß der ganze dahin führende Weg mit eingeschlossen ist. Nun ist aber das Tun des göttlichen 10 Willens beim Sohne immer zugleich als Opfer des Eigenwillens gefaßt, es behält die Bdtg eines selbständigen Willensaktes[13]. Vgl die Verneinung des eigenen Willens Lk 22, 42. Sein Gehorsam ist nicht selbstverständliches Naturgeschehen, auch nicht zauberhaftes Mirakel, sondern Verleugnung des Selbstwillens, wie sie der Sohn in der σάρξ vollzieht[14]: 6, 38. Hier liegt der Gegensatz 15 vor gegen die eigenwillige Zeichenforderung der Galiläer. Diesen Eigenwilligen tritt der gegenüber, der gleich bei seinem Kommen in die Welt seinen Willen dem Sender zum Opfer bringt. Das entspricht der stets wiederkehrenden Verneinung des ἀφ’ ἑαυτοῦ, ἀπ’ ἐμαυτοῦ: 5, 19. 30; 7, 28; 8, 28. 42; 14, 10; ἐξ ἐμαυτοῦ: 12, 49, die immer feststellt: Jesu Leben, Sendung, Wort und Werk 20 stammt nicht aus seinem, sondern aus Gottes Willen. Nach J 5, 30 ist darum, weil er nicht seinen, sondern des Senders Willen „sucht"[15], seine κρίσις als eine gerechte verbürgt. Jenes heilende Werk ist nicht eigenwillige Sabbatschändung, sondern Auftrag. So gibt diese Grundunterscheidung von allem menschlichen Tun, zumal von dem der sich selber bestimmenden Gegner, Licht über das Tun 25 des Sohnes, das immer zugleich Verzicht auf den eigenen Willen ist, vgl das Wort 12, 25 vom μισεῖν der ψυχή und vom Verwerfen der menschlichen δόξα: 5, 41; 7, 18; 8, 50. J 9, 31 unterscheidet sich von dem Gesagten nur dadurch, daß hier in Bestimmungen, die jeder Jude aus dem Toraunterricht kennt, herausgestellt wird: das gespendete Werk Jesu ist ein Hören Gottes als Antwort auf 30 das Tun seines Willens.

c. Auch Hb 10, 7. 9 und bes v 10 ist nach ψ 39, 7—9 mit Verwertung des der LXX eigentümlichen σῶμα der Dienst des Christus aufgefaßt als Selbstdarbringung des ganzen Personlebens an den göttlichen Willen, im Gegensatz zu allen Tieropfern und Sachwerten. Indem durch den Leib 35 des Christus, sein Menschenleben, dieser Wille Gottes ganz geschieht, sind wir in diesem Willen an Gott geweiht. Das führt schon hinüber zu

2. Die Auffassung des Willens Gottes als Heilsgrund und Heilsabsicht.

a. Nur einmal im NT, Apk 4, 11, erscheint θέλημα (διά, 40 propter, im Sinne von kraft) als Wille des Allschöpfers. Sonst ist stets der

---

[13] Vgl das τελειοῦν J 4, 34; 5, 36; 17, 4.
[14] Den Monotheleten bereitete die Erwähnung des bei Christus verneinten Eigenwillens, der sich unter Gottes Willen stellt, Verlegenheit. Vgl das Schreiben des römischen Bischofs Honorius an Sergius bei JDMansi, Sacrorum Conciliorum Nova et Amplissima Collectio XI (1765) 538 ff.
[15] Zu ζητεῖν vgl ψ 4, 3; Mi 3, 2.

Heilswille gemeint. Mt 18, 14 steht dieser Wille (→ 54, 30) schützend über den μικροί. Es ist bezeichnend für Mt, daß er den Begriff ganz einheitlich mit dem Vaternamen verbunden hat: 6, 10; 7, 21; 12, 50; 18, 14, auch im Gleichnis 21, 31 (→ 54, 30). Vgl die charakteristischen Verschiedenheiten Mk 3, 35; Lk 22, 42. Sein Sprachgebrauch ist hier ebs durch die Redeweise der Synagoge bestimmt (→ 54, 28 ff) wie 5 durch die neue Wertung der Vaterbezeichnung, die ihm am Herzen liegt. Das Kind steht unter dem gebietenden Willen des Vaters: 21, 31. Es ist aber gemeint der Vater in den Himmeln. Dort wird dieser Wille normmäßig bestimmend ausgeführt. Über die Heilsabsicht des Senderwillens bei Joh → 56, 5 ff.

        b. **Im paulinischen Gebrauch** wird diese Betrach- 10 tungsweise gern durch κατά wiedergegeben: Gl 1, 4 [16] (→ 54, 31). Die Selbsthingabe für unsere Sünden, die Erlösung des Christus, welche die Gemeinde befreit, entspricht dem Willen des Vaters. Zum Verständnis dieses κατά in Eph 1, 5. 9. 11 [17] ist zu beachten, daß die Einteilung des Hymnus 1, 3—14 nach den Gesichtspunkten: Erwählung, Erlösung, Einsetzung ins Erbe nicht die einzige Erklä- 15 rungsnorm für die Struktur des Abschnittes ist. Es ist damit verbunden noch ein anderes Grundschema, das die ganzen Ausführungen durchwebt. Durch die Präp ἐν (in Christus, als dem Vermittler), κατά (nach Gottes Willen, als dem vorzeitlichen Heilsgrund) und εἰς (zum Lobe seiner Herrlichkeit, als dem Endziel) wird es kenntlich gemacht. θέλημα erscheint hier einmal stets in Ver- 20 bindung mit den Bestimmungen des προ-, die den Gotteswillen als vorzeitlichen, ewigen Heilsratschluß bezeichnen und zwar in allen drei Abschnitten (4—6, 7—10, 11—14). Ferner bedarf es stets der Erläuterung und näheren Bestimmung durch εὐδοκία, freies Ermessen, durch βουλή [18], Ratschluß, Plan, oder es wird v 9 als kundgemachtes μυστήριον erklärt. Das einfache θέλημα scheint dem Verf 25 nicht ausreichend zur Wiedergabe des Gemeinten. Das kommt überein mit dem Bedürfnis des Mt, es durch den Vater in den Himmeln, und des Joh, es durch den Sender näher zu bestimmen. θέλημα, auch θέλημα θεοῦ allein, das gemeinantike Prägung ist, reicht nicht aus, den spezifisch christlichen Gehalt zum Ausdruck zu bringen. Faßt man aber diese erläuternden Bestimmungen, die der Begriff 30 in Eph 1 empfängt, in eines, so ist hier θέλημα deutlich als letzter Grund, höchste Norm, einzige Quelle des ganzen göttlichen Heilsgeschehens aufgefaßt und zwar als der vorzeitliche Letztgrund. Es ist eine auf das Wirken abzielende, zur Tat drängende, aktive Entschlossenheit Gottes gemeint, die nicht nur in der Gedankensphäre bleibt. Dabei ist alles getragen von dem Eindruck, daß nichts 35 Menschliches, sondern allein dieser Gotteswille bei der Ausführung des Heilsplanes den Ausschlag gibt.

        3. Das neue Leben der Glaubenden und der göttliche Wille.

        a. Die grundsätzliche Stellungnahme zum Got- 40 teswillen. α. Das Erkennen und Prüfen dieses Willens. Pls meint

---

[16] Zu κατὰ τὸ θέλημά σου: POxy VI 924, 8 (4 Jhdt n Chr).
[17] Zur Disposition von Eph 1: ELohmeyer,

ThBl 5 (1926) 120 ff; ADebrunner, ThBl 5 (1926) 231 ff.
[18] θέλημα und βουλή, synon von Gott gesagt: Corp Herm XIII 19. 20.

in R 2, 18, daß der Jude „den Willen" [19] als Erkenntnis der Forderung aus dem Gesetz nicht nur zu kennen beanspruche, sondern kenne, dh er wird behandelt als solcher, dem Gottes Forderung deutlich ist. Erst recht wird aber in der nt.lichen Unterweisung Gottes Wille als kundgemachter, offenbarer ange-
5 schaut. Lk 12, 47 kennt der Knecht des Hausherrn dh Jesu Willen, und darum wird er in der Parusie so streng beurteilt. Der, welcher außerhalb der Jüngerschar steht, kennt Jesu Willen nicht (v 48) und unterliegt darum milderem Urteil. Nach Ag 22, 14 erfolgt die umwälzende Auswirkung der Erwählung des Pls, bei seiner Bekehrung, zu dem Zweck: γνῶναι τὸ θέλημα αὐτοῦ. Aber diese
10 neue Erkenntnis des Gotteswillens in Christus und seine Folgerungen für die gesamte Lebensgestaltung und den Dienst ist ein Neues, verglichen mit jener Gesetzesforderung R 2, 18, sie ist kundgemachtes Willensgeheimnis (→ 57, 25). Nach R 12, 2 [20] erfordert jedoch dieser Erkenntnisstand ein dauerndes δοκιμάζειν. Voraussetzung zum rechten Prüfen des Gotteswillens ist: sich nicht diesem
15 Aeon gleichgestalten und willig sein zur Erneuerung des νοῦς. Offenbar ist hier an die Lebensführung gedacht. Erst der erneuerte νοῦς erkennt den Gotteswillen zur rechten Zielsetzung und Gestaltung des Dienstes. Die Bitte um Erfülltwerden mit Erkenntnis seines Willens ἐν πάσῃ σοφίᾳ καὶ συνέσει πνευματικῇ Kol 1, 9 betrifft auch eine Gnosis, die es mit dem praktischen Lebensziel zu
20 tun hat (v 10 περιπατῆσαι). Sie kommt zustande, indem der Geist auf das Erkenntnisvermögen einwirkt und das Verständnis dauernd bestimmt und vertieft. Hier ist auch zu denken an Bildung und Läuterung des Taktes, der zum rechten Wandel befähigt. Auch Eph 5, 17 ist gemeint die klare Einsicht in das, was im einzelnen Falle dem Willen des Herrn gemäß ist.
25 β. Bitten nach seinem Willen. Dies Bitten κατὰ τὸ θέλημα αὐτοῦ (→ 54, 31 f) ist wiederum bei Jesus vorgebildet: Mk 14, 36; J 9, 31. 1 J 5, 14 (vgl 3, 21) wird die Freudigkeit betont, die solche Stellung dem Beter bringt.

b. Das neue Leben der Glaubenden als Tun des göttlichen Willens. α. Das Tun des Willens als Grundbedingung
30 für ein wesentliches Ziel. Mt 12, 50 ist das Tun des Willens entscheidende Bedingung für den Zusammenschluß mit Jesus (Mk 3, 35 Wille Gottes, Mt wieder: meines Vaters in den Himmeln, Mk 3, 35 B, Ev Eb 7 θελήματα, ins Gesetzliche spielend). J 7, 17 ist der ernstliche Entschluß, die Willigkeit, ihn zu tun, Bedingung zur Erkenntnis der διδαχή Jesu, weil der selbstische
35 Eigenwille, der im Gegensatz steht zu Jesu οὐκ ἀπ' ἐμαυτοῦ, sich den Einblick versperrt in das ἐκ τοῦ θεοῦ Jesu. Wenn hier auch das Tun des Willens nicht absehen wird von allem, was dem Juden aus Gesetz und Propheten deutlich ist [21], so ist doch zugleich der Wille dessen gemeint, der ihn gesandt hat (v 16 b). So wird also das rechte Willensverhalten, das hier gefordert ist, so beschaffen
40 sein, daß es die Übereinstimmung von Schrift und Sendung Jesu beachtet (vgl

---

[19] Zu R 2, 18 vgl OOlivieri, Sintassi, Senso e Rapporto col Contesto di Rom. 2, 17—24: Biblica 11 (1930) 188 ff. Vgl zum rabb Gebrauch des bloßen θέλημα (→ 54, 35, vgl → II 743, 8): 1 K 16, 12 → 59, A 24 und Ign → 62, 8 ff.
[20] Für das Nebeneinander von ἀγαθόν, θέλημα, εὐάρεστον, das offenbar formelhaft ist,

vgl Hb 13, 21. Zu ἀγαθόν vgl Corp Herm → 54, 10. Die Worte können sehr wohl adj Attribute sein, denn (gegen Zn zSt) εὐάρεστον θέλημα ist korrekte Übers von εὐδοκία.
[21] Chrys (MPG 57, 466), Euthymius Zigabenus (MPG 129, 393), Bengel, BWeiß [9] (1898), Zn Mt zSt.

5, 46). Das Tun des Willens als Bedingung zum Eingang in die βασιλεία ist genannt Mt 7, 21, auch 21, 31 vgl 31 b. Dem entspricht, was 1 J 2, 17 im Gegensatz zu der vom Willen Gottes losgebundenen ἐπιθυμία des κόσμος, die, wie er selbst, vergänglich ist, vom Täter so ausdrückt: μένει εἰς τὸν αἰῶνα [22]. Der κόσμος tut also Gottes Willen nicht. Ebs entsprechend als Ziel ist das κομίζεσθαι τὴν ἐπαγγελίαν Hb 10, 36, nur daß dem Tun des Willens im Blick auf die Lage der Leser der ausdrückliche Inhalt: ‚Geduld' gegeben wird.

β. Abgesehen von diesen die Bedingung kennzeichnenden Worten ist immer wieder das: „Gottes Willen tun" als einfacher Inhalt des Christenlebens bezeichnet. Hb 13, 21 (→ 58, A 20) ist eine Sachparallele nicht nur zu R 12, 2, sondern auch zu Phil 2, 12 f, nämlich darin, daß Gott selber in uns das Wohlgefällige wirkt [23]. 1 Pt 4, 2 spricht von θελήματι θεοῦ βιῶσαι, opp: einst lebten sie den Lüsten. Und zwar ist das Leiden im Fleisch der Weg, auf dem der Bruch mit der Sünde erfolgt, der das Leben in zwei Hälften teilt (vgl: τὸν ἐπίλοιπον ἐν σαρκὶ . . . χρόνον). Eph 6, 6 hat in der Anrede an die Sklaven den Zusatz ἐκ ψυχῆς, opp ὀφθαλμοδουλία. Auch in solcher Sonderlage gibt dieses Tun als Inbegriff der ganzen Lebensführung den Ausschlag.

γ. Ausdrückliche inhaltliche Grundbestimmungen des göttlichen Willens für die Gemeinde. Verhältnismäßig wenig wird genauer gesagt, was Gott will, weil stets vorausgesetzt ist, dieser Wille ist kein Geheimnis. Begegnet der Willensinhalt als ἁγιασμός 1 Th 4, 3, als εὐχαριστεῖν 1 Th 5, 18 — εἰς ὑμᾶς drückt die Richtung der Forderung aus —, so darf wohl beide Male das Fehlen des Artikels so gedeutet werden, daß ein wichtiges Stück des Gesamtwillens gemeint ist. Eine besondre Aufgabe, die bei der Verwirklichung des Gotteswillens zu beachten ist, nennt 1 Pt 2, 15 in dem Mahnwort, der Obrigkeit untertan zu sein: durch Gutestun zum Schweigen bringen. Das διὰ θελήματος θεοῦ 2 K 8, 5 hat als Inhalt: ganze Hingabe an den κύριος und an den Apostel. Alle diese Einzelaussagen aber lassen sich auf den Generalnenner bringen: Verherrlichung Gottes.

δ. Das θέλημα als göttliche Führung und Bestimmung in den Einzelfragen der Lebensgestaltung. Nach Kol 4, 12 — Gebet des Epaphras — ist der Gotteswille als Standort angeschaut, das ἐν παντί deutet an, daß er im Einzelnen seine Sonderprägung empfängt. Diese ausdrückliche Betonung der Einzelführung liegt in den Briefen des Pls am feierlichsten vor in der Formel Παῦλος (κλητὸς) ἀπόστολος Χριστοῦ Ἰησοῦ διὰ θελήματος θεοῦ. Sie hebt in schlagender Kürze und Kraft die restlose Gebundenheit seines Dienstes an den Auftraggeber hervor. Nicht er selbst oder eine menschliche Zuständigkeit, sondern allein Gottes unumschränkter Willensakt ist letzte Ursache seiner apostolischen Vollmacht, für Anfang wie für Fortgang seines Dienstes: 1 K 1, 1; 2 K 1, 1; Kol 1, 1; Eph 1, 1; 2 Tm 1, 1. Als Apostel verkündet er Gottes Willen. Dieser bestimmt seinen Dienst bis ins Einzelne, so seine Reisepläne: R 1, 10; 15, 32, auch die seiner Mitarbeiter: 1 K 16, 12 [24]. Dieser Wille waltet

---

[22] Par aus Philo und Ginza bei Wnd 1 J zSt.
[23] Vgl die 3 Par aus ep Ar bei Wnd Hb zSt.
[24] Das οὐκ ἦν θέλημα meint nicht den Willen des Apollos (LtzmK, WBousset in: Schr

NT [3], BchmK zSt), sondern den Gottes (JohW 1 K und SchlK zSt), vgl den rabb Gebrauch des bloßen יְהִי רָצוֹן (→ 58 A 19) u Ign (→ 62, 8 ff).

auch derart über dem ganzen Leben der Gemeinde, daß er ihr das Leiden zu-
mißt. Das hat zumal 1 Pt hervorgehoben: 3, 17 (sprachlich eigenartig: εἰ θέλοι
τὸ θέλημα τοῦ θεοῦ) und 4, 19 (zu κατά → 54, 31 f; 58, 25).

II. ϑέλημα als menschlicher und teuflischer Wille.

5   Abgesehen von Mt 21, 31, wo das Gleichnis vom väterlichen Willen spricht, ist Lk der einzige Synpt, der das Wort ausdrücklich vom
menschlichen Willen gebraucht: Lk 12, 47. Allerdings (→ 57, 7; 58, 5) handeln diese
beiden Stellen im Grunde von Gottes und Jesu Willen. Aber die Eigenart des
lk Sprachgebrauchs ist dadurch festgelegt, daß er zweimal alleinstehend θέλημα
10 unzweideutig vom menschlichen Eigenwillen und Belieben braucht: Lk 22, 42,
wo Jesus in Gethsemane seinen Eigenwillen verneint (→ 48, 26 ff), und 23, 25,
wo Pilatus Jesus dem θέλημα der Juden überläßt, wodurch die Preisgabe an die
Willkür prägnant ausgedrückt wird. Vgl θέλειν als *belieben* (→ 44, 40). Eigenmächtiges, selbstisches Wollen liegt auch vor 2 Pt 1, 21. Hier ist die eigen-
15 willige Schriftdeutung Ausgangspunkt. Die einzig entsprechende Deutung durch
den Geist ist in der Entstehung der Schrift begründet, denn die Weissagung
ward nicht, wie die Gnostiker sie auslegen, durch menschlichen Wunsch oder
Willkür hervorgebracht, sondern die Gottesmenschen redeten, getrieben vom Geist.

20   Die vl 1 Pt 4, 3: τὸ θέλημα τῶν ἐθνῶν κατειργάσθαι P℟ al (zur LA τὸ βούλημα
→ I 635 ff) spricht vom heidnischen Massenwillen sündlicher Art [25] als Lebensrichtung,
im Gegensatz zu: ποιεῖν τὸ θέλημα τοῦ θεοῦ.

Entsprechend der → 53, 9 ff nachgewiesenen Bdtg treffen wir auch im NT
θέλημα als geschlechtliches Begehren an. So J 1, 13, wo ἐκ θελήματος σαρκός
so aufzufassen ist, während vielleicht das Folgende: ἐκ θελήματος ἀνδρός, wenn
25 es nicht Wiederholung ist, den bewußten, überlegten Willen des Mannes meint,
der den Sohn und Erben will [26]. Dies θέλημα entspricht dem θέλειν in erotischer
Bdtg (→ 45, 1 ff).

30   Cadbury (→ A 27) macht wahrscheinlich, daß ἐξ αἱμάτων den weiblichen Vorgang bei
der Entstehung des Menschen bezeichnet, so daß dann in 1, 13 ganz umfassend menschliche Zeugung und Geburt verneint wäre. So würde die Beziehung auf Jesus überh
unmöglich. Abgesehen davon wäre die LA ἐγεννήθη (Blass, Zahn, RSeeberg → A 27)
als früh bezeugt schwerwiegend, denn schon Iren Haer III 16, 2; III 19, 2; III 21, 5;
V 1, 3 hat den Sing, auf Christus bezogen, wahrscheinlich sogar bereits Just Dial 63, 2.
Vgl Tert De carne Christi 19. 24: natus est. Hipp Ref VI 9, 2. Aug Confessiones VII
35 9, 14. Dazu b: qui natus est. sy^c hat pluralisches Subj und singularisches Prädikat,
was auch sy^p zäh festhält. Tert bezichtigt De carne Christi 19 die Valentinianer
der Verfälschung des Textes durch pluralische Fassung, die jene auf ihre Pneumatiker
bezogen. Cl Al und Orig haben Plur, sind aber vielleicht durch den valentinianischen
Text bestimmt. Seit Mitte 4 Jhdt kommt auch bei den lat diese orientalische Fassung
40 mit οἳ ἐγεννήθησαν zum Siege. So hat dann auch Aug zu J 1, 13 Plur. Harnack hält
Sing für eine frühe Glosse schon des joh Kreises [27].

Die gleiche Bdtg liegt vor 1 K 7, 37 [28], wo ἐξουσίαν δὲ ἔχει περὶ τοῦ ἰδίου θελήματος übersetzt werden muß: „Gewalt über den eigenen Geschlechtstrieb haben.“

[25] Vgl Kn Pt zSt.
[26] Vgl Schl J zSt.
[27] Lit: CHCadbury, in: Exp 9th Series, Vol
2 (1924) 430 ff; FBlaß, Ev secundum Johan-
nem (1902) XII; Zn J zSt und Exk II; Bau
J zSt, MJLagrange, Ev selon StJean [2] (1925)
15 f. AvHarnack, SAB 1915, 542—552, auch:
Studien z Geschichte des NT und der alten
Kirche I (1931) 115—127; RSeeberg, Festgabe

f Harnack (1921) 267—269; CFBurney, The
Aramaic Origin of the Fourth Gospel (1922) 34.
[28] Lit zu 1 K 7 bei → παρθένος. Oben
ist berücksichtigt: WCvanManen, ThT 8
(1874) 612 ff; GDelling, Pls' Stellung zu Frau
und Ehe (1931) 86—91; JSickenberger, BZ 3
(1905) 44 ff; AJuncker, Die Ethik des Ap Pls
II (1919) 191—200; Ltzm 1 K zSt.

Bei der Deutung des τις v 36 auf Vater oder Vormund — während doch nirgend die Rede ist von Vater noch Tochter — war stets unbefriedigend das Verständnis von v 37. Ist schon das ἀσχημονεῖν (unanständiges Benehmen) unpassend, so ist auch das γαμείτωσαν verwunderlich, das plötzlich ein Verhältnis zweier einführt, während bisher nur von jener bestimmenden Autorität und der Jungfrau die Rede gewesen wäre. 5 Aber ist nicht v 37 dann erst recht völlig unklar? Bezieht man ihn auf jene Autorität, so rechtfertigt Pls hier unerhörte Tyrannei, denn eigene und von heiratsfähigen Kindern verlangte Askese, das ist zweierlei. Kann ein verständiger Jude sagen, daß der, welcher seine Tochter heiraten lasse, nicht sündige (v 36)? Nach jüdischer Auffassung sündigt, wer sie unter solche eschatologische Askese stellt. Hingegen entspricht das οὐχ ἁμαρτάνει 10 v 36 genau v 28, wo immer gesagt wird, daß das Heiraten in selbsteigener Entscheidung nicht Sünde sei. Patriarchalische Familienautorität in Ehren — die Worte v 37 gehen nach jenem Verständnis auf hochtrabenden Stelzen und entsprechen keiner einleuchtenden Lage. Ganz anders, wenn an solche gedacht ist, die heiraten wollen. Dann wird v 37 klar. Alles in diesen Versen muß dann auf die geschlechtliche Not bezogen 15 werden, im Sinne des ὑπέρακμος v 36. Über ἀκμή in diesem Sinne vgl Delling 88 A 194. Dazu Method Symp III 14 (GNBonwetsch [1917] p 44, 4 [GCS]). Dabei ist mit Ltzm zSt (gegen Delling) ὑπέρακμος auf den Mann zu beziehen. Das μὴ ἔχων ἀνάγκην ist die negativ gefaßte Wiederholung des ἐὰν ᾖ ὑπέρακμος. Es gilt ebenfalls vom Triebe des Mannes. Vgl die entsprechende Def von ἀνάγκη bei Method Symp III 14 (Bonwetsch 44, 15). Das Wort von 20 der Gewalt über den Trieb erinnert an 1 K 7, 4, wo ἐξουσιάζειν von der ehelichen Gemeinschaft gebraucht wird. Ist die Vormundsthese undurchführbar, so bietet aber auch die Deutung auf Syneisakten größte Schwierigkeit. Wie soll der Jude Pls, dessen Urteil in Ehefragen wir aus 1 K 7 kennen, schwüle „geistliche" Verlöbnisse gutgeheißen haben? In der alten Kirche ist die Stelle nicht so ausgelegt worden. Auch die 25 Syneisakten haben sich nicht auf sie berufen. Die Hypothese hat aber die Ausleger so in Bann gehalten, daß die einfachste Deutung (van Manen) auf Heiratsabsicht nicht beachtet wurde. Wohl kann ἡ παρθένος αὐτοῦ die jungfräuliche Tochter heißen [29]. Aber der Ausdruck ist auch zu verstehen, wenn man die korinthische Anfrage voraussetzt: wie soll ein Mann es halten, der schon eine παρθένος für die Ehe in Aussicht nahm? 30 Das brauchte noch keine νύμφη oder μνηστευθεῖσα zu sein, daher der Ausdruck. Bezeichnete Pls die Ehelosigkeit als wünschenswert, so entstand für jedes ernsthafte Verhältnis der Liebe eine Gewissensfrage, zumal wenn einer Jungfrau die Ehe versprochen war. Daher ist hier vom Manne und seiner Jungfrau die Rede. τηρεῖν braucht nicht zu heißen: sie als sein Mädchen stets bei sich zu halten [30], sondern viel- 35 mehr: auf die Ehe verzichtend, sie im Sinne von v 34 dem Herrn allein dienen lassen. Vorausgesetzt ist der Mann als der Fragende. Er ist nach antiker Anschauung der Ausschlaggebende. So ist hier nur von seiner Entscheidung die Rede [31].

Während nach dieser Deutung in J 1, 13 wie in 1 K 7, 37 θέλημα *Geschlechts-trieb* einfach physiologisch, nicht in herabsetzendem Sinne gebraucht ist, haben 40 wir in Eph 2, 3, synon mit ἐπιθυμίαι τῆς σαρκός (vgl Sing 1 J 2, 16) in verwerfendem Sinne: ποιοῦντες τὰ θελήματα τῆς σαρκὸς καὶ τῶν διανοιῶν, als Beschreibung des ehemaligen heidnischen Wandels. Wenn auch hier θελήματα τῆς σαρκός nicht allein Geschlechtsbegehren ist, sondern die paul Bdtg von → σάρξ vorliegen wird, so umfaßt doch der Ausdruck neben διάνοιαι, *Sinne, Neigungen*, 45 die unwillkürlichen Triebe des fleischlichen Wesens, zumal auch die des zügellosen Geschlechtslebens. Dabei sind die genauen Wortparallelen mit ποιεῖν aus dem Pariser Zauber-Papyrus (→ 53, 13) höchst bemerkenswert.

2 Tm 2, 26 handelt vom θέλημα des Satans. Die Gnostiker sind in ihrer Berauschung vom Fangnetz des Satans verstrickt und in den Bann seines Wil- 50 lens gezogen wie in (εἰς) einen gefangennehmenden Bereich. Das Wort malt gut aus die verstrickende und bannende Gewalt des satanischen θέλημα [32].

---

[29] Vgl Sickenberger 66, Juncker 197.
[30] Van Manen 616.
[31] Für γαμίζειν vgl Ltzm K zSt. Apollon Dyscol Synt (Grammatici Graeci II [1910] 400, 5 f) versteht es als korrekter Grammatiker: in die Ehe geben. Aber in den Ev bedeutet γαμίζεσθαι geheiratet werden von der Frau: Mk 12, 25; Mt 22, 30; Lk 20, 35 (vl: γαμί-

σκονται). Zweifelhaft könnte nur die aktive Form in Mt 24, 38 scheinen, doch hat auch an dieser Stelle Lk 17, 27 heiraten von der Frau verstanden. Auch Method Symp III 14 kann γαμίζειν einfach als heiraten brauchen.
[32] Vorausgesetzt wird hier die Identität von αὐτοῦ und ἐκείνου, und die Beziehung von beidem auf διάβολος. So vg, Luther, Cal-

C. ϑέλημα in der Alten Kirche.

Bei den Apostolischen Vätern steht der Gebrauch von θέλημα ganz unter dem Einfluß des biblischen Sprachgebrauchs und bedeutet einhellig Gottes Willen. Überwiegend wird (→ 59, 30 ff) so die göttliche Leitung und Beauftra-
5 gung zum Dienst ausgedrückt: Ign Eph 20, 1; R 1, 1; Ign Pol 8, 1; Tr 1, 1. Bei der Gründung des Heilsstandes: Ign Sm 11, 1; Eph prooem (durch das προωρισμένη an Pls Eph 1 anklingend); Pol Phil 1, 3. 1 Cl 42, 2: Christus von Gott her und die Apostel von Christus her — beides εὐτάκτως ἐκ θελήματος θεοῦ. Bes wichtig ist der Ign Eph 20, 1; R 1, 1; Sm 11, 1; Pol 8, 1 vorliegende Gebrauch von
10 θέλημα als Gottes Wille, ohne Nennung Gottes, vgl das rabb bloße רצון und → 58, 1; 59, 42. ποιεῖν αὐτοῦ τὸ θέλημα: Pol Phil 2, 2. Vgl noch πρὸς τὸ ἐκείνου θέλημα Herm s 9, 5, 2. Für das θέλημα Gottes als die den Christus erzeugende Kraft ist bemerkens-wert Ign Sm 1, 1: υἱὸν θεοῦ κατὰ θέλημα καὶ δύναμιν θεοῦ, γεγεννημένον ἀληθῶς ἐκ παρθένου. Just Dial 61, 1 läßt auch den Logos ἐκ τοῦ ἀπὸ τοῦ πατρὸς θελήσει γεγεν-
15 νῆσθαι. Tat Or Graec 5, 1: θελήματι προπηδᾷ λόγος nachher: ἔργον πρωτότοκον τοῦ πατρός.

Im monotheletischen Streit begegnen immer wieder die Begriffe θέλημα, θέλησις, ἐνέργεια. Zur Terminologie vgl bereits Apollinaris von Laodicea, Ad Julia-num fr (ed JDräseke, TU VII 3/4 [1892] 400) [33]. Die psychologischen Voraussetzungen sind
20 die, daß der νοῦς im θέλημα sich betätigt und daß dies Gewollte sich dann in Worten und Taten auswirkt (ἐνεργεῖται) [34]. An dieser intellektuell griechisch bestimmten Psycho-logie des Willens zeigt das NT noch kein Interesse. Die monotheletische und dyo-theletische Diskussion meint θέλημα immer als Organ des Wollens, während im NT θέλημα das Gewollte ist und alles Gewicht auf den Inhalt des Wollens fällt. Mit der
25 Existenz eines durch die σάρξ Christi bestimmten Wollens, das aber fortgesetzt zum Opfer gebracht wird, machen die Ev ganz Ernst (→ 48, 26 ff).

† ϑέλησις

θέλησις ist ein spätgriech Koine-Wort und mit θέλημα eng ver-wandt, aber viel seltener als dieses. In LXX wird es ebs für חפץ und רצון, aber auch
30 für צְבִי und אֲרֶשֶׁת gebraucht. a. Von Gott: Tob 12, 18 Raphael ist gekommen auf Gottes Geheiß. 2 Makk 12, 16: durch Gottes Willen nahmen sie die Stadt ein. Vom Wohlgefallen Gottes: Ez 18, 23: μὴ θελήσει θελήσω (הֶחָפֹץ אֶחְפֹּץ), Prv 8, 35: θέλησις παρὰ κυρίου (רצון), zitiert von Just Dial 61, 5. — b. Vom Menschen: Verlangen, Be-gehren, Wunsch. 2 Ch 15, 15: ἐν πάσῃ θελήσει (רצון), Gott mit ganzem Herzen suchen.
35 ψ 20, 3 א c.a R: τὴν θέλησιν τῶν χειλέων (אֲרֶשֶׁת). Sap 16, 25: Wunsch der Bittenden. Als königlicher Wille: 3 Makk 2, 26, von Ptolemaeus, hier in üblem Sinne, in-dem er seine Freunde zur Verleumdung bestimmt. Eigenartig ist die Übers von אֶרֶץ־הַצְּבִי, Land der Zierde, Prachtland Da 11, 16 Syr durch χώρα τῆς θελήσεως und von הַר צְבִי־קֹדֶשׁ, Berg der heiligen Zierde, Da LXX 11, 45 B durch τὸ ὄρος τῆς θελήσεως.
40 Hier bedeutet θέλησις Zierde, Anmut, Gefälligkeit. Stob Ecl II 87, 22 definiert θέλησις als ἑκούσιος βούλησις, dieses aber ist ihm εὔλογος ὄρεξις [1]. Bei Epict findet sich θέλησις nicht. Dgg in Corp Herm IV 1 a. 1 b vom Schöpferwillen des Demiurgen und X 2, ebenfalls von der Gottheit: ἡ γὰρ τούτου ἐνέργεια ἡ θέλησίς ἐστι καὶ ἡ οὐσία αὐ-τοῦ τὸ θέλειν πάντα εἶναι. In Preis Zaub IV 1428 ff ist δότε αὐτῇ . . . θέλησιν τῶν ἐμῶν
45 θελημάτων „gebt ihr Lust nach meinem Begehren": das weibliche Begehren. Vgl jedoch → Z 14. In den Berichten über die Ptolemaeer bei Iren Haer I 12, 1; Hipp Ref VI 38, 5 f; Epiph Haer 33, 1. 5 wird θέλησις synon mit θέλημα gebraucht (→ 53, 13 ff), ebs im monotheletischen Streit. Neben σύνεσις, φρόνησις steht es Iren Haer I 29, 1 f. Von Gottes Willen, der den Nebel des Götzendienstes zerteilte: 2 Cl 1, 6.

---

vin, Coccejus, von Neueren: deWette, JTBeck, Schl Erl, ERiggenbach im Komm [2] (1898), Dib Past zSt. — Beza, Grotius, von Neueren: BWeiß im Komm [7] (1902), Wbg Past ua dach-ten an Gottes Willen, doch wird im Griech αὐτός und ἐκεῖνος oft im gleichen Satz auf dasselbe Subj bezogen, vgl Plat Phaed 106 b; Crat 430 e. Unmöglich ist Bengels Rückbe-ziehung auf δοῦλος κυρίου.

[33] Dazu FLoofs RE [3] IV 47, 56 ff.
[34] Vgl βουλή und ἐνέργεια in Corp Herm I 14.

ϑέλησις. [1] Vgl ADyroff, Die Ethik der alten Stoa (1897) 23 f. ABonhöffer, Epiktet und die Stoa (1890) 261.

Im NT findet sich θέλησις nur Hb 2, 4: die Bezeugung Gottes bei der Verkündigung des Heils durch Zeichen und Krafttaten geschah κατὰ τὴν αὐτοῦ
θέλησιν.

Schrenk

---

† *θεμέλιος*, † *θεμέλιον*,
† *θεμελιόω*

5

1. θεμέλιος kommt seit Homer vor (dort aus metrischem Grund
θεμείλια; vgl das gleichbedeutende θέμεθλα. Beide Bildungen sind unklar; die Beziehung zur Wurzel θε [vgl das spätere θέμα] ist vielleicht sekundär, indem es sich
um ein ursprüngliches Lehnwort handelt)[1]. Die substantivierten Adjektiva ὁ θεμέλιος 10
(zu ergänzen λίθος, vgl Apk 21, 14. 19) und τὸ θεμέλιον bedeuten: *Grundstein, Grundlage, Fundament.* Wie sonst im Griechischen ist auch im NT der maskulinische Gebrauch (sicher 1 K 3, 12; 2 Tm 2, 19; Hb 11, 10; Apk 21, 19) häufiger als der neu-
trische (sicher Ag 16, 26). An den meisten nt.lichen Stellen — im ganzen 16 — läßt
sich je nach der Kasusverwendung das grammatische Geschlecht nicht feststellen[2]. 15
Es entspricht ferner dem auch sonst im Griechischen üblichen Sprachgebrauch, daß
das Wort im wörtlichen Sinne (Fundament eines Hauses, eines Turmes, einer Stadt,
vgl Lk 6, 48. 49; 14, 29; Ag 16, 26; Hb 11, 10; Apk 21, 14. 19) und im übertragenen Sinne (so an den übrigen Stellen) vorkommt. Wie vom θεμέλιος τῆς τέχνης gesprochen wird (Macho 2, 1 f [CAF III 325]), wie das Bild vom θεμέλιος und dem Bau 20
darauf für philosophische Lehren üblich ist (Epict II 15, 8), so ist im NT die Rede
von den gründlichen Anfängen der Gemeindegründung R 15, 20[3]; 1 K 3, 10 ff, von
den grundlegenden Anfangslehren Hb 6, 1. Hierher gehört auch 1 Tm 6, 19, wenn
nicht dort vielleicht θεμέλιον in κειμέλιον („Schatz") zu konjizieren ist[4].
Eine christologisch-ekklesiologische Verinhaltlichung und Zu- 25
spitzung liegt vor R 15, 20: Christus als das Fundament; 1 K 3, 11: ebenso[5]; Eph 2, 20 (τῷ θεμελίῳ τῶν ἀποστόλων καὶ προφητῶν, ὄντος ἀκρογωνιαίου
αὐτοῦ Χριστοῦ Ἰησοῦ): die Apostel und Propheten als Fundament, Christus als
Eckstein (genetivi appositionis) in diesem Fundament[6]. Ebenso ist 2 Tm 2, 19
zu erklären: ὁ . . . στερεὸς θεμέλιος τοῦ θεοῦ ἕστηκεν. 30
Dieser christologisch-ekklesiologische Sprachgebrauch kann abgeleitet werden
aus einer Verbindung des übertragenen Sinnes[7] von θεμέλιος mit der Tatsache,
daß im NT Christus und Kirche immer das logische Subjekt sind, dem dann
solche Übertragungen ohne weiteres gelten müssen. Dazu kommt der für das
NT so bezeichnende Gedanke von der Erbauung (→ οἰκοδομή): Die Kirche, 35
die Gemeinde ist ein von Gott, von Christus gebautes und von der Gemeinde
und ihren Führern immer wieder mit Gott in Christus zu bauendes Haus (→ οἰκία). Christus ist das Fundament dieses Hauses, so wie er das Haupt seiner

---

θεμέλιος κτλ. [1] Vgl Bl-Debr[6] § 109, 3.
Darüber hinaus vgl PChantraine, La Formation des Noms en Grec Ancien (1933) 43,
375, der auf HGüntert, Labyrinth (SAH 1932
/33, 1) 30 verweist [Debrunner].
[2] Moult-Mill sv: „... the gender is indeter-
minable, as in a number of the NT passages."
Vgl auch Bl-Debr[6] § 49, 3.
[3] Zur Zusammengehörigkeit von R 15, 20
und 1 K 3, 10 vgl MJ Lagrange, StPaul,
Epître aux Romains[2] (1922) 354.
[4] Vgl Nestle.
[5] Vgl dazu gewisse rabb Traditionen, in

denen Abraham als Fundament der Welt erscheint, Str-B III 333; zur Vorstellung als
solcher Joach Jeremias, Golgotha (1926) 73 f;
vgl auch Str-B I 733.
[6] → ἀκρογωνιαῖος I 792, 25 ff.
[7] Wie sehr θεμέλιος dazu neigt, in übertr Sinne
gebraucht zu werden, ergibt sich aus juristischen Papyrusurkunden, in denen das Wort
nicht nur „Grundmauer, Baugrund" bedeutet,
sondern auch: „Eigentumsrecht am Hause
von der Grundmauer bis zum First" oder
auch „Hauskauf", s Preisigke Wört sv.

Kirche ist. Mit Christus zusammen stehen die besonders ausgezeichneten Apostel, vorab Petrus: mit der oben genannten Stelle Eph 2, 20 — der folgende v 21 spricht ausdrücklich von der οἰκοδομή! — ist Mt 16, 18: ἐπὶ ταύτῃ τῇ πέτρᾳ οἰκοδομήσω (→ οἰκοδομέω) μου τὴν ἐκκλησίαν zu vergleichen, da die → πέτρα als 5 θεμέλιος(ν) betrachtet wird[8]. Auf 2 Tm 2, 19: στερεὸς θεμέλιος τοῦ θεοῦ folgt im folgenden v 20 in entsprechender Weise der Hinweis auf die οἰκία, die als οἶκος θεοῦ der ἐκκλησία θεοῦ gleichgesetzt wird, 1 Tm 3, 15[9].

Wie diese Vorstellung von der → ἐκκλησία als dem οἶκος θεοῦ alttestamentlich bestimmt ist, so hat auch die besprochene Vorstellung vom θεμέλιος(ν) gewisse 10 at.liche Wurzeln. In LXX, in der das Wort bei verschiedenen hebräischen Entsprechungen[10] einige Dutzende mal vorkommt, wird es nicht übertragen, sondern wörtlich gebraucht, indem von dem Fundament der Häuser und der Städte und dann in kosmischer Ausweitung der Berge, der Länder, der Erde, des Himmels gesprochen wird. Wenn Js 28, 16 die θεμέλια Σιών genannt werden (vgl Js 54, 11), so ist ja dabei 15 an die heilige Stadt, die Stadt Gottes[11] und damit an das Volk Gottes, die Kirche, und an ihr Fundament gedacht. Von hier aus gewinnen dann auch die Stellen Apk 21, 14. 19, so wörtlich ohne übertragenen Sinn auch dort geredet wird, eine (christologisch-) ekklesiologische Bedeutung.

2. Was in solcher Weise von θεμέλιος(ν) gilt, gilt auch 20 vom Verbum θεμελιόω (seit Xenoph; Inschriften). Mt 7, 25; Lk 6, 48[12]; Hb 1, 10 gebrauchen das Verbum in dem wörtlichen Sinne: *mit einem Fundament versehen*. Um den Sprachgebrauch Eph 3, 17 (ἐν ἀγάπῃ ἐρριζωμένοι καὶ τεθεμελιωμένοι) = Kol 1, 23 (τῇ πίστει τεθεμελιωμένοι καὶ ἑδραῖοι); 1 Pt 5, 10 (ὁ θεὸς . . . ὑμᾶς . . . στηρίξει, σθενώσει, θεμελιώσει) zu verstehen, mag es an sich genügen, 25 die übertragene Bedeutung *befestigen, festigen* anzunehmen[13]. Es dürfte sich aber empfehlen, all das, was bei θεμέλιος(ν) festgestellt worden ist, mitschwingen zu lassen, weil man so dem umfassenden und besonderen Sinn derartiger Aussagen eher gerecht wird. Wenn Gott die Gläubigen festigt, wenn sich die Gläubigen im Glauben und in der Liebe festigen lassen, so ist das implicite die 30 Festigung des Hauses, der Kirche Gottes durch das Fundament Christus.

KLSchmidt

θεοδίδακτος → θεός   *θεόμαχος, θεομαχέω* → μάχομαι
θεόπνευστος → πνεῦμα

---

[8] Diese Zusammenhänge machen deutlich, daß es nicht angeht, Eph 2, 20 und 1 K 3, 11 so sehr auseinanderzureißen, wie das vielfach in Verbindung mit der These, Eph sei nicht von Paulus verfaßt, geschieht. Vgl Holtzmann NT II 721. Vorsichtiger urteilt DibGefbr zu Eph 2, 20. Das Richtige findet sich in diesem Falle bei den katholischen Exegeten. Vgl vor allem CTrossen, Erbauen, in: Theologie und Glaube 6 (1914) 804 ff, der zwar die Auslegung des Thomas von Aquino, daß das fundamentum apostolorum et prophetarum das Fundament bedeute, auf dem die Apostel und Propheten selber ruhen, ablehnt, aber zu dem richtigen Schlusse kommt: „Ein Widerspruch mit 1 K 3, 11 liegt kaum vor; denn dasselbe Bild kann zu verschiedenen Zeiten in verschiedener Anwendung gebraucht werden. Die Apostel sind ja auch Träger des Tempels Gottes, wie

Petrus der Fels der Kirche." An CTrossen schließt sich Meinertz Gefbr zu Eph 2, 20 an.
[9] Gut Wilke-Grimm sv: „θεμ. dici videtur *ecclesia* tamquam civitatis divinae fundamentum, 2 Tim. 2, 19 coll. vs. 20 et 1 Tim. 3, 15."
[10] S Hatch-Redp sv.
[11] Es ist im HT schwerlich an die Stadt gedacht, sondern an ein neues Heiligtum, denn es heißt בְּצִיּוֹן (anders als in LXX) (vgl HGreßmann, Der Messias [1929] 174; OProcksch, Js I [1930] 357) [vRad].
[12] An Stelle von διὰ τὸ καλῶς οἰκοδομῆσθαι αὐτήν gibt es die ebenfalls gut bezeugte Lesart: τεθεμελίωτο γὰρ ἐπὶ τὴν πέτραν.
[13] Vgl dazu Thes Steph: „Chrysost.: ῞Οπερ γάρ ἐστιν ἐν οἰκίᾳ θεμέλιος, τοῦτο ἐν ψυχῇ προσευχή". Cl Al Prot VIII 77, 1 sagt in übertr Sinne: θεμελιόω τὴν ἀλήθειαν. Vgl auch Diod S 11, 68, 7: βασιλεία καλῶς θεμελιωθεῖσα.

**θεός, θεότης, ἄθεος, θεοδίδακτος,
θεῖος, θειότης**

θεός → κύριος, → πατήρ

Inhalt: A. Der griechische Gottesbegriff: 1. θεός im Sprachgebrauch der Profangräzität; 2. Der Inhalt des griechischen Gottesbegriffes; 3. Die Entwicklung des griechischen Gottesbegriffes. — B. El und Elohim im AT: 1. Der Sprachgebrauch der LXX; 2. Der at.liche Gottesglaube in der Gestalt des Jahweglaubens; 3. Die Überlieferung über den Gottesglauben vor Entstehung der Jahwegemeinde; 4. El und Elohim als Appellativa; 5. Der Inhalt des at.lichen Gottesglaubens; 6. Die Durchsetzung des at.lichen Gottesglaubens in der Geschichte. — C. Die urchristliche Gottestatsache und ihre Auseinandersetzung mit dem Gottesbegriff des Judentums: I. Zum Sprachgebrauch; — II. Die Einzigkeit Gottes: 1. Der prophetische Monotheismus als Ausgangspunkt des echten Monotheismus; 2. Der dynamische Monotheismus im Spätjudentum; 3. θεοί im NT; 4. Εἷς θεός in Bekenntnis und Praxis des Urchristentums; 5. Gott und seine Engel im NT; 6. Monotheismus und Christologie im NT; 7. Christus als θεός im Urchristentum; 8. Das Dreiverhältnis Gott/Christus/Geist; — III. Das Personsein Gottes: 1. Der Kampf gegen den Anthropomorphismus in der jüdischen Welt; 2. Der persönliche Gott des NT; — IV. Die Überweltlichkeit Gottes: 1. Die Herrschermacht Gottes in den semitischen Religionen; 2. Gott und Welt im Spätjudentum; 3. Der überweltliche Gott des NT.

A. Der griechische Gottesbegriff.

1. θεός im Sprachgebrauch der Profangräzität.

Die Frage der Etymologie von θεός ist bis heute noch nicht gelöst, so daß für das Wesen des griech Gottesbegriffes hieraus nichts zu gewinnen

---

θεός κτλ. Vorbemerkung. Die von Stauffer verfaßte Artikelgruppe θεός κτλ bedurfte in bezug auf den Umfang einer umfassenden Überarbeitung. Dieselbe wurde auf Wunsch Stauffers, welcher selbst durch andere Arbeiten in Anspruch genommen war, von GFriedrich durchgeführt, der auch die Nachprüfung des größten Teils der Zitate vollzogen hat. Als selbständige Beiträge Friedrichs sind → 97, 8—39; 110, 8—35 beigesteuert. Diese, sowie die Beilagen von Quell, Kleinknecht und Kuhn, sind voll Eigentum der Verfasser. Zum Ganzen: HUsener, Götternamen, Versuch einer Lehre von der religiösen Begriffsbildung [1] (1896), [2] (1929); NSöderblom, Das Werden des Gottesglaubens [2] (1926); Artk „God" in: ERE VI 243—306; Artk „Gottesglaube" in: RGG [2] III 1356—1377; ELehmann, Götter u Gottheiten, in: Bertholet-Leh I 64—87. — Zu A: Doxographische Übersicht über den Gottesbegriff in der Philosophie und allg bei Stob Ecl I 23—51; dazu HDiels, Doxographi Graeci (1879) p 297 bis 307 und Cic Nat Deor I 10—15; zur psychologischen Theologie: Sext Emp Math IX 13 bis 194 (p 215—255 Mutschmann): Περὶ Θεῶν. WFOtto, Die altgriech Gottesidee (1926); Ders, Die Götter Griechenlands (1929), [2] (1934); UvWilamowitz, Der Glaube der Hellenen I (1931) 12 ff u passim; KLehrs, Gott, Götter und Dämonen, in: Populäre Aufsätze [2] (1875) 143 ff; ERohde, Die Religion der Griechen, in: Kleine Schriften (1901) II 320 ff; WNestle, Griech Religiosität I—III (1930—1933); KFNägelsbach, Homerische Theologie [3] (1884); Ders, Die nachhomerische Theologie (1857); ECaird,

The Evolution of Theology in the Greek Philosophers (1904) (= Die Entwicklung der Theologie in der griechischen Philosophie, Autorisierte Übersetzung von HWilmanns [1909]); OGilbert, Griechische Religionsphilosophie (1911); HSchwarz, Der Gottesgedanke in der Geschichte der Philosophie, Synthesis 4 (1913). JStenzel, Metaphysik des Altertums (1931); WTheiler, Die Vorbereitung des Neuplatonismus, in: Problemata I (1930); ENorden, Agnostos Theos (1913) 13 ff und passim; EZeller, Die Entwicklung des Monotheismus bei den Griechen, in: Vorträge u Abhandlungen I (1865) 1 ff; WWeber, Die Vereinheitlichung der religiösen Welt, in: Probleme der Spätantike (1930); KKeyssner, Gottesvorstellung und Lebensauffassung im griech Hymnus, Würzburger Studien zur Altertumswissenschaft II (1932) 9—127; EPeterson, Der Monotheismus als politisches Problem (1935); KPrümm, Der christliche Glaube und die altheidnische Welt I II (1935); Harnack Dg I 138 A. — Zu B: AAlt, Der Gott der Väter (1929); BBaentsch, Altorientalischer u israelitischer Monotheismus (1906); FBaethgen, Beiträge zur semitischen Religionsgeschichte I (1888); WWGrafBaudissin, Kyrios als Gottesname im Judentum I—IV (1929); Ders, Adonis u Esmun (1911); Ders, Studien zur semitischen Religionsgeschichte I (1876) 49 ff; FBaumgärtel, Elohim außerhalb des Pentateuch (1914); Ders, Die Eigenart der at.lichen Frömmigkeit (1932) 26—35, 63—93; GBeer, Welches war die älteste Religion Israels? (1927); EBrügelmann, Der Gottesgedanke bei Ezechiel (1935); MBuber, Königtum Gottes

---

ist[1]. θεός[2] ist ursprünglich ein Prädikatsbegriff[3], weshalb auch sein Gebrauch so weit und vielgestaltig ist, wie die religiöse Deutung von Welt und Leben durch die Griechen. Schon Homer hat neben dem Plural (οἱ) θεοί gerne den unbestimmten Singular θεός (τις)[4] und denkt dabei an göttliches Sein und Wirken schlecht-

(1932); HDuhm, Der Verkehr Gottes mit den Menschen im AT (1926); OEißfeldt, Vom Werden der biblischen Gottesanschauung (1929); HEwald, Die Lehre der Bibel von Gott (1873); JHehn, Die biblische und die babylonische Gottesidee (1913); PKleinert, El, in: Baudissin-Festschr (1918) 26 ff; EMeyer, Artk „El," in: Roscher I 1 (1890) 1223 ff; ESellin, Beiträge zur israelitischen u jüd Religionsgeschichte I: Jahwes Verhältnis zum israelitischen Volk u Individuum nach altisraelitischer Vorstellung (1896) passim; CSteuernagel, Jahwe, Der Gott Israels, in: Wellhausen-Festschr ZAW Beiheft 27 (1914) 331 ff; PVolz, Mose und sein Werk[2] (1932) 27—36, 58—71; WEichrodt, Theologie des AT I (1933) 86 ff. — Zu C (allgemein): IAMaynard, Judaism and Mazdayasna, JBL 44 (1925) 163—170; KHoll, Urchristentum und Religionsgeschichte, in: Gesammelte Aufsätze II: Der Osten (1928) 1 ff; GKittel, Die Religionsgeschichte und das Urchristentum (1932) 123 ff; AvHarnack, Die Entstehung der christlichen Theologie u des kirchlichen Dogmas (1927); PFeine, Jesus (1930) 115 ff; HEWeber, Die Vollendung des nt.lichen Glaubensbekenntnisses durch Joh (1912); EStauffer, Grundbegriffe einer Morphologie des nt.lichen Denkens = BFTh 33, 2 (1929) 57—64; EvDobschütz, Rationales und irrationales Denken über Gott im Urchristentum, Eine Studie insbes zum Hb, ThStKr 97 (1924) 235 ff; Ders, Die fünf Sinne im NT, JBL 48 (1929) 378 ff; JLeipoldt, Das Gotteserlebnis Jesu (1927); GKuhlmann, Theologia naturalis bei Pls und Philon, = Nt.liche Forschungen I 7 (1930); OMichel, Luthers „deus absconditus" und der Gottesgedanke bei Pls, ThStKr 103 (1931) 199 ff; EFascher, Deus Invisibilis in: Marburger Studien, ROtto-Festgruß (1931) 41 ff. — Zu C I: HGreßmann, Die Aufgaben der Wissenschaft des nachbiblischen Judentums, ZAW NF 2 (1925) 1 ff; Artk „Gott", in: EJ VII (1931) 548—571; OMichel, Wie spricht der Aristeasbrief über Gott? in: ThStKr 102 (1930) 302 ff; Moore I 357 ff; RMarcus, Divine Names and Attributes in Hellenistic Jewish Literature, in: Proceedings of the American Academy for Jewish Research (1931/32) 43—120. AMarmorstein, The old Rabbinic Doctrine of God I (1927); Dalman WJ I 157 ff; Schl Theol d Judt 1—45; Schl Jos passim; WHSJones, A Note on the Vague Use of θεός in: Class Rev 27 (1913) 252 ff; WFAlbright, The Name Jahveh, JBL 43 (1924) 370—378 u 44 (1925) 158—162; BWeiß, Der Gebrauch des Artikels bei den Gottesnamen, ThStKr 84 (1911) 319—392, 503—538. — Zu C II: HZimmern, Vater, Sohn u Fürsprecher in der babylonischen Gottesvorstellung (1896); HUsener, Dreiheit, Rheinisches Museum für Philologie NF 58 (1903)

1 ff; NSöderblom, Vater, Sohn u Geist unter den heiligen Dreiheiten (1909); DNielsen, Der dreieinige Gott in religionshistorischer Beleuchtung I (1922); Clemen 125 ff; JHehn, Wege zum Monotheismus (1913); HHommel, Der allgegenwärtige Himmelsgott, ARW 23 (1925) 193 ff; EAWBudge, Tutankhamen, Amenism, Atenism and Egyptian Monotheism (1923); WWGraf Baudissin, Studien z semit Religionsgesch I (1876) 47 ff; WSmith, Lectures on the Religion of the Semites[3] (1927), deutsch[2] (1899); JWellhausen, Reste arabischen Heidentums[2] (1897) 208—242; JGuidi, L'Arabie Antéislamique (1921); AJeremias, Monotheistische Strömungen innerhalb der babylonischen Religion (1904); RHPfeiffer, The Dual Origin of Hebrew Monotheism, JBL 46 (1927) 193—206; Str-B II 28 ff (εἷς θεός), III 48—60 (Götter der Heiden); ERohde, Gottesglaube u Kyriosglaube bei Pls, ZNW 22 (1923) 43—57; ANock, Harvard Theological Review 23 (1930) 261 f; FIAHort, Two Dissertations on μονογενὴς θεός, in: Scripture and Tradition (1876); Bau Ign 193 f; EPeterson, Εἷς Θεός (1926); ASeeberg, Der Katechismus der Urchristenheit (1903); JKunze, Das apostolische Glaubensbekenntnis u das NT (1911); JHaußleiter, Trinitarischer Glaube u Christusbekenntnis in der alten Kirche (1920); PFeine, Die Gestalt des apostolischen Glaubensbekenntnisses in der Zeit des NT (1925); Wnd 2 K 429 ff; OMoe, Hat Pls . . . ein trinitarisches Taufbekenntnis gekannt? in: Festschr für RSeeberg I (1929) 179 ff; EvDobschütz, Zwei- u dreigliedrige Formeln, JBL 50 (1931) 117—147; Ders, Das Apostolikum in biblisch-theologischer Beleuchtung (1932). — Zu C III: RSander, Furcht und Liebe im palästinischen Judentum (1935) Regist sv „Gottesanschauung"; HPreisker, Die urchr Botschaft von der Liebe Gottes (1930); CABernoulli, Le Dieu-Père de Jésus d'après les Synoptiques, in: Actes du Congrès International d'Histoire des Religions II (1923) 211 ff; CFabricius, Urbekenntnisse der Christenheit, Festschr für RSeeberg I (1929) 21 ff. — Zu C IV: WWGraf Baudissin, in: Festschr für KMarti (1925) 1—11; OEißfeldt, ZMR 42 (1927) 161—186; WGrundmann, Der Begriff der Kraft in der nt.lichen Gedankenwelt (1932) 11 ff.
[1] Vgl die etymologischen Lexika, die ganz verschiedene Wortstämme angeben; zuletzt FPfister, Die Religion der Griechen u Römer (1930) 113; Walde-Pok I 867.
[2] Zur Mannigfaltigkeit des griech θεός-Begriffes vgl Harnack Dg I 138 A; → II 1 ff.
[3] Hes Op 764 von der φήμη: θεός νύ τίς ἐστι καὶ αὐτή. Aesch Choeph 59 f: τόδ' εὐτυχεῖν, τόδ' ἐμ βροτοῖς θεός τε καὶ θεοῦ πλέον. Eur Hel 560; vgl UvWilamowitz, Der Glaube der Hellenen I (1931) 17 f.
[4] Hom Il 13, 729 f (θεός) u Il 4, 320 (θεοί).

hin [5], bald an irgendeinen beliebigen Gott [6], bald an Zeus insbesondere [7]. Ebenso wechselt θεός und ὁ θεός ohne erkennbaren Bedeutungsunterschied. Auch sonst stehen abwechselnd, oft nahe beieinander, die Ausdrücke „die Götter", „der Gott", „Gott", „die Gottheit" in gleicher Bedeutung als Einheitsbegriff, als ob es nur eine einzige Macht wäre [8]. 5

Mit (ὁ) θεός ist dabei nicht die Einheit einer bestimmten Persönlichkeit im monotheistischen Sinne gemeint, sondern vielmehr die trotz aller Vielgestaltigkeit klar empfundene Einheit der religiösen Welt. Der griechische Gottesbegriff ist wesenhaft polytheistisch, freilich nicht im Sinne vieler vereinzelter Götter, wohl aber einer geordneten Göttergesamtheit, einer Götterwelt, die zB in dem 10 Götterstaat Homers in einen übergeordneten Zusammenhang zueinander tritt. Diese Anschauung hat die Redeweise θεός natürlich stark gefördert, ja geradezu hervorgetrieben und hat am großartigsten Gestalt gewonnen in der Person des Zeus des πατὴρ ἀνδρῶν τε θεῶν τε (Hom Il 15, 47), des monarchischen θεῶν ὕπατος καὶ ἄριστος (Hom Od 19, 303), des Exponenten göttlichen Waltens überhaupt [9]. 15

Zeus hat die erste Entscheidung und das letzte Wort; darum ist er für die Frömmigkeit vielfach der Gott schlechthin (vgl Hom Od 4, 236; Demosth Or 18, 256; Aesch Suppl 524 ff; 720 ff; Ag 160 ff). Unter dem Einfluß rationaler, kausal denkender, theologischer Spekulation entwickelt sich aus der Göttervielheit eine genealogische Götterordnung (vgl Hesiods Theogonie). Wir hören von oberen und unteren Göttern, von Götterfamilien, 20 schließlich von einem Pantheon. In Griechenland und Rom kennt man neben der Dreiheit ua eine Zwölfheit von Göttern (οἱ δώδεκα θεοί) [10], die sprichwörtlich geworden ist für die Einheit und Gesamtheit der weltregierenden Gottheiten (vgl Pind Olymp 5, 5; Plat Phaedr 247 a).

Meist geht θεός auf die bekannten Götter wie Zeus, Apollon, Athene, Eros usw. 25 Aber echt griechisch kann auch der κόσμος Gott genannt werden (Plat Tim 92 c: ὅδε ὁ κόσμος . . . θεός, Orig Cels V 7); der φθόνος ist ein κάκιστος κἀδικώτατος θεός Hippothoon fr 2 (TGF p 827) und bei Euripides ist sogar das Wiedersehn einmal ein Gott: Hel 560: ὦ θεοί· θεὸς γὰρ καὶ τὸ γιγνώσκειν φίλους. Aesch Choeph 60 ist das εὐτυχεῖν den Menschen θεός τε καὶ θεοῦ πλέον. So sind ursprünglich wirkende Mächte (→ δίκη 30

---

[5] Zum homerischen Sprachgebrauch vgl H Ebeling, Lexicon Homericum I (1880) sv θεός.

[6] Hom Od 7, 286.

[7] Hom Od 14, 440/444.

[8] Pind Pyth 10, 30; 5, 158; Soph fr 226 (TGF).

[9] Aber der polytheistische Grundzug, dem aus der göttlichen Lebensfülle — θεῶν πλήρη πάντα: so hat schon Thales bei Plat Leg X 899 b die religiöse Deutung der Wirklichkeit im polytheistischen Sinne klassisch formuliert — ein Götter k o s m o s auftauchte, ist auch in den stärksten Einheitsbestrebungen des philosophischen Gottesbegriffes, in dem der Anthropomorphismus längst verschwunden war, bis zuletzt klar erhalten geblieben: man denke gleich am Anfang an die aus dem Urgöttlichen, dem ἄπειρον, hervorgegangenen Welten eines Anaximander (Nr 15: I 17, 29 ff Diels), die selbst θεοί sind; an Platons θεοὶ ὁρατοὶ καὶ γεννητοί (Tim 40 d; 41 a ff) neben dem einen, unsichtbaren Gott; an den Polytheismus der Stoa, die den Monotheismus als eine Minderung Gottes zurückwies, so Onatas bei Stob Ecl I 48 f: Δοκέει δέ μοι καὶ μὴ εἷς εἶμεν ὁ θεός, ἀλλ' εἷς μὲν ὁ μέγιστος καὶ καθυπέρτερος καὶ ὁ κρατέων τῶ παντός, τοὶ δ' ἄλλοι πολλοὶ διαφέροντες κατὰ δύναμιν· βασιλεύεν δὲ πάντων αὐτῶν ὁ καὶ κρατεῖ καὶ μεγέθει καὶ ἀρετᾶ μέζων. Οὗτος δέ κ' εἴη θεὸς

ὁ περιέχων τὸν σύμπαντα κόσμον . . . Τοὶ δὲ λέγοντες ἕνα θεὸν εἶμεν, ἀλλὰ μὴ πολλὼς ἁμαρτάνοντι, (vgl Norden, Agnostos Theos [1913] 39 A 4); an Plotin (gegen den christliche Gnosis) Enn II 9, 9: „man muß die Götter der intelligiblen Welt preisen, zu allen aber hinzu den großen König dort. Gerade durch die Vielheit der Götter erweist man seine Größe; denn nicht das Göttliche in einen Punkt zusammenzudrängen, sondern es in seiner Vielheit auseinanderzulegen in der Ausdehnung, in der er es selbst auseinandergelegt, heißt beweisen, daß man die Kraft Gottes kennt, wenn er, bleibend der, der er ist, viele schafft, die doch alle von ihm abhängig, durch ihn und von ihm sind" (ἐντεῦθεν δὲ ἤδη καὶ τοὺς νοητοὺς ὑμνεῖν θεούς, ἐφ' ἅπασι δὲ ἤδη τὸν μέγαν τῶν ἐκεῖ βασιλέα καὶ ἐν τῷ πλήθει μάλιστα τῶν θεῶν τὸ μέγα αὐτοῦ ἐνδεικνυμένους· οὐ γὰρ τὸ συστεῖλαι εἰς ἕν, ἀλλὰ τὸ δεῖξαι πολὺ τὸ θεῖον, ὅσον ἔδειξεν αὐτός, τοῦτό ἐστι δύναμιν θεοῦ εἰδότων, ὅταν μένων ὅς ἐστι πολλοὺς ποιῇ πάντας εἰς αὐτὸν ἀνηρτημένους καὶ δι' ἐκεῖνον καὶ παρ' ἐκείνου ὄντας); schließlich noch Julian (von Helios) Or 4, 149 a: τὴν δὲ τοσαύτην στρατιὰν τῶν θεῶν εἰς μίαν ἡγεμονικὴν ἕνωσιν συντάξας, vgl 138 b; 139 c.

[10] Vgl O Weinreich, Zwölfgötter, Aus Unterricht u Forschung (1935) 327 ff.

II 181, 2 ff), innere und äußere, mit dem Prädikat θεός versehen und umgekehrt später abstrakte Begriffe, kosmische Größen und göttliche Eigenschaften wie → αἰών (→ I 198, 20 ff), → λόγος, → νοῦς (Corp Herm II 12) in Kult und Philosophie personifiziert und zu Göttern hypostasiert worden. Die εὐλάβεια ist eine ἄδικος θεός Eur Phoen 560; 782[11]; und die λύπη eine δεινὴ θεός Eur Or 399.

Damit fassen wir eine weitere, wesenhafte Seite des griechischen Gottesbegriffes; überall dort, wo eine tiefste Wirklichkeit, ein großes und tragendes Sein in aller Herrlichkeit heraustritt, kann der Grieche nicht anders als sagen: eben dies — und nicht etwa das „ganz Andere" — ist Gott. Wenn es 1 J 4, 16 heißt: θεὸς ἀγάπη ἐστίν, so müßte es im klassischen Griechisch gerade umgekehrt heißen ἀγάπη θεός ἐστιν. In dieser Vertauschung von Subjekt und Prädikatsnomen spricht sich ein Weltenunterschied im Religiösen aus. Die griechischen Götter sind nichts anderes als Grundgestalten der Wirklichkeit, ob diese nun in Gestalten des Mythos (Homer) oder in einer letzten, einheitlichen ἀρχή (jonische Physik)[12] oder in der ἰδέα der Philosophen erfaßt wird. Die Wirklichkeit aber ist vielgestaltig und tritt an den Menschen heran mit den verschiedensten Seinsansprüchen, die sich droben in der Welt der Götter frei und gelassen gegenüberstehen, um sich in des Menschen Brust nur zu oft tragisch zu überschneiden. Daher der Plural θεοί, der Polytheismus.

Als Träger der Gottesbezeichnung begegnen uns auch Heroen, so etwa Chiron (Soph Trach 714), Kolonos (Soph Oed Col 65). Von Menschen, die das gewöhnliche Maß hinter sich lassen, spricht Homer als von ἶσα θεοῖς, ἶσα (ἴσος) θεῷ oder θεὸς ὥς (Hom Il 5, 440; 5, 78 uö).

In der hellenistischen Zeit kann auch der überragende, herrscherliche Mensch als Schöpfer einer neuen politischen Ordnung θεός werden: ὥσπερ γὰρ θεὸν ἐν ἀνθρώποις εἰκὸς εἶναι τὸν τοιοῦτον Aristot Pol III 13 p 1284 a 11; Plut Lysander 18 (I 443 b); Demetrius Poliorketes und sein Vater Antigonos wurden 307 v Chr in Athen als θεοὶ σωτῆρες gefeiert (vgl den Hymnus bei Athen VI 63 [p 253 d]: ὡς οἱ μέγιστοι τῶν θεῶν καὶ φίλτατοι | τῇ πόλει πάρεισιν). Im hellenist Herrscher- u röm Kaiserkult[13] ist θεός geradezu Amtsbezeichnung geworden (→ εὐεργέτης, κύριος, σωτήρ). Ptolemaeus Ditt Or I 90, 10; Antiochus von Kommagene Ditt Or I 383, 1: Ἀντίοχος θεὸς δίκαιος ἐπιφανής...ὁ ἐκ...βασιλίσσης Λαοδίκης θεᾶς. Ptolemaeus XIII τοῦ κυρίου βασιλέος θεοῦ Ditt Or I 186, 8. Der Diktator Caesar Ditt Syll³ 760, 7: θεὸν ἐπιφανῆ καὶ κοινὸν τοῦ ἀνθρωπίνου βίου σωτῆρα. Augustus ist θεὸς ἐκ θεοῦ Ditt Or I 655, 2; ὁ θεὸς Καῖσαρ Strabo IV 177.193.199. Der Kaiser heißt θεὸς ἡμῶν καὶ δεσπότης, Dominus et Deus noster (Suet Caes Domitianus 13). Trotz orientalischer Vorbilder und späterer Beeinflussung von daher ist der Gedanke des Gottmenschentums, der Gottwerdung des Menschen genuin griechisch[14].

In religionsphilosophischen Kreisen endlich wird θεός mehr und mehr zur Bezeichnung unpersönlich-metaphysischer Mächte und Größen und wird folgerichtig vielfach verdrängt durch die neutral-allgemeinen Umschreibungen wie das Göttliche ([τὸ] → θεῖον), das Schicksal oder gar das Gute, Seiende, Eine[15]. Es hängt dies zusammen mit der Gesamtentwicklung des griechischen Gottesbegriffes, die man als fortschreitende „Geistverfeinerung"[16] betrachten kann in dem Sinne, daß die mythisch-real greifbaren göttlichen Gestalten mehr und

---

[11] Vgl WNestle, Griech Religiosität II (1933) 21 ff; reiches Material bei Roscher III 2, 2127 ff sv „Personifikationen", zB Plut Cleomenes 9 (I 808 e).

[12] Anaximand Nr 15 (I 85, 14 ff Diels); Hipp Ref I 21, 1.

[13] Vgl Deißmann LO 291 ff; POxy VIII 1143, 4: ὑπὲρ τοῦ θεοῦ καὶ κυρίου Αὐτοκράτορος.

[14] Vgl die „orphischen" Verse des Empedokles über sich selbst fr 112, 4 (I 264, 15 f Diels): ἐγὼ δ'ὑμῖν θεὸς ἄμβροτος, οὐκέτι θνητὸς

πωλεῦμαι. Vgl OWeinreich, Antikes Gottmenschentum, NJbch Wiss u Jugendbildung 2 (1926) 633 ff.

[15] Vgl schon Heracl fr 32 (I 159, 1 f Diels): ἓν τὸ σοφὸν μοῦνον λέγεσθαι οὐκ ἐθέλει καὶ ἐθέλει Ζηνὸς ὄνομα. Sodann das Gebet der Hekabe, Eur Tro 884 ff: ὅστις ποτ' εἶ σύ, δυστόπαστος εἰδέναι (schwer zu erforschender), Ζεύς, εἴτ' ἀνάγκη φύσεος εἴτε νοῦς βροτῶν. Plot Enn V 4, 1.

[16] JStenzel, Platon der Erzieher (1928) 21.

mehr vergeistigt und ethisiert werden und dadurch zwar an Erhabenheit, Geistigkeit und Reinheit gewinnen, aber in demselben Maße an Erdennähe, unmittelbarer Verbindung mit den Menschen und mythischer Gegenwart verlieren. Der griechische Gottesbegriff, der im M y t h o s des Homer seine erste bleibende Gestalt gewann, endet in der philosophischen I d e e, in Religionsphilosophie. Es 5 muß aber von vornherein betont werden, daß sich nicht so sehr das Wesen und die innere Struktur, die Substanz der griechischen Gottesidee gewandelt hat, als vielmehr nur die Seinsform des Göttlichen, die sich freilich stetig und dauernd wandelte, entsprechend der Haltung des Menschen zu Welt und Leben. D e r W a n d e l d e r S e i n s f o r m e n d e s G ö t t l i c h e n, — d a s i s t d i e E n t w i c k l u n g 10 d e r g r i e c h i s c h e n G o t t e s i d e e.

2. Der Inhalt des griechischen Gottesbegriffs.

Die Götter, für Homer und Hesiod eine Gegebenheit, sind, obwohl ewig (αἰὲν ἐόντες, Hom Od 1, 263; αἰειγενέται Hom Il 2, 400; Od 23, 81), doch einmal g e w o r d e n, wie die Menschen, ja sogar gleichen Ursprungs (ὁμόθεν γεγά- 15 ασι θεοὶ θνητοί τ' ἄνθρωποι Hes Op 108); von einer Mutter haben sie beide das Leben (ἐκ μιᾶς δὲ πνέομεν ματρὸς ἀμφότεροι Pind Nem 6, 1 ff). Nicht daß die Götter die Welt kreatürlich aus dem Nichts geschaffen hätten[17] (→ κόσμον . . . τὸν αὐτὸν ἁπάντων, οὔτε τις θεῶν οὔτε ἀνθρώπων ἐποίησεν, ἀλλ' ἦν ἀεὶ καὶ ἔστιν καὶ ἔσται πῦρ ἀείζωον, ἁπτόμενον μέτρα καὶ ἀποσβεννύμενον μέτρα Heracl fr 30 20 [I 84, 1 ff Diels]), sie sind vielmehr die O r d n u n g und die F o r m, (und damit der S i n n in der Welt), die sich aus dem Chaos losgerungen und die titanischen Urgewalten des Seins geformt und gebändigt haben, „die Vollstrecker eines sinnhaften verstehbaren Zusammenhangs, einer Ordnung der Dinge, die so sein muß, weil sie jederzeit gerade wieder so sein kann"[18]. Sie stehen also der 25 Natur, der Welt nicht wie der Schöpfer dem Geschaffenen als ein anderes gegenüber. Das In-Ordnung-Kommen, das In-der-Form-und-Ganz-Sein, das Sinn-in-sich-Tragen, das i s t Gott. Von dieser homerischen Grundauffassung ist das Griechentum nie abgewichen[19]. Dieser Gedanke ist noch das aufbauende Element der platonischen Philosophie (→ ψυχή), und damit ist überhaupt für die 30 Folgezeit ein wesentliches Merkmal des klassischen griechischen Gottesbegriffes getroffen. So sind die Götter auch die G ö t t e r d e s S t a a t s[20] als der wesentlichsten menschlichen L e b e n s o r d n u n g, die sich im → νόμος (vgl Heracl fr 114 [I 176, 7 ff Diels]) und im Eid unmittelbar als göttlich erweist.

Synonym für θεός ist dem Griechen ἀ θ ά ν α τ ο ς. Die Ewigen, Unsterblichen heißen 35 die Götter (ἀθάνατοι Hom Il 1, 503; Od 1, 31 uo), was wiederum nicht bedeutet, daß sie niemals geboren wären, sondern nur, daß sie keinem Ende verhaftet, nicht dem Tode unter-

---

[17] Vgl Wilamowitz, Glaube der Hellenen I 349.
[18] Stenzel aaO 16. Vgl Hes Theog 70 ff von Zeus: ὃ δ' οὐρανῷ ἐμβασιλεύει . . . κάρτει νικήσας πατέρα Κρόνον· εὖ δὲ ἕκαστα ἀθανάτοις διέταξε ὁμῶς καὶ ἐπέφραδε τιμάς. Dazu Op 276 ff.
[19] Vgl HHeyse, Idee und Existenz (1935) 34 ff.
[20] Vgl Tyrtaeus fr 2, 2 (Diehl): Ζεὺς . . . τήνδε δέδωκε πόλιν; Solon fr 3, 4 (Diehl); Xenoph

Mem IV 3, 16: ὁ ἐν Δελφοῖς θεός, ὅταν τις αὐτὸν ἐπερωτᾷ πῶς ἂν τοῖς θεοῖς χαρίζοιτο, ἀποκρίνεται· νόμῳ πόλεως, und dazu Ditt Syll[3] 1268; Plat Prot 322 a—d; Plut Col 31 (II 1125 e). So konnte spätere Systematik eine dreifache Theologie des φυσικόν, μυθικόν und das νομικόν aufstellen: Plut De Placitis Philosophorum I 6, 9 (HDiels, Doxographi Graeci [1879] p 295, 6 ff).

worfen sind[21]. Zur Ewigkeit gehört — wiederum bezeichnend für die hellenische Gottesidee, die in ihrer Abneigung, ihre Götter alt zu denken, sie vielmehr in der Blüte der Jugend erlebte — die ewige Jugend: ἡ μὲν (Penelope) γὰρ βροτός ἐστι, σὺ (die Göttin) δ' ἀθάνατος καὶ ἀγήρως: Hom Od 5, 215 ff. Dazu Schönheit (Hom Hymn Cer 275 ff; Heracl fr 83 [I 169, 17 ff Diels]: ἀνθρώπων ὁ σοφώτατος πρὸς θεὸν πίθηκος φανεῖται καὶ σοφίᾳ καὶ κάλλει καὶ τοῖς ἄλλοις πᾶσιν), grosse Macht und Wissen: Gott ist τῷ ὄντι σοφός Plat Ap 23a; vgl Heracl fr 78 und 79 (I 168, 16 ff Diels). Die legitime Macht, das κρατοῦν, das Überlegensein — die Götter sind und heißen oft κρείττονες — ist das ständige Kennzeichen des θεός vgl Menand Fr 257 (CAF): τὸ κρατοῦν γὰρ πᾶν νομίζεται θεός. So sind sie die μάκαρες, die Seligen, die in ewigem Glanz und Herrlichkeit (Οὐρανίωνες Hom Il 1, 570) hoch über der Menschen Dürftigkeit und Not leben „alle Tage in Lust" (Hom Od 6, 42; θεοὶ ῥεῖα ζώοντες Od 5, 122). Wir vermissen einen sittlichen Ernst und den für uns so charakteristischen Zug der Heiligkeit[22]. Das Verhältnis von Göttern und Menschen hat Pindar für das religiöse Empfinden des klassischen Griechen formuliert Nem 6, 1 ff: Durch eine ewige unüberbrückbare Kluft geschieden und doch urverwandt: ἓν ἀνδρῶν, | ἓν θεῶν γένος· ἐκ μιᾶς δὲ πνέομεν | ματρὸς ἀμφότεροι· διείργει δὲ πᾶσα κεκριμένα | δύναμις, ὡς τὸ μὲν οὐδέν, ὁ δὲ | χάλκεος ἀσφαλὲς αἰὲν ἕδος | μένει οὐρανός. ἀλλά τι προσφέρομεν ἔμπαν ἢ μέγαν | νόον ἤτοι φύσιν ἀθανάτοις. „Gott steht ... nicht als ein Unendliches in anderer Art, sondern nur als ein Unendliches derselben Art vor uns"[23].

Was die Götter, als die Genien des Lebens, sind bzw nicht sind, wird voll erst deutlich aus der den Göttern frei gegenüberstehenden, unabhängig von ihnen ablaufenden, unpersönlichen μοῖρα oder αἶσα, dem griechischen Schicksalsbegriff, als einer ewigen, unverbrüchlichen Ordnung, durch die allem und jedem sein Ende, sein Tod bestimmt ist. Der Idee der Gottheit steht gegenüber die Idee des Schicksals, um das die Götter zwar wissen, das sie aber nicht ändern können (Hom Il 16, 431 ff; Hdt I 9). Hier hat die Macht der Götter, von denen es sonst heißt, daß sie alles können (Hom Od 4, 236 ff), ein Ende (Hom Od 3, 238). „Aber mit dem Gedanken an eine Bestimmung des Zeus oder der Götter (Hom Od 9, 52; 3, 269) wendet sich die Vorstellung vom dunklen Verhängnis zum sinnvollen Plan und Ratschluß"[24]. Hinter und über beiden erhebt sich das Ganze des Seins.

Höchst bezeichnend ist der Anthropomorphismus in der frühgriechischen Gottesidee: die Götter haben weithin menschliche Eigenschaften, Empfindungen und Gewohnheiten und vor allem Menschengestalt — „ἄνθρωποι ἀΐδιοι" sagt Aristoteles Metaph II 2 p 997b 11 von ihnen —. Die Griechen konnten das Erhabene nicht anders anschauen als im Bilde des höchsten Lebendigen. So hat noch der Stoiker Dio Chrys Or 12, 59 (I 171, 27 ff vArnim) die Menschengestalt der Götter fromm gerechtfertigt: Νοῦν γὰρ καὶ φρόνησιν αὐτὴν μὲν καθ' αὑτὴν οὔτε τις πλάστης οὔτε τις γραφεὺς εἰκάσαι δυνατὸς ἔσται· ἀθέατοι γὰρ τῶν τοιούτων καὶ ἀνιστόρητοι παντελῶς πάντες. τὸ δὲ ἐν ᾧ τοῦτο γιγνόμενόν ἐστιν οὐχ ὑπονοοῦντες, ἀλλ' εἰδότες, ἐπ' αὐτὸ καταφεύγομεν, ἀνθρώπινον σῶμα ὡς ἀγγεῖον φρονήσεως καὶ λόγου θεῷ προσάπτοντες, ἐνδείᾳ καὶ ἀπορίᾳ παραδείγματος τῷ

---

[21] Es liegt ein Widerspruch im ältesten Gottesbegriff: bei Homer und Hesiod sind die Götter geworden. Demgegenüber erhebt sich ein neuer *Ewigkeitsgedanke* in der jonischen Physik: schon von Thales wird überliefert Diog L 1, 35 (I 71, 10 f Diels) πρεσβύτατον τῶν ὄντων θεός· ἀγένητον γάρ 1, 36: τί τὸ θεῖον; τὸ μήτε ἀρχὴν ἔχον μήτε τελευτήν. Vgl Anaximand: A 15, (I 85, 14 ff Diels). Durch diesen Ewigkeitsgedanken

entschwindet das Persönliche, der Anthropomorphismus.
[22] Vgl WFOtto, Die Götter Griechenlands [2] (1934).
[23] HSchwarz aaO 27.
[24] Vgl WFOtto, Götter Griechenlands 366 f; vgl den Zeus Μοιραγέτης bei Paus V 15, 5; bei Jamblich bezeichnenderweise ein Beiname der θεοί allg, s die Lexika.

φανερῷ τε καὶ εἰκαστῷ τὸ ἀνείκαστον καὶ ἀφανὲς ἐνδείκνυσθαι ζητοῦντες, συμβόλου δυνάμει χρώμενοι, κρεῖττον ἢ φασιν τῶν βαρβάρων τινὰς ζῴοις τὸ θεῖον ἀφομοιοῦν ...[25]. Und demgegenüber steht das 2. Gebot des AT, das mit eine Wurzel der nt.lichen Gottesauffassung ist und bleibt.

3. Die Entwicklung des griechischen Gottes- begriffes.

a. Die Entwicklung des griechischen Gottesbegriffes ist bestimmt durch zwei Motive, die bei Homer noch zusammen angelegt sind: das Naturhafte und das Ethische, und verläuft dementsprechend *1.* in einer mehr naturhaft-mystischen (vgl Thales A 22 [I 79, 27 Diels]: πάντα πλήρη θεῶν), und *2.* in einer mehr rational-ethischen Richtung, die von Hesiods Δίκη über Solon und die Polis zu Platon hinführt. Die homerische Gestaltenwelt wird durch rationale Kritik, kausales Denken und philosophische Reflexion aufgelöst. Xenophanes kann in den einzelnen Göttern seiner Umwelt nichts erkennen als die Selbstbildnisse ihrer Verehrer (fr 15: I 132, 19 ff Diels) und setzt dieser, wie er meint, kindlichen Selbstbespiegelung seine gereinigte, stark von der Ratio her geformte Idee des einen Gottes entgegen: εἷς θεός, ἔν τε θεοῖσι — (wie die Menschen sie sich vorstellen) — καὶ ἀνθρώποισι μέγιστος, | οὔτι δέμας θνητοῖσιν ὁμοίιος οὐδὲ νόημα (fr 23: I 135, 4 f Diels; vgl Antisthenes bei Philodem Philos, De Pietate 7a p 72 Gomperz [1866]; Cic Nat Deor I 13). Dem höchsten Wesen kommt es zu (ἐπιπρέπει)[26], zu ruhen und sich nicht zu bewegen (fr 26). Ethisches Denken polemisiert gegen den anthropomorphen Gottesbegriff. Der Gott des Xenophanes ist kosmomorphisch. Keinem der frühgriechischen Philosophen ist es eingefallen, trotz schärfster Kritik an Homer, das Göttliche in der Welt zu leugnen oder zu eliminieren. Nur die Seinsweise des Göttlichen wurde der fortgeschrittenen Rationalisierung entsprechend anders, eben rationaler, im Sinne der Einheit des Göttlichen gefaßt. Die Quelle dieser neuen Gottesauffassung ist die revolutionäre Weltumgestaltung durch die milesische Physik. Gott ist das lebendige Wesen der Welt: οὖλος ὁρᾷ, οὖλος δὲ νοεῖ, οὖλος δέ τ' ἀκούει (Xenophanes fr 24: I 135, 7 Diels); „ohne Mühe schwingt er alles mit des Geistes Denkkraft, selber unbeweglich" (fr 25: I 135, 8 Diels)[27]. Ein Rationalisierungs- und zugleich Ethisierungsprozeß formt den griechischen Gottesbegriff um. Freilich „eine Gottheit, deren innerstes Wesen Liebe wäre, Liebe zum Menschen, nicht nur zu einzelnen Auserwählten, ist griechischer Vorstellung nicht aufgegangen"[28]. Vielmehr wird Gott erfahren in der unerschütterlichen Gesetzlichkeit des Seins, in der der Welt innewohnenden Gerechtigkeit, in der → δίκη, dem großen Prinzip des Ausgleichs. Die Gottesidee ist eng verbunden mit dem Gedanken

---

[25] Dazu WFOtto, Die altgriechische Gottesidee (1926) 19.

[26] Das θεοπρεπές (vgl Pr-Bauer sv) ist bei den christlichen Denkern wichtig geworden für die Durchsetzung des Monotheismus; daher ist Xenophanes hier bedeutsam. Die Stoa hat den Begriff des θεοπρεπές, des wahrhaft Erhabenen, Göttlichen geprägt Plut Tranq An 20 (II 477 c); ἱερὸν μὲν γὰρ ἁγιώτατον ὁ κόσμος ἐστὶ καὶ θεοπρεπέστατον, Ad Principem Ineruditum 2. 3 (II 780 a. f); Dio Chrys Or 12, 52; Ditt Or I 385, 57; bei Philo häufig, s Leisegang sv.

[27] Vgl JStenzel, Die Metaphysik des Altertums (1931) 38 f.

[28] ERohde, Die Religion der Griechen, Kleine Schriften II (1901) 327.

einer kosmischen Gerechtigkeit. Gerechtigkeit ist das Wesen des Gottes, zu dem man im eigentlichen Sinne nicht mehr beten kann [29].

Von hier aus erhellt sowohl der φθόνος θεῶν bei H e r o d o t [30] als auch der G o t t e s b e g r i f f d e r T r a g ö d i e: zweideutig, vieldeutig wie alles menschliche
5 Tun, gefährdend und bewahrend ist auch die Wirklichkeit, Gott selbst [31], der sich in eben diesem Sinne auch begrifflich in θεός und δαίμων auseinanderlegt [32]. Nicht nur die Hinfälligkeit menschlichen Glücks und seine letztliche Abhängigkeit von Gott wird in der Tragödie deutlich, sondern darüber hinaus, wie in der tragischen Dialektik des Daseins die über das unmittelbar menschliche Ver-
10 stehen hinausgehende Gerechtigkeit Gottes waltet. Es ist mit Zeus, dem allumfassenden Gotte [33], ein Rätsel verbunden, es bleibt dem Menschen bei Aeschylus ein unerklärlicher Rest in Zeus; aber immer läßt seine, wenn man so sagen darf, den Menschen zugekehrte Seite überall hin ihr Licht dem Menschen leuchten, auch im Dunkel mit dem finsteren Schicksal (Aesch Suppl 87 ff). Es gibt viel-
15 leicht keine so charakteristische Offenbarung dessen, was der t r a g i s c h e Gottesbegriff ist, als das berühmte Zeus-Gebet Aesch Ag 160—183: Ζεὺς ὅστις ποτ' ἐστίν, εἰ τόδ' αὐτῷ φίλον κεκλημένῳ, τοῦτό νιν προσεννέπω. οὐκ ἔχω προσεικάσαι πάντ' ἐπισταθμώμενος πλὴν Διός, εἰ τὸ μάταν ἀπὸ φροντίδος ἄχθος χρὴ βαλεῖν ἐτητύμως (wahrhaft)... Ζῆνα δέ τις προφρόνως ἐπινίκια κλάζων τεύξεται φρενῶν τὸ
20 πᾶν · τὸν φρονεῖν βροτοὺς ὁδώσαντα, τῷ πάθει μάθος θέντα κυρίως ἔχειν... δ α ι μ ό ν ω ν δέ που χάρις βιαίως σέλμα (Steuer) σεμνὸν ἡμένων. Zeus ist die sinngebende und erlösende Macht; die Erlösung ist, „den Weg des rechten Maßes kennen". Dem Menschen gelingt das nicht allein, auch nicht durch Denken. Nur Zeus kann es ihm geben, und das Gesetz, nach dem er ihm das gibt, ist das „durch Leiden
25 Lernen". Χάρις, Gnade ist dieses gewaltsame Handeln (βία) der Götter [34].

Der griechische Gottesbegriff vollendet sich in einer ungeheueren Objektivität und Gerechtigkeit, mit der dieses Leben empfunden wird. Freilich: z w i s c h e n G o t t u n d d e m M e n s c h e n b e s t e h t k e i n e u n m i t t e l b a r e I c h - D u - B e z i e h u n g, s o n d e r n d a z w i s c h e n t r i t t e n t w e d e r d i e
30 G e m e i n s c h a f t, d e r S t a a t, o d e r ü b e r h a u p t d i e „e n t f a l t e t e g ö t t l i c h e W e l t" [35]. D a s G ö t t l i c h e i s t f ü r d e n k l a s s i s c h e n G r i e c h e n s t e t s v o n d e r A r t, d a ß e r i h m n u r i n u n m i t t e l b a r e r E r f a s s u n g d u r c h d e n ν ο ῦ ς u n d i n d e r B e w ä l t i g u n g d e r g a n z r e a l e n W i r k-

---

[29] Plat Theaet 176 b: θεὸς οὐδαμῆ οὐδαμῶς ἄδικος, ἀλλ' ὡς οἷόν τε δικαιότατος. Aesch Ag 772 ff; Solon fr 1, 31 ff (Diehl).
[30] Hdt VII 10 ε: ... φιλέει γὰρ ὁ θεὸς τὰ ὑπερέχοντα πάντα κολούειν ... οὐ γὰρ ἐᾷ φρονέειν μέγα ὁ θεὸς ἄλλον ἢ ἑωυτόν.
[31] Vgl Heracl fr 67 (I 165, 8 ff Diels): ὁ θεὸς ἡμέρη εὐφρόνη, χειμὼν θέρος, πόλεμος εἰρήνη, κόρος λιμός, und Soph Schluß der Trach 1276 ff: μεγάλους μὲν ἰδοῦσα νέους θανάτους, | πολλὰ δὲ πήματα καὶ καινοπαθῆ, | κ ο υ δ ὲ ν τ ο ύ τ ω ν ὅ τ ι μ ὴ Ζ ε ύ ς.
[32] Vgl WNestle, Menschliche Existenz und politische Erziehung in der Tragödie des Aischylos, Tübinger Beiträge zur Altertumswissenschaft 23 (1934) 74 ff.
[33] Vgl Aesch fr 70 (TGF): Ζεύς ἐστιν αἰθήρ,

Ζεὺς δὲ γῆ, Ζεὺς δ' οὐρανός, Ζεύς τοι τὰ πάντα χὤτι τῶνδ' ὑπέρτερον. Über weitere Zeusprädikate bei Aesch vgl WNestle, Griech Religiosität I (1930) 123; zu den Götterprädikaten überh vgl CFHBruchmann, Epitheta Deorum, Suppl I z Roscher (1893); für den griech Hymnus KKeyssner, Gottesvorstellung 9—127; bes zu nennen wären noch die im Kult vorwiegend für fremde Gottheiten gebrauchten Götterprädikate → μέγας (vgl μεγάλη Ἄρτεμις Ἐφεσίων Ag 19, 34; dazu BMüller, Μέγας Θεός Diss Halle 1913) Hom Il 18, 292; Soph El 174 ff; Eur Andr 37; bzw μέγιστος Eur Jon 1606; → ὕψιστος Pind Nem 1, 90 ff; Soph Phil 1289; und → κύριος Epict Diss II 16, 13: κύριε ὁ θεός.
[34] Vgl EFränkel, Philol 86 (1931) 1 ff.
[35] Stenzel, Platon der Erzieher 281.

lichkeit, in der er steht, zu begegnen glaubt. Gott selbst ist unsichtbar, aber wir erkennen ihn aus seinen Werken[36], aus Natur und Geschichte.

b. War nach frühgriechischer Auffassung in großartiger Einheitlichkeit alles von den Göttern gekommen, auch Schuld und Leid, Unglück und Untergang (Hom Il 24, 525 ff), und hatte man in der Zwischenzeit unterscheiden gelernt zwischen selbstverschuldeter und gottgesandter ἄτη (Hom Od 1, 32 ff; Solon fr 3 Diehl), so ist bei Platon die Ethisierung und Vergeistigung des Gottesbegriffes so weit fortgeschritten, daß er gegen eine Religiosität polemisiert, wie sie fast überspitzt die jüngst gefundenen Niobe-Verse (vgl Plat Resp II 380 a) ausdrücken: θεὸς μὲν αἰτίαν φύει βροτοῖς, ὅταν κακῶσαι δῶμα παμπήδην θέλη (Aesch fr 56 TGF), und im Theologiekapitel[37] des Staats (II 380 d) sagen kann: μὴ πάντων αἴτιον τὸν θεὸν ἀλλὰ τῶν ἀγαθῶν (vgl Plat Resp X 617 e: ἀρετὴ δὲ ἀδέσποτον, ἣν τιμῶν καὶ ἀτιμάζων πλέον καὶ ἔλαττον αὐτῆς ἕκαστος ἕξει· αἰτία ἑλομένου· θεὸς ἀναίτιος). Hatten sich die homerischen Griechen das dauernde Hineinwirken göttlicher Kraft in diese Welt — und das ist der Sinn göttlichen Daseins — in ihrer Denkform, die Natur und Geist nicht trennte, nicht anders vorstellen können als unter dem Bild des leiblichen Zeugungsaktes zwischen Göttern und auserwählten Sterblichen (Pseudo-Hesiod, Scutum 27 ff [ed PMazon 1928]), so ist bei Plato die Trennung von Gott und Mensch vollkommen geworden (Symp 203 a: θεὸς ἀνθρώπῳ οὐ μείγνυται). Es gibt keine Gemeinschaft im Sinne des Einswerdens mit diesem Gott; es gibt nur ein immer noch distanziertes Ähnlichwerden, die ὁμοίωσις τῷ θεῷ κατὰ τὸ δυνατόν· ὁμοίωσις δὲ δίκαιον καὶ ὅσιον μετὰ φρονήσεως γενέσθαι Plat Theaet 176 b.

Hatte der Gottesbegriff der Tragödie noch einmal im Mythos und seinen Bildern Gestalt gewonnen, so verwertet zwar auch Plato[38] noch die mythische Darstellungsform zur Verdeutlichung philosophischer Sachverhalte, aber die letztgültige Wirklichkeit, τὸ πάντα συνέχον, das, was erst volles Sein und Werden gibt und erkennbar macht, τάξις und εἶδος, Ordnung und Form, ist unpersönlicher, unindividueller Art, die ἰδέα τοῦ ἀγαθοῦ. Diese wird freilich mit der höchsten Gottheit nicht unmittelbar gleichgesetzt, weil für Platon „das Eigentliche des göttlichen Wesens in der Verwirklichung des Seins gegeben ist"[39]. So ist auch der Schöpfungsmythos und sein Gottesbegriff in Tim 28 c ff zu verstehen. Gott hat als δημιουργός, ποιητής und πατήρ (28 c;

---

[36] Xenoph Mem IV 3, 13; Pseud-Aristot Mund 6 p 399 b 14 ff: Gott, das abs Vollkommene πάσῃ θνητῇ φύσει γενόμενος ἀθεώρητος ἀπ' αὐτῶν τῶν ἔργων θεωρεῖται.

[37] Vgl noch Plat Resp II 382 e: πάντῃ ἄρα ἀψευδὲς τὸ δαιμόνιόν τε καὶ τὸ θεῖον ... ὁ θεὸς ἁπλοῦν (opp: ἀλλάττοντα τὸ ἑαυτοῦ εἶδος εἰς πολλὰς μορφάς) καὶ ἀληθὲς ἔν τε ἔργῳ καὶ λόγῳ, καὶ οὔτε αὐτὸς μεθίσταται οὔτε ἄλλους ἐξαπατᾷ, 381 b: ὁ θεός γε καὶ τὰ τοῦ θεοῦ πάντῃ ἄριστα ἔχει. In seiner Vollkommenheit ist er πάντων χρημάτων μέτρον Plat Leg IV 716 c; vgl Protagoras fr 1 (II 228, 3 ff Diels).

[38] Zum platonischen Gottesbegriff vgl die Summa Theologiae Platonis in Leg X; vgl etwa 901 d/e: πρῶτον μὲν θεοὺς ... γιγνώσκειν καὶ ὁρᾶν καὶ ἀκούειν πάντα, λαθεῖν δὲ αὐτοὺς οὐδὲν δυνατὸν εἶναι τῶν ὁπόσων εἰσὶν αἱ αἰσθήσεις τε καὶ ἐπιστῆμαι. ... δύνασθαι πάντα ὁπόσων αὖ δύναμίς ἐστιν θνητοῖς τε καὶ ἀθανάτοις ... καὶ μὴν ἀγαθούς γε καὶ ἀρίστους ... αὐτοὺς εἶναι. — 903 b: τῷ τοῦ παντὸς ἐπιμελουμένῳ πρὸς τὴν σωτηρίαν καὶ ἀρετὴν τοῦ ὅλου πάντ' ἐστὶ συντεταγμένα, ὧν καὶ τὸ μέρος εἰς δύναμιν ἕκαστον τὸ προσῆκον πάσχει καὶ ποιεῖ. Vgl CRitter, Platons Gedanken über Gott u das Verhältnis der Welt u des Menschen zu ihm, ARW 19 (1918/19) 233 ff, 466 ff.

[39] JStenzel, Metaphysik des Altertums 148.

30 b; 41 a) τοῦδε τοῦ παντός und als Baumeister im Blick auf das ewige παράδειγμα des νοητὸς κόσμος die Welt in den Raum und in das bewegte Abbild der Ewigkeit, in die Zeit, hineingebildet. Die αἰτία, δι' ἥντινα γένεσιν καὶ τὸ πᾶν τόδε ὁ συνιστὰς συνέστησεν: ἀγαθὸς ἦν (29d), womit immer wieder Gottes
5 Eigenschaft bei Plato umschrieben wird. Der Gott im Timaeus ist kein Schöpfergott, der die Welt aus dem Nichts erschafft, sondern ein *Bildnergott*: Tim 30: βουληθεὶς γὰρ ὁ θεὸς ἀγαθὰ μὲν πάντα, φλαῦρον δὲ μηδὲν εἶναι κατὰ δύναμιν, οὕτω δὴ πᾶν ὅσον ἦν ὁρατὸν παραλαβὼν οὐχ ἡσυχίαν ἄγον ἀλλὰ κινούμενον πλημμελῶς καὶ ἀτάκτως, εἰς τάξιν αὐτὸ ἤγαγεν ἐκ τῆς ἀταξίας, ἡγησάμενος ἐκεῖνο τούτου
10 πάντως ἄμεινον. Von der ψυχή (Weltseele) sagt Plato Leg X 897b, daß sie νοῦν προσλαβοῦσα ἀεὶ θεὸν . . . ὀρθὰ καὶ εὐδαίμονα παιδαγωγεῖ πάντα. So hat das urhellenische Prinzip der παιδεία als ein Letztes auch den platonischen Gottesbegriff entscheidend mitbestimmt.

Das Religiöse im Platonismus blieb auch für A r i s t o t e l e s eine unantast-
15 bare Realität. Auch für ihn ist Gott im wesentlichen die letzte notwendige und hinreichende Bedingung für die Existenz einer Weltordnung[40]: ἡ ἑνοποιὸς αὐτοῦ καὶ δημιουργικὴ δ ύ ν α μ ι ς πάντων τῶν ὄντων αἰτία ἐστὶ τοῦ ἔχειν ὥσπερ ἔχει: „Die einheitstiftende und schöpferische Kraft (!) Gottes ist von allem Seienden der Grund, daß es sich so verhält, wie es sich
20 verhält." So hat ein später Kommentator der Metaphysik (Alexandri Aphrodisiensis in Aristotelis Metaphysica Commentaria p 564, 20 MHayduck [1891])[41] das aristotelische Gotteserlebnis formuliert. Gott ist Geist (νοῦς), wenn nicht etwas Höheres als der Geist (fr 49 Rose)[42]. Zu dieser Gottheit kann man nicht méhr beten. Auch ist das „also hat Gott die Welt geliebt" (J 3, 16)
25 ausgeschlossen bei einem Gott, der αὐτὸ ἀκίνητον ὄν, ἐνεργείᾳ ὄν Met XI 7 p 1072 b 7 die Welt bewegt, dadurch, daß er g e l i e b t w i r d, durch den Eros (κινεῖ δὴ ὡς ἐρώμενον Met XI 7 p 1072 b 3), — das Streben nach höherer Existenzform, — den er durch die in seiner Vollkommenheit[43] liegende Anziehungskraft erzeugt[44]. In der Liebe zu Gott erst kommt alles zu seinem eigentlichen Sein.
30 Gott aber will nichts, denn er ist (jenseits der Welt) das volle Sein (Cael I 9 p 279 a 18 ff); was der Mensch ihm entgegenbringen kann, das ist die tätige Anerkennung dieses Seins, die → τιμή (Aristot Eth Nic IV 7 p 1123 b 18 ff: μέγιστον δὲ τοῦτ' ἂν θείημεν ὃ τοῖς θεοῖς ἀπονέμομεν . . . τοιοῦτον δ' ἡ τιμή).

c. Im H e l l e n i s m u s deutet die S t o a die mythischen
35 Göttergestalten allegorisch um in metaphysisch-kosmische Begriffe.

---

[40] Vgl Aristot Met XI 7 p 1072 b 14: ἐκ τοιαύτης ἄρα ἀρχῆς ἤρτηται ὁ οὐρανὸς καὶ ἡ φύσις, insofern durch Gott Ordnung und Form in die Welt kommen.
[41] Nach Stenzel, Metaphysik d Altertums 162f.
[42] Vgl Diog L VII 135; mehr bei HDiels, Doxographi Graeci (1879) p 301 ff. Dagegen ganz anders: G o t t i s t π ν ε ῦ μ α J 4, 24.
[43] Vgl im Theologiekapitel der Metaphysik Met XI 7 p 1072 b 26 ff: καὶ → Ζ ω ή δέ γε ὑπάρχει· ἡ γὰρ νοῦ ἐνέργεια Ζωή, ἐκεῖνος δὲ ἡ ἐνέργεια· ἐνέργεια δὲ ἡ καθ' αὑτὴν ἐκείνου Ζωὴ ἀρίστη καὶ ἀΐδιος. φαμὲν δὴ τὸν θεὸν εἶναι Ζῷον ἀΐδιον ἄριστον, ὥστε Ζωὴ καὶ αἰὼν συνεχὴς καὶ

ἀΐδιος ὑπάρχει τῷ θεῷ· τοῦτο γὰρ ὁ θεός. Vgl noch Aristot fr 16 Rose: ἄριστον (ein allervollkommenstes Seiendes) ὅπερ εἴη ἂν τὸ θεῖον. Der Gedanke der Autarkie Gottes ist ein Gemeinplatz des philosophischen Gottesbegriffes geworden: Eur Herc Fur 1345: δεῖται γὰρ ὁ θεός, εἴπερ ἐστ' ὀρθῶς θεός, οὐδενός. Plat Tim 34 b: von der Welt als dem gewordenen Gotte αὔταρκες καὶ οὐδενὸς ἑτέρου προσδεόμενον. Tim 68 d; Aristot Cael I 9 p 279 a 18 ff; Ag 17, 25. Vgl ENorden, Agn Theos 14.
[44] Vgl HScholz, Eros u Caritas (1929) 37 ff, 55 ff. Dgg vgl 1 J 4, 19: ἡμεῖς ἀγαπῶμεν, ὅτι αὐτὸς πρῶτος ἠγάπησεν ἡμᾶς.

Vgl Chrysipp (II 315, 3 ff v Arnim): Δία . . . (εἶναι τὸ)ν ἅπαντ(α διοικοῦ)ντα λόγον κ(αὶ τὴν) τοῦ ὅλου ψυχὴ(ν κα)ὶ τῇ τούτου μ(ετοχ)ῇ πάντα (ζῆν)? . . . (δ)ιὸ καὶ Ζῆνα καλε(ῖσ)θαι, Δία δ'(ὅ)τι (πάν)των αἴτ(ι)ος (καὶ κύ)ριος· τόν τε κόσμον ἔμψ(υ)χον εἶναι καὶ θεό(ν, κ)αὶ τὸ ἡ(γεμονι)κὸν (κ)αὶ τὴν ὅ(λην ψ)υχ(ή)ν· καὶ . . . ὀν(ομάζεσ)θαι τὸν Δία καὶ τὴν κοινὴν πάντων φύσιν καὶ εἱμαρμ(έ)νην καὶ ἀνά(γ)κην. Hier sind die Götter im 5 Grunde nur Elemente einer Welt, die nach μnwiderruflichen Gesetzen unabänderlich ihren Gang geht. Bewußte Einordnung in die Notwendigkeit ist hier die Erfüllung des Daseins[45]. Die Stoa versteht Zeus als das eine umfassende Weltgesetz (→ λόγος)[46]. Gott ist die tätige, gestaltende Kraft, die in allem wirkt und lebt, das πνεῦμα διῆκον δι' ὅλου τοῦ κόσμου, von Poseidonios (nach Aetius bei Stob Ecl I 34, 26 ff) so definiert: 10 πνεῦμα νοερὸν καὶ πυρῶδες, οὐκ ἔχον μὲν μορφήν, μεταβάλλον δὲ εἰς ὃ βούλεται καὶ συνεξομοιούμενον πᾶσιν[47].

Gott und Kosmos sind identisch (οὐσίαν δὲ θεοῦ . . . τὸν ὅλον κόσμον: II 305, 26 ff vArnim). Ein philosophischer Gottesbegriff, pantheistisch und vom Vorsehungsglauben[48] erfüllt, kommt auf, der die alten Göttervorstellungen durchprüft mit 15 der Frage nach dem, was sich zu denken „ziemt", und auf diesem Wege alle persönlichen Züge aus der Gottesanschauung ausscheidet oder umdeutet[49], dann aber in der späteren Stoa wieder mehr persönlich[50] und vor allem stark ethisch gefärbt ist (Epict Diss II 8, 11—14). Gott ist der Vater und Fürsorger (Epict Diss I 3, 1; τὸ δὲ τὸν θεὸν ποιητὴν ἔχειν καὶ πατέρα καὶ κηδεμόνα: Diss I 9, 7), ὁ θεὸς ὠφέλιμος (Diss II 8, 1), φιλάν- 20 θρωπος (MAnt 12, 5), das Urbi.d aller Tugenden (Diss II 14, 11 ff); zur Reinheit der Gottesvorstellung vgl Plut Ei Delph 19 f (II 392 E ff); Is et Os 53 f (II 372 E ff); Def Orac 24 (II 423 C ff).

Andererseits erfolgte auf den. Wege über den νοῦς im Menschen (vgl MAnt 5, 27) mehr und mehr auch eine Ver·nerlichung des Gottesbegriffes, die schon bei Eur fr 1018 25 TGF (vgl den Apparat zSt) beginnt und zu dem Begriff des „Gott in uns" führt, von dem Epict Diss I 14, 13; II 8, 12, MAnt 3, 5 (ὁ ἐν σοὶ θεός) und Plotin Enn VI 5, 1 (τὸν ἐν ἑκάστῳ ἡμῶν θεόν) ua reden.

Hatte die Stoa die Welt mit Gott gleichgesetzt, so ist im atomistischen Weltbild des Epikur für die Gottheit folgerichtig kein Platz mehr. 30

Und doch konnte auch er das religiöse Erlebnis nicht leugnen (θεοὶ μὲν γάρ εἰσίν· ἐναργὴς γὰρ αὐτῶν ἐστιν ἡ γνῶσις· οἵους δ' αὐτοὺς οἱ πολλοὶ νομίζουσιν, οὐκ εἰσίν Men 123). Als ζῷον ἄφθαρτον καὶ μακάριον (Men 123; Sententiae 1) existiert die Gottheit abgesondert ἐν τοῖς μετακοσμίοις (Fr 359 Usener), ohne jede Einwirkung auf die Welt und ihren Gang und völlig unbekümmert um Mensch und Schicksal, ein 35 seliges Bild jener inneren Freiheit und εὐδαιμονία, zu der hin der philosophische βίος sich verwirklicht und vollendet. Diese psychologische Theologie, die nicht mehr nach dem Göttlichen als etwas real Seiendem, sondern nach den menschlichen Vorstellungen vom Göttlichen, nach dem Gottesbewußtsein (vgl Epic Men 123/4) fragt, ordnet sich ein in jene geistesgeschichtliche Linie, die in der Sophistik mit 40 Prodikos von Keos (fr 5: II 274 f Diels), Protagoras (fr 1: II 228 f Diels), Demokrit u Kritias (fr 25: II 320 f Diels) beginnt und über Plat Leg XII 966 e[51] zu Aristot fr 10 (Rose) führt.

Zur Vereinheitlichung der immer größer werdenden Göttervielheit führte im Hellenismus die Gleichsetzung verschiedener Gottheiten, ausgehend 45 von dem Glauben, daß nur die ὀνόματα der Götter verschieden, die dahinterstehenden Wesenheiten aber allerorts dieselben seien (Dio Chrys Or 31, 11 [I 322, 14 ff vArnim]; Plut Is et Os 67 ff [II 377 f ff]). In dieser synkre-

---

[45] Epict Ench 53, 1: ἄγου δέ μ', ὦ Ζεῦ, καὶ σύ γ' ἡ Πεπρωμένη, ὅποι ποθ' ὑμῖν εἰμι διατεταγμένος· ὡς ἕψομαι γ' ἄοκνος· ἢν δέ γε μὴ θέλω, κακὸς γενόμενος, οὐδὲν ἧττον ἕψομαι.
[46] Vgl den Zeushymnus des Kleanthes I 121, 34 ff vArnim.
[47] Dazu KReinhardt, Kosmos u Sympathie (1926) 276 ff.
[48] Die πρόνοια ist vom Gottesbegriff nicht zu trennen, vgl Theon Rhetor Progymnasmata 8, 49 (Rhet Graec II 127, 4): ὅτι ἀναγκαῖόν ἐστιν τὸ πρόνοιαν εἶναι· εἰ γάρ τις τὸ προνοεῖν περιέλοι τοῦ θεοῦ ἀνῄρηκε καὶ ἣν ἔχομεν περὶ αὐτοῦ ἔννοιαν. MAnt 2, 3.

[49] Vgl Diog L VII 147: θεὸν δὲ εἶναι ζῷον ἀθάνατον λογικόν, τέλειον ἢ νοερὸν ἐν εὐδαιμονίᾳ, κακοῦ παντὸς ἀνεπίδεκτον, προνοητικὸν κόσμου τε καὶ τῶν ἐν κόσμῳ· μὴ εἶναι μέντοι ἀνθρωπόμορφον. εἶναι δὲ τὸν μὲν δημιουργὸν τῶν ὅλων καὶ ὥσπερ πατέρα πάντων κοινῶς τε καὶ τὸ μέρος αὐτοῦ τὸ διῆκον διὰ πάντων, ὃ πολλαῖς προσηγορίαις προσονομάζεται κατὰ τὰς δυνάμεις. Daran schließt sich die Umdeutung einer Reihe von Göttern der Volksreligion.
[50] Epict Diss II 14, 11.
[51] Die ἀέναος οὐσία der menschlichen ψυχή und die φορά, ὡς ἔχει τάξεως, ἄστρων als die beiden Quellen des Gottesglaubens.

tistischen Göttervermischung haben auch außergriechische Gottheiten große, zT überragende Bedeutung gewonnen, freilich nur in hellenisierter Form. Die Allgöttin Isis ist in eins gesetzt worden mit Athene und Aphrodite, Artemis und Persephone, Demeter und Hera, Hekate und der phrygischen Göttermutter. „Una, quae es omnia dea Isis" — sogar Herrin über das Schicksal (Apul Met XI 15) — so wird sie in einer lateinischen Inschrift[52] angerufen. Nicht selten endlich wirken die monarchische und synkretistische Tendenz zusammen und führen zur Verehrung einer Gottheit, die Führer- und Allgott zugleich ist.

In diesem Sinne heißt Jupiter bald Optimus Maximus, bald Jupiter Pantheus[53]. Zeus-Asklepius erscheint als Allgott in den Reden des Aelius Aristides: οὗτός ἐσθ' ὁ τὸ πᾶν ἄγων καὶ νέμων σωτὴρ τῶν ὅλων καὶ φύλαξ τῶν ἀθανάτων . . . „ἔφορος οἰάκων", σῴζων τά τε ὄντα ἀεὶ καὶ τὰ γιγνόμενα. . . . πάλιν δὲ αὐτὸν ἀποφαίνουσιν ὄντα τῶν ὄντων πατέρα καὶ ποιητήν (Or 42, 4 [Keil]). In diesem Sinne begegnet uns in der späthellenistischen Zeit neben dem Helioskult Julians vor allem Zeus-Sarapis[54]: was an Einheitswillen und Einheitsbedürfnis in der polytheistischen Spekulation der Spätantike lebendig war, das hat vornehmlich im Kult dieses Gottes seine Erfüllung gesucht[55]. In der Zeusrede des Aelius Aristides Or 43 (Keil) heißt er αὐτοπάτωρ[56], σωτήρ, προστάτης, ἔφορος, πρύτανις, ἡγεμών, ταμίας, δοτήρ, ποιητής, εὐεργέτης, ὅλων ἁπάντων κρατῶν, ἀρχηγέτης. So begegnen denn auch gerade in diesem Kultbereich besonders häufig die μόνος- und πάντα-Motive, henotheistische Formeln wie Εἷς θεός[57]. Aber als ein einziger Gott gilt auch Zeus-Sarapis nicht. Weder die Göttermischung, noch die Vereinigung von monarchischem und synkretistischem Denken hat je zu einem wirklichen Monotheismus im biblischen Sinne geführt.

d. Philos Gottesbegriff[58] sucht zu vermitteln zwischen der at.lichen Jahwe-Vorstellung und der griechisch(-platonisch-stoischen) Gottesidee. So ist Gott einerseits völlig transzendent, jenseits von Welt, Denken und Sein, nicht im Raum und nicht in der Zeit; mit nichts Irdischem vergleichbar, steht er dem Geschöpf als Schöpfer gegenüber (Gig 42: ὁ θεὸς οὐδὲ τῷ ἀρίστῳ τῶν φύντων ὅμοιος . . . ὁ δ' ἐστὶν ἀγένητός τε καὶ ποιῶν ἀεί), nur durch Negationen bestimmbar (Sacr AC 101: ἀπὸ ἐννοίας τῆς περὶ θεοῦ τοῦ ἀγενήτου καὶ ἀφθάρτου καὶ ἀτρέπτου καὶ ἁγίου καὶ μόνου μακαρίου), unfaßbar wesende Geistigkeit und doch die wirkende Kraft von allem (Vit Mos 111: θεὸς δ' ἡ ἀνωτάτω καὶ μεγίστη δύναμις ὤν. Decal 52: ἀρχὴ δ' ἀρίστη πάντων μὲν τῶν ὄντων θεός. Gig 47: πάντα γὰρ πεπληρωκὼς ὁ θεὸς ἐγγύς ἐστιν). Zwischen jüdischer und griechischer Kosmogonie, zwischen dem at.lichen Schöpfergott, der die Welt aus dem Nichts erschuf, und dem platonischen Bildnergott schließt Philo einen Vergleich, insofern bei ihm Gott zuerst die urbildliche Welt der Ideen aus sich heraus erzeugt, um diese dann in die sichtbare Welt hineinzuformen (vgl Op Mund 16: προλαβὼν γὰρ ὁ θεὸς ἅτε θεὸς ὅτι μίμημα καλὸν οὐκ ἄν ποτε γένοιτο δίχα καλοῦ παραδείγματος οὐδέ τι τῶν αἰσθητῶν ἀνυπαίτιον, ὃ μὴ πρὸς ἀρχέτυπον καὶ νοητὴν ἰδέαν ἀπεικονίσθη, βουληθεὶς τὸν ὁρατὸν κόσμον τουτονὶ δημιουργῆσαι προεξετύπου τὸν νοητόν, ἵνα χρώμενος ἀσωμάτῳ καὶ θεοειδεστάτῳ παρα-

---

[52] CIL X 3800; vgl POxy XI 1380; Apul Met XI 5. 15.
[53] CIL II 2008; daneben Serapis Pantheus CIL II 46.
[54] Vgl OWeinreich, Neue Urkunden zur Sarapisreligion (1919) 24 ff, Beilage I.
[55] Vgl (Sarapisrede) Or 45, 24 (Keil): πάντα αὐτὸς εἷς ὤν, ἅπασιν εἰς ταὐτὸν δυνάμενος. Vgl Or 45, 21 (Keil) und den Schluß des Zeushymnus Or 43, 31 (Keil): τὸν ἁπάντων κρατοῦντα ἀρχηγέτην καὶ τέλειον μόνον αὐτὸν

ὄντα τῶν πάντων. Zu diesen Reden vgl JAmann, Die Zeusrede des Ailios Aristeides, Tübinger Beiträge zur Altertumswissenschaft 12 (1931) und AHöfler, Der Sarapishymnus des Ailios Aristeides, ebd 27 (1935).
[56] Als Prädikat des Christengottes bei Synesius von Kyrene, Hymnus 3, 145 ff (ed JFlach 1875).
[57] POxy XI 1382, 20; vgl auch EPeterson, Εἷς Θεός (1926) 227; Jul Or 4, 136a Hertlein.
[58] → 91, 18 ff; 110, 39. Vgl Leisegang sv θεός.

δείγματι τὸν σωματικὸν ἀπεργάσηται). Diese von Gott in Ewigkeit erzeugte, zweite, abgeleitete, aber bei Gott bleibende Gottheit ist der → λόγος (Op Mund 24: οὐδὲν ἂν ἕτερον εἴποι τὸν νοητὸν κόσμον εἶναι ἢ θεοῦ λόγον ἤδη κοσμοποιοῦντος, vgl noch 25). Wie Gott' aus sich den λόγος erzeugt, so der λόγος in sich die Ideen. Die Gott-λόγος Idee hat zwar den jüdisch-nationalen Gott stark entpersönlicht 5 und in eine ferne Transzendenz gerückt; andererseits hat hier der griechische Gottesbegriff eine grundlegende Umbildung erfahren durch das theologisch-offenbarungsmäßige Prinzip der Schöpfung: die Idee, für den Griechen der Ausdruck für die tiefste Wahrheit des Seins selbst, ist hier Schöpfung und Ausgeburt aus Gott (vgl Aug De Diversis Quaestionibus 10 46 [MPL 40, 29 ff])[59]. Das Werk des griechischen Gottes ist nur die Inbeziehungsetzung von Idee und Sein, die Verwirklichung des Seins als eines in sich vollendeten Ganzen.

      e. Im Neuplatonismus vereinigt sich die Religion mit der Philosophie in der natürlichen Theologie, die nach einem letzten, über- 15 persönlichen Einen[60] fragt. Der geistesgeschichtliche Ausgangspunkt dieser Bewegung ist die alte „orphische" Einheitsidee: „Aus einem ist alles geworden und in eines kehrt alles zurück"[61]. Ihr krönender Abschluß ist die monistische Begriffsmetaphysik Plotins, die in der Idee des ἕν ihren Gipfel erreicht. Es ist der metaphysische Einheitspunkt, in dem das All seinen Ursprung und Er- 20 möglichungsgrund hat, darum πατήρ und πρῶτος θεός genannt. Von ihm geht der νοῦς aus, der als δημιουργός und βασιλεύς in Wirkung tritt, von ihm erst die ψυχή, das μεταξύ zwischen Ideen- und Erfahrungswelt, Himmel und Erde.

    In diesem Sinne behält die alte Doppelformel ἓν καὶ πᾶν ihr Recht. Das ἕν selber aber geht nicht auf in dem πᾶν. Gott ist das, was über allem Sein und Denken 25 draußen liegt[62], und doch die Grundkraft alles Seienden, τὸ ἀγαθόν, τὸ ἄπειρον und die πρώτη δύναμις[63]. Sein und ewiges Schaffen, Erzeugen ist bei ihm ein und dasselbe: ἓν γὰρ τῇ ποιήσει καὶ οἷον γεννήσει ἀιδίῳ τὸ εἶναι Enn VI 8, 20. Das Wesen der Gottheit ist nur via eminentiae und negationis zu bestimmen: δεῖ μὲν γάρ τι πρὸ πάντων εἶναι ἁπλοῦν τοῦτο καὶ πάντων ἕτερον τῶν μετ' αὐτό, ἐφ' ἑαυτοῦ ὄν, οὐ μεμειγμένον τοῖς 30 ἀπ' αὐτοῦ, καὶ πάλιν ἕτερον τρόπον τοῖς ἄλλοις παρεῖναι δυνάμενον, ὂν ὄντως ἕν, οὐχ ἕτερον ὄν, εἶτα ἕν, καθ' οὗ ψεῦδος καὶ τὸ ἓν εἶναι, οὗ μὴ λόγος μηδὲ ἐπιστήμη, ὃ δὴ καὶ ἐπέκεινα λέγεται εἶναι οὐσίας (Enn V 4, 1). Das ἕν, so kann er sagen, ist οὐδὲν τῶν πάντων, ἀλλὰ πρὸ πάντων und doch gilt der Satz: οὐ γὰρ δὴ ἄπεστιν οὐδενὸς ἐκεῖνο (Enn VI 9, 4). Denn ἡ ἀρχὴ αὐτῶν . . . μένει . . . ὅλη μένουσα . . . οὐ γὰρ ἀποτετμήμεθα 35 οὐδὲ χωρὶς ἐσμέν, . . . ἀλλ' ἐμπνέομεν καὶ σῳζόμεθα . . . ἐκείνου . . . ἀεὶ χορηγοῦντος ἕως ἂν ᾖ ὅπερ ἐστι (Enn VI 9, 9).

---

[59] Zum Vergleich mit dem Weltbildungs- mythos im Timaios und zur Fortführung des Gedankens vgl HHeyse, Idee u Existenz (1935) 115 ff; ferner WTheiler aaO 15 ff.
[60] MAnt 7, 9: κόσμος τε γὰρ εἷς ἐξ ἁπάντων καὶ θεὸς εἷς διὰ πάντων καὶ οὐσία μία καὶ νόμος εἷς, λόγος κοινὸς πάντων τῶν νοερῶν ζῴων, καὶ ἀλήθεια μία.
[61] Zu dieser Formel: ἐξ ἑνὸς πάντα καὶ εἰς ἓν πάντα uä vgl HDiels, Doxographi Graeci (1879) 179 u ENorden, Agnostos Theos 247 f. Vgl den orphischen Zeushymnus bei Plat Leg IV 715 e: ὁ μὲν δὴ θεός (der Demiurg), ὥσπερ καὶ ὁ παλαιὸς λόγος, ἀρχήν τε καὶ τελευτὴν καὶ μέσα τῶν ὄντων ἁπάντων ἔχει (= Orph

Fr 21 Kern) und in hell-stoischer Umformung Pseud-Aristot Mund 7 p 401 a 25 ff = Orph Fr 21 a Kern; vgl noch Orph Fr 239 b Kern εἷς Ζεύς, εἷς Ἅιδης, εἷς Ἥλιος, εἷς Διόνυσος, εἷς θεὸς ἐν πάντεσσι.
[62] Plot Enn I 7, 1: ἐπέκεινα οὐσίας, ἐπέκεινα καὶ ἐνεργείᾳ καὶ ἐπέκεινα νοῦ καὶ νοήσεως. Enn I 8, 2: αὐτός τε γὰρ ὑπέρκαλος καὶ ἐπέκεινα τῶν ἀρίστων βασιλεύων ἐν τῷ νοητῷ und doch der Mittelpunkt der Welt: Enn VI 9, 7; die Welt sucht Gott, nicht Gott die Welt: Enn VI 8, 15: καὶ ἐράσμιον καὶ ἔρως ὁ αὐτὸς καὶ αὐτοῦ ἔρως. Zum neuplaton Gottesbegriff vgl noch Porphyr Marc 16—23.
[63] Plot Enn VI 2, 17; II 9, 1; IV 3, 8; V 4, 1.

Damit war die metaphysische, und dh stets, die religiöse Grundfrage der antiken Geistesgeschichte, das Problem von Welt und Überwelt, in gewisser Weise gelöst: in der Idee der Weltwerdung Gottes. (Der Gedanke der Menschwerdung Gottes ist dem Griechentum zu allen Zeiten fremd geblieben.
5 Wir müssen in die Seinsweise Gottes kommen, nicht Gott in unsere. Das ist das spezifisch griechische Gotteserlebnis). Mit Notwendigkeit erzeugt er in seiner Überfülle (ὑπερπλῆρες) ewig und zeitlos aus sich heraus die Welt in der Form der Ausstrahlung (ἔκλαμψις), in der die Gottheit unveränderlich bleibt, wie das Licht, das in die Finsternis scheint. Denn der plotinischen Systematik
10 erscheint trotz aller Vorbehalte diese Welt als die Vergegenständlichung und Verwirklichung Gottes, und zwar als die einzige, ja als die einzig mögliche Form dieser Verwirklichung [64]. Es hat darum keinen Sinn zu beten. Wohl gibt es Gebet als Selbstbesinnung, als Rückkehr der Seele zum Ursprung und Erhebung in reinere Höhen. Aber es gibt keinen Einbruch und Eingriff von
15 jener Überweltlichkeit her in diese Weltwirklichkeit.

           f. Ein aufs höchste gesteigerter, mystischer Pantheismus lebt in
       den Hermetischen Schriften mit ihrem mystischen Lobpreis der Größe und
       Allgegenwart Gottes: Corp Herm 16, 3: τὸν θεόν . . . τὸν τῶν ὅλων δεσπότην καὶ
       ποιητὴν καὶ πατέρα καὶ περίβολον (Allumfasser), [καὶ πάντα ὄντα] τὸν [ἕνα] καὶ ἕνα ὄντα
20   <καὶ> τὰ πάντα [66]. Gott ist alles, alles ist von ihm erfüllt, es gibt nichts im Weltall,
       das nicht Gottes ist, Corp Herm V 9: οὐδὲν γάρ ἐστιν ἐν παντὶ ἐκείνῳ (sc κόσμῳ) ὃ
       οὐκ ἔστιν αὐτός. ἔστιν αὐτὸς καὶ τὰ ὄντα καὶ τὰ μὴ ὄντα. Er ist zweigeschlechtlich,
       der Vater und die Mutter des Weltalls; schaffend schafft er sich selbst (αὐτοπάτωρ
       Jambl Myst 8, 2); Corp Herm V 7f: τίς πάντα ταῦτα ἐποίησε; ποία μήτηρ, ποῖος πατήρ,
25   εἰ μὴ ὁ ἀφανὴς θεός, <ὁ> τῷ ἑαυτοῦ θελήματι πάντα δημιουργήσας. 9: ἢ γὰρ
       <οὐ> μόνος οὗτος; καὶ τοῦτο αὐτῷ τὸ ἔργον ἐστί, <τὸ> πατέρα εἶναι, ja sogar τὸ
       κυεῖν πάντα καὶ ποιεῖν [66]. Gott ist der Eine und Einzige, die μονάς, Anfang und
       Wurzel. Hier fällt der kosmische Einheitspunkt zusammen mit der transzendentalen
       Einheit des pneumatischen Ich. Der Myste, der sich auf diese Einheit besinnt, wird
30   nicht nur παῖς θεοῦ, ihm κατὰ πάνθ' ὁμοούσιος, sondern selber tatsächlich θεός [67] — für
       Plato ein unvollziehbarer Gedanke (→ 73, 21ff). Damit ist der Boden des
       griechischen Gottesbegriffes verlassen.

        So ist die antike Geistesgeschichte in fortschreitender Geistverfeinerung über die vermenschlichte Gottesvorstellung hinausgegangen,
35 hat aber damit zugleich ganz deutlich eine persönliche, monotheistische Auffassung Gottes als des Schöpfers Himmels und der Erde verworfen — wie es nur natürlich ist bei einer religiösen Erlebnis- und Denkform, die, immer nur auf das ewig Seiende und Gesetzmäßige gerichtet, Gott als eine Macht oder Wesenheit faßt, die den Bestand als Sein sichert.
40 Im homerischen Anthropomorphismus so wenig wie in der späteren Ideenmetaphysik ist eine persönliche Gottesauffassung oder auch etwas wie ein persönliches Verhältnis der Einzelseele zu ihrem Gott gegeben. Beide sind nur verschiedene, sich gegenseitig nicht ausschließende Formen derselben religiösen

---

[64] Vgl die ästhetisch-rationale Theodizee Enn III 23.
[65] Vgl Mart V 24, 15: Hermes omnia solus et ter unus.
[66] Vgl Corp Herm V 10: οὗτος ὁ θεὸς ὀνόματος κρείττων· οὗτος ὁ ἀφανής, οὗτος ὁ φανερώτατος. οὗτος ὁ τῷ νοῖ θεωρητός, οὗτος ὁ τοῖς ὀφθαλμοῖς ὁρατός· οὗτος ὁ ἀσώματος, [οὗτος] ὁ πολυσώματος.
[67] Corp Herm 13, 14: ἀγνοεῖς ὅτι θεός πέφυκας καὶ τοῦ ἑνὸς παῖς; GHeinrici, Die Hermesmystik und das NT (1918); zum Gottesbegriff der Hermetik vgl JKroll, Die Lehren des Hermes Trismegistos (1914) 1—110.

Grundhaltung in Religion, Kunst und Philosophie, die als in sich geschlossene Einheit schlechthin anders ist als der nt.liche Gottesbegriff.

Kleinknecht

B. El und Elohim im AT[68].

1. Der Sprachgebrauch der LXX.   5

θεός entspricht in LXX mit verhältnismäßig wenigen Ausnahmen den hebräischen Wörtern אֵל, אֱלוֹהַ und אֱלהִים, die ihrerseits nur ausnahmsweise durch κύριος oder andere Ausdrücke wiedergegeben sind. Abgesehen von θεός und κύριος steht für אֵל etwa 20mal ἰσχυρός, sonst δύναμις (Neh 5, 5) oder δυνάστης (Sir 46, 7. 16). Schwerlich sind dafür etymologische Erwägungen (→ 5 a u A 88) der Über- 10 setzer bestimmend gewesen, ebensowenig für ἄρχων, ἐπίσκοπος, ἄγγελος (Hi 20, 15), οὐρανός, ὕψιστος, εἴδωλον, ἅγιος uam. Minder reichhaltig, aber im ganzen ähnlich ist das Bild bei אֱלהִים (Sach 11, 4: παντοκράτωρ) und אֱלוֹהַ. — Den göttlichen Namen יהוה oder יָה, für den in der Regel → κύριος steht, vertritt θεός nur etwa 330mal.

2. Der at.liche Gottesglaube in der Gestalt des 15 Jahweglaubens.

Der Gottesglaube der im AT redenden Autoren findet sich in ihrem Reden von Gott und zu Gott ausgeprägt. Die Art und Weise dieses Redens ist also die Quelle exegetischer Erkenntnis der in ihrem Grundcharakter im Wesentlichen durchaus gleichen, im Augenblickserlebnis und in 20 der Lehre aber mannigfach verschieden geschauten religiösen Wirklichkeit, aus welcher die Gottesgemeinde Israel ihre Lebenskräfte empfing.

Um jenen Grundcharakter zu ermitteln, ist vornehmlich auf die einfachsten, stereotyp gebrauchten und durch die jeweilige Lage des Redenden unbeschwerten Ausdrücke zu achten, mit denen der Israelit seinen Gott benennt, und die 25 Geschichte ihres Gebrauchs nach Möglichkeit in Betracht zu ziehen. Dabei ergibt sich fürs erste, daß das Gesamtbild des Sprachgebrauchs im AT seine Eigenart und Problematik durch die Tatsache empfängt, daß in allen Teilen des Kanons die wurzelverwandten Gattungsbezeichnungen für Gott, אֵל, אֱלוֹהַ und אֱלהִים, neben und im Wechsel mit dem individuellen göttlichen Personnamen 30 יהוה, für den auf dem Wege wissenschaftlicher Rekonstruktion die Form Jahwe erschlossen worden ist (→ κύριος), mehr oder weniger auffällig gebraucht werden. Eindeutig ist daraus erkennbar, daß Jahwe und Gott wie Synonyma verstanden sind, daß also der Gottesbegriff den Personbegriff in sich schließt und aus ihm sich gestaltet. Sieht man indes von der theologischen Begrifflichkeit ab und 35 sucht nach dem in der Ausdrucksform verborgenen Wirklichkeitsgefühl, so wird die aktivierende Spannung spürbar, in der das mächtige Pathos des Bekenntnisses zu der göttlichen Person Jahwes und das nicht minder starke Erlebnis der Welt als der Summe der Göttergemeinden und kleineren oder größeren Herrschaftsbezirke numinoser Gewalten aller Grade zueinander stehen, zumal 40 sich zeigt, wie der Jahweglaube in der Folge der Generationen unter der zäh

---

[68] Wegen der Stichwortordnung empfiehlt es sich, dem unter 1 angegebenen Sprachgebrauch der LXX folgend, die Darlegung des Jahweglaubens unter κύριος zu geben, während unter dem Stichwort θεός zunächst die Fragen zu behandeln sind, die sich aus der Beobachtung des weiter greifenden Gebrauchs von אֵל usw ergeben.

errungenen, langsam einsetzenden Wirkung prophetischer Botschaft und dem Druck schweren nationalen Geschicks trotz schwerster Krisen unaufhaltsam erstarkt bis zu der Zuversicht zu Jahwe als dem Weltschöpfer und Weltherrn, in welchem göttliches Wesen und Wirken, alle anderen Götter und Göttervorstellungen aufhebend,
5 sich zu einem geschlossenen weltmächtigen Willen zusammenschließt. Die Entstehung und die Wirkung dieser Spannung deutet der Kanon in der Darstellung der äußeren und inneren Geschichte der durch Mose begründeten Jahwegemeinde an, die aus der Erfahrung der Größe ihres verschworenen Stammes- und Volksgottes, bald widerstrebend und des Verständnisses bar, bald das Bild des All-
10 herrn in vollendeter Klarheit schauend, in die Erkenntnis und Anerkennung der die Welt gestaltenden und beherrschenden Gewalt Gottes gedrängt wurde.

Die Geschichte des Gottesglaubens in Israel ist also im Wesentlichen die Geschichte des durch Mose gestifteten Jahweglaubens. Mit ihm beginnt das innere Leben der im Bunde (→ διαθήκη) ihrem Gott verschworenen Gemeinde, und erst
15 im Bekenntnis zu Jahwe wird greifbar, was für das Bewußtsein des Israeliten den Begriff Gott füllt. Dieser Begriff aber war bereits durch eine lange Vorgeschichte geformt, als Mose ihm durch stark betonte, zur Ausschließlichkeit treibende Anwendung auf Jahwe, den „Gott der Väter" (Ex 3, 15), den „eifersüchtigen Gott" (Ex 20, 5; 34, 14 uö) die Stoßkraft verlieh, welche die unnach-
20 ahmbare, analogielose Eigenart der gesamten biblischen Gottesbotschaft ausmacht. Die für jene Vorgeschichte sich ergebenden Fragen betreffen hauptsächlich den Sinn der alten, von der Jahwegemeinde übernommenen Gottesbezeichnungen und ihre Anwendung im kultischen Leben.

3. **Die Überlieferung über den Gottesglauben vor**
25 **Entstehung der Jahwegemeinde.**

Was an Gottesbegriffen in der Zeit vor Mose im Kreis der Stämme, aus denen Israel hervorging, und ihrer Verwandten oder Nachbarn nicht nur terminologisch, sondern damit auch gewiß, wenigstens in einfachster Weise, theologisch gestaltet war, ist der zuverlässigen Feststellung und theolo-
30 gischen Wertung zum größten Teil entzogen. Die literarische Überlieferung über jene Zeiträume, in denen der Volkskörper Israel noch des seit Mose in zunehmendem Maß zu beobachtenden Zusammenhalts entbehrte, ist auf Weitergabe von Sagen beschränkt, die gerade in ihren religiösen Gegenständen wenig sorgfältig bewahrt zu sein pflegen. Es braucht nur darauf hingewiesen zu werden,
35 daß die sogenannte jahwistische Überlieferung ohne Bedenken von Jahwekult der vormosaischen Generationen redet (Gn 4, 26) und die unterscheidenden Merkmale der vor dem Jahwedienst herrschenden älteren Gotteserkenntnis durch Einfügung des Namens Jahwe in die Darstellung oder durch Tilgung ursprünglicher Ausdrucksformen zu verwischen bemüht ist. In der mündlichen Sage,
40 vielleicht auch in schriftlichen Bearbeitungen, die der heute vorliegenden vorangingen, waren jene Merkmale aber ohne Zweifel deutlich ausgeprägt. Besonders führen alte mit אל gebildete Kultnamen, die den Kern örtlich gebundener Heiligtumslegenden bildeten, zu solcher Vermutung. Auch daraus, daß die priesterliche Überlieferung Ex 6, 3 ausdrücklich feststellt, daß eine Offen-
45 barung Gottes unter dem Namen Jahwe den Vätergenerationen nicht zuteil-

geworden sei, ergibt sich, daß in der Jahwegemeinde das Bewußtsein eines Unterschieds der Epochen vor und nach der Stiftung Moses lebendig war, obwohl die Identität des damals und des heute handelnden Gottes zum unanfechtbaren Glaubensinhalt gehörte.

Das zeigt in der Genesisüberlieferung besonders deutlich die für Gn 2 und 3 be- 5 zeichnende Wendung יהוה אֱלֹהִים. Sie ist jedenfalls, wie auch immer ihre literarische Entstehung zu denken sein mag, als erklärende Apposition gemeint: „Jahwe, nämlich Gott" [69], und soll von vornherein dem Leser des Kanons über das in der Tatsache des göttlichen Eigennamens beschlossene Problem hinweghelfen, indem sie die Identität Jahwes mit dem Gott aller Zeit, mit dem alleinigen Träger göttlichen Wesens, 10 der am Anfang die Welt geschaffen hat, aussagt [70]. Auch das bei Ezechiel vorherrschende und noch sonst oft bezeugte אֲדֹנָי יֱהוִה ist nicht anders zu verstehen, worauf die masoretische Punktation ausdrücklich aufmerksam macht [71]. Ausgesprochen bekenntnismäßigen Charakter besitzt die plerophorische Wendung אֵל אֱלֹהִים יְהוָה „Gott, Gottheit, Jahwe" (Ps 50, 1; Jos 22, 22), die vermutlich als Klimax gemeint ist. 15

4. El und Elohim als Appellativa.

Gleichwohl wird sich kaum übersehen lassen, daß weder אֵל noch אֱלֹהִים von Haus aus durchaus den gleichen Sinngehalt umfassen, der in dem Namen Jahwe beschlossen ist. Sie meinen weniger eine individuell ausgeprägte Person als eine gattungsmäßig bestimmte Person von göttlicher 20 Art. Als Bezeichnungen einer Gattung „Gott" haben sie ihre Wurzel in polytheistischer Religion. Das göttliche Individuum, das numinose „Du", ist durch sie so wenig ausgeprägt wie in der Gattungsbezeichnung „Mensch" die individuelle menschliche Person.

Die Plurale אֵלִים und אֱלֹהִים können dementsprechend durch die Wendungen בְּנֵי 25 אֵלִים (Ps 29, 1; 89, 7) und בְּנֵי אֱלֹהִים (Gn 6, 2. 4; Hi 1, 6; 2, 1; 38, 7) „Göttersöhne" besonders bestimmt werden als Summierungen der einzelnen die Eigenschaft אֵל besitzenden, der Gattung אֱלֹהִים zugehörigen Wesen [72].

Jedenfalls im AT sind אֵל und אֱלֹהִים keine Namen, sondern Appellativa, die der Determination durch Genitiv (zB אֱלֹהֵי יִשְׂרָאֵל oder אֵל עוֹלָם) oder Apposition 30 (zB אֵל אֱלֹהֵי יִשְׂרָאֵל oder אֵל שַׁדַּי) bedürfen, wenn sie als Individualitätsbezeichnungen verstanden sein sollen.

Zwar begegnet außerhalb Israels אֵל gelegentlich als Name [73]. Aber solche Fälle können in keiner Weise wahrscheinlich machen, daß die prädikative Funktion des Wortes etwa als sekundär zu betrachten sei [74], und tragen zum Verständnis des 35 biblischen Sprachgebrauchs nichts bei. Eine Ortsbezeichnung wie מִגְדַּל אֵל (Jos 19, 38)

---

[69] Zur Übers vgl OProcksch, Die Genesis[2·8] (1924) zu Gn 2, 4 b und MBuber aaO 213.

[70] Die gleiche theologische Tendenz, nur ohne spezielle Rücksicht auf die Urzeit, tritt in Jon 4, 6 stark hervor, gleichviel, ob dort der Wortlaut ursprünglich ist oder nicht. Sicher trifft er das Thema des Buches. In Stellen wie Ps 72, 18; 84, 12 ist die Glossierung unverkennbar.

[71] Im Buch Ezechiel ist die Wendung bezeichnenderweise bei der Füllung der Auditionsformeln כֹּה אָמַר und נְאֻם bevorzugt. In Gn steht sie nur 15, 2. 8 (JE).

[72] Vgl auch Dt 32, 8 nach LXX: der Zahl der Göttersöhne, also dem numerischen Bestand des Pantheons, entspricht die Zahl der Völker.

[73] Vgl Baudissin, Kyrios III 11. Neben jüngeren Dokumenten wie Hadad- u Panammuinschr (Hadad Z 2. 11. 18; Panammu Z 22; vgl dazu Eigennamen wie רפאל, חיאל, אלמלך ua bei MLidzbarski, Handbuch der nordsemit Epigraphik [1898] 214 f) kommen jetzt auch dem Zeitalter Moses nahestehende unter den Funden von Ras-Schamra in Betracht, vgl HBauer, ZAW NF 10 (1933) 81 ff. Ob die dem Fremdländer Bileam in den Mund gelegten Sprüche אֵל ursprünglich als Namen gebrauchen (Nu 23, 8. 19. 22. 23; 24, 4. 8. 16. 23), bleibt infolge der Bearbeitung zweifelhaft.

[74] Eher steht es umgekehrt; vgl MNoth, Die israelitischen Personennamen im Rahmen der gemeinsemitischen Namengebung (1929) 96 f.

kann man wohl auffassen als „Turm Els“, und verbale Ortsnamen wie אֵל יִפְתַּח (Jos
19, 14) uam [75] lassen sich ähnlich deuten; aber eine Notwendigkeit solcher Deutung ist nicht gegeben, da aufs Ganze gesehen die prädikative Funktion der das
Göttliche bezeichnenden Nomina die Regel bildet.

5   Wird אֵל ohne Zusatz oder הָאֵל (Ps 68, 21) im Sinne von Jahwe gebraucht
(zB Js 40, 18; Ps 16, 1; 17, 6; Hi 5, 8; 8, 5; 9, 2 uö) oder steht es im Parallelismus neben Jahwe (Nu 23, 8; Js 42, 5; Ps 85, 9 uö), so hat auch das keinen
anderen Sinn als den einer emphatischen Aussage, daß für den Redenden die
Gattung אֵל in Jahwe sich erschöpft. Eine Polemik gegen fremde Götter braucht
10 dabei nicht immer die Absicht zu sein; vielmehr ist sie wie auch in der hun-
dertfach belegten Promiskuität von אֱלֹהִים und יהוה kaum mehr wahrnehmbar,
obwohl sie die Wurzel der Ausdrucksweise bildet.   Denn praktisch verstanden
ist eine solche Aussage immer monolatrisch gemeint, wie der erste Satz des
Dekalogs, während in theoretischer Hinsicht die Entscheidung, ob Henotheismus
15 oder Monotheismus im Gedanken des Redenden vorliege, im einzelnen Fall nicht
immer leicht zu treffen ist, abgesehen davon, daß sie für die Erfassung der
Substanz der Aussage belanglos zu sein pflegt.

5. Der Inhalt des at.lichen Gottesglaubens.

Die Aussage, daß Jahwe der אֱלֹהֵי יִשְׂרָאֵל, der zu Israel
20 gehörige Gott, ist, bildet den Fundamentalsatz der at.lichen Religion, gleichgültig, wie die Herkunft der Formel selbst zu denken sei [76].   Sie schließt die
grundlegende Erkenntnis ein, daß Jahwes Art die Art אֱלֹהִים ist. Aus bestimmtem Anlaß kommt das gelegentlich betont zum Ausdruck [77], etwa wenn er als
der Gott schlechthin bezeichnet wird (1 Kö 18, 21. 37; Dt 4, 35; 7, 9), außer
25 dem niemand die Eigenschaft als Gott besitzt.   Daraus ergibt sich, daß in die
Wörter אֵל und אֱלֹהִים wesentliches Glaubensgut gefaßt ist, dessen Bedeutung in
dem Maße, als der Name hinter den Appellativen zurücktritt, sich verstärkt.
Man kann deshalb sagen, daß auf dem Wege der sinnvollen und bewußten Anwendung jener Appellativa der Gottesglaube Israels über diesen Fundamental-
30 satz יְהֹוָה אֱלֹהֵי יִשְׂרָאֵל hinaus vorangetrieben worden ist. Was zum Wortsinn der
Gottesappellativa festgestellt werden kann, ist freilich mit Vermutung stark
durchsetzt, aber schafft doch immerhin eine nicht völlig unbrauchbare Grundlage für die Beurteilung der seelischen Empfindung, die sich im Sprachgebrauch
widerspiegelt.

35   *a.* Was zunächst אֵל betrifft, so gilt es schon im AT
selbst nicht als eigentümlich israelitisch.

Auch Ismael, der Araber, hat wie Israel das Wort in seinem Namen, und sowohl Bileam
wie der Ostländer Hiob führen es im Munde. Schon in grauer Vorzeit gebrauchte man es,
wie die Namen Mehušael, Metušael (Gn 4, 18) und Mahalalel (Gn 5, 12) bezeugen. Tatsäch-
40 lich gehört es in die Reihe der den meisten Semiten gemeinsamen religiösen Wörter.
Nicht nur das akkadische ilu, fem iltu, sondern auch das in vielen theophoren Personennamen bei Phönikern, Kanaanäern, Ammonitern, Edomitern und Südarabern be-

---

[75] Siehe die Liste bei Baudissin, Kyrios III
133; WBorée, Die alten Ortsnamen Palästinas (1930) 99.
[76] Vgl dazu Steuernagel aaO.

[77] Vgl auch אֵל אֱלֹהֵי יִשְׂרָאֵל (Gn 33, 20)
und die oben unter 4 zu אֵל gegebenen Beispiele.

zeugte אֵל [78] entspricht dem hebräischen Namen vollkommen. Der Gebrauch ist vielleicht noch reicher gewesen als der epigraphische Befund für jetzt erkennen läßt.

Im Hebräischen wie anderwärts ist אֵל die in der Form einfachste Bezeichnung für Gottwesen im Unterschied von Menschenwesen. Lehrreich ist die Betonung dieser Gegensätzlichkeit an mehreren Stellen der prophetischen Literatur. 5 Ez 28, 2 stellt אֵל und אָדָם gegenüber als einander ausschließende Begriffe: אַתָּה אָדָם וְלֹא אֵל. Hos 11, 9 zeigt mit אִישׁ den nämlichen Gegensatz. אֵל ist also ein von menschlicher Art durchaus und unausgleichbar verschiedenes Wesen, eine Person von nicht menschlicher Struktur. Um die Eigenart des אֵל positiv auszudrücken, könnte man mit der zitierten Hoseastelle sagen: der אֵל ist heilig, 10 und als Heiliger ist er nicht Mensch [79]. Oder der Unterschied zwischen אָדָם und אֵל wäre nach Js 31, 3 durch die Analogie zu dem zwischen בָּשָׂר und רוּחַ bestehenden zu erklären: die Konkretheit des אֵל ist eine durch Geheimnis gedämpfte wie die des Windes oder Hauches [80]. In ethischer Hinsicht ist אֵל der menschlichen Art schlechthin überlegen: לֹא אִישׁ אֵל וִיכַזֵּב וּבֶן־אָדָם וְיִתְנֶחָם (Nu 23, 19). 15 In seiner Eigenschaft als אֵל ist er also unbedingt vertrauenswürdig.

Lassen solche Aussagen, so verschieden gefärbt sie sein mögen, doch keinen Zweifel daran, daß אֵל ein persönlichen Charakter tragendes Objekt religiöser Wahrnehmung und frommer Scheu meint, was sich nahezu im gesamten Sprachgebrauch wie eine Selbstverständlichkeit bestätigt, so ist damit doch noch nicht 20 über den Gedanken entschieden, der ursprünglich und selbständig in dem Wort gefaßt ist. Es fragt sich nämlich, ob die den Personcharakter einschließende Übersetzung „Gott" den Ursinn des Wortes trifft, dh ob der individuell gefaßte Gottesbegriff ursprünglich und wurzelhaft an dem Nomen hängt oder ob er erst durch den Sprachgebrauch mit ihm in Verbindung gebracht wurde, und welches 25 jener Ursinn sei.

Den direkten Anstoß zur Erörterung dieser Frage gibt die im AT in fünffacher Bezeugung vorliegende Wendung יֶשׁ לְאֵל יָדִי, die man zu übersetzen pflegt: *es steht in der Macht meiner Hand* [81].

Diese Übersetzung fügt sich an allen in Betracht kommenden Stellen ohne Schwierig- 30 keit in den Zusammenhang ein und ist zweifellos einfacher und vielleicht nicht nur für modernes Empfinden natürlicher als eine andere, die von vornherein sich geradezu aufdrängende Möglichkeit, daß in dieser Wendung das Wort אֵל unbeschwert durch religiöse Vorstellungen gebraucht sei oder zumindest in einer anderen als der allgemein üblichen Bedeutung vorliege, ausschaltet, um es auch hier im Sinne von 35 Gottwesen aufzufassen. Dann müßte man erklären: יָדִי ist nicht von אֵל abhängiger Genitiv, sondern Prädikat eines mit יֶשׁ gebildeten Nominalsatzes, in welchem לְאֵל die nähere Bezeichnung der Satzaussage darstellt: „meine Hand ist vorhanden für einen ēl". Das soll heißen: ich vollziehe mit meiner Hand einen Schwurgestus, etwa indem ich meine Hand nach dem Gott oder nach seinem Bilde hin ausrecke: „meine 40 Hand ist Gott zugewendet [82]." Indessen mutet diese Erklärung, abgesehen davon, daß

---

[78] Siehe die Zusammenstellung der Nachweise bei Baudissin, Kyrios III 8 ff.

[79] Auch אֱלֹהִים und אָדָם sind polare Gegensätze; Ps 82, 6 f.

[80] Schon von hier aus erscheint die Möglichkeit, daß in Ps 58, 2 אֵלֶם (so zu lesen), welche אָדָם richten sollen, Menschen meine, gering.

[81] Mit folgendem Inf verbunden: Gn 31, 29;

Prv 3, 27; abs: Mi 2, 1; negiert: Dt 28, 32; Neh 5, 5; (אֵין לְאֵל יָדִי). Das Vorkommen in Texten von so verschiedener Art und Herkunft lehrt, daß es sich um altes Erbgut der Umgangssprache handelt.

[82] So OProcksch, NKZ 35 (1924) 20 ff. Die Übers „meine Hand gehört einem Gott" (Baudissin, Kyrios III 17) im Sinn von „ich habe eine glückliche Hand" (ESellin, Theologie

sie sich nicht nutzbar machen läßt (→ A 82), doch zu sehr als Zirkelschluß an, als daß sie überzeugen könnte, und man wird deshalb doch richtiger tun, bei der Bedeutung „Macht", die sich für ēl hier ganz zwanglos ergibt, stehen zu bleiben: *es steht zu Gebote für die Macht meiner Hand*, dh *ich vermag* [83]. Immerhin kann man sich kaum begreiflich machen, daß dies im strengen Sinn profan verstanden worden sein sollte. Das Wort ēl hatte für den Semiten einen anderen Klang als für uns das Wort *Macht*. Wenn also in dieser sprichwörtlichen Redewendung keine andere überzeugende Möglichkeit bleibt als die, das Wort durch den Begriff *Macht* wiederzugeben, so ist dabei an den Inbegriff des für den Menschen von einfacher Kultur Unfaßbaren zu denken, an eine Potenz, deren Ursprung er mit den Mitteln seines Erkennens nicht festzustellen vermag, also etwa an das, was mit dem religionswissenschaftlichen Ordnungsbegriff *Mana* gemeint ist [84]. אֶל יָדִי ist dann als eine Wendung anzusehen, die einem magischen Gedankenkreis angehört: der Mensch sucht sich der *Macht* zu bemächtigen. Vielleicht heißt auch im Zusammenhang mit אֵל *Macht* der gewaltige, imponierende Baum, dessen Verehrung bei den Kanaanäern üblich war, im Hebräischen אֵלָה: *der machthaltige Baum* [85].

Dieser Befund widerspricht also in keiner Weise dem Ergebnis, das sich im übrigen aus dem Gesamtbild des Sprachgebrauchs von ēl mit größtmöglicher Wahrscheinlichkeit erheben läßt, wonach das Wort auf dem Gebiet der religiösen Sprache gewachsen ist. Man wird es unter die Urwörter frommer Rede zählen dürfen, und es wird nicht nötig sein, es als Metapher, als Übertragung eines profanen Begriffs in die religiöse Sphäre zu deuten. אֵל ist die Macht, welcher der Mensch nicht gewachsen ist und die sein religiöses Bewußtsein erfüllt. Die besprochenen Fälle eines in praktischem Sinn profanen Gebrauchs von ēl sind zu selten, und ihr profaner Charakter ist bestreitbar, dh er ist möglicherweise garnicht vorhanden gewesen und erscheint nur infolge Mißverständnisses. Der gegebenen Ableitung, so wenig sie sich auch als die unzweifelhaft richtige erweisen läßt, steht jedenfalls sprachlich und sachlich nichts Entscheidendes entgegen, das sie als irrig erweise, so daß immerhin als höchst wahrscheinlich angenommen werden darf, daß für den semitischen Menschen der Begriff der Macht der Grundbegriff war, unter dem er das göttliche Wesen verstand [86].

Diese Annahme wird im übrigen reichlich bestätigt durch die Parallelität zwischen אֵל und anderen als Gottheitsbezeichnungen dienenden Appellativen, die den Besitz einer Gewalt aussagen, wie בַּעַל „Besitzer", אָדוֹן „Herr" oder מֶלֶךְ „König [87]", obwohl es sich dabei nur um eine indirekte Bestätigung handelt. Jedoch ist die in der Benennung des Heilskönigs in Js 9, 5 vorkommende Kombination אֵל גִּבּוֹר (vgl auch Js 10, 21) zu unsicher, als daß sie einen Schluß auf den Sinn von אֵל erlaubte [88].

---

des AT [1933] 4) ergibt zB für Dt 28, 32 Unsinn, nicht minder für Mi 2, 1. Überdies setzt sie ein pathetisches Hebräisch voraus: sie wäre richtig, wenn es hieße: יֶשׁ יָדִי לְאֵל. Aber eben weil אֵל nomen regens ist, steht es voran. Die Wendung Hi 12, 6 (הֵבִיא אֱלוֹהַּ בְּיָדוֹ) soll vielleicht eine theologische Interpretation des Sprichworts sein.

[83] Vgl ABertholet, Das Dynamistische im AT (1926) 10 f; Beer aaO 34; JHänel, Die Religion der Heiligkeit (1931) 135. Anders urteilt Hehn aaO 211 (= „Bereich").

[84] Einen ähnlichen Gedanken verfolgt CBrockelmann, ZAW 26 (1906) 30 und KBeth, ZAW 36 (1916) 152. Die Unvollkommenheit der Analogie betont stark Kleinert aaO 270 ff.

[85] Die Variationen אֵלָה und אֵלוֹן gehören dann wohl auch hierher als Bezeichnungen des „Gottesbaums", der Terebinthe, vgl Baudissin, Adonis u Esmun 433.

[86] Zu dem ganzen Fragenkomplex vgl bes RKittel, Geschichte des Volkes Israel I [5.6] (1923) 165 ff. Dort auch weitere Lit, zu der MNoth, Die israelitischen Personennamen im Rahmen der gemeinsemitischen Namengebung (1928) 82 ff hinzutritt.

[87] Der in Sikem verehrte Gott kann sowohl בַּעַל בְּרִית wie אֵל בְּרִית genannt werden (Ri 9, 4. 46). Als Personenname findet sich zB אֱלִידָע neben בְּעֶלְיָדָע, אֱלִיאֵל neben מַלְכִּיאֵל, אֲדֹנִיָּה neben אֵלִיָּה.

[88] Eus Praep Ev XI 6, 19 zitiert eine Überlieferung, nach der אֵל mit ἰσχύς καὶ δύναμις erklärt wurde; Aquila sagt ἰσχυρός (Hier Ad Marcellam 25).

b. Eine Frage für sich ist die nach der Wurzel des Wortes אֵל und nach deren Bedeutung.

Schwerlich ist אֵל eine, Wörtern wie עֵד, גֵּר, מֵת udgl analoge Bildung, so daß als Wurzel אול anzusetzen wäre [89]. Denn אֵל hat aus kurzem ĭ gedehntes ē, wie sich an akkadischem ilu (fem iltu) und arabischem ꞌlah sehen läßt, im Hebräischen an der Reduktion des Vokals in Fällen wie אֶלְקָנָה, אֱלִימֶלֶךְ ua [90]. Mag also אול „vorn sein" [91] oder „stark sein" bedeuten, so besagt das für den Sinn von אֵל nichts. Aber auch eine andere, von dem Vergleich mit אֱלִיל „Götze, Nichtgott, Gottchen" aus erwägenswerte Annahme von אלל als Wurzel von אֵל [92] hat wegen des Plurals אֵלִים und anderer jede Starkartikulation des ל vermeidender Formen keine Wahrscheinlichkeit. Da außerdem die Bedeutung von אלל, das der Negationspartikel אַל gewiß näher steht als dem Nomen אֵל, zweifelhaft ist, würde selbst bei Voraussetzung der Richtigkeit des Zusammenhangs für die Ermittlung des Wortsinns nichts gewonnen sein. Schließlich führt auch die dritte Möglichkeit, die Annahme einer durch Schwund des dritten Radikals aus einer Wurzel tertiae י אלי (אלה) hervorgegangene Bildung [93], die sich besonders wegen אֱלֹהִים zu empfehlen scheint, zu keinem brauchbaren Ergebnis. Denn abgesehen von der Fragwürdigkeit des ה als Wurzelbestandteil in אֱלֹהִים (→ 86, 1 ff) läßt sich auch von der Basis אלה aus eine eindeutige Feststellung des Sinngehalts des Wortes אֵל nicht gewinnen. Da אלה „fluchen" als Denominativ von אֵל und אלה, das im Hebräischen ganz fehlt, wegen des starken ה für die Ableitung unbrauchbar sind, wäre höchstens das der Präposition אֶל (אֱלִי) zugrundeliegende אלה als Wurzel anzusetzen, wobei man freilich in Hinsicht der Bedeutung sich ganz der Phantasie anvertrauen muß und überdies die evidente Verwandtschaft zwischen אֵל und ilu [94] ganz aus den Augen verliert.

c. Wird man also auf eine etymologische Begründung der aus dem Sprachgebrauch von אֵל gewonnenen Bedeutungsgruppen *Macht* und *Gott* verzichten müssen, so ist der sprachgeschichtliche Sachverhalt auch mit Bezug auf אֱלֹהִים und אֱלוֹהַּ nicht eindeutig zu klären. Außer Frage scheint zu stehen, obwohl selbst dies bestritten wird [95], daß es sich um einen Plural und den zu ihm gehörigen Singular [96] handelt. Ist das richtig, so wird אֱלוֹהַּ unter der nächstliegenden Voraussetzung der Wurzelverwandtschaft mit אֵל als erstarrte und zur Geltung eines selbständigen Nomens erhobene Vokativform [97] angesehen werden dürfen, deren Plural אֱלֹהִים lautet. Die Bildung ist analog der des epigraphisch reichlich belegten אלה (ĕlāh) der Aramäer, Südaraber und Nabatäer und kann also mit gewissem Recht als Aramaismus gelten.

Ein ausreichender Grund, die Wurzelverwandtschaft mit אֵל in Zweifel zu ziehen oder zu verneinen und eine selbständige Basis etwa dem arabischen ꞌaliha „schaudern,

---

[89] So hauptsächlich ThNöldeke, Monatsberichte der Königlich Preußischen Akademie der Wissenschaften zu Berlin 1880, 773; SAB 1882, 1190 f.

[90] Vgl HBauer-PLeander, Historische Grammatik der hbr Sprache I (1922) § 61 i, 69 m.

[91] Davon vielleicht אַיִל „Widder", „Leithammel", das wie עַתּוּד (Js 14, 9) gelegentlich von Führern gesagt wird: אֵל גּוֹיִם Ez 31, 11; אֵילֵי מוֹאָב Ex 15, 15; אֵילֵי הָאָרֶץ 2 Kö 24, 15 Q. Der zufällige Gleichklang hat schon den Masoreten oft Gelegenheit gegeben, anstößige Aussagen über אֵל zu entgöttlichen, vgl AGeiger, Urschrift und Übersetzungen der Bibel² (1928) 292 ff.

[92] OProcksch, NKZ 35 (1924) 20 ff.

[93] So hauptsächlich Hehn aaO 209 f.

[94] Für ilu iliu anzunehmen (Hehn aaO 208), ist zu gewaltsam, um überzeugen zu können.

[95] Nach LVenetianer, ZAW 40 (1922) 157 ff ist אֱלֹהִים durch Hebraisierung aus Keilschriftlichem ilu-IM entstanden, also erst durch Umdeutung zum Plural geworden.

[96] CBrockelmann, Grundriß der vergleichenden Grammatik der semitischen Sprachen I (1907) 334, und andere ziehen die Möglichkeit in Betracht, daß אֱלוֹהַּ schon seinerseits einen Plur zu אֵל ausdrücke.

[97] Vgl Bauer-Leander aaO § 78 e f (Analogie אָמָה „Magd"); Procksch aaO 26; Noth aaO 83, A 1. Auch אֲדֹנָי (→ κύριος) scheint aus einer Gebetsanrede hervorgegangen zu sein.

sich fürchten"[98] entsprechend anzunehmen, liegt nicht vor, denn das starke ה in אֱלוֹהַּ
erklärt sich hinreichend aus der Absicht der Masora, das Wort deutlich als Singular
von אֱלהִים erkennbar zu machen, dessen ה schon zur Vermeidung des Hiatus als
spiritus asper dienen muß. Danach kann also den Versuchen, אֱלהִים bzw אֱלוֹהַּ eine
Grundbedeutung wie „der zu Fürchtende" abzugewinnen, zumal sie durch andere als
sprachgeschichtliche Erwägungen gestützt zu werden pflegen[99], keine Wahrscheinlichkeit beigemessen werden.

                    d. Sind also die drei Gottesbezeichnungen auf ihren
sprachlichen Ursprung angesehen nur eine einzige, für die sich als Sinngehalt
mit einiger Wahrscheinlichkeit der Begriff der Macht ermitteln läßt, so ergibt
sich weiter die Frage, wie die Differenzierung in Singular und Plural zu verstehen sei, wenn sich zeigt, daß damit nicht eine einfache numerische Feststellung gemacht sein soll.

        Für die Erörterung dieses Problems darf אֱלוֹהַּ ausscheiden, da dessen Gebrauch
ein eng begrenzter gewesen zu sein scheint. In älteren Texten des Kanons
fehlt es ganz, so daß man unter Absehung von einigen Fällen poetischen Gebrauchs, deren zeitliche Ansetzung schwierig ist (Dt 32, 15. 17; Ps 18, 32;
50, 22; 114, 7; 139, 19), wohl sagen darf, daß das Wort erst der nachexilischen
Literatur angehört, wo es auch fast ganz auf reichliche Verwendung (41 mal)
im Hiobbuch beschränkt ist[100]. Der Gebrauch von אֱלוֹהַּ setzte also erst ein, als
die Anwendung von אֵל und אֱלהִים bereits in bestimmtem Sinne gefestigt war.
Eine neue Sinngebung ist nicht zu vermuten, sondern nur das Bedürfnis gehobenen Ausdrucks als Anlaß zum Gebrauch des klingenden Wortes anzunehmen,
wenn man nicht geradezu an Einfluß des Aramäischen denken darf.

        Eindeutig ist der Gebrauch von אֵלִים als numerischer Plural, der im AT im
wesentlichen nur Ex 15, 11 (מִי כָמֹכָה בָאֵלִים) vorliegt[101]. In demselben Sinne ist
ein geringer Teil der Fälle des Vorkommens von אֱלהִים zu verstehen: Ri 9, 13
אֱלֹהֵי הָאֱלהִים וַאֲדֹנֵי (אֱלֹהִים וַאֲנָשִׁים)[102]; Ex 18, 11 (כָּל־הָאֱלהִים); 12, 12; Dt 10, 17
(הָאֲדֹנִים) uö[103]. Aber dieser Gebrauch ist nicht die Regel. Ein einzelner heidnischer Gott zB wird mit dem Plural אֱלהִים bezeichnet (zB Ri 11, 24 Kemoš;
1 Kö 11, 5 die Göttin Ištar von Sidon; 2 Kö 1, 2 der Baal Zebub von Ekron)
in derselben Weise, wie es im Phönikischen durch אלם geschieht (אלם נרגל „der
Gott Nergal"; אלם אדרת אס אלם עשתרת „der mächtige Gott Isis, die Göttin
Ištar") oder im Akkadischen durch ilanu, wenn es als Pantheonbegriff auf eine
bestimmte göttliche Person angewandt ist[104] oder in Übertragung des Gottes-
prädikats auf einen Menschen vorkommt[105]. Geht also hierbei israelitische Aus-

---

[98] Diese Theorie ist seit AFleischer (vgl
bei FDelitzsch, Genesis[4] [1872] 57) oft wiederholt worden.

[99] Vgl zB Kleinert aaO 277 f.

[100] Sonst noch: Js 44, 8; Hab 1, 11; 3, 3; Prv
30, 5; Da 11, 37 ff; Neh 9, 17; 2 Ch 32, 15.
Zudem lassen sich in Hiob gewisse redak-
tionelle Eingriffe in den Gebrauch der Gottesnamen nicht verkennen, so daß es zweifelhaft erscheint, ob der vorliegende Text noch
ein richtiges Bild vom Sprachgebrauch der
Autoren gibt; vgl FBaumgärtel, Der Hiob-
dialog (1933) 151 ff.

[101] בְּנֵי אֵלִים (Ps 29, 1; 89, 7) betont die

Zahl durch pleonastische Nennung der Individualität בֵּן. → 81, 25 f.

[102] Ebs in Ras-Šamra-Texten. HBauer, ZAW
NF 10 (1933) 85.

[103] Ex 22, 8 nimmt eine Mittelstellung ein,
sofern dort von zwei Parteien die Rede ist.

[104] Vgl zB den altbabylonischen Namen
Idin-ilum neben dem neubabylonischen Ilani-
iddin, Hehn aaO 169, dort zahlreiche weitere
Belege.

[105] So oft in den Amarnatexten, Hehn aaO
172; FBöhl, Die Sprache der Amarnabriefe
(1909) 35 f.

drucksweise mit der benachbarter Völker und namentlich mit kanaanitischer zusammen, so kann auch die Anwendung von אֱלֹהִים auf die Person Jahwe nicht als Ergebnis einer im Kreis der Jahweverehrer gepflegten theologischen oder mythologischen Spekulation angesehen werden, welche die Frage des Verhältnisses Jahwes zu den Göttern klären sollte. Das Huldigungsbedürfnis 5 der praktischen Frömmigkeit hat wie anderwärts so auch in Israel zur Anrede des Gottes mit dem Pluralis amplitudinis (so Böhl aaO 36) geführt und so die Entwicklung der nominativischen Redeweise im Plural begründet (zu אֲדֹנָי → κύριος) [106]. In אֱלֹהִים klingt also die polytheistische Gottesidee nur noch als Unterton mit. Wer אֱלֹהִים von seinem Gott sagt oder ihn mit אֱלֹהַי 10 anredet, den beschäftigen die vielen Götter nur insofern, als er versichert, von ihnen Kenntnis zu besitzen. Wie er sich praktisch zu ihnen verhält, ist im Augenblick damit entschieden, daß er das, was einen Gott ausmacht, ehrt in der Person seines Gottes. Der אֱלֹהִים besitzt die אֵל-Eigenschaft im Vollmaß.

6. Die Durchsetzung des at.lichen Gottesglaubens 15 in der Geschichte.

Wenn also Jahwe ein אֵל oder אֱלֹהִים ist, so bedeutet das nicht nur eine genauere Fassung eines allgemeinen Gottesbegriffs, wie sie auch durch beigefügten Genitiv (אֵל בֵּית־אֵל, אֵל עוֹלָם usw) oder durch Apposition (אֵל שַׁדַּי, אֵל עֶלְיוֹן) zu erfolgen pflegt, sondern es soll dem Sinngehalt dieser Nomina ent- 20 sprechend dann in Jahwe die konkrete Erscheinung göttlicher Wirklichkeit prägnant ausgesagt werden. Denn der Begriff Gott besitzt zwar nicht die starke Dynamik des Namens, aber er bildet die Voraussetzung für ihre Entfaltung in den Aussagen vom göttlichen Namen, weil er aus einem religiösen Grunderlebnis gestaltet ist. 25

Dieses Grunderlebnis ist nun für die Jahwegemeinde ein anderes als für die „Völker", und auf diesem Unterschied baut sich die biblische Religion auf als der Glaube an einen Gott, der wirklich und im Vollsinn ‚Gott' ist, in scharfer Abgrenzung gegen alle andere numinose Erfahrung, die nicht in das Zentrum des Göttlichen vorzustoßen vermag und die in sinngemäßer Umschreibung der 30 at.lichen Verwendung des Wortes ‚Völker' Heidentum genannt wird. Die souveräne Unabhängigkeit Gottes vom Menschen, seine alles bedingende Schöpfergewalt in Verbindung mit seinem gefühlsbetonten Reden in der Offenbarung an sein Volk machen den Wesensunterschied des Glaubens der at.lichen Gottesgemeinde aus gegenüber dem Glauben der ‚Völker', für die es bezeichnend ist, 35 daß sie sich Götter „machen", indem sie Symbole numinos verstandener Naturkräfte in Holz und Stein oder in kultischem Handeln gestalten. Solche können aber nicht „helfen", nicht „nützen" (הוֹעִיל Js 44, 9 uö), weil sie als stummes Geheimnis keine Willensimpulse auslösen können und praktisch unwirksam bleiben, also für „nichts" zu achten sind (vgl Ausdrücke wie תֹּהוּ, הֶבֶל, אַיִן ua 1 S 40 12, 21; Js 59, 4; 40, 17 uö). Verstandesmäßig sind sie zwar leicht zu erklären

---

[106] Das „Wir" in den Worten Gottes Gn 1, 26; 3, 22; 11, 7 ist einfach numerisch und aus polytheistischer Darstellung übernommen. Eine Wendung wie כְּאַחַד מִמֶּנּוּ (3, 22) beweist das eindeutig (→ κύριος).

als „das, was am Himmel oben (Gn 1, 14 מְאֹרֹת „Lampen") und auf der Erde
unten und im Wasser unter der Erde ist" (Ex 20, 4; Dt 5, 8) oder auch als
Geschlechtstrieb bei Mensch und Tier. Aber der Verstand hat es nicht leicht,
von numinosen Gefühlen freizukommen, und vermag sie auch niemandem, der
5 sie empfindet, hinwegzuinterpretieren. Dementsprechend versucht prophetische
Polemik die Gewalt heidnischer Frömmigkeit dadurch zu brechen, daß sie das
Grundmotiv des Jahweglaubens, die Erfahrung des gebietenden Willens Gottes
an seinem Wort, weckt und den Appell an den Gehorsam ergehen läßt. Wo
kein Wille aktiviert wird, ist kein Gott. Gott hat den Menschen geschaffen
10 „entsprechend seiner Ähnlichkeit (Gn 1, 26)", aber der Mensch kann sich keinen
Gott machen [107], sondern das Wort Gott ist nur dort am Platz, wo jede schöpferische Willkür des Menschen ausgeschaltet ist durch die Erscheinung einer das
menschliche Tun und Wollen überragenden und gestaltenden Wirklichkeit. Sie
mag bescheiden und unzulänglich sein — kann doch selbst ein materialisierter
15 Totengeist אֱלֹהִים heißen: 1 S 28, 13 — so macht sie doch immer unverändert
den stark empfundenen Sinn jener Appellativa aus, selbst wo das Recht ihrer
Anwendung bestritten wird. Aber die Wirklichkeit der אֵלִים in Zweifel zu ziehen
oder zu leugnen, kann nicht von irgendwelchen verstandesmäßigen Erwägungen
aus überzeugen, sondern gelingt nur aus der Erfahrung der Aktivität des
20 gebietenden, führenden und helfenden Gottes, wie sie für die Stiftung Moses
grundlegend war. Diese Erfahrung ist aber vielen Krisen ausgesetzt erstens
durch die Tatsache, daß sie nicht mit berechenbarer Regelmäßigkeit sich
ereignet: Gott pflegt sich zu verbergen (אֵל מִסְתַּתֵּר Js 45, 15, vgl Ps 89, 47
uö), und vor seinem Tun bleibt das Geheimnis (פֶּלֶא Js 25, 1; Ps 88, 13 uö),
25 das nur glaubender Anbetung sich erschließt (Ps 139, 14) und selbst im Hymnus das Erschauern nicht ersterben läßt (vgl נוֹרָא תְהִלֹּת Ex 15, 11). Zweitens
macht sich hemmend und verwirrend die Aktualität von Erlebnissen in fremden
Kulten geltend, die sich neben die aus der Tradition des Gottesvolkes erwach-
sene Gotteserkenntnis stellen. Heidentum als Anerkennung geheimnisvoller Macht
30 ist echtes, im Kreaturgefühl wurzelndes Menschentum und wirkte auf Israel auch
so und nicht nur durch seine sittliche Laxheit anziehend. Noch dem Dekalog ist
der Gedanke durchaus vertraut, daß Gottheit auch beim fremden Gott (אֵל נֵכָר
Dt 32, 12) ist, und daß es sich nur um „Hauch" (הַבְלֵי שָׁוְא Ps 31, 7, vgl Jer 10, 15;
16, 19 uö) oder um „Gottchen" אֱלִילִים (1 Ch 16, 26) handelt, ist dem nicht klar,
35 der etwa die politischen Triumphe der Gemeinde der „Himmelskönigin" (Jer
7, 18; 44, 17 ff) oder der des Sakkut und Kewan (Am 5, 26) staunend vor Augen hat oder der den Überfluß des Landes an Milch und Honig auch denen
gespendet sieht, die auf jedem Hügel und unter jedem grünen Baum im Wachstum und Trieb die Gottheit finden und feiern (Dt 12, 2; Jer 2, 20; 3, 6 uö).
40 So kam es vor, daß man sich eidlich band an den fremden Gott (Jer 5, 7).
Wer für einen Gott Sohn oder Tochter „durchs Feuer gehen ließ" (Dt 18, 10;
2 Kö 16, 3 uö), wird das schwerlich leichten Herzens getan haben, sondern

---

[107] Jer 2, 28; Js 44, 9 ff uö. Der Mann, der
sich einen Gott gemacht hat (Ri 18, 24), spielt
eine komische Rolle, zumal es ihn viel Geld
gekostet hat. Ähnliche Gedanken sind auch
bei Deuterojesajas Schilderung der Götzen-
fabrik zu finden, vgl bes Js 44, 13 f.

unter dem gebietenden Druck einer numinosen Erfahrung, dessen er sich durch
sein Opfer zu entledigen suchte. Religion stand also gegen Religion, solange
der אֵל נֵכָר seine Gottheit beweisen und behaupten konnte. Daß er sie beweisen
konnte, erfuhr Israel an dem „großen Zorn" des Moabitergottes, der den Feldzug gegen Mesa fehl schlagen ließ (2 Kö 3, 27), oder in den Aramäerkriegen 5
(2 Ch 28, 23), als die Gottheiten von Damaskus sich als stark erwiesen. Noch
das Deuteronomium stellt bei der oft wiederholten Warnung vor den אֱלֹהִים אֲחֵרִים
nur unklar in Abrede, daß es sich bei jenen um voll wirkliche göttliche Potenzen handelt, denen ein Mensch verfallen kann, wenn er Jahwe „vergißt" (Dt
6, 12. 14). Vielmehr kann eine nach dieser Richtung gehende Ahnung kaum 10
stärker zum Ausdruck gebracht werden als durch die Aussage, daß Jahwe sich
als אֵל קַנָּא, als „eifersüchtiger Gott" (Dt 6, 15 und die erweiterten Dekaloge
Ex 20, 5; Dt 5, 9) kämpferisch durchsetzen muß [108]. Mag dabei auch betont
werden, daß Jahwes Eifersucht sich gegen die Israelsöhne auswirken werde,
die sich zu fremden Göttern wenden (vgl auch Jos 24, 19), so kann es doch 15
nicht darüber täuschen, daß die Eifersucht, das verwundete Liebesgefühl, im
Grunde durch niemand anders als durch die fremden Götter selbst und die
von ihnen ausgehende Werbekraft hervorgerufen ist, selbst wenn sie nur ge-
schnitzte Bilder sind (Dt 4, 24). Die Wirklichkeit des territorial und völkisch gebundenen Pantheons drängte sich dem Menschen in der Eidgenossenschaft Jah- 20
wes nicht minder auf als seinen Beisassen und Nachbarn, besonders dann, wenn
er, der Sitte folgend, an der örtlichen Kultgemeinschaft teilnahm (Ex 34, 15),
oder in der Außenpolitik des Staates (vgl zB 1 Kö 16, 31; 11, 7f; 2 Kö 23, 13),
und nur die Gewißheit, daß Jahwe der אֵל אֱלֹהִים (Jos 22, 22), der im Pantheon
gebietende, an Macht alle überragende אֵל עֶלְיוֹן (Ps 78, 35 uö) sei, konnte die 25
Beteiligung am fremden Gottesdienst und die Anerkennung seines Mythos mit
Autorität verwehren. Diese Gewißheit wird freilich in der vorexilischen Gemeinde nicht viel stärker als in der rationalen Form eines monarchischen Monotheismus etwa im Sinn von 1 Kö 22, 19 lebendig gewesen sein. Selbst Jeremia,
vermutlich der erste, der aus starker Intensität der Gotteserfahrung, aber auch 30
aus der Empörung über den Treubruch der Gottesgemeinde zu der kühnen
Glaubensthese vorstieß: הֵמָּה לֹא אֱלֹהִים ‚die da sind gar keine Götter' (Jer 2, 11),
hat noch im gleichen Atem seine hohe Achtung vor der Wahrhaftigkeit und
Echtheit des Heidentums bekundet: „Tauscht etwa ein Volk seine Götter ein?"
Aber hinter diesen wahrhaft ritterlichen Worten, die fast so klingen, als rühre 35
jeder Gedanke an Mission an die Ehre der Völker, steht doch kein religiöser
Partikularismus mehr, sondern die klare Erkenntnis der vollen Größe des Allherrn, wie sie auch Jesaja schon zuteil ward: „Die ganze Erde füllt seine Herrschermacht" (Js 6, 3). Göttertausch gibt es nicht, weil es keine „Götter" gibt,
und wer unter den Völkern an Götter sich bindet, mag ein aufrichtiger Mensch 40
sein, aber er irrt. Wer aber als Glied des Gottesvolks nach Göttern ausschaut,
begeht Treubruch und ist der mörderischen inneren Zwiespältigkeit (כְּבֶשֶׂת נֶגֶב

---

[108] Ob in dem Namen יִשְׂרָאֵל ein solches | Motiv steckt (Ableitung von שׂרה „kämpfen"),
mag auf sich beruhen.

כִּי יִמָּצֵא. Jer 2, 26) verfallen, die Jeremia an seinen Volksgenossen sehen mußte, gramerfüllt wie kaum ein anderer unter den Propheten.

Es ist lehrreich zu beobachten, daß jene Gewißheit der alle andere „Gottheit" ausschließenden göttlichen Einzigkeit Jahwes im AT kaum als spekulativ
5 gewonnen erscheint, mag auch in prophetischer Scheltrede mitunter über Gebühr verstandesmäßig argumentiert werden, und mögen auch in später Literatur einige dürre Aussagen theoretischen Gepräges vorkommen. Dahin gehören hauptsächlich Da 11, 36, wo der אֵל אֵלִים in korrektem Abstand von כָּל־אֵל gezeigt ist, und eine Formulierung wie אֵל אֶחָד (Mal 2, 10), die, unausgeglichen
10 neben אֵל נֵכָר (2, 11) stehend, den Vollsinn ihres Wortlauts verliert. Auch Ps 82 läßt den אֱלֹהִים κατ᾽ ἐξοχήν in der Versammlung der אֱלֹהִים Gericht halten, das mit der Degradation der nur im Irrwahn für אֱלֹהִים zu achtenden Wesen endet. Solche Gedanken können leicht ein verkehrtes Bild von der at.lichen Erkenntnis der Glaubenswirklichkeit geben, die mit dem Wort Gott umschrieben ist,
15 weil sie die Triebkraft des Gottesglaubens, das starke Pathos der Erfahrung göttlicher Tat an seiner Gemeinde, nicht sichtbar werden lassen. Darum sind Aussagen, welche die Form spontaner Huldigung oder des Bekenntnisses unbedingten Vertrauens haben, weit aufschlußreicher. Wer betet: אֵלִי „mein Gott", hat die göttliche Tat erlebt, Hilfe (Ex 15, 2; Ps 89, 27), Rettung (מְפַלְטִי: Ps
20 18, 3), Treue (Ps 63, 2. 4: חֶסֶד; Ps 140, 7) oder Trost (Ps 22, 11: מִבֶּטֶן אִמִּי אֵלִי אַתָּה). Das hymnische Motiv „mein Gott" feiert das Göttliche in Gott als das aktiv Lebendige, wie das Vertrauensmotiv die Hoffnung darauf richtet. Daß es dabei keineswegs etwa um kultische Rangfragen, um einen monarchischen Monotheismus, sondern um das freie Bekenntnis des Glaubensgutes geht, ist
25 durch die Innigkeit der Anrede über allen Zweifel erhoben. Gott ist der Lebendige, der Handelnde: אֵל חַי (Hos 2, 1), und die Zusage, daß Jahwe den Israelsöhnen „Gott sein" werde (וְהָיִיתִי לָהֶם לֵאלֹהִים Lv 26, 12 uö), besagt nichts anderes, als daß er wirksam für sie eintreten wird. Wenn einer ein Gott sein will, so muß er etwas eines Gottes Würdiges tun: Ri 6, 31; 10, 14; 1 Kö 18, 21. 27. Auf dieser
30 Voraussetzung beruhen alle „Gottesbeweise" Deuterojesajas. Seine Gedankenführung besonders in dem Gedicht Js 40, 21—31 verlockt oft geradezu, aus ihr etwas wie einen kosmologischen Gottesbeweis herauszuhören [109]. Gewiß soll ein Schluß gezogen werden, wenn aus der Beobachtung des gestirnten Himmels sich eine Antwort auf die Frage nach dem Schöpfer ergeben soll. Aber der Schluß lautet nicht:
35 „Jahwe hat sie erschaffen und niemand anders", sondern er greift weiter über den Bereich des reflektierenden Verstandes: So groß ist Gott! Haltet euch das gegenwärtig, und ihr werdet euch genötigt sehen, Gott ernster zu nehmen, als ihr zu tun pflegt. Gott ernst nehmen, heißt seiner Kraft gewärtig sein, und ist man im Elend, auf seine Tat hoffen. Neue Kraft setzt er für verbrauchte (Js 40, 31).
40 Woher der Prophet das weiß? Fast entrüstet antwortet er: „Hast du nicht erfahren? Hast du nicht gehört?" (Js 40, 28). Der Wahrheitsgehalt von Hunderten hymnischer Motive, welche Gottes Kraft feiern, liegt in solchen Worten.

Quell

---

[109] Vgl v 26: „Hebt euren Blick zur Höhe und sehet: Wer schuf diese da?"

C. Die urchristliche Gottestatsache und ihre Auseinandersetzung mit dem Gottesbegriff des Judentums.

I. Zum Sprachgebrauch.

1. In der Septuaginta tritt θεός gewöhnlich für das hebräische אֱלֹהִים ein → 79, 6 f [110]. Das determinierte ὁ θεός geht auf den einen Gott Israels, das artikellose θεός erscheint fast stets appellativisch [111]. τὸ θεῖον, die beliebte griechische ·Umschreibung für die Gottheit, fehlt in der LXX noch ganz.

Das Judentum meidet die Gottesbezeichnung. Es spricht statt dessen vom Herrn, vom Allmächtigen, vom Höchsten, vom Himmel, nur selten von Gott oder dem Gott des Himmels. Zeugnis dafür ist 1 Makk, das namentlich die Umschreibung „der Himmel" liebt, dagegen nur zweimal θεός braucht, in 5, 68 und 3, 18. Über den Sprachgebrauch des rabbinischen Judentums → 93, 12 f.

Das hellenistische Judentum redet nicht gern von θεός, um nicht ungebildet zu erscheinen. Es spricht statt dessen lieber im religionsphilosophischen Stil von der Gottheit, der Vorsehung, dem Göttlichen. Zeugnis dafür ist namentlich 4 Makk. Hier begegnet das gut hellenistische Adjektiv θεῖος, das in LXX (einschließlich Apkr) insgesamt sonst nur 9mal vorkommt, wohl 25mal; hier hören wir von θεία πρόνοια (4 Makk 17, 22), θεία δίκη (4 Makk 4, 21), auch von τὰ θεῖα (4 Makk 1, 17) schlechthin. Philo braucht ὁ θεός ganz im Sinne des AT für den Gott Israels [112]. Er unterscheidet zwischen ὁ θεός und κύριος. ὁ θεός ist der Ausdruck für die Güte und Milde Gottes, des Schöpfers, ὁ κύριος bezeichnet die königliche Herrschergewalt Gottes (Leg All III 73) [113]. Mit dem artikellosen θεός kann er den δεύτερος θεός, den λόγος, bezeichnen [114]. θεοί können bei ihm auch Menschen heißen [115]. Im übrigen aber liebt er den philosophischen Begriff τὸ θεῖον und ähnliche abstrakte Umschreibungen für Gott, die man in LXX noch vergeblich sucht (→ θεῖος 123, 23 f). Josephus gebraucht θεός und ὁ θεός im Wechsel ohne erkennbaren Bedeutungsunterschied in den verschiedensten Verbindungen [116], doch wird ὁ θεός bevorzugt [117]. Neben den Gottesbegriff [118], der auch in der Beschwörungsformel ὄμνυμι τὸν θεόν noch unbedenklich gebraucht wird [119], tritt die Umschreibung mit οἱ οὐρανοί und vor allem das metaphysische τὸ θεῖον (→ θεῖος 123, 23 f). κύριος fehlt bei Josephus fast ganz, weil κύριος als Übersetzung von יהוה nur noch bei Schriftlesung und Gebetsanrede auszusprechen erlaubt war [120]. Auch von θεία φύσις uä spricht Josephus gern. θεότης fehlt in seinen

---

[110] In einzelnen Stücken des Pentateuches begegnet dgg die Gleichung θεός = Jahwe auffallend häufig, so in Ex 16 (5 mal), Ex 19 (10 mal), Nu 22 (11 bzw 12 mal). In Prv 1—22 ist diese Gleichung mit einer Ausnahme (2, 15 f) die Regel, aber nur in LXX. 'A, Σ, Αλλ bieten an gleicher Stelle vielfach κύριος.

[111] Baudissin Kyrios I 19 f, 25, 50—60 uö.

[112] Som I 62. 65 f. 228—230. Zum Tetragramm s Vit Mos II 132.

[113] Vgl dazu den feststehenden Grundsatz der rabbinischen Exegese des AT, daß das Wort אלהים Gott als den gerechten, richtenden, יהוה dagegen Gott als den liebenden, gnädig sich erbarmenden bezeichnet; zB Gn r 33 zu 8, 1; Ex r 3 z 3, 14: „Wenn ich die Menschen richte, heiße ich אלהים, ... wenn ich mich der Menschen erbarme, heiße ich יהוה". מדת הדין = אלהים „Das Prinzip der Gerechtigkeit", מדת הרחמים = יהוה „Das Prinzip der Liebe" (in Gottes Handeln). S darüber KGKuhn, SNu übersetzt (1933 ff) 551 A 89 und die dort genannte Literatur [Kuhn].

[114] Som I 229 f; Leg All III 207 f. Vgl Eus Praep Ev VII 13, 1.

[115] Pr-Bauer verweist auf Som I 229; Det Pot Ins 161 f; Mut Nom 128; Omn Prob Lib 43; Vit Mos I 158; Decal 120; Leg All I 40;

Migr Abr 84. Som I 229 ist irrtümlicherweise bei Pr-Bauer angeführt. Hinzufügen könnte man noch Stellen wie Sacr AC 9 u Mut Nom 19. Selbstverständlich will Philo Moses, den er hauptsächlich im Anschluß an Ex 7, 1 θεός nennt, nicht zum Gott erheben. Die Einheit Gottes steht ihm fest: ὁ μὲν ἀληθείᾳ θεὸς εἷς ἐστιν, οἱ δ' ἐν καταχρήσει λεγόμενοι πλείους Som I 229. Moses ist nicht πρὸς ἀλήθειαν Gott, sondern nur δόξῃ: θεὸς πρὸς φαντασίαν καὶ δόκησιν, οὐ πρὸς ἀλήθειαν καὶ τὸ εἶναι Det Pot Ins 161 f.

[116] θεός und ὁ θεός im Wechsel in Ap 2, 168; περὶ θεοῦ in Ap 2, 179; 2, 169; 2, 256. περὶ τοῦ θεοῦ in Ap 2, 254. Ferner ὁ θεός Ant 3, 97; 4, 292; 4, 287; 4, 294; 7, 72; 9, 2; 9, 8; 9, 27.

[117] Ant 5, 109: πανταχοῦ δ' ἐν τοῖς τούτου (sc τοῦ θεοῦ) ἐστέ. (Vgl 8, 145 von Menander: τόν τε χρυσοῦν κίονα [Pfeiler] τὸν ἐν τοῖς τοῦ Διός). 9, 236: εὐσεβῆ τὰ πρὸς τὸν θεόν. 3, 211: τὴν εἰς τὸν θεὸν τιμήν.

[118] Zum Tetragramm s Ant 2, 276: καὶ ὁ θεὸς αὐτῷ σημαίνει τὴν αὐτοῦ προσηγορίαν οὐ πρότερον εἰς ἀνθρώπους παρελθοῦσαν, περὶ ἧς οὔ μοι θεμιτὸν εἰπεῖν.

[119] Ant 4, 287 (ὀμνύτω τὸν θεόν); 7, 353 (ὄμνυμι τὸν μέγιστον θεόν); Bell 4, 543 (θεὸν ὄμνυσιν τὸν πάντων ἔφορον).

[120] Vgl Schl Jos 9—11.

Schriften. Wohl aber begegnet θειότης in der Anwendung auf Menschen (→ θειότης 123 A 1).

Obwohl das Judentum streng auf die Meidung des Gottesnamens achtete, findet man bei Apokryphen und Pseudepigraphen, die aus verhältnismäßig junger Zeit stammen, auffälligerweise κύριος — in den hbr Urtexten יהוה — verwendet. Der Grund für diese Erscheinung ist darin zu sehen, daß zB die Ps Sal absichtlich die alte Ausdrucksweise beibehalten, damit sie den echten Psalmen im Stile gleichen. Das Jubiläenbuch [121] braucht beide Gottesbezeichnungen völlig unbefangen, in regellosem Wechsel [122] und kennt kaum andere Benennungen [123]. Dasselbe gilt von der Assumptio Mosis [124], der Vita Adae und der Apokalypse Mosis, auch von Pseudophilo [125]. Der Damaskustext wiederum spricht fast durchweg von „Gott" [126]. Eine Sonderstellung nehmen die älteren Henochbücher [127] ein. Sie sprechen in der Regel von „Gott" und vom „Herrn", haben aber eine besondere Vorliebe für liturgischen Vollklang und bieten in solchem Zusammenhang eine Fülle von weiteren Gottesprädikationen [128]. 4 Esr und s Bar sind bescheidener und brauchen neben Gott und Herr Bezeichnungen wie „der Höchste", der Schöpfer, der Allmächtige, Barmherzige uam [129]. Noch schlichter ist slav Hen, der sich in der Hauptsache auf „Gott" und „Herr" beschränkt [130]. Die Apokalypse Abrahams, die gnostischen Einfluß erkennen läßt, schwelgt in klang- und geheimnisvollen alten und neuen Namen, von denen hier nur einige genannt werden können: Gott [131], Gott der Götter, Heiliger, Starker, Schöpfer, Alleinherrscher — aber auch Licht, Ungewordener, Unverweslicher, Menschenliebender, — und endlich Zebaoth, Eli, El, Jaoel [132]. Das schlichte „der Herr" begegnet kaum [133], statt dessen ist die Rede von der Kraft des unaussprechlichen Namens (Apk Abr 10), und in Jao-El klingt der alte Jahwename nach [134]. Aber die ganze Redeweise der Apk Abr ist ein Musterbeispiel späterer Überfremdung.

Jesus braucht den Ausdruck θεός in aller Unbefangenheit (siehe aber Mt 5, 34 f; 23, 16 ff), seltener → κύριος oder Umschreibungen wie → οὐρανός [135], δύναμις (→ II 307, 20) Mk 14, 61 f, σοφία Lk 7, 35 vgl 11, 49. Am häufigsten begegnet → πατήρ, die eigentliche Gottesbezeichnung in Jesu Munde, charakteristisch für die einzigartige Gottesbotschaft Jesu, die das AT und vollends die Apokalyptik weit hinter sich läßt (→ ἀββᾶ I 5, 24).

---

[121] Baudissin (Kyrios II) hat den Nachweis versucht, daß die LXX den Anstoß zur Verdrängung des Jahwenamens durch die Kyriosbezeichnung gegeben habe. Es ist aber an sich schon wenig glaubhaft, daß diese Entwicklung ausgerechnet auf alexandrinischem Boden ihren Anfang genommen habe. Überdies ist der Sprachgebrauch des Jubiläenbuches (und der älteren Henochtexte) wohl unabhängig von der LXX, wenn nicht gar älter als sie. Das spricht mehr dafür, daß die Verdrängung des Jahwenamens und die Durchsetzung der Gottesbezeichnung „Herr" auf semitischem Boden ihren Anfang genommen und von da aus auf die alexandrinische Bibelübers hinübergewirkt hat. → A 149.

[122] Beides vereint in 1, 19: Herr, mein Gott.

[123] ZB 50, 13 in einigen Hdschr: Herr aller Schöpfung, König der Könige.

[124] Ass Mos 1, 11: Herr der Welt; 4, 2: Herr des Alls; 2, 4: Gott des Himmels.

[125] The Biblical Antiquities of Philo, translated by MRJames (1917).

[126] Daneben Einziger, Erster und Letzter. Der Schwur bei El oder Adonai wird ausdrücklich verboten.

[127] Vgl Bousset-Greßm 307 f A 1, 310 ff.

[128] Äth Hen 1, 4: Der ewige Gott; 14, 20: Die große Herrlichkeit; 61, 13: Herr der Geister; 12, 3: Herr der Erhabenheit u König der Welt; 25, 7: Herr der Herrlichkeit, König

der Ewigkeit; 10, 1: Der Höchste, Heilige und Große; 9, 4: Herr der Herren, Gott der Götter, König der Könige; 25, 3: Der Heilige, Große, Eine, der Herr der Herrlichkeit, der ewige König.

[129] 4 Esr 11, 46; 6, 32; 7, 132 ff; sBar passim.

[130] Slav Hen 22: Herr Gott. Slav Hen 4 wie äth Hen 71, 10: der Betagte auf dem Thron, vgl Da 7, 9.

[131] Apk Abr (Bonwetsch) 10. In 3 f heißt der Therach der „Gott" der Götzen, die er gemacht hat. Vgl auch Joseph u Asenath XXII (p 62 ff Brooks).

[132] Apk Abr 8. 10 und namentlich der große Gotteshymnus in 17!

[133] In 16 das alte Trishagion.

[134] In 17 erscheint Jaoel unter den Gottesnamen, in 10 als Name des Engels, der seinen Namen von Gott hat, in der Kraft seines unaussprechlichen Namens auszieht und in seinem Namen segnet. Über Jao s HGreßmann, ZAW NF 2 (1925) 13 ff.

[135] ZB Lk 15, 7. 18. 21. Der Ausdruck → βασιλεία τῶν οὐρανῶν geht auf Rechnung des Mt, der auch sonst Neigung zeigt, in die Bahnen rabbinischer Redeweise und Stilgebung einzulenken. Vgl EvDobschütz, Mt als Rabbi und Katechet, ZNW 27 (1928) 338 ff. Jesus selbst sprach von βασιλεία τοῦ θεοῦ, wie durch Mk bezeugt, durch Lk, Ag, Joh und Pls bestätigt wird.

θεός[136] wird die maßgebende Gottesbezeichnung und eines der häufigsten Wörter des NT, zumal der Kyriosname schon vor, namentlich aber seit Paulus immer mehr auf Jesus angewandt wird. Im Nominativ erscheint θεός so gut wie stets mit dem Artikel[137], in den andern Kasus[138] bald determiniert, bald artikellos, je wie es der Rhythmus und Stil des Satzes verlangt — jedenfalls 5 ohne erkennbaren Bedeutungsunterschied[139]. Aber nicht immer geht θεός auf den Gott und Vater Jesu Christi. In einigen Fällen wird auch Jesus θεός genannt[140]. Nicht selten begegnet die Gottesbezeichnung sodann in Anwendung auf die Götter und Göttinnen[141] der Heiden oder andere „sogenannte" Gottheiten[142]. Endlich kann θεός auch Menschen bezeichnen (J 10, 34f). 10

Stauffer

2. Die rabbinischen Gottesbezeichnungen.

Mit großer Energie ist vom rabbinischen Spätjudentum die Meidung des Gottesnamens durchgeführt und zu einem ganzen System von Ersatzworten ausgebaut worden. Dieses System ist rein formaler Natur, bedeutet also nicht etwa 15 Veränderungen des Gottesgedankens selbst. Zu seinem Verständnis ist vorauszuschicken, daß das Spätjudentum genau unterscheidet zwischen *1.* dem Tetragramm יהוה als dem eigentlichen Eigennamen (שם המיוחד) Gottes[143], *2.* den Worten אל, אלוה, אלהים als dem Gattungsnamen „Gott" (gewissermaßen dem „Titel", der „Amtsbezeichnung" Gottes) und *3.* den Eigenschaftswörtern, wie zB „der Heilige" 20 oder „der Gnädige" oder „der Höchste" (עליון) und den Nomina, wie „König", „Herr", „Vater" uam zur Bezeichnung Gottes, die sich großenteils bereits im AT finden, zT aber auch vom Spätjudentum neu geschaffen wurden.

Das 2. Gebot, den Namen Gottes nicht zu mißbrauchen, bezog das Spätjudentum daher auch folgerichtig nur auf den Eigennamen Gottes selbst, das Tetragramm. 25 Um jeden Mißbrauch dieses Namens zu vermeiden, hat das Spätjudentum daher schon längst in vorchristlicher Zeit überhaupt jeden Gebrauch dieses Namens Gottes verboten (getreu der Satzung Ab 1, 1: „Machet einen Zaun um das Gesetz")[144]. Sein Gebrauch war nur noch in gewissen, ganz bestimmten Fällen, hauptsächlich beim Tempelkult, gestattet, bei denen er nicht zu umgehen war. Doch sorgten auch hier- 30 bei allerlei Sonderbestimmungen dafür, daß jeder Mißbrauch ausgeschlossen war[145]. Diese Vermeidung des Jahwenamens wurde im Spätjudentum mit solcher Folgerichtigkeit durchgeführt, daß wohl schon bald nach der Zerstörung des Tempels jede Erinnerung an die richtige Aussprache des Tetragramms im Judentum erloschen war. Hinfort existierte dieser Gottesname nur noch als Schriftbild, nicht mehr als Wort der Sprache. 35

Bei dem spätjüdischen System von Ersatzworten für diesen Eigennamen Gottes ist nun genau zu unterscheiden: *1.* Das Vorkommen des Gottesnamens in der Heiligen Schrift, dh also seine Aussprache bei der Schriftlesung; *2.* Seine Verwendung in der freien Rede, außerhalb der Schriftzitate. Für diesen zweiten Fall hatte man sich schon in vorchristlicher Zeit[146] gewöhnt, als Ersatzwort für Gottes Namen stets השמים „der Himmel" zu 40

---

[136] Oft im Wechsel (Joh) oder in Verbindung (Pls) mit πατήρ. τὸ → θεῖον nur Ag 17, 29.
[137] Ausnahmefälle wie J 8, 54 oder R 8, 33 sind syntaktisch bedingt.
[138] Vokativ: ὁ θεός, zB Hb 1, 9.
[139] Vgl zB R 7, 22 (νόμος τοῦ θεοῦ) mit 7, 25 (νόμος θεοῦ). Vgl BWeiß, Gebrauch des Artikels bei den Gottesnamen (→ Lit A); Bl-Debr[6] § 254, 1.
[140] J 1, 1; 20, 28 uö.
[141] ἡ θεός in Ag 19, 37 (vgl Jos Ant 9, 19) im Wechsel mit ἡ θεά in Ag 19, 27 (vgl Herm v 1, 1, 7). Vgl Bl-Debr[6] § 44, 2.

[142] 1 K 8, 5; Gl 4, 8; Phil 3, 19.
[143] → I 99 A 32.
[144] Wenn die im letzten vorchristlichen Jahrhundert geschriebenen Ps Sal noch in alter Weise ganz unbefangen κύριος, dh im hbr Urtext יהוה verwenden, so liegt das einfach daran, daß sie archaistisch genau den Stil der kanonischen Ps, denen sie ja gleichstehen wollen, nachahmen. Das Gegenstück bildet die peinliche Vermeidung des Gottesnamens bereits in Qoh und Esther.
[145] S die Belegstellen bei Str-B II 311—313.
[146] Beleg: 1 Makk!

verwenden [147, 148]. Für den ersten Fall war es schon v o r der Zeit der LXX-Übersetzung des Pentateuch [149] gebräuchlich geworden, für יהוה bei der Lektüre und Zitation der Schrift אדוני zu sprechen. Nur in Ausnahmefällen, wo nämlich im Text יהוה unmittelbar neben אדוני steht, sprach man statt dessen אלהים.

5   B e i d e Ersatzworte, שמים und אדוני, wurden aber später noch einmal ersetzt [150]. Die Lesung אדוני für יהוה durfte nur noch in der k u l t i s c h e n Schriftlektion im Synagogengottesdienst Verwendung finden. In allen anderen Fällen, also bei der privaten Schriftlektüre, beim Studium, bei der Zitierung von Bibelstellen, sagte man statt dessen für das im Text stehende יהוה stets das ganz allgemeine השם [151], wobei

10 השם, „d e r Name" κατ' ἐξοχήν, eben den E i g e n n a m e n Gottes, das Tetragramm, meint. Und ebenso wurde später das in der freien Rede üblich gewesene השמים vermieden. Erhalten blieb es nur noch in einigen feststehenden, geprägten Wendungen und Redensarten [152], wie zB בידי שמים „durch Gott" oder לשם שמים „um Gottes willen" oder מלכות שמים „die Königsherrschaft Gottes" [153]. Abgesehen von diesen

15 altüberkommenen festgeprägten Redewendungen, ersetzte man שמים stets durch das wiederum ganz allgemeine המקום [151], wobei המקום, „d e r Ort" κατ' ἐξοχήν, eben der Himmel ist, dh שמים als Ersatzwort für Gott meint [154].

     Eine g e s e t z l i c h e Nötigung (durch das 2. Gebot, Gottes N a m e n nicht zu mißbrauchen) für diese Bildung von Ersatzworten für Gott lag, wie schon oben betont,

20 n u r für die Ersetzung des J a h w e - Namens durch אדוני bzw שמים vor. Die weiteren Ersatzwortbildungen können d a r a u s nicht mehr erklärt werden, sind vielmehr einfach primitives Namens-tabu: Auch die E r s a t z worte selbst wurden mit der Zeit für das Sprachgefühl immer eindeutigere Bezeichnungen Gottes, dh gemäß primitivem Denken (das hier vorliegt) genauer: Diese Ersatzworte wurden selbst wieder mehr

25 und mehr mit Gott identisch, sie füllten sich immer mehr mit Gott selbst, mit seinem Wesen, seiner Person — und wurden demgemäß zu h e i l i g (→ I 99, 11 ff), um im Profangebrauch in den Mund genommen zu werden. Darum ersetzte man sie nochmals durch השם bzw המקום.

     Auch die Gottesnamen der oben aufgestellten 2. Gruppe: אלהים, אלוה, אל wurden

30 wahrscheinlich in der freien profanen Rede nicht mehr verwendet. Dagegen bot ihre Aussprache bei der Lektüre und Zitation (auch der profanen) des AT keinerlei Anstoß. Ebensowenig auch ihre Verwendung in liturgischen und überhaupt religiösen Texten. So werden sie in den Gebeten des Spätjudentums durchweg ganz unbefangen verwendet [155]. Wohl erst mittelalterlich ist die Sitte, in den Handschriften (und dann

35 auch in den Drucken) an Stelle von אלהים die künstliche Verstümmelung אלקים zu setzen zur Vermeidung des „heiligen" (tabu) Wortes [156].

---

[147] Daneben natürlich weiter, wie schon früher, als noch der Jahwe-Name unbefangen in Gebrauch war, die Gottesbezeichnungen der oben aufgestellten 3. Gruppe.

[148] Der Ursprung dieses Ersatzwortes ist sehr wahrscheinlich die Gottesbezeichnung אֱלָהּ שְׁמַיָּא „Gott des Himmels", die bei Da und Esr recht häufig begegnet; ebs auch in den Elephantine-Papyri, womit bewiesen ist, daß diese — vielleicht auf persischen Einfluß zurückzuführende — Gottesbezeichnung festgeprägt und im Judentum des 5. vorchr Jhdts weithin gebräuchlich war: demgemäß waren also die Worte „Gott" und „Himmel" schon längst für das Sprachgefühl auf das engste ineinander verknüpft, und der Schritt zur Verselbständigung von „Himmel" als Gottesbezeichnung war dann nicht mehr groß. Vgl MABeek, Das Danielbuch (Leiden 1935) 68 f.

[149] Da für die LXX schon die Übers von יהוה durch κύριος (= אדוני) selbstverständlich ist. → A 121.

[150] Wann das geschah, läßt sich nicht genau sagen. Jedenfalls erst in rabbinischer, aber in früh-rabbinischer Zeit, also schätzungsweise um die Wende des 1/2 Jhdts n Chr.

[151] Ob und inwieweit allerdings diese nochmaligen Ersetzungen lebendiges Sprachgut des Volkes wurden, oder ob sie nicht überh nur auf die gelehrte rabb Schulsprache beschränkt blieben, ist sehr fraglich.

[152] Str-B I 172 und 862 ff sind sie zusammengestellt.

[153] → I 570.

[154] Der entscheidende Beleg für die Entwicklung, wie sie hier dargestellt ist, ist, daß sich im Rabbinischen השם stets n u r in Schriftzitaten (an der Stelle von יהוה) findet, המקום dgg i m m e r außerhalb der Schriftzitate, in der freien Sprache.

[155] Daher bedeutet es, auch im orthodoxrabbinischen Sinne, nichts Anstößiges, wenn in den religiösen Texten der Apkr und Pseudepigr θεός oder ὁ θεός = אל, אלהים gebraucht wird.

[156] Vgl im Deutschen die analogen (tabu) Verstümmelungen Teufel > Deixel oder Sakrament > Sapperment.

Völlig frei für die Verwendung blieb zu allen Zeiten im Judentum die 3. Gruppe der Gottesbezeichnungen, die Eigenschaftswörter und Nomina. Sie sind auch gar nicht etwa als „Ersatzworte" für den Gottesnamen anzusprechen, sondern hatten stets neben dem Gottesnamen, bzw. seinen Ersetzungen, ihr Eigenleben. So wurde zB הקדוש „der Heilige", stets verbunden mit der Eulogie ברוך הוא, einer der häufigsten 5 Gottesbezeichnungen (und zwar wahrscheinlich gerade erst in späterer rabbinischer Zeit)[157]. Daneben bleiben auch die Nomina immer sehr gebräuchlich, so אדון „Herr", auch רבון „Herr", besonders in der Verbindung רבונו של עולם „Herr der Welt"; מלך „König", besonders in der Form מלך מלכי המלכים „König der Großkönige"[158]; אב „Vater", gewöhnlich in der Verbindung אב שבשמים oder אבי שבשמים „Vater im 10 Himmel", auch in der Zusammensetzung mit מלך: אבינו מלכנו „unser Vater, unser König". Häufig begegnet im Rabbinischen auch als Gottesbezeichnung der S a t z : מי שאמר והיה העולם „der da sprach, und die Welt ward."

Hinzu trat im Spätjudentum noch eine neue Gruppe von Gottesbezeichnungen, nämlich A b s t r a k t b i l d u n g e n , wie zB כבוד „Herrlichkeit", גבורה „Macht", be- 15 sonders שכינה „das Wohnen (Gottes)" = seine (Gnaden-) Gegenwart, Abstraktbildung zu dem Satz „Gott w o h n t (im Tempel, bzw. unter seinem Volk)"[159], und in den Targumim מימרא „das Reden (Gottes)"[160], Abstraktbildung zu dem Satz: „Gott sprach" (→ λόγος).

Gerade diese 3. Gruppe von Gottesbezeichnungen, die Eigenschaftswörter und No- 20 mina (dazu Abstraktbildungen) hat das Judentum gerne gebraucht und darin einen großen Reichtum entfaltet[161], wie am besten die Zusammenstellung von AMarmorstein zeigt[162].

Kuhn

II. Die Einzigkeit Gottes.   25

1. Der prophetische Monotheismus als Ausgangspunkt des echten Monotheismus.

Der echte Monotheismus bedeutet nicht das mehr oder minder notwendige Enderzeugnis polytheistischer Religionsgeschichte und ihrer Einheitsmotive, er tritt vielmehr mit einem harten Nein zu allem Polytheismus 30 auf den Plan. Sein Gott ist nicht eine neue Einheitsidee, befriedigender als andere Ideen, nicht eine bisher unbekannte Macht, er ist die letzte und ernsteste Wirklichkeit.

So ist der eine Gott für M o s e s die entscheidende Wirklichkeit geworden. Er hat im Volk des Moses die alleinige Geltung beansprucht: „Ich bin Jahwe, 35 dein Gott . . ., du sollst keine andern Götter haben neben mir" (Ex 20, 2 f). So ist derselbe Gott für Deuterojesaja als der alleinige Gott in aller Welt offenbar geworden. Nicht nur in Israels Bereich, auch in der weiten Völkerwelt gibt es keinen Gott außer ihm, die heidnischen Götzen sind „Nichtse". Mit diesem radikalen Monotheismus war auch der monolatrische Schein der Anfangs- 40 zeit überwunden. Aber freilich — der Weltgott hat sich nur in Israel offenbart und wird bislang nur dort verehrt. Ja, seine Einzigkeit muß sich auch in Israel selbst nicht nur gegen die Wahnvorstellungen alten Aberglaubens und

---

[157] Siehe AMarmorstein, The old Rabbinic Doctrine of God I (1927) 97 und 108—147 passim.
[158] Die dreigliedrige Form ist Übersteigerung des persischen (aber auch sonst im Orient gebräuchlichen) Titels „König der Könige": Gott hat königliche Gewalt auch über die „Könige der Könige" noch.

[159] → I 570 A 33.
[160] Str-B II 313 ff. Zu שכינה und מימרא s noch bes GFMoore in: Harvard Theological Review 15 (1922) 41—59.
[161] Ebs wie nach ihm auch der Islam.
[162] In: The old Rabbinic Doctrine of God I (1927) 56—107.

fremden Heidentums behaupten, sondern immer neu durchsetzen gegen die realen Mächte, die das Gottesvolk beherrschen und bedrohen: „Jahwe, unser Gott, es herrschen wohl andere Herren über uns denn du; aber wir gedenken doch allein dein und deines Namens"[163]. Die Einzigkeit Gottes kann in diesem Weltalter nur geglaubt werden.

Noch einmal ist in der semitischen Welt der echte Monotheismus zum Siege gekommen, im I s l a m. Schon in Altarabien findet sich neben den einzelnen Stammesgöttern und sonstigen Kulten in vielen Kreisen die Anerkennung Allahs[164] als Weltschöpfer[165]. Aber erst der Prophet Mohammed hat unter Rückverweis auf eine Gottesoffenbarung, die in vielen Zügen an die Berufung des Moses erinnert, diesen Allah zur alleinigen Anerkennung gebracht[166]. Seitdem ist das erste Hauptstück der islamischen Religion das monotheistische Glaubensbekenntnis: „Es gibt keinen Gott außer Allah, und Mohammed ist sein Prophet." Die Gottheiten der älteren Zeit aber sinken zu Fürsprechern bei Allah herab[167].

Die Ausgestaltung des mohammedanischen Monotheismus ist nicht ohne den Einfluß biblischer Gedanken erfolgt[168]. Auch sonst in der antiken Welt finden sich gelegentlich Nachklänge des biblischen Monotheismus, Formeln wie μόνος θεός oder μόνος θεὸς ἀληθινός[169]. Aber sie sind ohne geschichtliche Wirkung geblieben. Lebendiger Monotheismus scheint nur als prophetischer Monotheismus möglich. Indessen — nicht jede prophetische Religion führt notwendig zum Monotheismus.

Auch in der indogermanischen Welt ist ein Prophet aufgetreten, Z a r a t h u s t r a, aber seine Verkündigung ist d u a l i s t i s c h e r Art. Der zoroastrische Dualismus hat freilich mit philosophischer oder mythologischer[170] Spekulation nichts zu schaffen. Zarathustra ist mit aller Leidenschaft und Ausschließlichkeit der Prophet Ahura Mazdas, der ihn berufen hat. Aber er weiß sich von seinem Gott berufen zum Kampf gegen die widergöttlichen Mächte, deren Haupt Angra Mainyu ist, der große Gegenspieler Ahura Mazdas. Sein ganzes prophetisches Leben und Wirken steht unter dem Zeichen dieses Schöpfungskrieges. Seine Botschaft ist ein Aufruf, mit einzutreten in dieses Ringen und die Macht des Lichtes zu stärken gegen die Gewalt der Finsternis. So wird ihm gerade im Ernst des prophetischen Kampfes die Wirklichkeit der gottfeindlichen Welt offenbar, so erwächst ihm aus dem prophetischen Glauben das dualistische Weltbild: „Ich will reden von den beiden Geistern zu Anfang des Lebens, von denen der Heilige also sprach zum Argen: Nicht werden . . . unsere . . . Gedanken . . . noch Werke . . . zusammenstimmen[171]." Gelegentlich erscheinen diese beiden Geister als gleichstarke Urmächte: „Die beiden Geister zu Anfang, die sich durch ein Traumgesicht als Zwillingspaar offenbarten, (sind) das Bessere und das Böse in Gedanken, Wort und Tat[172]." Aber es fehlt in Zarathustras Verspredigten nicht an Ansätzen, Ahura Mazda über diesen Widerstreit hinauszuheben und so seine größere Ursprünglichkeit und Macht sicherzustellen[173]. Jedenfalls aber ist ihm der Endsieg des Lichtes über die Finsternis gewiß. So hat sich die Unbedingtheit prophetischen Glaubens ihren Ausdruck geschaffen in einer zwar dualistisch angelegten, aber monotheistisch ausgerichteten Geschichtstheologie.

2. Der dynamische Monotheismus im Spätjudentum.

Das Spätjudentum hat (a) zwar die Gottesbezeichnung gelegentlich von Menschen gebraucht, auch von den θεοί der Heiden gesprochen, den heidnischen Polytheismus aber aufs schärfste bekämpft. Es hat (b) das Bekenntnis zu

---

[163] Js 26, 13. Zum Wechsel zwischen mein Gott und unser Gott vgl Baudissin, Kyrios III 555 ff und PFeine, Theologie des NT⁶ (1934) 20 A 2, der auf Js 7, 13 (ihr ermüdet meinen Gott) und Jer 42, 2—5 (dein Gott, euer Gott) aufmerksam macht.

[164] Allah = „der Gott" (ὁ θεός).

[165] Vgl CSnouck-Hurgronje in Bertholet-Leh I 649 ff.

[166] Er ist Offenbarungsgott, wie der Gott des AT, aber seine Offenbarung wird im Sinne des Spätjudentums als Buchoffenbarung verstanden; s Sure 96: „Lies, im Namen deines Herrn, der schuf...der mit der Feder unterrichtete."

[167] Koran, Sure 10 u 19.

[168] S auch Baudissin, Kyrios III 675 ff.

[169] Vgl Norden, Theos 145.

[170] Wie etwa der ägyptische Mythos vom Kampf zwischen Horus und Seth (und der Schlichtung des Kampfes durch Atum).

[171] Yasna 45, 2 bei ChrBartholomae, Die Gatha's des Avesta (1905).

[172] Yasna 30, 3 (Bartholomae). Vgl FCAndreas, in: NGG 1909, 48.

[173] Bartholomae aaO 124 f. Vgl auch Yasna 30, 6, später Yäšt 13, 77 (HLommel 1927) und vor allem Bundehesh (FJusti 1868) passim.

dem einen Gott in Formelsprache, Glauben und Praxis obenangestellt. Aber es sieht (c) den alleinigen Gott wirksam durch eine Fülle von Mittel- oder Engelwesen hindurch. Es sieht ihn (d) im Kampf mit dämonischen Gewalten. In diesem Kampf spielt (e) der Menschensohn oder Messias eine entscheidende Rolle, ohne jedoch irgend göttliche Würde in Anspruch zu nehmen. — So hat die Apokalyptik die monothei- 5 stische Grundüberzeugung des AT durch Aufnahme dualistischer Denkmotive ausgebaut zu einem dynamischen Monotheismus.

     a. Die Stellen im AT, in denen Menschen אלהים genannt werden, sind gering, und ihre Auslegung bleibt umstritten. Ps 45, 7 geht das אֱלֹהִים sicher auf einen Menschen und nicht auf Jahwe, sondern auf den König [174]. Anders ist der Sach- 10 verhalt Ps 82, 1. 6; Ex 21, 6; 22, 7 ff. Aus diesen Stellen glaubt man schließen zu können [175], daß Richter θεοί genannt werden. ψ 81, 1: ὁ θεὸς ἔστη ἐν συναγωγῇ θεῶν, ἐν μέσῳ δὲ θεοὺς διακρίνει ist als Gerichtsszene mit Göttern aufzufassen. Wenn sie v 7 wie Menschen sterben und wie Fürsten fallen sollen, so heißt das, daß sie nicht Menschen sind und nicht Fürsten sind, sondern ihnen gleichkommen werden. Ex 21, 6 15 bedeutet „vor Gott bringen", wie der weiterführende Satz zeigt: an den Hauseingang bringen, den Kultort des Hauses, wo in alter Zeit geopfert wurde, wo Gott gegenwärtig war und sein Urteil sprach. Wenn Ex 22, 7 ff ein Rechtshandel „vor Gott gebracht wird", so werden dort nicht die Richter θεοί genannt, sondern die Richter verkünden in Vollmacht den Gottesspruch an heiligem Ort. Ähnlich ist auch der Ausspruch RAkibas 20 zu verstehen: „Du stehst vor dem, der da sprach und es ward die Welt" (→ II 345 A 49). Der ordinierte Rabbi handelt in Vollmacht Gottes. Ex 22, 27 ist der Sinn in Mas unmißverständlich: „Gott sollst du nicht lästern und einem Fürsten in deinem Volke nicht fluchen." Die LXX gibt das appellativische אלהים mit θεούς wieder. Wahrscheinlich liegt hier ein Versehen in der Übersetzung vor. Jedenfalls kann man diese 25 θεοί, die nicht gelästert werden sollen, nicht ohne weiteres mit Menschen irgendwelcher Art, zB Richtern, gleichsetzen, wie es R Ismael nach M Ex 22, 27 getan hat. Auch Ex 22, 7 und 21, 6 bezieht M Ex auf die Richter. Die Rabbinen hatten ein Interesse daran, an einer ganzen Reihe von at.lichen Stellen dem Wort אלהים künstlich die Bedeutung „Richter" zu geben, um Anstöße zu vermeiden, die sich aus der 30 wörtlichen Auffassung für die Gottesanschauung ergaben. Vor allem mußten die בני אלהים in Gn 6, 2 umgedeutet werden, da sie für das rabbinische Denken unmöglich „Gottessöhne" sein konnten. Darum sprach man von „Söhnen von Richtern" oder „Söhnen von Vornehmen" [176]. In Ex 4, 16 sagt Gott zu Moses: „er ist für dich der Mund, und du bist für ihn der Gott". Die LXX schwächt ab: σὺ δὲ αὐτῷ ἔσῃ τὰ πρὸς 35 τὸν θεόν. Aber auch in Mas wird Moses nicht zum Gott gemacht, sondern das Verhältnis zwischen Moses und Aaron wird mit dem Verhältnis des Nabi zu seinem Gott verglichen. Diesen Vergleich hat die Quelle P in Ex 7, 1 abgeändert: Moses ist dem Pharao gegenüber Gott.

     Wehe, wenn ein Mensch sich selber als Gott ausruft [177]. Das ist heidnischer Stil 40 und der Gipfel der Gotteslästerung, auf die Gott furchtbar antworten wird: ὁ βασιλεύς . . . ὑψωθήσεται ἐπὶ πάντα θεὸν καὶ ἐπὶ τὸν θεὸν τῶν θεῶν ἔξαλλα λαλήσει, καὶ εὐοδωθήσεται ἕως ἂν συντελεσθῇ ἡ ὀργή· εἰς αὐτὸν γὰρ συντέλεια γίνεται (Da 11, 36 f, vgl 13, 5). Das Judentum der Syrer- und Römerzeit hat solche Selbstherrlichkeit und Gottes Antwort mehrfach erlebt und in 2 und 3 Makk und Ps Sal davon berichtet [178]. Die 45 Haggada hat eine ganze Sammlung von at.lichen Beispielen menschlicher Überhebung zusammengestellt [179]. Nimrod ist ein solches göttliches Ichwort in den Mund gelegt: „Ich bin es, der den Himmel und die Erde und all ihr Heer geschaffen hat [180]."

---

[174] Diese Erklärung hat man zu vermeiden gesucht, indem man ein כְּסָא dem Sinne nach ergänzt hat: Dein Thron ist ein Gottesthron. Andere haben אלהים als Änderung eines vermeintlich ursprünglichen יהוה erklärt, das man aber aus יְהְיֶה verlesen hatte.

[175] Cr-Kö 485.

[176] Hinweis von Kuhn.

[177] Vgl Gn 3, 5 und Apk Mos 18; 21. Polemisch gegen Christus jTaan 65 b, 70 f (Str-B I 486): „Wenn ein Mensch zu dir sagen sollte: ‚ich bin Gott', so lügt er; ‚ich bin der Menschensohn', so wird er es schließlich bereuen; ‚ich steige zum Himmel empor', so hat er es gesagt, wird es aber nicht erfüllen." → II 345, 25 ff.

[178] Vgl auch das Turmbaumotiv und Abrahams Protest in Pseudophilo VI (M R.James, The Biblical Antiquities of Philo [1917] 89 ff). PsSal 2, 28 f (Pompejus): οὐκ ἐλογίσατο ὅτι ἄνθρωπός ἐστιν, καὶ τὸ ὕστερον οὐκ ἐλογίσατο. εἶπεν Ἐγὼ κύριος γῆς καὶ θαλάσσης ἔσομαι· καὶ οὐκ ἐπέγνω ὅτι ὁ θεὸς μέγας κραταιὸς ἐν ἰσχύι αὐτοῦ τῇ μεγάλῃ.

[179] M Ex 15, 11 (49 a). Es nannten sich selbst Götter: Pharao (Ez 29, 9), Sanherib (2 Kö 18, 35), Nebukadnezar (Js 14, 14), der Fürst von Tyrus (Ez 28, 2).

[180] Ma'ase-Abraham bei Str-B III 35 (nach M Horowitz, Sammlung kleiner Midraschim [1888] 43).

Auch himmlische Wesen heißen im AT gelegentlich אלהים. In solchen Fällen aber biegt die LXX lieber ab und spricht von ἄγγελοι oder υἱοὶ θεοῦ [181], um jeden polytheistischen Schein zu vermeiden [182]. Doch ist das nur ein Ausschnitt aus dem mächtigen Streit gegen den Polytheismus und Götzendienst, der seit Deuterojesaja in breitem Strom durch die apokalyptische, hellenistische und rabbinische Literatur geht. Die Geschichten von Bel und dem Drachen führen den Unsinn der Götzenverehrung mit handgreiflichem Realismus vor Augen. Das Buch Baruch spottet über die Hilflosigkeit der Götzenbilder [183]. Dieselben Motive begegnen im Jubiläenbuch und später im Testament Hiobs und Apk Abr. Die Sap sucht den Ursprung des Polytheismus im Totenkult [184] und geht dem Zusammenhang von religiöser und ethischer Verkehrung nach (Sap 13, 1 ff; 14, 22 ff). Die Sibylle geißelt den Tierkult, der das Geschöpf anbetet statt des Schöpfers (Sib 3, 9 ff. 27 ff). Pseudo-Phokylides (194) ruft aus: Eros ist kein Gott, sondern die wüsteste aller Leidenschaften! [185]. Die radikalen Hellenisten gehen mit religionsphilosophischen Mitteln dem Polytheismus zu Leibe [186]. Auch die Rabbinen greifen in ihrem Kampf gegen Gestirndienst, Tierkult oder Kaiserverehrung gelegentlich zu solchen Beweismitteln [187]. Einige sehen in den Heidengöttern dämonische Gewalten [188]. Andere erklären sie mit Deuterojesaja für Nichtse [189]. Die Kampfmittel gegen den Polytheismus sind verschieden, aber die Front ist geschlossen. Sie war gefordert durch das Grundbekenntnis des Judentums.

　　　　　　b. In keinem Punkte ist das Spätjudentum so einig wie in der Treue zu dem Bekenntnis Εἷς ὁ θεός [190]. Bald erscheint diese Formel im Wortlaut von Dt 6, 4 [191], bald in zwei- und dreigliedrigen Weiterbildungen [192], bald in der Formgebung μόνος θεός und anderen Abwandlungen [193], bald auch in der Kurzform: εἷς θεός [194], oder in der Namensform der Einzige [195]. Auch der Sinn der Formel wandelt sich. Sie hat auf späten Inschriften vielleicht apotropäische Bedeutung [196]. In den Sibyllinen und anderen hellenistischen Pseudepigraphen hat sie einen polemisch-propagandistischen Klang [197]. Jos Ant 3, 91 sieht in dem Satz θεός ἐστιν εἷς den Sinn des ersten Gebots enthalten. Die Urbedeutung ist da am lebendigsten geblieben, wo die Urform am treuesten bewahrt wurde, in den Gebeten der Synagoge, zumal im Schᵉma: „Höre Israel, der Herr, unser Gott, ist einer." So beten die Bekenner des einen und alleinigen Gottes mitten in einer Welt, die diesen Gott verachtet und sein Volk um eben dieses Bekenntnisses willen verfolgt, seine Lehrer zu Tode foltert. Darum steht der Einzig-

---

[181] ψ 96, 7: προσκυνήσατε αὐτῷ, πάντες οἱ ἄγγελοι αὐτοῦ (= כל־אלהים). Hi 1, 6: ἄγγελοι τοῦ θεοῦ (= בני האלהים), vgl ἄγγελοι in Hi 38, 7. Dt 32, 43: προσκυνησάτωσαν αὐτῷ πάντες υἱοὶ θεοῦ . . . καὶ ἐνισχυσάτωσαν αὐτῷ πάντες ἄγγελοι θεοῦ (ohne Vorlage in Mas).

[182] Das gleiche Motiv hat auch die Ausschaltung des Jahwenamens selber gefördert, s HGunkel, RGG² II 1369; Eißfeldt aaO 16.

[183] Ep Jer(= Bar6); vgl auch Ma'ase-Abraham bei Str-B III 35: „Nimrod sprach zu Abram: Warum hast du die Götter deines Vaters verbrannt? Abram antwortete und sprach: . . . Fürwahr, ich sah den kleinsten schwach auf der Erde liegen und sagte zu meiner Mutter, daß sie mir einen recht schönen Kuchen machen möchte und den habe ich vor den kleinsten gebracht. Da entbrannte der Zorn des größten, und er verbrannte jenen und sich selbst mit Feuer. Nimrod sprach zu ihm: Diese können überhaupt nichts tun! Er sprach zu ihm: Mein Herr König, sieh und vernimm, was du aus deinem Munde hast lassen ausgehen, nämlich, daß jene überhaupt nichts tun können, und du willst den lebendigen Gott und den ewigen König verlassen, der den Himmel und die Erde und all ihr Heer geschaffen hat, und Götzen aus Holz dienen?"

[184] Sap 14, 15, vgl ep Ar 135 ff; Sib 3, 554. 588. 723.

[185] ThBergk, Poetae Lyrici Graeci II (1915) 106.

[186] S Eus Praep Ev XIII 13, 40 (Pseud-Soph); 13, 60 (Pseud-Aesch). RHercher, Epistolographi Graeci (1873) 280 ff: Pseud-Heracl Ep 4 (→ 122 A 8). Vgl auch Jos Ant 10, 50: τῆς περὶ τῶν εἰδώλων δόξης (!) ὡς οὐχὶ θεῶν ὄντων ἀποστάντας.

[187] S AMarmorstein, EJ VII (1931) 561 ff.

[188] S Str-B III 48 ff.

[189] Str-B III 53 ff.

[190] Jos Ant 5, 112: θεὸν ἕνα γινώσκειν τὸν Ἑβραίοις ἅπασι κοινόν.

[191] Vgl Str-B II 28 ff (zu Mk 12, 29).

[192] Zweigliedrig im Parallelismus membrorum s Sach 14, 9: ἐν τῇ ἡμέρᾳ ἐκείνῃ ἔσται κύριος εἷς καὶ τὸ ὄνομα αὐτοῦ ἕν. Aber auch Jos Ap 2, 193: εἷς ναὸς ἑνὸς θεοῦ. Dreigliedrig: ein Gott, ein Israel, ein Tempel, oder: ein Gott, ein Name, ein Israel, s ERE VI 295.

[193] Da 3, 45; Philo Leg All II 1 f; Jos Ant 8, 335: ὃς μόνος ἐστὶ θεός, 8, 337: θεὸν ἀληθῆ καὶ μόνον.

[194] Jos Ant 4, 201; Peterson, Εἷς Θεός 277, 281 f (mit βοήθη zus), 285 ff.

[195] Damask passim יחיד (zB 20, 1); Apk Abr 17.

[196] So Peterson aaO 280 ff.

[197] Eus Praep Ev XIII 12, 1 f (Aristobul); XIII 12, 5 (Pseud-Orpheus); XIII 13, 40 (Pseud-Soph), Sib 3, 11. 718. 760.

keit Gottes oft die Einzigkeit des Gottesvolks gegenüber. Beide gehören zusammen [198]. Einst wird Gott der Einzige sein für alle Welt [199]. Jetzt aber ist er der Alleinige nur für Israel [200], und für das Bekenntnis seiner Einzigkeit ist man bereit zu sterben. So ist sie offenbar geworden in der Treue Rabbi Akibas, der nach der Überlieferung in der Stunde des Sche malesens auf den Richtplatz geschleppt wurde und unter allen 5 Qualen die Worte von Dt 6, 4 murmelte, um schließlich seine Seele auszuhauchen bei dem entscheidenden אחד [201]. Die Einzigkeit Gottes, wie das orthodoxe Judentum sie verstand, ist kein Lehrsatz, sondern ein Bekenntnis; denn es geht dem jüdischen Denken nicht um den Gott an sich, sondern um den Gott für uns.

c. Das theozentrische Denken bleibt auch in der spät-jüdischen 10 Vorstellung von Mittel- und Engelwesen gewahrt, ja, es kommt hier in besonderer Weise zur Geltung. Eine Fülle von Hypostasen begegnet uns in der Apokalyptik und bei Philo [202]: Gottes Wort, Geist, Wahrheit, Herrlichkeit, Gegenwart, Gesetz, Name, Stätte uam. Aber sie stehen nicht neben Gott als selbständige Größen, die ihm seinen Rang streitig machen könnten. Sie sind ihm untergeordnet, sind seine Werk- 15 zeuge oder Vertreter in Schöpfung und Geschichte. Wort ist sein Wort, Geist ist sein Geist, undenkbar ohne Gott, wie das Tageslicht ohne Sonne.

Gott handelt mit und durch die Scharen seiner Engel — die im Spätjudentum viel- fach an die Stelle der at.lichen אלהים treten (→ A 181). Von Daniel bis zum hebräischen Henoch [203] gewinnen sie schrittweise an Zahl und Bedeutung. Auch die Engel sind 20 Werkzeuge Gottes, aber nicht willenlos wie die Hypostasen. Sie sind eigenständige, freie und selbstwollende Geschöpfe. Aber sie haben ihren Willen völlig eingeschaltet in den Willen Gottes. Täglich empfangen sie seine Befehle und führen sie durch in blindem Gehorsam. Es kann wohl einmal begegnen, daß ihnen das Herz dabei schwer wird, auch daß sie Gott mit Bitten bestürmen — aber gerade darin kommt dann zum 25 Ausdruck, daß Gott das letzte Wort hat. Sie können wohl Gottes Willen im Ichstil verkündigen, aber sie tun es im Namen Gottes, sie können sich wohl mit Herr anreden lassen [204], aber sie dürfen es als Amtsträger Gottes [205]. So weisen sie mit allem, was sie sind und tun, zurück auf den alleinigen Gott. Sie können als Fürsprecher für die Menschen vor Gott hintreten, aber sie lassen sich nicht anbeten von Menschen — das 30 gebührt Gott allein; und in der Stunde der äußersten Not tritt der ganze Ämterweg zwischen Gott und Menschen außer Geltung: „Wenn über einen Menschen Not kommt, so soll er weder Michael noch Gabriel anrufen, sondern m i c h soll er anrufen, und ich will ihm antworten" spricht Gott der Eine [206]

d. Der Satan, ursprünglich ein Engel Gottes und als solcher mit 35 Gott eng verbunden (→ διάβολος), wird im Spätjudentum eine selbständige Größe. Er mißbraucht die ihm von Gott gegebene Freiheit, empört sich gegen Gott und ver- langt göttliche Verehrung (Vit Ad 14; Mt 4, 9). In seinem Dienst steht ein ganzes Heer von Dämonen. Ist damit der Monotheismus hinfällig geworden? Keineswegs — denn einmal ist der Satan Gottes Geschöpf, und zum andern hat sein Himmelssturm 40 mit einem furchtbaren Sturz geendet. Wohl ist er noch mächtig genug geblieben, aber seine Machtwirkungen werden von Gott in Schranken gehalten, und am Ende der Tage wird er endgültig vernichtet werden (Jub 23, 29; 50, 5). Vor allem aber: Alles, was die dämonischen Mächte in dieser Zwischenzeit wider Gott unternehmen, muß letztlich Gottes Plänen und ihrem eigenen Verderben dienen. Denn Gott lenkt 45 in seiner überlegenen Macht und Weisheit ihr böses Tun allemal zum guten Ende. Darum zittern die Dämonen selber vor dem εἷς θεός [207]. Damit ist freilich ein mecha-

---

[198] → A 192. ERE VI 295. Dazu Akibas Wort: „Gott hat sich selbst erlöst, als er Israel erlöste" (Bacher Tannaiten I ² 281).
[199] Tg J I zu Ex 17, 15 f: „. . . Wenn der Götzendienst ausgerottet, wenn Gott einzig in der Welt und sein Reich für alle Ewig- keit begründet sein wird . . . Dann wird der Ewige Einer sein und sein Name Einer". S Bacher Tannaiten I ² 142.
[200] Vgl Formeln wie ὁ θεός τοῦ πατρός σου, θεός Ἀβραὰμ καὶ θεός Ἰσαὰκ καὶ θεός Ἰακώβ in Ex 3, 6; θεός σου in Dt 6, 5. 13. 16. MEx zu 13, 3: „Unser Gott und Gott unserer Väter, Gott Abrahams, Gott Isaaks und Gott Jakobs". Jos Ant 9, 20: ὁ τῶν Ἑβραίων θεός,

9, 21: ὁ Ἰσραηλιτῶν θεός. Ferner: Baudissin, Kyrios III 675 ff.
[201] → I 42, 10 ff; II 525, 22 ff; II 800, 1 ff.
[202] SMowinckel, Artk „Hypostase" in RGG ² II 2065 ff; Bousset-Greßm 342 ff.
[203] Die Hauptgestalt in hb Hen (passim) ist der Engel Metatron, der Gottes Thron am nächsten ist. Er heißt in Jeb 16 b „der Fürst der Welt". → θρόνος A 30.
[204] So der angelus interpres in 4 Esr (passim).
[205] Sie heißen nicht θεοί, sondern υἱοὶ θεοῦ → A 181.
[206] Judan in jBeR 13a, 69—71.
[207] Peterson aaO 280, 296 ff vermutet apo- tropäischen Gebrauch der εἷς-θεός-Formel.

nischer Monotheismus, aber auch ein statischer Dualismus abgelehnt [208], beide sind
überwunden durch einen dynamischen Monotheismus.

      e. Die Apokalyptik kennt auch bereits den großen Gegenspieler,
den Gott einsetzen wird gegen alle gottfeindlichen Mächte. Es ist der Retterkönig
der Endzeit: der Menschensohn oder auch der Messias [209]. In selbstverständlicher
Unterordnung unter den Willen Gottes erfüllt er seine Aufgabe — so vorbehaltlos wie
die gottestreuen Engel ihren Dienst tun [210]. Mag er als Himmelswesen [211] oder Erden-
wesen [212] gedacht sein, er ist in jedem Falle der Amtsträger Gottes, nicht mehr und
nicht weniger. Nicht mehr: er heißt weder Gott, noch wird er göttlich verehrt oder
angebetet. Nicht weniger: Er ist von Gott ausgerüstet mit einer Macht, der die gottfeindlichen Gewalten unterliegen müssen. So wird der Retterkönig zum entscheidenden Amtsträger Gottes, der Gott nicht verdrängt, sondern vertritt und im Namen
Gottes die Herrschaft, Ehre und Einzigkeit Gottes in aller Welt zur Anerkennung
bringt. Der dynamische Monotheismus der jüdischen Apokalyptik hat in der Erwartung
des Retterkönigs seinen mächtigsten Ausdruck gefunden.

3. θεοί im Neuen Testament.

      Das NT gibt uns in Ag ein buntfarbiges Bild von dem
polytheistischen Betrieb, den die Apostel vorfanden. In Ephesus blüht der Kult
der Artemis, τῆς μεγάλης θεᾶς (Ag 19, 27 vgl 26. 37), und die Herstellung von
Silbertempelchen (→ ναός) ist ein großes Geschäft. In Athen stößt Paulus nach
Ag 17, 23 auf einen Altar mit der Inschrift ἀγνώστῳ θεῷ. In Caesarea läßt
sich Herodes akklamatorisch als Gott feiern: θεοῦ φωνὴ καὶ οὐκ ἀνθρώπου [213].
In Malta hält man den Paulus selbst für einen Gott, weil er den Schlangenbiß
überstanden hat (Ag 28, 6). In Lystra ist er mit Barnabas zusammen und vollbringt ein Heilungswunder. Da rufen die Massen: οἱ θεοὶ ὁμοιωθέντες ἀνθρώποις
κατέβησαν πρὸς ἡμᾶς. ἐκάλουν τε τὸν Βαρναβᾶν Δία, τὸν δὲ Παῦλον Ἑρμῆν, ἐπειδὴ
αὐτὸς ἦν ὁ ἡγούμενος τοῦ λόγου. ὅ τε ἱερεὺς τοῦ Διὸς τοῦ ὄντος πρὸ τῆς πόλεως
ταύρους καὶ στέμματα ἐπὶ τοὺς πυλῶνας ἐνέγκας σὺν τοῖς ὄχλοις ἤθελεν θύειν (Ag
14, 11 ff). Paulus und Barnabas aber fahren dazwischen: καὶ ἡμεῖς ὁμοιοπαθεῖς
ἐσμεν ὑμῖν ἄνθρωποι (Ag 14, 15). Auf die Selbstherrlichkeit des Herodes antwortet Gott selbst παραχρῆμα und schlägt ihn mit schmählicher und tödlicher
Krankheit (Ag 12, 23). In Ag 17 knüpft Paulus an die Altaraufschrift an: ὃ
οὖν ἀγνοοῦντες εὐσεβεῖτε, τοῦτο ἐγὼ καταγγέλλω ὑμῖν (17, 23 f). Die Botschaft vom
alleinigen und wahren Gott aber geht notwendig Hand in Hand mit der Bekämpfung des Götzendienstes in Athen [214], in Lystra [215], in Ephesus [216].

---

[208] Auch einen Dualismus im Sinne Marcions hat das Rabbinat natürlich abgelehnt,
s S Dt § 329 (p 139 b Friedmann) bei AMarmorstein, EJ VII (1931) 564.

[209] Lit zu beiden bei PFeine, Theologie [6]
(1934) 44, 56; → Χριστός, → υἱὸς τοῦ ἀνθρώπου.

[210] Messias als Sohn Gottes, s Str-B I 11
vgl III 17, 19 ff, 673 ff → υἱός.

[211] Vgl Da 7, 13.

[212] Die Rabbinen haben den unmetaphy-
sischen Charakter des Sohnesbegriffes, die
Menschlichkeit des Messias, noch besonders
gegen das Christentum betont, s Str-B II
335 ff; → ἐγώ II 345, 26.

[213] Ag 12, 22. Ähnliche Motive im Anschluß
an Da 11, 36 f uä in 2 Th 2, 4 vom kommenden Antichrist: ὁ ἀντικείμενος καὶ ὑπεραιρό-
μενος ἐπὶ πάντα λεγόμενον θεὸν ἢ σέβασμα,
ὥστε αὐτὸν εἰς τὸν ναὸν τοῦ θεοῦ καθίσαι,
ἀποδεικνύντα ἑαυτὸν ὅτι ἐστὶν θεός. → ἄθεος
121, 11. Anders J 10, 34 ff, wo das θεοί ἐστε
von Ps 82, 6 anerkannt, aber christologisch
ausgewertet wird. → 105, 28 ff.

[214] Ag 17, 24 f: οὐκ ἐν χειροποιήτοις ναοῖς
κατοικεῖ, οὐδὲ ὑπὸ χειρῶν ἀνθρωπίνων θεραπεύεται.

[215] Ag 14, 15: εὐαγγελιζόμενοι ὑμᾶς ἀπὸ τούτων τῶν ματαίων ἐπιστρέφειν ἐπὶ θεὸν ζῶντα.

[216] Ag 19, 26: ὁ Παῦλος οὗτος πείσας μετέ-
στησεν ἱκανὸν ὄχλον, λέγων ὅτι οὐκ εἰσὶν θεοὶ
οἱ διὰ χειρῶν γινόμενοι. Die Schärfe der
Polemik ist in 19, 37 zu Unrecht wieder verwischt: ἠγάγετε τοὺς ἄνδρας τούτους οὔτε
ἱεροσύλους οὔτε βλασφημοῦντας τὴν θεὸν
(D*: θεὰν) ἡμῶν.

In gleichem Sinne spricht auch der Paulus der Briefe vom Polytheismus: οὐκ εἰδότες θεὸν ἐδουλεύσατε τοῖς φύσει μὴ οὖσιν θεοῖς[217]. Die Götzenbilder selbst sind Nichtse (1 K 8, 4; 10, 19). Der Götzendienst aber ist deshalb nicht etwas Gleichgültiges, sondern ein Frevel (1 K 10, 7; Ag 7, 40ff; 1 J 5, 21). Denn er bedeutet eine Mißachtung des alleinigen Gottes und führt zwangsläufig in 5 die Knechtschaft dämonischer Mächte[218]: ἃ θύουσιν, δαιμονίοις καὶ οὐ θεῷ θύου-σιν· οὐ θέλω δὲ ὑμᾶς κοινωνοὺς τῶν δαιμονίων γίνεσθαι[219]. Das ist es, was dem Kampf des Paulus gegen die Heidengötter seinen Ernst gibt und ihn von der rationalistischen Beweisführung des Hellenismus unterscheidet: Es gibt nicht nur sogenannte Götter, sondern es gibt tatsächlich dämonische Mächte, die die 10 Heiden in ihre Gewalt gebracht haben und auch die Christen immer wieder bedrohen (vgl 2 K 4, 4) — θεοὶ πολλοί. Aber sie sind nicht Götter für uns. Für uns darf es nur einen Gott geben (1 K 8, 5f): εἴπερ εἰσὶν λεγόμενοι θεοὶ εἴτε ἐν οὐρανῷ εἴτε ἐπὶ γῆς, ὥσπερ εἰσὶν θεοὶ πολλοὶ . . . ἀλλ' ἡμῖν εἷς θεός!

4. Εἷς θεός in Bekenntnis und Praxis des Ur- 15 **christentums.**

Jesus selbst hat nach Mk 12, 29f das Schᵉma zitiert: Ἄκουε, Ἰσραήλ, κύριος ὁ θεὸς ἡμῶν κύριος εἷς ἐστιν. Der Schriftgelehrte kann dies Bekenntnis zum Glauben der Väter nur bekräftigen, wiederum mit Worten des AT: εἷς ἐστιν καὶ οὐκ ἔστιν ἄλλος πλὴν αὐτοῦ (Mk 12, 32f vgl 10, 18). Auch 20 sonst denken die Männer des NT[220] meist an die altüberlieferten Formeln, wenn sie vom εἷς θεός[221] oder μόνος θεός[222] reden. Der Monotheismus ist ein festes Traditionsstück, darum kann das Bekenntnis zum einen Gott mit πιστεύειν ὅτι (Jk 2, 19; Hb 11, 6) oder gar εἰδέναι ὅτι eingeleitet werden: 1 K 8, 4: οἴδαμεν . . . ὅτι οὐδεὶς θεὸς εἰ μὴ εἷς. Trotzdem bleibt auch im NT das Bewußtsein 25 davon lebendig, daß die Anerkennung dieses einen Gottes noch nicht in aller Welt zur Durchsetzung gekommen ist, daß er bis dahin in einem besonderen Sinne der Gott der Seinen ist. Es gibt θεοὶ πολλοὶ καὶ κύριοι πολλοί (→ Z 9ff), ἀλλ' ἡμῖν εἷς θεός (1 K 8, 5). Darum nehmen die Männer des NT gern die alten Formeln vom Gott der Väter[223], Gott Israels[224], Gott Abrahams, Isaaks 30 und Jakobs[225] wieder auf und reden im Stile des AT von „unserm Gott"[226] oder ganz persönlich von „meinem Gott"[227]. Alte Verheißungsworte sollen nun in Er-füllung gehen: ἔσομαι αὐτῶν θεός, καὶ αὐτοὶ ἔσονταί μου λαός[228]. Wie Gott sonst der Gott des alten Gottesvolkes gewesen ist[229], so ist er nun ὁ θεὸς τῆς ἐκκλησίας[230].

---

[217] Gl 4, 8f; 1 Th 1, 9: ἐπεστρέψατε πρὸς τὸν θεὸν ἀπὸ τῶν εἰδώλων δουλεύειν θεῷ ζῶντι καὶ ἀληθινῷ. 1 Th 4, 5: τὰ ἔθνη τὰ μὴ εἰδότα τὸν θεόν, nach Jer 10, 25.

[218] Gl 4, 8; R 1, 23. 25; Eph 2, 2.

[219] 1 K 10, 20ff, vgl 10, 7. 14. Dazu HGreß-mann, Ἡ κοινωνία τῶν δαιμονίων, ZNW 20 (1921) 224—230.

[220] Über die frühkirchliche Gestalt und Verwendung der Formel, Peterson aaO 1ff.

[221] R 3, 29f; Gl 3, 20; Eph 4, 6; 1 Tm 2, 5, vgl J 8, 41.

[222] 1 Tm 1, 17; Jd 25; J 17, 3: μόνον ἀλη-θινὸν θεόν, R 16, 27: μόνῳ σοφῷ θεῷ.

[223] Ag 3, 13; 5, 30; 22, 14.

[224] Mt 15, 31; Lk 1, 68 vgl Lk 1, 16; Ag 13, 17; 2 K 6, 16; Hb 11, 16.

[225] Ag 3, 13; 7, 32; Mt 22, 32; Mk 12, 26; Lk 20, 37.

[226] Mk 12, 29; Lk 1, 78; Ag 2, 39; Apk 4, 11; 2 Pt 1, 1; Apk 7, 12; 19, 5.

[227] Lk 1, 47; R 1, 8; 2 K 12, 21; Phil 1, 3; 4, 19; Phlm 4; Apk 3, 12; vgl „Dein Gott": Mt 4, 7; 22, 37; Mk 12, 30; Lk 4, 8; 10, 27.

[228] 2 K 6, 16b, vgl Hb 8, 10b; Apk 21, 7. 3.

[229] J 8, 41f; Ag 13, 17; Hb 11, 16.

[230] Ag 20, 28 vgl Lk 7, 16; Ag 15, 14; Hb 4, 9; 11, 25; 1 Pt 2, 10.

In dieser Kirche aber muß nicht nur geglaubt werden, daß Gott einer ist — das tun auch die Dämonen Jk 2, 19, vgl Hb 11, 6 —, hier muß an Gott geglaubt werden [231]. Hier muß nicht nur geglaubt werden, daß Gott ein vergeltender Gott ist (Hb 11, 6), hier muß auf Gott gehofft werden [232]. Hier darf es
5 nicht nur ein Wissen um Gott geben, hier muß ein leidenschaftlicher Eifer um Gott den Willen beherrschen (vgl R 3, 11; 10, 2). Zuletzt aber — hier muß nicht nur Klarheit darüber herrschen, daß Gott nicht gehindert werden kann (Ag 11, 17), sondern auch darüber Klarheit, daß Gott nicht versucht werden darf [233]. Nur in diesem Glauben und Hoffen, Eifern und Stillesein bleibt das
10 Bekenntnis zur Einzigkeit Gottes lebendig.

Zur Durchsetzung aber kommt das monotheistische Bekenntnis in einem ganz neuen Ernstmachen mit dem ersten Gebot — und darin allein. Denn darin allein kann es offenbar werden, ob der eine Gott wirklich Gott und zwar der einzige Gott ist für seine Bekenner. Sie dürfen keinen Götzen haben neben Gott
15 — weder den Mammon [234], noch den Bauch [235], weder die Götzenbilder [236], noch die Gewalten des Kosmos (Gl 4, 8 ff), weder die örtliche Obrigkeit [237], noch den Kaiser in Rom [238]. Es gilt Gott zu dienen und ihm zu geben, was sein ist, auf ihn allein zu horchen und zu bauen, es gilt Gott auch in den äußersten Bedrohungen treu zu bleiben bis hin zum Märtyrertod — darin sieht Jesus und
20 das Urchristentum den eigentlichen Sinn des „εἷς θεός". Der Monotheismus mag den Männern des NT bekenntnismäßig eine Selbstverständlichkeit sein, er ist ihnen praktisch eine immer neue Aufgabe.

5. Gott und seine Engel im Neuen Testament.

Die Engelwesen (→ I 83 ff) spielen im NT nicht die
25 große Rolle wie im Spätjudentum. Gott hat sie gesandt (Ag 12, 11), sie kommen ἀπὸ τοῦ θεοῦ, er handelt durch sie hindurch (Ag 7, 35; Apk 1, 1), sie vollziehen seine Befehle in seiner Vollmacht [239]. Sie sind völlig Ausführungsorgane des göttlichen Willens.

Irgend eine eigene Zuständigkeit, unabhängig von der göttlichen Vollmacht,
30 kommt ihnen nicht zu.

Darum wird die Einzigkeit Gottes durch die Engelvorstellung nicht berührt [240]. Der ἄγγελος θεοῦ ist nichts ohne Gott, alles im Namen Gottes. Er wehrt dem Apokalyptiker, der vor ihm niederfallen will: ὅρα μή · σύνδουλός σού εἰμι . . . τῷ θεῷ προσκύνησον (Apk 19, 10).

[231] R 4, 3; Gl 3, 6; Jk 2, 23; Tt 3, 8; Hb 6, 1; 1 Pt 1, 21; Ag 27, 25.
[232] 1 Pt 1, 21; 3, 5; Ag 24, 15; R 4, 18; 2 K 3, 4.
[233] Mt 4, 7; Ag 15, 10; 1 K 10, 9. 22 → πειράζειν.
[234] Mt 6, 24: οὐ δύνασθε θεῷ δουλεύειν καὶ μαμωνᾷ. Vgl Mk 10, 21; Ag 5.
[235] Lk 12, 19 ff (οὕτως ὁ θησαυρίζων αὑτῷ καὶ μὴ εἰς θεὸν πλουτῶν v 21); Phil 3, 19 (ὧν ὁ θεὸς ἡ κοιλία). Moses tadelt die Israeliten Jos Ant 4, 143: τὴν ἡδονὴν προτιμήσαντες τοῦ θεοῦ καὶ τοῦ κατὰ τοῦτον βίου.

[236] 2 K 6, 16: τίς δὲ συγκατάθεσις ναῷ θεοῦ μετὰ εἰδώλων; 1 K 10, 21: οὐ δύνασθε τραπέζης κυρίου μετέχειν καὶ τραπέζης δαιμονίων. vgl 1 Th 1, 9; 1 K 12, 2 uam.
[237] Ag 4, 19; 5, 29: πειθαρχεῖν δεῖ θεῷ μᾶλλον ἢ ἀνθρώποις.
[238] Mk 12, 17: τὰ Καίσαρος ἀπόδοτε Καίσαρι καὶ τὰ τοῦ θεοῦ τῷ θεῷ.
[239] Apk 18, 1: ἐξουσία, Apk 6, 4; 8, 2: ἐδόθη.
[240] Zu den Fragen: gefallene Engel, Satan usw → 99, 35 ff.

6. Monotheismus und Christologie im Neuen Testament.

Der urchristliche Monotheismus wird durch die Christologie des NT nicht erschüttert, sondern sichergestellt; denn Christus nimmt durch sein Kommen dem Fürsten der Welt die Macht. 5

Jesus selbst schärft nach den Evangelien das monotheistische Bekenntnis ein, er weist die Anrede διδάσκαλε ἀγαθέ zurück mit der Erklärung: οὐδεὶς ἀγαθὸς εἰ μὴ εἷς ὁ θεός (Mk 10, 18). Er macht mit dem Gehorsam gegen Gott Ernst wie keiner vor oder nach ihm, sogar seine Gegner müssen ihm zugestehen, daß er nach niemand fragt[241], und sie verspotten ihn darum, daß er umsonst auf 10 Gott gebaut habe[242]. Der Eifer um das Haus Gottes verzehrt ihn[243]. Nach Gott allein fragt er in allen Entscheidungen und Handlungen, zu ihm kommt er betend in seinen schwersten Stunden, bis zu dem Kreuzesruf: „Mein Gott"[244]. Gott ist für ihn Gott wie für niemanden außer ihm, nie nennt er ihn „unsern Gott", sondern in betonter Staffelung τὸν πατέρα μου καὶ πατέρα ὑμῶν καὶ 15 θεόν μου καὶ θεὸν ὑμῶν (J 20, 17). Gott ist sein Vater, und er ist der Sohn schlechthin.

Als Sohn Gottes hat er die ἐξουσία (→ II 565, 15 ff). Er hat die Vollmacht, Sünden zu vergeben, die nach jüdischer Überzeugung nur Gott hat[245]. Er wird auf dem Stuhle Gottes sitzen und die Welt richten[246]. Er zieht die Ämter, 20 teilweise auch die Namen der Mittelwesen, zB des Logos, an sich und gilt an ihrer Statt als Mittler der Schöpfung[247] und der Heilsgeschichte (1 K 10, 4; Hb 1, 1). Er steht hoch und gebietend über den Engeln (→ I 84, 18 ff)[248].

Jesus kämpft den Kampf Gottes gegen den Fürsten dieser Welt, der immer wieder gegen Jesus anstürmt vom ersten bis zum letzten Tag seiner Wirksam- 25 keit, ja, seines Lebens (Lk 22, 28). Εἰς τοῦτο ἐφανερώθη ὁ υἱὸς τοῦ θεοῦ, ἵνα λύσῃ τὰ ἔργα τοῦ διαβόλου (1 J 3, 8). Von Anfang an verweigert er ihm die Anbetung und schlägt seine Versuchungen zurück mit einem dreifachen Rückgriff auf Gott und seinen alleinigen Anspruch. Er dringt in das Haus des Starken ein und stürzt ihn von seinem Thron[249]. Er treibt die Dämonen aus 30 mit dem Finger Gottes und herrscht sie an mit der Vollmacht Gottes[250]. ἔρχεται γὰρ ὁ τοῦ κόσμου ἄρχων· καὶ ἐν ἐμοὶ οὐκ ἔχει οὐδέν (J 14, 30). Einen einzigen Sieg scheint der Widergott davonzutragen über den Unbezwinglichen — am

---

[241] Mk 12, 14: οὐ μέλει σοι περὶ οὐδενός, . . . ἀλλ' ἐπ' ἀληθείας τὴν ὁδὸν τοῦ θεοῦ διδάσκεις.

[242] Mt 27, 43: πέποιθεν ἐπὶ τὸν θεόν, ῥυσάσθω νῦν, εἰ θέλει αὐτόν, Worte aus der Verhöhnung des Märtyrers und seiner πίστις in Ps 22, 9; Sap 2, 13.

[243] J 2, 17: ὁ ζῆλος τοῦ οἴκου σου καταφάγεταί με, Worte aus dem Märtyrerpsalm 69, 10.

[244] Lk 6, 12; Mk 14, 35 ff; Mk 15, 34: ὁ θεός μου . . ., Worte aus dem Klagepsalm des Märtyrers, Ps 22, 2.

[245] Mk 2, 7: βλασφημεῖ· τίς δύναται ἀφιέναι ἁμαρτίας εἰ μὴ εἷς ὁ θεός (Lk 5, 21: μόνος ὁ θεός).

[246] Rm 14, 10 (βῆμα τοῦ θεοῦ); 2 K 5, 10 (βῆμα τοῦ Χριστοῦ); beides vereint in 1 K 4, 4 f. Dementsprechend begegnet das Wort: „Wie ich euch finde, so will ich euch richten" in der jüd Apokalyptik als Gotteswort, in der chr Tradition als Herrenwort. S Cl Al Quis Div Salv 40, 2 und Hennecke 35.

[247] 1 K 8, 6; J 1, 3; Hb 1, 2 b; Kol 1, 16 f.

[248] Phil 2, 10 f; Kol 1, 19; 2, 10; 2 Th 1, 7; Mk 1, 13; 13, 27; J 1, 51; Mt 26, 53; Lk 22, 43; Mk 8, 38; 1 Pt 3, 22; Hb 1, 4 ff uö.

[249] Mk 3, 27; Lk 10, 18; J 12, 31; 16, 11.

[250] Lk 11, 20: ἐν δακτύλῳ θεοῦ → II 622, 30. Der Dämon selbst sagt: ὁρκίζω σε τὸν θεόν, Mk 5, 7.

Kreuz (Lk 22, 53); aber der Vernichtungsschlag fällt auf ihn selbst zurück (1 K 2, 8). Der Satan ist gerichtet, und der Sieg der βασιλεία τοῦ θεοῦ ist gesichert. So ist in und mit Jesus die Alleinherrschaft des εἷς θεός nicht etwa in Frage gestellt, sondern entschieden (1 K 15, 28).

5 Das einzigartige Verhältnis zwischen Gott und seinem Amtsträger Jesus, das hier in Erscheinung tritt, ist im NT mit einer Fülle verschiedenster Formeln klargestellt. Gott hat Jesus genannt (προσαγορεύω Hb 5, 10), gesandt (→ ἀποστέλλω I 404, 1 ff; J 3, 34; Ag 7, 35), gebracht (ἄγω Ag 13, 23; vl ἐγείρω: C D sy, wohl aus v 22), gemacht zu (ποιέω Ag 2, 36), eingesetzt (→ ὁρίζω Ag 10 10, 42), beglaubigt (ἀποδείκνυμι Ag 2, 22), bestätigt (→ σφραγίζω J 6, 27), gesalbt (→ χρίω Hb 1, 9), erhöht (→ ὑψόω Ag 5, 31; ὑπερυψόω Phil 2, 9). Jesus kommt von Gott her, ἐκ (J 8, 42; 16, 28), παρά (J 9, 16. 33; 16, 27), ἀπὸ θεοῦ (J 3, 2; 13, 3). Gott ist mit ihm (Mt 1, 23; J 3, 2). Er wirkt in ihm[251]. Gott gibt ihm alle Macht[252]. „Gott war es, der in Christus die Welt mit sich selbst ver-15 söhnte"[253]. Nicht genug, ἐν αὐτῷ κατοικεῖ πᾶν τὸ πλήρωμα τῆς θεότητος σωματικῶς[254]. Er geht wieder πρὸς τὸν θεόν (J 13, 3; 17, 11). So ist für das Johannesevangelium Gottesglaube und Christusglaube eines. „Wer mich sieht, sieht den Vater", sagt der johanneische Christus, „ich und der Vater sind eins"[255].

Die wichtigsten Formeln aber sind die unauffälligsten: In Mal 3, 1 verheißt 20 Gott einen Vorläufer, der ihm (Gott) den Weg bereiten soll: ἰδοὺ ἐξαποστέλλω τὸν ἄγγελόν μου, καὶ ἐπιβλέψεται ὁδὸν πρὸ προσώπου μου. In Mk 1, 2 ist das Gotteswort zu einem Verheißungswort an Jesus umgeformt, das ihm (dem Messias) einen Vorläufer und Wegbereiter in Aussicht stellt: ἰδοὺ ἀποστέλλω τὸν ἄγγελόν μου πρὸ προσώπου σου, ὃς κατασκευάσει τὴν ὁδόν σου. Das μου hinter 25 προσώπου ist in σου verwandelt[256], damit aber ist Jesus in der Vorläuferfrage an die Stelle Gottes gerückt. „In, mit und unter" Jesus kommt Gott selbst: In den Synoptikern, namentlich aber im Johannesevangelium spricht Jesus mit Betonung im göttlichen Ichstil; ja, er braucht das prädikatlose ἐγώ εἰμι, das im AT als Selbstaussage Gottes begegnet (→ ἐγώ II 350, 1 ff). In 1 K 4, 4 f erscheint 30 zunächst Christus, dann Gott als der Weltrichter (→ A 246), in R 5, 8 wechselt das Subjekt umgekehrt von Gott auf Christus hinüber: συνίστησιν . . . τὴν ἑαυτοῦ ἀγάπην . . . ὁ θεός, ὅτι . . . Χριστός . . . ἀπέθανεν. R 11, 36 sagt von Gott: ἐξ αὐτοῦ καὶ δι' αὐτοῦ καὶ εἰς αὐτὸν τὰ πάντα. In 1 K 8, 6 ist das δι' οὗ τὰ πάντα auf Christus übertragen, während das ἐξ und εἰς von Gott ausgesagt 35 ist. In Kol 1, 16 ist außer διά auch das finale εἰς auf den Christus bezogen. Die Apokalypse zeichnet in 1, 13 ff die Erscheinung des Menschensohnes (Jesu) mit Zügen aus dem Bilde des Hochbetagten (Gottes) in Da 7; und göttliche Ichformeln wie ἐγώ εἰμι ὁ πρῶτος καὶ ὁ ἔσχατος begegnen bald im Munde Gottes, bald auch in Jesu Mund (→ ἐγώ II 349, 24 ff). In alledem ist mittelbar das 40 Größte über Jesus ausgesagt, was sich überhaupt sagen läßt: Jesus übernimmt die Funktionen Gottes, er vertritt in weitestem Umfang seine Stelle.

---

[251] Eph 4, 32: θεὸς ἐν Χριστῷ ἐχαρίσατο ἡμῖν.
[252] Mt 28, 18; J 3, 35; 5, 22; 13, 3; Eph 1, 21.
[253] 2 K 5, 19: θεὸς ἦν ἐν Χριστῷ κόσμον καταλλάσσων ἑαυτῷ. Der Nominativ θεός ist hier artikellos, also prädikativ.
[254] Kol 2, 9; vgl 1, 19 → θεότης.
[255] J 14, 1. 9; 10, 30; 17, 11. 21 f.
[256] Ebs in Lk 7, 27; Mt 11, 10.

Aber er verdrängt ihn nicht. Das ist zumal durch zahlreiche Verhältnisbestimmungen sichergestellt, die neben jenen Formeln einhergehen. Da heißt Gott ὁ θεὸς τοῦ κυρίου ἡμῶν Ἰησοῦ Χριστοῦ (Eph 1, 17), seine κεφαλή (1 K 11, 3), sein → πατήρ (J 5, 18). Wir hören, daß der Präexistente ἐν μορφῇ θεοῦ war [257], aber die Versuchung, nach der Gottgleichheit zu greifen, von sich wies [258]. 5 Der Postexistente wiederum wird erhöht zur Rechten Gottes [259]. Am schlichtesten und klarsten aber kommt die Rückbeziehung auf den εἷς θεός zur Geltung in der Formel: Christus aber ist Gottes (1 K 3, 23). Der Genitiv τοῦ θεοῦ, der auch sonst im NT Dinge und Geschehnisse auf Gott als letzten Urheber und entscheidenden Ausgangspunkt zurückführt (vgl Kol 2, 19; 1 Th 4, 16; 10 Apk 2, 7), bringt hier die unbedingte Zugehörigkeit Christi zu dem θεός, ἐξ οὗ τὰ πάντα, eindeutig zum Ausdruck.

Auch die Würdenamen, mit denen das NT Christi Bedeutung und Werk umschreibt, kennzeichnen ihn als den Amtsträger Gottes: ἅγιος (→ I 102, 10 ff), → ἐκλεκτός, → χριστός, → υἱός, → μονογενής, → μεσίτης, εἰκών (→ II 394, 5 ff), 15 ἄρτος, ἀμνός (→ I 342, 11 ff), ἀρνίον (→ I 345, 18 ff), → ἀρχιερεύς [260] uam. Sie werden zu Bezeichnungen der Einzigartigkeit Jesu durch den verabsolutierenden Artikel ὁ ἅγιος uam. Sie werden zu regelrechten Verhältnisbestimmungen dadurch, daß auch hier der Theosgenetiv hinzutritt, der die Rückbezogenheit von Person und Werk Jesu auf den εἷς θεός herausstellt: ὁ Χριστὸς τοῦ θεοῦ [261]. 20

Ein Würdename freilich schließt seiner besonderen Art nach diesen Theosgenetiv aus, κύριος. Er ist der Wichtigste von allen, denn er ist der vornehmste Würdename und stellvertretende Gottesname im AT und in der Apokalyptik, der Gottesname schlechthin in LXX, nun von Gott auf Christus übertragen (→ κύριος). Ist auch die θεός-Bezeichnung selbst im NT von Christus gebraucht 25 worden?

7. Christus als θεός im Urchristentum.

Auf die Erklärung Jesu: ἐγὼ καὶ ὁ πατὴρ ἕν ἐσμεν antworten die Juden nach J 10, 30 ff mit dem Vorwurf: σὺ ἄνθρωπος ὢν ποιεῖς σεαυτὸν θεόν (→ II 347, 19 ff). Da macht Jesus ihnen an dem θεοί ἐστε von Ps 82, 6 30 begreiflich, daß solche Benennung für biblisches Denken an sich nichts Unerhörtes ist, daß vollends ein Würdename, der anscheinend den Menschen nach Ps 82 zusteht (→ 97, 10 ff), dem Heiligen und Abgesandten Gottes grundsätzlich nicht verwehrt werden könnte. Aber freilich, der Würdename, den er selbst hier in Anspruch nimmt, ist nur υἱὸς τοῦ θεοῦ. In Hb 1, 8 f ist der hier beschrittene 35 Weg zu Ende gegangen und eine at.liche Theosprädikation typologisch auf den υἱός bezogen — das doppelte ὁ θεός von Ps 45, 7 f, das dort auf den gottgesalbten König geht (→ 97, 9): ὁ θρόνος σου, ὁ θεός, εἰς τὸν αἰῶνα und διὰ τοῦτο ἔχρισέν σε, ὁ θεός, ὁ θεός σου. Damit ist die höchste at.liche Amts-

---

[257] Phil 2, 6; anders J 1, 1; 1, 18.
[258] Phil 2, 6; anders J 5, 18; ANock, Harvard Theological Review 23 (1930) 261 f.
[259] R 8, 34: ὅς ἐστιν ἐν δεξιᾷ τοῦ θεοῦ, → δεξιός II 38, 20 ff.
[260] Hb 2, 17: πιστὸς ἀρχιερεὺς τὰ πρὸς τὸν θεόν, vgl 5, 1.

[261] ὁ ἅγιος τοῦ θεοῦ in Mk 1, 24; J 6, 69; ὁ Χριστὸς τοῦ θεοῦ in Lk 9, 20; ὁ Χριστὸς τοῦ θεοῦ ὁ ἐκλεκτός in Lk 23, 35; ἀμνὸς τοῦ θεοῦ in J 1, 29; ἄρτος τοῦ θεοῦ in J 6, 33; εἰκὼν τοῦ θεοῦ in 2 K 4, 4.

bezeichnung auf den Christus übertragen, nicht genug, der Christus ist zum allein berechtigten Träger dieses Würdenamens erhoben. — Aber auch unabhängig von at.lichen Worten und Begriffen wird Christus θεός genannt.

Wahrscheinlich hat schon Paulus damit den Anfang gemacht, wenn er in
5 R 9, 4 f die heilsgeschichtlichen Besonderheiten Israels aufzählt und zum Abschluß sagt: ἐξ ὧν ὁ Χριστὸς τὸ κατὰ σάρκα, ὁ ὢν ἐπὶ πάντων θεὸς εὐλογητὸς εἰς τοὺς αἰῶνας, ἀμήν. Es liegt am nächsten, das Schlußglied ὁ ὢν . . . als Apposition zu dem letztvoraufgegangenen Nominativ, zu ὁ Χριστός zu fassen. Damit wäre dann freilich nicht nur die Theosbezeichnung auf Christus übertragen,
10 sondern zugleich eine vollklingende Theosbenediktion, wie sie im Judentum und auch bei Paulus sonst nur auf Gott selbst gesprochen wird[262].

Der Schwierigkeit, die darin liegt, sucht man schon seit Eus vielfach durch schärfere Interpunktion hinter σάρκα[263] zu entgehen. Man gewinnt dann eine selbständige Doxologie auf Gottvater. Aber das ist ein typischer Erleichterungsversuch, formal
15 unanfechtbarer, aber sachlich nicht zulässiger als das ἀμήν, das ein später Abschreiber zur Verschärfung der Cäsur hier eingeschoben hat. Andere suchen den Anstoß durch eine geringfügige Umstellung der Wortfolge zu beheben. Sie setzen ΩΝΟ statt ΟΩΝ und lesen im Gleichklang mit ὧν οἱ πατέρες uä nun: ὧν ὁ ἐπὶ πάντων θεός. . . . Aber
20 diese formal verblüffende Konjektur scheitert inhaltlich an R 3, 29, wo Paulus ausdrücklich erklärt, daß Gott nicht nur der Juden Gott ist. So bleibt die syntaktisch nächstliegende Beziehung der Schlußbenediktion, die auf Christus, die beste. Sie wird schließlich bestätigt durch die morphologische Beobachtung, daß Paulus hier in dem geläufigen Schema des διπλοῦν κήρυγμα von Christus spricht: In R 1, 3 f nennt Paulus
25 Christus den Davidsohn κατὰ σάρκα, den Gottessohn κατὰ πνεῦμα. In R 9, 5 hat Paulus von Christus als dem Sohn Israels κατὰ σάρκα gesprochen und führt den Gedanken nun im Sinne jenes Doppelschemas zu Ende, indem er ihn den alles überragenden θεός nennt[264].

Immerhin bleibt diese Hoheitsbezeichnung bei Paulus vereinzelt[265] und umstritten. Häufiger und meist unumstritten ist sie dagegen in den Johannes-
30 schriften. J 1, 1 sagt vom Praeexistenten: καὶ θεὸς ἦν ὁ λόγος. In J 1, 18 lesen die besten Handschriften und ältesten Väter[266]: μονογενὴς θεός . . . ἐκεῖνος ἐξηγήσατο, schwierig genug, aber eben deshalb aufrecht zu halten. Das Fehlen des Artikels, das in 1, 1 grammatisch bedingt ist[267], fällt hier auf und erinnert an die philonische Redeweise (→ A 114). Ein Gottwesen, Gott von Art war der
35 Logos, der Fleisch wurde und uns den unsichtbaren Gott offenbarte. Davon ahnt schon der Blindgeborene etwas, wenn er nach seiner Heilung glaubend und anbetend vor dem Christus niederfällt, der im göttlichen Ichstil zu ihm spricht (J 9, 38 f). Die letzte Hülle aber fällt, als der Auferstandene sich dem Thomas offenbart: ὁ κύριός μου καὶ ὁ θεός μου (J 20, 28) spricht der überwun-
40 dene Jünger. In J 1, 1 geht es um die Christologie: er ist Gott an sich. Hier geht es um die Christusoffenbarung: er ist Gott für den Glaubenden. Am Schlusse des ersten Johannesbriefs aber ist dieser Glaube zur Bekenntnisformel verfestigt: οὗτός ἐστιν ὁ ἀληθινὸς θεός (1 J 5, 20).

---

[262] Vgl R 1, 25: Der Schöpfer, ὅς ἐστιν εὐλογητὸς εἰς τοὺς αἰῶνας. 2 K 11, 31: Gottvater, ὁ ὢν εὐλογητὸς εἰς τοὺς αἰῶνας. Deuteropaul ist Eph 4, 6: εἷς θεός . . . ὁ ἐπὶ πάντων.
[263] Oder spätestens hinter πάντων, wobei man den Widerspruch zu Eph 4, 6 dann in Kauf nimmt.
[264] Das gleiche Doppelschema als Rahmen der Theosprädikation bei Ign Eph 7, 2; 18, 2, → 107, 10 ff.

[265] Kaum in Frage kommt 2 Th 1, 12: κατὰ τὴν χάριν τοῦ θεοῦ ἡμῶν καὶ κυρίου Ἰησοῦ Χριστοῦ. Das erste Attribut (θεός) ist vom zweiten durch ἡμῶν getrennt und darum wohl nicht (wie κύριος) auf Christus zu beziehen.
[266] Näheres bei Cr-Kö 489 f.
[267] Zum prädikativischen Gebrauch vgl J 8, 54; 2 K 5, 19; Jos Ant 10, 61: ἵνα πεισθῶσιν ὅτι θεός ἐστιν.

Auch späterhin fehlt es nicht an Zeugnissen für die Theosprädikation auf Christus. Tt 2, 13 spricht von der δόξα τοῦ μεγάλου θεοῦ καὶ σωτῆρος ἡμῶν Χριστοῦ 'Ιησοῦ[268]. Vermutlich geht auch der Ruf 'Ωσαννὰ τῷ θεῷ Δαυίδ, der in Did 10, 6 neben μαρὰν ἀθά begegnet, auf Christus[269]. Jedenfalls bezeugt der Pliniusbrief (ep X 96, 7 [MSchuster 1933]: carmen Christo quasi deo dicere) an- 5 scheinend die Anrufung Christi als θεός im liturgischen Gebrauch[270]. Außerdem begegnet Christus als θεός auf mehreren Inschriften in Syrien und anderwärts[271]. Die Apokryphen kennen diese Bezeichnung[272], und auch in die späten Textformen des NT dringt sie ein[273].

> Vor allem aber ist es der Syrer Ignatius gewesen, der die Theosprädikation be- 10
> zeugt und in Umlauf gebracht hat. Er kann im Schema von R 9, 5 sagen: ὁ γὰρ θεὸς
> ἡμῶν 'Ιησοῦς ὁ Χριστὸς ἐκυοφορήθη ὑπὸ Μαρίας . . . ἐκ σπέρματος μὲν Δαβίδ, πνεύματος
> δὲ ἁγίου[274]. Er kann im Sinne von J 20, 28 die Göttlichkeit Christi für den Glauben
> betonen[275]. Meist begegnen uns formelhafte Wendungen wie 'Ιησοῦς Χριστὸς ὁ θεὸς
> ἡμῶν (Ign R prooem; 3, 3), auch ohne Pronomen Χριστὸς θεός[276] oder das einfache 15
> θεός in eindeutiger Beziehung auf Christus: πάθος θεοῦ μου (Ign R 6, 3). Manchmal
> ist der modalistische Schein nicht zu leugnen[277]. Aber immer wieder tritt die Sen-
> dung von Gott[278] und zugleich die Rückverbindung mit Gott zutage. Was mit Christus
> geschieht, vollzieht sich κατ' οἰκονομίαν θεοῦ (Ign Eph 18, 2) und ἐν Χριστῷ bleiben
> wir ἐν ἑνότητι θεοῦ (Ign Pol 8, 3).   20

So sind die christologischen Grundgedanken des Paulus und Johannes treu bewahrt: Christus ist Amtsträger Gottes. Aber die christologische Begriffsbildung des NT hat nun erst ihren folgerichtigen Abschluß gefunden in der durchgehenden Bezeichnung Christi als θεός. Er ist nicht nur ein Amtsträger Gottes, er ist der entscheidende Amtsträger Gottes in Welt und Geschichte, 25 denn er ist eingesetzt und ausgerüstet von Gott dem Vater — der Träger des Gottesamtes selbst.

8. Das Dreiverhältnis Gott / Christus / Geist.

Von Anfang an hat sich das Urchristentum bemüht, das Zweiverhältnis zwischen Gott und Christus in Doppelformeln zum Ausdruck zu 30 bringen, die sowohl die Zusammengehörigkeit wie die Unterschiedenheit und Besonderheit beider Größen gleichermaßen zum Ausdruck bringen sollten. Zugleich aber galt es, den Primat Gottes über Christus sicherzustellen.

Das geschah am häufigsten in der Formel Vater (→ πατήρ) und Sohn (→ υἱός), wobei die Einzigkeit des Sohnes auch durch den Zusatz → μονογενής hervorge- 35 hoben wurde. θεός und μονογενὴς θεός begegnet nur in J 1, 18. Verschiedentlich aber ist die Einzigartigkeit beider Größen durch zweimal vorangestelltes

---

[268] Beide Attribute sind hier durch das abschließende ἡμῶν verbunden und darum wohl gemeinsam auf Christus zu beziehen. Dgg steht in 2 Pt 1, 1 das ἡμῶν (wie in 2 Th 1, 12) trennend zwischen den beiden Attributen: ἐν δικαιοσύνῃ τοῦ θεοῦ ἡμῶν καὶ σωτῆρος 'Ιησοῦ Χριστοῦ.

[269] Schon Mk 12, 36f läßt erkennen, daß die Urkirche den Christus lieber den Herrn als den Sohn Davids nannte. Did geht auf diesem Wege nur einen Schritt weiter.

[270] Zur Anrufung und Anbetung Christi s 1 K 1, 2; Mart Pol 17, 3 uam; Just Apol I 6.

[271] S Peterson aaO 13.

[272] S Hennecke ¹|(1904) 78, Abgar an Jesus: „Du bist entweder Gott selbst und vom

Himmel herabgestiegen, oder Gottes Sohn." Das erstere wäre gut patripassianisch gedacht, → A 273.

[273] Ag 20, 28 Reichstext: θεὸς . . . διὰ τοῦ ἰδίου αἵματος.

[274] Eph 18, 2 vgl 7, 2: σαρκικός τε καὶ πνευματικός . . . ἐν σαρκὶ γενόμενος θεός.

[275] Eph 15, 3: ἵνα . . . αὐτὸς ᾖ ἐν ἡμῖν θεὸς ἡμῶν, ὅπερ καὶ ἔστιν καὶ φανήσεται.

[276] Ign Sm 10, 1; Tr 7, 1; Sm 1, 1: δοξάζω 'Ιησοῦν Χριστὸν τὸν θεόν.

[277] Eph 1, 1: ἐν αἵματι θεοῦ, 19, 3: θεοῦ ἀνθρωπίνως φανερουμένου.

[278] Eph prooem: ἐν θελήματι τοῦ πατρὸς καὶ 'Ιησοῦ Χριστοῦ τοῦ θεοῦ ἡμῶν.

εἰς betont worden: ἡμῖν εἷς θεὸς ὁ πατήρ, ἐξ οὗ τὰ πάντα καὶ ἡμεῖς εἰς αὐτόν, καὶ εἷς κύριος Ἰησοῦς Χριστός, δι' οὗ τὰ πάντα καὶ ἡμεῖς δι' αὐτοῦ, sagt Paulus in 1 K 8, 6[279]. Εἷς γὰρ θεός, εἷς καὶ μεσίτης θεοῦ καὶ ἀνθρώπων, ἄνθρωπος Χριστὸς Ἰησοῦς, sagt 1 Tm 2, 5. Auch in der dreigliedrigen Formel Mt 23, 8—10 scheint
5 es nur um Gott und Christus zu gehen: εἷς . . . διδάσκαλος[280], . . . εἷς . . . πατὴρ ὁ οὐράνιος, . . . καθηγητὴς ὑμῶν εἷς ὁ Χριστός.

Der Einfluß jüdischer Vorbilder, der schon hier wirksam sein mag, tritt noch deutlicher zutage in der Dreiheitsformel: Gott, Christus, Engel[281] und vollends in Apk 1, 4f: χάρις ὑμῖν καὶ εἰρήνη ἀπὸ ὁ ὢν καὶ ὁ ἦν καὶ ὁ ἐρχόμενος, καὶ ἀπὸ
10 τῶν ἑπτὰ πνευμάτων, ἃ ἐνώπιον τοῦ θρόνου αὐτοῦ, καὶ ἀπὸ Ἰησοῦ Χριστοῦ, ὁ μάρτυς ὁ πιστός. Aber diese Formeln bleiben vereinzelt und bedeutungslos neben der entscheidenden Dreiheit Gott, Christus, Geist.

Wort, Weisheit und andere „Mittelwesen" sind samt ihren Namen und Ämtern von der Christusgestalt des NT verdrängt oder aufgenommen worden — der
15 „Geist" hat seine Selbständigkeit in weitem Umfang behauptet. Er steht in einem eigentümlichen Sonderverhältnis zu Gott: ὁ δὲ κύριος τὸ πνεῦμά ἐστιν, kann Paulus gelegentlich exegesieren (2 K 3, 17), und Johannes sagt ganz grundsätzlich: πνεῦμα ὁ θεός (J 4, 24). Auf der anderen Seite besteht ein beziehungsreiches Wechselverhältnis zwischen dem Geist und Christus. Schon in
20 der synoptischen Urüberlieferung scheint die Lästerung Jesu gleichbedeutend mit der Sünde wider den heiligen Geist[282]. Später hat man von der Geburt Jesu aus dem Geiste gesprochen[283]. In R 8 erscheint bald der Geist (v 27), bald der Christus (v 34) als Träger des Fürbitteamtes. Nach 1 K 6, 17 ist der πιστός mit dem Christus ἓν πνεῦμα. Im Joh-Ev wiederum erscheint der irdische
25 Christus als der Träger des Geistes im Vollmaß (3, 34), aber erst mit seiner Erhöhung wird der Geist entbunden und den Jüngern übermittelt[284]. Er erscheint nun in einer gewissen personhaften Selbständigkeit als → παράκλητος (14, 26; 15, 26), dennoch in bleibender Rückverbindung mit Jesus: ἐκ τοῦ ἐμοῦ λήμψεται (16, 14). 1 J 2, 1 endlich heißt Jesus selbst der παράκλητος πρὸς τὸν πα-
30 τέρα. So besteht auch in den Johannesschriften letztlich das gleiche Wechselverhältnis zwischen Christus und Geist wie in R 8; hier wie dort aber hat der Christus den Vorrang vor dem Pneuma, ähnlich wie Gott wiederum den Vorrang vor Christus hat.

Im Hintergrunde all dieser Verhältnisbestimmungen steht das heilsgeschicht-
35 liche Gesamtbild, das am klarsten und knappsten in Gl 4, 4ff hervortritt: Gott

---

[279] Über spätere Weiterbildung → A 285.
[280] sy° und Reichstext setzen hier ὁ Χριστός zu und lassen darin wohl die älteste und richtigste Deutung erkennen. FBlaß denkt an den himmlischen διδάσκαλος im Unterschied von 10 b und gewinnt so eine gewisse Rechtfertigung des dreigliedrigen Aufbaus; s Nestle im Apparat.
[281] Lk 9, 26 (Mk 13, 32); 1 Tm 5, 21.
[282] Mk 3, 29f: ὃς δ' ἂν βλασφημήσῃ εἰς τὸ πνεῦμα τὸ ἅγιον, . . . ἔνοχος ἔσται αἰωνίου ἁμαρτήματος. ὅτι ἔλεγον· πνεῦμα ἀκάθαρτον ἔχει. Die beiden Großevangelien (Mt 12, 32;

Lk 12, 10) haben hier zu Unrecht differenziert und aus den vergebbaren Sünden der Menschensöhne (Mk 3, 28) eine vergebbare Sünde wider den Menschensohn herausgelesen. Gegen diese Ausdeutung aber spricht ein Drohwort, das sowohl in der Markusüberlieferung wie in der Spruchtradition begegnet und uns vierfach bezeugt ist: ὃς . . . ἐπαισχυνθῇ με . . . καὶ ὁ υἱὸς τοῦ ἀνθρώπου ἐπαισχυνθήσεται αὐτόν, Mk 8, 38, vgl Lk 9, 26, dazu Lk 12, 9 und Mt 10, 33.
[283] Lk 1, 35; Mt 1, 18; Ign Eph 18, 2 uam.
[284] J 7, 39; 20, 22; → II 533, 12ff.

sendet zuerst den Sohn, sodann zur Weiterführung des Werkes τὸ πνεῦμα τοῦ υἱοῦ αὐτοῦ. Das göttliche Heilswerk kommt demnach zur Durchsetzung in dem geschichtlichen Dreiverhältnis Gott, Sohn, Geist.

Dieses Dreiverhältnis hat schon früh seinen festgeprägten Ausdruck gefunden in dreigliedrigen Formeln: κύριος, θεός, πνεῦμα in 2 K 13, 13, πνεῦμα, κύριος, 5 θεός in 1 K 12, 4 – 6 [285]. Die Dreiheit πατήρ, υἱός, πνεῦμα begegnet zuerst in der Taufformel, Mt 28, 19; Did 7, 1. 3 [286].

Vielleicht hat der Gedanke an die zahlreichen Triaden · der polytheistischen Umwelt die Bildung dieser Dreiheitsformeln gefördert [287]. Wahrscheinlicher ist der Einfluß jüdischer Vorbilder. Denn wir finden wie im Judentum so auch in 10 der Urkirche neben den triadischen Formeln [288] auch vier- und mehrgliedrige Bildungen. Justin verbindet die Dreiung: Gott, Christus, Engel mit der Dreiheit Vater, Sohn, Geist, zu der Vierheit: πατήρ, υἱός, ἄγγελοι, πνεῦμα (Apol I 6). Eph 4, 4 ff baut die Formel: ἓν σῶμα, ἓν πνεῦμα und μία ἐλπίς, sodann εἷς κύριος, μία πίστις, ἓν βάπτισμα und εἷς θεός. Das ist noch verwickelter als der Aufbau 15 s Bar 85, 14: Ein Gesetz durch Einen, eine Welt, ein Ende. In 1 Cl 46, 6: ἕνα θεὸν ἔχομεν καὶ ἕνα Χριστὸν καὶ ἓν πνεῦμα — καὶ μία κλῆσις, hebt sich die engere Dreiheit wieder deutlicher von dem vierten, zusätzlichen Glied ab.

In den letzten Beispielen ist wie in den Zweiungen 1 K 8, 6 uo die Einzigkeit und Selbständigkeit der verschiedenen Größen durch vorangestelltes εἷς 20 betont. Daß Vater, Sohn und Geist in einem unauflöslichen Dreiverhältnis zueinander stehen, ist jedoch auch hier selbstverständlich. Von einer Dreieinigkeit aber spricht das NT nicht. Trinitätsbekenntnisse suchen wir unter den Dreiheitsformeln des NT vergeblich. Erst die spanischen Bibeltexte des 6. Jhdts bieten eine Trinitätsformel, das sog Comma Johanneum in 1 J 5, 7 f. 25

Der Urtext lautet dort nach dem einheitlichen Zeugnis der ägyptischen und syrischen Texte, der ältesten Väter und sämtlicher Orientalen: τρεῖς εἰσιν οἱ μαρτυροῦντες, τὸ πνεῦμα καὶ τὸ ὕδωρ καὶ τὸ αἷμα, καὶ οἱ τρεῖς εἰς τὸ ἕν εἰσιν. Die spanischen Katholiken haben daraus ein trinitarisches Zeugnis gemacht, indem sie hinter μαρτυροῦντες fortfahren: ἐν τῷ οὐρανῷ, ὁ πατήρ, ὁ λόγος καὶ τὸ ἅγιον 30 πνεῦμα · καὶ οὗτοι οἱ τρεῖς ἕν εἰσι ... [289]. Sie haben damit ein Ergebnis der altkirchlichen Dogmengeschichte in das NT zurückgetragen. Das Urchristentum selbst aber sieht das Trinitätsproblem als solches noch nicht.

---

[285] Unbestimmter ist 2 Th 2, 13. Auch das doppelte εἷς von 1 K 8, 6 ist in der frühkatholischen Zeit durch ἓν πνεῦμα triadisch abgerundet worden, s Nestles Apparat.
[286] πατήρ, Ἰησοῦς, πνεῦμα in 1 Pt 1, 2; Ag 2, 33; vgl 2 K 1, 21 f: θεός, Χριστός, πνεῦμα. Vgl Jd 20 f.
[287] Sehr wahrscheinlich ist synkretistischer Einfluß semitischer Prägung im Hebräer- bzw Nazaräerevangelium. Hier ist der Geist im Sinne der hbr Ruach weiblich gedacht und in Umdeutung nt.licher Motive (→ A 283) als Mutter Jesu gefaßt: ἐλαβέ με ἡ μήτηρ μου τὸ ἅγιον πνεῦμα, und: descendit fons omnis spiritus sancti ... et dixit: ... tu es filius meus primogenitus, Orig Hom X V 4 in Jer 15, 10 (MPG 13, 433 B) und Hier Comm in Js 11, 2 (MPL 24, 145 B). Damit ist die gut antike Familientrias Vater-Mutter-Sohn gewonnen.
[288] Überdies gehen die Dreiheitsformeln im NT nicht nur auf Vater, Sohn und Geist, sondern auch auf Glaube, Liebe, Hoffnung ua. Die Vorliebe für Dreiheiten ist aber gleichfalls schon im Judentum weit verbreitet und von Hause aus ganz unabhängig von der Idee der Göttertriaden.
[289] Genaueres in Nestles Apparat und Wnd Kath Br zSt.

III. Das Personsein Gottes.

1. Der Kampf gegen den Anthropomorphismus in der jüdischen Welt.

In der jüdischen Apokalyptik treten neben die alten Gottesbezeichnungen θεός und κύριος die zahlreichen „Hypostasen" Gottes, λόγος, σοφία, δόξα uam (→ 99, 12 ff). Aber sie bleiben rückbezogen auf den persönlichen Gott und haben nur in dieser Rückbezogenheit ihren Sinn.

Die Septuaginta kämpft für einen reinen Gottesbegriff. Durch kleine Änderungen im Text sucht sie ihr Ziel zu erreichen [290]. Ex 4, 24 läßt sie in der anstößigen Erzählung vom Überfall Jahwes auf Moses an Stelle Gottes den Boten Gottes erscheinen. Sie fügt mehrmals ein Wort ein und beseitigt dadurch die allzu menschliche Vorstellung von Gott. Aus dem Gottesstab Moses wird Ex 4, 20 der von Gott zur Verfügung gestellte Stab: τὴν ῥάβδον τὴν παρὰ τοῦ θεοῦ. Moses steigt Ex 19, 3 nicht zu Gott hinauf, sondern nach der LXX zum Berge Gottes. Die „Hand Jahwes" wird Jos 4, 24 in δύναμις τοῦ κυρίου geändert. Ex 21, 6 wird statt „vor Gott bringen" gesagt: πρὸς τὸ κριτήριον τοῦ θεοῦ προσάγειν. In Js 6, 1 füllen nicht „seine Säume" den Tempel, sondern Gottes δόξα. Dt 14, 23 spricht vom „Wohnen des Namens Gottes". Die LXX verwandelt dieses in: ἐπικληθῆναι τὸ ὄνομα αὐτοῦ. Ex 15, 3 und Js 42, 13, wo Gott אִישׁ מִלְחָמָה genannt wird, übersetzt die LXX συντρίβων πολέμους. Namentlich die Stellen, in denen die Mas vom „Schauen Gottes" redet, werden von der LXX abgeändert. Gott darf nicht sinnlich wahrgenommen werden. Darum sehen die 70 Ältesten Ex 24, 10 nicht Gott selbst, sondern nur den Ort, wo er steht. Aus dem „Gott schauen" macht die LXX Ex 24, 11: sie erschienen an der Gottesstätte. Js 38, 11 wird σωτήριον hinzugefügt: das Heil Gottes sehen. Hi 19, 27 verallgemeinert die LXX ἃ ὁ ὀφθαλμός μου ἑόρακεν und beseitigt damit die Anschauung, daß der Mensch Gott wie ein Geschöpf sehen kann. Daß Gott etwas bereuen könnte, ist den Übersetzern der LXX undenkbar. Darum ändern sie den Text, wo in der hbr Bibel etwas von der „Reue Gottes" steht. Gn 6, 6. 7 ist Gott zornig gewesen, als er die Menschen geschaffen hat, aber er bereut seine Taten nicht. Ex 32, 12 wird nicht gebetet, Gott solle es sich gereuen lassen, sondern er soll gnädig sein. Oft führt die LXX Ereignisse nicht auf Gottes Zorn zurück, sondern auf menschliche Sünde. Sie ändert ganz eigenmächtig den Text: Nu 1, 53: daß nicht Zorn über die Gemeinde Israel komme. LXX: οὐκ ἔσται ἁμάρτημα ἐν υἱοῖς Ισραηλ. Hi 42, 7: Mein Zorn ist entbrannt; LXX: Du hast gesündigt. 1 Εσδρ 6, 14 (5, 12) wird aus „Gott reizen" „sündigen wider Gott" (→ 1 289, 15).

Die Spätschriften der LXX kämpfen mit rationalen Mitteln gegen die Verzerrung des Gottesgedankens im polytheistischen Kult. Sie selbst beginnen bereits, in der Sprache der griechischen Bildung vom Göttlichen, von → θειότης und → πρόνοια zu reden. Die radikalen Hellenisten von Aristobul bis Philo gehen jenen Weg zu Ende und behandeln die at.lichen Schriften wie die Stoiker ihre heimische religiöse Überlieferung [291]. Sie deuten sie allegorisch um und führen alle anthropomorphen Ausdrücke auf ihren angeblichen abstrakten Sinngehalt zurück [292]. Im Kampf gegen Polytheismus und Mythologie wird die Theologie nicht nur mit gebildeten Begriffen ausgeschmückt [293], sondern mit philosophischen Gedanken durchsetzt und von dem kritischen Grundsatz beherrscht: Die Gottesidee muß rein erhalten werden und ungetrübt von allen „unangemessenen" Vorstellungen (Philo Leg All II 1 f). (τὸ ὄν . . .) αὐτὸ γὰρ ἑαυτοῦ πλῆρες καὶ αὐτὸ ἑαυτῷ ἱκανόν . . . ἄτρεπτον γὰρ καὶ ἀμετάβλητον, χρῇζον ἑτέρου τὸ παράπαν οὐδενός [294]. So muß Gott geziemender Weise gedacht werden.

In all diesen Kämpfen und Bewegungen aber hat auch das hellenistische Judentum den Glauben an einen persönlichen Gott keineswegs aufgegeben [295]. Dafür ist Josephus ein Beispiel. Er redet zwar möglichst gebildet von dem Gott des AT, spricht lieber von εὐσέβεια εἰς τὸ θεῖον [296] als von Gottesfurcht, lieber von der ὀργὴ ἦν . . . τὸ θεῖον . . . ἔχει Ant 3, 321, als vom Zorn Gottes und prägt den pseudophilosophischen

[290] Vgl AFDähne, Geschichtliche Darstellung der jüd-alexandrinischen Religions-Philosophie II (1834) 33 ff; HBSwete, An Introduction to the Old Testament in Greek (1900) 327.

[291] Ep Ar 16 beruft sich auf die stoische Deutung von Ζεύς.

[292] Eus Praep Ev VII 10; XIII 12 (Aristobul); XIII 13, 60 (Pseud-Aesch).

[293] Ep Ar 95: ἡ μεγάλη θειότης; Philo Decal 63; Fug 99: τὸ θεῖον.

[294] Philo Mut Nom 27; Virt 9 f: ἔστι γὰρ ὁ μὲν θεὸς ἀνεπιδεής, οὐδενὸς χρεῖος ὤν, ἀλλ' αὐτὸς αὐταρκέστατος ἑαυτῷ. Ferner: Cher 46; Mut Nom 46; Spec Leg II 38. 174; Conf Ling 175 uam. Dieselbe Idee bei ep Ar 211: ὁ θεὸς δὲ ἀπροσδεής ἐστιν καὶ ἐπιεικής.

[295] Joseph u Asenath VIII (EWBrooks, Translations of Early Texts II 7 [1917] 32 f).

[296] Vit 14. vgl Ant 18, 127; Bell 2, 128; Vit 48: τὸ θεῖον.

Satz: μεθ'ὧν γάρ τὸ δίκαιόν ἐστιν, μετ' ἐκείνων ὁ θεός (Ant 15, 138). Auch er verachtet die Mythologie — aber es ist die heidnische Mythologie, an die er denkt[297]. Auch er ist von Gottes Bedürfnislosigkeit überzeugt[298], und sein Ideal ist: ταῦτα περὶ θεοῦ φρονεῖν ... ὅτι δ' ἐστὶ καλὰ καὶ πρέποντα τῇ τοῦ θεοῦ φύσει καὶ μεγαλειότητι[299]. Aber er ist gewiß, daß dieses Ideal in der alttestamentlichen „Gotteslehre" erfüllt ist, und der 5 Gott, von dem er spricht, ist trotz seines oft fremdartigen Gewandes der lebendige Gott seiner Väter[300].

Die Synagoge hat keine philosophischen Liebhabereien. Sie hat sich im großen und ganzen gegen hellenistische Allegoristik verwahrt (→ I 262, 17 ff) Doch auch die Rabbinen haben das Problem des Anthropomorphismus im AT empfunden. Sie haben 10 es zu lösen versucht durch die theologische Erklärung: Die Thora kann vom Ewigen nur verkleinernd reden, sie muß sich unserer Vorstellungswelt anpassen durch Vergleiche und Bilder, sie tut es um unsertwillen[301]. Auch die Rabbinen selber lieben die Gleichnisse und greifen gelegentlich zu anthropomorphen Darstellungsformen. Aber sie tun es dann mit Vorbehalt und schicken eine einschränkende Wendung vor- 15 aus im Sinn des Deutschen „sozusagen", „menschlich zu reden"[302]. Der Glaube an den persönlichen Gott ist durch solche Erklärungen und Vorbehalte in keiner Weise verkürzt worden. Die großen Rabbinen waren große Beter[303], sie haben ihren Gott „Vater" (→ πατήρ) genannt[304] und waren gewiß, daß er ein Ohr und ein Herz hatte für ihre Nöte[305], und ebenso gewiß, daß der Gott des Wortes ihnen antworten würde 20 (→ A 206). Gott selbst weint täglich um Jerusalem. Ja, er betet zu sich selbst, daß seine Gnade Macht gewinne über seine Strenge[306]. Nicht genug, die Rabbinen haben die Personhaftigkeit Gottes so radikal gefaßt wie niemand zuvor. Nicht die Weisheit Gottes, nicht die Gerechtigkeit Gottes ist das Eigentliche an Gott. Das Letzte und Entscheidende ist Gottes Wille, irrational bis zur scheinbaren Willkür, schlechthin 25 kontingent in allen seinen Setzungen.

So hat die große Gegenbewegung gegen den Anthropomorphismus wie die griechische auch die jüdische Welt erfaßt. Aber das Endergebnis war grundverschieden. Dort erschien auch der Gedanke des persönlichen Gottes als letzter Rest anthropomorphen Denkens, der überwunden werden muß. Hier dagegen ist der Unterschied 30 festgehalten und immer deutlicher erkannt worden zwischen anthropomorpher Gottesvorstellung und dem Glauben an den persönlichen Gott. „Nicht wie ein Mensch ist Gott." Aber er ist ein wollender, ein redender und ein hörender Gott.

2. Der persönliche Gott des NT.

Der Kampf um die Überwindung des Anthropomorphis- 35 mus liegt weit hinter dem Urchristentum. Die Männer des NT verlieren kein Wort darüber. Aber die Personhaftigkeit Gottes ist den Männern des NT lebendige Wirklichkeit. Sie hat sich ihnen offenbart ἐν προσώπῳ Χριστοῦ (2 K 4, 6). Sie erschließt sich ihnen ἐν πνεύματι, denn der Pneumatiker weiß sich gekannt von seinem Gott und kennt seinen Gott[307]. Die Persönlichkeit Gottes wird ihm 40 immer neu gewiß im Ἀββά- Ruf des Gebets (→ I 5; → πατήρ). Die zahllosen Zeugnisse lebendigen Betens im NT (→ αἰτέω I 192; → βοάω I 624; → εὔχομαι II 803) sind ebenso viele Zeugnisse für den persönlichen Gott, an den das Urchristentum glaubte, sind zugleich Zeugnisse dafür, in welchem Sinne hier der Begriff der Persönlichkeit Gottes verstanden werden muß: Der Gott des NT ist ein 45 Gott, zu dem der Mensch Du sagen darf, wie man nur zu einem personhaften

---

[297] Ant 1, 15: πάσης καθαρὸν τὸν περὶ αὐτοῦ [sc θεοῦ] φυλάξας λόγον τῆς παρ' ἄλλοις ἀσχήμονος μυθολογίας.
[298] Ant 8, 111: ἀπροσδεὲς τὸ θεῖον ἁπάντων.
[299] Ap 2, 168, vgl Ant 8, 107; Bell 7, 344.
[300] Ap 2, 197: δέησις ἔστω πρὸς τὸν θεόν.
[301] Vgl Strack Einl 99: „Die Tora redet in der Sprache der Menschenkinder" SNu 112 zu 15, 31.
[302] כאלו oder כביכול s ERE VI 295.
[303] PFiebig, Das Vaterunser, in: BFTh 30, 3 (1927) 28 ff → II 799, 31 ff.
[304] Joma 8, 9; Sota 9, 15 (Str-B I 394 f).

[305] Vgl רחמנא als Umschreibung für (den barmherzigen) Gott und dazu M Ex 18, 12 (59 a): Gott versieht alle Geschöpfe mit Nahrung, die Guten und die Bösen.
[306] S ERE VI 296: Ber 7 a; 59 a. Dazu Gn r 33 z 8, 1; Ex r 3 z 3, 14: Jahwe ist der gnädige, Elohim der richtende Gott. Dieselben Probleme auch in hb Hen (Odeberg), passim.
[307] 2 K 11, 11 uö: ὁ θεὸς οἶδεν. R 8, 27: ὁ δὲ ἐρευνῶν τὰς καρδίας οἶδεν τί τὸ φρόνημα τοῦ πνεύματος. Anders Lk 16, 15 uö: ὁ θεὸς γινώσκει τὰς καρδίας ὑμῶν. Ag 1, 24; 15, 8: ὁ καρδιογνώστης θεός.

Wesen Du sagen kann. Dieses Du-Sagen des Menschen zu Gott aber ist die Antwort auf das Du, mit dem Gott den Menschen angeredet hat [308].

Gott ist ein lebendiger Gott (→ ζάω), der lebendig handelt mit den Wirklichkeiten der Welt und den Mächten im Menschen, der mit sich ringen läßt in
5 Bitte und Notruf. Sein herrisches Wollen (→ θέλω) wird dem offenbar, der ihm Wille gegen Wille begegnet, sein geheimnisvoller Ratschluß (→ βούλομαι I 631) enthüllt sich dem, der seinen Willen dem Gotteswillen einfügt. Das NT wagt keine Lehren von den Eigenschaften Gottes, aber es gibt Zeugnisse vom Sinne Gottes, wie er sich dem Betenden und Glaubenden in den Führungen
10 (2 K 1, 3 ff) seines Lebens und der Menschheitsgeschichte kundtut. In diesen Zeugnissen erst offenbart sich die ganze Fülle dessen, was dem NT im Gedanken der Persönlichkeit Gottes beschlossen liegt.

πιστὸς ὁ θεός, das ist, namentlich bei Paulus, das Erste und Letzte [309]. ἀμεταμέλητα τὰ χαρίσματα τοῦ θεοῦ (R 11, 29). Er ist ἀληθής, sagt J 3, 33. ἀψευδής,
15 sagt Tt in ungefähr gleichem Sinn [310]. Er ist ein Gott der Barmherzigkeit, so sagt das NT im Blick auf das Christusereignis. Wir hören von Gottes Liebe und Gnade, seiner Milde (R 2, 4), in den hellenistisch gestimmten Schriften auch von seiner φιλανθρωπία [311]. Aber auch Gottes gerechten Zorn [312] sieht das Urchristentum in der Geschichte wirksam: ἴδε οὖν χρηστότητα καὶ ἀποτομίαν θεοῦ
20 (R 11, 22). Erst die Spätschriften wagen axiomatische Aussagen darüber, was Gott wesensgemäß unmöglich ist [313]. Seltener ist in der Sprache des NT von der furchterweckenden Heiligkeit Gottes die Rede, einmal heißt Gott τέλειος (Mt 5, 48), aber nicht im Sinn metaphysischer Spekulation, sondern im Gedanken an seine sittliche Vollkommenheit. So bleibt auch hier die Persönlichkeit
25 Gottes Voraussetzung. Vor allem aber: nirgends stehen solche Gottesaussagen allein und um ihrer selbst willen da. Sie sind stets verbunden mit Dank oder Bitte, Botschaft oder Forderung: Es geht dem NT nicht um eine Lehre von der Persönlichkeit Gottes, sondern um die geschichtliche Bezeugung und Durchsetzung des Gotteswillens.

30 Die Ausdrucksweise ist mannigfaltig genug. Am einfachsten wird der Sinn Gottes durch ein attributives oder prädikatives Adjektiv gekennzeichnet: μόνος σοφὸς θεός (R 16, 27), oder θεὸς ἀληθής ἐστιν (J 3, 33). Paulus liebt es aber auch, von dem χρηστόν (R 2, 4), μωρόν (1 K 1, 25), ἀσθενὲς τοῦ θεοῦ (1 K 1, 25) zu sprechen. Häufig und naheliegend ist die Verbindung des Theosgenitivs mit
35 einem Substantiv [314]: → πίστις τοῦ θεοῦ (R 3, 3). Paulus liebt die Umkehrung, die an das AT erinnert: ὁ θεὸς τῆς εἰρήνης [315], ὑπομονῆς [316], ἐλπίδος [317], παρακλή-

---

[308] KHeim, Das Gebet, in: Leben aus dem Glauben (1934) 122 ff.
[309] 1 K 1, 9; 10, 13; 2 K 1, 18 → πιστός.
[310] Tt 1, 2: (ἐλπίς . . .) ἣν ἐπηγγείλατο ὁ ἀψευδὴς θεὸς πρὸ χρόνων αἰωνίων.
[311] Tt 3, 4: ἡ χρηστότης καὶ ἡ φιλανθρωπία ἐπεφάνη τοῦ σωτῆρος ἡμῶν θεοῦ.
[312] → ὀργή, → θυμός. R 1, 18; 1 Th 2, 16.
[313] Jk 1, 13: θεὸς ἀπείραστός ἐστιν. Hb 6, 10: οὐ γὰρ ἄδικος ὁ θεός. 6, 18: ἀδύνατον ψεύσασθαι θεόν. Vgl immerhin R 3, 4; 9, 14. 19; J 9, 31.

[314] Lk 1, 78: σπλάγχνα ἐλέους θεοῦ ἡμῶν. R 12, 1: διὰ τῶν οἰκτιρμῶν τοῦ θεοῦ. Phil 4, 7: εἰρήνη τοῦ θεοῦ.
[315] R 15, 33; 16, 20; 1 Th 5, 23; Phil 4, 9; 1 K 14, 33: οὐ γάρ ἐστιν ἀκαταστασίας ὁ θεός, ἀλλὰ εἰρήνης. Dazu Hb 13, 20.
[316] R 15, 5: θεὸς τῆς ὑπομονῆς καὶ τῆς παρακλήσεως.
[317] R 15, 13: ὁ δὲ θεὸς τῆς ἐλπίδος πληρώσαι ὑμᾶς πάσης χαρᾶς καὶ εἰρήνης.

σεως [318], ἀγάπης [319]. 1 J 4, 8 wagt die kühne Gleichung: ὁ θεὸς ἀγάπη ἐστίν. Aber damit ist Gott nicht etwa zurückgeführt auf eine begrifflich unpersönliche Größe, er ist vielmehr zum Ursprung und Urmaß alles dessen erklärt, was Liebe heißen soll und darf [320]. Nicht die Liebe ist eine Gottheit, sondern der persönliche Gott ist Liebe in all seinem Wollen und Werk, entscheidend im Christus- 5 werk (J 3, 16).

Das NT bietet aber auch, zumal in den Spätschriften, Gottesprädikationen, die nicht so sehr auf Gottes Sinn und Gesinnung, als vielmehr auf die Art, die φύσις Gottes gehen. Dazu gehören noch nicht notwendig Attribute wie αἰώνιος (→ I 208, 32; R 16, 26), ἀόρατος, wohl aber ἄφθαρτος [321] und namentlich das 10 reichlich hellenistische μακάριος (1 Tm 1, 11). Völlig im Sinne hellenistischer Tradition gedacht ist Ag 17, 25: οὐδὲ ὑπὸ χειρῶν ἀνθρωπίνων θεραπεύεται προσδεόμενός τινος. Das ist derselbe Geist, aus dem in 17, 27 der spätere Zusatz τὸ → θεῖον stammt — natürliche Theologie.

Ein Problem für sich bilden dagegen die johanneischen Gleichungen zwischen 15 ὁ θεός und einer neutrischen Prädikation. Das oben (→ 108, 18) erwähnte πνεῦμα ὁ θεός (J 4, 24) bedeutet vielleicht begrifflich noch keinen entscheidenden Schritt über 1 J 4, 8 hinaus. Dagegen ist in 1 J 1, 5 ein ganz naturhaft anmutender Begriff mit Gott gleichgesetzt: ὁ θεὸς → φῶς ἐστιν [322]. Hier scheint dasselbe Denken am Werk wie in der doppeldeutigen Begriffsbildung der ira- 20 nischen Theologie. Aber freilich — was dort im Ansatz erkennbar ist, ist hier restlos zur Durchsetzung gekommen. Alles, was Licht heißt in der Welt, sei es im schöpfungshaften, sei es im geistigen oder sittlichen Sinne, weist auf den persönlichen Gott als Urheber und Urmaß zurück. Gottes Erscheinungs- und Wirkungsform ist Licht, das heißt ὁ θεὸς φῶς ἐστιν. 25

IV. Die Überweltlichkeit Gottes.

1. Die Herrschermacht Gottes in den semitischen Religionen.

a. In der semitischen Welt heißen die Götter, heißt der Stammesgott zumal: Baal, Malk, Sar, Mar, Adon [323], auf syrischem Boden κύριος, δεσπότης, βασιλεύς, 30 im Arabischen rabb, schayyim (Herr, Schutzherr) uä [324]. Diese Würdenamen sind dem Semiten so wesentlich, daß sie den ursprünglichen Eigennamen des Gottes vielfach verdrängen und selber wie Eigennamen gebraucht werden [325]. Was die Götter zu Göttern macht, ist demnach hier nicht ihre Unvergänglichkeit, Seligkeit oder dergleichen, wie bei Homer. Das mag hier Voraussetzung sein, aber auch nicht mehr. Gott ist Gott 35 durch seine Herrschermacht [326].

---

[318] 2 K 1, 3: ὁ πατὴρ τῶν οἰκτιρμῶν καὶ θεὸς πάσης παρακλήσεως. Dazu 1 Pt 5, 10: ὁ θεὸς πάσης χάριτος. → auch A 316.
[319] 2 K 13, 11: ὁ θεὸς τῆς ἀγάπης καὶ εἰρήνης.
[320] 1 J 4, 7: ἡ ἀγάπη ἐκ τοῦ θεοῦ ἐστιν, vgl 1 J 3, 16.
[321] 1 Tm 1, 17: ἀφθάρτῳ ἀοράτῳ μόνῳ θεῷ.
[322] Hb 12, 29: (ὁ θεὸς ἡμῶν πῦρ καταναλίσκον) ist nur ein at.liches Bild zum Hinweis auf Gottes Endwerk.
[323] Baudissin, Kyrios III 19 ff.
[324] Baudissin III 70 ff; SMargoliouth in ERE VI 248: Shayyim in südarab Inschriften.

Rabb, wohl biblisch beeinflußt, im Koran. Daneben Ilah (Inschriften) und Allah (Hauptbegriff des Korans).
[325] OEißfeldt, Vom Werden der biblischen Gottesanschauung (1929) 7. Über Baal s Baudissin III 246 ff. Zu Marduk s Babylonisches Weltschöpfungsepos II 131 bei Ungnad, Religion 34.
[326] Über verwandte Erscheinungen bei den Ägyptern und Sumerern s Baudissin III 284 ff. Auch in die hell Welt ist dieser Sprachgebrauch eingedrungen, s Pr-Bauer sv θεός (PLond I 121, III 529 κύριε θεὲ μέγιστε. Preisigke Sammelbuch I 159, 2f: τῷ κυρίῳ θεῷ Ἀσ-

Das gilt zunächst von seinem Verhältnis zum Menschen, zum Volk wie zum Einzelnen[327]. Gott ist der Herr, der Mensch sein Sklave[328] (→ δοῦλος), aber Gott ist auch der Schutzherr, dem der Mensch sich anvertraut in allen Nöten und Gefahren[329]. Gott ist Richter[330], aber auch Vater[331], mit einem Wort, er ist König. So ist die Überordnung Gottes über den Menschen und zugleich die Zuordnung des Menschen zu Gott durch ein und denselben Begriff sichergestellt.

Wo nun die gleiche Verhältnisbestimmung aus dem Bereich Gott und Mensch übertragen wurde auf die Beziehung von Gott und Welt[332], da ist der Gott weder ein innerweltlicher noch ein außerweltlicher Gott, noch auch eine Vereinigung beider Ideale. Er ist vielmehr ein Herrschergott und in diesem Sinne ein überweltlicher Gott. Darum lieben die Semiten Gottesbezeichnungen wie Bel Schamin, μέγας, μέγιστος, ὕψιστος[333], die zunächst die Erhabenheit Gottes, eben dadurch aber letztlich die Überlegenheit Gottes über alle Mächte herausheben. Kurz: diese Beinamen sind nicht, wie ähnliche Begriffe in der griechischen Religion, Wesensbestimmungen, sondern im echt semitischen Sinne Verhältnisbestimmungen, sind Umschreibungen für die Herrschermacht Gottes.

Diese Herrschermacht aber findet ihre entscheidende Bewährung in der Macht Gottes über das Schicksal. Anschar heißt zugleich „Herrscher" und „Schicksal" der großen Götter[334]; und Schamasch wird angerufen, weil er es in seiner Hand hat, das „Schicksal des Lebens" zu gestalten[335]. Kraft dieser ihrer Schicksalsmacht können die Götter wirkliche Schutzherren und Nothelfer[336] sein, in allen Bedrohungen durch die Mächte und Zufälle dieser Welt.

b. Während die anderen semitischen Religionen durch Verquickung mit Zauberglauben, Fruchtbarkeitskulten, Astralmythologien und Astrologie den Keim des Verfalls in sich trugen und in den Schicksalsglauben des Synkretismus ganz hineingezogen wurden, haben die Propheten durch Erneuerung des mosaischen Ansatzes den Gottesgedanken vertieft und gegen alle Überfremdung sichergestellt. Am Ende der prophetischen Zeit erscheint der Gott Israels als der Herrschergott schlechthin[337], und seine Herrschermacht kennt keine Grenzen. Er ist der Schöpfer, der die Welt aus dem Nichts hervorgerufen hat und sie allezeit ins Nichts zurückrufen kann, der in das Geschehen dieser Welt jederzeit übermächtig eingreifen kann. Ein eigenmächtiges Schicksal neben ᵕoder gar über ihm gibt es nicht.

Die LXX hat die Endfolgerung aus diesem Werdegang gezogen und zugleich den Weg des Spätjudentums entschieden, indem sie den vornehmsten Würdenamen Gottes aus der Zeit Altisraels, Κύριος, als stellvertretenden Eigennamen Gottes durchgesetzt hat. Die anderen Beinamen Gottes, δεσπότης, βασιλεύς uä vervollständigen das Bild des weltüberlegenen Herrschergottes, der alles Geschehen in festen Händen hält[338]. Hier gewinnt das Gebet seinen vollen Ernst als der Ruf des Menschen zu dem, der allein helfen kann, weil er außer und über uns und unserer Welt ist und dennoch mächtig in aller Welt.

2. Gott und Welt im Spätjudentum.

Man hat den Gott des Spätjudentums vielfach als den „fernen" Gott kennzeichnen wollen und die Hypostasen und Engel dann gern als die Mittler zwischen Gott und Welt gefaßt[339]. Man wird ihn richtiger als den überweltlichen Gott verstehen und die Hypostasen und Engel als seine Amtsträger, die den Willen des Herrschergottes in seiner Welt zur Durchsetzung bringen (→ 99, 10). Darauf führen die zahlreichen Beinamen Gottes, die vom hebräischen und griechischen AT her im

---

κλητιῷ. Ditt Or II 655, 3 f: τῷ θεῶι καὶ κυρίῳ Σοκνοπαίωι. Epict Diss II 16, 13: κύριε ὁ θεός). Bei Plotin heißt κύριος der, der in Freiheit sich selbst bestimmt. Zum Ganzen → κύριος.

[327] Enlil als „Herr, der sein Volk beruft" bei Ungnad aaO 196. Über Gott als „Vater" zunächst des Stammverbandes, später des einzelnen s Baudissin III 347 ff.

[328] Margoliouth ERE VI 249.

[329] Eißfeldt, Vom Werden der biblischen Gottesanschauung 7.

[330] Auch Gesetzgeber, s Baudissin III 379 ff; Eißfeldt, Gottesanschauung 8.

[331] Baudissin III 309 ff.

[332] Über Gott und Natur, s Baudissin III

463 ff, auch 523: Angleichung der Naturgötter an den Stammesgott.

[333] AESuffrin in ERE VI 296; Baudissin III 70 ff.

[334] Babylonisches Weltschöpfungsepos II 133 bei Ungnad aaO 34.

[335] S Ungnad aaO 168.

[336] Marduk als „Helfer", s Ungnad aaO 182.

[337] Der Mensch ist Gottes Ebenbild, insofern er zum Herrscher gesetzt ist, s Gn 1, 26 und Baudissin III 233.

[338] S Baudissin II; Eißfeldt, Gottesanschauung 16.

[339] So auch HGunkel in RGG² II 1369.

spätjüdischen Schrifttum verbreitet sind. Adonaj und → κύριος, El Eljon und θεὸς ὕψιστος [840], μέγας, δεσπότης [841], βασιλεύς, βασιλεὺς βασιλέων uam [842].

Wohl kann einmal von Gottes Unsterblichkeit uä die Rede sein, aber das ist nur die Voraussetzung für Gottes Herrschertum, von dem anschließend gesprochen wird; nicht auf der metaphysischen, sondern auf der dynamischen Bestimmung liegt der 5 Ton [843]. Wohl begegnen manche Umschreibungen für Gott, die seinen Abstand von der Welt hervorheben, so vor allem Schamajim, auch Makom uam (→ 93, 40 ff). Aber damit ist nicht ein außerweltlicher Raum, sondern der überweltliche Standort Gottes bestimmt, der ihm die Möglichkeit gibt, seine Hand über alles Geschehen zu halten [844] (→ θρόνος). Der Gott des Himmels ist zugleich Vater im Himmel [845]. Makom 10 wird zur Umschreibung für den allgegenwärtigen Gott. Warum heißt der Heilige Makom? Weil er der Raum ist für die Welt, und nicht die Welt sein Raum! Darum kann der Gott, dessen Herrlichkeit im ganzen Universum nicht Raum hat, mit dem Menschen durch das Haar auf seinem Haupte umgehen [846]. Von der Schechina aber ist gesagt, daß sie in Israels Mitte bleibt, wohin immer das Gottesvolk vertrieben 15 werden mag [847].

Gott kann andrerseits als „das All" bezeichnet werden: τὸ πᾶν ἐστιν αὐτός. Aber das gefährliche Wort hat nichts mit Emanationsideen oder gar Pantheismus zu tun: αὐτὸς γὰρ ὁ μέγας παρὰ πάντα τὰ ἔργα αὐτοῦ . . . δοξάζοντες κύριον ὑψώσατε καθ' ὅσον ἂν δύνησθε, ὑπερέξει γὰρ καὶ ἔτι . . . οὐ γὰρ μὴ ἀφίκησθε [848]. Gott ist nicht Inbegriff noch 20 Ursprung des Alls, sondern sein Schöpfer. Er, der sprach, und es ward die Welt, ist mehr als alle seine Werke, und er bleibt Herr über sie [849]. Darum legt das Spätjudentum allerdings den größten Wert darauf, jeden Gedanken an eine Vermischung, ein Ineinander von Göttlichem und Menschlichem oder Welthaftem fernzuhalten [850]. Ein ἐν θεῷ im Sinne irgendeiner naturhaften oder ekstatischen unio hat hier keinen 25 Platz [851]. Um so mehr aber begegnen Verbindungen wie παρὰ θεοῦ [852], ὑπὸ θεοῦ [853]: von Gott her kommt, von Gott ist in Gang gesetzt, was wir vor Augen sehen. Vor allem aber bleibt die wichtige at.liche Formel „Gott mit uns" in mancherlei Abwandlungen in Gebrauch [854]. Nicht wie ein Mensch ist Gott, noch irgend verflochten oder verhaftet in die Welt. Aber er hat mit den Seinen einen Bund geschlossen und steht 30 zu ihnen als ihr mächtiger Schutzherr [855]. Zu diesem Schutzherrn darf Israel sein Gebet erheben in aller Not — es gibt keine Not, über die er nicht Herr wäre. Denn er ist Herr auch über alle Weltelemente und Gewalten des Schicksals. Das Gottesvolk jedenfalls ist nicht dem Glückstern unterworfen, sondern dem Herrn über Himmel und Erde [856].   35

Darum sprechen die spätjüdischen Texte gern von der גבורה, der δύναμις τοῦ θεοῦ [857]. Gott wird einem Herrscher verglichen, der zwar unsichtbar bleibt, aber in seinen Machtbeweisen, seinen Gesetzen und Ämtern der Welt allezeit gegenwärtig ist und

[840] Aeth Hen 10, 1 uö; Sib 3, 702 ff; Asenath VIII (p 32 f Brooks). Bei Josephus nur im Edikt des Augustus Ant 16, 163: ἐπὶ Ὑρκανοῦ ἀρχιερέως θεοῦ ὑψίστου. Dazu bRH 18 b: כֹּהֵן גָּדוֹל לְאֵל עֶלְיוֹן.

[841] Jos Ant 20, 90 δέσποτα κύριε (→ II 43).

[842] S Baudissin aaO III 675 ff; Suffrin in ERE VI 296. → I 566 ff.

[843] Sib 3, 717 f vgl Pseud-Phokylides 54 bei ThBergk, Poetae Lyrici Graeci II (1915) 74 ff.

[844] Sib 3, 1 ff. 704 f; Eus Praep Ev VI 8, 10; Asenath VIII. XI (p 32 f, 37 ff Brooks).

[845] Joma 8, 9; Sota 9, 15; vgl ERE VI 297. Dazu Jos Ant 4, 318: τοῦ θεοῦ . . . ᾧ μελήσει καὶ πρὸς τὸ μέλλον ὑμῶν. Ant 7, 45: θεός . . . ᾧ μέλει πάντων.

[846] S Pesikt r 21; Gn r 4 zu 1, 6. Vgl ERE VI 296 f.

[847] Vgl die → A 354 genannten rabb Stellen. Die Mittelbarkeit göttlichen Wirkens in der gottlosen Welt ist betont in der amoräischen Theorie von der Bath kol. Sie ist das Echo der Gottesstimme, s W Bacher, Die exegetische Terminologie der jüd Traditionslit II (1905) 206.

[848] Sir 43, 27 ff.

[849] Sib 3, 20 ff.

[850] Eus Praep Ev XIII 13, 60 (Pseud-Aesch). Jos Bell 7, 344: κοινωνία θείῳ πρὸς θνητόν ἀπρεπής ἐστιν.

[851] Ganz anderes ἐν Jos Ant 3, 23: ἐν αὐτῷ (Gott) εἶναι τὴν σωτηρίαν αὐτοῦ καὶ οὐκ ἐν ἄλλῳ. Oder 8, 282: τὰς ἐλπίδας ἔχειν ἐν τῷ θεῷ.

[852] Jos Ant 1, 14; 2, 137; 3, 222; 15, 136.

[853] Jos Ant 1, 106; 9, 182. Bes beachtlich die Verschränkung mit διά in Ant 8, 223 (κωλυθεὶς ὑπὸ τοῦ θεοῦ διὰ τοῦ προφήτου) und 9, 2: τὰ νόμιμα τὰ διὰ Μωυσέως ὑπὸ τοῦ θεοῦ δοθέντα.

[854] Ant 6, 181 (μετ' ἐμοῦ); 6, 231 (μετά σου); 15, 138 (μετ' ἐκείνων). Dazu M Ex 20, 24 שְׁכִינָה עִמָּהֶם. Vgl SNu § 84 zu 10, 35 (KGKuhn, SNu übersetzt [1933 ff] 226 f).

[855] Vgl auch Ant 2, 152: φυλαχθησόμενος ὑπὸ τοῦ θεοῦ.

[856] Schabb 156 b.

[857] S A Marmorstein, EJ VII 565; Jos Ant 10, 242: τὸν θεὸν ὡς τὴν ἅπασαν ἔχοντα δύναμιν, vgl 5, 109: μὴ νομίζητε . . . τῆς τοῦ θεοῦ δυνάμεως ἔξω γεγονέναι· πανταχοῦ δ' ἐν τοῖς τούτου ἐστέ. Dazu Asenath VIII (p 32 f Brooks).

seinen Willen aufzwingt [358]. Die Engel umgeben ihn wie ein himmlischer Hofstaat [359]. Besonders die jüdische Apokalyptik hat Gott bis in die Einzelheiten nach dem Bilde des Großkönigs gezeichnet und sein Verhältnis zur Welt dem Verhältnis von Herrscher und Reich verglichen.

Freilich weiß gerade die Apokalyptik, daß Gottes Herrscherwille in seiner eigenen Schöpfung nicht ungebrochen zur Geltung kommt. Er ist dort durch widerstrebende Mächte gehemmt — die Weltwirklichkeit steht in Spannung zum Gotteswillen [360]. So scheint doch auch hier ähnlich wie im griechischen Idealismus ein metaphysischer Gegensatz zwischen Welt und Überwelt gelehrt zu werden. Finitum incapax infiniti? Keineswegs. Nicht der räumliche Abstand, nicht die wesensmäßige Verschiedenheit, sondern der willensmäßige Widerstand ist es, der unsere Welt von Gott trennt — ein Widerstand freilich, der die ganze Form dieser Welt verunstaltet hat. So kennt denn das apokalyptische Denken auch weder Scheidung noch Einigung zwischen Gottes- und Menschenwelt im hellenistischen Sinne, sondern allein Kampf, den Kampf um die Herrschaft.

Die jüdische Apokalyptik glaubt mit dem gesamten Spätjudentum fest an den allmächtigen Gott. Aber sie denkt dabei nicht an eine Alleinwirksamkeit Gottes — das macht ihr schon die Tatsache der Sünde unmöglich. Sie glaubt vielmehr an Gottes Allvermögen im Sinne des dynamischen Monotheismus (→ 96, 44 ff). Gott ist nicht der Einzige, der am Werke ist, aber er vermag alles Geschehen in seinem Sinne zu lenken. Oft ist das Ziel dieses Waltens noch unsichtbar, ja, lange Zeit kann Gott an sich halten und den Weltlauf scheinbar fremden, feindlichen Mächten überlassen. Die Apokalyptik hat sich darum wohl gehütet, von der Alleinherrschaft Gottes in dieser Welt zu sprechen. Aber sie glaubt an die Übermacht Gottes und darum an seinen Endsieg im Kampf um die Herrschaft und darum an die Endherrschaft Gottes. So ist die Erwartung der endzeitlichen βασιλεία τοῦ θεοῦ das letzte Wort des Judentums zum Thema Gott und Welt, das lebendigste Zeugnis des jüdischen Glaubens an die Überweltlichkeit Gottes.

3. Der überweltliche Gott des Neuen Testaments.

Das Urchristentum geht durchweg von den spätjüdischen Begriffen und Vorstellungen aus, wenn es über das Verhältnis von Gott und Welt spricht. Auch im NT heißt Gott → κύριος [361], βασιλεύς, μέγας [362], → ὕψιστος [363], auch hier hören wir vom → θρόνος θεοῦ [364] und der βασιλεία θεοῦ, daneben von der βασιλεία τῶν οὐρανῶν (→ I 582, 16 ff) [365]. Auch der Gott des Urchristentums ist somit weder ein innerweltlicher noch ein außerweltlicher, sondern ein überweltlicher Gott.

Er ist der Überweltliche, genau im Sinne der jüdischen Apokalyptik. Das tritt am greifbarsten zutage in der urchristlichen Verhältnisbestimmung von Himmel und Erde. ὁ → οὐρανὸς καὶ ἡ γῆ gehören zunächst zusammen [366], sie bilden in dieser Zusammengehörigkeit das Ganze der Gottesschöpfung [367]; dazu → γῆ I 677, 15 ff. Dennoch werden beide Bereiche regelmäßig und mit Bewußtsein getrennt (Lk 2, 14; Mt 28, 18; 23, 9), das Irdische hat keinen Zu-

---

[358] S den monarchischen Gottesbeweis bei Marmorstein, EJ VII 562.

[359] sBar 51; Sanh 38a; BB 74a bei Suffrin ERE VI 297.

[360] Dieses Verhältnis zwischen Gott und Welt offenbart sich auch im Schicksal der Weisheit (oder auch der Schechina), die auf Erden keinen Raum findet, höchstens in Israel eine Stätte hat. Vgl die verschiedenen Wandlungen des Motivs in Hi 28, 23 ff; Sir 24, 4 ff; aeth Hen 42, dazu hb Hen (Odeberg) sv Shekinah.

[361] ZB Apk 4, 11: ὁ κύριος καὶ ὁ θεὸς ἡμῶν. Ihm steht der Mensch auch nach urchristlicher Auffassung als δοῦλος gegenüber → II

276, 18 ff. Der Hauptträger des Kyriosnamens aber ist Jesus, und ihm ist dementsprechend der δοῦλος-Begriff hauptsächlich zugeordnet, zumal bei Pls. → II 277, 12 ff.

[362] μεγάλου βασιλέως nach ψ 47, 3 in Mt 5, 35. → I 579, 15 f.

[363] Lk 1, 32. 35. 76; 6, 35; Ag 7, 48. θεὸς ὕψιστος in Mk 5, 7; Ag 16, 17; in Hb 7, 1 nach Gn 14, 18. ἐν ὑψίστοις Mk 11, 10; Lk 2, 14 uö.

[364] Bes Apk 7, 15; 12, 5 uö.

[365] Vgl Apk 21, 2. 10: ἐκ τοῦ οὐρανοῦ = ἀπὸ τοῦ θεοῦ.

[366] Lk 10, 21; Ag 17, 24.

[367] Ag 4, 24; Apk 10, 6; 2 Pt 3, 5 ff.

kunftswert (Kol 3, 2; Mt 6, 19 f). Der Himmel ist der Erde übergeordnet als der Ort und Ausgangspunkt der Gottesherrschaft: Der Himmel ist Gottes Thron, die Erde der Schemel seiner Füße [368]. Dieser Unterschied wiederum ist zum Gegensatz geworden dadurch, daß in der Erdenwelt Mächte ihr Wesen treiben, die der Herrschaft des Himmels entgegenstehen. Es ist keineswegs selbstver- 5 ständlich, daß Gottes Wille wie im Himmel, so auch auf Erden geschieht (Mt 6, 10). So stellt sich die apokalyptische Grundüberzeugung von dem Doppelverhältnis der Zusammengehörigkeit und Spannung zwischen Himmel und Erde als eine Grundvoraussetzung urchristlichen Denkens heraus.

Von dieser Denkvoraussetzung her ist im NT das Christusereignis verstanden 10 als die entscheidende Begegnung zwischen Himmels- und Erdenwelt — eben jene Begegnung, die die Apokalyptik als eschatologisches Geschehnis erwartet hatte. Jesus selbst sagt es den Pharisäern: „siehe, das Reich Gottes ist mitten unter euch" [369] — aber freilich, sie wollen es nicht sehen. Mt nennt ihn im Anschluß an Js 7 Immanuel und übersetzt mit Betonung: μεθ' ἡμῶν ὁ θεός [370]. Auf 15 diese Weise ist Christus die Begegnung zwischen Gott und Menschenwelt. Paulus arbeitet Phil 2, 6 ff den Gegensatz heraus zwischen μορφὴ θεοῦ und μορφὴ δούλου, zwischen der himmlischen Herrschaft Christi und seiner irdischen Erscheinung ἐν ὁμοιώματι σαρκὸς ἁμαρτίας, zwischen seinem Himmelsdasein und seinem Erdenschicksal ἕως θανάτου τοῦ σταυροῦ (→ II 281, 29). Der Johannes- 20 prolog hat all diese Denkmotive zusammengefaßt in den wenigen Sätzen: θεὸς ἦν ὁ λόγος — ὁ κόσμος δι' αὐτοῦ ἐγένετο — ὁ λόγος σὰρξ ἐγένετο καὶ ἐσκήνωσεν ἐν ἡμῖν — τὸ φῶς ἐν τῇ σκοτίᾳ φαίνει καὶ ἡ σκοτία αὐτὸ οὐ κατέλαβεν [371]. Die Begegnung beider Welten hat sich vollzogen — aber freilich, wie hat sie sich vollzogen! Nicht in der Form einer Verklärung oder Vergöttlichung des Mensch- 25 lichen, auch nicht in der Form einer Vermählung oder Einung zwischen Himmels- und Erdenwelt, sondern in der Form einer Explosion! Die Begegnung zwischen Himmel und Erde im Christusereignis will nicht zu einem Ausgleich der Spannungen zwischen beiden Welten führen, sondern zu einer Höchststeigerung und Überwindung dieser Spannung. Das ist die einmütige Überzeugung des Ur- 30 christentums.

Diese Spannung aber hat schlechterdings nichts zu tun mit dem metaphysischen Gegensatz zwischen Erscheinung und Idee, Endlich und Unendlich, Zeit und Ewigkeit, von dem die hellenistische Philosophie redete. Spätere Pseudotheologie hat den Versuch gemacht, von diesem religionsphilosophischen Vor- 35

---

[368] Mt 5, 34 f; 23, 22; Ag 7, 49 nach Js 66, 1 f.
[369] Lk 17, 21: ἰδοὺ γὰρ ἡ βασιλεία τοῦ θεοῦ ἐντὸς ὑμῶν ἐστιν. Die Übers „inwendig in euch" liegt nach Mt 23, 26 sprachlich nahe genug. Für „mitten unter euch" spricht jedoch *1.* das ἰδού am Anfang des Jesuswortes; *2.* andere Jesusworte wie Lk 11, 20; *3.* die älteste Deutung des Wortes in der Rahmenerzählung, nach der das Wort nicht an die Jünger (so erst v 22), sondern an die Pharisäer gerichtet ist, die nach Jesu Meinung das Gottesreich gewiß nicht im Herzen tragen;

4. die ältesten Übersetzungen des Wortes: Die Syrer, die überdies der Muttersprache Jesu am nächsten stehen, übersetzen „zwischen" (bainath). Die Lateiner bieten intra vos und nicht in vobis oder in cordibus vestris. — Lk 11, 20 macht zugleich am wahrscheinlichsten, daß sich das Reich „mitten unter euch" auf die Gegenwart und auf Jesus bezieht. Anders RBultmann, Jesus (1926) 39: „Mit einem Schlage mitten unter euch."
[370] Mt 1, 23 nach Js 7, 14. Anders Ag 10, 38: ὁ θεὸς ἦν μετ' αὐτοῦ (Jesus). → 118, 22.
[371] J 1, 1. 10. 14. 5. Vgl 14, 17.

verständnis her das Christusereignis zu begreifen, aber sie hat dabei den realistischen Ernst der Fleischwerdung hinwegleugnen müssen — gezwungen durch ihr metaphysisches Vorurteil: finitum non capax infiniti. Joh hat selbst noch die Anfänge dieser Verwirrung erlebt und sofort durchschaut. 1 J 4, 2 f macht
5 das Ernstnehmen der Botschaft von der geschichtlichen Fleischwerdung des ewigen Logos zum Maßstab für die göttliche Vollmacht einer Theologie [372]; und 2 J 7 sagt: πολλοὶ πλάνοι ἐξῆλθον εἰς τὸν κόσμον, οἱ μὴ ὁμολογοῦντες Ἰησοῦν Χριστὸν ἐρχόμενον ἐν σαρκί· οὗτός ἐστιν ὁ πλάνος καὶ ὁ ἀντίχριστος.

Der lebendige Gott des NT ist in seinem Handeln durch keinerlei metaphy
10 sische Urverhältnisse bestimmt oder gar beschränkt. Die Männer des NT glauben an das Allvermögen Gottes. Gott ist imstande, sich aus diesen Steinen Kinder zu erwecken, hatte nach Lk 3, 8 der Täufer gepredigt. Jesus selbst hatte seinen Jüngern eingeprägt: Bei Gott ist kein Ding unmöglich (Mk 10, 27). Die κραταιὰ χεὶρ τοῦ θεοῦ (1 Pt 5, 6) ist die letztentscheidende Macht in der
15 Welt. Gott ist imstande, Israel zu verderben oder zu erhöhen, wie es ihm beliebt — und nicht wie irgendein natürliches oder geschichtliches Recht es gebietet (R 11, 23 f). Sein Werk kann niemand hindern und zerstören, kann der Mensch nur anscheinend aufhalten und stören (Ag 5, 39; 2 Tm 2, 9). Sein Wort bedeutet Leben oder Tod (Lk 12, 20). Macht (R 13, 1 f) und Ohnmacht,
20 Reichtum und Armut (2 K 9, 8; 1 Tm 6, 17; Jk 1, 17), Not und Rettung und alle schicksalhaften Setzungen kommen von ihm her. Neben ἀπὸ θεοῦ liebt das NT das θεὸς μεθ᾽ ἡμῶν (→ 117, 15), das im Christusereignis zur Erfüllung gekommen ist und von da aus in einer neuen Weise sich verwirklicht. Der Weltherrscher ist der Schutzherr der Christusgemeinde. In Entsprechung zu diesem
25 μεθ᾽ ἡμῶν begegnet in Ag 23, 1 der Dativ θεῷ: πεπολίτευμαι τῷ θεῷ ἄχρι ταύτης τῆς ἡμέρας. Jk 4, 8 (vgl Hb 7, 19. 25) prägt den Satz: ἐγγίσατε τῷ θεῷ, καὶ ἐγγίσει ὑμῖν. Der Mensch bleibt δοῦλος vor dem κύριος Gott (→ A 361). In Eph heißen die Christen συμπολῖται τῶν ἁγίων καὶ οἰκεῖοι τοῦ θεοῦ [373]. Das sind weithin at.liche Gedanken, und das Urchristentum hat denn auch in ganz ähnlichen Formeln
30 vom Schutzverhältnis Gottes zu der Gemeinde gesprochen wie die Männer des AT. Aber was damals hie und da sich ankündigte, ist in, mit und durch Christus einmal für allemal Tatsache geworden. Das kommt am eindeutigsten zum Ausdruck in dem ὑπέρ von R 8, 31 f: εἰ ὁ θεὸς ὑπὲρ ἡμῶν, τίς καθ᾽ ἡμῶν? Woher und in welchem Sinne dieses ὑπέρ? ὑπὲρ ἡμῶν πάντων παρέδωκεν αὐτόν (den
35 Sohn). Auf diese Tatsache aber gründet sich eine Siegesgewißheit, die nicht nur das AT überbietet, sondern auch Antwort gibt auf die äußerste Notforderung antiken Gottsuchertums, wie sie sich etwa in den Worten von der Schicksalsmacht der Isis verrät: πέπεισμαι γὰρ ὅτι οὔτε θάνατος οὔτε ζωὴ . . . οὔτε ἀρχαὶ . . . οὔτε δυνάμεις . . . οὔτε τις κτίσις ἑτέρα δυνήσεται ἡμᾶς χωρίσαι ἀπὸ τῆς ἀγά
40 πης τοῦ θεοῦ τῆς ἐν Χριστῷ [374]. Es gibt kein Verhängnis, das Macht, Geltung oder Bedeutung hätte vor Gott. Worte wie εἱμαρμένη oder μοῖρα fehlen im NT

---

[372] ἐν τούτῳ γινώσκετε τὸ πνεῦμα τοῦ θεοῦ. πᾶν πνεῦμα ὃ ὁμολογεῖ Ἰησοῦν Χριστὸν ἐν σαρκὶ ἐληλυθότα ἐκ τοῦ θεοῦ ἐστιν. Vgl 1 J 1, 1 f. Vielleicht ist schon J 1, 14 antithetisch gemeint, vgl J 6, 41. 51. 58.

[373] Eph 2, 19 (vgl 22: κατοικητήριον τοῦ θεοῦ). Dazu Phil 3, 20.
[374] R 8, 38 f. Beachte bes die Häufung und Abwandlung des δύναμις-Begriffs.

gänzlich. Das NT hat mit der antiken Weltangst auch den Schicksalsbegriff selbst überwunden.

Die Überweltlichkeit des lebendigen Gottes, die sich hier als eine unerläßliche Voraussetzung urchristlicher Glaubensgewißheit offenbart, scheint nun freilich in Frage gestellt durch einige Formeln, die an ein Ineinander von Gott 5 und Welt oder Mensch denken lassen. Dazu gehört noch nicht der Gedanke, daß die Gemeinde der Tempel ist, in dem Gott wohnt — das will kaum etwas anderes sagen als das Bild von der Hausgenossenschaft. Auch das Bild vom Einzelnen als Tempel oder Wohnung des Geistes bleibt im bisherigen Rahmen. Das θεὸς ἐν ὑμῖν von 1 K 14, 25 ist eine at.liche Wendung und bedeutet ähn- 10 lich dem ἐντὸς ὑμῶν von Lk 17, 20, daß Gott in ihrer Mitte ist[375]. Dagegen scheint sich der Epheserbrief immanenztheologischen Formeln zu nähern, wenn Gott dort der πατὴρ πάντων heißt, ὁ ἐπὶ πάντων καὶ διὰ πάντων καὶ ἐν πᾶσιν (4, 6). Doch es ist nur Schein. Denn das dritte Glied ist vom ersten her zu deuten und muß darum als Weiterbildung des paulinischen θεὸς ὁ ἐνεργῶν τὰ 15 πάντα ἐν πᾶσιν (1 K 12, 6) und Gegenstück zu dem gleichfalls gut paulinischen τὰ πάντα ἐν αὐτῷ (Christus) συνέστηκεν von Kol 1, 17 verstanden werden. Noch mystischer klingen die johanneischen ἐν-Formeln wie: ὁ θεὸς ἀγάπη ἐστίν, καὶ ὁ μένων ἐν τῇ ἀγάπῃ ἐν τῷ θεῷ μένει καὶ ὁ θεὸς ἐν αὐτῷ μένει[376]. Aber nachdem im Obersatz die Personhaftigkeit Gottes sichergestellt und die ἀγάπη als das 20 Prinzip der Durchsetzung Gottes in dieser Welt erklärt ist, kann das Bleiben in der Liebe nur als die Treue zu diesem Prinzip, das Bleiben in Gott nur als die Treue zu Gott verstanden werden (→ I 53, 4 ff). Diese Treue zu Gott aber steht im Wechselverhältnis zu der Treue Gottes, von der das Schlußglied redet mit der Gegenformel: θεὸς μένει ἐν αὐτῷ. Kurz — es ist kein metaphysisches 25 Immanenzverhältnis, sondern ein geschichtliches Du-Verhältnis, das in diesem μένειν zur Verwirklichung kommt. Derselbe Joh, der die Idee des außerweltlichen Gottes bekämpfte (→ A 372), hat mit gleicher Unbeirrbarkeit den Gedanken der Innerweltlichkeit Gottes ferngehalten[377].

Endlich erfährt diese Deutung ihre entscheidende Bestätigung durch die Tat- 30 sache, daß die Johannestexte wie alle andern Schriften des NT überreich sind an Zeugnissen lebendigen Betens; und gerade das Bittgebet spielt bei Joh die größte Rolle[378]. Wo aber die innerweltliche oder die außerweltliche Fassung des Gottesgedankens herrscht, da ist die Du-Beziehung, die das Wesen echten Gebets ausmacht, gleichermaßen unmöglich; und wirkliches Bittgebet 35 hat nur Sinn unter der Voraussetzung eines überweltlichen Gottes. Darum sind die Bittgebete des NT die unmittelbarsten und mächtigsten Zeugnisse für den urchristlichen Glauben an den überweltlichen Gott, der im Christusereignis kundgetan hat, daß er alles vermag und aller Not dieser Welt zugekehrt ist.

---

[375] Der ἄπιστος soll darum auch nicht die Enthusiasten anbeten, sondern vor Gott niederfallen: προσκυνήσει θεῷ.

[376] 1 J 4, 16, vgl 3, 24; 4, 12 ff; J 15, 9 f; 2 J 9 → ἐν II 539, 15 ff. Über θεὸν ἔχειν → II 822, 7 ff; s auch ἐπιτυχεῖν θεοῦ bei Ign. S Pr-Bauer sv ἐπιτυγχάνω.

[377] Nur an einer Stelle dürften Immanenzideen in das NT eingebrochen sein, in der

Areopagrede Ag 17, 27 f, die auch sonst hellenistische Gedanken verrät (→ 123, 25 ff) und nicht zufällig gerade hier hell Dichterworte zitiert: θεὸν ... οὐ μακρὰν ἀπὸ ἑνὸς ἑκάστου ἡμῶν ὑπάρχοντα — ἐν αὐτῷ γὰρ ζῶμεν καὶ κινούμεθα καὶ ἐσμέν, ὡς καί τινες τῶν καθ' ὑμᾶς ποιητῶν εἰρήκασιν· τοῦ γὰρ καὶ γένος ἐσμέν. Dazu v 29: τὸ θεῖον.

[378] J 11, 22; 14, 13; 16, 23 ff; 1 J 5, 15 ff uö.

Die Ausdrücke für dieses Beten wechseln, von προσεύχεσθαι (→ II 806, 28 ff) und αἰτεῖν (→ I 191, 24 ff) über αἴρειν τὴν φωνήν (→ I 184, 43 ff) bis hin zu dem eindringlichen → κράζειν und βοᾶν (→ I 624, 49 ff), dem Notschrei, zu dem κύριος βοηθός [379] und → σωτήρ. Fast durchweg ist die Hinwendung des Beters 5 zu dem Du außer und über ihm durch das eindeutige πρός (τὸν θεόν) zur Geltung gebracht [380]. Oft genug erscheint das Gebet zurückbezogen auf das Ereignis, in dem die Weltüberlegenheit Gottes entscheidend und richtungweisend offenbar geworden ist, der Beter bittet Gott „im Namen" Jesu (→ ὄνομα). Das gibt dem Gebet nicht nur die Gewißheit und Zuversicht, es gibt ihm Sinn und 10 Ziel. Denn alles urchristliche Gebet gipfelt in der Bitte um die Endoffenbarung der Gottesmacht in dieser Welt (→ ἵνα), um die Endverwirklichung der Gottesherrschaft, deren Sieg mit Christus entschieden ist: ἐλθάτω ἡ βασιλεία σου (Lk 11, 2). So ist das nt.liche Bittgebet zuletzt ein Ausdruck dafür, daß die Weltüberlegenheit und Herrschermacht Gottes auch nach dem Christusereignis nur 15 geglaubt werden kann, bis die Endherrschaft Gottes sich offenbart. Dann wird die erste Begegnung zwischen Himmel und Erde überboten und vollendet werden [381] in der Aufhebung jeden Widerstreits, und die Welt wird der Raum Gottes sein: ἰδοὺ ἡ σκηνὴ τοῦ θεοῦ μετὰ τῶν ἀνθρώπων — καὶ αὐτὸς ὁ θεὸς μετ' αὐτῶν ἔσται (Apk 21, 3 vgl 4 f. 7). In der kommenden Schöpfung wird Gott πάντα ἐν 20 πᾶσιν sein, aber erst dann (1 K 15, 28 vgl R 11, 36).

† *θεότης* → θειότης

Die *Göttlichkeit, das Gott-Sein*: bei Plutarch, Lukian, Themistios ua, häufig bei Hermas [1].

Nur einmal im NT, Kol 2, 9: ἐν αὐτῷ (Christus) κατοικεῖ πᾶν τὸ πλήρωμα τῆς 25 θεότητος σωματικῶς, vgl 1, 19 f. Der Εἷς θεός des AT hat alle Gottesmacht im weiten Kosmos an sich gezogen und nach urchristlicher Anschauung den Christus als den Träger des Gottesamtes mit dieser ganzen Machtfülle ausgestattet.

ἄθεος

Bei Aeschylos, den Stoikern, Philo, Josephus, nicht in LXX, 30 einmal im NT (Eph 2, 12; → 122, 16), dann Apost Vät, Apologeten, Sib ua [1]: *gottlos*.

---

[379] → βοήθεια, βοηθεῖν I 627. Jüngeres bei Peterson, Εἷς θεός 3, 63 f und Preisigke Sammelbuch I 159, 1.
[380] αἰτήματα πρὸς θεόν in Phil 4, 6. προσευχὴ πρὸς θεόν uä in Ag 12, 5; 2 K 13, 7. εὔχεσθαι θεῷ in Ag 26, 29.
[381] Apk 7, 10; 12, 10: ἄρτι ἐγένετο ἡ σωτηρία καὶ ἡ δύναμις καὶ ἡ βασιλεία τοῦ θεοῦ ἡμῶν.

θεότης. HSNash, θειότης — θεότης (R 1, 20; Kol 2, 9), JBL 18 (1899) 1—34.
[1] S Plut Def Orac 10 (II 415 c): οὕτως ἐκ μὲν ἀνθρώπων εἰς ἥρωας, ἐκ δὲ ἡρώων εἰς δαίμονας αἱ βελτίονες ψυχαὶ τὴν μεταβολὴν λαμβάνουσιν. ἐκ δὲ δαιμόνων ὀλίγαι μὲν ἔτι χρόνῳ πολλῷ δι' ἀρετῆς καθαρθεῖσαι παντάπασι θεότητος μετέσχον. Vgl noch Luc Icaromenipp 9: διελόμενοι τὸν μέν τινα πρῶτον θεὸν

ἐκάλουν, τοῖς δὲ τὰ δεύτερα καὶ τρίτα ἔνεμον τῆς θεότητος. RReitzenstein, Zur Geschichte der Alchemie und des Mystizismus, in: NGG 1919, 14 ff (Z 62, 117, 137); vgl Pr-Bauer [3] sv. Ferner Themist XV 193 d (p 237, 30 Dindorf). EJGoodspeed, Index Patristicus (1907) sv. Josephus braucht θεότης nicht, wohl aber θειότης.

ἄθεος. Cr-Kö sv; ABDrachmann, Atheism in Pagan Antiquity (1922); ANock (1926) p LXXXVIII zu Sallust § 18; ThMommsen, Der Religionsfrevel nach röm Recht, Hist Zschr 64 = NF 28 (1890) 389 ff, bes 407; AHarnack, Der Vorwurf des Atheismus in den drei ersten Jahrhunderten, in: TU, NF XIII 4 (1905).
[1] S Pr-Bauer sv; EJGoodspeed, Index Patristicus (1907) und Index Apologeticus (1912) sv.

Sieben Grundformen des „Atheismus" lassen sich in der Antike unterscheiden.

1. Die praktische Gottlosigkeit der Banausen, Kurzsichtigen, Selbstgenügsamen, Genießer oder Rücksichtslosen wird namentlich im AT bekämpft, Js 22, 13; Jer 5, 4 ff; Ps 10, 4; 14, 1 ff; aber auch in Rm 1, 30; 3, 10 ff; 1 K 15, 32; Eph 2, 12 [2].

2. Die Selbstherrlichkeit des Staates oder seines Hauptes führt zwar nicht zu einer Ableugnung der Götter, aber vielfach zu einer Säkularisation der Religion. Im Orient und später in Rom wird der Staatskult zum Herrscherkult, den AT und NT als Gipfel dämonischer Selbstverherrlichung und Raub an der Ehre des Εἷς θεός verworfen haben; vgl Ez 28, 2; Da 11, 36; 2 Th 2, 4; Apk 13 uam (→ ἐγώ II 344 b ff; → θεός 97, 40).

3. Schon Plato kennt ἄθεοι, die gleichwohl auf geheimnisvolle Weihen Wert legen Leg X 908 d, vgl 909 b; dazu die drei Formen des Atheismus in X 885 b und den Terminus ἄθεος in XII 966 e. 967 a; ἀθεότης XII 967 c. In weiteren Kreisen wird dann in der hellenistischen Zeit der Götterglaube durch einen Schicksalsglauben verschlungen, der bald heroisch-fatalistische, bald magisch-astrologische Züge trägt. Aus solchem Schicksalsglauben entspringt die Angst vor den → στοιχεῖα τοῦ κόσμου, der Paulus seine Botschaft von der kosmischen Übermacht Christi und der allgeschichtlichen Tragweite seines Todes gegenüberstellt, Kol 1 f (→ θεότης).

4. Die Zersetzung des überlieferten Gottesglaubens durch die philosophische Aufklärung, die vielfach zu metaphysischer Umdeutung der alten Glaubensvorstellungen und neuen Formen der Frömmigkeit führt [3], spielt im Umkreis des NT eine bemerkenswert geringe Rolle [4].

5. Ganz anderer Art als die philosophische Skepsis ist die Erschütterung des Glaubens durch den religiösen Zweifel, der durch den Widerspruch zwischen Gottesglauben und Weltlauf hervorgerufen wird und bis zur Verzweiflung an Gott führen kann. Die verschiedenen Grade solcher schon bei Euripides wahrnehmbaren Erschütterung lassen sich erkennen aus Kerkidas [5], Pseudo-Diphilus [6], Qohelet, Js 45, 15; Ps 73. Zugleich werden hier die verschiedenen Wege zur Überwindung jener Erschütterung sichtbar. Kerkidas endet mit der Feststellung, daß weder Recht noch Billigkeit, weder Sinn noch Zweck im Laufe der Dinge ist. Pseudo-Diphilus weist auf die späte Bestrafung des Sünders und die jenseitige Vergeltung hin. Qohelet rettet sich vor den letzten Endfolgerungen seines Beobachtens und Denkens mit der praktischen Losung: „Fürchte Gott!" Der Glossator Js 45, 15 sucht den Leser für den Gedanken des Deus absconditus zu gewinnen. Ps 73 läßt sich durch die Anfechtung ins Gebet und durch das Gebet zu einem tieferen Verständnis Gottes und seiner Wege führen. Das ist die Linie, die zur urchristlichen Theologie der Wege Gottes und zur paulinischen Theodizee in Rm 9—11 führt.

6. Das Bewußtsein der schlechthinigen Abhängigkeit kann im AT gelegentlich die Form der ohnmächtigen Abwehr und Auflehnung gegen den übermächtigen Gott annehmen. Jeremias klagt über den Gott, der ihm zu stark wird. Moses tritt dem Gott entgegen, der sein Volk verderben will [7]. Wo die Rätsel des Vorsehungsglaubens alles verdunkeln und der Mensch nur noch Willkür und Grausamkeit im Weltgeschehen zu sehen vermag, kann der Gottesglaube geradezu umschlagen in Gotteshaß. Hiob und der Seher des 4 Esr stehen in dieser Gefahr, aus der sie weder durch die Warnungen der Freunde noch durch die Gegenreden des Engels gerettet werden, sondern allein durch die Begegnung mit Gott selbst und das Dennoch des Glaubens. Das Evangelium kennt diese Haltung im ganzen Boden entzogen. Doch man erkennt aus Ag 9, 5; 1 K 15, 9; Rm 9, 3. 20, daß der Gottestrotz der Propheten und Apokalyptiker auch in Paulus noch lebendig war. Aber hinter und über diesem Trotz steht seine Leidenschaft für Gott, und ohne diese Spannung wäre weder er selbst denkbar noch Rm 9—11. Das NT kennt aber auch einen Gottestrotz, der aus der Selbstherrlichkeit entspringt — das ist der dämonische Gotteshaß, der alle Werke Gottes vernichten will und den Christus Gottes ans Kreuz gebracht hat.

---

[2] Vgl auch Jos Bell 5, 566: ἤνεγκε γενεὰν ἀθεωτέραν.

[3] Vgl die persönliche Frömmigkeit des platonischen Sokrates mit der karikierenden Darstellung bei Aristophanes, der ihn ganz im Sinne der populären Anklagen als naturphilosophischen Atheisten reden läßt.

[4] Philo Som I 43 f kämpft gegen die atheistische Lehre, daß der Kosmos unerschaffen und ewig sei.

[5] POxy VIII 1082 (→ θεός).

[6] Eus Praep Ev XIII 13, 47.

[7] Ex 32, 32 vgl Pseud-Philo XII 9 f (James [→ 97 A 178] p 113) uö.

7. Der Vorwurf der Gotteslästerung, des Dämonismus, des Atheismus ist eine Lieblingswaffe im Kampf zwischen Glaube und Glaube; er wird vor allem von den Hütern des Alten gern gegen die Vorkämpfer oder Propheten des Neuen erhoben. So hat in gewissem Sinn Plato die Sendung und die Verkennung des Sokrates dargestellt (→ A 3), so hat ein Jude Heraklit reden lassen als Künder des einen und wahren Gottes, der eben deshalb ständig mit dem Vorwurf des Atheismus zu kämpfen hat[8]. So ist der jüdische Monotheismus, der den Polytheismus verneint, die Welt entgöttert und jeden Bilderkult abgelehnt hat, als Atheismus verschrien worden[9]. Die Juden selber haben Jesus als Teufelsboten und Gotteslästerer verklagt und getötet[10] und mit den gleichen Anklagen seine Gemeinde verfolgt[11]. Zugleich aber hat die Urkirche mit der Übernahme des Monotheismus auch von heidnischer Seite den alten antisemitischen Vorwurf des Atheismus auf sich nehmen müssen und hat die Kampflage noch verschärft durch die leidenschaftliche Ablehnung des Kaiserkultes[12]. Αἶρε τοὺς ἀθέους wurde der antichristliche Kampfruf des heidnischen Pöbels[13]. Die Christengemeinde hat diesen Vorwurf nicht nur zurückgewiesen, sondern auch zurückgegeben. Schon Eph 2, 11 f sagt: μνημονεύετε ὅτι ποτὲ ὑμεῖς τὰ ἔθνη . . . ἦτε ἄθεοι ἐν τῷ κόσμῳ[14]. Am schroffsten Mart Pol 9, 2: Der Märtyrerbischof soll sein Christentum verleugnen mit dem Ruf: Αἶρε τοὺς ἀθέους. Polykarp aber, εἰς πάντα τὸν ὄχλον τὸν ἐν τῷ σταδίῳ ἀνόμων ἐθνῶν ἐμβλέψας . . . καὶ ἀναβλέψας εἰς τὸν οὐρανόν, εἶπεν· Αἶρε τοὺς ἀθέους!

† ϑεοδίδακτος

Während θεόπνευστος (→ πνεῦμα) im NT auf die γραφή (2 Tm 3, 16) bezogen und später zur regelmäßigen Bezeichnung der kanonischen Schriften und Schriftsteller wird, geht das verwandte θεοδίδακτος *von Gott gelehrt* 1 Th 4, 9 auf die Christen überhaupt[1] als auf die Angehörigen des neuen Bundes von Jer 31, 34; Js 54, 13, vgl J 6, 45 (→ II 167, 35 f. 40 ff).

Stauffer

† ϑεῖος

a. Adj zu θεός, wie δαιμόνιος zu δαίμων, *göttlich*, alles was irgendwie den Stempel eines θεός trägt[1], sei es der Herkunft oder der Beziehung nach (θεῖον γένος Hom Il 6, 180; θείη ὀμφή Hom Il 2, 41), sei es daß darin das Wesen eines Gottes oder überhaupt etwas Übermenschliches, eine überragende Macht, eine letzte Wirklichkeit, eine tiefste Sinnhaftigkeit erscheint, die nicht unmittelbar rational zu begreifen ist, wie das Sokratische θεῖόν τι καὶ δαιμόνιον Plat Ap 31 c; vgl Aristot Eth Nic VII 1 p 1145 a 19 ff: θεία ἀρετή. So ist das Wort in der Häufigkeit und Art seiner Verwendung wieder bezeichnend für die griechische Religiosität, der fast alles eines Gottes Spur wies (Hippocr Morb Sacr VI 394 Littré; De Aëribus, Aquis, Locis II 76 f Littré: οὐδὲν ἕτερον ἑτέρου θειότερον οὐδὲ ἀνθρωπινώτερον, ἀλλὰ πάντα ὅμοια καὶ πάντα θεῖα). Es ist ein Lieblingsausdruck des gebildeten

---

[8] S RHercher, Epistolographi Graeci (1873) 280 ff. ENorden, Der vierte heraklitische Brief, in: Beitr zur Gesch der griech Philosophie, Jbch f Phil, Suppl 19 (1893) 365 ff, vgl 386 A 2.

[9] Jos Ap 2, 148 vom Antisemitismus des Apollonius: ἡμᾶς ὡς ἀθέους καὶ μισανθρώπους λοιδορεῖ. Bezeichnende Umformung bei Pls 1 Th 2, 15.

[10] J 10, 20: δαιμόνιον ἔχει, derselbe Vorwurf wie Lk 7, 33 gegen den Täufer.

[11] S Ag 5, 39; 9, 5; 23, 9 vl (θεομαχέω).

[12] Zur Verneinung des Polytheismus s: Just Apol I 6: καὶ ὁμολογοῦμεν τῶν πάντων νομιζομένων θεῶν ἄθεοι εἶναι, ἀλλ' οὐχὶ τοῦ ἀληθεστάτου . . . θεοῦ. Zur Ablehnung des Bilderkultes und seiner Rückwirkungen s Ag 19 uö. Zur Ablehnung des Kaiserkultes s Apk 13; Mart Pol 9, 2.

[13] S Mart Pol 3, 2; Just Apol I 13, 1; Ditt Or II 569, 22, weiteres bei Pr-Bauer und Mommsen aaO. Die doketischen Häretiker als ἄθεοι: Ign Trall 10.

[14] Vgl 1 Th 4, 5; Gl 4, 8 f.

ϑεοδίδακτος. [1] Barn 21, 6: γίνεσθε δὲ θεοδίδακτοι. Nicht bei Josephus.

ϑεῖος. JKeil-AvPremerstein, Bericht über eine 3. Reise in Lydien (1914) 29; RMugnier, Le Sens du Mot θεῖος chez Platon (1930); Deißmann LO 295 f; HWindisch, Pls u Christus = UNT 24 (1934) 24 ff; LBieler, ΘΕΙΟΣ ANHP. Das Bild des „göttlichen Menschen" in Spätantike und Frühchristentum I (1935). [1] Anders → ἱερός „einem Gotte zu eigen gehörig".

Schriftstellers im klassischen und noch mehr im hellenistischen Griechisch [2], aber auch in LXX [3], bei Philo [4] und Josephus [5]. Man spricht nicht von G o t t, sondern unpersönlich-allgemeiner von der θεία φύσις (Diod S V 31, 4; Jos Ap 1, 232: θείας δοκοῦντα μετεσχηκέναι φύσεως), von der θεία (opp: ἀνθρώπινος) δύναμις (Plat Leg III 691 e: φύσις τις ἀνθρωπίνη μεμειγμένη θεία τινὶ δυνάμει). Diog L III 63: θεία σοφία.   5

War das Gegenwort zu θεῖος vielfach ἀνθρώπινος gewesen, so wird doch auch der M e n s c h [6] als Träger schöpferischer und gemeinschaftstiftender Kraft als θεῖος bezeichnet: die typisch griechische Auffassung vom θεῖος ἀνήρ, für den im NT kein Platz ist, beginnt schon mit Homers θεῖος ἀοιδός (Sänger) (Hom Od 8, 43; 1, 336; 4, 17 uö). Θεῖοι ἄνδρες (bzw ἄνθρωποι) sind, neben den Sehern und Priestern, religiösen Helden und   10 Wundermännern wie Apollonios von Tyana, vor allem die großen Gesetzgeber der Vorzeit (Epimenides bei Plat Leg I 642 d), Herrscher und Könige (Plat Men 99 d: καὶ τοὺς πολιτικοὺς οὐχ ἥκιστα ... ἂν θείους τε εἶναι καὶ ἐνθουσιάζειν. Resp 500 c/d: θείῳ δὴ καὶ κοσμίῳ ὅ γε φιλόσοφος ὁμιλῶν κόσμιός τε καὶ θεῖος εἰς τὸ δυνατὸν [!] ἀνθρώπῳ γίγνεται). In der Stoa wird θεῖος das Prädikat des Weisen (Diog L VII 119 f), und bei Luc Cynicus 13 heißt Herakles,   15 der Heilbringer der Menschheit θεῖος ἀνὴρ καὶ θεός. So erscheint θεῖος zuletzt auch als fester terminus im Kaiserkult (= divinus): τοῦ θειοτάτου ἡμῶν δεσπότου [7]. Dio C 56, 35: ἐπὶ τῷ θείῳ ἐκείνῳ Αὐγούστῳ (→ θειότης).

b. S u b s t a n t i v i s c h   τ ὸ   θ ε ῖ ο ν (→ θεός),   das Göttliche, die Gottheit, im griech Sprachgebrauch seit der Mitte des 5. Jhdts v Chr sehr häufig   20 (Hdt 1, 32; Thuc V 70; Plat Soph 254 b: τὸ ὂν = τὸ θεῖον [8], Luc, auch Pap und Inschr, Keil-Premerstein aaO Nr 30; Ditt Syll [3] 695, 16; 1268, 20; IG V 2, Nr 266, 6; Ditt Or I 90, 35 [2 Jhdt v Chr]; PLond V 1703, 17). Es fehlt bezeichnenderweise in LXX; dagegen bei Jos Ant 3, 321; 8, 111; 18, 167; Vit 14, 48; und Philo Fug 99; Decal 63.

So begegnet θεῖος auch im N e u e n   T e s t a m e n t nur   25 in hellenistisch gefärbten Schriften bzw Stücken, ohne daß freilich mit dieser unpersönlichen Ausdrucksweise der persönliche Gottesglaube irgend preisgegeben wäre. 2 Pt 1, 3 f: τῆς θείας δυνάμεως αὐτοῦ ... δεδωρημένης ... ἵνα γένησθε θείας κοινωνοὶ φύσεως. Ag 17, 29: γένος ὑπάρχοντες τοῦ θεοῦ οὐκ ὀφείλομεν νομίζειν ... χαράγματι τέχνης ... τὸ θεῖον εἶναι ὅμοιον (vgl Ag 17, 27 vl: ζητεῖν τὸ θεῖον).   30

† ϑειότης

Subst zu θεῖος, Göttlichkeit in dem Sinne, daß etwas θεῖον ist, die Eigenschaft des Göttlichen hat; das, was Gott als Gott erweist und ihm das Recht auf göttliche Verehrung gibt. So wird θειότης zunächst von der Gottheit ausgesagt: Plut Convivalium Disputationum IV 2, 2 (II 665 a); Pyth Or 8 (II 398 a): ... πεπλῆσθαι   35 πάντα θειότητος, Ditt Syll [3] 867, 31: die Artemis hat Ephesus berühmt gemacht διὰ τῆς ἰδίας θειότητος. Dann aber auch von Menschen [1]: im Kaiserkult ist θειότης terminus für die Göttlichkeit der kaiserlichen Majestät [2] (Ditt Syll [3] 900, 20: ἡ θειότης τοῦ δεσπότου ἡμῶν [Maximinus Daza] ... ἐπέλαμψεν. Ditt Syll [3] 888, 10 [238 n Chr]; PLond II 233, 8 [4. Jhdt]). In spätjüdischen Texten ist es selten (ep Ar 95; Philo Op Mund 172 vl); ein-   40 mal in LXX (Sap 18, 9: παῖδες ἀγαθῶν ... τὸν τῆς θειότητος νόμον ἐν ὁμονοίᾳ διέθεντο).

Einmal im NT, R 1, 20: ἡ ἀΐδιος αὐτοῦ δύναμις καὶ θειότης (→ θεός).

Kleinknecht

---

[2] Das Salz heißt θεῖος (Hom Il 9, 214); Aristot Eth Nic VII 13 p 1153 b 32: πάντα γὰρ φύσει ἔχει τι θεῖον. Vgl Jambl Vit Pyth (ed ANauck [1884]) Index sv.

[3] Ganz vereinzelt bei Ez, Hiob, Prv, häufiger in den Spätschriften (Sir; 2, 3 Makk); ein Lieblingswort der 4 Makk: θεία πρόνοια, θεία δίκη, θεῖα καὶ ἀνθρώπινα πράγματα 1, 16.

[4] Vgl Leisegang Index sv.

[5] Bell 7, 343: θεῖοι λόγοι, Ant 1, 189; 3, 108 uö; Ap 1, 232.

[6] Zu dieser Auffassung, die aus dem Glauben an die Gottverwandtschaft (συγγένεια) des Menschen entspringt, jetzt reiches Material u Lit bei Windisch aaO 24 ff; ferner: Bieler aaO 10 ff; Reitzenstein Hell Myst [3] (1927) 26.

[7] Vgl Deißmann LO 295 f.

[8] Es ist für die grundsätzliche Verschiedenheit des Gottesbegriffes im Griechentum und Judentum wiederum bezeichnend, daß Plato und Plutarch (Ei Delph 19/20 [II 392 e/393 b]) das unpersönliche τὸ ὂν mit dem θεῖον bzw mit dem θεός gleichsetzen können, während die Gottesname der griechisch sprechenden Juden → ὁ ὤν (→ II 396, 25 ff) persönlich gefaßt ist. Philo, in der Mitte zwischen beiden Welten, hat sowohl ὁ ὤν als auch τὸ ὂν (vgl Leisegang Index 226 ff).

ϑειότης. Pr-Bauer [3]; Cr-Kö sv. HSNash → θεότης Lit-A.

[1] Von Da bei Jos Ant 10, 268: δόξαν θειότητος παρὰ τοῖς ὄχλοις ἀποφέρεσθαι.

[2] Vgl Preisigke Wört sv.

---
† ϑεοσεβής, † ϑεοσέβεια

Inhalt: A. Der Sprachgebrauch außerhalb des NT. — B. Der nt.liche Sprachgebrauch. — C. Der altkirchliche Sprachgebrauch.

A. Der Sprachgebrauch außerhalb des NT.

5   **1.** Von den zahlreichen Zusammensetzungen mit θεός als Vorderglied in der griech Sprache kommen in der griech Bibel nur θεοσεβής, θεοσέβεια und dazu im NT je einmal θεοστυγής (Rö 1, 30), θεομάχος (Ag 5, 39), θεομαχεῖν (Ag 23, 9), → θεοδίδακτος (1 Th 4, 9), → θεόπνευστος (2 Tm 3, 16) vor. θεοσεβής ist seit Sophokles zu belegen. Vgl Oed Col 260: Ἀθήνας φασὶ θεοσεβεστάτας εἶναι [1]. Dabei bezeichnet θεοσέβεια
10 echte Frömmigkeit; „die Götter ehren" ist die wesentlichste Seite, Kern und Ziel der griechischen Religion. Dagegen wird → δεισιδαιμονία vielfach in einem irgendwie kritischen oder ablehnenden Sinne gebraucht und kann geradezu Aberglauben bezeichnen. So heißt es bei Appian Rom Hist Ἐκ τῆς Σαυνιτικῆς 12: Πύρρος οὐδὲ τῶν ἀναθημάτων τῆς Περσεφόνης ἀπέσχετο, ἐπισκώψας (wobei er höhnisch bemerkte) τὴν ἄκαιρον θεοσέβειαν εἶναι
15 δεισιδαιμονίαν, τὸ δὲ συλλέξαι πλοῦτον ἄπονον εὐβουλίαν. Als verwandte Begriffe erscheinen beide Vokabeln bei Xenoph Cyrop III 3, 58, wo der Schriftsteller aber offenbar aus einem gewissen Abstand heraus über ihm merkwürdige Äußerungen der Frömmigkeit berichtet: οἱ δὲ θεοσεβῶς πάντες συνεπήχησαν (παιᾶνα) μεγάλῃ τῇ φωνῇ· ἐν τῷ τοιούτῳ γὰρ δὴ οἱ δεισιδαίμονες ἧττον τοὺς ἀνθρώπους φοβοῦνται. Dem häufigeren εὐσέβεια steht
20 θεοσέβεια als der engere Begriff gegenüber. So entspricht nach Augustin das lat pietas dem griech εὐσέβεια oder dem schärferen und volleren Ausdruck θεοσέβεια [2]. θεοσέβεια bezeichnet nicht so sehr eine innere Haltung oder Stimmung als vielmehr das fromme Verhalten, die religiöse Übung oder Leistung, die Gottesverehrung. Es entspricht schließlich wie auch seine Synonyma δεισιδαιμονία und εὐσέβεια meistens
25 dem modernen Begriff ‚Religion' [3]. Die praktische Seite des Begriffes zeigt sich zB in einem Text des 2. vorchristlichen Jhdts (Ditt Syll [3] II 708, 18), in dem es heißt: προαγόμενος εἰς τὸ θεοσεβεῖν . . . πρῶτον μὲν ἐτείμησεν τοὺς θεούς. Auch Dio C 54, 30, 1 handelt es sich um kultische Übungen: Ὁ Αὔγουστος . . . θυμιᾶν τοὺς βουλευτὰς ἐν τῷ συνεδρίῳ . . . ἵνα θεοσεβῶσι . . . ἐκέλευσε. In der sog Mithrasliturgie ist θεοσεβής neben
30 εὐσεβής Selbstbezeichnung des Beters [4]. Nicht so sehr mit dem Kult als vielmehr mit der sittlichen Haltung des Menschen scheint der Begriff da in Beziehung zu stehen, wo er mit Ausdrücken, die der sittlichen Sphäre entstammen, wie Wahrheit, Gerechtigkeit, Güte, verbunden vorkommt, zB Plat Crat 394 d: ὅταν ἐξ ἀγαθοῦ ἀγαθοῦ καὶ θεοσεβοῦς ἀσεβὴς γένηται, Xenoph An II 6, 26: ἀγάλλεται ἐπὶ θεοσεβείᾳ καὶ ἀληθείᾳ καὶ
35 δικαιότητι. Auch Pseud-Plat Epin 985 c ist wohl ein mehr ethisches Verständnis vorausgesetzt: ἐπὶ θεοσέβειαν τρέψαι πόλιν ἑαυτοῦ. Dasselbe wird in dem Pap-Text aus dem Jahre 158/157 v Chr der Fall sein, in dem die Hilfe des ägyptischen Königs Ptolemäus Philometor zugunsten eines gewissen Apollonius mit folgender Begründung angerufen wird: ἧς ἔχετε πρὸς πάντας τοὺς τοιούτους θεοσεβοῦς [5]. Entsprechend wird
40 auch bei Jambl Protr 20 die Lebensweisheit als die Voraussetzung rechter Gottesverehrung angesehen: ὡς δεῖ θεοσέβειαν ἀσκεῖν, αὐτὴ δὲ οὐκ ἂν παραγένοιτο, εἰ μή τις ἀφομώσειε (gleichsetzte) τῷ θεραπευομένῳ τὸ θεραπεῦον, τὴν δὲ ὁμοιότητα ταύτην οὐκ ἄλλη τις ἢ φιλοσοφία παρέχει. Daß Gottesfurcht ein besonders enges Verhältnis zur Gottheit und den Anspruch auf ihre Hilfe begründet, ist ein auch im Heidentum allgemein verbreiteter
45 Glaube, dessen Bewährung Kyrus an Kroesus nach der bei Hdt I 86 mitgeteilten Anekdote erproben möchte: πυθόμενος τὸν Κροῖσον εἶναι θεοσεβέα τοῦδε εἵνεκεν ἀνεβίβασε ἐπὶ τὴν πυρήν, βουλόμενος εἰδέναι, εἴ τίς μιν δαιμόνων ῥύσεται. Im allgemeinen wird θεοσεβής von Personen gebraucht, nur selten von Sachen, zB Aristoph Av 897 vom μέλος.

ϑεοσεβής κτλ. Moult-Mill 288; Trench 104 f. Weiteres → σέβομαι.

[1] Vgl Ag 17, 22: δεισιδαιμονεστέρους, Jos Ap 2, 11: εὐσεβέστατοι πάντων Ἑλλήνων. Bei Hdt II 37 findet sich dasselbe Urteil von den Ägyptern: θεοσεβέες δὲ περισσῶς ἐόντες μάλιστα πάντων ἀνθρώπων νόμοισι τοιοῖσδε χρέωνται.

[2] Pietatem, quam Graeci uel εὐσέβειαν uel expressius et plenius θεοσέβειαν vocant: Aug Ep 167, 3 (CSEL 44, 598); De Trinitate XIV 1; Civ D X 1; Enchiridion 1. 2. An letzterer Stelle heißt es zu Hi 28, 28: Pietas est sapientia: si

quaeras, inquit, quam dixerit eo loco pietatem, distinctius in Graeco reperies θεοσέβειαν, qui est Dei cultus. Entsprechend übersetzt die Vulgata Jdt 11, 17: Deum colo, und J 9, 31: Dei cultor; sonst meist timor Dei oder pietas.

[3] Vgl GBertram, Der Begriff ‚Religion' in der Septuaginta, ZDMG NF 12 (1933) 1 ff. → εὐλάβεια und vgl die bei ADeißmann, Paulus [2] (1925) 92 angeführten kultischen Termini.

[4] Preis Zaub IV 683/684.

[5] PLond I 23 (p 38) col 2, 20.

Die Wortgruppe, die also im ganzen nur selten vorkommt, hat doch ein gewisses sachliches Schwergewicht. Sie bezeichnet die Frommen κατ' ἐξοχήν, sei es, daß sie selber diesen Anspruch erheben, sei es, daß sie von ihrer Umgebung in dieser Weise herausgehoben werden, und sie bezeichnet die Religion im Gegensatz zum Aberglauben. [5]

2. So versteht sich auch die Anwendung der Wortgruppe auf die Juden und ihre Religion als die allein wahre. Zwar im griech AT begegnet die Vokabelgruppe nur selten. Der Begriff ‚Religion' — vgl das ebenfalls seltene, nur im 4 Makk-Buch auffallend häufige → εὐσέβεια — ist der biblischen Sphäre grundsätzlich fremd und hat nur an wenigen Stellen eindringen können. Ein Mangel [10] an Gottesfurcht und infolge davon ein Mangel an sittlicher Haltung ist in der Abimelech-Geschichte Gn 20, 11 vorausgesetzt. Im HT steht da יִרְאַת אֱלֹהִים, was LXX sonst mit φόβος θεοῦ (Κυρίου), 2 Βασ 23, 3; 2 Εσδρ 15,′9. 15, wiedergeben, an unserer Stelle aber mit θεοσέβεια. Hi 28, 28 ist der Satz יִרְאַת אֲדֹנָי הִיא חָכְמָה übersetzt: ἡ θεοσέβειά ἐστιν σοφία. Vgl Prv 1, 7; 9, 10: ἀρχὴ σοφίας φόβος Κυρίου. Auch Sir 1, 25 [15] steht θεοσέβεια neben σοφία: ἐν θησαυροῖς σοφίας παραβολαὶ ἐπιστήμης, βδέλυγμα δὲ ἁμαρτωλῷ θεοσέβεια. In Bar 5, 4 erscheint δόξα θεοσεβείας als eschatologische Bezeichnung Jerusalems neben εἰρήνη δικαιοσύνης. Auf Personen bezieht sich mehrfach, aber im ganzen doch recht selten das Adj θεοσεβής. Wie Abraham 4 Makk 15, 28, so erhält auch die Märtyrer-Mutter 16, 12 dieses Prädikat. Judit (11, 17) sagt von sich selbst: [20] ἡ δούλη σου θεοσεβής ἐστιν καὶ θεραπεύουσα νυκτὸς καὶ ἡμέρας τὸν θεὸν τοῦ οὐρανοῦ. Diese Selbstaussage bezieht sich offenbar auf die religiöse Haltung und den sich darauf gründenden Anspruch an die Gottheit auf Gebetserhörung, wie das auch in der oben erwähnten Kroesusgeschichte der Fall ist [6]. Außerdem findet sich θεοσεβής dreimal von Hiob, 1, 1. 8; 2, 3, wo es neben ἀληθινός, ἄμεμπτος, δίκαιος, ἄκακος steht, sowie [25] Ex 18, 21 als eine bei den von Mose einzusetzenden Richtern zu fordernde Eigenschaft. Auch in der at.lichen Sphäre zeigt sich die starke ethische Prägung des Begriffes. So versteht auch das 4 Makk-Buch θεοσέβεια, Religion, im Sinne von Lebensweisheit, Philosophie. Entsprechend heißt es 7, 21 f: ἐπεὶ τίς πρὸς ὅλον τὸν τῆς φιλοσοφίας κανόνα [7] φιλοσοφῶν καὶ πεπιστευκὼς θεῷ καὶ εἰδώς, ὅτι διὰ τὴν ἀρετὴν πάντα [30] πόνον ὑπομένειν μακάριόν ἐστιν, οὐκ ἂν περικρατήσειεν τῶν παθῶν διὰ τὴν θεοσέβειαν [8]; In 7, 6 bezeichnet θεοσέβεια die reine Gottesverehrung im Gegensatz zu den befleckenden heidnischen Kulten. Diese Reinheit ist symbolisiert in den Speisegeboten. Den Sinn ‚wahre Religion' hat θεοσέβεια in dem die Märtyrergeschichte charakteristisch abschließenden Satz 17, 15: θεοσέβεια δὲ ἐνίκα τοὺς ἑαυτῆς ἀθλητὰς στεφανοῦσα. Er entspricht in der Wertung der jüdischen Religion und in der Formulierung dem Satz [35] aus dem Wettstreit der drei Jünglinge vor Darius, mit dem Serubbabel den Sieg davonträgt (1 Εσδρ 3, 12): ὑπὲρ δὲ πάντα νικᾷ ἡ ἀλήθεια (vgl 4, 41: μεγάλη ἡ ἀλήθεια καὶ ὑπερισχύει). Auch Sap 10, 12 steht eine ähnliche Aussage: παντὸς δυνατωτέρα ἐστὶν εὐσέβεια. Und auch die εὐσέβεια hier steht in engster Beziehung zur σοφία [9]. In anderen griech Übersetzungen des AT kommt θεοσέβεια nur einmal in Prv 1, 29 [40] vor. In ep Ar 179 ist θεοσεβεῖς ἄνδρες die Anrede an die Juden, die der heidnische König braucht. Philo braucht die Vokabel ähnlich wie die Übersetzer des AT mit Bezug auf die wahre, die jüd Religion. Er setzt dabei ein philosophisches, ethisch-asketisches Verständnis der biblischen Offenbarung voraus. So erscheint bei ihm [45] θεοσέβεια als die höchste ἀρετή, δι' ἧς ἀθανατίζεται ἡ ψυχή (Op Mund 154, vgl Abr 114) oder als ἀγαθὸν τέλειον (Congr 130) und als κάλλιστον κτῆμα (Fug 150). θεοσέβεια steht auch hier neben Begriffen wie φρόνησις, δικαιοσύνη und δύναμις (Spec Leg IV 134. 170). Der σοφός ist τείχει πεφραγμένος ἀκαθαιρέτῳ, θεοσεβείᾳ (Virt 186) [10].

3. Derselbe Sprachgebrauch findet sich in noch schärferer Prä- [50] gung in inschriftlichen Zeugnissen des Judentums in der hellenistischen und römischen Zeit. Hier wird unsere Vokabel geradezu zur Bezeichnung der Juden. So begegnet θεοσέβιοι in einer vielverhandelten Inschrift im Theater von Milet: [11] Ἰουδαίων τῶν καὶ θεοσεβίων, die man sicher nicht durch Umstellung: καὶ τῶν so verbessern darf, daß sie von Juden und Proselyten nebeneinander [55] zu verstehen wäre. Die Juden nennen vielmehr sich selbst ‚die Gottesfürchtigen' im Sinne der Ausschließlichkeit. Das entspricht den Gottesbezeichnungen, die dem hellenistischen Judentum geläufig oder überhaupt von ihm geschaffen sind: κύριος, παντο-

---

[6] Vgl weiter unten zu J 9, 31.
[7] A: + εὐσεβῶς.
[8] A: εὐσέβειαν.

[9] Vgl oben zu Hi 28, 28.
[10] Weitere Stellen bei Leisegang.
[11] Deißmann LO 391 f; Schürer III 174, 70.

κράτωρ, θεὸς ὕψιστος [12]. Hier handelt es sich ebenso wie bei der Benennung ‚Gottesfürchtige‘ um Appellative mit universalistischem Anspruch, die an die Stelle des völkisch
begrenzten Eigennamens Jahwe getreten sind. Ausdrücklich wird nach dem Kult des
θεὸς ὕψιστος eine jüdisch-synkretistische Sekte der Hypsistarier benannt, die sich vor
5 allem in den hellenistischen Städten der Krim findet und bei der nun auch die Selbstbezeichnung als σεβόμενοι θεὸν ὕψιστον [13] begegnet. Für Lydien haben wir für θεοσεβής
das Zeugnis einer Synagogeninschrift [14]. In Phönizien und Palästina kennt Cyrill von
Alexandrien eine halbjüdische, halbhellenistische Gemeinschaft von θεοσεβεῖς [15]. Eine
griechische Grabinschrift aus Rom bezeichnet einen gewissen Agrippa aus Phaena,
10 der Hauptstadt der Trachonitis im Ostjordanland, als θεοσεβής [16].

Aus diesen sicher noch zu vermehrenden Zeugnissen ergibt sich die Tatsache,
daß jüdische oder halbjüdische Gemeinschaften sich als ‚Gottesfürchtige‘ bezeichneten und auch unter diesem Namen bekannt waren. Sachlich wird eine solche
Selbstbezeichnung ähnlich zu werten sein wie etwa die der ἅγιοι im NT und
15 überhaupt die Verwendung von Appellativen, die den Begriff Frömmigkeit umschreiben, als Eigenname religiöser Gemeinschaften [17].

B. Der nt.liche Sprachgebrauch.

Wenn im nt.lichen Zeitalter und in der Sphäre des NT
die Bezeichnung der Juden als ‚Gottesfürchtige‘ als verbreitet anzunehmen wäre,
20 würde es sich von selbst verstehen, daß das NT diese Vokabel vermeidet. Außerdem ist ja der Bibel der Begriff ‚Religion‘ an und für sich fremd. Jedenfalls
kommen im NT θεοσεβής und θεοσέβεια nur je einmal vor. In J 9, 31 ist die
Eigenschaft der Gottesfurcht als Voraussetzung für die Erhörung durch Gott
festgestellt: ἐάν τις θεοσεβὴς ᾖ καὶ τὸ θέλημα αὐτοῦ ποιῇ, τούτου ἀκούει. Der
25 zweite Teil des Bedingungssatzes ist als Erläuterung des Begriffes der Gottesfurcht zu verstehen; auf die Erfüllung des Willens Gottes kommt es an. Die
Anschauung an sich ist weitverbreitet, und zahlreich sind die Belege, die die
Kommentare dafür aus der biblischen, jüd und hell Sphäre beibringen [18]. Vgl
ua Prv 15, 29; Hi 27, 9; ψ 33, 16; Qoh 12, 13 nach dem Verständnis des Mi-
30 drasch: „Das Ende der Sache: Jeder wird erhört, der Gott fürchtet [19]." Wie
in den Parallelstellen gelegentlich der Begriff des Gerechten an Stelle des Gottesfürchtigen auftritt, so ist θεοσεβής jedenfalls auch in der Äußerung des geheilten Blinden in at.licher Weise nach der ethischen Seite verstanden.

Das Subst θεοσέβεια begegnet in 1 Tm 2, 10. Es bezeichnet hier, dem fest-
35 gestellten hellenistischen und jüdischen Sprachgebrauch entsprechend, nur natürlich
vom nt.lichen Standpunkt aus, die wahre Religion. Die Frauen, die sich zum Christentum bekennen, müssen sich mit guten Werken schmücken. So ist der Satz zu verstehen, nicht als ob die guten Werke dazu dienen sollten, den christlichen Glau-

---

[12] Bertram in: GRosen-GBertram, Juden
und Phönizier (1929) 50 ff.
[13] ESchürer, Die Juden im bosporanischen
Reiche und die Genossenschaften der σεβόμενοι τὸν θεὸν ὕψιστον ebendaselbst (SAB
1897, XIII).
[14] Deißmann LO 392, 2. In dieser Inschr
handelt es sich sicher um einen Proselyten.
[15] ESchürer aaO (→ A 13) 23 f.
[16] GKaibel, Inscriptiones Graecae Siciliae

et Italiae (1890) 1325. Vgl auch Epigr Graec 729:
Ἐνθάδε ἐν εἰρήνῃ κεῖτε ʽΡουφεῖνος ἀμύμων, θεοσεβής. In weiterem Sinne braucht Jos Ant
20, 195 die Vokabel von der Kaiserin Pop-
paea. Aber sie bezeichnet auch hier die Beziehung zum jüdischen Monotheismus.
[17] Vgl zB Katharer, Puritaner, Pietisten.
[18] CFNägelsbach, Die nachhomerische Theologie (1857) 223; Bau J zSt.
[19] Str-B zSt.

ben erst zu beweisen. Vielmehr müssen die, die ihn bekennen, dies Bekenntnis ihrer Religion in guten Werken bewähren [20].

C. Der altkirchliche Sprachgebrauch.

Auch in der frühchristlichen Literatur sind θεοσεβής und Verwandte nicht bes häufig. Im Mart Pol 3 ist einmal von der γενναιότης τοῦ θεοφιλοῦς 5 καὶ θεοσεβοῦς γένους τῶν Χριστιανῶν die Rede. Auch ohne ausdrücklichen Hinweis ist in diesem Schrifttum unter θεοσέβεια im allg schon die christliche Religion verstanden. So liegt es zB 2 Cl 20, 4: εἰ γὰρ τὸν μισθὸν τῶν δικαίων ὁ θεὸς συντόμως ἀπεδίδου, εὐθέως ἐμπορίαν ἠσκοῦμεν καὶ οὐ θεοσέβειαν. Bei den christlichen Apologeten tritt die Vokabel etwas öfter auf. So heißt es bei Just Dial 91, 3 von den Heiden: εἰς τὴν 10 θεοσέβειαν ἐτράπησαν ἀπὸ τῶν ματαίων εἰδώλων καὶ δαιμόνων (vgl 52, 4; 53, 6). Die Christen sind das ἔθνος θεοσεβὲς καὶ δίκαιον (119, 6; vgl Melito bei Eus Hist Eccl IV 26, 5). Durch die Predigt der Apostel ist es überhaupt erst zur Kenntnis der wahren Religion (θεοσέβεια) gekommen (110, 2; vgl 44, 2) [21]. Auch bei Athenag Suppl 37, 1 sind die Gottesfürchtigen die Christen, und wenn auch 14, 2 das entsprechende Verbum 15 θεοσεβεῖν zunächst als zusammenfassender Begriff für christliche und heidnische Gottesverehrung erscheint, so muß doch die nähere Ausführung des μὴ κοινῶς ἐκείνοις θεοσεβοῦμεν auf den grundsätzlichen Unterschied führen, der für heidnischen Kult den Begriff Gottesfurcht überhaupt nicht mehr gelten läßt. In ähnlich umfassender Weise ist der Begriff θεοσέβεια bei Diognet gebraucht. Diese reizvolle Schrift wohl des 2. nach- 20 christlichen Jhdts geht von dem Wunsche eines hochgestellten Mannes, das Christentum kennenzulernen, aus (τὴν θεοσέβειαν τῶν Χριστιανῶν μαθεῖν 1, 1). Ihr Inhalt läßt sich zunächst nur negativ bestimmen. Sie läßt sich nicht mit der jüd Religion vergleichen (3, 1). Opferkult und Astrologie sind in den Augen der Christen Torheit und haben nichts mit wahrer Religion zu tun (3, 3; 4, 5). Im übrigen weist der Brief 25 in berühmt gewordenen Worten nachdrücklich auf die praktische christliche Frömmigkeit und Sittlichkeit. Das eigentliche Geheimnis der christlichen Religion kann man nicht von Menschen lernen (4, 6); denn die christliche Gottesverehrung ist mit den Sinnen nicht wahrnehmbar (6, 4).

Der in der christlichen Apologetik übliche Sprachgebrauch begegnet auch in der 30 Auseinandersetzung zwischen Origenes und Celsus [22]. Dort handelt es sich darum, die Einzigartigkeit und Besonderheit der κατὰ τὸν Ἰησοῦν θεοσέβεια (III 59. 81) gegenüber der Behauptung abzugrenzen: οὕτω τοι σέβειν μᾶλλον δόξεις τὸν μέγαν θεόν, ἐὰν καὶ τούσδε (τὸν Ἥλιον ἢ τὴν Ἀθηνᾶν) ὑμνῇς. τὸ γὰρ θεοσεβὲς διὰ πάντων διεξιὸν τελεώτερον γίνεται. Diese Meinung des Celsus, als ob der Weg zur Verehrung des großen Gottes 35 durch die Mannigfaltigkeit der Kulte hindurchführen könne oder müsse, läßt sich nur widerlegen, wenn die Eigenart der biblischen Offenbarung in ihrem Abstand von allem, was menschliche Religion heißt, erkannt ist. Schon die Anwendung des Begriffes der κατὰ τὸν Ἰησοῦν θεοσέβεια, der Jesusreligion, zeigt, daß Origenes dazu letztlich nicht in der Lage ist. **Durch die Anwendung des allgemeinen** 40 **Religionsbegriffes wird der Offenbarungscharakter des Christentums aufgehoben** [23].

So versteht sich auch die Anwendung von θεοσέβεια und θεοσεβέστατος als Ehrenprädikat und Titel [24] vor allem in Briefanreden als Ausfluß einer anthropozentrischen Betrachtung, die nicht so sehr auf Offenbarung als Gottesgabe als vielmehr auf Fröm- 45 migkeit als menschliche Haltung eingestellt ist. Die Zeugnisse dafür sind zahlreich. Vgl zB die Korrespondenz des Paphnutius aus dem 4 Jhdt. Dort heißt es in dem PLond VI 1923, 1 ff: τῷ ἀγαπητῷ καὶ θεοσεβεστάτῳ καὶ θεοφιλῇ καὶ εὐλογημένῳ πατρὶ Παπνουθίῳ Ἀμμώνιος ἐν κυρίῳ θεῷ χαίρειν [25], oder VI 1924, 2. 3: Μεμνημένος τῶν ἐντολῶν

---

[20] Zu ἐπαγγέλλεσθαι → II 575, 34. HGrotius, Annotationes in NT (ed CE de Windheim 1755) sagt zSt: bene sensum expressit Syrus: ... sed per opera bona (nempe ‚se ornant‘ ex praecedentibus) ut decet feminas pietatem (Christianam scilicet) professas. Anders übersetzt und erklärt Calvin im Komm (ed ATholuck 1831) zSt: quod decet mulieres profitentes pietatem per bona opera: si operibus testanda est pietas in vestitu etiam casto apparere haec professio debet. Bei unserer Auffassung empfiehlt sich die Kommasetzung hinter θεοσέβειαν, wie bei Nestle. HvSoden läßt das Komma fort; dafür tritt auch HHMayer, Über die Pastoralbriefe (1913) 31, ein.

[21] Vgl EJGoodspeed, Index Apologeticus (1912) sv.

[22] AMiura-Stange, Celsus und Origenes (1926) 30, 90 ff.

[23] GBertram, Der anthropozentrische Charakter der Septuaginta-Frömmigkeit, Forschungen und Fortschritte 8 (1932) 219.

[24] Vgl Preisigke Wört III 190.

[25] HIBell, Jews and Christians in Egypt (1924) vgl noch PLond V 1925, 3. 17; 1928, 11; 1929, 3.

τῆς σῆς θεοσεβίας. Aus dem 4. Jhdt stammt ein Brief, der vermutungsweise auf den heiligen Antonius (gestorben 356) zurückgeführt wird und an den Mönch Ammonius, einen der Eremiten der nitrischen Berge, gerichtet sein könnte. Er enthält folgende Formulierung (PLond V 1658, 3 ff)[26]: χάρις τῷ πάντων δεσπότῃ παρασχόντι ἡμῖν καιρὸν ἐπιτήδιον προσειπεῖν τὴν ἀναμίλλητόν (unübertrefflich) σου θεοσέβειαν, ἀγαπητὲ υἱέ[27]. In dem P Giess I 55, 1 (6. Jhdt) ist der Adressat folgendermaßen angeredet: τῷ ἀγαπητῷ καὶ θεοσεβεστάτῳ ἀδελφῷ.

Im ganzen zeigt die Geschichte des Begriffes θεοσέβεια also das Eindringen einer der biblischen Offenbarung fremden Begriffsgruppe in die biblische Sphäre. Daraus ergibt sich die Notwendigkeit, die Geschichte dieses einer anthropozentrisch eingestellten Geisteshaltung entstammenden Begriffes über die Grenzen des NT, wo er nur so verschwindend selten vorkommt, hinaus zu verfolgen. Er bezeichnet wenigstens dem Anspruch nach im Judentum und frühen Christentum die wahre Gottesverehrung im Gegensatz zu heidnischem Aberglauben und Götzendienst, steht aber doch im Strome der im hellenistischen Judentum einsetzenden Entwicklung eines anthropozentrisch orientierten Religions- und Frömmigkeitsbegriffes und erstarrt in der Verwendung als kirchlicher Titel.

Bertram

ϑεραπεία, ϑεραπεύω, ϑεράπων

† *ϑεραπεύω*

1. In der Prof-Gräz heißt θεραπεύω *a. dienen, dienstbar sein.* Es steht also in Bedeutungsentsprechung zu → διακονέω, → δουλεύω, → λατρεύω, → λειτουργέω, ὑπηρετέω. Zur Verschiedenartigkeit dieser Begriffe → II 81, 7. Die Besonderheit liegt darin, daß in dem Wort θεραπεύω die Willigkeit zum Dienst und das persönliche Verhältnis des Dienenden zu dem Andern, dem er dient, sei es in Verehrung, wenn jener der Mächtigere, der Herr, ist, sei es in Fürsorge, wenn er dieser bedarf, zum Ausdruck kommt[1]. Jedes θεραπεύειν „bezweckt etwas Gutes und eine Förderung des Gegenstandes, dem es gilt" heißt es Plat Euthyphr 13 a ff, wo die verschiedenen Bedeutungen von θεραπεύω sehr klar nebeneinander stehen. So heißt es dort 13 d: δοῦλοι τοὺς δεσπότας θεραπεύουσιν: Dieser sorgende Dienst der Sklaven für ihre Herren ist an der angezogenen Platostelle in Entsprechung gesetzt zur *dienenden Verehrung der Götter*, wogegen Sokrates freilich Einwendungen macht. Wie es ein ἵππους θεραπεύειν des Stallmeisters und ein κύνας θεραπεύειν des Weidmanns gibt, so ist auch die ὁσιότης und εὐσέβεια eine θεραπεία τῶν θεῶν Euthyphr 13 a ff. Diese besteht zumeist im kultischen Handeln. θεραπεύοντες καὶ ἁγνεύοντες θύομεν Lys 6, 51. Auf den Inschriften und Papyri findet sich gerade die religiöse Bedeutung des Wortes häufiger. Ditt Syll[8] III 996, 28 ff (1 Jhdt n Chr): τῶν ἱεροδούλων καὶ τὸν θεὸν θεραπευόντων, Ditt Syll[8] III 1042, 11 f (2/3 Jhdt n Chr): καὶ εὐείλατος γένοιτο ὁ θεὸς τοῖς θεραπεύουσιν ἁπλῇ τῇ ψυχῇ. Nun gibt es aber auch einen fürsorgenden Dienst der Ärzte Euthyphr 13 d, und so bekommt

---

[26] GGhedini, Lettere Cristiane dai Papiri Greci del III e IV Secolo (1923) 150 ff.
[27] Weiteres Material bei Ghedini Nr 23, 1; 41, 5.

ϑεραπεύω. KBornhäuser, Das Wirken des Christus durch Taten und Worte[2] (1924); KHeim, Zur Frage der Wunderheilungen, in: Zeitwende III 1 (1927) 410 ff; Ders, Gebets-

wunder u Wunderheilungen, in : Leben aus dem Glauben (1932) 150 ff; WKHobart, The Medical Language of St Luke (1882) 16 f; FFenner, Die Krankheit im NT (1930).
[1] Daß es ein Ehrentitel sein kann, θεράπων eines anderen genannt zu werden, zeigt Il 23, 89 f, wo der Geist des Patroklos zu Achill sagt: ἔνθα με δεξάμενος ἐν δώμασιν ἱππότα Πηλεὺς ἔτραφέ τ' ἐνδυκέως (sorgfältig) καὶ σὸν θεράποντ' ὀνόμηνεν.

θεραπεύειν die Bedeutung *b. einen Kranken pflegen, ärztlich behandeln, heilen:* Plat Leg IV 720 d: (ὁ ἰατρὸς) τὰ νοσήματα θεραπεύει, zB Aristot Eth Nic I 13 p 1102 a 19 f: ὀφθαλμούς. Zumeist ist an ein richtiges medizinisches Handeln gedacht: POxy VIII 1088, 28 ff (1 Jhdt n Chr): ὕπτιον (rückwärts) κατακλίνας τὸν ἄνθρωπον θεράπευε. In übertragenem Sinne wird aber auch von einem *Gesundmachen von Leib und Seele* Plat Gorg 513 d 5 gesprochen. Die Heilung kann göttliche Wirkung sein: Strabo VIII 8, 15: διὰ τὴν ἐπιφάνειαν τοῦ Ἀσκληπιοῦ θεραπεύειν νόσους παντοδαπάς.

2. Die gleichen Bedeutungen kennt das griechisch redende Judentum. Auch in Septuaginta heißt θεραπεύω: *a. dienen,* sowohl im profanen Sinne Est 1, 1 b; 2, 19; 6, 10: θεραπεύων ἐν τῇ αὐλῇ τοῦ βασιλέως, auch in der erweiterten Bedeutung 10 *jemanden umschmeicheln* Prv 19, 6; 29, 26 als auch in der religiösen Bdtg *Gott dienen,* Jdt 11, 17: θεραπεύουσα νυκτὸς καὶ ἡμέρας τὸν θεὸν τοῦ οὐρανοῦ, Js 54, 17: κύριον, oder *Götzen* ep Jer 25. 38. Daneben findet sich die Bedeutung *b. heilen:* Tob 2, 10 [2]; 12, 3; Sap 16, 12; Sir 18, 19; 38, 7. Ganz ähnlich ist der Tatbestand bei Philo, nur daß in seinem Sprachgebrauch neben dem Heilen im medizinischen Sinne (Vit 15 Cont 2: ἡ [ἰατρική] μὲν γὰρ σώματα θεραπεύει) das *Gesundmachen der Seele* eine große Rolle spielt, Leg All III 118: θεραπεύων (τὸν θυμόν), Spec Leg II 239: ἀφροσύνη δ' οὐκ ἄλλῳ ἢ φόβῳ θεραπεύεται.

3. Die große Rolle, welche die Heilungswunder bei Jesus spielen, könnte die Vermutung aufkommen lassen, daß es ein Vorbild dafür bei 20 den Rabbinen der Zeit Jesu gebe. Dem ist aber nicht so. Das hat Schlatter bündig gezeigt [3]. „Es gab in der damaligen palästinensischen Judenschaft keinen Wundertäter, auch keinen, der als solcher verehrt wurde". Nur ganz vereinzelte Krankenheilungen von Rabbinen werden berichtet. Aus dem 1 Jhdt wird nur von RChanina b Dosa erzählt, daß er Fernheilungen durch Gebet er- 25 reicht habe: jBer 9 d, 22—25; b Ber 34 b. Dabei wird zudem ganz deutlich, daß nicht der Rabbi als solcher, sondern der fromme Beter die Heilung erwirkt habe. Um 200 heilt RJehuda zwei Stumme bChag 3 a; für das 3 Jhdt vgl b Ber 5 b. Den auffallend wenigen Heilungsberichten der älteren Zeit liegt religiös der Gedanke zugrunde, daß der Fromme einen Anspruch auf Gebetserhörung 30 bei Gott habe. Das ist im Rahmen der Gesetzes- und Verdienstreligion folgerichtig, hat aber nichts zu tun mit der Haltung, aus der heraus Jesus seinen Kampf gegen die dunklen Gewalten dieser Welt kämpft.

4. *a.* Im Neuen Testament kommt θεραπεύω in der profanen Bedeutung *dienen* niemals, in der religiösen des kultischen *der Gott-* 35 *heit Dienen* ein einziges Mal vor: Ag 17, 25: ὁ θεὸς ὁ ποιήσας τὸν κόσμον καὶ πάντα τὰ ἐν αὐτῷ, οὗτος οὐρανοῦ καὶ γῆς ὑπάρχων κύριος οὐκ ἐν χειροποιήτοις ναοῖς κατοικεῖ, οὐδὲ ὑπὸ χειρῶν ἀνθρωπίνων θεραπεύεται προσδεόμενός τινος. Paulus macht den Gegensatz des Schöpfers Himmels und der Erde zu den Göttern der Griechen daran klar, daß er *1.* keine kultische Wohnstätte hat, an keinen 40 Tempel gebunden ist, daß er *2.* aber auch keinerlei kultischen Dienstes bedarf. Das θεραπεύειν, das den Götzen gebührt, aber nicht dem Schöpfer, besteht im Darbringen von Opfergaben, in allem kultischen Handeln, das den Anschein erwecken könnte, als sei die Gottheit auf irgendein menschliches Tun angewiesen (→ II 41, 12 ff). 45

b. Sehr viel häufiger kommt θεραπεύω in der Bedeutung *heilen* vor und zwar durchweg so, daß damit nicht ein ärztliches Bemühen

---

[2] LA des S.
[3] Das Wunder in der Synagoge (BFTh 16 | [1912] 498 ff) gegen PFiebig, ZwTh 54 (1912) 160 ff. Vgl auch Bultmann Trad 247 ff.

um den Kranken, dem der Erfolg auch versagt sein kann, sondern ein wirkliches *Gesundmachen* verstanden ist[4]. Es gehört zur Vollmacht des Messias, daß ihm die Kraft gegeben ist, Kranke zu heilen (Lk 7, 21ff par). Die δύναμις (→ II 301, 38ff), die in Jesus wirksam ist und ihn zum Herrn
5 über alle Geister macht, zeugt immer neue δυνάμεις, Krafttaten[5]. Solche sind vornehmlich die Krankenheilungen. Sie gehören so sehr zu seiner Wirksamkeit, daß sie in einem Atemzuge mit der Verkündigung des Evangeliums genannt werden, wenn Jesu Tätigkeit geschildert wird: Mt 4, 23; 9, 35: καὶ περιῆγεν ἐν ὅλῃ τῇ Γαλιλαίᾳ, διδάσκων ἐν ταῖς συναγωγαῖς αὐτῶν καὶ κηρύσσων τὸ εὐαγγέλιον τῆς
10 βασιλείας καὶ θεραπεύων πᾶσαν νόσον καὶ πᾶσαν μαλακίαν ἐν τῷ λαῷ (→ II 717, 35). Es gibt keine Krankheit und keine Schwäche, deren Jesus nicht Herr werden kann. Das ist der Grundgedanke aller Berichte von Heilungen, die Jesus vollzog. Vielfach wird ganz allgemein ihre Tatsache festgestellt, in einer Reihe von Fällen der Vorgang im einzelnen geschildert: Mt 8, 7 (Knecht des Hauptmanns
15 von Kapernaum), J 5, 1ff (der Kranke am Teich Bethesda). Von allen Seiten strömen die Menschen herbei, um sich von ihren Leiden heilen zu lassen: Lk 5, 15; 6, 18, und Jesus heilt sie: Mt 4, 24; 14, 14; 19, 2[6], heilt viele: Mk 3, 10, heilt alle: Mt 12, 15, Lahme, Krüppel, Blinde, Stumme: Mt 15, 30; 21, 14. Der Gegensatz zwischen dem Sittlichkeitsbegriff der Pharisäer und der Haltung Jesu
20 tritt grell heraus durch die Tatsache, daß es einen Streit um die Frage geben konnte, ob man an einem Sabbat heilen dürfe: Mt 12, 10; Mk 3, 2; Lk 6, 7; 13, 14; 14, 3.

Zwei große Gruppen von Heilungen sind zu unterscheiden, die Austreibung böser Geister und die Beseitigung von körperlichen Gebrechen wie Blindheit,
25 Lahmheit usw. Darum heißt es Mt 8, 16: ἐξέβαλεν τὰ πνεύματα λόγῳ καὶ πάντας τοὺς κακῶς ἔχοντας ἐθεράπευσεν. Der Kampf mit den Dämonen ist oft ein gewaltiges Ringen der Gotteskraft Jesu mit den satanischen Mächten, so Lk 4, 40f; 8, 2; Mk 1, 34; 3, 10f; Mt 12, 22; 17, 18. Den Sieg gewinnt Christus nicht durch Mittel, wie sie die Exorzisten seiner Zeit an-
30 wandten, sondern durch sein Wort. Dies wirkt auch die Heilung von Gebrechen, oft kommt eine Berührung des Kranken: Mk 1, 41; 8, 22, ein Fassen seiner Hand: Mk 1, 31; 5, 41; Lk 14, 4; Ag 3, 7, oder die Handauflegung[7] hinzu: Mk 5, 23; 6, 5; 7, 32; 8, 23. 25; Lk 4, 40; 13, 13, selten die Vornahme bestimmter Handlungen, die ärztlichem Tun zu vergleichen sind: Mk 7, 33;
35 8, 23 vgl auch Jk 5, 14. Ja, es genügt nach dem Volksglauben auch schon, daß der Kranke seinerseits den Heiland oder auch nur sein Gewand berührt: Mk 3, 10; 5, 28; 6, 56; Lk 6, 19; 8, 44f (die Blutflüssige). Schon dem Schatten des Petrus Ag 5, 15 und den Kleidungsstücken des Paulus Ag 19, 12 schreibt man heilende Kraft zu. Die Wirkung des Eingreifens Jesu ist immer die, daß der Lei-
40 dende völlig gesund wird, mochte er auch vom Mutterleib an oder durch Jahrzehnte krank gewesen sein. Als der Bringer der Heilszeit ist Jesus der große Arzt.

---

[4] Vgl Leisegang sv θεραπεία u θεραπεύω.
[5] Vgl WGrundmann, Der Begriff der Kraft in der nt.lichen Gedankenwelt (1932).
[6] Mk hat freilich an der entsprechenden

Stelle das in diesem Zshg passendere: καὶ ἐδίδασκεν αὐτούς.
[7] Vgl JBehm, Die Handauflegung im Urchristentum (1911) 8ff, 102ff.

Diese Tatsache versteht Mt 8, 17 als Erfüllung des Jesajawortes über den Gottesknecht Js 53, 4, das der Evangelist in der Form anführt: αὐτὸς τὰς ἀσθενείας ἡμῶν ἔλαβεν καὶ τὰς νόσους ἐβάστασεν, wobei er das λαμβάνειν und βαστάζειν als Wegschaffen von Krankheiten deutet[8].

Es hat keinen Wert nachzugrübeln, über welche besonderen Fähigkeiten seelischer Einwirkung Jesus verfügt hat — so sicher er sie besaß —, oder die „Geschichtlichkeit" der einzelnen Vorgänge zu untersuchen. Das Wesentliche an ihnen ist ja gerade, daß in einem wunderbaren „Schon jetzt" das Licht aufleuchtet, in dem Jesus den Sieg über alle satanischen, finsteren Mächte vollenden wird. Dieses biblische Verständnis der Heilungswunder schließt nicht aus, daß die Form, in der sie erzählt werden, mancherlei Übereinstimmungen mit den Wunderberichten der griechischen und jüdischen Welt zeigt, wie sie vornehmlich um die Gestalt des Asklepios kreisen[9]. Nur daß im NT niemals der Heilungsvorgang als solcher das Wichtige ist, sondern der Krafterweis Jesu, durch den er offenbar macht, daß mit ihm das Reich Gottes hereingebrochen ist in diese leiderfüllte Welt. Das Wunder wird nicht als Durchbrechung des naturgesetzlichen Kausalzusammenhanges empfunden, was noch gar nicht im Bereich nt.licher Schau liegt, sondern als Sieg im Kampf der Gewalten, die um die Herrschaft über diesen Kosmos ringen: Und damit sieht das NT in die Tiefen des Weltgeschehens.

Nur von daher ist es zu verstehen, daß Jesus aus seiner Vollmacht heraus auch seinen Jüngern den Auftrag geben konnte, Kranke zu heilen (→ II 311, 5 ff). Daß es sich dabei in gar keiner Form um Magie handelt, geht daraus hervor, daß nicht etwa eine Übertragung der Kraft von dem Meister auf die Jünger stattfindet. Er gibt ihnen ganz schlicht den Befehl ἀσθενοῦντας θεραπεύετε, ... δαιμόνια ἐκβάλλετε: Mt 10, 8; Lk 10, 9. Dieser Befehl, im Glauben empfangen, gibt auch ihnen Gewalt über die Geister. Damit ist auch ihnen Vollmacht gegeben: Mt 10, 1; Lk 9, 1; Mk 3, 15[10]. Die Jünger handeln danach: Mk 6, 13; Lk 9, 6. Von neuem hat dann der Auferstandene den Aposteln mit ihrer Sendung auch die Vollmacht gegeben, Krafttaten zu tun. In seinem Namen, aber nur so, heilen auch sie die Kranken, die sich zu ihnen drängen: Ag 5, 16. Von Petrus Ag 3, 1 ff; 5, 14 f; 9, 32 ff, Philippus Ag 8, 7, Paulus und Lukas Ag 28, 8 f werden Heilungen überliefert.

Auffallend sind die wenigen Fälle, wo die Jünger Mt 17, 16 und in Nazareth Jesus selbst Mk 6, 5 nicht heilen können. Beide Male liegt der Grund in der falschen Haltung der Menschen. Die heilende Kraft ist nicht dazu da, als Mirakel für ungläubige oder wundersüchtige Menschen zu dienen. In Nazareth liest Jesus nach Lk 4, 23 auf den Lippen seiner zweifelnden Landsleute den Einwurf „Arzt, hilf dir selbst", was ein verbreitetes Wort antiker Skepsis gewesen sein muß[11].

---

[8] Vgl Kl Mt zSt u Str-B I 481 f.

[9] R.Reitzenstein, Hellenistische Wundererzählungen (1906); Weinreich AH 119 ff; PFiebig, Jüd Wundergeschichten im nt.lichen Zeitalter (1911); Ders, Antike Wundergeschichten (1911); Ders, Rabb Wundergeschichten (1911); SHerrlich, Antike Wunderkuren (1911); ASchlatter, Das Wunder in der Synagoge (1912); RHerzog, Die Wunderheilungen von Epidauros (1931).

[10] Das θεραπεύειν τὰς νόσους haben Mk 3, 15 nur AD it sy[s].

[11] Eur Fr 1086 (TGF): ἄλλων ἰατρὸς αὐτὸς ἕλκεσιν βρύων, Cic ep IV 5, 5: malos medicos, qui in alienis morbis profitentur tenere se medicinae scientiam, ipsi se curare non possunt. Gn r 23 zu 4, 23: Arzt, heile deine (eigene) Lahmheit; GDalman, Jesus-Jeschua (1922) 207; Kl Lk z 4, 23.

c. Wenn die Todeswunde des Tieres von Apk 13, 3. 12 geheilt ist, so ist damit eine Anspielung auf einen nicht mehr deutlich erkennbaren geschichtlichen Vorgang gegeben, in dem die Macht des Antichrist zwar einen Schlag erhalten, diesen aber überwunden hat[12].

† *ϑεραπεία*

Das Hauptwort zu θεραπεύω heißt im NT *a. Dienerschaft, Gesinde* wie οἰκετεία Mt 24, 45; Lk 12, 42; *b. Heilung* und zwar sowohl im medizinischen Sinne von Kranken Lk 9, 11, als im eschatologischen: *Genesung für die Völker*, Apk 22, 2.

Das Wort θεραπεία kommt in LXX an einigen Stellen im Sinne von *Gottesdienst, kultischer Handlung* vor: Est 5, 1; Jl 1, 14; 2, 15. An den beiden letzten Stellen ist es Übersetzung von עֲצָרָה, das sonst anders wiedergegeben wird. Das Wort θεραπεία paßt aber an sich nicht in den Sprachgebrauch der at.lichen Offenbarungsreligion, sondern in den der Heiden (vgl Ag 17, 25). Darum erscheint es auch im NT in dieser Bedeutung nicht.

† *ϑεράπων*

Mit dem in LXX häufigen Wort wird im NT nur Moses Hb 3, 5 (vgl Nu 12, 7) bezeichnet[1], wobei das Wichtige die Gegenüberstellung mit Jesus ist, der im Gegensatz zum Diener Moses der Sohn ist. Vgl Gl 4, 1 ff.

Beyer

ϑερίζω, ϑερισμός

† *ϑερίζω*

a. eigtl *ernten* (von θέρος *der Sommer); b.* übertr vom *Einbringen eines Ertrages*, bes vom Hinnehmen der mit einer Tat verbundenen Tatfolge[1]. Dem Bild entsprechend wird dabei gern die moralische Gerechtigkeit und Normalheit solches Geschehens betont[2]. So gern auch in sprichwörtlicher Rede[3].

Im AT, fast durchweg für קצר, *a.* eigtl: Ruth 2, 3 ff; *b.* übertr, im Bild vom Säen und Ernten, von der Entsprechung, die zwischen dem sittlichen Tun und seiner Folge statt hat: Prv 22, 8: ὁ σπείρων φαῦλα, θερίσει κακά, Hi 4, 8; Sir 7, 3. Der Horizont ist dabei noch innerweltlich genommen. Darüber hinaus wird in der Prophetie das Bild von der Ernte auf das Endhandeln Gottes angewendet (→ θερισμός).

Ähnlich verwendet das hellenistische u palästinische Spätjudentum das Bild vom Ernten (→ θερισμός, καρπός) teils innerweltlich[4], teils eschatologisch[5]. Philo, der die Eschatologie meidet, wendet es ethisch-psychologisch[6].

---

[12] Vgl Loh Apk zSt; Had Apk zSt; EB Allo, L'Apocalypse de St Jean ⁴(1932) 186, 190.

ϑεράπων. [1] Vgl zB Rgg Hb zSt. Hb 3, 5 nimmt natürlich die at.liche Bezeichnung Moses als עֶבֶד יְהוָה auf. In LXX wird Moses Ex 4, 10; Nu 12, 7; Sap 10, 16 als θεράπων bezeichnet.

ϑερίζω. [1] Sprichwörtlich Gregorius Cyprius 57 (Corpus Paroemiographorum Graecorum ed ELLeutsch II [1851] 77): καρπὸν ὃν ἔσπειρας, θερίζε· (Erklärung) ἐπὶ τῶν τοιαῦτα πασχόντων οἷα ἔδρασαν.
[2] Gorgias bei Aristot Rhet III 3 p1406 b 10: αἰσχρῶς μὲν ἔσπειρας, κακῶς δὲ ἐθέρισας. Plat Phaedr 260 d.

[3] Gregorius Cyprius 57: ὃς δὲ κακὰ σπείρει, θεριεῖ κακὰ κήδεα παισίν, → A 1; Cic De Orat (ed JBake 1868) II 261: Ut sementem feceris, ita metes; Plaut Mercator I 71; Plaut Epidicus 265. Epict Diss II 6, 11 f; III 24, 91: θερίζομαι als Bildwort für das menschliche Sterben.
[4] Test L 13, 6: ἐὰν σπείρητε πονηρά, πᾶσαν ταραχὴν καὶ θλῖψιν θερίσετε.
[5] 4 Esr 4, 28 ff; sBar 70, 2 ff (Str-B IV 980); Midr HL 8, 14: Mit viererlei wird die Erlösung verglichen, mit der Getreideernte, der Weinlese, dem Balsam und der Gebärerin . . . (Str-B I 672).
[6] Deus Imm 166: τὸν τῆς ψυχῆς αὐτοῦ καρπόν. Conf Ling 152: ἀδικίαν μὲν σπείραντες, ἀσέβειαν δὲ θερίσαντες. Mut Nom 269.

Das Neue Testament gebraucht θερίζειν *a*. eigentlich Mt 6, 26 Par; Jk 5, 4; *b*. übertragen, bes im eschatologischen Zusammenhang. Gott gestaltet das Weltende zur Welternte (→ θερισμός), in der der Ertrag des menschlichen Tuns festgestellt und zu Gericht und Heil über ihn entschieden wird Apk 14, 15 f (vgl Mt 3, 12; 13, 30). Der Mensch erntet dabei den Ertrag seines Tuns, wobei 5 — wie oben — die Entsprechung, welche zwischen Ernte und Saat stattfindet, hervorgehoben wird. Die Unvermeidlichkeit und Gerechtigkeit dieses Geschehens kommt darin zum Ausdruck Gl 6, 7 ff (ὅ/τοῦτο, σάρξ/φθοράν, πνεῦμα/ ζωήν) [7]; 2 K 9, 6 (φειδομένως, ἐπ' εὐλογίαις). Das erkennbare Gesetz der Entsprechung zwischen Saat und Ernte enthält motivierende Kraft für das Handeln 10 des Menschen im gegenwärtigen Äon.

Der Missionserfolg wird als Ernte ausgedrückt, die die christlichen Arbeiter auf Grund vorher erfolgter Saat einheimsen dürfen J 4, 36—38. Der Fall der Apostel liegt dadurch besonders günstig, daß sie die volle Freude der Ernte haben, während sie nicht im gleichen Maß selbst auch die Mühe der Vorarbeit gehabt haben [8]. 15

Oder es wird die materielle Lebenserhaltung, welche die christlichen Arbeiter von der Gemeinde empfangen, als Ernte betrachtet gegenüber der geistlichen Saat, die sie in den Gemeinden vollzogen haben 1 K 9, 11.

† *θερισμός*

Die Ernte, die Getreideernte. — In LXX, fast durchweg für קָצִיר, 20 *a*. eigtl Gn 8, 22; *b*. übertr (→ θερίζω), bes im eschatologischen Zusammenhang als Bild des Gerichtes, das Gott am Ende über die Völkerwelt hält Jl 4, 1 ff (LXX 4, 13); Js 27, 11. Der Gesichtspunkt ist hier der nationale. Gott worfelt die Völker und sammelt Israel als den ihm kostbaren Weizen aus der heidnischen Spreu Js 27, 12. — Die spätjüdische Apokalyptik verwendet das eschatologische Erntebild zT schon 25 ethisch, vgl 4 Esr 4, 28 ff; 9, 17. 31. — Philo wendet in seiner rationalen und uneschatologischen Art das Bild ethisch-psychologisch Som II 23 f.

Im Neuen Testament *a*. eigentlich J 4, 35; *b*. als Bild und Gleichniswort vom eschatologischen Entscheidungshandeln Gottes: Mt 13, 30. 39; Mk 4, 29; Apk 14, 15. Das Besondere an der nt.lichen Verkündigung ist erstens, daß diese Ent- 30 scheidungsstunde als unmittelbar bevorstehend erwartet wird Mt 9, 37 f; J 4, 35, und zweitens, daß das Bild rein sittlich gedacht ist Mt 13, 41 ff. Das Bild enthält, bes in seinen Nebenausführungen, Drohung und Verheißung Mt 3, 12; 13, 30. Es drängt den Menschen zur Entscheidung, indem es die aus seinem Tun erwachsende Folge aufweist. Gottes Erntehandeln bringt endgültige Scheidung. 35

Hauck

θεωρέω → ὁράω

θηρίον

θηρίον bedeutet ursprünglich (als Diminutiv von θήρ) *das wilde Tier*, schon vorhellenistisch auch *das wildlebende Tier* (Plat Menex 237 d: θηρία neben 40 βοτά [Weidetiere]), gelegentlich mit Einschluß von Insekten und Vögeln (Xenoph

---

[7] Zn Gl 275 f.
[8] Auch dieser Gedanke sprichwörtlich, vgl Diogenian II 62 (Corp Par [→ A 1] II 98): ἄλλοι

μὲν σπείρουσιν, ἄλλοι δ' ἀμήσονται (sammeln, einernten). Vgl Mt 25, 24. 26.

Cyrop I 6, 39), dann auch *Bezeichnung des Tieres schlechthin*: Plat Resp IX 1 (571 d):
ἄνθρωποι καὶ θεοὶ καὶ θηρία. So Ag 28, 4 f von einer Schlange. In LXX ist es auf
die Landtiere, meist die wildlebenden, beschränkt und von ἰχθύες, πετεινά, ἑρπετά und
κτήνη unterschieden: Gn 7, 14. 21; 8, 1. 17. 19; 9, 2; Hos 4, 3. So Ag 11, 6; Jk 3, 7; Tt 1, 12;
5   Apk 6, 8. Wenn an der Tt-Stelle das Adj κακός die Bedeutung „*Raubtier*" eindeutig
festlegt, und in der Apk-Stelle der at.liche Zusatz τῆς γῆς denselben Sinn hat, so
ist doch die ursprüngliche Bedeutung von θηρίον so lebendig geblieben, daß dies
Wort ohne jeden Zusatz auch in hellenistischer Zeit genügt, den Leser an ein wildes
Tier denken zu lassen. Wenn Apollonius von Tyana (Philostr Vit Ap IV 38) Nero
10 ein θηρίον nennt, so denkt er nach dem Zusammenhang an ein Raubtier mit Klauen
und Zähnen, wie Löwe und Panther, an ein Tier, „das alles frißt". Genau so steht
es mit dem hbr חיה. Cant r zu 2, 15 stellt die חיות, mit denen die Schrift die Weltmächte vergleiche, als „wilde Tiere" dem Fuchs, Symbol des minder gefährlichen
Ägyptens, gegenüber und auf einem Mosaik der Synagoge von Gerasa sind die nach
15 Gn 8, 17 b aus der Arche gehenden Vögel, zahme Tiere (בְּהֵמוֹת) und Kriechtiere von
wilden Tieren = חיות umrahmt[1]. Wie leicht θηρίον = *wildes Tier* bildhaft verwendet
werden kann, zeigt Sib 8, 157, wo Nero θὴρ μέγας, und Plin (d J) Panegyricus (ed
MSchuster 1933) 48, 3, wo Domitian „immanissima belua" genannt wird, vgl dazu die
oben genannte Stelle aus Philostr[2].

20 An theologisch wichtigen Stellen im NT begegnet θηρίον Mk 1, 13 und in der
Apk. In der Versuchungsgeschichte bei Mk (→ I 141, 18) heißt es von Jesus:
καὶ ἦν μετὰ τῶν θηρίων, καὶ οἱ ἄγγελοι διηκόνουν αὐτῷ. Die Versuche, in diesen Worten Reste eines mythologischen Götterkampfes[3] oder Andeutung der Rückkehr
der Paradieseszeit[4] zu finden, dürften dem Text eine Last auferlegen, die er
25 nicht tragen kann. Wer in der Wüste Juda, wohin die Versuchung wohl zu
verlegen ist, allein ist, lebt wirklich *unter wilden Tieren*, und zu dieser menschlichen Verlassenheit bildet der Dienst der Engel das Gegenstück[5].

Mit der Nennung des θηρίον knüpft die Apokalypse nach 13, 2 an Da 7
an. Für die bis ins erste Jhdt n Chr hinauf zu verfolgende rabb Exegese[6] ist
30 das vierte Tier von Da 7 Edom = Rom. Das Tier, das Apk 13 auf des „Drachen" Blick aus dem Meer aufsteigt (dh nach 11, 7 aus dem Abgrund), vereinigt
Züge aller vier Tiere Daniels, soll somit schwerlich nur Rom bezeichnen. Es
besteht vielmehr ein deutlich gegensätzlicher Parallelismus in der Apk zwischen
Gott und dem Drachen, Jesus Christus und dem „Tier", den sieben Geistern
35 Gottes und dem „zweiten Tier" von Apk 13, 11 ff, welches als ψευδοπροφήτης
gedeutet wird (16, 13; 19, 20; 20, 10)[7]. Daraus wird deutlich, daß das „Tier"

θηρίον. [1] Abb bei ELSukenik, Ancient
Synagogues in Palestine and Greece (1934)
Tafel IX. Näheres ABarrois in: Rev Bibl 39
(1930) 257—265.
[2] Die genannten Stellen sind darum gar
kein Beweis dafür, daß Apk mit dem „Tier"
Nero meinen müsse, wie RSchütz, Die Offenbarung des Joh und Kaiser Domitian (1933)
8 f meint.
[3] HGunkel, Zum religionsgeschichtlichen
Verständnis des NT (1903) 70; AMeyer, Die
evang Berichte über die Versuchung Jesu
Christi, in: Festgabe für HBlümner (1914)
434—468.
[4] FSpitta, Die Tiere in der Versuchungsgeschichte, ZNW 5 (1904) 323 ff; ders, Steine
und Tiere in der Versuchungsgeschichte, ebd
8 (1907) 66—68, mit Berufung auf einige
Stellen aus dem AT und Test XII; JohJere-
mias, Das Ev nach Mk (1928) 30 f; Bultmann

Trad 271. Abgeschwächt bei Hck Mk zSt:
Lohn des Frommen sei es, daß die Tiere
Jesus nichts anhaben. — Nicht zugänglich
war mir SHirsch, Taufe, Versuchung und
Verklärung Jesu (1933).
[5] So auch Clemen 215; auch Schl Mk 35
lehnt die Beziehung auf die Paradieseszeit im
Blick auf die Gesamthaltung des Mk-Ev ab.
[6] Str-B IV 1002 f. Die rabb Tradition unterscheidet die vier Weltreiche stets.
[7] Soll vielleicht auch die rote Farbe des
Tieres Apk 17, 3 auf das Blut deuten, das
das Tier im Morden vergossen hat, im
Gegensatz zu dem eigenvergossenen Blut des
Reiters in dem ἱμάτιον βεβαμμένον αἵματι,
Apk 19, 13? Zum gegensätzlichen Parallelismus vgl EBAllo, Saint Jean, L'Apocalypse[2]
(1921) 182 f; Loh Apk zu 17, 4; Had Apk zu
13, 2.

den Antichristen bezeichnet. Der gegensätzliche Parallelismus ist in dem Gegensatze von ἀρνίον ὡς ἐσφαγμένον (5, 6) und der Todeswunde des Tieres nicht zu verkennen. Dann liegt der primäre Sinn des Bildes des θηρίον im Gegensatz zum „Lamm". Bezeichnet → ἀρνίον Jesus Christus als den, der gerade durch die dienende Hingabe seines Lebens in den wirklichen Tod „würdig ist, 5 zu nehmen die Macht" (Apk 5, 12), so bezeichnet θηρίον den Antichristen als den, der seine Macht, die „der Mörder von Anfang an" ihm gegeben hat, in gewalttätigem Rauben betätigt (11, 7) und sich dieser seiner Macht wegen anbeten läßt (13, 3 ff). Das „Tier" ist nicht durch den Tod hindurch gegangen, sondern nur tödlich getroffen: der selbst tödlich getroffene, aus dem Himmel 10 gestürzte „Drache" gibt dem von Gottes Urteil tödlich getroffenen „Tier" unter Gottes Zulassung „Leben", und es verfolgt als „Raubtier" die, die zum Lamme gehören. Kann Jesus als das Lamm von sich sagen: ich ehre den Vater, so ist der Sinn des Daseins des Tieres, Gott zu verunehren, indem es sich als Gott anbeten läßt (Apk 13, 4 f). Das deutet der Seher dadurch an, daß er vom Tier 15 sagt, daß es „war, nicht ist und kommen wird", und es damit eine lästernde Parallele zum Gottesnamen „der da war, ist und sein wird" und zu dem ἐν ἀρχῇ ἦν ὁ λόγος bilden läßt. Ist Jesus Christus der „Hirt" seiner Gemeinde, so der Antichrist als θηρίον ihr Verfolger, und diese Verfolgung führt die Gemeinde auf den Weg ihres Herrn: durch Tod zur Herrlichkeit, Apk 11, 7—12; 20 13, 7—10; 15, 2—4.

Das andere Tier, nur Apk 13, 11 so genannt, sonst stets ψευδοπροφήτης, ist Bild des falschen Propheten der Endzeit, von dem die Verführung zur Anbetung des „ersten Tieres" ausgeht (13, 11 ff). Er gibt sich äußerlich das Aussehen eines lauteren Propheten (εἶχεν κέρατα δύο ὅμοια ἀρνίῳ), aber seine Prophetie ist 25 teuflisch (ἐλάλει ὡς δράκων)[8]. Es liegt dabei eine selbständige Verwertung des Gedankens von Mt 7, 15 vor. Das Bild des θηρίον bezeichnet das Wirken dieses falschen Propheten ebenfalls als „raubtierhaft".

Während ζῷον (→ II 875, 11 ff) das Tier als belebtes Wesen bezeichnet und darum den Menschen mit umfassen kann[9], umfaßt θηρίον auch in seiner allgemeineren 30 Bedeutung (→ 134, 1) nur die Tierwelt in ihrem Unterschied zur Menschheit. In der Bildersprache der Apk sind die satanisch-dämonischen Mächte stets unter dem Bilde von Tieren geschaut. Das gilt von den Heuschrecken 9, 1 ff ebenso wie von den Pferden 9, 16 ff[10], dem Drachen, den Fröschen 16, 13 f und von den beiden θηρία. Die Tierwelt erscheint in ihrer Verbundenheit mit und ihrer 35 Geschiedenheit von der Menschheit innerhalb der gefallenen Schöpfung in ihrer absoluten Triebverhaftung wie eine Verkehrung dessen, wozu der Mensch als Ebenbild Gottes berufen ist. Dieser Tatbestand ist in der ganzen Tierwelt anschaulich, kann aber an den wilden Tieren besonders deutlich werden. Darum

---

[8] Sicher nicht gerecht wird der Apk BMurmelstein, ThStKr 101 (1929) 447—457, wenn er das zweite Tier, das „aus dem Land" aufsteigt und „wie ein Drache" redet, auf „Babylon" sitzt und ohne Bild des ersten Tieres kein Kaufen zuläßt, auf Herodes deutet, der aus dem Land Palästina kam, griechisch redet, seine Macht auf Rom stützt und als erster in Palästina Münzen mit dem römischen Adler prägen ließ.

[9] Corp Herm VIII zB nennt den Menschen τὸ λογικὸν ζῷον und den κόσμος ein ζῷον ἀθάνατον (§ 1). Vgl Apk 4, 6 f.

[10] Vgl die Farbe der Panzer v 17 und die dementsprechende Erwähnung von Feuer, Rauch und Schwefel, v 17 f.

können einzelne Tiere und besonders die θηρία als Bild für das Dämonische dienen, das die Gottesebenbildlichkeit des Menschen in das „Untermenschliche" verkehrt (→ II 19, 18 ff) [11].

Foerster

5 | **ϑησαυρός, ϑησαυρίζω**

† *ϑησαυρός*

a. Das *Niedergelegte,* der *Vorrat,* bes vom Wertvollen, der *Schatz;* übertr: σοφίας Plat Phileb 15 e; τῶν πάλαι σοφῶν ἀνδρῶν Xenoph Mem I 6, 14; Epic, Sententiae Vaticanae fr 44: μᾶλλον ἐπίσταται μεταδιδόναι ἢ μεταλαμβάνειν· τηλικοῦτον
10   αὐταρκείας εὗρε θησαυρόν. Philo Congr 127: σοφίας. — *b.* Der *Ort, an dem der Vorrat niedergelegt wird, Vorratsraum, Schatzkammer, Schatzbehälter, Schatzhaus.* So vom Staatsspeicher PLond I 31 [1], von der *Tempelkasse* für die Gelder oder vom *Tempelmagazin* für die Naturaleinnahmen [2]. Zahlungen in den θησαυρός erfolgten zB als Eintrittsgeld in den Tempel [3], als Opfer- und Sühnezahlung [4], als Dankzahlung zB auch für erfolgte
15   Heilung [5]. Die Einrichtung des θησαυρός ist anscheinend von den ägyptischen Tem-

---

[11] Literatur zu den „Tieren" in der Apk s WFoerster, ThStKr 104 (1932) 279—310 und ELohmeyer, ThR NF 6 (1934) 269—314; ebd 7 (1935) 28—62. Auf die Nennung dieser Literatur kann hier, wo der theologische Gehalt des Tierbildes zu erheben versucht ist, verzichtet werden, da im allgemeinen diese Aufgabe nicht aufgenommen, sondern vorschnell eine konkrete zeitgeschichtliche Deutung gesucht wird. Theologisch wird dies damit begründet, dass die biblischen Weissagungen immer konkrete, gegenwartsbezogene Bedeutung haben, ja, wie RSchütz (ThStKr 105 [1933]) 460 formuliert, die Weissagung der Apk in dem Augenblick geschrieben sei, in dem nach der Meinung des Verfassers die Wende kommen „müsse". Historisch wird diese Deutung mit dem Hinweis darauf gestützt, daß die apokalyptische Literatur stets gegenwartsbezogen in dem Augenblick geschrieben sei, wo vor der Größe der Not die Wende erwartet werde. Aber die eschatologischen Reden Jesu sind nicht in der „Not der Gegenwart" gesprochen, die „der Siedepunkt der Geschichte geworden" wäre (Schütz 459), in dem „alles widergöttliche Wesen ... im Weltreich oder im derzeitigen Herrscher ... aufgespeichert" gewesen wäre (Schütz 459 f), ebensowenig wie 2 Th 2, 3 ff. Ebensowenig ist dies für die Apk zu postulieren. Man muß sonst mit Schütz (463) Apk 17, 10 ὁ ἄλλος οὔπω· ἦλθεν, καὶ ὅταν ἔλθη ὀλίγον αὐτὸν δεῖ μεῖναι als Vergangenheit fassen oder die Einheitlichkeit der Apk gefährden. Die Apk spricht darum auch von der Stunde der Versuchung, die „kommen wird" (3, 10), ohne ihre Aktualität zu gefährden. Konkrete Bedeutung hat darum die nt.liche Weissagung stets, da niemand die Stunde kennt und das „Geheimnis der Gesetzlosigkeit" schon wirksam ist, was in der Apk dadurch zum Ausdruck kommt, daß Babel auf dem Tier „sitzt", dh eine dauernde Beziehung zu ihm hat, auch unabhängig von dem besonderen Sicht-

barwerden des „Tieres". (Vgl Foerster aaO 299 ff.) Der historische Beweis für die zeitgeschichtliche Deutung der Apk und insbesondere der Tiere, daß nämlich die apokalyptische Literatur eine solche Deutung verlangt, beruht auf der petitio principii, daß die Apk an diesem Punkt nach dieser Literatur zu deuten sei. In welche Schwierigkeit die Durchführung dieser Deutung führt, ist bekannt. Ebenso ist die weitere Meinung von Schütz (aaO 464), die Bilder der Apk könnten dem Verfasser nur (darum handelt es sich) aus der apokalyptischen Tradition bekannt sein, ebenfalls nichts wie eine petitio principii; jede Seite der Apk zeigt, in welchem Maße sie in Sprache und Bild im AT lebt, jede Seite zeigt aber auch eine solche Freiheit vom Buchstaben des AT und von belegbarer apokalyptischer Tradition, daß sich damit die Frage nach dem theologischen Sinn der Bilder stellt.

ϑησαυρός. Str-B I 429 f, III 657; Dalman WJ I 169 f.
[1] Weiteres bei WOtto, Priester und Tempel im hell Ägypten (1905 ff), Regist sv θησαυρός.
[2] PPar 60, 31: θησαυρὸς τοῦ ἱεροῦ; PAmh II 41; θησαυρὸς θεοῦ: PTebt II 445 (Vorratshaus). Weiteres Otto II 123.
[3] Heron von Alexandrien (2 Jhdt v Chr), Pneumatika I 21, II 32 über Opferstöcke mit automatischer Einrichtung zur Bezahlung des Eintrittsgeldes, Otto I 395 f.
[4] Ditt Syll[3] III 736, 87: die θύοντες sollen einwerfen; III 1004, 12 f: ἂν δ' ἐκτίνει τὸ ἀργύριον, παρεόντος τοῦ ἱερέος ἐμβα(λ)λέτω εἰς τὸν θησαυρόν.
[5] Ditt Syll[3] III 982, 13 f: τῶν εἰς τὸν [θ]ησαυρὸν ἐμβαλλομένων εὐχ[αριστηρίων], III 1004, 21 f: τὸν μέλλοντα θεραπεύεσθαι ὑπὸ τοῦ θεοῦ μὴ ἔλαττον ἐννεοβόλου δοκίμου ἀργυρίου καὶ ἐμβάλλειν εἰς τὸν θησαυρὸν παρεόντος τοῦ νεωκόρου.

peln in die griechischen weitergewandert [6]. Durch die kultischen *Schatzkammern* wurden die privaten *Sparbüchsen* angeregt (vgl 1 K 16, 2) [7].

In Septuaginta ist θησαυρός fast durchweg Wiedergabe von אוֹצָר. *a.* eigtl von irdisch materiellen *Schätzen* Jos 6, 19. 24 (εἰς θησαυρὸν κυρίου); 3 Βασ 7, 37 (51) (εἰς τοὺς θησαυροὺς οἴκου κυρίου); 14, 26 [8]; 15, 18 (τοῦ οἴκου τοῦ βασιλέως); Prv 10, 2; Ιερ 30, 20 (Warnung vor falschem Vertrauen auf solche). Übertr: Js 33, 6: Weisheit und Gottesfurcht als Schätze. — *b. Schatzbehälter, Vorratsraum*: Am 8, 5 (ἀνοίξομεν θησαυρόν), bes von den himmlischen Vorratskammern, aus denen Gott hervorgibt: Ιερ 27, 25 (50, 25), zB θησαυρός des Lichtes Jer 51, 16 (Ιερ 28, 16), des Schnees Hi 38, 22 ua; vgl äth Hen 17, 3. Bei Philo ist dieser Gedanke ins Geistliche gewendet [9].

Der Gedanke einer Zahlung an Gott wird im Spätjudentum eigenartig dahin erweitert, daß die guten Werke, die der Fromme leistet, bes seine Wohltätigkeitsgaben, als ein θησαυρός betrachtet werden, der bei Gott im Himmel aufgehoben wird. Während die Zinsen (פְּרִי → καρπός) derselben dem Menschen in Gestalt erfreulicher Tatfolgen im diesseitigen Leben zugute kommen, bleibt das Kapital als Stammgeld bis zum Gerichtstag im Himmel aufbewahrt und wird dann ausbezahlt Tob 4, 8 ff; 4 Esr 6, 5 ff (Schätze des Glaubens sammeln); 7, 77; TPea 4, 18: „Meine Väter haben Schätze für unten gesammelt, ich habe Schätze für oben gesammelt . . . Meine Väter haben Schätze gesammelt, die keine Zinsen tragen, ich habe Schätze gesammelt, die Zinsen tragen . . .“ [10]. Jüd Redensart: Gebotserfüllungen oder gute Werke (als Schätze) ansammeln סגל מצות ומעשים טובים zB Dt r 1 z Dt 1, 1: „Alles was Israel an Gebotserfüllungen und guten Werken ansammelt, sammelt es für seinen Vater im Himmel an [11].“

In andrer Wendung redet das Judentum von dem *Schatzhaus des ewigen Lebens* (גנזי חיי עלמא), der siebente Himmel ist der Ort, an dem die Seelen der noch Ungeborenen weilen (→ 138, 6 ff) [12]. Bei Lebzeiten des Menschen sind dieselben in der Hand des Schöpfers (Hi 12, 10). Beim Tode steigen die Seelen zur Himmelshöhe empor; die der Gerechten gehen ein in das Schatzhaus (אוֹצָר) des Lebens und werden von Gott verwahrt bzw eingebunden im Bund (δεσμός) der Lebendigen (1 S 25, 29), die der Gottlosen werden verworfen [13]. Zur Vorstellung vgl die Übergabe des Geistes an Gott im Sterben (Lk 23, 46) und die Aufbewahrung der Seelen der Märtyrer unter dem himmlischen Altar dh in nächster Nähe Gottes (Apk 6, 9) [14].

Im Neuen Testament 1. eigentlich: *Schatz* Mt 13, 44; Hb 11, 26; übertragen: Mt 12, 35 von dem inneren Herzensvorrat des Menschen. Überwiegend steht θησαυρός im NT in Zusammenhängen, in denen himmlische und irdische Schätze einander gegenübergestellt werden. So lehrt Jesus in Fortsetzung des jüdischen Bildes und Gedankens, daß der Mensch nicht irdische dinghafte Werte aufsammeln, sondern vielmehr gute Taten verrichten soll, durch die dem Frommen ein Schatz im Himmel erwächst Mt 6, 19—21; Mk 10, 21 par; Lk 12, 33 f. Der Unterschied gegenüber dem Spätjudentum besteht in der durch die eschatologische Naherwartung gesteigerten Ausschließlichkeit der Forderung sowie in dem Fehlen des Verdienstgedankens. Paulus redet Kol 2, 3 von den Schätzen der Weisheit und Erkenntnis, die in Christus verborgen sind (Gegensatz: die täuschende, irdische Weisheit 2, 4. 8), und bezeichnet die dem

---

[6] HGraeven, Die thönerne Sparbüchse im Altertum, Jahrbuch des Kaiserl Deutschen Archäologischen Instituts XVI (1901) 160 ff, 162; über Geldverleihungen der griech Tempel vgl KFHermann, Lehrbuch der griech Privatalterthümer (1882) 456. Im jüd Tempel befindet sich schon zZt des Königs Joahas ein Tempelschatz, 2 Kö 12, 10.
[7] Graeven 167, vgl die Abbildungen ebd.
[8] Über Deposita beim Tempel, welche wirtschaftlich angelegt waren, vgl REisler, Ιησους βασιλευς II (1930) 491; dort weiteres.

[9] Fug 79: ἐν ἡμῖν αὐτοῖς . . . οἱ τῶν κακῶν εἰσι θησαυροί, παρὰ θεῷ δὲ οἱ μόνων ἀγαθῶν, Rer Div Her 76: ἐξ οὗ (sc οὐρανοῦ) δὴ τὰς τελευτάτας εὐφροσύνας ὁ χορηγὸς ἀδιαστάτως ὕει (zu Dt 28, 12), Leg All III 105.
[10] Str-B I 430.
[11] Str-B I 431.
[12] Belege bei Moore I 368.
[13] Str-B II 268; SNu § 139 zu 27, 16 (dazu KGKuhn, SNu übersetzt [1933] 569 A 7).
[14] Str-B III 803; Bss Apk 270.

Christen eignende Herrlichkeit des neuen Lebens als θησαυρός, der in dem zerbrechlichen, tönernen Gefäß des irdischen Leibes getragen wird 2 K 4, 7.

2. *Schatzbehälter* Mt 2, 11; 13, 52. θησαυρός *Schatz* spielt in der gnostischen Religion eine wichtige Rolle. Hier wird das Lichtland als der *Schatz* bezeichnet. Von ihm gehen die Emanationen aus, die in verschiedenen τάξεις die 60 Lichtschätze erfüllen. Die Seele stammt aus dem Lichtreich, und ihre Erlösung besteht in der Rückkehr zum Lichtschatz. So zB in der Pistis Sophia und den Büchern Jeû[15], in ganz ähnlicher Weise jedoch auch in den mandäischen Schriften[16]. Nach dem 2. Buch Jeû p 319, 2 (ed CSchmidt in: GCS XIII 1 [1905]) ist Jeû, Urmensch, der Vater des Lichtschatzes. In den — gnostische Anklänge aufweisenden — Act Pt 20 wird Christus selbst als margarita (→ μαργαρίτης) und thesaurus bezeichnet. Es erscheint nicht ausgeschlossen, daß der Kol 2, 3 gewählte Ausdruck ἐν ᾧ εἰσιν πάντες οἱ θησαυροὶ τῆς σοφίας καὶ γνώσεως ἀπόκρυφοι, der zunächst an Js 45, 3 anklingt, durch die bei den Gnostikern geläufigen Begriffe mitveranlaßt ist. Nicht bloß naturhafte Lichtherrlichkeit ist in Christus, sondern die Fülle aller σοφία und γνῶσις dh der größten religiösen Güter.

† ϑησαυρίζω

Als *Schatz* (*in der Schatzkammer*) *aufbewahren, aufspeichern, aufheben,* bes von Kostbarem, eigtl und uneigentlich. Diod S XX 36: τεθησαυρισμένον κατ' αὐτοῦ . . . τὸν φθόνον, Philo Leg All III 36: τὰς φαύλας δόξας . . . θησαυρίζεις, ὦ διάνοια, Det Pot Ins 35: τῶν γὰρ ἐπιτηδευόντων ἀρετὴν οἱ μὲν ἐν ψυχῇ μόνῃ τὸ καλὸν ἐθησαυρίσαντο πράξεων ἐπαινετῶν ἀσκηταὶ γενόμενοι. Poster C 57. — In Septuaginta: eigtl: 4 Βασ 20, 17; ψ 38, 7; Sach 9, 3; uneigentlich: Am 3, 10; Prv 1, 18 (θησαυρίζουσιν ἑαυτοῖς κακά); 16, 27. — Im Spätjudentum bes von dem Anhäufen des Schatzes, den sich der Fromme durch gute Werke im Himmel sammelt (→ θησαυρός) Tob 4, 8 ff; PsSal 9, 5; 4 Esr 6, 5.

Jesu Frömmigkeit ist gekennzeichnet durch die entschiedene Ablehnung des Anhäufens irdischer Güter. Die Hochschätzung der Liebestat an sich und der Gehorsam gegen die Endstunde bestimmen das Urteil. Sofern darum solches Anhäufen Ausdruck diesseitiger und egoistischer Haltung ist, ist es Widerspruch gegen Gott Lk 12, 21; Jk 5, 3. Es hat an seine Stelle, bes wo die konkrete Lage das unausweichlich macht, die Preisgabe der irdischen Güter zu treten Mt 6, 19—21 par; Lk 12, 33; Mk 10, 17 ff; 1, 16 ff[1]. Mit spätjüdischem Bild (→ θησαυρός) werden Taten der Liebe als ein Aufsammeln von Schätzen im Himmel bezeichnet.

Paulus gebraucht θησαυρίζω einerseits eigentlich im Sinne des Zurücklegens von Geldbeträgen im Dienst der Liebe 2 K 12, 14; 1 K 16, 2, andrerseits übertragen von dem Unbußfertigen, der sich göttlichen Zorn auf den Gerichtstag aufhäuft R 2, 5. In 2 Pt 3, 7 ist θησαυρίζω vom *Aufbewahren* der gegenwärtigen Welt für das Endgericht Gottes gebraucht.

Hauck

---

[15] Pist Soph p 123, 1; 1. Buch Jeû p 260, 25 ff; 261, 9 ff. 24 f; 265, 4; 296, 18; 303, 17 ff (vgl Od Sal 16, 15; 1 Tm 6, 16); über Verwandtschaft mit dem Manichäismus vgl WBousset, Die Hauptprobleme der Gnosis (1907) 348 f.
[16] Lidz Ginza R XV 16, 345 (p 360, 28); L I 3, 24 (p 442, 14 ff) (Rückkehr der Seele zum Schatz des Vaters); L II 6, 45 (p 462, 30); L II 22, 66 (p 493) (der Mana hat zuerst seinen Sitz im verborgenen Schatzhaus unter den teuersten Schatzmeistern). Weiteres Lidz Ginza Regist sv Schatz, Schatzhaus, Schatz des Lebens uä.

ϑησαυρίζω. [1] Nach Mt fordert Jesus Sammeln himmlischer Schätze statt irdischer Besitzanhäufung, nach Lk dgg Preisgabe der irdischen Güter. Lk hat wohl Jesu Wort dem in seiner Zeit umgehenden, antiken Armutsideal entsprechend gesteigert und verallgemeinert, vgl PFeine, Theologie des NT[2] (1911) 687 ff (in der 3. Auflage gekürzt); JBehm, Kommunismus und Urchristentum, NKZ 31 (1920) 282 ff.

θλίβω, θλῖψις [1]

A. θλίβω, θλῖψις im profanen Griechisch.

Inhalt: A. θλίβω, θλῖψις im profanen Griechisch. — B. θλίβω, θλῖψις in LXX. — C. θλίβω, θλῖψις im NT: I. Das Wesen der Trübsal; II. Die Erfahrung der Trübsal. 5

1. θλίβω im wörtlichen Sinn: *drücken, quetschen, reiben, drängen*: Hom Od 17, 221; Aristoph Pax 1239: (ὁ θώραξ) θλίβει τὸν ὄρρον, Lys 314; Theocr Idyll 20, 4: χείλεα θλίβειν = küssen; Demosth Or 18, 260: τοὺς ὄφεις θλίβων, Mk 3, 9: ἵνα μὴ θλίβωσιν αὐτόν (erdrücken), *zusammendrücken:* Plat Tim 60 c: σφόδρα ἔθλιψε . . . αὐτόν (sc τὸν τῆς γῆς ὄγκον); vgl Sap 15, 7 . . . κεραμεὺς ἁπαλὴν γῆν θλίβων. 10 Von hier aus bildet sich im Part pass die Bdtg *schmal, eng sein:* Luc Alex 49: τῆς πόλεως θλιβομένης ὑπὸ τοῦ πλήθους, Theocr Idyll 21, 18: θλιβομένα καλύβα (Hütte), vgl Mt 7, 13: στενὴ ἡ πύλη καὶ τεθλιμμένη ἡ ὁδὸς ἡ ἀπάγουσα εἰς τὴν ζωήν (Gegensatz: πλατεῖα καὶ εὐρύχωρος), aber auch Dion Hal Ant Rom VIII 73: βίοι τεθλιμμένοι (schmales Auskommen); Ditt Syll [3] II 708, 28; Diog L II 109: τοῖς ἐφοδίοις θλίβεσθαι 15 *(Mangel haben),* IV 37. θλίβω meint entsprechend im wörtlichen Sinn etwa den *Druck* im *physikalischen Sinne,* Epic ep 2 (p 49 Usener): θλίψεως τῶν νεφῶν γενομένης, Strabo I 3, 6: διὰ τὴν ἐξ ἴσης ἀντέρεισιν (Widerstreben, Widerstand) καὶ θλῖψιν (τοῦ ὕδατος). Im *medizinischen* Sprachgebrauch: Oribasius fr 42 (CMG): θλῖψις στομάχου, Gal De Differentiis Febrium I 9 (VII 306 Kühn): Druck des Pulses; Soranus Gynaecia (CMG 20 IV) I 42: ὑστερικαὶ θλίψεις.

2. θλίβω im übertragenen Sinn: *bedrängen, bedrücken, betrüben.* Ohne daß immer zwischen äußerer und innerer Bedrängnis unterschieden werden könnte, lassen sich doch folgende Hauptbedeutungen festhalten: *a. bedrängen,* Polyb 18, 24, 3 (in der Schlacht); Aristot Polit V 7 p 1307 a 1: διὰ τὸν πόλεμον, 25 Ditt Syll [3] II 731, 3: ἐπειδὴ διὰ τὰς τῶν καιρῶν περιστάσεις βαρέως ἀπορῶν καὶ θλιβόμενος ὁ δῆμος ἐν τῇ μεγίστῃ καθέστηκεν δυσελπιστίαι, vgl II 685, 39; 700, 15. Auch θλίβεσθαι ὑπὸ τῆς νόσου kommt vor, Anth Pal (Stadtmüller) III 314, 354; Plut Apophth Philippi 6 (II 177 d): ὑπὸ πενίας. Von θλίψεις im Sinne von *Bedrängnisse* sprechen: BGU IV 1139, 4: διὰ τὰς τῶν πόλεων θλίψεις, Catal Cod Astr Graec VIII 3 30 p 175, 5 f: ἔννοιαι (ἔσονται) καὶ θλῖψις, p 178, 8: ἀφανία ἀνθρώπων μεγάλων καὶ θλῖψις, VII p 169, 12: λύπαι καὶ πένθη καὶ κλαυθμοὶ ἔσονται ἐν ἐκείνῳ τῷ τόπῳ καὶ στοναχαὶ (Gestöhn) καὶ θλίψεις. — *b. bedrücken, betrüben, kränken:* Philodem Philos Περὶ Παρρησίας Libellus fr 88 col 22, 3 f (AOlivieri [1914] p 61): θλίβεσθαι ὑπὸ τῆς ἀδοξίας, Philo Migr Abr 157; Virt 146; Jos 179; Decal 145: ὅταν δὲ τὸ κακὸν μήπω μὲν εἰσῳκισμένον 35 θλίβῃ; Callim Hymn IV (Εἰς Δῆλον) 35 (ed UvWilamowitz-Moellendorff 1897): σὲ δ' οὐκ ἔθλιψεν ἀνάγκη, Vett Val II 16: πολλῶν ἐναντιωμάτων αἴτιος τῇ τε μητρὶ θλίψεις καὶ ταπεινώσεις ἀποτελεῖ, Plut Alc 25 (I 204 d): ἀλλὰ γλίσχρως χορηγοῦντα θλίβειν καὶ ἀποκαίειν ἀτρέμα καὶ ποιεῖν ἀμφοτέρους βασιλεῖ χειροηθεῖς καὶ καταπόνους ὑπ' ἀλλήλων, Aristot Eth Nic I 11 p 1100 b 28: θλίβει καὶ λυμαίνεται τὸν μακάριον. Während 40 der Begriff θλίβειν, θλῖψις in der philosophischen Sprache des Hellenismus sonst nicht weiter sichtbar wird, spielt er bei Epict in seiner Lehre von der Selbstbehauptung des Menschen eine gewisse Rolle. τὰ θλίβοντα (Diss IV 1, 45), τὸ θλῖβον (I 27, 2 f) und das θλιβῆναι ὑπὸ τῶν γενομένων (I 25, 17; III 13, 8), die Bedrängnisse des Lebens, deren stärkste und letzte der Tod ist, müssen vom Philosophen überwunden werden. 45 Und sie werden überwunden, wenn wir einsehen, daß wir uns selbst durch unsere δόγματα diese θλῖψις bereiten, Diss I 25, 28: καθόλου γὰρ ἐκείνου μέμνησο, ὅτι ἑαυτοὺς θλίβομεν, ἑαυτοὺς στενοχωροῦμεν, τοῦτ' ἔστιν τὰ δόγματα ἡμᾶς θλίβει καὶ στενοχωρεῖ, vgl Epict Ench 16; 24, 1. Es scheint, daß θλίβειν und θλῖψις in diesem allgemeinen und übertr Sinn einen Begriff innerhalb des populären Sprachgebrauchs darstellen. Sy- 50 nonym mit θλίβειν, θλῖψις ist, wie Beispiele zeigen, στενοχωρεῖν, στενοχωρία. Vgl noch Luc Nigrinus 13: ὀχληρὸς ἦν θλίβων *(belästigend)* τοῖς οἰκέταις καὶ στενοχωρῶν τοὺς ἀπαντῶντας, Artemid Oneirocr I 66: πάσης θλίψεως καὶ στενοχωρίας λύσιν ὑπισχνεῖται, II 4: θλίψεις καὶ στενοχωρίας καὶ τοῖς δικαζομένοις καταδίκην μαντεύεται, vgl I 79; II 37. 50. 55

θλίβω. ASteubing, Der paul Begriff Christusleiden (1905); JSchneider, Die Passionsmystik des Pls (1929); WWichmann, Die Leidenstheologie (1930); KFEuler, Die Verkündigung vom leidenden Gottesknecht aus Js 53 in der griech Bibel (1934); Wnd 2 K 40 f; Meinertz Gefbr 27 f.

[1] Zum Akzent vgl Winer (Schmiedel) § 6, 3 c; Bl-Debr [6] § 13.

B. **ϑλίβω, ϑλῖψις in LXX.**

1. In der Septuaginta findet der Gebrauch von θλίβειν, θλῖψις in übertragenem Sinn, der allein theologische Bedeutung hat, eine weite Verbreitung. θλίβειν, θλῖψις werden nämlich die gemeinsame griechische Über-
5 setzung einer Reihe hebräischer Begriffe, die in verschiedener Schattierung doch alle mehr oder weniger die Bedrängnis des Lebens wiedergeben.

So ist θλίβω Übersetzung von: *a.* α) צָרַר hi *jemandem es eng machen*: Dt 28, 52; Ri 10, 9; 3 Βασ 8, 37; 2 Ch 6, 28; 28, 22; 33, 12; Neh 9, 27 uam. — β) צַר Subst = *Not, Bedrängnis* in passiven Formulierungen: ψ 17, 7: ἐν τῷ θλίβεσθαί με = בַּצַּר־לִי, *in mei-*
10 *ner Not*; Ri 11, 7; 1 Βασ 28, 15; 2 Βασ 22, 19; Thr 1, 20 uam.

b. α) צָרַר *jemand feindlich behandeln*: Js 11, 13: 'Ιούδας οὐ θλίψει 'Εφραΐμ, ψ 22, 5; 41, 10; 68, 20; 142, 12. צָרַר in diesem Sinn gibt LXX sonst etwa mit ἐχθραίνειν Nu 25, 17; Dt 2, 9; ἐχθρεύειν: Ex 23, 22; Nu 33, 55; πολεμεῖν: ψ 128, 1; καταπατεῖν: Am 5, 12; μισεῖν: ψ 73, 4, bzw mit ἐχθρός: ψ 6, 8; 7, 5; 8, 3; 9, 26 ua wieder. — β) צַר *der*
15 *Feind, Widersacher, Bedränger* (ἐχθρός ψ 43, 6) in der stehenden Formel: οἱ θλίβοντες: ψ 3, 2; 12, 5; 26, 2: οἱ θλίβοντές με καὶ οἱ ἐχθροί μου = צָרַי וְאֹיְבַי לִי (im Sing Thr 4, 12: ἐχθρὸς καὶ ἐκθλίβων), ψ 26, 12; 43, 8 Β b (vid) א ΑΡΤ; 118, 157: πολλοὶ οἱ ἐκδιώκοντές με καὶ οἱ ἐκθλίβοντές με = רֹדְפַי וְצָרָי; Mi 5, 8; Thr 1, 5. 7. 17; 2, 17 ua.

c. לָחַץ = *bedrängen, bedrücken*; Ex 3, 9; 22, 20; 23, 9; Ri 4, 3; 6, 9; 10, 12; 4 Βασ
20 13, 4; ψ 55, 2; 105, 42; Js 19, 20; Ιερ 37, 20. Außer θλίβειν findet sich auch ἐκθλίβειν Ri 2, 18 Β; Am 6, 14.

d. יָנָה hi *unterdrücken*: Lv 19, 33; 25, 14. 17; Dt 23, 17; Js 49, 26. Dafür κακοῦν: Ex 22, 20; καταδυναστεύειν: Jer 22, 3; Ez 18, 12.

e. Neben diesen vier Begriffen, von denen die ersten beiden weitaus die häufigsten sind,
25 ist θλίβειν gelegentlich noch Übersetzung von: צוּק hi *jemand einengen, bedrängen*: Dt 28, 53. 55. 57; Js 29, 7; 51, 13; עָשַׁק *bedrücken, erpressen*: Ez 18, 18; Jer 7, 6. Hos 5, 11; Am 4, 1; Jer 7, 6 ua dafür καταδυναστεύειν. ψ 104, 14; 118, 121 dafür ἀδικεῖν. Auch אָיַב *befein-den*: Ri 8, 34 Β und רָעַע = *zerschmettern*: Ri 10, 8 Β werden mit θλίβειν wiedergegeben[2].

θλῖψις ist wesentlich die Wiedergabe von *a.* צָרָה = *Not, Übel, Bedrängnis, Angst*:
30 Gn 35, 3; 42, 21; Dt 31, 17. 21 A; Ri 10, 14; 1 Βασ 1, 6; 10, 19; 26, 24; 4 Βασ 19, 3; 2 Ch 15, 6; 20, 9; ψ 9, 10. 22; 19, 2; Zeph 1, 15. Dieses צָרָה kann aber auch anders übersetzt werden, so zB mit ἀνάγκη Hi 27, 9; im Plur mit ἀνάγκαι ψ 30, 8; Prv 17, 17. Jer 4, 31 ist צָרָה στεναγμός.

b. צַר *Not, Drangsal*: Dt 4, 29; ψ 4, 2; 31, 7; 58, 17; 59, 13; 65, 14; Hos 5, 15; Sach
35 8, 10; Js 26, 16; 30, 20. Auch צַר wird zB Hi 7, 11 mit ἀνάγκη übersetzt.

c. Vereinzelt: לַחַץ *Drangsal*: 3 Βασ 22, 27; 4 Βασ 13, 4; 2 Ch 18, 26; ψ 43, 25 (= Dt 26, 7: θλιμμός); מְצוּקָה *Bedrängnis*: Hi 15, 24 neben צַר = ἀνάγκη. Zeph 1, 15 kommt מְצוּקָה als ἀνάγκη neben צָרָה = θλῖψις zu stehen. Vgl ψ 24, 17; ψ 106, 13. 19. 28 = ἀνάγκαι. מָצוֹק (מָצוֹר?) *Drangsal*: Dt 28, 53. 55. 57. אֵיד *Unheil, Not, Katastrophe*:
40 2 Βασ 22, 19, was Hi 30, 12; 31, 3; Prv 6, 15 mit ἀπώλεια, ψ 17, 19 mit κάκωσις, Prv 1, 26 f mit ὄλεθρος, Ez 35, 5 mit ἀδικία übersetzt ist. עֳנִי *Elend, Not*: Ex 4, 31, wofür sich Ex 3, 17 κάκωσις, 4 Βασ 14, 26; ψ 9, 14; 118, 50; Thr 1, 3. 7. 9 ταπείνωσις, ψ 87, 10; Thr 3, 19 πτωχεία finden. מוּצָקָה *schwere Last*: ψ 65, 11 (θλίψεις). עֹצֶר = *Druck, Drang-sal*: ψ 106, 39 (Js 53, 8 = ταπείνωσις). רָעָה *Übel, Unheil*: ψ 33, 20 (θλίψεις), was Am
45 3, 6 κακία, 1 Βασ 10, 19 κακά, Neh 1, 3 πονηρία heißt. דְּאָגָה *Besorgtheit*: Ez 12, 18. עֹשֶׁק *Bedrückung, Ausbeutung*: Ez 18, 18 (Jer 6, 6: καταδυναστεία; ψ 72, 8: πονηρία). עָקָה *Getöse, Gepolter, Geächze*: ψ 54, 4. שׁוֹאָה *Untergang, Verderben*: Js 10, 3 (Js 47, 11: ἀπώλεια).

---

[2] λαὸς τεθλιμμένος Js 18, 7 ist keine Übers von מְמֻשָּׁךְ עַם, sowenig wie ἄνδρες τεθλιμμένοι Js 28, 14 von אַנְשֵׁי לָצוֹן. In beiden Stellen setzt LXX einen anderen Text als Mas vor-   aus. Vgl auch Hi 36, 15. Lv 26, 26: ἐν τῷ θλῖψαι ὑμᾶς σιτοδείᾳ ἄρτων ist freie Wieder-gabe dessen, was sonst etwa καὶ συντρίψω στήριγμα ἄρτου σου, Ez 5, 16; ψ 104, 16 lautet.

2. Wenn so auch die mannigfaltigen hebräischen Begriffe in LXX durch die Übersetzung mit θλῖψις formal vereinheitlicht worden sind, so hat sich inhaltlich ihr Begriffsgehalt doch erhalten. Denn θλῖψις (θλίβειν) tritt nun als ein Begriff für die verschiedenartigste Not und Bedrängnis in LXX auf.

Rein schematisch läßt sich dabei wie im übrigen griechischen Sprachgebrauch zwischen äußerer und innerer Bedrängnis scheiden, bei letzterer auch noch zwischen Betrübnis und Angst. θλῖψις, θλίβειν im Blick auf von außen kommende Nöte meint etwa: *politische Bedrängnis durch umliegende Feinde:* Ri 10, 8 f. 14; 3 Βασ 8, 37; 4 Βασ 13, 4; Ob 1, 12. 14; Neh 9, 27, *Kriegsnot:* Dt 28, 53 ff; ψ 9, 10; 45, 2; 107, 13; 1 Makk 5, 16; 12, 13, *Not der Unterdrückung:* Ex 3, 9; 4, 31; ψ 80, 8, *der Verbannung:* Dt 4, 29, *Lebensgefahr:* ψ 85, 7; 114, 3, *Bedrückung des Sklaven:* Dt 23, 17, *des Fremden:* Ex 22, 20; 23, 9, *des* πλησίον *überhaupt:* Lv 25, 14. 17, *Schädigung durch persönliche Feinde:* ψ 49, 15; 53, 9; 58, 17. Charakteristisch ist die Zusammenstellung in 2 Ch 20, 9: Ἐὰν ἐπέλθῃ ἐφ᾽ ἡμᾶς κακά, ῥομφαία, κρίσις, θάνατος, λιμός . . . βοησόμεθα πρὸς σὲ ἀπὸ τῆς θλίψεως, καὶ ἀκούσῃ καὶ σώσεις. Oder man vergleiche auch ψ 106, wo das θλίβεσθαι nacheinander das sich Verirren in der Wüste (v 6), die Not des Gefängnisses (v 13), der Krankheit (v 19), des Unterganges auf dem Meere (v 28) meint. So kann es ja auch öfter heißen: ἐκ πασῶν τῶν θλίψεων αὐτοῦ ἔσωσεν αὐτόν: ψ 33, 7. 18, oder es ist von πολλαὶ αἱ θλίψεις die Rede: ψ 33, 20. Auch der häufige Gebrauch von Synonyma neben θλῖψις, θλίβειν kann die Mannigfaltigkeit des Begriffsgehaltes bestätigen. So kommt zB vor: Ex 22, 20: οὐ κακώσετε οὐδὲ μὴ θλίψητε, Ri 10, 8 B: καὶ ἔθλιψαν καὶ ἔθλασαν τοὺς υἱοὺς ᾽Ισραήλ, Ez 18, 18: ἐὰν θλίψει θλίψῃ καὶ ἁρπάσῃ ἅρπαγμα, Dt 31, 17: καὶ εὑρήσουσιν αὐτὸν κακὰ πολλὰ καὶ θλίψεις, Jer 15, 11: ἐν καιρῷ τῶν κακῶν αὐτῶν καὶ ἐν καιρῷ θλίψεως αὐτῶν, Prv 1, 27: καὶ ὅταν ἔρχηται ὑμῖν θλῖψις καὶ πολιορκία, ἢ ὅταν ἔρχηται ὑμῖν ὄλεθρος, 4 Βασ 19, 3: ἡμέρα θλίψεως καὶ ἐλεγμοῦ καὶ παροργισμοῦ ἡ ἡμέρα αὕτη, ψ 77, 49: ἐξαπέστειλεν εἰς αὐτοὺς ὀργὴν θυμοῦ αὐτοῦ, θυμὸν καὶ ὀργὴν καὶ θλῖψιν, ψ 43, 25: ἐπελάθην τῆς πτωχείας ἡμῶν καὶ τῆς θλίψεως ἡμῶν. Häufiger stehen zusammen θλῖψις καὶ ὀδύνη: ψ 106, 39; 114, 3; Ez 12, 18; θλῖψις καὶ ἀνάγκη: ψ 118, 143; Hi 15, 24; Zeph 1, 15; vgl ψ 24, 17 f:

αἱ θλίψεις τῆς καρδίας μου ἐπλατύνθησαν,
ἐκ τῶν ἀναγκῶν μου ἐξάγαγέ με.
ἴδε τὴν ταπείνωσίν μου καὶ τὸν κόπον μου
καὶ ἄφες πάσας τὰς ἁμαρτίας μου.

θλῖψις καὶ στενοχωρία: Dt 28, 53. 55. 57; Js 8, 22; 30, 6; Est 1, 1 g. ἀνάγκη und στενοχωρία kann man im engeren Sinn als Synonyme von θλῖψις bezeichnen [3].

3. Freilich läßt sich auch beobachten, daß dann θλῖψις auch die in der ἀνάγκη oder στενοχωρία ausbrechende Angst meint, Hi 15, 24; Zeph 1, 15; Js 8, 22; 30, 6 (?), θλῖψις also eine innere Bedrängnis ausdrückt. In solchem Sinn von *Angst* erscheint θλῖψις auch öfter allein.

Gn 42, 21 ist ein bemerkenswertes Beispiel: ὅτι ὑπερείδομεν τὴν θλῖψιν τῆς ψυχῆς αὐτοῦ, ὅτε κατεδέετο ἡμῶν, καὶ οὐκ εἰσηκούσαμεν αὐτοῦ· ἕνεκεν τούτου ἐπῆλθεν ἐφ᾽ ἡμᾶς ἡ θλῖψις αὕτη. θλῖψις, das beidemal Übersetzung von צָרָה ist, meint das erstemal die Angst Josephs, das zweitemal die Not seiner Brüder. Vgl ferner etwa: Jer 6, 24; Ez 12, 18; 1 Makk 6, 11; verbal: 2 Βασ 22, 7: ἐν τῷ θλίβεσθαί με ἐπικαλέσομαι κύριον, 2 Ch 33, 12; ψ 17, 7; 30, 10; 68, 18; Thr 1, 20. Außer *Angst* bedeutet θλῖψις dann auch *Betrübnis, Traurigkeit,* zB 1 Βασ 1, 6; 30, 6: ἐθλίβη Δαυὶδ σφόδρα, 2 Βασ 13, 2.

4. Dieser so häufig und mannigfaltig verwendete Begriff θλῖψις gewinnt in der LXX seinen konkret-theologischen Sinn daraus, daß er vorwiegend die Bedrängnis und Trübsal des Volkes Israel und des Israel vertretenden Frommen bezeichnet. Es wird zwar nirgends als allgemeiner Satz ausgesprochen, daß zur Geschichte Israels als des von Gott erwählten und geleiteten Volkes die θλῖψις notwendig gehört, aber Israel widerfährt in seiner Geschichte tatsächlich fortwährend θλῖψις, die für sein Bewußtsein heilsgeschichtliche Bedeutung hat. Nicht nur die Not Israels

---

[3] Für στενοχωρία vgl Trench 124 f.

in Ägypten, die etwa Ex 4, 31 (vgl 3, 9) mit θλῖψις bezeichnet wird, auch nicht nur die Bedrängnis des Exils, von der als θλῖψις Dt 4, 29 (vgl 28, 47 ff) die Rede ist, sind heilsgeschichtliche Ereignisse, sondern fast alle andere θλῖψις im Leben des Volkes, die diesem durch seine Feinde bereitet ist: Ri 6, 9; 10, 6
5 bis 16; 1 Βασ 10, 18 ff; 4 Βασ 19, 3. Denn fast alle solche realen Bedrohungen der geschichtlichen Existenz des erwählten Volkes sind von Gott als Strafe für seine Untreue herbeigeführt und dienen der Bereitung eines gehorsamen Volkes: 2 Ch 20, 9 ff; Hos 5, 15; Neh 9, 26 f; Js 26, 16; 37, 3; 63, 9; 65, 16; Jer 10, 18 uam. In den ἐν ἡμέρᾳ (bzw ἐν καιρῷ) θλίψεως (4 Βασ 19, 3 = Js
10 37, 3; Ob 1, 12. 14; Js 33, 2; Nah 1, 7 uam) wirksamen Trübsalen vollzieht sich fortwährend die Heimsuchung des erwählten Volkes durch Gott. Zu diesen Tagen der Trübsal gehört nach Da 12, 1 auch eine zukünftige ἡμέρα θλίψεως, οἵα οὐκ ἐγενήθη ἀφ' οὗ ἐγενήθησαν ἕως τῆς ἡμέρας ἐκείνης. Das in der Geschichte Israels sich vollziehende Gericht eröffnet sich total in der endzeitlichen θλῖψις.
15 Auch Hab 3, 16 hat die verheißene ἡμέρα θλίψεως eschatologischen Charakter.

> Vgl auch Zeph 1, 15, wo die ἡμέρα κυρίου ἡ μεγάλη, die nahe ist und sehr bald kommt, beschrieben wird als ἡμέρα ὀργῆς . . . ἡμέρα θλίψεως καὶ ἀνάγκης, ἡμέρα ἀωρίας καὶ ἀφανισμοῦ, ἡμέρα σκότους καὶ γνόφου, ἡμέρα νεφέλης καὶ ὁμίχλης. . . .

5. Neben die θλῖψις des Volkes Israel tritt die **Bedräng-**
20 **nis des einzelnen Gerechten in den Psalmen**[4], dessen Leiden paradigmatische Bedeutung haben. Für den Gerechten ist große Trübsal selbstverständlich: πολλαὶ αἱ θλίψεις τῶν δικαίων: ψ 33, 20 (4 Makk 18, 15). Er wandelt ἐν μέσῳ θλίψεως: ψ 137, 7, er weiß reichlich um die ἡμέρα θλίψεως, um den καιρὸς θλίψεως: ψ 36, 39; 49, 15; 76, 3 ua. Gott bereitet ihm in konkreter
25 Anfeindung und Verfolgung von seiten der Feinde (= οἱ θλίβοντες: ψ 3, 2; 12, 5; 22, 5 ua), in Krankheit, Todesgefahr ψ 65, 11; 70, 20 die θλῖψις. Gott ist es aber auch, der sein Gebet erhört und ihn aus seiner Trübsal rettet, ψ 9, 10; 31, 7; 33, 7. 18; 36, 39 f; 53, 9; 58, 17; 90, 15 ua. So begreift der Gerechte die ihm in seinem Leben erwachsenen Bedrängnisse und Ängste als
30 Erfahrungen einer persönlichen Heilsgeschichte, die typischen Charakter haben. Der Begriff θλῖψις ist in der LXX also bedeutsam als ein Begriff der religiösen Sphäre.

> Die Weiterentwicklung des allgemeinen Begriffes des Leidens innerhalb der rabbinischen und jüdisch-apokryphen Literatur wertet die צָרוֹת oder, wie meist gesagt wird, die יִסּוּרִין (Züchtigungen) in der Hauptsache als Leiden, die zur Strafe dienen,
35 die Umkehr bewirken, des Menschen Verdienst vermehren, oder als solche, die Sühnemittel für die Sünden darstellen und als stellvertretende Leiden fremde Schuld tilgen [5]. Doch spielt als griechisches Äquivalent θλῖψις kaum noch eine Rolle (→ κρίμα, παιδεύειν, auch πάσχειν).

C. ϑλίβω, ϑλῖψις im NT.

40   **I. Das Wesen der Trübsal.**

1. Im NT und besonders bei Paulus ist oft von θλῖψις bzw θλίβειν die Rede [6]. Und zwar ist, außer (→ 139, 8 f. 13) an den beiden

---

[4] In Hi kommt θλῖψις in solchen Zusammenhängen nicht vor; in Js 53 erscheint es gar nicht.

[5] Vgl Str-B Regist sv „Leiden"; vor allem II 274 ff.

[6] θλῖψις im NT 45 mal, bei Pls 22 bzw 24 mal; θλίβειν 10 u 6 mal.

Synoptiker-Stellen, θλῖψις (θλίβειν) nur im übertragenen Sinn gebraucht. Diejenigen, die die Bedrängnis erfahren, sind die Glieder der Kirche und unter ihnen in beispielhafter Weise die Apostel. Ihre Trübsal ist nicht nur eine tatsächliche. Als solche wird sie in Ag 11, 19; 2 K 1, 4 ff; Phil 4, 14; 1 Th 1, 6; 3, 7; 2 Th 1, 4; Hb 10, 33; Apk 2, 9 f erwähnt und in Mk 4, 17; 5 R 5, 3; Apk 1, 9 als selbstverständlich vorausgesetzt. Die θλῖψις ist aber für das Bewußtsein des NT auch eine notwendige: J 16, 33: ἐν τῷ κόσμῳ θλῖψιν ἔχετε, Ag 14, 22: παρακαλοῦντες ἐμμένειν τῇ πίστει, καὶ ὅτι διὰ πολλῶν θλίψεων δεῖ ἡμᾶς εἰσελθεῖν εἰς τὴν βασιλείαν τοῦ θεοῦ, 1 Th 3, 2 f: εἰς τὸ στηρίξαι ὑμᾶς . . . τὸ μηδένα σαίνεσθαι ἐν ταῖς θλίψεσιν ταύταις. αὐτοὶ γὰρ οἴδατε ὅτι εἰς 10 τοῦτο κείμεθα, vgl auch Barn 7, 11: οὕτω, φησίν, οἱ θέλοντές με ἰδεῖν καὶ ἅψασθαί μου τῆς βασιλείας ὀφείλουσιν θλιβέντες καὶ παθόντες λαβεῖν με. Die ständige Bedrängnis Israels im AT ist der notwendigen Bedrängnis der Kirche im NT gewichen. Von hier aus ist jene ein Hinweis auf diese. Neben und inmitten der Trübsal der Gemeinde erfährt auch der Apostel θλῖψις. Auch sie hält 15 er für notwendig. Das ὅτι εἰς τοῦτο κείμεθα 1 Th 3, 3 schließt ihn ein. Er hat den Thessalonichern vorausgesagt: ὅτι μέλλομεν θλίβεσθαι 1 Th 3, 4. Er weiß nach Ag 20, 23 von seiner Zukunft nur die ihm vom Heiligen Geist bezeugten δεσμὰ καὶ θλίψεις. Seine Trübsal unterscheidet sich aber von der anderer Christen durch das Unmaß der Leiden. Bei ihm heißt es oft: ἐπὶ πάσῃ τῇ 20 θλίψει ἡμῶν 2 K 1, 4; 7, 4; 1 Th 3, 7 oder ἐν παντὶ θλιβόμενοι 2 K 4, 8; 7, 5. Die Leiden des Christus überströmen ihn (2 K 1, 5), er schöpft sie aus (Kol 1, 24).

2. Diese notwendigen Bedrängnisse der Kirche und des Apostels werden im NT als Leiden Christi verstanden, die noch nicht in ihrem Ausmaß erfüllt sind: Kol 1, 24: νῦν χαίρω ἐν τοῖς παθήμασιν ὑπὲρ ὑμῶν, 25 καὶ ἀνταναπληρῶ τὰ ὑστερήματα τῶν θλίψεων τοῦ Χριστοῦ ἐν τῇ σαρκί μου ὑπὲρ τοῦ σώματος αὐτοῦ, ὅ ἐστιν ἡ ἐκκλησία. Vgl 2 K 1, 5. Mit den θλίψεις τοῦ Χριστοῦ, die mit den παθήματα τοῦ Χριστοῦ identisch sind[7], sind die θλίψεις als solche erkannt, wie sie von Christus erfahren worden sind. Darauf verweisen Phil 3, 10; 1 Pt 4, 13. Aber die Leiden Christi sind offenbar noch nicht aus- 30 geschöpft und diese erfährt und erfüllt jetzt der Apostel der Kirche, und das ist ja dem Leibe Christi, zugute. In den θλίψεις, die dem Apostel widerfahren, setzen sich also die Leiden Christi, die schon erlitten sind, fort.

Dasselbe ergibt sich auch aus 2 K 4, 10 f, wo das ἐν παντὶ θλιβόμενοι... von 4, 8 so aufgenommen und ergänzt wird: πάντοτε τὴν νέκρωσιν τοῦ Ἰησοῦ ἐν τῷ 35 σώματι περιφέροντες, ἵνα καὶ ἡ ζωὴ τοῦ Ἰησοῦ ἐν τῷ σώματι ἡμῶν φανερωθῇ. ἀεὶ γὰρ ἡμεῖς οἱ ζῶντες εἰς θάνατον παραδιδόμεθα διὰ Ἰησοῦν, ἵνα καὶ ἡ ζωὴ τοῦ Ἰησοῦ φανερωθῇ ἐν τῇ θνητῇ σαρκὶ ἡμῶν. Die von Jesus erfahrene Tötung erfährt der Apostel in seinem leiblichen Dasein. Denn sein In-den-Tod-gegeben-werden geschieht „um Jesu willen". „Um Jesu willen" geschehen seine Leiden aber in 40

---

[7] Der Unterschied, den Steubing 10 zwischen παθήματα und θλίψεις auf Grund von 2 K 1, 4 ff sehen will: πάθημα die Leidenskategorie, θλῖψις „persönliches Leiden", letzteres „signifikanter und von Paulus mit Vorliebe gebraucht", scheint mir jedenfalls in bezug auf die παθήματα bzw θλίψεις τοῦ Χριστοῦ nicht faßbar zu sein. Daß zwischen θλίβεσθαι und πάσχειν ein Unterschied sein kann, zeigt Herm s 8, 3, 7.

dem konkreten Sinn — darauf verweist der Zusammenhang der Stelle ja eindeutig —, daß sie um der Verkündigung seines Evangeliums willen erfahren
werden, in dem Jesus Christus gegenwärtig ist. Indem der Apostel sich unter
das Wort des Todes Jesu stellt und dieses in der Hingabe seines eigenen Lebens an
5 die Ansprüche der Menschen auch vertritt, indem sich also der im Worte gegenwärtige Herr unter den Menschen durch den ihm gehorsamen Apostel zur Geltung
bringt, trägt dieser die von Jesus Christus erfahrenen Leiden, vollzieht er die
von Jesus Christus erlittene Trübsal gegenwärtig nach[8].
    In unseren Zusammenhang gehört auch Apk 7, 14. Auch die Märtyrer vor
10 dem Throne Gottes, die der Seher aus der großen Trübsal kommen sieht, haben
die Leiden Christi erlitten. Sie sind die Schar derer, die sich in der Bedrängnis der Endzeit nicht im eigenen Blute, sondern im Blute des Lammes rein
gewaschen haben, dh die das für sie geschehene Leiden Jesu Christi im eigenen Leiden für ihn bezeugt haben. Die Leiden des Apostels bzw der Glieder
15 der Kirche sind also in dem Sinn θλίψεις τοῦ Χριστοῦ genannt, daß sie das Leiden des erhöhten Herrn in seinen Gliedern darstellen, das er in seiner Niedrigkeit selbst schon für sie erlitten hat. Es handelt sich also nicht nur um Leiden
wie Christus, und der Genitiv charakterisiert die θλίψεις auch nicht nur „ganz
allgemein", sondern es handelt sich um ein Leiden Christi in seinen Boten nach
20 und auf Grund der θλῖψις Jesu, des erniedrigten Christus, und der Genitiv ist
Gen subj.
        3. Hat sich so erwiesen, daß zum Wesen der θλῖψις im
NT einmal dies gehört, daß sie von der christlichen Existenz in dieser Welt
unablösbar ist, und zweitens dies, daß sie Leiden Christi ist, der in seinen Glie-
25 dern bedrängt wird, so tritt als ein drittes Moment das Kennzeichen heraus,
daß sie eschatologische Trübsal ist. Dieser eschatologische Sinn der
θλῖψις ließe sich schon ganz allgemein aus dem eschatologischen Grundcharakter
der Zeit, in der sie erfahren wird, folgern. Diese Zeit ist ja in ihrem Verlauf
von dem Ende her, das ihr in Jesus Christus begegnet ist (1 K 10, 11), zu
30 verstehen. Der eschatologische Sinn der θλῖψις läßt sich aber auch aus den
betreffenden Texten selbst ersehen. Nachdem Paulus in 1 K 7, 26 auf die
ἐνεστῶσα ἀνάγκη, die hereinstehende Bedrängnis, hingewiesen hatte, die ein Verharren in den objektiven augenblicklichen Beziehungen eines Menschen zum
anderen empfiehlt, fährt er in v 28 fort: ἐὰν δὲ καὶ γαμήσῃς, οὐχ ἥμαρτες, καὶ
35 ἐὰν γήμῃ ἡ παρθένος, οὐχ ἥμαρτεν · θλῖψιν δὲ τῇ σαρκὶ ἕξουσιν οἱ τοιοῦτοι, ἐγὼ δὲ
ὑμῶν φείδομαι. τοῦτο δέ φημι, ἀδελφοί, ὁ καιρὸς συνεσταλμένος ἐστίν. Paulus
sieht offenbar im Bewußtsein der Verkürzung der Zeit die Drangsale der Endzeit schon in die Gegenwart hereinbrechen und will seiner Gemeinde durch
seinen Rat die damit verbundene θλῖψις verringern[9].
40   Ebenso spricht Jesus in Mt 24 (Mk 13) von Bedrängnissen vor der Parusie,
deren Anfänge (ἀρχὴ ὠδίνων), 24, 4—8, als Erschütterungen des geschichtlichen
und naturhaften Kosmos, deren Fortgang, 24, 9—14, als θλίψεις, wesentlich Verfolgungen der Jünger, und deren Erfüllung, 24, 15—28, als θλῖψις μεγάλη, οἵα

---

[8] Die leidenschaffende Kraft des „Wortes" | [9] Vgl JohW 1 K zSt.
wird auch Mk 4, 17 und 1 Th 1, 6 sichtbar. |

οὐ γέγονεν ἀπ' ἀρχῆς κόσμου ἕως τοῦ νῦν οὐδ' οὐ μὴ γένηται (v 21) eben den zu Ende gehenden Verlauf dieses Äons erfüllen. Auch aus Apk 1, 9: Ἐγὼ Ἰωάννης, ὁ ἀδελφὸς ὑμῶν καὶ συγκοινωνὸς ἐν τῇ θλίψει καὶ βασιλείᾳ καὶ ὑπομονῇ ἐν Ἰησοῦ spricht die Überzeugung, daß „die Trübsal" schon in der Gegenwart des Verfassers begonnen hat. Die Bedrängnisse der Gemeinden bezeugen sie. Der Seher „weiß" 5 um die gegenwärtige θλῖψις der Gemeinde in Smyrna und erkennt darin und in einem bevorstehenden kürzeren Leiden das Wirken des Satan, Apk 2, 9f. Diese Leiden münden in die μεγάλη θλῖψις, Apk 7, 14; vgl 3, 10. Aber von der Sicht der triumphierenden Kirche aus erscheint alle Trübsal des Zeitverlaufes schon im Lichte der μεγάλη θλῖψις, die eben in ihrem Geschehen von ferne schon be- 10 gonnen hat: „Diese sind die, die da kommen aus der großen Trübsal und haben ihre Kleider gewaschen und haben sie weiß gemacht im Blute des Lammes."

Solche Vorstellung einer eschatologischen θλῖψις hängt mit Gedanken zusammen, die das Geschichtsbewußtsein des Judentums aufs stärkste bestimmt haben. Sowohl in rabbinischen wie in apokalyptischen Texten ist gesagt, daß vor dem Herein- 15 brechen des messianischen Reiches das jüdische Volk bzw auch der Kosmos durch eine sich immer mehr steigernde Drangsalsperiode hindurch muß [10]. Die letzte dieser Endzeiten ist die „letzte böse Zeit", rabbinisch die „Wehen des Messias" (-> ὠδίν). Sie ist schon nach Da 12, 1 Θ der καιρὸς θλίψεως (עֵת־צָרָה), θλῖψις οἵα οὐ γέγονεν ἀφ' οὗ γεγένηται ἔθνος ἐπὶ τῆς γῆς ἕως τοῦ καιροῦ ἐκείνου. Vgl zur Formulierung Jl 2, 2; 1 Makk 20 9, 27; Ass Mos 8, 1. Charakteristisch ist etwa 4 Esr 13, 16—19: „Weh denen, die in jenen Tagen überbleiben werden! Aber noch viel mehr wehe denen, die nicht überbleiben werden! Denn die, welche nicht überbleiben, sind traurig (dann); da sie erkennen, was für die Endzeit aufbehalten ist, sie aber nicht dazu gelangen. Aber auch denen, die überbleiben, wehe! Weil sie große Gefahren und viele Drangsale (Nach Vio- 25 let [1924] zSt [p 177]: necessitates = ἀνάγκας = צָרוֹת oder מְצִיקוֹת; vgl 4 Esr 4, 12) erleben werden, wie diese Gesichte zeigen." sBar 25, 1 ff [11]: „Da antwortete er (der Engel) und sprach zu mir (Baruch): Auch du wirst aufbewahrt werden bis zu jener Zeit, zu jenem Zeichen, das der Höchste für die Bewohner der Erde zum Ende der Tage bewirken wird. Dies also wird das Zeichen sein: wenn starrer Schrecken die Bewohner 30 der Erde ergreifen wird, da werden sie fallen in viele Drangsale; auch werden sie fallen in gewaltige Peinigungen. Und wenn sie dann in ihren Gedanken infolge ihrer großen Drangsal sagen werden: „Nicht gedenkt mehr der Allmächtige der Erde", und wenn sie dann die Hoffnung aufgeben werden, alsdann wird die (neue) Zeit sich regen. Da antwortete ich und sprach: So wird wohl jene Drangsal, die (dann) eintritt, lange 35 Zeit währen, jene Notzeit viele Jahre anhalten?" Vgl 48, 20: „Die Zeit, die Drangsal schafft"; 68, 2. Sib II 154 ff:

ἀλλ' ὁπόταν τόδε σῆμα φανῇ κατὰ κόσμον ἅπαντα
. . . .
θλίψεις δ' ἀνθρώπων λιμοὶ λοιμοὶ πολεμοί τε   40
καιρῶν δ' ἀλλαγή, πενθήματα δάκρυα πολλά.

Vgl Sib VIII 85: θλῖψις ἄελπτος. Vgl auch Herm v 2, 2, 7: μακάριοι ὑμεῖς ὅσοι ὑπομένετε τὴν θλῖψιν τὴν ἐρχομένην τὴν μεγάλην, καὶ ὅσοι οὐκ ἀρνήσονται τὴν ζωὴν αὐτῶν, 2, 3, 4; 4, 1, 1; m 2, 5; 3, 6. Aus der rabbinischen Literatur sei etwa bSanh 97 a [12] erwähnt: „. . . So hat RJochanan gesagt: In dem Geschlecht, in welchem der Sohn Davids 45 kommt, werden der Gelehrtenschüler wenige sein und der übrigen Augen werden vor Trauer und Seufzen dahinschwinden; viele Nöte und harte Verhängnisse kommen immer aufs neue; bevor noch die erste Drangsal aufhört, eilt schon die zweite herbei." Vgl bSanh 98 a. 99 a; Midr Ps 20, 4 (88 a).

Der grundsätzliche Unterschied zwischen dem jüdischen und 50 christlichen Verständnis der eschatologischen θλῖψις liegt freilich einmal darin, daß diese im Judentum von der Zukunft erwartete Bedrängnis nach urchristlichem Verständnis schon begonnen hat; daß also auch die „große Trüb-

---

[10] Vgl die Zusammenstellung der Texte bei Str-B IV 977—986 und die Ausführungen bei Volz Esch 147—163.

[11] Str-B IV 979.

[12] Str-B IV 981.

sal" schon eröffnet ist. Zweitens darin, daß das eschatologische Leiden mit dem Leiden des Messias Jesus begonnen hat, so daß alles Leiden der Zeit nur Nachvollzug seines geschehenen Leidens ist. Drittens darin, daß das eröffnete endzeitliche Leiden Christi als solches von dem in der Welt zerstreuten neuen
5 Volke, der Kirche, erfahren wird, freilich inmitten leidvoller Verhältnisse des Kosmos. Es handelt sich also im NT bei dem Begriff θλῖψις nicht einfach um eine Übernahme oder auch um eine „Entwicklung" jüdischer Gedanken vom eschatologischen Leiden, sondern um ein in der konkreten Geschichte Jesu Christi neu eröffnetes Verständnis der eschatologischen Sachverhalte überhaupt
10 und darin der eschatologischen Bedrängnis. Das Wesen der nt.lichen θλῖψις und damit des Begriffes der nt.lichen θλῖψις ist von dem geschichtlichen Ereignis des Todes Jesu Christi bestimmt.

4. θλῖψις kommt endlich im NT auch im Zusammenhang von Sätzen über das letzte Gericht vor. In der Aufdeckung des Entschei-
15 des der Gerechtigkeit Gottes erfüllt sich endgültig die θλῖψις über die Unge-rechten, R 2, 9, und also auch über die, die in der Endzeit der Gemeinde θλῖ-ψις bereiten, 2 Th 1, 6. Und so wie die ὀργή Gottes, die auf dem Kosmos der Heiden lastet, etwas vom Groll des Weltgerichtes in sich trägt, so birgt die θλῖψις, die der Kirche in dieser Endzeit widerfährt, etwas von der Drangsal
20 des letzten Gerichtes in sich. Und zwar in dem Sinn, daß in der Trübsal, die der Glaubende erfährt, das an Jesus Christus für uns vollzogene Gericht Got-tes von dem Christen übernommen und darin also von ihm mit Jesus Christus das letzte Gericht jeweils vorweggenommen wird. Die θλῖψις der Endzeit ist für den Glauben ein realer „Aufweis des gerechten Gerichtes Gottes" (2 Th 1, 5),
25 weil in ihr schon eine Auswirkung des gerechten Gerichtes Gottes sichtbar wird.

II. Die Erfahrung der Trübsal.

1. Es handelt sich bei den θλίψεις, die dem Christen als eschatologische Leiden notwendig widerfahren, um Bedrängnisse ver-schiedenster Art.
30   Darauf verweisen schon die relativ häufigen Synonyme, die sich auch im NT zu θλῖψις finden. Neben θλῖψις steht *a.* στενοχωρία. Freilich deckt sich θλῖψις nicht immer ganz mit στενοχωρία, wie das doch wohl R 2, 9; 8, 35; 2 K 6, 4 der Fall ist. Doch meint, wo die beiden Begriffe unterschieden sind, wie in 2 K 4, 8, στενοχωρεῖν dann nur das ans Ziel gekommene θλίβειν: ἐν παντὶ θλιβόμενοι ἀλλ' οὐ στενοχωρούμενοι. —
35   *b.* ἀνάγκη, 1 Th 3, 7; 2 K 6, 4; vgl 2 K 12, 10: διὸ εὐδοκῶ ἐν ἀσθενείαις, ἐν ὕβρεσιν, ἐν ἀνάγκαις, ἐν διωγμοῖς καὶ στενοχωρίαις, ὑπὲρ Χριστοῦ, in 1 K 7, 26 ist die bevor-stehende θλῖψις: ἐνεστῶσα ἀνάγκη genannt; vgl Lk 21, 23. — *c.* λύπη J 16, 21; vgl J 16, 22 mit 16, 33; Herm m 10, 2, 4 ff. — Wenn wir hier von πάθημα (πάθος, πάσχειν) absehen (→ 143, 23 ff), zeigt sich, daß *d.* διωγμός noch besonders häufig neben θλῖψις
40   erscheint: Mk 4, 17: θλῖψις ἢ διωγμός, 2 Th 1, 4: ἐν πᾶσιν τοῖς διωγμοῖς ὑμῶν καὶ ταῖς θλίψεσιν αἷς ἀνέχεσθε, vgl Ag 11, 19 mit 8, 1; 2 K 4, 8 f; R 8, 35. θλῖψις ist freilich auch in solcher Verbindung der weitere Begriff.
      Unter den konkreten Bedrängnissen, die mit θλῖψις allgemein wieder-gegeben sind, ist an Verfolgung auch in 1 Th 1, 6; 3, 3 f (= 2, 14 f) zu denken.
45   Gefängnis ist Ag 20, 23; Eph 3, 13 (vgl 3, 1); Apk 2, 10 (2 K 6, 4) gemeint. Von Schmähungen reden Hb 10, 33; 11, 37. Um Bedrängnis durch Armut handelt es sich 2 K 8, 13; 1 Tm 5, 10 (?). Vgl auch Apk 2, 9: οἶδά σου τὴν θλῖψιν καὶ τὴν πτωχείαν . . . καὶ τὴν βλασφημίαν [13]. Ob Krankheit in Apk 2, 22 gemeint ist? Die rhetorische Reihe

---

[13] Dazu Test Iss 3, 8: πάντα γὰρ πένησι καὶ θλιβομένοις παρεῖχον. θλίβεσθαι heißt Test Jos 17, 6 „darben". Die θλιβόμενοι sind Test | B 5, 1 die Armen; vgl Herm s 1, 8; Ign Sm 6, 2; Barn 20, 2 = Did 5, 2; 1 Cl 59, 4.

in R 8, 35 stellt sieben θλίψεις zusammen, davon freilich θλῖψις auch allein als die erste der sieben: θλῖψις ἢ στενοχωρία ἢ διωγμὸς ἢ λιμὸς ἢ γυμνότης ἢ κίνδυνος ἢ μάχαιρα [14]. Der Sache nach sind auch die in 2 K 11, 23 ff aufgezählten Nöte θλίψεις. Neben äußere Bedrängnisse kommen auch innere zu stehen, und zwar sowohl Betrübnis und Traurigkeit wie Phil 1, 17; 2 K 2, 4: ἐκ γὰρ πολλῆς θλίψεως καὶ συνοχῆς καρδίας, Jk 1, 27; 5 vgl Act Joh 22. 23, als auch Angst bzw Furcht, wie 2 K 7, 5: καὶ γὰρ ἐλθόντων ἡμῶν εἰς Μακεδονίαν οὐδεμίαν ἔσχηκεν ἄνεσιν ἡ σὰρξ ἡμῶν, ἀλλ' ἐν παντὶ θλιβόμενοι · ἔξωθεν μάχαι, ἔσωθεν φόβοι, vgl Act Phil 34. Wie 2 K 7, 5 zeigt, ist der Gegensatz zur äußeren und inneren θλῖψις die ἄνεσις, vgl 2 Th 1, 7; 2 K 8, 13; Act Pl et Thecl 37; Act Pt 2; Act Thom 39. 10

2. Die gemeinsame Kraft aller θλῖψις ist **d i e i n i h r w i r k s a m e T o d e s m a c h t** [15]. Der Tod zeigt sich in der bis zur Unerträglichkeit gesteigerten Last der Leiden dem Apostel an, 2 K 1, 8 f. Paulus erfährt in den sinnenfälligen Nöten die νέκρωσις τοῦ Ἰησοῦ an seinem Leibe, 2 K 4, 10, und versteht diese Leiden als ein In-den-Tod-gegeben-werden, 2 K 4, 11, als 15 ein ἐνεργεῖσθαι des Todes in uns 2 K 4, 12. So zitiert er nach der Aufzählung von Leiden in R 8, 36 den ψ 43, 23: ἕνεκεν σοῦ θανατούμεθα ὅλην τὴν ἡμέραν, ἐλογίσθημεν ὡς πρόβατα σφαγῆς. Die θλίψεις sind θάνατοι, wie der prägnante Ausdruck in 2 K 11, 23 lautet. Und es wird deutlich: das in dieser Endzeit notwendige Leiden Christi in seinen Gliedern ist Erfahrung der konkreten 20 Nachwirkung jener Todesmacht, die Christus in seinem Tod und Auferweckung schon zerbrochen hat. κοινωνία παθημάτων αὐτοῦ vollzieht sich durch den συμμορφιζόμενος τῷ θανάτῳ αὐτοῦ, Phil 3, 10. Die Todesmacht in den θλίψεις **t r i f f t d e n M e n s c h e n i n s e i n e r s a r k i s c h e n E x i s t e n z**, 2 K 7, 5 f. Der Apostel erfüllt die Leiden Christi an seiner σάρξ, Kol 1, 24; er trägt die νέκρωσις τοῦ 25 Ἰησοῦ an seinem σῶμα, 2 K 4, 10, an seinem, wie 2 K 7, 5 zu deutlich zeigt, gesamten leiblich-seelischen Bestand. Der Tod zerschlägt in den θλίψεις das „irdene Gefäß" 2 K 4, 7, er zerstört „unseren äußeren Menschen", das in der Leiblichkeit nach „außen" gewendete, als „draußen" erfahrbare Leben, zu dem wesentlich Anfälligkeit und Hinfälligkeit gehört, 2 K 4, 16. 30

Die Lebensbedrohung in den θλίψεις ist daher für den Christen **e i n e s t ä n d i g e V e r s u c h u n g**: 1 Th 3, 3 ff; Apk 2, 10; vgl 1 Pt 4, 12. In Lk 8, 13 wird charakteristischer Weise das εἶτα γενομένης θλίψεως ἢ διωγμοῦ διὰ τὸν λόγον von Mk 4, 17 mit καὶ ἐν καιρῷ πειρασμοῦ wiedergegeben. In den Leiden wird der Christ dahin erprobt, ob er unter Hintansetzung seines Lebens das Evan- 35 gelium weiter vertreten will oder nicht; das heißt aber letztlich dahin, ob er auch sein eigenes Leben von dessen eigenen Möglichkeiten her oder von der Zusage Gottes und den darin eröffneten Möglichkeiten her verstehen will. Das ist aus 2 K 1, 8 f deutlich: Paulus besteht die Versuchung, die ihm die übermäßigen Leiden bereiten, indem er den in ihnen wirksamen Tod als einen Ur- 40 teilsspruch Gottes übernimmt und so sein Leben im Blick auf den totenerweckenden Gott freigibt im Glauben. Solcher, Gott das Leben anheimgebende **G l a u b e**, der die Versuchung überwindet, die ihm die tödlichen θλίψεις bereiten, **i s t i n d e r G e d u l d w i r k s a m**: 2 Th 1, 4: ὑπὲρ τῆς ὑπομονῆς ὑμῶν καὶ πίστεως

---

[14] Nach Test B 7, 2 ist die μάχαιρα die Mutter von sieben Übeln: φθόνος, ἀπώλεια, θλῖψις, αἰχμαλωσία, ἔνδεια, ταραχή, ἐρήμωσις, vgl Test Jos 2, 4: οὐ γὰρ ἐγκαταλείπει κύριος τοὺς φοβουμένους αὐτόν, οὐκ ἐν σκότει ἢ δεσμοῖς ἢ θλίψεσιν ἢ ἀνάγκαις.
[15] Vgl auch ASchweitzer, Die Mystik des Apostels Pls (1930) 142.

ἐν πᾶσιν τοῖς διωγμοῖς ὑμῶν καὶ ταῖς θλίψεσιν αἷς ἀνέχεσθε, vgl R 12, 12; Apk 1, 9;
Herm v 2, 2, 7; Act Andr ed Matth 18; Act Pt et Pl 2.

Denn in der Geduld wird die Hoffnung durchgehalten, die nicht auf das
Sichtbare, sondern auf das Unsichtbare sieht und so die gegenwärtige Trübsal,
5 die den Menschen verzehrt, zu einem „Bischen augenblicklicher Trübsal" vor
der kommenden Herrlichkeit dahinschwinden läßt, 2 K 4, 17f. In der Geduld
(der φωτισθέντες Hb 10, 32) ist ja auch der Trost wirksam, der den Leidenden durch Christus überströmt, 2 K 1, 5f. So gilt dann auch, daß das Leiden
die Geduld „schafft" und auf dem Wege über die Bewährung die Hoffnung
10 wiederum stark macht, in der der Glaube lebt, R 5, 3f. Es ist eine Reihe
einander bestimmender Ereignisse: unter dem Zuspruch Jesu Christi, der den
Glauben auf die Hoffnung ausrichtet, ruft das Leiden in die Geduld. Die Geduld des Leidens aber läßt in der Bewährung die Hoffnung der Hoffenden groß
werden, die nicht zu Schanden wird. Die Geduld nun, in der das Leiden durch
15 den Glauben aufgenommen ist, wird erfüllt in der Freude, die der Zuspruch
des Heiligen Geistes erwirkt, 1 Th 1, 6; Kol 1, 24. In der überschwänglichen
Freude des Heiligen Geistes, 2 K 8, 2, ist die θλῖψις vom Glauben radikal übernommen. Denn in ihr ist ja der Geist des in den θλίψεις vordringenden Todes
überwunden: die Angst.

20   3. Mit solcher Übernahme der θλίψεις durch den Glauben
bewirkt der Christ die Erbauung der Gemeinde. Denn in der geduldigen,
ja freudigen Vertretung des Evangeliums inmitten der diesem geltenden Bedrängnisse, wird das Wort Gottes zu einem persönlich drängenden Zuspruch
des Trostes für die anderen; vgl 2 K 1, 4ff; 4, 10f; Kol 1, 24; Eph 3, 13;
25 1 Th 1, 6f. Christus besorgt durch den Trost seines Leidens in den geduldig
getragenen Bedrängnissen seiner Gläubigen die Erbauung seiner Kirche und
läßt so die Welt das angebrochene Ende ihrer Macht gegenwärtig erfahren.

Schlier

θνήσκω, θνητός → 7, 24 ff; 22, 12 ff.

30   **† θρηνέω, † θρῆνος**   (→ κλαίω, κλαυθμός, κόπτω, κοπετός, λυπέω, λύπη, πενθέω,
πένθος).

Inhalt: A. Der θρῆνος im griechisch-römischen Kulturkreis. — B. Der
θρῆνος im vorderasiatischen Kulturkreis: 1. Das AT; 2. Das Judentum. —
C. θρηνέω und θρῆνος im NT: 1. Die jüdische Trauersitte zur Zeit Jesu; 2. Die Fortführung der at.lichen Linien im NT.

35   θρῆνος ist von Homer bis zum NT und weiter bis ins Neugriechische hinein der term techn für die *Totenklage*. Zuweilen verengt es seine Bdtg

θρηνέω, θρῆνος. Pr-Bauer 566; Moult-
Mill 292f; Liddell-Scott, Pape, Pass sv. —
Zu A: Handbuch der klass Altertumswiss IV
1, 2: IMüller, Die griech Privataltertümer
[2] (1893) 214; ebda IV 2, 2: HBlümner, Die
römischen Privataltertümer [3] (1911) 486;
CSittl, Die Gebärden der Griechen und
Römer (1890) 65—78; Rohde I 220—223. —

Zu B: RE [3] 20 (1908) 83, 36—90, 50 (RZehn-
pfund, Trauer und Trauergebräuche bei den
Hebräern); HJahnow, Das hbr Leichenlied
im Rahmen der Völkerdichtung, = Beihefte
ZAW 36 (1923); ABertholet, Kulturgeschichte
Israels (1919) 96, 139, 269; Str-B I 521—523,
IV 582—590.

auf die Totenklage in gebundener Form, den *Trauergesang*, das *Leichenlied* [1]. Umgekehrt wird das Verbum θρηνέω manchmal auch dann angewandt, wenn das *Klagen* nicht ausdrücklich einem Toten gilt [2].

A. Der θρῆνος im griechisch-römischen Kulturkreis.

1. In Griechenland waren γόοι und θρῆνοι ein wesentliches 5 Stück des γέρας θανόντων (vgl Hom Il 24, 721) [3], ja ein Stück Seelenkult; denn die entwichene Seele vernimmt die Klagerufe und Leichenlieder, deren Lobpreis ihr selber gilt, und freut sich darüber. Schon unmittelbar nach der Aufbahrung im Hause, deren eigentlicher Zweck es war, der Totenklage Raum zu geben [4], wurden die θρῆνοι angestimmt; solange die Ausstellung auf dem Paradebett dauerte, wurden sie mit jedem 10 Tage erneuert [5] und schwollen bei den Bestattungsfeierlichkeiten selbst zur größten Höhe an.

Dabei taten sich die Frauen besonders hervor, wie es schon die bildliche Einführung der Musen als Klagefrauen bei Homer (Od 24, 60 f: θρήνεον!), besonders aber seine Schilderung von der Klage der Weiber an Hektors Bahre (Il 24, 720 ff) anschaulich 15 zeigt. Ebenda ist aber auch von θρήνων ἔξαρχοι, Vorsängern der Klagelieder — also von Klagemännern — die Rede, und so steht auch später neben den θρηνήτριαι Schol Eur Phoen 1489 (ed ESchwartz 1887) das männliche Gegenstück des θρηνητήρ, θρηνητής oder θρηνήτωρ (vgl Manetho, Apotelesmatica IV 190 [ed AKoechly in: Poetae Bucolici et Didactici (1862)]; BGU I 34 recto col IV 3 f: εἰς πεῖν τοῖς παιδίοις ᾱ, θρηνητῇ ᾱ, 20 sc wahrscheinlich Kannen Weins [6]). Hier handelt es sich offenkundig um berufsmäßige Klagemänner bzw -frauen, die für ihren Dienst auch entlohnt wurden.

Solon suchte die mit den Trauersitten verbundenen Mißstände zu beseitigen und die Totenklage auf die Weiber aus der nächsten Verwandtschaft [7] des Toten zu beschränken [8]. Er verbot neben allen übertriebenen Äußerungen der Trauer (so dem 25 → κοπετός) auch τὸ θρηνεῖν πεποιημένα, das Anstimmen von Gedichten (Plut Solon 21 [I 90 c]). Offenbar hatte sich, im Zusammenhang mit den wachsenden Trauergebräuchen, eine richtige „Industrie" entwickelt, die, ähnlich dem Drama, nicht nur den Schauspielern, sondern auch Dichtern Brot gab. Wahrscheinlich schon Homer hat bei seinen Schilderungen (zB Il 24, 720 ff) förmliche Leichengesänge im Auge; diese 30 werden aber je länger, desto weniger improvisiert, vielmehr wurden sie bei eigenen θρήνων σοφισταί bestellt, dann aber von jenen Klageleuten, wie unwillkürlich ausbrechend, vorgetragen [9].

2. Die von Solon beabsichtigte Vereinfachung und Reinigung der Trauersitten scheint nur unvollkommen gelungen zu sein (→ κόπτω). Denn diese 35 erfuhren immer neuen Auftrieb vom Osten und zwar desto mehr, je stärker die spätgriechische Kultur Anregungen von dorther aufnahm. Namentlich in einer im Osten geprägten Abwandlung spielte der θρῆνος in der hellenistischen Zeit eine besondere Rolle, nämlich in der kultischen Totenklage der Mysteriendramen, in denen der gewaltsame Tod eines Kultgotts beklagt wurde; so erfahren wir aus 40 PTebt I 140 (p 598) (72 v Chr) von θρηνώματα [10] εἰς τὸν Ὄσιριν und durch Pseud-Luc (Syr Dea 6) von der kultischen Totenklage um Adonis: (Die Bewohner von Byblos) μνήμην τοῦ πάθεος (sc des Adonis) τύπτονταί τε ἑκάστου ἔτεος καὶ θρηνέουσι. Ein Nachklang der Attismysterien mag in dem gnostischen Hymnus vernehmbar sein, der in Act Joh 95 aufbewahrt ist: θρηνῆσαι θέλω · κόψασθε πάντες [11]. 45

3. Bei den Römern [12], deren Trauersitten und -gesetzgebung nach Ciceros Angaben von den griechischen unmittelbar beeinflußt waren [13], wurde

---

[1] Zum Unterschied v θρῆνος u ἐπικήδειον vgl Etym M sv; Eustath Thessal Comm in Od 11, 75 (I 400, 16 f Stallbaum).

[2] Vgl die allg Umschreibungen des Hesych sv: θρῆνος· γόος u θρηνεῖ· πενθεῖ, ὀλολύζει, ὀλοφύρεται.

[3] Müller 214; KFAmeis-CHentze, Anhang z Homers Ilias VIII (1886) 136 ff.

[4] Rohde 221.

[5] Müller aaO.

[6] S Moult-Mill sv θρηνέω.

[7] Vgl dazu Epigr Graec 345, 3 f: μῆτερ ἐμή, θρήν[ων ἀ]ποπαύεο κτλ.

[8] Vgl Rohde 221.

[9] Ebd A 3.

[10] Nebenformen von θρῆνος sind θρήνωμα und θρήνημα (vgl Moult-Mill 293 sv θρηνέω).

[11] Vgl HSchlier, Religionsgeschichtliche Untersuchungen zu den Ignatiusbriefen (1929) 164 A 3 u → κόπτω.

[12] Vgl Blümner 486; Sittl 69 f u als Belege Ovid, Amores 3, 9, 50 ff; Petronius Arbiter, Satiricon 111 (ed AErnout 1922); PPapinius Statius, Thebais VI 178 (ed AKlotz 1908); Silvae II 1, 23 (ed AKlotz 1911), sowie Bildwerke wie das Haterier-Relief (s Blümner aaO A 4).

[13] Vgl Rohde 222 A 2.

die Totenklage während der Ausstellung der Leiche wie bei der Bestattung namentlich von den weiblichen Familienangehörigen angestimmt; die Männer zeigten sich
dabei durchweg weniger aktiv als die Frauen[14].

B. Der θρῆνος im vorderasiatischen Kulturkreis.

Die eigentliche Heimat der heftigen Totenklage, vielleicht auch des ausgebildeten θρῆνος im engeren Sinne, des Leichenlieds,
ist wahrscheinlich der Orient. Die persischen Trauersitten waren berühmt
(Aesch Choeph 411 ff; Pers 683; → κόπτω). Eine derartige Erinnerung mag
auch in der Schilderung des Nonnus (Dionysiaca 24, 179 ff [Ludwich 1911])
von der Totenklage bei den barbarischen Indern gefunden werden; wenn er
(v 181) von den φιλόθρηνοι γυναῖκες spricht, so spiegelt sich darin die Tatsache,
daß auch im Orient und dort zumal die Frauen es den Männern in der Klage
bei weitem zuvortaten (und noch heute tun).

1. Das Alte Testament.

Das AT entwirft von den israelitischen Trauer-
gebräuchen ein Bild, das in Parallele und Unterschied ein interessantes Gegenstück zu der griechischen Totenklage darstellt.

Das israelitische Trauerlied ist die קִינָה, in der das bekannte Qina-Metrum hauptsächlich seine Stätte hat[15]. Für קִינָה, gelegentlich auch für נְהִי, setzt die LXX θρῆνος
ein und dementsprechend für קוֹנֵן, daneben auch für הֵילִיל und נָהָה, die Formen von
θρηνέω. Daher ist beim Gebrauch von θρῆνος und θρηνέω in der LXX (im Unterschied
vom NT) im allg mehr an den ausgeführten Klagegesang als an die unge-
formte Totenklage zu denken.

Die Totenklage wird auch in Israel zunächst im Hause, solange der Tote dort
aufgebahrt ist, und dann während der Bestattungsfeierlichkeiten gehalten. Die Trauer
der Familienangehörigen, die die natürlichen und darum ursprünglich einzigen Träger der Totenklage sind, erweitert sich bei großen Toten frühe zur Volkstrauer (vgl Gn 50, 3. 10; 2 Βασ 1, 17 f; 3, 34). Später drängen sich auch in Israel
berufsmäßige Trauerleute vor und gleichzeitig wird die formlose Klage
(κόπτεσθαι, κλαίειν, πενθεῖν, vgl zB Gn 23, 2; 50, 1. 3. 10) durch den θρῆνος, das mehr
oder weniger kunstvolle Leichenlied bereichert (vgl Ιερ 9, 19: διδάξατε τὰς θυγατέρας ὑμῶν οἶκτον καὶ γυνὴ τὴν πλησίον αὐτῆς θρῆνον, auch 3 Makk 4, 6, wo θρῆνος im
Gegensatz zu ὑμέναιος steht). Auf dieser Stufe finden wir, daß auch in Israel εἰδότες
θρῆνον (Am 5, 16) den θρήνων ἔξαρχοι des Homer und αἱ θρηνοῦσαι (Ιερ 9, 16) den
griechischen θρηνήτριαι entsprechen; den bezahlten griechischen θρήνων σοφισταί aber
stehen gottbegnadete Liederdichter wie David (vgl 2 Βασ 1, 17—27; 3, 33 f) und
Jeremia (vgl 9, 9 Mas; 7, 29 LXX) gegenüber; es ist kein Zufall, daß gerade bei
Jeremia, dem das Buch der Klagelieder[16] zugeschrieben wird, die Wörter θρῆνος und
θρηνέω besonders häufig vorkommen[17].

Auch im AT läßt sich ein Hervortreten der Frau in der Ausübung des θρῆνος
beobachten. Jeremia bestellt sich Klagefrauen zur Begleitung seines θρῆνος (Ιερ 9, 16 f)
und fordert darüber hinaus die Frauen seines ganzen Volkes zum θρῆνος auf (v 19),
ähnlich wie Ezechiel ankündigt, daß die Töchter der Völker seine Wehklage um
Ägypten begleiten werden (Ez 32, 16). Jungfrauen sind bei allgemeiner Volkstrauer
ihre vorzüglichsten Träger (vgl Jl 1, 8; Ri 11, 40; 3 Makk 4, 6 ff), wie es auch in der
Symbolik der weinenden Tochter Zion (Jer 7, 29 Mas) und der trauernden Jungfrau
Samaria (Mi 1, 8 LXX) mit enthalten ist (vgl auch die wehklagende Rahel Jer 31, 15).

Von kultischer Totenklage im Sinn der orientalischen Religionen ist natürlich
im AT keine Rede. Eine Andeutung dafür hat man zwar in der viertägigen

---

[14] Sittl 70.
[15] Vgl ua den grundlegenden Aufsatz
vKBudde, ZAW 2 (1882) 1 ff.
[16] Vgl Thr 1, 1: ἐκάθισεν Ἰερεμίας κλαίων

καὶ ἐθρήνησεν τὸν θρῆνον τοῦτον ἐπὶ Ἱερουσαλήμ.
[17] Vgl WBaumgartner, Die Klagegedichte
des Jeremia (1917).

Klage, die alljährlich dem Gedächtnis von Jephthas Tochter gewidmet wurde (Ri 11, 40), finden wollen; aber diese ist auf einem Boden, wo es keine Helden- und Heldinnenverehrung geben kann, doch nur eine formale Parallele zu den alljährlichen Klagefesten um Adonis (vgl Pseud-Luc Syr Dea 6) oder um Achilleus in Elis (Paus VI 23, 3). Vielmehr steht im AT dem kultischen θρῆνος des 5 Heidentums in schroffem Gegensatz der prophetische θρῆνος gegenüber. Nicht ein toter Gott wird beklagt, der lebendige Gott selbst ruft die Propheten zum θρῆνος auf über die Verwerfung des Gottesvolkes (Ιερ 7, 29 LXX) oder auch über die drohende Vernichtung anderer Völker wie der Ägypter (vgl Ez 32, 18), und diesen Aufruf zum θρῆνος geben die Propheten weiter. Vier- 10 fach ist der Aufruf des Joel (1, 5. 8. 11. 13) an Priester und Trinker, Stadt und Land zur Klage um des drohenden Untergangs willen am Tage des Herrn; vierfach auch der des Jeremia zum θρῆνος wegen der gottverhängten Verwüstung und des Einbruchs des Todes in das Volk (Ιερ 9, 9 LXX. 16 f. 19). Dem entspricht, daß auch in den Zukunftsweissagungen der Propheten die Ankün- 15 digung des θρῆνος eine besondere Stelle einnimmt, sowohl dessen, den der · Prophet selbst anstimmt (vgl Mi 1, 8 Mas; Jer 9, 9 Mas), als auch dessen, den die Betroffenen (Am 5, 16; Ιερ 38, 15) oder die beobachtenden Zeitgenossen (Js 14, 4; Ez 32, 16) erheben werden. Denn der Kreis der Trauernden erweitert sich, der Allgemeinheit des angekündigten Todesverderbens entsprechend, 20 zur Gesamtheit des Volkes oder der Völker (vgl Am 5, 16; Jl 1 f; Jer 9, 19; Ez 32, 16), und der Schauplatz des θρῆνος ist das ganze Land, Straßen und Plätze, Häuser und Weinberge (Am 5, 16), besonders aber die kahlen Höhen (vgl Jer 7, 29; Ιερ 38, 15 [31, 15] A: ἐν τῇ ὑψηλῇ).

Beispiele für den Inhalt israelitischer θρῆνοι sind, außer Teilen der Threni selbst, 25 2 Βασ 1, 19—27; Jer 9, 18. 20; Am 5, 1 ff; Js 14, 4 ff.

2. Das Judentum.

Im nachbiblischen Judentum wurden ua auch die at.lichen Trauersitten paragraphiert und nach verschiedenen Richtungen im einzelnen abgegrenzt und festgelegt. 30

Es gibt zwei Arten von θρῆνοι: עֲנוּי, die gemeinsame Klage, und die קִינָה, die nun ausdrücklich als Wechselgesang gedeutet wird (belegt mit Jer 9, 19); die entsprechenden Verba sind עָנָה und קוֹנֵן vgl MQ 3, 8. 9; Str-B I 522 c. e).

Die Totenklage fand wie in der ganzen antiken Welt schon im Trauerhause [18] und dann besonders beim Totengeleite statt, war aber bestimmten Einschränkungen unter- 35 worfen; so war an den Neumondstagen, am Tempelweih- und Purimfest sowie an den Zwischenfeiertagen der Klagegesang mit Flötenspiel in den Häusern und beim Totengeleite untersagt, der עֲנוּי dagegen gestattet; nach der Bestattung ist aber an jenen erstgenannten Festtagen auch dieser (ebenso wie der → κοπετός) verboten (ebd; TMQ 2, 17; Str-B I 522 d). 40

Die eigentlichen Leichenlieder [19] wurden von Klageweibern (מְקוֹנְנֶת oder אַלָיְתָא [zB Ket 4, 4; Kelim 16, 7]) gesungen. Flötenspieler (מְחַלְלִים בַּחֲלִילִים; Ket 4, 4; Str-B I 521 a mit A 1) leiteten sie ein (Jos Bell 3, 437: αὐληταὶ οἳ θρήνων αὐτοῖς ἐξῆρχον, vgl Mt 9, 23), wie solche auch bei den Römern neben Tubabläsern, namentlich bei der Bestattung selbst, in Tätigkeit traten [20]. Die Frauen selbst begleiteten 45 ihren Gesang mit der Handpauke (אִירוּם) und der sog רְבִיעִית [21] sowie mit dem → κοπετός.

[18] Vgl Str-B I 522 d.
[19] Reste solcher θρῆνοι s bei Str-B I 523 i; vgl auch Meg 6 a; Str-B II 469.

[20] Vgl Blümner 486.
[21] Vgl Str-B I 522 g. h.

Die weiblichen Familienangehörigen hielten sich bei der öffentlichen Totenklage zurück, dagegen beteiligten sich die Männer mit L o b r u f e n , in denen die Verdienste des Toten gerühmt wurden (genannt קִלּוּס)[22], und begleiteten sie mit dem Schlagen der Hände auf Brust und Haupt und mit dem Aufstampfen der Füße (Gn r 100 z 50, 10; vgl Str-B IV 584 c).

Dazu kam als drittes Stück der geformten Totenklage die T r a u e r r e d e (הֶסְפֵּד)[23], die von einem in der Regel bezahlten Trauerredner (סַפְדָּן) in der Nähe des Grabes gehalten wurde[24].

Bei allen Worten der Klage, die vielfach eine übertriebene Rühmung des Toten enthielten[25], ist der treibende Hintergedanke der: der Tote hört es (Schab 152 b. 153 a; j AZ 42 c 4; Str-B IV 586 t; → 149, 6 ff), und zugleich der Glaube, daß die Worte der Totenklage irgendwie erkennen lassen, ob der Verstorbene ein Sohn des עוֹלָם הַבָּא ist oder nicht (Schab 153 a; Str-B IV 586 r).

Außer den gesungenen bzw im Klageton gerufenen θρῆνοι gab es auch Grabinschriften, die so genannt wurden: ἐπιτάφιοι θρῆνοι (Jos Ant 7, 42).

C. ϑρηνέω und ϑρῆνος im Neuen Testament.

Das Subst θρῆνος findet sich im NT nur einmal, noch dazu nicht mit ganz sicherer Überlieferung (Mt 2, 18)[26], das Verbum θρηνέω kommt dreimal vor (Mt 11, 17 = Lk 7, 32; Lk 23, 27; J 16, 20). In dreien dieser vier Fälle (Mt 2, 18; 11, 17 par; Lk 23, 27) handelt es sich um Totenklage, aber wohl in keinem Fall um die geformte, das *Leichenlied,* sondern überall um die unmittelbare *Wehklage.*

1. Der nt.liche Gebrauch von θρηνέω bezeugt zunächst das B e s t e h e n d e r j ü d i s c h e n T r a u e r s i t t e n z u r Z e i t J e s u . Die murrenden Worte der Hochzeit und Begräbnis spielenden Kinder (Mt 11, 17 par)[27], die ihre Spielgefährten Spielverderber schelten, spiegeln die zeitgenössischen Gebräuche wider, die zum Tanz aufspielende Flötenmusik und den von Weinen (Lk) und Brüsteschlagen (Mt)[28] begleiteten θρῆνος. Die gleiche Verbindung von κόπτεσθαι und θρηνεῖν als stehende Sitte zeigt auch die Klage der Frauen um Jesus auf dem Wege von Gabbatha nach Golgatha (Lk 23, 27).

Daß hier die F r a u e n besonders hervorgehoben werden, entspricht ihrem allg zu beobachtenden Hervortreten bei der Totenklage (→ A und B).

Desgleichen findet sich die E n t s p r e c h u n g v o n θ ρ ῆ ν ο ς u n d κ ο π ε τ ό ς in allen antiken Kulturkreisen: Bei den Griechen sowohl in der privaten (Epigr Graec 345, 3 f) als auch in der kultischen Totenklage (Pseud-Luc Syr Dea 6). In der prophetischen Totenklage des AT sind beide zueinander geordnet, sachlich wie metrisch (zB Mi 1, 8; vgl insbesondere den parallelismus membrorum in Jer 9, 9; Jl 1, 13), und in der jüdischen Trauer wird sowohl das Leichenlied der Klageweiber wie die Weherufe der Männer vom κοπετός begleitet; vgl insbesondere MQ 3, 8, wo עָנָה und מַפַּח (→ κόπτω) in der gleichen engen Verbindung stehen wie die genau entsprechenden Verben θρηνεῖν und κόπτεσθαι in Mt 11, 17 und Lk 23, 27. — Aber auch die Kirche läßt κοπετός und θρῆνος als die einander zugeordneten Gebärden und Worte der Klage fortbestehen (vgl Chrys Hom in Acta Apostolorum 21, 3 = MPG 60, 168).

---

[22] Vgl Str-B IV 582, 584 f, d—h.

[23] Vgl Str-B IV 583, 585 m — 590.

[24] Wie bei den Griechen gab es also auch bei den Juden zwei Berufe — Klagefrau und Leichenredner —, die durch die Totenklage ihr Brot verdienten.

[25] Vgl die rabb Diskussion über diesen Punkt, bei Str-B IV 584 f.

[26] θρῆνος wird nur von אCD pl sy geboten; vgl Zn Mt 107 f A 11.

[27] Als Sachparallele zu Mt 11, 16 f vgl Jeb 16, 5: Selbst wenn man von Kindern hörte: „Wir gehen jetzt hin, dem NN die Leichen-

klage zu halten (לִסְפּוֹד) und ihn zu bestatten" (so genügt das unter gewissen Voraussetzungen als gültiges Todeszeugnis). [Hinweis von KHRengstorf.]

[28] → κόπτεσθαι muß als Begleitung des θρηνεῖν hier in seiner eigentlichen Bdtg verstanden werden (gg Zn zSt). Dagegen ist wohl θρηνεῖν im Spiel der Kinder im allg Sinn w e h k l a g e n gemeint. — Ob man, wie Sittl 68 A 1 es tut, aus Mt 11, 17 irgendwie auf eine Beteiligung auch von Männern an der Totenklage schließen kann, scheint mir durchaus fraglich.

Die Verbindung von θρηνεῖν und → κλαίειν, die sich in der Lukas-Form jenes Kinder-
worts findet (Lk 7, 32), ist selbstverständlich allgemein; im NT vgl noch J 16, 20;
Mt 2, 18, im AT Jl 1, 5; Ιερ 38, 15 usf.

2. Wichtiger aber ist die innere F o r t f ü h r u n g d e r
at.lichen Linien. Matthäus nimmt in 2, 17f die Worte von Jer 38, 15 (→ 151, 24) 5
auf und findet sie trotz der abweichenden Ortsbezeichnung und trotz des Aorists,
den er aus der LXX übernimmt, in der Klage der bethlehemitischen Mütter
„erfüllt": φωνὴ ἐν ῾Ραμὰ ἠκούσθη, θρῆνος καὶ κλαυθμὸς καὶ ὀδυρμὸς πολύς (vgl
A 26). In der Tat handelt es sich hier um jenen Aorist der LXX, der dem
prophetischen Perfekt des Hebräischen entspricht. Aber entscheidend ist, daß 10
jener at.lichen Weissagung und ihrer nt.lichen „Erfüllung" etwas sehr Bezeichnendes gemeinsam ist: hier wie dort ist das Wort vom θρῆνος eingebettet in
einen Heilszusammenhang; hier wie dort nämlich scheint eine völlige Vernichtung einzutreten, aber hier wie dort schafft Gott eine wunderbare Rettung.
Die Rettung Israels aus dem Todesleid des nationalen Untergangs, auf die Jere- 15
mia vorausschaut, ist τύπος für die Rettung Jesu aus dem Todesleid des bethlehemitischen Kindermords. Der at.liche θρῆνος der israelitischen Mutter (sc
Rahel) wird aufgenommen im NT von den israelitischen Müttern; aber den
θρῆνος Israels überklingt schon im AT die Stimme des ἔλεος Gottes (Ιερ 38, 20),
und im NT steigt vollends aus der Tiefe des Leids göttliche Erlösung, der 20
Retter selbst. Durch den Hinweis auf die Weissagung von dem in Heil und
Freude verwandelten Leid Rahels suchte Matthäus dem jüdischen Vorwurf wegen
des über Jesu Altersgenossen gebrachten Verhängnisses die Spitze abzubrechen.

Wie am Anfang des Lebens Jesu, so ertönt auch an seinem Ende der θρῆνος
israelitischer Frauen, aber nun gilt er ihm selber. Sein Zug zur Richtstätte 25
gestaltet sich förmlich zu einem Leichenbegängnis, Lk 23, 27: ἠκολούθει δὲ
αὐτῷ πολὺ πλῆθος τοῦ λαοῦ καὶ γυναικῶν αἳ ἐκόπτοντο καὶ ἐθρήνουν αὐτόν. Wenn
sonst bezahlte Klageweiber mit Lobpreisen ehrbare Tote beweinen, so beklagen
hier die Frauen Jerusalems freiwillig den zum Verbrechertod schreitenden Jesus.
Es ist eine Art von vorweggenommener Totenklage, zu der die Salbung in 30
Bethanien eine prophetische Parallele darstellt (→ κόπτω). Aber Jesus, der weiß,
daß er in Wirklichkeit an der Schwelle des Lebens steht, sie aber, die ihn als
Todgeweihten beklagen, in Wahrheit an der Schwelle des Verderbens, lehnt
den θρῆνος um ihn selbst ab und fordert sie statt dessen, nach Art der Propheten, zu einer proleptischen Totenklage um sich selber und ihre Kinder auf 35
(vgl die Selbstbeklagung von 3 Makk 4, 8), und tatsächlich klingt seitdem
durch die Geschichte des von dem Lebensfürsten geschiedenen Gottesvolkes ein
nie verhallender θρῆνος.

In Lk 23, 28 knüpft Jesus demnach an die prophetische Aufforderung zum
allgemeinen θρῆνος an (→ 151, 10ff zu Jer 9; Jl 1f usf). Er nimmt aber auch die 40
andere Gattung, die der prophetischen Ankündigung des θρῆνος, auf, aber nun
nicht für das alte Israel, das dem selbstverschuldeten Untergang entgegengeht,
sondern für das neue Israel, dh für seine Jünger, die gleichfalls durch schwere
Todesnöte hindurchgehen müssen, J 16, 20: ἀμὴν ἀμὴν λέγω ὑμῖν ὅτι κλαύσετε
καὶ θρηνήσετε ὑμεῖς, ὁ δὲ κόσμος χαρήσεται. — θρηνεῖν zusammen mit → κλαίειν 45
und → λυπεῖσθαι kennzeichnet die Lage der Jünger bis zum Ende. Das Verbum

bezieht sich hier wohl auf die *Klage* im allg Sinn, nicht auf die *Totenklage* im engeren Sinn. Freilich könnte man auch an diese denken (nämlich wiederum um Jesus selber), insofern als die schillernde Aussage des joh Jesus keine volle Gewißheit darüber gestattet, ob er nur von den zwei Tagen vor seiner Aufer-
5 stehung oder aber von der ganzen Zeit bis zu seiner Parusie redet. Offenbar aber überwiegt dieser zweite Gedanke[29]; Jesus deutet mit dem der jüdischen Eschatologie geläufigen Bild der Gebärerin (v 21) doch wohl an, daß er die Zeit der messianischen Wehen vor seiner endgültigen Offenbarung im Auge hat. Aber wie die Wehklage des irdischen Israel bei Christi erster Erscheinung
10 schließlich doch nur ein Vorklang von Trost und Heil war, das sich daraus er- heben sollte (→ 153, 10 ff zu Mt 2, 18), so kündigt Jesus auch für die Trauer des neuen Israel die große Wendung an: die λύπη der Jünger soll in χαρά, ihr θρῆνος in χορός verwandelt werden (wie wir in Anlehnung an ψ 29, 12 sagen dürfen). Auch die Weissagung Jesu verläuft in denselben Bahnen wie die der at.lichen
15 Propheten, die den Weg ihres Volkes durch die Nacht des Leides und Todes zum endlichen Tage des Heils und göttlicher Freude sich bewegen sahen.

Nicht ganz einfach ist endlich der Sinn des Vergleiches, für den Jesus das Bild der am Markt spielenden Kinder heranzieht. Mt (11, 17) und Lk (7, 32) bringen das grollende Anklagewort der einen von den beiden kindlichen Par-
20 teien in einer fast gleichlautenden Versform:

ηὐλήσαμεν ὑμῖν καὶ οὐκ ὠρχήσασθε·
ἐθρηνήσαμεν καὶ οὐκ ἐκόψασθε (Lk: ἐκλαύσατε).

Bei beiden wird die anklagende Partei mit dem „verkehrten" Geschlecht der Gegenwart verglichen, das Johannes dem Täufer ebensowenig Verständnis und
25 Glauben entgegenbringt wie Jesus. Der Vergleich wäre leichter zu verstehen, wenn die Gottesboten mit den Anklägern verglichen würden[30]. Aber Jesus wollte den Vergleichspunkt offenbar so verstanden wissen: ebenso wie jene Kinder beim Spielen immer die Angeber sein wollen, deren Spielwahl gelten soll und die auch innerhalb jedes Spieles führen wollen, so daß die andern stets
30 willfährig mit jeder Spielhandlung dem Vorgang jener folgen müßten, so möchte auch „dieses Geschlecht", dh vor allem diejenigen, die sich zur Zeit Jesu dünk- ten, die Führer des Gottesvolkes zu sein, daß alle, einschließlich der Gottes- boten, gewissermaßen nach ihrer Pfeife tanzen müßten. Dabei ist der größte Widersinn der, daß sie gerade von dem asketischen Bußprediger liebenswürdige
35 Weltoffenheit (vgl Mt 11, 8) und von dem Bringer der Frohbotschaft den Ernst des Asketen verlangen (vgl Mk 2, 18 ff par). Sie teilen jene Haltung, — die Ahab stürzte (1 Kö 22, 8 ff) —, die Gott vorschreiben will, was er durch seine Boten sagen lassen soll, die aber nicht einmal merkt, daß sie ihren Willen Gott aufzwingen will, anstatt seinen souveränen Willen anzuerkennen. Die schwere
40 Anklage Jesu ist also, daß das „Flötenspiel" und das „Klagelied" der jüdischen Volksführer im Grunde Gott kommandieren will; dem entspricht es auch völ- lig, daß sie dem wahren Gotteswort ebensowenig glauben wie Ahab, vielmehr die göttliche Eigenart der Boten entweder als dämonisch oder als sündig, dh

---

[29] Vgl GStählin, ZNW 33 (1934) 241, 242, 243.

[30] So deutete FKöster (ThStKr 35 [1862] 347) die Gleichnisrede.

in beiden Fällen als widergöttlich mißdeuten und sich durch diese schwerste Versündigung (vgl Mk 3, 22. 29f) dem Anspruch Gottes entziehen.

Die sichere Rechtfertigung der Gottesboten (Mt 11, 19 aE) bedeutet deshalb ebenso gewiß die Verwerfung „dieses Geschlechts".

Die Taten Gottes werden vom θρῆνος der Menschen begleitet. Im AT ist 5 er die Antwort auf das Gerichtshandeln Gottes, im NT spielt der θρῆνος um die Freudengestalt Jesu. Jesus tritt ein in diese Welt nicht nur unter persönlichen Leiden, sondern begleitet von der Klage der um seinetwillen leidenden Mitbürger seiner Geburtsstadt (Mt 2, 18); er scheidet aus dem Leben, begleitet vom θρῆνος der Mitbürgerinnen seiner Todesstadt (Lk 23, 27). Mehr: 10 sein Tod wird Grund zum letzten Gerichte Israels, das zu beklagen er selbst, einem Unheilspropheten gleich, aufruft. Aber auch das Leben der Seinen ist hier auf Erden ein „Mitleiden" mit Christus (R 8, 17) und darum erfüllt vom θρῆνος (J 16, 20). Und dennoch ist Christus der Freudenbote; wer darum von ihm selbst den θρῆνος erwartet und verlangt, steht wider Gott (Mt 11, 17 Par). 15 Wer aber um seinetwillen ein Leben des Leides trägt, wird es erleben, daß am Ende der θρῆνος der kämpfenden Kirche in die χαρά der triumphierenden Kirche verwandelt wird (J 16, 20. 22; → ἡδονή II 928, 34f).

Stählin

---

† *θρησκεία,* † *θρῆσκος*[1], 20
† *ἐθελοθρησκεία*

---

1. Die B e s t a n d s a u f n a h m e ergibt folgendes Bild: Im NT nur einige wenige Stellen, θρησκεία 4mal (davon 2mal in demselben Zshg), θρῆσκος 1mal, ἐθελοθρησκεία 1mal. Im Rahmen des griech Schrifttums ist dieses seltene Vorkommen zunächst einigermaßen auffällig. Denn sonst sind Wortbildungen mit dem 25 Stamme θρησκ- häufiger. Im NT fehlt das Verbum θρησκεύω, das in LXX 2mal kurz hintereinander vorkommt. Es fehlt dort θρῆσκος, nicht jedoch θρησκεία, das sich 4mal findet (2mal in demselben Zshg). Philo[2] und Josephus[3] ist θρησκεία (bei letzterem auch θρησκεύω) geläufig wie dem sonstigen Griechentum, das außerdem noch folgende Wortbildungen hat: θρήσκευμα, θρήσκευσις, θρησκεύσιμος, θρησκευτήριον, θρησκευτής, (τὰ) 30 θρήσκια, θρησκώδης. θρησκεία kommt zuerst im Jonischen (Herodot) vor und ist dann, wie in LXX und NT, in die literarische (Dion Hal, Plut, Herodian, Kirchenväter) und unliterarische Koine (Inschriften, Papyri[4]) übergegangen.

2. Die E t y m o l o g i e ist unsicher. Nach Plut Alex 2, 5 (I 665 d) (ταῖς περὶ τὸν Αἷμον Θρήσσαις ὅμοια δρῶσιν, ἀφ' ὧν δοκεῖ καὶ τὸ θρησκεύειν ὄνομα ταῖς 35

θρησκεία κτλ. JChrAvanHerten, Θρησκεία Εὐλάβεια Ἱκέτης, Bijdrage tot de Kennis der religieuze terminologie in het Grieksch, with a Summary in English (Diss Utrecht 1934) 2—27, 95f (dem Verf erst nach dem Abschluß des vorliegenden Artikels zugänglich geworden); Besprechung: AKraemer, Philol Wochenschr 54 (1935) 409ff; KPrümm, DLZ 56 (1935) 1075 ff. These vanHertens: „De woorden θρησκεία c. s. zijn door een griek vooral gebruikt om die cultusvormen aan te duiden, welke van de algemeenaanvaarde afweken (Das Wort θρησκεία und seine Verwandten wurden von den Griechen vor allem gebraucht, um die Kultusformen zu bezeichnen, die von den allgemein gültigen abweichen)". Wie diese These, so stimmt auch das Übrige — durch viele Belegstellen erläutert — mit dem überein, was in den Abschnitten 1—4 des Artikels behandelt ist, während die Fragen des Abschnitts 5 nicht im Gesichtskreis vanHertens liegen.

[1] Die meisten Lexikographen bevorzugen θρησκός; dagegen Bl-Debr[6] § 118, 2: „θρῆσκος Jk 1, 26 Rückbildung aus θρησκεία, -εύειν"; daher die obige Reihenfolge. θρῆσκος schreiben auch Liddell-Scott.
[2] Vgl Leisegang sv.
[3] Vgl Schl Jos 77.
[4] Vgl Preisigke Wört und Moult-Mill.

κατακόροις (gesättigt, unmäßig, übertrieben) γενέσθαι καὶ περιέργοις ἱερουργίαις) stammt das Wort θρησκεία von Θρῇσσα, weil die in den bacchischen und orphischen Kult eingeweihten thrakischen Weiber bes zu religiöser Schwärmerei und zum Aberglauben neigten [5]. Später dachte man an die Herkunft von θρέομαι, θροέω „zittern" [6]; daraus würde sich die Schreibweise θρεσκός bei Hesych begreiflich machen lassen. Die neueren Indogermanisten sind geneigt, den Stamm θρησκ- mit dem Stamme θεραπ- zusammenzubringen, so daß also θρησκεύω *dienen* bedeuten würde [7].

3. In unserem Falle hat eine etymologische Erörterung, über deren Ergiebigkeit für die Erfassung der B e d e u t u n g man zweifelhaft sein könnte, vielleicht deshalb einen gewissen Wert, weil der Streit um die Etymologie ein Streit eben um die Bedeutung ist. Wenn Plutarch Recht hat, so haben wir es zu tun mit einem Begriff, der sensu malo, sonst dagegen mit einem Begriff, der sensu bono oder wenigstens neutral gebraucht ist. Und ganz abgesehen vom Etymologischen hat man darüber von alters her verschiedene Meinungen gehabt. Hdt II 37 schreibt: ἄλλας τε θρησκηίας ἐπιτελέουσι μυρίας. Wenn diese Worte mit den voraufgegangenen (ebd: θεοσεβέες δὲ περισσῶς ἐόντες μάλιστα πάντων ἀνθρώπων) zusammengenommen werden, so ergibt sich als Bdtg: *religiöses Verhalten, Religionsübung* im allg, wobei wohl der besondere Eifer solcher Übung betont werden soll. Dem entspricht θρησκεύω: *religiösen Brauch üben, religiöse Satzung halten* Hdt II 64. 65; Dion Hal Ant Rom I 76; II 23. 67. Bei θρησκεία wird das Wesen, dem dieses Verhalten gilt, im Gen obj hinzugefügt. So Herodian Hist IV 8, 17: θρησκεία τοῦ θεοῦ *Gottesverehrung*. Bes aufschlußreich ist Corp Herm XII 23: καὶ τοῦτό ἐστιν ὁ θεός, τὸ πᾶν . . . τοῦτον τὸν λόγον, ὦ τέκνον, προσκύνει καὶ θρήσκευε. θρησκεία δὲ τοῦ θεοῦ μία ἐστί, μὴ εἶναι κακόν. In der bekannten Gallio-Inschrift [8] heißt es: ἀεὶ [δ'] ἐτήρη[σα τὴ]ν θρησκεί[αν τ]οῦ Ἀπό[λλωνος τοῦ Πυθίου . . .]. Eine genaue Parallele dazu gibt ein Brief des Hadrian an Delphi: καὶ εἰς τὴν ἀρ[χαιό-τητα τῆ]ς πόλεως καὶ εἰς τὴν τοῦ κατέχοντος α[ὐτὴν θεοῦ θρησ]κείαν ἀφορῶν. In seinem Briefe an die Juden von Alexandria spricht Claudius von der πάτριος θρησκεία, Jos Ant 19, 5, 2; und ähnlich drückt er sich in einem Briefe an die Behörden von Jerusalem aus, Jos Ant 20, 1, 2 [9]. Die Ausdrücke θρησκεία τοῦ θεοῦ und θρησκεύω sind nun gerade bei Josephus, der diese beiden Kaiserbriefe mitteilt, auch sonst sehr beliebt. Ant 13, 8, 2 spricht er zB von der Ehrerbietung des Antiochus VII gegen die israelitische Religion; θρησκεία πρὸς τὸν θεόν Ant 1, 13, 1 ist dasselbe wie *pietas;* θρησκεία κοσμικὴ Bell 4, 5, 2 ist so etwas wie Welt*religion* [10]. Ähnlich 4 Makk 5, 7. 13 (jüdische *Religion*).

Hierher gehören Ag 26, 5 und Jk 1, 26 f. So wie Josephus θρησκεία (τοῦ θεοῦ) meistens von der jüdischen *Gottesverehrung* gebraucht, sagt Paulus Ag 26, 5: κατὰ τὴν ἀκριβεστάτην αἵρεσιν τῆς ἡμετέρας θρησκείας ἔζησα Φαρισαῖος. Jk 1, 26 f bedeutet θρῆσκος *gottesfürchtig, fromm,* θρησκεία *Gottesfurcht* oä: εἴ τις δοκεῖ θρῆσκος εἶναι, μὴ χαλιναγωγῶν γλῶσσαν ἑαυτοῦ . . ., τούτου μάταιος ἡ θρησκεία. θρησκεία καθαρὰ . . . αὕτη ἐστίν, ἐπισκέπτεσθαι ὀρφανοὺς κτλ. In ebensolcher Weise ist 1 Cl 45, 7 vom christlichen *Gottesdienst* geredet: θρησκεύειν τὴν θρησκείαν τοῦ ὑψίστου, vgl 62, 1.

---

[5] Daraus wurde dann die auch vorkommende Schreibweise θρῆσκος abgeleitet.

[6] Wilke-Grimm sv: „θρῆσκός *religiosus* (uti videtur a τρέω, tremo, ergo propr. *tremens, pavidus* . . .)".

[7] So vor allem JWackernagel in der Zeitschrift für vergleichende Sprachforschung auf dem Gebiete der indogermanischen Sprachen 33 (1895) 41: „...liegt es nahe, das ionische und dann aus der ias in die koine übergegangene θρησκεύω »göttliche ehren erweisen«, θρησκεία »gottesdienst« auf *θρήπσκω, inchoativbildung zu θεραπ- »dienen«, zurückzuführen". Etwas anders Prellwitz Etym Wört 186: „. . . vgl ai (sc altindisch) dhar (vratam, ein Gesetz) beobachten, sich demselben unterziehen". An beide schließt sich FPfister in seinem Artk „Kultus" bei Pauly-W XI (1922) 2124 an:

„θεραπεία und θρησκεία gehen auf dieselbe Wurzel zurück, . . . θεραπεία bedeutet wie lat *cultus* (zu colo) Pflege, zu skt (sc sanskrit) *dhar* halten, stützen, am Leben erhalten." Auf Pfister nimmt nachdrücklich Bezug ADeißmann, Paulus [2] (1925) 92, der θρησκεία mit *Sichbekümmern, Verehrung* übersetzt. Nach LMeyer, Handbuch der griech Etymologie III (1901) 470 f „hängt θρησκεία vermutlich nah zusammen mit dem Schlußteil von ἀ-θε-ρίζειν". ADebrunner verweist noch auf OHoffmann, Festschr ABezzenberger (1921) 79: zu θρήσκω · νοῦ (Hesych sv). Walde-Pok I 857 erwähnt ferner θράσκειν (ᾱ) · ἀναμιμνήσκειν (Hesych sv).

[8] Vgl ADeißmann aaO 203 ff, bes 212.

[9] Ebd 217.

[10] Weitere Jos-Stellen bei Schlatter aaO.

4. Auf der anderen Seite wird θρησκεία, bzw θρησκεύω sensu malo gebraucht. Plut Praec Coniug 19 (II 140 d): περιέργοις δὲ θρησκείαις καὶ ξέναις δεισιδαιμονίαις, denkt an eine *übermäßige Religionsübung* mit üblem Nebensinn. Hesych bringt daher θρησκ- mit → δεισιδαίμων, → δεισιδαιμονία in Verbindung. Es erscheint allerdings fraglich, ob dieser Begriff überhaupt einen üblen Nebensinn hat (→ II 20 f) [11]. Deut- 5 lich sind jedenfalls zwei Philo-Stellen: Spec Leg I 315: κἄν μέντοι τις ὄνομα καὶ σχῆμα προφητείας ὑποδὺς . . . ἄγῃ πρὸς τὴν τῶν νενομισμένων κατὰ πόλεις θρησκείαν θεῶν . . . γόης, ἀλλ' οὐ προφήτης ἔστιν τοιοῦτος, Det Pot Ins 21: πεπλάνηται καὶ οὗτος τῆς πρὸς εὐσέβειαν ὁδοῦ, θρησκείαν ἀντὶ ὁσιότητος ἡγούμενος. Gegen den heidnischen Götzendienst wendet sich ebenso scharf Sap 11, 15: πλανηθέντες ἐθρήσκευον ἄλογα ἑρπετὰ usf; 10 14, 17: τυράννων ἐπιταγαῖς ἐθρήσκευετο τὰ γλυπτά, 14, 18: εἰς ἐπίτασιν (Anspannung, Steigerung) δὲ θρησκείας καὶ τοὺς ἀγνοοῦντας ἡ τοῦ τεχνίτου προετρέψατο φιλοτιμία, 14, 27: ἡ γὰρ τῶν ἀνωνύμων εἰδώλων θρησκεία παντὸς ἀρχὴ κακοῦ καὶ αἰτία καὶ πέρας ἐστίν.

Hierher gehört Kol 2, 18, wo gegen die θρησκεία τῶν ἀγγέλων, den (verwerflichen) Engel*dienst*, Engel*kult* gekämpft wird. Ähnlich spricht später Eus Hist 15 Eccl VI 41, 2 von der θρησκεία τῶν δαιμονίων [12].

5. Mit der bisher geführten Erörterung, daß θρησκεία und θρῆσκος bald sensu bono, bald sensu malo gebraucht werden, und daß die wenigen nt.lichen Stellen in entsprechender Weise aufteilbar sind, ist noch nicht das entscheidend **Biblisch-Theologische** getroffen. Bei einer Stelle wie 20 Kol 2, 18 muß zunächst gegenüber allen antiken und modernen Versuchen, Etymologie und Bedeutung des Wortes θρησκεία festzulegen, betont werden, daß der Hinweis auf den sensus malus des Wortes an sich zumindest nicht nötig ist. Der „üble Sinn", die Verwerflichkeit gerade dieser θρησκεία ist mit dem beigefügten Gen obj gegeben: Engeldienst gegen Gottesdienst! Man mag die 25 besondere Färbung des mehr oder weniger farblosen Wortes θρησκεία eher darin sehen, daß an die äußeren Zeremonien der religiösen Verehrung gedacht ist [13].

---

[11] Noch zurückhaltender ist HKleinknecht, der so urteilt: „In der Plutarchstelle Praec Coniug 19 (II 140 d) hat θρησκεία ganz neutralen Sinn; der sensus malus muß durch das tadelnde Epitheton περίεργος erst ausdrücklich angezeigt werden; das Wort trägt ihn also von Hause aus nicht an sich". Man mag in einer solchen Frage nach dem Geschmack eines Wortes verschiedener Meinung sein. Umso deutlicher erscheinen dann aber die oben genannten Philostellen. ADebrunner rechnet damit, daß der verächtliche Ton von θρησκεία aus den Kreisen der von der volksmäßigen Kultusreligion abgewandten Gebildeten stamme, insbesondere der Philosophen, die in entsprechender Weise auch *religio* abgewertet haben.

[12] Vgl Meinertz Gefbr zu Kol 2, 18: „Ob unter dem ‚Engeldienst' ein ausgestalteter Engelkult zu verstehen ist, und ob man in der Tatsache, daß das Konzil von Laodizea (360) einen abgöttischen Engeldienst verbietet, eine Bestätigung dafür erblicken darf, ist fraglich. Die schwachen Andeutungen des Apostels lassen es nur als wahrscheinlich erkennen, daß die Irrlehrer den Geistern eine solche Ehre erwiesen, wie sie mit der überragenden Bedeutung Jesu nicht mehr zu vereinbaren war...". Zur Sache des kolossäischen Engeldienstes vgl vor allem ALWilliams,

JThSt 10 (1909) 413—438, u Dib Gefbr, Exkurs hinter Kol 2, 23.

[13] So zB Wilke-Grimm sv: *„cultus religiosus, potissimum externus, qui caeremoniis continetur"*; Liddell-Scott: „religious worship, cult ritual". Nach Trench ist θρησκεία vorzugsweise der zeremonielle Dienst der Religion. Vgl auch KKerényi, Εὐλάβεια, Byzantin-Neugriech Jahrbücher 8 (1931) 307, 313. Van Herten aaO 95 f: „... it should be noted that where we do find the words, they are often used with reference to religious worship that deviates from the traditional and generally accepted forms of veneration of the national gods of the Greeks. Thus in connection with religious observances and rites, we find the words used of ceremonies which are unusual and strange . . . From this usage arises their function to signify orgiastic rites . . . they occur, however, in the usual normal sense of cult, the worship of the gods . . . The meaning of **p i e t y** we find . . . and that of **r e l i g i o u s s e n s e** . . . They are also used to denote the worship of **m e n** . . . In **J e w i s h a u t h o r s** we find the words . . . used of the worship of animals and images (LXX) and of strange gods (Philo, Josephus), but also of the Jewish religion, sometimes as religious formalism, opposed to ὁσιότης (Philo), but also as inward piety, adherence to reli-

In der Tat handelt es sich bei dem Gegenüber von christlichem und nichtchrist-
lichem „Kult“, von biblischer und nichtbiblischer Gottesverehrung um ein Gegenüber von Innerlichem und Äußerlichem. Es muß aber bedacht werden, daß die
kolossäische Irrlehre vom Engeldienst, auch wenn sich dieser ganz innerlich, dh
5 ohne äußere Zeremonien vollzogen hätte, dennoch ein äußerliches Werk, potentiell gesehen, gewesen wäre. Erneut wird deutlich, daß alles auf das Objekt
ankommt, dem sich die θρησκεία zuwendet. Was beim Gebrauch gerade dieser
Vokabel an sich mitschwingt, ist letztlich eine — Geschmacksfrage. Bei dem
Wort und Begriff „Kult“ oder auch „Kultus“ ist es nicht anders: je nach
10 dem wir zu dieser Gott sich zuwendenden menschlichen Betätigung eine Einstellung haben, kann auch bei diesem Wort von einem sensus bonus oder malus
gesprochen werden. Worüber wir nachzudenken haben, liegt in etwas anderem.

Eingangs ist gesagt, daß das seltene Vorkommen von θρησκεία im NT zunächst auffällig ist. Vollends auffällig ist das für denjenigen, der das Urchristentum als einen
15 „Kult“ verstehen will. Einerlei, welchen Ausdruck für „Kult“ wir vornehmen, immer
wieder kann und muß festgestellt werden, daß die verschiedenen hier zu nennenden
S y n o n y m a im NT und in der Bibel überhaupt nicht sonderlich betont sind. Wir
haben gesehen, daß θρησκεία, θρησκεύω in LXX nur an einigen Stellen der Sap und
dann 1mal 4 Makk vorkommen, dh also in Schriften, die dem Griechentum in beson-
20 derer Weise verhaftet sind[14]. Der Hellenist Josephus liebt das Wort θρησκεία, AT
und NT lieben das Wort θρησκεία kaum oder gar nicht. Mit den anderen verschiedenen Synonyma ist es ebenso: θεραπεία (ziemlich selten in LXX, überhaupt nicht im
NT, das häufig vorkommende → θεραπεύω wird nur Ag 17, 25 [Areopagrede!] „religiös“
verwendet); → λατρεία; ἐπιμέλεια (nur Ag 27, 3 ohne Beziehung auf Gott oder Christus
25 als Obj); → λειτουργία (häufig in LXX in einem spezifisch „priesterlichen“ Sinne und
im NT vor allem im Hb, in dem auch → λειτουργός und → λειτουργικός vorkommen);
ἱερουργία (in LXX nur 4 Makk 3, 20, überhaupt nicht im NT, dagegen 1mal, R 15, 16,
→ ἱερουργέω, 4 Makk 7, 8, dagegen öfters bei Philo)[15].

Diese statistisch-lexikographische Feststellung ist von einer entscheidend wich-
30 tigen biblisch-theologischen Tragweite: *1.* In der Bibel spielen Ausdrücke zur
Bezeichnung eines besonderen „religiösen“, „kultischen“ Verhaltens gegenüber
Gott, das dann neben ein anderes Verhalten zu stehen käme, eine untergeordnete Rolle[16]. — *2.* In der Bibel steht im Verhalten des Menschen gegenüber
Gott die Antwort auf Gottes Ruf, die Entscheidung auf Gottes Anspruch im
35 Vordergrund. „Kult“, cultus (von colo) wird leicht zum Synergismus[17]. Die

---

gion as opposed to external rites and ceremonies (Josephus). In the writings of Christian authors the words occur with reference
of pagan gods ..., images..., angels..., but
in the same time in the sense of Christian
religiousness ... θρῆσκος ... in the sense
of p i o u s may, however, have the unfavour-
able meaning of ἑτερόδοξος and περιττός...“.
[14] Hierher würde auch Sir 22, 5 gehören,
wenn dort nicht mit Tischendorf für ἡ θρησκεία zu lesen ist: ἡ θρασεῖα.
[15] Es sind hier a l l e von Deißmann aaO 92
genannten griech Synonyma für „Kult“ aufgezählt, die füglich anders zu beurteilen sind,
als es Deißmann bei seiner Verehrung für den
„Kult“ wahr haben will, man könnte fast
sagen: bei seinem Kult des „Kultes“ (die von
ihm für wesentlich gehaltene Unterscheidung
zwischen „Kult“ und „Kultus“ ist eine reine
Geschmacksfrage und als solche nicht förder-
lich).

[16] Genau so ist es mit → ἐκκλησία, welches
Wort kein kultisches Wort wie etwa θίασος
ist; θίασος kommt in der Bibel gar nicht und
im alten Christentum nur selten vor (vgl
KLSchmidt, Die Kirche des Urchristentums[2]
[1932] 266 f).
[17] W i e synergistisch ist folgender Satz
von Pfister aaO: „Beide Worte, θεραπεύω wie
colo, weisen also auf die Sorge des Menschen
für die Gottheit hin, die Pflege der Gottheit,
die des Menschen bedarf (sic!); das bedeuten:
sich kümmern um die Gottheit; die Gottheit
pflegen und gewissermaßen am Leben erhalten und stärken. Auf dasselbe weist aber
auch die Etymologie von *religio* hin“. Sicherlich ist damit der „heidnische“ Kult sachent-
sprechend umschrieben, aber nie und nimmer
die sich in der Bibel, im Alten und im Neuen
Bund, vollziehende (Heils-) Geschichte Gottes mit seinem Volk als seiner Kirche. Sicherlich ist der gebrachte Hinweis auf *religio* an

Bibel spricht von → πίστις im Sinne des Gehorsams des totus homo gegen
Gott. Phil 2, 17 steht neben dem „kultischen" Wort dieses Wort: λειτουργία
τῆς πίστεως. Es erscheint bezeichnend, daß θρησκεία auch auf — Menschen
bezogen werden kann [18].

Bei dieser Sachlage ist die Abgrenzung von θρησκεία gegenüber den Syno- 5
nyma nicht sonderlich wichtig [19].

6. ἐθελοθρησκεία kommt nur Kol 2, 23 vor und ist als
eine paulinische Wortbildung anzusprechen [20], die dann in die altkirchliche
Gräzität übergegangen ist [21].

> Dabei lesen Kol 2, 23 einige Handschriften θρησκία. — Die Bedeutung von ἐθελο- 10
> θρησκεία ist: *frei gewählter, nicht gebotener,* bzw *verbotener Kultus.* Das ἐθελο- ist nach
> dem geläufigeren φιλο- gebildet. Ähnliche Bildungen sind ἐθελόπονος (einer, der willig
> ist zur Arbeit), ἐθελόκωφος (einer, der sich taub stellt), ἐθελοφιλόσοφος (einer, der
> Philosoph zu sein vorgibt), ἐθελοδιδάσκαλος (einer, der Lehrer zu sein vorgibt) [22].

Nach diesen Analogien „gilt der Zusatz (sc ἐθελο-) ... im Gegensatz zu dem durch 15
die **Tatsache** oder die **Verhältnisse** gegebenen Zustand. Es ist also nicht bloß
eine affektierte Frömmigkeit, sondern eine, die sich nicht an die Wirklichkeit
hält und das, was in ihr gegeben ist, an das reale Haupt Christus; es ist eine
solche, die . . . sich selbst ihr Wesen zurechtmacht" [23].

KLSchmidt   20

┌─────────────────┐
│ † *ϑϱιαμβεύω*   │
└─────────────────┘

θρίαμβος: im Umzug gesungener *Bacchushymnus* und Beiname des
Bacchus selbst; von da durch etruskische Vermittelung [1] das lat *triumphus* (Liddell-

---

sich richtig, aber „den kanonischen Schriften
des Christentums ist dieses Wort fremd" (so
JGMüller in seinem Aufsatz „Über Bildung
und Gebrauch des Wortes Religio" in ThStKr
8 [1835] 121 ff).
[18] Vgl die wohl aus Samaria und der Zeit
des Augustus stammende Inschrift, die ein
scharfes Edikt gegen die Grabschändung und
zum Schutze der θρησκεία προγόνων (Zeile 2,
Zeile 15 f: τὰς τῶν ἀνθρώπων θρησκίας) enthält. Vgl FMAbel, Un Rescrit Impérial sur la
Violation de Sépulture et le Tombeau trouvé
vide, Rev bibl 39 (1930) 567 ff; JZeller, L' In-
scription dite de Nazareth, Recherches de
Science Religieuse 21 (1931) 570 ff. Von einer
θρησκεία ἀνθρώπων ist auch Da 2, 46 Σ die
Rede (Grundtext: נִיחֹחִין, LXX σπονδάς,
Θ εὐωδίας). Sonst (Jer 3, 19; Ez 20, 6. 15)
übersetzt Σ mehrfach צְבִי mit θρησκεία [Ber-
tram].
[19] Cr-Kö 499: „Es (sc θρησκεία) war vielleicht
das einzige Wort, mit dem ebenso der allgemeine Begriff der Religion im objektiven
Sinn, zu dessen Ausprägung Israel
wie die christl Gemeinde für sich
selbst keine Veranlassung hatten,
wie auch der Begriff einer verkehrten Religion ausgedrückt werden konnte". Die von

mir gesperrten Worte verraten eine gute
Einsicht in den biblisch-theologischen Tatbestand.
[20] Moult-Mill: „Apparently a Pauline coi-
nage". Ähnlich Dib Gefbr z Kol 2, 23, wo
das Wort mit „Eigenkult" übersetzt ist.
[21] Nach dem Ausweis des Thes Steph finden sich bei den Kirchenvätern außerdem
ἐθελοθρησκευτός, ἐθελοθρησκεύω, ἐθελοθρησκέω.
Ein eigentümliches Wortungetüm bringt
Epiph Haer 16, 1, 7, wo die Pharisäer der
ἐθελοπερισσοθρησκεία beschuldigt werden. Vgl
vanHerten aaO 22.
[22] Vgl Bl-Debr [6] § 118, 2.
[23] So völlig richtig Cr-Kö 499. Einige lat
Textzeugen (it Vg) treffen mit der Übers *religio,
observatio* bzw *simulatio religionis* die richtige
Bdtg nicht; vgl die große Tischendorf'sche
Ausgabe des NT.

ϑϱιαμβεύω. Wnd 2 K z 2, 14 a. Wenig
wahrscheinlich Exp T XXI (1909/10) 19—21,
282 f und Exp 7th Ser, Vol VII (1909) 473.
[1] AWalde, Lateinisches etymologisches
Wörterbuch [2] (1910) 793. AErnout-AMeillet,
Dictionnaire Etymologique de la Langue
Latine (1932) 1016. PKretschmer bei AGercke-
ENorden, Einleitung in die Altertumswiss I [3] 6
(1923) 112.

Scott); θριαμβεύω also nachbildende Übersetzung von *triumphare*. *a. triumphieren über* (ἀπό, κατά τινος, ἐπί τινι); *b. im Triumphzug mitführen*, τινά (Plut)[2]. — Fehlt in LXX.

Im NT nur mit Acc, also = *b*: der Kreuzesweg Jesu ist — paradoxerweise — der *Triumphzug* Gottes, in dem er die ἀρχαί als imperator mundi *mitführt*, wie 5 ein römischer Imperator seine Gefangenen, Kol 2, 15. — 2 K 2, 14 bezeichnet Paulus sich selbst als solchen Gefangenen; aber er betrachtet es als eine Gnade, daß er in solchen Sklavenketten den Triumphzug Gottes durch die Welt jederzeit und überall (πάντοτε — ἐν παντὶ τόπῳ, in seiner Missionsarbeit), sei es eben auch nur als δοῦλος Χριστοῦ, mitmachen darf (die Aussage enthält also dieselbe 10 Spannung von δουλεία und ἐλευθερία, wie die δοῦλος-Bezeichnung).

Delling

ϑϱόνος

Inhalt: A. Der Thron außerhalb des NT: 1. Zum Sprachgebrauch; 2. Der Thron im Griechentum; 3. Der Thron im AT; 4. Der Thron im hellenistischen Judentum; 15 5. Der Thron im palästinischen Judentum. — B. Der Thron im NT: 1. Der Himmel als Gottes Thron; 2. Der Thron Davids; 3. Der Thron der Herrlichkeit; 4. Der Thron der Gnade; 5. Der Thron Gottes und des Lammes; 6. Der Thron des Satans und des Tieres; 7. „Throne" als Engelklasse.

A. Der Thron außerhalb des NT.

20 ### 1. Zum Sprachgebrauch.

Das Wort θρόνος ist verwandt mit θρᾶνος *Sitz, Bank*, und θρῆνυς *Fußschemel* und bedeutet „im allgemeinen einen *höheren Stuhl mit Rücken und Armlehne nebst zugehörigem Fußschemel*"[1]. Im Unterschied zu thronus, das selten und nur als Sitz einer Gottheit vorkommt, bleibt die mit θρόνος bezeichnete Sitzgelegenheit 25 erst in späterer Zeit den Königen und den Göttern vorbehalten. Seit Plato (Prot 315 c) bezeichnet θρόνος auch den Lehrstuhl eines Philosophen (Philostr Vit Soph I 23, 1; I 25, 15; I 30, 1; Anth Pal IX 174). Der LXX dient θρόνος an weitaus den meisten Stellen zur Wiedergabe von כִּסֵּא[2]. Luther hat die semitischen Äquivalente ganz überwiegend mit *Stuhl* übersetzt; für das nt.liche θρόνος findet sich *Thron* nur Kol 1, 16, 30 wo die Synonyma diese Übertragung erzwangen[3], in allen anderen Fällen steht *Stuhl*. Im Blick auf Kol 1, 16 interessiert die Verwendung des Plur θρόνοι. Bei den Tragikern wird er für die Macht der Könige und der Götter[4] gebraucht (Aesch Eum 912; Prom 220; Soph Oed Col 426), aber auch für den Seherthron des Apollo (Aesch Eum 18. 30. 606) neben dem Sing (Eur Iph Taur 1254. 1282). Bildliche Verwendung be-35 gegnet bei Plat Resp VIII 553 b/c, wo von einem θρόνος in der eigenen Seele die Rede ist. Eine besondere Erscheinung des Bibel-Griechisch sind die vielen Genitivverbindungen mit θρόνος, bei denen der Genitiv das Nomen in einer logisch ganz allgemeinen Weise näher charakterisiert[5] Es ergibt sich folgende Liste: θρόνος δόξης 1 Βασ 2, 8; Js 22, 23; Jer 14, 21; 17, 12; Sir 47, 11; Sap 9, 10; θρόνος βασιλείας: 3 Βασ 40 9, 5; 1 Ch 22, 10; 28, 5; 2 Ch 7, 18; Est 5, 1 c (τῆς); Da 3, 54 (τῆς) Θ LXX (nach 88

---

[2] θριαμβεύω τινά „ich verhöhne": Vita Euripidis p 137, 89 (Westermann) (Hinweis Debrunners nach WSchmid, in: Philologische Wochenschrift 54 [1934] 961). — Zu sonstigen Bedeutungen vgl Wnd 2 K aaO.

ϑϱόνος. Liddell-Scott sv; Pr-Bauer[3] sv; CDaremberg-ESaglio, Dictionnaire des Antiquités Grecques et Romaines XV (1919) 278 bis 283; AHug, Artk „Θρόνος" in: Pauly-W VI A (1935) 613—618.

[1] AHug bei Pauly-W VI A.
[2] Vgl das genauere bei Hatch-Redp I 655 f.
[3] Vgl Calwer Bibelkonkordanz (1893) 1142 f, 1173.
[4] Zu Thron als „Metapher für Herrscher-und Richtergewalt" im rabb Judt vgl Str-B I 979.
[5] Vgl dazu OSchmitz, Die Christusgemeinschaft des Pls im Lichte seines Genetivgebrauchs (1924) 232, wo eine Fülle analoger Genitivverbindungen aus LXX zusammengestellt sind.

hat LXX θρόνος δόξης τῆς βασιλείας); 4, 27 (τῆς) LXX; 5, 20 Θ; Bar 5, 6; 1 Makk 2, 57; 7, 4; 10, 53. 55; 11, 52; θρόνος ἀρχῆς: Prv 16, 12; θρόνος ἀτιμίας: Prv 11, 16; θρόνος ἀνομίας: ψ 93, 20; dazu aus dem NT: θρόνος δόξης: Mt 19, 28; 25, 31 [6]; ὁ θρόνος τῆς χάριτος: Hb 4, 16 [7]. In der Verbindung von → δόξα und → χάρις mit θρόνος, die in dieser Weise nur im biblischen Sprachgebrauch möglich ist, spiegelt sich zugleich ein sachlicher Unterschied zwischen der Welt der Bibel und der Welt des Griechentums.

2. Der Thron im Griechentum.

Der Königsthron war keine ursprünglich griechische Einrichtung, sondern „stammt aus dem Orient, wo der absolute Herrscher auf einem prachtvoll geschmückten Throne saß, der gewöhnlich auf einer mehrstufigen Basis stand und so die Macht des Herrschers über seine Untertanen ausdrückte" [8]. Der Götterthron, der in Dichtung und Volksglauben des Griechentums häufig erscheint, gilt öfters als Vorzugsrecht des Zeus. Doch zeigt die bildende Kunst auch den Doppelthron für zwei Gottheiten, besonders für Zeus und Hera. Vorbild für die Darstellung einer Gottheit auf ihrem Throne wurde der von Pheidias geschaffene Thron des Zeus in Olympia. Merkwürdig berührt die aus Asien kommende „Sitte, den Thron eines unsichtbaren Gottes ohne dessen Bildnis aufzustellen" [9] und die Verwendung von Thronen im Totenkult [10].

Dieser Sachverhalt hebt sich noch schärfer heraus bei einem vergleichenden Blick auf die Bibel. Auf dem Boden der Offenbarung fehlen selbstverständlich die Götterthrone. Auch das Sitzen zweier Gottheiten auf einem gemeinsamen Throne hat keine wirkliche Parallele an dem Sitzen des Messias zur Rechten Gottes. Wohl aber erinnert die Bezeichnung des Himmels als Διὸς θρόνος [11] (Aesch Eum 229; vgl Theocr Idyll 7, 93) an die entsprechenden biblischen Aussagen. Wer die Bundeslade als Thronsitz Jahwes versteht [12], denkt unwillkürlich an die leeren Thronsitze von Göttern [13]. Doch liegt diese Analogie dem AT selber fern, erst recht natürlich der Gebrauch von Thronen im Totenkult.

3. Der Thron im Alten Testament.

Im AT·ist der Thron Vorrecht des Königs (Gn 41, 40); doch wird das Wort auch für den Sessel der Königinmutter (1 Kö 2, 19) und für den Gerichtsstuhl des Statthalters (Neh 3, 7) gebraucht. Wie eng König

---

[6] θρόνος in Verbindung mit δόξα auch Pol 2, 1 (δόξαν καὶ θρόνον); vgl ferner θρόνος αἰώνιος in den mit δόξα beginnenden Doxologien Mart Pol 21, 1 und 1 Cl 65, 2.

[7] Nicht in diese Reihe gehört ὁ θρόνος τῆς μεγαλωσύνης Hb 8, 1, wo der Gen die Majestät Gottes „als Inhaberin des Thrones" bezeichnet. Dabei ist μεγαλωσύνη als Umschreibung des Gottesnamens zu fassen; vgl Rgg Hb [2·3] 219 A 7. Ähnlich scheint θρόνος αἰσθήσεως Prv 12, 23 einen Thron zu meinen, dessen Inhaberin die αἴσθησις ist. Die Wortverbindung „ist ohne Anhalt in Mas selbständig von der LXX gebildet. Mas liest כֹּסֶה דַּעַת = verbirgt die Erkenntnis, LXX liest כְּסֵא דַּעַת" [Bertram].

[8] Pauly-W VI A 613.

[9] Pauly-W VI A 616.

[10] Über die θρόνωσις in den Mysterien der Korybanten, durch die der Myste eine Hypostase des Dionysos wurde, und die Rolle, die der Thron der Mnemosyne im Trophoniosorakel in Lebadeia spielte, vgl Pauly-W VI A 617.

[11] Vgl auch FBoll, Aus der Offenbarung Johannis (1914) 31.

[12] MDibelius, Die Lade Jahwes (1906); vgl auch FMünzer, ARW 9 (1906) 517 f.

[13] Vgl WEichrodt, Theologie des AT II (1935) 102: „Die irdische Entsprechung des himmlischen Thronsitzes . . . ist die Lade Jahwes mit den Keruben: sie gehört zu der Gattung der leeren Götterthrone und als Gott der Lade führt Jahve den Beinamen יוֹשֵׁב הַכְּרוּבִים = der Kerubenthroner" (1 S 4, 4; 2 S 6, 2; 2 Kö 19, 15; Ps 80, 2 usw).

und Thron zusammengehören, zeigen Stellen wie 2 S 14, 9 und 1 Kö 16, 11.
Der erstgeborene Sohn des Pharao teilt dessen Thronsitz (Ex 11, 5; 12, 29).
Der Thron Salomos wird als der Thron seines Vaters David bezeichnet (1 Kö
1, 13. 35. 46; 2, 12. 24. 33. 45; doch vgl auch 1 Kö 1, 37). Dabei ist nicht
5 sowohl an den Herrschersitz als solchen gedacht, wie ihn sich Salomo in uner-
hörter Pracht erbaute (1 Kö 10, 18—20; 2 Ch 9, 17—19; vgl auch 1 Kö 7, 7),
als vielmehr an den Thron als Sinnbild der Herrschergewalt (2 S 3, 10; vgl
auch Js 14, 13), die über den gegenwärtigen Inhaber des Thrones hinübergreift.
So ist vielfach vom Throne Davids die Rede im Sinne der ihm nach 2 S
10 7, 12 ff (1 Ch 17, 11 ff; vgl auch 1 Makk 2, 57) verheißenen ewigen Dauer
seiner Dynastie (2 S 7, 16; Jer 13, 13; 17, 25; 22, 30; 36, 30; Ps 89, 5. 30.
37; 132, 11—12), einmal auch vom „Throne Israels" (1 Kö 2, 4). Es liegt in
der gleichen Linie, wenn der Thron Davids Js 9, 6 ausdrücklich zum Thron
des Messias wird. Kennzeichnend für diesen „Thron" ist neben der Herr-
15 schergewalt das gerechte Gericht (Js 16, 5; Ps 122, 5)[14]. Insofern es sich bei
diesem Königtum der davidischen Dynastie um das „Königtum Jahwes" handelt
(2 Ch 13, 8; vgl auch 9, 8), kann der Thron Davids, auf dem Salomo sitzen
soll, der „Thron des Königtums Jahwes über Israel" (1 Ch 28, 5) oder auch
der „Thron Jahwes" (1 Ch 29, 23) heißen[15].
20   Daß die at.liche Anschauung vom Throne Gottes ihre bildhafte Darstellungsform vom irdischen Herrscherthron hernimmt, wird durch die absichtsvolle
Gegenüberstellung beider in 1 Kö 22, 10. 19 (vgl 2 Ch 18, 9. 18) deutlich.
Wenn Jesaja den „König, Jahwe der Heerscharen" (6, 5) im Tempel „auf einem
hohen und erhabenen Thron" sitzen sieht (6, 1), wenn Hesekiel bei der Er-
25 scheinung der göttlichen Herrlichkeit über der Himmelsfeste „ein Gebilde wie
einen Thron" erblickt (1, 26; 10, 1)[16], wenn bei Tritojesaja Jahwe den Himmel
im Gegensatz zu einer irdischen Ruhestätte seinen Thron nennt (66, 1; vgl
auch Hi 26, 9) oder dieser Thron im Psalter als „im Himmel" befindlich erscheint (11, 4; 103, 19), immer ist er der Ausdruck der überweltlichen Herr-
30 schermajestät Gottes. Aber diese Herrschermajestät hat sich Offenbarungsgegenwart auf Erden gegeben. So kann Jeremia neben dem Namen und dem
Bund Gottes den Thron seiner Herrlichkeit als ein Zeichen seines gnädigen
Willens über Israel in Anspruch nehmen (14, 21). Dem entspricht es, daß in
der künftigen Heilszeit des Volkes Jerusalem „Thron Jahwes" genannt werden
35 soll (Jer 3, 17)[17] und im neuen Tempel der Thron Gottes als Stätte seines
dauernden Weilens „inmitten der Söhne Israels" geschaut wird (Ez 43, 7). Bei-

---

[14] Zur Verbundenheit von Thron und Gerechtigkeit im allgemeinen vgl Prv 20, 28;
25, 5; 29, 14 (20, 8).
[15] → I 568, 4—9. Zur rabb Exegese vgl
Str-B I 24, 979.
[16] Vgl W Eichrodt, Theologie des AT II (1935)
102: „In dem Thronwagen mit den Keruben
kehrt offenbar die Erinnerung an den auf
der Lade thronenden Jahve wieder, allerdings in idealisierter Form. Die Plattform
des Thrones, רָקִיעַ genannt, ist das Spiegelbild des himmlischen רָקִיעַ, der Himmels-

kuppel, und birgt wie jene in ihrem Hohlraum Blitze und Flammen. Der über diesem
raki'a Thronende ist eine demuth oder mar'eh,
ein Abbild des über dem Scheitel der
Himmelskuppel thronenden Jahve, womit anschaulich Gottes Transzendenz, seine Überweltlichkeit ausgedrückt wird."
[17] Diese Stelle (vgl v 16) spricht ohne
Frage dafür, daß „in den älteren Zeiten vor
allem die Lade als Thron des unsichtbar
gegenwärtig gedachten Jahve vorgestellt
war" [vRad].

des, überweltliche Herrschermajestät und innerweltliche Offenbarungsgegenwart, klingt zusammen, wenn Jeremia die Anrede wagt: „O Thron der Herrlichkeit, hocherhaben von Anfang an, Stätte unseres Heiligtums, du Hoffnung Israels — Jahwe" (17, 12 f).

Die Macht seines „heiligen Thrones" erstreckt sich auch über die Heiden 5 (Ps 47, 9). Es versteht sich von selbst, wird aber auch ausgesprochen, daß der Thron Gottes von Ewigkeit her feststeht (Ps 93, 2) und in Ewigkeit währt (Thr 5, 19). Wie beim irdischen Herrscher ist er erst recht bei Gott Symbol seiner richtenden Gewalt. Mehrfach wird die Gerechtigkeit dieses Gerichtes betont (Ps 9, 5. 8; 97, 2). Einmal (Ps 45, 7—8) findet sich die Ewigkeit und die 10 Gerechtigkeit des Thrones Gottes auf den Thron eines israelitischen Königs übertragen in Prädikaten, die über jedes irdische Herrschertum hinausweisen. Im Danielbuche endlich werden im Nachtgesicht von den vier Weltreichen und der Aufrichtung des messianischen Reiches „Thronsessel" hingestellt, auf denen „das Gericht" sich niederläßt (7, 9 ff; vgl Apk 20, 4). Im Zusammenhang damit 15 wird der Thron des „Hochbetagten", von dem aus das Gericht über die vier Tiere vollzogen wird, beschrieben als flammend von Feuer und umstanden von Engelheeren.

4. Der Thron im hellenistischen Judentum.

Das hellenistische Judentum kennt diesen eschatologischen Ge- 20 richtsthron Gottes nicht. Dagegen wird das Gericht über die ägyptische Erstgeburt auf die Wirkung des allmächtigen Wortes Gottes zurückgeführt, das vom Himmel her vom Königsthron Gottes wie ein wilder Krieger mitten in das dem Verderben geweihte Land sprang (Sap 18, 15). Auch heißt die Weisheit „Beisitzerin" (πάρεδρος) seines Thrones (9, 4)[18], von wo sie den Menschen zum Beistand gesandt werden kann (9, 10)[19]. 25 Der „Thron der Herrlichkeit" Gottes ist dabei synonym dem „heiligen Himmel". Diesem „göttlichen Throne" stehen die im 4. Makkabäerbuch verherrlichten Märtyrer wegen ihrer Ausdauer nahe. Sie leben dort „die glückselige Ewigkeit" (17, 18). Bezeichnend ist, daß in der Welt des hellenistischen Judentums jede Beschreibung des göttlichen Thrones fehlt. Bei Josephus wird er lediglich in dem Bericht über die 30 Cheruben erwähnt; diese sind „lebendige geflügelte Wesen, die Mose, wie er sagt, an den Thron Gottes angeschmiedet sah" (Ant 3, 137). Schlatter macht darauf aufmerksam, daß Josephus in der Wiedergabe von 1 Kö 22, wo er Satz für Satz dem Text folgt, die Verse 19—22 überspringt, in denen der auf seinem Throne sitzende Gott sich mit dem himmlischen Rat bespricht (Ant 8, 406)[20]. Er wird die Vorstellung 35 „Thron Gottes" als zu anthropomorph gemieden haben, wie auch Philo nie von Gottes Thron sprach[21].

5. Der Thron im palästinischen Judentum.

Demgegenüber zeigt das palästinische, insbesondere das rabbinische Judentum ein ausgesprochenes Interesse für den „Thron der Herrlichkeit." Er 40 gehört, wie unter Berufung auf Ps 93, 2 oder Jer 17, 12 festgestellt wird, zu den vorweltlichen Schöpfungen Gottes[22]. Beschreibungen im Anschluß an die danielische finden sich vor allem äth Hen 14, 9 ff; 71, 5 ff und slav Hen 20—22. Sie sind, wie Billerbeck bemerkt, in der älteren jüdischen Literatur verhältnismäßig selten, weil „dieser Stoff zu den theosophischen Geheimlehren der Wagenerscheinung Ez 1 und 10 45 מֶרְכָּבָה oder מַעֲשֵׂה מֶרְכָּבָה gehörte, deren öffentliche Besprechung untersagt war[23]." Der „Thron der Herrlichkeit" wird getragen von den vier Lebewesen (חַיּוֹת), die trotz

---

[18] Schon Sir 24, 4 hat die Weisheit einen Thron.
[19] Insbesondere die irdischen Herrscherthrone können zu ihrem Bestand der Weisheit nicht entraten (9, 12; 6, 21; vgl auch 7, 8).

[20] Schl Theol d Judt 9.
[21] Schl Mt 182.
[22] Str-B I 974 f, II 335, 353.
[23] Str-B I 975.

ihrer Nähe zum Throne Gottes „die Stätte seiner Herrlichkeit nicht wissen"[24]. Unter
dem Thron werden nach RElieser (um 90) die Seelen der (verstorbenen) Gerechten
aufbewahrt[25]. Auch ihren Blicken ist er durch das ihn umgebende Wolkendunkel wie
durch einen Vorhang entzogen[26]. In unmittelbarster Nähe des Thrones Gottes ist der
5   Ort der Märtyrer[27]. Von den Engelheeren, die den Thron umgeben, stehen ihm die
Thronengel am nächsten, deren „die alte Synagoge teils sieben (sechs), teils vier
gezählt hat"[28]. Natürlich beschäftigte die Rabbinen auch die Exegese des Plurals
„Throne" in Da 7, 9. Man kam schließlich darauf hinaus, daß sie für die Großen
Israels bestimmt seien, mit denen zusammen Gott wie ein Gerichtspräsident die
10 Völker der Welt richten werde[29]. Höchst bemerkenswert ist es, daß „ein Sitzen des
M e s s i a s auf dem Thron der göttlichen Herrlichkeit nur die der vorchristlichen Zeit
angehörenden Bilderreden des Buches Henoch kennen"[30]. Die wesentliche Funktion
des von Gott auserwählten Menschensohnes ist hier im Anschluß an Da 7 der Vollzug
des eschatologischen Gerichtes (äth Hen 45, 3; 51, 3; 55, 4; 61, 8; 62, 2. 3. 5; 69, 27. 29)
15 im Namen des „Herrn der Geister". Nach äth Hen 108, 12 wird von denen, die
Gottes heiligen Namen liebten, jeder einzelne zuletzt auf „den Thron seiner Ehre" zu
sitzen kommen.

B. Der Thron im Neuen Testament.

Im NT wird mit voller Unbefangenheit, aber ohne speku-
20 lative Ausdeutungen vom Throne Gottes geredet. Die messianisch-eschatolo-
gische Linie des AT mündet ein in das nt.liche Heilsgeschehen und wird dadurch
erst recht ausgerichtet auf die Endvollendung. Für die neue Heilssituation ist
charakteristisch, daß neben dem Throne Gottes der Gegenthron erscheint.

1. Der Himmel als Gottes Thron.

25   Für Jesus ist auf Grund von Js 66, 1 f der Himmel ohne
weiteres „der Thron Gottes", so daß man es in der Schwurformel „beim Himmel"
unmittelbar mit Gott zu tun hat als dem, der auf diesem Throne sitzt (Mt 5, 34;
23, 22). Die at.liche Stelle, auf die Jesu Worte ohne jede Scheu vor „Anthropomorphismus" zurückgreifen, wird Ag 7, 49 in der Stephanusrede zitiert als pro-
30 phetisches Zeugnis für die Unfaßbarkeit Gottes durch ein von Menschenhänden
gemachtes Gebäude.

2. Der Thron Davids.

Von irdischen Thronen ist im NT eigentlich nur Lk 1, 52
die Rede[31]. Der Thron Davids Lk 1, 32 ist der Thron des messianischen Königs,
35 den Gott dem Sohne der Maria als „den Thron Davids, seines Vaters" zu ewiger Herrschaft über das Haus Jakobs verleihen wird, gemäß der auch Ag 2, 30
auf ihn bezogenen Verheißung von 2 S 7, 12 ff (vgl Js 9, 6). Auch der Schriftbeweis aus Ps 45, 7a für die Überlegenheit des Sohnes über die Engel in Hb
1, 8 spricht vom Thron des Königs der Endzeit. Gemeint ist die Herrscher-

---

[24] Str-B I 976, III 799 f.
[25] Schab 152 b; vgl Str-B I 977.
[26] Belege bei Str-B I 976, II 266.
[27] Str-B III 803 vgl I 224, 225.
[28] Str-B III 805 ff.
[29] Tanch קדשים § 1 (36 a); vgl Str-B IV
871.
[30] Str-B I 978. Das in der spätjüd Lit begegnende merkwürdige Wort metatron bzw
metator ist seit JHMaius (Synopsis Theologiae
Judaicae [1698]) von christlichen Theologen
öfter mit θρόνος zusammengebracht worden
(μετάθρονος im Sinne von σύνθρονος). Es soll
ein himmlisches Wesen als Throngenossen
Gottes bezeichnen. In Wirklichkeit ist es
das lat metator im Sinne von Quartiermacher,
Wegbereiter; vgl GFMoore, Harvard Theological Review 15 (1922) 62—85.
[31] καθεῖλεν δυνάστας ἀπὸ θρόνων, vgl Sir
10, 14.

majestät des Throngenossen Gottes (vgl 1, 3), „in welchem die Idee des davidischen Königtums zu abschließender Realisierung gelangt"[32].

3. Der Thron der Herrlichkeit.

Der Ausdruck θρόνος δόξης begegnet mehrfach in synoptischen Herrenworten für den Herrschersitz des „Menschensohnes", wenn er in seiner messianischen Herrlichkeit zum Gericht und zur Herrschaft erscheint. Gedacht ist einmal an sein künftiges Herrschen über die „zwölf Stämme Israels", an dem die zwölf Jünger auf ebensovielen Thronen „richtend" teilhaben sollen (Mt 19, 28)[33]; dann aber an das Gericht des Menschensohnes über alle Völker von diesem Throne aus, ohne daß Teilhaber an diesem Gericht genannt werden (Mt 25, 31 f). Auch in der Apk findet sich diese Unterscheidung. Zu Beginn der tausendjährigen Herrschaft Christi auf Erden sieht der Seher „Throne" und solche, die sich darauf setzen, denen dann das Gericht gegeben wird (20, 4; vgl Da 7, 9. 22. 26 und die Verheißung der Throngemeinschaft mit dem erhöhten Herrn für die Überwinder Apk 3, 21). Nach Abschluß des Millenniums dagegen sieht er nur den „großen, weißen Thron" des Weltgerichts „und den, der auf ihm sitzt"[34] (20, 11).

4. Der Thron der Gnade.

Als den θρόνος τῆς χάριτος kennzeichnet der Hebräerbrief den Thron Gottes angesichts dessen, daß der große Hohepriester Jesus nach allseitigem Versuchtsein in den Tagen seines Fleisches „die Himmel durchschritten" (4, 14) und sich zur Rechten des „Thrones der Majestät in der Höhe" (8, 1) bezw des „Thrones Gottes" (12, 2) gesetzt hat. „Thron der Gnade" heißt er „im Gegensatz zu dem כָּרְסֵא־דִין, insofern nicht schonungsloser Strafvollzug, sondern vergebende Gnade von ihm ausgeht"[35]. Auch als Gnadenthron bleibt der Thron Gottes Symbol seiner Herrschermajestät.

5. Der Thron Gottes und des Lammes.

Als sinnbildlicher Ausdruck seiner Herrschermajestät steht der Thron Gottes im Mittelpunkt des Throngesichtes der Apk (Kp 4). Er befindet sich „im Himmel"[36], und wird unlöslich zusammengeschaut mit dem, der auf ihm sitzt. Der Thron als solcher wird in keiner Weise beschrieben. Dagegen ist alles andere im himmlischen Thronsaal in seiner Stellung an ihm orientiert (4, 3—7)[37]. Auch das gottesdienstliche Handeln der „Lebewesen" (4, 8—9) und der „Ältesten" (4, 10—11) innerhalb des Gesichtes ist konzentriert auf den, „der auf dem Throne sitzt". Dieser Ausdruck wird geradezu zu einer

---

[32] Rgg Hb [2 . 3] 22.
[33] Lk 22, 30 in den Abschiedsworten Jesu beim letzten Mahle wird diese Beteiligung des Jüngerkreises an der messianischen Herrschaft angeschlossen an die Verheißung der Tischgemeinschaft mit dem Scheidenden in seinem kommenden Reich.
[34] Das Platznehmen auf dem Thron, das an den anderen Stellen stattfindet, bezeichnet den Eintritt in die richtende Tätigkeit.
[35] Rgg Hb [2 . 3] 122. Dort auch in A 21 die jüd Parallelen.

[36] 4, 2; vgl auch 12, 5, wo das Messiaskind entrückt wird „zu Gott und seinem Thron" und 8, 2, wo die 7 Engel „vor dem Throne Gottes stehen", nach Str-B III 805 ff „wohl identisch mit den Thronengeln" der alten Synagoge.
[37] Vgl EPeterson, Das Buch von den Engeln (1935) 22 f. „Die detaillierte Schilderung des himmlischen Thronsaales" dient nach Peterson 104 dazu, im Symbol des Thrones „die Macht der Herrschaft auszudrücken".

Benennung Gottes nach seiner schrankenlosen Schöpferherrlichkeit (4, 9. 10; 5, 1. 7. 13; 7, 15; 21, 5; vgl auch 19, 4). Um so bedeutsamer ist es, daß der anbetende Lobpreis der ganzen Schöpfung (5, 13) dem, „der auf dem Throne sitzt, und dem Lamme" gilt (vgl auch 7, 10), ebenso wie die Gerichtsangst der
5 Erdenbewohner sich zu bergen sucht vor dem Angesicht dessen, „der auf dem Throne sitzt, und vor dem Zorn des Lammes" (6, 16). Daß auch für den Seher der Apk der erhöhte Christus der Throngenosse Gottes ist, gelangt erst im letzten Kapitel bei der Vision des neuen Jerusalem zu anschaulicher Darstellung. Während es 7, 15 von der Schar in weißen Kleidern heißt, daß sie „vor dem
10 Throne Gottes sind" und das „Lamm inmitten des Thrones sie weiden wird" (7, 17), geht der Strom des Lebenswassers 22, 1 vom „Throne Gottes und des Lammes" aus und von der Stadt Gottes wird ausdrücklich gesagt: „der Thron Gottes und des Lammes wird in ihr sein" (22, 3). Nachdem der Thron Gottes in der Weltvollendung „gleichsam zur Erde niedergestiegen"[38] ist, wird er
15 in einem Atem „der Thron Gottes und des Lammes" genannt. Auch nach 3, 21 ist Jesus Throngenosse seines Vaters geworden und verheißt den Überwindern die gleiche Throngemeinschaft mit sich. Doch wird diese Throngemeinschaft der Überwindergemeinde mit Christus in den Gesichten der Apk nicht zur Anschauung gebracht. Denn die Throne der 24 Ältesten (4, 4) sind als Herrscher-
20 sitze himmlischer Mächte gemeint. Daß ihre Herrschergewalt keinerlei Selbständigkeit gegenüber der Schöpfermajestät Gottes hat, kommt darin überwältigend zum Ausdruck, daß sie vor dem niederfallen, „der auf dem Throne sitzt", und ihre Kränze vor dem Throne niederwerfen (4, 9. 10). Umso schwerer wiegt es, daß in der neuen Welt Gottes am Ende der Tage der Herrschersitz Gottes
25 zugleich der Thron des Lammes ist. Dieser zwiefache Thron, der doch eine und dieselbe Herrschaft darstellt, hat sein widergöttliches Gegenbild.

6. Der Thron des Satans und des Tieres.

Im Sendschreiben an die Gemeinde zu Pergamon wird im Zusammenhang mit Verfolgungsnöten, die in einem Einzelfall bis zum Mar-
30 tyrium führten, von dem θρόνος τοῦ σατανᾶ gesprochen, der sich in dieser Stadt befindet, ὅπου ὁ σατανᾶς κατοικεῖ (Apk 2, 13). Der starke Ausdruck führt weder speziell auf das römische Obergericht noch (trotz 2, 9) auf die jüdische Synagoge. Auch der Tempel des Augustus und der Roma als Stätte des Kaiserkultes kann für sich allein kaum als „der Thron des Satans" gelten, zumal
35 dieser Kult für die Asia seinen Hauptsitz in Ephesus hatte. Dagegen weist vieles auf den für Pergamon charakteristischen Dienst des σωτήρ Asklepios, dessen Sinnbild die Schlange war und dessen Wunderkuren sich als teuflische Nachäffungen der Heiltaten Jesu darstellten[39]. Ein solcher von heidnischem Wesen durchtränkter Wallfahrtsort war in der Tat eine Thronstätte des Wider-
40 sachers Gottes. Wäre ein Bauwerk gemeint, in dem sich die satanische Gegenmacht ihren Wohnsitz geschaffen hätte, so läge am nächsten der Riesenaltar des Zeus auf der Burg von Pergamon[40]. Möglicherweise bezieht sich der Aus-

[38] Loh Apk 173.
[39] Zn Apk 253 ff; Had Apk 48.

[40] Loh Apk 23. Weitere Literatur bei Pr-Bauer[3] sv.

druck auf die „imposante Gesamtheit" dieser „religiösen Symbole"[41]. Daß der Satan einen Thron besitzt, setzt auch die Feststellung in Apk 13, 2 voraus, nach welcher „der Drache" dem ersten·Tier, dh dem Antichristen, „seine Kraft, seinen Thron und große Machtfülle verlieh". Dementsprechend gießt der fünfte Engel 16, 10 seine Zornesschale auf den Thronsitz des Tieres aus. „Thron" und 5 „Herrschaft" gehören auch hier zusammen, wie die unmittelbare Fortsetzung zeigt: „und sein Königreich wurde verfinstert".

7. „Throne" als Engelklasse.

In der christologischen Ausführung des Kolosserbriefes werden unter den unsichtbaren Mächten, die wie alles Geschaffene „in ihm", 10 dh in dem „Sohn der Liebe" Gottes, geschaffen sind, neben den κυριότητες, den ἀρχαί und den ἐξουσίαι an erster Stelle die θρόνοι genannt (1, 16). Der Name findet sich im slav Hen 20, 1 in einer Aufzählung überirdischer Gewalten, die der Seher im 7. Himmel schaut. Ebenso begegnen Test L 3 im 7. Himmel θρόνοι (καὶ) ἐξουσίαι, ἐν ᾧ ἀεὶ ὕμνοι τῷ θεῷ προσφέρονται. Danach handelt es sich um 15 eine von den höchsten Engelklassen[42], ohne daß eine genauere Unterscheidung möglich ist[43]. Der Name könnte daher rühren, daß sie Throne zur Verfügung haben wie die 24 Ältesten in Apk 4, 4, unter denen wohl auch Engelmächte zu verstehen sind[44].

Schmitz 20

> **ϑυμός, ἐπιϑυμία, ἐπιϑυμέω,**
> **ἐπιϑυμητής,**
> **ἐνϑυμέομαι, ἐνϑύμησις**

ϑυμός → ὀργή

θύω bezeichnet urspr eine heftige Bewegung der Luft, des 25 Wassers, des Bodens, der Tiere und Menschen[1]. Aus der Bdtg „brodeln, wallen" scheint sich die „rauchen" und dann „in Rauch aufgehen lassen, opfern" entwickelt zu haben[2]. Die Grundbedeutung von θυμός ist demgemäß wie die von πνεῦμα *das Bewegte und Bewegende, die Lebenskraft*[3]. Bei Homer ist θυμός die Lebenskraft der Tiere und Menschen, θυμὸν ἀποπνείειν: Il 13, 654; λίπε δ' ὀστέα θυμός: Il 16, 743. 30 θυμός bezeichnet sodann a) Verlangen, Trieb, Neigung, b) Mut, c) Zorn, d) Empfindung, e) Gesinnung, Sinn, f) Gedanke, Erwägung[4]. Dieser reich entfaltete Sprachgebrauch Homers und der Tragiker findet sich bei den Prosaikern, bei Platon, Thukydides ua nicht mehr. Bei ihnen ist θυμός *Mut, Zorn, Wut, Erregtheit*. Im jüdischen

---

[41] RKraemer, Die Offenbarung des Johannes in überzeitl Deutung (1930) 161; ebs EBAllo, Saint Jean. L'Apocalypse ² (1921) 28, 30—31.
[42] Vgl Str-B III 581 ff und Loh Kol 58 A 1.
[43] Meinertz Gefbr 21.
[44] Lehrreich für die Anschauung von den „Thronen" ist die gnostisch gefärbte Schilderung des visionären Aufstiegs bis zum 7. Himmel in Asc Js, bes 7, 14—35; 8, 7—9. 16. 26; 9, 10—18. 24 f; 11, 40; vgl Hennecke 309 ff.

ϑυμός. Pape, Cr-Kö sv.
[1] Vgl Pape sv. Schon die indogermanische Wurzel dheuā-dhū (Walde-Pok I 835 ff) be-

deutet: „stieben, wirbeln, bes vom Staub, Rauch, Dampf". Die Bildung θυμός ist schon indogermanisch; vgl lat fumus: Rauch, Dampf.
[2] Aristarch bemerkt zu Il 9, 219, daß θύω bei Homer nicht σφάξαι „schlachten", sondern θυμιᾶσαι „in Rauch aufgehen lassen" bedeutet (KLehrs, De Aristarchi Studiis Homericis [1865] 82).
[3] Wenn Plat Crat 419e θυμός ἀπὸ τῆς θύσεως καὶ ζέσεως τῆς ψυχῆς abgeleitet wird, vom Wallen und Brodeln der Seele, so ist das zwar keine richtige Etymologie, aber mehr als die sonstigen Wortwitze im Crat.
[4] Vgl Pape sv und die Spezialwörterbücher zu Homer.

Griechisch ist θυμός in der Bedeutung, die es bei den Prosaikern hat, häufig. Die LXX übersetzt damit אַף, חֵמָה, חָרוֹן, כַּעַס uam. Philo gebraucht θυμός oft [5], auch bei Josephus kommt θυμός als Zorn vor [6].

Im NT haben θυμός: Paulus 5 mal: R 2, 8; 2 K 12, 20; Gl 5, 20; Eph 4, 31; Kol 3, 8; Hb 1 mal: 11, 27; Lk 2 mal: Lk 4, 28; Ag 19, 28; Apk 10 mal, davon 5 mal mit dem Zusatz τοῦ θεοῦ. Überall im NT bedeutet θυμός Zorn: bei Paulus, Hb, Lk den menschlichen, nur R 2, 8 den göttlichen, in der Apk den göttlichen, nur 12, 12 den des Drachen. Der Zorn Gottes ist als Wein objektiviert Apk 14, 10; 16, 19; 19, 15, weshalb auch. von Schalen des Zornes 15, 7; 16, 1, der Kelter des Zornes 14, 19 geredet wird. Die Vorstellung von Zornbecher und Zornwein ist at.lich: das Leiden, das der Mensch über sich ergehen lassen muß, wird als Getränk, Becher, Wein vorgestellt, den Gott ihm in seinem Zorn reicht: Jer 25, 15—17. 27 ff; Ps 60, 5; 75, 9 uö [7]. Apk 14, 8; 18, 3 ist der Zornwein der Unzucht, mit dem Babel die Völker getränkt hat, seine Gottlosigkeit, mit der es die Völker angesteckt hat, was für diese ihr Verfallensein an Sünde und Gottes Zorn zugleich bedeutet. θυμός ist hier nicht Gift oder Leidenschaft [8]. ὀργή und θυμός stehen oft nebeneinander, auch θυμός τῆς ὀργῆς: Apk 16, 19; 19, 15. Ein sachlicher Unterschied zwischen ὀργή und θυμός besteht nicht.

ἐπιϑυμία, ἐπιϑυμέω → ἡδονή

A. Der Sprachgebrauch außerhalb des NT.

1. ἐπιθυμία, ἐπιθυμέω [1] finden sich noch nicht bei Homer, aber schon bei den Vorsokratikern und seitdem vielfach. Die Worte bezeichnen den unmittelbaren Trieb nach Nahrung, geschlechtlicher Befriedigung udgl, ebs das Verlangen allgemein [2]. Etwas sittlich Verwerfliches oder auch nur Bedenkliches ist ἐπιθυμία und ἐπιθυμεῖν zunächst nicht. In der griech Philosophie gewinnt das Wort seit Plat, bes aber seit den Stoikern eine besondere Bdtg. Bei den Vorsokratikern liegt sie noch nicht vor, obwohl diese auf die ἐπιθυμία aufmerksam geworden sind [3]. Bei Plat ist ἐπιθυμία im allgemeinen nicht vox media. Das verwerfliche Verlangen nennt er ἐπιθυμία κακή [4]. Aber zum Wesen des wahren Philosophen gehört das theoretische und praktische Absehen von der Sinnenwelt, und deshalb enthält sich seine Seele τῶν ἡδονῶν τε καὶ ἐπιθυμιῶν καὶ λυπῶν καὶ φόβων [5]. In Aristoteles Ethik spielt die ἐπιθυμία keine wesentliche Rolle [6]. Bei der Stoa gehört seit Zenons Schrift Περὶ παθῶν [7] die ἐπιθυμία neben ἡδονή, φόβος, λύπη [8] zu den vier Hauptaffekten; diese entstehen aus der un-

---

[5] Vgl Leisegang 394. Für ihn ist nach platonischer Tradition θυμός neben λόγος und ἐπιθυμία einer der drei Teile der ψυχή: Spec Leg IV 92; vgl Leg All III 116—118. Er mahnt zur Beherrschung des θυμός Jos 73. 222.

[6] Ant 20, 108: ὀργὴ καὶ θυμός, Bell 2, 135: (die Essener) θυμοῦ καθεκτικοί, 5, 489: δι' ὑπερβολὴν θυμοῦ, Vit 143: τοῖς θυμοῖς ἐπέμενον, 393: μὴ καὶ λάβῃ τέλος ἅπαξ ὁ θυμός.

[7] Vgl P Volz, Der Prophet Jeremia (1922) 388 f.

[8] Vgl Loh Apk 14, 8 gegen Pr-Bauer sv 1.

ἐπιϑυμία, ἐπιϑυμέω. [1] Über die Ableitung vgl θυμός. Das Adj ἐπίθυμος: „begierig“ ist nur ganz selten und spät bezeugt, vgl Liddell-Scott sv. Plut Quaest Conv VIII 6, 1 (II 726 a) hat ἐπιθυμό-δειπνος: „nach der Mahlzeit begierig“. Ist das nur eine (komische?) Nachbildung von φιλό-δειπνος, so wäre das Vorderglied nach Debr Griech Wortb 37 f verbal zu nehmen, also von ἐπιθυμέω abzuleiten.

[2] Vgl die Belege bei Pape sv.

[3] Vgl Index zu Diels [2] (1906—10) col 227 f und die dort angeführten Stellen.

[4] Leg IX 854 a; Resp I 328 d: αἱ περὶ τοὺς λόγους ἐπιθυμίαι. Entsprechend bei Xenoph Mem I 2, 64: πονηρὰς ἐπιθυμίας ἔχων . . . τῆς ἀρετῆς προτρέπων ἐπιθυμεῖν.

[5] Phaed 83 b. Der Sinn der Stelle ist grade, daß die ἐπιθυμία nicht als solche Böses ist; sonst wäre die Enthaltung selbstverständlich.

[6] Sie gehört mit ὀργή, φόβος aber auch χαρά, φιλία zu den πάθη der Seele Eth Nic II 4 p 1105 b 21. Er teilt sie ein in κοιναὶ (καὶ φυσικαί), ἴδιοι καὶ ἐπίθετοι Eth Nic III 13 p 1118 b 8 f, starke und schwache Eth Nic VII 3 p 1146 a 15, nach Schönem und nach Häßlichem Eth Nic VII 6 p 1148 a 22 f; er kennt auch χρησταὶ ἐπιθυμίαι.

[7] Diog L VII 110 vgl VII 4.

[8] Vgl die Platonstelle → A 5.

richtigen Vorstellung über die Güter und Übel uz Lust und Betrübnis, wenn diese gegenwärtig, Begierde und Furcht, wenn sie zukünftig sind. Demgemäß definiert Cicero im engen Anschluß an Chrysipp die (ἐπιθυμία) cupiditas, libido: opinio venturi boni, quod sit ex usu iam praesens esse atque adesse oder inmoderata adpetitio opinati magni boni rationi non obtemperans[9]. Zur ἐπιθυμία rechnet die Stoa ὀργή, ἔρως uam. 5 πᾶν μὲν γὰρ πάθος ἁμαρτία κατ' αὐτούς ἐστιν καὶ πᾶς ὁ λυπούμενος ἢ φοβούμενος ἢ ἐπιθυμῶν ἁμαρτάνει[10], in libidine esse peccatum est etiam sine effectu[11]. Demgemäß wird streng unterschieden zwischen ἐπιθυμία und βούλησις, cupere und velle[12]. Epiktet redet öfters von der ἐπιθυμία und ruft auf, sie zu bekämpfen ebs wie λύπη, φόβος, φθόνος uam[13]. Er kann ἐπιθυμία aber auch als vox media gebrauchen[14]. Epikur teilt 10 die ἐπιθυμίαι ein in die φυσικαί, die natürlichen, und die κεναί, die unberechtigten, die ersten in die bloß natürlichen und die zur Glückseligkeit, zur körperlichen Schmerzlosigkeit und zum Leben notwendigen. Die ἀπλανὴς θεωρία versteht sie zu unterscheiden und dadurch die leibliche Gesundheit und die seelische Ungestörtheit zu erreichen[15]. 15

Die ἐπιθυμία ist in der griechischen Philosophie Vergehen des Menschen gegen seine eigene Vernünftigkeit; sie wird ethisch, nicht religiös abgewertet.

2. In der israelitisch-jüdischen Religion hat man schon früh nicht nur die böse Tat, sondern neben ihr auch das böse Wollen verurteilt. Der Dekalog verbietet das Stehlen und das Begehren nach fremdem 20 Besitz, zu dem auch das Weib des andern gehört. Die Unfähigkeit, im Gehorsam gegen Gott auf an sich natürliche und erlaubte Genüsse zu verzichten, das Begehren, und das Verlangen nach geschlechtlichem Genuß außerhalb der Ehe wird bei J und E Nu 11; Gn 39 als Sünde angesehen. Selbstzucht auf dem geschlechtlichen Gebiete bis zur Beherrschung des Blicks gehört seit 2 S 11, 2 25 und Hi 31, 1 zur Pflicht des Frommen. Die Forderung des Verzichtens und Gehorchens um Gottes willen tritt in der nachexilischen Zeit mit der Verschärfung der Gesetzlichkeit und der Steigerung der ethischen Reflexion, in denen beiden auch Wirkungen des Hellenismus enthalten sind, immer mehr hervor. Regelmäßige asketische Leistungen, wie Fasten, Peinlichkeit in der Sabbatheiligung 30 und der Speiseordnung, werden feste Bestandteile der Frömmigkeit. Sexualaskese in verschiedenen Abstufungen gewinnt Bedeutung. Das Sündenbewußtsein vertieft sich, und mit ihm die Aufmerksamkeit auf das im Menschen, was dem Verzichten und Gehorchen um Gottes willen entgegensteht, das triebhafte, leidenschaftliche Begehren[16]. Erschütternde Klagen über das böse Herz, das nicht 35 verzichten noch gehorchen will, werden laut[17]. Die Anschauung wird erreicht: das Begehren ist das Haupt aller Sünde[18]. Der Wille Gottes kann in die Formel gefaßt werden: nicht begehren[19].

Die ἐπιθυμία ist im AT und Judentum Vergehen des Menschen gegen Gott, der den völligen Gehorsam, die Liebe von ganzem Herzen, Dt 5, 5, vom Men- 40 schen fordert.

---

[9] Tusc IV 7, 14 und III 11, 24.
[10] Plut De Virtute Morali 10 (II 449 d).
[11] Cic Fin III 9, 32.
[12] Diog L VII 116; Sen ep 116, 1. Zum Ganzen vgl vArnim im Index sv ἐπιθυμία und EZeller, Die Philosophie der Griechen III 1 [4] (1909) 235 ff.
[13] Diss II 16, 45; II 18, 8.
[14] Diss III 9, 21.
[15] Brief an Menoikeus Diog L X 127.

[16] Über die Entwicklung im einzelnen vgl JKöberle, Sünde und Gnade im religiösen Leben des Volkes Israel (1905) 118, 449 ff uö.
[17] 4 Esr 3, 20—27 uö vgl Bousset-Greßm 402 ff.
[18] Vit Ad 19 (Kautzsch Apkr u Pseudepigr II 521). (Auch wenn das uns griech erhaltene Adamsbuch chr ist, darf man den Gedanken als jüd ansprechen).
[19] 4 Makk 2, 6; vgl Rm 7, 7; 13, 9.

3. Im jüdischen Griechisch können ἐπιθυμία und ἐπιθυμεῖν eine Sünde bezeichnen. Dieser Sprachgebrauch ist teils sichtlich abhängig vom stoischen, teils Ergebnis der dargelegten Entwicklung im Judentum. Die Linien konvergieren. Die Septuaginta übersetzt mit ἐπιθυμία und ἐπιθυμεῖν vorwiegend Bildungen von den Stämmen אוה und חמד [20]. ἐπιθυμία ist weit überwiegend vox media [21]. Doch kommt ἐπιθυμία ohne Zusatz auch von der niedrigen, gottlosen Begierde vor, namentlich Nu 11, 4. 34; 33, 16. 17; Dt 9, 22; ψ 105, 14 [22]. Die ἐπιθυμία κάλλους ist die sündige sexuelle Begierde beim Manne Prv 6, 25; Susanna 32 vgl Sir 40, 22. ἐπιθυμεῖν findet sich auch von frommem Streben, gelegentlich von der eschatologischen Erwartung Js 58, 2; ψ 118, 20; Am 5, 18. Bei Philo ist ἐπιθυμία sehr häufig [23]. Es bezeichnet sowohl platonisierend neben λόγος und θυμός den niedrigsten Seelenteil [24] als auch nach stoischem Gebrauch einen der vier Affekte [25], zu dessen Bekämpfung Philo wieder und wieder mahnend und warnend aufruft, den stoischen Moralismus und die jüdische Gesetzesstrenge miteinander verknüpfend und sich in pathetischen Deklamationen spreizend. Im Sprachgebrauch des 4. Makk von ἐπιθυμία und ἐπιθυμεῖν verbindet sich genau wie bei Philo Stoisches und Jüdisches. Sein Thema ist: Selbstherrscher über alles Triebhafte (im Menschen) ist die Vernunft [26], und unter dem Triebhaften steht obenan die ἐπιθυμία, die mit ἡδονή, φόβος, λύπη zusammengehört 1, 22. 23 und namentlich aus der Sinnlichkeit 1, 3; 3, 11—16, aus der Sexualität 2, 4. 5 stammt. Bei Josephus ist ἐπιθυμία meist vox media [27], aber auch Bezeichnung der sündigen Begierde [28].

4. In der rabbinischen Theologie entspricht dem ἐπιθυμεῖν des NT הִתְאַוָּה und חמד [29], der ἐπιθυμία in gewisser Beziehung der יֵצֶר הָרַע [30], nur daß dieser mehr eine allgemeine Anlage im Menschen bedeutet als den aktuellen Trieb in seiner konkreten Eigenart. Diesen bezeichnet תַּאֲוָה. MEx 15, 1: כדי לעשות תאותם (um zu tun ihr Begehren); Tanch נשא § 6 (15a): vom Ehebrecher und der Ehebrecherin ...אֵינָן מבקשים אלא שיעשו תאותן (sie suchen nichts als zu tun ihr Begehren); Tanch ויגש § 1 (102b): ויצר הרע אומר נאכל ונשתה ונעשה כל תאותינו (der böse Trieb sagt: wir wollen essen und trinken und tun all unser Begehren).

B. Der Sprachgebrauch im NT.

Im NT ist ἐπιθυμία und ἐπιθυμεῖν, in den Evangelien selten, in den Briefen häufiger, mehrfach entsprechend dem Gebrauch der Umgangssprache noch vox media; es bedeutet dann das natürliche Verlangen des Hungers: Lk 15, 16; 16, 21, oder die Sehnsucht: Lk 22, 15; 1 Th 2, 17, ähnlich auch Apk 9, 6 (ἐπιθυμήσουσιν ἀποθανεῖν); Ag 20, 33; Jk 4, 2, das Begehren nach göttlichen Geheimnissen: Mt 13, 17; Lk 17, 22; 1 Pt 1, 12 [31], oder sonst Gutem: Phil 1, 23 [32]; 1 Tm 3, 1; Hb 6, 11 [33]. Aber meist sind ἐπιθυμία und ἐπιθυμεῖν entsprechend der unter A gezeichneten Entwicklung auf griechischem und jüdischem Gebiete böses Verlangen. Sie können als solches gekennzeichnet

---

[20] Neben ἐπιθυμία und ἐπιθυμεῖν: ἐπιθύμημα, ἐπιθυμητής, ἐπιθυμητός.

[21] ZB Gn 31, 30; Dt 12, 20. 21. Es wird von der ἐπιθυμία der Gerechten Prv 11, 23, der Gottlosen 12, 12, der Frommen 13, 19 gesprochen, auch von der ἐπιθυμία σοφίας Sap 6, 20; Sir 6, 37 usw.

[22] Da die LXX hier mit ἐπεθύμησαν ἐπιθυμίαν einfach das hbr הִתְאַוּ תַאֲוָה übersetzt, ist Beeinflussung durch den stoischen Gebrauch ganz unwahrscheinlich.

[23] Vgl die eingehenden sorgfältig systematisierten Nachweise bei Leisegang.

[24] Conf Ling 21 uö s Leisegang.

[25] ἐπιθυμία ὀρέξις ἄλογος Leg All III 115, ἐπιθυμία δὲ ἀλόγους ἐμποιοῦσα ὀρέξεις ἐκ τοῦ σώματος: Poster C 26 uam.

[26] 1, 13 vgl 2, 6; 5, 23.

[27] ἐπιθυμία γάμων: Ant 17, 352; ὑπὸ τῆς περὶ τὸ ἔργον ἐπιθυμίας: Ant 11, 176; τῆς ἀρχῆς ἐπιθυμίαν ἔχων: Vit 70; ἐπιθυμοῦντες ἐγκρατεῖς γενέσθαι κάκείνων: Bell 6, 112.

[28] προσκαίρῳ τῆς ἐπιθυμίας ἡδονῇ: Ant 2, 51 von der ehebrecherischen Begierde.

[29] Vgl Str-B III 234 ff.

[30] → ἡδονή II 919, 32 ff; ferner Str-B IV 1, 464 ff; auch Köberle, Sünde und Gnade, bes 510 ff.

[31] Vgl das Begehren nach der göttlichen Weisheit Sap 6, 11—13; Sir 1, 26; 6, 37.

[32] ἐπιθυμίαν ἔχων auch bei Jos Vit 70.

[33] Soweit geht ἐπιθυμία und ἐπιθυμεῖν ganz par mit ἐπιποθία und ἐπιποθεῖν, das im NT auch immer das natürliche, sehnsüchtige Verlangen bezeichnet.

werden durch Angaben über Gegenstand: Mt 5, 28: αὐτήν (das Weib), Mk 4, 19: περὶ τὰ λοιπά, 1 K 10, 6: κακῶν, Richtung: Gl 5, 17: κατὰ τοῦ πνεύματος, Träger: 1 K 10, 6; Jd 16, R 1, 24: τῶν καρδιῶν, R 6, 12: τοῦ σώματος, Gl 5, 16; Eph 2, 3; 1 J 2, 16; 2 Pt 2, 18: τῆς σαρκός, 1 J 2, 16: τῶν ὀφθαλμῶν, J 8, 44: τοῦ πατρός (des Teufels), 1 J 2, 17: der Welt, 1 Pt 4, 2: ἀνθρώπων, 5 Apk 18, 14: τῆς ψυχῆς, oder Art: σαρκικαί: 1 Pt 2, 11, κοσμικαί: Tt 2, 12, νεωτερικαί: 2 Tm 2, 22, κακή: Kol 3, 5, τῆς ἀπάτης: Eph 4, 22, ἀνοήτους: 1 Tm 6, 9, ἰδίας: 2 Tm 4, 3; 2 Pt 3, 3, ταῖς πρότερον: 1 Pt 1, 14, φθορᾶς: 2 Pt 1, 4, μιασμοῦ: 2 Pt 2, 10. Es findet sich aber auch ἐπιθυμία R 7, 7. 8; Gl 5, 24; 1 Th 4, 5; 2 Tm 3, 6; Tt 3, 3; Jk 1, 14. 15; 1 Pt 4, 3 und ἐπιθυμεῖν R 7, 7; 13, 9; 1 K 10, 6 10 ohne jeglichen Beisatz zur Bezeichnung des sündigen Begehrens. Dabei schließt sich 1 K 10, 6 deutlich an Nu 11, 4 an. Die Verkürzung und Erweiterung des 9. und 10. Gebots in ein einfaches οὐκ ἐπιθυμήσεις R 7, 7; 13, 9 findet sich ähnlich schon 4 Makk 2, 6: μὴ ἐπιθυμεῖν εἴρηκεν ἡμᾶς ὁ νόμος, ist also wahrscheinlich vorpaulinisch. Ob Paulus hier jüdischem oder stoischem Sprach- 15 gebrauch folgt, läßt sich kaum fragen. Beide hatten sich längst vor Paulus in bezug auf ἐπιθυμία und ἐπιθυμεῖν verbunden. Spezifisch Stoisches findet sich bei Paulus, abgesehen von πάθος ἐπιθυμίας 1 Th 4, 5, nicht. Der Gegensatz von λογισμός und ἐπιθυμία fehlt bei ihm, und die ἐπιθυμία ist böse, weil sie Ungehorsam gegen Gottes Gesetz, nicht weil sie vernunftwidrig ist. Grundleglich 20 ist also seine Vorstellung von ἐπιθυμία at.lich-jüdisch, nicht stoisch. Die ἐπιθυμία ist bei Paulus, der im NT allein eine ausführliche Lehre vom sündigen Menschen bietet, die Erscheinungsform der im Menschen vorhandenen, ihn beherrschenden Sünde, die, abgesehen von der durch das Gesetz erregten ἐπιθυμία, tot ist R 7, 7. 8. Daß die Begierde Folge des Verbots derselben ist, offenbart die 25 Fleischlichkeit des Menschen Gl 5, 16. 24, sein Getrenntsein von Gott, sein Stehen unter Gottes Zorn R 1, 18 ff. Bei Jakobus (1, 14. 15) steht die ἐπιθυμία unter dem Gesichtspunkt, daß sie der im Menschen (bleibend) vorhandene Grund der sündigen Einzeltaten ist, auf die die Aufmerksamkeit des Jk vornehmlich gerichtet ist. Bei Johannes ist das Besondere die Beziehung zwischen Be- 30 gierde und Welt 1 J 2, 15—17. Die Begierde stammt aus der Welt und macht ihr Wesen aus und vergeht mit ihr[34].

Was das NT von der ἐπιθυμία sagt, hat seinen Sinn nicht als eine das Menschenwesen reflektierend zergliedernde Feststellung, sondern als ein Stück Bußpredigt. Es soll dem Menschen den Ernst seiner ihm von Gott gegebenen 35 Pflicht in seiner ganzen Größe einprägen, um seinen Willen zur Tapferkeit der Selbstüberwindung anzuspornen. Es nimmt ganz ernst, was sittliche Selbstbeobachtung nicht umhin kann festzustellen. Das Wesentliche an der ἐπιθυμία ist überall, daß sie Begehren als Trieb, Willensregung ist[35]; Lust ist sie nur als „Gelüsten", weil die Aussicht auf Befriedigung des Triebs erfreut und die 40

---

[34] Vergänglich ist hier nicht der Gegenstand des Begehrens, sondern dies selbst, auch nicht die an ihm haftende Lust; wer immer Begehren hat, hat nicht Teil an der Ewigkeit Gottes, vgl Bü J zSt. Vgl auch Tt 2, 12: τὰς κοσμικὰς ἐπιθυμίας.

[35] Vgl Eph 2, 3, wo ἐπιθυμίαι τῆς σαρκός und θελήματα τῆς σαρκός genau par sind.

auf Nicht-Befriedigung schmerzt[36]. Die ἐπιθυμία ist verkrampfte Selbstsüchtig-keit. Von einem ἐπιθυμεῖν der Liebe ist nur ausnahmsweise die Rede[37], dafür wird ἐπιποθεῖν verwendet. In seinem ἐπιθυμεῖν erscheint der Mensch als der, der er in Wirklichkeit ist, und das um so sicherer, weil die ἐπιθυμία mit der Gewalt 5 des Unmittelbaren in ihm aufbricht. Die ἐπιθυμία bleibt immer, auch nach dem Empfang des göttlichen Geistes, eine Gefahr, vor der der Mensch gewarnt werden muß, die er bekämpfen muß[38].

† ἐπιϑυμητής

Im NT nur 1 K 10, 6, wo deutlich auf Nu 10, 34: ἐκεῖ 10 ἔθαψαν τὸν λαὸν τὸν ἐπιθυμητήν zurückgegriffen ist.

Das Wort ist seit Hdt nachzuweisen[1], in der LXX selten, bei Josephus öfter[2], eigen-tümlicherweise überwiegend im anerkennenden Sinne.

† ἐνϑυμέομαι

Abzuleiten von ἔνθυμος, das in der Bedeutung „mutig" vor-15 kommt[1]. Es ist nachzuweisen seit Epicharmos[2], auch in den Pap[3], ebenfalls bei Philo[4] und Josephus[5]. LXX übersetzt mit ἐνθυμέομαι eine Reihe recht verschiedener Worte[6].

Von seinen mancherlei Bedeutungen[7] kommt im NT nur *erwägen, bedenken, denken* vor. ἐνθυμέομαι ist im NT auf Mt 1, 20; 9, 4 beschränkt[8]. Die Paral-lelen zu 9, 4: Mk 2, 8; Lk 5, 22 haben διαλογίζεσθαι.

20 Qoh r zu 5, 2 liefert zu ἐνθυμεῖσθε πονηρὰ ἐν ταῖς καρδίαις ὑμῶν die auffallende Parallele: הן חושבין רעות בלבבם (über die Gottlosen)[9].

† ἐνϑύμησις

ἐνθύμησις ist selten, nachweisbar seit Euripides, auch in den Pap[1]; es fehlt bei LXX, Philo, Josephus[2]. Es bedeutet *Erwägung, Gedanke*.

---

[36] Lust im eigtl Sinne als Lustbarkeit, als das, was gegenwärtig erfreut, ist ἡδονή Lk 8, 14; Tt 3, 3; Jk 4, 1. 3; 2 Pt 2, 13. ἡδονή und ἐπιθυμία liegen nahe beieinander: Tt 3, 3; wenn die ἐπιθυμία befriedigt ist, ist ἡδονή da, und wenn ἡδονή erstrebt wird, ist ἐπιθυμία da.
[37] Lk 22, 15; Gl 5, 17, sofern als Prädikat zu πνεῦμα ἐπιθυμεῖ zu ergänzen ist.
[38] Wer die nt.lichen Aussagen über die ἐπιθυμία aus der sich selbst beschmutzenden und zersetzenden Instinktlosigkeit des rassi-schen Verfalls ableiten zu dürfen glaubt, be-weist damit, daß er zum Ernstnehmen der sittlichen Selbstbeobachtung nicht fähig ist.

ἐπιθυμητής. [1] Vgl Pape sv.
[2] JosAp 2, 45: Philadelphos ἐπιθυμητὴς ἐγέ-νετο τοῦ γνῶναι τοὺς ἡμετέρους νόμους, 2, 151: νόμου κοινωνίας ἐπιθυμηταί, Ant 11, 85: τῆς θρησκείας ... ἐπιθυμηταί, Ant 8, 209: μεγάλων ἐπιθυμητὴς πραγμάτων.

ἐνθυμέομαι. Vgl die Wörterbücher von Pape, Pr-Bauer usw. Schl Mt 299 f.
[1] Aristot Pol VII 7 (p 1327 b 30); vgl ἄθυμος „mutlos".

[2] I 119, 16. 20 Diels.
[3] Vgl Preisigke sv.
[4] Vgl Leisegang 252.
[5] Ant 11, 155: ἐνθυμούμενοι πρὸς αὐτούς.
[6] Vgl die Konkordanz und G Bertram, Der Begriff der „Religion" in der Septuaginta ZDMG, NF XII (1933) 1 ff, der in ἐνθυμεῖσθαι eins der zahlreichen Wörter findet, in denen die psychologisierende Haltung der LXX sich Ausdruck verschafft, weshalb ihm eine feste hbr Entsprechung fehle.
[7] Vgl Pape sv. Die Grundbedeutung ist wohl intransitiv „in leidenschaftlicher Stim-mung sein" (Hippocrates De Aere 22 [Kühle-wein, 1894, p 65, 11]), dann transitiv „etwas beherzigen" im Sinne von „übelnehmen" (Aesch Eum 213) und von „bedenken, erwägen", (so an den meisten Stellen).
[8] Ag 10, 19 findet sich noch das Komposi-tum δι-ενθυμέομαι.
[9] Vgl Schl Mt z 9, 4. ἐνθυμηθείς ... πονηρά auch Sap 3, 14.

ἐνθύμησις. [1] Vgl Pr-Bauer sv.
[2] Σ hat es zu Hi 21, 27; Ez 11, 21. LXX, Philon (vgl Leisegang), Josephus (vgl Schl Mt z 9, 4) haben ἐνθύμημα, das im NT fehlt.

Im NT ist ἐνθύμησις Mt 9, 4; 12, 25; Hb 4, 12 das im Menschen unge-
äußert, verborgen Lebendige, das Gottes Allwissenheit kennt und richtet; Hb 4, 12
ist ἔννοια parallel. Ag 17, 29 ist τέχνη parallel. Immer hat es den Nebensinn
des Törichten, Bösen.

Schlatter[3] nennt als hbr Äquivalent מַחֲשָׁבוֹת.			5

Büchsel

---

† ϑύρα (→ κλείς, πύλη)

Inhalt: A. Der eigentliche und der übertragene Gebrauch. — B. Die
Türwunder des NT. — C. Die Himmelstür. — D. Die eschatologische Wen-
dung des Bildes der Tür. — E. Ἐγώ εἰμι ἡ θύρα (J 10, 7. 9).			10

A. Der eigentliche und der übertragene Gebrauch.

1. Im eigentlichen Sinne bezeichnet ἡ θύρα im NT:
a. die Tür[1] und zwar sowohl die *Haustür* (Mk 1, 33; 2, 2; 11, 4; Mt 25, 10;
Lk 11, 7; 13, 25; Ag 5, 9), als auch die *Hoftür*[2] (J 18, 16; Ag 12, 13: die Tür
des von der Straße in den Hof führenden Torganges; J 10, 1f: die Tür der
ummauerten Hürde), *die Tür eines einzelnen Raumes* (Mt 6, 6: der Vorratskammer;
Ag 5, 23; 12, 6: der Gefängniszelle[3]) und die *Himmelstür* (→ C); — *b.* vereinzelt[4] *das (Tempel-) Tor* (= ἡ πύλη), so Ag 3, 2 vom „schönen" Tor des Tempels[5], Plur 21, 30 von den Toren des inneren[6] Vorhofs, und — *c.* den *Eingang
zum Felsengrab* (Mk 15, 46; 16, 3; Mt 27, 60; 28, 2 vl; Ev Pt 8, 32; 9, 37;
12, 53f)[7].

---

[3] Schl Mt 299.

ϑύρα. Zu A: Pr-Bauer[3] sv; Bl-Debr[6]
§ 141, 4; Str-B Index sv. — Zu B: GRud-
berg, Zu den Bacchen des Euripides, Symbolae Osloenses 4 (1926) 29—85; SLönborg,
En Dionysosmyt i Acta Apostolorum, Eranos
24 (1926) 73—80; OWeinreich, Gebet und
Wunder, in: Tübinger Beiträge z Altertumswissenschaft 5 (1929) 169—464. — Zu C:
WKöhler, Die Schlüssel des Petrus, ARW 8
(1905) 214—243; ADell, ZNW 15 (1914)
33—35; AJacoby, Das Bild vom „Tor des
Lichtes", Byzantinisch-neugr Jahrbücher 2
(1921) 277—284; HOdeberg, The fourth Gospel (1929) 319ff; BauJ, Exk z J 10, 21 E. —
Zu E: FSpitta, Das Joh-Ev als Quelle der
Geschichte Jesu (1910) 213ff; HOdeberg aaO
313ff, 319ff; die Komm z J 10, 7. 9, bes
SchlJ u BauJ, Exk z J 10, 21 E.
[1] Zum Gebrauch des Plur für eine Tür
→ A 8.
[2] Der Plur J 20, 19. 26 wird Hof- und Haustür umfassen.
[3] Der Plur Ag 5, 19; 16, 26 f umfaßt den Eingang zum Gefängnis und die Zellentüren.
[4] Auch sonst selten: Jos Ant 15, 424 (sonst
bezeichnet θύρα bei Jos den Türflügel).

[5] Wahrscheinlich identisch mit dem Ni-
kanortor (Mid 1, 4; 2, 6 uö), bei Jos „ko-
rinthisches" (Bell 5, 204) oder „ehernes" (Bell
2, 411 vgl 6, 293) Tor genannt. Seine Lage
ist unsicher: Jos setzt es im Osten des
Frauenvorhofs an (Bell 5, 204), die rabb Lit im
Westen (GDalman, PJB 5 [1909] 42; Ders,
Orte und Wege Jesu[3] [1924] 318 A 1; Joach
Jeremias, Jerusalem zZt Jesu II B [1929] 21
A 6; anders beurteilt das rabb Material:
Schürer II 64; Str-B II 622—624; KGKuhn,
SNu [1933] 12 A 94). Die neuere Forschung
folgt mit Recht fast durchgängig Jos u sucht
das Nikanortor im Osten des Frauenvorhofs
(Schürer II 64f, 342; Dalman, Orte u Wege
Jesu 315, 318 A 1; Str-B II 622ff; Jeremias
aaO II A (1924) 33; KGKuhn aaO; PrAg u
ZnAg z Ag 3, 2). Für einen Bettler war
diese belebte Stelle bes geeignet. — Doch
bleibt die Möglichkeit offen, bei dem
„schönen" Tor an ein Außentor des Tempels
zu denken.
[6] GDalman, PJB 5 (1909) 42; Ders, Orte u
Wege Jesu 314 A 3.
[7] Dem AT ist dieser Sprachgebrauch fremd,
doch wird der Höhleneingang 1 Kö 19, 13
פֶּתַח, 2 Makk 2, 5 θύρα genannt.

2. Im übertragenen Sinn begegnet θύρα im NT in folgenden Wendungen: *a. vor der Tür stehen*, dh im Begriff stehen einzutreten, ist Ausdruck für größte Nähe (Mk 13, 29; Mt 24, 33: ἐγγύς ἐστιν ἐπὶ θύραις, Jk 5, 9: ὁ κριτὴς πρὸ τῶν θυρῶν ἕστηκεν, Ag 5, 9). Die Verwendung des räum-
5 lichen Bildes als Zeitangabe ist hellenistisch[8]. — *b.* Mannigfach ist der übertragene Gebrauch der Wendung *die Tür öffnen* sowohl im Spätjudentum[9] wie im Hellenismus[10]. Die religiöse Färbung des Bildes, die auch im NT vorliegt, ist jedoch kennzeichnend für das Spätjudentum, das im religiösen Sinne sowohl vom Menschen wie von Gott sagt, daß er „die Tür öffnet": der Mensch öffnet
10 Gott die Tür, indem er Buße tut[11], Gott öffnet dem Menschen die Tür, indem er ihm Gelegenheiten (zB zur Fürbitte[12], zur Buße[13]) schenkt oder Gnade gewährt[14]. Entsprechend wird Apk 3, 20 vom Menschen im religiösen Sinn gesagt, daß er die Tür öffnet: der Jünger tut dem Heiland durch bußfertigen Gehorsam[15] die Tür auf. Von Gott gesagt, hat sich das Bild im missio-
15 narischen Sprachgebrauch[16] eingebürgert und zwar in doppelter Anwendung: Gott *öffnet* dem Missionar *eine Tür* (Kol 4, 3: *für das Wort*), durch die er eintreten kann, indem er ihm ein Feld der Wirksamkeit schenkt (1 K 16, 9; 2 K 2, 12; Kol 4, 3)[17], und er *öffnet* den zum Glauben Kommenden *eine Glaubenstür* (Ag 14, 27: ἤνοιξεν τοῖς ἔθνεσιν θύραν → πίστεως)[18], indem er ihnen
20 die Möglichkeit schenkt, gläubig zu werden[19]. Bedeutet die Öffnung der Tür, von Gott gesagt, Gewährung seiner Gnade[20], so bezeichnet umgekehrt — *c.* die

---

[8] Vgl Joannes Philoponus, In Aristotelis Meteorologicorum Librum Primum Commentarium 130, 25 (MHayduck 1901): χειμῶνος ἐπὶ θύραις ὄντος. Der nicht-semitische Ursprung der Wendung wird bestätigt durch den formelhaften Gebrauch des Plur θύραι für eine Tür. Dieser Sprachgebrauch ist klassisch (Bl-Debr[6] § 141, 4, Belege bei Liddell-Scott sv θύρα). Im NT findet er sich lediglich in der Wendung *„vor der Tür"* (Mk 13, 29; Mt 24, 33; Jk 5, 9), denn J 20, 19. 26; Ag 5, 19; 16, 26 f ist der Plur eigentlich gemeint → A 2. 3. Fraglich ist die Fassung des Plur nur Ag 5, 23, wo ἐπὶ τῶν θυρῶν sowohl Formel („vor der Tür") wie eigentlicher Plur („vor den Türen") sein kann (Bl-Debr aaO).
[9] Str-B I 458, II 728, III 484 f, 631.
[10] Epict (Schenkl Index sv θύρα) braucht ἡ θύρα ἤνοικται oft in dem Sinne „ich bin frei, überall hinzugehen" (Ltzm K z 1 K 16, 9). Luc Hermot 15 sagt πολλῶν σοι θυρῶν ἀναπεπταμένων von den verschiedenen Philosophenschulen, die dem Lernbegierigen offen stehen. Serenus Gnomologus (Stob Ecl III 284, 15 f) von den Sinnen: τὸ . . . σῶμα . . . πολλαῖς θυρίσι καὶ θύραις ἀνοίγοντες. „Geöffnete Türen" ist auch Bild für literarisches Schaffen (Weinreich 294).
[11] Midr HL 5, 2: „Gott sprach zu den Israeliten: Meine Kinder, öffnet mir eine Tür der Buße".
[12] SDt § 27 z 3, 24.
[13] 4 Esr 9, 12; Gn r 38 z 11, 6.
[14] bMeg 12 b uö.
[15] → A 11.

[16] Ähnliche Wendungen des missionarischen Sprachgebrauchs finden sich — nicht zufällig — vorwiegend bei Lk, dem Missionar. Er redet von der Öffnung der Augen (Lk 24, 31; Ag 26, 18), des Verstandes (Lk 24, 45), des Herzens (Ag 16, 14), der Schrift (Lk 24, 32; Ag 17, 3). Vgl noch Barn 16, 9: Gott „öffnet uns die Tempeltür, nämlich den Mund"; Ps Clem Hom 1 18; Ps Clem Recg 1, 15 (Hennecke 156): Christus öffnet die Tür des verräucherten Hauses (= der Welt), so daß das Sonnenlicht eindringen kann.
[17] Apk 3, 8 gehört kaum hierher; → 178, 12 ff.
[18] Zu θύρα πίστεως vgl Ps 118, 19: „die Tore des Heils" (LXX: πύλας δικαιοσύνης); 118, 20: „das Tor zu Jahwe" (LXX: ἡ πύλη τοῦ κυρίου); Ign Phld 9, 1 von Christus: θύρα τοῦ πατρός (vl ἡ θύρα τῆς γνώσεως, ianua scientiae et agnitionis); Hipp Ref V 8, 20: ἡ πύλη ἡ ἀληθινή; ferner Gn r 38 z 11, 6: „die Tür der Buße"; jSchab 9 c, 9 f: „die Tür des Gesetzes"; Corp Herm VII 2 a: ἐπὶ τὰς τῆς γνώσεως θύρας. — Dgg enthält die in dem Bericht des Hegesipp über die Tötung des Herrenbruders Jakobus begegnende Frage: τίς ἡ θύρα τοῦ Ἰησοῦ (Eus Hist Eccl II 23, 8. 12) keine Parallele, da der Text verderbt zu sein scheint. Vielleicht ist mit JWeiß-RKnopf, Das Urchristentum (1917) 554 A 1 statt θύρα zu lesen θωρα (= תּוֹרָה).
[19] Zur Bedeutung von πίστις in unserer Wendung vgl Pr-Bauer sv πίστις 2 d α.
[20] Über die eschatologische Wendung des Bildes der geöffneten Tür → 177, 33 ff.

Wendung *(die Tür) schließen*[21], mit der ein unwiderrufliches Zuspät ausgedrückt wird (Apk 3, 7 vgl Js 22, 22; im Gleichnis: Mt 25, 10; Lk 13, 25), das Gericht. Die Vollmacht Christi, zu öffnen und zu schließen (Apk 3, 7), besagt, daß er absolute Vollmacht besitzt, weil Gnade wie Gericht in seiner Hand liegen.

B. Die Türwunder des NT.   5

1. In der Ag begegnet dreimal (5, 19; 12, 6—11; 16, 26 f) das Motiv der Befreiung aus dem Gefängnis durch **wunderbare nächtliche Öffnung der Gefängnistüren.**

Das **Motiv der sich selbsttätig öffnenden Tür**[22] ist dem Orient (Babylonien, Ägypten, Indien, AT, Spätjudt)[23] von alters her bekannt; in der griech Lit 10 begegnet es seit Hom in den mannigfachsten Ausprägungen: in Epiphaniegeschichten, im Prodigienglauben, im Befreiungswunder, bei Zauber und Gebet, im Ordal[24]; in der christlichen Heiligenlegende erfreut sich das Motiv später außerordentlicher Beliebtheit[25]. Die spezielle Anwendung des Motivs auf die **wunderbare Befreiung aus dem Gefängnis** ist jedoch in ihrer Verbreitung ungleich begrenzter. Sie ist 15 im Orient mit Sicherheit nur in Indien nachgewiesen[26] und dürfte dort auch ihre Heimat haben[27]. In Griechenland hielt das Motiv der selbsttätigen Türöffnung im Befreiungswunder seinen Einzug mit dem **Dionysosmythus**[28], in dem es in verschiedenen Fassungen (Befreiung des Gottes selbst[29], der Bakchen[30], des Gottesgefährten Acoetes[31]) begegnet; die glänzende Schilderung des dionysischen Befreiungs- 20 wunders in den Bacchen des Eur 443 ff, 576 ff hat vor allem zu seiner literarischen Beliebtheit beigetragen. Außerhalb des dionysischen Kreises begegnet in der Antike die selbsttätige wunderbare Öffnung der Gefängnistüren **nur noch**[32] im βίος des θεῖος ἀνήρ. Während in der Erzählung von der wunderbaren Befreiung des Apollonius von Tyana[33] zufällig nur die Fessellösung, nicht aber die selbsttätige Öffnung der 25 Gefängnistüren erwähnt wird, begegnet die letztere im Mosesroman des Artapanus[34]. Vor allem aber bezeugen die apokryphen Apostelgeschichten und die frühchristliche hagiographische Lit[35] die Verbreitung des Motivs im βίος des θεῖος ἀνήρ; denn schon angesichts der immer neuen Züge und Variationen ist es ausgeschlossen, die Befreiungswunder dieser Lit ausschließlich auf die drei Türwunder der Ag zurückzuführen. 30 Dem palästinischen[36] Spätjudt ist der Topos fremd. Nur einmal hören wir hier von wunderbarer Öffnung der Gefängnistüren, die sich auftun, um die Bergung des Leichnams des R Akiba, der im Gefängnis gestorben ist, zu ermöglichen[37]. Hier handelt es sich jedoch, da Akiba tot ist, nicht um ein eigentliches Befreiungswunder; da außerdem die Stelle einem frühmittelalterlichen Midr angehört, ist anzunehmen, daß sie von 35 den christlichen Heiligenlegenden beeinflußt ist. Damit dürfte die Verbreitung des Motivs in der Umwelt des NT umgrenzt sein: es findet sich **ausschließlich** im **Dionysosmythus und in den βίοι** antiker Gottmenschen.

Schon die **dreifache Wiederkehr** des Motivs der wunderbaren Öffnung der Gefängnistüren in der Ag und seine gleichmäßige Verteilung auf die Ap 40

---

[21] Vgl das Sprichwort bBQ 80 b: „Eine verschlossene Tür wird nicht so schnell geöffnet" dh was einmal versagt wurde, ist schwer zu erlangen.

[22] Umfassende Sammlung des Materials bei Weinreich 200 ff. Dort auch 205 A 5 die ältere Lit.

[23] Weinreich 411—420, auch 271 ff.

[24] Ebd 207—410.

[25] Ebd 420—434.

[26] Ebd 403, 414.

[27] Anders Weinreich 310, der vermutet, daß religionsgeschichtliche Konvergenz, nicht Abhängigkeit der Antike von Indien vorliege.

[28] Ebd 280—295.

[29] Eur Ba 576 ff.

[30] Ebd 443 ff; Nonnus, Dionysiaca (ed A Ludwich 1911) 45, 274 ff.

[31] Pacuvius, Pentheus (nach Servius Danielis zu Aen 4, 469 [s Weinreich 291]) und Ovid Met III 695 ff vgl Weinreich 291.

[32] Die Befreiung durch Öffnungszauber (magische ἄνοιξις θύρας) — vgl über sie Weinreich 342 ff — ist zwar dem hier allein zu besprechenden Befreiungswunder nahe verwandt, gehört aber nicht hierher, weil es sich um Magie, nicht um Wunder handelt.

[33] Philostr Vit Ap 8, 30 vgl 7, 38. Dazu Weinreich 295—298.

[34] Eus Praep Ev IX 27, 12: νυκτὸς δὲ ἐπιγενομένης τάς τε θύρας πάσας αὐτομάτως ἀνοιχθῆναι τοῦ δεσμωτηρίου (in dem Moses vom Ägypterkönig eingekerkert worden war); par Cl Al Strom 1, 23, 151, 1 ff.

[35] Weinreich 422—429.

[36] Über das hell Judt → Z 26 und A 34.

[37] Midr Prv 9 z 9, 2 (Str-B II 635 f).

(Ag 5, 19), Petrus (12, 6—11) und Paulus (16, 26 f), mehr noch die Übereinstimmung mit den antiken Parallelen in zahlreichen Einzelzügen (Befreiung bei
Nacht, Rolle der Wächter, Abfallen der Fesseln, Aufspringen der Tür, Erstrah-
len hellen Lichtes, Erdbeben) [38], lassen vermuten, daß Lk zum mindesten in der
5 Formgebung an einen festen Topos anknüpft. Daß er in der Stilisierung der
Befreiungswunder von den Bacchen des Eur [39] bzw dem Dionysosmythus [40] beeinflußt worden sei, ist oft behauptet worden, aber nicht erwiesen [41]; näher
dürfte die Annahme liegen, daß die Verbreitung des Topos in den Βίοι antiker
Gottmenschen von Einfluß auf Lk gewesen sei [42], zumal die Befreiungswunder
10 hier wie dort zur Legitimation der göttlichen Sendung dienen [43].

Wie immer man jedoch den religionsgeschichtlichen Tatbestand beurteilen mag,
unberührt bleibt die entscheidende Feststellung, daß die drei Türwunder der Ag
die Gewißheit zum Ausdruck bringen: der Lauf des Evangeliums ist auch
durch Gefängnisse und Fesseln nicht zu hemmen, weil Gottes Arm stark
15 genug ist, die Riegel der Gefängnistüren zu sprengen.

2. Zweimal erscheint der Auferstandene seinen Jüngern
nach dem Joh-Ev τῶν θυρῶν κεκλεισμένων (J 20, 19. 26). Hier handelt es sich
nicht, wie in der Ag, um eine wunderbare Öffnung der Türen, sondern um ein
Durchschreiten verschlossener Türen [44]. Die verklärte Leiblichkeit des
20 Auferstandenen ist den Schranken, denen alle irdische Leiblichkeit unterliegt,
nicht mehr unterworfen [45].

C. Die Himmelstür.

Die Vorstellung, daß der als festes Gewölbe gedachte Himmel
ebenso wie die Unterwelt (→ κλείς, πύλη) eine oder mehrere Türen habe, gehört dem
25   altorientalischen Weltbild an [46]. Daß das AT die „Himmelstür" nur zweimal ausdrücklich erwähnt (Gn 28, 17: „Hier ist ein Wohnsitz Gottes und eine Himmelspforte";
Ps 78, 23), wird Zufall sein. Auch der klassischen Lit ist die Vorstellung bekannt [47];
sie spielt dann eine große Rolle in der Gnosis, Mystik und Zauberliteratur des
hellenistischen Synkretismus, der häufig von den Toren des Himmels, des

---

[38] Weinreich 329 f, 422 ff; Rudberg 30.
[39] WNestle, Philol 59 (1900) 46 ff; PFiebig,
Angelos 2 (1926) 157 f; Weinreich 280 f, 332 ff,
bes 340. Nestle und Weinreich berufen sich
bes darauf, daß die Ag an zwei Stellen den
Einfluß euripideischen Sprachgebrauchs auf-
weise: 5, 39 (θεομάχος) und 26, 14 (πρὸς
κέντρα λακτίζειν, → κέντρον).
[40] Rudberg 35.
[41] So auch Jackson-Lake I 4 (1933) 135,
196 f.
[42] Orig Cels II 34 sagt, daß Celsus, wenn
er die Befreiungswunder der Ag gekannt
hätte, gesagt haben würde: καὶ γόητές τινες
ἐπῳδαῖς δεσμοὺς λύουσι καὶ θύρας ἀνοίγουσιν.
[43] Das hell Judt, das den Topos kannte
(Artapanus → 175, 26), könnte dabei als
Übermittler gewirkt haben.
[44] FSpitta, Die Auferstehung Jesu (1918) 71
leugnet das Wunder und nimmt an, dem
Auferstandenen sei auf sein Klopfen hin geöffnet worden. Aber warum dann die zwei-
fache Erwähnung, daß die Türen verschlossen

waren? — Das Motiv des Durchschreitens
verschlossener Türen begegnet später nicht
selten in der hagiographischen Lit (Weinreich 429, vgl 428 A 38).
[45] Vgl Lk 24, 31. 36.
[46] AJeremias, Handbuch der altorientalischen Geisteskultur [2] (1929) 133; Ders, Das
AT im Lichte des alten Orients [4] (1930) 65,
90, 360 ff; Weinreich 207, 411—413. — Auch
die Indo-Arier kennen die Vorstellung von
den Himmelstoren; vgl JHertel, Die Himmelstore im Veda und im Awesta (1924) = Indo-
Iranische Quellen und Forschungen, Heft II
[Hinweis von Debrunner].
[47] Sie begegnet zuerst Hom Il 5, 749 = 8,
393; vgl Weinreich 207 ff. Über das Bild bei
Pind und Parm vgl HFränkel, Parmenides-
studien, NGG 1930, 153 ff, über die epikureische Schule Reitzenstein Hell Myst 133 f
und KKerényi, Religionsgeschichtliches zur
Erklärung römischer Dichter, ARW 28 (1930)
392—395.

Lebens, des Lichtes, des Glanzes, der Erkenntnis redet, die die Seele der Auserwählten schon bei Lebzeiten bzw nach dem Tode auf der Himmelsreise zu durchschreiten hat [48].

Das Spätjudentum redet von Toren der unteren Himmel, durch die Sonne, Mond und Sterne ihren Weg nehmen [49], von den Toren des Feuers, Erdbebens, Windes und Hagels [50], des Taus und Regens [51] und der Wolken [52]. Von ihnen sind zu unterscheiden 5 die Himmelstore, die zu dem als Tempel [53] oder Palast [54] gedachten Thronsitz Gottes führen. Da man unter dem Einfluß des Synkretismus der Umwelt eine Mehrzahl von übereinander liegenden Himmeln annahm, ist von den Himmelstoren fast immer im Plur die Rede [55]. An diese zum Thron Gottes führenden Himmelstore denkt man, wie gr Bar 11 [56] veranschaulicht, wenn von den Toren des Gebetes [57], des Erbarmens [58], 10 der Tränen [59] und der Bedrängnis [60] die Rede ist zB bBM 59 a: „Alle Tore sind geschlossen außer den Toren der Bedrängnis", dh den Bedrängten steht Gottes Ohr immer offen [61]. Diese Himmelstore tun sich auf, wenn Gott sich helfend offenbart (3 Makk 6, 18) oder seine Stimme hören läßt (s Bar 22, 1). Klein ist die Zahl der Auserwählten, denen bei Lebzeiten Blick (Gn 28, 17; Ez 1, 1 ff) oder Zutritt (Test L 15 2—5; äth Hen 14, 15; gr Bar 2 ff uö) durch die geöffneten Himmelstore verstattet wurde. Dagegen wird — nicht zufällig (→ 178, 1—4)! — das Bild der himmlischen Pforte wohl nur äth Hen 104, 2 zur Schilderung der ewigen Seligkeit gebraucht [62].

Das NT redet von der Himmelstür nur an einer Stelle ausdrücklich, Apk 4, 1. Doch liegt das Bild auch an denjenigen Stellen vor, die vom Öffnen und Schlie- 20 ßen der Himmel — dh der Himmelstür! — reden. An die unteren Himmel ist gedacht, wenn es in Bezug auf den Regen heißt, daß der Himmel (dh die Himmelstür) „verschlossen" wurde (Lk 4, 25) bzw werden wird (Apk 11, 6) [63]. Alle anderen Stellen handeln von der Öffnung der zum Thronsitz Gottes führenden [64] Himmelstür und zwar in zweifachem Sinn: 1. Gott tut sie auf, um sich schen- 25 kend, belehrend, richtend und erlösend zu offenbaren (Mk 1, 10 Par; J 1, 51; Ag 10, 11; Apk 19, 11); der geöffnete Himmel kündigt die endzeitliche Erlösung an. 2. Das verborgene Innere des als Palast [65] gedachten himmlischen Gottessitzes wird der Schau (Ag 7, 55 f) bzw dem ἐν πνεύματι erfolgenden Zutritt (Apk 4, 1 f vgl 2 K 12, 2 ff) des Begnadeten 30 freigegeben und ihm dadurch der Anblick Gottes und die Enthüllung der Geheimnisse der jenseitigen Welt gewährt.

D. Die eschatologische Wendung des Bildes der Tür.

Eschatologisch gewendet bezeichnet die geöffnete und die geschlossene Tür das Gewähren bzw Versagen des Anteils am ewigen Heil 35

---

[48] BauJ Exk z 10, 21 E; Köhler 224 ff; Odeberg 319 ff; Weinreich 228, 345 ff, 364 ff.
[49] Äth Hen 72—75; slav Hen 13 f; Damask 10, 16 vgl Ps 19, 5—7. Nach äth Hen 72, 2 ff sind es je 6 im Osten und Westen; nach gr Bar 6 sind es 365 Tore des Himmels, die die Engel am frühen Morgen öffnen.
[50] 4 Esr 3, 19. Tore der Winde auch äth Hen 34—36. 76: es sind je 3 in den vier Himmelsrichtungen.
[51] Äth Hen 36. Vgl die Himmelsfenster, durch die das Wasser des Himmelsozeans herabströmt Gn 7, 11; 8, 2, und die Öffnung der Regen spendenden himmlischen Schatzkammern Dt 28, 12; äth Hen 60, 21.
[52] Ps 78, 23; LXX Sir 43, 14.
[53] Test L 5, 1.
[54] Äth Hen 14, 10 ff.
[55] Test L 5, 1; 3 Makk 6, 18; gr Bar 2 ff; Asc Js 10, 24 ff.
[56] Der himmlische Schlüsselbewahrer Mi-

chael öffnet zu bestimmter Stunde die Tore des 5. Himmels, um die Gebete der Menschen entgegenzunehmen vgl Apk 8, 3.
[57] bBer 32 b.
[58] bMeg 12 b.
[59] bBer 32 b.
[60] bBM 59 a. — Vgl äth Hen 9, 2. 10: vom Geschrei der unschuldig Leidenden (9, 2) und der Seelen der Verstorbenen (9, 10, wobei nach 9, 1 insbesondere an Ermordete zu denken ist) hallt die Erde wider bis zu den Pforten des Himmels.
[61] Vgl noch jBer 2 d 60: Beten bedeutet Anklopfen an die Türe des (himmlischen) Königs.
[62] Die Stelle ist bei Str-B I 460, 463 nachzutragen.
[63] → A 51.
[64] → 177, 5 ff.
[65] Apk 4, 2: θρόνος (→ 165, 28 ff).

(→ 174, 20 ff). Es handelt sich an den im Folgenden zu besprechenden Stellen nicht um die Himmelstür, wie oft irrtümlich angenommen wird; denn die Heilsvollendung umfaßt zwar Himmel und Erde, bei ihrer Schilderung im NT wird jedoch vornehmlich an die verklärte Erde gedacht. Hier sind zunächst die Sprüche
5 vom Eingehen in das Reich Gottes zu nennen[66]. In den Ev scheint ihnen — gleichviel ob die Tür ausdrücklich erwähnt wird (Mt 25, 10; Lk 13, 24 f) oder nicht — fast durchgängig[67] das Bild von der Tür zum Festsaal zugrunde-zuliegen, in dem das Mahl der Heilszeit stattfindet (vgl zum Bild Mt 7, 7 f; 22, 12; 25, 10. 21. 23; Lk 13, 24 f; 14, 23). Ebenfalls vom Zugang zur end-
10 zeitlichen Herrlichkeit[68] (schwerlich von der Verheißung missionarischer Erfolge → 174, 16—18[69]) ist nach dem Zusammenhang (besonders v 7) auch die geöffnete Tür in Apk 3, 8 zu verstehen: ἰδοὺ δέδωκα ἐνώπιόν σου θύραν ἠνεῳγμένην, ἣν οὐδεὶς δύναται κλεῖσαι αὐτήν. Konkret gedacht ist an den Zugang zum endzeitlichen Palast Gottes[70], wie vor allem aus der Zitierung von Js 22, 22 in Apk 3, 7
15 (→ κλείς) hervorgeht; der erhöhte Christus allein hat die Macht, ihn zu gewähren, und seine Zusage ist unumstößlich (3, 8).

Apk 3, 20 (ἰδοὺ ἕστηκα ἐπὶ τὴν θύραν καὶ κρούω) ist es nicht der Gläubige, der vor der Tür Gottes steht, sondern Christus, der bei seinem Jünger an-klopft; das hat immer wieder dazu geführt, das Bild mystisch zu verstehen vom
20 Anklopfen des Heilands an die Herzenstür[71]. Aber gegen dieses Verständnis spricht der eschatologische Charakter sowohl des Bildes vom Heilsmahl als auch der in den Sendschreiben 2, 1 ff gegebenen Verheißungen → II 34, 19 ff: so ist auch 3, 20 eschatologisch zu verstehen[72] vom wiederkehrenden Heiland (vgl Lk 12, 37 uö), der als Gast Einlaß begehrt in das Haus seines Jüngers,
25 um ihm die Tischgemeinschaft beim Freudenmahl zu schenken.

E. 'Εγώ εἰμι ἡ θύρα (J 10, 7. 9).

Diese Ich-Prädikation des joh Christus (→ ἐγώ II 347 f) begegnet zweimal in der Hirtenrede J 10. Der Zusammenhang scheint dazu zu zwingen, das Bild in v 7 und v 9 in verschiedenem Sinn zu fassen. Deutet
30 man nämlich v 7 f von v 1 f aus, so muß man übersetzen: *ich bin die Tür zu den Schafen*[73]; anders in v 9 a, wo angesichts des Fortgangs in v 9 b der Sinn zu sein scheint: *ich bin die Tür für die Schafe*[74]. Ist diese doppelte Fassung des Bildes schon in sich wenig wahrscheinlich, so hat sie noch die weitere Schwie-rigkeit gegen sich, daß zu v 7 f ein dem ganzen übrigen Zusammenhang völlig

---

[66] → II 674, 41 ff u HWindisch, Die Sprüche vom Eingehen in das Reich Gottes, ZNW 27 (1928) 163—192, bes 183. Die Stellen sind → II 674, 41 ff genannt, daher hier nicht wiederholt.

[67] Anders Mt 7, 13 f → πύλη.

[68] So Bss Apk; Loh Apk; Holtzmann NT; JBehm, NT Deutsch zSt.

[69] So Had Apk und EB Allo, Saint Jean. L'Apocalypse [8] (1933) zSt.

[70] Nicht zum künftigen Jerusalem (so Mt 7, 13 f; Apk 22, 14), denn dann wäre πύλη zu erwarten.

[71] Zuletzt EB Allo (→ A 69) zSt.

[72] Bss Apk; OHoltzmann NT; Had Apk; JBehm, NT Deutsch zSt.

[73] Analoge Gen-Verbindungen: ψ 117, 20: ἡ πύλη τοῦ κυρίου, Mk 15, 46 uö: ἡ θύρα τοῦ μνημείου, Ign Phld 9, 1: αὐτὸς ὢν θύρα τοῦ πατρός.

[74] Anders Zn J und MJLagrange, L'Évangile selon Saint Jean [2] (1925) zSt, die auch in 9 a den Sinn finden: ich bin die Tür zu den Schafen. Aber diese Harmonisierung von v 7 u 9 muß mit der gezwungenen Anwendung von 9 b auf die Hirten bezahlt werden.

fremder Gedanke ergänzt werden muß: *ich bin die Tür zu den Schafen* — nämlich: für die Hirten, dh die geistlichen Leiter der Gemeinde. Beide Schwierigkeiten haben berechtigten Anlaß zu Zweifeln an der ursprünglichen Einheitlichkeit des Textes gegeben[75]. In der Tat scheinen v 7—10 eine von anderer Hand als 1—5 stammende allegorisone Ausdeutung von 1 f zu sein, die den in 1—5 völlig unbetonten Begriff der Tür in den Mittelpunkt rückt. Ein den Zusammenhang nicht genügend beachtender Erklärer des Gleichnisses vom Hirten 1—5 sah nicht im Hirten, sondern — trotz der Erwähnung des Türhüters (3) — in der in v 1—2 erwähnten Tür das Bild Christi[76]. Ist das richtig, dann ist der doppeldeutige v 7 ausschließlich von v 9 aus zu erklären und in beiden Versen der von dem Erklärer beabsichtigte Sinn: *ich bin die Tür für die Schafe*[77].

Mit Vorstehendem ist bereits eine Antwort gegeben auf die Frage nach dem U r sprung der Ich-Prädikation. Vier Antworten bieten sich dar: *1.* Das Bild verdankt seine Entstehung einer Verlesung des aram Urtextes. Ursprüngliches רַעְיוֹן דִּי עָנָא (Hirt der Schafe) wurde תַּרְעָהוֹן דִּי עָנָא (Tür der Schafe) gelesen[78]. Während sich bei dieser Annahme v 8 u 10 glatt in den Zusammenhang fügen, bleibt v 9 schwierig: man muß die weitere Annahme zu Hilfe nehmen, daß die Fehllesung und Fehlübersetzung von v 7 den Einschub dieses Verses veranlaßte[79]. — *2.* Eine zweite Erklärung geht von der — nicht mit Sicherheit zu beweisenden[80] — Annahme aus, daß der Vergleich des Erlösers mit der Tür bereits der v o r c h r i s t l i c h e n G n o s i s bekannt gewesen und aus ihr übernommen sei[81]; man wird dann bei der Tür an die Himmelstür[82], bei der Hürde an die „göttlich-geistliche Welt"[83] zu denken haben. — *3.* Da jedoch das Hirtenbild in J 10 (→ ποιμήν) höchstwahrscheinlich dem AT entstammt und da ferner „Ein- und Ausgehen" und „Weide finden" (v 9) geläufige at.liche Ausdrücke sind (die erstgenannte Wendung ist ebenso wie der Satzbau in 7 a mit der Voranstellung des Verbs Semitismus[84]), liegt es näher, auch die Tür-Prädikation aus der gleichen Gedankenwelt zu erklären. Dann ist mit SchlJ 235 anzunehmen, daß sie aus der m e s s i a n i s c h e n D e u t u n g von Ps 118, 20 זֶה־הַשַּׁעַר לַיהוָה (זֶה = der Messias) erwachsen ist. Für diese Herleitung kann geltend gemacht werden, daß Jesus in 30

[75] JWellhausen, Das Ev Joh (1908) 48 f; ESchwartz, NGG 1908, 163 ff; WHeitmüller, Schr NT [8] zSt; EHirsch, Das vierte Ev (1936) 83 halten den Text der sahidischen Übers zu v 7 [ποιμήν für θύρα] für den ursprünglichen, v 9 für Zusatz; aber sah J 10, 7 ist offensichtliche Korrektur. Ferner Spitta 209 ff (→ ob im Text); BauJ zSt.

[76] Spitta 215.

[77] So wird das Bild: Jesus die Tür, auch gefaßt Herm s 9, 12, 3: Jesus ist die πύλη, das Tor, zum Reich Gottes f ü r alle, die gerettet werden sollen, und Ign Phld 9, 1: Jesus ist die θύρα zum Vater f ü r die Erzväter, Propheten, Apostel und die Kirche.

[78] ChCTorrey, The four Gospels (1933) 323 f.

[79] So Torrey ebd.

[80] Sämtliche Belege sind nachchristlich und unterliegen trotz mancher Abweichung von J 10, 7. 9 (BauJ Exk z 10, 21 E) dem Verdacht, direkt oder indirekt von der joh Ich-Prädikation abzuhängen. Ign Phld 9, 1 von Christus: αὐτὸς ὢν θύρα τοῦ πατρός (vl → A 18); Herm s 9, 12, 1: ἡ πύλη ὁ υἱὸς τοῦ θεοῦ ἐστι vgl 12, 6; in den chr Zusätzen zur heidnischen Naassenerpredigt Hipp Ref V 8, 20 sagt Jesus: ἐγώ εἰμι ἡ πύλη (zu πύλη statt θύρα vgl das benachbarte Zitat LXX Gn 28,

17) ἡ ἀληθινή vgl 9, 21; Ps Clem Hom 3, 52 sagt Jesus: ἐγὼ εἰμι ἡ πύλη τῆς ζωῆς (zu πύλη τῆς ζωῆς vgl Mt 7, 13 f) vgl 3, 18; Act Joh 95 sagt Jesus: θύρα εἰμί σοι κρούοντί με vgl 98. 109; syr Lobgesang des Ap Thomas (EHennecke, Handbuch zu den nt lichen Apkr [1904] 593 f): „Sohn, Frucht, der du die Tür des Lichts . . . bist"; manichäischer Traktat ed EChavannes u PPelliot, Journal Asiatique, 10. Série, Tome 18 (1911) 586 vom Gesandten des Lichts: „er ist auch die Pforte des Lichtes"; Lidz Ginza R XII 4, 277 (p 275, 21) wird der Gesandte תורא באסימא die „köstliche Tür" genannt. — Nicht hierher gehört 1 Cl 48, 4: πολλῶν οὖν πυλῶν ἀνεῳγυιῶν ἡ ἐν δικαιοσύνῃ αὕτη ἐστὶν ἡ ἐν Χριστῷ, wo keine Gleichsetzung Christi mit der Pforte vorliegt. Das gleiche gilt, wie Odeberg 320 f nachgewiesen hat, für O Sal 17, 10.

[81] BauJ Exk z 10, 21; RBultmann, ZNW 24 (1925) 134 f.

[82] Odeberg 321 ff.

[83] Ebd 313.

[84] Die Schwerfälligkeit der Wendung εἰσελεύσεται καὶ ἐξελεύσεται erklärt sich daraus, daß das Semitische keine Verba composita kennt.

analoger Weise die anschließenden Worte des Psalms vom Stein, den die Bauleute verwarfen (118, 22), messianisch deutet (Mk 12, 10 f par) und daß er auch Ps 118, 26 auf sich bezieht (Mt 23, 39) [85]. — *4.* Noch näher dürfte die oben (→ 179, 4 ff) für den Ursprung der Tür-Prädikation gegebene Erklärung sein: daß sie aus J 10, 1—2 e r w a c h s e n ist. Sah der Deuter dieser Verse das Bild Christi in der Tür, so ist die Formulierung der Ich-Prädikation nicht auffallend in einem Ev, das in 14, 6 das verwandte Wort bietet: ἐγώ εἰμι ἡ ὁδός [86].

Inhaltlich besagt das Bild *Ich bin die Tür* (für die Schafe), daß Jesus die Zugehörigkeit zur messianischen Heilsgemeinde und den Empfang der ihr verheißenen Heilsgüter — Rettung vor dem Gericht (σωθήσεται), Heimatrecht in Gottes Heilsgemeinde (εἰσελεύσεται καὶ ἐξελεύσεται) und ewiges Leben (νομήν; vgl zum Bild ἄρτος τῆς ζωῆς → I 476, 12 ff) J 10, 9 — vermittelt. Der jede andere Vermittlung des Heils ausschließende A b s o l u t h e i t s a n s p r u c h J e s u a l s d e s H e i l s m i t t l e r s wird durch das betont vorangestellte δι' ἐμοῦ (10, 9) unterstrichen [87].

Im jetzigen Zusammenhang ist dieser Gedanke nur in v 9 ausgesprochen, während v 7 f den anderen hinzufügt, daß Jesus allein d a s r e c h t e H i r t e n-a m t v e r m i t t e l t [88]. Wer seine Legitimation nicht besitzt, ist ein Zerstörer der Herde.

Zur weiteren Geschichte des Bildes → A 80.

JoachJeremias

ϑυρεός → ὅπλον, πανοπλία

ϑύω, ϑυσία, ϑυσιαστήριον

Inhalt: A. S p r a c h l i c h e s: I. θύω; II. θυσία; III. θυσιαστήριον = Altar des Gottes der Bibel. — B. D e r O p f e r g e d a n k e im NT: 1. At.liche Voraussetzungen; 2. Der nt.-liche Befund; 3. Der religionsgeschichtliche Hintergrund: Spätjudentum und Hellenismus; 4. Der nt.liche Opfergedanke und die Alte Kirche.

A. Sprachliches.

I. *ϑύω.*

1. Grundbedeutung *opfern*, in der ältesten Lit nur vom Rauchopfer [1] Hom Il 9, 219: θεοῖσι δὲ θῦσαι ἀνώγει Πάτροκλον (vgl Aristarch im Schol zSt [KLehrs,

---

[85] Zur messianischen Deutung von Ps 118 vgl ferner Mk 11, 9—10 par (= Ps 118, 25 f).
[86] Vgl Spitta 215.
[87] Breit ausgeführt wird dieser Gedanke, daß Christus das einzige Tor (πύλη) zum Reich Gottes ist, im Turmgleichnis Herm s 9.
[88] Vgl J 21, 15—17; Eph 4, 11; 1 Pt 5, 2—4 → ποιμήν.

ϑύω, ϑυσία, ϑυσιαστήριον. Zu A: Thes Steph IV 466 ff; Pass I 1444 f; Cr-Kö 504 ff; Liddell-Scott 812 f; Pr-Bauer 570 ff; Moult-Mill 295; Preisigke Wört III 373. — Zu B: ASeeberg, Der Tod Christi in seiner Bedeutung für die Erlösung (1895); OSchmitz, Die Opferanschauung des späteren Judentums und die Opferaussagen des NTs (1910); Ders, Artk „Opfer" II B: „Im NT", RGG² IV 717 ff; PFiebig, Das kultische Opfer im NT, ZwTh 53 (1911) 253 ff; WBötticher, Der at.liche Sühn-

opfergedanke im NT, ZwTh 55 (1914) 230 ff; ALoisy, Essai Historique sur le Sacrifice (1920); WFLofthouse, Altar, Cross and Community (1920); HWenschkewitz, Die Spiritualisierung der Kultusbegriffe Tempel, Priester und Opfer im NT, in: Angelos 4 (1932) 71 ff; Wvon Loewenich, Zum Verständnis des Opfergedankens im Hb, ThBl 12 (1933) 167 ff; JWFHöfling, Die Lehre der ältesten Kirche vom Opfer im Leben und Kultus des Christen (1851); FKattenbusch, RE³ XII 669 ff; FWieland, Mensa und Confessio I (1906); Ders, Der vorirenäische Opferbegriff (1909); JBrinktrine, Der Meßopferbegriff in den ersten 2 Jahrhunderten, Freiburger Theologische Studien 21 (1918); OCasel, Die Λογικὴ θυσία der antiken Mystik in christlich-liturgischer Umdeutung, Jbch für Liturgiewissenschaft 4 (1924) 37 ff.
[1] Entsprechend der Grundbedeutung der

1865, p 82]: θῦσαι bedeute nicht σφάξαι, sondern θυμιᾶσαι, Phryn Soph Prop [p 74 de Borries]:
θῦσαι ἀντὶ τοῦ θυμιᾶσαι), Od 14, 446: ἄργματα (Erstlinge) θῦσε θεοῖς, dann von Opfern jeglicher
Art Plat Euthyphr 14c: τὸ θύειν δωρεῖσθαί ἐστι τοῖς θεοῖς, Xenoph Cyrop VIII 7, 3: λαβὼν
ἱερεῖα ἔθυε Διί, Luc Dialogi Deorum 4, 2: ᾧ τὸν κριὸν ὁ πατὴρ ἔθυσεν, BGU I 287, 7: ἀεὶ θύων
τοῖς θεοῖς διετέλεσα, Philo Vit Mos II 147: ἵνα θύσῃ περὶ ἀφέσεως ἁμαρτημάτων, Decal 72: 5
ἤδη γάρ τινας οἶδα τῶν πεποιηκότων τοῖς πρὸς ἑαυτῶν γεγονόσιν εὐχομένους τε καὶ θύοντας,
Jos Ant 12, 362: τοὺς ἀναβαίνοντας εἰς τὸ ἱερὸν καὶ θῦσαι βουλομένους vgl 1, 54; 10, 212.
In LXX = זָבַח Jahwe zu Ehren Gn 31, 54; 3 Βασ 8, 63; fremden Göttern zu Ehren
Ex 34, 15; Dt 32, 17; 3 Βασ 11, 7 (8); im NT nur von heidnischen Opfern 1 K 10, 20;
Ag 14, 13 (D ἐπιθύειν). 18 vgl 2 Cl 3, 1; Mart Pol 12, 2; Just Dial 19, 6; 136, 3.   10

2. Da Stücke des geschlachteten Opfertieres verbrannt werden,
schlachten zu kultischem oder profanem Zweck, was sich von Hause aus für antike Begriffe
nahe berührt, Hdt I 216: θύουσι... πρόβατα..., ἐψήσαν . ες δὲ τὰ κρέα κατευωχέονται (schmau-
sen), Aristoph Lys 1061 ff: δελφάκιον (Ferkel)... τέθυχ', ὥστε κρέ' ἔδεσθ' ἁπαλὰ καὶ καλά,
Thuc I 126: πανδημεὶ θύουσιν πολλὰ... θύματα ἐπιχώρια, Jos Ant 4, 74: τοῖς κατ' οἶκον 15
θύουσιν εὐωχίας ἔνεκα vgl 1, 197: μόσχον θύσας. In LXX für זָבַח 1 Βασ 28, 24; Ez
39, 17, für שָׁחַט Ri 12, 6; Js 22, 13 (häufiger entspricht σφάζω שָׁחַט). Im NT Lk 15,
23. 27. 30; Ag 10, 13; 11, 7; Mt 22, 4; Mk 14, 12 (vgl Lk 22, 7): θύειν τὸ πάσχα *das
Passahlamm schlachten* [2] (vgl Ex 12, 21; Dt 16, 2. 5 f; 1 Εσδρ 7, 12; Philo Migr Abr 25,
Leg All III 94. 165; Jos Ant 9, 271; Just Dial 40, 1). Entsprechend 1 K 5, 7: καὶ 20
γὰρ τὸ πάσχα ἡμῶν ἐτύθη, Χριστός, *denn auch unser Passahlamm ist geschlachtet, Christus.*

3. *abschlachten, morden:* Eur Iph Taur 621: αὐτὴ ξίφει θύουσα θῆλυς
ἄρσενας, 1 Makk 7, 19; J 10, 10.

II. θυσία.

1. *das Opfern, die Opferhandlung* Hdt IV 60: θυσίη ἡ αὐτὴ πᾶσι 25
κατέστηκε *die Opferhandlung wird bei allen auf dieselbe Weise verrichtet* vgl I 132; II 39;
VIII 99; Xenoph Cyrop III 3, 34: τέλος εἶχεν ἡ θυσία, BGU I 287, 1: τοῖς ἐπὶ τῶν
θυσιῶν ᾑρημένοις vgl POxy XII 1464, 1 uö. In den Tempelrechnungen POxy VIII
1143, 6; 1144, 15 erscheinen Aufwendungen εἰς τὰς θυσίας oder εἰς θυσίαν, vgl die Aufführung der zum Opfern nötigen Gegenstände POxy IX 1211, 1 ff als τὰ πρὸς τὴν 30
θυσίαν τοῦ ἱερωτάτου Νείλου [3].

2. *das Opfer.* a. **eigentlich:** Aesch Sept c Theb 701: ὅταν ἐκ χερῶν
θεοὶ θυσίαν δέχωνται, Ag 151: σπευδομένα θυσίαν ἑτέραν, Thuc VIII 70: εὐχαῖς καὶ
θυσίαις, Philo Spec Leg I 162 ff passim; ebd 269: τοὺς μέλλοντας φοιτᾶν εἰς τὸ ἱερὸν
ἐπὶ μετουσίᾳ θυσίας, Jos Bell 2, 30: τῷ πλήθει τῶν περὶ τὸν ναὸν φονευθέντων, οὓς... 35
παρὰ ταῖς ἰδίαις θυσίαις ὠμῶς ἀπεσφάχθαι. In LXX namentlich für זֶבַח Hos 6, 6; 1 Βασ
6, 15 uo und מִנְחָה Gn 4, 3. 5; Lv 2, 1. 7 ff usw [4]; im Einzelnen entspricht θυσία σω-
τηρίου Dt 27, 7; 2 Ch 33, 16 vgl Philo Spec Leg I 247 oder θυσία εἰρηνική Prv 7, 14;
1 Βασ 10, 8 dem שְׁלָמִים-Opfer, θυσία τῆς αἰνέσεως Lv 7, 12; 2 Ch 33, 16 (vgl Hb
13, 15) dem זֶבַח הַתּוֹדָה, während für עוֹלָה, חַטָּאת und אָשָׁם nur ausnahmsweise θυσία 40
steht (vgl Hb 10, 26: περὶ ἁμαρτιῶν θυσία). θυσία im NT von Opfern des at.lich-jüd
Kultus Mt 9, 13 = 12, 7 (Hos 6, 6); Mk 9, 49 vl (Lv 2, 13); 12, 33; Lk 2, 24; 13, 1; 1 K
10, 18; Hb 5, 1; 8, 3; 10, 1. 5. 8. 11, von Opfern fremder Kulte Ag 7, 41. tt für *Opfer
darbringen* ua: θυσίαν (-ας) ἀνάγειν Hdt II 60: ὁρτάζουσι μεγάλας ἀνάγοντες θυσίας, Hdt
VI 111; 3 Βασ 3, 15; Philo Spec Leg I 166: τοῖς ἀνάγουσι τὰς θυσίας uo; Ag 7, 41; — 45
προσάγειν Nu 6, 12; Mal 2, 12; Philo Spec Leg I 291: κελεύων πᾶσαν θυσίαν . . . προσ-
άγεσθαι, — φέρειν Gn 4, 3 f; Philo Sacr AC 88; 1 Cl 4, 1; Just Dial 19, 6; — ἀναφέρειν
Js 57, 6; 2 Makk 1, 18; Jos Ant 11, 76: ὅπως τὰς νομίμους ἀναφέρωσι θυσίας . . . τῷ θεῷ,
7, 86: θυσίας τελείας καὶ εἰρηνικὰς ἀνήνεγκε, Hb 7, 27; 1 Pt 2, 5; — προσφέρειν Ex 32, 6;

---

indogermanischen Wurzel „wirbeln, bes von
Staub, Rauch, Dampf", vgl Walde-Pok I 835
[Debrunner].
  [2] Zum Ritus vgl Ex 12, 6 ff; Dt 16, 6 f; Pes 5.
Dazu JBenzinger, Hebräische Archäologie [3]
(1927) 382 f; Str-B IV 47 ff; GDalman, Jesus-
Jeschua (1922) 102 ff.
  [3] Hierher würde Phil 2, 17 nach Dib Phil
u Loh Phil zSt gehören. Doch → 182, 23.

  [4] προσφορά, in LXX nur ψ 39, 7 für מִנְחָה,
ist Sir 14, 11; 34, 18 (31, 21); Eph 5, 2; Hb 10,
5. 8 uö Wechselbegriff zu θυσία u δῶρον. Ein
Versuch der Unterscheidung zwischen θυσία u
δῶρον in dem Philo-Fragment bei PWendland, Neu entdeckte Fragmente Philos (1891)
38 ob.

Jos Ant 12, 251: τὰς καθημερινὰς θυσίας, ἃς προσέφερον τῷ θεῷ κατὰ τὸν νόμον, ἐκώλυσεν αὐτοὺς προσφέρειν, 20, 49: χαριστηρίους θυσίας προσενεγκεῖν, Ag 7, 42 (Am 5, 25); Hb 5, 1; 8, 3; 10, 11; 11, 4 uö; — ἐπιτελεῖν Hdt II 63: θυσίας μούνας ἐπιτελέουσι, Philo Spec Leg I 221: τῶν τὴν θυσίαν ἐπιτελούντων, ebd III 56: τὴν θυσίαν μέλλειν ἐπιτελεῖσθαι, Dg 3, 5: οἱ . . . θυσίας αὐτῷ ἐπιτελεῖν οἰόμενοι, Pseud-Luc Syr Dea 44: θυσίη δὶς ἑκάστης ἡμέρης ἐπιτελέεται, — παριστάναι [5], Polyb 16, 25, 7: ἐπὶ πᾶσι θύματα τοῖς βωμοῖς παραστήσαντες, Ditt Syll³ 736, 70: παριστάτω τὰ θύματα εὐίερα καθαρὰ ὁλόκλαρα, Ditt Or 332, 17: παρασταθείσης θυσίας, 764, 23: παραστήσας θυσίαν αὐτοῖς, Jos Ant 7, 382: θυσίας τῷ θεῷ παρέστησαν μόσχους χιλίους, R 12, 1; — ποιεῖσθαι Hdt I 132: ἄνευ . . . μάγου οὔ σφι νόμος ἐστὶ θυσίας ποιέεσθαι, Plat Symp 174 c: θυσίαν ποιουμένου καὶ ἑστιῶντος, BGU IV 1198, 12: ποιεῖσθαι ἁγνείας καὶ θυσίας, Philo Sacr AC 88: τὴν θυσίαν ποιήσασθαι κατὰ τὸ ἱερώτατον διάταγμα, — seltener ἐπιφέρειν Jos Ant 8, 231: ἐπιφέρειν τὰς θυσίας καὶ τὰς ὁλοκαυτώσεις oder (ἀπο-)διδόναι Jos Ant 7, 196: θυσίαν ἀποδοῦναι τῷ θεῷ, Lk 2, 24. 1 K 10, 18: οἱ ἐσθίοντες (→ II 690, 18 ff) τὰς θυσίας *die, welche die Opfer essen*, die Teilnehmer an den at.lichen Opfermahlen, Priester und Leviten (Nu 18, 8 ff; Dt 18, 1 ff; vgl 1 K 9, 13), aber auch Laien (1 S 1, 4; 9, 19 ff; 16, 3. 5).

b. übertragen: α) **vom Tode Christi**, in dem er sich selbst Gott dargebracht hat, Eph 5, 2: παρέδωκεν ἑαυτὸν ὑπὲρ ἡμῶν προσφορὰν καὶ θυσίαν τῷ θεῷ, Hb 10, 12: μίαν ὑπὲρ ἁμαρτιῶν προσενέγκας θυσίαν, vgl 7, 27: ἐφάπαξ ἑαυτὸν ἀνενέγκας, 9, 23. 26; Barn 7, 3. — β) **vom Leben der Christen** als Selbsthingabe an Gott R 12, 1: παραστῆσαι τὰ σώματα ὑμῶν θυσίαν ζῶσαν (→ ζάω) ἁγίαν (→ I 109, 8 ff) τῷ θεῷ εὐάρεστον (→ I 456, 37 ff), Phil 2, 17: ἐπὶ τῇ θυσίᾳ καὶ → λειτουργίᾳ τῆς πίστεως ὑμῶν χαίρω [6], Phil 4, 18: τὰ παρ' ὑμῶν (die Gabe der Gemeinde) . . . θυσίαν δεκτήν (→ II 58, 31 ff), εὐάρεστον τῷ θεῷ, 1 Pt 2, 5: ἀνενέγκαι → πνευματικὰς θυσίας εὐπροσδέκτους (→ II 58, 30 ff) θεῷ διὰ Ἰησοῦ Χριστοῦ, Hb 13, 15 f: die Gottes αἰνέσεως der Christen sei *die Frucht der Lippen* (Hos 14, 3), *die Gottes Namen preisen*; ihre Gott wohlgefälligen Opfer seien *Wohltun und Mitteilen*. Vgl die Wiederaufnahme von ψ 50, 19: θυσία τῷ θεῷ πνεῦμα συντετριμμένον in 1 Cl 18, 17; 52, 4; Barn 2, 10.

III. ϑυσιαστήριον [7] = Altar des Gottes der Bibel [8].

1. Eigentlich: *a.* **von Altären im Tempel von Jerusalem** [9] α) dem *Brandopferaltar* Lv 4, 7 uö; Mt 5, 23 f; 23, 18 ff. 35; Lk 11, 51; 1 K 9, 13; 10, 18 (→ κοινωνός); Hb 7, 13; Apk 11, 1; 1 Cl 32, 2; 41, 2; — β) dem *Räucheraltar* Ex 30, 1; 40, 5; Lv 4, 7; Lk 1, 11 (dagegen zB Jos Ant 9, 223: ἐπὶ τοῦ χρυσοῦ βωμοῦ). — *b.* **von anderen Altären des at.lichen Kultus** Jk 2, 21 (Gn 22, 9 f); R 11, 3 (3 Βασ 19, 10. 14); — *c.* **von dem Altar** (Altären? [10]), den der Seher im **himmlischen Heiligtum** schaut, Apk 6, 9; 8, 3. 5; 9, 13; 14, 18; 16, 7 vgl Herm m 10, 3, 2 f; s 8, 2, 5.

2. Übertragen: Hb 13, 10: ἔχομεν θυσιαστήριον ἐξ οὗ φαγεῖν (→ II 690, 30 ff) οὐκ ἔχουσιν ἐξουσίαν οἱ τῇ σκηνῇ λατρεύοντες, wo die spezielle Beziehung von θυσιαστήριον nicht zu ermitteln ist (gegen Deutung auf das Kreuz von Golgatha [11] oder den Abendmahlstisch [12] spricht der Zusammenhang) und nur der allgemeine

---

[5] Vgl Deißmann NB 82; Ltzm R z 12, 1.
[6] Zur Konstr u Exegese der schwierigen Stelle vgl Chrys Hom in Phil VIII 3 (MPG 62, 243 unt); ThZahn, Altes und Neues zum Verständnis des Phil, ZWL 6 (1885) 290 ff; Haupt Gefbr zSt; Ew Gefbr zSt.
[7] Abzuleiten von θυσιάζω. Adj θυσιαστήριος sc ὕμνος einmal bei Timaeus (FHG I 232: fr 153). Zur Form vgl Winer-Schmiedel § 16, 2 b; Moulton-Howard, Grammar of the NT Greek II (1929) 342 f. Das Subst τὸ θυσιαστήριον begegnet zuerst in der LXX und findet sich vor dem Codex Justinianus I 12, 3, 1 ff (p 97 f Krueger) nur in jüd u chr Lit. Zur Geschichte des Wortes vgl BFWestcott, The Epistle to the Hebrews (1889) 453 ff.
[8] Für Altäre fremder Götter in LXX u NT stets βωμός (charakteristische Gegenüberstellung von θυσιαστήριον u βωμός 1 Makk 1, 59 vgl 54). Bei Philo und Josephus fällt

die solange einigermaßen folgerichtig aufrecht erhaltene terminologische Unterscheidung und wird auch für den Altar des at.lich jüd Kultus in der Regel βωμός, seltener θυσιαστήριον gebraucht, zB Philo Spec Leg I 285 ff; Jos Ant 8, 88. 230. Philo Vit Mos II 106 vgl Spec Leg I 290 etymologisches Spiel: θυσιαστήριον = τηρητικὸν θυσιῶν (παρὰ τὸ διατηρεῖν τὰς θυσίας).
[9] Vgl Benzinger aaO 329 ff; KGalling, Biblisches Reallexikon (Handbuch z AT I 1 [1934]) 20 ff.
[10] S die Komm.
[11] So ua Bengel zSt, FBleek im Komm III (1840) zSt, ASeeberg im Komm (1912) zSt; Wieland, Der vorirenäische Opferbegriff 16 f, 20 f.
[12] So ua Theophylakt zSt (MPG 125, 393) u kath Ausleger, zuletzt JRohr im Komm (1932) zSt, vgl AMédebielle, Sacrificium Ex-

Gedanke klar wird, daß es in der nt.lichen Opferordnung keine Opfermahlzeiten gibt[13]. θυσιαστήριον als schillerndes Bild Ign Eph 5, 2; Tr 7, 2; Mg 7, 2; Phld 4; R 2, 2; Pol 4, 3 → 189 A 41.

B. Der Opfergedanke im Neuen Testament.

1. Alttestamentliche Voraussetzungen[14].   5

Die at.liche Opferidee wurzelt in der Wirklichkeit der Bundesordnung, in die Gottes geschichtliche Offenbarung das Volk Israel hineingestellt hat. Was für Vorstellungen aus der Religionsgeschichte[15] auch immer hinter dem Opfergedanken des AT liegen — seine charakteristische und für die nt.liche Erkenntnis bedeutsame Prägung verdankt er der Art, wie der Wille 10 des in der Geschichte offenbaren Gottes das religiöse Verhältnis zwischen sich und dem Volke geordnet hat. Im Opferinstitut des alten Bundes will Gott persönlich und wirksam mit seinem Volke verkehren. Das Opfer weist seiner Bestimmung nach allemal, sei es als Gabe des Menschen an Gott, sei es als Ausdruck der geistigen Gemeinschaft zwischen Gott und ihm, sei es 15 als Mittel der Sühne, hin auf die Gegenwart Gottes, der in Gnade und Gericht nahe ist. Wenn Propheten gegen das Opferwesen kämpfen (Am 5, 21 ff; Hos 6, 6; Js 1, 10 ff; Jer 7, 21 f; 1 S 15, 22 ua) und Psalmen die Opfer verwerfen (Ps 40, 7; 50, 8 ff; 51, 18; 69, 31 f), so geschieht es nicht aus grundsätzlicher Gegnerschaft gegen den Kultus, sondern, weil in praxi der ursprüng- 20 liche Sinn des Opferkultus preisgegeben, dingliche menschliche Leistung an die Stelle geistig-persönlicher Begegnung mit dem Gott des Heils gesetzt worden ist. Die hier und da aufblitzende Erkenntnis, Anbetung und Dank aus demütigem Herzen, Tun des Willens Gottes, Liebe und Treue seien die wahren Opfer (Ps 40, 7 ff; 50, 14; 51, 19; 119, 108; Prv 16, 6; 21, 3), führt nicht zu 25 weitergreifender Verbildlichung des Opfergedankens. In der Gesetzesreligion des nachexilischen Judentums erstarrt das kultische Opfer vollends zum opus operatum, das in peinlichem Gehorsam gegen das Gebot des fernen Gottes vollzogen wird, und rückt damit in eine Reihe mit anderen, ebenso verdienstlichen Formen der Gesetzeserfüllung, die dann auch das Ende des Opfers infolge des 30 Untergangs des Tempels überdauern.

In der Kritik am Opfer geht LXX[16] jedenfalls gelegentlich über Mas hinaus. Das zeigt die Verwendung at.licher opferkritischer Stellen im NT. Ag 7, 41 f erscheint θυσία überhaupt als heidnischer Begriff. Vgl auch ψ 105, 28: ἔφαγον θυσίας νεκρῶν. Hi 20, 5 f hat LXX (Mas anders) . . . χαρμονὴ δὲ παρανόμων ἀπώλεια, ἐὰν ἀναβῇ εἰς 35 οὐρανὸν αὐτοῦ τὰ δῶρα (anders bei Kain!), ἡ δὲ θυσία αὐτοῦ νεφῶν ἄψηται. Gelegentlich ist allerdings Mas mehr kritisch eingestellt als LXX: Qoh 4, 17 heißt es Mas:

---

piationis et Communionis (Hb 13, 10), in: Verbum Domini 5 (1925) 168 ff, 203 ff, 238 ff, aber auch FSpitta, Zur Geschichte u Lit des Urchristentums I (1893) 326 ff; KGGoetz, Die Abendmahlsfrage[2] (1907) 195 f; Th Haering, Der Brief an die Hebräer (1925) 103.
[13] Vgl Rgg Hb u Wnd Hb zSt.
[14] Näheres s in den Darstellungen der at.-lichen Theologie und Religionsgeschichte (zuletzt EKönig, Theologie des ATs[4] [1923]; WEichrodt, Theologie des ATs I [1933]; ESellin, At.liche Theologie auf religions-

geschichtlicher Grundlage I/II [1933]) u der Spezialliteratur bei OEißfeldt, Artk „Opfer" II A: „Im AT", RGG[2] IV 711 ff, dazu Benzinger aaO 358 ff; Jüd Lex IV 578 ff; ABertholet, Zum Verständnis des at.lichen Opfergedankens, JBL 49 (1930) 218 ff.
[15] Vgl Loisy aaO; FPfister, Artk „Kultus", Pauly-W XI (1922) 2180 ff uö; ABertholet, Artk „Opfer" I: „Religionsgeschichtlich", RGG[2] IV 704 ff; GvdLeeuw, Phänomenologie der Religion (1933) 327 ff uö.
[16] → 183, 32—184, 6 von Bertram.

„Nahen, um zu hören, geht über das Opferspenden der Toren". LXX hat an der Stelle: ὑπὲρ δόμα τῶν ἀφρόνων θυσία σου. Ausdrücke wie θυσία δικαιοσύνης: ψ 4, 6, ἀλαλαγμοῦ: 26, 6, αἰνέσεως: 49, 14 (= Mas Ps 50, 14); 106, 22; 115, 8 werden wohl bildhaft gemeint und vor allem vom LXX-Leser verstanden worden sein. Allerdings kommt sowohl θυσία δικαιοσύνης (50, 21) als auch θυσία αἰνέσεως (Lv 7) in LXX von wirklichen Opfern vor.

2. Der neutestamentliche Befund[17].

In den kanonischen Evangelien steht kein ausdrückliches Urteil Jesu über das jüdische Opferwesen (vgl dagegen das Wort aus dem Ev Eb nach Epiph Haer 30, 16, 5: ἦλθον καταλῦσαι τὰς θυσίας, καὶ ἐὰν μὴ παύσησθε τοῦ θύειν, οὐ παύσεται ἀφ' ὑμῶν ἡ ὀργή). Altar und Opfer sind nach Mt 5, 23 f; 23, 18 ff Gegebenheiten der überlieferten Gottesverehrung, die er gelten läßt[18]. Wenn Jesus den Pharisäern das Prophetenwort *Barmherzigkeit will ich und nicht Opfer* (Hos 6, 6) vorhält Mt 9, 13; 12, 7, so bricht er damit ebensowenig wie die Propheten den Stab über den Opferdienst überhaupt. Mittelbar ergibt sich freilich aus den Worten über den Tempel Mt 12, 6; 26, 61 vgl 27, 40; J 2, 19; 4, 21 ff (→ ἱερός, → ναός), daß Jesus auch die Opfer als etwas Minderwertiges und dem Untergang Geweihtes angesehen hat, aber nicht wegen ihres kultisch-rituellen Charakters, sondern wegen ihrer Zugehörigkeit zur alten Bundesordnung, die er als Bevollmächtigter Gottes außer Kraft setzt. Weil er die neue διαθήκη aufrichtet (→ II 136, 11 ff), fällt der Opferkultus der alten dahin. In der neuen διαθήκη aber gibt es kein Opfer. Die Verwirklichung der καινὴ διαθήκη durch seinen Tod hat Jesus nicht unter den Gesichtspunkt des Opfers gerückt (→ I 173, 34 ff).

Paulus kennt Opfer im eigentlichen Sinne aus dem at.lich-jüdischen und aus dem heidnischen Kultus 1 K 9, 13; 10, 18 ff. Er weiß von einer communio mit der Gottheit, die dort bei den Opfermahlen erstrebt wird. Aber wenn er 1 K 10, 16 ff mit dieser communio die → κοινωνία τοῦ αἵματος und τοῦ σώματος τοῦ Χριστοῦ im Herrenmahl vergleicht, so tut er es nicht, weil er Opfergedanken mit dem Herrenmahl verbindet. In den Ausführungen über das Abendmahl 1 K 10. 11 findet sich nicht der leiseste Anhalt für die Vermutung, „daß die Eucharistiefeier nach Paulus eine heilige Opfermahlzeit ist"[19]. Aber im übertragenen Sinne, als paränetisch wirksames Anschauungsbild für die Hingabe Christi in den Tod und für die Selbsthingabe der Christen an Gott als Aufgabe ihres Lebens, lebt die Vorstellung des Opfers in der religiösen Gedankenwelt des Paulus wieder auf. Es liegt auf der Linie der paulinischen Geschichtstheologie, die gerne mit dem Schema „alte und neue Gottesordnung" operiert (→ II 132 f), wenn 1 K 5, 7 dem Passahlamm der at.lichen Gemeinde Christus als das geschlachtete Passahlamm der nt.lichen Gemeinde gegenübergestellt wird: Erlösung dort durch den Opfertod des Lammes, Erlösung hier durch ein gegenbildliches Geschehen im Tode Christi. Eph 5, 2 begreift die Liebestat der Selbsthingabe Christi für die Christen, nach Wesen und Erfolg, unter dem Gesichtspunkt einer

---

[17] Vgl bes Schmitz aaO 196 ff; Wenschkewitz aaO 152 ff.

[18] Mt 23, 19: τὸ θυσιαστήριον τὸ ἁγιάζον τὸ δῶρον steht im Einklang mit der rabb Lehre

Zeb 9, 1: *der Altar heiligt das, was für ihn bestimmt ist* (Str-B I 932).

[19] Brinktrine aaO 38. Vgl übrigens auch WHeitmüller, Taufe und Abendmahl bei Pls (1903) 40 ff.

Opfergabe, die Gott wohlgefällt. Mehr als ein Hilfsmittel zur Deutung der grundlegenden Heilstatsache des Todes Christi ist hiernach der bildlich genommene Opfergedanke in der Christologie des Paulus nicht[20]. Ebenso schöpft seine Bildersprache zur Veranschaulichung der Wesensart christlichen Lebens aus dem Bereich des Opferkultus. Weil sie Gottes Barmherzigkeit erfahren haben, haben 5 die Christen Dankopfer zu bringen, nämlich sich selbst leibhaftig in der ganzen Lebendigkeit eines Seins, das durch Gott bestimmt ist, an Gott hinzugeben, für Gott so zu leben, wie er es haben will — das ist ihre → λογικὴ → λατρεία R 12, 1. Alles, was der Glaube erwirkt (vgl Gl 5, 6), so zB auch Dienst an der Ausbreitung des Evangeliums Phil 2, 17b vgl 16a (auch das Berufswerk 10 des Apostels selbst R 15, 16; Phil 2, 17a; 2 Tm 4, 6) oder materielle Hilfe Phil 4, 18, wird zur θυσία und → λειτουργία. Das Leben ein Opfer — der vollendete Gegensatz zur Darbringung fremden Lebens im kultischen Opfer!

Auf derselben Linie wie diese paulinischen Gedanken liegt, was der 1. Petrusbrief von den Christen als heiliger Priesterschaft (→ ἱεράτευμα) aussagt, 15 die dazu bestimmt ist, ἀνενέγκαι → πνευματικὰς θυσίας εὐπροσδέκτους θεῷ διὰ Ἰησοῦ Χριστοῦ 2, 5. Die Gaben, die die Christen darbringen, und für deren Annahme durch Gott Christus bürgt, sind nicht mehr eigentliche, kultische, sondern geistliche Opfer, dh solche, die die Art des Geistes Gottes an sich tragen, der in den Christen wirksam ist: Hingabe des empfangenen Lebens aus 20 Gott an Gott (vgl 1, 15).

Der Hebräerbrief[21] lenkt zurück zum kultischen Opfergedanken des AT, vor allem — auf Grund der ihm eigentümlichen Betrachtung Christi als des Hohenpriesters (→ ἀρχιερεύς) — zu dem Gedanken der Sühne, der sich in ausgeprägtester Form mit dem Sühnopfer des Hohenpriesters am Versöhnungstag 25 verband 9, 7. Das blutige Opfer, durch das der at.liche Hohepriester die Sünde des Volkes sühnte, wird zum Typus des hohepriesterlichen Selbstopfers Christi Kp 8—10. Durch den Vergleich der beiden Opfer (der durch Seitenblicke auf andere Opferarten udgl noch verstärkt wird, s zB 9, 9f. 13. 18ff) erhält scheinbar der kultische Opfergedanke in seiner strengsten Fassung (vgl 9, 22) zentrale 30 Bedeutung für die theologische Würdigung des Werkes Christi. In Wirklichkeit stellt der Vergleich nicht nur die graduelle Überlegenheit des nt.lichen Hohepriesterdienstes über den at.lichen, sondern auch die absolute Verschiedenheit des Wesens beider heraus. Das Opfer Christi ist keine statutarische, dingliche Leistung, von sündigen Menschen ständig wiederholt, wie die Darbringung 35 der Tiere im at.lichen Opferdienst, sondern eine freie, persönliche Tat der Selbsthingabe, die der sündlose, ewige Sohn ein für alle Mal (ἐφάπαξ → I 381, 1ff) vollbringt 10, 11ff; 7, 23f. 27f; 9, 6f. 11ff. 25f. Eben darum hat es die Kraft, nicht nur äußere Reinheit zu erwirken, sondern Reinigung des Gewissens 9, 13f vgl 9, nicht unzulängliche Sündensühne 10, 1ff, sondern ewige Erlösung 9, 12; 10, 14. 40 Der Hb bleibt, wenn er das Sühnopfer Christi seinem at.lichen Vorbild gegenüberstellt, nicht bei dessen Zerrbild in der ausgebildeten Gesetzesreligion stehen,

---

[20] Vgl neben den Komm z 1 K 5, 7 u Eph 5, 2 auch A Seeberg aaO 203 ff.
[21] Vgl für Hb Schmitz aaO 259 ff; Rgg

Hb [2.3] 459 ff; Wnd Hb, Exkurse zu 10, 18 u 9, 14, auch zu 9, 22; Wenschkewitz aaO 195 ff; von Loewenich aaO 167 ff.

sondern geht zurück auf das Urbild und den Ursinn des Opfers im AT als Mittel persönlichen Umgangs zwischen Gott und Mensch (→ 183, 12 ff). Dieser Ursinn des Opfers erfüllt sich endgiltig in der persönlichen Tat Christi, der freiwilligen einmaligen Drangabe seines Lebens, und wird in ihr aufgehoben.
5 Daß durch das einzigartige Selbstopfer Christi das kultische Opfer nicht nur überboten, sondern zugleich überwunden ist 10, 18 vgl 9, 8, hat seinen Grund in der Einzigartigkeit der Person des Hohenpriesters, Christus. Nt.liche Heilserfahrung befreit den Verfasser des Hb von dem seine Vorstellungswelt beherrschenden kultischen Opfergedanken, läßt ihn aber in ihm, trotz des immer wieder
10 betonten Abstandes zwischen Bild und Sache, ein Hilfsmittel zur gleichnishaften Veranschaulichung des Heilswerkes Christi finden. Daher begreift sich denn auch die Vergeistigung des Opfergedankens, die er (unter ausdrücklicher Berufung auf Ps 40 und 50, → 183, 25) vollzieht, wenn er den Sinn des Opfers Christi im Tun des Willens Gottes sieht 10, 5 ff, und wenn er von Christen den
15 Opferdienst unablässigen Lobpreises Gottes und tätiger Bruderliebe fordert 13, 15 f. Auf dem Boden der neuen διαθήκη, mit deren Aufrichtung durch Christus die alte διαθήκη erledigt ist 8, 6 ff uö (→ II 135, 1 ff), gibt es kein Opfer im eigentlichen Sinne mehr. Sich selbst, seinen Willen, sein Tun ganz Gott darbringen — das ist derselbe neue Sinn, den der Opfergedanke im Hb wie
20 bei Paulus und im 1 Pt empfangen hat.

3. Der religionsgeschichtliche Hintergrund: Spätjudentum und Hellenismus.

a. Dem Spätjudentum[22] fehlt bei streng geübter Opferpraxis eine klare, einheitliche Opferidee. Den Standpunkt strenger kultischer Gesetzlichkeit
25 vertreten zB Jub 50, 11: „damit sie beständig Tag für Tag das Sühnopfer für Israel darbringen, zum Gedächtnis, das vor Gott angenehm ist, und (damit) er sie annimmt für ewig Tag für Tag, wie dir geboten ist", Sib III 574—579, wo die Endzeit als die Zeit herrlicher Vollendung des jetzt gestörten (III 570) jüdischen Opferdienstes gepriesen wird:

30   βουλαῖς ἠδὲ νόῳ προσκείμενοι Ὑψίστοιο,
        οἳ ναὸν μεγάλοιο θεοῦ περικυδανέουσιν
        λοιβῇ τε κνίσσῃ τ' ἠδ' αὖθ' ἱεραῖς ἑκατόμβαις
        ταύρων Ζατρεφέων θυσίαις κριῶν τε τελείων
        πρωτοτόκων δίων τε καὶ ἀρνῶν πίονα μῆλα
35   βωμῷ ἐπὶ μεγάλῳ ἁγίως ὁλοκαρπεύοντες,

oder 1 Makk mit seiner Schilderung des hartnäckigen Widerstandes der Juden gegen jede Verletzung des Opferrituals (zB 1, 45), das zu den προστάγματα τοῦ νόμου gehört 2, 68, und 2 Makk mit seiner Verherrlichung von Tempel und Opferdienst 1, 19 ff;
3, 1 ff, bes 32 ff uö. Aber es werden auch Stimmen radikaler Kritik laut, die jeden
40 Tempelkultus, namentlich den blutigen Tieropfer, verwerfen; so Sib IV 27—30:

        οἳ νηοὺς μὲν ἅπαντας ἀπαρνήσονται ἰδόντες
        καὶ βωμούς, εἰκαῖα λίθων ἀφιδρύματα κωφῶν,
        αἵμασιν ἐμψύχων μεμιασμένα καὶ θυσίῃσιν
        τετραπόδων[23],

45   slav Hen 45, 3 f (Nachklang von Ps 51, 18 f. 21 ?), Jos Ant 18, 19 (E lat): (die Essener) θυσίας οὐκ ἐπιτελοῦσιν διαφορότητι ἁγνειῶν, ἃς νομίζοιεν[24]. Das vorherrschende Urteil

---

[22] Vgl Schmitz aaO 55 ff; Wenschkewitz aaO 77 ff.
[23] Oder wird nur gegen heidnischen Kultus Front gemacht wie Sib Fr 1, 22 (p 229 Geffcken [1902] in: GCS), vgl Sib VIII 390 f?
[24] S auch Philo Omn Prob Sib 75: οὐ ζῷα καταθύοντες, ἀλλ' ἱεροπρεπεῖς τὰς ἑαυτῶν διανοίας κατασκευάζειν ἀξιοῦντες. Zu dem Problem der Stellung der Essener vgl W Bauer, Pauly-W Supplementband IV (1924) 396, 398 f. Opferfeindlich war nach Epiph Haer 18, 1, 4 die jüd Sekte der Nasaräer, von der wir sonst nichts wissen.

über die Opfer ist dies, daß sie durch das Gesetz gebotene Leistungen an Gott sind,
deren Erfüllung in freudigem Gehorsam er belohnt, wenn der Darbringende auch sonst
im Gehorsam gegen das Gesetz lebt, zB Sir 34, 18 — 35, 13. Daß man die Gebote hält,
sich vom Bösen fernhält, Wohltätigkeit übt usw, hat als Erweis der Gesetzestreue
gleichen Wert mit dem Opfer, ja gilt selbst als Opfer: ὁ συντηρῶν νόμον πλεονάζει 5
προσφοράς Sir 35, 1 vgl 2 ff; Tob 4, 10 f: ἐλεημοσύνη ἐκ θανάτου ῥύεται . . . δῶρον γὰρ
ἀγαθόν („ein gutes Opfer“) ἐστιν ἐλεημοσύνη πᾶσι τοῖς ποιοῦσιν αὐτὴν ἐνώπιον τοῦ ὑψίστου, vgl 12, 9. Diese Umdeutung des Opferbegriffes, durch die jede religiöse
oder moralische Handlung. die dem Gesetz entspricht (Gebet: Ps 141, 2; Tob 12, 12;
2 Makk 12, 43f; Da 3, 40 LXX; Jub 2, 22[25]; Gottesfurcht: Jdt 16, 16; Märtyrer- 10
leiden: 4 Makk 6, 29; 17, 22), zum Opfer im höheren Sinne werden kann,
nimmt dem kultischen Opfer seine Sonderstellung und läßt es endlich aus der jüdischen Religion ohne Erschütterung ihrer Grundlagen verschwinden (Diaspora, Rabbinismus). Im rabbinischen Judentum[26] trägt die bis ins Kleinste ausgetiftelte
Opfertheorie für einen verloren gegangenen Kultus wesentlich das Gepräge antiquari- 15
scher Schriftgelehrsamkeit (Traktate des Seder Qodaschim). Aber der religiöse Sinn
des Opfers in der Gesetzesreligion ist nicht vergessen: die Opfer im Tempel gescha-
hen, weil Gott sie befohlen hatte, als Erfüllung der Gebote der Tora, als Übung des
Gehorsams. Ein Beleg dafür[27] ist im tannaitischen Midrasch die ständige Umdeutung
der at.lichen Formel „ein Feueropfer zum lieblichen Geruch für den Herrn“ in „zum 20
Wohlgefallen Gottes, weil er (die Darbringung dieses Opfers in der Tora) befohlen
hat und (durch den Vollzug der Darbringung) sein Wille geschehen ist“[28]. Ab 1, 2[29]
nennt in einer sehr alten Tradition (Simon der Gerechte) den Opferkultus unter den
drei Dingen, auf denen „die Welt steht“, erst an zweiter Stelle nach der Tora. Ersatz
für das Opfer bieten der Frömmigkeit der Synagoge und Opfer heißen darum auch 25
vor allem: Buße (vgl über Joma 8, 8 f hinaus Lv r 7 zu 6, 9: „Woher läßt sich beweisen, daß derjenige, welcher Buße tut, so angesehen wird, als wenn er . . . die in
der Tora vorgeschriebenen Opfer dargebracht hätte? Aus jenem Verse: Die Opfer
Gottes sind ein zerbrochener Geist Ps 51, 19“), Torastudium (bMen 110 a: „reine
Opfergabe, das ist das Torastudium in Reinheit . . .; wer sich mit der Tora beschäf- 30
tigt, ist wie einer, der ein Brandopfer, ein Speisopfer, ein Sündopfer und ein Schuldopfer darbringt“[30], Liebeswerke (AbRNat 2 d [Jochanan ben Zakkai]: „Wir haben
eine Sühne, die jener [sc der Sühne im Heiligtum] gleichkommt . . . die Vollbringung
von Liebeswerken“ [Hos 6. 6][31]; bSukka 49 b: „Größer ist, wer Wohltätigkeit übt,
als alle Opfer“[32]) und Gebet (SDt 41 zu 11, 13: „Wie der Altardienst eine עֲבוֹדָה 35
genannt wird, so wird auch das Gebet eine עֲבוֹדָה genannt“[33], vgl bBer 26 a b: das
Gebet tritt an die Stelle des Opfers; Pesikt 79 a: „In der Zukunft werden alle Opfer
aufhören, aber das Opfer des Dankes wird in Ewigkeit nicht aufhören; und ebenso
werden alle Bekenntnisse aufhören, aber das Bekenntnis des Dankes wird in Ewigkeit
nicht aufhören“[34]).   40

     b. Für die Stellung des Hellenismus[35] zum Opfer ist bezeich-
nend, daß er vom klassischen Griechentum[36] nicht die alten kultischen Opfergedanken,
auch nicht so sehr die religiöse und ethische Vertiefung der Opferidee durch einzelne
ganz Große als vielmehr die opferfeindliche Stimmung der Spätzeit, in der das ursprüngliche religiöse Bewußtsein erschüttert war, überkommen hat. Daß Opfer mehr 45
sind als Geschenke der Menschen an die Götter, um sie günstig zu stimmen, daß die
Gottheit selbst ihr Opfer beruft (Aesch Ag 1296 ff); daß nur der gute Mensch würdig

---

[25] Vgl die (christliche?) Beschreibung des
Gottesdienstes der Engel im Himmel Test L
(α) 3, 6: προσφέροντες τῷ κυρίῳ ὀσμὴν εὐωδίας
λογικὴν καὶ ἀναίμακτον θυσίαν, ebd 8: ἀεὶ
ὕμνον τῷ θεῷ προσφέροντες.
[26] Vgl noch Moore I 504 ff, II 14 f.
[27] Hinweis von Kuhn.
[28] S zB SNu 107 zu 15, 7 (SNu, bearbeitet
und erklärt von KGKuhn, in: Rabb Texte
hsgg GKittel II 2 [1933 ff] 293; ebd 143 z 28, 8
letzter Absatz) uö, dazu ChAlbeck, Untersuchungen über die halakischen Midraschim
(1927) 12 und allg ASchlatter, Jochanan Ben
Zakkai, BFTh III 4 (1899) 41 ff.
[29] Hinweis von Rengstorf.
[30] Str-B III 152, 607.
[31] Str-B IV 555 vgl I 500; Schl Mt 308.
[32] Str-B IV 541.

[33] Str-B III 26.
[34] Str-B I 246.
[35] Vgl PStengel, Die griech Kultusaltertümer [3] (1920) 95 ff; FPfister, Artk „Kultus“,
Pauly-W XI (1922) 2164 ff; Ders, Die Religion
der Griechen und Römer, in: Jahresbericht
über die Fortschritte der klassischen Altertumswissenschaft, Supplementband, Bd 229
(1930) 180 ff uö; ABonhoeffer, Epiktet u das
NT (1911) 361 uö; Reitzenstein Hell Myst
328 f; Wenschkewitz aaO 113 ff; Ltzm R zu
12, 1; JGeffcken, Zwei griech Apologeten
(1907) XXII A 5; Casel aaO 37 ff.
[36] Zur altgriech Opferanschauung vgl außer
Stengel aaO und Pfister aaO FSchwenn,
Gebet und Opfer (1927); WFOtto, Dionysos
(1934) 11 ff.

ist, den Göttern zu opfern (vgl Plat Leg IV 716d: . . . τῷ μὲν ἀγαθῷ θύειν καὶ προσ-
ομιλεῖν ἀεὶ τοῖς θεοῖς εὐχαῖς καὶ ἀναθήμασιν καὶ συμπάσῃ θεραπείᾳ θεῶν κάλλιστον καὶ ἄριστον καὶ ἀνυσιμώτατον [förderlich] πρὸς τὸν εὐδαίμονα βίον καὶ δὴ καὶ διαφερόντως πρέπον, τῷ δὲ κακῷ τούτων τἀναντία πέφυκεν, Theophr nach Porphyr Abst II 32: . . . οὐκ
5   ἀξιόχρεως δ' εἰς τὸ θύειν θεοῖς πάντας ἡμᾶς ἡγουμένους. καθάπερ γὰρ οὐ πᾶν θυτέον αὐτοῖς, οὕτως οὐδ' ὑπὸ παντὸς ἴσως κεχάρισται τοῖς θεοῖς); daß nicht die Größe des Opfers,
sondern das fromme Leben des Opfernden den Göttern wohlgefällig ist (vgl Xenoph
Mem I 3, 3 über Sokrates: θυσίας δὲ θύων μικρὰς ἀπὸ μικρῶν οὐδὲν ἡγεῖτο μειοῦσθαι
τῶν ἀπὸ πολλῶν καὶ μεγάλων πολλὰ καὶ μεγάλα θυόντων. οὔτε γὰρ τοῖς θεοῖς ἔφη καλῶς
10   ἔχειν, εἰ ταῖς μεγάλαις θυσίαις μᾶλλον ἢ ταῖς μικραῖς ἔχαιρον· πολλάκις γὰρ ἂν αὐτοῖς τὰ
παρὰ τῶν πονηρῶν μᾶλλον ἢ τὰ παρὰ τῶν χρηστῶν εἶναι κεχαρισμένα· οὔτ' ἂν τοῖς ἀνθρώποις ἄξιον εἶναι ζῆν, εἰ τὰ παρὰ τῶν πονηρῶν μᾶλλον ἦν κεχαρισμένα τοῖς θεοῖς ἢ τὰ παρὰ
τῶν χρηστῶν· ἀλλ' ἐνόμιζε τοὺς θεοὺς ταῖς παρὰ τῶν εὐσεβεστάτων τιμαῖς μάλιστα χαίρειν,
dazu Xenoph An V 7, 32: πῶς . . . θεοῖς θύσωμεν ἡδέως ποιοῦντες ἔργα ἀσεβῆ . . .; Isoc
15   2, 20: τὰ πρὸς τοὺς θεοὺς ποίει μὲν ὡς οἱ πρόγονοι κατέδειξαν, ἡγοῦ δὲ θῦμα τοῦτο κάλλιστον εἶναι καὶ θεραπείαν μεγίστην, ἂν ὡς βέλτιστον καὶ δικαιότατον σαυτὸν παρέχῃς· μᾶλλον γὰρ ἐλπὶς τοὺς τοιούτους ἢ τοὺς ἱερεῖα πολλὰ καταβάλλοντας πράξειν τι παρὰ τῶν
θεῶν ἀγαθόν, Eur Fr 329 ua), sind altgriechische Gedanken, die, wenn sie wieder anklingen, kein inneres Verhältnis zum eigentlichen Opfer verraten. Die philosophische
20   Kritik am Opfer (vgl zB Pseud-Plat Alc II 149e: καὶ γὰρ ἂν δεινὸν εἴη, εἰ πρὸς τὰ
δῶρα καὶ τὰς θυσίας ἀποβλέπουσιν ἡμῶν οἱ θεοί, ἀλλὰ μὴ πρὸς τὴν ψυχήν, ἄν τις ὅσιος
καὶ δίκαιος ὢν τυγχάνῃ, Anaximenes Ars Rhetorica 2, ed LSpengel u CHammer in:
Rhetores Graeci I [1894] 20: οὐκ εἰκὸς τοὺς θεοὺς χαίρειν ταῖς δαπάναις τῶν θυομένων,
ἀλλὰ ταῖς εὐσεβείαις τῶν θυόντων) lebt im Hellenismus bei unbedenklicher Pflege des
25   offiziellen Opferwesens fort. Vgl aus der jüngeren Stoa Sen Fr 123 (Lact Inst VI
25, 3): non immolationibus nec sanguine multo colendum (sc deum) . . . sed mente
pura, bono honestoque proposito, Ben I 6, 3: auf die recta ac pia voluntas venerantium
kommt es beim Opfer an; Epict Diss I 19, 25: τίς οὖν πώποτε ὑπὲρ τοῦ ὀρεχθῆναι
καλῶς ἔθυσεν; ὑπὲρ τοῦ ὁρμῆσαι κατὰ φύσιν; vgl Ench 31, 5. Scharf gegen den Opfer-
30   kultus wendet sich Apollonius von Tyana, Περὶ Θυσιῶν fr bei Eus Praep Ev IV 13
(= Dem Ev III 3, 11) und verweist den Gottesdienst in den Bereich des νοῦς: οὕτως
τοίνυν μάλιστα ἄν τις τὴν προσήκουσαν ἐπιμέλειαν ποιοῖτο τοῦ θείου . . ., εἰ . . . μὴ θύοι
τι τὴν ἀρχὴν μήτε ἀνάπτοι πῦρ μήτε τι καθόλου τῶν αἰσθητῶν ἐπονομάζοι . . ., μόνῳ δὲ
χρῷτο πρὸς αὐτὸν ἀεὶ τῷ κρείττονι λόγῳ (λέγω δὲ τῷ μὴ διὰ στόματος ἰόντι) . . .· νοῦς
35   δέ ἐστιν οὗτος ὀργάνου μὴ δεόμενος, vgl Porphyr Abst II 34: δεῖ ἄρα συναφθέντας καὶ
ὁμοιωθέντας αὐτῷ τὴν αὐτῶν ἀναγωγὴν θυσίαν ἱερὰν προσάγειν τῷ θεῷ, τὴν αὐτὴν δὲ
καὶ ὕμνον οὖσαν καὶ ἡμῶν σωτηρίαν. ἐν ἀπαθείᾳ ἄρα τῆς ψυχῆς, τοῦ δὲ θεοῦ θεωρίᾳ ἡ
θυσία αὕτη τελεῖται. Ebenso wie hier tritt im Corp Herm an die Stelle des Opfers
das mystische Gebet, vgl I 31: δέξαι λογικὰς θυσίας ἁγνὰς ἀπὸ ψυχῆς καὶ καρδίας
40   πρὸς σὲ ἀνατεταμένης, ἀνεκλάλητε, ἄρρητε, σιωπῇ φωνούμενε, XIII 18: ὁ σὸς λόγος δι'
ἐμοῦ ὑμνεῖ σέ· δι' ἐμοῦ δέξαι τὸ πᾶν λόγῳ λογικὴν θυσίαν, XIII 21: Τὰτ θεῷ πέμπω
λογικὰς θυσίας . . . Εὖ, ὦ τέκνον, ἔπεμψας δεκτὴν θυσίαν τῷ πάντων πατρὶ θεῷ, Ascl (41a
p 372, 13ff): hoc enim sacrilegii simile est, cum deum roges, tus ceteraque incendere.
. . . nos agentes gratias adoremus; haec sunt enim summi incensiones dei, gratiae
45   cum aguntur a mortalibus. — Beides, die ethische Kritik am eigentlichen Opfer und
die Prägung eines uneigentlichen, mystischen Opferbegriffes, findet sich auch im
hellenistischen Judentum[37]. Bei jüd Autoren, die den Gehorsam gegen
das Sittengesetz höher werten als die Erfüllung der kultischen Pflichten (zB ep Ar 234:
τί μέγιστόν ἐστι δόξης; . . . τὸ τιμᾶν τὸν θεόν· τοῦτο δ' ἐστὶν οὐ δώροις οὐδὲ θυσίαις,
50   ἀλλὰ ψυχῆς καθαρότητι καὶ διαλήψεως ὁσίας, Jos Ant 6, 147ff [im Anschluß an 1 S 15, 22]:
ὁ δὲ προφήτης οὐχὶ θυσίαις ἔλεγεν ἤδεσθαι τὸ θεῖον, ἀλλὰ τοῖς ἀγαθοῖς καὶ δικαίοις.
. . . τοῖς δ' ἐν καὶ μόνον τοῦθ', ὅτι περ ἂν φθέγξηται καὶ κελεύσῃ ὁ θεὸς διὰ μνήμης ἔχουσι
καὶ τεθνάναι μᾶλλον ἢ παραβῆναί τι τούτων αἱρουμένοις ἐπιτέρπεται, οὐδὲ θυσίαν ἐπι-
ζητεῖ παρ' αὐτῶν[38]), mögen sich Einflüsse philosophischer und at.lich-prophetischer
55   Gedanken begegnen). Die mit Hilfe allegorischer Umdeutung der at.lichen Opfertora
vollzogene Vergeistigung des Opfergedankens bei Philo[39] liegt auf der Bahn hellenistischer Mystik. Philo reflektiert zwar auch darüber, daß zum kultischen Opfer die
rechte Seelenverfassung des Darbringenden gehört, zB Spec Leg I 283: δεῖ δὴ τὸν
μέλλοντα θύειν σκέπτεσθαι μὴ εἰ τὸ ἱερεῖον ἄμωμον, ἀλλ' εἰ ἡ διάνοια ὁλόκληρος αὐτῷ καὶ
60   παντελὴς καθέστηκε, ebd 191: ἄτοπον γὰρ ἕκαστον μὲν τῶν ὁλοκαυτουμένων ἀσινές καὶ
ἀβλαβὲς ἀνευρισκόμενον καθιεροῦσθαι, τὴν δὲ τοῦ θύοντος διάνοιαν μὴ οὐ κεκαθάρθαι πάντα

---

[37] Vgl Schmitz aaO 119ff; Wenschkewitz aaO 131ff.
[38] Vgl auch die, griech Dichtern untergeschobenen, jüd Verse bei Cl Al Strom V 14, 119, 2 (406, 9ff Stählin) = Pseud-Just De Monarchia 4 (ed JCTh v Otto, Justini Opera II 8 [1879] p 140, 6ff) = Eus Praep Ev XIII 13, 57ff.
[39] S auch IHeinemann, Philons griech und jüd Bildung (1932) 66ff.

τρόπον καὶ πεφαιδρύνθαι λουτροῖς καὶ περιρραντηρίοις χρησαμένην, ἅπερ ὁ τῆς φύσεως ὀρθὸς λόγος δι' ὑγιαινόντων καὶ ἀδιαφόρων ὤτων ψυχαῖς φιλοθέοις ἐπαντλεῖ, ebd 277: παρὰ θεῷ ... εἶναι τίμιον ... τὸ καθαρώτατον τοῦ θύοντος πνεῦμα λογικόν, vgl 68. 293; II 35; Deus Imm 8. Aber Philos eigentliches Interesse hängt an dem innerlichen, mystischen Opfer, nicht am äußeren Opferwesen, das über sich selbst hinaus- 5 weisen soll. S ua Plant 108: βωμοῖς γὰρ ἀπύροις, περὶ οὓς ἀρεταὶ χορεύουσι, γέγηθεν ὁ θεός, ἀλλ' οὐ πυρὶ πολλῷ φλέγουσιν, Vit Mos II 108: ἡ γὰρ ἀληθὴς ἱερουργία τίς ἂν εἴη πλὴν ψυχῆς θεοφιλοῦς εὐσέβεια; Det Pot Ins 21: die echten θεραπεῖαι sind αἱ ψυχῆς ψιλὴν καὶ μόνην θυσίαν φερούσης ἀλήθειαν, vgl Som II 73f; Spec Leg I 290: οὐ τὰ ἱερεῖα θυσίαν ἀλλὰ τὴν διάνοιαν καὶ προθυμίαν ὑπολαμβάνει (sc Gott) τοῦ καταθύοντος 10 εἶναι, ἐν ᾗ τὸ μόνιμον καὶ βέβαιον ἐξ ἀρετῆς, ebd 201: γοῦς ..., ὃς ἄμωμος ὢν καὶ καθαρθεὶς καθάρσεσι ταῖς ἀρετῆς τελείας αὐτός ἐστιν ἡ εὐαγεστάτη θυσία καὶ ὅλη δι' ὅλων εὐάρεστος θεῷ, ebd 272: αὐτοὺς φέροντες πλήρωμα καλοκάγαθίας τελειότατον τὴν ἀρίστην ἀνάγουσι θυσίαν, ὕμνοις καὶ εὐχαριστίαις τὸν εὐεργέτην καὶ σωτῆρα θεὸν γεραίροντες, τῇ μὲν διὰ τῶν φωνητηρίων ὀργάνων, τῇ δὲ ἄνευ γλώττης καὶ στόμα- 15 τος, μόνῃ ψυχῇ τὰς νοητὰς ποιούμενοι διεξόδους καὶ ἐκβοήσεις, ὧν ἓν μόνον οὓς ἀντιλαμβάνεται τὸ θεῖον· αἱ γὰρ τῶν ἀνθρώπων οὐ φθάνουσιν ἀκοαὶ συναισθέσθαι, vgl Ebr 152; Plant 126: θεῷ δὲ οὐκ ἔνεστι γνησίως εὐχαριστῆσαι δι' ὧν νομίζουσιν οἱ πολλοὶ κατασκευῶν ἀναθημάτων θυσιῶν ... ἀλλὰ δι' ἐπαίνων καὶ ὕμνων, οὐχ οὓς ἡ γεγωνὸς ᾄσεται φωνή, ἀλλὰ οὓς ὁ ἀειδὴς καὶ 20 καθαρώτατος νοῦς ἐπηχήσει καὶ ἀναμέλψει (anstimmen), Spec Leg I 287: der Altar Gottes ist in Wahrheit ἡ εὐχάριστος τοῦ σοφοῦ ψυχὴ παγεῖσα ἐκ τελείων ἀρετῶν ἀτμήτων καὶ ἀδιαιρέτων, vgl Leg All I 50.

Überall in der Umwelt des Urchristentums sehen wir also den eigentlichen Opfer- gedanken schwinden. Aber die Motive sind andere als im NT. 25

4. Der nt.liche Opfergedanke und die Alte Kirche[40].

Opfer bleibt in der ältesten christlichen Literatur nach dem NT das plastische Bild für den Gedanken der Selbsthingabe an Gott. In gröberer Art als Hb, nichtsdestoweniger spiritualisierend, betrachtet Barn den Sühnetod Christi als nt.liches Gegenbild at.licher Opfer (7, 3: αὐτὸς ὑπὲρ τῶν ἡμετέρων ἁμαρτιῶν ἔμελλεν 30 τὸ σκεῦος τοῦ πνεύματος προσφέρειν θυσίαν, vgl 8, 2f). Mart Pol 14, 2 vergleicht den Märtyrertod mit einer θυσία πίων καὶ προσδεκτή. Wo das neue Gesetz Christi gilt, da gibt es kein materielles Opfer, keine ἀνθρωποποίητος προσφορά mehr Barn 2, 6 (vgl Cl Al Strom VII 3, 14, 5f). Christen nahen ihrem Gott mit dem Opfer des Herzens Barn 2, 10; 1 Cl 52, 2ff (Ps 51, 19), vgl O Sal 20: „(dem Herrn) bring ich sein gei- 35 stiges Opfer dar; ... des Herrn Opfer ist Gerechtigkeit, Reinheit des Herzens und der Lippen"; Martyrium Apollonii 8: θυσίαν ἀναίμακτον καὶ καθαρὰν προσήμην κἀγὼ καὶ πάντες Χριστιανοὶ τῷ παντοκράτορι θεῷ uö. Gebet ist Opfer Herm m 10, 3, 2f vgl Cl Al Strom VII 6, 31, 7: ἡμεῖς δι' εὐχῆς τιμῶμεν τὸν θεόν, καὶ ταύτην τὴν θυσίαν ἀρίστην καὶ ἁγιωτάτην μετὰ δικαιοσύνης ἀναπέμπομεν, ebd 32, 4: καὶ γάρ ἐστιν ἡ θυσία 40 τῆς ἐκκλησίας λόγος ἀπὸ τῶν ἁγίων ψυχῶν ἀναθυμιώμενος, ἐκκαλυπτομένης ἅμα τῇ θυσίᾳ καὶ τῆς διανοίας ἁπάσης τῷ θεῷ, vgl ebd 34, 2. Daneben (Fasten und) Liebestätig- keit Herm s 5, 3, 7f vgl Ptolemaeus, Brief an Flora 3 (Iren Haer e AStieren I 931): προσφορὰς προσφέρειν προσέταξεν ἡμῖν ὁ σωτήρ ... τὰς ... διὰ πνευματικῶν αἴνων καὶ δοξῶν καὶ εὐχαριστίας καὶ διὰ τῆς εἰς τὸν πλησίον κοινωνίας καὶ εὐποιίας. Opfer sind 45 namentlich die Gebete im Gottesdienst 1 Cl 40, 2ff; 36, 1, unter ihnen in erster Linie das Abendmahlsgebet 1 Cl 44, 4; Ign Eph 5, 2; Phld 4[41]. Auf das eucha- ristische Gebet bezieht sich wohl auch Did 14, 1: κλάσατε ἄρτον καὶ εὐχαριστήσατε προεξομολογησάμενοι τὰ παραπτώματα ὑμῶν, ὅπως καθαρὰ ἡ θυσία ὑμῶν ᾖ, entsprechend

[40] Vgl RSeeberg, Lehrbuch der Dogmen- geschichte I[3] (1922) 150, 171f, 457ff, 655ff uö; Harnack Dg I 225ff, 231ff uö; FLoofs, Leitfaden zum Studium der Dogmenge- schichte[4] (1906) 213ff; Höfling aaO passim; Kattenbusch aaO 671ff; Wieland, Mensa u Confessio 47ff; Ders, Der vorirenäische Opferbegriff 34ff; Brinktrine aaO 60ff; Casel aaO 40ff.

[41] Zur bildlichen Vorstellung vom θυσια- στήριον bei Ignatius vgl Wieland, Mensa u Confessio 40ff; Ders, Der vorirenäische Opfer- begriff 51ff; Brinktrine aaO 77ff; KVölker, Mysterium und Agape (1927) 117f; CChRi- chardson, The Christianity of Ignatius of

Antioch (1935) 56, 101f A 9. Sie lebt fort bei Cl Al Strom VII 6, 31, 8: ἔστι γοῦν τὸ παρ' ἡμῖν θυσιαστήριον ἐνταῦθα τὸ ἐπίγειον < τὸ > ἄθροισμα τῶν ταῖς εὐχαῖς ἀνακειμένων, μίαν ὥσπερ ἔχον φωνὴν τὴν κοινὴν καὶ μίαν γνώμην oder bei Chrys Hom in J XIII 4 (MPG 59, 90): ἐκεῖνο μὲν γὰρ ἄψυχον τὸ θυσια- στήριον (sc der Brandopferaltar), τοῦτο δὲ ἔμψυχον· κἀκεῖ μὲν τὸ ἐπικείμενον ἅπαν τοῦ πυρὸς γίνεται δαπάνη· ... ἐνταῦθα δὲ οὐδὲν τοιοῦ- τον, ἀλλ' ἑτέρους φέρει τοὺς καρπούς ... εἰς εὐ- χαριστίαν ... καὶ αἶνον τοῦ θεοῦ ... ἡμῶν τοίνυν ... εἰς ταῦτα τὰ θυσιαστήρια καθ' ἑκάστην ἡμέραν usw, vgl Westcott aaO → A 7.

der Weisung 4, 14, durch ein Sündenbekenntnis den rechten Boden für das Gebet zu bereiten. Auch die Erinnerung an Mt 5, 23 f u Mal 1, 11 in Did 14, 2 f zwingt nicht, an die Aufbringung von Brot und Wein für die Eucharistie durch die Gemeinde und an ihre Darbringung in der heiligen Feier zu denken[42]. Noch Justin, der bei typologischer Betrachtung des at.lichen und nt.lichen Gottesdienstes von den Abendmahlselementen als θυσίαι sprechen kann (Dial 41: περὶ τῶν . . . ὑφ' ἡμῶν . . . προσφερομένων αὐτῷ θυσιῶν, τοῦτ' ἔστι τοῦ ἄρτου τῆς εὐχαριστίας καὶ τοῦ ποτηρίου ὁμοίως τῆς εὐχαριστίας, vgl ebd 117), betont, daß im Christentum in Wahrheit nur die Gebete Opfercharakter tragen Dial 117: καὶ εὐχαὶ καὶ εὐχαριστίαι . . . τέλειαι μόναι καὶ εὐάρεστοί εἰσι τῷ θεῷ θυσίαι . . . ταῦτα γὰρ μόνα καὶ Χριστιανοὶ παρέλαβον ποιεῖν, καὶ ἐπ' ἀναμνήσει δὲ τῆς τροφῆς αὐτῶν ξηρᾶς τε καὶ ὑγρᾶς, ἐν ᾗ καὶ τοῦ πάθους, ὃ πέπονθε δι' αὐτοὺς ὁ υἱὸς τοῦ θεοῦ, μέμνηνται, vgl 28 f; Apol 9. 13. 65 ff; Athenag Suppl 13 aE (nachdem als größtes Opfer an Gott der Lobpreis der Schöpfung gezeigt worden ist): δέον ἀναίμακτον θυσίαν τὴν λογικὴν προσάγειν λατρείαν. Der Rückfall in den vor-nt.-lichen Gedanken dinglicher Opfer und realer kultischer Darbringung (Meßopfer) setzt erst mit Irenaeus (Haer IV 18, 1 ff uö) ein.

Behm

ϑῶραξ → ὅπλον, πανοπλία

---

[42] So ua Kn Did z 9.

Ἰακώβ

1. Der formelhafte Ausdruck „Abraham, Isaak und Jakob"
steht im NT als Bezeichnung für das besondere Gottesverhältnis, dessen sich
das Judentum rühmen wollte und das es als seine Prärogative betrachtete.
Abraham, Isaak und Jakob waren ja die drei „Väter", mit denen Gott als mit 5
den Repräsentanten des Judentums seinen Bund geschlossen hatte. So ist der
Ausdruck „Abraham, Isaak und Jakob" ein Symbol der bundestreuen Judenschaft,
des „rechten Israel". Infolgedessen war er ein Symbol, das die Pharisäer in
besonderer Weise auf sich selbst beziehen konnten: hatten sie sich doch besonders dem göttlichen Willen eingefügt, „das Joch des Himmels auf sich genom- 10
men." Der bundestreue Jude war kraft des Bundes des kommenden Gottesreiches sicher; er hatte Bürgschaft. „Abraham, Isaak und Jakob" könnte mithin als Umschreibung von „Söhne des Reiches" betrachtet werden; genauer:
diejenigen, die Abraham, Isaak und Jakob zu Vätern haben, sind „Söhne des
Reiches" (→ Ἀβραάμ). Das Logion Mt 8, 11 par muß demnach in pharisäischen 15
Ohren als ein unerhörtes Paradoxon geklungen haben. Es besagt: Viele, die
außerhalb des Bundes stehen (= Ungöttliche), werden Söhne des Reiches sein,
aber „die Söhne des Reiches" werden ausgestoßen werden.

Der Ausdruck „Abraham, Isaak und Jakob" im Spätjudentum. Die
Zusammenstellung von Abraham, Isaak und Jakob fand man in der Tora und den 20
„Propheten" vor[1]. Die mit der Formel im Spätjudentum verbundenen Vorstellungen
sind prägnant ausgedrückt in 2 Makk 1, 2: „Gott wolle euch Gutes tun und eingedenk
sein seines Bundes mit Abraham, Isaak und Jakob, seinen treuen Knechten". In den
„drei Vätern" ist das göttliche Handeln mit Israel, dem Bundesvolke, prototypisch
angezeigt und verbürgt, so wie Israel in den Vätern real eingeschlossen ist: „. . . laßt 25
uns dem Herrn, unserem Gotte, danken, der uns versucht, wie auch unsere Väter. Ge-
denket, was er Abraham getan hat und wie viel er Isaak versucht hat, und was alles
Jakob begegnete . . ." (Jdt 8, 26).

Im rabbinischen Schrifttum ist die Zusammenstellung der drei Namen so häufig,
daß ein Heranziehen besonderer Belegstellen sich erübrigt. Daß das göttliche Handeln 30
mit Abraham, Isaak und Jakob für das Verhältnis Gottes zum Bundesvolke Vorbild
und Bürgschaft ist, wird hier als selbstverständlich vorausgesetzt[2].

Diese Vorstellung ist auch in der hermeneutischen Bezugnahme auf Ex 3, 2. 6
in Mk 12, 26; Mt 22, 32; Lk 20, 37 vorausgesetzt, ebenso Ag 3, 13. Der Schlußsatz des Logions ist nämlich: wie für Abraham, Isaak und Jakob Auferstehung 35
von den Toten angenommen werden muß, so ist sie auch für ihre Kinder sicher[3].
Ag 3, 13 will sagen: es ist Israels Gott, der Jesus verklärt und ihn zum Fürsten des Lebens gemacht hat; die Juden verleugnen also mit Christus ihren
Gott selber.

Ἰακώβ. [1] Vgl Ex 2, 24; 3, 6. 15 f; Dt 1, 8;
6, 10; 9, 27; Jer 33, 26 usw.
[2] Vgl zB MEx zu 12, 1: Aus Ex 3, 6 wird
bewiesen, daß Abraham, Isaak und Jakob
gleichwertig sind und als eins gerechnet
werden können.
[3] Vgl 4 Makk 7, 19; 16, 25.

Die Zusammenstellung der drei Namen Abraham, Isaak und Jakob hat auch einen einschränkenden Sinn. Gewiß sind und nennen sich die Juden Kinder Abrahams und sind dadurch miteinbezogen in die Verheißungen, die Abraham gegeben wurden. Aber nicht alle Abkömmlinge Abrahams oder Isaaks sind ja
5 Gottes Kinder, Israel. Erst die Nennung des Namens Jakob bestimmt das Bundesvolk[4]. So sind Hb 11, 9 Isaak und Jakob mit Abraham die Miterben derselben Verheißung. Diese sukzessive Umgrenzung schimmert in Ag 7, 2—8 durch.

Vgl Tob 4, 12: „Wir sind Nachkommen von Propheten: Noah, Abraham, Isaak und
10 Jakob".

2. P a u l u s bricht eben mit dieser Vorstellung von der Begrenzung des wahren Israel, der Abrahamskinder, durch die Abstammung von Jakob. Ihm sind die Christen, ob Juden oder Heiden, wahre Abrahamskinder und Erben der Abrahamsverheißung (→ Ἀβραάμ). Er braucht wohl „Jakob"
15 einmal, im Anschluß an eine at.liche Stelle, als Bezeichnung des Israel „nach dem Fleisch" (R 11, 26). Im Gegensatz zu jüdischer Vorstellung wendet er aber die at.liche Geschichte von der Erwählung Jakobs und der Verstoßung Esaus an, um zu zeigen, daß eben Gottes Ratschluß nicht von Geburtsvorrechten abhängig ist (R 9, 13) (→ Ἠσαῦ).

20   **3.** Der Ausdruck „Haus Jakobs" für Israel (Lk 1, 33; Ag 7, 46) wiederum hängt, obwohl er bereits im AT vorkommt, mit der genannten limitativen Anwendung des Namens Jakob zusammen.

4. 1 Cl 31, 4 f bewegt sich noch im Kreis der obengenannten Ideen: „Jakob floh demütig aus seinem Lande um seines Bruders willen . . ., und es
25 wurden ihm die zwölf Stämme Israels gegeben. Wenn einer genau das einzelne betrachtet, dann wird er die Größe der von ihm verliehenen Gaben erkennen. Denn von ihm stammen alle Priester und Leviten ab, die am Altare Gottes dienen. Von ihm stammt der Herr Jesus dem Fleische nach ab, von ihm stammen die Könige und Herrscher und Fürsten durch Juda ab." Dem Verfasser ist „Jakob" der Inbegriff des
30 fleischlichen Israels, dem auch Jesus dem Fleische nach und als Hoherpriester zugehört. Bezeichnend ist ferner, daß der Verfasser (1 Cl 32, 2) die Verheißung, die nach Gn 15, 5; 22, 17 an Abraham gerichtet ist, ohne weiteres auf Jakob bezieht. Jakob und seine Kinder, aber auch nur sie, sind die wahren Abrahamskinder.

Odeberg

---

35 | † Ἰάννης, † Ἰαμβρῆς[1] |

1. Im j ü d i s c h e n S c h r i f t t u m sind die beiden Namen selbst in den uns erhaltenen Texten stark verdorben. Die ursprünglichen Formen sind offenbar im Lauf der Jahrhunderte in Vergessenheit geraten. Wir begegnen

---

[4] Vgl die Aussage: „Drei Generationen hindurch schwand die Unreinheit nicht von unseren Vätern: Abraham zeugte Ismael, Isaak zeugte Esau, erst Jakob zeugte die zwölf Stämme, an denen kein Makel war", bSchab 146 a. Der Ausdruck „Gott Jakobs" ist der wichtigste von den drei Ausdrücken „Gott Abrahams, Gott Isaaks und Gott Jakobs": bBer 64 a (im Anschluß an Ps 20, 2).

So kann sogar ein Ausdruck geformt werden wie der, daß Abraham nur um Jakobs willen gerettet worden sei. Weil vorhergesehen wurde, daß Jakob (und Israel) aus Abraham erstehen würde, wurde dieser vom Tode bewahrt: Gn r 63 zu 25, 19.

Ἰάννης κτλ. [1] Betonung beider Worte unsicher.

ganz verschiedenen Schreibungen für „Jannes": יניס[2], יונים[3], יונום[4], יוחנא[5], יוחני[6], für „Jambres": ימרים[2], ימברים[3], יומברום[7], ממרא[8]. Im ersten Falle kann man auf eine ursprüngliche Doppelform schließen: aramäisch Joḥannā, gräzisiert Jannes (vgl Schim'on / Simon). Im zweiten Falle ist die Aussprache Jambres wenigstens als die ursprüngliche gräzisierte Form anzunehmen.

Nach den Resten der Überlieferungen, die wir in den uns erhaltenen rabbinischen Texten finden, waren Jannes und Jambres die Zauberer oder „Häupter der Zauberer"[9] Pharaos, die laut Ex 7, 11 ff ihre Zauberkünste gegen Moses und Aaron ausspielten[10]. Sie sollen Moses höhnend zugerufen haben: „Du bringst Stroh nach 'Afārájim!", dh „du traust dir zu, in Ägypten, der Heimat der Zauberkünste, etwas ausrichten zu können!"[11]. Man hat sie mit Bileam in Zusammenhang gesetzt als dessen Begleiter, Diener[12] oder Söhne[13]. So sollen sie auch über den Vorfall in Ex 7 hinaus die Gegner Moses und Israels gewesen sein: sie haben versucht, Israel beim Zuge durch das Rote Meer zu vernichten, indem sie ihre Zauberkünste gegen die von Gott gesandten Engel vorführten, um deren Wunderkraft zu lähmen[14]. Auch in die Wüste haben sie die Israeliten begleitet, um Moses zu bekämpfen und die Israeliten abtrünnig zu machen; sie waren die eigentlichen Urheber des Abfalls der Israeliten zur Anbetung des goldenen Kalbes (Ex 32)[15].

Die Aussagen über Jannes und Jambres entbehren jeder Nennung eines Gewährsmannes. Diese Tatsache spricht dafür, daß die Aussagen von einem irgendwie gesammelten Überlieferungsstoff stammen, zB von einer Schrift, die sich mit der Geschichte des Jannes und Jambres beschäftigte. Freilich wird eine derartige Schrift nirgends erwähnt, aber das ist bei sämtlichen anderen pseudepigraphischen Schriften ebenso, aus denen nachweislich mehrere anonyme Aussagen im rabbinischen Schrifttum stammen. Daß die Überlieferungen von Jannes und Jambres als den Gegnern des Mose wenigstens in vorchristliche Zeit zurückreichen, ist schon aus ihrer Nennung im NT ersichtlich.

2. 2 Tm 3, 8. Die Art, wie Jannes und Jambres in ganz allgemeiner Form erwähnt werden, stimmt mit den Aussagen in den jüdischen Quellen überein. Es kann nicht ganz sicher gesagt werden, auf welche konkrete Situation angespielt werden soll. Offenbar wird bei den Lesern des Briefes die Kenntnis einer Geschichte von Jannes und Jambres vorausgesetzt. Mit dem Widerstand gegen Moses können aus Ex 7, 11. 22 entwickelte Geschichten gemeint sein, es kann aber auch an eine sich über eine längere Zeit erstreckende Gegnerschaft gegen „die Wahrheit" gedacht sein, etwa der Art, wie es die oben genannten rabbinischen Aussagen zu erzählen wissen. Wahrscheinlich sind die betreffenden Geschichten in einer uns verlorengegangenen Schrift enthalten gewesen, die zur Zeit des 2 Tm noch zu den Schriften des AT gehörte.

3. Spätere Spuren einer Schrift, die Geschichten von Jannes und Jambres enthielt, sind bei Origenes gefunden worden, der τὴν περὶ Μωϋσέως καὶ Ἰαννοῦ καὶ Ἰαμβροῦ ἱστορίαν erwähnt[16] und von einem Buche Jannes und Jambres spricht[17]. Auch der Papst Gelasius erwähnt in seinem „Decretum De Libris Recipiendis et Non Recipiendis" ein apokryphes Buch des Jannes und Jambres („liber qui appellatur Paenitentia Jamne et Mambre apocryphus")[18].

Odeberg 45

---

[2] Tg J I z Ex 1, 15; 7, 11; Nu 22, 22.
[3] Tg J I ebd Variante.
[4] Jalkut Schim'oni zu Ex 2, Nr 168; Tanch כי תשא 19 zu Ex 32, 1.
[5] bMen 85 a.
[6] Ex r 9 zu Ex 7, 11; Midrasch ויושע zu Ex 15, 10 (JDEisenstein, Ozar Midraschim [1928] I 154 a).
[7] Tanch aaO.
[8] bMen 85 a; Ex r aaO; Midrasch ויושע aaO.
[9] Tg J I z Ex 1, 15.
[10] Tg J I z Ex 7, 11; 1, 15; bMen 85 a; Ex r 7 z 7, 11.

[11] bMen 85 a; Ex r 9 z 7, 12.
[12] Tg J I z Nu 22, 22.
[13] Jalkut Schim'oni z Ex 2, 15, Nr 16?.
[14] Midrasch ויושע aaO; Jalkut Schim'oni z Ex 14, 24, Nr 235.
[15] Tanch כי תשא 15 z Ex 32.
[16] Orig Cels IV 51 (I p 324, 27 Koetschau).
[17] Orig zu Mt 27, 9 (nur in lat Übers: Item quod ait: „Sicut Iamnes et Mambres restiterunt Moysi", non invenitur in publicis libris, sed in libro secreto qui suprascribitur liber Iamnes et Mambres).
[18] Z 303; ed EvDobschütz, TU, 3. Reihe, 8, 4 (1912) 12.

ἰάομαι, ἴασις, ἴαμα, ἰατρός	→ δύναμις, → θεραπεύω, → σωτήρ, → ὑγιής

Inhalt: A. Krankheit und Heilung außerhalb der Bibel: 1. Primitive Anschauungen; 2. Rationalisierung der Heilkunde in der antiken Medizin; 3. Wunderheilungen, Heilgötter und Götterheilande im Hellenismus; 4. Eigentlicher und übertragener Gebrauch der 5 Vokabeln. — B. Krankheit und Heilung im AT und im Judentum: 1. Die religiöse Beurteilung der Krankheit; 2. Magie und Medizin; Gott der Heilende (im eigentlichen Sinn); 3. Heilung im übertragenen Sinn. — C. Krankheit und Heilung im NT: 1. Krankheit und Heilkunst im Lichte des NT; 2. Jesus der Arzt; der Gebrauch der Vokabeln in den Evangelien; 3. Die Wunderheilungen Jesu in religionsgeschichtlicher

ἰάομαι κτλ. Zu A 1: RGG² III 1277 ff; V 1677 ff, 2038 ff; MBartels, Die Medizin der Naturvölker (1893); HVorwahl, Geschichte der Medizin unter Berücksichtigung der Volksmedizin (1928); JKoty, Die Behandlung der Alten u Kranken bei den Naturvölkern (1934); EStemplinger, Sympathieglaube und Sympathiekuren in Altertum und Neuzeit (1919); Ders, Antiker Aberglaube in modernen Ausstrahlungen (1922), bes 19 ff, 59 ff, 75 ff; TCanaan, Dämonenglaube im Lande der Bibel (1929). — Zu A 2—4: Quellen: CMG (Hippokrates, Aretaeus, Galenus, Oribasius ua); Corpus Medicorum Latinorum ed FMerx ua (1915 ff); Ael Arist Or Sacr; Philostr Vit Ap; Preis Zaub; die Stelen von Epidauros und verwandte Berichte sind in mustergültiger Weise allgemein zugänglich gemacht und besprochen worden von RHerzog, Die Wunderheilungen von Epidauros, Philologus Suppl XXII 3 (1931), wo die früheren Publikationen genannt (W im Text bedeutet „Wunder" nach Herzogs Zählung); Votivinschriften: IG II 3, 1440 ff, III 1, 132 (vgl Addenda 132 a ff p 485) u IG² II/III 3, 4351 ff (Athen); IG IV 978 ff u IG² IV 1, 121 ff. 236 ff. 439 ff (Epidauros); die Inschriften von Kos werden erscheinen IG XII 4, größtenteils schon bei WRPaton and ELHicks, The Inscriptions of Cos (1891), Einleitung; dazu RHerzog, Heilige Gesetze von Kos, AAB 1928 Nr 6; ein Asklepioshymnus des Aristeides von Smyrna ist herausgegeben von RHerzog, SAB 1934 Nr 23. Literatur: Pauly-W II 1642 ff, bes 1686 ff; VI 46 ff; VIII 1801 ff; LFriedländer, Darstellungen aus der Sittengesch Roms¹⁰ I (1922) 190 ff; CSchneider, Einführung in die nt.liche Zeitgesch (1934) 55 f, 59, 68 ff, 75, 138 ff; ILHeiberg, Geschichte der Mathematik u Naturwissenschaften im Altertum (Handbuch der Altertumswissenschaft V. Abt I. Teil 2. Bd [1925]); ARehm u KVogel, Exakte Wissenschaften, Einltg in d Altertumswiss⁴ II 5 (1933); RReitzenstein, Hellenistische Wundererzählungen (1906); OWeinreich, Antike Heilungswunder (1909); KKerényi, Die griechisch-orientalische Romanliteratur in religionsgeschichtlicher Beleuchtung (1927); RSöder, Die apokryphen Apostel-

geschichten u die romanhafte Lit in der Antike, Würzburger Studien z Altertumswiss 3 (1932); PCavvadias, Fouilles d' Epidaure I (1891); Ders, Τὸ ἱερὸν τοῦ Ἀσκληπιοῦ ἐν Ἐπιδαύρῳ (1900); Kos, Ergebnisse der deutschen Ausgrabungen und Forschungen, hsgg RHerzog, I: Asklepieion (1932); Ders, Koische Forschungen und Funde (1899) bes 202 ff (weiter: δύναμις → II 286 LitA). — Zu B: Auszüge aus den außerbiblischen Quellen in deutscher Übersetzung (teils auch zu A) bei PFiebig, Die Umwelt des NTs (1926) 38 ff, 49 ff; Ders, Jüdische Wundergeschichten (1911); Kl T Nr 78/79 (in den Ursprachen, auch zu A); Str-B passim. Literatur: RE³ XI 64 ff; IBenzinger, Hebräische Archäologie (1927) 187 ff; BStade-ABertholet, Biblische Theologie des ATs (1905/11), Regist sv Krankheit, Leiden, Heilkunst, Ärzte; EBalla, Das Problem des Leidens in der Geschichte der israelitisch-jüdischen Religion in: Eucharisterion für HGunkel (1923) 214 ff; SKrauß, Talmudische Archäologie I (1910) 252 ff; MNeubauer, Die Medizin im Flavius Josephus (1919); LBlau, Das altjüdische Zauberwesen² (1914); ASchlatter, Das Wunder in der Synagoge (1912). — Zu C (geschichtlich und grundsätzlich): FFenner, Die Krankheit im NT (1930, dort weitere Literatur!); MDibelius, Die Formgeschichte des Evangeliums² (1933) bes 51 ff, 69 ff, 166 ff, 290 f (vgl Regist); Bultmann Trad 223 ff; Ders, Jesus (1926) 158 ff; KBeth, Die Wunder Jesu (1914); MGoguel, Das Leben Jesu (1934) 124 ff; FBarth, Die Hauptprobleme des Lebens Jesu⁵ (1918) 3. Abschnitt; KKnur, Christus Medicus? (1905); RJelke, Die Wunder Jesu (1922); JNinck, Jesus als Charakter³ (1925) Regist sv Krankenheilungen; HSchlingensiepen, Die Wunder des NTs, BFTh 2. Reihe 28 (1933); OPerels, Die Wunder-Überlieferung der Synoptiker in ihrem Verhältnis zur Wortüberlieferung = BWANT IV 12 (1934); HSeng, Zur Frage der religiösen Heilungen (1926); Ders, Die Heilungen Jesu in medizinischer Beleuchtung (Arzt und Seelsorger, Heft 4, 1926); HGroßmann, Die nt.lichen Wunder (1927); WBeyer, Gibt es Heilungen von körperlicher Krankheit durch Geisteskraft? (1921); Ders, Jesus und seine Wunder im Lichte der kommen-

Beleuchtung: a. Die Überlieferung; b. Die Art der Wunder; c. Der Vollzug der Heilung; d. Abschließende theologische Beurteilung; die Einzigartigkeit der Wunderheilungen Jesu; 4. Die Übertragung der Heilgabe an die Jünger; „Heilen" im apostolischen Zeitalter. — D. Das Evangelium vom Heiland und von der Heilung in der alten Kirche.

A. Krankheit und Heilung außerhalb der Bibel.   5

1. Primitive Anschauungen.

Die Krankheit bildet auf allen Lebensstufen einen tiefen und zunächst unbegreiflichen Einschnitt. Dem primitiven Menschen ist fast nur die im Kampfe erhaltene Verwundung als Ursache körperlichen Übelbefindens ohne weiteres verständlich. Mittels eines Analogieschlusses führt er daher auch Krankheiten, deren 10 Ursachen er nicht durchschaut, auf ein „Angegriffensein" zurück. Als Angreifer vermutet er mehr oder weniger persönlich gedachte böse Mächte, die den Menschen schlagen („Schlaganfall"), mit winzigen, aber desto tückischeren Geschossen bombardieren („Hexenschuß") oder auch in ihn eingehen („Besessenheit"). Heilung verspricht er sich von der Überwindung der feindlichen Mächte durch Zauber, nötigenfalls Gegen- 15 zauber, oder von ihrer gütlichen Beeinflussung durch Opfer. Ersterer wird entweder als Analogiezauber oder mit Hilfe solcher Substanzen ausgeübt, die man als Träger überlegener Lebenskraft, heilkräftiger Mana, ansieht (Speichel [→ ἐκπτύω], Blut [→ αἷμα] usw). Dabei spielt neben der wildwuchernden Phantasie die erfahrungsmäßige Erprobung pflanzlicher oder tierischer Heilstoffe in steigendem Maße eine gewisse Rolle. 20 Die Anfänge rationaler Behandlung sind aber nicht an die Magie gebunden. Es wäre daher einseitig, den Zauber schlechthin als die Wurzel der Medizin zu bezeichnen.

2. Rationalisierung der Heilkunde in der antiken Medizin.

Die Medizin erreicht ihre erste Blüte schon im dritten 25 Jahrtausend bei den alten Ägyptern. Der Ruhm, die Heilkunde auf eine empirische und rationale Grundlage gestellt zu haben, gebührt aber vor allem den Griechen.

Wir kennen die ägyptische Medizin aus sieben Papyri (etwa 1900—1250 v Chr)[1]. Der wichtigste von ihnen ist der Papyrus Ebers (um 1550 v Chr, heute in Leipzig). 30 Die Texte sind durchweg noch älter als die vorliegenden Sammlungen. Die Blütezeit umfaßt etwa das Jahrtausend von 2600—1600. Die anatomischen Anschauungen der alten Ägypter beruhen auf einer seltsamen Mischung von Anschauung und Theorie. Bei der Mumifizierung waren die Ärzte anscheinend nicht beteiligt. Die Entfernung der Eingeweide geschah außerdem von der Bauchhöhle aus, ohne Öffnung des Brust- 35 korbs. Die Therapie steht aber verhältnismäßig hoch. Das Aufschneiden von Geschwüren, das Einrichten von Knochenbrüchen, das Nähen von Wunden, Zahnfüllungen sind bekannt. Zahlreiche Drogen werden mehr oder weniger zweckmäßig verwendet, besonders solche tierischen Ursprungs, doch zB auch die Rizinusfrucht. Der Pap Ebers beschreibt einen primitiven Inhalationsapparat. Mitten unter Rezepten 40 gegen Würmer findet sich freilich wieder eine Beschwörung derselben. Der Vorsteher der Priester, der Vorsteher der Zauberer und der Oberarzt des Königs ist gelegentlich eine Person. Aber Grapow urteilt: „Es ist deutlich, daß die ägyptische Medizin zum Zauberwesen absinkt, nicht umgekehrt aus Zauberei sich entwickelt hat"[2]. Bei den Griechen standen die ägyptischen Ärzte in hohem Ansehen (Hom Od 4, 220—232; 45

den Naturwissenschaft (1922); ELiek, Das Wunder in der Heilkunde (1930); BAschner, Die Krise der Medizin (1928); ERMicklem, Miracles and the New Psychology. A Study on the Healing Miracles of the NT (1922); AFridrichsen, Le Problème du Miracle dans le Christianisme Primitif (Études d'Histoire et de Philosophie Religieuses 12 [1925]). → θεραπεύω 128 ff. — Zu D: AHarnack, Medizinisches in der ältesten Kirchengeschichte, TU VIII 4 (1892); Ders, Mission und Ausbreitung[4] (1924) I 129 ff; JOtt, Die Bezeichnung Christi als ἰατρός in der ur-

christlichen Literatur, in: Der Katholik 90 (1910) 454 ff.

[1] HGrapow, Untersuchungen über die altägyptischen medizinischen Papyri I (1935); Ders, Über die anatomischen Kenntnisse der altägyptischen Ärzte, Morgenland 26 (1935); eine ausgezeichnete allgemeinverständliche Übersicht über die ägyptische Medizin gibt derselbe in der Münchener Medizinischen Wochenschrift 82 (1935) 958 ff, 1002 ff, auch als Sonderdruck erschienen.

[2] Grapow, Münchener Med Wochenschr aaO 960.

Hdt II 84; auch Diodor). Über die Zusammenhänge zwischen ägyptischer und griechischer Medizin sind wir nicht genügend unterrichtet. Vorhanden sind sie. Ein primitives Mittel zur Feststellung der Schwangerschaft findet sich beinahe gleichlautend im Pap Berlin und bei Hippokrates.

5 Homer schätzt den Arzt sehr hoch (Il 11, 514: ἰητρὸς γὰρ ἀνὴρ πολλῶν ἀντάξιος ἄλλων). Medizinische und magische Behandlung selbst der Wunden gehen aber noch bunt durcheinander. Seit dem 6 Jhdt v Chr kam die eigentliche Medizin in den Kolonien Kleinasiens, Großgriechenlands und Afrikas durch zunftmäßigen Zusammenschluß der Ärzte zur selbständigen Entfaltung. Die Ärzte wurden öffentlich angestellt und zu ihrer Besoldung
10 wurde eine besondere Abgabe erhoben. Für die sich bildende Berufsethik haben wir ein schönes Zeugnis in dem Ärzteeid der hippokratischen Schule. Die entscheidenden Sätze lauten: „Meine ärztlichen Verordnungen werde ich zum Nutzen der Kranken geben, soweit ich es vermag und verstehe. Was Verderben und Schaden bringt, will ich von ihnen fernhalten. An niemand werde ich ein tödlich wirkendes Gift abgeben,
15 auch dann nicht, wenn man mich darum bittet. Ich werde auch keinen solch verwerflichen Rat erteilen. Ebensowenig werde ich einem Weib ein Mittel zur Vernichtung des keimenden Lebens geben. Lauter und gottgefällig (ἁγνῶς δὲ καὶ ὁσίως) will ich mein Leben und meine Kunst bewahren. Ich werde niemals an Steinleidenden den Steinschnitt selbst vornehmen, sondern solches Tun Leuten überlassen, die beson-
20 dere Übung darin haben. In alle Häuser, in wieviele ich auch kommen mag, werde ich zum Heil der Kranken eintreten und mich jeden vorsätzlichen Vergehens und jeder schädlichen Handlung enthalten, insbesondere geschlechtlicher Handlungen, sowohl gegenüber dem weiblichen wie dem männlichen Geschlecht, den Freien gegenüber wie den Sklaven. Über alles, was nicht außerhalb weitererzählt werden soll,
25 mag ich es während der Behandlung sehen oder hören, oder mag ich außerhalb meines Wirkens etwas im gewöhnlichen Leben erfahren, werde ich Stillschweigen bewahren und derartiges als Geheimnis ansehen" (Hippocr IV [1844] 630 Littré). Alkmaion von Kroton (um 500 v Chr) und Hippokrates von Kos (um 420 v Chr), selbst bahnbrechende Entdecker, gründen berühmte Schulen. Sechs Ärzteschulen lassen sich
30 im 5 Jhdt unterscheiden, neben der krotonischen und koischen die knidische, sizilische, athenische und äginetische. Die Empirie kommt im Ptolemäerreich zu höchster Blüte (Sektionen, selbst Vivisektionen an Verbrechern). Die römische Kaiserzeit bringt das in Ägypten schon zu Herodots Zeit vorhandene Spezialistentum auf den Höhepunkt (Augen-, Zahn-, Ohren-, Frauenärzte usw)[3]. Der tüchtige Arzt ist angesehen und reich.
35 Der Bruder des Leibarztes des Claudius, QStertinius, schätzte seine Stadtpraxis auf 600 000 Sesterzen (gegen 100 000 Mk). Galen († 199 n Chr), der einen Teil seiner Praxis brieflich ausübte, war der letzte große medizinische Schriftsteller, von staunenswerter Produktivität, Oribasius (4 Jhdt) nur noch Kompilator.

3. Wunderheilungen, Heilgötter und Götterheilande
40 im Hellenismus.

Von den Auswirkungen der wissenschaftlichen Medizin in der Allgemeinheit darf man sich keine übertriebenen Vorstellungen machen. Neben ihr behauptet sich zu allen Zeiten der Aberglaube, aber auch die Religion. Die Grenzen sind fließend. Die Religion wird als selbständige Lebens-
45 macht von der Schulmedizin anerkannt und verschmäht ihrerseits ein Bündnis mit dieser nicht ganz. Etwa seit dem 1. Jhdt n Chr wird die naturwissenschaftlich-medizinische Aufklärung von einem neuen Erstarken der Religion, aber auch des Aberglaubens, abgelöst.

Plato hatte noch recht abenteuerliche anatomische Vorstellungen (Tim 91; auch
50 Barn 10, 6 ff steht naturkundlich für seine Zeit keineswegs besonders tief). Um 138 n Chr verordnet Asklepios gegen Blindheit eine Salbe, hergestellt aus dem Blut eines weißen Hahns und Honig (Ditt Syll[3] 1173, 15 ff).

Oft gilt die Krankheit als Strafe erzürnter Gottheiten. Wie man sich bei Seuchen sogar an unbekannte Gottheiten wandte, zeigt das angebliche Opfer des Epimenides

---

[3] Papias fr III (Catena in Acta SS Apostt ed JACramer [1838] 12) führt als Instrument des Augenarztes die διόπτρα an. Vergrößerungs- und Verkleinerungsgläser (Spiegel?) sind nach Gn r 4 zu Gn 1, 6 (Str-B I 559) um 150

n Chr selbst den Juden bekannt. Reiche Jüdinnen tragen künstliche Zähne aus Gold oder Silber (Schab 6, 5; bSchab 65 a); andere Frauen wohl erst recht.

in Athen τῷ προσήκοντι θεῷ (Diog L I 110). Sarapis verhängt Krankheit, weil sein Tempelbaubefehl nicht genügend beachtet wird (P Greci e Latini IV [1917] Nr 435). Der eigentliche Pest- und deshalb auch Heilgott der Griechen ist in älterer Zeit Apollon (vgl schon Hom Il 1, 42 ff; → I 396, 18 ff). Später wird Asklepios als Heilgott besonders populär. Wie angesehen er war, zeigt zB der Umstand, daß Augustus den 5 Cäsarmörder Turullius hinrichten ließ, weil er den Cypressenhain des koischen Asklepieions für den Bau der Flotte des Antonius abgeholzt hatte (Dio C 51, 8, 2). Xenophon von Kos weihte dem Nero als Asklepios einen Tempel. Unter den Heiligtümern des Gottes ist Epidauros — ein antikes Lourdes — bei weitem das berühmteste[4] (andere in Athen, Kos, Pergamon, wo im 2 Jhdt Aelius Aristides als Kur- 10 gast weilte, auf der Tiberinsel in Rom usw; auch das Amphiareion in Oropos diente ähnlichen Zwecken). Da als besonders heilsam die Inkubation, der Tempelschlaf, galt, gab es in den Tempelbezirken Liegehallen. In Epidauros stand inmitten derselben die von Pausanias (II 27, 3) erwähnte Tholos des jüngeren Polyklet (um 350 v Chr): weder ein Brunnenhäuschen, noch ein Schlangenkäfig, geschweige denn ein Musik- 15 pavillon, vielmehr ein Rundtempel für Prozessionen und Opfer mit labyrinthartigen Fundamenten und Rampe am Eingang. Stadion und Theater sorgten für die Unterhaltung der Kurgäste. Gebärende Frauen und Sterbende wurden innerhalb des von Mauern umgebenen heiligen Bezirkes nicht geduldet. Erst in römischer Zeit wurden für sie Unterkunftshallen außerhalb desselben errichtet. Unzählige Votivgaben (Nach- 20 bildungen geheilter Glieder![5]) und -inschriften[6] zeugten von der Dankbarkeit Geheilter gegen den Gott, auch wohl gegen die Priester[7], während Aristophanes deren Verhalten in seinem Plutos gegeißelt hat. Weniger glänzend, aber besonders zweckmäßig war das von RHerzog ausgegrabene Asklepieion von Kos eingerichtet. Die terrassenförmige Anlage muß mit ihren breiten Freitreppen besonders reizvoll gewirkt haben. Die Rücksicht 25 auf Gesundheit und Kur überwog hier den Kultus. Man legte besonderen Wert auf freie Lage, weite Räume und reichliches Wasser. Säulenhallen, lange Wandelgänge und zahlreiche Nebengebäude boten den Kurgästen Aufenthalt. Eine weitverzweigte Druckwasserleitung wurde durch den Leibarzt Neros, Xenophon von Kos, geschaffen. Der reichlich abgelegte Sinter läßt auf Mineralwasser schließen. Eine Latrine mit Wasserspülung und 30 Waschrinne entstand in spätrömischer Zeit, ebenso eine Thermenanlage. Gymnasion, Stadion und Theater waren infolge der Nähe der Stadt entbehrlich. Eine Bibliothek gab es seit dem 1 Jhdt n Chr. Ein hübsches Stimmungsbild vom Besuch einer opfernden Familie in Kos, verbunden mit einer Führung durch das prächtige Heiligtum, gibt Herond Mim 4.   35

Auch das Asklepieion von Pergamon ist neuerdings freigelegt worden. 1931 wurde der Kurbrunnen gefunden. Sein Wasser dient jetzt wieder zu Heilzwecken.

Das Verhältnis zwischen zünftiger Medizin und Wunderheilung ist verwickelter, als es auf den ersten Blick scheint[8].

Für das Asklepieion von Kos ist die Beteiligung von Ärzten am Heilbetrieb durch 40 die Auffindung medizinischer Instrumente gesichert. Inschriften, die sich auf Wunderheilungen beziehen, fehlen dagegen hier. Umgekehrt hat sich die ältere Anschauung, daß man in Epidauros, etwa während des Tempelschlafs, chirurgische Eingriffe vorgenommen habe, in keiner Weise bestätigt. Die Inschriften haben keine Spur von Ärzten oder priesterlicher Charlatanerie zutage gebracht. Auch für Oropos 45 beweist das Weihrelief des Archinos[9] nichts in dieser Richtung. Das vermeintliche Messer ist in Wirklichkeit eine Spachtel, mit welcher der Gott Salbe aufträgt, wohl um den Biß der heiligen Schlange zu heilen. Zum Inventar des Asklepieions im Piraeus gehören dagegen wiederum Messerchen und Scheren zu chirurgischen Zwecken, vermutlich nicht bloß als Weihgaben, sondern zum Gebrauch im Heiligtum 50 (Ditt Syll[3] I 144, 16 f).

Eine scharfe Scheidung zweier verschiedener Systeme erweist sich aber als undurchführbar. Die Tatsache, daß die Ärzte in Asklepios ihren Schutzpatron sehen, beweist den religiösen Einschlag auch bei ihnen[10]. Ein besonders schweres Problem bot die

[4] Vgl darüber die angegebene Literatur.
[5] Beispiele Haas Lfrg 13/14 Rumpf (1928): Bein mit Krampfader (140), Ohren und Hände (142).
[6] Beispiele Cavvadias, Fouilles d'Epidaure 32 ff, ferner → 194 LitA: A 2—4 Quellen. Asklepios wird in den Votivinschriften häufig mit seiner Tochter Hygieia zusammengefaßt. Einzigartig ist dagegen die sinnvolle Weihung Ἀσκληπιῶι καὶ Ὑγιείαι καὶ τῶι Ὕπνωι (Athen, Ditt Syll[3] III 1143).

[7] Vgl die Dankstele eines Geheilten aus dem Asklepieion in Athen (2 Jhdt n Chr): Εὔνεικος Γαΐῳ Πειναρίῳ χαριστήριον εἰαθείς. BCH 51 (1927) 281.
[8] Vgl Herzog, Wunderheilungen 149.
[9] Titelbild bei Herzog aaO.
[10] Das Asklepieion auf Kos ist allerdings erst nach dem Tode des Hippokrates um die Mitte des 4 Jhdts begründet worden. Damit erledigt sich die späte Legende, Hippokrates habe seine Medizin aus den Pinakes der Ge-

Epilepsie, die dem Volksglauben als ἱρὴ νοῦσος galt. Hippokrates oder ein ihm geistesverwandter Schüler erklärte sie dagegen für eine Gehirnkrankheit, die vom Arzt geheilt werden könne. Er will aber die göttliche Hilfe damit so wenig ausschließen, daß er das ἱκετεύειν τοὺς θεούς (die Inkubation) empfiehlt und rationale und
5 supranaturale Therapie zusammenbindet in dem schönen, grundsätzlich bedeutsamen Satz: πάντα θεῖα καὶ πάντα ἀνθρώπινα. Der syrakusische Arzt Menekrates, dem die Heilung der Epilepsie, anscheinend durch Suggestion, überraschend gut gelang, hielt sich selbst für Zeus [11]. Die ἰάματα von Epidauros (W 62) schließen sich, vielleicht bewußt, nicht der hippokratischen Auffassung an, sondern machen für eine exorzi
10 stische Behandlung mittels eines an die Öffnungen des Kopfes gehaltenen Fingerringes (→ II 10, 32 ff) Stimmung. Ihre Polemik gegen die ungeschickten „Söhne des Gottes", die einen einer Bandwurmoperation wegen abgeschnittenen Kopf nicht wieder aufzusetzen vermochten (W 23), richtet sich aber nicht, wie man früher annahm, gegen die zünftigen Ärzte, sondern gegen die priesterliche Konkurrenz in Trozen [12]. Und
15 der Gott gibt in steigendem Maße diätetische Anweisungen medizinischen Gepräges (→ 208, 49 ff).

Wunderheilungen werden auch besonders von hochgestellten Persönlichkeiten berichtet.

Die Kaiser Vespasian und Hadrian sollen durch Berührung und Speichel Blinde und
20 Lahme geheilt haben [13]. Typischer Wundertäter (θεῖος ἄνθρωπος), schwerlich ein heidnischer „Konkurrenzheiland" [14], sondern als selbständige Bildung der ausgehenden Antike verständlich, ist Apollonios von Tyana. Die antiken Heilungsgeschichten haben ihre eigene Topik (→ 206, 22 ff).

Der Heilgedanke greift aber in der griechischen Religion noch viel weiter
25 und tiefer. Die Götter sind Ärzte und Heilande sowohl im kosmisch-universalen als auch in einem innerlichen Sinn. Die typisch griechische Denkform der Analogie führt hier zu einer besonders organischen Art, sich das göttliche Walten in der Welt vorzustellen. Die Götter werden zu Heilung spendenden Mittlern zwischen Zeus und den Menschen. Allen voran Asklepios! Die vergeistigte Asklepiosreligion
30 ist bis zu einem gewissen Grade dem Christentum vergleichbar. Ihr Siegeslauf, etwa seit Plato beginnend, erreicht bei Aelius Aristides seinen Höhepunkt [15]. Noch bei Julian hat diese schwärmerische Religiosität, durch das Christentum zur Reaktion angeregt, den Abwehrkampf gegen das letztere befruchtet.

Bei Plato singt der Arzt Eryximachos das Lob seines „Ahnherrn" Asklepios, der
35 nach der Meinung der Dichter die ärztliche Kunst begründet habe (Symp 186 e). Eine noch umfassendere Verkörperung der göttlichen Heilkraft sieht aber Plato in Eros. Von ihm sind, wie die Heilkunde, so auch Gymnastik, Ackerbau und Musik abhängig. Eros ist unter den Göttern der größte Menschenfreund (θεῶν φιλανθρωπότατος), ein Helfer und ein Arzt, sie zu befreien von den Übeln, deren Heilung für die Menschen
40 die größte Glückseligkeit zu bedeuten hätte (ἐπίκουρός τε ὢν τῶν ἀνθρώπων καὶ ἰατρὸς τούτων, ὧν ἰαθέντων μεγίστη εὐδαιμονία ἂν τῷ ἀνθρωπείῳ γένει εἴη, Symp 189 d). Er ist es, der die von Zeus getrennten Hälften der teils männlichen, teils weiblichen, teils androgynen Urmenschen wieder zusammenfügt und dadurch die Ganzheit der menschlichen Natur wiederherstellt (καταστήσας ἡμᾶς εἰς τὴν ἀρχαίαν φύσιν καὶ ἰασά
45 μενος μακαρίους καὶ εὐδαίμονας ποιῆσαι, Symp 193 d). Himmlische, dh zuchtvolle Liebe [16] ist die geistleibliche Erfüllung des Menschenwesens.

---

heilten im Asklepieion entnommen. Aber einen Geschlechtskult des Asklepios werden die koischen Asklepiaden schon lange vorher gehabt haben. Herzog, Wunderheilungen 141.
[11] OWeinreich, Menekrates, Zeus und Salmoneus, Tübinger Beiträge zur Altertumswissenschaft 18 (1933).
[12] Es scheint sich um schlaue Umkehrung einer über Epidauros umlaufenden boshaften Geschichte zu handeln. Herzog, Wunderheilungen 78.
[13] Weinreich AH 112 f, 66, 68, 73 f.
[14] Dafür jetzt wieder CSchneider aaO 10.

[15] Vgl OKern, Die Religion der Griechen II (1935) 303 ff.
[16] Gemeint ist in erster Linie die Päderastie. Plato idealisiert sie und sucht gegen die Zuchtlosigkeit in jeder Form Kautelen zu schaffen. Der wahre Eros ist der den Menschen nach oben führende Trieb. Das Bedenkliche dieser Anschauung ist in der neuesten Theologie genügend oft betont worden. Eine Apologie Platos gibt CRitter, Platonische Liebe, Übersetzung und Erläuterung des Symposions (1931) → ἀγάπη I 34 ff.

Aelius Aristides[17] sah die Hilfe seines Spezialgottes Asklepios in der Heilung von langjähriger Neurasthenie. Der Gott wird für ihn, umgeben von anderen Heilgottheiten, eine Art Mittlergestalt, die die heilsame Gegenwart des unnahbaren höchsten Gottes Zeus verkörpert. Apollon verkündet den Menschen des Zeus untrüglichen Spruch καὶ Ἀσκληπιὸς ἰᾶται οὓς ἰᾶσθαι Διὶ φίλτερον, daneben Athene, Hera und Artemis 5 (Or 43, 25 [Keil]). Von schlichter Innigkeit zeugt die Verehrung einer namenlosen Heilgottheit in einer kleinasiatischen Inschrift: Δαίμονι φιλανθρώπῳ νέῳ Ἀσκληπιῷ ἐπιφανεῖ μεγίστῳ[18].

Bei Julian ist Asklepios bewußtes und gewolltes Kontrastbild zu dem Heiland des Christentums. Zeus erzeugte in der intelligiblen Welt (ἐν τοῖς νοητοῖς) aus sich heraus 10 den Asklepios und ließ ihn durch die Lebenskraft des Helios-Mithra auf Erden erscheinen. Als Asklepios vom Himmel her auf die Erde seinen Einzug gehalten hatte, erschien er als einzelner in der Gestalt eines Menschen (ἐν ἀνθρώπου μορφῇ, vgl Phil 2, 7) bei Epidauros und streckte von dort, durch Mission sich vervielfältigend, seine heilbringende Rechte über die ganze Erde (πληθυνόμενος ταῖς προόδοις ἐπὶ πᾶσαν 15 ὤρεξε τὴν γῆν τὴν σωτήριον ἑαυτοῦ δεξιάν). So ist er nun allgegenwärtig „über Land und Meer“. Er kommt nicht zu jedem einzelnen von uns, und doch bringt er die kranken Seelen und Leiber in Ordnung (ἐπανορθοῦται ψυχὰς πλημμελῶς διακειμένας καὶ τὰ σώματα ἀσθενῶς ἔχοντα, Contra Christianos 200 a b). Vgl Or 4, 144 b: ἐπεὶ δὲ καὶ ὅλην ἡμῖν τὴν τῆς εὐταξίας ζωὴν συμπληροῖ, γεννᾷ μὲν ἐν κόσμῳ τὸν Ἀσκληπιόν, ἔχει δὲ 20 αὐτὸν καὶ πρὸ τοῦ κόσμου παρ' ἑαυτῷ. Ein heidnisches Gegenstück zu J 1, 1!

Das Ziel der heilenden Tätigkeit der Götter ist die menschliche Glückseligkeit. Diese wird überwiegend naturhaft verstanden.

4. Eigentlicher und übertragener Gebrauch der Vokabeln.   25

a. Für sämtliche Vokabeln überwiegt der eigentliche Gebrauch.

Im eigentlichen Sinn steht ἰᾶσθαι ua bei Homer, Plato und Galen; Ditt Syll[3] 1168, 108. 113. 117; 1169, 7. 53; POxy VIII 1151, 25; ἴασις: Hippocr Aphorismi 2, 17; ἰατρός: Hom Il 11, 514; ἰατρὸς ὀφθαλμῶν, κεφαλῆς, ὀδόντων: Hdt II 84 uö.   30

b. Dem analogen Denken der Griechen entspricht es, wenn die ursprünglich medizinischen Termini im Sinne von *(wieder-)herstellen, (wieder-)gutmachen* auf andere Gebiete übertragen werden.

ἰατρός ist entsprechend dem oben Gesagten (→ 198, 24 ff) Beiname vieler Gottheiten: des Apollon (Aristoph Av 584, Ärzteeid des Hippokrates, kleinasiatische 35 Münzen), Asklepios (Stob Ecl I 38, 20: θείω ἰατῆρος τ' Ἀσκληπιοῦ ὀλβιοδώτα), Dionysos (Plut Convivalium Disputationum III 1, 3 [II 647 a]), der Aphrodite (Plut Praec Coniug 38 [II 143 d]), der Nymphen in Elis (Hesych sv) usf[19]. Selene, wenn im rechten Zeichen stehend, wirkt glückbringend: τῶν φαύλων (πραγμάτων) ἴασιν ἀποτελεῖ (Vett Val IV 18). Die Griechen haben auch den Namen Iason anscheinend etymologisch 40 mit ἰᾶσθαι zusammengebracht. Das beweist wohl das weibliche Gegenstück, der Name der Asklepiostochter und Heilgöttin Iaso (ionisch Ἰησώ, Herond Mim 4, 6). Daß Asklepios selbst Iasios heißt[20], läßt sich nicht beweisen[21]. Über den Zusammenklang mit Ἰησοῦς → 215, 24 ff.

Häufig denkt man an die Behebung intellektueller Mängel: δύσγνοιαν ἰᾶσθαι Eur 45 Herc Fur 1107; ἴασιν ποιήσασθαι τῆς ... ἀδυναμίας ἐν τοῖς λόγοις, Luc Jup Trag 28; gelegentlich auch an die Vergeltung von Unrecht: Agamemnon zog nach Troja — so sagt Orest bei Eur (Or 650) zu Menelaos — οὐκ ἐξαμαρτὼν αὐτός, ἀλλ' ἁμαρτίᾳ | τῆς σῆς γυναικὸς ἀδικίαν τ' ἰώμενος. Der Politiker kann ἰατρὸς τῆς πόλεως sein (Thuc VI 14). In der platonischen Philosophie wird die medizinische Argumentation geradezu konstitutiv 50 für die Fassung dessen, was Plato unter Philosophie versteht, Gorg 521 c/522 a. Nur so

---

[17] OWeinreich, Typisches und Individuelles in der Religion des Aelius Aristides, N Jbch Kl Alt 17 (1914) 597 ff.
[18] Weinreich aaO 599.
[19] Häufig ist ἰατρός (bzw ἰητήρ) Prädikat der Gottheit im Hymnus. Dort auch viele Bitten um Heilung. Reiches Material hierzu bietet HKeyßner, Gottesvorstellung und Le-

bensauffassung im griech Hymnus. Würzburger Studien z Altertumswiss II (1932) 113 f.
[20] ADrews, Die Christusmythe (1924) 34 ohne Beleg.
[21] Vgl Roscher II 1 sv Iasion, Iasios, Iaso, Iason, Iasos. Iasion gilt als Geliebter der Demeter und Vater des Plutos.

sind die dauernden Parallelisierungen zwischen Gymnastik und Gesetzgebung, ἰατρική und Strafrecht (Gorg 464 b), auch Musik (Symp 187 a ff) zu verstehen. Plato weist dem Gesetzgeber die Aufgabe zu, die auf ungerechten Gewinn gerichteten Bestrebungen als Krankheiten in der Seele nach Möglichkeit zu heilen (ἴασις τῆς ἀδικίας, Leg IX 862 c).
5   Epiktet bezeichnet die Philosophenschule als ἰατρεῖον. Man solle nicht fröhlich, sondern voll Schmerz herauskommen (Diss III 23, 30). In solchen Zusammenhängen erscheint in der Regel der Mensch als Subjekt.

B. Krankheit und Heilung im AT und im Judentum.

1. Die religiöse Beurteilung der Krankheit.

10   Die primitive Erklärung der Krankheit wirkt in Israel vor allem in der Beurteilung der Geisteskrankheiten, geschlechtlicher Ausflüsse, des Aussatzes und des Todes nach. Verunreinigend sind diese Erscheinungen ursprünglich deshalb, weil sie auf das Wirken von Dämonen zurückgeführt werden. Die Dämonenfurcht wird im Judentum, vermutlich unter dem Einfluß des
15 parsischen Dualismus und im Zusammenhang mit der Verfeinerung der Gottesidee, noch einmal besonders stark[22]. Die Erkenntnis natürlicher Krankheitsursachen ist demgegenüber zunächst wenig entwickelt. Sie fehlt aber, wie die Anfänge rationeller Gesundheitspflege erkennen lassen, schon in früher Zeit nicht ganz. Die verschiedenen Betrachtungsweisen laufen ohne scharfe Trennung
20 nebeneinander her. Vor allem bricht sich in ständigem Fortschritt die Erkenntnis Bahn, daß Jahwe es ist, der die Krankheit verhängt oder doch zuläßt. Durch diese religiöse Beurteilung wird die Krankheit in einen positiven Sinnzusammenhang eingereiht. Sie stellt freilich eben dann als Auswirkung und Kennzeichen von Jahwes Zorn den Frommen unter besonders schweren Druck.
25 Die Erfahrung solcher Not und der Errettung aus ihr spiegelt sich in vielen Psalmen, mag auch teilweise Bildrede vorliegen (32. 38. 51. 88. 91. 107, 17—22). Besonders eindrucksvoll ist die Krankheitsgeschichte Hiskias mit ihrem aus persönlichem Erleben geborenen, wenn auch erst nachträglich auf Hiskia übertragenen Psalm (Js 38, bes 10—20, vgl 2 Kö 20, 1 ff)[23]. Der Aussatz (צָרַעַת,
30 eigentlich das Geschlagenwerden [von Gott], häufig in Verbindung mit נֶגַע Schlag, Mal) gilt als schimpfliche Kennzeichnung durch Jahwe, „wie wenn ein Vater seinem Kinde ins Gesicht speit" (Nu 12, 14). Die Frage nach dem Warum ist für den Gerechten dann besonders qualvoll, wenn die Ursache des göttlichen Mißfallens nicht erkennbar ist. Darauf beruht zT die Problematik des Buches
35 Hiob. Der leichtere Fall ist demgegenüber der, daß man bestimmte Ursachen anzugeben weiß. Diese lassen sich abstellen oder abbüßen (2 S 12, 15 ff; 24, 15).

Das Judentum hat die Vergeltungslehre, sein eigentliches Zentraldogma, auch im Blick auf die Krankheit mit höchster Virtuosität ausgebildet (vgl J 9, 2). Es weiß für jede Krankheit die Verschuldung anzugeben und umgekehrt für jede Verschuldung die ihr folgende Strafe. Geschwüre und Wassersucht kommen wegen Buhlerei und Unzucht,
40 Halsbräune wegen Unterlassung der Fruchtverzehntung, Aussatz wegen Verleumdung, Blutvergießen und Falscheid, Epilepsie und Verkrüppelung der Kinder wegen Unzulässigkeiten beim ehelichen Verkehr. Selbst mit Sünden der Kinder im Mutterleibe als Krankheitsursachen hat man gerechnet[24]. Besonders bedrückend und verwüstend

---

[22] Eine Übersicht über die altjüd Dämonologie gibt Str-B IV 501 ff. Über die Verursachung von Krankheiten 524 f. (Parallelen aus dem heutigen Palästina bei TCanaan, aus dem osteuropäischen Judentum bei GMLöwen,

Ein Tag aus dem Leben eines gesetzestreuen Juden [1911]). Rab soll 99% aller Krankheiten aus dem bösen Blick abgeleitet haben.
[23] JBegrich, Der Psalm des Hiskia (1926).
[24] Str-B II 193 ff, 527 ff; J 9, 2.

wirkte der Schluß von der Wirkung auf die Ursache. Das Judentum kennt aber auch
Krankheiten, die zur Ablösung verwirkter ewiger Strafen oder ohne besondere Veranlassung als „Züchtigungen aus Liebe" (יִסּוּרִין שֶׁל אַהֲבָה) auferlegt werden und, wenn
in Demut und Ergebung ertragen, langes Leben, Befestigung der Toraerkenntnis und
Vergebung aller Sünden zur Folge haben [25].   5

2. Magie und Medizin. Gott der Heilende (im eigentlichen Sinn).

Der Zauber ist in Israel durch den Jahweglauben zwar
früh diskreditiert worden, hat sich aber von ihm nicht überall reinlich geschie-
den, ist auch niemals ganz verschwunden.   10

Noch im Judentum der talmudischen Zeit spielen Besprechungen, Beschwörungen
und Sympathiekuren eine bedeutende Rolle [26]. In diesem ursprünglich animistischen
Zusammenhang tritt auch der Speichel als Heilmittel auf [27].

Die Ansätze zur rationalen Medizin gehen in alter Zeit vielleicht auf ägyptische
Anregungen (Gn 50, 2), später auf griechische Einflüsse zurück. Wundarzt und Wund- 15
balsam setzen schon die großen Propheten als vorhanden voraus (Js 3, 7: חֹבֵשׁ, Jer
8, 22: רֹפֵא = ἰατρός). Die Weisheitsliteratur gibt hygienische Ratschläge (Sir 19, 2 f;
30, 14 ff. 23 f; 31 (34), 20 ff; 37, 27 ff). Das rabbinische Judentum schätzt im allgemeinen
pflanzliche Heilmittel, unter ihnen Öl (→ ἔλαιον) und Wein (Lk 10, 34), hoch. Anatomie
(Embryosektion) und Chirurgie (Schienungen, Trepanation usw) stehen auf achtbarer 20
Höhe.

Der eigentliche und alleinige Arzt ist aber Jahwe. Die Verhältnisbestimmung zwischen seiner Schöpfermacht und der menschlichen Kunst macht
Schwierigkeiten, wie man sie auf außerbiblischem Boden kaum irgendwo so
stark empfunden hat. Aus dem aut — aut wird aber mehr und mehr ein et – et mit 25
Akzentuierung der zuletzt allwirksamen Macht Jahwes.

Der „Mann Gottes", ursprünglich wohl ein mit unpersönlicher Mana geladener Medi-
zinmann, wird zum Beauftragten Jahwes (2 Kö 5; Js 38, 21 uö). Neben ihn tritt der
Priester, dem in der Tora aus kultischen Gründen die Gesundheitspolizei übertragen
wird (Lv 13, 49 ff; 14, 2 ff; vgl Mt 8, 4 par; Lk 17, 14). Ex 15, 26: אֲנִי יהוה רֹפְאֶךָ 30
ist nicht notwendig exklusiv gemeint, legt aber exklusive Gedanken immerhin nahe.
Dem Asa wird es zum Vorwurf gemacht, daß er in seiner Krankheit statt bei Jahwe
Hilfe bei den Ärzten suchte (2 Ch 16, 12). Die Wege, auf denen die Weisen in Sir 38
zu einer Bejahung der Kunst des Arztes kommen, sind sonderbar genug, selbst bei
diesen Aufgeklärten („denn auch ihn hat Gott gemacht" v 1. 12; „zuweilen ist durch 35
ihn zu helfen, weil auch er zu Gott betet" v 13 f; v 7 wird auch der Apotheker in
diese Betrachtungsweise einbezogen; vgl auch, den Schriftbeweis v 5). Trotz des
hohen Standes der Medizin im ptolemäischen Ägypten ist die Einstellung der Septuaginta zu ihr nicht positiver. Sie trägt ihre Auffassung wiederholt unter merkwürdigen Mißverständnissen in den hbr Text ein. ψ 87, 11: μὴ τοῖς νεκροῖς ποιήσεις 40
θαυμάσια; ἢ ἰατροὶ ἀναστήσουσιν...; „wirst du (Gott) etwa an den Toten Wunder tun,
können etwa Ärzte (sie) auferwecken?"; Mas: אִם־רְפָאִים יָקוּמוּ „werden auch die
Totengeister (Gespenster) auferstehen?" LXX hat verstanden: אִם־רֹפְאִים יָקִימוּ. Ähnlich Js 26, 14: οὐδὲ ἰατροὶ οὐ μὴ ἀναστήσωσιν. Mas: רְפָאִים בַּל יָקֻמוּ. Ob in der
positiven Aussage Js 26, 19: ἡ γὰρ δρόσος (Tau) ἡ παρὰ σοῦ ἴαμα αὐτοῖς ἐστιν, ἡ δὲ 45
γῆ τῶν ἀσεβῶν πεσεῖται der Ausdruck ἴαμα irgendwie durch das in jedem Fall auch
hier mißverstandene רְפָאִים veranlaßt ist, läßt sich nicht entscheiden. Die Gleichung
δρόσος = ἴαμα begegnet Sir 43, 22 vom Tau im eigentlichen Sinn. Recht anerkennend
lautet Sir 38, 7 f: durch den Arzt kommt εἰρήνη auf Erden (vgl 1, 18: εἰρήνη καὶ ὑγίεια
ἰάσεως im übertr Sinn).   50

Auch Philo spricht gelegentlich anerkennend, so von den guten unter den Ärzten,
welche, auch wenn sie sehen, daß die Kranken unheilbar sind, ihnen dennoch fröhlich
ihren Dienst leisten (Sacr AC 123). Anderseits tadelt er die Menschen, die, anstatt
dem Retter Gott zu vertrauen, erst zu den in der Kreatur liegenden Hilfsmitteln

---

[25] Str-B II 193; I 495.
[26] Str-B I 627; II 15. 17; IV 773; I 652; IV
527 ff. → ἐξορκίζω.

[27] Str-B I 216; II 15 ff; IV 773.

flüchten: ἰατρούς, βοτάνας, φαρμάκων συνθέσεις, δίαιταν ἠκριβωμένην, τἄλλα πάνθ' ὅσα παρὰ τῷ θνητῷ γένει βοηθήματα und denjenigen, der sie zu dem μόνος ἰατρός weist, verspotten: „Morgen" (Sacr AC 70).

5 Das spätere palästinische Judentum empfindet der Medizin gegenüber noch stärkere, freilich nicht unüberwindliche Hemmungen. „Wohne nicht in einer Stadt, deren Vorsteher ein Arzt ist" und sogar: „Trinke keine Medikamente. Springe nicht über Flüsse. Laß dir keinen Zahn ziehen. Reize keine Schlange und keinen Aramäer" (bPes 113 a). Andererseits: „Wehe der Stadt, deren Arzt ein Gichtleidender ist" (Lv r 5, 6 zu Lv 4, 3). Man soll möglichst an einem Orte wohnen, wo ein tüchtiger 10 Arzt zu haben ist, und ihn in Krankheitsfällen auch rufen lassen. Im Tempel gab es einen Arzt für unterleibskranke Priester. Manche Rabbinen waren Ärzte von Beruf und praktizierten auch als solche. Ein jüdisches Gebet zum Aderlaß lautet: „Möge es dein Wille sein, o Herr, mein Gott, daß mir diese Handlung zur Genesung diene, und heile mich, denn du, o Gott, bist der wahre Arzt, und deine Heilung ist eine 15 wirkliche. Die Gewohnheit der Menschen, sich heilen zu lassen, erfolgt nur deshalb, weil es so Brauch ist" (bBer 60 a).

Das Hauptmittel, gesund zu werden, ist also das Gebet. Daß es ursprünglich an den Kultus gebunden war, scheinen manche Anspielungen auf Ort und Zeit, Gewandung und Bußübungen in den „Klagepsalmen" zu beweisen (Ps 5, 4. 8; 20 28, 2; 38, 7; 42, 10; 88, 14 ua). Die meisten dieser Lieder enthalten jedoch schon freie Wendungen des einzelnen Beters. Die Klage, die Bitte um Heilung und der Dank für die Erhörung kehrt in ihnen regelmäßig wieder (Ps 6; 16, 10; 30, 3; 32, 3 f; 38; 41, 5; 51, 9 f; 103, 3; 107, 17 ff; 147, 3). Der Zusammenhang zeigt dabei nicht selten, daß der Begriff der Heilung auf andere Gebiete übertragen 25 wird (→ 3). Der eigentliche Gebrauch war aber das Ursprüngliche.

Auch die Rabbinen machen dem Kranken das Gebet und den Gesunden die Fürbitte für ihn sowie den als verdienstliches Werk angesehenen Krankenbesuch zur Pflicht.

Die Grenzen zwischen Gebetserhörung und Wunderheilung sind fließend. At.liche Beispiele für letztere sind die Berichte von der ehernen 30 Schlange (Nu 21, 8 f) und von Naeman (2 Kö 5). Die Totenerweckungen 1 Kö 17, 20 ff und 2 Kö 4, 33 ff geschehen auf Gebet hin. Von dem bekanntesten Wundertäter der Synagoge, Chanina ben Dosa (um 70 n Chr), werden Heilungen anscheinend nur als Gebetserhörungen berichtet.

Vgl bBer 34 b (Str-B II 441): Chanina merkt an der Geläufigkeit seines Gebets, 35 ob es erhört ist. Von ihm sagte man später: Seitdem Chanina ben Dosa gestorben ist, hörten die Männer der Tat (= Wundertäter) auf (TSot 15, 5). Für das Rabbinentum der Zeit Jesu ist die Heilungsgabe nicht bezeugt (vgl allenfalls Mt 12, 27 par). Unerläßliche Voraussetzung des Rabbinentums ist sie keinesfalls → 129, 19 ff.

3. Heilung im übertragenen Sinn.

40   Jahwe ist allgemein der Heilende, sofern er sein Gericht, Krankheit, persönliches und völkisches Unheil aufhebt (Gn 20, 17; Ex 15, 26; Hos 6, 1; 7, 1; 11, 3, häufig in den Psalmen) ἰάομαι und seine Wechselbegriffe sind in übertragenem Sinne besonders häufig bei Jer: 3, 22; 17, 14; 37 (30), 17 uö. Vgl auch Js 7, 4 LXX und Sach 10, 2. An letzterer Stelle 45 führt LXX ohne masoretische Grundlage (sie liest רֹפֵא statt רֹעֶה), die auch sonst (zB Jer 14, 19; Prv 29, 1), und zwar meist in übertragenem Sinne, vorkommende Formel οὐκ ἦν ἴασις von sich aus ein[28]. Da für die Aufhebung des Unheils die Sündenvergebung — ihrerseits von Buße und Bekehrung abhängig — die unerläßliche Voraussetzung bildet, so berührt sie sich mit der Heilung sehr 50 nahe (Js 6, 10; ψ 6, 3; 29, 3; 40, 5: ἴασαι τὴν ψυχήν μου, ὅτι ἥμαρτόν σοι,

---

[28] Z 42—47 von Bertram.

ψ 102, 3: τὸν εὐιλατεύοντα πάσαις ταῖς ἀνομίαις σου, τὸν ἰώμενον πάσας τὰς νόσους σου). ἰᾶσθαι wird so geradezu tt für die gnädige Heilszuwendung Gottes. Dabei schwebt meistens das Bild einer zu verbindenden Wunde vor, woher die Zusammensetzung von ἰᾶσθαι mit συντετριμμένος ψ 146, 3; Js 61, 1 oder σύντριμμα ψ 59, 4 kommt. Es handelt sich hier nicht um die Beseitigung intellektueller, auch 5 nicht in erster Linie um diejenige moralischer Mängel — die letztere ist teils Voraussetzung, teils Folge —, sondern um die Wiederherstellung der Gottesgemeinschaft mit allem aus ihr fließenden Trost und aller aus ihr erwachsenden Hilfe. Sir 28, 3 bedeutet ἴασις geradezu Vergebung. ἰᾶσθαι *vergeben* kommt auch Dt 30, 3 vor: ἰάσεται τὰς ἁμαρτίας σου, Mas: Gott wird dein Geschick 10 wenden (שׁוּב שְׁבוּת). Ebenso als vl bei AB zu ἱλάσκεσθαι in 2 Ch 6, 30. Schließlich gehört auch die gegenüber dem schwer verständlichen masoretischen Text völlig selbständige Formulierung der LXX Hi 12, 21 in diesen Zusammenhang: ταπεινοὺς δὲ ἰάσατο [29]. Subjekt ist in letzter Linie immer Gott. Für ihn können jedoch seine Beauftragten eintreten. Während die gottlosen Volksführer ihre 15 ihnen von Gott anvertraute Aufgabe, das Verwundete zu *heilen*, vernachlässigen (Sach 11, 16; Jer 6, 14), weiß der Prophet, der treue Gottesknecht, sich mit dem Geiste Jahwes gesalbt, um die, welche zerbrochenen Herzens sind, zu *verbinden* (Js 61, 1: לַחֲבֹשׁ לְנִשְׁבְּרֵי לֵב, ἰάσασθαι τοὺς συντετριμμένους τῇ καρδίᾳ). Dies geschieht in erster Linie durch die frohe Botschaft, die er bringt: לְבַשֵּׂר עֲנָוִים, 20 εὐαγγελίσασθαι πτωχοῖς. Zur Aufgabe des Gottesknechtes gehört auch das leidende Eintreten zur Sühnung der Sünden seines Volkes. Anfangs ungläubig, werden die Zuschauenden noch das paradoxe Bekenntnis ablegen: Durch seine Striemen ward uns *Heilung* (Js 53, 5: בַּחֲבֻרָתוֹ נִרְפָּא לָנוּ, τῷ μώλωπι αὐτοῦ ἡμεῖς ἰάθημεν). In diesem ahnungsvollen Wort erreicht die at.liche Religion, über sich 25 selbst hinausweisend, ihre höchste Höhe.

Philo braucht die Vokabeln gelegentlich im eigtl (so bes ἰατρός, anscheinend nicht ἴασις), häufiger im übertr Sinn. Griechisches Empfinden drückt sich darin aus, daß bei der Heilung an die Behebung sittlicher Gebrechen, kaum an Sündenvergebung, gedacht wird. Eine mehr at.lich-jüdische Linie hält dagegen Philo insofern ein, als 30 er die Heilung der Seele auf Gott, den göttlichen λόγος oder die göttliche ἔννοια zurückführt. Leg All III 215: ἐὰν ἔλθῃ εἰς τὴν διάνοιαν ἔννοια θεοῦ, εὐθὺς εὐλογιστεῖ τε καὶ πάσας τὰς νόσους αὐτῆς ἰᾶται. Ebd 124: . . . λόγος (zunächst der menschliche) σὺν ἀρεταῖς ἀληθότητι καὶ σαφηνείᾳ (Klarheit) θυμὸν νόσημα χαλεπὸν ψυχῆς ἰώμενος . . . Gott ist der μόνος ἰατρὸς ψυχῆς ἀρρωστημάτων, zu dem die Menschen freilich in der 35 Regel erst dann ihre Zuflucht nehmen, wenn alle anderen Mittel erschöpft sind (Sacr AC 70 f).

C. Krankheit und Heilung im NT.

1. Krankheit und Heilkunst im Lichte des NT.

Daß die primitive Beurteilung der Krankheit auch im 40 NT noch nachwirkt, zeigt nicht nur das häufige Auftreten Besessener, sondern auch die Motivierung körperlicher Leiden in Mt 12, 22 par; Lk 13, 11; Ag 12, 23; 1 K 10, 10; 2 K 12, 7; Apk 16, 2. Alleinherrschend ist diese Betrachtungsweise aber nicht [30]. Mit dem Gottesglauben ist sie so verbunden, daß der

---

[29] Z 9—14 von Bertram.
[30] Die Tatsache, daß Rabbinen gelegentlich von einem Geist des Asthmas reden,

gibt noch kein Recht, für Mk 1,30 par einen Geist des Fiebers oder für Mk 5,25 par einen Geist des Blutgangs zu postulieren.

Widerstand der diesen Aeon beherrschenden Mächte (Mk 3, 27) und andererseits das Gericht Gottes (Apk 6, 8, θάνατος LXX = דֶּבֶר, die Pest) durch sie anschaulich wird. Ohne den Zusammenhang zwischen Krankheit und Sünde zu verkennen (Mk 2, 5 par; J 5, 14), durchbricht Jesus das starre Vergeltungs-
5 dogma und stellt dadurch die Krankheit in eine völlig andere Beleuchtung (zu J 9, 3f; 11, 4 vgl sinngemäß Lk 13, 1ff). Dadurch wird ihr der schärfste Stachel genommen. So steht sie nun für einen Paulus mit allem anderen Leiden unter der Regel R 8, 28; 2 K 4, 17. Der Apostel hat diese seine Auffassung selbst unter schwerer Krankheitslast bewährt (2 K 12, 7ff).
10   Das Leiden des Paulus war schwerlich Epilepsie, auch wohl keine Augenkrankheit (vgl Gl 4, 13ff), eher schwere, mit Depressionen verbundene Neuralgie oder Hysterie [31].

Das NT hat aber volles Verständnis dafür, daß Krankheit und Verwundung ein dem Schöpferplan Gottes widersprechendes Übel ist und bleibt. Es steht deshalb allen nicht gegen die Ehrfurcht verstoßenden Versuchen, sich davon zu
15 befreien, ohne religiöse Enge und asketische Gereiztheit gegenüber. Mk 5, 26 par ist kein Gegenbeweis. Das medizinische Handeln des Samariters Lk 10, 34 gilt als vorbildlich [32]. Kol 4, 14 hat grundsätzliche Bedeutung [33]. Auch 1 Tm 5, 23 ist sehr unbefangen.

2. Jesus der Arzt. Der Gebrauch der Vokabeln in
20   den Evangelien.

Kaum ein Bild hat sich der urchristlichen Überlieferung so tief eingeprägt, wie das von Jesus als dem großen Wunderarzt. ἰᾶσθαι brauchen sämtliche Evangelisten gern von der Tätigkeit Jesu, vor allem Lukas (5, 17; 6, 19; Ag 10, 38 uö); ἴασις ebenfalls eigentlich Lk 13, 32. Der übertragene Gebrauch
25 findet sich in den Evangelien nur im Zitat (Mt 13, 15; J 12, 40 = Js 6, 10). Wie merkwürdig fern er dem Empfinden liegt, zeigt die Verwendung von Js 53, 4 in Mt 8, 17. Die Sache fehlt nicht. Aber das Blickfeld füllen zunächst die Krankenheilungen. — Die Selbstbezeichnung Arzt, die ihrem tiefsten Sinn nach im Rahmen der orientalischen Symbolsprache für die Heilszeit verstanden
30 werden muß [34], klingt bei Jesus mehrfach an, übertragen auf den Heiland der Sünder in dem aus Ernst und Ironie gemischten Parabelwort Mk 2, 17 par; Lk 4, 23 eigentlich im Zusammenhang mit einer landläufigen Redewendung, die die Erfüllung der nächsten Pflichten als das zunächst Erforderliche einschärft.
    Gn r 23 zu Gn 4, 23: [35] אָסְיָא אַפִּי חַגִירוּתָךְ „Arzt, heile dein (eigenes) Hinken"; vgl
35 Eur fr 1086 (TGF): ἄλλων ἰατρὸς αὐτὸς ἕλκεσιν βρύων. Zu Mk 2, 17 vgl Stob Ecl III 462, 14: οὐδὲ γὰρ ἰατρός ... ὑγιείας ὢν ποιητικὸς ἐν τοῖς ὑγιαίνουσι τὴν διατριβὴν ποιεῖται [36].

---

[31] Die verschiedenen Ansichten und Lit bei Wnd 2 K Exk z 12, 7, Fenner 33ff; FRMontgomery, St Pauls malady, Church Quarterly Review 107 (1929) Nr 214.
[32] Über Ölwein als Salb- und Heilmittel Str-B I 428. → ἔλαιον.
[33] Die Versuche, die Fakultätszugehörigkeit des Autors ad Theophilum auf sprachlichem Wege auszumachen, kommen über mehr oder weniger gewagte Kombinationen nicht hinaus. WKHobart, The Medical Language of St Luke (1882); AHarnack, Lukas der Arzt (1906); ACClark, The Acts of the Apostles (1933) 405ff: Supposed Medical Language in Lk and Acts.
[34] JoachJeremias, Jesus als Weltvollender, BFTh 33, 4 (1930) 34.
[35] So wird statt חיגרותך zu lesen sein.
[36] Weitere Parallelen bei Wettstein I 358f, 681; Str-B II 156; Schl Mt 306; Zn Lk u Kl Lk z 4, 23.

3. Die Wunderheilungen Jesu in religionsgeschichtlicher Beleuchtung.

Die Wunderheilungen Jesu sind, geschichtlich angesehen,
keine isolierten Erscheinungen. Wir haben zu ihnen aus alter und neuer Zeit
eine Menge Parallelen. Besonders belangreiches Material bieten die Stelen von 5
Epidauros, die wieder von den Votivtafeln moderner Gnadenorte her manches
Licht empfangen. Aber auch das Judentum kennt Analogien. Der Vergleich
ergibt eine Fülle von Fragen.

a. Die Überlieferung.

Bei der Ausgrabung von Epidauros durch Cavvadias sind von 10
den sechs Stelen, auf denen Pausanias (II 27, 3) um 165 n Chr die Berichte der Geheilten gelesen hat, vier, teilweise verstümmelt, wiederaufgefunden worden. Diese
Stelen, schon zur Zeit des Pausanias nicht mehr vollzählig erhalten, wurden einst auf
Anordnung der Stadtbehörde im Einvernehmen mit der Priesterschaft gesetzt. Die
schöne, sorgfältige Schrift führt auf die zweite Hälfte des 4 Jhdts v Chr. Von da ab 15
sind also Veränderungen der Berichte durch das Material ausgeschlossen.

Die Redaktion der Berichte der hölzernen Votivtafeln (πίνακες) für die Wiedergabe
auf den Stelen läßt sich gleich am W 1 deutlich machen. Aus der Heilung von an-
geblich fünfjähriger (?) krankhafter Schwangerschaft ist die Geburt eines bei der
Geburt schon etwa vierjährigen Knaben geworden. Solche „Vervollständigung" des 20
Wunders empfindet die Antike nicht als unstatthaft, sondern als fromm. Auf diese
Weise sind zT höchst groteske Berichte entstanden (→ 209, 15 ff). Es wäre aber verfehlt, deshalb jeden Tatsachengehalt der Berichte zu bestreiten. Manche der erwähnten
Personen lassen sich identifizieren, zB der um 350 angeblich mit Wunderhilfe geborene
Sohn des Arybbas von Epeiros (W 31), ferner der Rhetor Aischines († um 320 v Chr), 25
dessen einst wohl seinen Pinax zierendes Epigramm Anth Pal VI 330 (→ 206, 25 ff)
den Stoff für W 75 geliefert zu haben scheint. Auch die erzählten Träume werden
in den Grundzügen echt sein. Es sind wohl nicht selten Heilungen vorgekommen,
etwa wie heute in Lourdes, Kevelaer oder Gallspach. Aber manche Kranke werden
auch unverrichteter Sache abgezogen oder nur vorübergehend geheilt worden sein. 30
Solche Fälle wurden nicht festgehalten! Die bloß literarisch bezeugten Wunder stehen
ungünstiger da, weil die Herkunft der Berichte meist unkontrollierbar ist. Aber auch
sie wird man bei aller gebotenen Kritik nicht in Bausch und Bogen verwerfen.

Für die jüdische Überlieferung fehlen inschriftliche Belege. Die fixierte tannaitische
Tradition ist von den Taten etwa eines Chanina ben Dosa (um 70) bereits reichlich 35
ein Jahrhundert entfernt. Über die damit gegebene Möglichkeit der Legendenbildung
hülfe selbst eine geschlossene Kette von Autoritäten nicht hinweg. Viele jüdische
Wundergeschichten tragen den Stempel des Übertriebenen an der Stirn. Anderes
kann, in den Grundzügen wenigstens, sehr wohl historisch sein. Sollte Josephus die
bekannte Dämonenaustreibung durch Eleazar, in Gegenwart des Kaisers Vespasian 40
(Ant 8, 46 ff), glatt erfunden haben? Die jüdischen Berichte sind besonders dann
formgeschichtlich lehrreich, wenn sie in mehreren Rezensionen vorliegen. Im ganzen
bestätigen sie dann die Zähigkeit der volkstümlichen Überlieferung.

Über die Wunder Jesu besitzen wir inschriftliche oder andere urkundliche
Zeugnisse nicht. Festgeschlossene Traditionsketten lassen sich trotz der bekannten 45
Papiaszeugnisse über die Verfasser der Evangelien nicht mit voller Sicherheit
herstellen. Wie die Formgeschichte im einzelnen gezeigt hat, ist Ausmalung
der überlieferten Umrisse so wenig ausgeschlossen wie das Nachwachsen völlig
neuer Berichte. Hierher gehören vor allem die von Dibelius als „Novellen"
bezeichneten Stücke. 50

Stellenweise können wir das Wachstum noch in unseren Texten verfolgen. Erst
die spätere Überlieferung weiß, daß Jesus das abgeschlagene Ohr des hohepriesterlichen Knechtes in der Leidensnacht heilte (Lk 22, 51). Mk 5, 21 ff par, Lk 7, 11 ff
und J 11, 1 ff bilden deutlich eine Klimax (vielleicht auch Mt 8, 5 ff und J 4, 46 ff,
Mk 2, 1 ff par und J 5, 1 ff). Das bedeutet nicht grundsätzliche Diskreditierung aller 55
Sonderüberlieferung, will aber immerhin beachtet sein. Sogar mit der Übertragung
fremder Stoffe auf Jesus mag in einzelnen Fällen (Mk 5, 1 ff par ?) zu rechnen sein.

Die Berichte sind in der heute vorliegenden Form etwa seit dem vierten Jahrzehnt nach den Ereignissen aufgezeichnet worden. Soviel man im einzelnen später an den Texten noch herumkorrigiert hat: an dem wesentlichen synoptischen Bestande hat sich seit den letzten Jahrzehnten des ersten Jahr-
5 hunderts kaum noch Erhebliches geändert. Nimmt man hinzu, daß die Überlieferung, wie aus vielen Anzeichen zu schließen ist, ihr wesentliches Gepräge lange vor der schriftlichen Fixierung, und zwar auf palästinischem Boden [37], erhalten haben wird, so kommen wir bis an die Augenzeugen heran (vgl 1 K 15, 6). Nicht wenige der Berichte beglaubigen sich selbst durch ihre große Schlicht-
10 heit und Anschaulichkeit (Mk 1, 29 ff par; 10, 46 ff uö). Wie Wunderberichte aussehen, die ihre Entstehung romanhaften Neigungen verdanken, zeigen neben dem Thomasevangelium besonders die apokryphen Apostelgeschichten. Hätte sich in der Geschichte Jesu gar nichts Auffälliges zugetragen, so wäre die Entstehung der Gemeinde selbst unverständlich. Hatten die Anhänger Jesu aber
15 Großes erlebt, so ist nicht einzusehen, warum die Kunde von den wirklichen Ereignissen verlorengegangen und durch eine völlig andere Tradition ersetzt worden sein sollte. Wir dürfen uns das Urchristentum auch nicht gar zu wundersüchtig und kritiklos vorstellen. Dem Täufer hat man trotz des Ansehens, das er als Prophet genoß, keine Wunder zugeschrieben (vgl J 10, 41). Vor-
20 gänge wie Ag 14, 20; 20, 10; 28, 5 werden, wenn auch nicht ohne einen Schimmer des Numinosen, als „natürliche" Ereignisse berichtet.

Die Topik der antiken Wundererzählung [38] hat auch für die Evangelien Bedeutung. Folgende Topoi sind die wichtigsten: 1. Die Kunst der Ärzte versagt. Aischines Anth Pal VI 330:

25   Θνητῶν μὲν τέχναις ἀπορούμενος, εἰς δὲ τὸ θεῖον
        ἐλπίδα πᾶσαν ἔχων, προλιπὼν εὔπαιδας Ἀθήνας
        ἰάθην ἐλθών, Ἀσκληπιέ, πρὸς τὸ σὸν ἄλσος
        ἕλκος ἔχων κεφαλῆς ἐνιαύσιον, ἐν τρισὶ μησίν.

Den erblindenden Tobit können die Ärzte nicht heilen (Tob 2, 10, א sogar: ὅσῳ
30 ἐνεχρίοσάν με τὰ φάρμακα, τοσούτῳ μᾶλλον ἐξετυφλοῦντο οἱ ὀφθαλμοί μου. Vgl Mk 5, 26; Lk 8, 43. Verwandt ist J 5, 7; Mk 9, 18. 28 f par. — 2. Das Wunder geschieht häufig bei einer Begegnung: W 25; Philostr Vit Ap IV 45, eine Totenerweckungsgeschichte, die überhaupt stark an Lk 7, 11 ff erinnert. Vgl ferner Lk 17, 12 ff; Mk 10, 46 ff uö. — 3. Das Wunder geschieht plötzlich, schnell und sicher. W 5 (von einem stummen
35 Knaben): ἐξ]απίνας . . . ἔφα. W 38 (von einem Gelähmten): ἐγκρατῆ τῶν γονάτων γε]νέσθαι εὐθύς. Lk 8, 47; Mk 10, 52. Anders Mk 8, 24 ff. Mk 7, 35 ist die schwankende Überlieferung des εὐθέως bzw εὐθύς lehrreich: man entbehrt einen solchen Zusatz sichtlich nicht gern. Der Geheilte trägt, wohl zum Beweis seiner Heilung, selbst seine Bahre nach Hause. Luc Philops 11: ὁ Μίδας ἀράμενος τὸν σκίμποδα (Bett, Matratze)
40 ἐφ' οὗ ἐκεκόμιστο, ᾤχετο ἐς τὸν ἀγρὸν ἀπιών. Mk 2, 12 par; J 5, 8 f. — 4. Das Wunder ist paradox. Ael Arist Or 42, 8 (Keil): Τό γε παράδοξον πλεῖστον ἐν τοῖς ἰάμασι. Lk 5, 26. Vgl Mk 2, 12 par; 7, 37 uö (→ 457, 43 ff). — 5. Der Wunder sind mehr, als man erzählen kann. Ael Arist Or 47, 1 (Keil): Κἀγὼ πάντα μὲν οὐκ ἂν εἴποιμι τὰ τοῦ Σωτῆρος ἀγωνίσματα. J 20, 30 f; 21, 25. Vgl Mt 8, 16; 12, 15 ff uö.

45 Wunderberichte sind niemals tendenzlos. Aber die Tendenzen sind verschieden. Die Tendenz kann die Überlieferung trüben, braucht es aber nicht zu

---

[37] Dibelius, Formgeschichte 27 ff hat den Anteil der ältesten palästinischen Gemeinden wohl unterschätzt. Dagegen betont er mit Recht, „daß die älteste Überlieferung von Jesus mit erheblicher Strenge auf die Wiedergabe heilswesentlicher Dinge ausgerichtet war". Einzelheiten wie Heilungstechnik, Krankengeschichte, Konstatierung des Erfolges sind daher kein Beweis der Ursprünglichkeit, sondern häufig novellistische Zusätze. DLZ 57 (1936) 4 zu: Fragments of an Unknown Gospel, ed HIdrisBell u TESkeat (1935).
[38] Weinreich AH 171 ff, 195 ff.

tun. Die nt.lichen Berichte haben in ihrer Verherrlichung des schlichten Jesus und des heiligen Gottes, sowie in dem starken geschichtlichen Interesse der nt.lichen Frömmigkeit gewisse Schutzmittel gegen wildes Wuchern der Phantasie.

Die ἰάματα von Epidauros wollen den Heilungsuchenden Mut machen, ihnen die Wartezeit, gelegentlich durch Humor, verkürzen, den Ruhm des Heiligtums und damit 5 auch seine Einnahmen steigern. Die rabbinischen Wundergeschichten wollen vor allem zeigen, wieviel Verdienst einzelne Gesetzesfromme sich erworben haben und wie nützlich dies in allen Lebenslagen ist. Sie wollen dadurch zur Erfüllung der Tora anfeuern. Die Evangelien wollen zum Heilsglauben an den Heiland Jesus Christus führen und darin bestärken. Im vierten Evangelium werden die Wunder größer, die 10 Wunderberichte aber gewissermaßen zu „Transparenten", die durch die nachfolgenden Reden ihre Deutung empfangen. Hier liegt teilweise wohl bewußter Gegensatz gegen Asklepios und Dionysos vor.

b. Die Art der Wunder.

In Epidauros finden sich neben den bei weitem überwiegenden 15 Heilungswundern auch einige Naturwunder. W 10: ein zerbrochener Becher wird ganz. Eine scharfe Grenze empfindet der antike Mensch hier nicht. Besonders reich an Natur-, durchweg „Luxuswundern", sind die Dionysoskultsagen und -gebräuche [39]. Dabei läuft, wie auch sonst (→ II 449ff A 14), viel Priesterbetrug mit unter. Das Judentum berichtet überwiegend Naturwunder (Regen- und Sonnenwunder, Wasser- 20 teilung usw) und Strafwunder [40], zeigt aber bei aller Phantastik gelegentlich Zurückhaltung gegenüber dem Luxuswunder, wie sie dem Heidentum fremd ist [41].

Bei Jesus finden sich Naturwunder auch bereits in der ältesten uns zugänglichen Überlieferung (Mk 4, 35 ff par; 6, 35 ff par. 45 ff par), aber die Heilungswunder überwiegen bei weitem. Wo man von Luxuswundern reden könnte 25 (Lk 5, 1 ff vgl mit J 21, 1 ff; Mt 17, 24 ff; J 2, 1 ff), scheint sekundäre Überlieferung vorzuliegen. Immer steht auch dann ein seelsorgerlicher oder didaktischer Zweck dahinter.

Die Krankheiten sind in Epidauros und in den Evangelien vielfach dieselben. Die Krankheiten im NT durchweg auf Hysterie zurückführen zu wollen [42], würde, selbst wenn es medizinisch durchführbar wäre, gegen den Sinn 30 der Berichte verstoßen. Warum auch sollte Jesus fast nur hysterischen Menschen begegnet sein?

Dämonenaustreibungen fehlen in Epidauros, wahrscheinlich deshalb, weil Geisteskranke in dem heiligen Bezirk nicht geduldet wurden [43]. Apollonios von Tyana heilt 35 in Indien einen Knaben, der besessen war vom Geist eines Kriegsgefallenen, dessen Frau nach drei Tagen wieder geheiratet hatte (Philostr Vit Ap III 38ff), in Athen einen Jüngling, der ein ausschweifendes Leben geführt hatte (Philostr Vit Ap IV 20). (Über das Judentum → 205, 39 ff).

Die Wundergeschichten der Evangelien unterscheiden sich andererseits von 40 den ἰάματα mit ihren oft höchst konkreten Krankheitsbildern charakteristisch. Jesus hilft, wo wirkliche Not ist. Ihn jammert des Volks. Die Heilungsgeschichten von Epidauros sind gesehen vom Standpunkt des Kranken aus, der seine Leiden und seine unerfüllten Wünsche wichtig nimmt, und vom Standpunkt der Priester, die den Ruhm des Heiligtums heben wollen, die der Evangelien dage- 45

---

[39] Das Material ist gesammelt Bau J Exk z 2, 1—12.
[40] Beispiele bei Fiebig, Umwelt 38 ff.
[41] Bezeichnend ist die bTaan 24 a (Str-B II 26) mitgeteilte Erzählung von RJose aus Joqeret, der seinen Sohn durch einen Fluch tötete, weil er seinen Schöpfer durch ein Luxuswunder belästigt habe. Die Zurück-

haltung des besseren griechischen Romans gegenüber allzu derber Aretologie entspringt nicht religiösen, sondern aufklärerischen und Geschmacksmotiven. Vgl Kerényi aaO.
[42] Fenner aaO im Interesse „natürlicher" Erklärung.
[43] W 62 macht aus besonderen Gründen (→ 198, 8 ff) eine Ausnahme.

gen sind durch das Erbarmen Jesu hindurch gesehen. In Epidauros ist der Egoismus die zentrale Macht, in den Evangelien die Liebe.

Im Hellenismus laufen mancherlei Erzählungen von geheilten Tieren um, die öfter ihren Dank bezeugen [44]. Dieser Zug fehlt in den Evangelien. Asklepios heilt auch Ischias, Podagra, Kopfweh, Verstopfung, Kropf- und Steinleiden, Kahlköpfigkeit, die, mit starkem Bartwuchs verbunden, dem Gelächter aussetzt. Er befreit von Läusen, Würmern und Bandwürmern. Er hilft in Kindesnöten und gibt Frauen, die zu diesem Zweck die Inkubation vollziehen, Kindersegen. Die Wünsche in bezug auf das Geschlecht des Kindes (W 34 männlich, vgl W 31, 42; W 2 aber weiblich) werden prompt erfüllt. Er zeigt nicht bloß verlorengegangene Kinder, sondern auch vergrabene Schätze.

Asklepios fordert, wenn er geholfen hat, sein oft vorher vereinbartes Honorar: ein silbernes Schwein, eine goldene Statuette, 200 Drachmen oder bis zu 2000 Goldstateren. Er nimmt aber auch die zehn Klicker eines armen Knaben lächelnd in Empfang (W 8). Wer dem Gott ein Schnippchen zu schlagen versucht, muß auf ein Strafwunder gefaßt sein. In geschickter Verteilung werden solche der Sammlung der ἰάματα einverleibt. Dahinter stehen natürlich die Priester. Und nun doch nicht bloß aus plumpem Egoismus. Die prachtvollen Kureinrichtungen von Epidauros wären niemals zustande gekommen, wenn man nicht die Werbetrommel kräftig gerührt hätte.

Ein Mann, der von der ihm anvertrauten Stiftung eines anderen die eigene zu bestreiten gedachte, bekommt zu dem eigenen Mal im Gesicht das des anderen hinzu (W 6/7). Den Fischträger, der die Versicherungsprämie für seine Lunge dem Gotte nicht zahlt, beginnen auf dem Markte zu Tegea seine Butten und Muränen anzufressen (W 47), (weitere Strafwunder → 210, 21 ff). Meist aber sehen die Bestraften schnell ihr Unrecht ein. Der Gott nimmt dann durch ein neues Wunder die Strafe von ihnen. So macht sich selbst hier noch der Humor der antiken Wundergeschichte geltend. Er nimmt gelegentlich burleske Formen an. Am Schluß der erwähnten Totenerweckungsgeschichte (→ 206, 32 f) stiftet Apollonios von Tyana 150 000 Drachmen, die ihm als Ehrengabe zugedacht waren, zur Aussteuer des erweckten Mädchens. Noch abenteuerlicher ist das ganz hellenistisch empfundene Wanzenwunder der Act Joh (60 f), das diese selbst als Scherz bezeichnen. Die ebenfalls nicht seltene jüdische Strafwundergeschichte ist erheblich ernster. Hier handelt es sich nicht um Mein und Dein, sondern um die direkt oder indirekt angetastete Ehre Gottes. Das Ende ist meist ein plötzliches Sterben, und die Strafe bleibt unaufgehoben [45].

Die Wunder Jesu führen in eine andere Welt. Strafwunder fehlen ganz [46]. Aber auch der burleske Zug fehlt. Wer könnte sich die Geschichte vom Jüngling zu Nain mit einem ähnlichen Schluß denken wie die Apollonios-Parallele? Es fehlt weiter jedes egoistische Motiv der Wundertaten. Wie Jesus es regelmäßig ablehnt, zur Rettung aus eigener Not oder zur Beglaubigung seiner Sendung Wunder zu tun (Mt 4, 1 ff par; 12, 38 ff par; 26, 53 f; 27, 39 ff), so will er auch nicht, daß andere mit seinen Wundern Sensation treiben (so vor allem Mk, nicht ganz ohne Manier, aber auch schwerlich ohne geschichtlichen Grund: 1, 44; 3, 12; 5, 43; 7, 36; 8, 26). Anstatt Lohn zu fordern, schärft er seinen Jüngern unbedingte Uneigennützigkeit ein (Mt 10, 8 vgl 2 Kö 5, 16 ff). Was Jesus begehrt, ist Dank, aber auch diesen nicht für sich, sondern um Gottes und des Geheilten selbst willen, damit dieser nicht die Wohltat für den Leib an sich reiße ohne Segen für die Seele (Lk 17, 17 ff).

c. Der Vollzug der Heilung.

Der Gott von Epidauros gibt in steigendem Maße therapeutische Verordnungen, die eine rationale Kritik vertragen. So nach der Stele des Apelles (um 160 n Chr, Ditt Syll [3] III 1170; befremdlicher sind die Kuren von Lebena auf Kreta, ebd 1171 f) gegen Verdauungsstörungen: sich nicht ärgern, vegetarische Diät: Käse, Brot, Sellerie, Lattich, Zitronenscheiben in Wasser geweicht, Milch mit Honig; Barfußgehen, Laufschritt und Gymnastik, Massage, Staub-, Wein-, Salz- und Senfabrei-

---

[44] Weinreich AH 120 f, 125 ff.
[45] Beispiele Str-B I 858 f, II 26.

[46] Mk 11, 12 ff par ist allenfalls als symbolisches Strafwunder zu verstehen.

bungen, warme Bäder ohne Bedienung, Dill mit Öl gegen Kongestionen, und zum
Schluß: den Heildank an den Gott und das Trinkgeld an den Bademeister (1 Drachme)
nicht vergessen! Epidauros wird mehr und mehr ein luxuriöses Sanatorium, ähnlich
das Asklepieion in Kos (→ 197, 8 ff).

Unendlich schlicht, äußerlich ärmlich, aber innerlich nur um so gewaltiger 5
mutet daneben die Heilweise Jesu an. In ihr lassen sich Ansätze zu rationaler
Therapie kaum feststellen. Jesus heilt ohne φάρμακα und βοτάναι (Ep Abgari
bei Eus Hist Eccl I 13, 6). Die Speichelbehandlung Mk 7, 33; 8, 23; J 9, 6
mutet eher primitiv als medizinisch an. Sie kann aber bei Heilungsbedürftigen
mit verschlossenen Sinnen auch besondere Gründe gehabt haben, wenn es sich 10
nicht um Zusätze der Überlieferung handelt. Ölsalbung wird nur für die Jünger erwähnt (Mk 6, 13 → II 470, 5 ff).

Im NT fehlt auch die Inkubation. J 5, 2 ff enthalten eine gewisse Analogie. Aber Jesus erscheint hier gerade als derjenige, der die Inkubation überflüssig macht. Vielleicht liegt hier Polemik gegen Asklepios vor. In Epidauros 15
gilt der Heiltraum als eine Art von Trancezustand, in dem man Dinge erlebt,
die sich hinterher als wirklich herausstellen: nicht bloß Erbrechen, Aufgehen
von Geschwüren ohne das bei den Ärzten übliche Brennen und Schneiden udgl,
sondern auch Öffnung der Brust- und Bauchhöhle, sogar Kopfabschneiden und
Aufhängen an den Füßen, bis das Wasser abgeflossen ist (W 21)[47]. Wo es sich 20
um Kindersegen handelt, sind Begattungsvorgänge mehr oder weniger dezent
angedeutet (W 31, 39, 42, 71). Einmal erfolgt die Befreiung von einem im
Gliede steckenden Blasenstein mittels geträumter Päderastie (W 14). Alles das
wäre in den Evangelien undenkbar. Hier spielt sich alles im Wachen, im hellen
Lichte des Tages ab, und die Luft ist rein.   25

Ein wichtiger Heilfaktor ist im Hellenismus die Berührung[48]. So der Kuß
(W 41)[49]. Handauflegung kommt in Epidauros nur einmal, bei mangelndem
Kindersegen, vor (W 31)[50], öfter der Fußtritt[51] des Gottes (W 3) oder seiner
Rosse (W 38) auf das kranke Glied, freilich nur im Traum, das Lecken oder
der Biß seiner heiligen Gänse, Hunde und Schlangen (W 17, 26, 43, 45). Für 30
die Evangelien ist das gänzliche Fehlen derartiger unsanfter Heilberührungen
ebenso charakteristisch wie das Vorherrschen der Handauflegung (→ χείρ). Kraft-
abgabe bei Berührung der Kleider kommt vereinzelt vor (Mk 5, 27 ff par; Lk
6, 19; vgl Ag 5, 15; 19, 12).

Unter den ἰάματα finden sich wie in den Evangelien (Mt 8, 5 ff par; J 4, 46 ff; 35
Mt 15, 21 ff) auch einige Fernheilungen (W 21: ἀγχωρήσασα εἰς Λακεδαίμονα
καταλαμβάνε[ι τ]ὰν θυγατέρα ὑγιαίνουσαν, beinahe wörtlich = Mk 7, 30; Lk 7, 10).
Die rabbinische Tradition berichtet eine solche, die stark an J 4, 46 ff erinnert,
von Chanina ben Dosa (bBer 34 b, Str-B II 441).

---

[47] Daß Mutter und Tochter den gleichen Traum haben, erinnert an das nicht seltene Motiv der Doppelvision. Vgl Angelos I (1925) 37 f.
[48] Wechselseitige Heilung durch Be- rührung behauptet ein merkwürdiger Bericht der Vita Hadriani (Script Hist Aug) 25: Venit de Pannonia quidam vetus caecus ad febrien- tem Hadrianum eumque conti[n]git. quo facto et ipse oculos recepit, et Hadrianum febris, reliquit. Vorher wird erzählt, wie eine Frau wegen Nichtbefolgung eines Traumbefehls geblendet, durch Küssen der Knie des Kaisers und Waschen mit Tempelwasser das Augen- licht wiederbekommen habe.
[49] Weiteres bei Weinreich AH 73 ff.
[50] Anderweitige Beispiele ebd 14 ff.
[51] Vgl ebd 67 ff.

Heilungen durch das Wort finden sich im Heidentum — abgesehen von gelegentlichen Versprechungen des Asklepios — fast nur in der Form des Zaubers, im Judentum daneben als Gebetserhörungen (→ 202, 30 ff). Der Hellenismus setzt die Bitte vielmehr bei dem zu Heilenden voraus (W 2, 4). In Epidauros, Perga-
5 mon (Ael Arist!) usw ist zweifellos viel zu Asklepios gebetet worden. Auch Jesus wird häufig um seine Hilfe angerufen. Daß er seinerseits an die zu Heilenden die Aufforderung zum Gebet gerichtet hätte, ist nicht belegt. Mk 7, 34 ist nicht so zu verstehen, sondern meint einen eigenen Gebetsruf Jesu. Die Zauberformel fehlt bei Jesus ganz. Das häufigste Mittel zur Heilung ist
10 das eigene Machtwort Jesu, der Befehl (Mk 1, 25. 27. 41 par; Mt 8, 9 par. 13; Mk 2, 10 f par; 5, 41; 7, 34 uö). Man hat eben darin die kennzeichnende Eigenart der Wunder Jesu gegenüber der Synagoge sehen wollen [52]. Aber auch bei Rabbinen kommen Machtworte vor, die keine eigentlichen Zauberformeln sind [53]. Und Jesus selbst zieht nicht überall einen so scharfen Grenzstrich zwischen
15 seinen Machttaten und denen anderer. Wir haben vielmehr einzelne Spuren dafür, daß auch er seine Wundermacht, wie der Wundertäter im allgemeinen (Mk 9, 29; 11, 23 f), von Fall zu Fall betend empfängt und ausübt (Mk 7, 34; 9, 29). Immerhin hat er, weil einen besonderen Auftrag, auch besondere Macht (→ 212, 12 ff; 213, 24 ff; Mt 12, 29 par).
20 Vorbedingung — gegebenenfalls auch Folge — des Wunders ist der Glaube.

Der Gott von Epidauros verlangt ihn sehr energisch. Wer an seine heilende Macht nicht glaubt (ἀπιστεῖν W 3), wird beschämt und bestraft. Daß einer den Namen „Ungläubig" (Ἄπιστος) erhält (W 3), ist noch das wenigste. Ein Spötter wird von seinem eigenen „Bukephalas" [54] zum Krüppel geschlagen, allerdings großmütig wieder
25 geheilt (W 36). Der Gott hilft auch Ungläubigen, fordert dann aber ein besonders hohes Honorar [55] (W 4).

Jesus gibt dem Glauben, zunächst dem des Wundertäters, die größten Verheißungen (Mk 11, 23 par). Er hat selbst „bergeversetzenden" Glauben, macht aber von ihm keinen Gebrauch zu Schauwundern, sondern lehnt solche
30 als Gott Versuchen regelmäßig ab (Mt 4, 5 ff; 12, 38 ff; 16, 1 ff par). Er verlangt dann aber auch Glauben von denen, die den Segen des Wunders empfangen wollen (Mk 5, 36 par; Mt 15, 28; Mt 8, 10; Mk 6, 5 par uö; Mk 9, 23 f verbindet beides) [56]. — Bei aller formalen Analogie ist aber die Struktur des Glaubens verschieden → πίστις.

35 Bei Asklepios fällt der Nachdruck zunächst einmal auf die Glaubwürdigkeit der Wundergeschichten und die Macht des Gottes. An ihr zu zweifeln, ist sträfliche Beleidigung. Die Gesinnung des Gottes ist im allgemeinen wohlwollend, doch nicht ohne ein Moment der Laune. Sympathisch berührt die enge Verknüpfung von Glauben und Mut. Ein Lahmer muß, nachdem ihm der Gott seinen Stab zerbrach, im Traum
40 auf einer Leiter den Tempel erklimmen. Als er mutlos wird, schilt ihn der Gott zunächst und lacht ihn dann aus (W 35), bis Werk und Heilung gelingt. Einem anderen ist der Teich, in dem er baden soll, zu kalt; Asklepios sagt ihm, er werde nicht die Feigen (δειλούς) heilen, sondern nur die, welche zu ihm in sein Heiligtum kommen in der guten Hoffnung, daß er einem solchen nichts Übles antun, sondern ihn gesund
45 entlassen werde (W 37).

---

[52] ASchlatter, Das Wunder in der Synagoge (1912).
[53] Str-B I 127.
[54] So hieß das Leibroß Alexanders des Großen. Also vielleicht ein parodistisches Motiv.

[55] Ein silbernes Schwein. Darin liegt vielleicht eine Bosheit gegen die aufgeklärten Athener, die für die ἀπαιδευσία ihrer Nachbarn das Schimpfwort Βοιωτία ὗς geprägt hatten.
[56] Kl Mk zdSt.

Auch für Jesus bedeutet Glaube Mut. Feigheit und Unglaube fallen zusammen (Mt 8, 26 par: τί δειλοί ἐστε, ὀλιγόπιστοι). Der humorvolle Appell an die eigene Kraft fehlt aber. Den Hintergrund bildet ein tiefer Ernst. Der Glaube schließt die Überzeugung von der Macht Gottes und Jesu ein, ist aber darüber hinaus ein persönliches Vertrauensverhältnis. Das Zutrauen zu der barmherzigen 5 Liebe Gottes, demütige Ergebung, Gehorsam, Hingabe sind von ihm unabtrennbar. So besonders deutlich Mt 8, 5 ff. Asklepios fordert den strikten Wunderglauben, Jesus lehnt ihn ab (J 4, 48). Wie er selbst in schwerster Anfechtung seinen Glauben gerade da bewährt, wo die sichtbare Wunderhilfe Gottes ausbleibt (Mt 26, 36 ff par. 52 ff), so erkennt er auch den Glauben besonders an, 10 der sich allen Widerständen zum Trotz siegreich behauptet (Mt 15, 21 ff par; vgl J 20, 29). Der Glaube wird so zur entscheidenden Bedingung der Gottesgemeinschaft. Er empfängt nicht bloß die Heilung für den Leib, sondern das volle Heil für die Gesamtpersönlichkeit (Mk 5, 34 par; Mk 10, 52; Lk 7, 50; 17, 19). 15

d. Abschließende theologische Beurteilung. Die Einzigartigkeit der Wunderheilungen Jesu.

Die radikale Kritik aller Wunderberichte im Sinne eines ärmlichen Rationalismus, mag dieser sich nun in das Gewand glatter Leugnung, platter Umdeutung oder mythischer, religionsgeschichtlicher oder symbolischer 20 Deutung des Berichteten kleiden, und die schematische Isolierung der Wunderheilungen Jesu im Sinne eines exklusiven Supranaturalismus sind zwei Wege der Beurteilung, die durch den tatsächlichen Befund in annähernd gleicher Weise verschlossen sind. Gut beglaubigte „Heilungswunder" sehr mannigfacher Herkunft aus alter und neuer Zeit berechtigen und nötigen uns ebenso wie die 25 modernsten Forschungen über die Relativität der Naturgesetzlichkeit[57], unsere Begriffe von möglich und unmöglich elastisch zu erhalten, sie führen aber andererseits die theologische Betrachtung in neue schwere Fragen hinein, die sich aus der bedrohlichen Nachbarschaft dunkler und teilweise unheimlicher Hintergründe des menschlichen Seins ergeben. In welchem Maße die Wundermacht 30 Jesu für ihr Wirken vom Glauben des zu Heilenden abhängig war, zeigt die der ältesten Überlieferung angehörende Bemerkung Mk 6, 5, mag sie immerhin auch von sittlich-religiöser Unmöglichkeit reden wollen. Wir haben uns klarzumachen, „daß die Wunder Jesu mannigfach bedingte und vermittelte Vorgänge sind, bei welchen göttliche Wirksamkeit und menschliche Empfänglich- 35 keit in dem Handeln Jesu zusammentreffen"[58]. Wir stehen vor der Tatsache des ungeheuren Einflusses der Persönlichkeit Jesu auf die Menschen seiner Umwelt. Wenn man ihn als „suggestiv" bezeichnet, so greift man damit die platteste aller denkbaren Analogien heraus. Man wird darüber hinaus an die von großen Ärzten oder auch sonst von besonders begabten Personen ausstrahlenden, 40 keineswegs bloß suggestiven Heilwirkungen erinnern dürfen[59]. Die heutige

---

[57] Es sei etwa an die Forschungen von August Mie und Werner Heisenberg erinnert.

[58] FBarth, Die Hauptprobleme des Lebens Jesu [5] (1918) 110.
[59] Viel Material bei Liek aaO.

Medizin ist über die abstrakte Trennung von Leib und Seele und das materia-
listisch oder psychologisch vereinseitigte Medizinieren früherer Zeiten hinaus.
Wenn schon von da aus bei Jesus manches verständlicher werden sollte, so bestehen
dagegen so lange keine theologischen Bedenken, als wir auch die damit umschrie-
5 benen Wirklichkeiten mit dem christlichen Gottesglauben zusammenzubringen
vermögen. Die Berufsausrüstung Jesu mag auch eine derartige Begabung in
einzigartiger Vollendung eingeschlossen haben. Daß solche Begabung auch
eine geistig-sittliche Seite haben kann, zeigt sich besonders deutlich im Verkehr mit geisteszerrütteten Menschen, die auch in der Umwelt Jesu so stark
10 vertreten sind. Diese Begabung steht dann aber hier im Dienst der Selbstdarbietung Gottes zur Gemeinschaft. Und wo Gott so ausdrücklich in die
menschliche Geschichte eingreift, wer wollte da sein Wirken mit den uns sonst
verfügbaren Maßstäben messen?

Eine genauere Bestimmung des Offenbarungsmäßigen an den Wunder-
15 heilungen Jesu kann nur so geschehen, daß die Eigenart derselben, in einge-
hendem Vergleich mit den Analogien, von innen heraus erfaßt wird. Was in
dieser Richtung im Lauf der bisherigen Erörterung sich bereits aufgedrängt
hat (→ 206, 9 ff; 207, 1 ff. 40 ff; 208, 35 ff; 209, 5 ff; 210, 9 ff; 211, 1 ff), läßt
sich nun dahin zusammenfassen, daß im Mittelpunkte jedes einzelnen Wunder-
20 berichts der Evangelien eben die Person Jesu steht. In der ganzen weit-
verzweigten Literatur antiker und moderner Mirakelbücher gibt es schwerlich
etwas, das nur von ferne an die erbarmende heilige Liebe Jesu heranreicht,
geschweige denn sie übertrifft. Die Eigenart dieser Liebe liegt sowohl in ihrer
Intensität wie in ihrer Extensität, vor allem aber darin, daß sie in einzigartiger
25 Weise den ganzen äußeren und inneren Menschen umfaßt.

Die philosophisch-mystische Scheidung von Leib und Seele liegt allerdings auch
dem volkstümlichen griechischen Denken fern, beinahe ebenso fern wie dem
Judentum. Im Heidentum geht das Streben des Kranken, da er sich oft als den von
der Gottheit Gestraften und Gezeichneten fühlt[60], wohl auch auf Entsündigung.
30 Diese wird dann aber im rituellen Sinn verstanden und ist wesentlich Mittel zum
Zweck. Das Wesentliche ist die Behebung des körperlichen Leidens. Die Auffassung ist eudämonistisch orientiert. Jesus durchbricht das Vergeltungsschema,
ohne jedoch damit den Zusammenhang zwischen Übel und Sünde ganz aufzuheben.
Die Sünde, hier durchaus im sittlichen Sinn verstanden, ist die Quelle alles Übels
35 und selbst das größte Übel. Von ihr zu erlösen, ist Jesu eigentliches Anliegen. Manchmal versucht er dies so, daß er zuerst die Heilung vollzieht, um
von da aus weiterzuführen (Mt 8, 1 ff; Lk 17, 11 ff uö), gelegentlich auch so,
daß er zunächst die Vergebung als das Vordringliche in das zagende Herz
hineinspricht, um dann die äußere Heilung folgen zu lassen (Mt 9, 2 par). Die
40 Sündenvergebung kann aber auch, wo die Umstände äußere Heilung nicht
erfordern, für sich als größte Gabe mitgeteilt werden (Lk 7, 47 ff; 15).

---

[60] Weniger in Griechenland als im Orient.
Der Kleinasiat führt etwa seine Geschwüre
darauf zurück, daß er die der Atargatis heiligen Sardellen gegessen hat. Weitere Belege bei Steinleitner aaO 98 f.

Jesus ist als „Leibsorger" stets zugleich Seelsorger. Wenn Asklepios auf seine Ehre hält oder den Feigen ermuntert (→ 210, 35 ff), wenn Apollonios von Tyana einen Dämonischen durch die Heilung zu einem ehrbaren Leben zurückführt (→ 207, 38), so sind das zur Seelsorge Jesu nur fernliegende und vereinzelte Parallelen. Im allgemeinen werden die außerchristlichen Wunder um ihrer 5 selbst willen erzählt. Die evangelischen Wunderberichte haben dagegen durchweg eine außerhalb des Wunders liegende sachliche, meist seelsorgerliche Pointe. Sie stehen im Zusammenhange mit einem Streitgespräch, etwa über die Sabbatheiligung (Mt 12, 9 ff par; Lk 13, 10 ff) oder die Sündenvergebung (Mt 9, 1 ff), klingen in ein sonstwie bedeutsames Herrenwort aus (Mt 8, 4. 10 ff; Lk 17, 17 ff 10 uö) oder lassen erkennen, daß im Leben des Geheilten auch in innerlicher Hinsicht eine Wendung eintrat (Mk 10, 52 par; 5, 15; vgl J 5, 14). Die Heilung bedeutet, normalerweise wenigstens, nicht das Ende, sondern gibt den „Anstoß zu einer ewigen Bewegung".

Die Wunder Jesu sind auch Zeichen, aber niemals als reine Schauwunder 15 (→ 210, 29 f). Erst bei Joh (2, 11. 23; 4, 48; 6, 2 uö) werden sie als → σημεῖα und → τέρατα bezeichnet. Bei den Synoptikern stehen diese Ausdrücke, vom unechten Mk-Schluß abgesehen (16, 17. 20), fast immer im tadelnden Sinn. Die Wunder Jesu sind die schlichten und doch gewaltigen Zeichen dafür, daß die Weissagung von der Heilszeit sich zu erfüllen beginnt (vgl Mt 11, 5 mit Js 35, 5 f; 61, 1). 20 Darum soll der Täufer angesichts ihrer aufmerken, und selbst die Gegner sollen erkennen, daß die Königsherrschaft Gottes zu ihnen gekommen ist (Mt 12, 28; Lk 17, 21). Daß sie das nicht tun, ist ihre unverzeihliche Stumpfheit (Lk 12, 54 ff; in der vielleicht unechten Par Mt 16, 3 der Ausdruck σημεῖα τῶν καιρῶν). Die Heilungen sind selbst schon Teilsiege der Gottesherrschaft. Das Heer der Dä- 25 monen flieht. Wo Jesus hilft, da hat sich an einem bestimmten Punkte die Herrschaft Gottes realisiert, völlig freilich erst dann, wenn das Wunder in diesem Sinne auch verständnisvoll aufgenommen wird. Jeder Teilsieg ist aber Vorbote und Bürgschaft des Endsieges. Als der Held Gottes und Vollender der Schöpfung bricht Jesus in Satans Reich ein mit Macht (Lk 10, 18; 11, 21 ff 30 par). Er siegt, und nichts kann ihm widerstehen. Und ob man ihn mordet, Gottes Reich kommt dennoch, ebendadurch. Durch diesen messianisch-eschatologischen Zusammenhang kommt in die Berichte gerade der ältesten Überlieferung (Mk! vgl auch Mt 8, 29) jener eigenartige Schwung hinein, dem sich bei Asklepios und Dionysos nichts auch nur entfernt Vergleichbares an die Seite 35 stellen läßt.

Die Wunderheilungen Jesu nehmen hiernach, trotz aller vorhandenen Analogien, in der Religionsgeschichte eine besondere Stellung ein. Sie stehen in unzertrennlichem Zusammenhange mit der Eigenart und dem einzigartigen Sendungsbewußtsein Jesu.   40

4. Die Übertragung der Heilgabe an die Jünger. „Heilen" im apostolischen Zeitalter.

Die Übertragung der Vollmacht zu heilen an die ausgesandten Jünger (Mk 3, 14 f; 6, 7 par) durch Jesus hat nicht den Sinn, daß ihnen damit eine naturhafte, an ihrer Person klebende Gabe zu selbstherrlicher Ver- 45

fügung überlassen werden sollte. Der Herr will sie vielmehr zu wirksamer Bezeugung der nahenden Gottesherrschaft durch Wort und Tat ausrüsten. Die Jünger stoßen gelegentlich auf die Schranken ihrer Macht (Mk 9, 18). Jesus warnt sie vor selbstsüchtigem (Mt 10, 8) und das Wesentliche außer acht las-
5 sendem Gebrauch (Lk 10, 20; Mt 7, 22). Obwohl das Verhalten des „fremden Exorzisten" Mk 9, 38 ff par, soweit es auf diesen selbst und seine Umgebung ankommt, in abergläubischem Namengebrauch wurzelt, läßt Jesus ihn gewähren. Er will in seiner Antwort nicht den Aberglauben gutheißen, freilich auch nicht direkt gegen ihn polemisieren, sondern die Jünger mit der Duldsamkeit des
10 wahrhaft Großen aus ihrer selbstsüchtigen Enge herausführen.

Alles dies ist für die Auffassung der Heilgabe in der Gemeinde, die diese Überlieferungen weitergegeben hat, zu beachten. In sieghafter, aus dem eschatologischen Christusglauben heraus geborener Zuversicht hat die apostolische Zeit den Kampf auch mit den Leiden des Leibes aufgenommen (vgl schon Ag
15 3, 1 ff, dann 8, 7; 9, 32 ff; 14, 7 ff; 28, 8 f)[61]. Primitive Züge fehlen auch hier nicht (Ag 5, 15; 19, 12)[62]. Zwar handelt es sich dabei zunächst um das Verhalten der Umgebung. Aber der Verfasser der Ag berichtet darüber nicht ohne Genugtuung. Zugleich wird aber deutlich, daß das Christentum sich gegen den Z a u b e r abgrenzt (Ag 8, 18 ff; 19, 13 ff. 19), wenn nicht formal aufklärerisch,
20 so doch material[63]. Das Wesentliche liegt auch für die Gemeinde niemals in der leiblichen Heilung allein, sondern die Krafttaten (→ δύναμις) sind Zeichen, welche, ohne deshalb als Wohltaten für den einzelnen irgendwie entwertet zu werden, vielmehr eben in dieser ihrer Eigenschaft Glauben wecken und den Lauf der Predigt fördern sollen (→ σημεῖον, τέρας) (R 15, 18 f [1 K 2, 4 f; 1 Th
25 1, 5?]; 2 K 12, 12; so auch Ag 2, 43; 5, 12; 6, 8; 14, 3; 15, 12; mit ἴασις 4, 22. 30), wie sich denn auch in diesem Sinne die Missionspredigt auf die Heilungtaten Jesu beruft (Ag 2, 22; 10, 38). Die Heilungsgabe gilt als Auswirkung des Namens des erhöhten Christus (Ag 3, 16) oder, was dasselbe besagt, als Kraftwirkung des Erhöhten selbst durch den Geist (Ag 9, 34; R 15, 18 f). Sie
30 gehört nicht zur Substanz des Christenstandes, sondern ist individuelle Gnadengabe (χαρίσματα ἰαμάτων 1 K 12, 9. 28. 30), vor allem ein Stück der Berufsausrüstung der beauftragten Zeugen. Sie gibt so wenig Aussicht oder Anrecht auf Ertrotzen oder gar Erzwingen der Hilfe, daß, abgesehen von Fällen, wo bestimmte Verschuldung vorliegt (1 K 11, 30), das Eintreten und auch Bleiben
35 von Krankheit bei Gläubigen nicht weiter befremdet (Phil 2, 26; 2 Tm 4, 20; 2 K 12, 8 ff). Die Heilung bleibt daher bei allem Kraftbewußtsein des jungen Christentums Gegenstand echten gottergebenen Gebets (2 K 12, 8). Jk 5, 13 ff wird[64] die Fürbitte der Ältesten als besonders wirksam empfohlen, die Fürbitte aber nicht auf deren Kreis beschränkt. Die Vergebung der Sünden wird als
40 Voraussetzung für die Heilung stark betont.

---

[61] Kritische Bedenken gegen die einzelne Erzählung heben deren Bedeutung als Beitrag zur Milieuschilderung nicht auf.
[62] Über die Ölsalbung Mk 6, 13 (in wesentlichem Unterschied von Lk 10, 34) und Jk 5, 14 → ἔλαιον II 470, 5 und bes ἀλείφω → I 230, 29 ff.

[63] Vgl JLeipoldt, Gebet und Zauber im Urchristentum, ZKG 54 (1935) 1 ff.
[64] Möglicherweise auf Grund einer jüd Vorlage. AMeyer, Das Rätsel des Jk, Beih 10 (1930) z ZNW.

Der übertragene Gebrauch unserer Vokabeln beschränkt sich auch in der Literatur der apostolischen Zeit, von einer einzigen Stelle (Hb 12, 13) abgesehen, auf at.liche Zitate. Js 6, 10 wird auch (→ 204, 26) Ag 28, 27 als Gerichtsdrohung gegen das unempfängliche Judentum benutzt.. In 1 Pt 2, 24 wird Js 53, 5 auf das Sühnleiden des Christus angewandt. Verstanden wird hier überall unter ἰᾶσθαι die Wieder- 5 herstellung der Gottesgemeinschaft durch Sündenvergebung samt ihren heilsamen Folgen. Allgemeiner, mehr ethisch orientiert ist dagegen Hb 12, 13: ἵνα μὴ τὸ χωλὸν ἐκτραπῇ, ἰαθῇ δὲ μᾶλλον: damit das Lahme nicht (vollends) verrenkt, sondern geheilt werde, eine Mahnung zu entschieden christlicher Haltung.

D. Das Evangelium vom Heiland und von der Heilung in der alten Kirche. 10

Die unvergleichliche missionarische Kraft des Christentums in den ersten Jahrhunderten beruht nicht zum geringsten Teile auf der kühnen und durch auffallende Erfahrungen immer wieder bestätigten Überlegenheit, mit der die neue Religion den durch Dämonen und Schicksal (Εἱμαρμένη) Geknechteten die Freiheit brachte, und der selbstlosen Liebe, mit der sie wie aller 15 Notleidenden so auch der Kranken sich annahm. Daß die Heilung im tiefsten Sinne in der Sündenvergebung besteht, wurde nicht vergessen, tritt aber neben der faktischen Befreiung von der Sünde und ihren Folgen jetzt mehr zurück. Der übertragene Gebrauch der Vokabeln nimmt, teilweise im Anschluß an das AT, wieder zu. 20

Eine Verschmelzung hellenistischer Redeweise mit einem Evangelienmotiv liegt vor, wenn — vorwiegend im übertragenen Sinn — Jesus (Ign Eph 7, 2: εἷς ἰατρός ἐστιν, Cl Al, Quis Div Salv 29; Or Cels II 67 uö) und Gott (Dg 9, 6 neben τροφεύς, πατήρ, διδάσκαλος usw) als ἰατρός bezeichnet werden [65]. Es ist wohl möglich, daß sich die Griechen durch den bloßen Klang des Namens Jesus an ἰᾶσθαι erinnert gefühlt haben (→ 199, 40 ff) [66]. 25 Wenn die von Eusebius (Hist Eccl VII 18) erwähnte „Christusstatue" vor dem angeblichen Hause der Blutflüssigen in Caesarea Philippi (vgl die Darstellung von deren Heilung auf einem Relief im Lateran [67]) in Wirklichkeit ein Asklepiosdenkmal war, so wäre die Übertragung hellenistischer Motive auf Jesus mit Händen zu greifen. ἰᾶσθαι und ἴασις stehen häufig in Zitaten (1 Cl 16, 5 u Barn 5, 2 = Js 53, 5; Barn 14, 9 = Js 61, 1; 30 1 Cl 56, 7 = Hi 5, 18), hier und sonst seltener im eigentlichen (Barn 8, 6 medizinisch; 12, 7; 1 Cl 59, 4 von Gott), häufiger im übertragenen Sinn (2 Cl 9, 7; Lieblingswörter des Herm: v 1, 1, 9; 1, 3, 1; m 4, 1, 11; 12, 6, 2; s 5, 7, 3. 4; 7, 4; 8, 11, 3; 9, 28, 5), wobei ohne scharfe Unterscheidung zwischen Sündenvergebung und infusio gratiae der Nachdruck auf letztere zu fallen beginnt. Herm betont die erstere im Sinne der 35 Aufhebung der vorchristlichen Vergangenheit.

Oepke

---

† ἰδιώτης

A. ἰδιώτης und הֶדְיוֹט außerhalb des NT.

1. ἰδιώτης bedeutet im griechischen Sprachgebrauch: 40

a. die Privatperson gegenüber einer öffentlichen Person bzw gegenüber einem Amtsinhaber.
So den einfachen Bürger gegenüber dem Herrscher: Hdt VII 3; Lys 5, 3; Plat Polit

---

[65] Für Cl Al ist reiches Material gesammelt von JMTsermoulas, Die Bildersprache des Klemens von Alexandrien (Kairo 1934, Diss Würzburg 1933) 84 ff.
[66] Geltend gemacht von HLamer, Jüdische Namen im griechisch-römischen Altertum. Der Name Jesu. Philol Wochenschr 50 (1930) 763 ff, bes 765. Daß die Gräzisierung Ἰησοῦς daraus abzuleiten sei, ist aber nicht überzeugend. Sie findet sich ja schon bei LXX

(Jos passim) und bei Josephus (vgl Index). Man könnte allenfalls annehmen, daß die Bedeutung des Namens Josua „Jahwe ist Heil" für sie maßgebend gewesen wäre. Diese Annahme ist aber reichlich künstlich und besagt nichts für das Christentum.
[67] Abb bei FWolter, Wie sah Jesus aus? (1930).

ἰδιώτης. Liddell-Scott sv; Bchm K zu 1 K 14, 16; JohW 1 K zu 14, 16.

259 b; Aeschin 3, 125. 233; Jos Bell 2, 182: ἐξ ἰδιώτου βασιλέα πεποίηκεν, 1, 665; 2, 178; Dio Chrys 1, 43; Epict Diss III 24, 99; Epict Ench 17; Prv 6, 8 b; POxy XII 1409, 14; Ditt Syll ³ 305, 71; Ditt Or I 383, 186 ff: ἀλλ' ἐπιμελείσθωσαν μὲν αὐτῶν ἱερεῖς, ἐπαμυνέτωσαν δὲ βασιλεῖς τε καὶ ἄρχοντες ἰδιῶταί τε πά[ν]τες. Von hier aus ist ἰδιώτης auch
5   ohne Gegensatz eine Bezeichnung für den Bürger geworden: Plat Symp 185 b; Aeschin 3, 46. 110. 158; Aristoph Ra 458 f: περὶ τοὺς ξένους καὶ τοὺς ἰδιώτας. Ditt Syll ³ 37, 3; Ditt Or II 483, 71 ¹. Vgl auch Thuc I 124: ξυμφέροντα καὶ πόλεσι καὶ ἰδιώταις, wo ἰδιώτης das Individuum, den einzelnen Bürger, gegenüber der Gesamtheit der Polis bezeichnet. Neben dem Bürger meint ἰδιώτης dann auch den gewöhnlichen
10   Mann. Plut Thes 24 (I 10 f): οἱ ἰδιῶται καὶ οἱ πένητες, Herodian Hist IV 10, 2.

     b. den Laien und Unwissenden gegenüber dem Fachmann und Wissenden. So den Laien gegenüber dem Richter: Antiphon Or 6, 24; den Nichtarzt gegenüber dem Arzt: Thuc II 48, 3; Plat Theaet 178 c; Leg XI 933 d; den gemeinen Soldaten gegenüber dem Offizier: Thuc IV 2; Xenoph An I 3, 11; Polyb I 69, 11: καὶ πολλοὺς . . . καὶ . . . τῶν
15   ἡγεμόνων καὶ τῶν ἰδιωτῶν διέφθειρον, PHibeh 1, 30, 21; aber auch den Zivilisten gegenüber dem Soldaten: Xenoph Eq Mag VIII 1; Ditt Or II 609, 12; den Laien gegenüber dem Redner: Isoc 4, 11; Aeschin 1, 7. 8; Hyperides Or 3, 27 (ed CJensen 1917); Luc Jup Trag 27; den Laien gegenüber dem Philosophen bzw dem Sophisten: Aristot Polit II 7 p 1266 a 31; Philodem Philos Περὶ Παρρησίας (ed AOlivieri
20   1914) 51; Περὶ θεῶν 1, 25 (Diels [SAB 1915]); Epict Diss II 12, 2. 11; II 13, 3 ua; Dio Chrys Or 12, 16; den Prosaschriftsteller gegenüber dem Dichter Plat Phaedr 258 d; Symp 178 b; den charismatisch nicht Begabten gegenüber dem μάντις: Paus II (Korinthiaca) 13, 7: τέως δὲ ἦν Ἀμφιάραος τῷ ἐκείνων λόγῳ ἰδιώτης τε καὶ οὐ μάντις, den Laien (Uneingeweihten) gegenüber dem Priester: Ditt Or I 90, 52;⁴ Ditt Syll ³ 736, 16 ff:
25   οἱ τελούμενοι τὰ μυστήρια ἀνυπόδετοι ἔστωσαν καὶ ἐχόντω τὸν εἱματισμὸν λευκόν, αἱ δὲ γυναῖκες . . . καὶ αἱ μὲν ἰδιώτιες ἐχόντω χιτῶνα λίνεον . . . αἱ δὲ παῖδες . . . αἱ δὲ δοῦλαι . . . αἱ δὲ ἱεραί . . ., Scholia Graeca in Hom Od 3, 332 (WDindorf [1855] I 153): καὶ ὅτι τὰ μυστικὰ καὶ θεοῖς ἁρμόζοντα οὐ χρὴ πρὸς τοὺς ἀμυήτους καὶ ἰδιώτας λέγειν ἀνθρώπους, Philo Omn Prob Lib 3; Spec Leg III 134. Von solchen Gegensätzen her
30   bekommt ἰδιώτης dann den allgemeinen Sinn von: ungeübt Xenoph Mem III 7, 7; III 12, 1; unreif Epict Ench 51, 1; ungebildet, unerfahren Luc Indoct 29: ἀμαθὴς καὶ ἰδιώτης, Philo Ebr 126; Som II 21: ἐκεῖνο μὲν ἰδιωτῶν καὶ ὑπηρετῶν (!) ἔργον, τοῦτο δ' ἡγεμόνων καὶ γεωργίας ἐμπειροτάτων τὸ ἐπιτήδευμα, Agric 4; Jul Or 5, 170 b: τοῖς μὲν ἰδιώταις ἀρκούσης . . . τῆς ἀλόγου καὶ διὰ τῶν συμβόλων μόνων ὠφελείας.

35   *c. den Außenstehenden, Fremden* gegenüber dem Zugehörigen ²: Inschr bei PFoucart, Des Associations Religieuses chez les Grecs . . . (1873) 189, Inschr 2 Z 2 ff: ἐὰν δέ τις θύηι τῆι θεῶι τῶν ὀργεώνων οἷς μέτεστιν τοῦ ἱεροῦ, ἀτελεῖς αὐτοὺς θύειν· ἂν δὲ ἰδιώτης τις θύηι τῆι θεῶι, διδόναι τῆι ἱερέαι, Ditt Syll ³ 1013, 2 ff: ὅταν τὸ γένος θύῃ . . . ὅταν δὲ ἰδιώτης θύῃ, 987, 28: φρατρίαν δὲ μηδὲ ἰδιώτη[ν μ]ηθένα τῶι οἴκωι τούτωι χρῆσθαι.

40   Im Ganzen ist ersichtlich, daß der Begriff ἰδιώτης seinen konkreten Sinn jeweils aus dem Zusammenhang und von einem bestimmten Gegensatz her gewinnt. Er ist nicht einheitlich wiederzugeben, wenn sich auch seine Grundbedeutung, daß es sich beim ἰδιώτης um denjenigen handelt, der das eigene Interesse gegenüber dem öffentlichen und Gemeininteresse vertritt, immer erhält.
45   Auch der Berufsvertreter und „Fachmann" ist im weiteren Sinn eine das öffentliche Anliegen der Gemeinschaft besorgende Person ³.

     2. Dasselbe gilt von dem Lehnwort הֶדְיוֹט, als welches ἰδιώτης in den Sprachgebrauch der Rabbinen übergegangen ist ⁴. In der rabbinischen Literatur bezeichnet הֶדְיוֹט analog dem Griechischen:

50   *a. den Privatmann gegenüber dem König:* Sanh 10, 2; MEx 17, 14; Tg 1 S 18, 23.

     b. den Laien gegenüber dem Sach- und Fachkundigen: Gegenüber dem Schneider, MQ 1, 8: Ein Laie הֶדְיוֹט (der kein Schneider von Fach ist) darf (an den Zwischenfeiertagen) nähen wie gewöhnlich. Der handwerksmäßige Schneider אֻמָּן darf nur ungleiche

---

¹ Adjektivisch findet sich in LXX ἰδιωτικός im selben Sinn: 4 Makk 4, 3. 6: ἰδιωτικὰ χρήματα „Privatvermögen".
² Vgl WBauer, Der Wortgottesdienst der ältesten Christen (1930) 17 f.

³ Vgl δημιουργός [Debrunner].
⁴ Vgl Str-B III 454—456; Schürer II 468 A 54; Weber 126.

Stiche machen. — Gegenüber einem Propheten: bSanh 67 a: „Wer verführt. Damit ist ein Laie gemeint". Der Grund (daß er gesteinigt wird) ist, weil er ein Laie ist; wäre er ein Prophet, so würde er durch Erdrosselung hingerichtet. Besonders gegenüber dem Gesetzeskundigen: jJeb 15 d 60 f הֶדְיוֹט gegenüber dem חָכָם; SNu 103 zu 12, 8: „So schreiben ja auch die ungebildeten und gewöhnlichen Leute" (קְלֵי הדעת וההדיוטות). 5 In solchem Zusammenhang ist dann der הדיוט oft = עַם הָאָרֶץ, T Taan 4, 12.

   c. *den Menschen gegenüber der Gottheit*: T Qid 1, 6. 9 הדיוט : גבוה; T Meg 3, 2.

B. *ἰδιώτης* im NT.

1. Im NT ist in Ag 4, 13 (θεωροῦντες δὲ τὴν τοῦ Πέτρου παρρησίαν καὶ ’Ιωάννου, καὶ καταλαβόμενοι, ὅτι ἄνθρωποι ἀγράμματοί εἰσιν καὶ ἰδιῶ- 10 ται, ἐθαύμαζον . . .) und 2 K 11, 6 (εἰ δὲ καὶ ἰδιώτης τῷ λόγῳ, ἀλλ’ οὐ τῇ γνώσει, ἀλλ’ ἐν παντὶ φανερώσαντες ἐν πᾶσιν εἰς ὑμᾶς) das Wort ἰδιώτης in dem allgemeinen Sinn von *ungebildet* gebraucht. In 2 K 11, 6 bezeichnet dabei der Dativ das, worin Paulus „ungebildet" ist: in der Rede[5].

   Vgl zu beiden Stellen: Just Apol I 39, 3: καὶ οὗτοι ἰδιῶται, λαλεῖν μὴ δυνάμενοι, διὰ 15 δὲ θεοῦ δυνάμεως ἐμήνυσαν παντὶ γένει ἀνθρώπων, Apol I 60, 11: παρ’ ἡμῖν οὖν ἔστι ταῦτα ἀκοῦσαι καὶ μαθεῖν παρὰ τῶν οὐδὲ τοὺς χαρακτῆρας τῶν στοιχείων ἐπισταμένων, ἰδιωτῶν μὲν καὶ βαρβάρων τὸ φθέγμα, σοφῶν δὲ καὶ πιστῶν τὸν νοῦν ὄντων, καὶ πηρῶν καὶ χήρων τινῶν τὰς ὄψεις, Hipp Philos IX 11, 1: τὸν Ζεφυρῖνον, ἄνδρα ἰδιώτην καὶ ἀγράμματον καὶ ἄπειρον τῶν ἐκκλησιαστικῶν ὅρων, Just Apol II 10, 8; Athenag Suppl 11, 3. 20

2. In 1 K 14, 16 ist der Sinn von ἰδιῶται aus dem dort ins Auge gefaßten Gegensatz heraus dahin zu bestimmen, daß es sich bei dem ἀναπληρῶν τὸν τόπον[6] τοῦ ἰδιώτου um denjenigen handelt, der das Charisma der Zungenrede bzw der Auslegung solcher Rede nicht besitzt. Er wird ja ausdrücklich als ein solcher gekennzeichnet, der „nicht weiß, was Du redest", und 25 der infolgedessen nach der charismatischen Danksagung des Zungenredners nicht das Amen sprechen kann. In 1 K 14, 23 f: ἐὰν οὖν συνέλθῃ ἡ ἐκκλησία ὅλη ἐπὶ τὸ αὐτὸ καὶ πάντες λαλῶσιν γλώσσαις, εἰσέλθωσιν δὲ ἰδιῶται ἢ ἄπιστοι, οὐκ ἐροῦσιν ὅτι μαίνεσθε; ἐὰν δὲ πάντες προφητεύωσιν, εἰσέλθῃ δέ τις ἄπιστος ἢ ἰδιώτης, ἐλέγχεται ὑπὸ πάντων, . . . ist zur Aufhellung der Bedeutung von ἰδιώτης seine Zu- 30 sammenordnung mit ἄπιστος und zwar einmal vor und einmal hinter ἄπιστος zu beachten. Darnach ist klar: es handelt sich bei den ἰδιῶται um solche, die nicht zur Gemeinde gehören (sie kommen zur versammelten ἐκκλησία), und die das erstemal zuerst im Blick darauf gekennzeichnet werden, daß sie das Zungenreden nicht verstehen, das zweitemal (v 24) zuerst im Blick darauf, daß sie 35 nicht zur Gemeinde gehören. Jedesmal steht die im Zusammenhang erforderliche Charakterisierung der Nichtchristen voran. Beidemal meint also ἰδιώτης den Ungläubigen, der das Charisma der Glossenrede bzw Glossenauslegung nicht besitzt[7]. Daß mit den ἰδιῶται nicht eine zwischen den ἄπιστοι und den πιστοί stehende Gruppe „Halbgewonnener"[8] gemeint ist, ergibt sich daraus, daß eine 40 solche Unterscheidung im Zusammenhang durch nichts gefordert ist und deshalb ja auch nicht zur Geltung kommt.

                                                                        Schlier

---

[5] Sonst steht auch der Gen: ἰδιώτης ἔργου Xenoph Oec 3, 9; ἰδιώτης ἰατρικῆς Plat Prot 345 a; vgl Tim 20 a, oder der Acc: Herodian Hist IV 12, 1; Just Apol I 60, 11; Hipp Philos VIII 18, 1: ἰδιῶται τὴν γνῶσιν.

[6] Vgl Ag 1, 25.
[7] Ltzm 1 K zSt.
[8] WBauer aaO.

> **† Ἰεζάβελ**

Isebel wird im späteren jüdischen Schrifttum sehr selten erwähnt. Die Aussagen über sie gehen nicht über die alttestamentliche Geschichte (1 Kö 16, 31; 18, 4. 13; 21, 5 ff; 2 Kö 9, 7 ff) hinaus. Sie erscheint demnach als diejenige, die den Ahab zum Götzendienst verführt[1], oder als die, um deretwillen die Waagschale bei Ahab zum Bösen herabsinkt[2]. Legendäre Ausschmückungen der Geschichte Isebels kommen erst im außerrabbinischen Schrifttum vor[3]. Von einer symbolischen Anwendung des Namens Isebel findet sich keine Spur.

Isebel im NT. In Apk 2, 20 ist höchstwahrscheinlich der Name Isebel symbolisch gebraucht. Die Anspielung auf die at.liche Geschichte von der Königin Isebel ist deutlich. In bezug auf die konkrete Situation, die der Name andeuten soll, sind verschiedene Deutungen möglich. Entweder steht der Name für eine Richtung, eine Partei, die in der Gemeinde zu Thyatira wirksam war; oder aber für eine bestimmte Persönlichkeit: etwa für eine Prophetin des in Thyatira vorhandenen Heiligtums der chaldäischen Sibylle, oder aber für eine Führerin „einer Bewegung innerhalb der christlichen Gemeinde". Die letzte Annahme ist wohl die wahrscheinlichste. Wir werden in der Isebel „eine falsche (libertinisch gesinnte) christliche Prophetin zu sehen haben, die ihr Wesen in der Gemeinde trieb"[4].

Odeberg

ἱερατεία, ἱερατεύω, ἱεράτευμα → ἱερός

> **† Ἰερεμίας**

A. Der Prophet Jeremias im Spätjudentum.

Quellen zur spätjüdischen Jeremias-Tradition: 2 Ch 35, 25; 36, 12. 21 f; Esr 1, 1; Da 9, 2; Sir 49, 6 f; Eupolemos gehört wahrscheinlich ein von Jeremias handelndes Fragment an, das Eus Praep Ev 9, 39 anonym überliefert[1]; 2 Makk 2, 1—8; 15, 12—16; 1 Εσδρ 1, 26. 30. 45. 54; Philo Cher 49; Jos bietet lediglich eine freie Wiedergabe des biblischen Berichtes: Ant 10, 78—80. 89—95. 104—107. 112—130. 141. 156—158. 176—179; 11, 1—2; Bell 5, 391 f; sBar 2, 1; 5, 5; 9, 1 f; 10, 2. 4; 33, 1 f; auf jüdischem Grundstock fußt Prophetarum Vitae hsgg ThSchermann (1907) 9, 11 ff; 43, 6 ff; 61, 11 ff; 71, 3 ff; 104, 19 f; 106, 1 ff; 157, 13 ff. Rabbinisches Material stellten, ohne Vollständigkeit zu beabsichtigen, zusammen AR[osmari]n und MG[uttmann] in EJ VIII 1088—1092 („Jeremia in der Agada").

Dazu kommen die apokryphen Jeremias-Schriften: *1.* ep Jer. — *2.* Paralipomena Jeremiae[2]. — *3.* Die Paralipomena Jeremiae sind benutzt von einem Jeremias-

---

Ἰεζάβελ. [1] jSanh 28 b 19 ff. [2] Jalkut Schimoni (zu bSanh 102, 103). [3] PREl 17. [4] Bss Apk zSt. Vgl Loh Apk, RHCharles (ICC) (1920) zSt.

Ἰερεμίας. Zu A: JAFabricius, Codex Pseudepigraphicus Veteris Testamenti (1713) 1102—1116; Weber 298, 354; Schürer II 612, III 362, 365 f, 369 f, 393—395, 465, 467 f, 475, 486; Str-B I 644, 730, 755, 1029 f; Hennecke 388, 391, 393, 419; EJ VIII 1088—1092. — Zu B: JHänel, Der Schriftbegriff Jesu, BFTh 24, 5—6 (1919) 95 f und die Komm zu Mt.

[1] JFreudenthal, Alexander Polyhistor = Hellenistische Studien 1—2 (1875) 208 f; Schürer III 475; OStählin, Die hellenistisch-jüdische Literatur = Sonder-Abdruck aus WvChrists griech Literaturgeschichte II 1 [6] (1921) 589 A 4; Schl Gesch Isr 191.

[2] Ausgabe des gr Textes von JRHarris, The Rest of the Words of Baruch (1889), übers bei PRießler, Altjüd Schrifttum (1928) 903 bis 919. Übers des äthiopischen Textes: FPrätorius in: ZwTh 15 (1872) 230—247; EKönig in: ThStKr 50 (1877) 318—338. Lit bei Schürer III 393—395.

Apokryphon, das AMingana 1927 nach einer arabischen, mit syrischen Buchstaben geschriebenen Fassung herausgab [3]. — *4.* Ein nicht-erhaltenes hebräisches Apocryphum Jeremiae, in dem Mt 27, 9b—10 stand, wurde Hieronymus von einem Judenchristen gezeigt [4]. Die Schrift dürfte judenchristlichen Ursprungs sein und ihre Entstehung dem Wunsche verdanken, eine Schrift des Jeremias zu besitzen, in der das ihm Mt 5 27, 9 irrtümlich zugeschriebene Sach-Zitat (→ 220, 15ff) zu lesen war [5]. — *5.* In einem Apocryphum Jeremiae wollen Euthalius und Georgius Syncellus das Zitat Eph 5, 14 gelesen haben [6]. — *6.* Über einzelne auf Jeremias zurückgeführte Logien vgl VRyssel in Kautzsch Pseudepigr 404; Hennecke 388. — *7.* Seit Iren gilt Jeremias vielfach als Verfasser des gr Bar [7].   10

Die Aussagen der spätjüdischen Literatur über den Propheten Jeremias beschäftigen sich, anders als diejenigen etwa über → Elias und → Henoch, fast ausschließlich mit der geschichtlichen Persönlichkeit; dieser Unterschied erklärt sich aus der Schriftgebundenheit des Spätjudentums: die Schriftaussagen über Jeremias boten keinen Ansatz für über das irdische Leben hinaus- 15 gehende Aussagen. Mit einem reichen Kranz von Legenden finden wir das Leben des Propheten umwoben: seine Geburt, seine prophetische Wirksamkeit, seine Schicksale vor und nach der Zerstörung Jerusalems sowie in der Zeit des Exils, seinen Tod. Offensichtlich war dieser Prophet, von dem man sagte, daß sein „Herz rein von Sünden erfunden worden war" [8], daß er die Lade und die 20 Tempelgeräte rettete und verbarg [9] und daß er sein Zeugnis mit dem Martyrium (Steinigung) [10] besiegelte, einer der Lieblingspropheten des Volkes.

Ganz singulär, weil über das Erdenleben des Propheten hinausgehend [11], ist 2 Makk 15, 12—16. Dem Makkabäer Judas erscheint zusammen mit dem früheren Hohenpriester Onias eine Gestalt von überirdischer Hoheit, die ihm ein goldenes Schwert 25 reicht. Onias sagt ihm: ὁ φιλάδελφος οὗτός ἐστιν ὁ πολλὰ προσευχόμενος περὶ τοῦ λαοῦ καὶ τῆς ἁγίας πόλεως [12] Ιερεμιας ὁ τοῦ θεοῦ προφήτης (15, 14).

B. Der Prophet Jeremias im Neuen Testament.

1. Im NT wird Jeremias nur bei Mt ausdrücklich erwähnt (2, 17; 16, 14; 27, 9) [13]. Doch beziehen sich außerdem auch auf ihn die 30

---

[3] A New Jeremiah Apocryphon in: Bulletin of the John Rylands Library XI 2 (Juli 1927) 352—437, mit Vorwort von JRHarris 329—342. Wieder abgedruckt in: Woodbrooke Studies I (1927) 125—138, 148—233. Dazu AMarmorstein, ZNW 27 (1928) 327—337; JGu[tmann], EJ VIII 1092—1094.

[4] In Mt 27, 9 (MPL 26, 205 b): Legi nuper in quodam Hebraico volumine, quod Nazaraenae sectae mihi Hebraeus obtulit, Jeremiae apocryphum, in quo haec (= Mt 27, 9b—10) ad verbum scripta reperi.

[5] Über weitere Versuche, Mt 27, 9b—10 für den Propheten Jeremias zu retten, vgl Schürer III 369 A 104 und Kl Mt zu 27, 9.

[6] Schürer III 362, 365f.

[7] Schürer III 465.

[8] sBar 9, 1. — Solange er in Jerusalem war, konnte die Stadt nicht zerstört werden (sBar 2, 1—2; Paral Jerem 1, 1—3; Pesikt 13 [Buber 1868, 115 b 28]).

[9] Die Lade: Fragment des Eupolemos (→ 218, 25ff); 2 Makk 2, 4—7; Vitae Prophetarum 10, 9ff; 45, 14ff; 62, 15ff; 72, 13ff; Josephus Gorionides → A 17. Das Zelt und den Räucheraltar: 2 Makk 2, 4—7. Die Tempelgeräte: Paral Jerem 3, 7f. 14. Gewand sowie Mitra des Hohepriesters und die übrigen Besitztümer des Tempels: Jeremias-Apokryphon hsgg Mingana (Bulletin of the John Rylands Library XI [1927] 375—377 = Woodbrooke Studies I [1927] 171—173). Die Tempelvorhänge: Josephus Gorionides → A 17.

[10] Paral Jerem 9, 21ff; Vitae Prophetarum 9, 13; 44, 7f; 61, 12; 71, 4; 104, 20; 106, 3f. Über das NT → oben Z 30ff. Frühchristl Belege seit Tertullian, Adversus Gnosticos Scorpiace 8 (MPL 2, 137b) bei RggHb 380 A 95. — Daß das Fragment des Eupolemus (→ 218, 25ff) entstellt ist, und daß die Stelle ursprünglich nicht von einer Verbrennung des Propheten durch den König Jonachim (sic!), sondern von der Verbrennung seines Buches handelte, hat ASchlatter, Der Märtyrer in den Anfängen der Kirche, BFTh 19, 3 (1915) 68 A 38 gezeigt.

[11] Anderer Art ist das Traum-Omen bBer 57b: „(Wer) Jeremias (im Traum sieht), fürchte sich vor Bestrafung".

[12] Schon bei Lebzeiten des Propheten waren seine Gebete eine „starke (Paral Jerem: stählerne) Mauer" für Jerusalem (sBar2, 2; Paral Jerem 1, 2). Ferner vgl Jeremias-Apokryphon hsgg Mingana → A 3 (Bulletin 364 = Woodbrooke Studies 160).

[13] Die vl zu Lk 9, 19 ἄλλοι (ἕτεροι φ) δὲ 'Ιερεμίαν (λφ) stammt aus Mt 16, 14.

beiden von der Steinigung der Gottesboten und Glaubenszeugen redenden Stellen Mt 23, 37 par und Hb 11, 37; denn für Mt 23, 37 macht der Plur wahrscheinlich, daß außer an Sacharja, den Sohn des Jojada (2 Ch 24, 20—22), auch an den nach der Legende gesteinigten (→ 219, 22) Jeremias gedacht ist,
5 und Hb 11, 37 dürfte wegen der sofort anschließenden Erwähnung des Martyriums des Jesajas (Zersägung) bei ἐλιθάσθησαν sogar in erster Linie an Jeremias gedacht sein.

„Parallelen" (im weitesten Sinn: von losen Berührungen bis zu wörtlichen Zitaten) des nt.lichen Textes zu dem Buch, den Klageliedern und dem Brief des Jeremias hat
10 zusammengestellt WDittmar, Vetus Testamentum in Novo (1903) 321—324, 344, 352. Hervorzuheben ist die Bedeutung der Weissagung von der neuen → διαθήκη (Jer 31, 31—34) für das NT.

2. Mt 2, 17 wird mit τότε ἐπληρώθη τὸ ῥηθὲν διὰ Ἰερεμίου τοῦ προφήτου λέγοντος das Zitat Jer 31, 15 eingeführt.

15 **3.** Wenn Mt 27, 9 das Zitat Sach 11, 13 mit genau denselben Worten eingeführt wird, so liegt ein Gedächtnisirrtum vor, der durch die Erinnerung an Jer 32, 9 (Kauf des Ackers) veranlaßt sein wird[14].

4. Nur bei Mt findet sich die Nachricht, daß die Volksmeinung in Jesus ua den wiedererschienenen Propheten Jeremias (Ἰερεμίαν ἢ
20 ἕνα τῶν προφητῶν) gesehen habe (16, 14). Diese Angabe ist deshalb auffällig, weil die spätjüdische Literatur nirgendwo etwas von einer eschatologischen Aufgabe des Propheten Jeremias sagt[15]; vielmehr findet sich die Erwartung seiner Wiederkunft erst in dem christlichen 5 Esr 2, 18[16], in einer LA zu Josephus Gorionides 1, 21[17] und wahrscheinlich auch in einem Zusatz zu dem
25 Abschnitt über Jeremias in den Vitae Prophetarum[18] — alle drei Stellen dürften aber von Mt 16, 14 abhängig sein. Daß uns Mt 16, 14 eine sonst nicht belegte Erwartung der spätjüdischen Eschatologie, wonach Jeremias vor dem Ende wiederkehren werde, bezeugt wäre[19], bleibt möglich, ist aber nicht sehr wahrscheinlich. Vermutlich erklärt sich die Erwähnung des Propheten Jeremias an
30 unserer Stelle viel einfacher. Das Buch Jeremias stand´ nach bBB 14b Bar im

[14] Schl Mt zSt vgl Kl Mt zSt; Pr-Bauer sv. — Str-B I 1030 erwägt als Möglichkeit, daß mit Jeremias, dem Propheten, „ganz allgemein die prophetischen Schriften" bezeichnet seien, „an deren Anfang das Buch Jer in alter Zeit stand" (→ oben Z 30f); dieser Lösungsversuch, der von JLightfoot, Opera Omnia II (1686) 384f stammt, ist schon von JAFabricius 1103f mit Recht als unwahrscheinlich abgelehnt worden.
[15] Str-B I 730. — Zu Unrecht berufen sich Bousset-Greßm 233 für die gegenteilige Ansicht auf 2 Makk 2, 1ff; 15, 13.
[16] Der Mutter der Söhne, dh der Gemeinde, wird verheißen: Mittam tibi adiutorium pueros meos Isaiam et Jeremiam; es handelt sich um eine Variante zu Apk 11, 3ff; Mk 9, 4 par.
[17] Nach dem Text der Ausgabe von JFBreithaupt (Gothae [1707] 64 Z 1) und der

Ausgabe Amsterdam 1723 (fol 13b Z 4) sagt Jeremias: der Ort, an dem er die Lade und die Tempelvorhänge verborgen habe, solle unbekannt bleiben עד בא אליהו. Dagegen liest der von Breithaupt verglichene Codex Munsterianus עד בא אני ואליה (aaO S 63 A 11).
[18] Der Zusatz findet sich in drei Rezensionen: Dorothei Recensio 46, 9ff; Epiphanii Recensio Altera 63, 7ff; Recensio Anonyma 73, 17ff. Der kürzeste der drei Texte (Epiphanii Recensio Altera) lautet: καὶ ἔδωκεν ὁ θεὸς τῷ Ἰερεμίᾳ χάριν, ἵνα τὸ τέλος τοῦ μυστηρίου αὐτοῦ αὐτὸς ποιήσῃ, ὅπως γένηται κοινωνὸς Μωϋσέως. Die letzten Worte sind nach dem Zusammenhang eschatologisch zu verstehen.
[19] Weber 354; Schürer II 612; Kl Mt zu 16, 14; Pr-Bauer 580.

Kanon an der Spitze der späteren Propheten[20]. Wenn Mt statt εἷς τῶν προφητῶν (Mk 8, 28) bzw προφήτης τις τῶν ἀρχαίων (Lk 9, 19) erweiternd sagt Ἰερεμίαν ἢ ἕνα τῶν προφητῶν (Mt 16, 14), so hat er offenbar den Namen des ersten der späteren Propheten beispielsweise hinzugefügt, vielleicht, um auf diese Weise zum Ausdruck zu bringen, daß die Volksmeinung, die in Jesus *einen der* 5 *Propheten* sah, an einen der s p ä t e r e n Propheten dachte. Der Prophet Jeremias dürfte also seine Erwähnung Mt 16, 14 nicht dem Vorhandensein einer sonst nicht bezeugten Erwartung seiner Wiederkehr, sondern lediglich der Stellung seines Buches im Kanon verdanken[21].

JoachJeremias 10

ἱερός, τὸ ἱερόν, ἱερωσύνη, ἱερατεύω,

ἱεράτευμα, ἱερατεία (-ία), ἱερουργέω,

ἱερόθυτος, ἱεροπρεπής, ἱεροσυλέω,

ἱερόσυλος, ἱερεύς, ἀρχιερεύς

---

† *ἱερός* 15

Inhalt: A. Die Etymologie. — B. ἱερός im gemeingriechischen Gebrauch: I. Synonyme und Gegensätze; II. Die Hauptgruppen in der Gliederung des Gebrauchs: 1. ἱερός bei Sachen; 2. bei Personen. — C. ἱερός in der Septuaginta. — D. ἱερός im sonstigen hellenistischen Judentum: 1. Allgemeines über ἱερός bei Josephus; 2. Allgemeines über ἱερός bei Philo; 3. Der Sprachgebrauch in den Apokryphen 20 und bei Philo und Josephus; 4. ἱερός in spekulativen Verknüpfungen bei Philo und 4 Makk; 5. ἱερός für Personen. — E. ἱερός im NT. — F. ἱερός in der Alten Kirche.

A. Die Etymologie.

Jonisch, auch oft bei Hom: ἱρός: Il 2, 420; 4, 46; Od 1, 66; 3, 278; dorisch nur ἱαρός. 25

Die Etymologie[1]. *a.* Herkömmlicherweise setzt man griechisch ἱερός gleich mit altindisch (sanskrit) iṣirá-: „erquickend, kräftig, munter", sowie mit keltisch *isaros,

---

[20] „Unsere Lehrer lehrten: Die Reihenfolge der Propheten ist: Josua, Richter, Samuel, Könige; Jeremias, Ezechiel, Jesajas und die Zwölf".

[21] Vgl Hänel 95 f, der jedoch Mt die Priorität gegenüber Mk und Lk zusprechen möchte.

ἱερός. Def bei Hesych, der ἱερός durch σεμνός, ἥμερος, ἀγαθός erläutert, nicht ertragreich. Wohl aber ist Suid wichtig, der die eigentliche Mitte des Begriffs treffend wiedergibt: τῷ θεῷ ἀνατεθειμένος (lat sacer, sacrosanctus, consecratus). Vgl aber Suid ergänzend →225, 32. — Lit zu „heilig", „Heiligkeit" →I 87, Lit bei ἅγιος. Außerdem: Artk „Holiness", in: ERE VI 731—759; Artk „Heilig", in: LexThK IV 881—884; RGG ² II 1714 ff (vgl dort Lit); EFehrle, Die kultische Keuschheit im Altertum (1910); ThWächter, Reinheitsvorschriften im griech Kult (1910); MSchumpp, Das Heilige in der Bibel, in: Theologie und Glaube 22 (1930) 331—343;

RKittel, Heiligkeit Gottes im AT, RE ³ VII 566—573; IBenzinger, Hbr Archäologie ³ (1927) 395—402; JDillersberger, Das Heilige im NT (1926). — Zu ἱερός: Pass, Pape, Liddell-Scott sv; Trench 206 f, 241; Moult-Mill, Preisigke Wört sv; DMagie, De Romanorum Juris Publici Sacrique Vocabulis Sollemnibus in Graecum Sermonem Conversis (1905) Regist; EWilliger, Hagios, RVV 19 (1922) 54 A 1. — Vgl auch HDelehaye, Sanctus, in: Analecta Bollandiana 28 (1909) 145—200; WSickel in GGA 1901, 387 ff (Rezension über: GWaitz, Deutsche Verfassungsgeschichte VI [1896]); FPoland, Geschichte des griech Vereinswesens (1909) Regist; GThieme, Die Inschriften von Magnesia am Maeander u d NT (1905) 36; Deißmann LO 321 f; Schl Theol d Judt 64, 80. Zu sanctus: WLink, De Vocis Sanctus Usu Pagano Quaestiones Selectae, Diss Königsberg (1910).

[1] Nach Hinweisen von MLeumann, Zürich.

Fem als Flußname *Isarā (Isar, Isère). Das ist formal einwandfrei bei einer indogermanischen Grundform *isᵊrós, aber etwas unbefriedigend im Blick auf die Bedeutung, insofern das altindische Wort ganz außerhalb der religiösen Sphäre steht und
beim keltischen Wort sich nichts entscheiden läßt. — b. Man hat daher fürs Griechische, besonders für Homer zwei (bzw sogar drei) Homonyme ἱερός vermutet, ein
erstes in der Bedeutung „kräftig", das allein der obigen Etymologie (sanskrit iṣirá-)
entspricht, und ein zweites ἱερός = heilig. Dieses zweite wird folgendermaßen angeknüpft: Im Westindogermanischen gibt es eine Wurzel ais-, bezeugt durch neuhochdeutsch Ehre usw und oskisch-umbrisch ais- „Gott", neben denen auch ein
etruskisches aesar „Gott" steht[2]. Doch ist auch die Verknüpfung von ἱερός mit diesem
ais- keineswegs zwingend. — c. Neuere Kombinationen betrachten dieses ais- „Gott"
im Oskisch-Umbrischen vielmehr als Lehnwort aus einer vorindogermanischen Sprache
(woher auch etruskisch aesar). Darnach ist man geneigt, auch ἱερός als vorgriechisch
anzusehen. Doch zwingt dann der Vokalwechsel ais-/is (für *isᵊrós ἱερός) zu sehr
kühnen Annahmen betreffs dieser vorindogermanischen Bevölkerung, da er an sich
dem indogermanischen Vokalwechsel angehört.

Diese Lage des heutigen Befundes der Forschung legt die Vermutung nahe: das
Wort ist vorgriechisch und daher nicht etymologisierbar. Wenn zumal ein Bruchteil
des homerischen Gebrauchs → 224, 51 ff, bei dem man geneigt war, ἱερός mit „kräftig,
machtvoll, tüchtig" zu übersetzen, jene älteren Hypothesen auf die oben bezeichnete
Fährte führten, so wird die Untersuchung herausstellen, daß jene Abtrennung des
homerischen ἱερός von der religiösen Grundbedeutung fragwürdig ist → 225, 1 ff[3].

B. ἱερός im gemeingriechischen Gebrauch.

I. Synonyma und Gegensätze[4].

ἱερός erscheint immer wieder in Verbindung mit den Synonymen
θεῖος, → ἅγιος (weniger ἁγνός), ὅσιος, σεμνός, ἄσυλος[5]. Der Unterschied zu diesen verwandten Worten ist zwar kein nach allen Seiten abgegrenzter. Auch → θεῖος kann
heißen: von den Göttern kommend, von ihnen eingesetzt, ihnen zugehörig oder geweiht, unter ihrem Schutze stehend. Dazu von Helden: übermenschlich, in der Kaiserzeit vom Caesar: sacer, divinus. Auch das seltenere ἅγιος kann bedeuten: an die
Gottheit geweiht, von Dingen und Personen, wenn es auch anders als ἱερός zugleich
die persönliche Heiligkeit im moralischen Sinn auszudrücken vermag. Das Moment
der Absonderung in der Weihung und Widmung an die Gottheit machte ἅγιος geeigneter zur Übersetzung von קדשׁ und zur Benutzung im nt.lichen Sinne, abgesehen von
dem Umstand, daß es seltener, schwebender und nicht so unweigerlich festgeprägt
war wie ἱερός. Auch ἁγνός steht von Plätzen und Sachen, die den Göttern geheiligt
sind. Jedoch hat es mit seiner Bedeutung keusch, schuldlos, rein, unbefleckt, als
persönlicher Eigenschaft oder im Sinne zeremonieller Reinheit, wiederum seine ganz
andere und besondere Färbung. Auch ὅσιος kann besagen: geheiligt und geweiht
durch göttliches Recht oder Naturrecht, zumal wenn es → δίκαιος gegenübersteht.
Indem es aber auch „fromm, religiös" von Personen bedeutet, ist es wiederum von
ἱερός merklich verschieden. σεμνός endlich wird auch als heilig und erhaben von
Göttern und göttlichen Dingen gebraucht, bekommt jedoch seine eigene Note durch
die Bedeutung: ehrwürdig, achtbar, majestätisch, vornehm. Nun läßt sich auch ἱερός
nicht auf eine einzige Formel bringen. Es zeigt vielmehr die Doppelseitigkeit:
a. erfüllt von der übernatürlichen Macht der Gottheit, b. geweiht an die Gottheit. Aber das
Band, das diese beiden Seiten verknüpft, ist die Zugehörigkeit zur göttlichen Sphäre.
ἱερός ist ein ganz absolut gemeintes Wort. Nie kann es einen negativen Sinn haben

---

[2] Vgl Walde-Pok I 13 sv ais- „ehrfürchtig
sein, verehren". — Zu c: JSchrijnen, Bulletin de la Société de Linguistique de Paris
32 (1931) 54—64.

[3] Dazu Debrunner: Mag man die homerischen Beispiele beurteilen, wie man will, es
hat sicher ein ἱαρός (ἱερός) in der Bedeutung
„rüstig, lebhaft" gegeben; das ergibt sich
aus ἰαίνω belebe, das zu ἱαρός gehört wie
μιαίνω zu μιαρός (ua; ADebrunner, Indogermanische Forschungen 21 [1907] 31 f). Ich ver-
mute, daß indogermanisch *isᵊrós „munter"
und entlehntes (a)isr- oä vermischt worden
sind.

[4] Vgl auch HHSchmidt, Synonymik der
griech Sprache IV (1886) 321 ff.

[5] Mit θεῖος: Plat Tim 45 a; Philo Conf
Ling 59; Jos Ant 4, 285. Mit ἅγιος: Philo
Det Pot Ins 133 f; Som I 149; Spec Leg I 234.
Mit ὅσιος: Conf Ling 27. Mit ἄσυλος: Plut
Gen Socr 24 (II 593 a); Philo Gig 16; Rer
Div Her 108; Sobr 66; Jos Ant 15, 136.
σεμνός steht bei Philo gern neben ἅγιος:
Decal 133; Som I 234; Spec Leg I 151.
— Zur genauen Fassung des Unterschiedes
von θεῖος und ἱερός zuletzt zusammenfassend:
UvWilamowitz, Glaube der Hellenen I (1931)
18 ff.

wie ἅγιος (verflucht, fluchwürdig), wie ὅσιος (profan, in der Gegenüberstellung zu ἱερός),
wie σεμνός (hochmütig, feierlich pompös im ironischen Sinn). Am nächsten steht es
unter den Genannten dem θεῖος und ἅγιος, dagegen steht es ferner dem ἁγνός, weil
es nicht Frommheit als Eigenschaft ist. Wenn Soph Oed Col 287 Oedipus von sich
aussagt: ἱερὸς εὐσεβής τε, so ist, streng genommen, das Zweite nicht Synonym, sondern 5
Konsequenz aus dem Ersten. Als der Gottgeweihte ist er der Fromme. Der ἱερός
ist wohl *sacer*, aber nicht unbedingt „sanctus" (ὅσιος). Er ist *destinatus diis*, er trägt
den *character divinus indelebilis*. Daher ist das ἱερόν ein ἄσυλον. Weitere Umschreibungen im Ausdruckswechsel: neben ἄσυλος: καθωσιωμένος, πανάγης, ἱεροπρεπής, ἀφιερω-
μένος, καθιερωμένος bestätigen die fast technische Bestimmtheit[6] unseres Wortes im 10
Sinne von sakrosankt. Der treffendste Gegensatz ist βέβηλος (neben ἀνίερος), das bedeutet profan[7].

So betont also ἱερός einmal die göttliche Macht der Sphäre, die den Göttern
selbst eignet. Sodann drückt es aus die übernatürliche Macht und Weihe, die
etwas hat, das der Gottheit zu eigen gehört und ihr geheiligt ist. Dieses Ge- 15
weihtsein an die Gottheit kann durch Urgesetze, Naturgegebenheit, aber auch
durch besondere göttliche und menschliche Bestimmung und Veranstaltung des
Kultes, der Sitte, der Gesetze wirklich sein. Der Charakter des Gottgeheiligt-
seins ist Tatsache göttlicher Wirkung, aber nicht in moralischem Sinn, sondern
als Konsekration. So wird ἱερός das gebräuchlichste Sakral- und 20
Kultwort des Griechentums.

II. Die Hauptgruppen in der Gliederung des Gebrauchs.

Ganz selten wird ἱερός dazu verwandt, eine Aussage
über die Person der Götter selbst zu machen, wie Hes Theog 21 ἱερὸν γένος
ἀθανάτων[8]. Darum ist auch das, was in der ersten Hauptgruppe zu bezeichnen 25
ist, zu stellen unter

1. ἱερός bei Sachen. *a.* Es bezeichnet, ohne daß ein
menschliches Handeln in Frage kommt, etwas, das zur göttlichen Sphäre
gehört oder in enger Beziehung zu ihr steht.

So ist die Gestalt (Hom Il 15, 39 das Haupt des Zeus), die Wohnung (Aristoph Nu 270 30
von den Schneeregionen des Olymp, Hom Od 10, 426 vom Haus der Kirke), der Ruheplatz (Hes Theog 57 das Lager des Zeus) der Götter, so sind ihre Waffen (der Bogen
des Herakles Soph Phil 943) ἱερός. Die Waage, die Kronion in seiner Hand hält:
Hom Il 16, 658. Die göttlichen Rosse vor dem Wagen des Achilleus, die ihm Kronion zum
Geschenk gab: Hom Il 17, 464, sie machen den Wagen heilig, das heißt auch: sieghaft 35
mächtig, weil sie als Gabe aus der Götterhand stammen. Nicht anders als bei diesen
anscheinend primitiven mythologischen Stoffen ist der Sinn in vergeistigteren Formeln.
Die ἱερὰ γράμματα Ditt Or I 56, 36 (3 Jhdt v Chr) (→ γράμμα I 763, 19 ff. 55 ff) tragen dies
Beiwort, weil göttliche Kundgebung dahintersteht. Das gilt bis zu den Orakelrollen
mit ihren Zeichnungen: Aristoph Eq 116. 1017. Man hat es beim Eintreten in die 40
Sphäre der Götter mit diesem Heiligen zu tun, so daß selbst ein Krieg, den man gegen
Zeus führt: Aristoph Av 556, ein ἱερὸς πόλεμος wird.

b. Und doch beginnt der hauptsächliche Gebrauch von ἱερός erst da, wo nun
dies Göttliche als Weihe dem Menschen fühlbar und erfahrbar wird. Daher
wird es von der Natur, als gotterfüllter, gottgespendeter, gottge- 45
weihter gebraucht.

Das Licht (Hes Op 337), der Äther (Aristoph Thes 1068), die halb personifizierten
Zeiten des Dunkels und des Tages (Hom Il 8, 66; Od 9, 56; Il 11, 194. 209) sind aufgefaßt als

---

[6] Delehaye (→ LitA) 146 f. Zu καθιερωμένος:
Magie (→ LitA) 92.
[7] Vgl die Synonyma zu ἱερός: ἀβέβηλος,
ἄβατος Plut Quaest Rom 27 (II 271 a). Zu
βέβηλος: Philo Poster C 110.

[8] Pind Olymp 7, 60; Pyth 9, 64 nennt die
Götter ἁγνοί. Dazu WNestle, Griech Religiosität I (1930) 110.

von der Gottheit bestimmte Mächte, von ihr herstammend. Ebenso sind die Erde
(Soph Phil 706), das mit Früchten geschwängerte Land (Aristoph Nu 282) und all
die dem Zeus entströmten Bäche und Flüsse erfüllt von der Gottheit und darum heilig
(Hom Od 10, 351; Soph Phil 1215). Das kommt sonderlich darin zum Ausdruck, daß be-
5   stimmte Gottheiten über den Naturkräften walten: die Tenne Hom Il 5, 499 ist ἱερός, weil
sie Demeter geheiligt ist, das Getreide 11, 631 hat als ihre Gabe göttliche Kraft,
der Ölbaum bei der Grotte der Nymphe Hom Od 13, 372, der dem Poseidon geweihte
Fisch Hom Il 16, 407, die Biene Pind Fr 123, sie werden ἱεροί genannt, weil sie Träger
und Spender des Göttlichen sind.

10   *c.* Die den Schutzgottheiten heiligen Länder, Inseln, Städte,
Meerengen haben teil an derselben Weihe.

Sei es Ilion mit Pergamos (Hom Il 4, 46; 5, 446) oder Theben (Il 4, 378) oder Athen
(Aristoph Eq 1037), die Festen Pylos (Hom Od 21, 108) und Sunion (Od 3, 278), Euböa
(Il 2, 535) oder πόρος Ἑλλάς (Aristoph Vesp 308).

15   *d.* Die Weihe an die Gottheit findet im Kultus ihren eigentlichen Mittelpunkt.

Im engeren kultischen Gebrauch heißt der Tempel ἱερὸς δόμος oder ναός: Hom Il 6, 89;
Aristoph Lys 775; der Altar Hom Il 2, 305; Soph Trach 994 f; das Opfer, bei Hom ἑκατόμβη:
Il 1, 99; Od 3, 144; der Opfertisch Aristoph Pl 678, aber auch der geweihte Tempel-
20   boden: Soph Oed Col 16. 54 und der Tempelhain Hom Il 2, 506 — alles das ist ἱερός. Das
Sakralwort findet weiter seine Anwendung auf die Feste, ob es sich handelt um die
ἱεραὶ ὧραι Festzeiten: Aristoph Thes 948 oder auch nur um die Festfackel: Thes 101.
Besonders lehrreich ist Plat Leg VIII 841 d vgl Resp V 458 e, indem dort die Hoch-
zeit, sofern sie eine rechte, unter göttlichem Segen stehende eheliche Feier ist, als
25   ἱερός bezeichnet wird (vgl die kultische Tatsache des ἱερὸς γάμος [→ I 651, 29 ff]). Die
ἀγῶνες und ἄθλοι sind ἱεροί, weil sie zu Ehren der Götter stattfinden: Pind Nem 2, 4;
Olymp 8, 64. Die den Göttern geweihten Reden sind ἱεροὶ λόγοι: Jambl Vit Pyth
(ANauck 1884) 111, 6; 182, 6. Die Gottheit, der kultisch etwas geweiht ist, wird im
Genitiv hinzugesetzt: Hom Od 6, 322: Ἀθηναίης, 13, 104: Νυμφάων, Xenoph An V 3, 13:
30   Ἀρτέμιδος, vgl Plat Leg V 741 c: τῶν πάντων θεῶν, Athenag Suppl 28, 3: τῆς Ἴσιδος.

e. Aber auch alles, was sonst — nicht nur gottesdienstlich — in religiös bestimmter Weise Gott geweiht ist, bekommt diese Bezeichnung:

Die Chöre der Schauspiele, weil sie Göttliches künden: Aristoph Ra 674. 686, überhaupt alle Gesänge, die den Göttern ertönen: Plat Leg VIII 829 e, der Kreis, in dem
35   Gericht gehalten wird, weil er dem Zeus heilig ist: Hom Il 18, 504, Gruft und Grabhügel,
denen besondere Weihe eigen ist: Soph Oed Col 1545. 1763. Selbst das Lotterbette,
auf das sich Aristoph Nu 254 Strepsiades auf den Wink des Sokrates zu setzen hat,
weil darauf die Einweihung im Göttlichen erfolgen soll.

f. Auch viel abstraktere Wendungen[9] wie ἱερὰ ἄγκυρα: die letzte Zuflucht,
40   oder ἱερὰ συμβουλή: der äußerste, letzte Entschluß, machen nicht weniger eine rein
religiöse Aussage, indem sie andeuten, daß allein bei den Göttern Hilfe und Rat zu
finden ist.

Wie dieser unter *a* bis *f* bezeichnete Gebrauch sich durch das Griechentum aller
Zeiten hindurchzieht, das bestätigt ein Blick in die Pap, wo alle diese Beziehungen
45   und Formeln wiederkehren[10].

2. Personen werden als ἱεροί bezeichnet *a.* bei Pind
und Hom, sofern sie als Könige und Helden unter dem besonderen Schutz
der Götter stehen oder als Würdenträger in Ausführung eines Auftrags dem
göttlichen Charakter Genüge tun.

50   Spricht Pind Pyth 5, 97 von βασιλέες ἱεροί, so wird daran erinnert, daß ihre Würde
von der Gottheit stammt. So ist auch die Redeweise bei Hom vom ἱερὸν μένος Ἀλκι-
νόοιο, von der ἱερὴ ἴς Τηλεμάχοιο zu erklären: Od 7, 167; 2, 409 uö. Alkinoos hat sein
Amt von Zeus, Telemach steht unter dem Schutz der Athene. Sie vertreten damit
ebenso übernatürliche Macht wie die πυλαωροὶ ἱεροί Il 24, 681 und der φυλάκων ἱερὸν
55   τέλος Il 10, 56 und die Schar der speerschwingenden Männer Achajas: Od 24, 81. Weil

---

[9] Vgl Pass sv.

[10] Vgl Preisigke Wört III, Abschnitt 20
(p 378 f) sv.

sie von der Gottheit erkoren sind, stammt Auftrag und Werk von ihr. Wohl kann man hier ἱερός mit „hehr, erhaben" übersetzen, darf aber keineswegs die Bedeutung abschwächen auf „stattlich, mannhaft, kräftig, achtunggebietend" [11], denn die Beziehung auf die Gottheit ist für den Ursprung des Ausdrucks festzuhalten. Ein sittlicher Vorzug aber ist nicht gemeint.   5

b. Die Bezeichnung des Königs als ἱερός hat in der späteren Zeit eine überaus bedeutungsvolle Nachwirkung: der Augustus erhält das Beiwort ἱερός, σεβάσμιος: Corpus Glossariorum Latinorum II (1888) 26, 21. 25 [12], ὁ ἱερώτατος Καῖσαρ: Preisigke Sammelbuch 5136, 19 (3 Jhdt n Chr). Der Kaiser ist durch die von ihm übernommene Gewalt des Volkstribunates sakrosankt und steht als unver-   10 letzlich unter dem Schutz der Götter. Nicht nur seine Person, sondern alles, was kaiserlich ist, hat teil an diesem Charakter.

Daher auch von kaiserlichen Erlassen der Ausdruck ἱερὰ γράμματα: Inscriptiones Graecae ad Res Romanas Pertinentes (ed RCagnat 1900) IV 571, 13 (2 Jhdt n Chr) (→ γράμμα I 763, 19 ff), oder τὸ ἱερώτατον βῆμα des praefectus Aegypti: PHamb   15 4, 8 (1 Jhdt n Chr); vgl PFay, Class Philol I (1906) 172 Pap V Z 26 (154—159 n Chr), PLond II 358, 19 (2 Jhdt n Chr). — Schon dem Senate kommt dieser Charakter zu, daher: populus sanctusque senatus: Cic Divin I 12, Just Apol I 1, 1: ἱερᾷ τε συγκλήτῳ vom Senat. Weiterhin dem Rat und Volk der Städte. Besonders dem Fiskus: ὁ ἱερώτατος φίσκος: Cagnat aaO III 727, oder: τὸ ἱερώτατον ταμιεῖον: Ditt Syll³ 888, 10 20 (3 Jhdt n Chr); PLond II 214, 5. Aber auch angesehene Beamte [13], dann weiter Mysterienvereine, agonistische Vereine, Gilden, die Gerusie — sie erhalten den Titel ἱερός oder ἱερώτατος [14], weil sie damit bezeichnet werden als unter kaiserlichem Schutz stehend.

c. Der ἄνθρωπος ἱερός der Mysterien und Verwandtes.   25

Schon bei Aristoph Ra 652 ist der in die Mysterien Eingeweihte als ἄνθρωπος ἱερός bezeichnet. In dem messenischen Mysteriengesetz Ditt Syll³ 736 (Andania) heißen die in die Mysterien Eingeweihten, die als organisierte Behörde eine Mittelstellung zwischen Priestern und niederen Kultbeamten einnehmen: ἱεροί (-αί) [15]. Ähnlich hat Plut Alex Fort Virt I 10 (II 332 b) die indischen Gymnosophisten ἄνδρες ἱεροὶ καὶ 30 αὐτόνομοι genannt, weil sie θεῷ σχολάζοντες sind, vgl die ἱεροὶ καὶ δαιμόνιοι ἄνθρωποι in Gen Socr 20 (II 589 d). An dieser Stelle wird man zwar stark erinnert an eine ergänzende Definition des Suid: ἱερός λέγεται καὶ ὁ εὐσεβής, doch liegt da eine nur allzuleicht eintretende Verschiebung vor, indem ἱερός hier bedeutet: auf das Göttliche, Religiöse bedacht, so wie Celsus Orig Cels IV 89 die Gespräche der Tiere nennt: 35 ἐννοίας τοῦ θείου ἱερωτέρας ἡμῶν. Das dem Plato oft verliehene Epitheton ὁ ἱερός, ὁ ἱερώτατος hat einen Sinn, der wiederum in andere, wenn auch ähnliche Zusammenhänge weist. Nach Plat Ion 534 b ist der ποιητὴς ἱερός, weil sein Geist ἔνθεος ist, vgl Democr Fr 18 (I 146 Diels): der Dichter schreibt μετ' ἐνθουσιασμοῦ καὶ ἱεροῦ πνεύματος (Anhauch) [16]. — ἱεροί heißen aber auch Kultbeamte oder Freigelassene, die dem Schutz 40 eines Heiligtums unterstellt sind. — In der Kaiserzeit werden so auch die Familienglieder des Priesters genannt, die zum Gottesdienst herangezogen werden [17], vgl den Ausdruck ἱεροὶ παῖδες [18]. Wenn hier der sakrosankte Charakter des Priesters auf die Familie übertragen wird, so ergibt sich eine beachtenswerte Parallele zu dem ἅγιοι in 1 K 7, 14.   45

C. ἱερός in der Septuaginta.

Die griechische Bibel setzt für קָדֵשׁ und die Derivate von קָדַשׁ: קָדוֹשׁ und מִקְדָּשׁ, nicht ἱερός, sondern ἅγιος, wie denn auch dort ἁγιάζειν,

[11] Vgl Etymologie → 222, 18 ff.
[12] Vgl DMagie 64. Zu sacer, sanctus, ἅγιος usw vgl weiter GGA 163 (1901) 387 ff.
[13] Poland 391.
[14] Poland 169 f.
[15] Vgl Pauly-W VIII (1913) 1472.
[16] Aus dieser Gesamtauffassung des ἐνθουσιασμός ist auch der Eindruck von der Epi-

lepsie als ἡ ἱερὰ νόσος zu verstehen: Plat Leg XI 916 a uö.
[17] Poland 301.
[18] Poland 302. Der Ausdruck bezeichnet auch den Tempelsklaven. Vgl Pauly-W VIII (1913) 1475. — OKern, Hermes 46 (1911) 302 will ihn ähnlich beurteilt wissen wie → oben Z 29.

ἁγνίζειν, ἁγίασμα, ἁγιασμός und ἁγιωσύνη zT viel gebraucht werden. ἱερός begegnet als Adj nur zweimal:

> Jos 6, 8 für יוֹבֵל, wo die Trompeten aus Widderhörnern durch σάλπιγγες ἱεραί wiedergegeben sind, sodann Da 1, 2 LXX, wo die Tempelgeräte ἱερὰ σκεύη → 227, 31 ff, heißen [19]. Die Auswirkung dieser Entscheidung der LXX ist schon im hellenistischen Judentum beträchtlich. ep Ar, Test XII, Ps Sal, ja sogar noch ein Schriftwerk wie Test Sal, haben alle nicht ἱερός, sondern nur ἅγιος.

Diese Zurückhaltung der LXX ἱερός gegenüber ist auffallend und vielsagend, zumal anzunehmen ist, daß die hellenistischen Juden, schon bevor die Septuaginta da war, קֹדֶשׁ auch mit ἱερός übersetzt haben (vgl die Nachwirkungen unter D). Es beweist, wie stark die Übersetzer der LXX seine heidnisch-kultische Prägung empfunden haben. Darum schien es ihnen zu sehr belastet, als daß sie es gewagt hätten, קֹדֶשׁ so wiederzugeben. Dagegen war das seltenere, auch unbestimmtere ἅγιος mit seiner sozusagen mehr schwebenden Bedeutung für eine Neuprägung viel geeigneter [20].

D. *ἱερός* im sonstigen hellenistischen Judentum.

Reichlich Eingang gefunden hat ἱερός ganz einseitig in einem bestimmt abgegrenzten jüdischen Schriftenkreis, der sich dem hellenistischen Geiste ohne Bedenken öffnete. Es sind 1, 2, 3 Esra und 1, 2, 4 Makk. Es ist weiter in hohem Maße Josephus und Philo.

> Da hier weithin eine starke Einheit im Gebrauch vorliegt, können sie zusammen behandelt werden, wobei allerdings die spekulativen Besonderheiten bei Philo und 4 Makk ihre eigene Berücksichtigung verlangen.

1. Allgemeines über ἱερός bei Josephus. Jos zeigt zwar deutlich das Gefühl für den Eigenwert von ἅγιος im substantivischen Gebrauch, bei der Bestimmung des Tempels → 233, 51 ff. Und doch hat er als Adj ohne die geringsten Hemmungen ἱερός bevorzugt, ja er geht ganz verschwenderisch damit um. Das ist ein charakteristischer Unterschied zwischen ihm und den Übersetzern der LXX. Diese Abweichung ist eine bewußte. So stellt zB Ant 13, 51 (Erlaß des Königs Demetrius) eine ganz absichtliche Umformung dar, indem dort aus 1 Makk 10, 31: καὶ Ἰερουσαλὴμ ἔστω ἁγία gemacht wird: καὶ τὴν Ἱεροσολυμιτῶν πόλιν ἱερὰν καὶ ἄσυλον εἶναι βούλομαι. Ausdrücklich kehrt er zurück zu der allgemeinen griechischen Sprechweise. Und er empfindet den Sinn von ἱερός ganz griechisch, wenn er Bell 1, 465 Herodes an die ἱερὰ φύσις, die Naturbande, appellieren läßt, vgl 4 Makk 15, 13 → 228, 56, Bell 2, 401 nennt er die Engel nicht wie im AT: Engel Gottes, Engel des Herrn, sondern οἱ ἱεροὶ ἄγγελοι τοῦ θεοῦ (im NT, aber nicht gerade häufig: → ἅγιοι Mk 8, 38; Ag 10, 22; Apk 14, 10). Jos schließt sich in seiner auf die gebildete Welt berechneten Schriftstellerei einfach an den literarischen Gebrauch an [21].

2. Allgemeines über ἱερός bei Philo. Hat Philo, dem der Wortlaut der LXX selber ein ἱερὸν γράμμα ist, auch ἅγιος viel stärker benutzt als Jos, so führt ihn doch bei der Gedankenentwicklung die Vorherrschaft seiner Bildungsinteressen zu einer gleichfalls übermäßigen Bevorzugung von ἱερός. Er gibt Rer Div Her 171 eine Definition des Wortes: Das Elterngebot im Dekalog ist ἱερός, da es sich im Grunde nicht auf Menschen, sondern auf Gott bezieht. ἱερός ist ihm also, gut griechisch, was die Beziehung zur göttlichen Sphäre ausdrückt. Und doch zieht er gleichzeitig, unter dem Einfluß des AT, viel entschiedener, als das im Griechentum üblich ist, aus dieser Gottbestimmtheit von ἱερός die sittlichen Konsequenzen. Auch im griechischen Bereich fehlt ja, seit Xenophanes mit seiner Kritik an der Unsittlichkeit der Mythen einsetzte, diese Erinnerung nicht. Aber die biblischen Einflüsse ermöglichen Philo eine viel grundsätzlichere Wendung. Dies wird deutlich in der Abwertung der Formel ἱερὸς ἀγών → 224, 26. Er nennt die weltlichen Kampfspiele ἀνίεροι, weil sie Roheit und Mißhandlung mit sich bringen. Jenes Beiwort verdienen

---

[19] 2 Εσδρ 17, 72 S† ist fehlerhaft für ἱερέων.   [21] Vgl Schl Jos 28 A 1; Schl Mt 12.
[20] Vgl Delehaye 146 f.

allein die wahrhaft olympischen Wettkämpfe um den Besitz der Tugend, denn ψεκτὸν δ' οὐδὲν τῶν ἱερῶν: Agric 91. 113—119. Hier erhält also ἱερός eine entschieden moralische Deutung, ohne daß der Grundsinn, der die Beziehung zur Gottheit betont, außer acht gelassen wird. Aber dies Göttliche ist eben zugleich das Tadelfreie[22].

3. Der Sprachgebrauch in den Apokryphen und bei Philo und Josephus. 5

a. Schrift und Gesetz sind ἱεροί. Besonders Philo liebt hier den Superlativ. βίβλος vom Gesetzbuch → I 614 A 10: 2 Makk 8, 23 → I 614 f; Jos Ant 4, 303; Philo Migr Abr 14 (von Ex). βίβλοι: Jos Ant 1, 82; Philo Rer Div Her 258 — sehr oft bei Philo — Superlativ Sobr 17. βιβλία: Jos Vit 418. γραφαί: Philo Congr 34; Superlativ Abr 4. γράμμα 10 (→ I 763, 56): Migr Abr 139. γράμματα: Jos Ant 10, 210 uö[23]. ἀναγραφαί: Philo Som I 48. Viel gebraucht Philo ὁ ἱερὸς λόγος für die ganze Schrift oder ein Einzelwort aus ihr: Sacr AC 55. 76; Ebr 95; Rer Div Her 259 uö. Die Gottessprüche heißen auch ἱερώτατοι χρησμοί: Philo Mut Nom 152; Leg All III 129; die einzelne Vorschrift: διάταγμα: Sacr AC 88 f. Auch die Lieder χοροί, παλινῳδίαι: Conf Ling 35; Poster C 179 sind 15 ἱεροί. Vom νόμος (Pentateuch): Jos Bell 2, 229 oder den νόμοι: Bell 1, 108; Philo Abr 1. Vom Dekalog: Congr 120: ἡ ἱερὰ καὶ θεία νομοθεσία. Von den Satzungen: Jos Bell 4, 182: τὰ ἱερὰ ἔθη. Abstrakter 4 Makk 5, 29 von den ὅρκοι der Vorfahren, das Gesetz zu bewahren.

b. Die gleiche Übereinstimmung, nun aber noch stärker auch für die genannten 20 Apokryphen geltend, begegnet bei der Bezeichnung der heiligen Dinge, die zu Stiftshütte und Tempelkult gehören. Aus der großen Fülle seien besonders die Apokryphen und dann die Parallelen der verschiedenen Gruppen hervorgehoben. Von der Stiftshütte sagt Jos nur Ant 5, 68 ἡ ἱερὰ σκηνή (nach Eupolemos) vgl Philo Rer Div Her 112. Der Tempel selbst heißt 2 Εσδρ 6, 3 B οἶκος ἱερός, seine Stätte 25 4 Makk 4, 12 ἱερὸς τόπος. Die Stätten des Tempelbezirks sind Philo Plant 61; Sobr 40: χωρία ἱερά. Allgemeiner von einem geweihten Bezirk: 2 Makk 1, 34. Die περίβολοι Vorhöfe: 2 Makk 6, 4. Die Tempeltore πυλῶνες: 1 Εσδρ 9, 41; 2 Makk 8, 33; Jos Bell 4, 191 oder πύλαι: Bell 5, 7. Das γαζοφυλάκιον bzw der θησαυρός: 1 Εσδρ 5, 44; 4 Makk 4, 7. Zahlreich sind die Parallelen aus Jos und Philo, welche die Einzelheiten im 30 Heiligtum heilig nennen, Schaubrottisch, Leuchter usw. Achtmal begegnet in 1 Εσδρ τὰ ἱερὰ σκεύη für Tempelgeräte, zB 1, 39; 6, 17, dasselbe steht dreimal in 2 Makk: 4, 48 → Da 226, 4. Auch Jos hat den Ausdruck: Ant 3, 258. Er und Philo nennen wie 1 Εσδρ 8, 70 das priesterliche Gewand στολὴ oder ἐσθὴς ἱερά: Ant 3, 211; 20, 6. 12; Philo Leg Gaj 296. Bei σάλπιγγες: 1 Makk 16, 8 vgl → 226, 3; Jos 6, 8. Tempelbau und 35 Tempelarbeiten sind sowohl 1 Εσδρ 7, 2 f[24] wie Jos Ant 11, 105 und Philo Plant 26 τὰ ἱερὰ ἔργα. Die Beispiele ließen sich endlos mehren. Alles, was den Tempel angeht, ist ἱερός: die Spenden an das Heiligtum: Jos Ant 16, 28; Philo Rer Div Her 195; die Tempelarchive: Jos Ap 1, 11; das den Tempel betreffende Edikt: Ant 12, 145.

c. Endlich erhalten die heiligen Tage, besonders der Sabbat: Jos Ant 40 13, 168; Bell 7, 99; Philo Vit Mos I 205, Jerusalem ἡ ἱερὰ πόλις: Jos Ant 4, 70; ἱερωτάτη: Bell 7, 328 und Israel als ἐκκλησία: Philo Migr Abr 69 und als Land: Som I 27 diese Bezeichnung.

Zu *b* und *c* sei im Blick auf das → 228 A 25 Gesagte ergänzt, daß in diesen Beziehungen bei Philo und Jos spärlich auch ἅγιος statt ἱερός begegnet: Sacr AC 134 45 (Erstgeburt); Gig 23 (Tempelarbeiten); Rer Div Her 186 (Doppeldrachme); Op Mund 89; Som II 123 (Sabbat); Praem Poen 123 (Volk Gottes); Jos Bell 4, 163 (ἅγιαι χῶραι des Tempels); Bell 5, 384 (Bundeslade); Bell 2, 321 (Geräte); Ant 12, 320 (Tempeldienst); 8, 100 (Laubhüttenfest); Ant 14, 227 (Versammlungen); Bell 5, 400 (heiliges Land). Aber diese einzelnen Beispiele stehen in keinem Verhältnis zu dem massenhaften Gebrauch 50 von ἱερός.

4. ἱερός in spekulativen Verknüpfungen bei Philo und 4 Makk.

a. Natur und Weltall. Wenn Philo seinen Hochgesang anstimmt auf den Äther als den Wohnsitz der Gestirne, der sichtbaren und unsichtbaren Götter, die am Himmel 55

---

[22] Zu ἱερός ἀγών vgl weiter: Migr Abr 200; Mut Nom 81. 106; Abr 48; Cher 73. Parallelen aus der Diatribe: PWendland. Philo und die kynisch-stoische Diatribe, in: PWendland-OKern, Beiträge zur Geschichte der griech Philosophie u Religion (1895) 43. Vgl sonst: Pauly-W II (1896) 2051 f.

[23] Über ἱερὰ γράμματα als Schriftzeichen (Stirnband des Hohepriesters) Jos Ant 3, 178

→ I 762, 5. Die Sprache der ägyptischen Hieroglyphen → I 762, 16 heißt auch ἱερὰ γλῶσσα: Jos Ap 1, 82.

[24] Beachtenswert für die Stellen in 1 Εσδρ ist die Tatsache, daß der griech Übersetzer das Attribut ἱερός stets von sich aus hinzugefügt hat. Sowohl im HT als auch an den entsprechenden Stellen in 2 Ch und 2 Εσδρ fehlen solche Attribute vollständig [Bertram].

befestigt sind wie in einem Tempelhaus, wenn er sie preist als θέατρον, als hoch-
heiligen Chor, als die Herde, die der göttliche Hirte weidet, dann kann ihm in der
Regel nur das ἱερώτατος genügen: Conf Ling (156) 174 ; Op Mund 27. (55.) 78 ; Gig 6 ff ;
Plant 118 (Agric 51). Aber auch vom Leibe des Menschen sagt er Op Mund 137 : οἶκος
5 γάρ τις ἢ νεὼς ἱερὸς ἐτεκταίνετο ψυχῆς λογικῆς. So sehr das an 1 K 6, 19 erinnert, so
verschieden ist es dem Inhalt nach.

b. λόγος ἱερός, ἱερὸς νοῦς und die Tugendlehre. Philo und 4 Makk. Insbesondere heißt bei Philo der Logos ἱερός bzw ἱερώτατος, als das gestaltlose Ebenbild und Abbild Gottes: Conf Ling 147 oder des Seienden: ebd 97. Er bedingt die
10 wahre Erkenntnis: Poster C 153. Zu der Redeweise: Aaron der Hohepriester ἱερὸς
λόγος, als Symbol des göttlichen Wortes: Leg All I 76. Rer Div Her 201 → ἀρχιερεύς.
οἱ ἱεροὶ λόγοι sind die Vernunftbegriffe, die in der ἐπιστήμη ihre Hauptwaffe besitzen:
Sacr AC 130, vgl die heiligen Güter Rer Div Her 105. 129. Auch der menschliche νοῦς, vergleichbar mit einer von Gott geprägten Münze, ist ἱερώτατος: Deus
15 Imm 105. Dementsprechend hat auch Philo in der Tugendlehre die Hochziele seiner
Ethik durch ἱερός gekennzeichnet. Schon die stoischen καθήκοντα heißen ἱεραὶ δόξαι,
in die der νοῦς eingeht: Leg All III 126. Vor allem wendet er ἱερός an, wenn die
Herrschaft über die Sinne gepriesen wird: dies Ziel erreicht die im heiligen Haus
der Tugend weilende Seele: Leg All III 152. Sie geht durch die ἁγνεία ἱερά: Det Pot
20 Ins 170. Die Verachtung des Leiblichen ist die ἱερωτέρα τάξις: Migr Abr 23. Und auch
die kosmopolitische Gesinnungsgleichheit ist das Ziel des ἱερὸν γένος σοφίας, soweit
es ein ἀνθρώπινον ist: Rer Div Her 182. Ganz gleich benutzt 4 Makk ἱερός gern, um
den Sieg der Vernunft über die Sinnenwelt als etwas Göttliches zu bezeichnen. Zwar
spielt hier das at.liche קדש stark hinein, indem dieser Sieg ja im Grunde die Ge-
25 setzesfrömmigkeit in Gestalt strenger Befolgung der Speisegesetze bedeutet und die
vorgeführten Beispiele ganz dieser Sphäre entnommen sind. Aber solche Gesetzes-
haltung wird stoisch umgedeutet. Am klarsten greifbar ist dieser Zusammenhang
4 Makk 2, 22: Gott setzte bei der Schöpfung τὸν ἱερὸν ἡγεμόνα νοῦν auf den Thron.
Er erweist sich als ἱερός durch seine Herrschaft über Triebe und Leidenschaften. Das
30 ist der Grundbegriff. Eleasar, die sieben Brüder und ihre Mutter sind die Beispiele.
Die Sieben kämpfen eine ἱερὰ στρατεία um die Frömmigkeit 9, 24, sie bilden zusammen
eine ἱερὰ συμφωνία περὶ τῆς εὐσεβείας: 14, 3 — immer durch das Eine, die Herrschaft
über die sinnlichen Triebe.

c. Das Mystische im weitesten Sinne ist ἱερόν. Dazu gehört die beliebte Zahlen-
35 mystik: Op Mund 97 vom κάλλος ἱερώτατον der Siebenzahl, Mut Nom 191 f von der
δεκάτη ἱερά, was noch erheblich erweitert werden könnte. Dazu kommt der Sinn der
Worte und Dinge, sofern sie allegorisch zu deuten sind. So hat Plant 139 die Landwirtschaft das Epitheton ἱερωτάτη, weil sie einen höheren, geistlichen Sinn hat. So
sind die Dogmen der Philosophie heilig: Vit Cont 26. Vor allem hat Philo von ἱερός
40 Gebrauch gemacht, wenn er von den Mysterien spricht. Die Geheimlehren, welche die
Mysten in ihre Seelen aufnehmen: Cher 48 sind ἱερὰ μυστήρια, die τελεταί sind die
Einweihung in sie und heißen ἱερώταται: Cher 42 ; Gig 54 ; Leg All III 219 ; Sacr AC
60: ὁ ἱερὸς μύστης λόγος [25].

5. ἱερός für Personen. Bei Jos erhalten nur die zum
45 Tempeldienst Gott Geweihten das Beiwort: Die Leviten Ant 3, 287, vgl 3, 258,
die Tempeldiener Ant 11, 70. Philo Det Pot Ins 62. Philo kann auch Gott mitunter den ἱερώτατος νομοθέτης nennen: Rer Div Her 21, oder die Engel Gig 16 wegen
ihres Dienstes als ἱεροὶ καὶ ἄσυλοι bezeichnen, vgl Abr 115. Sehr oft heißt bei ihm
Mose ὁ ἱερώτατος: Abr 181 uö; auch sein Stab ist heilig: Vit Mos I 210. Virt 119 ist
50 die Rede vom ἱερώτατος προφήτης. Omn Prob Lib 13 von Plato → 225, 36. Aber
äußerst selten sind die Frommen oder vernunftgemäß der Tugend Ergebenen so bezeichnet: Mut Nom 60; Fug 83. Dagegen liebt 4 Makk dies Epitheton für Personen
ausnehmend. 6. 30 ist der durch Vernunftsieg für das Gesetz sterbende Eleasar ὁ
ἱερὸς ἀνήρ. Vom gleichen 7, 4: τὴν ἱερὰν ψυχήν. Die Sieben heißen 14, 6: οἱ
55 ἱεροὶ μείρακες, ihre Mutter 16, 12: ἡ ἱερὰ καὶ θεοσεβὴς μήτηρ. Daß bei ihr 15, 13 die
φύσις ἱερά (Mutterliebe) noch durch den λογισμός überboten wird, ist das Bewunderns-

---

[25] Über ἱερός in Mysterienwendungen Philos: Williger, Hagios 102 f. Doch ist die
Benutzung vielseitiger. Philo hat bei den
ausdrücklicheren spekulativen Beziehungen
4 a—c viel häufiger als bei 3 a—c → 227, 44 ff
von ἅγιος Gebrauch gemacht: κόσμος:
Plant 50; Rer Div Her 199. λόγος: Leg
All I 16; Migr Abr 202. νοῦς: Leg All

I 17. Zahlenmystik: Vit Mos II 80; Spec
Leg II 194; Migr Abr 169. τελεταί: Som I 82.
Daß ἅγιος für ihn einen noch erhabeneren
Klang hat als ἱερός, geht hervor aus Wen-
dungen wie Rer Div Her 75: τῶν πανιέρων
τεμενῶν ἁγιώτερον, vgl Spec Leg I 275. ἅγιος
von Gott: Praem Poen 123; Sacr AC 101;
Som I 254.

werte. 7, 6 fällt der Ausdruck auf, daß Eleasar τοὺς ἱεροὺς ὀδόντας nicht besudelt habe durch unreine Speise. Auch die Zähne bleiben kultisch rein und damit Gott geweiht.

Ohne Frage ist 4 Makk mit diesem Sprachgebrauch von Einfluß gewesen auf die Entwicklung, die sich später in der Kirche an das 5 *sanctus* knüpfte. Man konnte die hier vorliegende Kreuzung des jüdischen קדש und des stoisch empfundenen λογισμός, der als das aus Gott Stammende das eigentlich Überlegene im Menschen ist, einfach beiseitestellen und alles Gewicht auf das Martyrium legen, durch das jene Gesetzesgetreuen heilig seien. Aber in 4 Makk selbst wird ἱερός noch nicht einseitig mit dem Martertod verknüpft, sondern mit dem Siege 10 des νοῦς.

E. ἱερός im Neuen Testament.

Es ist ein Zeugnis für die Scheu der Urchristenheit vor dem heidnischen Sakralwort, die durchaus Schritt hält mit dem Sprachgefühl der LXX, daß wir im NT ἱερός fast gar nicht antreffen. Dieser Grundbegriff 15 wurde darum gemieden, weil er, verankert in der griechischen Mythologie, die gesamte Religionswelt widerspiegelt, die mit der antiken Gottes- und Naturauffassung verbunden ist, und weil er sonderlich in peinlicher Weise an alles das erinnerte, was der Christ als Dienst der Götzen verwerfen mußte. Ein ganz kleines Zugeständnis an den hellenistischen Sprachgebrauch ist einzig 2 Tm 20 3, 15: ἱερὰ γράμματα von der Schrift des Alten Testaments.

Die Formel ist wohl bei Jos und Philo beliebt → I 763, 56 ff; III 227, 11, findet sich aber sonst bei Paulus nicht. Dieser nennt R 7, 12 das Gesetz ἅγιος. Wenn sich dann in jenem durch L Ψ 099, 579, 0112, 274 mg sy hcl mg sa codd bo codd k und wohl auch B vertretenen kürzeren Mk-Schluß die Wendung findet: τὸ ἱερὸν καὶ ἄφθαρτον 25 κήρυγμα τῆς αἰωνίου σωτηρίας, so ist gerade dies ein Kennzeichen späten, unapostolischen Stiles. Diese Worte sind vermutlich im 3 Jhdt in Ägypten entstanden und fallen nicht nur durch diesen Gebrauch von ἱερός, sondern auch durch sonstiges rhetorisches Pathos ganz und gar aus der Rolle nt.licher Schriftstellerei, der sie sich doch anpassen wollen. Zu τὰ ἱερά 1 K 9, 13 → 231, 18 ff. 30

F. ἱερός in der Alten Kirche.

Apostolische Väter und Apologeten. Bei 1 Cl 33, 4 ist die Rede von ταῖς ἱεραῖς καὶ ἀμώμοις χερσίν (Gottes). Aber sonst erhält bei den Apost Vätern Gott nicht das Prädikat ἱερός. Herm s 1, 10 heißt die rechte Verwendung des Geldes in der Nächstenliebe ἡ πολυτέλεια καλὴ καὶ ἱερά. Die Bezeichnung der 35 Schriften als ἱεραὶ βίβλοι, γραφαί nimmt seit 1 Cl (43, 1; 45, 2; 53, 1) zu → I 751, 23.

Clemens Alexandrinus. Ein einziges Mal spricht Cl Al Prot VI 69, 2 von ὁ ἱερὸς ὄντως Μωυσῆς. Er nennt sonst Mose auch Strom I 12, 4 νόμων ἱερῶν ἑρμηνεύς oder Prot II 25, 1 ἱεροφάντης τῆς ἀληθείας. Aber ἱερός als Epitheton scheint sonst bei ihm selten zu sein. Auch David und dann Plato sind bei ihm nicht ἱεροί. Jesus 40 heißt Paed I 55, 2: ἅγιος θεός, die Apostel Strom I 11, 3: οἱ ἅγιοι ἀπόστολοι, Paulus Strom V 65, 4 ebenfalls ὁ ἅγιος ἀπόστολος.

Dagegen begegnet bei Origenes eine große Hochschätzung von ἱερός, die Cels VII 52 eindrücklich wird in seiner Wendung gegen τοὺς ἐπὶ τὰ νομιζόμενα ἱερὰ ὡς ἀληθινὰ ἱερὰ σπεύδοντας, die nicht sehen, daß kein handwerkliches Erzeugnis ἱερόν 45 sein kann. Bei Orig ist der Einfluß Philos in der Vorliebe für ἱερός greifbar. → γράμμα I 764, 2 ff. So finden sich bei ihm Wendungen wie: οἱ ἱεροὶ τῶν θείων γραμμάτων λόγοι und ὁ ἱερὸς νοῦς τῶν γραφῶν: Cels VI 47; Comm in Joh 28, 22; vgl ὁ ἱερὸς λόγος: Comm in Joh 2, 25. Von der at.lichen Religion kann er sagen ἡ τῶν πάλαι θεοσέβεια ἱερὰ ἦν: Comm in Joh 2, 34. Weihrauch und Rauchwerk im Tempelkult 50 nennt er ἱερός Hom 18, 9 in Jer 18, aber auch die Auferstehung: Comm in Joh 32, 9 und die δόγματα, von denen Jesu Herz erfüllt war: Exhortatio ad Martyrium 29. Auffallend stark ist die Vorliebe, Personen durch dies Beiwort auszuzeichnen. Nicht nur die Engel, Seelen und Geister, die betend für die Christen eintreten: Cels VIII 64, sind δυνάμεις ἱεραί, sondern auch VI 18 die Autoren des AT und NT ἱεροὶ ἄνδρες. Cels 55 IV 33 wird die Frage erörtert, ob die Erzväter diesen Namen verdienen. So werden aber Cels VII 41 auch die gottbegeisterten Dichter, Weisen, Philosophen genannt.

Mose ist der ἱερὸς θεράπων: Comm in Joh 20, 36. Jesus war θεῖόν τι καὶ ἱερὸν χρῆμα (Wesen). Seine menschgewordene Seele heißt ἱερά: Cels VII 17. Das wahrhaft Göttliche bedient sich der heiligsten (ἱερωτάταις) und reinsten unter den Seelen der Menschen. Die Apostel heißen οἱ ἱεροὶ ἀπόστολοι: Comm in Joh 10, 29. Oft hat er seinen
5   Freund und Gönner in seinen Schriften angeredet mit ἱερὲ ἀδελφὲ ᾽Αμβρόσιε: Cels VII 1, oder ἱερὲ ᾽Αμβρόσιε: Cels IV 1²⁶. Das wird kaum nur ‚fromm‘ bedeuten, sondern dem Heiligen, den heiligen Studien zugewandt. Alles in allem: Hier hat Philo ein Einfallstor in die Alte Kirche gefunden.

τὸ ἱερόν

10   Inhalt: A. τὸ ἱερόν, τὰ ἱερά als allgemeine Kultwörter. — B. Der Sprachgebrauch von τὸ ἱερόν = Der Tempel: I. Gemeingriechisch; — II Der Tempel von Jerusalem im Judentum: 1. Septuaginta und Apokryphen; 2. Josephus und Philo: a. Allgemeines, b. Der Sprachgebrauch; — III. Der Sprachgebrauch von τὸ ἱερόν = Der Tempel im NT: 1. Der allgemeine Sprachgebrauch; 2. τὸ ἱερόν als
15   Allgemeinbegriff; 3. als Tempelberg; 4. τὸ πτερύγιον τοῦ ἱεροῦ; 5. Das Lehren Jesu und der Apostel im ἱερόν; 6. Die „schöne Tür“; 7. τὸ ἱερόν als Frauenhof; 8. als innerer Vorhof; 9. als Tempelhaus. — C. Die Ansätze zu einer Spiritualisierung des Tempels im Griechentum: 1. Die Aufklärung; 2. Die Vergeistigung des Tempelgedankens. — D. Der Weg vom at.lichen Prophetismus zur jüdischen Apokalyptik und
20   zum hellenistischen Judentum: I. Der Tempel des at.lichen Prophetismus; — II. Der Tempel in der Apokalyptik: 1. Tempelworte vor 70; 2. Der neue Tempel; 3. Der himmlische Tempel; 4. Die Katastrophe von 70; 5. Vergeistigung und Kritik des Opfers; — III. Der Tempel bei Josephus und Philo: 1. Josephus; 2. Philo. — E. Die Stellung Jesu und der Urchristenheit zum Tempel: I. Der Nieder-
25   schlag des Zeugnisses Jesu und der urchristlichen Haltung in den Evangelien: 1. Die Doppelheit der Stellung Jesu; 2. Der Tempel als Stätte der göttlichen Gegenwart; 3. Die Tempelreinigung; 4. Der Spruch vom Abbrechen und Wiederaufbauen des Tempels; 5. Die Weissagung der Zerstörung; 6. Sprüche der jüngsten Schichten der Überlieferung; — II. Die Stellung der übrigen Schriften des NT zu dem Tem-
30   pel als τὸ ἱερόν: 1. Die Apostelgeschichte; 2. Die übrigen Worte des NT; 3. Die Bilder der Apokalypse.

A. τὸ ἱερόν, τὰ ἱερά als allgemeine Kultwörter.

τὸ ἱερόν und Plur kann heißen: a. Das Opfer: Hom Il 1, 147; Hdt VIII 54, ebenso Soph, Thuc, Plat. Philo Spec Leg III 40; Jos Ant 2, 275. Meist
35   handelt es sich um das Brandopfer, aber auch uU um sonstige Spenden: Hdt IV 33.

---

²⁶ Vgl die Anrede ἱερὲ υἱέ POxy XII 1492, 1 (3/4 Jhdt n Chr) an einen Christen.

τὸ ἱερόν. Zur Umwelt: PStengel, Die griech Kultusaltertümer (1920) 10—31; SWide, MPNilsson, Griech u röm Religion, in: AGercke u ENorden, Einleitung in die Altertumswissenschaft II 2⁴ (1933)· WFOtto, Priester und Tempel im hellenistischen Ägypten I (1905) 258 bis 405; FPoland, Geschichte des griech Vereinswesens (1909) 457 ff. — Die verschiedenen Tempel in Israels Geschichte: RKittel, Tempel von Jerusalem, RE³ 19, 488—500; WNowack, Lehrbuch der hbr Archäologie II (1894) 25—83; IBenzinger, Hbr Archäologie³ (1927) 312—337; KMöhlenbrink, Der Tempel Salomos (1932). — Der herodianische Tempel: Ältere Lit: Schürer I 15—17. 392f; RE³ 19, 488. — Tempelpläne: PVolz, Die biblischen Altertümer³ (1925) 50; GDalman, Orte und Wege Jesu³ (1924) hinter 288; CWatzinger, Denkmäler Palästinas II (1935), Abb 24—28; Zu Middot: OHoltzmann, Middot, Gießener Mischna (1913). — Beschreibungen: Schürer II 342ff. Tempelkultus: Schürer

II 336—363; PVolz, Die biblischen Altertümer (s ob) 46—55; Kl Mk 129f; vgl RGG² V 1040—1046. — Für Middot (um 150 n Chr) außer Holtzmann: Englische Übers mit Kommentar: Palestine Exploration Fund Statement (1886) 224 ff; (1887) 60 ff, 116 ff; Maimonides, Bet-hab-bechira: englische Übers mit Erklärung: Pal Expl Fund Quart Stat (1885) 29 ff, 140 ff, 184 ff. — Zur Vergleichung zwischen Jos und Middot: JHildesheimer, Die Beschreibung des herodianischen Tempels im Traktat Middot und bei Flavius Jos, Jahresbericht des Rabbiner-Seminars für das orthodoxe Judt z Berlin für 5637 (1876/77); Pal Expl Fund Quart Stat (1886) 92—111; OHoltzmann aaO 15—44. — Weiteres zur Chronologie u Archäologie des herodianischen Tempels: WOtto, Herodes (1913) 83f (Artikel aus Pauly-W VIII [1913] 918ff u Supplement 2. Heft 1ff, als Sonderdruck); Schürer I 392; FSpieß, Das Jerusalem des Josephus (1881) 49—94; OWolff, Der Tempel von Jerusalem und seine Maße (1887); ASchlatter, Zur Topographie und Geschichte Palästinas (1893) 166—202;

Daher heißt dann auch *das Opfertier* selbst τὸ ἱερόν: Hom Il 2, 420. Bei Jos oft ἱερεῖον: Ant 1, 227 uö. Auch *die Eingeweide* der Tiere und die aus ihnen entnommenen *Orakel*: Xenoph An I 8, 15. *Das Opfermahl* nach der θυσία: Jos Ant 6, 158. Endlich in der Kaiserzeit: *die Opferbräuche* bei der Vereinsfeier[1] und der Opferanteil der Vereinsbrüder[2]. — *b.* τὰ ἱερά heißt ferner *res sacrae*: kultische Dinge und Handlungen 5 überhaupt: Demosth Or 57, 3. Also: *Kultbilder*: Inscriptiones Graecae ad Res Romanas Pertinentes (ed RCagnat 1900) III 800 (Syllium). Der Goldschmuck an der Bildsäule: Thuc II 13, 5. Heilige Geräte wie der *Brandopferaltar*: Da 9, 27 LXX Θ. Beide haben für das hbr כנף Flügel קדש gelesen und dies auf den Altar bezogen, auf den das βδέλυγμα zu stehen kommt. Vgl Orig Hom 26, 3 in Librum Jesu Nave. Aber 10 auch *andere Tempelgeräte* wie Lade, Gewand usw: Philo Ebr 85 (sonst sagt er gern τὰ ἅγια). Auch das *Tempelvermögen*: Philo Spec Leg I 234. — *c.* Allgemeiner und umfassender: der *Kultus*: Hdt I 172; 3 Makk 3, 21 der des Dionysos. Jos Ant 14, 234. 237. 240: ἱερὰ ποιεῖν Ἰουδαϊκά, nach jüdischem Kult leben, vgl 245: τὰ ἱερὰ τὰ πάτρια τελεῖν und das römische Edikt 14, 213f. Orig Cels VIII 48 nennt die Ausleger 15 der Mysterien: τῶν ἱερῶν ἐξηγηταί. Philo gebraucht es abstrakter: *das Heilige* im Gegensatz zum Profanen → 223 A 7.

Wenn Paulus 1 K 9, 13 schreibt: οὐκ οἴδατε, ὅτι οἱ τὰ ἱερὰ ἐργαζόμενοι [τὰ] ἐκ τοῦ ἱεροῦ ἐσθίουσιν, so heißt dies: *die den Tempeldienst verrichten (qui sacris operantur).* 20

Diese Formel mit ἐργάζεσθαι ist eigenartig. Philo hat wohl ὁρᾶν τὰ ἅγια: Det Pot Ins 64 vom Levitendienst oder τὰ ἅγια κατασκευάζεσθαι von der Kunstarbeit für den Tempel: Som I 207, nie aber ἐργάζεσθαι mit τὰ ἱερά, während er sonst viel ἐργάζεσθαι braucht. Wohl aber steht 1 Ch 6, 34; 9, 13; 28, 13: πᾶσα ἐργασία, vom priesterlichen Dienst, Nu 3, 7; 8, 15 ἐργάζεσθαι τὰ ἔργα τῆς σκηνῆς, ähnlich 8, 11. 19 vom Leviten- 25 dienst. Diesen Sprachgebrauch der LXX mit ἐργάζεσθαι hat Paulus verbunden mit dem allgemein üblichen τὰ ἱερά für Kult, wie ihm das seine Umwelt anbot. Er wird dabei nicht nur an die Opfer denken, sondern einen umfassenden Ausdruck für Tempeldienst wählen. Die Beziehung auf das Altaropfer kommt erst im folgenden Satz mit θυσιαστήριον zur Geltung. τὰ ἱερὰ ἐργάζεσθαι aber entspricht genau dem ἐκ τοῦ 30 ἱεροῦ ἐσθίουσιν. Er würde hier das ungewohnte τὰ ἱερά kaum benutzen, wenn ihm nicht die allgemeine, auch christliche Sprechweise für den Tempel τὸ ἱερόν zuführte und sich dadurch unwillkürlich das Wortspiel anböte. Dies τὰ ἱερά bleibt wie die adjektivische Fassung in 2 Tm 3, 15 eine der ganz seltenen Ausnahmen. Doch darf man daraus nicht den Schluß ziehen, daß 1 K 9, 13 vom heidnischen Kult die Rede 35 sei, denn der ganze Zusammenhang handelt von at.lichen Bestimmungen.

B. Der Sprachgebrauch von τὸ ἱερόν = Der Tempel.

I. Gemeingriechisch.

Die Eigenart von τὸ ἱερόν wird deutlicher durch einen Vergleich mit den anderen Ausdrücken für die Kultstätte. ναός ist aedes, das eigentliche Tem- 40 pelhaus, auch der Schrein im Innersten mit dem Bilde der Gottheit: Hdt I 183, trag-

---

ABüchler, Die Priester und der Kultus im letzten Jahrzehnt des jerusalemischen Tempels (1895); ARSKennedy, Exp T 20 (1908/09) 24 ff, 66 ff, 191 ff, 270 ff; GDalman, PJB 5 (1909) 29—57; Ders, Neue Petraforschungen und der heilige Felsen von Jerusalem (1912); Ders, Orte und Wege Jesu[3] (1923) 301—324; JoachJeremias, Golgotha, Angelos-Beiheft 1 (1926) Regist sv Tempelplatz; Ders, Jerusalem zZt Jesu II B 1 (1929); HSchmidt, Der heilige Fels in Jerusalem (1933); CWatzinger aaO 33—45; ESchürer, Die θύρα oder πύλη ὡραία Ag 3, 2. 10: ZNW 7 (1906) 51—68; dgg: OHoltzmann, ZNW 9 (1908) 71—74. — Die Wertung des Tempels: Tempelkult in der hellenistischen Zeit: Bousset-Greßm 97—118; HWenschkewitz, Die Spiritualisierung des Kultusbegriffe, Angelos-Beiheft 4 (1932). — Zur messianischen Tempelhoffnung der Synagoge: Weber 375 f; Str-B I 1003—1005, IV 885, 929—937. — Apokalyptik: Volz Esch 172, 217, 371 bis 378. — Philo: IHeinemann, Philons griech und jüd Bildung (1932) 45—58; PKrüger, Philo und Jos als Apologeten des Judts (1906); Wenschkewitz aaO 82—87. — Josephus: Schl Jos 72 f; Ders, Theol d Judt (1932) 72—80; OSchmitz, Die Opferanschauung des späten Judts und die Opferaussagen des NTs (1910) 180 ff; HGuttmann, Die Darstellung der jüd Religion bei Flavius Jos (1928); Wenschkewitz aaO 21—24. — N T: RAHoffmann, Das Wort Jesu von der Zerstörung des Tempels, in: Nt.liche Studien f GHeinrici (1914); JoachJeremias, Jesus als Weltvollender, BFTh 33 (1930) 38—44, 79—81; JKlausner, Jesus v Nazareth (1930) 429—435.

[1] Poland 255 f.
[2] Poland 258.

bar bei Prozessionen: Hdt II 63. Die Gilde des Demetrios Ag 19, 24 macht ναοὶ ἀργυροῖ vom ἱερόν (v 27) der Artemis. Der Vater des Täufers Lk 1, 9. 21 f tut seinen Dienst im ναός, nämlich im „Heiligen". Doch ist ναός der Wandlung fähig. Jos braucht es zwar gewöhnlich für das Tempelgebäude: Bell 5, 207. 209. 211; Ant 15, 391,
5 aber auch für Tempelbezirk: Ap 2, 119; Bell 6, 293. — Sonst dient für den Tempelbezirk ausdrücklich τέμενος: das geweihte, abgegrenzte Land — oft ein Hain mit Tempel oder auch nur Altar: Hom Il 2, 696; Od 8, 363; Pind Nem 6, 63; Hdt III 142; Soph Oed Col 135. Vgl Pap[3]. Hdt wechselt aber uU ἱρόν, νηός, τέμενος einfach aus: II 170 vgl 155. Auch 2 Makk 11, 3 steht τέμενος vom Heiligtum überhaupt. Für die
10 Kaiserzeit gilt das gleiche[4].

ἱερόν (jonisch ἱρόν) ist nicht nur das Tempelhaus. Es kann auch ein geweihter Hain (Hdt V 119) oder irgendeine Opferstätte[5] sein oder der innere Teil des τέμενος, das für den Dienst bestimmte Gebäude. Es unterscheidet sich von ναός und τέμενος nur durch seine ganz umfassende Weite. Ihm ist nicht erst
15 durch Bedeutungswandel, sondern von Haus aus eigen, daß es sowohl τέμενος wie ναός in deren ursprünglichem Sinne bedeuten kann. Darum ist die Definition des Ammonius möglich: τοὺς περιβόλους τῶν ναῶν. Es ist aber nicht nur das allgemeinste, sondern auch durch seinen Gehalt das feierlichste Wort für Kultplatz und Kultgebäude mit allem Drum und Dran. Es ist ferner ganz inter-
20 konfessionell.

Polyb schon gebraucht es XVI 39, 4 vom Tempel zu Jerusalem. Jüdische und christliche Schriften benutzen es unzählige Male für heidnische Tempel. So Ez 27, 6; 28, 18 LXX (HT anders) τὰ ἱερά σου von Tyrus. Der Tempel der Astarte: Jos Ant 6, 374, des Dagon: 1 Makk 10, 84; 11, 4, der Isis: Jos Ant 18, 65; Bell 7, 123, des
25 Bel zu Babel: Bel 8 LXX. 22 Θ; Jos Ant 10, 224, der Nanaia (persisch Anahid): 2 Makk 1, 13, die griechischen Tempel des Zeus: Jos Ant 14, 36; 19, 4; Bell 4, 661, des Apollo: Ant 13, 364; Bell 2, 81, der Artemis: Ant 12, 354; Ag 19, 27, des Dionysos: 2 Makk 14, 33. Auch Philo nimmt mit Vorliebe τὰ ἱερά, wenn vom Kult in den πόλεις die Rede ist: Deus Imm 17; Op Mund 17. Doch heißt in Leg Gaj (vgl bes 232:
30 τὸ ἡμέτερον ἱερόν) auch einige Male die Synagoge zu Alexandria τὸ ἱερόν[6].

II. Der Tempel von Jerusalem im Judentum.

1. Septuaginta und Apokryphen.

a. Ganz der Entscheidung entsprechend, welche die griechische Bibel bei ἱερός trifft → 225, 47 ff, wird auch τὸ ἱερόν für den jüdi-
35 schen Tempel fast nicht benutzt, während doch der Priester fortwährend ὁ ἱερεύς heißt. Wie Ez zeigt → oben Z 22, galt ἱερόν als das für die heidnische Kultstätte gangbare Wort. Es bekam zugleich allen Widerwillen gegen den Götzendienst zu tragen.

Dagegen wird in der Regel für den jerusalemischen Tempel das einfache οἶκος ge-
40 braucht, oder οἶκος ἅγιος, τοῦ θεοῦ, κυρίου, neben → ναός, ναὸς ἅγιος. Die schlichte Bezeichnung Haus Gottes empfängt einen inneren Adel. ναός, in der Minderzahl, gilt auch nicht als zu stark belastet, denn im Grunde schließt ja allein ἱερόν eine religiöse Aussage ein. Letzteres steht — fast aus Versehen — nur Ez 45, 19 in der falschen Übersetzung für עֲזָרָה (Einfassung des Altars), ferner 1 Ch 29, 4: τοὺς τοίχους
45 τοῦ ἱεροῦ für בַּיִת, 1 Ch 9, 27 τὰς θύρας τοῦ ἱεροῦ (בֵּית־הָאֱלֹהִים), 2 Ch 6, 13 αὐλὴ τοῦ ἱεροῦ (HT vacat). Also fast nur die Chronikbücher sind es, die — spärlich genug — jene grundsätzliche Haltung mitunter übertreten.

b. Hingegen fällt wieder der umgekehrte Tatbestand auf bei 1 Εσδρ, 1, 2, 3, 4 Makk, die sich von LXX durch ausgiebigen Gebrauch von ἱερόν unterscheiden. Ent-
50 weder heißt hier der Tempel nur τὸ ἱερόν: 1 Εσδρ 1, 8; 1 Makk 15, 9; 2 Makk 2, 9; 3 Makk 3, 16; 4 Makk 4, 3 uö, oder τὸ ἱερόν τοῦ θεοῦ: 1 Εσδρ 8, 18, wenn nicht noch ἐν Ἰερουσαλήμ beigefügt ist: 1 Makk 10, 43; 1 Εσδρ 5, 43. Oder τὸ ἱερὸν τοῦ κυρίου:

---

[3] Preisigke Wört.
[4] Poland 455.

[5] Poland 457.
[6] Vgl Leisegang sv.

1 Εσδρ 8, 64 uö. Immer ist es umfassender Gesamtname. Es kann sich dabei uU um die Vorhöfe handeln: 1 Εσδρ 1, 5 A, auch 2 Makk 6, 4, denn die unzüchtige Entweihung bei Antiochus erfolgt im Vorhof.

2. Josephus und Philo.

a. Allgemeines. Josephus schildert Bell 5, 184—227 vgl Ant 5 15, 380—425 den Tempel des Herodes vor der Erzählung von seinem Untergang. Den Beginn des Baus setzt er Ant 15, 380 ins 18. Jahr der Regierung des Herodes, also von 37 an gerechnet: 19 v Chr. Fehlerhaft ist die Zahl Bell 1, 401: im 15. Jahr seiner Regierung[7]. Beendet wird die Gesamtanlage 63/64 n Chr, kurz vor der Zerstörung. Das Wort J 2, 20 „in 46 Jahren" wäre also den Juden 27 n Chr in den 10 Mund gelegt. — Material zu einer Vergleichung mit den Ausführungen bei Jos bietet vor allem der Mischnatraktat Middot. Die von den Maßen des Tempels handelnde Schrift will für den Fall seiner Wiederaufrichtung die Pflichten gegen den Tempel einprägen. Eine Parallele zu Ez 40—44 ist sie auch darin, daß hier nicht streng geschichtliche, sondern ideale Zeichnung vorliegt. Immerhin bietet auch sie Überlieferung, die dem 15 Schriftgelehrtentum entstammt. Der Gesamtplan ergibt im großen und ganzen Übereinstimmung mit Jos. Die Unterschiede, zB die strittig bleibenden Fragen bei den Toren des Tempelberges, betreffen den Gesamtaufriß nicht[8]. — Daß Philo den herodianischen Tempel gesehen hat, ist wahrscheinlich: De Providentia bei Eus Praep Ev VIII 14, 64[9]. Vielleicht ist in seiner Beschreibung Spec Leg I 67—78 in 70 noch 20 ein Widerschein von Erlebtem zu sehen. Daß ihm der Tempel des Herodes vor Augen stand (zu Spec Leg I 71 περίβολου vgl Jos Bell 1, 401; 5, 190. 401; Ant 15, 396), ist durch ungenaue oder übertreibende Angaben (zB Spec Leg I 72) nicht widerlegt. Seine Toraverehrung läßt ihn aber in der Allegorese vor allem at.liche Worte über die Stiftshütte hin- und herwenden[10]. 25

b. Der Sprachgebrauch. Ob Jos von der Stiftshütte spricht, vom Tempel Salomos, Serubbabels oder Herodes', für alles das kann er ἱερόν benutzen. Auch Philo gebraucht ἱερόν, abgesehen von heidnischen Tempeln → 232, 28, oft für die Stiftshütte und den Tempel in Jerusalem[11]. Es ist das gebräuchlichste Stichwort. Doch bietet im allgemeinen nur der Gebrauch bei Jos für das NT Interesse. Seltene 30 Ausdrücke bei Jos sind: ἱερὸν τοῦ θεοῦ: Ant 18, 8; 20, 49 oder τὸ Ἰουδαίων ἱερόν: Ant 18, 297. ἱερόν kann immer für das ganze Tempelviereck stehen, einschließlich des äußeren Vorhofs der Heiden, des Tempelbergs: τὸ ἔξωθεν ἱερόν Bell 6, 244. 277. 324. Zu ihm gehört zB die Halle Salomos Ant 20, 220—222; Bell 6, 283 vgl 151 (J 10, 23). Das Tempelhaus steht ἐν τῷ ἔνδον ἱερῷ, im inneren Tempelbezirk: Bell 2, 411; 5, 565; 35 6, 248. 299. — Bell 6, 292 redet von dem inneren Tempelbezirk als: ἐν τῷ ἱερῷ μέσῳ. Dort wurde Bell 4, 343 Zacharias von den Zeloten getötet. Dieser Bezirk beginnt mit dem inneren Vorhof jenseits des Nikanortors. Bis dahin geht τὸ ἔξωθεν ἱερόν: Bell 6, 151 vgl 5, 187: τὸ κάτω ἱερόν. An dieser Stelle befindet sich das Steingitter mit jenen Warnungsaufschriften in griechischer und lateinischer Sprache an die Heiden, 40 die hier nicht eintreten dürfen: Bell 5, 193; 6, 124—126; Philo Leg Gaj 31; Mischna Kelim 1, 8. Vgl dazu die Anklage gegen Paulus Ag 21, 27—30. Eine solche Inschrift ist erhalten: Ditt Or II 598 (1 Jhdt n Chr). Sie lautet dort (→ I 266, 20 ff): Μηθένα ἀλλογενῆ εἰσπορεύεσθαι ἐντὸς τοῦ περὶ τὸ ἱερὸν τρυφάκτου καὶ περιβόλου. ὃς δ᾽ ἂν ληφθῇ, ἑαυτῶι αἴτιος ἔσται διὰ τὸ ἐξακολουθεῖν θάνατον. Bei Jos Bell 5, 194 vgl 6, 125; Ant 15, 417 ist sie 45 kürzer wiedergegeben. → I 762, 28. Neben τὸ ἱερόν hat Jos am häufigsten ὁ ναός, vorwiegend gebraucht für das eigentliche Tempelhaus. Besonders bezeichnend ist Bell 5, 201: μία δ᾽ ἡ ἔξωθεν τοῦ νεώ (vom Nikanortor): es ist außerhalb des Heiligtums im engeren Sinne. Über den erweiterten Gebrauch von ναός → 232, 3 ff. Besonders gern wird es bei Beschreibungen genauerer Art verwandt: Bell 5, 207: αὐτὸς δ᾽ ὁ ναός 50 vom Tempelhaus selbst, vgl Philo Spec Leg I 72: αὐτὸς ὁ νεώς. Auch τὸ ἅγια, τὰ ἅγια bleibt in der Regel vorbehalten zur Bezeichnung des eigentlichen Heiligtums und zwar vorwiegend in den Büchern Bell 4, 5, 6, aber auch 1, 2, 3. Entweder heißt τὸ ἅγιον das ganze innere Heiligtum, τὸ δεύτερον ἱερόν, das mit dem inneren Vorhof hinter dem Nikanortor beginnt: Bell 5, 194. Oder im besonderen Sinn: das „Heilige" 55 (הֵיכָל) mit Leuchter, Tisch, Räucherbecken: Bell 5, 215f, im Unterschied zum „Allerheiligsten": τοῦ ἁγίου τὸ ἅγιον — bei der Stiftshütte Ant 3, 125, beim herodianischen Tempel: Bell 5, 219. Sonderlich zeigt sich im pluralischen Gebrauch, wie die Zweiheit: Heiliges/Allerheiligstes diese Ausdrucksweise gefördert hat, vgl zB die Formel

---

[7] Vgl WOtto, Artk Herodes aaO 84. Schl J 80.

[8] Für die Mischna gegen Jos entscheidet sich neuerdings wieder CWatzinger, Denkmäler Palästinas II (1935) 41.

[9] Dazu Schürer III 148 A 37.

[10] Heinemann (Lit → 231 A) 539 nimmt an, er habe Monographien über den Tempeldienst benutzt.

[11] Vgl Leisegang sv.

ὁ ναὸς μετὰ τῶν ἁγίων: Bell 2, 400 oder Bell 1, 354 = Ant 14, 482: τὸ ἱερὸν καὶ τὰ κατὰ τὸν ναὸν ἅγια. Endlich wird uU τὸ ἅγιον, τὰ ἅγια auch vom Ganzen gebraucht, einschließlich der Tempelmauer: Ant 12, 413 (→ I 97, 23); Bell 4, 388. Auf jeden Fall aber schließt τὸ ἅγιον immer eine besonders feierliche Wertung ein: Bell 1, 152 Pompejus erfrecht sich, es zu betreten, vgl Bell 4, 151 den Fortschritt von νεὼς τοῦ θεοῦ zu τὸ ἅγιον, das die Zeloten zum Bollwerk machen. Derselbe Fortschritt wertender Bestimmung: Bell 6, 95. Niemals wird zu diesem Ausdruck gegriffen, wenn nicht ausdrücklich die Heiligkeit der Stätte hervorgehoben werden soll. Philo bevorzugt überhaupt bei seiner allegorischen Behandlung des Tempels τὸ ἅγιον, τὰ ἅγια. τὰ ἅγια ist ihm alles im inneren Tempelbezirk Befindliche, der priesterlichen Pflege Befohlene: Det Pot Ins 62; Fug 93; Leg All III 135; Som I 207; Spec Leg I 115; Vit Mos II,114. 155. Der erste Tempelraum heißt bei ihm: τὰ ἅγια: Rer Div Her 226; Spec Leg I 296. Das Allerheiligste ebenso pluralisch τὰ ἅγια τῶν ἁγίων: Leg All II 56; Mut Nom 192, oder τὰ ἐσωτάτω τῶν ἁγίων: Som I 216; τὸ ἄδυτον καὶ ἄβατον: Vit Mos II 95.

III. Der Sprachgebrauch von τὸ ἱερόν = Der Tempel im Neuen Testament.

1. Während sogar LXX ἱερόν ängstlich mied und durch ihre schlichten Bezeichnungen die Besonderheit des israelitischen Heiligtums wirksam hervorhob, sträubt sich das NT keineswegs gegen ἱερόν, indessen doch zur Wiedergabe des nt.lichen Heiligkeitsbegriffes das Adjektiv ἱερός fast ganz gemieden wird. Der Grund ist leicht erkennbar. Für die Urchristenheit bestand kein Interesse mehr, die Offenbarung im Kult durch ein abgewogenes Wort feierlich herauszuheben, denn man war schon zur Zeit, als die nt.lichen Urkunden entstanden, zu einer Überwindung der kultischen Gebundenheit gelangt. So ist es ganz folgerichtig, daß man dem vergangenen Kultort, ohne ihn von der ganzen übrigen religiösen Welt abzuheben, einfach die allgemeine Bezeichnung ἱερόν beläßt.

Nur ganz selten werden gewichtigere Namen wie ἱερόν τοῦ θεοῦ Mt 21, 12 C𝕽D (bloß ἱερόν: 𝔖Θ) gebraucht. Der LXX angeglichen ist οἶκος τοῦ θεοῦ Mt 12, 4 (für die Stiftshütte bei David) vgl Jos Bell 4, 281; 6, 104. J 2, 16: οἶκος τοῦ πατρός μου ist bezeichnende johanneische Weiterbildung des LXX-Gebrauchs. Abgesehen davon heißt der Tempel fast durchweg τὸ ἱερόν, hbr בֵּית הַמִּקְדָּשׁ jSukka 55 c, aram בֵּית מַקְדְּשָׁא jMS 56 a; Pea 20 b; Ber 5 a; Tg Cant 3, 11. Das bedeutet den ganzen Tempelbezirk, den Tempelberg eingeschlossen. — Daneben steht → ναός hbr הֵיכָל, aram הֵיכְלָא bQid 71 a: das eigentliche Tempelhaus, im NT gern verwandt, wenn von der geistlichen Neudeutung die Rede ist. Die These GDalmans[12], daß in den Evangelien stets das Gesamtheiligtum ἱερόν vom Tempelhaus ναός unterschieden werde, ist angesichts Mt 27, 5 und wohl auch J 2, 19[13] nicht ganz durchführbar. Judas hat keinen Zugang zum Hause und wirft doch die Silberlinge in den ναός. Mt 12, 5: „die Priester entheiligen im ἱερόν den Sabbat", faßt ihren Dienst im Vorhof und Tempelhaus zusammen.

2. So ist ἱερόν zunächst Allgemeinbegriff, vom ganzen Tempel überhaupt: Mt 12, 6; Ag 24, 6; 25, 8; 1 K 9, 13, bei grundsätzlichen Ausführungen und in Stellen, die genauere Lokalisation bestimmter Tempelstätten nicht zulassen: Lk 22, 53; J 5, 14. Als umfassender Ausdruck tritt es auch auf, wo der Blick auf den ganzen Komplex geht (Mk 13, 3 vom Ölberg her), den die Jünger bestaunen, indem sie die Steine und den Schmuck der Weihgeschenke rühmen: Mk 13, 1; Lk 21, 5.

3. Dann aber bezeichnet ἱερόν, um beim Äußersten zu beginnen, den **Berg des Hauses**, הַר הַבַּיִת, den äußersten Vorhof, zu dem

---

[12] Orte und Wege Jesu³ (1924) 301. | [13] Vgl Schl J zu 2, 20.

auch die Heiden Zutritt hatten[14]. Hier kommen Mt 21, 14 die Blinden und Lahmen zu Jesus. Hier umjubeln ihn die Kinder: v 15. Hier ist die Szene zu denken, wo er nach Mt 21, 12 (Mk 11, 15; Lk 19, 45; J 2, 14) die Käufer vertreibt.

GDalman vermutet den Handel mit Tauben in der Basilika (nicht Halle Salomos 5 → unten Z 28 ff) des Herodes am Südende des äußeren Hofes[15]. Auf jeden Fall ist er im äußeren Hofe zu suchen. Die Rinder und Schafe bei Joh hält Dalman für spätere Zutat. Doch hat Baba bButa, ein Zeitgenosse Herodes' des Großen, nach jJom Tob 61 c, 13[16] einmal eine Herde von 3000 Schafen in den Tempelhof getrieben[17]. *Kaufläden auf dem Tempelberg* sind zu belegen. Über die Kaufläden des Hauses Chanan (Hannas) 10 SDt 14, 22 § 105 (95 b) und ihren Ort sind die Meinungen geteilt[18]. Sie befanden sich entweder auf dem Ölberg oder sind identisch mit den Läden von Beth Hino (Jeremias, Str-B). Über den Geschäftsgeist des Hohepriesters Hannas: Jos Ant 20, 205.

4. Wo das πτερύγιον τοῦ ἱεροῦ Mt 4, 5; Lk 4, 9 vorzustellen ist, bleibt zweifelhaft.   15

In der sonstigen Gräzität kann das Wort heißen: Türmchen, Brustwehr, Dachspitze[19]. Schlatter denkt an einen über die Straße vorspringenden Balkon an der äußersten Tempelmauer und zitiert jPes 35 b[20]. Dalman vertritt „Ecke", nicht „Zinne", und denkt an die Südostecke des äußeren Hofes, die ins Kidrontal hineinragte[21]. Man erinnerte auch an Jos Ant 15, 412, wo von der Zinne der στοὰ βασιλική im Süden des 20 äußeren Tempelbezirks die Rede ist, auf der einen Schwindel ergriff: ἀπ' ἄκρου τοῦ ταύτης τέγους (τῆς στοᾶς). Nach Eus Hist Eccl II 23. 12 ist auch Jakobus von den Oberen ἐπὶ τὸ πτερύγιον τοῦ ναοῦ gestellt und von dort herabgestürzt worden.

5. Wenn vom Lehren Jesu und der Apostel im ἱερόν die Rede ist: Mk 14, 49; Mt 26, 55; Lk 19, 47; 21, 37; 22, 53; J 7, 25 14. 28; 18, 20; Ag 5, 20 und vom 12jährigen, der zwischen den Lehrern sitzt: Lk 2, 46, so ist zu denken an das Lehrhaus im Tempel[22] oder an eine der Säulenhallen im äußeren Vorhof, etwa die Halle Salomos im Osten des Berges des Heiligtums[23]. Sie ist genannt: J 10, 23: στοὰ τοῦ Σολομῶνος, Ag 3, 11; 5, 12 vgl Jos Ant 8, 96; 15, 401; 20, 220—222; Bell 5, 185. Sie war 30 wohl ein Rest des Serubbabelschen Tempels[24].

6. Die schöne Tür Ag 3, 2. 10, wo der Lahme liegt, den Petrus und Joh heilen, ist das korinthische eherne Tor bei Jos Bell 2, 411; 5, 198. 201—206; 6, 293. Es befindet sich am Osteingang zum Frauenhof, bildet also den Eingang aus dem äußeren Hof in den eigentlichen Bezirk des 35 Heiligtums (τοῦ ἔνδον ἱεροῦ Jos Bell 2, 411).

Gegen Schürer[25] ist festzuhalten, daß Jos Bell 5, 201 einen guten Sinn gibt. → 233, 48. OHoltzmanns Interpretation des Jos[26] fußt auf einer falschen Übersetzung von Bell 5, 204, wo die Rede ist von dem hohen inneren Tor, jenseits des korinthischen, das vom Frauenhof in den innersten Hof führt. Die Mischna wechselt diese 40 beiden Tore aus, im Unterschied zu Jos, sie verlegt das Nikanortor (= das korin-

---

[14] Vgl 1 Makk 13, 52: τὸ ὄρος τοῦ ἱεροῦ; 16, 20; Jos Ant 1, 226. Der Vorhof heißt auch αὐλὴ τοῦ ἱεροῦ: 1 Εσδρ 9, 1; der Tempelplatz: 1 Εσδρ 9, 6 uő εὐρύχωρος. 4 Makk 4, 11 ist der Vorhof der Heiden: ὁ πάμφυλος τοῦ ἱεροῦ περίβολος.
[15] AaO 309 f.
[16] Str-B I 852 (= jBeza 61 c, 15 ff).
[17] Zum Ganzen: Str-B I 850—853.
[18] Vgl JDérenbourg, Histoire de la Palestine (1867) 459; GDalman, Orte und Wege Jesu[3] (1924) 309 A 6; JoachJeremias, Jerusalem zur Zeit Jesu I (1923) 21, 55; Ders, Jesus

als Weltvollender (1930) 42; Str-B I 1000, II 570 f (d).
[19] Vgl Liddell-Scott sv.
[20] Schl Mt zSt.
[21] AaO 311 f.
[22] Dalman aaO 317.
[23] Dalman 310 f. Str-B II 625 f.
[24] ASchlatter, Zur Topographie und Geschichte Palästinas (1893) 197—202 verlegte sie in den inneren Vorhof. Dagegen ESchürer, ZNW 7 (1906) 66. Vgl Dalman aaO 315 A 4.
[25] ZNW 7 (1906) 55.
[26] ZNW 9 (1908) 72.

thische des Jos, die schöne Tür der Ag) zwischen Frauen- und Männervorhof, das
große Tor aber zwischen Tempelplatz und Frauenhof. Vgl die Erwähnung des Ni-
kanortores Mid 1, 4—5; 2, 6; Scheq 6, 3; Sota 1, 5; Neg 14, 8; T Joma 2, 4; jJoma
41 a; bJoma 38 a. Hier ist wohl Jos recht zu geben gegen die rabb Tradition. Er
5 kannte als Priester den Tempel. Jene mag bestimmt sein durch rituelle Gesichtspunkte und ideale Zukunftswünsche [27].

7. ἱερόν wird weiter gesagt, wenn an den **Frauenhof**
gedacht ist. Er hieß so, weil auch die Frauen dort weilen, aber nicht darüber
hinaus vordringen durften. Hier betet Hanna: Lk 2, 37. Hier beobachtet Jesus
10 die Witwe an einem der 13 γαζοφυλακεῖα: Mk 12, 41 ff; Lk 21, 1 ff. Dort lehrt
er nach J 8, 20. Auch die Begegnung mit der Ehebrecherin ist da zu denken:
J 8, 2 f. Die Mütter, die nach ihrer Reinigung das Opfer darbrachten: Lk 2, 24,
standen hier an dem großen Tor → 235, 39, wo der Blick ging auf Altar und
Tempelhaus. Vielleicht betet hier der Zöllner Lk 18, 13, wenn er nicht auf
15 dem Berg des Hauses blieb [28].

8. ἱερόν als **innerer Vorhof**, in dem Altar und Tempelhaus stand, ist gemeint beim betenden Pharisäer Lk 18, 11, den betenden
Jüngern Lk 24, 53, bei Jesus, wenn er vor dem Altar stand vgl Mk 11, 11.
Auch am 7. Hüttenfesttag beim Umzug: J 7, 37 f; bei Paulus, als er Ag 21, 26
20 mit den Männern das abschließende Opfer des Nasiräates darbrachte [29].

9. In das ἱερόν = **Tempelhaus** durfte nur der Priester
eintreten. Der Laie blieb mit seinem Blick haften an dem kostbaren Vorhang
über der Tempeltür, die von einer goldenen Weinranke eingefaßt war. Ob dieser
Vorhang beim Tode Jesu nach Mt 27, 51 zerriß, oder ob dort gedacht ist an
25 den Vorhang zum Allerheiligsten? Das zweite ist wahrscheinlicher im Blick
auf die gemeinte Symbolik → 245, 37 ff [30].

C. Die Ansätze zu einer Spiritualisierung des Tempels im Griechentum.

1. Die **Aufklärung jonischen Ursprungs**, die
einem Pindar und Aeschylus völlig fern lag, kommt in **Xenophanes von**
30 **Kolophon** (570—480) zu wirksamem Durchbruch. Er erhebt Einspruch dagegen, daß Homer und Hesiod den Göttern alles anhängten, was bei den Menschen Schimpf und Tadel sei [31]. Aber er blieb nicht nur bei dem Protest, daß
man die Götter vermenschliche, sondern sprach auch von dem einzigen Gott

---

[27] Vgl Str-B II 620—625. Dalman aaO 315.
Zum Ganzen → 173 A 5.
[28] Vgl Mid 2, 5—7 a; Jos Bell 5, 198 f. 204;
Ant 15, 418 f; Ap 2, 104. Zu Lk 2, 37:
Tanch 17, 15. Zur Sache: Str-B II 37 ff.
Dalman aaO 313, 315 ff. In diesem Vorhof
erfolgte auch die Halbschekelabgabe: Dalman 308. Die Darstellung bei Lk lehnt Dalman 318 als sonst nicht nachweisbar ab gegen
Str-B II 120 ff und Volz, Biblische Altertümer 145. Zu Lk 18, 13: Dalman 319. Die
Treppenstufen, von denen Paulus Ag 21, 35. 40
zum Volke redet, sind, wenn sie nicht die
der Burg Antonia sind, die Stufen, die vom
Frauenhof zum Platz Israels und Priester-

platz im inneren Hof führten. Für das
letzte: Dalman aaO 314 A 3.
[29] Zu Lk 18, 11: Str-B II 246. Dalman
aaO 319. Zu J 7: Dalman 320. Str-B II
490 f und Exkurs über das Laubhüttenfest:
II 774 ff.
[30] Zum äußeren Vorhang vgl Scheq 8, 4;
Tamid 7, 1; Jos Bell 5, 212—214; ep Ar 86.
Dazu Dalman 323. Str-B I 1043—1046. Schl
Mt zSt. Dalman entscheidet sich für den
äußeren, Str-B und Schlatter für den inneren
Vorhang. Vgl HLaible bei Str-B III 733
bis 736.
[31] Fr 11 (I 132, 2 ff Diels).

in der Natur und zeigte Verstehen für ein verinnerlichtes Beten [32]. Seitdem meldet sich eine Kritik an der Kultusfrömmigkeit, die den Boden bereitet für aufkommende Versuche der Spiritualisierung. Heraklit hat weiter an der Wende vom 6/5 Jhdt auch die Opfer und den Bilderdienst bekämpft [33]; das Opfer ist eine Reinigung, bei der man sich mit Blut befleckt, das Gebet zu den Götter- 5 bildern ist wie „ein Schwatzen mit Häusern". Das Eine allein Weise aber will nicht — und will doch mit dem Namen des Zeus benannt werden [34]. An diese Vorläufer hat der Begründer der Stoa, Zenon von Kition (300 v Chr), angeknüpft. Bei ihm begegnet zum ersten Male ausdrückliche Kritik des Tempelwesens: μήτε ναοὺς δεῖν ποιεῖν μήτε ἀγάλματα· μηδὲν γὰρ εἶναι τῶν θεῶν ἄξιον 10 κατασκεύασμα... ἱερά τε οἰκοδομεῖν οὐδὲν δεήσει· ἱερὸν γὰρ μὴ πολλοῦ ἄξιον καὶ ἅγιον οὐδὲν χρὴ νομίζειν· οὐδὲν δὲ πολλοῦ ἄξιον καὶ ἅγιον οἰκοδόμων ἔργον καὶ βαναύσων [35]. Es ist nicht belanglos, daß Zenons Schüler Kleanthes (4/3 Jhdt v Chr), dessen Hymnus auf Zeus „die stoische Ineinssetzung von Zeus, Schicksal und Weltvernunft popularisierte" [36], und der diesem Kreise verwandte Aratos (3 Jhdt 15 v Chr) es waren, die für die Areopagrede der Ag das Wort vom göttlichen Geschlecht liehen, für die gleiche Rede, die stoische Tempelkritik aufnimmt: Ag 17, 18—28.

Die spätere Stoa besonders hat diese Kritik fortgesetzt. S e n e c a (vgl Aug Civ D VI 10) sagt in De Superstitione, daß der Weise die Kulthandlungen tamquam legibus 20 iussa non tamquam diis grata beobachte und sich dessen erinnere: cultum eius magis ad morem quam ad rem pertinere. Der Kult ist also nötig und heilsam für das Volk. Die philosophische Aufklärung aber sucht auf diesem Volkshintergrund den Weg der Denkenden. Sie legt sich vermittelnd eine Religion der Gebildeten zurecht, indem sie etwa den Götterbildern den Wert beimißt, Sinnbilder des Göttlichen zu sein, was 25 die Menge nicht missen kann. So bleibt für die Stoa die Anknüpfung an das Volksbewußtsein. Grundstürzende Änderungen nimmt man nicht vor, deutet aber für den Weisen das Kultische um in verinnerlichendem Sinne: Cic Nat Deor II 17, 45. Dio Chrys 12, 59 f.

2. Was nun besonders die V e r g e i s t i g u n g d e s T e m- 30 p e l g e d a n k e n s betrifft, so zeigt schon Seneca zwei Motive, die bei Philo noch ausgeführter begegnen: den Hinweis, daß die Welt und daß die Seele Tempel der Gottheit sind.

Sen Ben VII 7, 3: totum mundum deorum esse immortalium templum. Ep 90, 28 (von Poseidonios beeinflußt?): durch die Philosophie wird erschlossen: nicht munici- 35 pale sacrum, sed ingens deorum omnium templum, mundus ipse. So sagt auch Plut Tranq An 20 (II 477 c): ἱερὸν γὰρ ἁγιώτατον ὁ κόσμος ἐστὶ καὶ θεοπρεπέστατον (entlehnt vom Stoiker Panaitios) [37]. Zur Idee: die Seele als Tempel vgl Sen Fr 123 bei Lact Inst VI 25, 3: non templa illi, congestis in altitudinem saxis extruenda sunt, in suo cuique consecrandus est pectore. Wenn bei Sen auch nicht geradezu die Seele als 40 Tempel bezeichnet wird, so ist doch die Innerlichkeit des animus Kultort für die Gottheit, vgl Ep 41, 1: prope est a te deus, tecum est, intus est [38]. Ep 95, 47 ff. Dagegen erlaubt es die dualistische Leibesverachtung dem Stoiker nicht, den Leib ausdrücklich zum Tempel Gottes zu erklären. E p i k t e t ist noch kultfreundlicher und duldsamer gegen die Volksreligion: Diss I 18, 15; II 22, 17 ff; III 21, 12 ff; Ench 31, 5. 45 Ebenso Musonius und Mark Aurel. Nur daß ihre eigentliche Frömmigkeit ganz unab-

---

[32] Fr 1 (I 127, 11 ff Diels).
[33] Fr 5 (I 151, 12 ff Diels); vgl Fr 128 (I 180, 10 ff Diels) (zweifelhaft).
[34] Fr-32 (I 159, 1 f Diels).
[35] v Arnim I 61, 264. Vgl Cl Al Strom V 12, 76; Orig Cels VII 35.
[36] W Nestle, Griech Religiosität von Alexander dem Großen bis auf Proklos (1934) 109.

[37] E Norden, Agnostos Theos (1913) 22. – Der Kosmos als Tempel ist ein sehr beliebtes Motiv. Dazu noch: Pseud-Heracl ep 4 Z 47 ff (ed J Bernays 1869). Vgl Cic Rep III 14.
[38] Vgl Wenschkewitz 59—61. - Auch Ep 41 geht auf Poseidonios zurück; sacer intra nos sedet spiritus hieß dort wohl πνεῦμα ἱερόν, Vgl Williger, Hagios 96.

hängig davon ihren Weg geht[89]. Die Folgerung einer völligen Kultfreiheit wird nicht gezogen. Die stoische Religion bleibt eine Verbindung von philosophischem Religionsersatz und Anerkennung der Volksreligion. Auch Epiktet spricht von der Gottverwandtschaft der Seele. Aber er hat nicht das spirituelle Tempelbild. Noch rücksichtsloser als die Stoiker verwirft der Neupythagoreer Apollonius von Tyana die blutigen Opfer: Philostr Vit Ap I 31; V 25. Nach Eus Praep Ev IV 13; Dem Ev III 3 sagte er von der Gottheit: δεῖται γὰρ οὐδενός. Das wortlose Gebet ist die beste Gottesverehrung. Vgl auch die Bekämpfung der Tempel in Sib IV 8 ff. 27 ff.

Später wurde das Tempelbild oft verwandt für die Innewohnung des Geistes oder der Zauberkraft, vgl Valerius Maximus (31 n Chr), Factorum et Dictorum Memorabilium IV 7 Ext 1 (p 209, 1 f CHalm [1865]): fida hominum pectora quasi quaedam sancto spiritu referta templa sunt. Apul Apologia 43 (ed JvdVliet [1900]): ut in eo divina potestas quasi bonis aedibus digne diversetur.

D. Der Weg vom at.lichen Prophetismus zur jüdischen Apokalyptik und zum hellenistischen Judentum.

I. Der Tempel im at.lichen Prophetismus.

Da Amos, Hosea, Jesaja, Micha — anders als die Nebiim an den Heiligtümern — in keiner kultischen Tradition stehen, ist die Frage, welche Stellung diese Propheten praktisch zum Kultus einnehmen, schwer zu beantworten. Daß der Bruch des Rechtes, das Fehlen der Liebe und des demütigen Wandels Jahwe dem Heiligen allen sonstigen Kult ärgerlich mache: Am 5, 21 ff; Hos 6, 6; Js 1, 10 ff; Mi 6, 6 ff, das ist ein Hauptmotiv prophetischer Warnrede. Es geht auch über in die nachexilische Prophetie: Sach 7, 5 ff. Doch irgendein Versuch, den Kult aufzuheben oder ihn zu spiritualisieren, ist nicht nachzuweisen. Wohl aber findet sich Js 66, 1 ff das tiefe Gefühl dafür, daß kein Tempelhaus die erhabene Majestät Jahwes faßt. Hier ist der Gegensatz nicht der Protest angesichts des Widerspruchs: Kult/Ungehorsam, sondern die Gegensätze sind: das erbaute Haus / der zerschlagene Geist, den Gott ansieht. Und doch bleibt nach Js 60, 1 ff, besonders v 13, Zion mit seinem Tempel der Ort, zu dem die Völker strömen.

Die Weisheitsliteratur wiederholt Prv 21, 27 den alten prophetischen Gegensatz, beginnt aber gleichzeitig, Prv 15, 8, das Gebet dem Opfer gegenüberzustellen. In den Psalmen 40, 7. 9. 10 heißt das Widerspiel: innerliches Gesetz statt Opfer (vgl 1 S 15, 22). Ps 50: Dank und rechter Wandel statt Opfer. Hier, in Ps 50, 10—13, erinnert an die grundsätzliche Behandlung des Tempelgedankens in Js 66, 1 ff die entsprechende Feststellung, daß Jahwe keiner Opferspeise zur Sättigung bedürfe. Wiederum gilt das Dankopfer des Gebets v 14 als das wahre Opfer. Vgl Ps 141, 2; 69, 31 f. Das kann sich gerade als das Bekenntnis eines Tempelverehrers äußern: 69, 10. Tief wirkt nach jene prophetische Einsicht (Js 66): Zerbrochenheit vor Gott ist besser als Opfer Ps 51, 18 f.

Schon Mi 3, 12 weissagt, daß Jerusalem ein Trümmerhaufen und der Tempelberg zur Waldeshöhe werden soll. Jer 26, 18 wiederholt den Spruch[40]. Ez 40—48 nährt durch die Vision vom neuen Tempel der messianischen Zeit die

---

[89] Vgl ABonhöffer, Die Ethik des Stoikers Epiktet (1894) 82 f; Wenschkewitz 55.
[40] Spätere Weissagung der Zerstörung vor 70: jJoma 43 c, 61 Bar (Str-B I 1045) und

bJoma 39 b; Jos Bell 6, 300—309 (62 n Chr). Die schekhina entfernt sich vor der Zerstörung: 6, 299. Vgl Schl Mt 477, Z 16—19.

Hoffnung mit Bildern, die durch keine Tempelwirklichkeit hienieden je erfüllbar sind. Weissagung wie Js 2, 1—4 richtet den Blick auf den Tempel als Mittelpunkt aller Völker. Hag 2, 9 vgl Sach 14, 8 ff spricht ein folgenschweres Hoffnungswort aus: die Pracht des künftigen Tempels wird größer sein als die frühere. Außer diesen Weissagungen sind es nach Errichtung des Serubbabelschen 5 Tempels vor allem drei Momente gewesen, die bis zum Eintritt der herodianischen Phase die Tempelprophetie gefördert haben: die Geringheit des Tempels Serubbabels, das Fehlen der heiligen Lade und die Entweihung des Heiligtums durch Antiochus Epiphanes [41]. Die Worte vom aufgehobenen Opfer und der frevelhaften Schändung der Stätte Da 8, 11 ff; 11, 31; 12, 11, das Prälu- 10 dium aller weiteren Tempelapokalyptik, sie wirken auch nach der Makkabäerzeit fort und lösen immer neue Erwartung aus.

II. Der Tempel in der Apokalyptik.

1. Suchen wir die Tempelworte der Apokalyptik zu datieren, so zeigt sich, daß schon vor 70 in allen entscheidenden Punkten 15 Grund gelegt ist.

Das Erlebnis der Zerstörung hat das alles nur verschärft, hat aber nicht neuschöpferisch eingegriffen. Jenes eindrückliche Bild aus der Hirtenvision des äth Hen 90, 28 f: das alte Haus wird eingewickelt, an einen neuen Ort gebracht, und der „Herr der Schafe" bringt ein neues Haus, am Orte des ersten, das ganz neu ist und viel größer — 20 es stammt schon aus den Tagen vor dem Tode des Judas Makkabaeus. Es bedeutet demnach: der unscheinbare Tempel Serubbabels, nun auch noch durch den Syrer entweiht, wird in der messianischen Zeit ersetzt.

Die Frage: Messias und Tempelhoffnung ist nicht leicht zu entwirren. Nach 70 findet sich die Anschauung, daß der Messias Erbauer des künftigen Tempels sei, 25 verhältnismäßig selten [42]. Aber schon im Tg zu Js 53, 5 (Str-B I 482) baut der Messias das Haus des Heiligtums, vgl auch Tg zu Sach 6, 12 f (Str-B I 94). Volz hat gegen JoachJeremias darauf hingewiesen, daß das „neue Haus" Hen 90 nicht unbedingt nur der Tempel, sondern die Stadt sei. Aber es gibt eben kein Jerusalem ohne den Tempel. Daß der weiße Farren (Messias) Hen 90, 37 erst auftaucht, als Jerusalem gebaut ist, bleibt zu 30 beachten. Aber der Sohn 4 Esr 9, 38—10, 27 wiederum ist ja doch der Messias. Analog wird vom Taëb der Samaritaner erwartet, er werde die von Mose am Garizim vergrabenen Tempelgeräte wieder entdecken und dann das Heiligtum herstellen [43].

2. Die Legende, daß das Heilige verborgen, vergraben ist bis zu seiner Wiederherstellung, begegnet schon 2 Makk 2, 4 f. 8 (etwa 125 v Chr). 35 Die Erwartung: wenn Israel vom Joch der Weltreiche befreit ist, dann wird ein neues, ewig herrliches Jerusalem erstehen, ungeahnt erweitert, und in ihm ein neuer Tempel, sie findet sich schon äth Hen 89, 73 (135 v Chr); 91, 13 (vor 167 v Chr); Tob 14, 5 (2/1 Jhdt v Chr); Jub 1, 17. 27. 29 (Makkabäerzeit). Auch die Prophetie vom universalen Völkerheiligtum Js 2, 2 ff; Mi 4, 1 ff ist in dieser ganzen 40 Zeit lebendig: äth Hen 90, 33; Tob 13, 13; Jub 4, 26.

3. Neben die Vorstellung vom irdischen, wieder erneuerten Tempel tritt die vom Jerusalem und Tempel, die im Himmel sind.

Auch sie ist schon lange vor 70 vorhanden. Das nach Ex 26, 30; Ez 40 ff gezeigte Heiligtum hat ein himmlisches Vorbild [44]. Vgl Sap 9, 8. Diese Vorstellung von der 45 präexistenten σκηνή kommt überein mit dem altorientalischen Gedanken, daß sich der

---

[41] Für die Verherrlichung des Tempels bezeichnend: 2 Makk 3, 30. Er ist πανυπέρτατον 3 Makk 1, 20; in aller Welt geschätzt und berühmt: 2 Makk 2, 22; 3, 12. Der entweihte Tempel wurde nach der makk Erhebung 165 v Chr neu geweiht.
[42] Vgl Str-B I 1005. Dazu Volz Esch 217

(gegen JoachJeremias, Jesus als Weltvollender 38 f).
[43] Vgl MGaster, Samaritan Eschatology (1932) 218, 271. Bousset-Greßm 239 f.
[44] Vgl die spätere Fassung dieses Gedankens sBar 4, 2—6.

himmlische und der irdische Ort Gottes entsprechen müssen. Das alles macht verständlich, daß sowohl das rabb Schrifttum das himmlische Jerusalem hat, als auch die Apokalyptik: slav Hen 55, 2[45], mitunter auch einfach als Ort der Seligen.

4. Alle diese Motive werden durch die Katastrophe von 70 verstärkt.

Der völlige Niederbruch von Tempel und Altar veranlassen 4 Esr 10, 21. 45 und sBar 35 zu ihren Klagen über den Trümmern des Tempels. Nach bBB 60 b beginnt ein großes anhaltendes Fasten über den Verlust. Die Legende wuchert weiter: sBar 6, 7 f; 80, 2. Die künftige Wiederherstellung Jerusalems und des Heiligtums wird erst recht ein Gegenstand der Hoffnung: Akiba: Pes 10, 6; Nu r 29, 26 vgl bPes 5 a — und zwar als Belohnung für Israel. Die täglichen Gebete um die Erneuerung der Tempelstätte: Sch E: (p) Bitte 14 und 16; (b) Bitte 17; Habinenu: Taanit 4, 8; Derek Eres Suta 9, 6 halten die Sehnsucht wach[46]. 4 Esr hebt sich nur dadurch vom Bisherigen ab, daß dort das präexistente Jerusalem am Ende der Tage „erscheinen", „sich offenbaren" wird: 7, 26; 10, 54 f; 13, 36 vgl v 6; 8, 52. Ausführungen wie 10, 27 ff und 42—44 sind darum beachtenswert, weil sich hier: 45 ff an Worte über die erbaute Stadt solche über Tempel und Kult anschließen, während sonst nicht im gleichen Maße vom überirdischen Tempel wie von der überirdischen Stadt die Rede ist. Von einem Herabkommen der Stadt (Apk) aber steht auch bei 4 Esr nichts. Jedoch mußte natürlich nach der Zerstörung die Vorstellung: wir haben doch noch ein Jerusalem im Himmel, eine starke Tröstung bedeuten.

5. Neben kultfreudiger Stimmung zeigt das Judentum dieser Epoche auch Vergeistigung, ja Kritik des Opfers.

Jdt 16, 16. Nach Tob 4, 10 f vgl 12, 9; Jub 2, 22 sind Almosen und Geboterfüllung Opfer. Wir bekommen nach 70 auch rabbinische Aussprüche, die einen Ersatz für den verlorenen Kultus in den Liebeswerken sehen: Jochanan Ab RNat 4, 5, oder sogar (späte Stelle) die Ansicht vertreten, daß für die kommende Welt überhaupt keine Opfer mehr in Betracht kommen: Dt r 16, 18 (Simon b Chalafta). Aber schon weit früher tritt die Traditionsgebundenheit in Austausch mit jenen uns aus der Stoa bekannten Elementen des aufgeklärten Griechentums. Das ergibt dann jene eigenartigen Mischungen, wie sie bei Josephus und Philo begegnen.

III. Der Tempel bei Josephus und bei Philo.

1. Josephus schätzt den Tempel hoch. Das zeigt seine ganze Geschichtsdarstellung. Alles spitzt sich da zu auf das Schicksal des Heiligtums. Das Recht freier Kultübung steht ihm über der politischen Freiheit des Volkes[47]. Sein Lobpreis des Tempels Ap 2, 193 bedeutet den des einen Gottes und des einen Volkes. Auf der einen Seite bringt er immer wieder seine Überzeugung von der schekhina zum Ausdruck: der Tempel ist οἰκητήριον τοῦ θεοῦ: Ant 8, 114. 131; 20, 166. Gott beschloß, er ihn beerichtet: 8, 117 einen Teil seines Geistes hineinzusenden: 8, 114. Vgl Bell 5, 459; Ant 8, 102. 106; 3, 100. 202. 290. Dies stößt sich aber wiederum mit seinem griechisch bestimmten Empfinden, das sich gegen eine örtliche Festlegung Gottes sträubt. So kommt es zu Wendungen, die alles in der Schwebe lassen[48]: es kommt dem Volke so vor: Ant 3, 129. 219; 8, 102. 106. 114 f. Griechische Aufklärung liegt auch vor, wenn er Ap 2, 192 die Tugend den würdigsten Gottesdienst nennt, in einer Apologie des Judentums, die jenen prophetischen Gegensatz zu moralisierender Opferkritik erweicht: Ant 6, 147—150. Mit Philo verbindet ihn auch die Liebhaberei für die kosmologische Ausdeutung des Hauses und seiner Bräuche: Ant 3, 123. 180 ff vgl Bell 5, 212—217. Der κόσμος ist Gottes ewiges Haus: Ant 8, 107. Ob wirklich die Zeloten dem Titus zuriefen, Gott habe, wenn der Tempel zugrunde gehe, einen besseren als diesen: τὸν κόσμον, ist fraglich. Hier wird seine eigene Reflexion vorliegen. Sie hat allerdings keine tempelfeindliche Tendenz, sondern dient dazu, dem griechischen Leser durch Zugeständnisse an den Bildungsstil den tiefen Sinn dieser Einrichtungen schmackhafter zu machen. Pharisäisch aber ist diese Betrachtungsweise gar nicht[49].

---

[45] PRießler, Altjüd Schrifttum (1928) 469.
[46] Vgl Volz Esch 377; Wenschkewitz 28. Zur apokalyptischen Tempelerwartung nach 70 vgl Apk Abr Kp 29 (GNBonwetsch p 39, in: Studien zur Geschichte der Theologie und der Kirche, ed NBonwetsch und RSeeberg I 1 [1897]); Sib III 573—579. 657 f. 725; V 432 f.

Zur universalen Tempelhoffnung: Sib III 718. 772 f. 776; V 424 ff.
[47] Vgl Schl Jos 72.
[48] Vgl Schl Jos 72 f.
[49] Vgl Schl Jos 75. Über die Stellung des Jos zum Tempel auf dem Garizim und in Ägypten: ebd 75—80.

2. Philos Bildungsreligion schweißt erst recht ganz heterogene Elemente zusammen. Welches ist sein ethisches Hauptanliegen? Er protestiert gegen die Kultauffassung einer verfälschten Frömmigkeit, die Reinigung der Seele vergißt: Cher 94 f. Wer den Tempel schmückt, aber die διάνοια befleckt, gehört nicht zu den εὐσεβεῖς: Det Pot Ins 20. Hier werden die alten prophetischen Linien umgebogen 5 im Sinne einer platonisch und stoisch geprägten Frömmigkeit. Doch kann kein Jude jene alten Zusammenhänge überhören, die ihm auch ohne eigene Kenntnis der prophetischen Texte durch die Synagoge vermittelt sind. Aber nun bringt er auch Worte, die den Kultus geradezu verneinen: Cher 97 ff. Gott aus Steinen oder Holz ein Haus herrichten, das nennt er einen Gedanken, den auch nur auszusprechen Sünde ist. Das 10 würdige ἱερόν zur Ehrung Gottes ist: σύμπας ὁ κόσμος: Plant 126. So macht er dann beim Tempel von der kosmischen Allegorese reichen Gebrauch: Vit Mos II 101—104 [50]. Außer dem κόσμος ist es die λογικὴ ψυχή, der νοῦς, der λογισμός, die διάνοια des Weisen, welche genannt werden: θεοῦ οἶκος, ἱερὸν ἅγιον: Som II 248; I 149; Virt 188. Der Logos waltet als wahrer Priester in der Seele: Deus Imm 135 (vgl 8). Nur daß dies gött- 15 liche Wohnen nicht räumlich, sondern als seine Fürsorge gemeint ist: Sobr 63. Eine ganz seltene Benutzung des Tempelbildes liegt vor, wenn er Op Mund 137 den Leib Adams οἶκος, νεὼς ἱερός der ψυχὴ λογική nennt, seiner dualistischen Grundauffassung zum Trotz. Er kann das nur darum tun, weil die Körperlichkeit Adams noch etwas allen Nachfahren vollkommen Überlegenes ist. 20

Trotzdem gesteht Philo dem israelitischen Tempeldienst sein Recht zu. Die symbolisch-allegorische Verwertung bedeute nicht Verneinung des Tempeldienstes: Migr Abr 92. Neben dem ἱερόν des Kosmos gibt es noch ein χειρόκμητον: Spec Leg I 66 f. Dort wird das 67 so begründet: der auf Opferdank und Entsündigung ausgehende Drang (ὁρμή) der Menschen soll nicht gehemmt werden [51]. Gott will zur Frömmigkeit 25 aneifern, obwohl er nichts nötig hat und nichts nimmt. So erklärt er trotzdem, daß er nimmt: Rer Div Her 123. Natürlich kann man dies als einen Fremdkörper in seiner religiösen Gesamtauffassung bezeichnen [52], als eine Folgewidrigkeit des Juden, der aber eben ohne diese Traditionen nicht mehr Jude wäre. Im Grunde tut er gar nichts anderes als die Stoiker mit ihrer Volksreligion → 237. Das Zusammen- 30 zwängen des Widerspruchsvollen ist gerade seine Eigenart. In dieser Synthese lebt sich seine Doppelseele aus. So gelingt es dem Bildungsmenschen, zugleich Jude und Hellenist zu sein, das eine durch das andere zu erläutern, auszugleichen und zu stützen.

E. Die Stellung Jesu und der Urchristenheit zum Tempel.

I. Der Niederschlag des Zeugnisses Jesu und der urchristlichen 35 Haltung in den Evangelien.

Die Tempelworte der Evangelien kommen nicht nur in Betracht als Zeugnis für die Erinnerung der Gemeinde an Jesus. Sie sind auch Spiegelungen ihres eigenen Kampfes in der Tempelfrage. Indem die neuen Motive Jesu in diese Situation des Kampfes hineingenommen werden, formt 40 sich das Kerygma als Bekenntnis. Der Geist Jesu wird mächtig in der Entscheidung der Gemeinde. Was Jesus selbst gesagt hat, läßt sich oft im Einzelnen schwer ermitteln. Ganz fest aber steht, wie die Urchristenheit unter seinem Einfluß Stellung nahm. Darum ist auch bei ihrer Darstellung der Haltung Jesu niemals abzusehen vom Bekenntnischarakter dieser Worte. 45

1. Der ganze synoptische Aufriß rechnet bei Jesus immer mit beidem: mit der Bejahung des Tempeldienstes als des von Gott bestimmten Weges der Verehrung Gottes und

---

[50] Über die weitere Ausführung des kosmischen Tempelbildes bei Philo vgl Wenschkewitz 72. Auf dem gleichen Wege ist Cl Al Strom V 6, 32—38.

[51] Heinemann 54 zeigt, daß die Wendung sich auch bei Dio Chrys 12, 60 findet.

[52] Vgl Heinemann 57 gegen Krüger. Wensch-

kewitz 87. — Eine Überhöhung und zugleich eine Weltgeltung des Nationalen gewinnt Philo schon durch die Auffassung, daß im Tempel zu Jerusalem für die ganze Menschheit geopfert werde: Spec Leg I 168. 190; II 167; Vit Mos I 149.

mit der Überlegenheit des Christus über den Tempel. An der heiligen Stätte wird Jesus versucht, ein abenteuerliches Mirakel zum Erweis seiner Sohnschaft zu geben: Mt 4, 5; Lk 4, 9. Er ist ebenso wie alle Gottesfürchtigen der im Tempel Betende. Mehr noch als im synagogalen Betrieb hat
5 er hier, am Mittelpunkt der Äußerung religiösen Lebens, selber Begegnung mit den verschiedenen Typen jüdischer Frömmigkeit, ob er die Witwe am Opferstock Mk 12, 41 ff par beobachtet oder die beiden Beter Lk 18, 10 ff, deren grundverschiedenes Verhalten scharf gesehen ist. Daß er täglich im Tempel gelehrt habe, ist ein besonders in der Passionserzählung als wichtig hervorge-
10 hobener Zug: Mk 14, 49; Mt 26, 55; Lk 22, 53 vgl 19, 47; 21, 37 f. J 18, 20 drückt den Sinn dieser Tatsache am klarsten aus: es geschah nicht ἐν κρυπτῷ, sondern da, wo alle Juden zusammenkommen. Das Motiv der Öffentlichkeit wird anders aufgefaßt als bei Johannes, dem Prediger in der Wüste: das Judentum wird an seinem sakramentalen Hauptort aufgesucht. So ist auch in der
15 ganzen Darstellung nicht davon abzusehen, daß gerade wichtige Selbstbezeugung an heiliger Stätte erfolgt: die Frage nach der Davidsohnschaft Mk 12, 35, die nach seiner Vollmacht Mk 11, 27; Mt 21, 23; Lk 20, 1 (εὐαγγελιζομένου) — sie wird hier gestellt. Noch stärker durchzieht das die johanneische Darstellung. Das Fragen, das Sich-Mühen des Volkes um ihn, seine feierlichsten Selbstaus-
20 sagen, das alles wird nicht ohne die Berücksichtigung des Ortes in den Tempelbezirk verlegt: J 7, 14. 28; 8, 20. 59; 10, 23; 11, 56. Auf das Begnadigen im Tempel wird J 5, 14 ebenso Wert gelegt sein wie in der μοιχαλίς-Perikope 8, 2. Mt als Einziger hat Heilungen von Blinden und Lahmen im Tempel: 21, 14. Daß ihn Kindermund im Vorhof als den Sohn Davids preist, geschieht, wie der
25 Protest der Führenden im Hintergrund zeigt, als eine göttliche Ironie, durch die sich Ps 8, 3 erfüllt.

2. So wird in der Schilderung der Evangelien durch Hineinstellen der Neuoffenbarung in das Zentrum der alten Kultreligion ausgedrückt: der Christus tut sein Werk, anknüpfend und erfüllend, auf dem Boden
30 der bisherigen Gottesgeschichte. Bejahung und Überbietung der alten Offenbarung in eigenartiger Spannung und Wechselseitigkeit — das liegt auch sonst immer wieder bei Jesus vor. In dem Handeln und Bezeugen, das innerste Auseinandersetzung mit der Tempelfrage ist, wird besonders greifbar, daß die Überbietung nicht als Akt der Pietätlosigkeit gemeint
35 ist. In den ausdrücklichen Worten über den Tempel wird dieser auf der einen Seite als sonderliche Stätte göttlicher Gegenwart angeschaut. Schon die Stiftshütte ist οἶκος τοῦ θεοῦ: Mt 12, 4; Lk 6, 4. Jesus nennt den herodianischen Tempel nach Mk 11, 17; Mt 21, 13; Lk 19, 46, ein at.liches Wort im Kampfe bestätigend: οἶκος προσευχῆς (opp Räuberhöhle). Noch persönlicher zum
40 Christuszeugnis ist die johanneische Fassung geformt: Haus des Vaters, J 2, 16. Das übliche Hineinziehen des Tempels in die Eideskasuistik veranlaßt zwei weitere Ausführungen. Die eine Mt 23, 21 betont, daß der beim Tempel Schwörende bei Gott schwöre, weil dieser den Tempel bewohnt. Die andre Mt 23, 16 f geht sogar so weit, den Heiligkeitsbegriff derart auf den Tempel auszudehnen,
45 daß dieser (als Stätte der schekhina Gottes) alles, was an ihm ist, heiligt (ἁγιά-

σας), selbst den Goldschmuck. Hier wird also streng festgehalten an der Überzeugung von der sakramental verbürgten Gegenwart Gottes im Heiligtum. Dem
entspricht, daß die palästinische Christenheit vor 70, wie Mt 17, 24—27 sicher-
stellt, ihr duldsam-williges Verhalten in der Frage der T e m p e l s t e u e r [53] trotz
ihrer Überzeugung, sie sei frei von der Satzung (ἐλεύθεροί εἰσιν οἱ υἱοί), bei all
ihren Erörterungen über dies Problem [54] auf Jesu Beispiel gegründet hat.
Wenn es dabei auch nur heißt, es solle der Judenschaft kein Ärgernis gegeben werden, so zeigt doch gerade dies das bewußte Festhalten am gemeinsamen
Heiligtum.

3. So wird auch d e r A k t d e r T e m p e l r e i n i g u n g
Mk 11, 15—17; Mt 21, 12 f; Lk 19, 45 f; J 2, 14—17 [55] nicht als Abbruch des
Gottesdienstes, sondern als Reinigung des Kultes von profanierendem Schacher-
geist aufgefaßt. Daß diese im Vorhof der Heiden, auf dem Berg des Hauses
geschehende Tat auch diesem Distrikt die ganze Heiligkeit des ἱερόν zuerkennt,
das ist nicht zu übersehen. Der Protest geht gegen sadduzäische Mißwirtschaft
und bleibt trotz des gewaltsamen Durchgreifens in innerer Fühlung mit der
pharisäischen Auffassung des Heiligtums [56]. Allerdings liegt in dem heftigen
Eingreifen ein Anspruch der Vollmacht, jedoch nicht ein solcher, der über das
Prophetische hinausgeht. Prophetisch ist überall die Begründung, die nicht
nur Jer 7, 11 gegen die Gewinnsucht geltend macht, sondern bei Mk auch die
universale Hoffnung: der Tempel soll einmal allen Völkern Ort der Anbetung
sein (Js 56, 7 LXX vgl Js 2, 2 f). Auch das ist prophetische Auffassung, daß
dem Gebet (οἶκος προσευχῆς) vor allem Opferdienst der Vorrang gebührt, wenn
auch das Opfer damit nicht verneint ist. Dagegen versagt die Auffassung, es
liege hier ein revolutionäres Verhalten vor, schon darum, weil der Akt als solcher beim Prozeß Jesu keine Rolle spielt.

> Über die Auffassung des Ereignisses als prophetischer Protest geht diejenige hinaus,
> die hier eine b e w u ß t e m e s s i a n i s c h e D e m o n s t r a t i o n Jesu sieht [57]. Dem
> Messianischen der Handlung gab JoachJeremias [58] besondere Auslegung, indem er
> Tempelerneuerung und Inthronisation des Messias als apokalyptische Motivverknüpfung
> aufzuweisen suchte. Gegen Jeremias: Volz [59]. Am entschiedensten hat die reli-
> giös-politische Auffassung vertreten: REisler [60], der mit Berufung auf die slavischen
> Jos Tempelbesetzung und Angriff auf die Tempelbank annimmt. Doch jener [61] kennt
> keine Tempelreinigung als Tempelbesetzung. Es würde auch bei dieser Annahme
> unverständlich, daß die Römer nicht sofort eingriffen, ebenso, daß als Fortsetzung
> solchen Verhaltens irgendwelche politische Bestrebungen der Urchristenheit nicht
> wahrzunehmen sind.

4. Wenden wir uns den überlieferten Logia Jesu zu, die
neben das ehrwürdige Alte die absolute Neuerung stellen, so kommt zuerst in

---

[53] τὸ δίδραχμον: Jos Ant 18, 312; Bell 5, 187.
Vgl Schl Jos 92.
[54] So übereinstimmend Kl Mt, Schl Mt zSt;
Ders, Die Kirche des Mt (1929) 13 f; Bultmann Trad 235.
[55] Die Perikope steht in den Ev da, wo
Jesus zum erstenmal den Tempel betritt. Die
chronologische Frage ist schwerlich zu entscheiden.
[56] Dalman, Orte und Wege ³ 309. Klausner
433. Das Mk 11, 16 erwähnte Durchtragen
von Gefäßen häuslichen Bedarfs durch den

Vorhof, um den Weg zu kürzen, ist mehr eine
Profanation, die das Dekorum verletzt. Dies
Eingreifen wird nicht weniger den Beifall
der strengen Richtung gefunden haben. Vgl
Schl Mk zSt; Str-B II 27; Klausner 434 A 26.
[57] Meyer Ursprung I 162 f. Klausner 432.
[58] Jesus als Weltvollender (1930) 35 – 44.
[59] Esch 217 → 239, 27.
[60] Ἰησοῦς βασιλεύς II (1930).
[61] Vgl ABerendts, Die Zeugnisse vom
Christentum im slavischen De Bello Judaico
des Jos, TU NF 14, 4 (1906).

Betracht der maschal vom Abbrechen und Wiederaufbauen des Tempels → ναός: Mk 14, 57f; 15, 29f; Mt 26, 61; 27, 40; J 2, 18—22. Vgl Ag 6, 14. Er wird im Prozeß aufgegriffen und einseitig, als ein vom Gegner verstümmeltes Wort, auf den Abbruch durch Jesus selbst bezogen. Jesus wird
5 etwas gesagt haben, das in einem messianischen Sinne einem neuen Tempeldienst der Zukunft galt und die Aufhebung des Alten in der kommenden Heilszeit meinte. Er wird das ferner mit seiner Person in Verbindung gebracht haben. Das ist nicht nur im Blick auf die geschlossene Überlieferungskette wahrscheinlich, sondern auch angesichts der apokalyptischen Hintergründe der
10 hier nachweisbaren Vorstellung: äth Hen 90, 28f → 239, 18ff. Das Wort hat dann seine Bedeutung als nicht verwischte Spur davon, daß Jesus nicht allein die Heiligkeit des Kultes bejahte, sondern auch von der kommenden Zeit des Messias-Menschensohnes einen vollendeten Gottesdienst erhoffte[62]. So hat es auch Joh aufgefaßt. Er hat die Form: Brechet diesen Tempel ab. Dadurch wird
15 einmal jene Behauptung der falschen Zeugen abgewehrt, Jesus wolle den Abbruch selber vornehmen. Ferner ist damit die Deutung auf Jesu Leib gelenkt, den die Feinde töten können. Als Jesuswort wird festgehalten: In drei Tagen will ich ihn erstehen lassen. Joh bezieht das auf den Auferstehungsleib und sagt gleichzeitig, der mašal sei erst nach der Auferstehung den Jüngern leben-
20 dig geworden. Die Ausführung ist also ein Bekenntnis des urchristlichen Glaubens. Im weiteren Verfolg des Eindruckes J 1, 14 b: ἐσκήνωσεν ἐν ἡμῖν weiß die Gemeinde nach dem Untergang des Tempels zu bezeugen, daß sie am verherrlichten Christus selbst den eigentlichen Tempel besitzt. Daß Joh mit dieser christologischen Fassung des Wortes auch den Gedanken des neuen Gottes-
25 dienstes verband, ist durch J 4, 21—24 (vgl Apk 21, 22) sichergestellt[63]. Dagegen ist die Fassung verschieden von der sonst im apostolischen Wort vorfindlichen: der neue Tempel ist die neue Gemeinde[64] → 246, 32ff. Mit dieser Gegenüberstellung: der alte Tempel / der im Auferstandenen neugeschenkte Tempel ist verwandt das christologische Wort Mt 12, 6: λέγω δὲ ὑμῖν ὅτι τοῦ ἱεροῦ μεῖζόν
30 ἐστιν ὧδε[65]. Es ist ebenso wichtig als Niederschlag des Eindrucks, daß Jesu Selbstbezeugung den Tempelkult weit überragte, wie als Bekenntnis der palästinischen Christen, die nach der Zerstörung des Heiligtums aussagen, daß sie an Jesus mehr haben als am alten Kultus. Der innere Loslösungsprozeß der Urchristen hat sich hier schon vollzogen[66].

35   **5.** Ist im maschal das Abbrechen nicht gleichbedeutend mit Tempelzerstörung, so wird dagegen in der synoptischen Apk: Mk 13, 2f; Mt 24, 1f; Lk 21, 5f, dazu: Mk 13, 14; Mt 24, 15; Lk 21, 20 eine ausdrück-

---

[62] Mk hat 14, 58 den Gegensatz χειροποίητος und ἀχειροποίητος (irdisch und himmlisch). Der Gegensatz ist in diesem Sinne durch die Apokalyptik gesichert, vgl Wenschkewitz 98.

[63] Zu Joh 4 vgl aus der tannaitischen Periode: Str-B IV 936f (aw).

[64] So faßt das Wort Jeremias, Jesus als Weltvollender 39.

[65] Bei μεῖζον handelt es sich um Jesus

selbst (gegen Zn Mt zSt). Vgl zu dem μεῖζον das πλεῖον: 6, 25; 12, 41f.

[66] Die formgeschichtliche Kritik sieht hier mE mit Recht einen sekundären Schriftbeweis, der zum eigentlichen Streitgespräch hinzuwuchs. Bultmann Trad 51; MAlbertz, Die synpt Streitgespräche (1921) 10. Auch ASchlatter, Die Kirche des Mt (1929) 31f hat das Wort als Bekenntnis der Gemeinde gewertet, ohne es allerdingsSchl Mt 396 als Jesuswort zu bestreiten.

liche Weissagung der Zerstörung gegeben. Dies Gerichtswort setzt die alte Prophetie → 238, 42f fort. Die Vernichtung von Stadt und Tempel ist sowohl Zeichen des Gerichts wie Vorzeichen der Parusie. Ausgangspunkt ist das Staunen der Jünger vor der Tempelpracht[67]. Auch von Jesus ist Mk 11, 11 ein Beobachten des Tempels erwähnt. Aber seine Antwort auf jenes Staunen 5 (das einzige Wort über Baukunst, das ihm die Überlieferung in den Mund legt) ist allein die Voraussage grundstürzender Verwüstung. Er führt sie selber nicht herbei. Sie bricht herein. Das schmerzbewegte Wort aber macht der Gemeinde die Bahn frei für die Lösung vom ἱερόν[68].

Das βδέλυγμα τῆς ἐρημώσεως Da 12, 11 LXX → I 599, 5; 600, 29ff; II 657, 11f 10 hat ursprünglich den Sinn: ein Gegenstand des Abscheus (der Zeusaltar in der syrischen Zeit) bewirkt, daß die Tempelgemeinde das Heiligtum veröden läßt. Die Weissagung Daniels gilt nicht als in den Makkabäertagen erfüllt. Ihr Sinn wächst weiter. Der zunächst allgemein gehaltene Hinweis reizt zu besonderer Deutung. Lk denkt 21, 20 an die Heere. 2 Th 2, 3f an den Antichrist. Die 15 neue Verwendung des βδέλυγμα war wohl eine in der Christengemeinde aufbrechende Prophetie, vielleicht entstanden in der Zeit, als Caligulas Absicht laut wurde, sein Bild in den Tempel zu stellen[69].

6. Auch die jüngsten Schichten der evangelischen Tradition spiegeln gerade in ihrer Doppelseitigkeit die Haltung 20 der palästinischen Gemeinde wider, die beides kennt: angestammte Verehrung des Tempels und seine Überbietung durch Christus. Die Kindheitserzählung bei Lk bringt Weissagung aus dem Kreise von Tempelverehrern. Sie erfolgt bei Symeon und Hanna in der Begegnung mit dem Kinde, nach der Leitung des Geistes, an der alten Kultstätte: 2, 27. 37. Wir haben hier viel-25 leicht einen Niederschlag des Preises Jesu aus den Kreisen jener Christen in Jerusalem, denen gerade jenes Hineingestelltsein der neuen Offenbarung (τὸ σωτήριον 2, 30) an den Ort der alten Anbetung → 242, 14ff wichtig bleibt. In der Geschichte vom Zwölfjährigen 2, 46 wird die ehrfürchtige Stellung Jesu zum Tempelort schon beim Knaben aufgezeigt, wohl mit stiller Beziehung auf 30 sein späteres Zeugnis an dieser Stätte, denn hier steht schon beim Knaben das Wort, das man dort hören und erörtern kann, im Mittelpunkt. Ein wichtiges Merkmal: die Frömmigkeit, die diese Episode weitererzählt, legt auf das Wort im Tempel das Hauptgewicht. — Zwei andere Züge der Passionsgeschichte sprechen als Spuren der Überzeugung, daß Jesu Tod eine Umwandlung des 35 Kultus anbahnt. Die in den Tempel geworfenen Silberlinge des Judas Mt 27, 5 besagen, daß das Heiligtum durch Jesu Tod dauernd befleckt ist. Als ganz bewußte Symbolsprache wird das Zerreißen des Tempelvorhangs beim Tode Jesu aufzufassen sein: Mk 15, 38; Mt 27, 51; Lk 23, 45: den Zugang zur Gegenwart Gottes bahnt jetzt Christi Tod und nicht mehr der alte Gottesdienst[70]. 40

---

[67] Vgl Sukka 51 bBar; BB 4a bei Str-B I 944 und die Übertreibungen des Jos: Schl Mt 694.
[68] Wörtlich erfüllt hat sich die Voraussage am ναός. Die Umfassungsmauer des haram eschscherif, des Tempelbezirks, steht noch heute.

[69] Vgl Schl Mt 706; Gesch d Chr 479 A 1.
[70] Vgl Kl Mk zSt; Hb 10, 20; Hieronymus ep 18 ad Damasum: aditum ad deum ipsum per Christi mortem apertum significare videtur.

II. Die Stellung der übrigen Schriften des NT zu dem Tempel als τὸ ἱερόν.

1. In der Apostelgeschichte begegnet zunächst jene tempelfreundliche Haltung, wie sie uns bei Jesus entgegentrat. Die Apostel gehen zum Gebet in den Tempel: wie Lk 24, 52f, so auch Ag 2, 46; 3, 1—10. Weder Kreuzigung noch Pfingsterlebnis bringt hier einen Wandel. Paulus hat dort nach 22, 17 betend eine Offenbarung des Erhöhten[71]. Die Apostel lehren, wie Jesus, im Tempel: Ag 5, 12. 20f. 25. 42. Paulus bringt dort die Opfer der Ausweihefeier des Nasiräates dar, womit er den Tempelkult achtet: 21, 26; 24, 6. 12. 18; 25, 8; 26, 21[72]. Er wird im Zusammenhang damit fälschlich der Profanation dês Tempels angeklagt → 233, 42. In welcher Beziehung er stand zu der tempelfreien, den Kult radikal ablehnenden Stellung eines Stephanus, ist weder aus seinen Briefen noch aus der Ag zu entnehmen. Der Grund ist wohl eine noch nicht abgeschlossene Trennung. An diesem Punkte wird sich die Loslösung von der israelitischen Volksgemeinde am langsamsten vollzogen haben. Belanglos ist es aber nicht, daß gerade im hellenistischen Teil der Gemeinde die grundsätzliche Herausstellung des Unwertes nicht nur des Gesetzes, sondern auch des Tempels sich zuerst anmeldet: Ag 6, 13f und Anlaß zur Anklage wird. Die dem falschen Zeugnis im Prozeß Jesu verwandte Formulierung: Jesus, der Nazoräer, wird diese Stätte zerstören (Lk hat dort das Wort unterdrückt und bringt es hier) wird allerdings in 7, 44—50 so klargestellt: Stephanus meinte das im Sinne von Js 66, 1f: der Höchste wohnt nicht ἐν χειροποιήτοις[73]. Ist diese Verknüpfung mit dem Prophetenwort wichtig, so ist doch auch der Anklang an ähnliche Sätze der Stoa bei einem Hellenisten nicht zufällig. Die at.liche Aussage begegnet dem, was er stimmungsmäßig aus seiner Bildung mitbringt. Dagegen bezieht sich das in der Areopagrede des Paulus Ag 17, 24 wiederholte Thema (οὐκ ἐν χειροποιήτοις ναοῖς κατοικεῖ), dazu der an die Stoa erinnernde Satz: οὐδὲ ... προσδεόμενός τινος auf den heidnischen Kult.

2. Bei allen übrigen Worten des NT, die von der neuen Bedeutung des Tempels handeln, die zumal das Tempelbild benutzen zur Bezeichnung für die im Christus gegebene neue Gottesbeziehung und es übertragen auf die Gemeinde, wird mehr an → ναός, im Hb an τὰ ἅγια → ἅγιος angeknüpft, statt an ἱερόν. Das ist wieder bezeichnend für die Wertung des Wortes, denn ναός und τὰ ἅγια sind im Gegensatz dazu LXX-Ausdrücke. Für alle diese Äußerungen ist wesentlich und grundlegend die Überzeugung, daß die neue universale Gemeinde selber die alten Prädikate: Volk, Tempel, Priestertum und Stadt erhält. Dies verbindet sich mit ihrer Missionsaufgabe. Die ersten drei Begriffe zusammen, übertragen auf sie, begegnen 1 Pt 2, 4—10.

---

[71] Der Bericht macht freilich Schwierigkeiten im Blick auf Gl 1, 22.

[72] Vgl Str-B III 755—761. Die 1 K 9, 19—21 beschriebene Grundhaltung erläutert diese Handlungsweise, die nicht einfach durch die Formel „Politiker" (Meyer Ursprung III 71, 479) zu erledigen ist. Auch beim Verzicht auf den Kultus als Heilsweg bleibt das Festhalten am Tempel Treue zum angestammten Judentum.

[73] Vgl Js 21, 9; Jdt 8, 18; Bel Θ 5: von heidnischen Götzen. Hb 9, 24 χειροποίητα ἅγια vom at.lichen Tempel. Zum Ganzen: Wenschkewitz 49—67.

Hier steht das Tempelbild → οἶκος in Verbindung mit dem lebendigen Stein, Christus[74]. Daß die Gemeinde selbst der Tempel ist (→ ναός), ist Allgemeingut des nt.lichen Zeugnisses: 1 K 3, 9. 16 f vgl 6, 19 f (der Leib); 2 K 6, 16 f; Eph 2, 19—22. Die Gemeinde als Tempel ist erst seit Paulus sicher nachweisbar. Die stoische Verwendung des Tempelbildes mag formal Einfluß geübt haben[75]. Dagegen ist οἶκος θεοῦ im Sinne von Haushalt, familia dei gebraucht: 1 Tm 3, 15; 1 Pt 4, 17; Hb 3, 6; 10, 21.

3. In den Bildern der Apk nimmt die Übertragung des Tempelbildes auf die Gemeinde, verbunden mit völliger Lösung vom irdischen Heiligtum, eine besondere Gestalt an, → ναός. Die Überwinder werden Säulen im Tempel Gottes. Auf ihnen ist geschrieben der Name des neuen Jerusalem: 3, 12. Es wird nicht mehr wie im alten Rabbinat geschieden zwischen dem unteren und oberen Jerusalem. Es gibt nur noch das obere, das herabkommt: 3, 12; 21, 2. Nun aber nicht mehr in national-eschatologischem Sinne wie im 4 Esr und den jüngeren Midraschim, sondern als die universale, vollendete Stadt[76]. Der Tempel ist ewige Throngegenwart Gottes: 7, 15; 11, 19; 14, 15. 17; 15, 5 f. 8; 16, 1. 17[77]. Diese Umbildung enthält die heilsgeschichtliche Überzeugung, daß Thron und Offenbarungsstätte eins geworden sind. Dem würde allerdings Apk 11, 1 ff widersprechen, wenn da gesagt wäre, daß das irdische Heiligtum unantastbar bleibe und nur der äußere Vorhof den Heiden preisgegeben sei. Aber der Tempel bedeutet hier wohl im Bilde die Gemeinde, die nach Zerfall des irdischen Heiligtums durch Jesus Tempel wird[78]. In der Vollendung aber gibt es überhaupt keinen Tempel mehr: 21, 22: ὁ γὰρ κύριος ὁ θεὸς ὁ παντοκράτωρ ναὸς αὐτῆς ἐστιν καὶ τὸ ἀρνίον[79]. → ναός.

† ἱερωσύνη

1. ἱερωσύνη ist aus ἱερεωσύνη (attisch) (zB Ditt Syll³ 1068, 22: τοῦ Ἑρμοῦ) von ἱερεύς durch Übergang von ε in Halbvokal und nachherigen Schwund entstanden[1].

ἱερωσύνη ist abstrakter als das spätgriechische ἱερατεία. Es kann bedeuten *Priestertum, -amt, -würde*, seltener: *-dienst*.

a. Hdt III 142: ἱερωσύνην Διός, IV 161 als *Einkommen, Pfründe des Priesters*. Selten bei Plat, Demosth. Aristot Pol VII 8 p 1329 a 34: τὰς ἱερωσύνας. Diod S I 73, 5: *Priesterdienst;* I 88, 2: Plur: πατρικὰς ἱερωσύνας vom ererbten *Priestertum* vgl V 58, 2. Plut, De Numa 14, 1 (I 69 b) von gestifteten *Priesterschaften*, Plur: Appian Bell Civ II 132; V 72. 131: ἡ μεγίστη ἱερωσύνη für den *pontificatus maximus* des Kaisers. Ägypten: Heliodor Aeth VII 8. Inschriftlich für *Priesteramt*, 3 u 2 Jhdt v Chr: EMichel, Recueil d'Inscriptions Grecques I (1900) 977, 13; 981, 7; 704, 15; Ditt Or I 56, 23; Inschr Priene 174, 2. 3 Jhdt n Chr: Inschr Priene 205, 2. Astrologisch: Class Philol 22 (1927) 14, Z 34: ἀρχὰς ἱερωσύνας. — *b.* Nur einmal steht es im alttestamentlichen Ka-

---

[74] Vgl Jeremias, Golgotha 85: Die Symbolsprache des kosmischen Felsens.
[75] Vgl Wenschkewitz 100 ff, 116. → λατρεία (R 12, 1).
[76] Vgl ASchlatter, Das AT in der joh Apk (1912) 29 f. Str-B III 796.
[77] Vgl Hb 9, 1. 12. 24. Dazu 8, 2; 9, 12 f.
[78] Vgl Loh Apk zSt; Schlatter, Das AT in der joh Apk 81; Ders, Gesch d erst Chr 336 f.
[79] Dazu Str-B III 852, IV 884; Wenschkewitz 155.

ἱερωσύνη. DMagie, De Romanorum Juris Publici Sacrique Vocabulis Sollemnibus in Graecum Sermonem Conversis (1905) Regist; ESchweizer, Grammatik der Pergamenischen Inschriften (1898) 93 A; FPoland, Geschichte des Griechischen Vereinswesens (1909) 347**.
[1] Vgl Schweizer, Grammatik 93 A, dort viele Belege. Mayser I 15, 154. Zu ἱερωσύνη statt ἱερωσύνη vgl Schweizer aaO 102.

non, LXX: 1 Ch 29, 22 für das Priesteramt des Zadok (HT konkret: כֹּהֵן). Mehrfach
aber in den Apkr: 1 Eσδρ 5, 38. Sir 45, 24: ἱερωσύνης μεγαλεῖον, Hohepriestertum.
1 Makk 2, 54; 3, 49: Gewänder des Priesteramts; 7, 9 vom Amte des Hohepriesters.
Vgl 7, 21; 4 Makk 5, 35; 7, 6. In Test XII: Test L 8, 13; 9, 7; 14, 7; 16, 1; 17, 1—3;
18, 1. 9. — c. Bei Josephus Ant 2, 216 vom Priesteramt des Aaron. Aber auch vom
Baalsdienst: Ant 9, 154. Vom Hohepriesteramt: Ant 5, 350; 15, 36. 56; 16, 187; 17, 341.
Doch ist die allgemeine Bedeutung: *Priesterwürde* überall die Grundlage. Jos selber,
mit dem Königsgeschlecht der Hasmonäer verwandt, hat τὴν ἱερωσύνην: Ant 16, 187;
Vit 198. Er betont die hohe Schätzung der Priesterwürde in seinem Volk: Vit 1;
Ap 1, 31. — d. Auch Philo braucht das Wort häufig für *Amt, Würde des Priesters*, oft
geradezu für *Priestertum*: Abr 98; Leg All III 242; Plant 63; Vit Mos I 304; II 71.
Im Sinne der *priesterlichen Tätigkeit* (wofür sonst ἱερουργία: Vit Mos II 174): Vit Mos
II 66. Ebd II 5 steht statt ἀρχιερωσύνη: ἡ πρώτη ἱερωσύνη. Auch er hebt hervor,
daß dies Amt die höchste Ehre bedeute: Ebr 65. 126; Sacr AC 132. Am Passah gilt
von der ganzen Gemeinde Spec Leg II 145: ἱερωσύνης ἀξιώματι τετιμημένοι.

2. Im NT steht es nur Hb 7, 11 f. 24. Das levitische
Priestertum hat keine τελείωσις zustande gebracht. Darum erfolgt eine Umwandlung der ἱερωσύνη: Christus wird zum Priester nach der Ordnung Melchisedeks eingesetzt. Weil er in Ewigkeit bleibt, hat er das Priestertum als
ἀπαράβατον inne. Hier geht es ganz und gar um den Charakter der Institution, nicht um die Einzelwürde → ἀρχιερεύς.

Während 1 Cl 43, 2 von der ἱερωσύνη des Stammes Levi redet, wofür sich Moses
Eifer einsetzt, braucht es Athenag Suppl 28, 3 vom heidnischen Priesteramt. Orig
Comm in Joh I 28, 191 wie Hb vom Priestertum Christi, das neben sein
Königtum: βασιλεία gestellt wird. Von der Hoheit des christlichen Priester- und
Bischofsamtes, dessen Würde die der Könige und sogar der Engel überragt, dessen
Vollmacht im eucharistischen Opfer gipfelt, das eine Mittlerschaft zwischen Gott und
der Menschheit bedeutet, handelt Chrys in περὶ ἱερωσύνης MPG 47, 623—692.

† *ἱερατεύω*

1. ἱερατεύω (jonisch ἱερητεύω, lesbisch ἱρητεύω) ist gebildet nach
einem nicht begegnenden Verbaladjektiv ἱερατός von ἱεράομαι und bedeutet: *des Priesteramtes walten*. Hesych: Verbum Alexandrinum est et Macedonicum: *sacerdotio fungi*.
Graecis hoc veteribus dicebatur ἱεράσθαι [1].

a. Es findet sich erst in der Koine und dann bei den späteren wie Herodian, Heliodor [2], in Inschriften [3] schon 4/3 Jhdt v Chr: Ditt Syll [3] 1044, 19, im 2 Jhdt v Chr:
Inschr Magn 178, 6. Das einzige Beispiel in Pap scheint zu sein: PGieß I 11, 10
(118 n Chr): ἱερατεύειν. — *b.* Auch in der Septuaginta hat es Eingang gefunden.
Entgegen der Abneigung ἱερός gegenüber → 225, 47 ff wird dieser heidnische term
techn nicht verschmäht, weil er einfach das unentbehrliche ἱερεύς in verbaler Ausführung wiedergibt. Einmal wird es gebraucht als Übersetzung von כֹּהֵן pi, am meisten
in Ex: zB 28, 1—4; 40, 15, auch in Lv, Nu, Dt, zB Lv 16, 32; Nu 3, 4; Dt 10, 6; vgl
1 Ch 5, 36; Hos 4, 6; Ez 44, 13; Sir 45, 15. Sodann für כֹּהֵן kal: 1 Bασ 2, 28; 2 Ch
31, 19. Endlich für כְּהֻנָּה: Nu 16, 10. Vgl Js 61, 10 ʼΑ. — *c.* In den Apokryphen:
1 Eσδρ 5, 39; 8, 45; 1 Makk 7, 5. — *d.* Wiederum wie → ἱερωσύνη Z 4 in Test XII
L 8, 10; 12, 5. Auch Josephus verwendet es: Ant 3, 189; 15, 253; 20, 242. Bei
Philo fehlt es.

ἱερατεύω. AThumb, Die griech Sprache im
Zeitalter des Hellenismus (1889) 68; HAnz, Sub-
sidia (Diss Halle 1894) 370 f; Deißmann B 215 f;
Deißmann NB 42 f; ESchweizer, Grammatik
der Pergamenischen Inschriften (1898) 39 f;
EFraenkel, Griechische Denominativa (1906)
218; FPoland, Geschichte des griechischen
Vereinswesens (1909) 347**; JRouffiac, Recherches sur les Caractères du Grec dans le
NT d'après les Inscriptions de Priène (1911)
66 f.
[1] ἱεράσθαι nach Suid, Phot Lex, Hesych

= ἱερουργεῖν „Priester sein“. Vgl Schweizer
39 f. — Pap: Preisigke Wört III 373. — Josephus braucht es gern für das Ausüben des
priesterlichen Dienstes: Ant 5, 354; Bell 6,
438. Darum heißt uU der Priester: ὁ ἱερασά-
μενος: Ant 4, 23. 28. Philo hat den gleichen
Gebrauch: Vit Mos I 149 uö. Doch sagt er
für den zum Priester Geweihten mit Vorliebe:
ὁ ἱερώμενος, zumal in der allegorischen Verwendung: Leg All III 125; Poster C 184.
[2] Vgl Pr-Bauer sv.
[3] Vgl Deißmann NB 43; Schweizer 39 f.

2. Die einzige Stelle des NT: Lk 1, 8 ist durch den LXX-Gebrauch bestimmt. Sie handelt von der Verrichtung des Priesterdienstes durch Zacharias, der ihm obliegt nach der Ordnung seiner Abteilung.

S p ä t e r e : 1 Cl 43, 4 neben λειτουργεῖν vom Priesterdienst des Stammes Levi; Just Apol I 62, 2 vom heidnischen Priester; Eus Dem Ev IV 15, 16—15, 18: τῷ θεῷ ἱερατεύεσθαι. 5

† *ἱεράτευμα*

Nach dem Stande heutiger Kenntnis kommt ἱεράτευμα nur in LXX und in von ihr abhängigem Schrifttum vor. Die griechische Bibel wagt diese Bildung in der grundlegenden Ausführung über die Offenbarung am Sinai, Ex 19, 6: ὑμεῖς δὲ ἔσεσθέ μοι βασίλειον ἱεράτευμα καὶ ἔθνος ἅγιον, ebenso in 10 Ex 23, 22.

1. D e r h e b r ä i s c h e T e x t [1] heißt: מַמְלֶכֶת כֹּהֲנִים, *König- reich von Priestern*. Ex 19, 1 ff ist deutlich nicht aus einer einzigen Quelle, denn es weist mehrere Fugen und einen Wechsel im Sprachgebrauch auf. Es scheint ein Stück der jahwistischen Redaktion JE zu sein. Der Hauptstrang 15 ist jahwistisch, doch finden sich auch deutliche Spuren des Elohisten, so v 3: בֵּית יַעֲקֹב für Israel. Von der Priesterschrift fehlt jede Spur. So wird מַמְלֶכֶת כֹּהֲנִים aus E sein. Solche theologisierenden Ausdrücke sind dem Jahwisten fremd, während der Elohist zB auch Abraham einen Propheten nennt: Gn 20, 7. Dann stammt der Ausdruck „Königreich von Priestern" aus einer Epoche, in der er 20 wohl bedeuten kann, daß a l l e G l i e d e r d e s V o l k e s I s r a e l P r i e s t e r s e i n s o l l e n , *ein Königreich, das aus Priestern besteht.* So wird auch beim Elohisten eine allgemeine Geistausgießung wenigstens für möglich gehalten: Nu 11, 29 [2].

Vgl später Js 61, 6, wo aber an das Verhältnis Israels zu den Völkern gedacht ist. Die Worte bedeuten dann also n i c h t : ein Königreich, das durch das Priestertum 25 repräsentiert ist, eine Hierokratie [3], was in der Linie der Priesterschrift und des Ezechiel läge.

2. D i e Ü b e r s e t z u n g d e r L X X ist erstaunlich frei. Σ und Θ, ebenso b (108) haben wörtlich wiedergegeben: βασιλεί(α) ἱερῶν, Ἀ: regnum sacerdotum. Dagegen löst die Syrohexapla auf: „regnum sacerdotes", auch die Peschitto: βασιλεία 30 καὶ ἱερεῖς [4] vgl Apk 1, 6; 5, 10. Tg O und J II setzen nebeneinander: „Könige, Priester" vgl Tg J I: „Könige, mit einer Krone geschmückt, und diensttuende Priester" [5]. Dieser Zweig der Überlieferung beeinflußt Apk → ἱερεύς bei Apk 1, 6. βασίλειον ἱεράτευμα hebt stärker als HT das Priesterliche heraus und zwar nicht nur die ein- zelnen Priester, sondern die Priesterschaft als Korporation, denn so wird in Analogie 35 zu τεχνίτευμα Gilde von Künstlern: Ditt Or I 51 zu übersetzen sein [6]. βασίλειον drückt die Zugehörigkeit zum König aus, doch so, daß nach dieser adjektivischen Bestim- mung nun aller Nachdruck fällt auf die Priestergemeinschaft. So wird ἱεράτευμα zum Hauptbegriff. Keineswegs ist mit βασίλειον (dem Großkönig zugehörig) gemeint, daß sie alle Könige sind. Dies begegnet erst in jener durch die Tg repräsentierten Text- 40 verwertung, die ein Niederschlag hin- und herwendender Auslegung der Synagoge zu sein scheint → ἱερεύς.

ἱεράτευμα. [1] Vgl EKönig, Theologie des AT (1923) 91 A 1 ; WEichrodt, Theologie des AT I (1933) 9 A 5. Z 13—23 sind Hinweise von LKöhler (Zürich) verwertet.
[2] Man könnte auch in anderer Weise eine Einordnung vollziehen, indem man den Aus- druck „Königreich von Priestern" mit der deuteronomischen Theologie vergleicht, der- zufolge das g a n z e Israel עַם קָדוֹשׁ ist (Dt 7, 6; 14, 2. 21; 26, 19; 28, 9); etwa auch mit der ältesten Schicht der Korachgeschichte

dh mit der rebellierenden Parole כָּל־הָעֵדָה כֻּלָּם קְדֹשִׁים Nu 16, 3 [vRad].
[3] Vgl HHolzinger im Komm (1900) zu Ex 19, 1 ff. Diese Auffassung: priesterliches Kö- nigtum scheint Jub 16, 18 vorzuliegen, was dem Geist der Makkabäerzeit entspricht.
[4] Vgl AEBrooke-NMcLean, The Old Testa- ment in Greek (1909) zSt.
[5] Vgl Str-B III 789.
[6] Moult-Mill zSt.

3. 2 Makk 2, 17 wird in einem Schreiben der Juden in Jerusalem an die in Ägypten eine Aussage gemacht über das, was Gott dem jüdischen Volke verliehen hat: ὁ δὲ θεὸς ὁ σώσας τὸν πάντα λαὸν αὐτοῦ καὶ ἀποδοὺς τὴν κληρονομίαν πᾶσιν καὶ τὸ βασίλειον καὶ τὸ ἱεράτευμα καὶ τὸν ἁγιασμόν . . . Hier ist ganz offenbar Bezug genommen auf Ex 19, 6, denn wir begegnen den dort vorliegenden Grundbegriffen: λαός (v 5), βασίλειον, ἱεράτευμα, ἁγιασμός (= ἔθνος ἅγιον). Auffallend ist wieder die Trennung von βασίλειον und ἱεράτευμα, die → 249, 30 ff auf einen anderen als den LXX-Text zurückgeht. βασίλειον, das Königspalast heißt, paßt in diesem Sinne hier nicht. Wohl aber in der Bedeutung Königsdiadem, Königswürde. Eine andere Übersetzung ist unmöglich. Dann muß aber ἱεράτευμα entsprechend Priesterwürde heißen. Jedenfalls nicht wie LXX: Priesterschaft. ἁγιασμός = Weihe deutet auf den Tempeldienst. Wir haben hier eine neue Spur davon, wie man die einzelnen Worte von Ex 19, 6 im synagogalen Gebrauch hin und her wandte und sie jedes für sich dazu benutzte, die Israel verliehenen Würden zu beschreiben. Auch hier ist ἱεράτευμα eine dem ganzen Volk zukommende Qualität.

Auch bei Philo Abr 56; Sobr 66 treffen wir in Zitaten die Trennung der Begriffe βασίλειον καὶ ἱεράτευμα (θεοῦ). βασίλειον wird als Königsresidenz gefaßt, was ja auch, wenn es selbständig steht, korrekte Übersetzung ist. Abr 56 wird aber nicht wie Sobr 66 ausdrücklich Gebrauch von dieser Deutung gemacht. Eine klare Begriffsbestimmung für ἱεράτευμα ergeben die Philostellen nicht. Aber dies ist klar: es muß ihm ein griechischer Text vorgelegen haben, der nicht wie LXX βασίλειον ἱεράτευμα lautete, sondern der in der Linie jener Überlieferung lag (Syrohexapla, Peschitto, Tg O), die auch 2 Makk 2, 17 bestimmte. — Jos braucht ἱεράτευμα nicht.

In MEx 19, 6 (71 a) gibt die Stelle Anlaß zu Reflexionen über die friedliche Art der jüdischen Weltherrschaft: „Wenn zu Fürsten, dann vielleicht zu Handelsfürsten?" Zumal das Wort Priester wird dazu verwandt, um dem unterdrückenden Königtum gegenüber den Friedenscharakter dieses israelitischen Königtums zu betonen[7].

4. 1 Pt 2, 5. 9. Das Besondere des ganzen Abschnitts 1 Pt 2, 1—10 liegt in der folgerichtigen Übertragung der Prädikate des Heils und der Würde Israels: Eigentumsvolk, Tempel, Priesterschaft (mit Opferdienst) auf die heidenchristliche Gemeinde. Sie wird erbaut auf dem lebendigen Stein Christus zu lebendigen Steinen, zu einem οἶκος πνευματικός dh geistlichen Tempelhaus, εἰς ἱεράτευμα ἅγιον. Das Letzte muß hier heißen: *gottgeweihte Priesterschaft*. Fragt man nach der Bestimmung des Priesterlichen, so ist ausdrücklich genannt die Darbringung des pneumatischen Opfers durch die Gemeinde. Als eine pneumatisch opfernde ist sie ἱεράτευμα. Und sie opfert Gott durch Jesus Christus. Schon bei der Verwendung des Tempelbildes ist charakteristisch das Durchbrechen der starren Unlebendigkeit des Bildes durch die Vermischung mit dem Bilde vom Leibe. Die Gemeinde ist eine durch den Geist lebendige, sich stetig durch Wachstum auferbauende. Bei ἱεράτευμα aber haben wir zurückzugreifen auf die LXX-Bedeutung: *Priesterkorporation*. Indem mit dem Wortlaut von Ex 19, 6 Ernst gemacht wird, ist gewiß gleichzeitig daran gedacht, daß die Gemeinde als Priesterschar „unmittelbar zu Gott" ist. Nur daß diese Wahrheit, die Ex 19 wie ein erstaunlicher Blitz aufleuchtet, hier als Erfüllung durch Christus der heidenchristlichen Gemeinde zugesprochen wird. Steht sonst der Priester dem Volk gegenüber, so wird hier das ganze neue Volk Gottes zur Priestergemeinschaft. βασίλειον bezeichnet, getreu dem LXX-Sinn, die Königs-Zugehörigkeit[8]. Die Priesterschaft dient dem König und hat, da sie zu ihm gehört, an seiner Herrlichkeit teil. In der Fortführung v 9 ist vom

---

[7] Vgl Str-B III 789. Die spärlichen Belege scheinen zu dem Schluß zu berechtigen, daß die Auslegung von Ex 19, 6 keinen merklichen Niederschlag gezeitigt hat. Vgl Wenschkewitz aaO 43 f.

[8] Die Verwendung in der Apk → ἱερεύς: lauter Könige, ist nicht mit unserer Stelle zu vermischen. So ThSpörri, Der Gemeindegedanke im 1 Pt (1925) 36.

Verkündigen die Rede. Dadurch wird deutlich, daß alle genannten Bestimmungen, also auch die in ἱεράτευμα liegende, nicht etwa nur, wie es oft im gemeinchristlichen Gebrauch der Stelle geschieht, als „allgemeines Priestertum" allein auf die innerchristliche Gemeinschaft beschränkt werden, sondern im Sinne von Js 61, 6 (vgl v 9) als Zeugnisdienst für die Menschheit gemeint sind[9].   5

† ἱερατεία (-ία)

1. Es handelt sich wieder um ein Wort, das mit der Sphäre des ἱερεύς zusammenhängt. Nur daraus ist seine Verwendung in LXX verständlich, trotz der sonstigen Abneigung gegen ἱερός. Es kommt von ἱερατεύω. Es ist (freilich erst in der Spätgräzität häufiger verwendet, doch vgl 10 auch Aristot → unten Z 14ff) ein Lückenbüßer, denn es ersetzt das im Griechischen fehlende Wort für *Priesterstand, -amt, -dienst* (sonst etwa ausgedrückt durch ἡ ἱερατική oder vereinzelt: ἱερωσύνη → 247, 30ff).

a. Bei Aristot Pol 7, 8 p 1328 b 12 f ist ἡ περὶ τὸ θεῖον ἐπιμέλεια, ἣν καλοῦσιν ἱερατείαν: *die priesterliche Verrichtung, Beschäftigungsweise* (ἔργον), die als Fünftes und doch 15 Erstes zu einem Staatswesen gehört. Hat das Wort hier in der Tat die Bezeichnung des „tätigen Dienstes"[1], so ist doch diese Färbung sonst durchaus nicht durchgehend feststellbar. In der Schriftstellerei findet es sich überhaupt wenig. Erwähnt sei etwa Dion Hal II 73; Dio C 55, 22: ἡ τῆς Ἑστίας ἱερατεία = *sacerdotium Vestae*. Häufiger begegnet es in Inschriften. Schon im 4 Jhdt v Chr: Inschr Priene 139, 7: περὶ τῆς 20 ἱερατείης τοῦ Διός. 3 und 2 Jhdt v Chr: Ditt Syll[3] 1014, 14; 1015, 5: ὁ πριάμενος τὴν ἱερατείαν τῆς Ἀρτέμιδος. Es bedeutet hier immer *Priesteramt*[2] Pap im 2 Jhdt n Chr: PTebt II 298, 14; PGieß I 23, 19. — b. In LXX schillert der Ausdruck zwischen *Priesteramt* und *Priesterdienst*. Auch kann man es uU mit *Priestertum* übersetzen. Meist für כְּהֻנָּה. Ex 29, 9 die Kleidung, Ex 40, 15 die Salbung ist Ausdruck für das 25 Amt. — Nu 3, 10; 18, 1. — Nu 25, 13: διαθήκη ἱερατείας. Es ist Jos 18, 7 Erbbesitz der Leviten. 1 Βασ 2, 36: es bringt als Amt Brot. — 2 Εσδρ 2, 62; Neh 13, 29. — In Apkr nur Sir 45, 7: ἱερατείαν λαοῦ. Für Infinitiv pi vgl כהן: Ex 35, 19; 39, 18: Kleider für den priesterlichen Dienst. — Für אֵפוֹד: Hos 3, 4 neben θυσιαστήριον. Priesteramt bedeutet es auch Test L 5, 2 (vgl Test Iss 5, 7); 8, 2. 9 f. 14. Doch 30 wiederum „Priestertum": Test Jud 21, 2. 4: dieses überragt das „Königtum"[3]. Jos und Philo haben das Wort nicht.

2. Lk 1, 9 ist die Rede vom *Brauch des Priesterdienstes*. Er wird hier näher bestimmt als die Obliegenheit des Räucherns. Dagegen hat man Hb 7, 5 zu übersetzen: die, welche aus den Söhnen Levis das *Priester*- 35 *amt* empfangen[4].

† ἱερουργέω

1. ἱερουργέω, abzuleiten von ἱερουργός, dem Kompositum aus ἱερός und einem nur als Hinterglied verwendeten -εργός, vgl κακοῦργος, δημιουργός (zum

---

Orig Comm in Joh X 39, 266; XIII 13, 84 hat 1 Pt 2 zitiert. Zu der Verwendung des Begriffes ἱεράτευμα in der christlichen Kirche vgl RE[3] 16, 47—52. HBehm, Der Begriff des allgemeinen Priestertums (1912); AvHarnack, Entstehung und Entwicklung der Kirchenverfassung und des Kirchenrechts in den zwei ersten Jahrhunderten (1910) 81 ff; RGG[2] IV 1492 f.

ἱερατεία. DMagie (→ 221 LitA) Regist; FPoland, Geschichte des griech Vereinswesens (1909) 347 **.

[1] Moult-Mill sv.
[2] Für die Kaiserzeit vgl Schweizer (→ 248 Lit A) 39 (jonische Form: ἱερητεία).
[3] Vgl ESchnapp, Die Testamente der zwölf Patriarchen (1884) 45.
[4] Cl Al Fr 61 (III p 227, 28 Stählin) neben θυσία. Orig Princ IV 1, 3 (p 297, 11 f Koetschau) neben θυσιαστήριον.

ἱερουργέω. CFAFritzsche, Pauli ad Romanos Epistola III (1843) 256—258; CLWGrimm, Kurzgefaßtes exegetisches Handbuch zu den Apkr (1857) 329 f zu 4 Makk 7, 8.

Verb vgl θαυματουργέω, κακουργέω usw), ist ein spätgriechisches Wort und heißt: *sacris operari, sacras res tractare, heiligen Dienst, zumal Opferdienst, verrichten.*

    a. Herodian Hist V 5, 6; V 6, 1. Bei Plut Alex 31, 4 (I 683 b) medial: ἱερουργίας τινὰς ἀποῤῥή-
τους ἱερουργούμενος wird wie R 15, 16 ein Objekt zum Verb gesetzt, ebenso CIG Addenda zu
4528 (III p 1175 Boeckh): ἱερούργησε τὴν κλείνην = lectisternium fecit, vom Herrichten der
Göttermahlzeit, wobei ihre Bilder auf Kissen gelegt und ihnen Speisen vorgesetzt werden.
Noch mehr aber ist der Redeweise in R 15, 16 verwandt die vl[1] 4 Makk 7, 8: τοὺς
ἱερουργοῦντας (statt δημιουργοῦντας) τὸν νόμον: Priesterdienst am Gesetz verrichten, dadurch nämlich, daß man mit eigenem Blut und edlem Schweiß dieses gegen die Affekte
bis in den Tod beschirmt[2]. Hier heißt also ἱερουργεῖν τι: etwas priesterlich verwalten.
— *b.* J o s e p h u s und P h i l o zeigen einen solchen Gebrauch nicht. Bei ihnen ist ἱερουργεῖν
einhellig: *Opfer darbringen.* Es tritt oft auf ohne Objekt: Jos Ant 7, 333; 14, 65;
17, 166; Bell 5, 14. 16; Philo Cher 96; Ebr 138; Migr Abr 98; Plant 164. Gern, besonders bei Jos, erscheint es als partizipiale Näherbestimmung: Jos Ant 3, 237; 11, 110;
14, 67; Philo Abr 198. Hat es ein Objekt bei sich, so wird regelmäßig dadurch ausgedrückt, *was* geopfert wird: Ant 5, 263: τί, 6, 102: εὐχὰς καὶ θυσίας, 9, 43: τῶν υἱῶν
τὸν πρεσβύτατον. Philo, Conf Ling 124: τὰ πρωτότοκα, Migr Abr 67: θυσίας, 140: υἱόν;
Som II 72: ψυχήν υö. Passiv: Leg All III 130; Spec Leg I 254; Migr Abr 202. —
c. Auch ἱερουργία wird für *Opfer* verwandt: Plat Leg VI 774 e Einweihungsopfer zu den
Hochzeiten. J o s e p h u s und P h i l o brauchen es sehr viel: Jos Ant 1, 225. 231 (neben
Gebet). 236; 4, 37. Auch ἱερούργημα begegnet als Opferhandlung: Ant 8, 123. ἱερουρ-
γία bei Philo: Abr 170; Ebr 130; Spec Leg I 162. Mit ἐπιτελεῖν: PTebt II 292, 20 f. —
Orig Orat 11, 1 von Raphaels Gebetsopfer. — Aber es steht auch allgemeiner für *Kult,
Gottesdienst*: Hdt V 83; 4 Makk 3, 20 ŠR: Tempeldienst; Jos Ant 3, 150; Bell 6, 389;
Philo Plant 107; Eus Dem Ev I 8, 2. Neben θυσίαι als der umfassendere Ausdruck:
Jos Ant 8, 105; Philo Spec Leg I 21; Vit Mos II 73. Von der Beschneidung: PTebt
I 293, 20 (2 Jhdt n Chr). Von den μυστικαὶ ἱερουργίαι: Eus Vit Const IV 45, 2.

2. R 15, 16 bezeichnet Paulus mit ἱερουργοῦντα τὸ εὐαγγέλιον τοῦ θεοῦ seinen Dienst am Evangelium als Dienst an einem Kult, den
er als λειτουργὸς Χριστοῦ Ἰησοῦ εἰς τὰ ἔθνη verrichtet. In der Fortführung des
Bildes ist die Zurüstung und Darbringung des Opfers als die Hauptsache betont. Die Völker werden dadurch, daß sie v 18 εἰς ὑπακοὴν (λόγῳ καὶ ἔργῳ)
gebracht werden, eine προσφορὰ εὐπρόσδεκτος. Diese Verwendung des Bildes
ist dadurch gegen jedes sakral-heidnische Mißverstehen immun, daß die Darbringung des Personlebens im umfassenden Gehorsam das Opfer ist, geheiligt
im heiligen Geist (v 16).

† ἱερόϑυτος

    1. ἱερόθυτος von ἱερός und θυτός, dem Verbaladj von θύω, vgl die
Bildungen θεόθυτος[1] (statt ἱερεῖον) und εἰδωλόθυτος 4 Makk 5, 2, NT → II 375, 43 ff. Es
heißt: *geweiht, geopfert an die Gottheit.* Bei Pind Fr 78 steht ἱρόθυτος θάνατος vom
menschlichen Opfertod, der als Darbringung an die Götter gefaßt ist, vgl Plut Bellone
an Pace Clariores Fuerint Athenienses 7 (II 349 c). Doch gehört das Wort sonst ausschließlich dem Kult an. Aristoph Av 1266 f: ἱερόθυτον καπνόν vom Opferdampf. Vom
F l e i s c h d e r O p f e r t i e r e: Aristot De Mirabilibus Auscultationibus 123 p 842 b 1 f;
Plut Convivalium Disputationum VIII 8, 3 (II 729 c); Athen XIV 79 (p 660 c); Aristot
Oec II p 1349 b 13: ἱερόθυτα ἐποίουν. Ditt Syll³ 624, 42 (2 Jhdt v Chr): οἶν (Schaf)
ἱερόθυτον neben οἶνον. V o m F e l l d e s O p f e r t i e r e s: Ditt Syll³ 736, 23 (91 v Chr,
Mysterieninschrift, Andania): die ἱεραὶ γυναῖκες sollen bei den Mysterien tragen: ὑπο-
δήματα . . . πίλινα ἢ δερμάτινα ἱερόθυτα „Schuhe aus Filz oder aus Leder von einem
als Opfer geschlachteten Tier". — Bei Jos und Philo kommt das Wort nicht vor[2].

---

[1] Vgl Fritzsche zSt. Swete und Rahlfs
erwähnen die vl in ihren Ausgaben der LXX
nicht.
[2] Vgl Grimm zSt, der übrigens nicht (Deißmann in Kautzsch, Apkr u Pseudepigr zSt)
„mit eigenem Blut" zu ἱερουργοῦντας zieht.

ἱερόϑυτος. [1] Klassizistische Kritik bei

Phryn Ecl (Lobeck p 159): ἱερόθυτον οὐκ ἐρεῖς,
ἀλλ' ἀρχαῖον θεόθυτον.
[2] ἱεροθύται: PFay 22, 8 (1 Jhdt n Chr) wird,
bezeugt für Rhodos, Arkadien, Alexandrien,
Ptolemais, usa benutzt als Name des Priesters,
der bei Eheschließung und -scheidung mitwirkt. WSchubart, APF 5 (1909) 78 f; WFOtto,
Priester und Tempel im hell Ägypten (1905)

2. 1 K 10, 28 [3] wird der Fall gesetzt, daß bei einer Einladung ein Tischgast (am wahrscheinlichsten ein Christ, aber vielleicht auch ein auf die Probe stellender Nichtchrist) zum anderen sagt: das Fleisch, das wir hier vorgesetzt bekommen, ist ἱερόθυτον, dh, es stammt aus dem Kult und ist über das μάκελλον auf den Tisch des Gastgebers gekommen. Die vl εἰδωλό- 5 θυτον ist hier sicher nicht ursprünglich, wohl aber verständlich als christliche Korrektur. Bei der Einladung aber im heidnischen Hause wird die Formel gewählt, die den heidnisch-kultischen Vorstellungen angepaßt ist. Für Paulus selbst war dies Fleisch aber nicht ἱερόθυτον, sondern εἰδωλόθυτον: 1 K 8, 1. 4. 7. 10; 10, 19. 10

† *ἱεροπρεπής*

1. ἱεροπρεπής, zusammengesetzt aus ἱερόν und πρέπει, bezeichnet nicht das, was sich für einen Heiligen ziemt, sondern das, was dem ἱερόν, dem heiligen Tempelort und -dienst, der heiligen Handlung, dem Religiösen, letztlich *der Gottheit entspricht* und was darum *heilig* und *ehrwürdig* ist. 15 Daher definiert Hesych mit Recht: θεοπρεπῶς.

a. Im vorzüglichen Sinne ist ἱεροπρεπής am Platz, um zu sagen, daß d e r K u l t heiligen Bestimmungen entspricht und eine Weihe des Göttlichen zum Ausdruck bringt. Xenoph Symp 8, 40 von der priesterlichen Würde: δοκεῖς ἱεροπρεπέστατος εἶναι. Sehr oft vom Opfer: Luc De Sacrificiis 13: κνῖσα (Opferduft) θεσπέσιος καὶ ἱεροπρεπής. Jambl 20 Myst V 3: ἡ ἱεροπρεπῶς ἀναθυμίασις. In Inschriften: dem Tempeldienst, dem heiligen Brauch entsprechend: Inschr Priene 109, 215 f (um 120 v Chr); Ditt Syll [3] 708, 23 f: πομπαῖς ἱεροπρεπέσιν vom feierlichen Aufzug, wie Jos Ant 11, 329 — auch hier: dem Kultisch-Religiösen angepaßt. — Auch allgemeiner: Luc Vit Auct 6: heiligen, auch orakelhaft abergläubischen Dingen entsprechend, hier ins Zynische verzerrt. — *b.* Be- 25 sondere Beachtung verdient 4 M a k k: 9, 25 heißt der, welcher der Satzung angemessen bis ins Martyrium treu ist, ἱεροπρεπής, und 11, 20 ℵ R ist die gleiche Kampfeshaltung ein ἱεροπρεπής ἀγών genannt. — *c.* Aber nicht nur Kult und Satzung, sondern auch d i e u n u m s t ö ß l i c h e F o r d e r u n g d e r S i t t l i c h k e i t kann das Richtunggebende sein, das zur Verwendung des Begriffs führt. Plut Lib Educ 14 30 (II 11 c) ist es als ἱεροπρεπέστατον (heiligste Pflicht) bezeichnet, die Knaben an die Wahrheit zu gewöhnen. Da ist das der Tugend Entsprechende und darum Göttliche gemeint. — *d.* Eine ganz einheitliche Auffassung liegt bei P h i l o vor. Nur vereinzelt steht hier das Wort in einem vulgär-veräußerlichten Sinne als „hochfeierlich": vom Theater: Deus Imm 102. Sonst ist es durchgehend eingeordnet in die ganze religiöse 35 Grundauffassung. Als Definition kann gelten Spec Leg III 83; Decal 175: ἱεροπρεπές ist das, was θεοειδές, ἁρμόττον αὐτοῦ (θεοῦ) τῇ φύσει ist (hier: der Mensch, der Dekalog), was also Gott entspricht. Wohl wird auch die kultische Beziehung verwertet: dem Tempel angemessen: Plant 162. Aber durch die allegorische Anwendung ist auch hier das Zurückgreifen auf den letzten göttlichen Sinn gegeben: Congr 114; Vit 40 Mos II 85. Das „Gott entsprechend" wird ausdrücklicher kenntlich gemacht durch die gleichzeitige Benutzung von ἅγιος, σεμνός, θεῖος, τελεώτατος: Rer Div Her 110; Spec Leg I 317; Abr 101; Migr Abr 98. Dabei ist im Wirken Gottes kennzeichnend das schlechthin Wunderbare: Decal 33 und das Unkörperliche: Decal 60; Abr 101. Dies Gott Entsprechende wird nachgewiesen bei den θεσμοί, der νομοθεσία, den ἐντο- 45 λαί: Leg All III 204; Vit Mos II 25; Praem Poen 101, beim Sabbat: Decal 51; Spec Leg II 70, bei der Siebenzahl: Op Mund 99. Der wahre Kult, der in der Darbringung der διάνοια besteht, ist ἱεροπρεπῶς: Omn Prob Lib 75 heißen die Essener, benannt nach der ὁσιότης und als θεραπευταὶ θεοῦ ganz philonisch in diesem Sinne ἱεροπρεπεῖς. Vgl weiter zu ἀρετή: Sacr AC 45; Migr Abr 98. Auch die rechten Gebete und Ge- 50 sänge sind Gott entsprechende: Plant 90; Praem Poen 84; Spec Leg I 185, ebenso die Mysterien: Som I 82 [1]. Auch die Gestirne sind in diesem Sinne göttlich-heilig:

I 164, II 295; FPoland, Geschichte des griech Vereinswesens (1909) 41, 309; Preisigke Fachwörter sv; Pauly-W VIII (1913) 1590 f.
[3] Vgl Joh W 1 K, Ltzm K, Schl K zSt; Bchm K 303 A 1.

ἱεροπρεπής. [1] Vgl Jambl Myst III 31: τῶν ἱεροπρεπῶν δρωμένων ἐξήγησις, rerum sacrarum explicatio.

Spec Leg III 187; Plant 25. Die Übersetzung: hehr, feierlich, ehrwürdig ist also bei
Philo ganz unzureichend. Überall schlägt deutlich der Gesichtspunkt des „Gott Entsprechenden" durch. — *e.* Abgeblaßter ist die Bedeutung: *ehrwürdig*: Pseud-Plat Theag
122 d (hier ist allerdings auch angespielt auf den Namen Theages, der auf das Göttliche hinweist). — *Kostbar*: Jos in seinem Zitat aus Berosus, Ant 10, 225 = Ap 1. 140
vom Verzieren der Tore Babylons durch Nebukadnezar.

2. Wenn Tt 2, 3 von den alten Frauen in der Gemeinde
gesagt wird, daß sie in ihrer Haltung ἱεροπρεπεῖς sein sollen, so entspricht dieser Gebrauch nicht nur der Neigung der Past für Komposita[2], sondern auch
ihrer Vorliebe für einen kultisch-feierlichen Stil. Es kann sich dabei wie R 15, 16
um das kultische Bild handeln, das der christlichen Umdeutung fähig ist, so
daß hier, weil auf das ἱερόν zurückgegriffen wird, der Gebrauch von ἱερός in
2 Tm 3, 15 keine ganz zutreffende Parallele wäre. Letzteres wäre nur dann
der Fall, wenn das ἱερόν, das hier gemeint ist, ganz allgemein, vgl Philo, das
Göttliche heißen würde. Aber näher liegt die Annahme der Verwendung des Tempelbildes. Was sachlich gemeint ist, wird am besten erläutert durch 1 Tm 2, 10:
ὃ πρέπει γυναιξὶν ἐπαγγελλομέναις θεοσέβειαν. ἱεροπρεπεῖς ist geradezu eine Abkürzung dieser Bestimmung. Auch dort steht das πρέπει. Die Frauen werden
daran erinnert, was es mit sich bringt, daß sie sich zur Gottesfurcht bekennen.
Das ἱεροπρεπεῖς, um das es sich Tt 2, 3 handelt, kann nur im christlichen Sinne
gedeutet werden als die wahre, im Glauben an Christus gegebene Gottzugehörigkeit, wie sie das Tempelbild ausdrückt. Ihrer würdig zu leben, das allein
schließt die Bewahrung vor einem unwürdigen Wandel ein. Wollte man die
Übersetzung „heiligmäßig" wählen, so würde man der Unbesorgtheit der Past
um ein Mißverstehen hieratischer Entlehnung einen schlechten Dienst tun, denn
solche Übersetzung würde auch sachlich den Sinn ins sakral Bedenkliche leiten.
Gemeint ist einfach, daß die Gottzugehörigkeit ernst zu nehmen ist[3].

Noch unbesorgter ist in der Benutzung des Wortes Orig Comm in Joh X 39, 266, wo
das ἱεροπρεπῶς νοῆσαι vom geistlichen Verständnis gemeint ist. Vgl weiter Eus Laus
Constantini 16, 10: νοερῶν τε καὶ λογικῶν θυσιῶν ἱεροπρεπεῖς λειτουργίαι.

† *ἱεροσυλέω*

1. Der Tempelraub[1], ursprünglich die Entwendung
heiligen Eigentums von heiliger Stätte, gilt *a.* in griechischer, römischer

---

[2] Nägeli 87.

[3] „Ehrwürdig" (Zürcher Bibel) betont zu
stark den menschlichen Charakter und zu
wenig die Beziehung zum göttlichen Hintergrund. Besser ist „priesterlich" Dib Past
zSt oder Schl Erl zSt: „wie es sich im Heiligtum ziemt". Sachlich muß bei der Übersetzung zur Geltung kommen: die Weihe an
Gott, die Gottzugehörigkeit ernst nehmen.

ἱεροσυλέω. ThThalheim in Pauly-W VIII
(1913) 1589 f; MHEMeier - GFSchömann-
JHLipsius, Der attische Prozeß (1883—1887)
366 ff; JHLipsius, Das attische Recht und
Rechtsverfahren (1905—1915) 362, 401, 442;
RTaubenschlag, Das Strafrecht im Rechte
der Papyri (1916) 51 ff; FvWoeß, Das Asyl-
wesen Ägyptens in der Ptolemaeerzeit (1923)
110; JJuster, Les Juifs dans l'Empire Romain (1914) 382 f; IHeinemann, Philons griech
und jüd Bildung (1932) 38 f; FCumont, in:
Rev Hist 163 (1930) 263; LWenger, in:
Zeitschrift der Savigny-Stiftung für Rechts-
geschichte, Romanistische Abtlg 51 (1931)
381; FRTonneau, in: Revue Biblique 40 (1931)
557. — Zur Frage des Tempelraubs im Judt,
als Gefahr und Möglichkeit: FDelitzsch, Pls
des Ap Brief an die Römer (1870) 77; ABischoff, ZNW 9 (1908) 167; Str-B III 113—115.

[1] Zur Sache, ohne das Wort ἱεροσυλεῖν:
Xenoph Hist Graec VI 4, 30; VII 3, 8; VII
4, 33. Diod S XVI 25, 2 sagen die Lokrer,
es sei Gesetz bei allen Griechen, die Tempelräuber ἀτάφους ῥίπτεσθαι.

und ägyptischer Anschauung[2] als eines der schwersten Verbrechen. Bei Amnestien werden Mörder und Tempelräuber oft ausgenommen. Überhaupt wird Tempelraub außer mit Hochverrat oft mit Mord zusammengestellt. Dem Verurteilten ist das Begräbnis in heimatlichem Boden versagt. Plat Phaed 113e werden die Verbrecher dieser beiden Kategorien als ἀνιάτως erfunden und in den Tartaros 5 gestürzt. Philo bezeichnet Spec Leg III 83 die ἀνδραφονία als ἱεροσυλιῶν ἡ μεγίστη. Vgl Decal 133: der Mörder hat sich des Tempelraubs schuldig gemacht, indem er das heiligste Besitztum Gottes plünderte. In dieser Redeweise spiegelt sich einmal die Auffassung Philos vom Menschenadel wider. Sie zeigt aber auch den erweiterten Gebrauch von ἱεροσυλία: der Begriff sacrilegium (ur- 10 sprünglich Tempelraub, dann aber jegliches Sakraldelikt) wurde auf Religionsfrevel überhaupt übertragen[3]. Etwas Verruchteres aber kann nicht genannt werden.

b. Im Alten Testament ist Dt 7, 25f mit besonderer Beziehung auf das Verhältnis zu den heidnischen Stämmen Kanaans und ihre endgültige Ausrottung die Besitznahme der Götterbilder und ihre Aufnahme in die Häuser ver- 15 boten. Sie sind ein Greuel vor Gott und darum dem Bann verfallen. Schon auf das Silber und Gold an ihnen soll verzichtet werden, damit es nicht zum Fallstrick werde. Alles ist zu verbrennen.

c. Von eigentümlichem Interesse ist die Behandlung dieses Gegenstandes durch Josephus. Er macht sich zunächst Ant 4, 207 nichts daraus, das neue Toragebot 20 zu erfinden, daß man Götter anderer Staaten nicht schmähen solle. Unter dies Toleranzgebot stellt er dann in freier Wiedergabe Dt 7, 25f ohne die erwähnten Begründungen. Das tut er nicht nur, um vor dem Leser der gebildeten Welt das jüdische Volk als ein tolerantes zu erweisen. Ap 1, 249. 310. 318 zeigen, daß er gegen Verleumdungen eines Manetho und Lysimachus zu kämpfen hat, welche die Juden 25 bezichtigen, in Ägypten Tempel beraubt zu haben, ja sich den Witz erlauben, zu sagen, Jerusalem sei aus Ἱερόσυλα entstanden, habe also seinen Namen ursprünglich vom Tempelraub.

d. Viel laxer, als dies Dt 7 erwarten läßt, ist die Stellungnahme der Rabbinen. Sie haben für vorsätzlichen Tempelraub keinen Rechtsausdruck. Geißelstrafe gilt als 30 ausreichende Sühne. Nach bSanh 84a wird absichtlicher Tempelraub nur als Übertretung eines Verbots angesehen. Er wird also milder beurteilt als der Mord. Oder es wird „Todesstrafe durch Gott", nicht aber durch das Gericht als Sühne betrachtet. Die Erweichung von Dt 7, 25f ist erstaunlich. Wenn es AZ 53b Bar heißt: wenn ihn (den Götzen) ein Israelit fortgenommen hat, so wird er ihn, da sein Wert teuer ist, 35 an einen Heiden verkaufen, und der wird ihn anbeten, so ist also gerechnet mit solchem „Nehmen". RSamuel sagt 52a: hat man ihn als Götzen entheiligt, so darfst du ihn nehmen. Daher dann der Zaun in der Mischna AZ 4, 4: Der Heide, nicht aber der Jude kann den Götzen entheiligen. 4, 2 gestattet Gold, Gewänder, Geräte, die ein Jude auf dem Kopf eines Götzen findet, zur Nutznießung. 4, 5 erwähnt den 40 Fall, daß ein Heide seinen Götzen verkauft oder verpfändet[4].

2. Der Sprachgebrauch. ἱεροσυλέω (Ableitung aus → ἱερόσυλος) Tempelraub begehen, begegnet auch getrennt als συλάω τὰ ἱερά, τὸ ἱερόν: Jos Ant 4, 207; 8, 258; Ap 1, 310. Es steht a. meist im eigentlichen Sinn[5]. Aristoph Vesp 845; Polyb 30, 26, 9 (mit ἱερά); Ditt Syll³ 417, 8. 10 (3 Jhdt v Chr); 2 Makk 9, 2 45 (Antiochus in Persepolis). Jos Ant 17, 163 bezeichnet Herodes die Entfernung der Weihgeschenke aus dem Tempel von Seiten der Juden. — b. im weiteren Sinne: Jos Ant 16, 45 Nikolaos' Klage vor Agrippa: das für Tempelzwecke gesammelte

---

[2] Vgl Heinemann 39.

[3] Thalheim aaO nennt zB: Verletzung einer Zeussäule, Mißbrauch mit Erziehungsgeldern, Falschmünzerei, Vergehen beim Fackellauf der Demeter. Grabfrevel verfällt der τιμωρία ἱεροσυλίας: FCumont, LWenger, FRTonneau aaO.

[4] Über das Kaufen von Götzen seitens der Israeliten als Hehler vgl Str-B III 114 (f).

[5] ἱεροσυλία, das tt für Sakraldelikt, ist doch auch viel eigentlich gebraucht: Xenoph Ap 25 (im Lasterkatalog); Diod S XVI 30, 2 vgl XVI 32, 1; 2 Makk 13, 6; Jos Ap 1, 318; Bell 5, 562; Philo Spec Leg II 13; IV 87; ἱεροσύλημα: 2 Makk 4, 39.

Geld den Juden entreißen, bedeutet ἱεροσυλεῖν. — *c.* Zu beachten sind die üblichen Lasterlisten, in denen ἱεροσυλεῖν unter andere Vergehen eingeordnet ist: Plat Resp IX 575 b neben stehlen, einbrechen, beutelschneiden, Kleider rauben, Seelenverkäuferei treiben, vgl Xenoph Mem I 2, 62; Pseud-Heracl ep 7 (JBernays, Die Heraklitischen
5   Briefe [1869] p 64) neben vergiften. Philo Conf Ling 163 neben stehlen, ehebrechen, morden vgl Leg All III 241. Ceb Tab IX 4 neben berauben, Meineid leisten usw. Vgl die Lasterlisten bei → ἱερόσυλος unten Z 33 ff.

3. R 2, 22 wirft Paulus dem Juden vor, er verabscheue wohl auf der einen Seite die εἴδωλα, auf der andern aber begehe er Tempel-
10 raub. Daß er hier ἱεροσυλεῖν im eigentlichen Sinne braucht, ist zunächst aus dem nach Art eines Lasterkatalogs zusammengestellten Sündenregister (vgl besonders: stehlen, ehebrechen, Tempelraub begehen → oben Z 5) zu erschließen. Jeder Leser damaliger Zeit war gewohnt, diese Kette ganz eigentlich zu nehmen. Ferner geben alle übrigen Antithesen in v 21—23 das ganz entsprechende
15 Gegenteil, so daß hier nur dann die volle Entsprechung vorliegt, wenn der, welcher die εἴδωλα der Heiden verabscheut, sich doch nicht schämt, sich an den gleichen Gegenständen zu vergreifen. Das kann vermutlich auch bedeuten: Vorteil ziehen aus dem Verkauf solcher Kostbarkeiten (etwa von Weihgeschenken). Dafür kann sehr wohl der prägnante Ausdruck ἱεροσυλεῖν gebraucht werden, weil die
20 schroffe Warnung des Gesetzes Dt 7, 25 f im Hintergrunde bleibt. Schon Chrys, Theophylakt und Oekumen haben das Wort eigentlich gefaßt, als Raub an heidnischen Tempeln. Die Beziehung auf das Heiligtum in Jerusalem aber ist schon im Blick auf den terminus technicus ganz unwahrscheinlich. Die Verflüchtigung aber: sich weigern, Tempelsteuern zu zahlen, die dem Tempel geschuldeten Lei-
25 stungen verkürzen[6], scheitert schon an dem Gegensatz: ὁ βδελυσσόμενος τὰ εἴδωλα.

† *ἱερόσυλος*

1. ἱερόσυλος (von ἱερόν und συλάω) bedeutet nach Hesych: τὰ ἱερὰ κλέπτων. *a.* Vom Verschleppen von Goldgeräten aus dem jerusalemischen Tempel (durch Lysimachus) handelt 2 Makk 4, 42. Wer heilige Bücher und Gelder der Juden
30 stiehlt, gilt nach dem Edikt des Augustus: Jos Ant 16, 164. 168 als ἱερόσυλος. Bell 1, 654 von den Zerstörern des goldenen Adlers über dem Tempeltor. — *b.* Wieder ist beim eigentlichen Sinn die Gewohnheit der L a s t e r l i s t e n zu beachten → oben Z 1 ff. Aristoph Pl 30 neben συκοφάνται, πονηροί; Plat Resp I 344 b neben ἀνδραποδισταί, τοιχωρύχοι (Spitzbuben), ἀποστερηταί, κλέπται. Wird hier der ἱερόσυλος unmittelbar mit
35 dem Menschenräuber zusammen genannt, so steht er bei Philo Jos 84 neben Mördern und Ehebrechern, Plut De Solone 17, 1 (I 87 e) neben dem Mörder. Vgl weiter Orig Cels III 59. 61. — *c.* Das Wort wird aber viel mehr noch als das Verb dazu gebraucht, um ü b e r h a u p t d a s S a k r i l e g a m H e i l i g t u m zu bezeichnen: Ditt Syll ³ 1016, 8 (4/3 Jhdt v Chr). — *d.* ὡς ἱερόσυλος wird ferner gerne benutzt, um
40 die Strafkategorie zu nennen, die auf andere Verbrechen, die ein gleiches Strafmaß fordern, Anwendung findet: Plat Leg IX 856 c (der Aufruhrstifter). Vgl Ditt Syll ³ 578, 47 ff (3 Jhdt v Chr). — *e.* Ganz frei und allgemein ist jener Gebrauch in der späteren Komödie, der das Wort i n ü b e r t r e i b e n d e r W e i s e a l s S c h i m p f w o r t verwendet: Menander Comicus, Epitrepontes 630: ἱερόσυλε γραῦ: Pferdedieb; De
45 Samia 333 (ed CJensen, Auctarium Weidmannianum I [1929]): ἱερόσυλε παῖ: Spitzbube.

2. Im Aufstand zu Ephesus Ag 19, 37 nimmt der Stadtschreiber in seiner Rede die Apostel in Schutz: sie seien weder ἱερόσυλοι, noch lästerten sie die Artemis. Hier wird der Ausdruck allgemeineren Inhalts sein: sie sind keine Verbrecher gegen die Religion, die irgend ein Sakrileg verübt haben.

---

[6] So JChrKvHofmann im Komm (1868) zSt. | *ἱερόσυλος.* Lit → ἱεροσυλέω. JBLightfoot The Contemporary Review (1878) 294 f.

ἱερεύς

A. Der Priester im Griechentum.

1. Der religionsgeschichtliche Tatbestand.

a. ἱερεύς[1] begegnet schon bei Homer fast synonym mit μάντις: Il 1, 62 μάντιν ἢ ἱερῆα, ebenso: 24, 221. Der Unterschied scheint kaum ein beträchtlicher. Die Grenzen zwischen Priester und Mantiker sind fließend. Den Sinn dieser Verbindung gibt die stark konstruktive Definition des Hesychius von ἱερεύς: ὁ διὰ θυσιῶν μαντευόμενος nicht zureichend wieder. Die Verknüpfung mit der Mantik deckt vielmehr einen wichtigen religionsgeschichtlichen Zusammenhang auf. Auch das Griechentum kennt die ursprüngliche Auffassung, daß der Seher und Priester vermöge einer besonderen Kraft, die ihm innewohnt, besonders dazu geeignet sei, den Verkehr mit der Gottheit zu vermitteln. Wenn dann auch die Mantik etwas Erlernbares wird, so ist doch der ursprüngliche Gedanke einer sonderlichen göttlichen Begabung für das Heilige nicht auszuschalten (→ 258, 30 ff)[2].

b. Doch geht neben dieser hieratischen[3] Vorstellung her **die Idee des allgemeinen Priestertums: jeder** kann als Opfernder und Betender der Gottheit nahen. Das Haupt der Familie vollzieht zu Hause die Opfer, der Vorsteher des Geschlechtes bringt die θυσίαι πάτριοι dar, für die Gemeinde ist etwa der Demarch, für die Polis sind die Magistrate die Opfernden[4]. Ohne besonders ausgebildet zu sein für ein Priesteramt, kann der Laie Reinigungen, Sühnungen vornehmen. Diese sehr durchgreifende und weitreichende Auffassung drückt Isocr 2, 6 so aus: τὴν βασιλείαν ὥσπερ ἱερωσύνην παντὸς ἀνδρὸς εἶναι νομίζουσιν. Vgl Demosth Prooemia 55, 3 (p 1461). Wenn die schroffe Formulierung des Isocr auch zunächst ein Ideal wiedergeben wird und historisch nicht verbindlich ist, so ist sie doch gewiß wichtig.

ἱερεύς. Für das Griechentum: DMagie, De Romanorum Juris Publici Sacrique Vocabulis Sollemnibus in Graecum Sermonem Conversis (1905) Regist; Hastings DB X 302—307; GPlaumann, Artk ἱερεῖς in Pauly-W VIII (1913) 1411—1457; FPfister, Die Religion der Griechen und Römer (1930) Regist; JToepffer, Attische Genealogie (1889) 24—112; PStengel, Die griech Kultusaltertümer[3] (1920) 32—48; SWide-MPNilsson, Griech und römische Religion, in: AGercke und ENorden, Einl in die Altertumswissenschaft II 2[4] (1933); Landmann, Origin of Priesthood (1905); WOtto, Priester und Tempel im hell Ägypten I (1905) 17—172, 200—257, II (1908) 167—260; FPoland, Geschichte der griech Vereinswesens (1909) 338 ff. — Für die Stoa: EZeller, Philosophie der Griechen III 1[5] (1923) 257; HWenschkewitz, Die Spiritualisierung der Kultbegriffe, Angelos-Beiheft 4 (1932) 63—65. — Für Israel: Hastings DB X 307—311, 322—325; JKöberle, Artk Priestertum im AT, in: RE[3] 16, 32—47; SMowinkel, in: RGG[2] IV 1488 ff; GHölscher, Artk Levi, in: Pauly-W XII (1920) 2155 ff; RE[3] 11, 417 ff; WNowack, Lehrbuch der hbr Archäologie[3] II (1894) 87—130; IBenzinger, Hbr Archäologie[3] (1927) 341—356 (dort 341: Lit zum Priestertum der vorköniglichen Zeit); JWellhausen, Prolegomena zur Geschichte Israels[4] (1895) 118 ff;

WGrafBaudissin, Geschichte des at.lichen Priestertums (1889); RHKennett, The Jewish Priesthood in Old Testament Essays (1928); WEichrodt, Theologie des AT I (1933) 209 bis 235. — Das nt.liche Zeitalter und die spätere Zeit: Schürer II 277—363; Str-B I 2—5, 762f, II 66, 69 f, 182, 569, IV 351 (*Priesterstand*); II 55—68 (*Dienstklassen*); II 33 f, 76, 89, 281, 366, 794 f, III 4, 456, 645, IV 150, 238, 244 f, 646—650, 664 (*Dienst des Priesters*); ABüchler, Die Priester und der Cultus im letzten Jahrzehnt des jerusalemischen Tempels (1895); JoachJeremias, Jerusalem zZt Jesu II B 1 (1929) 2—87. — Zu Philo und Josephus: LCohn, Kritisch-Exegetische Beiträge zu Philo, Hermes 32 (1897) 122 f; HWenschkewitz aaO; WSchmidt, De Flavii Josephi Elocutione Observationes Criticae (1893); Schl Theol d Judt 91, 195, 253.

[1] Hom hat Il 5, 10; 16, 604; Od 9, 198 ἱρεύς (jonisch). Über die Form ἱέρεως für ἱερεύς vgl ESchweizer, Grammatik der Pergamenischen Inschriften (1898) 151 A 2.

[2] Dieser religionsgeschichtliche Tatbestand wird in den älteren Darstellungen verkürzt, auch bei Stengel aaO.

[3] Vgl GPlaumann in Pauly-W VIII (1913) aaO.

[4] Vgl Stengel aaO 33.

c. Die Pflege der bestehenden Kultstätten erfordert aber auch die priesterliche Beamtung. Jedoch wird gerade hier deutlich, daß man nicht einfach im ständischen Sinne Priester wird, sondern nur Priester eines bestimmten Heiligtums. Schon bei Homer ist zu beobachten, daß meistens von ἱερεῖς einer bestimmten Gottheit die Rede ist: des Zeus: Il 16, 604, des Apollo: Il 1, 370; Od 9, 198 (so auch Il 1, 23 = 377), des Hephästus: Il 5, 10. Vgl Plut Numa 7 (I 64 c): ἱερεῖς Διὸς καὶ Ἄρεως. Ag 14, 13: des Zeus. Vgl Orig Cels VIII 40.

d. Es gibt also einen Priesterberuf. Gibt es auch einen abgesonderten, in sich geschlossenen Priesterstand? Das pflegt man in der Regel zu verneinen. Und doch ist der Satz in dieser absoluten Verallgemeinerung nicht haltbar [5]. Zwar begegnet gewiß kein Priesterstand etwa im jüdischen Sinne, aber immerhin: gewisse Priesterfunktionen sind uU erbliches Vorrecht bestimmter aristokratischer Geschlechter, so daß es also Fälle gibt, wo das Priestertum familienmäßig gebunden ist [6]. Gibt es auch im allgemeinen keinen erblichen Priesterstand, so trifft man also doch auch erbliche Priestertümer. Zumeist allerdings werden sie durch Wahl, durch Los, durch Verkauf vergeben [7]. Aber das bedeutet nicht einen geschlossenen Priesterstand mit hierarchischem Standesgefühl, was etwa ein Zusammenschluß der Priester verschiedener Tempel mit sich brächte. Vielfach wird die priesterliche Funktion nur zeitweilig ausgeübt. Man versieht daneben noch andere Ämter. In theoretisch-ideellen Betrachtungen ist freilich von einem Priesterstand die Rede. So in Plat Polit 290 c d und Aristot Pol VII 8 p 1328 b 12f. Plato, der schon in seinem Staat eine straffe ständische Gliederung vertritt, weist dem τῶν ἱερέων γένος die Aufgabe zu, Opfer und Gebete darzubringen. Aristoteles bestimmt für die ἱερατεία: τὴν περὶ τὸ θεῖον ἐπιμέλειαν. Solche Sätze haben gewisse Grundlagen im politischen Leben Griechenlands. Der Kultus ist verbunden mit der Polis. Seine Ausübung ist Sache des Staates. Daher kann Aeschin Or 3, 18 als Bestimmung des Priesters hervorheben: τὰς εὐχὰς ὑπὲρ τοῦ δήμου πρὸς τοὺς θεοὺς εὔχεσθαι.

2. Philosophische Betrachtungen über das Priestertum in der Stoa.

a. Beachtenswert ist die Definition des Priesters bei Zenon in der älteren Stoa: Stob Ecl II 67, 20 (vArnim III 604). Dort ist zuerst die Rede von seiner kultischen Kenntnis und Erfahrung. Er ist ἔμπειρος νόμων τῶν περὶ θυσίας. Dazu kommen die ethischen Qualitäten, seine Eignung durch Frömmigkeit. Er bedarf der ἁγιστεία, der εὐσέβεια. Dies bedeutet im Tiefsten: er muß innerhalb der göttlichen Natur sein [8]. Das ist die stoisch-pantheistische Formel als Erklärungsgrund für die Mantik. Die geheimste Kraftausstattung des Priesters ist sein Zusammenschluß mit den im All wirkenden Kräften. Die εὐσέβεια aber ist wiederum der Weg zur ἐπιστήμη θεῶν θεραπείας. So fallen also kultische Kenntnis und Frömmigkeit nicht auseinander, sondern sind Korrelate. Wesentlich ist endlich der Gegensatz: der φαῦλος ist unfromm, böse, er versteht nichts von der θεραπεία.

b. An der gleichen Stelle begegnet die These: ἱερέα μόνον εἶναι τὸν σοφόν, φαῦλον δὲ μηδένα. Orig Comm in Joh z 1, 4 (Preuschen 72, 29—33) führt dies an als τινὰ δόγματα παρ' Ἕλλησι. Ähnliches hat Diog L von Chrysipp und seiner Schule vermerkt: VII 119 (vArnim III 157, 608). Der Satz wird bei Stob Ecl II 114, 16 (vArnim III 157, 605) dahin erweitert, daß der Weise auch der rechte μαντικός sei. Die These muß im Zusammenhang der ganzen Verherrlichung des σοφός betrachtet werden, wie sie bereits in der alten Stoa beliebt ist. Alles und jedes, wie das Luc Vit Auct 20 witzig parodiert hat, spricht der Stoiker dem Weisen zu und dem φαῦλος ab. Er ist auch allein der rechte König, Machthaber, Staatsbeamte, Richter, Redner, Verwalter, Geschäftsmann, Untertan [9]. Eine eigentliche Spiritualisierung liegt hier nicht vor (also etwa der Weise: Priester eines innerlichen

---

[5] Vgl Pfister aaO 78: „Und so nimmt man auch als Charakteristik der griech Religion in der Regel das Fehlen eines einheitlichen Dogmas, eines Religionsunterrichts und eines eigentlichen Priesterstandes an. Zwar ist in dieser Allgemeinheit dieser Satz nicht ganz richtig. Besser wird man sagen: Es gab keine umfassende Kirche mit einem einheitlichen Dogma (wohl aber Ansätze hierzu), keinen einheitlichen Priesterstand, der dies Dogma lehrte, und keinen Religionsunterricht, in dem dies Dogma gelehrt wurde."

[6] Vgl JToepffer aaO 24—112: Der eleusinische Priesteradel, die Εὐμολπίδαι, Κήρυκες usw. Hier handelt es sich um ältestes Gut, das in die homerische Zeit zurückgeht.
[7] Über sakrale Funktionen des Königs → 267, 36 ff.
[8] (τοῦ von HUsener beigefügt) ἐντὸς εἶναι τῆς φύσεως τῆς θείας.
[9] Vgl die bunte Reihe mit dem immer wiederkehrenden μόνος: vArnim III 611—624.

Kultes udgl). Das wird schon daran deutlich, daß man dann ja in den parallelen Ausführungen auch von einer Spiritualisierung des Königs, des Staatsbeamten, des Geschäftsmannes usw reden müßte. Vielmehr ist einfach gemeint: dem, was ein Priester eigentlich ist und sein soll, wird einzig der Weise gerecht. Das ist jedoch ebenso auf allen anderen Gebieten der Fall. Erst wenn der σοφός ein 5 Amt in die Hand bekommt, wird etwas ganz Rechtes daraus. Dann wird die Idee der Sache Wirklichkeit. Allerdings wird nun durch die moralisierende Überspannung die menschliche Tugendleistung die eigentliche Grundlage auch des Priestertums.

c. Eine Benutzung des Priesterbildes für den philosophischen Dienst des wahren Kynikers (ohne die Formel ἱερεύς) liegt vor 10 bei Epict Diss III 22, 82: τοῦ κοινοῦ πατρὸς ὑπηρέτης τοῦ Διός. Vgl Apul Apologia 41 (ed JvdVliet 1900). — Vom guten Menschen (nicht dem Weisen) sagt MAnt III 4, 4, daß er insofern ein ἱερεύς τις καὶ ὑπουργὸς θεῶν sei, als er τὸ ἔνδον ἱδρυμένον (= προαίρεσιν) nutze. — Etwas anderes als das Erwähnte ist die Korrektur des priesterlichen Kultes bei dem Neupythagoreer Apollonius von Tyana: Philostr Vit Ap I 16 15 → 238, 5 ff.

3. Die besondere Gestaltung dieser Betrachtung im hellenistischen Judentum bei Philo.

a. Der ἱερεύς wird bei Philo Symbol des Logos, der Vernunft. Daher liebt er den Ausdruck ὁ ἱερεὺς λόγος[10]. — Deus Imm 131—135 wird der 20 ἱερεύς allegorisiert als ὁ θεῖος λόγος. Er ist 134: ἐπίτροπος ἢ πατὴρ ἢ διδάσκαλος. Er ist zugleich 135: ὁ ἱερεὺς ὄντως ἔλεγχος, das uns überführende Gewissen. Das gleiche liegt vor Som I 215, wo es heißt, daß im Tempel der Seele als Priester der wahre Mensch waltet, nämlich das, was Philo sonst „den Menschen in uns" uä nennt, dh die denkende göttliche. Seelenkraft: Congr 97; Agric 9. 108; Rer Div Her 231[11]. 25

b. Es ist nur folgerichtig, wenn das Bild des stoischen Idealweisen ganz und gar das Priesterbild prägt. Das Priesteramt gilt ihm als das Höchste: Ebr 126. So kann er nun auch das hineinschauen, was ihm philosophisch als das Höchste gilt: sein asketisches Lebensideal, und so Priestertum und Levitentum idealisieren[12]. Der Priester hat ein völlig schuldloses Leben zu führen: Spec Leg 30 I 102. Die Forderung, daß er körperlich fehlerfrei sei, ist Symbol für seine seelische Vollkommenheit: Spec Leg I 80f. Die Leviten vertreten das Bild des wahren Priestertums (Ebr 76: ἱερεὺς πρὸς ἀλήθειαν) darin: daß man dem ὀρθὸς λόγος zu folgen hat, dem Feldzug des Vergänglichen abzusagen, daß man sich nicht an νοῦς und αἴσθησις verunreinige: Fug 109, sich nicht an Sinnenwelt und Leidenschaften binde: 35 Ebr 63, sondern Gott zuwende. Vgl Det Pot Ins 62ff; Sacr AC 128f. Das ist die Weise, wie Philo von der überkommenen Gleichung: der Weise allein ist der Priester (→ 258, 41 ff), Gebrauch macht. Er formt das at.liche Priesterbild durch stoische und asketisch-mystische Züge um. So kann er Spec Leg I 243 jeden, der den Weg der Sünde nicht mehr wandelt, dem priesterlichen Geschlecht zuzählen. 40

c. Allerdings verbleiben auch national-jüdische Züge: das jüdische Volk hat Spec Leg II 163f Priesterrang in der Menschheit durch die Reinigung und Weihe durch das Gesetz. Die Gesetzgebung ist eine Vorschule für das Priestertum: ebd 164. Und doch ist letztlich nicht der Jude, sondern der σοφός der rechte Priester: Rer Div Her 82f vgl mit 303. 45

B. Der Priester in der Geschichte Israels.

1. Von der Urzeit bis zur Reform des Josia.

Erste Spuren des Priestertums[13] in den frühesten Quellen machen deutlich: als die erste Funktion des Priesters steht ursprünglich nicht das Opfer im Vordergrund, sondern die Orakelweisung. Das Losorakel 50

---

[10] Aaron ist der Vertreter des λογισμός: Ebr 128. Melchisedek als ἱερεὺς λόγος: Leg All III 82 vgl 79. Vgl weiter ἱερεὺς λόγος in Cher 17; Det Pot Ins 132; ὁ ἀρχιερεὺς λόγος Gig 52; Migr Abr 102. Abraham als Priester: Abr 198. Mose: Vit Mos II 66. Pinehas: Leg All III 242; Poster C 182; Mut Nom 108. Priester und Propheten:

Gig 61 (als Menschen Gottes). ὁ ἱερεὺς καὶ προφήτης λόγος: Cher 16f. Priester und Propheten bei Jos: Ant 6, 262. 268.
[11] Vgl IHeinemann, Philons griech u jüd Bildung (1932) 51. LCohn, Hermes 32 (1897) 122.
[12] Zum Folgenden vgl HWenschkewitz aaO 70—76.
[13] Vgl zu *B 1—2*: WEichrodt aaO I 209—214.

17*

begegnet bereits in der Zeit Moses und der Richter: Ex 17, 9; 33, 7—11; Ri 17, 5f; 18, 30; 1 S 14, 41; 28, 6. Dt 33, 8—11 nennt als Aufgabe Levis an erster Stelle die Verwaltung der Urim und Tummim (vgl das Pfeilorakel Ez 21, 26). Dann folgt die Belehrung in Jahwes Rechten und Gesetz. Erst an 5 letzter Stelle steht der Opferdienst.

> Dieser Sachverhalt spiegelt sich auch wider in der Herkunft von כֹּהֵן aus dem arabischen *kahin* „Seher, Wahrsager". Zur gleichen Beobachtung führt die wahrscheinliche Etymologie des Wortes לֵוִי, arabisch *lawa(j)*[14]. Vgl hebräisch יָרָה: „werfen", davon הוֹרָה „Orakel geben". D e r   L e v i t   i s t   u r s p r ü n g l i c h   d e r   O r a k e l -
> 10 s p e n d e r. Das entspricht dem, was sich durch religionsgeschichtliche Parallelen bestätigt → 257, 11 ff. Auch Israels Geschichte zeigt als älteste Form des Priestertums die Mantik, den Priester als Charismatiker, als Träger höherer Kräfte, der das visionäre Schauen des Willens der Gottheit hat.

D i e   O p f e r   a b e r   k a n n   j e d e r   p a t e r   f a m i l i a s   d a r b r i n g e n. Das ist 15 also nicht das Kennzeichen eines besonderen Standes. P r i e s t e r begegnen allerdings   s c h o n   v o r   d e r   O f f e n b a r u n g   a m   S i n a i: Ex 19, 22. 24. Mose ist Levit und übt priesterliche Dienste aus. Aaron ist Levit: Ex 4, 14. Dies L e v i t e n t u m hängt wohl zusammen mit der Priestersippe in der südpalästinischen Steppe zu Kades. Von dort wurden vermutlich alte Kulttraditionen, 20 ja auch wohl die Leviten selbst in die neue Religion übernommen.

> Vgl Ex 32, 25 ff; Dt 33, 8. So wird verständlich, daß die Leviten im Volksorganismus ein Gaststamm bleiben. Beachtenswert sind hier die Familienbeziehungen Moses zum midianitischen Priester Jethro: Ex 2, 18. 21; Ex 18; Nu 10, 29; Ri 4, 11. Daß der spätere Stand der Leviten durch begründende Sage auf den Stamm Levi 25 zurückgeführt wird, ist begreiflich. Die geschichtliche Existenz eines solchen Stammes ist eine Frage für sich[15]. Aber Stamm und Stand sind zweierlei. Im Dunkel liegen alle Fragen, die sich an die Person des Priesterahnen A a r o n knüpfen. Ex 32 ist er Priester des goldenen Kalbes. Nu 12 steht er Mose entgegen. Ob ihm Geschichtlichkeit eignet, ist fraglich. Seine Gestalt ist deutlich dazu benutzt, die Be-30 rechtigung des späteren Priesterstandes fester in der mosaischen Tradition zu verankern.

Zunächst besteht noch eine D e z e n t r a l i s a t i o n   d e s   K u l t u s. Es gibt ein Bundesheiligtum, an dem die Leviten Losorakel, Opferkult und den Dienst an der Lade verwalten. Aber auch die einzelnen Stämme haben Stammesheilig-35 tümer, an denen wohl auch Leviten dienen. Die Lade wird nach Silo verbracht. Die Leviten entfalten wohl auch eine Wirksamkeit als Hauspriester. Die Quellen der Richter- und Königszeit beweisen zudem, daß auch der Familienvater weiter den Opferdienst ausübt.

Erst   d a s   A u f b l ü h e n   d e s   K u l t e s   i n   T e m p e l n   d e s   N o r d -   u n d   S ü d -
40 r e i c h e s   u n t e r   d e m   S c h u t z   d e r   K ö n i g e läßt ein festes Priestertum aufkommen. Das führt zu beamteter Verwaltung gegebener Ordnungen des Kultus und zu einem Priesterrecht. Thron und Altar bedingen sich gegenseitig. Diese Verbindung fördert kultische Zentren, drängt die Ortsheiligtümer zurück, gibt dem Priester der Residenz gegenüber dem Priester des Landes eine ge-45 hobene Stellung. Gleichzeitig überflügelt der Opferdienst das Orakel und die Weisung der Tora am Heiligtum. Aber von einer Alleinverwaltung des Opfers durch das Priestertum ist noch keine Rede. Abgesehen von den Leviten bilden sich andere erbliche Priesterschaften wie die Eliden und in Jerusalem die Zadokiden.

---

[14] Zur minäischen Bezeichnung für den Priester vgl die bei Eichrodt aaO I 209 A 4 genannte Lit.

[15] Vgl MNoth, Das System der zwölf Stämme Israels (1930).

2. Von Josia bis Esra.

Eine Zentralisation des Kultus als unbedingte Forderung vertritt erst die Reform des Josia im Jahre 622. Hier wird das radikal gefordert, was die Leviten als Träger der Moseüberlieferung und was auch die Propheten schon vordem vertreten hatten: die Ablehnung der 5 Bilder, der kultischen Unzucht, des Totenkultes, der Zauberei. Völlige Beseitigung von Götzendienst und Höhenpriestertum lautet die Losung. Dazu wird der Tempel Jahwes auf dem Zion zur einzig berechtigten Kultstätte erklärt. Diese im Buch der Lehre vertretenen Grundsätze stärken nicht allein die Einheit des bildlosen Kultus. Sie fördern auch die Stellung der Priester des einen 10 Heiligtums. Ihnen werden die Einkünfte gesichert. Die Ortsleviten außerhalb Jerusalems werden zugunsten der Zadokiden entrechtet und in ihrer Geltung geschwächt. Von jetzt an kommen sie nur noch für die niederen Tempeldienste in Betracht. Diese Entwicklung aber zeitigt zugleich ernste Gefahren. Die Weisung der Gebote Jahwes wird durch das Opfer überwuchert. Die Gegen- 15 stellung der kultkritischen Prophetie beleuchtet scharf diese Lage. Und doch hat der Prophetismus die ganze kultische Entwicklung nicht aufhalten können. Er hat nur in diesem Rahmen eine vertiefte Besinnung auf die Grundweisungen Jahwes vertreten können. Einig aber ging er mit dem Priestertum in der Ablehnung der kanaanitischen Einflüsse auf die Jahwe- 20 religion.

Die Epoche zwischen dem Untergang des Staates und der Rückkehr aus dem babylonischen Exil (586—538) ist gekennzeichnet durch eine entscheidend wichtige Geistesarbeit. In reger schriftstellerischer Tätigkeit nimmt die Priesterschaft eine Sammlung und Neufassung der hei- 25 ligen Schriften vor und unterstellt zumal alle Bestimmungen, die den Kultus betreffen, einer durchgehenden, zielgerechten Planordnung. Das gesamte Ritual wird für die Zukunft unter dem Gesichtspunkt des zentralisierten Kultus zusammengeordnet. Auch die ganze Geschichtsdarstellung der Anfänge Israels wird einer durchgreifenden priesterlichen Bearbeitung unterzogen. Was 30 in Ezechiels Zukunftstora, was in der Priesterschrift, zumal im Heiligkeitsgesetz vorliegt, das ist Resultat dieser priesterlichen Gesetzessammlung während jener folgenreichen Jahrzehnte. Bei Ezechiel und in der Chronik ist der offizielle Kult allein Priestersache, während, wie noch die Priesterschrift zeigt (Lv 1—7), das private Opfer, das auch später bleibt, ganz in den Hintergrund gerückt ist. 35 So hat das Exil das priesterliche Alleinrecht in der Kultübung gefestigt.

Auf Grund dieser Tora erreicht Esra nach der Rückkehr mit starker Hand die Neugestaltung der Gemeinde in Jerusalem. Der eine Opferdienst im zentralen Heiligtum ist jetzt nicht mehr bloß Programm, sondern gelangt zu zielbewußter Durchführung. Das Priestertum erhält auf Grund des kodifizier- 40 ten Gesetzes eine ungeahnt geschlossene Rechtsordnung. Es hat zu wachen über den Satzungen Jahwes. Aber gerade diese Aufgabe ruft zugleich dem Schriftgelehrten. Er tritt neben den Priester. Er unterstellt das Priestertum der Kontrolle des nicht nur schriftlich fixierten, sondern auch der Auslegung durch die Zunft bedürftigen Gesetzes. 45

Über das seit dem Exil bestehende Hohepriestertum, das die priesterliche Herrschaft repräsentiert, → 268, 10 ff.

Ist die ganze weitere Entwicklung bezeichnet durch dies Nebeneinander von ἱερεύς und γραμματεύς, so zeigt sie zugleich die steigende Autorität und d a s
5 E m p o r w a c h s e n   d e s   S c h r i f t g e l e h r t e n   ü b e r   d e n   P r i e s t e r [16]. Wohl bleibt dieser bedeutsam als Träger des Tempeldienstes. Die auch politisch wirksame und sozial gehobene, aristokratische Priesterschicht ist im Synedrium einflußreich. Aber weil das Schriftgelehrtentum als der torakundige Stand die Belehrung und religiöse Führung übernimmt, ja auch den Priester unterrich-
10 tet[17], der nur noch Kultdiener ist, so erwächst hier dem Priestertum ein Neben- buhler. Er wird es mit der Zeit fast zur Bedeutungslosigkeit herabdrücken. Dazu trägt auch der schlechte Ruf der Priesterschaft nicht wenig bei[18].

3. Die Priester und Leviten zur Zeit Jesu.

a. D i e   g e w ö h n l i c h e n   P r i e s t e r (כֹּהֵן הַדְּיוֹט), von den Ober-
15 priestern (→ 270, 35 ff) durch eine soziale Kluft geschieden, bilden eine fest geschlossene Berufsgemeinschaft, einen eigentlichen Stand innerhalb des jüdischen Volkes. Die Priesterwürde, auf Aaron zurückgeführt, ist erblich. Ist schon 4 Βασ 19, 2 (= Js 37, 2) von einer priesterlichen Organisation mit Ältesten die Rede, so bringt erst recht die Folgezeit eine feste durchgreifende Gliederung. Schon 445 v Chr werden bei der
20 Unterzeichnung des Gesetzes (Neh 10, 3—9) 21 Priesterstämme oder Dienstklassen aufgezählt. Weitere Listen liegen vor in Neh 12, 1—7. 12—21. Bereits 1 Ch 24, 1—19 sind 24 Priesterklassen genannt. Vgl Jos Ant 7, 365[19]. Auch in den Tagen Jesu zerfiel die Priesterschaft in 24 Klassen oder Abteilungen (מִשְׁמָר = Wache). Bei Jos Vit 2; Ant 12, 265 heißen sie: ἐφημερίς oder: πατριά, bei Lk 1, 5. 8: ἐφημερία[20]. Die
25 griechische Bezeichnung ist irreführend. Weil jede dieser Klassen eine Woche lang Tempeldienst zu tun hatte, entspricht מִשְׁמָר der Wochen-, nicht der Tagesabteilung. Die ἐφημερία des Abia Lk 1, 5 ist eine solche Wochenabteilung. Die einzelnen מִשְׁמָרוֹת wurden wieder eingeteilt in 4—9 Vaterhäuser (בָּתֵּי אָבוֹת). Jedes Vaterhaus sollte in der Regel einen Tag lang Tempeldienst tun. So entspricht also die πατριά (Jos: φυλή)
30 der Tagesabteilung[21]. Die Priester lebten in ihrer Heimat in weltlichem Beruf. Ihre Funktionen waren beschränkt auf zwei Wochen im Jahr und auf die drei Wallfahrts- feste[22].

b. D i e   L e v i t e n. Die Grundformel in der deuteronomischen Schicht des Gesetzes heißt: „d i e   P r i e s t e r,   d i e   L e v i t e n", dh, die levitischen
35 Priester: Dt 17, 9; 24, 8; 27, 9; Jos 21, 4 uö. Das wirkt noch nach in 1 Ch 9, 2; 1 Εσδρ 5, 54. 60; Ez 43, 19; 44, 15. Das Nebeneinander zweier Klassen „P r i e s t e r u n d   L e v i t e n" kennzeichnet die späteren Schichten: Ez 44—48; Esr; Neh; 1, 2 Ch. Vgl aber auch: 1 Kö 8, 4; Js 66, 21; Jer 33, 18. 21 und dann: 1 Εσδρ 7, 9 f; 9, 37. Bei Josephus steht es sehr häufig: Ant 7, 78. 363; 8, 169; 10, 62 uö. Die Nachkommen
40 der früheren Priester des Landes (auch der entrechteten Höhenpriester?) besorgten die niederen Tempeldienste und die Tempelmusik. Zum Altar und Tempelhaus hatten sie keinen Zutritt. Auch ihre Würde war erblich.

4. Der Priester nach der Zerstörung des Tempels.

Nach dem Niederbruch des Tempels wird d e r   S c h r i f t g e -
45 l e h r t e   e r s t   r e c h t   M i t t e l p u n k t   d e r   G e m e i n d e. Zwar behält der Priester den Vorrang einer gewissen ehrenvollen Beachtung. Er wird zum Vorlesen der Schrift

---

[16] Zu Schriftgelehrter → γραμματεύς I 740 bis 742. JoachJeremias aaO 101—114.

[17] Vgl Jos Ant 12, 142: γραμματεῖς τοῦ ἱεροῦ.

[18] Vgl Str-B I 853, II 45, 66 ff, 182, 569; Wenschkewitz aaO 39 f.

[19] Dazu JoachJeremias aaO 60.

[20] LXX hat ἐφημερία für מַחֲלֹקֶת vgl 1 Ch 28, 13. 21; 2 Ch 31, 2. — 2 Ch 8, 14: διαιρέσεις

τῶν ἱερέων. Die ἄρχοντες τῶν πατριῶν: 1 Ch 24, 6; 2 Εσδρ 8, 29.

[21] Vgl Schürer II 286 ff. Str-B II 55—68.

[22] JoachJeremias aaO 67 versucht eine Be- rechnung. Ausgehend von ep Ar 95 schätzt er die Priester und Leviten mit Frauen und Kindern auf etwa 50000 bis 60000, bei einer Bevölkerung von etwa 500000 bis 600000 Ein- wohnern Gesamtpalästinas.

zuerst herangezogen. Er erteilt den Segen [23]. Er empfängt weiter die Hebe von den Erstlingsfrüchten [24]. Aber für das Leben der Judenschaft bedeutet der Gesetzeskundige weit mehr. Ist doch die Tora mehr als Priestertum und Königtum: Ab 5, 5 [25]. Die שכינה wird eng verbunden gedacht mit der Beschäftigung mit Tora und Satzung. Das bedeutet Ersatz für das Heiligtum und das nunmehr verhinderte Opfer: Ber 33 a; 5 Jeb 105 a; Tanch אחרי 10 (33 b) [26]. Wer einen Schriftgelehrten im Hause aufnimmt und bewirtet, dem wird dies angerechnet als das beständige Opfer: Ber 10 b. Freilich kommt es nicht zu einer vollständigen Spiritualisierung der Priesterbegriffes. Bleibt ja doch der Kult als Buchwahrheit eine die Gedanken stets beschäftigende Macht. Und die Hoffnung auf Wiedererrichtung des Tempels und des Priestertums 10 erstirbt nicht. Aber die Tannaim und Amoräer dienen der unbedingten Herrschaft der Tora und verehren ihre souverän führende Autorität. Auf ihre Befolgung steht Lohn. P r a k t i s c h   i s t   d i e   T o r a   a n   d i e   S t e l l e   v o n   T e m p e l ,   O p f e r   u n d   P r i e s t e r   g e t r e t e n.

C. Zum Sprachgebrauch von ἱερεύς in jüdischen und christlichen Schriften. 15

1. In LXX steht ἱερεύς für כָּהַן und כֹּהֵן. Eine Zurückhaltung dem Worte gegenüber gibt es hier nicht, weil eben kein anderes zur Verfügung steht. λειτουργός würde nicht taugen, weil es außer der kultischen zuerst eine politische und gemeinnützige Bedeutung hat. — Das einfache ἱερεύς braucht LXX auch vom Hohepriester, wie es auf heidnischem Gebiet auch für den pontifex steht (→ 266, 19 ff). Für 20 ἀρχιερεύς wird auch ὁ ἱερεύς πρῶτος, ἱερεύς ὁ μέγας gebraucht (→ 279 A 57).

2. Im jüdischen und christlichen Schrifttum heißt s o w o h l   d e r   h e i d n i s c h e   w i e   d e r   j ü d i s c h e   Priester ἱερεύς. Mitunter zeigt sich das Bedürfnis, irgendwie eine abwertende Unterscheidung vorzunehmen, so Jos Ant 10, 65; Barn 9, 6: ἱερεῖς τῶν εἰδώλων oder Orig Cels VIII 37: ἱερεῖς ἀγαλμάτων. Vgl 3 Βασ 25 12, 32; 4 Βασ 17, 32 uö: ἱερεῖς τῶν ὑψηλῶν. Oder es wird unterschieden etwa zwischen οἱ Αἰγυπτίων ἱερεῖς: Orig Cels V 49 und οἱ Ἰουδαίων ἱερεῖς: Orig Cels V 44. Aber meist muß einfach der Zusammenhang ergeben, von welcher Art Priestern die Rede ist.

3. J o s e p h u s   wechselt im Acc zwischen ἱερέας (attizistisch): Ant 2, 242 uö und ἱερεῖς (hellenistisch): Ant 2, 285 uö. Er unterscheidet gern die 30 gewöhnlichen Priester vom ἀρχιερεύς als οἱ πολλοί, πάντες, ἄλλοι, λοιποὶ ἱερεῖς: Ant 3, 158. 172. 277.

D. ἱερεύς im Neuen Testament.

Der ἱερεύς spielt im Vergleich mit d e m und vor allem mit d e n   Hohenpriestern (→ ἀρχιερεύς C IV 2) und erst recht mit den Schrift- 35 gelehrten im NT eine ganz geringe Rolle. Aber abgesehen vom Wort ist es zunächst auffallend, daß d e r   K u l t   u n d   z u m a l   d a s   B i l d   d e s   P r i e s t e r s   i n   d e n   S p r ü c h e n   J e s u   k e i n e   V e r w e n d u n g   findet. Auch sich selber hat er nicht als Priester bezeichnet (etwa nach Ps 110 vgl Mt 22, 44), seine Jünger ebenso nicht. Seine Bilder nimmt er aus der profanen menschlichen Umwelt, 40 nicht aber aus dem Priesterdienst [27]. Das führt darauf, bei ihm auch in diesem Stück Erfüllung des Prophetismus festzustellen. Jedoch fehlt die ausgesprochen kultkritische Haltung des Prophetismus — und dennoch weist das Wort Jesu

---

[23] Str-B II 76, III 456, 645, IV 238, 244 f.
[24] Str-B IV 646—650, 664.
[25] Dreimal ist das Wort des RMeir überliefert: „Ein Nichtjude, der sich mit der Tora befaßt, ist wie ein Hohepriester": Sanh 59 a; BB 38 a; AZ 3 a. Vgl Wenschkewitz aaO 41 f. Zu der Beurteilung Wenschkewitzs wäre beizufügen, daß hier wohl Polemik gegen ein Hohepriestertum nachwirken wird, das sich

nicht streng an die Tora hält. Auf jeden Fall zeigt das Wort in der Tat plastisch die Verdrängung des Kultus durch das Torastudium.
[26] Weber 331 vgl 39 f.
[27] Vgl dazu die bemerkenswerten Ausführungen von Schl Gesch d Chr 111 f, 161. Der Schluß von Wenschkewitz aaO 94 aus Mt 12, 6, daß Jesus seine Jünger den Priestern gleichstelle, geht zu weit.

als Ganzes vom priesterlichen Typus weit fort und zum prophetischen Worte hin, dessen Geist er als der Sohn aufnimmt und auf die Höhe führt.

1. Im synoptischen Zeugnis ist hervorzuheben das: „Zeige dich dem Priester" Mt 8, 4; Mk 1, 44; Lk 5, 14; pluralisch: Lk 17, 14. Vgl Lv 13, 49. Jesus läßt die auf Grund des mosaischen Gesetzes ausgestaltete Verordnung und damit den Auftrag des Priesters in dieser Frage des öffentlichen Gesundheitsschutzes und der kultischen Reinheit ruhig gelten. Ja er fordert ausdrücklich zur Befolgung der Vorschrift auf. Die Aufforderung enthält auch den Hinweis auf die Opfergabe. Aber der Hauptzweck ist nicht Stützung priesterlicher Autorität. Das εἰς μαρτύριον αὐτοῖς weist vielmehr hin auf die Bedeutung, welche die Heilung Jesu für den Priester hat. Sie ist sprechendes Zeugnis für Jesu Vollmacht. Der Priester selbst hat durch seine Feststellung zu dieser Bezeugung mitzuwirken[28].

2. Zwei weitere Worte zeigen, wie Jesus seine **Freiheit der Sabbatsatzung gegenüber** durch Beispiele aus der Tora stützt. Sie bedeuten beide die Aufhebung sklavischer Gesetzlichkeit. Mt 12, 4 Par greifen David und seine Begleiter in der Not gegen Lv 24, 5—9 in Priestervorrechte ein[29]. Zur Geschichte vgl 1 Βασ 21, 7. Mt 12, 5f wird betont, daß sogar der Tempeldienst des Priesters regelmäßig — und zwar schuldlos — den Sabbat entweiht. Beide Beispiele bezeugen jene der Urchristenheit überlieferte Synthese von Achtung und Überlegenheit dem Kultgesetz gegenüber. Beide Male wird der Bruch des Gebotes nur mit Schriftbegründung gegeben. Hier wie dort heißt es: hier ist mehr — als der theokratische König und als der Tempel (→ 244, 29 ff).

3. Das **Priestermotiv** findet besondere Berücksichtigung **bei Lk.** Eine recht eindrückliche Kritik am Priesterstand schließt Lk 10, 31 f ein, wo gezeigt wird, wie der ketzerische Samariter durch die Liebesübung dem „Priester und Leviten" überlegen ist. Die Zusammenordnung beider begegnet sonst nur noch J 1, 19. — Lk 1, 5 wird an den Anfang ein ἱερεύς gestellt, der an der alten Kultstätte die Offenbarung des Neuen empfängt (→ 245, 25. Zu ἐφημερία → 262, 24). — Die Erwähnung in Ag 6, 7, daß eine große Menge Priester dem Glauben gehorsam wurde, zeugt davon, daß Lk auf die Umwandlung der Priesterschaft durch das Evangelium achtet.

4. Über ἱερεύς im Hb → 277 A 54. Der bei ἱεράτευμα (→ 249, 28 ff) erwähnte Zweig der Textüberlieferung von Ex 19, 6 hat Apk 1, 6; 5, 10[30]

---

[28] Zu der Einzahl des hier entscheidenden Priesters zitiert Schl Mt zSt das כהן אחד S Dt 208. — Der Priester ist nicht in Jerusalem zu denken. Nach TNeg 8, 2 (vgl Joach Jeremias aaO 69 A 3) hat sich der genesene Aussätzige zunächst an seinem Ort dem Priester zu zeigen, ehe er in Jerusalem für rein erklärt wird.

[29] Zu der Redeweise εἰ μὴ μόνοις vgl Jos Ant 13, 373; 14, 72; 15, 419. Zur Sache noch: Jdt 11, 12f.

[30] Zu 1, 6 vgl HCHoskier, Concerning the Text of the Apk II (1929) 34: h liest regnum nostrum sacerdotes. Tertullian zT: regnum quoque nos et sacerdotes deo. gig, PseudAmbr: regnum et sacerdotes. Die meisten Minuskeln und ℵ* C A B βασιλείαν ἱερεῖς, vgl Peschitto Ex 19, 6. — Zu 5, 10 (Hoskier 156): βασιλείαν ἱερεῖς: A 56 111* usw sah boh Prim Cypr, während nur ℵ βασιλείαν καὶ ἱερατείαν hat.

beeinflußt, vgl noch freier: 20, 6 und das βασιλεύσουσιν in 22, 5. Bei den beiden ersten Stellen ist der Text zu bevorzugen, der βασιλείαν hat (nicht βασιλεῖς), aber die Fortsetzung zeigt, daß der Anteil der Glaubenden an der königlichen Herrschaft aus dieser βασιλεία gefolgert wird. Das ergibt zusammen mit der Betonung der Priesterwürde, die der neuen Gemeinde zugesprochen wird, eine 5 auffallende Hervorhebung des königlichen und priesterlichen Momentes in engster Verbindung, wie es beim ἀρχιερεύς begegnet (→ 268, 10; 282, 23) [31]. Nach 1, 6 wie 5, 10 sind die Christen als Erlöste und Erkaufte (durch das Blut des Christus) Priester. Wie in 1 Pt 2, 5 ist die Zusage an Israel auf die neue Gemeinde übertragen. Sie besteht aus lauter Priestern — aber Gottes und Christi. Durch 10 diese Bestimmung unterscheidet sie sich vom Alten Bunde. Wir haben hier das einzige Wort des NT, in dem das persönlich gefaßte Priesterbild auf die Christenheit übertragen wird. Es geschieht durchweg in Aussagen, die vom Geiste der Vollendung getragen sind, aber zugleich im gleichen Buche, das in der Herrlichkeit keinen Tempel mehr kennt (→ 247, 22). 15

ἀρχιερεύς

Inhalt: A. Sprachliche Bemerkungen. — B. Der ἀρχιερεύς im Griechentum und Hellenismus: 1. Der Oberpriester im Bericht über ägyptische und tyrische Religion und in theoretischen Erörterungen; 2. Das Amt des ἀρχιερεύς unter den Seleukiden und Ptolemäern; 3. Die ἀρχιερεῖς seit Augustus; 4. Der ἀρχιερεύς = Pontifex Maximus. — C. Der 20 Hohepriester und die Oberpriester im Judentum und im NT: I. Zur Geschichte des Hohenpriestertums; II. Würde, Rechte und Aufgaben des Hohepriesters; III. Der ἀρχιερεύς in den geschichtlichen Angaben des NT; IV. Die ἀρχιερεῖς als Oberpriester: 1. Die Bedeutung der gehobenen Priesterämter, 2. Die ἀρχιερεῖς im NT. — D. Die Hohepriester-Spekulation bei Philo: 1. Der Mittlergedanke; 2. Der Sündlose; 3. Die Kosmos-Spe- 25 kulation. — E. Der Hohepriester im Hebräerbrief: I. Die Grundelemente des Entwurfes; II. Der levitische Hohepriester; III. Christus, der erhabene Hohepriester; IV. Die grundstürzenden Schlußfolgerungen aus der christologischen Abrechnung mit dem Kult; V. Heilswirkung und praktische Tragweite der verkündeten Wahrheit. — F. ἀρχιερεύς und ἱερεύς in der Alten Kirche. 30

---

[31] Vgl Loh Apk zSt. Haben wir hier „überschwänglichen Stolz des Sehers"? Allerdings redet der HT nicht von einem Herrschen der Gemeinde, aber der Gedanke des Anteils der Gemeinde an dem βασιλεύειν ist im NT nicht allein der Apk eigen. Die Zusage des Priestertums aber für alle liegt schon im Text von Ex 19, 6.

ἀρχιερεύς. DMagie, De Romanorum Juris Publici Sacrique Vocabulis usw (→ 257 Lit-A) (1905) Regist; ESchweizer, Grammatik der Pergamenischen Inschriften (1898) Regist; GThieme, Die Inschriften von Magnesia am Mäander und das NT (1906) 21 f; JRouffiac, Recherches sur les Caractères du Grec dans le NT d'après les Inscriptions de Priène (1911) 73 f; Moult-Mill 82; CGBrandis in: Pauly-W II (1896) 471—483; PStengel, Die griech Kultusaltertümer [3] (1920) 43 (dort 47 A 6: Ältere Lit); WOtto, Priester und Tempel im hell Ägypten I (1905) 134—137, 172 ff; GWissowa, Religion und Kultus der Römer [2] (1912) 501—523 (das Pontificalcollegium); GRohde, Die Kultsatzungen der römischen Pontifices (im Druck). Über den Rex Sacrorum außer GWissowa aaO 503 f: ThMommsen, Das röm Staatsrecht [2] (1877) 14, 3. — EvDobschütz in: ThStKr 104 (1932) 240; CBWelles, Royal Correspondence in the Hellenistic Period (1934) 318 f. — Der Hohepriester im Spätjudentum: Schürer II 267—277; Ders, Die ἀρχιερεῖς im NT, ThStKr 45 (1872) 597—607; Str-B: „Hohepriester" Regist, vgl bes: III 696—700 (Zum Plural: II 56, 626, 634 f); JoachJeremias, Jerusalem zur Zeit Jesu II B 1 (1929) 3—59. — Für Philo: JHeinemann, Philons griech und jüd Bildung (1932) 59—62; HWenschkewitz, Die Spiritualisierung der Kultusbegriffe (1932) 71—73. — Für Hb: Wnd Hb, Exkurse zu 7, 27; 8, 2 9, 14; Str-B IV 1, Exkurs 18: 452—465 (besonders 460 ff): Der 110. Psalm in der altrabbinischen Lit; EKARiehm, Der Lehrbegriff des Hb (1859) 431—488; OKluge, Die Idee des Priestertums in Israel-Juda und im Urchristentum (1906) 40 ff;

A. Sprachliche Bemerkungen.

1. Zum allgemeinen griechischen Gebrauch. ἀρχιερεύς ist im Anschluß an ἱερεύς aus dem ältern ἀρχιέρεως (vgl ἀρχέ-νεως von ναῦς) umgebildet[1]. — Die Derivate sind sehr zahlreich: ἀρχίέρεια, Oberpriesterin (Inschr), ἀρχιεράομαι (Inschr, 4 Makk, Jos), ἀρχιερατεύω (Pap, Inschr, 1 Makk, Jos), ἀρχιερατικός (Inschr, Jos), ἀρχιερωσύνη (Inschr, 1, 2, 4 Makk, sehr oft Jos, Plut, Appian), ἀρχιερατεία (Inschr). Sie fehlen sämtlich im NT. In den Inschriften begegnet ἀρχιερεύς und die dazu gehörenden Bildungen zuerst im 3 Jhdt v Chr. Die meisten Belege bei Preisigke. Wört stammen aus dem 2 und 3 Jhdt n Chr. Zwischen 150 v Chr und 50 n Chr scheint ἀρχιερεύς von den Juden übernommen worden zu sein.

2. Im hbr AT heißt der Hohepriester הַכֹּהֵן הַגָּדֹול: Lv 21, 10; Nu 35, 25, oder im jüngeren Sprachgebrauch: כֹּהֵן הָרֹאשׁ: 2 Kö 25, 18; 2 Ch 19, 11; Esr 7, 5 (von Aaron). Selten: הַכֹּהֵן הַמָּשִׁיחַ: Lv 4, 5. Von Dt an einfach: כֹּהֵן.

3. In Septuaginta fehlt ἀρχιερεύς noch fast ganz. Das Wort wurde erst damals aus der Umwelt von den Juden übernommen. *a.* Es findet sich nur fünfmal (für כֹּהֵן): in Lv 4, 3; Jos 22, 13; 24, 33; 3 Βασ 1, 25 A†; 1 Ch 15, 14 S * †. — *b.* Gewöhnlich heißt der Hohepriester: ὁ ἱερεὺς ὁ μέγας (vgl Hb 10, 21): Nu 35, 25; Jos 20, 6 A; 4 Βασ 22, 4. 8; 2 Ch 24, 11; Jdt 4, 6. 8; Sir 50, 1. Ohne Artikel: 1 Makk 14, 20; 15, 2. — *c.* Sonst heißt er einfach: ὁ ἱερεύς: Ex 35, 19 (Aaron), vgl die gleiche Beifügung der LXX zu 36, 8 (Mas 39, 1). Wie 3 Βασ 1, 8 Zadok ὁ ἱερεύς heißt, so wird auch 1 Makk 15, 1 Simon so bezeichnet. Vgl bei Jos Ant 5, 24; 6, 242; 8, 9 f; 9, 144, wie dieser denn auch statt ἀρχιερωσύνη oft einfach ἱερωσύνη braucht. — *d.* ὁ ἱερεὺς ὁ χριστός: Lv 4, 5. 16 → Z 13. Vgl ὁ ἀρχιερεὺς ὁ κεχρισμένος: Lv 4, 3. — *e.* ἱερεὺς πρῶτος: 3 Βασ 2, 35; 4 Βασ 25, 18.

4. Dagegen findet sich in den Apokryphen 41mal ἀρχιερεύς, überwiegend in 1 Εσδρ, 1, 2 Makk, viermal in 3, 4 Makk. 1 Εσδρ 5, 40 AR; 9, 40. 49; 1 Makk 10, 20; 12, 3; 13, 36; 2 Makk 3, 1; 3 Makk 1, 11; 4 Makk 4, 13. Beachte für Hb 4, 14: 1 Makk 13, 42: ἀρχιερέως μεγάλου.

B. Der ἀρχιερεύς im Griechentum und Hellenismus.

1. Der Oberpriester im Bericht über ägyptische und tyrische Religion und in theoretischen Erörterungen. ἀρχιερεύς begegnet zuerst bei Herodot, der die Erz- oder Oberpriester im alten Ägypten so nennt. Er betont ihren hohen Rang neben den Königen: II 142. Jeder läßt noch zu Lebzeiten sein Bild im Tempelinnern aufstellen: II 143; — II 37, 3 handelt von der erblichen Nachfolge des Sohnes. Vgl noch II 151. — Für die Geschichte von Tyrus ist nachweisbar ein Ἄββαρος ἀρχιερεύς in einem Auszug aus einer phönikischen Urkunde bei Jos Ap I 157.

Plato konstruiert diese Würde für sein Staatsideal: Leg XII 947 a: der Oberpriester soll jährlich an der Spitze der im betreffenden Jahre amtierenden Priester stehn. Nach seinem Namen, der alljährlich verzeichnet wird, ist die Zeitrechnung zu bestimmen.

2. Das Amt des ἀρχιερεύς unter den Seleukiden und Ptolemäern. Den beamteten ἀρχιερεύς treffen wir in der hellenistischen Zeit unter den Seleukiden als *Oberpriester für die einzelnen Satrapien*, eingesetzt von der königlichen Gewalt. So heißen ferner die *Oberpriester sämtlicher Heiligtümer an einem Orte*. Vgl die Briefe Antiochus' des Großen: Ditt Or I 224, 24. 28 (= Welles 36, 12. 17) (Nordkarien, 204 v Chr) und 244, 29 f. 33 f (= Welles 44, 28, 33) (Daphne, 189 v Chr), ferner das Schreiben des Attalos an den Oberpriester des Apollo in Tarsis (Welles 47, 2) (185 v Chr). — Auch unter den Ptolemäern werden ἀρχιερεῖς genannt. So unter Ptolemaeus V Epiphanes (205—181 v Chr): Ditt Or I 93, 4. Darnach steht auf Kypros neben dem obersten militärischen Befehlshaber an ägyptischer Königshoheit, dem στρατηγός: der ἀρχιερεὺς τῆς νήσου oder: Ditt Or I 105 (Paphos, 2 Jhdt v Chr) der ἀρχιερεὺς τῶν κατὰ τὴν νῆσον. Es handelt sich hier um *königliche Oberpriester*. Es gibt übrigens auf Kypros auch ἀρχιερεῖς ohne diesen Zusatz.

ANairne, The Epistle of Priesthood (1913) 135 ff; WvLoewenich, Zum Verständnis des Opfergedankens im Hb, in: ThBl 12 (1933) 167—172; RGyllenberg, Die Christologie des Hb, ZSTh 11 (1934) 662—690; HWenschkewitz aaO 131—149.
[1] Vgl ESchweizer, Gramm d Pergam Inschr (1898) 151; Bl-Debr § 44, 1.

Bei den ägyptischen Phylenpriestern in der Ptolemäerzeit begegnen verschiedene Klassen, zB οἱ ἀρχιερεῖς, προφῆται, ἱερογραμματεῖς[2]: Ditt Or I 56, 3 f. 73 (3 Jhdt v Chr); 90, 6 (2 Jhdt v Chr). Ob der an der Spitze des Tempels stehende ἐπιστάτης τοῦ ἱεροῦ: Ditt Or I 56, 73 mit dem ἀρχιερεύς identisch ist oder von ihm verschieden[3], ist umstritten.

3. Die ἀρχιερεῖς seit Augustus.

a. Die Priester des Kaiserkultes. Die so in den hellenistischen Reichen gegebenen Ansätze haben sich in der römischen Zeit weiter ausgebildet. Die provinzialen Oberpriester des Kaiserkults heißen: ἀρχιερεῖς τοῦ Σεβαστοῦ oder τῶν Σεβαστῶν. Sie sind Leiter der Landtage (κοινά). Sie bringen die Opfer für den Kaiser dar, haben auch für ihn und das kaiserliche Haus die Gelübde zu sprechen. PRyl 149, 2 (1 Jhdt n Chr): Γαίου Καίσαρος Σεβαστοῦ Γερμανικοῦ ἀρχιερεὺς Γάιος Ἰούλιος Ἀσκλᾶς κτλ. Vgl weiter Ditt Or II 458, 31 (Asien)[4].

b. Der ἀρχιερεὺς Ἀλεξανδρείας καὶ Αἰγύπτου πάσης. In der römischen Zeit wird die Tempelverwaltung mehr und mehr verstaatlicht und zT zentralisiert. So begegnet in Ägypten unter obigem Titel ein Oberpriester, dessen Stelle seit Hadrian mit der eines römischen Prokurators, des Idiologos, kombiniert ist: CIL III 5900, 1 = CIG XIV 1085, 1; vgl τῷ ἰδίῳ λόγῳ: BGU I 250 (Mitteis-Wilcken I 2, 215, 21) (nach 130 n Chr). Strittig ist, ob dieser ἀρχιερεύς auch als oberste Spitze des Kaiserkults aufzufassen ist[5]. Er scheint sich dadurch zu unterscheiden von den *a* genannten provinzialen Kaiserpriestern, daß ihm die griechischen und ägyptischen Kulte insgesamt unterstellt sind[6].

c. Auch die Provinzialtempel in Pergamon, Smyrna, Kyzikos, Ephesos, Sardeis usw unterstehen ἀρχιερεῖς = Provinzialoberpriestern. Diese werden jedes Jahr vom Landtag gewählt[7].

d. Den Namen ἀρχιερεῖς führen auch die Erzpriester (Vereinspriester) der künstlerischen und anderer Genossenschaften, die sich um ein gemeinsames Heiligtum scharen[8].

e. Auch lokale Oberpriester eines Sebasteion, ferner die Oberpriester des achäischen, des lykischen Bundes, dann Oberpriester für einzelne Gottheiten und sonstige lokale Oberpriester werden ἀρχιερεῖς genannt. — Dabei ist wenigstens für Ägypten festgestellt, daß es sich uU um ein rein titulares Eponym handelt, das nicht unbedingt mit der Vorsteherschaft über einen Tempel oder mit der Aufsicht über andere Priester verbunden zu sein braucht[9].

4. Der ἀρχιερεύς = Pontifex Maximus.

Die Verbindung des königlichen Amtes mit sakralen Funktionen ist uralt. So hat auch die Vermählung der kaiserlichen Würde mit der des pontifex maximus ihre ehrwürdige Vorgeschichte[10]. Die ursprüngliche Bedeutung der pontifices ist immer noch ungeklärt[11]. Reich belegt aber ist die Übersetzung von pontifex maximus durch ἀρχιερεύς mit und ohne μέγιστος. Polybius scheint als erster den römischen pontifex so bezeichnet zu haben. Er tituliert so 22, 3, 2; 32, 6, 5 den Konsul M. Aemilius Lepidus. Auch Plut De Numa 9 (I 65 e ff) hat diesen Sprachgebrauch. Er berichtet, man schreibe Numa die Einsetzung τῶν ἀρχιερέων zu, welche die Römer pontifices nennen.

---

[2] Vgl dazu aus der Kaiserzeit (Caracalla) für Kleinasien: GThieme, Die Inschriften von Magnesia (1905) 21 f: ἀρχιερεῖς καὶ γραμματεῖς. Häufig steht dies im Sing. Meist ist damit die gleiche Person gemeint, nicht verschiedene Gruppen wie im Judentum und NT.
[3] WOtto aaO I 23 ff. Mitteis-Wilcken I 1 (1912) 111. Dort weitere Lit.
[4] Vgl DMagie aaO 21, 40; CGBrandis in Pauly-W aaO; Stengel aaO. Für Claudius: Poland Vereinswesen 145**.
[5] Dafür: ThMommsen, Röm Geschichte V (1904) 558, 569; UWilcken, Hermes 23 (1888) 601 ff; CGBrandis in Pauly-W II 474; PMeyer, Festschrift für OHirschfeld (1903) 157 ff. Dagegen: WOtto aaO I 58, 71. — Vgl zum Ganzen: Mitteis-Wilcken I 1, 114; WOtto aaO I 62; Ders, APF 5 (1909) 181; WWeber, Untersuchungen zur Geschichte des Kaisers Hadrian (1907) 114.
[6] Eine Liste solcher ἀρχιερεῖς: WOtto aaO I 172 ff.
[7] Vgl CGBrandis in Pauly-W aaO.
[8] Außer Brandis aaO vgl Poland Vereinswesen 343, 421. Preisigke Sammelbuch 623.
[9] Vgl WOtto aaO I 135 ff.
[10] Vgl MPNilsson, The Minoan-Mycenaean Religion and its Survival in Greek Religion (1927) 415 ff. — Ähnliches bei LDeubner, Attische Feste (1932) 100: Der ἱερὸς γάμος des Dionysos mit der Gattin des ἄρχων βασιλεύς.
[11] FPfister aaO 384.

Der Diktator Caesar führt diesen Titel: IG VII 1835, 2; Appian Bell Civ I 16.

In der Titulatur der Kaiser, schon zu Augustus Zeit, zumal seit Nero, erscheint regelmäßig nach überaus reichen Belegen der Inschriften und Schriftsteller das ἀρχιερεύς, sehr oft (wohl zur Unterscheidung von *3 a—e*) mit μέγιστος. Ditt Syll ³ 832, 3 (Hadrian), aber auch früher: Jos Ant 14, 190. 192; 16, 162 [12].

C. Der Hohepriester und die Oberpriester im Judentum und im Neuen Testament.

I. Zur Geschichte des Hohepriestertums.

1. Vom Exil bis zu den Hasmonäern.

Die seit dem Exil bestehende Würde διὰ βίου 4 Makk 4, 1, die ideell das dahingefallene Königtum beerbt und — was Salbung und Diadem andeutet — auch die weltliche Herrschaft im Priesterstaat beansprucht, muß zwar zunächst, weil der persische Statthalter die weltliche Macht vertritt, diesen Anspruch als ein nicht verwirklichtes Ziel zurückstellen. Aber der Hohepriester steht neben dem Statthalter, und nach dem Aufhören dieses Amtes werden auch seine weltlichen Befugnisse verstärkt. Zum Ansehen der Würde trägt die ganze hehre Vergangenheit bei, welche die priesterliche Geschichtsdarstellung dem Amte zuschreibt. Behauptet sie doch nichts weniger, als daß Israel in ununterbrochener Erbfolge seit Aaron Hohepriester aus dem Geschlecht des Zadok, jenes Oberpriesters unter Salomo, besessen habe [13].

Die letzten Zadokiden sind Onias II (bis 175 v Chr), in legitimer Erbfolge, und der von Antiochus IV Epiphanes willkürlich ernannte Jason (175—172 v Chr). Darauf setzt Antiochus den Menelaos ein (172—162 v Chr, aus nichtpriesterlicher Familie), dem der nicht zadokidische Priester Jakim (Alkimos) (162—160 v Chr) folgt. Auch hier ist also die große Erschütterung (→ 239, 8 f) das verhängnisvolle Jahr 175. Der Sohn des letzten Legitimen, Onias III: Onias III, geht 170 v Chr nach Ägypten und erhält dort die Erlaubnis, einen Tempel zu Leontopolis zu bauen (der bis 73 n Chr bestand). Vom Tode Jakims (160) bis 153 v Chr war Jerusalem — 7 Jahre lang — ohne Hohepriester [14].

2. Von den Hasmonäern bis in die Zeit Jesu und der Apostel.

Als 153 v Chr der Hasmonäer Jonathan den Ornat anlegt, kommt wiederum nicht ein Zadokide, sondern der Abkomme eines einfachen Priestergeschlechts zur Würde. Es ist einzig das Verdienst der Makkabäer um die Geschichte des Judentums, das dies Wagnis ermöglicht. Die Pharisäer bestritten ihnen das Recht [15]. Den Königstitel nehmen die Hasmonäer erst später an [16]. Sie haben das Amt bis zu Aristobul, 116 Jahre lang, innegehabt und insgesamt 8 Hohepriester gestellt.

Einschneidende Veränderungen bringt die herodianisch-römische Zeit. Die Salbung fällt fort und die Weihe erfolgt nur noch durch Investitur, eine erhebliche Einbuße der Machtdarstellung. Herodes vernichtet die Hasmonäer. Sowohl der erbliche wie der lebenslängliche Charakter des Amtes wird von seiten der politischen Machthaber mißachtet, durch willkürliches Absetzen und Einsetzen. Die Rechte der Zadokiden werden nicht berücksichtigt. Die Vertreter werden aus anderen Priesterfamilien genommen. So bekleiden in den 106 Jahren von 37 v Chr bis 70 n Chr 28 Hohepriester das Amt, davon 25 aus nicht legitimen Priestergeschlechtern. Vor allem waren es die Familien des Boethos, Hannas, Phiabi und Kamith, unter diesen die mächtigsten die Boethusäer, später vom Hause des Hannas überholt, die an Einfluß gewannen (→ 270, 11 ff). Aber die gesetzliche Opposition hält an der Legitimität der Zadokiden fest. So haben die Zeloten 67 n Chr nach der Besetzung Jerusalems alle diese Geschlechter für ungesetzlich erklärt und für die Wahl den Brauch des

---

[12] Weitere Belege: DMagie aaO 142.
[13] Zadok: 2 S 8, 17; 15, 24; 1 Kö 1, 8; 2, 35. — 1 Ch 6, 3—15 bringt eine Liste von Aaron bis zum Exil. Vgl Jos Ant 10, 151—153. Zu 1 Ch 6, 3 ff vgl bis auf die Zeit Salomos: 1 Ch 6, 50—53. — Jos gibt Ant 20, 224—251 eine Übersicht über die Hohepriester von Aaron bis zur Zerstörung des Tempels.

Weiteres: JoachJeremias, Jerusalem II B 1 (1929) 41.
[14] Jos Ant 20, 237.
[15] Vgl Jeremias aaO 12 f, 49 f.
[16] Nach Jos Bell 1, 70; Ant 13, 301 tut dies Aristobul I (104—103 v Chr), nach dem Münzbefund und Strabo 16, 2, 40: Alexander Jannaeus (103—76 v Chr), vgl Jeremias 49 A 2, der einen Ausgleich versucht.

Loses eingeführt. Es wurde gelost unter den Zadokiden [17], so daß dann Palästina noch einmal einen Angehörigen dieses Geschlechtes als Hohenpriester sah.

War so zur Zeit Jesu durch all diese Wirren der Einfluß des Hohepriestertums auch heillos zerrüttet und durch politische Willkür geschwächt, wozu neben jenen Abhängigkeiten sich noch Simonie und Rivalität gesellten, ferner der wachsende Vor- 5 rang der Schriftgelehrten und Pharisäer im Kultus und im Synedrium (→ Z 27 f), so blieb trotz alledem der Hohepriester der oberste Vertreter des jüdischen Volkes.

II. Würde, Rechte und Aufgaben des Hohepriesters.

1. Die Würdestellung. Josephus beschreibt Ap 2, 185 den jüdischen Priesterstaat als die vortrefflichste, vernünftigste Verfassung: Gott als 10 Lenker des Weltalls steht an der Spitze. Den Priestern ist die gesamte Verwaltung des Staates übertragen. Der Hohepriester aber hat die ausschließliche ἡγεμονία über die anderen Priester. Vgl Ap 2, 193. Hier ist der כֹּהֵן גָּדוֹל als der oberste Leiter der Priesterschaft aufgefaßt [18]. Als solcher ist er auch der vornehmste Vertreter des Volkes [19] in der königlosen Zeit, letztlich aber ist er der Bevollmächtigte Gottes [20] 15 und hat die קְדֻשַׁת עוֹלָם, den Charakter ewiger Heiligkeit, der als character indelibilis dadurch deutlich wird, daß selbst der Abgesetzte ihn behält [21]. Vermittelt wird dieser Charakter, seit die Salbung abgeschafft ist, einzig durch die Bekleidung mit dem achtteiligen Prachtornat [22]. Er galt in allen seinen Teilen als sühnekräftig für be- stimmte Sünden. Er war so sehr Symbol des Amtes daß der jüdische Kampf mit 20 den Römern um den Ornat zu einem Kampfe um die Religion selbst ward. Auch der Tod des Hohenpriesters hat Sühnewirkung: für die Totschläger, die in die Asylstädte entflohen sind (nach Nu 35, 25 ff).

2. Besondere Rechte des Hohepriesters sind neben Vergün- stigungen bei der Vorwahl der Anteile am Opfer, neben dem Vorrecht, sich jederzeit 25 an der Opferdarbringung beteiligen und auch als Leidtragender opfern zu dürfen, was sonst dem Priester verboten ist, der Vorsitz im Synedrium (Mt 26, 3; Ag 22, 5; 23, 1 f), das aus 71 Mitgliedern, Oberpriestern, Schriftgelehrten, Ältesten, zusammen- gesetzt ist. Bei Kapitalverbrechen des Amtsträgers ist allein diese Behörde für ihn zuständig. 30

3. Seine Amtspflichten sind in erster Linie kultischer Art. Der Eintritt in das Allerheiligste, einmal im Jahre, beim Opfer des großen Ver- söhnungstages, das ist sein alleiniges und vornehmstes Vorrecht, das ihn von allen anderen Menschen unterscheidet [23]. Die rabbinische Tradition berichtet von Himmelsstimmen, die dem amtierenden Hohenpriester aus dem Heiligsten geschenkt 35 werden. Dazu mag Beziehung haben J 11, 51, wo der ἀρχιερεύς der Weissagende ist [24]. Nach der Mischna tut er auch in der Woche vor dem Versöhnungstag Dienst und hat in dieser ganzen Zeit aufs sorgsamste die levitische Reinheit zu wahren. Seine Funktion bei der Verbrennung der roten Kuh ist gleichfalls mischnische Tra- dition [25]. 40

4. Die Reinheitsvorschriften sind für ihn sonderlich streng. Er darf in keine Berührung mit einer Leiche kommen, kein Sterbehaus be- treten, nicht einmal im Leichenzug hergehn und keine Trauerzeichen tragen. Dies alles hat sogar beim Tode seiner nächsten Verwandten Gültigkeit [26].

5. Die makellose Geschlechterfolge dieses erblichen Amtes wird 45 geschützt durch strengste Bestimmungen über die Eheschließung. Das

---

[17] Vgl Jos Bell 4, 148. Nach Bell 4, 155 beriefen die Zeloten μίαν τῶν ἀρχιερατικῶν (maskulinisch) φυλήν. Es gab nach ihrer Auf- fassung nur eine φυλή der ἀρχιερατικοί.

[18] Auch Jos Ant 3, 151, wo ἀραβάρχην = ἀραβαναλαίαν = rab kahanaia zu lesen ist, wird der Hohepriester als Haupt der Priester- schaft bezeichnet.

[19] Vgl Ag 23, 5: ἄρχοντα τοῦ λαοῦ σου.

[20] ἀρχιερεύς τοῦ θεοῦ: Ag 23, 4; Jos Ant 15, 22; Philo → 273, 1; Orig Cels V 44.

[21] Daß für den Abgesetzten weiter Titel, Amtscharakter, Sühnkraft seines Todes, Ehe- vorschriften, Verbot der Verunreinigung an Toten, Trauerzeremonien gelten, vgl Jeremias

14 f, ist wichtig zum Verständnis der Rolle, die Hannas weiter neben Kaiphas spielt.

[22] Vgl Ex 28; 29; Sir 45, 6—13; ep Ar 96—99; Jos Ant 3, 151. 159—187; Bell 5, 231 bis 236; Ant 15, 403—409; 18, 90—95; 20, 6 bis 14; Joma 7, 5. Vgl Jeremias 3 f. Herodes Archelaos und die Römer hielten ihn in Ver- wahrung. Claudius gibt ihn 45 wieder heraus.

[23] Jos Ant 3, 242 f; Philo Spec Leg I 72. Vgl Jeremias 6 f.

[24] Vgl Jeremias 5.

[25] Belege bei Jeremias 6 f, 9 f. Vgl Philo Spec Leg I 268; Jos Ant 4, 79.

[26] Vgl Jeremias 8 f. Dort: über die zwischen Pharisäern und Sadduzäern umstrittene Frage des „Pflichttoten".

Toragebot, daß er nur eine Jungfrau ehelichen dürfe, erklärt die rabbinische Auslegung näher: nur eine solche von 12—12½ Jahren, keine Entlobte, kein Mädchen
aus illegitimer Priesterehe, keine Proselytin, keine Deflorierte, darum auch keine
einstige Kriegsgefangene, vielmehr die Tochter eines Priesters, Leviten oder eines
Israeliten einwandfreier Abstammung[27]. Daß die Mutter des Hasmonäers Johannes
Hyrkan eine Kriegsgefangene war, hat die Pharisäer nicht nur gegen ihn, sondern
noch gegen seinen Enkel Alexander Jannaeus erbost und war für sie Vorwand oder
Grund genug, das ganze hasmonäische Geschlecht als illegitim abzulehnen[28].

III. Der ἀρχιερεύς[29] (Singular) in den geschichtlichen Angaben des Neuen Testamentes.

1. Der meistgenannte Hohepriester im NT ist K a i p h a s
(ungefähr 18—37 n Chr)[30], der Schwiegersohn des Hannas, der J 11, 49 f. 51;
18, 13 f mit Nachdruck ἀρχιερεὺς τοῦ ἐνιαυτοῦ ἐκείνου, dh des denkwürdigen
Todesjahres Jesu heißt. Daß ein in jüdischen Fragen so kundiges Buch wie
das Joh-Ev meinen sollte, das Hohepriesteramt sei ein Jahresamt gewesen, ist
ausgeschlossen.

Vgl weiter: Mt 26, 57. 62 f. 65; Mk 14, 53. 60 f; Lk 22, 54; J 18, 24. v 19—24 scheint
dagegen von Hannas die Rede zu sein[31]. Die αὐλή: Mt 26, 58; Mk 14, 54 ist die des
Kaiphas. Bei J 18, 15 (vgl 24) ist das wiederum zweifelhaft. Die παιδίσκη Mk 14, 66
gehört zum Haushalt des Kaiphas.

2. H a n n a s (amtet 6—15 n Chr) ist der zur Zeit Jesu
abgesetzte, aber noch einflußreiche Hohepriester Lk 3, 2; Ag 4, 6; J 18, 13. 24.
Außer seinem Schwiegersohn (→ Z 11 ff) bekleideten fünf Söhne von ihm und sein
Enkel Matthias (65 n Chr) die Würde. Er war also das Haupt eines γένος
ἀρχιερατικόν (→ 272, 7).

Die Knechte des ἀρχιερεύς: Mt 26, 51; Mk 14, 47; Lk 22, 50; J 18, 10. 26 gehören
zu → *1* oder → *2.*

3. A n a n i a s der Hohepriester: Ag 23, 2; 24, 1. Kein
Name ist angegeben: Ag 5, 17. 21. 27; 7, 1; 9, 1 f.

4. Als V o r s i t z e n d e r d e s S y n e d r i u m s, zusammen
mit den γραμματεῖς καὶ πρεσβύτεροι ist der ἀρχιερεύς genannt: Mt 26, 57; Mk
14, 53; Lk 22, 54.

Vgl Jos Ant 4, 224 mit οἱ γερουσιασταί, statt dessen γερουσία, aber immer zusammen
mit ἀρχιερεύς: Ant 4, 218; 5, 55. 57. 103. 353.

IV. Die ἀρχιερεῖς (Plural) als Oberpriester[32].

1. D i e B e d e u t u n g d e r g e h o b e n e n P r i e s t e r ä m t e r.

Die Oberpriester scheinen ein festes Kollegium mit den
Funktionen der Leitung des Kultus, der Tempelverwaltung und -polizei, der
Verwaltung der Tempelgelder und der priesterlichen Gerichtsbarkeit gebildet
zu haben. Sie hatten Sitz und Stimme im Synedrium.

---

[27] Philo Fug 114: allein eine Priestertochter.
Vgl Jeremias 11.
[28] Vgl Jeremias 12 f. Dort noch andere Beispiele.
[29] Zu dem ἐπὶ ἀρχιερέως "Αννα καὶ Καιαφᾶ:
Lk 3, 2 und ἐπὶ 'Αβιαθάρ ἀρχιερέως: Mk 2, 26
als Zeitbestimmung vgl Mart Pol 21, 1;
Pauly-W VIII (1913) 1426, 1429.

[30] Zur Datierung der Absetzung des Kaiphas: Jeremias 55 A 8.
[31] Anders: Zn J z St. FSpitta, Das Joh-Ev
(1910) 364 ff nimmt Durcheinander infolge
von Überarbeitung an.
[32] Vgl Str-B II 56, 626—631, 634 f. Jeremias aaO 17—25, 33—40.

Zu unterscheiden sind: *a*. Der Tempeloberst: סְגַן, סְגַן הַכֹּהֲנִים = στρατηγὸς τοῦ ἱεροῦ: Ag 4, 1; 5, 24. 26; Jos Ant 20, 131 uö. Er hat nächst dem Hohenpriester den höchsten Rang. In vielen Fällen war dieser früher Tempeloberst gewesen [33]. In Notfällen vertrat der סְגַן den כֹּהֵן גָּדֹל am Versöhnungstag. Er steht ihm beim Kult bei und hat den Ehrenplatz zu seiner Rechten. Er wird gewählt aus der höchsten Priester- 5 aristokratie. Ihm liegt ob die Oberaufsicht über den Kultus und die Priesterschaft, ferner die oberste Polizeigewalt im Tempel. — *b*. Die Häupter der dienst- tuenden Wochenabteilungen. — *c*. Die Führer der Tagesabteilungen. — *d*. Die אֲמַרְכְּלִין = στρατηγοί, Tempelaufseher (nicht weniger als 7): Lk 22, 4. 52 [34]. — *e*. Die גִּזְבָּרִים, Schatzmeister (nicht weniger als 3). Sie haben 10 die Einnahmen und Ausgaben des Tempelvermögens zu verwalten [35].

2. Die ἀρχιερεῖς im Neuen Testament.

a. In den Evangelien und in Ag liegt der auffallende Sprachgebrauch vor, daß 62 mal ἀρχιερεῖς im Plural begegnet, während in den gleichen Schriften nur 38 mal ἀρχιερεύς im Singular steht. 15

Dieser Befund häufiger pluralischer Verwendung entspricht durchaus Jos und den rabbinischen Quellen. Er läßt sich nicht so erklären, daß hier immer eine Zusammenfassung des amtierenden und der abgesetzten Hohenpriester gemeint sei, denn oft stehen ihre mitunter angegebenen Namen nicht in den Hohenpriesterlisten [36]. Auch die Meinung ist unhaltbar, daß mit ἀρχιερεῖς ganz allgemein die „Mitglieder der hohe- 20 priesterlichen Familien" bezeichnet seien [37]. Das scheitert schon daran, daß jene ἀρχιερεῖς meist als Zugehörige des Synedriums kenntlich sind, unter dessen 71 Mitgliedern aber nicht alle Angehörigen der bevorzugten Familien Platz finden konnten. Es handelt sich vielmehr bei dieser Formel um die unter *1 a—e* genannten gehobenen Priesterämter, wozu außer dem Hohenpriester uU noch die abgesetzten Hohenpriester 25 kommen mögen.

b. Im NT erscheinen zunächst vielfach die ἀρχιερεῖς allein.

Dabei können solche Angaben unterschieden werden, wo einmal die genannten Funktionen Mitglieder des *1 a—e* genannten Kollegiums erkennen oder vermuten 30 lassen: Mt 26, 3 f. 14 f; 27, 6; 28, 11; Mk 14, 10 f; Lk 22, 4 f; Ag 5, 17. 21. 24; 9, 14. 21; 26, 10. 12 — von anderen, wo ἀρχιερεῖς einfach Abkürzung für das Synedrium ist, indem die Erzpriester als dessen vornehmste Mitglieder gelten: Mk 15, 3. 10 f vgl mit 15, 1; J 12, 10; 18, 35; 19, 6. 15. 21; Ag 22, 30. Dies ἀρχιερεῖς findet sich bei Jos ungezählte Male: Ant 20, 180 f. 207. Besonders viel in Bell 2, 316—322. 331. 336. 342. 35 410 f uö; Bell 4, 151. 238; Vit 197.

c. Eine zweite Kategorie bilden die Stellen, wo die ἀρχιερεῖς mit den anderen Gruppen des Synedriums oder einer von ihnen zusammen genannt sind.

Die vollständige Nennung aller Gruppen: „Oberpriester, Älteste, Schrift- 40 gelehrte" begegnet am volltönendsten Mt 27, 1 (vgl Lk 22, 66); sodann: Mt 16, 21; 27, 41; Mk 8, 31; 11, 27; 14, 43; Lk 9, 22; 20, 1 (Alexandrinischer Text); Ag 4, 5 (ἄρχοντες = ἀρχιερεῖς). Dies entspricht Jos Bell 2, 411, wo δυνατοί (Älteste), ἀρχιερεῖς und οἱ τῶν Φαρισαίων γνώριμοι (Schriftgelehrte) unterschieden sind. Abgekürzt: Mt 26, 59; Mk 14, 55; Ag 22, 30. — Vgl Jos Bell 2, 331. 336. 45

Die Zusammenordnung ἀρχιερεῖς καὶ γραμματεῖς nennt die eigentlichen religiösen Autoritäten: Mt 2, 4; 20, 18; 21, 15; Mk 10, 33; 11, 18; 15, 11 f; Lk 19, 47; 20, 19; 22, 2; 23, 10. Gleichbedeutend ist ἀρχιερεῖς καὶ Φαρισαῖοι: Mt 21, 45; 27, 62; bei Joh besonders beliebt: 7, 32. 45; 11, 47. 57; 18, 3. Vgl Jos Vit 5. 21.

---

[33] Das ist nach jJoma 41 a, 5 sogar Grundsatz, vgl Jeremias 19 f, 58 A 6.
[34] Vgl Jeremias 24, 33.
[35] Vgl Jeremias 24 f, 33.
[36] Belege bei Jeremias 34 A 2—8.
[37] Diese bisher herrschende Auffassung von ESchürer, ThStKr (1872) 368 ff und Schürer II 275—277 ist durch die Unter-

suchungen von Jeremias aaO 34 ff überwunden. Schürers Auslegung ist weder aus Ag 4, 6 erweisbar, noch aus Ket 13, 1 f; Oholot 17, 5, denn בְּנֵי כֹהֲנִים bezeichnet dort nicht die Abstammung, sondern die Gattung: Erzpriester, Oberpriester. Zu Jos Bell 6, 114 vgl Jeremias 34 f.

ἀρχιερεῖς καὶ πρεσβύτεροι: Mt 21, 23; 26, 3. 47; 27, 3. 12; 28, 11 f; Mk 14, 1;
Ag 4, 23; 23, 14; 25, 15 (vgl dagegen Ag 22, 5). Vgl 1 Makk 1, 26; Jos Bell 2, 422.
Zu ἀρχιερεῖς καὶ οἱ πρῶτοι τῶν Ἰουδαίων: Ag 25, 2 vgl Jos Ant 20, 6. 180;
Vit 9.

5   Außergewöhnlich ist οἱ ἀρχιερεῖς καὶ οἱ ἄρχοντες: Lk 23, 13; 24, 20, weil die Archonten
sonst die Oberpriester sind[38].

d. γένος ἀρχιερατικόν[39] in Ag 4, 6 bezeichnet wie
Jos Ant 15, 40 die Zugehörigkeit zum legitimen Priesteradel (im
strengsten und eigentlichsten Sinne die Zadokiden), ein Begriff, der sich nach
10 sadduzäischer Auffassung zur Zeit Jesu erweitert hat.

Diese priesterliche Aristokratie besetzte die erwähnten Oberpriesterstellen[40] und
war von der einfachen Priesterschaft in sozialer Hinsicht merklich unterschieden[41].
Ihre Erfolge erreichte sie nicht zuletzt durch ihren Reichtum[42].

e. Bei dem jüdischen ἀρχιερεύς Skeuas in Ephesus Ag 19, 14
15 wird es sich um einen Oberpriester in der Diaspora handeln.

Vgl Jos Ap 1, 32 f. 187; Ant 12, 108 (die beiden letzten Stellen von Oberpriestern
der Juden in Ägypten, Ap 1, 187 ausdrücklich ἀρχιερεύς genannt).

Die auffallende Häufung in der Nennung der ἀρχιερεῖς drängt jedem Leser
der nt.lichen Urkunden eine Sinndeutung auf. Sie ist zwar nicht in den Texten
20 ausgeführt, spricht aber als Tatsachensprache um so lauter. Der vorgeführte
Befund zeigt, daß beim Aufweisen der Jesus entgegenstehenden Feindschaft,
die zu seinem Tode führt, nicht irgend ein einzelner, auch nicht der oberste
Inhaber der Priesterwürde allein, sondern die religiösen Autoritäten insgesamt
bezeichnet sind. An erster Stelle aber — neben den Toragelehrten — die ganze
25 oberste Priesterschaft, der Priesteradel, also die offizielle, führende Vertretung
des Sakralen. Sie alle stoßen den Christus zu den Verbrechern. Es gehört zu
den sprechenden und grundstürzenden Offenbarungen des Kreuzes, daß dadurch
nicht nur die bloße heilige Buchgelehrsamkeit als Menschenkunst, sondern auch
das ἱερόν der Menschen als ihre religiöse Veranstaltung gerichtet ist — und
30 zwar in seiner höchsten Vertretung (ἀρχι — ἱερεῖς).

D. Die Hohepriester-Spekulation bei Philo.

1. Der Mittlergedanke[43].

a. Es fehlen bei Philo nicht ganz die Überreste der
jüdischen geschichtlichen Grundanschauung bei der Schilderung des
35 Hohepriesters.

Er ist der Vertreter des Volkes. Als ἔθνους ὑπηρέτης: Spec Leg I 229 muß
er bei der Sühnung seinem Volke gleichgestellt sein. Dem entspricht auf der anderen

---

[38] Vgl Jeremias 58 A 2, 88 ff, 90.
[39] Jos Ant 12, 387: ἡ τῶν ἀρχιερέων γενεά.
Just Dial 116, 3 braucht den Ausdruck Ag
4, 6 von den Christen (τὸ ἀληθινόν) → 284, 19.
Sehr häufig ist ἱερατικὸν γένος, auch vom hohepriesterlichen Geschlecht gesagt: bei Philo,
Orig, auch Jos, mitunter mit γενεά oder φυλή).
[40] Zur Vetternwirtschaft des Priesteradels
vgl bPes 57 (Bar) und T Men 13, 21: Jeremias 56, 58 f.
[41] Belege: Jeremias 40.

[42] Nach TJoma 1, 6 hat der Hohepriester
die übrigen Priester an Reichtum zu über-
ragen: Jeremias 59 A 5.
[43] Zur Herkunft der Mittlerlehre vgl Heinemann aaO 62, der an Plat Symp 202 e erinnert: das Dämonische Mitte zwischen Gott
und dem Sterblichen. W W Jäger, Nemesios
von Emesa (1914) 102 führt die Lehre, daß
der Mensch Mittelglied sei zwischen Gott
und Schöpfung, auf Poseidonios zurück.

Seite Spec Leg I 114 die Gottzugehörigkeit des προσκεκληρωμένος θεῷ. In dieser Fassung scheint zunächst der Mittlergedanke in den rechten Schranken zu stehen. Auch die Betonung der besonderen Würdestellung des ταξίαρχος τῆς ἱερᾶς τάξεως: ebd, der Vit Mos II 131 während der heiligen Handlung sogar alle Könige, nicht nur die Laien, überragt, entspricht durchaus der jüdischen Auffassung. 5

b. Und doch ist dies alles im Ganzen unwesentlich. Der Mittlergedanke erhält Hauptprägung und Bestimmung durch die Logosspekulation.

Nicht nur an Aaron, sondern schon an Mose wird die Mittlerauffassung angeknüpft. Schon Mose ist ἀρχιερεύς: Rer Div Her 182. Von ihm wird ja alles ausgesagt: βασιλεία, 10 νομοθεσία, ἀρχιερωσύνη, προφητεία: Vit Mos I 334; II 2. 187. 292; Sacr AC 130. Er ist es, der Aaron im heiligen Dienst unterweist: Vit Mos II 153. Wird nun Mose bezeichnet als der allererste Logos, der auf der Grenzscheide steht zwischen Geschöpf und Schöpfer, ἱκέτης der Sterblichen und gleichzeitig πρεσβευτής des Herrschers an die Untertanen, μέσος τῶν ἄκρων: Rer Div Her 205 f, so gilt Aaron in der Regel als der 15 λόγος προφητικός. Aber der Ort der Anknüpfung ist nicht das Wesentliche. Es geht im Grunde um den ἀρχιερεὺς λόγος: Gig 52; Migr Abr 102. Rer Div Her 201 aber ist auch Aaron ὁ ἱερὸς λόγος.

Diese Logosspekulation bedingt die Übersteigerung der Aussagen über den ἀρχιερεύς, der über alles Menschenmaß hinausgehoben wird. 20

Aus Lv 16, 17 wird gefolgert, daß der ins Allerheiligste Eintretende nicht mehr Mensch sei. Wiederum begegnet das ἑκατέρων τῶν ἄκρων: Som II 189 vgl 231. Nach Spec Leg I 116 ist der Logos als Mittler μείζονος φύσεως ἢ κατ' ἄνθρωπον. So wird aus dem μεθόριος ἀμφοῖν im Grunde ein Verlassen des Menschheitszusammenhangs. So kommt es Fug 108 zu dem Satze: λέγομεν γὰρ τὸν ἀρχιερέα οὐκ ἄνθρωπον 25 ἀλλὰ λόγον θεῖον εἶναι.

2. Der Sündlose.

a. Zur Stellung des Mittlers gehört die Sündlosigkeit. Auch hier geht Philo weit hinaus über das, was Lv 16, 6 steht, daß der Hohepriester auch für eigene Sünde zu opfern habe. 30

Allerdings fehlt auch dies wiederum nicht ganz: Es steht — kurz und unbetont — Spec Leg I 228, spielt aber nicht die geringste Rolle. Sofort greifen Bestimmungen ein, die eine etwaige Bedeutsamkeit dieses Hinweises verflüchtigen. Das liegt schon vor in Spec Leg I 230: Sollte der Hohepriester einmal straucheln, so fällt dies auf das beauftragende Volk zurück[44] und ist „leicht wiedergutzumachen". 35

b. Es ist durchweg das stoische Idealbild des Weisen, das dem ethischen Habitus des ἀρχιερεύς ganz und gar das Gepräge gibt.

Nun beginnt aber entsprechend der stoischen Stufenlehre ein schillerndes Spiel der Begriffe, denn alle Stadien werden in ihn hineingeschaut. Das Grundinteresse, daß 40 sich der σοφός im ἀρχιερεύς wiederfinden will, verrät zumal Spec Leg II 164: Wer nach dem Gesetze lebt, darf als Hohepriester gelten vor dem Richterstuhl der Wahrheit. Aaron ist nach Som II 234 ff der προκόπτων. Wäre er schon der τέλειος, so hörte durch sein Dazwischentreten unter die Sterbenden dies Sterben auf (Nu 17, 13). Auch Rer Div Her 82 nennt die Möglichkeit eines μὴ τέλειος ἀρχιερεύς. Aber doch steuert 45 alles hin zum vollendeten Idealweisen, zumal Fug 106—118. Er verunreinigt sich nicht an Leichen, dh nicht an νοῦς (Vater) und αἴσθησις (Mutter): Fug 109. Sein Vater ist Gott, seine Mutter die σοφία. Von allem Geschaffenen (den Banden der Familie) wendet er sich ab: Spec Leg I 113—115. Jeglicher Trauer ist er entzogen, dh: er ist ἄλυπος εἰς ἀεὶ διατελῇ: ebd 115. Er ist also der affektlose Stoiker. Tritt er ins Heilig- 50 tum, so legt er sein Prachtgewand ab, dh die irdischen Vorstellungen und Einbildungen: Leg All II 56; Som I 216. Es leiten ihn das ἡγεμονικόν und die Tugenden: Fug 110.

c. Die Formulierung der absoluten Sündlosigkeit aber ist wieder bestimmt durch die Logoslehre.

---

[44] ὥστε τὸν λαὸν ἁμαρτεῖν. Nach LCohn zu | Spec Leg I 230 (Philos Werke, deutsch II [1910]) liegt dies schon bei Raschi vor.

Zunächst ist wieder an die kultische Reinheitsaussage angeknüpft: er ist ἀμίαντος: Fug 118; Spec Leg I 113, ἄμωμος: Som II 185. Aber die Wendung zum absoluten Perfektionismus begegnet ganz ausgeprägt: Fug 108 (vgl schon Spec Leg III 134 f): Er ist als οὐκ ἄνθρωπος ἀλλὰ λόγος θεῖος: πάντων οὐχ ἑκουσίων μόνον ἀλλὰ καὶ ἀκουσίων ἀδικημάτων ἀμέτοχος, vgl Fug 117; Spec Leg I 230.

d. Die wandelbare Kategorie des ἄνθρωπος θεοῦ, die alles mögliche in sich faßt, hilft auch hier dazu, alles in diesem Ideal unterzubringen.

Sie wird Mut Nom 25. 125 von Mose ausgesagt, oder sie bedeutet den Menschen auf der Grenze zwischen der sterblichen und unsterblichen Natur: Op Mund 135, oder sie wird mit dem Logos: Conf Ling 41 ff, mit dem ebenbildlichen Menschen gleichgesetzt: ebd 146, aber auch mit dem Priester und Propheten als dem Ekstatiker[45]: Gig 61; Deus Imm 138 f, mit dem Weisen als dem Inhaber prophetischer Kraft, dem tönenden Instrument Gottes.

3. Die Kosmos-Spekulation.

Der Hohepriester-Logos im Tempel des Kosmos: Som I 214 f; Spec Leg I 66 → 241, 11. Diese Fassung ist bei Philo einmal eine erweiternde Fortführung des Mittlergedankens. Aber noch mehr als das, der Kosmos ist nicht nur das vor Gott zu Vertretende, sondern auch das Göttliche selbst, die erhabene Gotteswelt, in die der ἀρχιερεύς hineingehoben ist und die ihn wiederum göttlich adelt. Sein Ornat ist in allen Teilen ein getreues Abbild des Weltalls[46]: Spec Leg I 82—97; Vit Mos II 109—135 und symbolisiert dessen Ordnungen und Zahlenverhältnisse.

Der Mittlergedanke kommt, indem der Hohepriester dies Abbild des Weltalls an sich trägt, so zu seinem Recht, daß der dem Dienst des Vaters Geweihte auch den Kosmos, den Sohn — Deus Imm 31; Vit Mos II 134 — zu diesem Dienste heranzieht: Spec Leg I 96. Der ἀρχιερεύς bittet und dankt nicht nur für die Gemeinde, für die Menschheit, sondern auch für sein Vaterland, das Weltall: ebd 97. Aber dadurch, daß: Vit Mos II 133 das ganze All mit ihm ins Allerheiligste eintritt, geht das Mittlermotiv über in das Poseidonianische Motiv der Allandacht. — Dem unter 2 Behandelten getreu, taucht auch in Spec Leg I 96 an bevorzugter Stelle die stoische Telosformel auf: indem der Hohepriester das Abbild des Weltalls an sich trägt, soll er seine eigene Lebensführung der Allnatur würdig gestalten und selber ein βραχὺς κόσμος werden: Vit Mos II 135[47].

E. Der Hohepriester im Hebräerbrief.

I. Die Grundelemente des Entwurfes.

1. Die gewaltige Konzeption des Hebräerbriefes vom ἀρχιερεύς beruht auf dem tiefen Eindruck des gehorsamen, barmherzigen, gottgeweihten Berufslebens des Sohnes und seines Sterbens, beides im Lichte seiner Erhöhung. Von der Auferstehung ist kaum die Rede (vgl nur die Schlußwendung 13, 20), offenbar darum nicht, weil alles in strenger Zucht in das Bild vom Hohepriester eingekleidet wird, der opfernd ins Heiligtum eingeht. Die Plastik des kultischen Bildes hat diesen Zug zurückgedrängt, obwohl die darin so wesentliche Verherrlichung des Christus unbedingt die starke Gewißheit seiner Auferstehung voraussetzt[48].

---

[45] Zu den mystischen Zügen des Hohepriesterbildes vgl Spec Leg III 134 f: der ἀρχιερεύς als Hierophant.
[46] Daß Philo damit in den Zusammenhängen beliebter Traditionen steht, beweist Sap 18, 24; Jos Ant 3, 183 ff vgl Bell 5, 213 und → 240, 46 ff. Der Preis der Pracht des Talars in Sir 45, 8 ff und die poetische Überschwänglichkeit in der Verherrlichung des amtierenden Simon: 50, 5 ff zeigt zwar nicht eigentlich diese kosmischen Motive, läßt aber gut begreifen, wie solche Poesie zur Spekulation übergehen kann.

[47] Mit den kosmischen Gedanken wird auch die Sühne für die Totschläger durch den Tod des ἀρχιερεύς in Verbindung gebracht: Fug 110. 113 vgl 87. 106. 116.
[48] Vgl dazu: GBertram, Die Himmelfahrt Jesu vom Kreuz aus und der Glaube an seine Auferstehung, in: Festgabe für ADeißmann (1927) 213—215. Der Satz: „Hb lehrt eine Himmelfahrt vom Kreuze aus" Wnd Hb 79 vgl 70 f ist kaum berechtigt. So findet sich auch das „aufgefahren" höchstens in der Form 7, 26: ὑψηλότερος τῶν οὐρανῶν γενόμενος.

2. Die Wahrheit des Hohepriestertums Christi wird durch besondere Schriftworte erhellt.

a. Entscheidend wichtig ist hier als Deutekanon des Ganzen: ψ 109, 4; 5, 6. 10; 6, 20. So oft erscheint dies Wort schon vor seiner endgültigen Erläuterung, daß der Hörer ungeduldig auf Lösung wartet.   5

b. Es leitet zur Erzählung von Melchisedek Gn 14, die aber souverän nach jenem Deutekanon ausgelegt wird. In beiden Worten (vgl Gn 14, 18) ist vom priesterlichen Charakter die Rede. Der Sinn der Melchisedek-Perikope 7, 1—28 ist nicht die Verherrlichung eines mythologischen Melchisedek, sondern des Christus selbst. Seine Würde ist über die levitische hoch erhaben, denn 10 schon der biblische Melchisedek ist (7, 1—10) jenem Priestertum überlegen.

Die etymologisch-allegorischen Worterklärungen: König der Gerechtigkeit, von Salem 7, 2, die auch bei Philo Leg All III 79—82[49]; Jos Ant 1, 180 ganz oder teilweise begegnen, sind dem Verfasser nicht so wichtig wie das (7, 3), was die Schrift über Melchisedek n i c h t sagt. Von ihr wird er als überzeitlich behandelt, während 15 sonst die priesterliche Genealogie so viel bedeutet. Die Worte 7, 3: μένει ἱερεύς εἰς τὸ διηνεκές sind durch den Deutekanon geprägt. Liegt die mythologische Deutung, die eine Stütze fände an der altkirchlichen Melchisedekspekulation, in der Inkarnationsgedanke und Logosidee vermischt sind, in der Linie des Textes? Nein, sie scheitert vielmehr am Hb selbst. Der Priester ist nach 5, 1—4 aus den Menschen genommen. 20 Wie kann zwischen Aaron und den menschgewordenen Sohn ein mythologischer „Doppelgänger Jesu"[50] treten? Eine solche Art Vergöttlichung würde das Priestertum Jesu entwerten und Melchisedek als Typus für Christus unbrauchbar machen. Es handelt sich vielmehr um lauter typologische Folgerungen auf Grund von ψ 109, 4. In der Schrift tritt Melchisedek nicht vom Schauplatz ab. Diese Aussage erfolgt aber 25 erst, nachdem gesagt ist, daß er dem Sohne Gottes gleichgemacht sei: 7, 3. Chrys (MPG 63, 97) bemerkt treffend: Beim einen ist es ein Nichtgeschriebensein, beim anderen ein Nichtsein. Nicht Melchisedek als geschichtliche oder mythologische Erscheinung, sondern nur sein Bild in der Schrift als Typus fesselt den Blick. Dabei hat die Zeichnung schon Züge von Christus erhalten, wie in Gleichnissen die Deutung 30 schon durch die Erzählung schimmert. Der Deutungskanon prägt den Erzählungsstoff. So sagen die Antiochener[51] mit Recht: in Domino Melchisedek bleibe das Priestertum ewig. Die Christuswahrheit wird von der Erfüllung her ins AT hineingeschaut, ja sie gestaltet das Schriftwort um, über den Weg von ψ 109, 4. Dabei ist die Überlegenheit über das levitische Priestertum der Hauptgedanke. Das wird zumal 7, 4—10 35 ausgeführt: Abraham zehntet diesem Priester, ja er wird gesegnet von ihm. Bezehntet wird selbst Levi in der Lende des Erzvaters. Dadurch ist Levi entrechtet.

c. Die Grundbegriffe → διαθήκη (als Bund und Testament) und → ἐπαγγελία: 8, 6—13; 9, 15—22 stellen das Hohepriesterbild in den Rahmen einer großen Geschichtsauffassung. Sie tun es durch Bezugnahme auf jene wichtigen kult- 40 kritischen Stellen der Prophetie: Jer 31, 31 ff; ψ 39, 7 ff, die nach der Ablehnung äußerer Opfer: pneumatische Verinnerlichung im Erfüllen des Gotteswillens, wahre Gemeinschaft mit Gott und Vergebung in den Mittelpunkt rücken. Dadurch ist die Verwendung des kultischen Bildes vor Starrheit und Unlebendigkeit bewahrt. Während es sonst wahrlich keine Geschichtsbewegung besitzt, 45 gelingt durch diese Verbindung beides: die Dynamik und die Statik zu vermählen und sowohl dem grundlegenden Heilshandeln wie dem Ewigkeitscharakter gerecht zu werden. Dies macht weiter folgendes verständlich:

---

[49] Philo, bei dem die Melchisedekgeschichte gar keine Bedeutung hat für den ἀρχιερεύς λόγος, versteht Melchisedek als ὀρθὸς λόγος im Gegensatz zum τύραννος νοῦς. Es geht ihm dabei wie gewohnt um den Kampf gegen die Sinnlichkeit. Alles ist ethisch-psychologisch gewandt.
[50] Wnd Hb 61.
[51] Rgg Hb 187 A 9.

3. Es gilt in bezug auf die Geschichtsauffassung des Hb
(vgl noch die ausdrücklichen Zeithinweise: 9, 9—11. 26. 28) darauf zu achten,
daß Christi Hohepriestertum zunächst als ein Weg gezeichnet wird.
Er geht ihn, damit wir ihn jetzt gehen können: 10, 20. Er bricht durch den
5 Vorhang hindurch (διά: lokal, durch sein Fleisch). So gelangt er zum Throne
Gottes und schafft den Zugang für die Bundesgemeinde. Das ist der neue lebendige Weg (opp: der Todesweg des Gesetzes): 10, 20, vgl 7, 19: ἐπεισαγωγή.
Ein Weg ist es zuerst insofern, als er über und durch den Opfertod zum
Throne geht. Dann gehört aber die Kreuzestat schon zu Christi Hohe-
10 priesteramt, nicht erst sein Walten jetzt im Heiligtum. Sein Amt
ist sowohl die vordringende Bewegung des heilschaffenden Handelns als die
erhabene Ruhe des jetzt immerwährenden Spendens. Freilich ist nun sein Dienst
nicht mehr auf Erden: 8, 4. Doch ist dort gedacht an den Gegensatz Himmel/
Erde (→ 279, 6 ff), wo das gesetzliche Priestertum seinen Platz hat. Daß sich
15 jedoch ein wesentlicher Teil seines Hohepriestertums hienieden abspielt, daran
erinnert schon das eine Wort ἐφάπαξ, das die Kreuzestat ins Zentrum stellt.

Obwohl die Behandlung des νόμος ganz auf den Kult beschränkt bleibt, liegen gerade
hier und damit bei der Geschichtsbetrachtung überraschende Parallelen zu
Paulus vor. Das bei Melchisedek — in der Abrahamsgeschichte — begegnende
20 außerordentliche Priestertum, das nicht einzuordnen ist, entspricht der ἐπαγγελία bei
Paulus (vgl das Wort des Eidschwurs: Hb 7, 28). Freilich sagt Hb nicht, daß das
Priestertum Melchisedeks zeitlich vor dem levitischen steht, vielmehr daß ψ 109, 4
später als das Gesetz kommt und es daher ablöst: 7, 28. Als weitere Gedankengruppen
sind zu vergleichen: das ἐφάπαξ 7, 27 uö mit R 6, 10; νόμου μετάθεσις 7, 12 mit R 10, 4.
25 Vor allem: der Kult wird mit der Sünde nicht fertig → 278, 18 mit 1 K 15, 56; R 7, 13;
R 8, 3. Das Heil kommt anderswoher als aus dem Gesetz: 7, 13 f. 18 mit R 3, 21;
4, 13; 5, 20; Kp 7. Übereinstimmung paart sich hier immer mit der bezeichnenden,
bei Hb kultisch bestimmten Verschiedenheit.

4. Grundlegend ist weiter die Ergänzung des Bil-
30 des vom Hohepriester durch die überragende Wahrheit des Sohnes und seines Ewigkeitscharakters. Das Neue besteht darin, daß der
Sohn als Hohepriester den Kultus erfüllt und zugleich überbietet. Der Brief
beginnt mit Ausführungen über die Sohnschaft. Schon vor Beginn des ersten
Hauptteiles 4, 14—10, 31 haben wir die Herausstellung der Grundmotive, daß
35 er selber in Person die Volloffenbarung Gottes ist, höher als die Engel, mehr
als die at.lichen Träger der Gotteskundgebung, treu in seinem Hauswesen, ἀρχηγός im Leiden, Vermittler des σαββατισμός. Das alles wird durch die Ausführungen über das Hohepriesteramt des Sohnes nur noch tiefer begründet. Wird
gerade dieser Höchstwert der persönlichen Repräsentation kultischer Wahrheit
40 benutzt, um zu sagen, daß der alte Kult im Christus erfüllt und durch ihn vollkommen überragt wird[52], so kann dies nur darum geschehen, weil die Wahrheit des Sohnes die des Hohepriesters ergänzt und reguliert. Dadurch, daß
dieser mit dem Prädikat der Ewigkeit ausgestattete Grundbegriff[53] als Haupt-

---

[52] 5, 1 ff und später der grandiose Vergleich
mit der Sinaioffenbarung: 12, 18—29.
[53] Der Sohn ist in Hb der Mittler bei der
Schöpfung, der Erbe des Alls, der königlich
Thronende → υἱός. Die Sohnesbezeichnung
ist so sehr Grundlage für alles, daß man

wohl mit FBüchsel, Die Christologie des Hb,
BFTh 27 (1922) 15 sagen kann: „das Hohepriestertum ist ein Teil seiner Gottessohnschaft", wenn auch der Brief selbst hier nicht
subsumiert.

wahrheit im Hintergrunde bleibt, ja mehr: daß die Gleichung: Sohn-Hohepriester durch alles hindurchgeht, wird wiederum die Verwendung des kultischen Bildes vor Starrheit und Unfruchtbarkeit bewahrt. Und nur weil das Sohneswort dem Hohepriesterwort das Entscheidende, den Ewigkeitscharakter, übermittelt (vgl 5, 5f und schon ähnlich 3, 1: ἀπόστολος neben ἀρχιερεύς), be- 5 kommt es seine Gewalt. Vgl das καίπερ ὢν υἱός 5, 8, das die Hoheit mit der Niedrigkeit zusammenschließt. Nur die Sohnesbezeichnung, nicht die des Hohepriesters, kann alles umfassen.

Aber auch die dem prophetischen Wort entnommenen Grundelemente heilsgeschichtlicher Betrachtung → 275, 38 ff (διαθήκη) werden benutzt, um den Cha- 10 rakter der Ewigkeit in der neuen Offenbarung hervorzuheben. Der neue Bund ist durch Eid bezeugt: 7, 19f. Der Eid aber hat das Wesen der unbedingt unverbrüchlichen ἐπαγγελία.

5. Die Berechtigung zur Konzentration auf das kultische Bild findet der Hb nicht nur in der besonderen Gefahr 15 seiner Leser, die mit dem vergangenen Kultus liebäugeln. Vielmehr ist ihm auf der Grundlage des levitischen Priestertums die ganze alte Theokratie erbaut. Vgl 7, 11 mit der wahrscheinlich echten LA ἐπ' αὐτῇ. Das bleibend Bedeutsame des hier Vorgebildeten trägt dann auch (→ II. III) den ganzen Vergleich. δικαιώματα λατρείας sind hier wie dort: 9, 1. Auch die himmlische Stätte wird 20 durch ein Opfer geweiht: 9, 23. Alles aber wird geschaut im Brennpunkt des Hohepriesteramtes. Dieses ist Spitze und persönliche Gesamtrepräsentation des Kultus.

II. Der levitische Hohepriester[54].

1. Die ihrem tiefsten Sinngehalt nach bleibend 25 bedeutsamen Bestimmungen und Aufgaben des priesterlichen Dienstes.

Der Priester ist von Gott berufen: 5, 4—6. Er drängt sich nicht in eigener Anmaßung zu solcher Ehre. Er vertritt das Volk vor Gott und steht in seinem Dienste vor ihm: 2, 17; 5, 1 vgl die Erfüllung 30 7, 25. Er steht aber vor Gott zugleich als der mit der Menschheit Solidarische: 5, 1ff. Der ἐξ ἀνθρώπων Genommene hat einzustehn ὑπὲρ ἀνθρώπων, als für seinesgleichen: 5, 1. Durch seine eigene Beschaffenheit als circumdatus infirmitate (vg) ist er zu seinem Amte befähigt. Darum kann er μετριοπαθεῖν: seinen Zornesaffekt über die menschliche Sünde mäßigen: 5, 2. Der 35 Schwachheitssünde gegenüber gibt ihm seine eigene Schwachheit die rechte Haltung im Amte. Muß er ja doch (→ 278, 12ff vgl 273, 29f) auch für seine eigene Sünde Opfer darbringen.

---

[54] Die Stellen, die vom ἱερεύς statt vom ἀρχιερεύς handeln, haben keine besondere Betonung. Wenn ἱερεύς nicht nach ψ 109 von Melchisedek gebraucht wird: 5, 6; 7, 3. 11. 17. 21 (wobei 7, 15 von Christus selbst sagt, er sei nach jenem Wort zum Priester bestellt) oder nach Gn 14, 18, so steht es immer für den levitischen Priester: 7, 14. 20. 23; 8, 4; 9, 6; 10, 11. Es kommt am meisten in Kp 7 vor. Es wird aber vom ἱερεύς nie etwas anderes gesagt, abgesehen von der besonderen Funktion des ἀρχιερεύς am Versöhnungstag. ἱερεύς ist Gattungswort. Die ganze Ausführung aber will den Blick auf den ἀρχιερεύς richten.

Diese Darbringung unblutiger und blutiger Opfer für die Sünden ist seine eigentliche Aufgabe: 5, 1; 8, 3 (10, 11 von jedem Priester).
Sie geschieht zur Sühne: 2, 17. Dabei gilt der heilige Grundsatz: οὐ χωρὶς
αἵματος: 9, 7 vgl 18—21 und die Zusammenfassung 22: ohne Blutvergießen
5 gibt es keine Vergebung, ein jüdischer Lehrsatz, der sich besonders oft in der
Mischna findet.

Das bisher Gesagte ist gültige Grundlage zum Verständnis des priesterlichen
Charakters überhaupt. Es hat auch für Christus Geltung, also ewige Gültigkeit, nur abgesehen von der im at.lichen Kult offenkundigen Grenze.

10 **2.** Das Amt des at.lichen Hohepriesters hat seine
Grenze an der Sünde.

Er opfert für seine und des Volkes Sünden: 7, 27
(ἰδίων). Das Gesetz bestellt Menschen zu diesem Amte, die Schwachheit haben:
7, 28 vgl 9, 7. Aber auch die Sühne hat ihre Grenze an der Bosheits-
15 sünde. Sie hat es 5, 2 (nach Lv 4, 2; 5, 15) nicht zu tun mit beabsichtigter
Bosheit, auf der Nu 15, 30 die Ausrottung steht, sondern nur mit den ἀγνοοῦντες
und πλανώμενοι [55].

So wird also das levitische Priestertum nicht mit der Sünde
fertig. Weil es diese nicht beseitigt, bringt es keine ganze Gemeinschaft mit
20 Gott, keine τελείωσις. Es erfüllt also nicht seinen letzten Zweck: 7, 11. 19.
Das Schuldbewußtsein wird nicht entfernt: 9, 9; 10, 2f. Vielmehr schafft gerade
dies fortdauernde Bewußtsein der Sündhaftigkeit immer wieder das Bedürfnis
nach neuen Sühnopfern. So wird (10, 3) der Kult ἀνάμνησις, dh objektive Wach-
haltung der Erinnerung an die Sünden. Er hält die Wunde offen [56].

25 **3.** Dies Versagen im Hauptpunkt, um den es sich
bei Priester und Opfer allein handelt, ist tief begründet im Sarkischen,
Irdischen, Sterblichen des alten Kultes und seiner Vertreter, mit
einem Worte: im Fehlen des Charakters der Ewigkeit. Darum allein, weil
diese Kraft der Ewigkeit ihm fehlt, wird der alte Kult nicht mit der Sünde fertig.
30 Sterblich sind die ausführenden Priester. Darum treten sie auch auf als
eine immerfort wechselnde Mehrheit: 7, 23. Der Mangel an Ewigkeitscharakter
zeigt sich auch in der immerwährenden Wiederholung dieser alten Opfer.
Auch das „einmal im Jahre" beim Versöhnungsopfer ist ja das: immer wieder
einmal im Jahre. Dies πολλάκις, κατ' ἐνιαυτόν beweist in der unendlichen Wie-
35 derkehr, daß diese Opfer keine wirkliche Reinigung bewirken: 9, 6f. 12;
10, 1f. Der Dienst des Priesters, wenn er auch (9, 13) eine gewisse reinigende
Kraft besitzt, führt nur zu einer καθαρότης σαρκός, dh einer äußerlich kultischen
Reinigung: Tierblut kann ja keine Sünde fortnehmen, 10, 4. Um Vergängliches
handelt es sich in diesem ganzen Beginnen, der Kult geschieht κατὰ νόμον ἐντολῆς
40 σαρκίνης: 7, 16. Es geht dabei um δικαιώματα σαρκός: 9, 10 (→ II 549, 22ff; 225, 28ff).

---

[55] Man kann mit Recht fragen, warum Hb
hernach nicht fortfährt: Christi Sühnopfer
tilgt auch die Bosheitssünde. Das läge in
der Konsequenz des Vergleichs. Es wird das
wohl im Interesse des Furchtmotivs nicht
ausdrücklich ausgeführt. Wird ja doch gerade
Christi Opfer 10, 26 sehr ernst als Furcht-
motiv verwendet.
[56] Vgl die Ausführungen bei Pls über die
Steigerung der Sünde durch das Gesetz.

Eine gleichartige Aussage liegt vor, wenn das alte Heiligtum, an dem der Priester dient, κοσμικόν genannt wird: 9, 1. Der Gegensatz ist ἐπουράνιος. κοσμικός ist hier nicht wie bei Philo (→ 241, 12), dem Chrys und Thdrt in ihrer Erklärung von Hb diesen Gedanken entlehnen: Abbild des Weltalls. Es ist das Unvollkommene, Alte, das nach 9, 11 Produkt von Menschenhänden ist und 5 dieser vergänglichen Schöpfung entstammt. Eine parallele Begriffsreihe ist die: der Dienst des Priesters geschieht nur an dem ὑπόδειγμα, der σκιά, dem τύπος des Himmlischen: 8, 5; 9, 23; 10, 1. Wird der Kult hingestellt als Dienst an einer Skizze, einem andeutenden Schattenriß, einem Modell des Urbildes, so geht dies zurück auf Ex 25, 40 (→ 239, 44). Das eigentliche Zelt 10 ist droben: 8, 5. In der Herrlichkeit, nicht hier im Vergänglichen ist Eigentlichkeit, Urbild, σῶμα, reale Verwirklichung. Als besonders typisch für die Tatsache, daß der Zugang zum Gnadenthron im Alten Bunde noch nicht gebahnt war, gilt die Unterscheidung von Vorderzelt und Hinterzelt: 8, 2; 9, 3. 8. 24. Sie fällt im Neuen Bunde fort. Sie drückt eben jenes noch Indi- 15 rekte, nicht Unmittelbare, das Vorläufige der Gottesbeziehung aus. Vgl 9, 9 → 278, 19 ff.

III. Christus, der erhabene Hohepriester.

Aus der Synthese: Sohn/Hohepriester (→ 276, 29 ff)[57] erge- ben sich folgende grundlegende Reihen der Gedanken: 20

1. Die Solidarität mit der Menschheit (→ 277, 31 ff).

Daß in den „präludierenden" Ausführungen 2, 17 und 4, 15 nicht begonnen wird mit der Hoheit, sondern mit der Niedrigkeit, in die den Christus dies Amt stellt, hat seinen Grund nicht nur an dem Anstoß der Leser an dieser Seite des Erlöserlebens. Auch wird nicht etwa nur bei einem 25 „menschlich-sympathischen Zuge" eingesetzt. Vielmehr ist dies unerläßlich als die Mitte der Betrachtung, von wo aus sich das eigentliche Verständnis für die Hoheit des Neuen ergibt. Der Einsatz im Erdenleben ist die Basis für alles Weitere. Es wird also beim Hohepriesterbilde des Hb vom geschichtlichen Jesus ausgegangen. Der, welcher nach allen Seiten hin seinen Brüdern 30 gleich wird, versucht wie sie, entspricht (→ 277, 33) dem at.lichen Hohepriester in dem circumdatus infirmitate. Er erwirbt sich das objektive Recht zur Sühne[58] und zum Helfen durch Sieg und Bewährung. Seine Erhabenheit (4, 14) macht ihn nicht verständnislos und unnahbar (4, 15), nimmt ihm nicht die Fähigkeit, Mitgefühl mit unseren Schwachheiten zu haben. Dieser Zug des barmherzigen 35 συμπαθῆσαι ist (vgl 5, 2 → 277, 34) jenem μετριοπαθεῖν eng verwandt. Durch das κατὰ πάντα καθ᾽ ὁμοιότητα ist die Gleichheit so stark als möglich betont. Aber das χωρὶς ἁμαρτίας zeigt den radikalen Unterschied zum at.lichen μετριο-

---

[57] Neben ἀρχιερεύς: 2, 17; 3, 1; 4, 15; 5, 5. 10; 6, 20; 7, 26; 8, 1; 9, 11 für Christus steht 4, 14: ἀρχιερεὺς μέγας, 10, 21: ἱερεὺς μέγας → 263, 21.
[58] Das ἐν ᾧ 2, 18 ist wohl einfach Kausalkonjunktion: weil. Meist gibt es Anlaß zu psychologischer Reflexion. Angesichts der ganzen Christologie des Hb jedoch wäre die Erwägung, der Sohn habe sich die subjektive Fähigkeit, Mitleid zu empfinden, erst erwerben müssen (ist Gott nicht des Mitleids fähig?) und könne nur soweit barmherzig sein, als entsprechende Menschenerfahrung dahinterstehe, recht merkwürdig. Es wird wie 4, 15 f; 5, 7 f gemeint sein, daß nur der Gerechte, Gehorsame sühnen kann.

παθεῖν. Auch 5, 7—10 steht in Verbindung mit dem Gedanken des συμπαθῆσαι. In dieser Teilhabe wird er barmherzig und treu genannt: 2, 17. Zeigt nun diese hohepriesterliche Solidarität die Spannung zwischen Erhabenheit und Gemeinschaft mit der Menschheit, so wird das Scheidende und Unterscheidende am
5 Hauptpunkt mit besonders reiner Sorgfalt und strenger Schärfe aufgezeigt. Eine schärfere Prägung des bleibenden Unterschiedes gibt es nicht, als das Nebeneinander der beiden Sätze: κατὰ πάντα τοῖς ἀδελφοῖς ὁμοιωθῆναι (2, 17 vgl 4, 15) und: κεχωρισμένος ἀπὸ τῶν ἁμαρτωλῶν: 7, 26 [59].

2. Das Werden des ewigen Hohepriesters geschieht
10 **durch Bewährung der Sohnschaft.**

5, 1—10 zeigt, wie er Hoherpriester wird (γενηθῆναι: v 5): indem er dem treu ist, der ihn — bei der Menschwerdung — geschaffen hat: 3, 2, indem er im Leiden Gehorsam lernt: 5, 8, in schwerster Probe in der εὐλάβεια, in der heiligen Scheu, verharrt: 5, 7 (→ 281 A 63) und so durch Gehorsamsübung
15 zur Vollendung geführt wird: 5, 9. τελειωθείς bedeutet beides: der durch Gehorsam als Sieger Erwiesene (vgl den Gegensatz des in der Schwäche gebundenen at.lichen Hohepriesters 7, 28 neben 5, 1—10), als auch der in den ewigen Lebensstand Erhöhte: υἱὸς εἰς τὸν αἰῶνα τετελειωμένος: 7, 28 [60]. Hoherpriester wird er also, indem er sich als der Sohn beweist und bewährt. So wird er
20 zugleich vollendeter Sohn. So erhält er wiederum seine berufliche Qualität als höchster Priester. Der ganze Weg ist also durch Verwirklichung seiner Sohnschaft bestimmt. Kommt an anderer Stelle jene Entsprechung zur Geltung, daß auch er wie das levitische Vorbild nicht selbstmächtig zum Amte gelangt, sondern berufen und eingesetzt ist (→ 277, 28), so wird doch gerade dies durch
25 das Wort vom Sohne in ψ 2, 7 begründet.

3. Der sündlose Hoherpriester (→ 278, 10 ff).

Es ist immer noch eine Analogie vorhanden mit dem levitischen ἀρχιερεύς, wenn Jesus 7, 26 als ὅσιος (mit Denken und Wirken ganz auf Gott und seinen Dienst eingestellt), ἄκακος (vom Bösen unberührt), ἀμίαντος
30 (unbefleckt), von den Sündern geschieden genannt wird [61]. Es wird hier angeknüpft an das kultische Sichbereiten des כֹּהֵן גָּדוֹל, wenn auch das ἄκακος und ἀμίαντος von ihm nicht im Vollsinn gelten kann. 7, 27 aber stellt die tiefe Kluft schroff heraus: Alles priesterliche Opfern ist sonst zuerst ein solches für die eigenen Sünden — und es geschieht καθ' ἡμέραν [62]. Der Christus aber hat

---

[59] Zwar steht 7, 26 nicht wie 2, 17; 4, 15 für die Beschreibung der irdischen Existenz. Aber das ist hier nicht entscheidend. Einmal bekommt jenes Gleichwerden ewige Gültigkeit (der Verherrlichte trägt sozusagen das Menschenangesicht). Ferner entspricht das χωρὶς ἁμαρτίας 4, 15 ganz 7, 26.
[60] Zu τελειόω vgl JKögel, Der Begriff τελειοῦν im Hb, in: Theologische Studien, MKähler dargebracht (1905) 35 ff; ThHäring, Monatsschrift für Pastoraltheologie 17 (1921) 264 ff; ERiggenbach, NKZ 34 (1923) 184 ff; ThHäring, ebd 386 ff; FBüchsel, Die Christo-

logie des Hb, BFTh 27, 2 (1922) 56 ff; Wnd Hb 44—46, Rgg Hb zSt; Pr-Bauer sv.
[61] Es mag hier die Erinnerung einwirken, daß der Hoherpriester vor dem Versöhnungsopfer acht Tage lang allein im Tempel zu leben hatte und auf seine kultische Reinheit bedacht sein mußte. Vgl Jeremias aaO 9.
[62] Das καθ' ἡμέραν handelt nicht vom Opfer des Versöhnungstages. Es wird den ganzen Opferdienst zusammenfassen, wobei die tägliche Speiseopfer Lv 6, 12—16 besonders gemeint sein mag. Vgl FBleek im Komm III (1840); HvSoden im Komm [8] (1899); Rgg Hb zSt.

dies nicht nötig. Doch er trägt seine Sündlosigkeit nicht als ein ruhendes Prädikat vor sich her. Diese wird vielmehr aufgewiesen in der Aktion des Kampfes und der Entscheidung, als die immer neu bewährte ὑπακοή: 2, 18; 4, 15; 5, 7—9. Solch erfolgreicher Kampf schließt die Ermächtigung ein, zu vertreten, zu helfen, zu retten. Der Gehorchende rettet die durch ihn Gehorchenden: 5, 9. Auch 5 an diesem entscheidenden Punkt ist der Zusammenschluß mit dem Sohnesgedanken das Wesentliche. Dem Ringenden, der in Gottes Furcht bleibt, wird die Erhörung zuteil, dh der Ehrfurchtsvolle = der Sohn wird gestärkt, den göttlichen Willen endgültig auszuführen (5, 7: ἀπὸ τῆς εὐλαβείας)[63].

4. Der Gegensatz zum sarkischen Opfer (→ 278, 25 ff). 10 Das in stellvertretender Sühne (9, 28) nach Js 53, 11 geschehende Opfer des großen Hohepriesters ist kein bloßer Sachwert, sondern die vollpersönliche Ganzhingabe (ἑαυτόν: 7, 27). Das Opfer ist hier der Priester selbst. Diese Einheit von Priester und Opfer ist das Ende der Opfersachen, vgl 9, 12. 25: nicht Tierblut, fremdes Blut, 15 sondern sein eigenes Blut. Daß aber wiederum dies Blut Christi nicht als eine besonders heilige „Sache" aufgefaßt wird, steht durch 10, 5 eindrücklich fest, wo nach LXX ausgeführt ist, daß beim Eintritt des Messias in die Welt das an Gott hingegebene σῶμα, dh sein ganzes Personleben das Mittel wird, Gottes Willen auszurichten. Dieser vertiefte, ganz und gar nicht kultisch-dingliche 20 Opferbegriff verlegt also den Nachdruck darauf, daß hier in einem Menschenleben Gottes Wille ganz geschieht.

Doch nur das Eingreifen des Ewigkeitsgeistes macht dies Opfer zum vollendeten Ganzopfer: 9, 14 durch den ewigen Geist (lectio difficilior αἰωνίου, nicht ἁγίου) brachte er sich Gott dar. So tritt an Stelle der in sarkischer 25 Sphäre bleibenden Opfer das pneumatische, das durch den Geist der Ewigkeit vollgültig und unvergleichlich wird. Vgl die fortwirkende Kraft seines Priestertums: 7, 16. 23 f. Nicht als Substanz wirkt sein αἷμα, das Neue erwächst vielmehr aus der pneumatischen, ewigen Wurzel.

Das einmalige Opfer (→ 278, 31 ff). Das → ἅπαξ und ἐφάπαξ ist eines der 30 leuchtenden Hauptworte des Briefes. Es steht im Gegensatz zu dem καθ' ἡμέραν, πολλάκις, κατ' ἐνιαυτόν des levitischen Opfers. Einmalig, unwiederholbar und ein für allemal geschieht das Opfer des Hohepriesters Jesus Christus: 7, 27; 9, 24—28; 10, 10 vgl 12: μίαν θυσίαν, 14: μιᾷ προσφορᾷ. Wenn 9, 27 f der Aus-

---

[63] Gethsemane gibt wohl hier der Ausführung die Farbe. Zwar fehlt Lk 22, 43 f, das am nächsten dem Text des Hb verwandt ist, in ℵ A B sy⁵, ist vielleicht nicht echt, uU aber auch als dogmatischer Anstoß beseitigt worden, vgl AvHarnack, Studien zur Geschichte des NT und der alten Kirche I (1931) 244 ff. Für die ursprüngliche Zugehörigkeit zu Lk: LBrun in ZNW 32 (1933) 265 bis 276. — Schon die griechischen Väter fassen ἀπὸ τῆς εὐλαβείας (→ 280, 14) als „ehrfurchtsvolle Scheu" vor Gott (dann also ἀπό = wegen). Die andere Bdtg des Wortes „Todesangst" (dann wäre ἀπό Präp der Trennung) ergäbe den viel schwächeren Sinn: Er wird zwar nicht vor dem Tode bewahrt, aber von der Angst befreit: Bengel, Hofmann, BWeiß Komm zSt, Zn Lk zSt. Harnack aaO 246 ff berücksichtigt nur diese Bdtg von εὐλάβεια, macht sodann die Konjektur, das οὐκ vor εἰσακούσθη sei aus dogmatischen Gründen gestrichen. Wie kann aber hier ein ἀρχιερεύς vorgeführt werden, den Gott nicht erhört? Durchschlagend in der ganzen Frage ist doch dies, daß in Hb 12, 28 εὐλάβεια sicher als ehrfurchtsvolle Scheu begegnet. Das allein entspricht auch der Fortsetzung in 5, 9. Vgl zum Ganzen: Harnack aaO 244—252. Für Harnacks Vorschlag: RBultmann → II 751, 8 f.

gang genommen ist vom Erleiden und Widerfahrnis des einmaligen Menschenschicksals, an dem er teilhat, so zeigt sich darin, wie ernsthaft bei diesem
ἅπαξ die Geschichtlichkeit genommen wird. Trotzdem ist nicht weniger deutlich, daß auch hier dies Einmalige nur durch die offenbarte Vollmacht aus
5 Ewigkeit bedeutsam wird: indem der Sohn das einmalige Menschenschicksal
auf sich nimmt, wird erst das einmàlige Opfer ein solches „ein für allemal".
Bedeutet beim at.lichen כֹּהֵן גָּדוֹל das einmal: alle Jahre einmal (→ 278, 33)[64],
aber faktisch auch: täglich (→ 280 A 62), so bei dem Christus: ein einziges,
endgültiges Mal.

10   **5. Der Hohepriester Christus bahnt den Zugang zum**
              Throne, zur vollen Gottesgegenwart (→ 278, 19 ff).

Der, welcher das Menschenelend selber durchlitten: 4,
14—16, ist „durch die Himmel geschritten", wie der levitische ἀρχιερεύς durch
die Vorhöfe und das Heilige ins Allerheiligste einging. Dadurch: 6, 17—20 ist
15 die Hoffnung dort verankert, jenseits des Vorhangs, dh die Stätte der Gegenwart Gottes ist nunmehr der Hoffnung zugänglich geworden, das
Jenseits mit dem Diesseits verbunden, weil der πρόδρομος: 6, 20 dort für uns
eindrang. Vgl 7, 26; 9, 11. 24. Das ist ein wesentliches Hauptmotiv der Darstellung. Aber nur das einmalige Opfer hat den Himmel erschlossen: 9, 23;
20 10, 19 f.

Damit erreicht das im Bilde vom Hohepriester kundwerdende κήρυγμα sein
eigentliches Ziel. Es vereint sich mit dem des königlich Thronenden[65]. Priester und König werden eins. Der Christus ist sowohl dauernd der λειτ
ουργός am wahrhaftigen Zelt: 8, 2, als auch der, welcher sich zur Rechten des
25 Thrones der Majestät gesetzt hat. Dabei bleibt sein Opfer ausschlaggebend für
alle Folge: 10, 12 f. Er thront auf Grund seines Opfers. Während Ruhelosigkeit der Charakter at.lichen Priesterdienstes ist, waltet hier erhabene Stille der
Ewigkeit: Er wartet, bis seine Feinde zum Schemel seiner Füße gelegt sind.
Der vollendete Hauptkampf zieht alles andere nach sich.
30   So steht den sterblichen Leviten (→ 278, 30) der Ewige gegenüber: 7, 8—10, der nicht Anfang noch Ende hat (ὅτι ζῇ). Er ist: 7, 15 bestellt
als ein Priester mit dem Charakter der Ewigkeit und Allmacht, denn was er
ist, das ist er: 7, 16 κατὰ δύναμιν ζωῆς ἀκαταλύτου. So ist aller Wechsel und
Wandel seinem Priestertum fern. Kein Tod setzt seinem Wirken ein Ende. Er
35 bleibt in Ewigkeit: 7, 24 f.

   IV. Die grundstürzende Schlußfolgerung aus der christologischen
        Abrechnung mit dem Kult.

Dem Alten gegenüber wird nichts Geringeres festgestellt,
als νόμου μετάθεσις, Änderung des Gesetzes, Systemwechsel im Prie
40 stertum (μετατίθεσθαι): 7, 12. Sie ist schon gegeben mit der Ernennung eines
nicht aaronitischen Priesters, wie jene durch den Deutekanon (→ 275, 3 ff) erhellte

---

[64] Auch dann ging er dreimal oder viermal   [65] Vgl FBüchsel aaO 11—14: Messias und
ins Allerheiligste: nach Joma 5, 1—4 dreimal,   Hohepriester.
nach Nu r 7 zu 5, 1 viermal.

Aufstellung des Priesters nach der Ordnung Melchisedeks sie bringt. Die ungeheure Tragweite dieser göttlich beglaubigten Tatsache erweist sich als radikaler Bruch mit dem alten Priestertum. Ist schon der Tatbestand unwiderleglich: der κύριος stammt aus Juda, nicht aus Levi: 7, 13f, so äußert sich doch
der Umschwung entscheidend erst: 7, 15 in der Ewigkeitsgeltung des erfüllen 5
den Hohepriesters (→ I 4). So ist das erste Opfer aufgehoben, um das zweite
in Geltung zu setzen: 10, 9. Es ist also zu konstatieren eine ἀθέτησις, dh rechtskräftige Annullierung des früheren Gebotes: 7, 18 [66]. Gott selber erklärt Jer 31 den ersten Bund für veraltet, indem er den neuen verheißt. Jener
hat als greisenhaftes Institut, bei dem der Altersschwund festgestellt ist, kein 10
Existenzrecht mehr: 8, 13.

V. Heilswirkung und praktische Tragweite der verkündeten Wahrheit.

1. Die Wesensart dieser Wahrheit würde ganz verkannt,
wenn nicht die Darlegung, auch darin den Zusammenhängen des Hb entsprechend,
folgenden Sachverhalt herausstellte: Die realen zukünftigen Güter: 10, 1, um die 15
es hier geht, sind aufgefaßt als g a n z e , e n d g ü l t i g e , v o l l g e n u g s a m e E r
l ö s u n g , vgl 10, 18. Die Wirkung dieses hohepriesterlichen Opferns, Eintretens
und Waltens ist ewige λύτρωσις: 9, 12, ἀπολύτρωσις τῶν παραβάσεων: 9, 15, ἄφεσις:
10, 18, Reinigung des Schuldbewußtseins: 9, 14 oder des Herzens: 10, 22, es
bringt ein ἁγιάζεσθαι an Gott: 10, 10 (ἁγιαζομένους: 10, 14 durativ vgl 13, 12); vgl 20
weiter das τετελείωκεν: 10, 14 als abgeschlossener Tatbestand und was weiter
7, 19. 25 gesagt ist vom Nahen zu Gott.

2. Dieser Heilsstand ist ein H a b e n : 4, 14; 8, 1; vgl
10, 21 ἔχομεν ἀρχιερέα. Er ist ein Hinzugetretensein: 12, 22 und wird darum
für die Gemeinde das Bekennen (ὁμολογία) einer unverbrüchlichen Realität: 3, 1; 25
4, 14; 10, 23. Mit ungehinderter, freier Freudigkeit macht sie von dem neuen
Zugang Gebrauch: 4, 16; 10, 19. 22. So steht alles im lebendigen Zuspruch
der Paränese und bietet sich dar als durchgreifende, lösende Hoffnung.

3. Die letzte Folgerung aus der kultischen Betrachtung
aber ist zugleich ein neuer praktischer Tatbestand in der Lage der Gemeinde. 30
Ist der alte Kult dahingefallen, so heißt dies zugleich: e r s t d a s O p f e r d e s
w a h r e n H o h e p r i e s t e r s f ü h r t s i e z u m n e u e n , wirklichen Kult: 9, 14
εἰς τὸ λατρεύειν θεῷ ζῶντι [67]. Es bleiben nur die θυσίαι des Lobopfers, des Wohltuns und der liebenden Gemeinschaft: 13, 15 ff. Diese Lage aber ist auch aktueller
Kampf, P f l i c h t z u m A b b r u c h a l t e r k u l t i s c h e r G e b u n d e n h e i t . Daß 35
der Anschluß an Jesus, der vor dem Lager gelitten hat, den Bruch mit dem
kultischen Heilsweg des Judentums bedeutet, daß dessen alte Priester mit dem
Altar (des Sühnopfers Christi) nichts mehr zu schaffen haben, das wird 13, 10—13
noch einmal mit tiefem Ernst eingeschärft. Und das geschieht mit dem letzten,
umfassenden Hinweis auf den Willen Gottes: 13, 21.   40

So ist der Ertrag dieser einschneidenden Abrechnung mit dem israelitischen
Kult einzig dies: D e r C h r i s t u s s e l b s t a l s e n d g ü l t i g e r E r f ü l l e r d e r
W a h r h e i t d e s P r i e s t e r t u m s b l e i b t a l l e i n a u f d e m P l a n e .

---

[66] Vgl Pls: R 7, 1—6.   [67] Vgl Pls: R 6, 12 ff; 12, 1.

F. ἀρχιερεύς und ἱερεύς in der alten Kirche.

1. Christus als Hohepriester oder Priester. Die Sprache und der Gedankengehalt des Hb wirkt nachhaltig: Ign Phld 9, 1; 1 Cl 61, 3. Eigenartig ist 1 Cl 36, 1: τὸν ἀρχιερέα τῶν προσφορῶν ἡμῶν (er bringt die Gebete der Gemeinde vor Gott). ἀρχιερεὺς αἰώνιος: Mart Pol 14, 3. Just Dial 42, 1 deutet die Klingeln am Hohepriestergewand auf die 12 Apostel. Die Alexandriner machen reichen Gebrauch vom Bilde des Hohepriesters. Nach Cl Al Strom VI 153, 4 spricht auch Orig Comm in Joh VI 53, 275 vom μέγας, aber auch vom ἀληθινός: Hom in Jos 26, 3 und vom τέλειος ἀρχιερεύς: Comm in Joh 28, 1, 6. Die ausführlichste Behandlung scheint Comm in Joh I 2, 9 f vorzuliegen. Vgl II 34, 209. Auch der philonische ἀρχιερεὺς λόγος erscheint bei Orig, geradezu wie eine allgemeine Formel: Hom XIX in Jer 20 (Klostermann 167, 19); Hom Nr 27 in Thr 1, 10 (Klostermann 248, 2). Verwandt: Cels V 4. — Die von Melchisedek handelnden Schriftworte hat zumal Just Dial 19, 4; 32, 6 uö, aber auch Cl Al Strom oft angeführt. — Ebenso beliebt ist aber das einfache Χριστὸς ἱερεύς: Just Dial 86, 3; Orig Hom in Jos 18, 2 (Baehrens 406, 27); ἐξαίρετος ἱερεύς: Just Dial 118, 2 oder ὁ ἱερεὺς μέγας: ebd 115, 2; Orig Comm in Joh I 2, 11 oder αἰώνιος ἱερεύς: Just Dial 19, 4; 33, 2 uö.

2. Das allgemeine Priestertum der Gemeinde. Just Dial 116, 3 nennt die Glaubenden sogar (→ 272 A 39) ἀρχιερατικὸν τὸ ἀληθινὸν γένος. Auch Iren Haer IV 8, 3 stellt fest: omnes justi sacerdotalem habent ordinem. Nach Tertullian Exhortatio ad Castitatem VII haben die Priestergesetze der Tora den Christen etwas zu sagen (beim Verbot der zweiten Ehe). Er fährt fort: nonne et laici sacerdotes sumus? Nur die Autorität der Kirche habe den Unterschied zwischen Klerus und Volk festgesetzt. Die Nottaufe zB zeige das Notrecht für alle, priesterlich zu handeln. Das verpflichte aber auch alle zu priesterlicher Zucht. Nach Orig Exhortatio ad Martyrium 30 sind die Christen Priester unter dem Haupte des ἀρχιερεύς Christus: Sie bringen sich wie er selber zum Opfer dar. Vgl Orat 28, 9: οἱ τοῖς ἀποστόλοις ὡμοιωμένοι sind wie diese: Priester κατὰ τὸν μέγαν ἀρχιερέα. So gilt auch uns das Priestergesetz des AT: Hom in Lv 9, 1. Dieses wird dann freilich nur allegorisch verwendet. ἱερεῖς sind die Christen auch als die für ihr irdisches Vaterland Betenden: Cels VIII 74. Die anderen ziehen zu Felde, sie nehmen als Priester (betend) am Feldzug teil: Cels VIII 73. Vom Geschlechtsverkehr halten sie sich rein ὡς καὶ τρόπον τελείων ἱερέων: Cels VII 48. Auch Aug Civ D 20, 10 entnimmt aus Apk 20, 6, daß die Christen omnes sacerdotes sind, quoniam membra sunt unius sacerdotis.

3. Die Bezeichnung Priester für den Kleriker kommt aber gleichzeitig frühe auf. Von den Propheten wagt schon Did 13, 3 das erstaunliche Wort: οἱ ἀρχιερεῖς ὑμῶν. Hoch wertet 1 Cl 40 f die kultischen Ordnungen des Judentums als Vorbild für den Kult der christlichen Gemeinde. Tertullian Bapt 17 nennt den Bischof summus sacerdos. Hipp Ref I 6 prooem sagt ebenso: ὦν (von den Aposteln) ἡμεῖς διάδοχοι τυγχάνοντες τῆς τε αὐτῆς χάριτος μετέχοντες ἀρχιερατείας. Auch in der Festrede bei Eus Hist Eccl X 4, 2 werden die Geistlichen mit ἱερεῖς angeredet[68].

Schrenk

ἱερόθυτος, ἱεροπρεπής, ἱεροσυλέω, ἱερόσυλος, ἱερουργέω → 251—256.

Ἰερουσαλήμ, Ἰεροσόλυμα → Σιών.   ἱερωσύνη → 247, 25 ff.

> **Ἰησοῦς** → ὄνομα

1. Griechische Form für den Namen einer Reihe von Männern des AT, der hbr vor dem Exil יְהוֹשֻׁעַ, später meist יֵשׁוּעַ lautet.

Josua, der Sohn Nuns, heißt in Ex, Nu, Dt, Jos, Ri, 1 Kö 16, 34; 1 Ch 7, 27 und im hbr Text von Sir 46, 1 יְהוֹשֻׁעַ, Neh 8, 17 יֵשׁוּעַ; der mit Serubabel aus dem Exil zurück-

---

[68] Über die weitere Entwicklung vgl RE³ 16, 47 ff. RGG² IV 1492 f.

Ἰησοῦς. FDelitzsch in: Zeitschrift für lutherische Theol und Kirche 37 (1876) 209—214;

FPhilippi in: Zeitschrift für Völkerpsychologie und Sprachwissenschaft 14 (1883) 175—190; SFraenkel in: Wiener Zeitschrift für die Kunde des Morgenlandes 4 (1890) 332—333; AMüller in: ThStKr 65 (1892) 177 f; ENestle

gekehrte Hohepriester Josua, Sohn Jozadaks, wird in Hag und Sach stets יְהוֹשֻׁעַ, in Esr und Neh dagegen ebenso ständig יֵשׁוּעַ genannt. יְהוֹשֻׁעַ lautet der Name zweier Männer in 1 S 6, 14. 18; 2 Kö 23, 8, während 2 Ch 31, 15 einen Leviten unter Hiskia יֵשׁוּעַ nennt und diese Namensform auch in Priester- und Levitenfamilien der Nachexilszeit erscheint, auch bei Erwähnung ihrer Rückkehr aus dem Exil unter Serubabel 5 und Josua. Bis ca 500 ist also die vollere Form, danach (bis auf 1 Ch 7, 27 u Sir 46, 1) die kürzere üblich.

Der Grund für die Lautverschiebung ô zu ê scheint zu sein, daß das Nebeneinander von ô und û gern vermieden wurde[1], vielleicht neigte dazu das Cholem überhaupt vielfach nach ö hin[2].   10

Die LXX hat sich an die spätere Form יֵשׁוּעַ gehalten und sie durch Anfügung eines Nominativ-ς deklinierbar gemacht[3].

Gen: 'Ιησοῦ[4], Dat 19mal 'Ιησοῖ (nur in Ex, Dt u Jos), 7mal 'Ιησοῦ (Ex 17, 9; Jos 10, 17; 17, 14; 1 Ch 24, 11; 1 Εσδρ 5, 65; 2 Εσδρ 2, 36 (B: 'Ιησοῖ); 21, 26, (letzteres Städtenamen), Akk 'Ιησοῦν, Vok 'Ιησοῦ[5].   15

Nur 1 Ch 7, 27 ist Josua, der Sohn Nuns, 'Ιησουε, und sein Vater, ebenfalls nur an dieser Stelle, Νουμ genannt. Weitere Schwankungen in der griech Namensform zeigt die handschriftliche Überlieferung. 'Ιησουε hat B 2 Εσδρ 2, 40; 1 Βασ 6, 14. 18 hat nur A 'Ιησου, B 'Ωσηε, die Luc-Rez hat 4 Βασ 23, 8 ähnlicherweise 'Ιωσηε. Stark schwanken die Übersetzungen von יֵשׁוּעַ in 1 Εσδρ 5, 26: A 'Ιησουε, B 'Ιησουεις, die 20 andern 'Ιησοῦ. Außerdem ist in B für eine Reihe von anderen at.lichen Namen 'Ιησοῦς eingedrungen: 2 Βασ 20, 25 (für שְׁיָא); 1 Ch 2, 38 (für יֵהוּא); 1 Ch 2, 47 (יֶהְדָּי); 1 Ch 18, 16 (שַׁוְשָׁא); 2 Ch 20, 34 (יֵהוּא). Sir 48, 20 endlich hat א u V statt 'Ησαίου: 'Ιησοῦ.

2. Bis in den Anfang des 2 Jhdts n Chr war der Name 25 יֵשׁוּעַ bzw 'Ιησοῦς unter den Juden sehr verbreitet.

Unter den 72 Übersetzern der LXX nach ep Ar (48. 49) tragen drei den Namen 'Ιησοῦς. Jos erwähnt etwa 20 Träger dieses Namens, darunter zehn Zeitgenossen Jesu[6]. Die Ossuarinschriften aus der Umgebung Jerusalems, spätestens Anfang 2 Jhdt n Chr, bieten einmal den Namen יֵשׁוּעַ allein[7], einmal יֵשׁוּעַ בַּר נָתִי[8], einmal שִׁמְעוֹן 30

---

ebd 573 f; MLidzbarski, Handbuch der nordsemitischen Epigraphik I (1898) 291; FPraetorius in: ZDMG 59 (1905) 341 f; ENestle in: DCG[1] I (1906) 859—861; SKrauß in: REJ 55 (1908) 148—151; FXSteinmetzer in: BZ 14 (1916) 193—197; Zn Mt zu 1, 21; Str-B zu Mt 1, 21; ADeißmann in: Mysterium Christi (1931) 13—41; JKlausner, Jesus von Nazareth[2] (1934) 311. — Zu 5: NN, in: Antiqua mater (1887) 229; JvanLoon in: ThT 29 (1895) 484—487; GJPJBolland, Der evangelische Jozua (1907); ADrews, Die Christusmythe I (1909) 16—25; II (1911) 300—314; Ders, Die Entstehung des Christentums (1924) 102—106, 118—120; WBSmith, Der vorchristliche Jesus[2] (1911) 1—41; JMRobertson, Pagan Christs[2] (1911) 162—168, 315; ChGuignebert, Jésus (1913) 76 ff; EDujardin, Le Dieu Jésus (1927) 203—206; HWindisch in: ThR 13 (1910) 163 ff; WBousset ebd 14 (1911) 373—385; MGoguel, Jésus de Nazareth, Mythe ou Histoire? (1925) 56 ff; Ders, Das Leben Jesu (1934) 104 f; OGraber, Im Kampfe um Christus (1927) 142—144, 184.
[1] So Philippi, Fraenkel, Nestle, Müller, Steinmetzer. Diese Lautdissimilation ist mehrfach zu belegen: יְהוּא aus *יְהוֹא, מֹשֶׁה wird mandäisch zu מִישָׁא usw. Delitzsch leitet die Form von der Mittelform Isua ab,

Praetorius über יְהוֹ + יֵשׁוּעַ unter Abfall des ersten Bestandteiles. Nach KGKuhn (Festschrift für ELittmann [1935] 36 ff) stand neben יְהוֹשֻׁעַ von Anfang an die mit Jau gebildete Form יְשׁוּעַ, aus ihr ist durch Lautdissimilation יֵשׁוּעַ entstanden.
[2] HGrimme, Die jemenische Aussprache des Hebräischen, in: Festschrift für ESachau (1915) 125—142 macht S 132 darauf aufmerksam, daß die jemenischen Juden, deren Aussprachetradition er hohes Alter zuschreibt, das Cholem wie offenes ö (in betontem Inlaut auch e) aussprechen, und verweist auch auf die Schwanken in der Punktation des Berliner Ms qu 680 (ebd 140). Auch Fraenkel verweist zu der Lautverschiebung auf die Aussprache der heutigen Juden von Aden.
[3] Zur Deklination vgl Moulton 72; Bl-Debr[6] § 55.
[4] Nur 2 Ch 31, 15 'Ιησοῦς als Gen, doch hat A: 'Ιησοῦ.
[5] Anderwärts begegnet die Gen-Form 'Ιησοῦτος, → A 15 und 'Ιησοῖ: Ex 17, 14 B; 2 Εσδρ 2, 36 B; 22, 7 BA. Vgl Helbing 60; Thackeray 164 f.
[6] Deißmann 19.
[7] SKlein, Jüdisch-palästinisches Corpus Inscriptionum (1920) 24 No 44.
[8] Ebd Nr 45.

בר ישוע 9 und einmal ישוע בר יהוסף und ישו 10, dazu ist vielleicht die unvollständige Inschrift שוע zu rechnen[11]. In einer Grabanlage von Diasporajuden auf dem Berg Skopus bei Jerusalem[12] fand man die Ossuarinschrift 'Ιησοῦς[13].

In griechischer Sprache begegnet 'Ιησοῦς sicher zuerst in einer Grabinschrift vom 25. 4. des Jahres 0[14], wahrscheinlich aber schon früher in POxy IV 816 aus dem Jahre 6/5 v Chr und mehrfach auf den Papyri der jüdischen Kolonie von Apollonopolis Magna, um die Wende des 1 zum 2 Jhdt nach Chr[15].

Dasselbe Bild zeigt das NT. Ag 7, 45 und Hb 4, 8 ist von 'Ιησοῦς = Josua, dem Sohne Nuns, die Rede. Außerdem finden sich im NT, abgesehen von Jesus Christus, eine Reihe von Trägern dieses Namens: im Stammbaum Jesu Lk 3, 29 (vorexilisch); dann heißt Barabbas Mt 27, 16 nach Θλ... 'Ιησοῦς Βαραββᾶς[16], der Zauberer auf Zypern heißt Ag 13, 6 Βαριησοῦς = בַּר יֵשׁוּעַ[17] und der Gehilfe des Paulus Kol 4, 11 'Ιησοῦς ὁ λεγόμενος 'Ιοῦστος[18].

Seitdem die Juden griechischem Einfluß zugänglich wurden, ist die Neigung zu beobachten, die semitischen Namen durch ähnlich klingende griechische zu ersetzen oder sie zu übersetzen. Für letzteres vgl die Familie des Dositheos, dessen Sohn und Enkel wieder Mattathias (Matthias) heißen[19], für ersteres etwa אֶסְתֵּר/'Αστήρ[20], שָׁאוּל/Παῦλος. יֵשׁוּעַ ist gerne durch 'Ιάσων ersetzt worden, so in der syrischen Zeit bei dem Bruder des Hohenpriesters Onias, Jos Ant 12, 239. Unter den Übersetzern der LXX begegnet ep Ar 49 zweimal 'Ιάσων, ebensooft findet es sich in den Urkunden von Apollonopolis Magna[21].

Mit dem zweiten Jhdt n Chr verschwindet יֵשׁוּעַ bzw 'Ιησοῦς als Eigenname. In der rabbinischen Literatur begegnet ישוע nur als Name der 9. Priesterklasse[22], sonst stets der volle Name יְהוֹשׁוּעַ, den eine Reihe von Rabbinen tragen[23]. Im

---

[9] Ebd S 27 Nr 67.

[10] ELSukenik, Jüdische Gräber Jerusalems um Christi Geburt (1931) 19; vgl dazu ADeißmann in: Archäologischer Anzeiger 1931 (Beiblatt zum Jahrbuch des deutschen Archäologischen Instituts 46 [1931] 316f); GDalman, in: AELKZ 64 (1931) 186f; MK in: Νέα Σιών 23 (1931) 333—345. ישו neben ישוע auf demselben Ossuar ist wohl aus Platzmangel zu erklären, Sukenik (ebd 19 A 1) rechnet auch mit der Möglichkeit einer Kurzform des Namens.

[11] ChClermont-Ganneau in: Revue Archéologique III 1 (1883) 264 Nr 18.

[12] Klein 31 Nr 94. Ob das zweimalige Ιεσου auf einem Jerusalemer Ossuar (Klein Nr 46) hierhergehört, ist nach Deißmann 18f zu bezweifeln.

[13] ChClermont-Ganneau, Mission en Palestine et en Phénice, entreprise en 1881, 5me rapport (1884) 99 Nr 26: ישוע בר מתי ist eine andere Lesung der → A 8 genannten Inschrift.

[14] 'Ιησοῦς Λαμβαλου δωρε ἄτεκνε χρηστὲ χαῖρε, Seymour de Ricci in: Revue épigraphique N S I (1913) 146ff Nr 13.

[15] Zusammengestellt von CWessely in: Studien zur Palaeographie und Papyruskunde 13 (1913) 8ff, Nr 2, 7, 9, 11, 13, 20; dort in Nr 2 die Gen-Form 'Ιησοῦτος, die ebenso in PLond III (1907) No 1119 a (105 n Chr) begegnet. Außerdem erscheint der Name noch auf einem im Archiv für Papyrusforschung 6 (1913—1920) 220 Nr 6 veröffentlichten Papyrus aus dem Jahre 103—104 n Chr und auf einer metrischen Grabinschrift, veröffentlicht in: Annales du Service des Antiquités de l'Égypte 22 (1922)

[10] f = Deißmann 21 = ZNW 22 (1923) 283 Nr 22.

[16] Kl u Zn Mt zSt, ebenso Deißmann 32ff halten diese Lesart für ursprünglich, Nestle-Dobsch 137 lehnt sie ab.

[17] Die Handschriften schwanken in der Form des Namens sehr, übrigens auch an den anderen Stellen, an denen im NT ein anderer als Jesus Christus den Namen 'Ιησοῦς trägt, Deißmann 29ff.

[18] Deißmann 35f schließt auch, daß Mk 15, 7 vor dem merkwürdigen ὁ λεγόμενος Βαραββᾶς ein 'Ιησοῦς ausgefallen ist, nach Kl Mt zu 27, 17; ebenso liest er 36ff nach Zahn Einl I 321 Phlm 23: ἀσπάζεταί σε 'Επαφρᾶς ὁ συναιχμάλωτός μου ἐν Χριστῷ, 'Ιησοῦς... (statt ... ἐν Χριστῷ 'Ιησοῦ, ...), womit der auch in der Grußliste des Kol genannte Jesus Justus auch im Phlm grüßen ließe. So auch EAmling in: ZNW 10 (1909) 261f. Wenn man sieht, wie stark in der handschriftlichen Überlieferung an solchen Jesusstellen gearbeitet ist (→ A 17), dann haben diese Vermutungen recht große Wahrscheinlichkeit.

[19] ELSukenik in: The Journal of the Palestinian Oriental Society 8 (1927) 113—121.

[20] NMüller/NABees, Die Inschriften der jüdischen Katakombe am Monteverde zu Rom (1919) Nr 47 A 1.

[21] → A 15.

[22] MJastrow, A Dictionary of the Targumim, the Talmud Babli and Yerushalmi ... (1926) sv יֵשׁוּעַ.

[23] Vgl Strack Einl Regist III. Nur Jad 3, 5 begegnet in einem Teil der Handschriften der Name יוחנן בן ישוע (Schwager Akibas)

griechischen Sprachgebiet bleibt wohl noch ʼΙάσων nach Ausweis der Katakomben[24], ʼΙησοῦς dagegen findet sich in ihnen nicht, nur im 6 Jhdt n Chr
taucht in Venusia einmal die Form Gesua (sic) neben einem Femininum Gesues
auf[25]. Auch späterhin ist der Name Jesus als Eigenname selten[26]. Nimmt man
dazu die Tatsache, daß Jesus von Nazareth im rabbinischen Schrifttum fast aus- 5
schließlich יֵשׁוּ genannt wird[27], so stehen wir vor einem eigentümlichen Problem,
das eine Erklärung verlangt. Die volle Namensform bei den Rabbinen könnte
Rückkehr zur biblischen Form sein, aber die Kurzform יוֹסֵי statt des biblischen
יוֹסֵף hat sich Jahrhunderte länger gehalten; in יֵשׁוּ nur Transskription des griechischen ʼΙησοῦς zu sehen, hat sprachliche wie sachliche Schwierigkeiten: σ wird 10
meist mit ס transskribiert, und das Endungs-ς wird meist mit übertragen, dazu
kann man nicht annehmen, daß die Rabbinen den Namen Jesu erst von der
griechischen Kirche lernen mußten. Die öfter geäußerte Vermutung[28], die Juden
hätten im griechischen wie hebräischen Sprachgebiet aus ihrer Ablehnung Jesu
von Nazareth heraus bewußt den Namen ʼΙησοῦς/יֵשׁוּעַ vermieden, hat das gegen 15
sich, daß ʼΑ, Σ und Θ ʼΙησοῦς nicht gemieden haben[29], obgleich sie doch LXX
verdrängen sollten, die eine Waffe in der Hand der Christen geworden war
und obgleich die christliche Apologetik aus der Namensform ʼΙησοῦς für Josua
in der griechischen Bibel einen oft gegen die Juden angewandten Schriftbeweis
herleitete (→ 293, 17—20). Aber die drei Tatsachen, daß ʼΙησοῦς im griechischen 20
Sprachgebiet seit Beginn des 2 Jhdts n Chr fehlt, daß die Rabbinen zur alten
Namensform zurückkehren und daß nur für Jesus von Nazareth die singuläre
Form יֵשׁוּ[30] im Talmud angewandt wird, können nicht voneinander getrennt
werden und werden zusammen durch die Annahme bewußter Meidung des Jesus-
namens erklärt. יֵשׁוּ statt יֵשׁוּעַ ist dabei wohl Angleichung an das griechische 25
ʼΙησοῦς.

3. Der Name, den Jesus Christus trägt, ist zunächst Ausdruck seines Menschseins. Von einem Träger dieses gebräuchlichen Namens

---

und jMQ 82 c, 30 וישוע, Krauß aaO 149 f,
150 A 2, ersteres auch Delitzsch und Zn
Mt z 1, 21; letzterer vermutet auch, daß
der Ab 1, 6 genannte יהושע בן פרחיה von
seinen Zeitgenossen יֵשׁוּעַ genannt worden
sei. Beachtenswert ist es, daß, während die
Nekropole von Jerusalem aus dem 1 Jhdt
v Chr nur die Form ישוע kennt, die Nekropole von Jaffa nur (allerdings nur mit einem
Beleg) die Form יהושע bietet (Klein aaO
Nr 116).

[24] HVogelstein/PRieger, Geschichte der
Juden in Rom I (1896) 465 Nr 43; NMüller/
NABees aaO Nr 53: Αισω; HWBeyer/HLietz-
mann, Die jüd Katakombe der Villa Torlonia
zu Rom (1930) Nr 15.

[25] CIL IX 6224, 1 f. 4. JBFrey, der Herausgeber des in Kürze erscheinenden Corpus
Inscriptionum Iudaicarum, teilte mir mit, daß
in den jüdischen [antiken] Inschriften Europas
sich weder ישוע noch ʼΙησοῦς finde.

[26] Deißmann 24 ff. Bei Deißmann nicht er-

wähnt ist ein אהרון בן ישוע um 900 in Jerusalem (JWinter-AWünsche, Jüd Literatur
II [1894] 78) [Rengstorf].

[27] Str-B I 63 f. Der volle Name יֵשׁוּעַ kommt
nur TChul 2, 22. 24 vor (Str-B I 64).

[28] Zn Mt zu 1, 21 (⁴ [1922] 78 A 48); Deißmann 25 f.

[29] Nur Dt 1, 38 hat ʼΑ ʼΙησουά.

[30] Doch → A 10. — In den biblischen Alter-
tümern von Ps-Philo wechselt gelegentliches
„Jesus" (20, 9; 22, 2. 7) mit dem häufigeren
Jesue (nach Rießlers Übersetzung). Die Inschrift aus Venusia (→ A 25) bietet mit Gesua
eine genaue Transskription von יֵשׁוּעַ unter
Vermeidung des Anklangs an das griechische
ʼΙησοῦς. Auch die Deutung des Namens Jesu,
die Irenaeus (II 24, 2) den periti verdankt:
Dominus, qui continet caelum et terram, geht
auf יֵשׁוּ zurück: יהוה שמים וארץ, auch die
aramäische Weiheformel der Markosier, Iren
I 21, 3, hat (wenn die Transskription zuverlässig genug ist) יֵשׁוּ geboten.

erzählen die Evangelien, mit diesem Namen wird von ihm im Volk gesprochen, mit diesem Namen wird er angeredet, und zur Unterscheidung von anderen Trägern dieses Namens wird ἀπὸ Ναζαρὲτ τῆς Γαλιλαίας, ὁ Ναζαρηνός, ὁ Ναζωραῖος hinzugefügt oder durch den Zusatz υἱὸς Δαυείδ der Gemeinte als der zum davi-
5 dischen Geschlecht Gehörende näher bestimmt.

Das Volk sagt Mt 21, 11: οὗτός ἐστιν ὁ προφήτης Ἰησοῦς ὁ ἀπὸ Ναζαρὲθ τῆς Γαλιλαίας, die Magd sagt zu Petrus, Mk 14, 67 par (vgl Mt 26, 71): καὶ σὺ μετὰ τοῦ Ναζαρηνοῦ ἦσθα τοῦ Ἰησοῦ, der Blinde ἀκούσας ὅτι Ἰησοῦς ὁ Ναζαρηνός ἐστιν, Mk 10, 47 par, Pilatus läßt als titulus über Jesu Kreuz setzen: οὗτός ἐστιν Ἰησοῦς ὁ βασιλεὺς τῶν
10 Ἰουδαίων, Mt 27, 37, während J 19, 19 zu Ἰησοῦς hinzufügt: ὁ Ναζωραῖος. Philippus erzählt Nathanael: εὑρήκαμεν Ἰησοῦν υἱὸν τοῦ Ἰωσὴφ τὸν ἀπὸ Ναζαρέτ, J 1, 45, die Wache sucht Ἰησοῦν τὸν Ναζωραῖον, J 18, 5. 7, Kleopas erzählt dem Unbekannten τὰ περὶ Ἰησοῦ τοῦ Ναζαρηνοῦ, Lk 24, 19, der Engel sagt: Ἰησοῦν ζητεῖτε τὸν Ναζαρηνόν, Mk 16, 6. Wo die Evangelien selbst in zusammenfassender Form wiedergeben, was
15 andere von Jesus hören oder sagen, fehlt ein Jesus von anderen Trägern dieses Namens unterscheidender Zusatz: Lk 7, 3; Mk 5, 27; Mt 14, 1; Mk 5, 20 par, vgl Lk 6, 11. Als Anrede wird neben dem meist gebrauchten διδάσκαλε, ῥαββεί, ἐπιστάτα, κύριε Mk 1, 24 par: Ἰησοῦ Ναζαρηνέ, Mk 10, 47f: υἱὲ Δαυείδ Ἰησοῦ (vgl Lk 18, 38) gesagt, nur den Namen gebraucht der eine Schächer, Lk 23, 42 und Ἰησοῦ ἐπιστάτα sagen die
20 Aussätzigen Lk 17, 13.

Von diesem unter Herodes dem Großen geborenen, unter Pontius Pilatus gekreuzigten Ἰησοῦς bekennt das Urchristentum und mit ihm die ganze Christenheit, daß er als der ἀρχηγὸς τῆς ζωῆς (Ag 3, 15) von Gott von den Toten auferweckt und zum Messias seines Volkes und zum Herrn aller Welt gemacht ist,
25 daß dieser Ἰησοῦς ἀπὸ Ναζαρὲτ τῆς Γαλιλαίας Gottes eingeborener Sohn ist und der einzige Retter für alle Menschen. Ἰησοῦς ὁ Χριστός, Ἰησοῦς ὁ κύριος ist das Bekenntnis der Christenheit, die in dem, der ἐν ὁμοιώματι ἀνθρώπων γενόμενος καὶ σχήματι εὑρεθεὶς ὡς ἄνθρωπος die εἰκὼν τοῦ θεοῦ τοῦ ἀοράτου erblickt (Phil 2, 7). Eine Trennung eines irdischen Leibes von einem Christus, der diesen
30 angezogen hätte, wie es die christliche Gnosis darstellt, findet nicht statt: Ἰησοῦς ist ὁ κύριος und nicht etwas von ihm zu Trennendes. Darum stellen die Evangelien, darum die Missionsreden der Apostelgeschichte, darum stellt Paulus (Gl 3, 1) diesen Jesus von Nazareth vor Augen, um zu sagen, daß Gott diesen Mann zum Herrn und Richter bestimmt hat: ἐν ἀνδρὶ ᾧ ὥρισεν, Ag 17, 31 (D:
35 ἐν ἀνδρὶ Ἰησοῦ).

Das Gesagte erläutert den Sprachgebrauch der vier Evangelien und der Apostelgeschichte. Wo Mk eine Bezeichnung gebraucht — meistens erzählt er von Jesus in der dritten Person —, steht regelmäßig Ἰησοῦς, und wo er ihn zum erstenmal nennt, bezeichnet er ihn genauer als Ἰησοῦς ἀπὸ Ναζαρὲτ τῆς Γαλιλαίας, 1, 9[31]. Mt und Lk
40 folgen Mk, nur gebraucht Mt ungleich häufiger — vielfach in den Einleitungssatz einer Perikope und bei Einführung eines Jesuswortes — den Namen, Lk seinerseits hat an einer Reihe von Stellen (bis auf Lk 22, 61 b nur in seinem Sondergut) ὁ κύριος eingesetzt[32]. Nur in seinem ersten Satz (vgl auch Mt 1, 1) hat Mk zu Ἰησοῦς hinzugefügt Χριστός, dieses allein begegnet Mk 9, 41 und Mt 11, 2 statt des Namens, an
45 der zweiten Stelle vielleicht bewußt. Joh gebraucht noch reichlicher als Mt Ἰησοῦς, an einigen Stellen auch κύριος.

In der Apostelgeschichte findet sich das einfache Ἰησοῦς reichlich, nicht nur, wo Lk sich auf das „Leben Jesu" bezieht (1, 1. 14. 16) und in den Worten von Nichtchristen über Jesus (4, 18; 5, 40; 17, 7. 18; 19, 13. 15; 25, 19; 26, 9). Mit diesem seinem

---

[31] Die Komm ziehen die Ortsbestimmung zu ἦλθεν, aber daß Jesus von Nazareth kam, ist nicht erheblich. Genau so, wie hier Jesus, wird bei Mk (1, 4) Johannes bei seiner ersten Erwähnung Ἰωάννης ὁ βαπτίζων genannt.
[32] Näheres bei WFoerster, Herr ist Jesus (1924) 213 A 1. Zu J vgl ebd 219 A 1 u 2,

zum Ganzen ebd 212 ff; für die apkr Evangelien s ebd 266 f. Das neuentdeckte Evangelium (HJBell und TCSkeat, Fragments of an unknown Gospel [1935]) hat v 17, 50, 65 in der Erzählung ὁ Ἰησοῦς; 30, 37, 39 ὁ κύριος, v 33 u 45 als Anrede: διδάσκαλε Ἰησοῦ.

Namen gibt sich Jesus Saulus zu erkennen (9, 5; 22, 8; 26, 15), mit ihm sprechen die Engel von dem Aufgefahrenen, 1, 11, und Stephanus soll gesagt haben, „Jesus der Nazoräer" werde diese Stätte zerstören, 6, 14, wie Stephanus auch nachher „Jesus" stehend zur Rechten Gottes sieht, 7, 55.

Besonders aber tritt in der Apostelgeschichte deutlich die Verkündigung hervor: Jesus ist der Christus, wobei durch den Zusatz ὁ Ναζωραῖος oft noch auf die konkrete historische Gestalt eindeutiger hingewiesen wird und das herausgehoben wird, was die Juden in Jerusalem mit diesem Jesus gemacht haben: 2, 22. 32. 36; 3, 13. 20; 5, 30; 10, 38; 13, 23. 33; 17, 3; 18, 5. 28, vgl auch 4, 10; 9, 27. So wird in Ag „Jesus" verkündet 8, 35; 9, 20; 18, 25; 28, 23. Doch treten daneben auch die Wendungen εὐαγγελίζεσθαι τὸν κύριον 'Ιησοῦν 11, 20; 28, 31 (+ Χριστόν) oder auf palästinischem Boden ... τὸν Χριστὸν 'Ιησοῦν auf, 5, 42, oder einfach τὸν Χριστόν 8, 5 oder περὶ τοῦ ὀνόματος 'Ιησοῦ Χριστοῦ 8, 12, wie auch in der Missionsrede von 'Ιησοῦς Χριστός (ohne Artikel vor Χριστός) gesprochen wird: 9, 34; 10, 36; 16, 18. (Für das einfache 'Ιησοῦς vgl noch 9, 17). In dem allem zeigt die Apostelgeschichte, daß die Verkündigung der ersten Gemeinde und ihrer Boten darin besteht, daß ein bestimmter Träger des bekannten Namens Jesus der Herr, der Messias ist. Wo weniger auf diesen bestimmten Inhalt der Botschaft Bezug genommen wird, hat Ag auch andere Wendungen, die aus dem Sprachgebrauch, der sich innerhalb der Gemeinde entwickelt hat, stammen: „Herrenworte" werden als Worte des κύριος zitiert, 11, 16; 20, 35, das „Wort des κύριος" wuchs uä, 8, 25; 12, 24; 13, 12. 48 f; 15, 35 f; 19, 10, so heißt es auch immer: sich bekehren, gläubig werden an den κύριος (κύριος 'Ιησοῦς Χριστός)[33], während Ag 19, 4 natürlicherweise das einfache 'Ιησοῦς diesen bestimmten Träger des Namens meint. Besonders zu nennen ist Ag 16, 7: οὐκ εἴασεν αὐτοὺς τὸ πνεῦμα 'Ιησοῦ.

Zeigt schon die Apostelgeschichte, wie auch Lk in seinem Sondergut → 288, 41 ff, den Sprachgebrauch der Gemeinde, für die ὁ κύριος zur unmißverständlichen Bezeichnung Jesu genügte und für die 'Ιησοῦς Χριστός und ὁ κύριος (ἡμῶν) 'Ιησοῦς Χριστός feste Verbindungen wurden, so ist es doch erstaunlich, in welch weitem Maße das einfache 'Ιησοῦς in den Briefen des NT zurücktritt. Die Hälfte aller Stellen, an denen Paulus das einfache 'Ιησοῦς gebraucht, entfallen auf 1 Th 4, 14 und 2 K 4, 11—14. Inhaltlich wird dabei deutlich, daß Paulus dabei in besonderem Maße an den „Geschichtlichen" denkt, wie es das einfache 'Ιησοῦς ja an sich schon nahelegt. Das gilt für Phil 2, 10: ἵνα ἐν τῷ ὀνόματι 'Ιησοῦ πᾶν γόνυ κάμψῃ: dem, der durch die Niedrigkeit des Menschseins und Leidens gegangen ist, hat es Gott geschenkt, daß sich in diesem seinem Niedrigkeitsnamen aller Knie beugen. So steht auch das Sterben und die Auferweckung „Jesu" Paulus an den meisten anderen Stellen, an denen er das einfache 'Ιησοῦς verwendet, deutlich vor Augen: 1 Th 4, 14 a; Gl 6, 17; 2 K 4, 10 a. b. 11 a. b. 14 b; R 8, 11 a. Außerdem begegnet 'Ιησοῦς noch 2 K 4, 5; 11, 4; R 3, 26; Eph 4, 21, wobei die zweite Stelle an Ag erinnert. Ferner findet sich 'Ιησοῦς noch im Hebräerbrief und in der Offenbarung, als äußerer Ausdruck dafür, daß es der eine Jesus von Nazareth ist, dessen Geschichte Grund des Glaubens der Christenheit ist: Hb 2, 9; 3, 1; 6, 20; 7, 22; 10, 19; 12, 2. 24; Apk 1, 9 b; 14, 12; 17, 6; 20, 4; 22, 16[34].

4. Nach Mt und Lk ist der Name יֵשׁוּעַ = 'Ιησοῦς nicht zufällig, sondern auf Grund göttlichen Geheißes dem Kind der Maria gegeben. Mt 1, 21 erläutert das: καλέσεις τὸ ὄνομα αὐτοῦ 'Ιησοῦν· αὐτὸς γὰρ σώσει τὸν λαὸν αὐτοῦ ἀπὸ τῶν ἁμαρτιῶν αὐτῶν. Das zeigt, daß aus dem Namen יֵשׁוּעַ nur

---

[33] Stellen bei Foerster aaO 251 Nr 17.
[34] Charakteristisch für 'Ιησοῦς als durch einen Zusatz geographischer Art zu erläuternder Eigenname eines historischen Menschen ist noch die Botschaft, die nach Just Dial 108 die Juden an ihre Gemeinden in der Welt schicken: ὅτι αἵρεσίς τις ἄθεος καὶ ἄνομος ἐγήγερται ἀπὸ 'Ιησοῦ τινος Γαλιλαίου πλάνου.

noch das Verbum יָשַׁע herausgehört wurde[35]. Über die inhaltliche Bedeutung dieses so gedeuteten Namens → σῴζω.

Die volle Form יְהוֹשֻׁעַ ist ein Nominalsatzname[36], in dem das Subj voransteht und eine Form des Gottesnamens יהוה darstellt, dem zweiten, das Verbum enthaltenden Bestandteil liegt wohl eine Nebenform zum Verbum יָשַׁע zugrunde, die auch in Namen wie אֲבִישׁוּעַ אֱלִישׁוּעַ und מַלְכִּישׁוּעַ begegnet und „helfen" bedeutet. Nicht genau, aber die Bestandteile erkennend, ist also Philos Deutung (Mut Nom 121): 'Ιησοῦς σωτηρία κυρίου, genauer die Erklärung eines Papyrus aus dem 3—4 Jhdt n Chr: 'Ιησοῦς 'Ιω σωτηρία[37]. Ebenso haben die Rabbinen wohl beide Bestandteile des Namens empfunden: Nu r 16 zu 13, 2 (Str-B I 64): הוֹשֵׁעַ wird יְהוֹשֻׁעַ genannt (Nu 13, 16) dh ein י hinzugefügt, weil Moses im Blick auf die Bosheit der Kundschafter sagte: יָ"ה יוֹשִׁיעֲךָ מִן הֲדוֹר הַזֶּה: Das י deutet also das Tetragramm (bzw seine Abbreviatur יָ"ה) an. Die gekürzte Form יֵשׁוּעַ ließ das theophore Element nicht mehr deutlich erkennen, bei ihr mußten die Alten nur an das Verb יָשַׁע denken, so deutet Sir 46, 1 Josuas Namen: ὃς ἐγένετο κατὰ τὸ ὄνομα αὐτοῦ μέγας ἐπὶ σωτηρίᾳ ἐκλεκτῶν αὐτοῦ. Während Cl Al und Cyrill[38] 'Ιησοῦς auch mit dem griechischen ἰάομαι zusammenbringen, hat die Gelehrsamkeit Eusebs wieder unter Rückgang auf die volle hbr Form gedeutet: 'Ισουὰ μὲν γὰρ παρ' 'Εβραίοις σωτηρία, 'Ιησοῦς δὲ παρὰ τοῖς αὐτοῖς 'Ιωσουὲ ὀνομάζεται· 'Ιωσουὲ δέ ἐστιν 'Ιαὼ σωτηρία, τοῦτ' ἔστιν θεοῦ σωτήριον[39], während Chrysostomus[40] 'Ιησοῦς nur als σωτηρία deutet[41].

HLamer faßt den griechischen Namen Jesu als Maskulinbildung zu dem in Herond Mim IV 6 belegten Namen 'Ιησώ der sonst 'Ιασώ genannten Heilgöttin[42]. Aber die Gräzisierung jüdischer Namen mit Angleichung an die griechische Mythologie führt uns in hellenisierte, dh kulturell, sozial und religiös dem Hellenismus angeglichene Kreise des Judentums, also in Kreise, die nicht Träger der urchristlichen Mission waren, und die Bildung der Form 'Ιησοῦς für יֵשׁוּעַ ist Jahrhunderte älter als die christliche Zeit. Das Urchristentum hat nichts anderes getan, als die ganz geläufige griechische Form für den hbr Namen יֵשׁוּעַ zu nehmen, es hat, man muß schon sagen, selbstverständlich und kaum in bewußter Wahl, die Mode kleiner, hellenisierender Kreise, verwandte, den Griechen verständliche Namen zu nehmen, nicht mitgemacht.

5. Der Name Jesu spielt endlich noch eine Rolle bei der Frage nach der Geschichtlichkeit Jesu. Will man nämlich die historische Existenz der in den Evangelien geschilderten Gestalt Jesu bestreiten und die Evangelien als historisierende Mythen von einer Gottheit verstehen, so bedarf man zum Erweise dieser These einmal des Nachweises eines jüdischen Mythus eines sterbenden und auferstehenden Gottes, zum andern irgend eines Schemas, das die einzelnen vielfältigen Geschichten in ihrer konkreten Gestalt und Aufeinanderfolge als nicht-historisch begreiflich macht, ob man nun dieses Schema mit

---

[35] Delitzsch bezieht das αὐτός auf Gott.

[36] Zum folgenden vgl MNoth, Die israelitischen Personennamen (1928) 16, 18, 106, 154 f. Die Zusammenstellung des zweiten Bestandteiles des Namens mit יָשַׁע ist nicht unwidersprochen geblieben: vgl ENestle, ThStKr 65 (1892) 573 f.

[37] Text und Abbildung bei Deißmann LO 344 f.

[38] Zum folgenden vgl ENestle, in: DCG I 859—861: Cl Al Paed III 12, 98 z.St; Cyr Cat Myst X 13 (MPG 33, 677): 'Ιησοῦς τοίνυν ἐστὶ κατὰ μὲν 'Εβραίων σωτήρ, κατὰ δὲ τὴν 'Ελλάδα γλῶσσαν ὁ ἰώμενος.

[39] Dem Ev IV 17, 23.

[40] Chrys Hom in Mt II 2 (MPG 57, 26).

[41] SPoznanski in: REJ 54 (1907) 279 weist darauf hin, daß bei jüdisch-arabischen Doppelnamen arabischem Farağ und syrisch-arabischem Furqân יֵשׁוּעַ entspricht, das nach SKrauß ebd 55 (1908) 150 f unter christlichem Einfluß messianisch zu verstehen ist: syr פּוּרְקָנָא = Erlösung.

[42] Philol Wochenschr 50 (1930) 764 f. Die Heilgöttin 'Ιασώ ist die einzige Gestalt griechischer Mythologie, die überhaupt mit 'Ιησοῦς in Zusammenhang gebracht werden kann. Was ADrews, Die Entstehung des Christentums (1924) 105 f über einen Zusammenhang von „Jesus" mit Kadmillos auf Grund von Esr 2, 40 (!) und über einen Zusammenhang von Jason und Jasios (sic! Gemeint ist Jasion!) mit „Asklepius-Hermes-Jason" sagt, sind unhaltbare Kombinationen, vgl Pauly-W IX (1906) 752—777 sv Jasion, Jaso, Jason.

Drews dem Sternenhimmel oder mit Raschke der urchristlichen Mission entnimmt. In diesem Zusammenhang muß dann auch der Name „Jesus" als Name einer mythologischen Gestalt erwiesen werden, es müßte also vorchristlicher Jesuskult bestanden haben. Direkte, eindeutige Zeugnisse für einen solchen vorchristlichen Jesuskult gibt es nicht. Man ist auf Rückschlüsse angewiesen. Der Blick 5 fällt zunächst auf den ersten at.lichen Träger des Namens יְהוֹשֻׁעַ, Josua, den Sohn Nuns, in dem eine frühere Periode der at.lichen Forschung eine sagenhafte, vielleicht auch mit mythologischen Zügen umkleidete (Jos 10, 12) Gestalt gesehen hat. Trägt im Anschluß daran Josua für Robertson, auf den sich Drews beruft[43], Züge des Sonnengottes, so ergibt weiter die Kombination von Ex 23, 20—23 10 mit Jos 24, 11: Gleichsetzung des „Engels, auf dem Gottes Name ist", mit Josua, denn beide Stellen nennen dieselben Völkerschaften, die einmal der Engel, dann wieder Gott — aber doch durch Josua! — vertrieben hat. Dieser Engel ist nun nach späterer jüdischer Tradition mit Metatron (→ θρόνος 164 A 30) gleichgesetzt, und in der jüdischen Neujahrsfestliturgie soll die Rede sein von Josua als dem Fürsten der 15 Gegenwart Gottes[44]. Daraus wird nun eine seit alter Zeit durchlaufende Gleichsetzung von Josua/Jesus mit Metatron geschlossen[45] und Josua zum Namen des mythischen Befreiers gemacht[46]. Dieselbe mythische Stellung Josuas soll Jd 5 nach der Lesart von BA vg Or widerspiegeln: ὑπομνῆσαι δὲ ὑμᾶς βούλομαι, εἰδότας ἅπαξ πάντα, ὅτι Ἰησοῦς (die anderen Zeugen: [ὁ] κύριος oder ὁ θεός) λαὸν 20 ἐκ γῆς Αἰγύπτου σώσας τὸ δεύτερον, (hier setzt Drews das Komma!) τοὺς μὴ πιστεύσαντας ἀπώλεσεν[47], und Sib V 256—259 ist nach dem überlieferten Text Josua, ὃς ἠέλιόν ποτε στῆσεν, mit dem wiederkehrenden Christus gleichgesetzt, ὃς παλάμας ἥπλωσεν ἐπὶ ξύλου πολυκάρπου[48], und Drews fragt, ob nur Henoch, Melchisedek, Noah, Joseph, Kain kultisch verehrt worden seien und ausgerech- 25 net Josua nicht[49]. An dieser Beweisführung ist alles ungenau: als mythologische Gestalt ist Josua nicht im AT dargestellt und irgendeine Spur davon, daß sich an ihn im Spätjudentum ein Mythus angehängt habe, fehlt ganz; die Kombination von Ex 23, 20—23 mit Jos 24, 11 ist nur eine genaue Wiederholung rabbinischer Auslegungsmethoden, indem aus Gleichheit aus dem Zusammenhang gelöster 30 Worte Gleichheit von im Zusammenhang auch genannten oder sogar nur angedeuteten Größen erschlossen wird. Ohne diese willkürliche Kombination aber fallen alle genannten Belegstellen aus der spätantiken und mittelalterlichen jüdischen Literatur hin, da keine von ihnen Josua mit Metatron gleichsetzt, Robertson vielmehr für Metatron an den genannten Stellen Josua erst 35 eingesetzt hat[50]. Die Jd-Stelle denkt nicht an Josua, sondern an den in der at.lichen Geschichte als handelnd geschauten Herrn, ob nun κύριος oder Ἰησοῦς zu lesen ist, sie spielt auch nur auf den Wüstenzug an, nicht auf den Einzug in Kanaan. An der in der Deutung sehr umstrittenen Stelle der Sib wird mit

---

[43] JMRobertson, Pagan Christs[2] (1911) 163; Drews, Christusmythe I 21, vgl II 311 f.
[44] Robertson 165 A 4.
[45] Robertson 163; Drews, Christusmythe I 21.
[46] Robertson 90.
[47] Drews, Christusmythe II 306 f; Entstehung 108 ff.

[48] Drews, Christusmythe II 307.
[49] Drews ebd 312.
[50] Über Metatron s GFMoore, in: The Harvard Theological Review 15 (1922) 62—85. — In den Metatron-Spekulationen von hb Hen fehlt auch jede Verbindung von Metatron mit Josua [Windisch].

Geffcken[51] statt στῆσεν wohl στήσει zu lesen sein. Wertlos sind Kombinationen wie die, der Name יֵשׁוּעַ klinge an יִצְחָק, den Abraham opfern sollte, an[52]: ein Anklang liegt schlechterdings nicht vor, so daß damit für eine vorchristliche Verbindung einer mythologischen Jesusgestalt mit dem Opfergedanken nichts
5 erwiesen ist, oder die von Drews (nach Epiphanius) zur Wahl gestellte Vermutung, die Sekte der Jessäer hätte sich wohl nach Jesus oder nach dessen Stammvater Jesse oder nach Jesaja, dem Verkünder des leidenden Gottesknechtes, genannt[53]. Wertlos ist auch jenes Fündlein von Drews, der daraus, daß Epiphanius Jesus einmal θεραπευτής nennt, schließt, daß die jüdische Gemeinschaft der Thera-
10 peuten oder Essäer (deren Zusammenhang aber ganz unklar ist!) ihren Kultgott unter dem Namen Jesus verehrte[54]. Und ob jener Zauberer Barjesus als Sohn eines der vielen יֵשׁוּעַ hieß oder als Anhänger einer Jesussekte[55], ist nur dann zu fragen, wenn die Existenz einer vorchristlichen Jesussekte anderweitig feststeht. Für Smith ist die Notiz über Apollos, Ag 18, 24—28 wichtig: wenn
15 Apollos nur des Johannes Taufe kennt, kenne er damit nichts von einem geschichtlichen Jesus und die Ag 18, 25 von Apollos gebrauchte Wendung: ἐδίδασκεν ἀκριβῶς „τὰ περὶ τοῦ Ἰησοῦ" bedeute, wie hier, so überall, wo sie vorkomme, keine historische, sondern eine sachliche Belehrung[56]. Dies letztere ist von Goguel[57] ausführlich widerlegt und das Gegenteil erwiesen, und wir haben gesehen, wie
20 Ag Ἰησοῦς gerade vom „Geschichtlichen" gebraucht. Gerade in der Beschränkung auf den „historischen Jesus" liegt das Vorläufige der Stellung des Apollos.

Dieser negative Beweis muß nun noch durch eine positive Darlegung ergänzt werden. Für das Spätjudentum bildet, neben der Gestalt Abrahams, die Zeit des Auszuges aus Ägypten den Mittelpunkt der Weltgeschichte. Die Annahme
25 des Gesetzes durch das Volk Israel brachte die Wiederkehr der Paradieseszeit. Das beschränkt sich nicht auf die eigentliche Zeit der Gesetzgebung, sondern umfaßt den ganzen Auszug. Mit den Farben der Auszugszeit wird die kommende Heilszeit gezeichnet. An dem Glanz dieser Zeit hat aber die Periode des Einzugs ins gelobte Land keinen Anteil, obgleich der tt der „Landnahme",
30 נחל bzw ירש, → κληρονομεῖν, auch das „Ererben" des ewigen Lebens bezeichnet. Das künftige „Erben" des Landes wird nicht mit den Farben des Einzugs unter Josua gezeichnet. Darum ist Josua im Spätjudentum nie der Prototyp des Messias. Natürlich hat das Spätjudentum die Gestalt Josuas nicht mit Schweigen übergangen; er ist auch einer der Frömmigkeitshelden israeli-
35 tischer Geschichte, eine der verdienstvollen Gestalten, aber es sind nur einzelne Punkte aus seiner Geschichte, wie die vieler anderer Männer des AT, den Rabbinen gelegentlich wichtig geworden[59].

Im NT ist nicht mehr die Gesetzgebung der Angelpunkt der Weltgeschichte, sie ist für Paulus ein Zwischenakt, der zwischen die mit Abraham beginnende

---

[51] In seiner Ausgabe der Sib (1902) zSt mit Hinweis auf eine Lactanz-Parallele. Str-B I 12 f, dem sich Volz Esch 57 hierin anschließt, deutet die Stelle in ihrer ursprünglichen Gestalt auf einen als Messias wiederkehrenden Josua, aber das wäre schlechterdings singulär.
[52] Robertson 162.
[53] Christusmythe I 21, II 302.

[54] Christusmythe I 21.
[55] Smith 17 f.
[56] Ebd 1 ff.
[57] 70 ff.
[58] 1 Makk 2, 55; 2 Makk 12, 15; Sir 46, 1; Pesikṭr 11 (ZNW 32 [1933] 38); bSukka 28 a; für die samaritanische Eschatologie vgl Volz Esch 176.

Heilsgeschichte und ihre Erfüllung in Jesus Christus „zwischeneingekommen"
ist. Damit verliert die Auszugszeit ihren auf der Annahme des Gesetzes beruhenden paradiesischen Glanz. Die Ereignisse auch des Auszugs aber bleiben
wichtig als „für uns" geschrieben: 1 K 10, 1 ff; Hb 11, 27 ff; Apk 15, 2—4.
Für uns geschrieben ist auch die Josuageschichte, um nämlich die Macht des 5
Glaubens zu zeigen, Hb 11, 30 f. Dabei aber bleiben die at.lichen Ereignisse
in ihrer geschichtlichen Stellung und Einmaligkeit. Das gilt auch für Hb 3,
7—4, 13 und die Erwähnung von Josua Hb 4, 8. Zugrunde liegt freilich dort,
daß der Einzug in das gelobte Land die Erfüllung göttlicher Verheißungen
bringen sollte, aber der Nachdruck liegt darauf, daß die Geschichte diese Er- 10
füllung nicht gebracht hat. Die Gestalt Josuas wird nur nebenher genannt,
ohne irgendwelche typologischen Andeutungen. Ebenso erwähnt Ag 7, 45 Josua
nur im Vorbeigehen. Daß im NT also die Josuageschichte nicht stärker benutzt
worden ist, ist nicht in der zufälligen Auswahl der uns erhaltenen urchristlichen
Schriften begründet, sondern darin, daß weder für das Spätjudentum noch für 15
das heilsgeschichtliche Verständnis des NT Josua an entscheidender Stelle steht.
Die Apologetik eines Barnabas (12, 7) und Justin (Dial 75; 113, 2—4; 132) [59]
hat sich die Namensgleichheit von Josua und Jesus in der LXX nicht entgehen
lassen, aber auch dabei wird keine geschlossene Anschauungsreihe sichtbar, die
auf einen vorchristlichen Josua/Jesuskult schließen ließe.   20
   Auf theoretisch möglichem Boden befinden wir uns nur bei der Erwähnung
Jesu im sog Naassenerpsalm [60] und bei dem mehrfachen Vorkommen des Namens
Jesu in einigen Zauberpapyri. Denn die Naassener haben manches vorchristliche Gut verarbeitet und ebenso findet man in den Zauberpapyri vieles Alte.
Im großen Pariser Zauberpapyrus nun finden sich die Worte: ὁρκίζω σε κατὰ 25
τοῦ θεοῦ τῶν Ἑβραίων Ἰησοῦ [61], an anderer Stelle, in einem koptischen Zauber-
spruch, wird angeredet „Gott Abrahams, Gott Isaaks, Gott Jakobs, Jêsus Chrîstos,
heiliger Geist, Sohn des Vaters..." [62], anderwärts Ἰησοῦς ἀνουι [63] und auch
[Ἰησοῦ]ς, Ἰησοῦς, Ἰησοῦς ΑΩ Ἀδωναί Ἐλωαί Ἐλωέ [64]. Wären diese Texte vorchristlich, so würden sie vorchristliche Jesusverehrung zeigen, der erste und der letzte 30
Text setzen außerdem Jesus mit dem Gott des AT in eins, und wegen der Schluß-
formel — φύλασσε καθαρός· ὁ γὰρ λόγος ἐστὶν Ἑβραϊκὸς καὶ φυλασσόμενος παρὰ
καθαροῖς ἀνδράσιν [65] — leitet Drews den ersten Text überdies mit ADieterich
direkt aus Therapeutenkreisen ab [66], doch ist das vollkommen unbewiesen. Die
genannten Texte aber stammen aus späterer Zeit [67] und sind eine Spiegelung 35
davon, welchen Eindruck der Glaube der christlichen Gemeinde an Jesus Christus
auf ihre Umgebung machte und wie äußerlich dieser Eindruck doch geblieben
ist; es handelte sich den Verfassern dieser Zaubertexte nur um die Gewinnung
von zauberkräftigen Namen, mit denen sie dann recht willkürlich verfuhren.

---

[59] Für spätere Zeit s Wnd Barn zu 12, 7.
[60] Hipp Ref V 10, 2.
[61] Preis Zaub IV 3019 f.
[62] Ebd 1231 ff.
[63] Ebd XII 192. Nicht Ἰησοῦς Ἄνου[βις], wie ADieterich, Jbch für class Philol Suppl 16 (1888) 805 las. Vgl WWBaudissin, Kyrios als Gottesname II (1929) 120.

[64] Ebd Bd II S 199 = P 11.
[65] Ebd IV 3084 f.
[66] Christusmythe II 304 f; ADieterich, Abraxas (1891) 143 ff, vgl Mithr Liturg 44 f.
[67] Preis Zaub IV stammt aus der ersten Hälfte des 4 Jhdts n Chr.

Im Grunde handelt es sich bei dem Versuch des Nachweises einer vorchristlichen Jesussekte darum, daß auf Gebieten, über denen nun einmal nach Lage der
Quellen Dunkelheit liegt, dem der jüdischen Sektengeschichte und dem der Geschichte der Zaubertexte, luftige Kombinationen vollzogen werden, die nur da-
5 durch möglich sind, daß sie in einen leeren und dunklen Raum hineingebaut
sind; irgendeine bestimmte Handhabe zur Behauptung eines vorchristlichen
Jesuskultes haben sie nicht erbracht. Die Beobachtungen, wie in den Evangelien das Volk den Namen Jesu präzisiert, während die Evangelisten selbst ohne
näheren Zusatz von Jesus sprechen (→ 288, 36 ff), eine Beobachtung, die sich
10 auch in Ag machen läßt, bieten eine unwillkürliche, von den Evangelisten nicht
bewußt ins Auge gefaßte Stütze für die Historizität Jesu von Nazareth.

Foerster

ἱκανός, † ἱκανότης,
 † ἱκανόω

---

15   ἱκανός, abgeleitet von der Wurzel ἱκ- (ἵκω, ἱκνέομαι, ἱκόμην) *hinreichen (mit der Hand), hinzulangen* (Walde-Pok II 465), wird in der Grundbedeutung
ausreichend, hinreichend, ziemlich viel bzw *groß* seit den Tragikern im Griechischen in
der verschiedensten Weise gebraucht. Die Verwendung im N e u e n T e s t a m e n t
entspricht durchaus der im profanen Sprachgebrauch[1]. Wir finden hier das Wort also
20 ebenso im Sinne einer allgemeinen Mengenangabe höheren Grades (zB Mk 10, 46: ὄχλου
ἱκανοῦ neben Mt 20, 29: ὄχλος πολύς) wie zum Zwecke der Umschreibung eines
größeren Zeitraumes (zB Lk 8, 27: χρόνῳ ἱκανῷ) wie als Qualitätsbeschreibung verwandt (Mt 3, 11 Par). Dabei kommt dem s t a t i s t i s c h e n B e f u n d einiges Gewicht
zu.   Von den 40 Fällen, in denen ἱκανός im NT erscheint, entfallen 3 auf Matthäus,
25 3 auf Markus, 6 auf Paulus (außerdem 2 Tm 2, 2), dagegen 27 auf die lukanischen
Schriften, während es in den Kath Briefen, im Hebräerbrief und in der gesamten
johanneischen Literatur fehlt. Durch die Verteilung seines Vorkommens erweist sich
das Wort somit als ein t y p i s c h h e l l e n i s t i s c h e s W o r t im NT, und dazu stimmt,
daß es in der Regel bei Lukas keinen besonderen Ton hat, wie es auch im nichtbiblischen
30 Sprachgebrauch der Zeit zu beobachten ist. Josephus bietet hierin gute Parallelen
zu Lukas; vgl zB[2] Ap 1, 237: ὡς χρόνος ἱκανὸς διῆλθεν neben Ag 27, 9: ἱκανοῦ δὲ
χρόνου διαγενομένου uaSt; Ant 9, 45: κατέλιπε δὲ καὶ παῖδας ἱκανούς neben Ag 11, 26:
διδάξαι ὄχλον ἱκανόν; Ant 14, 231: προσκαλεσάμενος . . . ἱκανοὺς τῶν πολιτῶν neben Ag
19, 19: ἱκανοὶ τῶν τὰ περίεργα πραξάντων. Dagegen findet sich d i e B e z e i c h n u n g
35 G o t t e s als ὁ ἱκανός, die in der Septuaginta mehrfach das שַׁדַּי des Grundtextes
wiedergibt[3], bei Josephus nicht und auch nicht bei Lukas. Allerdings gehen hier
doch beide insofern auseinander, als Josephus der philosophischen Religiosität[4] seiner
nichtjüdischen Leser grundsätzlich das Zugeständnis gemacht hat, daß Gott (τὸ θεῖον)
ἀπροσδεές (bedürfnislos) ἀπάντων ist (Ant 8, 111)[5], während bei Lukas bzw seinem
40 Gewährsmann der Ton darauf liegt, daß Gott die Menschen will, zu ihnen strebt und
an ihnen sein Werk tut, eben weil er Gott und als solcher der Schöpfer ist (vgl nur
Lk 2, 14; 20, 38). Zur rabb Exegese von שַׁדַּי → noch I 467, 27 ff (αὐτάρκης).

ἱκανός. ASchlatter, Die beiden Schwerter
Lukas 22, 35—38, in: BFTh 20, 6 (1916).
[1] Vgl die Beispiele bei Pr-Bauer sv.
[2] Die Stellen nach Schl Lk.
[3] Vgl Ιωβ 21, 15; 31, 2; 40, 2; Ιεζ 1, 24 ΑΣ;
Rt 1, 20. 21, wozu zahlreiche Stellen bei
Aquila, Symmachus und Theodotion kommen.
Die Übersetzung wird einerseits unter dem
äußeren Einfluß von דַּי (man zerlegte שַׁדַּי in
שַׁ + דַּי; → I 467, 18 ff) geschehen sein, dessen
Wortbild dem von שָׂדַי ähnlich ist und das
sein griech Äquivalent eben in ἱκανός besitzt,

wie die LXX selbst bezeugt; sie wird aber
weiter durch den Wunsch des Übersetzers
bestimmt sein, die Unabhängigkeit Gottes
von den Menschen und seine absolute Überlegenheit über sie zum Ausdruck zu bringen.
[4] Das Material von Euripides bis zur Stoa
bei ENorden, Agnostos Theos (1913) 13 f.
[5] Sachparallelen aus Philo bei SchlTheol
d Judt 5 A 2. ἱκανός findet sich in der angegebenen Bedeutung auch wörtlich bei Philo:
ἱκανὸς αὐτὸς ἑαυτῷ ὁ θεός (Leg All I 44;
Mut Nom 46; vgl Cher 46; Mut Nom 27).

Theologisches Gewicht hat das Vorkommen der Wortgruppe im Neuen Testament in den folgenden Zusammenhängen:

1. Mt 3, 11 sagt der Täufer im Blick auf den Kommenden: ὁ δὲ ὀπίσω μου ἐρχόμενος ἰσχυρότερός μού ἐστιν, οὗ οὐκ εἰμὶ ἱκανὸς τὰ ὑποδήματα βαστάσαι. Hier dient das οὐκ εἰμὶ ἱκανός [6] dazu, Johannes an dem Christus und seiner Größe zu messen und seine eigene Vollmacht als das zu erweisen, was sie im Grunde ist: als Dienst, der jenem gilt. Das Amt, das er versieht, ist mit dem des Sklaven vergleichbar, der seinem Herrn die Schuhe nachträgt bzw. den Schuhriemen löst (Mk; Lk) und darin sein Sklave-sein bezeugt[7]. So ist der Täufer weder der selbständige Vorläufer des Christus noch sein Genosse noch gar der Christus selbst, sondern sein Diener, der allein das tut, was er schuldig ist. Sein Wort enthält darüber hinaus aber ein nachdrückliches Bekenntnis zu dem Kommenden als dem κύριος schlechthin. Denn wenn schon der Täufer in der Haltung des Sklaven vor ihm steht, der doch im Namen Gottes dem Volke die Vergebung der Sünden anbietet, wie sollen dann alle andern, ob „Sünder" (→ ἁμαρτωλός) oder „Gerechte" (→ δίκαιος), mit einem Anspruch irgendwelcher Art vor ihm bestehen?

Ist es hier die Gewißheit, daß Gott in seinem Gesalbten über alles menschliche Maß hinaus handeln wird, aus der heraus das οὐκ εἰμὶ ἱκανός wächst, so ist es Mt 8, 8; Lk 7, 6 der Eindruck der Person Jesu auf den heidnischen Hauptmann. Wenn er im Blick auf Jesus sagt: οὐκ εἰμὶ ἱκανὸς ἵνα μου ὑπὸ τὴν στέγην εἰσέλθῃς (Mt), so bestimmt ihn weniger der Gedanke an die rituelle Verunreinigung, der sich Jesus als Jude durch das Betreten eines nichtjüdischen Hauses aussetzen würde, als die Gewißheit der Hoheit und Vollmacht Jesu, die ihn weit über alles Menschliche und noch dazu Nichtjüdische hinaushebt. Das bringt vor allem die Art zum Ausdruck, wie er dann anschließend (Mt 8, 9) sich selbst und Jesus dessen ἐξουσία verdeutlicht. So enthält das οὐκ εἰμὶ ἱκανός im Munde des Hauptmanns sein Bekenntnis zur Messianität Jesu, und als solches nimmt Jesus es an und gewährt ihm, was er da gewährt, wo man ihm „glaubt": ὕπαγε, ὡς ἐπίστευσας γενηθήτω σοι.

In derselben Haltung wie der Hauptmann steht Paulus da, wenn er von sich sagt: οὐκ εἰμὶ ἱκανὸς καλεῖσθαι ἀπόστολος (1 K 15, 9). Seine Lage ist nur insofern anders, als er sich an dem erhöhten Jesus mißt, der ihn zu seinem Stellvertreter in seiner ganzen Vollmacht berufen hat (→ ἀπόστολος I 438, 24 ff). Die Worte wollen besagen, daß er von sich aus keinerlei Voraussetzungen für ein solches Amt mitbringt. Vielmehr gilt hier in vollem Umfange auch im Blick auf die Person des ἀπόστολος ἐθνῶν (R 11, 13), was er 2 K 2, 16 in allgemeinerer Fassung ausspricht: καὶ πρὸς ταῦτα τίς ἱκανός. So gewiß das ist, so gewiß ist aber andererseits auch, daß Gottes Erbarmen (1 K 7, 25; 2 K 4, 1), sein Vertrauen (Gl 2, 7; 2 Th 1, 10) und seine Gnade (1 K 15, 10) aus dem Verfolger der Gemeinde Jesu den Zeugen gemacht haben, der mehr als alle

---

[6] Die Formel hat sprachlich ihre rabb Parallele in אֵינִי כְדַאי oder כְדַי אֵינִי; vgl die Stellen bei Str-B II 217. Siehe aber auch schon Ἐξ 4, 10, wo Mose zu Gott sagt: οὐχ ἱκανός εἰμι . . .· ἰσχνόφωνος καὶ βραδύγλωσσος ἐγώ εἰμι. Der Grundtext ist damit nicht „übersetzt", sondern gedeutet.

[7] Vgl die rabb Stellen bei Str-B I 121.

anderen für ihn hat arbeiten dürfen. Darum steht neben dem Bekenntnis der eigenen Unfähigkeit das Bekenntnis zu Gott als dem Grunde alles persönlichen Vermögens: ἡ ἱκανότης ἡμῶν ἐκ τοῦ θεοῦ, ὃς καὶ ἱκάνωσεν ἡμᾶς διακόνους καινῆς διαθήκης (2 K 3, 5 f; vgl Kol 1, 12) und der Preis seiner χάρις (1 K 15, 10), 5 die über alle menschliche Unfähigkeit ihr kraftvolles Ja zu setzen vermag.

2. Bei Lukas geht den Szenen in Gethsemane (22, 39 ff) ein ihm eigentümliches Wort Jesu an seine Jünger über die kommende Not voraus (22, 35 ff). Hier rät er den Seinen ua zum Kauf eines Schwertes (v 36). Als sie ihm dann aber zwei Schwerter vorweisen, antwortet er nichts als: ἱκα-
10 νόν ἐστιν. Diese Antwort ist auch vom Zusammenhang aus [8] nicht eindeutig [9], und darum besteht über ihre Deutung keine Einmütigkeit. Wollte Jesus sagen, daß die beiden Schwerter für das, was bevorsteht, ausreichen [10]? Oder aber ent- hält sein Wort statt einer Beruhigung einen Tadel, weil seine Jünger ihn ganz miß- verstanden haben und das Gleichnis in v 36 für einen wörtlich gemeinten Befehl
15 halten, auf den sie mit dem Vorweisen vorhandener Waffen antworten? Selbst wenn man das annimmt, so bleibt noch eine dreifache Möglichkeit des Verständ- nisses, je nachdem man den Tadel mehr gegen das Unverständnis der Jünger als solches gerichtet sein läßt, mehr gegen das in diesem Falle vorliegende Miß- verständnis oder mehr gegen ihre Sorglosigkeit, in der sie sich allerdings nicht
20 nur auf die beiden vorgewiesenen Schwerter, sondern überhaupt auf Waffen und damit auf die eigene Kraft verlassen. Im ersten Falle bricht Jesus das Gespräch mit einem unmutigen Wort als zwecklos ab [11] (vgl Dt 3, 26: ἱκανούσθω σοι, μὴ προσθῇς ἔτι λαλῆσαι τὸν λόγον τοῦτον [12]); nur fehlen uns, um dies Verständnis zu erhärten, die nötigen sprachlichen Unterlagen [13]. Die zweite Möglichkeit
25 würde dem Wort einen ironischen Ton verleihen und ihm den Sinn „mehr als genug" = satis superque verleihen: Begreift ihr denn nicht, daß in unserer Lage zwei Schwerter längst nicht ausreichen? Aber hier entsteht sofort die Schwierigkeit, daß im Bilde Jesu ironische Züge sonst fehlen [14], und das kann auch nicht anders sein, da er die ihm gegenübertretenden Menschen immer völlig
30 ernst nimmt, um ihnen in ihrer jeweiligen Lage zum rechten Verhältnis zu Gott und zum rechten Verhalten helfen zu können. So bleibt nur als dritter Weg, daß Jesus mit seinem ἱκανόν ἐστιν das Ziel verfolgt, das naive Selbstvertrauen der Jünger zu treffen und „die Hoffnung der Jünger vom Schwert frei zu machen" [15].

---

[8] Die Einheitlichkeit des Stückes wird aber bezweifelt. Vgl Kl Lk zSt.

[9] Anders als in den at.lichen Stellen Gn 30, 15; 1 Kö 16, 31; Ez 34, 18, die darum für die Exegese nichts austragen. Ebenso- wenig helfen außerbiblische Zitate wie die sonst recht interessante Stelle (vgl HWin- disch, Paulus und Christus [1934] 50) Epict Diss I 2, 36 weiter: Ἐπίκτητος κρείσσων Σωκράτου οὐκ ἔσται· εἰ δὲ μή, οὐ χείρων, τοῦτό μοι ἱκανόν ἐστιν.

[10] So BWeiß u JWeiß, Die Evangelien des Mk u Lk = Meyer [8] (1892) zSt und schon D it, die statt des ἱκανόν ἐστιν lesen: ἀρκεῖ.

[11] So schon Chrysostomus zSt; s Cramer Cat II 159.

[12] Vgl auch 3 Βασ 19, 4; Ιεζ 45, 9.

[13] Die at.liche Formel: רַב־לָךְ (Dt 3, 26) bzw רַב־לָכֶם (Ez 45, 9), auf die mit beson- derem Nachdruck A Merx, Die vier kanonischen Evangelien II 2 (1905) 455 zSt verweist, bildet zu dem absoluten ἱκανόν ἐστιν ebensowenig eine einwandfreie Parallele wie das ebenfalls in der Regel suffigierte דַּי (ebd 455 f).

[14] Das ist am deutlichsten an der Art zu sehen, in der Jesus den „Gerechten" nicht nur im Verkehr begegnet, sondern auch über sie zu seinen Hörern spricht (→ I 333, 25 ff und die Lit in A 95; → ferner II 191, 28 ff).

[15] Schlatter aaO 72.

Dafür, daß der Evangelist selbst das Wort so verstand, könnte sprechen, daß er dieser Szene das Wort an Petrus vorausgehen läßt, das ihm einen schweren πειρασμός in Aussicht stellt und ihn für seine Bestehung allein auf Jesu Geduld und Fürbitte stellt (22, 31 ff). Die beiden Schwerter sind für Jesus wirklich genug, und er bedarf weiterer Waffen nicht. Wenn aber er, der seine Lage kennt, 5 das ausspricht, so offenbart er damit die Geduld, mit der er einerseits dem Sterben entgegengeht, andererseits jedoch auch die irrende Liebe und Treue der Seinen erträgt. Die Schwerter werden ja nicht verboten, was sich dann bei der Verhaftung auswirkt (22, 49 ff Par); es wird nur versucht, ihren Besitzern deutlich zu machen, daß sie mit ihren Erwägungen auf dem falschen Wege sind. 10 Darum bildet, was dann in Gethsemane geschieht[16], den sinngemäßen Abschluß des Gesprächs über die Schwerter in den Händen der Jünger. Es zeigt, wie Jesus bei aller Einsatzbereitschaft der Seinen den ihm von Gott gewiesenen Weg doch allein gehen muß, da keiner von ihnen unter seinem Wort gelernt hat, den eigenen Willen vom Willen Gottes formen zu lassen[17]. Unser ἱκανόν 15 ἐστιν bezeugt indes, daß seine Gemeinschaft mit ihnen auch da bestehen bleibt, wo sie ihm die Gemeinschaft versagen.

Die Bulle Unam sanctam Bonifatius' VIII. (1302) beruht auf unserer Stelle. Sie deutet die beiden Schwerter auf die geistliche und weltliche Gewalt und läßt sie durch Jesu Wort (an Petrus) in der Hand des Stellvertreters Christi vereinigt werden. Daß die 20 in ihr vertretene Theorie, die schon auf Gregor VII. zurückgeht, damit keine exegetische Begründung gefunden hat, bedarf keines Wortes.

Rengstorf

---

† *ἱκετηρία*

ἱκετήριος ist abzuleiten von ἱκτήριος, das seinerseits von ἱκτήρ, der 25 Schutzflehende, stammt (beide Worte belegt bei den Tragikern). Unter dem Einfluß des parallelen ἱκέτης[1] wurde ἱκτήριος umgestaltet zu ἱκετήριος[2]. ἱκτήρ, ἱκέτης (von ἵκω [vgl ἱκνέομαι] „kommen") hieß der *Ankömmling*, der einer Schuld, besonders einer Blutschuld, wegen verfolgt, *Schutz und Hilfe suchte*, indem er sich am Altar oder Herde eines fremden Hauses niederließ, um auf dem Wege des Gastrechts das wiederzuge- 30 winnen, was er in seiner Heimat verloren hatte. Ein Ölzweig, den er dabei in der Hand hielt, kennzeichnete ihn als solchen[3]. ἱκετηρία — ergänze ῥάβδος oder ἐλαία — Femininum des denominierten Adjektivs, ist dies Kennzeichen des Schutzflehens[4]. Da der Ölzweig die Bitte versinnbildlicht, wird ἱκετηρία auch *die Bitte selbst* und später allgemein Bezeichnung für *dringliche Bitten an Menschen und Götter*. So schon bei Isoc 35 8, 138: πολλὰς ἱκετηρίας καὶ δεήσεις ποιούμενοι. Entsprechend bei Polybius[5], Philo[6]. Dabei

---

[16] Auch hier wieder zeigt sich die Größe der Geduld Jesu, wenn er nichts anderes sagt als ἐᾶτε ἕως τούτου (v 51) und den verletzten Knecht des Hohepriesters heilt.
[17] Darauf weist schon Jes 53, 12 im Munde Jesu Lk 22, 37 hin.

ἱκετηρία. Pape, Pr-Bauer, Preisigke Wört, Moult-Mill, Cr-Kö sv ἱκετηρία.
[1] Davon ἱκετία (-εία), das in LXX und in den Rachegebeten von Rheneia vorkommt (Deißmann LO⁴ 351 ff). Vgl auch ESchlesinger, Die griech Asylie (Diss Gießen 1933), bes 32 ff, 38 ff: Die Rechtsfolgen der ἱκετεία.

[2] EFraenkel, Gesch d gr Nomina agentis auf -τηρ, -τωρ, -της I (1910) 52 f.
[3] PStengel, Griech Kultusaltertümer³ (1920) 30, 80, 244.
[4] Aesch Suppl 191—196: ἀλλ' ὡς τάχιστα βᾶτε καὶ λευκοστεφεῖς | ἱκτηρίας, ἀγάλματ' αἰδοίου Διός, | σεμνῶς ἔχουσαι διὰ χερῶν εὐωνύμων, | αἰδοῖα καὶ γοεδνὰ καὶ ζαχρεῖ' ἔπη | ξένους ἀμείβεσθ', ὡς ἐπήλυδας πρέπει, | τορῶς λέγουσαι τάσδ' ἀναιμάκτους φυγάς. Weitere Belege bei Pape.
[5] 2, 6, 1: δεόμενοι μεθ' ἱκετηρίας...; 3, 112, 8: εὐχαὶ καὶ θυσίαι καὶ θεῶν ἱκετηρίαι καὶ δεήσεις ἐπεῖχον τὴν πόλιν.
[6] Leg Gaj 228: προσπίπτουσιν εἰς ἔδαφος ὀλολυγὴν θρηνώδη τινὰ μεθ' ἱκετηριῶν ἀφιεῖσαι.

hört ἱκετηρία nicht auf, das Schutzflehen im besonderen[7] und sogar den Ölzweig des Schutzflehenden[8] zu bezeichnen.

Hb 5, 7, wo es von dem Sohne Gottes heißt: er habe Gott δεήσεις καὶ ἱκετηρίας dargebracht, darf mithin auf den ursprünglichen Sinne von ἱκετηρία „Schutzflehen" nicht Wert gelegt werden. Hier ist mit δεήσεις τε καὶ ἱκετηρίας eine herkömmliche Formel[9] benutzt, worin sich zeigt, daß der Hebräerbrief die geschulte und gepflegte Sprache des literarisch Gebildeten schreibt.

Büchsel

---

† *ἱλαρός,* † *ἱλαρότης*

1. ἱλαρός heißt im klassischen wie im späteren Griechisch (auch Pap) *heiter, fröhlich.* Als ἱλαρός wird charakterisiert das Tageslicht (φέγγος Aristoph Ra 455), Gesänge (ᾄσματα Athen XV 53 p 697 d [III 544, 18 Kaibel]), die ἐλπίς (Kritias bei Diels II 315, 11), eine Botschaft (Inschr von Ephesus, Jahreshefte d österr arch Inst 23 [1926], 283), bes aber Menschen. So ist ἱλαρός eine physiognomische Charakteristik; der Gegensatz ist σκυθρωπός (Xenoph Mem II 7, 12; Pseud-Aristot Physiognomica 4 p 808 b 16), aber auch μεμψίμοιρος (Theophr Char 17, 9); neben ἱλαρῶς βλέπειν (Anth Pal XII 159, 6) begegnet ῥᾳδίως καὶ ἱλαρῶς φέρειν (Plut Ages II 3 [I p 596 e]). Mit εὔελπις und εὔθυμος ist ἱλαρός Xenoph Ag 8, 2 verbunden, wie das seltene ἱλαρότης Plut Ages II 4 (I 596 f) neben τὸ εὔθυμον steht und bei Alciphr Ep 3, 7 vl (p 65) mit εὐφροσύνη (beim Symposion) verbunden ist. Die ἐνέργεια einer reinen Seele ist nach Plut Tranq An 19 (II 477 b) ἐνθουσιώδης καὶ ἱλαρά. Als Prädikat der Gottheit selbst erscheint ἱλαρός in dem Hymnus auf Demetrius Poliorketes als epiphanen Gott bei Athen VI 63 p 253 d (II 65, 21 Kaibel): ὁ δ' ἱλαρός, ὥσπερ τὸν θεὸν δεῖ[1].

Im späteren Sprachgebrauch hat ἱλαρός unter dem Einfluß von ἵλεως die Bedeutung *gütig* gewonnen[2]. Im Zauber wird die Gottheit angerufen: ἐλθέ μοι ἱλαρῷ τῷ προσώπῳ (Preis Zaub III 575), und ἱλαρός wird mit εὐμενής und πραῢς oder mit πρόθυμος verbunden (Preis Zaub IV 1042; XIII 608). In diesem Sinne ist POxy XI 1380, 127 von der ἱλαρὰ ὄψις der Isis die Rede[3]. Es ist fraglich, ob dieser Bedeutungswandel nur aus der äußerlichen Beeinflussung erklärt werden darf, oder ob darin ein Wissen um den inneren Zusammenhang von Heiterkeit und Güte zum Vorschein kommt, wie er bei Cornut Theol Graec 15 (p 20, 5 ff Lang) ausgesprochen ist; hier wird die Ableitung des Namens der Χάριτες von χαρά motiviert: ἱλαρῶς δὲ εὐεργετεῖν δέοντος καὶ ἱλαροὺς ποιουσῶν τοὺς εὐεργετουμένους τῶν Χαρίτων...

2. In Septuaginta ist ἱλαρός, das übrigens nie von Gott ausgesagt wird, mehrfach Attribut zu πρόσωπον Hi 33, 26 (vl); Est 5, 1 b; Sir 13, 26; 26, 4 (an den beiden ersten Stellen ohne hbr Äquivalent; Sir 13, 26 für פָּנִים אוֹרִים; zu Sir 26, 4 fehlt HT). Die Bedeutung ist *heiter* (doch Hi 33, 26 zugleich *gütig*). Das entspricht dem älteren griech Sprachgebrauch ebenso wie das ἱλαρῶς εἰς τὸν οὐρανὸν ἀναβλέπειν Hi 22, 26 (ohne hbr Äquivalent) und das ἱλαρῶς διεξάγειν ep Ar 182 (opp δυσχεραίνειν). Ebenso 3 Makk 6, 35 (ἐν ἐξομολογήσεσιν ἱλαραῖς καὶ ψαλμοῖς); Test Jos 8, 5 (ἐν ἱλαρᾷ φωνῇ δοξάζων τὸν θεόν, vl ἐν ἱλαρότητι φωνῆς).

Dagegen gibt τὸ ἱλαρόν Prv 19, 12 רָצוֹן (das *Wohlwollen* des Königs) wieder, und Prv 22, 8 sagt: ἄνδρα ἱλαρὸν καὶ δότην εὐλογεῖ ὁ θεός, wobei ἱλαρός das מוֹב־עַיִן aus

---

[7] Jos Bell 5, 317—321 vgl 321: συνυπεκρίνοντο τὴν ἱκετηρίαν, 318: ὡς ἱκετεύων, 319: ἱκέτας; vgl auch 7, 203. Vgl auch Schl, Theol d Judt 113.

[8] Philo Leg Gaj 276: γραφὴ δὲ μηνύσει μου τὴν δέησιν, ἣν ἀνθ' ἱκετηρίας προτείνω.

[9] Isoc 8, 138. Hi 40, 27: λαλήσει δέ σοι δεήσει, ἱκετηρία μαλακῶς. Auch Philo Cher 47: χωρὶς ἱκετείας καὶ δεήσεως.

ἱλαρός κτλ. Nägeli 65 f.

[1] Das Weitere → I 658, 23 ff; dazu PFriedländer, in: Die Antike 10 (1934) 209 ff. In der Kosmogonie des Pariser Zauberpap (Preis Zaub XIII 186 bzw 507 f) heißt es vom schaffenden Gott ἐκάκχασε (er lachte)... καὶ ἱλαρύνθη πολύ.

[2] Wahrscheinlich besteht auch etymologische Beziehung zwischen ἱλαρός und ἵλεως; Wurzel sel- *günstig, guter Stimmung.* Boisacq sv; Walde-Pok II 506 f.

[3] Weiteres Material bei Nägeli aaO und in den Lexika.

HT v 9 wiedergibt. ἱλαρός ist also als *gütig* verstanden. — Prv 18, 22 wird ἱλαρότης für רָצוֹן gebraucht, jedoch so, daß von der ἱλαρότης des Menschen die Rede ist, während der hbr Text von Gottes רָצוֹן redet. Der Sinn dürfte *Fröhlichkeit* sein. So jedenfalls Test N 9, 2 (φαγὼν καὶ πιὼν ἐν ἱλαρότητι ψυχῆς); Test Jos 8, 5 vl (→ 298, 42). Einmal in den Psalmen (ψ 103, 15 für צָהֵל hi) und öfter bei Sir (bei Σ auch sonst) 5 begegnet ἱλαρύνειν bzw ἱλαροῦν im Sinne von *strahlend, heiter machen*: Sir 7, 24; 35, 8 (32, 11) für אוֹר hi; 36, 22 (27) für הלל hi; 43, 22 für יֵשׁ. Überall, außer Sir 43, 22, ist πρόσωπον das Obj. Ep Ar 108 gebraucht ἱλαροῦσθαι (τὸ κατὰ ψυχήν) im Sinne von *heiter, vergnügt sein.*

Wie das *gute Auge* des AT nicht eine physiognomische Charakteristik, sondern die 10 Bezeichnung der mitteilenden Güte ist, so ist deutlich, daß das Nebeneinander der Bedeutungen von ἱλαρός hier auf die Einsicht beruht, daß einem gütigen Herzen ein fröhliches Gesicht entspricht; das zeigt bes Sir 35, 8 (32, 11), wo das ἱλαροῦν zwar sprachlich *heiter, strahlend machen* bedeutet, wo aber die Mahnung, das Gesicht bei allem Tun strahlen zu lassen, neben der Mahnung zur Freigebigkeit steht (v 7 u 9: ἐν ἀγαθῷ 15 ὀφθαλμῷ, Hbr v 7 fehlt, v 9: בְּמֹוב עַיִן). So heißt ep Ar 18 der gnädige Blick des Königs ἱλαρὸν πρόσωπον. Vor allem kennen die Rabbinen jenen Zusammenhang von Güte und Heiterkeit: „Wer Almosen gibt, tue es mit fröhlichem Herzen!"[4].

Bei Philo heißt ἱλαρός in der Regel *heiter*, ἱλαρότης *Heiterkeit*. Durch ἱλαρός wird charakterisiert die κίνησις der Hunde (Praem Poen 89), der βίος (Spec Leg II 48), die 20 δίαιτα (Leg Gaj 83), die διαγωγαί (Vit Cont 40), die ἄνεσις (Vit Cont 58), öfter die εὐθυμία(ι) (Som II 144; Jos 245; Spec Leg II 43; Flacc 118; Congr 161: ἱλαραὶ εὐφροσύναι καὶ εὐθυμίαι, Vit Mos II 211 und Spec Leg I 69: ἐν ἱλαραῖς διάγειν εὐθυμίαις. Vgl Spec Leg I 134: ἱλαρώτερον τρυφᾶν). Solche Heiterkeit charakterisiert das Symposion (Vit Cont 40. 58) und das Fest überhaupt (Congr 161; Som II 167; Vit Mos II 211; 25 Spec Leg I 69; Jos 204: ἱλαρότητα γὰρ ἐπιζητοῦσιν εὐωχίαι, σεμνὸν ἄγαν καὶ αὐστηρὸν συμπότην ἥκιστα προσδεχόμεναι). Deshalb ist die ἱλαρότης auch ein Charakteristikum des Weisen, dessen λογισμός: μεθίεται εἰς ἀνέσεως καὶ εὐθυμίας καὶ ἱλαρότητος ἀπόλαυσιν (Plant 166). Denn es gilt: ὅτι οὐ σκυθρωπὸν καὶ αὐστηρόν τὸ τῆς σοφίας εἶδος, ὑπὸ συννοίας καὶ κατηφείας ἐσταλμένον, ἀλλ' ἔμπαλιν ἱλαρὸν καὶ γαληνίζον, μεστὸν γηθοσύνης 30 καὶ χαρᾶς (Plant 167)[5].

Wie Vit Cont 77 von der ἱλαρότης des Anblickens die Rede ist, so ist ἱλαρός Attribut zu ὄψεις Virt 67: ἱλαραῖς ὄψεσιν ἐκ τῆς κατὰ ψυχὴν εὐθυμίας φαιδρὸς καὶ γεγηθώς. Daß dabei ἱλαρός in die Bedeutung *gütig* übergehen kann, zeigt Leg Gaj 12: εὐμένειαν ἐξ ἱλαρᾶς τῆς ὄψεως προφαίνοντες; dazu vgl 180: τῷ δοκεῖν φαιδρῷ τῷ βλέμματι καὶ 35 ἱλαρωτέραις ταῖς προσρήσεσι. Nur einmal aber erscheint ἱλαρός in dem spezifisch jüdischen Sinne als Attribut zu μεταδόσεις Spec Leg IV 74.

3. Paulus zitiert 2 K 9, 7 die Stelle Prv 22, 9 frei: ἱλαρὸν γὰρ δότην ἀγαπᾷ ὁ θεός, und wird ἱλαρός, das er gegen LXX zum Attribut von δότης gemacht hat, als *heiter* verstehen, wie ἱλαρότης R 12, 8 (ὁ ἐλεῶν ἐν 40 ἱλαρότητι) offenbar *Heiterkeit* bedeutet. An beiden Stellen soll die Freiheit und Echtheit gütigen Schenkens durch ihr Symptom, die Heiterkeit, charakterisiert werden. Die ἱλαρότης ist fast gleichbedeutend mit der ἁπλότης (→ I 386, 2 ff), neben der sie R 12, 8 erscheint (ὁ μεταδιδοὺς ἐν ἁπλότητι) und die sonst als die rechte Weise des Wohltuns gilt. Solche Heiterkeit steht im Gegensatz zu 45 den γογγυσμοί (→ I 736, 40 ff) und διαλογισμοί (Phil 2, 14), die die einheitlich gerichtete Tat brechen und verfälschen.

Vgl die Mahnung 1 Pt 4, 9: φιλόξενοι εἰς ἀλλήλους ἄνευ γογγυσμοῦ. Entsprechend steht neben dem γογγυστής Jd 16 der μεμψίμοιρος, → 298, 16.

Daß die Heiterkeit zur inneren Freiheit des Gebens gehört, hat wie das 50 Judentum und Christentum auch das Heidentum gewußt, → 298, 32 ff und vgl Sen Ben II 1, 1 f; 7, 1[6]. Christlich ist nicht der Gedanke an sich, sondern

---

[4] Lv r 34 zu 25, 39; Str-B III 296; Weiteres Str-B I 459 zu Mt 7, 9; III 524 zu 2 K 9, 7.
[5] Das ist insofern merkwürdig, als nach antiker Auffassung die Philosoph σκυθρωπός,

durch σεμνότης ausgezeichnet ist; doch → 298, 21 ff.
[6] Wnd 2 K zu 2 K 9, 7.

seine neue Motivierung, die R 12, 8 (vgl 12, 1 f!) und 2 K 9, 7 (vgl 8, 9; 9, 8 ff!) im Zusammenhang und 1 Pt 4, 9 f ausdrücklich ausgesprochen ist: der Empfang der Gabe Gottes macht fröhlich und vertreibt den γογγυσμός.

4. Von den Apost Vätern hat nur Hermas ἱλαρός und ἱλα-
ρότης, und zwar sehr oft. Die Natur kann als ἱλαρός charakterisiert werden (die πρόσοψις eines Berges s 9, 1, 10, ein τόπος s 9, 10, 3, die βοτάναι s 9, 1, 8; 24, 1, Schafe s 6, 1, 6; 2, 3)[7]; das Aussehen eines Menschen (v 1, 2, 3, opp στυγνός und κατηφής), vor allem himmlischer Gestalten (v 1, 4, 3; 3, 10, 4 f uö[8]), wie denn die Ἱλαρότης eine der als himmlische Gestalten geschilderten Tugenden ist (s 9, 15, 2); ebenso auch der heitere Sinn (v 3, 3, 1; 9, 10; s 9, 2, 4 [hier mit πρόθυμος → 298, 27 f verbunden] uö[9]). Hält sich m 12, 4, 2 (ἤρξατό μοι ἐπιεικέστερον < καὶ ἱλαρώτερον > λαλεῖν) noch auf der griechischen Linie, so tritt anderwärts die jüdische Tradition stark hervor. Die Wohltätigkeit ist s 5, 3, 8 eine λειτουργία, die καλὴ καὶ ἱλαρά ist; sie gilt nach s 1, 10 als eine Verschwendung, die καλὴ καὶ ἱλαρά ist (so zu lesen; Hdschr: ἱερά), λύπην μὴ ἔχουσα μηδὲ φόβον, ἔχουσα δὲ χαράν. Die Bedeutung der Heiterkeit ist aber offenbar unter dem Einfluß hellenistischer Tradition erweitert; wie die ἐντολαί als ἱλαραί charakterisiert werden (s 6, 1, 1), so ist in der mit der ἁπλότης (wie v 3, 9, 1) verbundenen σεμνότης: πάντα ὁμαλὰ καὶ ἱλαρά (m 2, 4)[10]. Nach m 5, 2, 3 ist die μακροθυμία: ἱλαρὰ καὶ ἀγαλλιωμένη. Speziell über die ἱλαρότης (im Gegensatz zur λύπη) handelt m 10, 3. Heißt es § 1 im Sinne der jüdischen Tradition: πᾶς γὰρ ἱλαρὸς ἀνὴρ ἀγαθὰ ἐργάζεται καὶ ἀγαθὰ φρονεῖ καὶ καταφρονεῖ τῆς λύπης, so wird in §§ 2—4 in ganz anderem Sinne[11] geschildert, daß sich die λύπη nicht mit dem heiligen Geiste verträgt und der λυπηρός nicht beten kann. Aber: πάντες ζήσονται τῷ θεῷ, ὅσοι ἂν ἀποβάλωσιν ἀφ' ἑαυτῶν τὴν λύπην καὶ ἐνδύσωνται πᾶσαν ἱλαρότητα.

Bultmann

ἵλεως, ἱλάσκομαι,
ἱλασμός, ἱλαστήριον

---

† ἵλεως

ἵλεως ist attische Form[1] zu ἵλαος, das seit Homer oft vorkommt. ἵλεως-ἵλαος ist stamm- und bedeutungsverwandt mit → ἱλαρός „heiter", Prädikat für Personen, Menschen und Götter, ursprünglich: *heiter, vergnügt*; vgl Plat Symp 206 d: ὅταν μὲν καλῷ προσπελάζῃ τὸ κυοῦν, ἵλεων τε γίγνεται καὶ εὐφραινόμενον διαχεῖται ... ὅταν δὲ αἰσχρῷ, σκυθρωπόν τε καὶ λυπούμενον ... und Leg I 649 a, wo es vom Weine heißt, daß er den Trinkenden ποιεῖ ... ἵλεων. Danach bedeutet ἵλεως: *freundlich, huldvoll, gnädig.* Häufig ist es mit εὐμενής verbunden, zB Xenoph Cyrop I 6, 2; II 1, 1; III 3, 21; Plat Phaed 257 a; Leg IV 712 b; Jos Ant 5, 213, oft bei Philo zB Jos 104; Plant 171; Spec Leg III 193; Vit Mos II (III) 238. Es ist vorzugsweise Prädikat der Höherstehenden, Herrschenden, deshalb besonders der Götter[2]. Die Götter gnädig zu machen (ἵλεω ποιεῖν) ist eine der Aufgaben des Kultus Plat Leg X 910 a.

In Septuaginta kommt ἵλεως nur als Prädikat Gottes vor und zwar in den Verbindungen ἵλεως γίγνεσθαι, ἵλεως εἶναι, mit denen vorzugsweise סָלַח *vergeben*, gelegent-

---

[7] Das ist nicht alter griechischer Sprachgebrauch, sondern wohl für den Stil des hellenistischen Romans, der Herm vielfach beeinflußt hat, charakteristisch.

[8] Vgl Act Joh 88 (II 1 p 194, 16): Johannes sieht Jesus als ἄνδρα εὔμορφον καλὸν ἱλαροπρόσωπον.

[9] Vgl Act Thom 14 (p 12, 18): ἐν ἱλαρότητι (vl ἱλαρίᾳ) καὶ χαρᾷ ὑπάρχω. Passio Bartholomaei 2 (Act II 1 p 132, 18 f): πάντοτε τὸ πρόσωπον αὐτοῦ καὶ ἡ ψυχὴ καὶ ἡ καρδία ἱλαρύνεται καὶ ἀγάλλεται.

[10] Hier also die Verbindung von σεμνότης und ἱλαρός, → A 5.

[11] Hellenistische Tradition, vielleicht iranischer Herkunft, scheint vorzuliegen, → λύπη; vgl Dib Herm zu m 10, 1, 1.

ἵλεως. Cr-Kö sv; Kl Mt, Str-B, Schl Mt zu 16, 22.

[1] Liddell-Scott belegt auch die Formen ἵλεος, ἵληϝος, ἵλλαος. Zur Ableitung vgl Boisacq 372 u Walde-Pok II 506. ἵλεως ist im NT der einzige Rest der 2. attischen Deklination, die in der hell Volkssprache ausstirbt Bl-Debr[6] § 44, 1.

[2] Der Hellenismus redete bekanntlich viel von der Güte der Gottheit. Die Überbetonung derselben hat eine Wurzel bei ihm. Wie weit der Hellenismus in dieser Beziehung das Judentum beeinflussen konnte, zeigt schlagend ep Ar 254: Gott regiert die ganze Welt mit Wohlwollen und ohne jeden Zorn.

lich auch נָחַם *sich leid sein lassen,* נָשָׂא *vergeben,* רָחַם *sich erbarmen,* כִּפֶּר *vergeben* übersetzt werden. ἵλεων ποιεῖν udgl kommt nicht vor. Ferner gibt LXX mit ἵλεως die emphatische Ablehnung חָלִילָה wieder, auch den Gruß שָׁלוֹם Gn 43, 23. Die Wendung ἵλεως . . . ist elliptisch; zu ergänzen εἴη ὁ κύριός σοι (μοι)[3]. Die LXX hat damit für die an sich nicht religiöse hebräische Formel eine religiöse gesetzt. ἵλεως σοι (μοι) in 5 Verbindung mit einem Götternamen kommt im heidnischen Griechisch zwar mitunter vor, als Anrufungs-, Wunsch- und Gruß-Formel[4], aber als Formel der Abwehr oder negativen Beteuerung ist es nicht nachgewiesen[5]. Wahrscheinlich ist diese Art Formel durch Umbildung der heidnischen Wunschformel im hellenistischen Judentum entstanden. Dafür spricht besonders die Verschweigung des Gottesnamens[6]. — Bei 10 P h i l o ist ἵλεως häufig; es ist vorzugsweise Prädikat Gottes: Exsecr 163, bzw seiner δύναμις: Spec Leg I 229; Vit Mos II (III) 96. 132, ἀρετή: Vit Mos II (III) 189, φύσις: Spec Leg I 196, demgemäß daß in Philos Gottesbild die Güte einen grundlegenden Zug bildet. ἵλεως bezeichnet auch Gottes Gnade gegen den Sünder Leg All III 174; Spec Leg I 242. Philo kann Gott den μόνος ἵλεως nennen Som I 90. Auch bei J o s e - 15 p h u s kommt ἵλεως als Gottesprädikat vor Ant 4, 222 uö.

Im NT findet sich ἵλεως nur im Zitat aus Jer 31, 34: ἵλεως ἔσομαι ταῖς ἀδικίαις αὐτῶν Hb 8, 12 und in der negativen Beteuerungsformel Mt 16, 22. Das fast völlige Fehlen von ἵλεως im NT entspricht der Seltenheit von ἱλάσκομαι, ἱλασμός, ἱλαστήριον. 20

Büchsel

† ἱλάσκομαι, † ἱλασμός

I n h a l t: A. S ü h n e u n d S ü h n e f o r m e n im A T: 1. כִּפֶּר in LXX; 2. Die Bedeutung der Wurzel כפר; 3. כִּפֶּר und כֹּפֶר; 4. Der Gebrauch von כִּפֶּר außerhalb der Priesterschrift; 5. Der Gebrauch von כִּפֶּר in der Priesterschrift und verwandten Teilen des AT; 25

---

[3] Für diese Ergänzung spricht, daß die LXX חָלִילָה anderwärts mit dem Optativ μὴ γένοιτο Jos 24, 16 wiedergibt, die Vulgata mit dem Konjunktiv absit a te. Schl Mt zSt ergänzt einen Indikativ: Gott ist dir gnädig. Er hat insofern recht, als der Ausdruck zu einer Formel der Abwehr oder der negativen Beteuerung erstarrt war und nicht mehr als Wunsch wirkte. Die Targume übersetzen חָלִילָה alle mit חָס: Fernhaltung, Schonung. Im Rabbinischen kommt außerdem חָס וְשָׁלוֹם („Gott behüte!“) als stehender Ausdruck vor; vgl Str-B I 748.

[4] Vgl Bl-Debr[6] § 128, 5, auch Kl Mt z 16, 22 und die dort genannte Lit.

[5] JHMoulton, in: Class Rev 15 (1901) 436 zeigt deutlich, daß die für ἵλεως σοι . . . nachgewiesenen Stellen (aus AJLetronne, Recueil des Inscriptions Grecques et Latines de l'Égypte II [1848] 286, 221 usw) the deprecatory use in the biblical passages eben nicht haben; und daß ist der entscheidende Punkt, der meist nicht ausreichend beachtet wird. Daß sich im heidnischen Griechisch wie in anderen Sprachen aus einer religiösen Wunschformel eine Formel der Abwehr oder negativen Beteuerung entwickeln k o n n t e, ist unbestreitbar. Aber der Nachweis, daß dies geschehen ist, ist bisher nicht geführt.

[6] Wörtlich ließ sich das hbr חָלִילָה und das aram חָס griech nicht wiedergeben und gerade auf solchen emphatischen Ausdruck

werden die Juden, die von der aram (bzw hbr) Sprache zur griechischen übergingen, nicht haben verzichten wollen. So wird es durch Umbildung der vorhandenen heidnischen Formel zu der judengriechischen gekommen sein.

ἱλάσκομαι κτλ. Zu A: JHerrmann, Die Idee der Sühne im AT (1905) (dort Literatur bis 1905). Seitdem: NMessel, Die Komposition von Lv 16, ZAW 27 (1907) 1 ff; CvOrelli, Versöhnungstag, RE[3] XX (1908) 576—582; OKirn, Versöhnung, RE[3] XX (1908) 554—556; WSchrank, Babylonische Sühneriten = Leipziger semitistische Studien III 1 (1908); ABertholet, Biblische Theologie des AT II (1911) 30—44; EKautzsch, Biblische Theologie des AT (1911) 345—347; PVolz, Die Biblischen Altertümer[2] (1914) 124—143; EdKönig, Theologie des AT (1922) 301—309; SLandersdorfer, Studien zum biblischen Versöhnungstag (1924); MLöhr, Das Ritual von Lv 16 = Schriften der Königsberger Gelehrten Gesellschaft, geisteswissenschaftl Klasse 2. Jahr, Heft 1 (1925); GBGray, Sacrifice in the OT (1925); DSchötz, Schuld- und Sündopfer im AT = Breslauer Studien zur historischen Theologie 18 (1930); ABertholet, Entsündigung, RGG II 171—174; Ders, Opfer I, RGG IV 704—711; OEißfeldt, Opfer II A, RGG IV 711—717; ABertholet, Sühne, RGG V 873—875; HGunkel, Sünde und Schuld II A, RGG V 881; ABertholet, Versöhnung I, RGG V 1558—1559; OProcksch, Versöhnung II A, RGG V 1559—1561; JHänel,

6. Zusammenfassung. — B. ἱλασμός und καθαρμός im Griechentum. — C. Die Sühnevorstellungen des Judentums: 1. des rabbinischen; 2. des hellenistischen Judentums. — D. ἱλάσκομαι. — E. ἱλασμός.

A. Sühne und Sühneformen im AT.

1. כִּפֶּר in LXX.

Das hebräische Verbum proprium für „sühnen" ist כפר. LXX gibt das Wort ganz überwiegend mit ἐξιλάσκομαι wieder; auf insgesamt 100 כפר kommen 83 ἐξιλάσκομαι. Darunter sind fast alle Stellen, in denen כפר kulttechnischer Terminus der pentateuchischen Priesterschrift ist, so ausnahmslos in Lv und Nu, sowie in Ez 40—48, Neh und Ch. An den wenigen Stellen, wo LXX kulttechnisches כפר anders wiedergibt, geschieht es im Wechsel mit ἐξιλάσκομαι und nur wegen des besonderen Inhalts der Stelle, so Ex 29, 33. 36 ἁγιάζω, Ex 29, 37; 30, 10 καθαρίζω. Auch in den drei Stellen, wo כפר in den erhaltenen Stücken der hebräischen Vorlage des Buchs Sirach vorkommt, ist es mit ἐξιλάσκομαι wiedergegeben (Sir 3, 30; 45, 16. 23); von den übrigen 6 Vorkommen von ἐξιλάσκομαι in Sir wird die nicht erhaltene Vorlage sehr wahrscheinlich wenigstens in 2 Stellen (Sir 3, 3; 20, 28) כפר gehabt haben. In den Kreisen, aus denen die alexandrinische Übersetzung des AT hervorgegangen ist, hat man also mit כפר ganz beherrschend den Begriff von ἐξιλάσκομαι verbunden. Für nicht kulttechnisches כפר findet sich noch dreimal (Ps 65, 4; 78, 38; 79, 9) ἱλάσκομαι, einmal (Dt 21, 8) ἵλεως γίγνομαι. An den noch übrigen 8 von 100 Stellen hat LXX nicht kulttechnisches כפר mit ἐκκαθαρίζω (Dt 32, 43), περικαθαρίζω (Js 6, 7), καθαρὸς γίγνομαι (Js 47, 11, ungenau), ferner ἀφίημι (*verzeihen* Js 22, 14), ἀθῳόω (*ungestraft lassen* Jer 18, 23), endlich ἀφαιρέω (*wegnehmen* Js 27, 9), ἀποκαθαίρω (*wegwischen* Prv 16, 6), ἀπαλείφω (*wegwischen* Da 9, 24) wiedergegeben. Diese letzten Stellen führen uns zur Frage der sinnlichen Grundbedeutung von כפר, auf die sie allein von den 100 Stellen hindeuten.

2. Die Bedeutung der Wurzel כפר.

„Die Frage nach der etymologischen Bedeutung der hebräischen Wurzel כפר ist eine dunkle." Bei diesem Urteil von Robertson Smith[1] muß es sein Bewenden haben, sofern eine ausschließende Entscheidung zwischen *bedecken* und *wegwischen* nach den verschiedenen semitischen Analogien nicht möglich ist. „Es gibt Analogien im Semitischen für die Betrachtung der Sündenvergebung als >Bedeckung< wie als >Abwischung<"[2].

Im Hebräischen scheint Gn 32, 21 am meisten für *bedecken* zu sprechen[3], besonders, wenn es richtig ist, Gn 20, 16; Hi 9, 24 zur Erklärung heranzuziehen; *wegwischen* ist hier bestimmt nicht möglich. Aber es fragt sich freilich, ob nicht auch an dieser Stelle schon die Bedeutung *freundlich stimmen* vorliegt. Der mit כפר gleichlautende kulttechnische Terminus des babylonischen Sühnerituals kuppuru, für den sich als Grundbedeutung *wischen, streichen, bestreichen* ergibt[4], spricht nicht für „bedecken". Von den Derivaten liefert כְּפָרִים keinen Ertrag, da es vom

Die Religion der Heiligkeit (1931) 298—300; SLandersdorfer, Keilinschriftliche Parallelen zum biblischen Sündenbock, in: BZ 19 (1931) 20; WEichrodt, Theologie des AT I (1933) 74—80; HHBAyles, The OT Doctrine of the Atonement, in: Interpreter 14 (1917/18) 206—209. — Zu B: PStengel, Die griech Kultusaltertümer[3] (1920); OKern, Die Religion der Griechen I (1926), II (1935); MPNilsson, in: Bertholet-Leh (1925) II; KLatte, Schuld und Sünde in der griech Religion, ARW 20 (1921) 254 ff. — Zu C: Weber 313—335 (zT veraltet); Str-B an den im Index IV 1264 genannten Stellen; JKöberle, Sünde und Gnade (1905) 592 ff; Bousset-Greßm 404 ff; WWichmann, Die

Leidenstheologie, eine Form der Leidensdeutung im Spätjudentum = BWANT IV 2 (1930); KGKuhn, in: ZNW 32 (1931) 305 ff. — Zu D/E: Cr-Kö sv; RggHb[2] 61 A 59; Helbing Kasussyntax 213 ff; CHDodd, ἱλάσκεσθαι, its Cognates, Derivates and Synonyms in the Septuagint, JThSt 33 (1930) 31, 128, 352 f.
[1] Robertson Smith, Das Alte Testament, seine Entstehung und Überlieferung, hsgg von JWRothstein (1905) 360 f, A.
[2] Robertson Smith aaO.
[3] Siehe ua JWellhausen, Die Composition des Hexateuch[3] (1899) 336—338.
[4] WSchrank, Babylonische Sühnriten (1908) 86.

kulttechnischen כפר abgeleitet ist; dasselbe gilt, was schon hier betont werden mag, von כַּפֹּרֶת, das keineswegs „Deckel", „Deckplatte" heißt. Anders liegt es mit כֹּפֶר, das für *bedecken* spricht und im übrigen für die Sinndeutung von כפר so bedeutsam ist, daß es sich empfiehlt, die Untersuchung von diesem Wort ausgehen zu lassen. Wenn man alles erwägt, so dürfte die Lösung des Problems darin zu suchen sein, daß sowohl 5 *bedecken* wie *wegwischen* von dem etymologischen Raum der Wurzel habe ausgehen können[5].

3. כֹּפֶר und כִּפֶּר.

Mit Recht wird von vielen Forschern eine enge Beziehung von כפר zu כֹּפֶר angenommen[6]. כֹּפֶר hat seinen Sitz nicht im 10 kultischen Leben. Es bezeichnet eine materielle Sühneleistung, durch die der Geschädigte entschädigt und der Erzürnte versöhnt wird, durch die der Schaden abgedeckt und der Schuldige ausgelöst wird.

So kann nach einer Bestimmung des Bundesbuchs (Ex 21, 30) einem Menschen, dessen Rind einen Menschen durch Fahrlässigkeit des Eigentümers zu Tode ge- 15 stoßen hat, statt der an sich verwirkten Todesstrafe ein כֹּפֶר auferlegt werden, das er als פִּדְיֹן „Loskaufspreis, Lösegeld" für sein Leben (נֶפֶשׁ) zu zahlen hat. (LXX für beide Worte: τὰ λύτρα). Das nur hier und Ps 49, 9 vorkommende פִּדְיֹן steht in gleichem Sinn auch an letzterer Stelle in Parallele zu כֹּפֶר[7]. Von gleicher Bedeutung ist פִּדְיֹום[8] Nu 3, 46. 48. 49. 51; 18, 16 (LXX: τὰ λύτρα). פִּדְיֹום bezeichnet 20 die Auslösung durch Kopfgeld bzw das als Lösegeld gezahlte Kopfgeld für jeden an sich mit seinem Leben Jahwe verfallenen Erstgeborenen. Nu 35, 31. 32 ist כֹּפֶר das Lösegeld für das Leben (נֶפֶשׁ)[9] des Mörders. Nach Ex 30, 12 muß jeder gemusterte Israelit, damit nicht wegen der Musterung eine Plage über ihn komme, dh er ums Leben komme (vgl v 15 f), כֹּפֶר נַפְשׁוֹ (LXX: λύτρα τῆς ψυχῆς αὐτοῦ) bezahlen. Dieses 25 Geld wird auch als כֶּסֶף הַכִּפֻּרִים bezeichnet, da es bezahlt wird, um für (עַל) das Leben der Israeliten Sühne zu schaffen (כפר). Auch Hi 33, 24 und 36, 18[10] ist כֹּפֶר Lösegeld für das Leben des Menschen, ebenso Prv 13, 8; 6, 35 und wohl auch 21, 18. Wie an der letztgenannten Stelle ist Js 43, 3. 4 mit כֹּפֶר deutlich der Gedanke der Substitution verbunden; Ägypten und die Nachbarreiche dienen als substitutives 30 Lösegeld[11] (כֹּפֶר, LXX ἄλλαγμα) für Israel; daß damit Leben für Leben gemeint ist, wird v 4 ausdrücklich gesagt. Wenn 1 S 12, 3 der alte Samuel sich bezeugen lassen darf, daß er kein כֹּפֶר (LXX: ἐξίλασμα) genommen habe, so ist aus dem Zusammenhang zwar nicht sicher zu sehen, ob auch hier „Sühngeld für verfallenes Leben" gemeint ist, aber es spricht jedenfalls nichts dagegen[12]. Dasselbe gilt für 35 Am 5, 12 (LXX: ἀνταλλάγματα).

Die Untersuchung von כֹּפֶר führt also zu einem fast einhelligen Ergebnis.

---

[5] Ähnlich Ges-Buhl sv. Siehe auch JHerrmann.

[6] Herrmann 38—43.

[7] LXX: ἐξίλασμα αὐτοῦ für כָּפְרוֹ, τιμὴ τῆς λυτρώσεως τῆς ψυχῆς αὐτοῦ für פִּדְיוֹן נַפְשָׁם.

[8] Bzw פִּדְיֹום Nu 3, 49, daraus verschrieben, פדים Nu 3, 51 K.

[9] LXX: λύτρα περὶ ψυχῆς.

[10] Beide Male in schwierigem Text, siehe die Komm.

[11] FrzDelitzsch, Jesaja[4] (1889) zSt.

[12] Für MT בּוֹ עֵינַי וְאַעְלִים haben LXX (BA[L]) und Vetus Latina וְנַעֲלִים עָנוּ בִי gelesen, einen Text, der auch schon durch die hebräische Vorlage des Buches Sirach Sir 46, 19 bezeugt ist. Wenn man mit KBudde, Die Bücher Samuel (1902) zSt; RKittel bei Kautzsch zSt; WCaspari, Die Samuelbücher (1926) zSt an Mas festhält, so wird hier כֹּפֶר genommen, um die Augen (vor dem Verbrechen) zu verbergen. Aber ASchulz, Die Bücher Samuel I (1919) zSt tritt mit guter Begründung (bes mit dem Hinweis, daß die von MT gebotene Redensart an anderen Stellen, wie Lv 20, 4; Ez 22, 26; Prv 28, 27, in etwas anderem Sinn gebraucht ist) für LXX ein, wozu Am 2, 6; 8, 6 und weiterhin Gn 14, 23 zu vergleichen ist. Auch RKittel in BHK[3] (Liber Samuelis 1933) bezeichnet jetzt den LXX-Text als fortasse recte.

4. Der Gebrauch von כֻּפֵּר außerhalb der Priesterschrift.

a. Von da aus wenden wir uns zunächst dem nicht kulttechnischen Gebrauch von כֻּפֵּר zu, also den Stellen außerhalb der Priesterschrift (P) des Pentateuch, mit der wir hierbei auch die Stellen in Ch und Neh sowie in Ez 40—48 zusammennehmen müssen.

Js 47, 11 bedeutet כפר „כֻּפֵּר zahlen", „כֹּפֶר aufbringen", „durch כֹּפֶר abwenden" in Parallele zu < שׁחד > („שַׁחַד aufbringen", „durch שַׁחַד abwenden"), wobei כפר ebenso von כֹּפֶר denominiert zu sein scheint wie שׁחד von שַׁחַד [13]; dabei handelt es sich um die Abwendung tödlichen Verderbens. Gn 32, 21 versucht Jakob das ihm, wie er fürchten zu müssen meint [14], von Esau drohende tödliche Verderben durch reiche Geschenke abzuwenden: אֲכַפְּרָה פָנָיו בַּמִּנְחָה (LXX: ἐξιλάσομαι); das kann wohl nicht heißen „sein Angesicht bedecken", da unmittelbar folgt „darnach will ich sein Angesicht sehen", sondern „sein Angesicht versöhnen, ihn freundlich stimmen" (→ | | , |). Prv 16, 14 heißt כפר den toddrohenden Zorn eines Königs versöhnen (LXX: ἐξιλάσεται). Nach 2 S 21, 3 ruht auf dem Hause Sauls Blutschuld, weil er die Gibeoniten getötet hat; da eine Sühngeldzahlung nicht in Frage kommt (v 4), schafft David dadurch Sühne (כפר בְּ), daß er sieben Sauliden zur Tötung ausliefert; für Tötung wird durch Tötung Sühne geschafft [15]. Nach Dt 32, 43 haben die Feinde Israels das Land entweiht dadurch, daß sie in ihm Blut vergossen haben; Jahwe „entsünt das Land seines Volkes", indem er die Feinde vernichtet (v 41. 42). Nach Dt 21, 8 wird das unschuldig vergossene Blut eines von unbekanntem Täter Erschlagenen durch die Tötung (nicht Opferung!) einer Kuh (mit folgender Waschungszeremonie und Gebetsformel) aus der Mitte des Volkes weggetilgt; Jahwe wird gebeten, seinem Volke Sühne zu gewähren (כפר לְ), und es wird zugesichert, daß ihnen das Blut als gesühnt angesehen werden soll (נִכַּפֵּר לְ) [16]. Unverkennbar wird die Sühne durch Substitution erreicht. Ex 32, 30 will Mose Sühne schaffen für (בְּעַד) die Sünde seines Volkes, indem er für den Fall, daß Jahwe die Sünde nicht vergeben will, sein eigenes Leben stellvertretend für die Schuldigen anbietet, denen vernichtende Strafe droht. Js 6, 7 wird die Sünde Jesajas durch eine Reinigungszeremonie außerordentlicher Art gesühnt; die Folge ist, daß er nicht, wie er fürchtet, weil er den heiligen Gott geschaut hat, sterben muß. Nach Prv 16, 6 kann durch חֶסֶד und אֱמֶת Verschuldung gesühnt werden, so daß man dem Bösen entgeht [17]. Mit Gott als Subjekt gewinnt כפר die Bedeutung „Sühne schaffen", „Sühne gewähren", „Vergebung gewähren", „vergeben". So betet Jeremia in einem Gebet um Vernichtung seiner Feinde: „Schaffe nicht Sühne für ihre Schuld, und ihre Sünde wische nicht weg von vor deinem Angesicht" (Jer 18, 23) [18]; die Folge ist, daß die Feinde vernichtet werden. Ps 78, 38 wird gepriesen, daß der barmherzige Gott Schuld zu sühnen (parallel „seinen Zorn zurückkehren zu lassen") und demgemäß nicht zu vernichten pflegte, Ps 65, 4, daß er, wenn unsere Verschuldungen stärker geworden sind als wir, sie sühnt. In diesen Stellen kommt die Bedeutung von כפר der von „vergeben" nahe; ähnlich wohl auch Js 22, 14 im Passiv und Ez 16, 63 mit anderer Konstruktion [19].

Überblicken wir das Material, so ist fast an allen Stellen ersichtlich, daß es sich bei כפר um Sühne für Leben handelt. Blutschuld wird durch Substitution von Menschenleben (2 S 21, 3; Dt 32, 43; Ex 32, 30) oder Tierleben (Dt

---

[13] So mit Älteren KMarti (Das Buch Js [1900] zSt), der zur Sache auf Hdt I 105 verweist. Vgl שׁחד Hi 6, 22: „שַׁחַד aufbringen". Prv 6, 35: כֹּפֶר parallel שַׁחַד.

[14] Gn 27, 41—45; 32, 9. 12.

[15] Herrmann 45, 46.

[16] Zur Form HBauer und PLeander, Historische Grammatik des Hebräischen I (1922), § 38 s, 283.

[17] FrzDelitzsch, Das salomonische Spruchbuch (1873) zSt.

[18] Derselbe Satz findet sich Neh 3, 37 wörtlich, nur steht תְּכַם statt תְכַפֵּר (wonach freilich auch Jer 18, 23: כפר עַל „auf etwas decken" heißen könnte!) und תְּמָחֶה statt תִּמְחִי.

[19] Js 27, 9 mag außer Betracht bleiben, da Text und Zusammenhang unsicher ist. Ebenso Da 9, 24, da das Subjekt von כפר zweifelhaft bleibt. Js 28, 18 fällt weg, weil hier כפר nur durch Textverderbnis in den Text gekommen ist, siehe zuletzt OProcksch, Jesaja I (1930) 361.

21, 8) gesühnt. Verderben, das für Verschuldung drohte, wird durch Sühne-
geschenke abgewendet (Js 47, 11; Gn 32, 21). Der Weise weiß den ihn
mit dem Tode bedrohenden Zorn des Königs zu versöhnen (Prv 16, 14).
Es ist möglich, durch Güte und Treue Verschuldung zu sühnen und so dem
Unheil zu entgehen (Prv 16, 6). Wenn Gott nicht „sühnt", nicht Sühne schafft 5
oder gewährt, nicht vergibt, muß der schuldige Mensch sterben (Jer 18, 23;
Js 22, 14); wenn Gott „sühnt", bleibt er am Leben (Ps 78, 38), wird gerettet
(Ps 79, 9). Nur in einem Fall, in der Berufungsvision des Jesaja, erfolgt die
(auch da lebenerhaltende) Entsühnung durch einen zeremonialen, in die kultische Sphäre fallenden Akt (Js 6, 7), der, wenn auch außerordentlicher und 10
wenn auch symbolhafter Art, immerhin die Möglichkeit einer kultischen Sühne
erkennbar macht.

   b. Wir haben nun eine Stelle zurückgehalten, die frag-
los zeigt, daß es die Möglichkeit, Schuld d u r c h O p f e r z u s ü h n e n, s c h o n
i n a l t e r Z e i t gegeben haben muß: 1 S 3, 14. Bei den Söhnen Elis liegt eine 15
so schwere Verfehlung gegen die Gottheit (1 S 2, 17. 25) vor, daß sie nach
göttlichem Spruch durch Opfer nicht soll gesühnt werden können. Abgesehen
von dieser Stelle kommt כפר als Wirkung von Opfer außerhalb P (und Ez 40—48;
Ch; Neh) nicht vor. Allerdings kennt man natürlich die Anschauung, daß
Opfer als der Gottheit wohlgefällig und angenehm sie freundlich zu stimmen 20
geeignet sei. So wird 1 S 26, 19 in massiver Weise ausgesprochen, daß man
dem unfreundlich gesinnten Gott Opfer zu riechen geben könne, um ihn freundlich zu stimmen. Aber um eine Art Sühnleistung handelt es sich hier um so
weniger, als der Zorn der Gottheit in dieser vereinzelten primitiven Aussage
als unmotiviert angesehen wird. Auch Gn 8, 20 ff sollte man nicht verwerten. 25
Gewiß kommt hier zum Ausdruck, daß die Gottheit, als sie den „Duft der Beruhigung[20]" רֵיחַ הַנִּיחֹחַ von dem Brandopfer riecht, freundlich gestimmt wird und
daraufhin eine heimliche Zusage gibt, die die Wiederkehr einer Sündflut ausschließt. Aber daß dieses Opfer schwerlich als Sühnleistung gedacht ist, ergibt
sich nicht nur aus dem Zusammenhang der Stelle, sondern auch daraus, daß 30
der Ausdruck ריח הניחח (bzw ריח ניחח), der 43mal vorkommt, n i r g e n d s i n
B e z i e h u n g z u כפר u n d z u d e m S ü n d- u n d S c h u l d o p f e r[21] erscheint (mit einer einzigen Ausnahme, wo es sich aber offenbar nur um eine sekundäre Übertragung handelt[22]). Eher könnte man 2 S 24, 25 heranziehen; denn
hier wird nicht nur gesagt, daß der durch Davids Volkszählung erzürnte Gott 35
sich für das Land wieder erbitten läßt und so die t o d b r i n g e n d e S e u c h e
a b g e w e h r t wird, nachdem David einen Altar gebaut und auf ihm Brand- und
Mahlopfer dargebracht hat, sondern es scheint nach 2 S 24, 17 ff, daß der Prophet Gad dem David eben zu diesem Zweck dazu den Befehl gegeben hat.
  Jedenfalls ist die Darbringung von O p f e r n zum Zweck der S ü h n e schon 40
f ü r d i e a l t e Z e i t durch 1 S 3, 14 e i n w a n d f r e i b e z e u g t; verwendet wer-

---

[20] So ist ניחח zu übersetzen.
[21] Die „Feueropfer", עֹלָה, מִנְחָה und שְׁלָמִים,
gereichen zu רִיח ניחח.

[22] Lv 4, 31. Was Lv 3, 5 vom Fett des שְׁלָמִים-
opfers ausgesagt war, wird auf das des Sünd-
opfers übertragen, worauf der Text selbst
hinweist.

den die üblichen Opfer זֶבַח und מִנְחָה (bzw 2 S 24, 25 עֹלָה und שְׁלָמִים), **besondere Opferarten werden nicht genannt.**

5. Der Gebrauch von כִּפֶּר in der Priesterschrift und verwandten Teilen des AT.

a. Wenden wir uns nun dem Gebrauch von כִּפֶּר in P zu, so fassen wir zunächst Stellen ins Auge, die sich mit schon behandelten zu כֹּפֶר und außerhalb P vorkommendem כפר nahe berühren, was jedenfalls festzustellen wertvoll ist.

Ex 30, 15. 16 hatten wir schon unter den כֹּפֶר-Stellen zu verwerten (→ 303, 25). Hierzu stellen wir Nu 31, 48—54, wo die heimkehrenden Offiziere, die ihre Leute hatten mustern müssen, Beutestücke an goldenen Geräten, Schmucksachen usw als Gabe (קָרְבָּן) darbringen, „um zu sühnen für (עַל) unsere Seelen". Zu כִּפֶּר als Sühngeld für das Leben des Mörders (→ 303, 22f) gehört Nu 35, 33. 34, wo die Annahme von כֹּפֶר für das Leben des Mörders mit der bedeutsamen Begründung untersagt wird: „Ihr dürft nicht das Land entweihen, in welchem ihr wohnt. Denn das Blut, das entweiht das Land, und dem Land wird nicht Sühne geschafft für das Blut, das in ihm vergossen ist, außer durch das Blut dessen, der es vergossen hat". Hier wird also mit aller Deutlichkeit ausgesprochen, daß Sühne geschafft werden muß durch Blut für Blut. Nu 25 ist der Zorn Jahwes über Israel entbrannt wegen der Verfehlung mit dem Baal Peor. Pinehas durchbohrt einen schuldigen Israeliten samt seiner midianitischen Partnerin. „Da ward der Plage (mit der der Eifer Jahwes die Israeliten geschlagen hatte und ganz zu vernichten drohte) Einhalt getan". Nach Jahwes Wort hat Pinehas bewirkt, daß sein Zorn von den Israeliten abließ, und mit seinem Eifern für seinen Gott Sühne geschafft für (עַל) die Israeliten (v 11—13). Hier wird durch die Sühnetat des Pinehas lebenzerstörender Zorn Gottes zum Aufhören gebracht, Leben gerettet. Auch in Nu 17, 6—15 ist der vernichtende Zorn bereits „von Jahwe herausgetreten" und die Plage hat begonnen. Aaron trägt nach Moses Geheiß eine Räucherpfanne mit Räucherwerk vom Altar mitten unter die Volksmenge; durch das Räuchern schafft er Sühne für (עַל) das Volk, und der Plage wird Einhalt getan.

Nach diesen P-Stellen werden wir grundsätzlich damit rechnen dürfen, daß auch die kultische Opfersühne in P mit ähnlichen Anschauungen zusammenhängen kann, wie wir sie hier in Verwandtschaft mit כֹּפֶר und כִּפֶּר außerhalb P vorfanden.

b. Etwa drei Viertel aller Vorkommen von כִּפֶּר entfallen auf den Gebrauch des Wortes in Verbindung mit bestimmten Opfern nach Angaben der Priesterschrift. Das Wort erscheint da überall als feststehender Terminus neben חטא „entsündigen", טהר Pi „reinigen", קדש „heilig machen, weihen" und scheinbar im Wechsel mit diesen Verben, aber doch so, daß ausreichend deutlich bleibt, daß כפר neben jenen seine Sonderbedeutung haben muß, wie auch jene nicht gleichbedeutend sind. Die Feststellung dessen, was durch כִּפֶּר gewirkt wird und wodurch es gewirkt wird, wird auch dadurch erschwert, daß das Bedürfnis nach Sühne immer weiter um sich griff und die Anwendung und der Sprachgebrauch dadurch freier und ungenauer wurde. Soviel aber ist sicher, daß die Sühne vorwiegend mit Blutmanipulationen zusammenhängt, die mit dem Blut von Tieren vorgenommen werden, besonders, aber nicht ausschließlich, zweier bestimmter Opfer von Tieren, von denen das eine, אָשָׁם, gegenüber dem anderen, חַטָּאת, aber sehr stark zurücktritt. Von diesen empfiehlt es sich auszugehen.

Zwar hören wir aus der Zeit vor P (bzw Ez 40—48) von Opfern dieses Namens nicht, wohl aber begegnen uns אָשָׁם und חַטָּאת in anderem Sinne, auch in Verbindung mit dem Kultus. 2 Kö 12, 17 hören wir im Zusammenhang der Anordnungen des Königs

Joas über die Verwaltung und Verwendung der einkommenden Tempelgelder, daß das אָשָׁם-Geld und das חַטָּאת-Geld nicht wie die anderen Gelder abgeliefert werden, sondern den Priestern gehören soll. אָשָׁם bzw חַטָּאת erscheinen hier, soviel wir sehen können, als Geldbußen, die an das Heiligtum zu zahlen sind, für אָשָׁם „Schuld" und חַטָּאת „Sünde", wobei offen bleiben muß, welcher Art die zu büßenden Vergehen 5 waren. Daß es sich aber um Sühneleistungen gehandelt haben muß, wird jedenfalls für אָשָׁם durch 1 S 6 deutlich. Hier sollen die Philister der Lade Jahwes, die sie an ihren Ort zurücksenden möchten, nach dem Rat ihrer Priester und Wahrsager ein kostbares אָשָׁם mitgeben, „erstatten" (הֵשִׁיב), also ein Entschädigungsgeschenk, und zwar ein sühnendes, denn es soll die Wirkung haben, die Seuche, die der Gott ge- 10 schickt hat, zu beenden und den Zorn des Gottes zu stillen. Für die sprachliche und sachliche Entwicklung des Ausdrucks ist auch noch eine P-Stelle wie Nu 5, 6—8 charakteristisch, die eine Ergänzung zu dem Schuldopfergesetz von Lv 5, 20—26 zu sein scheint, aber eher eine ältere Stufe repräsentiert bzw erkennen läßt. Wenn jemand eine Veruntreuung (מָעַל) gegen Jahwe (durch Veruntreuung an seinem Nächsten, 15 was sich aus Lv 5, 21 ergibt) begeht, so verschuldet er sich damit (אָשֵׁם). Das Veruntreute ist seine Schuld (אָשָׁם); diese muß er nach dem vollen Wert zurückerstatten (הֵשִׁיב) und noch ¹/₅ des Werts hinzufügen; das soll er dem geben, gegen den er sich verschuldet hat (אָשֵׁם). Erst am Schluß (v 8 Ende) wird noch, wie beiläufig („abgesehen von ..."), der „אָשָׁם-Widder" erwähnt, „mit welchem man für ihn Sühne schafft 20 (כִּפֶּר)". Hier scheinen wir noch deutlich in die Geschichte des אָשָׁם als „Schuldopfer" hineinblicken zu können, so nämlich, daß wohl früher, wie 2 Kö 12, 17 zeigt, אָשָׁם-Gelder bezahlt wurden, während später ein besonderes אָשָׁם-Opfer zur Sühneerlangung hinzugefügt wurde. Da in 2 Kö 12, 17 neben den אָשָׁם-Geldern die חַטָּאת-Gelder als Zahlung an den Tempel bzw die Priester gleicherweise genannt werden, wird für 25 חַטָּאת eine entsprechende Entwicklung anzunehmen sein. Eine saubere Scheidung zwischen אָשָׁם und חַטָּאת scheint sich erst allmählich vollzogen zu haben. Das zeigt Lv 5, 1—6. Hier soll einer, der sich mit bestimmten Verfehlungen verschuldet hat (אָשֵׁם), seine Verfehlung bekennen (wie Nu 5, 7) und dann sein אָשָׁם dem Jahwe entrichten wegen seiner Sünde, ein Schaf- oder Ziegenweibchen als חַטָּאת, und der Priester soll 30 für ihn Sühne vollziehen von seiner Sünde. Wie hier, so scheint es auch Lv 5, 17—19 so, als ob אָשָׁם als selbständiges Opfer neben חַטָּאת noch nicht bestand, sondern das zur אָשָׁם-Erstattung tretende חַטָּאת-Opfer erst später auch אָשָׁם genannt wurde. Jedenfalls bleibt חַטָּאת viel wichtiger als אָשָׁם, wie es denn Lv 10, 17 summarisch von der חַטָּאת heißt, Jahwe habe sie verliehen, „um die Schuld wegzunehmen (לָשֵׂאת) und um 35 für (עַל) euch Sühne zu schaffen vor Jahwe".

Es wird berechtigt sein, hiermit nun die bekannte Stelle Lv 17, 11 zusammenzustellen. Das strikte Verbot jedes Blutgenusses (v 10) wird hier so begründet: „denn die נֶפֶשׁ des Fleisches ist im Blut[23], und ich habe es euch gegeben für (עַל) den Altar, um Sühne zu schaffen für eure Seelen. Denn das Blut, das 40 schafft Sühne durch (בְ) die נֶפֶשׁ". Hiernach ist es das an Jahwe für den Altar gegebene Blut, mit dem Sühne geschaffen wird, und zwar hat es diese Wirkung dadurch, daß in ihm die נֶפֶשׁ, dh die Seele oder das Leben ist. Es wird sich zeigen, ob die einzelnen Angaben über die kultische Sühne in P diese Sätze von Lv 17, 11 bestätigen. 45

c. In dem vierteiligen Sündopferritual von Lv 4 (für den Priester, die Gemeinde, den Stammesfürsten, den gemeinen Israeliten) bildet den Höhepunkt der Handlung unverkennbar die Manipulation mit dem Sündopferblut durch den Priester (siebenmalige Blutsprengung vor dem Vorhang im Heiligtum, Blutstreichung an die Hörner des Altars, Ausgießung des übrigen Bluts am Fuß des 50 Altars) und die Verbrennung der Fettstücke auf dem Altar; an dieser Stelle finden sich die Formeln über den Zweck und Erfolg des Opfers „und so soll der Priester für ihn Sühne vollziehen, und es soll ihm vergeben werden" (v 20. 26. 31. 35). In den

---

[23] Hierzu vgl Dt 12, 23; Gn 9, 4.

Ergänzungsbestimmungen über die Sündopfer von Armen (Lv 5, 7—13) soll allerdings für einen ganz Armen als Sündopfer die bloße Opfergabe von etwas Mehl gelten dürfen (Lv 5, 11—13); hier ist die Anschauung wohl schon unlebendig geworden und die bloße Observanz der priesterlichen, von Gott angeordneten und schon
5 darum allein sühneschaffenden Handlung übriggeblieben. Auch im Ritual des Schuldopfers (Lv 7, 1ff) findet sich die Blutmanipulation (allerdings weniger kompliziert als beim Sündopfer); die wohl ursprünglich das אָשָׁם bildende Ersatz-leistung von ⁶/₅ des veruntreuten Wertes ist im Schuldopfergesetz Lv 5, 14—16. 20—26 zur Zeit (v 15) hinter das Schuldopfer zurückgedrängt; Sühne schafft für den, der
10 sich verschuldet hat (אָשַׁם), der Priester durch den Schuldopferwidder, und darnach wird ihm vergeben. Beide, Sündopfer und Schuldopfer, sind hochheilig, also besonders strengen Tabuvorschriften unterworfen, was in Ergänzungsbestimmungen Lv 6, 17ff; 7, 1ff nachgetragen wird.

Abgesehen von den genannten Sühnopferritualen und ihren mannigfachen Ergän-
15 zungen sind uns mehrere Weiherituale überliefert, in denen das Sündopfer eine bedeutsame Stelle einnimmt. Ex 29 erhalten wir das Ritual für die Priesterweihe. Das komplizierte Ritual sieht nach der Waschung, Einkleidung und Salbung ein drei-faches Opfer vor: Sündopfer mit Blutmanipulation am Altar, Brandopfer mit einfacherer Blutmanipulation am Altar und das eigentliche Einsetzungsopfer mit Blutmanipulation
20 an dem zu Weihenden und am Altar. Es ist bemerkenswert, daß von כפר im Ritual selbst nicht die Rede ist. Erst in Nachträgen wird bemerkt, daß mit den Opfern bei der Weihe Sühne vollzogen worden sei (v 33) sowie, was im Vor-herigen nicht vorgesehen war, daß mit der auf sieben Tage ausgedehnten Priester-weihe eine ebensolange Entsündigung (חטא) und Weihe (קדש) des Altars verbunden
25 sei, bei der durch Sündopfer Sühne vollzogen werde (v 36. 37). Die Ausführung von Ex (28 und) 29, aber mit Zusätzen, berichtet Lv 8. Hier ist die Altarweihe (קדש) durch Sühnehandlung in das Ritual eingebaut, und auch hier wird der Sühnzweck der siebentägigen Priesterweihopfer wenigstens am Schluß genannt. Im Anschluß an dieses Kapitel wird der erste feierliche Opfergottesdienst Lv 9 dargestellt; Sühne wird
30 hier als Zweck und Wirkung von Sündopfer und Brandopfer bezeichnet (v 7). Dieselbe Beobachtung machen wir Nu 8, 5—22; auch hier werden Sündopfer und Brandopfer dargebracht, „um zu sühnen für die Leviten", als diese gleichsam als Opfergabe des Volkes an Gott dargebracht werden, zu ihrer Entsündigung und Reini-gung, die die Vorbedingung ihres Dienstes ist[24].

35 Dazu stimmt es, wenn ein Brandopferritual Lv 1 als Zweck und Wirkung der Darbringung wenigstens des Rinderbrandopfers (v 4) die Sühnung genannt wird; daß dies, wie auch der Satz: „damit es ihn wohlgefällig mache vor Jahwe", bei den gleichgebauten, nur etwas kürzeren Ritualen für das Kleinvieh- und Taubenbrandopfer nicht geschieht, kann, zumal auch die andere Bestimmung fehlt, schwerlich Absicht
40 sein. Eine Blutmanipulation findet jedenfalls bei allen drei Arten statt. Dies ge-schieht allerdings auch bei den Mahlopfern (שְׁלָמִים); in dem dreiteiligen Ritual Lv 3 ist aber von Sühne nicht die Rede, was sich daraus erklären mag, daß die Mahlopfer in P an Bedeutung und Schätzung zurücktreten[25]. Daß die Sühnwirkung beim Speisopferritual Lv 2 nicht erwähnt wird, ist nach allem Bisherigen selbst-
45 verständlich.

Neben die Sühnopfer zur Weihe treten die zur rituellen Reinigung. So ist Lv 12 für die Kindbetterin Brandopfer und Sündopfer darzubringen, um für sie Sühne zu schaffen, so daß sie wieder rein wird. Entsprechendes ist Lv 15, 2—15 für den Schleimflüssigen, Lv 15, 25—30 für die Blutflüssige vorgeschrieben, sowie
50 Nu 6, 9—12 für den Nasiräer, der sich durch Berührung mit einer Leiche verunreinigt hat. Kompliziert ist das Ritual für die Reinigung des Aussätzigen Lv 14. Außer eigentümlichen Reinigungsbräuchen mit Verwendung von Vogelblut wird (v 10—32) ein dreifaches Opfer gefordert: zuerst (merkwürdigerweise) אָשָׁם mit komplizierter Blut- und Ölmanipulation, dann חַטָּאת und endlich עֹלָה mit מִנְחָה; der Sühnzweck
55 wird bei allen drei Opfern angegeben. Bei dem sonderbaren Gesetz über den Aus-satz an Häusern Lv 14, 33—53 wird zwar kein eigentliches Opfer dargebracht, aber

---

[24] In diese Perikope ist übrigens v 16—19 (vgl Nu 3, 11—13) ein Absatz eingebaut, nach welchem der Dienst der Leviten an der Stifts-hütte dazu dient, für die Israeliten Sühne zu schaffen, wonach diese keine Plage treffen wird, was, aber ohne כפר, auch Nu 1, 53; 18, 5 („daß nicht ein Zorn über die Gemeinde Israels komme") steht; der Ge-brauch von כפר hier stellt sich zu oben be-sprochenen Stellen.

[25] Siehe zB PVolz, Die biblischen Alter-tümer ² (1925) 122f. Es kommt schon darin zum Ausdruck, daß auch weibliche Opfertiere gestattet sind.

es wird ein Reinigungsbrauch mit Verwendung von Vogelblut vorgeschrieben, womit das Haus entsündigt (חִטֵּא) und für es Sühne geschafft wird. Daß in diesen Ritualen verschiedenartige religionsgeschichtliche Motive zum Ausdruck kommen. ist unverkennbar; in der uns vorliegenden Überlieferung s i n d s i e e r s t m i t d e m S ü h n e - g e d a n k e n i n V e r b i n d u n g g e b r a c h t. 5

Gedanken der Entsündigung, Reinigung und Weihung vereinigen sich in dem Ritual des Großen Versöhnungstags Lv 16.

Auf die literarische Analyse des komplizierten Stückes kann hier nicht eingegangen werden[26]. Wie in anderen Ritualen stehen auch hier neben den Sündopfertieren die Brandopfertiere; aber gerade hier ist unverkennbar, daß die Sühne insbesondere mit den Sündopfertieren verknüpft wird. Ferner wird hier deutlicher als irgendwo, daß die eigentlichen Sühnebräuche die Blutmanipulationen mit dem Sündopferblut sind, die hier in reichster und mannigfachster Form erscheinen. Aaron soll einerseits für sich und sein Haus Sühne schaffen (v 6. 11. 17), andererseits für die ganze Gemeinde Israels (v 5. 17); zugleich aber soll er Sühne vollziehen für das (innere) Heiligtum „von den Unreinheiten der Israeliten und von ihren Vergehen hinsichtlich all ihrer Sünden", für das Offenbarungszelt und für den Altar. Die Blutmanipulation wird aufs Höchste gesteigert; das Sündopferblut wird, während es sonst nur außerhalb vor dem Vorhang des Allerheiligsten gesprengt wurde, innerhalb des Vorhangs vorn oben auf die Kapporet gesprengt und siebenmal vor die Kapporet hin. Neben den Opfern und Blutmanipulationen erscheint v 21ff auch die eigentümliche Handlung mit dem andern der beiden für die Gemeinde geforderten Sündopferböcken, der nicht geopfert wird, sondern in die Wüste zu Asasel geschickt wird, wohin er die Verschuldungen der ganzen Gemeinde (nach vorausgegangenem Übertragungsritual) mit h i n w e g n e h m e n soll, ein Brauch, der in Lv 14, 7. 53 seine Entsprechung hat. Dieser Ritus aber ist nicht die eigentliche Sühnhandlung; denn diese ist nach v 20 bereits vollendet[27]. In nachträglichen abschließenden Sätzen wird nochmals betont, daß man am Sühntag „für euch Sühne schafft, um euch zu reinigen; von all euren Sünden sollt ihr vor Jahwe rein werden" (v 30, auch v 34). Als „der Sühntag" יוֹם הַכִּפֻּרִים erscheint er in den Festgesetzen von Lv 23 (v 26ff), ohne diesen Namen natürlich auch in der späten Festopfertora Nu 28; 29. Daß die Sühne mit dem Blut des הַכִּפֻּרִים חַטַּאת geschafft wird, lesen wir noch Ex 30, 10. In Ez 40—48 findet sich auch eine Entsündigung des Heiligtums innerhalb der Fest- und Opferordnung Ez 45, 18—25, ebenfalls mit Blutmanipulation, aber sie findet zweimal jährlich statt. 10 15 20 25 30

Wir haben das Material, welches E z 4 0—4 8 für die kultische Sühne liefert, bis zuletzt zurückgestellt, weil es nach dem neueren Stand der Ezechielforschung[28] zum großen Teil wahrscheinlich nicht ezechielisch ist. Die aus P bekannten Sühnopfer werden hier ohne weiteres als bekannt eingeführt. Das Ritual für die Altarweihe Ez 43, 18—27 steht auf der Stufe der vorgeschrittenen Ritualgesetzgebung von P[29]. Wenn Ez 45, 13ff die Sühne als der Zweck und die Wirkung der gesamten kultischen Leistungen des Volkes bzw des Fürsten bezeichnet wird, auch den Speisopfer und Mahlopfer (v 15. 17), so scheint das weit über die Opferrituale von Lv 1ff hinauszugehen. Anderseits muß die Forderung von zwei jährlichen Sühntagen in der Fest- und Opferordnung von Ez 45, 18ff doch wohl älter sein als die Durchführung eines einmaligen Sühntages nach Lv 16. Jedenfalls ist eine maßgebliche Verwendung von Ez 40—48 zur Geschichte der kultischen Sühne nach der heutigen Problemlage nicht angängig[30]. 35 40 45

Wie sehr der Gedanke der Sühne immer mehr den ganzen Kultus durchdringt, zeigt sich nicht nur darin, daß der Große Versöhnungstag innerhalb der Feste Israels zu so ungeheurer Bedeutung gelangt ist, sondern auch darin, daß in dem Opferkalender von Nu 28; 29, der eine Ergänzung des Festkalenders von Lv 23 bildet, das sühnewirkende (Nu 28, 22. 30; 29, 5) Sündopfer außer beim täglichen Tamidopfer und beim Sabbatopfer bei allen Opfern neben dem Brandopfer erscheint[31]. Der hier geforderte Sündopferbock findet sich Nu 7 in der Aufzählung der Geschenke und Opfergaben der zwölf Stammesfürsten (12mal derselbe Passus), dieselben zwölf Sündopferböcke Esr 6, 17 bei der Weihe des Tempels, Esr 8, 35 unter den Opfern der Zurückgekehrten. 1 Ch 6, 34 wird als Aufgabe der Priester angegeben: „Aaron und 50 55

---

[26] Sie ist sehr umstritten; siehe zB Herrmann, Sühne 89—91.
[27] Dem scheint freilich v 10 zu widersprechen; aber das dortige לְכַפֵּר עָלָיו ist von v 21ff aus nicht recht verständlich und wohl Zusatz.

[28] Seit JHerrmann, Ezechielstudien (1908).
[29] JHerrmann, Ezechiel (1924) 279.
[30] Zum einzelnen siehe JHerrmann, Sühne 61ff; Ders, Ezechiel XXXIff u zu den Stellen.
[31] Nu 28, 15. 22. 30; 29, 5. 11. 16. 19. 22. 25. 28. 31. 34. 38.

seine Söhne ließen als Rauch aufsteigen auf dem Brandopferaltar und auf dem
Räucheraltar, zu allem Dienst des Allerheiligsten und um Sühne zu schaffen für
Israel" [32].

Werfen wir jetzt einen Blick auf die Sühnopfergesetze zurück, so sehen wir,
5 daß sie in der Tat die Möglichkeit geben, für alles, womit sich jemand gegen
eines der Gebote Jahwes verfehlen kann (Lv 4, 2; Nu 15, 22 ff), für alles, wodurch er sich durch Veruntreuung verschulden kann (Lv 5, 26), Sühne und damit
Vergebung zu schaffen, unter einer Bedingung: das Vergehen muß בִּשְׁגָגָה begangen sein. Damit sind (siehe auch Bedeutung und Gebrauch des Verbums
10 שגה „irren", → I 274, 15 ff) Verfehlungen gemeint, die als nur unabsichtlich
und unwissentlich begangen angesehen werden dürfen. Was gemeint ist, wird
noch deutlicher durch den Gegensatz in Nu 15, 30: Sünden, die בְּיָד רָמָה, mit
bewußter böser Absicht begangen werden (→ I 281), können nicht durch
Sühnopfer gesühnt werden, sondern fordern die Ausrottung des Schuldigen
15 aus der Gemeinde. Hier wird deutlich, worum es sich eigentlich handelt:
um die Gemeinde und um innerhalb der Gemeinde ge-
schehene Verfehlungen. In der uns vorliegenden Form der Sühnopfergesetze ist es unverkennbar möglich, für alle ohne bewußte böse Absicht
begangenen Sünden Sühne zu schaffen und damit Vergebung zu wirken. Die
20 Angaben sind nicht klar genug, daß man angeben könnte, wie weit der Bereich
dieser Sünden zu spannen ist; jedenfalls aber ist es nicht angängig, ihn nur
auf das kultisch-rituelle Gebiet zu beschränken.

Darüber hinaus ist in P der Sühnegedanke mit Weihungen und Reinigungen
von Personen und Sachen verknüpft. Das Verbindende ist, daß die Zustände
25 des Unreinseins und Verunreinigtseins als solche betrachtet werden, die einer
Sühnung bedürfen.

6. Zusammenfassung.

Schauen wir alles zusammen, was an Material für die
kultische Sühne in P vorliegt, so läßt sich ein einheitliches religiöses In-
30 teresse sehr wohl erkennen. Es gilt, daß in der Jahwegemeinde nichts der
Sühne Bedürftiges ungesühnt sei. Jahwe selbst hat durch kultische Gebote die
Möglichkeit gegeben, geschenkt, alles der Sühne Bedürftige zu sühnen.
Für den, der mit bewußter böser Absicht gegen Jahwes Gebote handelt und
sich damit selbst aus der Gemeinde herausstellt, kann die Möglichkeit füglich
35 nicht gelten. Davon abgesehen aber kann das innerhalb der Gemeinde gestörte
Verhältnis zwischen Gott und Gemeinde durch die Erfüllung von Jahwe
geschenkter Sühnegebote im einzelnen wie im großen immer wieder hergestellt
werden. Das Bedürfnis darnach hat sich in der nachexilischen Zeit immer noch
gesteigert; das Material spiegelt das zunehmende, das ganze kultische Leben
40 durchdringende Anliegen wider.

Der Sühne bedürftig ist alles mit Sünde und Unreinheit Behaftete. Nichts
Derartiges kann vor dem heiligen Gott bestehen. Gegen ungesühntes der Sühne
Bedürftiges müßte sich vernichtende, lebenbedrohende Reaktion Gottes auswir-

---

[32] So wörtlich; die Konstruktion ist lässig.

ken. Sühnung wird gewirkt vor allem durch Besprengung und Bestreichung
mit Opfertierblut, vor allem mit dem Blut der Sühnopfer חַטָּאת und אָשָׁם.
In die Sinndeutung dieser Blutbräuche durch die theologische Forschung haben
sich vielfach von außerhalb des Stoffes an diesen herangetragene schultheolo-
gische Erwägungen gedrängt, die Urteilsbildung nach der einen oder nach der 5
andern[33] Seite beeinflussend. Demgegenüber gilt es, sich an das Material selbst
zu halten. Dieses alles auf eine Fläche bringen zu wollen, wäre gewiß verfehlt.
Hinter den Bräuchen stecken verschiedenartige Gedanken und Motive, die in
weit von dem Besonderen der at.lichen Offenbarungsreligion hinab- und hinüber-
reichende Bezirke führen. Klar und deutlich ist aber jedenfalls die Angabe, 10
daß Jahwe das Blut als Sühnmittel gegeben und bestimmt hat und daß es
dazu geeignet und wirksam ist, kraft der im Blut enthaltenen נֶפֶשׁ, dh der Seele,
des Lebens. Hat der Stoff mehrfach gezeigt, daß das Leben des Menschen bedroht ist, wenn die Sühne nicht gewirkt wird, und daß mit der durch die
Sühne gewirkten Vergebung das Leben des Menschen erhalten wird, so hat 15
unabweislich der Gedanke existiert, daß das in den Sühnbräuchen verwendete
Opfertierblut kraft des in ihm enthaltenen Tierlebens die Erhaltung des sonst
verfallenen Menschenlebens wirkt. Daß der Gedanke einer Substitution — in
welchem Umfange, muß dahin stehen — vorhanden gewesen ist, sollte nach
dem Befund von כֹּפֶר und außerkultischem כפר nicht geleugnet werden.   20

Herrmann

B. ἱλασμός und καθαρμός im Griechentum.

Zum Verständnis dessen, was das h e l l e n i s c h e u n d
h e l l e n i s t i s c h e H e i d e n t u m mit ἱλάσκεσθαι und ἱλασμός bezeichnete,
gehört zunächst Klarheit über das V e r h ä l t n i s v o n ἱλασμός und καθαρμός. 25
Dem Begriff nach sind καθαρμός: Reinigung von Befleckungen kultischer und
moralischer Art, und ἱλασμός: Begütigung von Göttern, Dämonen, Verstorbenen,
von denen Gnadenerweisungen nachgesucht werden, oder deren Zorn erregt ist,
zu unterscheiden. Die καθαρμοί sind nicht alle ἱλασμοί und umgekehrt. Aber
tatsächlich bezeichnen καθαρμός und ἱλασμός uU den gleichen Vorgang, der so- 30
wohl von der Seite, nach der er Reinigung eines Menschen, als auch von der,
nach der er Begütigung überirdischer Wesen ist, bezeichnet werden kann. Im
ganzen ist für die hellenische und hellenistische Frömmigkeit die Beseitigung
der Befleckung bedeutsamer als die Begütigung der Gottheit (→ I 254, 19 f);
andererseits gehört zur Wiederherstellung des Verhältnisses zur Gottheit in der 35
Regel auch Reinigung des Menschen von Befleckung. Ob die Reinigungsbräuche
auf Tabu-Vorstellungen zurückgehen, die allgemein religiös und älter sind als
der Götterglaube[34], wieweit alles Derartige ungriechischen Ursprungs ist oder
aus Kreta stammt[35], ist hier nicht zu verfolgen. Jedenfalls hat es in der griechischen Kultfrömmigkeit einen erheblichen Raum eingenommen[36]. Die καθαρ- 40

---

[33] Das trifft mE auch zB für ARitschls
Ausführungen in: Rechtfertigung und Versöhnung II ⁴ (1900) 68 ff zu.
[34] Nilsson aaO 285, 295.
[35] Kern aaO 48, 139 f.
[36] Gegenüber der Idealisierung der griech

Religion zu einer heiteren, von Derartigem
nicht oder nicht eigentlich berührten, muß
das betont werden, obwohl eine realistische
Erfassung der Tatbestände lange betrieben
wird. Denn jene Idealisierung wirkt noch
immer nach. Beispiele bei Stengel u Nilsson.

μοί können in Beseitigung der körperlich vorgestellten Befleckung durch Ab-
waschungen mit Wasser, Blut udgl, Abreibungen mit Kleie usw, Ausschwefe-
lungen von Räumen uam bestehen; sie sind dann nicht eigentliche Opfer, selbst
wenn Tiere zur Blutgewinnung geschlachtet werden. Es gibt aber auch καθαρ-
5 μοί, die eigentliche Opfer, sogar Menschenopfer (→ περικάθαρμα) sind, bei denen
die mehr ideell gedachte Schuldbefleckung sich auf das Geopferte überträgt und
mit diesem vertilgt wird. Bei solchen Opfern ist natürlich an ein Genießen von
seiten der Gottheit oder der Menschen nicht zu denken. Das Wesentliche ist
die Hingabe des Lebens und Blutes.

10   Zum ἱλασμός kommen verschiedene Kultakte in Betracht: Gebete, Opfer, Reinigungen, Tänze, Spiele; solche Veranstaltungen können sich auch jährlich wiederholen usw. Soweit die Gottheiten Hüter der Ordnung (des Rechts und der
Sittlichkeit) sind, bedürfen Vergehen gegen diese des ἱλασμός der Gottheit, besonders Mordtaten, Verletzungen des Asylrechts uäm, aber auch rituelle Ver-
15 gehen, namentlich von Priestern. In solchen Fällen gehen ἱλασμός und καθαρμός ineinander über. Dann versöhnt der ἱλασμός nicht nur, sondern sühnt auch
die Schuld und entsündigt Menschen und Kultgegenstände. Der ἱλασμός kommt
aber auch in Frage, wenn der Mensch eine Offenbarung, etwa ein Orakel begehrt, oder wenn er sich vor dem Neide der Gottheit sichern will. Der Zorn
20 der Gottheit kann sogar ganz unbegründet sein. Es gibt auch Gottheiten, die,
ohne zu zürnen, rohe, ja grausame Kultbräuche verlangen wie die Artemis. Zu
begütigenden Opfern und Handlungen gibt es die mannigfachsten Anlässe. Bedeutsam ist in dieser Beziehung auch der Toten- und Heroenkultus. Den Gottheiten,
die besonders eifersüchtig auf die Aufrechterhaltung der (sittlichen) Ordnungen
25 sind, gibt man gern euphemistische Namen, die εὐμενίδες, die μειλίχιοι. Der καθ-
άρσιος ist Apollon; er versteht die Kunst, den Befleckten zu reinigen. In besonderen Notzeiten, oder wenn man sonst den Zorn der Götter verspürte, holten
sich Städte Männer, die kundig waren, den Grund des Götterzornes und die
Mittel seiner Beseitigung anzugeben und anzuwenden, wie Epimenides aus Kreta,
30 der von den Athenern zur Sühnung des kylonischen Frevels geholt wurde. Auch
Orakel wurden in solchen Fällen befragt. In der Orphik spielte dergleichen eine
beträchtliche Rolle.

Neben dem Glauben an die Erforderlichkeit solcher kultischen Mittel zur Gewinnung oder Wiedergewinnung des göttlichen Wohlwollens treten schon ziem-
35 lich früh Äußerungen der Überzeugung, daß es nur auf sittliche Haltung bzw
Gesinnung ankommt. Die Aufklärung erschütterte die mythischen Vorstellungen
von der Gottheit und den Toten. Der Gedanke vom Neide der Gottheit ist
seit Plato ausdrücklich abgelehnt. Die Gottheit wurde als ihrem Wesen nach
wohlwollend gedacht. Damit verloren die καθαρμοί und ἱλασμοί an Bedeutung
40 oder erhielten sich nur kraft Umgestaltung und Umdeutung ins Ethische und
Psychologische. Im Zeitalter der nt.lichen Schriften war dieser Prozeß schon
weit fortgeschritten, wenn auch in den verschiedenen Schichten in verschiedenem Grade. Andererseits waren aus dem Orient barbarische, besonders blutige
Sühnriten usw in die griechische Frömmigkeit eingedrungen. Die Furcht vor
45 der Gottheit und ihrem Gericht war durchaus nicht ausgestorben.

C. Die Sühnevorstellungen des Judentums.

1. In der rabbinischen Frömmigkeit und Theologie war das Sündenbewußtsein lebendig und deshalb die Frage nach dem, was die Sünde beseitigt, bedeutsam. Die Versöhnung, dh die Wiederherstellung des Friedens zwischen dem Sünder und Gott (→ I 254, 31 ff) und die Beseiti- 5 gung der Sünde sind zwar dem Begriffe und der Bezeichnung nach unterschieden, aber sachlich nicht zu trennen[37]. Es gibt für die Rabbinen nichts, was den Zorn Gottes erregt, außer der Sünde, und alle Sünde zerstört die Gemeinschaft mit Gott. Die Tilgung der Sünde wird bezeichnet durch כִּפֶּר *sühnen*, davon das Substantiv כַּפָּרָה, aber auch durch נָשָׂא עָוֹן und ähnliche Wendungen[38]. 10 Subjekt zu beiden verbalen Ausdrücken sind meist Menschen, aber auch Gott ist als Subjekt nicht ausgeschlossen.

Die Sühne der Sünden wird erreicht einerseits durch den Kultus, andererseits durch persönliche Leistungen und Erlebnisse. Unter den kultischen Mitteln der Versöhnung steht an erster Stelle der Versöhnungstag, er beseitigt die Sünden aller Juden. Auch 15 die Opfer, namentlich das tägliche Brandopfer, haben diese Bedeutung[39]. Die rabbinische Theologie stellt von allerhand cinzelnen Gegenständen, die im Kultus verwandt werden, fest, daß, und was sie zur Sühne beitragen, von den priesterlichen Kleidern[40], von der Schelle am Rock des Hohepriesters, von dem Stirnblatt an seinem Turban[41], von der Schekelsteuer, durch die die einzelnen Israeliten zum Kultus beitragen[42]. 20 Die Zahl der persönlichen Erlebnisse und Frömmigkeitsäußerungen, die Sühne bringen, ist groß: die Buße, das Leiden, der Tod, die Liebeswerke, namentlich die Wohltätigkeit, die Erstattung des Schadens, das Torastudium, das Fasten, das Gebet[43]. Eine wichtige Frage war, welche Sühnmittel welche Sünden tilgen? Die reifste Antwort, die die rabbinische Kasuistik daraufhin erzeugt hat, ist die von Rabbi Ismael † 135 25 TJoma 5, 6 ff[44]: Eine vierfache Sühnung gibt es. Wenn jemand Gebote übertreten hat und Buße tut, so weicht er nicht von dort (von der Stätte seines Bußgebetes), ohne daß man (Gott) ihm vergeben hätte, wie es heißt Jer 3, 22: Kehret (in Buße) um, ihr abtrünnigen Söhne, so will ich eure Abirrungen heilen. Wenn jemand Verbote übertreten hat und Buße tut, so hält diese (den Strafvollzug) in der Schwebe, und 30 der Versöhnungstag schafft Sühnung, wie es heißt Lv 16, 30: denn an diesem Tage wird man für euch Sühnung schaffen. Wenn einer Sünden begangen hat, auf die die Ausrottung oder die gerichtliche Todesstrafe gesetzt ist, und Buße tut, so hält diese und der Versöhnungstag (den Strafvollzug) in der Schwebe, und Leiden schaffen Sühnung, wie es heißt Ps 89, 33: ich will heimsuchen mit dem Stecken ihren Frevel und 35 mit Plagen ihre Missetat. Aber wenn jemand, durch den der Name Gottes entheiligt war, Buße getan hat, so hat weder die Buße Kraft, (den Strafvollzug) in der Schwebe zu halten, noch der Versöhnungstag, Sühne zu schaffen, sondern Buße und Versöhnungstag sühnen ein Drittel, und Leiden an den übrigen Tagen des Jahres sühnen ein Drittel, und der Todestag sühnt völlig, siehe Js 22, 14: nimmer gesühnt werden soll 40 euch dieser Frevel, bis daß ihr sterbt; das lehrt, daß der Todestag völlig sühnt. Die sühnende Kraft des Todes galt also als besonders groß. Es finden sich deshalb auch Sätze wie: alle Toten sind durch den Tod entsündigt[45]. Wer durch den Gang ins Badehaus sich in Todesgefahr begibt, sagt: der Tod sei Sühne für alle meine Sünden[46]. Dabei ist nicht einmal immer die Buße vorausgesetzt. Rabbi Ismael lehrte 45 freilich: Sündopfer, Schuldopfer, Tod und Versöhnungstag, sie alle sühnen nur in Verbindung mit der Buße, denn es heißt Lv 23, 27: „jedoch": wenn er umkehrt (in Buße), wird ihm Sühnung zuteil; wenn aber nicht, wird ihm nicht Sühnung zuteil[47].

---

[37] Beides nebeneinander genannt TScheq 1, 6. Die Gemeindeopfer bringen Versöhnung und Sühne מרצין ומכפרין zwischen Israel und ihrem Vater im Himmel.

[38] Str-B II 363 ff.

[39] Joma 8, 8 f.

[40] JJoma 44 b, 53. Lv r 10 zu 8, 1 vgl Str-B I 229 f.

[41] Pes 7, 7 (vgl Str-B II 365).

[42] TScheq 1, 6 (Str-B I 761 f).

[43] Vgl die Einzelstellen bei Str-B IV 2 nach dem Index 1264 unter „Sühnmittel".

[44] Vgl Str-B I 169.

[45] SNu § 112 zu 15, 31: כל המתים במיתה, מתכפרים vgl R 6, 7 und dazu KGKuhn in ZNW 32 (1931) 305 ff und Ber 19 a: wenn einer Buße getan hat und dann gestorben ist, so vernichtet der Tod die Sünde.

[46] TBer 7, 17.

[47] An der → A 44 angeführten Stelle; vgl dazu Kuhn aaO.

Anderseits gilt auch der Grundsatz: keine Sühne außer durch Blut[48]. Daß die tatsächliche Darbringung von Blut seit dem Tempelbrande nicht mehr möglich war, besagte für die Rabbinen nicht viel. Ihre Theologie erörterte die Schriftaussagen in „vollendeter Scholastik"[49], dh ohne sich durch die Wirklichkeit des Lebens stören zu lassen. Ihre Frömmigkeit fand an den „guten Werken" Ersatz für den Tempelkultus[50]. Denn dieser hatte schon lange seine Hauptbedeutung darin gehabt, eine pünktliche Erfüllung der gesetzlichen Vorschriften darzustellen[51], dh Gelegenheit zu „guten Werken" zu bieten.

Die Vorstellung, daß die Gerechten, die leiden, ohne schuldig zu sein, oder mehr leiden, als ihrer Schuld entspricht, damit die Sünden des Volkes sühnen und so andere vor Leiden bewahren, ist bei den Rabbinen weit verbreitet[52]. Das Leiden der Väter Mose, David uam, aber auch das Leiden Späterer, vor allem der Märtyrer, wird so geschätzt. Zur Überwindung eines nagenden Schuldbewußtseins konnte diese Schätzung fremden Leidens große Bedeutung gewinnen. Manchmal entartete sie in eine kleinliche Berechnung des Wertes solcher Sühneleiden[53]. Wie leicht uU die Ableistung solcher Sühneleiden genommen wurde, zeigt der Brauch, sich zum Ausdruck seiner Liebe und Pietät als Sühne für einen andern anzubieten[54].

2. Die Anschauungen des Judentums der griechischen Diaspora über die Sühne sind im Wesentlichen dieselben wie die der Rabbinen.

Es darf nicht vorausgesetzt werden, daß das Diasporajudentum im allgemeinen vom Tempelkultus innerlich gelöst gewesen wäre. Der Kultus namentlich am Versöhnungstage wurde für das Volk, nicht nur für die im Tempel Anwesenden dargebracht. Die gesamte Diaspora war zudem insofern an ihm beteiligt, als auch in ihr die Schekelsteuer bezahlt wurde[55]. Über die Bedeutung der Buße und der guten Werke, wie der Leiden, dachte man in der Diaspora wie in Palästina. Von der stellvertretenden Kraft des Martyriums reden die Makkabäerbücher häufig[56]. Auch Philo redet vom stellvertretenden Leiden[57].

D. ἱλάσκομαι.

1. Mit ἵλεως wurzelverwandt sind die Verben ἵλημι: gnädig sein[58], ἱλάσκομαι (ἱλάομαι, auch ἱλέομαι, ἱλέoμαι) mit der kausativen Bedeutung: *gnädig machen*[59]. Neben ἱλάσκομαι steht mit wesentlich derselben Bedeutung, besonders häufig in der LXX, ἐξιλάσκομαι.

ἱλάσκομαι hat von Homer an[60] oft zum Subjekt Menschen, zum Objekt eine Gottheit, einen Verstorbenen[61], bedeutet also: *gnädig machen*. Dabei ist die Voraussetzung nicht immer, daß die Gottheit zürnt oder der Mensch Sünde getan hat[62];

---

[48] bJoma 5a uö, vgl Str-B III 742.

[49] Schl Gesch Isr 346.

[50] RJosua sagte (beim Anblick des zerstörten Heiligtums): Wehe uns, weil der Ort zerstört ist, an welchem sie die Sünden Israels versöhnten. (Jochanan bZakkai) sagte ihm: Mein Sohn, es tue dir nicht leid. Wir haben eine Versöhnung כַּפָּרָה, welche ist wie dies. Und welche ist es? Das ist die Wohltätigkeit, weil gesagt ist: Ich will Güte und nicht Opfer (Hos 6, 6) AbRNat (I) 5, 1 (Schechter 11a).

[51] RJochanan bZakkai: Weder macht der Tote unrein, noch macht das Wasser rein, sondern der Heilige, der gepriesen ist, hat gesagt: Ein Gesetz habe ich festgesetzt, einen Entscheid getroffen, du bist nicht ermächtigt, meinen Entscheid zu übertreten. SNu § 123 zu 19, 2; Pesikt 40b (Buber); TJoma 5, 6ff.

[52] Vgl Str-B II 275ff.

[53] Str-B II 281 unter k.

[54] Str-B III 261; die gebrauchte Formel lautet: אֲנִי כַפָּרָה.

[55] → A 42.

[56] 2 Makk 7, 37. 38: wir flehen, daß Gott bald dem Volk gnädig werde . . . an mir und meinen Brüdern möge der Zorn des Allmächtigen zum Stillstand kommen, der über unser ganzes Geschlecht mit Recht entbrannt ist. Über 4 Makk → ἱλαστήριον.

[57] Sacr AC 121 → λύτρον. → auch ἱλάσκομαι und ἱλασμός.

[58] Vgl Boisacq 372f.

[59] Das σ im Aor pass ἱλάσθην ist sekundär wie in ἐσπά-σ-θην.

[60] Od 3, 419: ὄφρ' ἤτοι πρώτιστα θεῶν ἱλάσσομ' Ἀθήνην. Il 1, 386; 2, 550.

[61] Hdt V 47: ἐπὶ γὰρ τοῦ τάφου αὐτοῦ ἡρώιον ἱδρυσάμενοι θυσίησι αὐτὸν ἱλάσκονται. Plut Ser Num Pun 17 (II 560e f): ἱλάσκεσθαι τὴν τοῦ Ἀρχιλόχου ψυχήν.

[62] Hdt VI 105: καὶ αὐτὸν (Pan) ἀπὸ ταύτης τῆς ἀγγελίης θυσίῃσι ἐπετείοισι καὶ λαμπάδι ἱλάσκονται; Pan nennt sich ausdrücklich den Athenern εὔνους, vermißt nur seinen Kultus in Athen. Vgl auch die Beschreibung des Aphroditekultus bei Empedokles fr 128

auch eine zunächst nur ablehnende Gottheit wird gnädig gemacht[63]. ἱλάσκεσθαι kann
geradezu parallel zu θεραπεύειν stehen[64]. In dieser Bedeutung: *gnädig machen* läßt
sich ἱλάσκεσθαι bis in späte Zeit verfolgen bei Heiden[65], Juden[66] und Christen[67]. Sie
ist seine **Hauptbedeutung**. Aber wenn ἱλάσκεσθαι auch hauptsächlich kultische Handlung ist, so hat sich doch seine Grundbedeutung: *gnädig machen* soweit erhalten, daß 5
es auch Menschen gegenüber anzuwenden und — bezeichnender Weise — gelegentlich
geradezu mit: *bestechen* zu übersetzen ist[68]. Zwischen kultischer und profaner Verwendung steht das Wort, wenn es die Beschwichtigung des Kaisers bzw seines Zornes
ausdrückt[69]. Die gnädig gemachte Person steht später auch im Dat[70]. Der passive Aor
ἱλάσθη hat die Bedeutung: die Gottheit ließ sich gnädig machen, erbarmte sich: 10
besonders deutlich in dem Anruf: ἱλάσθητι: *erbarme dich*. Wenn also auch grammatisch
die Form ἱλάσθη Passiv ist, so wird doch die Gottheit nicht rein passiv gedacht, im
Gegenteil auch tätig; sie wird gebeten (ἱλάσθητι), nicht einfach gezwungen[71].

        2. In **Septuaginta** findet sich ἱλάσκομαι nur 12mal, im Aor
pass mit der Bedeutung: *Gott erbarmte sich* Ex 32, 14; 4 Βασ 24, 4; *erbarme dich* Est 15
4, 17 h; Thr 3, 42; Da 9, 19 Θ; ψ 78 (79), 9. Die medialen Formen ἱλάσεται, ἱλάσῃ bedeuten: *gnädig sein* bzw *werden*[72] 4 Βασ 5, 18 (2mal); 2 Chr 6, 30; ψ 24 (25), 11;
64 (65), 4; 77 (78), 38. Das zeigt der Zusammenhang und besonders die Tatsache, daß
in parallelen Stellen die LXX die Formen von כִּפֶּר und סָלַח, die an den genannten
Stellen mit ἱλάσεται und ἱλάσῃ übersetzt sind, mit ἵλεως ἔσῃ bzw γενοῦ übersetzt. 20
ἱλάσεται und ἱλάσῃ können nicht von einem kausativen ἱλάσκομαι abgeleitet werden,
da Gott das Subjekt ist und die Menschen bzw Sünden Dativobjekt[73] sind. Hier hat
schwerlich ἵλημι *gnädig sein* auf die Bedeutung von ἱλάσῃ und ἱλάσεται eingewirkt;
wahrscheinlich sind diese Formen Gewaltsamkeiten der Übersetzung. **ἐξιλάσκομαι**
dagegen ist häufig in LXX. Weit überwiegend gibt es כִּפֶּר wieder und bezeichnet 25
dann das Tun eines Priesters, durch das die Sünde vor Gott unwirksam gemacht,
getilgt, gesühnt wird. Es wird denn meist mit περί (τῶν υἱῶν Ἰσραήλ uam oder τῆς
ἁμαρτίας) konstruiert, entsprechend dem hbr עַל, auch mit ἀπό (τῆς ἁμαρτίας uam) entsprechend dem hbr מִן. Neben dieser kultischen Bedeutung hat ἐξιλάσασθαι auch die
persönliche: *gnädig machen;* dabei sind Menschen das Subjekt und Gott (Sach 7, 2; 30
8, 22; Mal 1, 9; hbr: חִלָּה: *durch Bitten erweichen*), einmal auch ein Mensch (Gn 32, 21;
hbr כִּפֶּר), das Objekt. ἐξιλάσασθαι heißt auch *entsündigen, von der Befleckung der Sünde*
bzw *Schuld reinigen*, wobei Menschen Subjekt und kultische Gegenstände Objekt sind
(Ez 43, 20. 22. 26; 45, 18. 20 hbr כִּפֶּר, חִטֵּא). Beachtung verdient der Sprachgebrauch
des Sir. Hier heißt ἐξιλάσκομαι *verzeihen, sühnen*, wobei die Sünde Objekt und Gott 35
(5, 6; 34, 19 [31, 23] = *verzeihen*) oder der Mensch (3, 3. 30; 20, 28 = *sühnen*) Subjekt ist.
Es wird auch ohne Akkusativobjekt mit περί (τοῦ λαοῦ uam) konstruiert, wobei Gott
(16, 7) und Menschen (45, 16. 23) Subjekt sind (= *Sühne schaffen*). Die Sühne des
Menschen besteht meist (3, 3. 30; 45, 23) in moralischer Leistung. Über Gottes ἐξιλάσκεσθαι wird nur negativ geredet. 20, 28 bezeichnet ἐξιλάσεται die Unwirksammachung 40
des Unrechts vor Menschen.

(I 271, 24 Diels): εὐσεβέεσσιν ἀγάλμασιν ἱλά-
σκοντο. Epigr Graec 1027, 4: οἳ πολλὰ γεγηθότες
(fröhlich!) ἱλάσκονται σὸν σθένος (Asklepios).
  [63] Xenoph Cyrop VII 2, 19: πάμπολλα δὲ
θύων ἐξιλασάμην ποτὲ αὐτόν (den Apollon
zur Erlangung eines Orakels).
  [64] Xenoph Oec 5, 20 steht τοὺς θεοὺς ἱλάσκεσθαι parallel zu τοὺς θεοὺς θεραπεύειν im
folgenden Satze.
  [65] Dio Chrys Or 4, 90: μῆνιν Ἑκάτης ἱλα-
σκόμενοι· Paus III 13, 3: θυσίαις ἱλάσκονται (den
Apollon) vgl Polyb 3, 112, 9: καὶ θεοὺς ἐξιλάσασθαι καὶ ἀνθρώπους. 1, 68, 4: σπουδάζοντες
ἐξιλάσασθαι τὴν ὀργὴν αὐτῶν. 32, 15 (27, 25) 7:
διὰ θυσιῶν (Opfer) ἐξιλάσασθαι τὸ θεῖον. In
den bei Steinleitner gesammelten kleinasiatischen Inschriften findet sich ἱλάσκομαι in
dieser Bdtg in 4, 6; 5, 6; 6, 16; 8, 9; 10, 9;
25, 6. 7; 33, 5 vgl auch das S 73 angeführte
Menanderfragment: τὴν θεὸν ἐξιλάσομαι.
  [66] Jos Ant 6, 124: τὸν θεὸν οὕτως ἐξιλάσασθαι uö Schl Theol d Judt 115, vgl auch
die Philostellen in *3.*

  [67] 1 Cl 7, 7: οἱ δὲ μετανοήσαντες ἐπὶ τοῖς
ἁμαρτήμασιν αὐτῶν ἐξιλάσαντο τὸν θεόν . . .
Herm v 1, 2, 1: πῶς ἐξιλάσομαι τὸν θεὸν ἐπὶ
τῶν ἁμαρτιῶν μου τῶν τελείων.
  [68] Hdt VIII 112, 2: Πάριοι δὲ Θεμιστοκλέα
χρήμασιν ἱλασάμενοι διέφυγον τὸ στράτευμα.
  [69] Plut Anton 67, 3 (I 947 d): ἱλάσασθαι
Καίσαρα. Cato Minor 61, 3 (I 789 e): ἱλασάμενοι
τὴν πρὸς αὐτοὺς ὀργὴν τοῦ Καίσαρος.
  [70] Plut Poplicola 21, 3 (I 108 a): ἱλασάμενος
τῷ Ἅιδῃ.
  [71] Passiv und Medium berühren sich in
solchen Fällen nahe, sind aber auseinander-
zuhalten. Vgl Bl-Debr[6] § 314 u 317. ἀδικεῖσθε
1 K 6, 7 ist pass: laßt euch Unrecht tun,
laßt es zu, geht darauf ein. κείρασθαι 1 K 11, 6
ist med: veranlassen, herbeiführen, daß man
geschoren wird.
  [72] Vgl Helbing 213.
  [73] ψ 64 (65), 4 liest B: τὰς ἀσεβείας, א: ταῖς
ἀσεβείαις.

3. Philo hat ἱλάσκομαι und ἐξιλάσκομαι nicht häufig. ἱλάσκομαι heißt meist *begütigen, gnädig machen,* mit dem Menschen als Subjekt und Gott (Plant 162; Abr 129; Vit Mos II (III) 24; Spec Leg I 116) oder einem Menschen (Spec Leg I 237) als Objekt. Parallel geht ἐξευμενίζεσθαι τὸν θεόν: Spec Leg II 196. ἱλάσκεσθαι heißt auch *Sühne schaffen, entsündigen, sühnen,* mit dem Menschen als Subjekt (Mut Nom 235; Vit Mos II (III) 201; Spec Leg I 234; Praem Poen 56); ebenso ἐξιλάσασθαι (Poster C 72). Die Sühne wird gebracht durch kultische, aber auch durch moralische Handlungen. Leg All III 174 heißt es in Anlehnung an Dt 8, 3 (ἐκάκωσέ σε): „Die Mißhandlung ist Sühnung (ἱλασμός). Denn auch am 10. Tage sühnt er (ἱλάσκεται), indem er unsere Seele mißhandelt. Denn wenn er uns das Süße raubt, glauben wir mißhandelt zu werden. Das bedeutet aber in Wahrheit die Gnade Gottes erfahren (ἵλεων τὸν θεὸν ἔχειν)." Philo vertieft damit den moralistischen Gedanken: gute Werke sühnen die Sünde (Sir 3, 3. 30), ins Religiöse: Gott schafft durch sein Wirken am Menschen die wirkliche Reinheit von Sünde. Gott ist hier der Erlöser von der Sünde als Bindung. Der alte kultische Begriff hat sich auf dem Umweg über das Ethische ins persönlich Religiöse vertieft.

4. Im NT findet sich ἱλάσκομαι nur Lk 18, 13; Hb 2, 17; ἐξιλάσκομαι fehlt. Lk 18, 13 ist ἱλάσθητι der Anruf, der Gott um Erbarmen bittet, wie Est 4, 17h; ψ 78 (79), 9; Da Θ 9, 19. Hb 2, 17 ist die Aufgabe Jesu als des Hohepriesters: ἱλάσκεσθαι τὰς ἁμαρτίας τοῦ λαοῦ [74], die Sünden seines Volks zu sühnen, dh vor Gott unwirksam, bedeutungslos zu machen. An ein Gnädigmachen Gottes ist hier nicht zu denken, aber auch eine ethische Überwindung der Sünde im Menschen ist nicht gemeint.

5. Bei dem auffallenden Wandel, den ἱλάσκομαι und ἐξιλάσκομαι in bezug auf Konstruktion und Bedeutung durchgemacht haben, ist das Auffallendste, daß neben die Bedeutung *gnädig machen* (I) die Bedeutung *entsündigen* (II) und die Bedeutung *sühnen* (III) getreten sind. I wird konstruiert mit dem Acc der gnädig gemachten Person und ergibt im Aor pass *sich gnädig machen lassen, sich erbarmen,* konstruiert mit dem Dat der Erbarmen findenden Person. II wird konstruiert mit dem Acc der entsündigten Sache oder Person. III wird konstruiert mit dem Acc der gesühnten Schuld oder mit praepositionalen Verbindungen περί, ἀπό. Bedeutung und Konstruktion I finden sich überall für ἱλάσκομαι und ἐξιλάσκομαι, im heidnischen Griechisch, in LXX, bei Philo, im NT; in LXX und NT finden sie sich für ἱλάσκομαι freilich nur im Aor pass. Hinter der Bedeutung und Konstruktion II, III von ἐξιλάσκομαι in LXX wird der Sprachgebrauch von כִּפֶּר als maßgeblich erkennbar, bei ἱλάσκομαι freilich weniger deutlich. Bei Sir, Philo und im NT wirkt dann weiter, was in LXX festzustellen ist. Aber hat die LXX oder ihre Vorgänger, die den hbr Text mündlich dolmetschten, diesen Wandel im Sprachgebrauch von ἐξιλάσκομαι und ἱλάσκομαι herbeigeführt? oder hatten diese Verben schon früher neben der Bedeutung *gnädig machen* (I) die Bedeutung *entsündigen* (II), *sühnen* (III)? Es läßt sich schwer vorstellen, daß ἐξιλάσκομαι als Übersetzung von כִּפֶּר gewählt worden wäre, wenn es bis dahin nur *gnädig machen* bedeutet hätte. Dagegen läßt sich leicht vermuten, wie ἐξιλάσκομαι und ἱλάσκομαι die Bedeutung *entsündigen, sühnen* erhielten. Durch den kultischen Gebrauch der Worte konnte es leicht zu einer Bedeutungserweiterung kommen. Die Kulthandlung, die mit den Verben bezeichnet wurde, hatte zum Zweck, dem Schuldigen die Gnade der Götter wieder zu verschaffen. Damit entsündigte sie ihn

---

[74] Zu LA: ταῖς ἁμαρτίαις ℵ 33 vgl das Schwanken der LA bei → A 73.

zugleich, sühnte sie seinen Frevel. Der Sache nach war beides, die Wirkung auf die Gottheit und die auf den Menschen bzw seine Sünde, gar nicht zu trennen. Die eine wurde mit der anderen zugleich erstrebt und erreicht. Die Entsündigung des Frevlers bzw die Sühnung seines Frevels war nach Absicht und Erfolg ein so wesentliches Stück der Kulthandlung, daß sie neben der Begüti- 5 gung der Gottheit mit in die Bedeutung des Wortes aufgenommen wurde, das den Kultakt bezeichnete. Das Wort erhielt so eine komplexe, aber schließlich doch einheitliche Bedeutung. Freilich Belege dafür, daß die Verben vor der LXX die Bedeutung *entsündigen, sühnen* gehabt hätten, gibt es nicht[75]. Andererseits läßt es sich auch vermuten, daß LXX, die Gn 32, 21 כִּפֶּר in der Bedeutung 10 *gnädig machen* mit ἐξιλάσκομαι übersetzte, dann כִּפֶּר auch in der Bedeutung *Sühne schaffen* mit ἐξιλάσκομαι übersetzte, vielleicht bei ihrer jüdischen Umgebung diesen Gebrauch von ἐξιλάσκομαι in der Bibelübersetzung schon vorfand[76].

Das Eigentümlichste an der Bedeutungsentwicklung dieser Verben aber ist, daß diese Worte, die ursprünglich eine Einwirkung des Men- 15 schen auf die Gottheit bezeichneten, schließlich im NT von dieser Bedeutung nichts mehr haben, nachdem sie erst angefangen haben, ein Handeln Gottes am Menschen zu bezeichnen.

E. ίλασμός.

ίλασμός (gebildet von → ίλάσκομαι) die Handlung, in der man die 20 Gottheit gnädig und die Sünde unwirksam macht. Das Wort ist in der Literatur nicht häufig[77]. Plutarch hat es mehrfach, Fab Max 18, 3 (I 184 e): πρὸς ίλασμοὺς θεῶν ἢ τεράτων ἀποτροπάς, De Solone 12 (I 84 e): ίλασμοῖς τισι καὶ καθαρμοῖς καὶ ίδρύσεσι κατοργιάσας καὶ καθοσιώσας τὴν πόλιν, De Camillo 7 (I 133 a): θεῶν μῆνιν ίλασμοῦ καὶ χαριστηρίων δεομένην. Diese Stellen zeigen, daß die kultische Begütigung der Götter, 25 aber auch Sühnehandlungen im allgemeinen De Solone 12 gemeint sind, also die Doppelbedeutung von ίλάσκομαι: gnädig machen und entsündigen bzw sühnen hinter dem Sprachgebrauch von ίλασμός steht → ίλάσκομαι 5.

---

[75] Plat Leg VIII 862 c: τὸ ἀποίνοις ἐξιλασθὲν τοῖς δρῶσιν καὶ πάσχουσιν ἑκάστας τῶν βλάψεων ἐκ διαφορᾶς εἰς φιλίαν ἀεὶ πειρατέον καθιστάναι τοῖς νόμοις könnte man ἐξιλασθέν verstehn als: entsündigt, sofern der Rechtsbrecher durch die Buße, die er dem Geschädigten bezahlt, schuldfrei geworden ist; besser aber wird es als: begütigt verstanden, sofern der Geschädigte durch die entrichtete Buße zum Aufgeben des Zornes gegen den Schädiger gebracht ist, worauf hier dann beide zur Freundschaft untereinander kommen können. Daß mit dem ἐξιλασθέν eine Person, nicht eine Sache gemeint ist, geht aus den vorhergehenden parallelen Part hervor. — Die seit Deißmann NB 52 oft angeführten Inschriftstellen IG II² 1366, 16 (Ditt Syll³ 1042, 16) vgl 1365, 32: ἁμαρτίαν ὀφιλέτω Μηνὶ Τυράννῳ ἣν οὐ μὴ δύνηται ἐξειλάσασθαι gehört ins 2 oder 3 Jhdt n Chr, ist also 3—400 Jahre jünger als die LXX. Die Formel ist, wie ihr zweimaliges Vorkommen beweist, im Men-Kultus herkömmlich, also kleinasiatisch. Beachtung verdient aber, daß Dittenberger in diesen Inschriften foedissima sermonis vitia feststellt. — Bl-Debr⁶ wird § 148, 2 ίλάσκεσθαι ἁμαρτίας nach der Regel erklärt, daß bei Verben des Affekts aus dem ursprünglichen intr Gebrauch ein trans werden könne. Das ist mE abwegig. ίλάσκομαι heißt urspr: jemand für sich gnädig machen, trans Med. Daraus hat sich im Passiv ein intr Gebrauch entwickelt: sich gnädig machen lassen, gnädig sein. Nun könnte nach der oben genannten Regel dies Intransitivum trans gebraucht werden. Aber es sind med und nicht pass Formen, die in der LXX und der Meninschrift ἁμαρτίαν als Obj haben. Nun kommt freilich in der LXX das Med ίλάσκεσθαι intr vor. Aber dann bekäme man folgenden verzwickten Verlauf der Bedeutungsentwicklung: a. trans Med mit Acc-Obj der Pers = jemand für sich gnädig stimmen, b. intr Med = gnädig sein, c. wieder trans Med mit Acc-Obj der Sache = sühnen. Da ist es besser, für das Med eine komplexe Bdtg aus der Verwendung in der Kultussprache anzunehmen: versöhnen (eine Gottheit) und sühnen (eine Sünde) vgl das lat expiare.

[76] Helbing 215.

[77] Nach den Indices fehlt es bei den attischen Rednern, Sophokles, Thukydides, Epiktet, in den Fragmenten der Orphiker, Vorsokratiker, älteren Stoiker.

atoning sacrifice = God's sending of God's Son

Die Septuaginta hat neben ἱλασμός: ἐξιλασμός, ἐξίλασμα, ἐξίλασις. Mit diesen Worten übersetzt sie Ableitungen von כִּפֶּר, namentlich כִּפֻּרִים. ἱλασμός ist meist die kultische Opfersühne, durch die die Sünde unwirksam gemacht wird. Bei Ez sind ἱλασμός und ἐξιλασμός das Sündopfer חַטָּאת 44, 27; 45, 19. Gott ist nicht Objekt des ἱλασμός (ἐξιλασμός, ἐξίλασις). Daß man ihm ein ἐξίλασμα bieten könne, ist ausdrücklich abgelehnt ψ 48, 8. ἱλασμός ist aber auch die Vergebung Gottes סְלִיחָה ψ 129, 4. Dieser Sprachgebrauch von ἱλασμός entspricht dem von ἱλάσκομαι und ἐξιλάσκομαι → ἱλάσκομαι 2. — Bei Josephus fehlt das Wort. Bei Philo bedeutet es meist: *die Opfersühne* Plant 61; Rer Div Her 179; Congr 89. 107, daneben *Entsündigung* als Werk Gottes am Menschen Leg All III 174; Poster C 48. Auch hier entspricht der Sprachgebrauch des Substantivs dem des Verbums.

Im Neuen Testament nur 1 J 2, 2; 4, 10: ἱλασμὸς περὶ τῶν ἁμαρτιῶν ἡμῶν. Die Konstruktion entspricht der von ἱλάσκεσθαι in der LXX; Joh knüpft sichtlich an das AT an. Mit Gnädigmachung Gottes hat ἱλασμός hier nichts zu tun, da es den Sinn der Sendung des Sohnes bezeichnet, die Gott selbst vollzogen hat, also auf dem Gnädigsein, der Liebe Gottes beruht, vgl 4, 10. ἱλασμός ist hier die Beseitigung der Sünde als Schuld Gott gegenüber, wie die Verbindung von ἱλασμός in 2, 2 mit παράκλητος 2, 1 und dem Sündenbekenntnis in 1, 8. 10 beweist. Der subjektive Ertrag des ἱλασμός im Menschen ist die παρρησία, die Zuversicht gegenüber dem Gerichte Gottes 4, 17; 2, 28, die Überwindung des Schuldbewußtseins. Als Offenbarung, dh Erweisung der Liebe Gottes 4, 9. 10 erzeugt der ἱλασμός Liebe uz zugleich Liebe zu den Brüdern 4, 7. 11. 20f. Von der Überwindung der Sünde als Schuld ist sachlich die Überwindung der Sünde als Unsittlichkeit, dh für Joh als Lieblosigkeit nicht zu trennen. Joh geht in dieser Beziehung soweit zu behaupten, der aus Gott Geborene kann nicht sündigen 3, 9. 6. Er leitet diese Unmöglichkeit der Sünde für den aus Gott Geborenen daher ab, daß Jesus zur Beseitigung der Sünde (dh als ἱλασμός[78]) offenbart und sündlos ist 3, 5 (→ I 308, 28ff). Wenn tatsächlich die Christen immer noch sündigen — was zu leugnen für Joh Versündigung an der Wahrheit ist 1, 8. 10 —, so veranlaßt ihn das nur zu immer erneuter Hinwendung zu dem, der der ἱλασμός ist. Die Linie von 1, 8. 10 führt unmittelbar zu 2, 2. Wodurch Jesus den ἱλασμός vollbracht hat, ist von Joh nicht ausgeführt. Doch verdient Beachtung, daß er weder 2, 2 noch 4, 10 vom Sterben Jesu redet, sondern nur von dem Auferstandenen (2, 1 πρὸς τὸν πατέρα) und von der Gesamtsendung Jesu 4, 10. Der ἱλασμός hängt nicht einseitig an der Einzelleistung des Sterbens, sondern an dem Ganzen der Sendung und der Person Jesu, zu dem freilich sein Sterben unablösbar hinzugehört 5, 6 vgl 3, 16; 1, 7. Als der, der den Zweck seiner Sendung erfüllt hat, der in vollendeter Liebe 3, 17 Bewährte, als der Gerechte 2, 2 ist Jesus die Sühne[79]. Über die Notwendigkeit einer Sühne redet Joh nicht. Aber da er den Tag des Gerichts vor sich sieht 4, 17, ist es für ihn überflüssig, die Notwendigkeit der Sühne zu begründen. Der ἱλασμός ist für Joh viel mehr als nur ein Begriff der christlichen Lehre; er ist die Wirklichkeit, von der Joh lebt.

Büchsel

---

[78] Über die sachliche Identität von כִּפֶּר und נָשָׂא עָוֹן bei den Rabbinen → 313, 9 ff.

[79] Die Gleichsetzung zwischen Jesus und der Sühne entspricht einerseits der Gleichsetzung zwischen Jesus und seinen Gaben, die im Joh-Ev häufig ist 6, 35; 11, 25; 14, 6,

anderseits Sätzen wie: die Söhne der Tora, die Versöhnung für die Welt sind שהן לעולם כפרה TBQ 7, 6, oder der Formel, mit der man sich bereit erklärte, für die Sünden anderer zu büßen; אֲנִי כַפָּרָה →. A 54.

the one who does justice through love

† *ἱλαστήριον*

1. ἱ λ α σ τ ή ρ ι ο ν = כַּפֹּרֶת.

a. Nach Ex 25, 17—22 soll auf die Bundeslade eine
כַּפֹּרֶת aus reinem Golde gelegt werden, genau wie die Lade 2¹/₂ Ellen lang und
1¹/₂ Ellen breit; die Dicke wird nicht angegeben. An ihren beiden Enden sollen 5
die Keruben angebracht werden, die in der älteren Beschreibung 1 Kö 8, wo
von der כַּפֹּרֶת noch nicht die Rede ist, mit der Lade noch nicht in dinglicher
Verbindung stehen. Die Keruben sollen die כַּפֹּרֶת schirmend bedecken, die Ge-
sichter ihr zugekehrt (Ex 25, 20). Dort will sich Jahwe dem Mose „stellen“
(יעד Niphal[1]); von über der כַּפֹּרֶת aus, von dem Raum zwischen den beiden Keruben 10
aus (Ex 25, 22) will er mit ihm reden und seine Gebote geben; hierzu stimmt
Nu 7, 89. Entsprechend heißt es Lv 16, 2, daß Jahwe „in der Wolke über der
כַּפֹּרֶת“ erscheint. Im Ritual des großen Versöhnungstags wird weiter vorgeschrieben, daß Aaron Räucherwerk vor der כַּפֹּרֶת verbrennen und die Wolke
des Räucherwerks die כַּפֹּרֶת bedecken soll, „so wird er nicht sterben“ (Lv 15
16, 13). Es ist auch hier klar, daß die Anwesenheit der Gottheit über der
כַּפֹּרֶת angenommen wird. Die nun folgende Blutsprengung auf die כַּפֹּרֶת und
vor die כַּפֹּרֶת hin bringt also das Sündopferblut der Gottheit so nahe wie nur
irgend möglich (Lv 16, 14). 1 Ch 28, 11 wird das Allerheiligste als בֵּית הַכַּפֹּרֶת
bezeichnet und auch Ex 30, 6 erscheint die כַּפֹּרֶת eigentlich als wichtiger denn 20
die Lade.

b. Die כַּפֹּרֶת kann keinesfalls einfach als „Deckel“ der
Lade betrachtet werden. Sie soll nach Ex 25, 21 a u f den Kasten gelegt werden
wie die Gesetzestafeln i n den Kasten. Sie ist auch nach Stellen wie Ex 26, 34;
35, 12; 39, 35 an sich kein Bestandteil der Lade; sie heißt „die כַּפֹּרֶת, die 25
über der Lade des Gesetzes ist“ Ex 30, 6; Nu 7, 89, nie aber „die כַּפֹּרֶת der Lade“.
Die LXX nennt sie bei der ersten Erwähnung Ex 25, 17 (und in der Parallele
Ex 37, 6) ἱλαστήριον ἐπίθεμα „einen sühnenden Aufsatz“[2], sonst immer ἱλαστήριον,
was „Sühnmittel“ und „Sühnort“ bedeuten kann, einmal (1 Ch 28, 11) ἐξιλασμός[3].
Auch Philo[4] weiß, daß sie ein ἐπίθεμα ist, eine Art πῶμα („Deckel“), das in den 30
Heiligen Schriften ἱλαστήριον genannt wird. Sie leiten das Wort also von כִּפֶּר
„sühnen“ ab. Dagegen haben Saadja, Raschi und Kimchi Ableitung von כפר
„decken“ vertreten und Neuere sind ihnen darin gefolgt[5]. Man wird sagen

---

ἱλαστήριον. Zu 1: Die bei ἱλάσκομαι
κτλ (→ 301 Lit-A) zu A angegebene Literatur. — Zu 2—4: Die Komm zu R 3, 25:
Zn R, Khl R, Ltzm R, Str-B III, PAlthaus
im NTDeutsch zSt. — Die Nt.lichen Theologien[4] HWeinel[4] (1928) 232 f; HJHoltzmann
II[2] (1911) 112. — ARitschl, Die chr Lehre
von der Rechtfertigung und Versöhnung[4]
II (1900) 170; ADeißmann, ZNW 4 (1903)
193 ff; CBruston, ebd 7 (1906) 77 ff; WBleib-
treu, ThStKr 56, 1 (1883) 548 ff; CBruston,
Revue de Théologie et des Questions Religieuses 8 (1904) (Montauban).

[1] Hiermit hängt die Bezeichnung אֹהֶל מוֹעֵד
für die „Stiftshütte“ zusammen.
[2] Damit zeigt LXX, daß sie die כַּפֹּרֶת
keineswegs als „Deckel“ der Lade betrachtet.
[3] LXX verwendet ἱλαστήριον sonst nur
noch für עֲזָרָה Ez 43, 14. 17. 20, ein Bestandteil des ezechielischen Brandopferaltars, an
den bei der Entsündigung und Entsühnung
(Ez 43, 20) etwas von dem Sündopferblut
getan wird.
[4] Vgl Str-B III 165.
[5] Von Heutigen zB EKönig, Wörterbuch
z AT[2.3] (1922) sv.

müssen, daß die Einführung in Ex 25, 17[6] in der Nachbarschaft von lauter dinglich-technischen Ausdrücken für eine ursprünglich dinglich-technische Bedeutung zu sprechen scheint. Anderseits spricht die Art, wie 1 Ch 28, 11 von dem Allerheiligsten als בֵּית הַכַּפֹּרֶת redet, sehr dafür, daß hier jedenfalls, also auch schon in at. licher Zeit, כַּפֹּרֶת als ἱλαστήριον verstanden worden ist, wie es dann die exegetische Überlieferung seit LXX lange Zeit einhellig bezeugt.

Herrmann

2. τὸ ἱλαστήριον ist das substantivierte Neutrum vom **Adjektiv** ἱλαστήριος. Dieses Adjektiv gehört, wie σωτήριος zu σωτήρ oder κριτήριος zu κριτής, zu ἱλαστής (1 Εσδρ 8, 53 nach der LA von A²) und weiterhin zu → ἱλάσκομαι und ἵληος → ἵλεως und bedeutet: jemand, der (oder: etwas, das) zum ἱλαστής zugehört. Das Adjektivum findet sich selten, in LXX Ex 25, 16 (auch in einer Variante zu 37, 6): ἱλαστήριον ἐπίθεμα, 4 Makk 17, 22: διὰ τοῦ ἱλαστηρίου θανάτου αὐτῶν[7], in einem Papyrus des 2 Jhdts n Chr: εἱλαστηρίους θυσίας[8], bei Nicephorus Vita Sym Stylit[9]: χεῖρας ἱκετηρίους εἰ βούλει δὲ ἱλαστηρίους, bei Jos Ant 16, 182: τοῦ δέους ἱλαστήριον μνῆμα[10]. R 3, 25 könnte das artikellose ἱλαστήριον an sich Acc Mask sein und die älteren Lateiner, die propitiatorem übersetzen, sprechen dafür. Aber da das substantivierte Maskulinum sonst nicht nachweisbar ist, bleibt man auch für R 3, 25 besser beim Neutrum.

3. Das **substantivierte Neutrum** findet sich in der LXX oft als Übersetzung von כַּפֹּרֶת, Ex 25, 16—21 (17—23); 31, 7; 35, 12; 38, 5—8 (37, 6—9); Lv 16, 2—15; Nu 7, 89. Wenn auch substantivierte Neutra vielfach den Ort bezeichnen, der der im Verbalbegriff enthaltenen Handlung dient[11], so bedeutet das Wort in LXX doch nicht: „Sühnstätte", sondern: *Sühnaufsatz, Sühngerät.* Denn das erstemal Ex 25, 16 (17) übersetzt sie: וְעָשִׂיתָ כַּפֹּרֶת זָהָב טָהוֹר mit: καὶ ποιήσεις ἱλαστήριον ἐπίθεμα χρυσίου καθαροῦ, dh sie führt ihre Übersetzung von כַּפֹּרֶת mit ἱλαστήριον dadurch ein, daß sie zum Adjektivum ἱλαστήριον, das sie im folgenden substantiviert braucht, an der ersten Stelle das im hebräischen Text nicht gegebene Substantivum ἐπίθεμα setzt. Daraus erhellt, daß für sie τὸ ἱλαστήριον an sich nicht einen räumlichen Gegenstand, sondern: *das Sühnende ganz allgemein* bedeutet. Ez 43, 14. 17. 20 heißt auch die עֲזָרָה des Brandopferaltars τὸ ἱλαστήριον, augenscheinlich weil an sie das Blut zur Sühne gespritzt wird[12]. In der LXX ist also die ursprüngliche allgemeine Bedeutung von ἱλαστήριον: *das Sühnende* noch deutlich erkennbar. Anderseits ist aber ἱλαστήριον in der LXX zum term techn für die כַּפֹּרֶת geworden, und dieser Sprachgebrauch wirkt dann weiter. Das zeigt **Philo**. Bei ihm kommt τὸ ἱλαστήριον ausschließlich als Bezeichnung der כַּפֹּרֶת vor Cher 25: (τὰ χερουβὶμ) νεύοντα πρὸς τὸ ἱλαστήριον πτεροῖς, Vit Mos II (III) 95: ἐπίθεμα ὡσανεὶ πῶμα τὸ λεγόμενον ἐν ἱεραῖς βίβλοις ἱλαστήριον, Vit Mos II (III) 97: ἐπίθεμα τὸ προσαγορευόμενον ἱλαστήριον. Die Stellen zeigen, daß bei Philo ἱλαστήριον term techn der heiligen Schrift für die כַּפֹּרֶת ist, daß er aber weiß, der Name, der außerhalb der heiligen Schrift zu seiner Zeit: *Weihgeschenk udgl* bedeutete, erweckt keine konkrete Vorstellung von der כַּפֹּרֶת, weshalb er sie erst als ἐπίθεμα ὡσανεὶ πῶμα (Aufsatz wie ein Deckel) beschreibt, ehe er ihren Namen nennt. Bei **Josephus** ist ἱλαστήριον nur als attributives Adjektiv, nicht als term techn für die כַּפֹּרֶת

---

[6] „Eine כפרת aus reinem Gold, 2¹/₂ Ellen lang und 1¹/₂ Ellen breit".
[7] Die LA διὰ τοῦ ἱλαστηρίου τοῦ θανάτου αὐτῶν ist nicht vorzuziehen.
[8] Fayûm Towns and their Papyri ed BPGreenfell-SHunt (1900) p 313 Nr 337.
[9] Act SS Mai V 355.
[10] Meist übersetzt: ein Denkmal zur Beschwichtigung seiner Furcht (Herodes hatte das Grab Davids eröffnet und beraubt und dabei den Zorn, ob des Toten oder Gottes bleibt unklar, zu spüren bekommen), Gen

obj (vgl SchlTheol d Judt 116); vielleicht besser zu übersetzen: ein von seiner Angst veranlaßtes (ihm eingegebenes) Sühnemal, Gen aut.
[11] βουλευτήριον: Rathaus; δικαστήριον, κριτήριον: Gerichtsstätte.
[12] Wie die LXX das nicht ganz durchsichtige עֲזָרָה verstanden hat, ob als Gesims, als den heraustretenden Rand am Altar, oder als Einfriedigung, ist gleichgültig. Ihr kommt es auf die kultische Bedeutung, nicht auf die Form der עֲזָרָה an.

nachgewiesen [13]. Was Symmachus gemeint hat, wenn er die Arche Noahs Gn 6, 16 (15) ἱλαστήριον nennt, bleibt dunkel. Außerhalb des biblischen und jüdischen Griechisch ist das substantivierte Neutrum ἱλαστήριον nachgewiesen in der Bedeutung *Weihgeschenk*: ὁ δᾶμος ὑπὲρ τῆς τοῦ Αὐτοκράτορος Καίσαρος θεοῦ υἱοῦ Σεβαστοῦ σωτηρίας θεοῖς ἱλαστήριον [14] und ἱλαστήριον οἱ Ἀχαιοὶ τῇ Ἰλιάδι [15]. Daß ἱλαστήριον hier 5 mehr die Bedeutung: *Weihgeschenk* als „Sühngerät" hat, entspricht der Bedeutung von ἱλάσκομαι = θεραπεύειν → 128, 32 ff [16].

4. R 3, 25.

a. Die Entscheidung der Frage: was meint Paulus R 3, 25 mit ἱλαστήριον, die כַּפֹּרֶת im Besonderen oder ein Sühnmittel im 10 Allgemeinen?, läßt sich nicht mit völliger Klarheit vollziehen. Denn Paulus führt nicht näher aus, was er meint, sondern begnügt sich mit der knappsten Ausdrucksweise. Dazu sind die Bedeutung von προέθετο und die Beziehung von ἐν τῷ αὐτοῦ αἵματι nicht restlos zu klären. Aber wie man auch die letzte Frage nach der Bedeutung von ἱλαστήριον entscheidet, jedenfalls ist ἱλαστήριον das, 15 was die menschlichen Sünden sühnt, durch das es zur ἀπολύτρωσις, zur Befreiung der Sünder kommt und damit zur Offenbarung der Gerechtigkeit Gottes. Keinesfalls bedeutet das in ἱλαστήριον enthaltene ἱλάσκομαι: „gnädig machen", so daß Gott als sein Objekt zu denken wäre. Das ist schon dadurch ausgeschlossen, daß Gott es ist, der das ἱλαστήριον zu dem gemacht hat, was es ist. 20 Gott ist in diesem ganzen Zusammenhange durchaus als Subjekt, nicht als Objekt gedacht, was auch allein der paulinischen Versöhnungslehre entspricht (→ I 255, 13 ff). Als Objekt für das ἱλάσκομαι kommen nur die Menschen oder besser ihre Sünden in Betracht (→ 314 ff). Diese Behauptung kann zwar nicht aus einem sonstigen Sprachgebrauch des Paulus von ἱλάσκομαι bewiesen werden, da ἱλά- 25 σκομαι und seine anderen Abgeleiteten bei Paulus fehlen. Sie ist aber nichtsdestoweniger unanfechtbar. Ferner ist jedenfalls an der כַּפֹּרֶת-Vorstellung, wenn Paulus sie hier benutzt, nur das bedeutsam, daß die כַּפֹּרֶת Sühne für die Sünde der Menschen schafft; alles weitere, daß sie die Gesetzestafeln zudeckt, daß sie alljährlich mit Blut besprengt wird, selbst daß sie die Stätte der Offenbarung 30 Gottes ist Ex 25, 22 [17], ist hier bedeutungslos. Wären diese Besonderheiten der כַּפֹּרֶת-Vorstellung hier von Belang, so würde Paulus irgendwie auf sie hinweisen. Der Unterschied zwischen den beiden Auffassungen von ἱλαστήριον ist gering, im Grunde nur der: knüpft Paulus hier an die jüdische Vorstellung von der Sühnung der Sünden im Allgemeinen an oder an die von einer beson- 35 deren Form dieser Sühnung?

Fraglos gehört διὰ πίστεως zu ἱλαστήριον, nicht zu προέθετο, was die Parallele in v 22 δικαιοσύνη θεοῦ διὰ πίστεως bestätigt. Durch den Glauben, den er erweckt, ist Jesus das ἱλαστήριον. Die Glaubenden werden gerechtfertigt v 22. 26. Gegenstand des Glaubens ist Jesus als der Gekreuzigte und Auferweckte 4, 24. 25. 40

---

[13] Josephus redet bei seiner Beschreibung der Bundeslade Ant 3, 134—138 nicht von ἱλαστήριον, nur von einem ἐπίθεμα mit den Cherubim, Ant 3, 240—243 bei der Beschreibung des Versöhnungstages erwähnt er die Bundeslade überhaupt nicht; beschreibt er den zu seiner Zeit üblichen Brauch?

[14] WRPaton and ELHicks, The Inscriptions of Cos (1891) 81 (aus der Zeit des Augustus), ähnl 347: Διὶ Στρατίῳ ἱλαστήριον.

[15] Dio Chrys Or 11, 121 (I 185 GdeBudé [1916]) ἱλαστήριον steht hier parallel mit ἀνάθημα κάλλιστον καὶ μέγιστον.

[16] Über die spätere Verwendung von ἱλαστήριον vgl ADeißmann, ZNW 7 (1906) unter I 4 u die von Ltzm R z 3, 25 angeführten Belege.

[17] Vgl Str-B III 174—175.

Also das ἱλαστήριον ist er als der Gekreuzigte und Auferstandene, als der Gegenstand des λόγος καταλλαγῆς: 2 K 5, 19. 21. Daraus ergibt sich: προέθετο bezeichnet die apostolische Verkündigung, die Jesus den Menschen vor Augen stellt: Gl 3, 1. Das zu προέθετο zu ergänzende Dativobjekt ist nicht αὐτῷ
5 bzw θεῷ, sondern ἡμῖν oder τῷ κόσμῳ. Die oft vertretene Deutung: „sich vornehmen", „sich ausersehen" [18], ist hier nicht möglich. Denn hier kommt in Betracht, nicht daß Gott ihn sich zum ἱλαστήριον ausersah, sondern daß er ihn den Menschen zum Grunde ihres Glaubens gab, nicht der Ratschluß, der in Gott verborgen geblieben wäre, sondern das Handeln Gottes vor und an der Mensch-
10 heit, durch das er seine Gerechtigkeit offenbarte. Ist dies ἱλαστήριον nur διὰ πίστεως ein solches, so ist es eben auch nur in dem offenbarenden Handeln Gottes, das Glauben erzeugt, ein solches. ἐν τῷ αὐτοῦ αἵματι von πίστεως abhängig zu machen, ist unangebracht, da Paulus vom Glauben an das Blut Jesu nicht redet; es muß auch zu ἱλαστήριον gezogen werden. In seinem Blute
15 ist er für die Gläubigen das ἱλαστήριον, dh als der für sie Gestorbene.

Deutlich stellt Paulus die Offenbarung der göttlichen Gerechtigkeit, die in dem ἱλαστήριον stattfindet, der früheren πάρεσις τῶν ... ἁμαρτημάτων gegenüber v 25 und sieht sie nicht nur durch die Propheten, auch durch das Gesetz bezeugt v 21. Unfraglich stand nun im Mittelpunkte der bisherigen, gesetzlichen
20 Sühnehandlungen der Versöhnungstag, an dem das ἱλαστήριον, die כַּפֹּרֶת, mit Blut besprengt werden sollte, um Verzeihung aller Sünden zu vermitteln. Es liegt deshalb nahe, daß Paulus vor einer Gemeinde, bei der er Kenntnis des mosaischen Gesetzes voraussetzt 7, 1, Jesus in diesem Zusammenhang als כַּפֹּרֶת (höherer Ordnung) bezeichnet [19] uz als eine durch Glauben, nicht durch bloß
25 äußerlichen Kultvollzug R 2, 28. 29; 2 K 3, 6 wirksame, als eine mit einem eigenen, nicht fremden (tierischen) Blute besprengte, als eine öffentlich ausgestellte, nicht im Dunkel eines unzugänglichen Allerheiligsten verborgene. Paulus hätte dann den Begriff der כַּפֹּרֶת vergeistigt entsprechend seinem Begriff der λογικὴ λατρεία R 12, 1 und seiner Vergeistigung der Beschneidung Kol 2, 11
30 und damit freilich erheblich umgestaltet. Daß er dann auch zu ἱλαστήριον ein καινῆς διαθήκης 2 K 3, 6 oder dgl als entgegensetzendes Attribut hätte hinzufügen m ü s s e n, ist zuviel gesagt. Durch die Art, wie er von dem ἱλαστήριον redet, stellt er es dem at.lichen unausgesprochen deutlich genug entgegen. Diese Deutung hat für sich, daß ἱλαστήριον dann eine konkrete, ja plastische Bedeu-
35 tung hat. Sie ist auch nicht „geschmackloser" als die Bezeichnung der Gemeinde als Tempel, bei der auch Persönliches versachlicht ist [20]. Es ist freilich nicht ausgeschlossen, daß Paulus entsprechend dem allgemeinen Sprachgebrauch seiner Zeit ἱλαστήριον als etwas, das irgendwie ἱλάσκεται, entsündigt, verstanden hat [21]. Aber die abstrakte Blässe dieser Deutung von ἱλαστήριον entspricht mE

---

[18] Orig, Chrys, Ambrst vgl Zn R zSt A 72; CBruston, ZNW 7 (1906) 77 ff; daß das Med in προέθετο diese Bdtg erfordere, ist ganz falsch. Das Med ist in der Bdtg: öffentlich ausstellen häufig, vgl Pape sv.
[19] Luther zSt; Cr-Kö sv ἱλαστήριον. Ritschl, Weinel, Bleibtreu aaO; Schl R zSt;

ältere Namen bei BWeiß im Komm [9] (1899) zSt.
[20] Oder als die joh Bezeichnungen Jesu als Tür: 10, 9, Weg: 14, 6.
[21] BWeiß Komm, Zn, Ltzm R zSt; Deißmann, aaO ua.

weder dem Zusammenhang noch der sonstigen Ausdrucksweise des Paulus völlig. Daß Paulus, dessen Briefe mit Septuaginta-Anführungen und -Anspielungen gesättigt sind, hier dem allgemeinen Sprachgebrauch seiner Zeit folge, läßt sich mindestens nicht beweisen. Daß man in den jüdischen Gemeinden außerhalb der Theologenkreise von der כַּפֹּרֶת, die es tatsächlich nicht mehr gab, nicht mehr 5 die hier vorausgesetzte Kenntnis gehabt habe, ist geradezu falsch [22].

Die von Paulus vollzogene Umgestaltung der ἱλαστήριον-Vorstellung vollendet die Fortbildung der alttestamentlichen Gedanken über die Sühne, die bei Philo und den Rabbinen festgestellt war (→ 313). Am nächsten berührt sie sich mit 4 Makk 17, 21 f: ὥσπερ ἀντίψυχον γεγονότας (die Märtyrer der Makkabäer-Zeit) τῆς τοῦ ἔθνους ἁμαρ- 10 τίας, καὶ διὰ τοῦ αἵματος τῶν εὐσεβῶν ἐκείνων καὶ τοῦ ἱλαστηρίου τοῦ θανάτου αὐτῶν ἡ θεία πρόνοια τὸν Ἰσραὴλ προκακωθέντα διέσωσεν [23]. Auch 4 Makk 17 ist es Gott, der das Sühnmittel schafft und so errettet; nur durch stellvertretendes Sterben, durch persönliche Aufopferung, nicht durch den Tempelkult mit seinen Tieropfern wird die Gemeinde entsündigt. Freilich handelt es sich 4 Makk 17 nur um Errettung von zeit- 15 lichem Gericht, bei Paulus um Errettung vom ewigen Gericht, und 4 Makk 17 ist nicht auf den Versöhnungstag Bezug genommen.

b. Von hier aus erhellt nun auch die theologische Wurzel der ἱλαστήριον-Vorstellung des Paulus. Das ἱλαστήριον ist für Paulus nicht etwas, das Gott gnädig macht, sondern diese Sühne für die mensch- 20 liche Sünde setzt Gottes Gnade voraus, wie Paulus auch den dem göttlichen Zorn schon Verfallenen zugleich noch unter Gottes Geduld, Güte und Langmut stehend denkt R 2, 4. Das ἱλαστήριον dient der Offenbarung Gottes bzw seiner Gerechtigkeit, vgl v 25. 26: εἰς ἔνδειξιν, v 21: πεφανέρωται. Aber Offenbarung und Stellvertretung bilden hier keinen Gegensatz, sondern die Offenbarung an 25 die Menschen kommt nur so zustande, daß zugleich eine Stellvertretung für die Menschen stattfindet. Gott offenbart in seiner Gerechtigkeit mehr als nur eine Geduld, die die Sünde ungestraft läßt v 26, eine Heiligkeit, die zugleich Gnade und Gericht ist, die den Sünder von seiner Sünde unterscheidet, aber nur, weil sie ihn zugleich von ihr scheidet, ihn zu einem Glauben bringt, der zugleich 30 Buße, dh Selbstgericht und wirkliche Umkehr ist. Diese Offenbarung der Gnade, die zugleich Gericht ist und deshalb einen Glauben begründet, der zugleich Buße ist, ist nicht nur Kundbarmachung betreffs einer jenseitigen Haltung Gottes, sondern eine reale Vollziehung von Gnade und Gericht an der Menschheit. Diese bedarf dazu freilich nicht nur des, der Gott an sie offenbart, sondern 35 zugleich des, der für sie vor Gott eintritt und stellvertretend Gottes Gericht so erleidet, daß sie dadurch zum Selbstgericht geführt wird. Eine Offenbarung ohne Stellvertretung würde an Gerichtswirkung das Gesetz nicht überbieten, also den Menschen nicht wirkliche ἀπολύτρωσις bringen [24]. In dieser Einheit von Offenbarung Gottes an die Menschen und Stellvertretung 40 für die Menschen vor Gott, die wirklich von der Sünde befreit, weil sie

---

[22] Das Gesetz, auch die Abschnitte über den Versöhnungstag, wurde regelmäßig in der Synagoge verlesen, u das Gesetz war wichtiger als das, was es im Tempel gab.

[23] Vgl 1, 11: ὥστε καθαρισθῆναι (entsündigt, nicht „geläutert") δι' αὐτῶν τὴν πατρίδα. 6, 28 f: ἵλεως γενοῦ τῷ ἔθνει σου ἀρκεσθεὶς τῇ ἡμετέρᾳ περὶ αὐτῶν δίκη. καθάρσιον αὐτῶν ποίησον τὸ ἐμὸν αἷμα καὶ ἀντίψυχον αὐτῶν λάβε τὴν ἐμὴν ψυχήν („Zum Sühnmittel für sie

mache mein Blut u nimm meine Seele stellvertretend für ihre Seelen").

[24] Sie brächte nicht mehr als eine Verurteilung der Sünde, die klarstellt, daß sie nicht sein darf, nicht eine Überwindung der Sünde, wie sie dadurch geschieht, daß der, der Gott offenbart, für den Sünder sterbend, an seine Stelle tritt, Gl 2, 20: τοῦ ἀγαπήσαντός με καὶ δόντος ἑαυτὸν ὑπὲρ ἐμοῦ → ὑπέρ.

die Menschen so mit Gott verbindet, daß sie sie von sich selbst löst und damit erlöst, ist Jesus das ἱλαστήριον διὰ πίστεως ἐν τῷ αὐτοῦ αἵματι.

          5. In der Beschreibung der Bundeslade Hb 9, 5: χερου-βὶν δόξης κατασκιάζοντα τὸ ἱλαστήριον ist einfach der Sprachgebrauch der LXX
5 befolgt.

Büchsel

| ἵνα |

-> εἰς, διά.

     Inhalt: A. Die theologischen Finalsätze: 1. im Judentum; 2. im NT. — B. Die ethischen Finalsätze: 1. im Judentum; 2. im NT.

10   ἵνα, *damit*[1], im NT neben ὅπως und εἰς mit Infinitiv, oft nach εἰς τοῦτο, διὰ τοῦτο uä; gelegentlich mit Indikativ, so in Gl 2, 4; 4, 17. Die finale Bedeutung ist nicht immer streng festgehalten. Bei Joh leitet ἵνα häufig nach vorausgehendem Demonstrativum (οὗτος uä) einen explikativen Nach-satz ein, bezeichnend für die explikativische Gedankenführung der Johannes-
15 schriften überhaupt[2]. In der Koine kann ἵνα konsekutive, ja kausale Bedeutung annehmen[3]. Im NT dagegen ist diese Sinnverschiebung seltener und theologisch bedeutungslos[4]. Die Hauptstellen, die man gern für konsekutivischen oder kau-salen Gebrauch von ἵνα anführt, Mk 4, 11 f uä, verlieren durch diese erweichende Interpretation ihr σκάνδαλον, aber eben darum ihre σοφία. Sie enthüllen ihren
20 letzten theologischen Ernst erst dann, wenn sie final verstanden werden im strengsten Sinne. Das NT hat eine besondere Vorliebe für Sätze mit ἵνα. Aber diese Häufung hat ihren entscheidenden Grund nicht in der sprachlichen Er-weichung und Sinneserweiterung der Konjunktion ἵνα. Das beweist die beliebte Verwendung von ἵνα-Sätzen im Wechsel mit anderen finalen Konstruktionen
25 (ὅπως, εἰς c Inf, διά c Acc). Diese Häufung hat ihren Grund vielmehr in dem teleologischen Verständnis der Wege Gottes und der Bestimmung des Menschen, das im NT zur Durchsetzung gekommen ist. Das beweist einmal die Vorge-schichte von ἵνα und seinen semitischen Äquivalenten im AT und Spätjudentum,

---

ἵνα. CHDodd, JThSt 23 (1922) 62 f; DCHes-seling u HPernot, in: Neophilologus 12 (1927) 41 ff; HWindisch, Die Verstockungsidee in Mk 4, 12 und das kausale ἵνα der späteren Koine, ZNW 26 (1927) 203 ff; EStauffer, ἵνα u das Problem des teleologischen Denkens bei Pls, ThStKr 102 (1930) 232 ff; Ders, Vom λόγος τοῦ σταυροῦ u seiner Logik, ThStKr 103 (1931) 179 ff; JAFGregg, „Therefore . . . because" and Parallel Uses, Exp T 39 (1927/28) 308 ff; EMolland, ΔΙΟ, Einige syntaktische Beobachtungen, Serta Rudbergiana (1931) 49 ff, Symbolae Osloenses Suppl IV; HPreisker, Geist u Leben, Das Telos-Ethos des Urchr (1933) 5 ff; GStählin, V d Dynamik der ur-christlichen Mission, in: Festgabe für KHeim (1934) 99 ff; ESchlink, Zum Begriff des Teleo-logischen und seiner augenblicklichen Bdtg für die Theologie, ZSTh 10 (1933) 94 ff.
[1] S Pr-Bauer, Liddell-Scott sv. Bau J[3] z J 15, 8.
[2] J 6, 39 f; 15, 8. 12 f; 17, 3 uö.
[3] ἵνα = because: not found in literature, dgg im Anonymus bei Apollon Dyscol Synt 266, 5 uä. Liddell-Scott sv. Weiteres bei Dodd, Hesseling u Pernot aaO; AThRobertson, The Causal Use of ἵνα, Studies in Early Chri-stianity (1927) 49 ff; Bl-Debr[6] 312. Über teleologisches ἵνα der Folge ebd § 391, 5 u Nachtrag 314.
[4] Vgl zB J 9, 2; Mk 9, 12. Bei Mk ist die besondere Häufigkeit der ἵνα-Sätze mehr sprachlich als theologisch bedingt.

zum anderen die Tatsache, daß im NT selbst ἵνα samt seinen finalen Synonyma dort am häufigsten ist, wo das teleologische Denken am stärksten durchgeformt ist: bei Johannes, Paulus und den Deuteropaulinen.

A. Die theologischen Finalsätze.

1. Die theologischen Finalsätze im Judentum. 5

a. Schon die Septuaginta weist gern mit ἵνα, auch ὅπως oder εἰς auf die Absichten hin, die Gottes Handeln bestimmen. Er gibt Israel trotz seiner Sünden nicht seinen Feinden preis, damit die Völker nicht in gottvergessene Selbstherrlichkeit verfallen. Er nimmt sich der leidenden Gottestreuen an, um sie zu trösten und ihre Feinde zu beschämen[5]. ἕνεκεν τούτου διετηρήθης, ἵνα ἐνδείξωμαι ἐν 10 σοὶ τὴν ἰσχύν μου, καὶ ὅπως διαγγελῇ τὸ ὄνομά μου ἐν πάσῃ τῇ γῇ[6]. Immer wieder erscheint als Endzweck seines Handelns die Offenbarung seiner göttlichen Macht, Art und Herrlichkeit — und dieser Gedanke bleibt grundlegend für das Verständnis Gottes bis hin zum NT.

In der Spruchweisheit mehrt sich der Gebrauch der Finalkonjunktionen und 15 wird zum Kennzeichen einer wachsenden Durchdringung des theologischen Denkens durch das teleologische Motiv[7]. Das Denken der Spruchweisheit ist geleitet von der Überzeugung, daß in aller Wirklichkeit und allem Geschehen Gottes zweckvolles Handeln zur Durchsetzung komme, und ihr Streben ist, die Ziele dieses göttlichen Schaffens und Wirkens aufzudecken. In Sir 39 wird die planvolle Zweckmäßigkeit 20 in Schöpfung, Naturgeschehen und Menschenleben betont[8]. Vor allem aber spielen die Finalsätze in den großen geschichtstheologischen Stücken Sap 16[9] und Sir 44 ff[10] eine entscheidende Rolle. Durch vorangestelltes διὰ τοῦτο wird die grundsätzliche Bedeutung dieser ἵνα-Sätze noch unterstrichen[11]. Nicht die Warum-Frage, sondern die Frage nach dem Wozu führt zum Verständnis der Wege Gottes. διὰ τοῦτο . . . 25 ὑπηρέτει πρὸς τὴν τῶν δεομένων θέλησιν, ἵνα μάθωσιν . . .[12]. Es sind sehr verschiedene Ziele, denen Gottes geschichtliches Wirken dient. Aber das Endziel ist auch hier wie im AT, daß Gott erkannt und verherrlicht werde.

b. In der Apokalyptik ist dieses teleologische Geschichtsverständnis vertieft und zugleich ins Allgeschichtliche ausgeweitet. Namentlich in aeth 30 Hen, Ps Sal, Ass Mos, Pseud-Philo, sBar und der späten syrischen Schatzhöhle haben Finalsätze streckenweise völlig die Führung; hier sind Verbindungen wie διὰ τοῦτο . . . ἵνα besonders häufig. Man fragt nach dem Zweck der Schöpfung und antwortet: propter plebem suam creavit orbem[13]. Man achtet auf die Teleologie in den Einrichtungen oder Geschehnissen im Himmel und auf Erden[14]. Ein Musterbeispiel teleologischer 35 Setzung ist natürlich die Tora, die dem Menschen sagt, was er tun und lassen soll[15], und ihn vorbereitet auf die kommenden Zeiten[16]. In den späteren Zeiten wiederum geschieht manches, ut completur verbum[17], das vorzeiten weissagend in der Schrift gesprochen ist. Auch die vaticinia ex eventu der Apokalypsen wollen auf ihre Art diesem „Weissagungsbeweis" dienen. Besonders charakteristisch für die Apokalyptik 40 ist die Frage nach dem teleologischen Amt, das Gott den einzelnen Gestalten und Gewalten im großen Plan der Allgeschichte zugewiesen hat, insbesondere nach der Bestimmung des Menschen[18]. Diese Fragestellung hat zur Ausbildung und Verfesti-

---

[5] Dt 32, 27: ἵνα, ἵνα. ψ 83, 8: εἰς. ψ 85, 17: εἰς.

[6] Ex 9, 16. Durch den Kontext zieht sich der Gedanke hindurch, daß Gott den Pharao nur in die Welt gestellt hat, schont oder züchtigt, hinhält oder schließlich vernichtet, um sein Allvermögen an ihm zu beweisen.

[7] ἵνα begegnet selten im Psalter, häufig in Gn, häufiger in Ex, Dt u Js, am häufigsten in Prv, Sap, Sir.

[8] Sir 39, 16. 21. 26 f. 33. Vgl dazu Menandri Sapientis Sententiae, ed JPNLand, Anecdota Syriaca I (1862) p 164.

[9] Sap 16, 3. 19. 23.

[10] Sir 45, 26; 46, 6; 47, 13.

[11] Sir 45, 24; vgl 44, 17 f. 21.

[12] Sap 16, 25 f, vgl 16, 11. 18. 22; dazu Paral Jer 7.

[13] Ass Mos 1, 12 (vgl „ut" in 1, 13). Dazu Apk Sedrach, in: MRJames, Apocrypha Anecdota, TSt II 3 (1893) p 131, 3 f: διὰ τί . . .; διὰ τὸν ἄνθρωπον!

[14] Aeth Hen 27, 1; 61, 5; 100, 11; 101, 2; slav Hen 30, 5. 15; Pseud-Philo 32, 10 (s Philonis Iudaei Ant Bibl liber incerto interprete, Basel 1527 = ed princ, Zählung nach James).

[15] 4 Esr 7, 21; moralisierend verkürzt in ep Ar 168.

[16] Pseud-Philo 19, 4; vgl auch Ass Mos 1, 13 ff; äth Hen 108, 7.

[17] Pseud-Philo 12, 3 (ed princ p 13); dazu ut compleret verba sua 46, 1 (ed princ p 46); vgl 21, 5; 28, 6.

[18] Aeth Hen 69, 10 f.

gung bestimmter Finalformeln geführt, die man kurz die Auftragsformeln nennen kann: der Erzengel, der König, der Seher, der Mensch überhaupt ist geschaffen, eingesetzt, gesandt, gekommen, damit er . . . diese oder jene Aufgaben erfülle. Dabei kann es sich sowohl um einen Auftrag handeln, der mit dem Amt etwa des Königs wesensmäßig und dauernd verknüpft ist[19], als auch um eine Sondermission, die diesem König in diesem geschichtlichen Augenblick von Gott übertragen ist[20]. Darüber hinaus fragt die Apokalyptik nach dem Sinn der Völkerschicksale und antwortet wiederum mit einem ἵνα[21]. Vor allem ist es das Schicksal des Gottesvolkes, das diese Frage immer wieder brennend werden läßt[22]. Hier kann es geschehen, daß die positive Finalbestimmung durch ein οὐχ ἵνα oder οὐκ εἰς vorbereitet wird. Die gegenwärtige Heimsuchung des Gottesvolkes ist nicht εἰς ἀπώλειαν, sondern εἰς νουθεσίαν, sie muß als Mittel zum Zweck verstanden werden, nicht als Endzweck[23].

Die besondere Innerlichkeit und Tiefe dieses teleologischen Denkens offenbart sich da, wo der Gottestreue in seinen persönlichen Lebensschicksalen die zielstrebige Führung des lebendigen Gottes erkennt. Schon durch die Josephsgeschichte zieht sich der Leitgedanke hindurch, daß die widrigen Schicksale des Joseph ihren göttlichen Zweck haben und Gott gerade da seine Retterziele verfolgt, wo der Vernichtungswille des Menschen zu triumphieren scheint[24]. In Est 4, 14 wirft Mardochai die Frage auf, ob nicht Esther zu solchen Höhen erhoben sei, um nun an ihrem Platze unter Einsatz ihres Lebens für ihr Volk einzutreten (τίς οἶδεν εἰ εἰς τὸν καιρὸν τοῦτον ἐβασίλευσας). In derselben, offenbar schon verfestigten Formulierung stellen die Kinder Israel an den verbannten Jephta die Frage: Quis enim scit, si propterea servatus es in dies istos, aut propterea liberatus es de manibus fratrum tuorum, ut principeris in tempore hoc populo tuo, Pseud-Philo 39, 3 (ed princ p 40). Ähnliche Formeln und Denkmotive begegnen in 1 Makk, bei Tob, Jdt und im Test Jos; sie lassen erkennen, wie der Gottesfürchtige gerade in dunklen Zeiten den geheimnisvollen Wegen der Vorsehung nachdenkt und ihre paradoxe Zielstrebigkeit ahnt.

Die Spannweite des Telosgedankens erreicht ihre äußerste Grenze da, wo das teleologische Verständnis der Allgeschichte sich ins Eschatologische ausweitet. Der eschatologische Finalsatz ist der Grenzfall des teleologischen ἵνα. Denn alle innergeschichtlichen Zielpunkte weisen nach apokalyptischer Auffassung über sich hinaus auf das Endziel der Wege Gottes, das erst und nur da erreicht werden kann, wo die Geschichte selber ihr Ende erreicht (→ τέλος). Dann erst erringt die Treue, Gerechtigkeit und Herrlichkeit Gottes, die sich je und je in der Geschichte offenbart, ihren Endsieg. Erst im kommenden Äon wird der Urzweck der Schöpfung erreicht. Die Welt ist um des Menschen willen geschaffen. Aber was wird aus dieser Zielsetzung, wenn Gott den Menschen verderben läßt? Die Welt, die um des Menschen willen geschaffen wird, ist die kommende Welt, und der Mensch, um dessentwillen Gott sie schon heute bereit hält, ist der Gerechte[25].

Das treibende Problem der apokalyptischen Teleologie ist hier wie überall die Theodizeefrage. Sie treibt das teleologische Denken weiter zum Eschatologischen, aber sie kommt auch in den eschatologischen Lösungsversuchen nicht zur Ruhe. Die Zweifel an der zweckvollen Einrichtung des Weltplanes, mit denen schon Sirach gekämpft hatte, werden zuletzt übermächtig und führen im 4 Esr zu einer verzweifelten Verbindung des Telosgedankens mit dem Ausleseprinzip in dem grausamen Grundsatz: die multitudo ist sine causa nata, dh die Masse der Geschöpfe und insbesondere der Menschen ist nur in die Welt gestellt, um dem Untergang oder Verderben zu verfallen[26]. Lediglich ein verschwindender Bruchteil erreicht das gottgesteckte Ziel, die zukünftige Welt. So hat 4 Esr die apokalyptische Eschatologie zu Ende gedacht und die jüdische Theologie in eine Krisis gebracht, die zur Selbstaufhebung führen mußte.

Das Judentum ist dieser tödlichen Konsequenz ausgewichen und hat die Dysteleologie des 4 Esr alsbald widerrufen, indem es ihm als fromme Korrektur den sBar ent-

---

[19] Vgl die Finalsätze zur Bestimmung des Amtes der Anklageengel in Apk Eliae 4 (GSteindorff 41).
[20] Ex 9, 16 (Pharao); Sir 45, 24 (Pinehas); Apk Abr 10 (Engel), 27 (Könige); sBar 3, 1; 13, 3 ff (Baruch); Apk Eliae 31 (König); aeth Hen 61, 3 ff (Engel); Pseud-Philo 19, 4 (Zeuge); Ass Mos 1, 14 (Moses); Jub 48, 15 f (Mastema).
[21] Aeth Hen 15, 5 ff; PsSal 2, 17 ff.
[22] SBar 6, 8; 7, 1; 80, 3; PsSal 2, 16 ff; 9, 2 f; Sib 3, 282.
[23] Jdt 8, 27; 9, 14; Bar 4, 5 f; Pseud-Philo

11, 14; PsSal 3, 3 ff; 2 Makk 6, 12 ff; vgl Prv 24, 16.
[24] Gn 45, 4 ff; 50, 20. Gott schafft aus Schlimmem Gutes. Das Gegenstück dazu ist die Formulierung Aristobuls bei Eus Praep Ev 13, 12: αὐτὸς (Gott) δ'ἐξ ἀγαθῶν θνητοῖς κακὸν οὐκ ἐπιτέλλει.
[25] S Bar 4, 1 ff. Dazu die Theodizeefrage in gr Bar 1.
[26] 4 Esr 9, 22; 10, 34. Dieselbe teleologische Fragestellung in ätiologischer Formgebung Pseud-Philo 18, 11; 23, 13.

gegenstellte. Hier ist alles wieder in bester Ordnung: Die Völker werden jetzt los-
gelassen, um einst gezüchtigt zu werden, das Gottesvolk aber wird jetzt gezüchtigt,
damit es entsühnt in die kommende Welt eingeht. Im übrigen wird das Ende der
Tage das Wozu aller Wege Gottes enthüllen[27].

c. Damit ist die alte Zukunftszuversicht der Spruchweisheit wieder- 5
um zum Siege gebracht und der Weg der r a b b i n i s c h e n Theologie vorgezeichnet[28].
Etwa gleichzeitig mit sBar wurde Nachum aus Gimzo berühmt durch das Wort: „Auch
das ist zum Guten", das er bei ernsten Schickungen zu sagen pflegte[29]. Sein Schüler Akiba
erhob dieses Wort zum theologischen Lebensgrundsatz: Stets gewöhne sich der Mensch
zu sagen: alles, was Gott tut, ist zum Guten[30]. Aber was bei den Männern zwischen 10
dem Fall Jerusalems im Jahre 70 und der Katastrophe von 135 ein trotzig erkämpftes
Dennoch ist[31], wird in der späteren Zeit vielfach fertige Formel[32] und leerer Schema-
tismus[33]. Die Formel: „auf daß erfüllet würde", hat auch im Rabbinischen ein vergleichbares Gegenstück[34]. Die Finalkonstruktionen werden ausgebaut, aber der theologische Gehalt verzettelt sich allzuleicht in spekulativen Spielereien. Auch die Epi- 15
gonen der Apokalyptik verfallen in auffälligem Gleichlauf demselben Schicksal. Sanh
4, 5 sagt: „Deshalb ist nur ein einziger Mensch erschaffen worden, um dich zu lehren:
Wer eine einzige Seele aus Israel vernichtet, dem rechnet es die Schrift an, als habe
er die ganze Welt vernichtet; und um des Friedens willen unter den Geschöpfen,
damit nicht ein Mensch sage zu seinem Nächsten: Mein Stammvater war größer als 20
dein Stammvater. Und damit nicht die Minim sagen können, es gäbe mehrere Urmächte im Himmel. Und um kundzutun die Größe des Heiligen, gepriesen sei er[35];
denn wenn ein Mensch viele Münzen mit einer Form prägt, so gleichen sie alle einander; der König der Könige aber, gepriesen sei er, prägt jeden Menschen mit der Form
des ersten Menschen, und doch gleicht niemand seinem Nächsten. Darum ist jeder 25
einzelne verpflichtet zu sagen: Um meinetwillen ist die Welt geschaffen worden." Die
syrische Schatzhöhle aber fragt: „Zu welchem Zwecke hat Gott den Adam aus den
vier Weltelementen geschaffen?" — und antwortet: „Damit ihm durch dieselben alles,
was in der Welt ist, untertänig sei. Er nahm ein Körnchen aus der Erde, damit alle
staubgeschaffenen Naturen dem Adam dienten, einen Tropfen vom Wasser, damit alle 30
Bewohner der Meere und Flüsse ihm zu eigen seien, einen Hauch aus der Luft, damit
alle Arten der Luftwesen ihm anheimgegeben seien, und Hitze vom Feuer, damit alle
Feuerwesen und Gewalten zu seiner Hilfe bestünden"[36].

2. Die theologischen Finalsätze im NT.

a. Den entscheidenden Anstoß zu neuer Lebendigkeit 35
und Bedeutsamkeit hat das alte teleologische Denken durch das Christusereignis
erhalten. J e s u s selbst hat mit der apokalyptischen Auftragsformel: „Ich bin
gekommen . . ." von seinem einzigartigen Amt gesprochen[37], und J o h a n n e s
hat diese Formeln aufgenommen und mannigfaltig ausgebaut[38]. Schon der
synoptische Jesus spricht davon, daß seine Wunder nicht Selbstzweck sind und 40
auch nicht im Zweck der augenblicklichen Rettung aus der Not sich erschöpfen,

---

[27] S Bar 13, 3 f. 9 f; 20, 2.
[28] Ich sehe das geschichtliche Verhältnis
zwischen Apokalyptik u Synagoge umgekehrt wie FRosenthal, Vier apokryphische
Bücher aus der Zeit u Schule RAkiba's
(1885) 115 uö.
[29] bTaan 21 a.
[30] bBer 60 b, vgl SDt § 32 zu 6, 5; bSanh
101 b.
[31] Vgl Stauffer in: ThStKr 102 (1930) 236
A 1; 245 A 1.
[32] Ansätze zu teleologischen Gottesbeweisen in Gn r 12 zu 2, 4; Ex r 26 zu 17, 8.
[33] S die Nachweise in ThStKr 102 (1930)
232 ff. Dort auch alles Nähere zur sprachlichen Form und theologischen Verwendung
der rabb Finalsätze.

[34] לקים מה שנאמר, s WBacher, Die exegetische Terminologie der jüdischen Traditionslit I (1905) 170 f. ThStKr aaO 238 A 2; 244 A 1.
[35] Vgl ThStKr 102 (1930) 247 A 1.
[36] CBezold, Die Schatzhöhle (1883) p 3. Die
St findet sich nicht in allen Hdschr, hat dagegen eine Parallele bei Pseud-Epiphanius,
s Bezold aaO p 72 A 14.
[37] Mt 5, 17 ff. Ähnliche Formeln im alltäglichen Gebrauch Ag 9, 21; 16, 36; Eph 6, 22.
[38] Vom Täufer: 1, 7 f. 31 (ἦλθον). Von Jesus:
3, 17 (ἀπέστειλεν); 10, 10; 12, 46 f; 18, 37
(ἐλήλυθα); 6, 38. 50 (καταβέβηκα); 5, 36 (δέδω-
κεν); 1 J 4, 9 (ἀπέσταλκεν). In Apk begegnen
Auftragsformeln (δίδωμι, τίθημι, ἑτοιμάζω . . .)
etwa 35 mal, darunter etwa 25 Fälle mit nachfolgendem ἵνα.

sondern der Offenbarung des Christus dienen sollen[39]; der johanneische[40] Christus stellt der ätiologischen Frage: τίς ἥμαρτεν... ἵνα τυφλὸς γεννηθῇ; ganz programmatisch die teleologische Antwort entgegen: οὔτε οὗτος ἥμαρτεν οὔτε οἱ γονεῖς αὐτοῦ, ἀλλ' ἵνα φανερωθῇ τὰ ἔργα τοῦ θεοῦ ἐν αὐτῷ. Ein finales ἵνα antwortet
5 hier auf das konsekutive ἵνα der Frage[41]. Wo aber kein Glaube geweckt wird, da wird durch die gleiche Offenbarungstat oder -rede der Unglaube zur Verstockung verhärtet. Denn Jesu Wort und Werk macht der heimlichen Unentschiedenheit in der Welt ein Ende und erzwingt die Krisis, die Scheidung der Geister für oder wider ihn. Das ist von vornherein[42] das Doppelziel seines
10 Auftrags, Glaubenweckung und Verstockung nach Gottes praedestinativer Bestimmung. Darum müssen die ἵνα-Sätze von der Verstockung ebenso final verstanden werden wie die von der Glaubensweckung: ἐν παραβολαῖς τὰ πάντα γίνεται, ἵνα βλέποντες βλέπωσιν καὶ μὴ ἴδωσιν... μήποτε ἐπιστρέψωσιν καὶ ἀφεθῇ αὐτοῖς[43]. Auch hier hat Joh die Gedanken Jesu auf durchgeprägte theologische Formeln ge-
15 bracht: εἰς κρίμα ἐγὼ εἰς τὸν κόσμον τοῦτον ἦλθον, sagt Jesus nach der Heilung des Blindgeborenen, ἵνα οἱ μὴ βλέποντες βλέπωσιν καὶ οἱ βλέποντες τυφλοὶ γένωνται[44]. Endlich hat Jesus in seinen Worten von der Leidensnotwendigkeit auch die Motive und Formeln des Weissagungsbeweises (→ A 17. 34) aufgenommen und damit den Ansatz gegeben, den Mt und seine Nachfolger weiterführten: τοῦτο
20 δὲ ὅλον γέγονεν ἵνα πληρωθῶσιν αἱ γραφαὶ τῶν προφητῶν[45]. Entscheidend aber ist, daß Jesus in seinen Leidensworten den Grund gelegt hat zu einem teleologischen Verständnis des Kreuzes[46].

b. Das älteste uns bekannte Christuskerygma, das wir wohl mit Ag auf Petrus zurückführen dürfen, knüpft an die Formeln der
25 Josephsgeschichte an und verherrlicht Gottes planmäßiges und zielstrebiges Walten, das am Kreuz den Sieg über den Gegenschlag der Gottesfeinde davontrug, Ag 2, 36 uö. Aber dem teleologischen Gedanken fehlt noch die finale Formgebung. Hier setzt Paulus ein und gestaltet die antithetische Passionsformel aus zur paradoxen Inkarnationsformel, der bekenntnishaften Ausprägung
30 des Logos vom Kreuz: δι' ὑμᾶς ἐπτώχευσεν πλούσιος ὤν, ἵνα ὑμεῖς τῇ ἐκείνου πτωχείᾳ πλουτήσητε[47]. Hier ist zugleich die märtyrertheologische Deutung des Todes Jesu[48] durch das soteriologische Verständnis des Kreuzes[49] überbaut:

---

[39] Mk 2, 10; Lk 5, 24; Mt 9, 6 (→ A 12); hämische Verkehrung dieses Gedankens durch die Lästerer Mk 15, 32: καταβάτω, ἵνα ἴδωμεν καὶ πιστεύσωμεν.

[40] Auch das Zeugnis vom Christus u die Darstellung des Werkes u Weges Jesu dient dem Zweck der Glaubensweckung (Lk 1, 4) J 1, 7; 19, 35; 20, 31; 1 J 1, 3 f.

[41] J 9, 2 f. Vgl 11, 4, aber auch 5, 14: μηκέτι ἁμάρτανε, ἵνα μὴ χεῖρόν σοί τι γένηται.

[42] Lk 2, 34: οὗτος κεῖται εἰς πτῶσιν καὶ ἀνάστασιν πολλῶν.

[43] Mk 4, 11 f. Vgl Lk 8, 10; 9, 45.

[44] J 9, 39. Vgl 12, 38. 40.

[45] Mt 26, 56, vgl J 19, 28: ἵνα τελειωθῇ ἡ γραφή. Ferner Mt 1, 22; 2, 15; 4, 14; 12, 17; 21, 4; J 13, 18; 15, 25; 17, 12; 19, 24. 36. In

18, 9 ist mit gleicher Formel auf ein früheres Wort Jesu zurückverwiesen.

[46] Dem streng finalen ἵνα in Lk 11, 50 liegt die märtyrertheologische Idee des letzten Heiligenmordes zugrunde, durch den die Gottesfeinde das Maß ihrer Sünden voll machen u den Gerichtstag über sich selbst heraufführen sollen. Vgl Ass Mos 9 f; Mk 12, 7 ff.

[47] 2 K 8, 9, vgl 5, 21; Gl 3, 13 f; 4, 5; R 8, 3 f. Analyse dieser Formeln bei Stauffer in: ThStKr 103 (1931) 179 ff. Nachklänge der paradoxen Inkarnationsformel in 1 Pt 2, 24; 3, 18; Hb 2, 14 f; Barn 5, 11; 7, 2; 14, 5.

[48] Vgl Lk 24, 26; J 10, 17; Hb 2, 9; Phil 2, 6 ff.

[49] Hb 13, 12, vgl 2, 14 f uö.

Jesus stirbt nicht nur, um sodann erhöht zu werden, sondern letzten Endes, um dem Heil der Welt zu dienen. So wird das Kreuz verstanden vom Telos her, und das teleologische Denkprinzip hat sich durchgesetzt im Herzstück der christlichen Botschaft und Theologie.

Von diesem zentralen Punkt aus hat der Telosgedanke das urchristliche Ge- 5 samtverständnis von Gott, Welt und Geschichte durchdrungen[50]. Schon der Ausgangspunkt aller Schöpfung und Geschichte, die Praeszienz, auch die Praedestination und Praeparation, bedeutet teleologische Richtungnahme. Abraham[51], die Gesetzgebung am Sinai[52], die Schicksale des Gottesvolkes in der Zeit des alten Bundes weisen und führen über sich hinaus und können nur von ihrem 10 Telos, vom Christusereignis her verstanden werden[53]. Die Märtyrer der vorchristlichen Zeit haben keine ἀπολύτρωσις angenommen, ἵνα κρείττονος ἀναστάσεως τύχωσιν. Die Glaubenszeugen des alten Bundesvolkes haben die Erfüllung der Verheißung nicht erlebt, τοῦ θεοῦ περὶ ἡμῶν κρεῖττόν τι προβλεψαμένου, ἵνα μὴ χωρὶς ἡμῶν τελειωθῶσιν[54]. 15

Aber auch die Kirche Christi schaut noch hinaus auf die Endvollendung, und auch hier sind es vor allem die Märtyrerschicksale, die das teleologische Verständnis der Gegenwart lebendig erhalten, R 8, 17. Denn die Auserwählten sind vor anderen ausersehen zum Leiden, ἵνα τὸ δοκίμιον . . . τῆς πίστεως . . . εὑρεθῇ εἰς . . . δόξαν . . . ἐν ἀποκαλύψει . . . Χριστοῦ, 1 Pt 1, 6f; 5, 6. Es ist 20 der Weg durch den Widerstreit hindurch, den Gott immer wieder mit seinem Menschen geht, mit seinem Apostel[55], seiner Gemeinde[56], allen denen, die ihn lieben: τοῖς ἀγαπῶσιν τὸν θεὸν πάντα συνεργεῖ εἰς ἀγαθόν, τοῖς κατὰ πρόθεσιν κλητοῖς οὖσιν. Mit diesem Wort hat Paulus R 8, 28 die Denkmotive der Josephsgeschichte praedestinatianisch unterbaut und eschatologisch ausgeweitet, 25 zugleich die Formeln Nachums und Akibas vorweggenommen. Wenn Paulus über die Lebensführungen des Philemon und Onesimos nachdenkt, kommt er zu einer ganz ähnlichen Formel, wie sie uns im Estherbuch und den pseudophilonischen Antiquitäten (→ 326, 18. 24) begegnet ist: τάχα γὰρ διὰ τοῦτο ἐχωρίσθη πρὸς ὥραν, ἵνα αἰώνιον αὐτὸν ἀπέχῃς, Phlm 15. 30

Dieselbe paradoxe Teleologie aber erkennt Paulus in den rätselhaften Wegen, die Gott jetzt mit seinem alten Bundesvolke geht. Paulus läßt keinen Zweifel darüber, daß Gott selbst es ist, der Israels Herz verhärtet, und zitiert R 9, 17 in diesem Sinn das entsetzliche Gotteswort Ex 9, 16: εἰς αὐτὸ τοῦτο ἐξήγειρά σε, ὅπως ἐνδείξωμαι . . . (→ 325, 10f). Aber diese Verstockung und Ver- 35 werfung ist nicht Gottes Endabsicht, sondern nur Mittel zum Zwecke: μὴ ἔπταισαν, ἵνα πέσωσιν; μὴ γένοιτο · ἀλλὰ τῷ αὐτῶν παραπτώματι ἡ σωτηρία τοῖς ἔθνεσιν, εἰς τὸ παραζηλῶσαι αὐτούς[57]. So häufen und überbieten sich die Final-

---

[50] Pls speziell ist ausführlicher untersucht in ThStKr 102 (1930) 232 ff.
[51] R 4, 16; vgl 9, 11 f.
[52] R 5, 20; 7, 13. Anders 2 Tm 3, 17.
[53] 1 K 10, 11; 2 K 3, 13 f; Gl 3, 22 ff; R 4, 23 f; 5, 21; 8, 4; 10, 4; 15, 4; Hb 10, 9.
[54] Hb 11, 35. 40. Vgl das ἵνα in J 4, 36.

[55] Phil 1, 12f; 2, 27; 2 K 4, 10 f; 12, 9. Vgl 1 Tm 1, 15 f.
[56] 1 K 11, 19; 12, 25; 2 K 7, 9. Zu 1 K 11, 32 vgl A 27. Zur Teleologie im Gemeindeleben s 1 K 1, 26 ff; 2 K 8, 6 ff; 2 Th 1, 11 f.
[57] R 11, 11; vgl 11, 14; 10, 19; Pseud-Philo 20, 4, gr Bar 16.

bestimmungen in R 11, bis zuletzt in 11, 32 das Endziel Gottes an den Tag kommt: συνέκλεισεν . . . τοὺς πάντας εἰς ἀπείθειαν, ἵνα τοὺς πάντας ἐλεήσῃ.

c. Was aber ist das Telos, auf das Gottes Wege hinführen? Die Rechtfertigung sola fide[58], das Heil der Welt[59], die Selbstoffen
5 barung Gottes[60]. Alle diese und andere Antworten gehen durch das NT hindurch[61]. Aber die letzte Antwort heißt: die Verherrlichung Gottes[62]. Es ist die alte Antwort der Apokalyptik, nun aber ausgesprochen mit einer neuen Gewißheit und einer unerhörten Zuversicht, mit der Zuversicht nämlich, daß Gottes Herrlichkeit nicht in der Offenbarung seines gerechten Zornes sich
10 vollende, sondern in der Endoffenbarung seiner alles und alle überwindenden Gnade[63]. Zuletzt wird alles ihm unterworfen sein wie zuerst, ἵνα ᾖ ὁ θεὸς πάντα ἐν πᾶσιν, 1 K 15, 28. ὅτι ἐξ αὐτοῦ . . . καὶ εἰς αὐτὸν τὰ πάντα, R 11, 36. Dann endlich wird der Urzweck der Schöpfung erreicht sein, und alle Kreatur wird ihre urzeitliche Bestimmung erfüllen in dem endzeitlichen Dankeshymnus:
15 αὐτῷ ἡ δόξα εἰς τοὺς αἰῶνας[64].

So sieht Paulus das eschatologische Telos der Wege Gottes — ein anderes Endziel als das Zukunftsbild des 4 Esr. Ist Paulus so zuversichtlich, weil er über Gott und Mensch weniger ernst und unerbittlich dächte als der Seher des 4 Esr? Nein, sondern weil er ein Bekenner des Kreuzes ist und im Christus
20 ereignis den Gott am Werke sieht, der seine Geschichte durch den Widerstreit hindurch ans Ziel führt und alle menschliche Selbstherrlichkeit niederbricht, damit seine Ehre verherrlicht werde. Darum ist die Heilsgeschichte ein unerbittlicher Vernichtungskrieg gegen jegliche καύχησις — ἵνα πᾶν στόμα φραγῇ καὶ ὑπόδικος γένηται πᾶς ὁ κόσμος τῷ θεῷ[65] — und ist eben darum Heilsgeschichte:
25 Denn Gott führt nicht Krieg mit dem Menschen, sondern allein mit seiner Selbstherrlichkeit, und wo diese Selbstherrlichkeit überwunden und die Ehre Gottes wiederhergestellt ist — in der Rechtfertigung, da ist σωτηρία[66]. So führt die paradoxe Teleologie der Wege Gottes durch die Vernichtung aller καύχησις zur δόξα θεοῦ, durch die iustitia dei passiva (Luther) zur gloria dei (Calvin), durch
30 das Kreuz zum soli deo gloria der erneuerten Schöpfung.

B. Die ethischen Finalsätze.

1. Die ethischen Finalsätze im Judentum.

a. Neben dem theologischen ἵνα treten schon früh die ethischen Finalsätze hervor: Ehre Vater und Mutter, ἵνα εὖ σοι γένηται, καὶ ἵνα μακροχρόνιος γένῃ[67].
35 Die Spruchweisheit hat in diesen Imperativen mit nachfolgenden positiven oder

---

[58] Gl 2, 16; R 4, 16; 9, 11 f; Eph 2, 9.
[59] Mt 18, 14; J 3, 14—17 (4 mal ἵνα); 5, 34; 6, 38—40 (3 mal ἵνα); 15, 11; 16, 24. 33; 17, 11. 13. 21 ff; 1 J 3, 5. 8; Eph 2, 15; 4, 10.
[60] J 5, 20; 9, 3; 10, 38; 13, 19; 14, 31; Eph 2, 6 f; 3, 10. 18 f.
[61] Vgl auch die teleologische Sinnbestimmung des Weltlaufs in Mk 4, 22; J 4, 36 uö.
[62] J 5, 23; 11, 4; 14, 13; 17, 1; Phil 2, 10 f.
[63] 1 Th 5, 9 f; R 8, 19 ff; 9, 23.
[64] R 11, 36; vgl die eschatologischen Doxo

logien der Apk, denen jedoch eine andere Zukunftserwartung zugrunde liegen dürfte.
[65] R 3, 19. 27; 1 K 1, 26 ff. Pls sieht diesen Vernichtungskrieg wesentlich unerbittlicher als 4 Esr. Denn dort (7, 92 ff) bleibt zuletzt der überlebende Rest der Gerechten, die mit Siegerstolz ihren himmlischen Platz einnehmen; hier heißt es (R 3, 27): ποῦ οὖν ἡ καύχησις; ἐξεκλείσθη! Hier stehen alle ὑφ' ἁμαρτίαν, und niemand ist groß außer Gott selbst.
[66] Eph 2, 8 f; 1 Tm 1, 16.
[67] Ex 20, 12, vgl Dt 5, 16; Eph 6, 3.

auch negativen Finalsätzen die Form der Paränese gefunden, die ihrer ethischen Grundhaltung am besten entsprach. Oft genug weist der Finalsatz im Sinne einer handfesten
Zweckmoral auf die guten oder bösen Folgen, die wir mit unserm Tun anstreben oder
vermeiden sollen [68]. Aber letzten Endes ist Gottesfurcht der Inbegriff der Lebensweisheit und Gottes Wohlgefallen zu erwerben das Ziel aller Lebensführung: τήρησον 5
... ἐμὴν βουλήν ... ἵνα ζήσῃ ἡ ψυχή σου ... ἵνα πορεύῃ πεποιθώς ...; und nicht
auf das eigene Tun, sondern auf Gottes Handeln gründet sich das Vertrauen des
Gottesfürchtigen: κύριος ... ἐρείσει σὸν πόδα, ἵνα μὴ σαλευθῇς [69]. Das entspricht der
Grundhaltung und Grundform der Segenssprüche. Hier redet der Hauptsatz nicht in
imperativischer Form von unserer Aufgabe, sondern in indikativischer oder optati- 10
vischer Form von Gottes Tun, und erst im anschließenden Finalsatz ist vom Weg
und Tun des Menschen die Rede. Schicksal und Wille hat seine tragende Voraussetzung im Walten Gottes. Gottes Handeln aber zielt auf des Menschen Wille und
Weg, Gottes Werk ermöglicht und fordert das Werk des Menschen.

b. Die **Apokalyptik** hat diese theologischen Gedanken zur 15
Grundlage ihrer Ethik gemacht. Der Ausgangspunkt aller ethischen Besinnung ist die
Frage nach der gottgewollten und schöpfungsmäßigen Bestimmung des Menschen. Gott
hat den Menschen nicht dazu geschaffen, daß er viele Künste suche, sondern daß er
gerecht und untadelig bleibe wie die Engel [70]. Nach den Verirrungen Adams und seines
Geschlechtes hat er seinem Volk das Gesetz gegeben, damit es seine Bestimmung mit 20
neuem Ernst erkenne und erfülle und Gottes Wohlgefallen zurückgewinne. Er hat ihm
in Verheißung und Drohung den Weg des Lebens und des Todes gezeigt, → A 15 f.
Darüber hinaus greift Gott durch besondere Taten, Worte und Aufträge in das Leben
seines Volkes ein, um es vor Bösem zu bewahren und auf den Weg der Gerechtigkeit
zu lenken [71]. Aber Gott handelt nicht nur, damit der Mensch handle, er zeigt ihm auch 25
die Ziele seines ethischen Tuns. Jedes einzelne Gebot ist ein Beitrag zur teleologischen Ausrichtung unserer Lebensführung; und die finalen Motivierungen, die sich
an die Imperative anschließen, sind nicht mehr Ausdrucksformen einer kurzsichtigen
Zweckmoral [72], sondern Ausblicke auf die letzten Zielsetzungen Gottes. So ist die
teleologische Ethik der Apokalyptik durch und durch theologische Ethik. Ihre Eigen- 30
art tritt am unmittelbarsten zutage in den Gebetsworten mit nachfolgendem Finalsatz,
die neben die Segenssprüche treten. Hier bittet der Mensch, daß Gott selbst ihn vor
dem Bösen bewahre, das das Menschenherz bedroht, daß Gott selbst ihn an das Ziel
führe, das er dem Menschen und seinem Tun gesteckt hat; und hier tritt der Mensch
nicht nur für sich selbst ein, sondern auch für die anderen, die von Gott nichts wissen 35
oder keine Hoffnung haben auf seine Hilfe und Barmherzigkeit [73].

c. In der **Synagoge** hat das Verständnis für den teleologischen
Zusammenhang zwischen göttlichem und menschlichem Tun an Tiefe verloren, an
formelhafter Verfestigung gewonnen: Warum hat Gott den Menschen erst am letzten
Schöpfungstage geschaffen? „Damit man, wenn er übermütig werden sollte, zu ihm 40
sagen könne: Selbst eine Mücke ging dir beim Schöpfungswerk voran!“ Warum schafft
er die Menschen mit ungleichen Gesichtern? „Damit nicht“ einer dem andern sein
Weib stehle [74]. Auf Schritt und Tritt begegnen uns solche Sätze, die die Fragen nach
dem Sinn der Schöpfung und den Motiven des Schöpfers mit Hinweisen auf den Willen
des Schöpfers und die Pflicht des Geschöpfes beantworten [75]. Aber die mechanische 45
Anwendung dieser Methode entfernt sich weit von der theologischen Durchdringung
der Ethik im Sinne der Apokalyptik, sie führt im Gegenteil zu einer moralistischen
Auflösung der Theologie. Dazu stimmt, daß die Imperative mit nachfolgenden Finalsätzen wieder überhandnehmen und zu Trägern eines sehr utilitaristischen Geistes
werden: „Übe Liebespflichten, damit man auch an dir übe ...“ [76]. 50

2. Die ethischen Finalsätze im NT.

a. Auch **Jesus** liebt die Imperative mit finalen Nachsätzen. Aber diese Finalsätze richten Blick, Wille und Tun des Menschen mit

---

[68] Prv 24, 13; 30, 4. 6. 9; 31, 5. 7; Sir 22,
13. 23. 27.
[69] Prv 3, 21 ff. 26. Vgl auch ep Ar 251.
[70] Aeth Hen 69, 10 f; slav Hen 65, 3 f. Über
die Auftragsformeln, in denen von der Bestimmung des Menschen geredet wird, → A 20.
[71] Ass Mos 1, 10; Pseud-Philo 11, 12; 26, 1;
Apk Eliae 22.
[72] Eschatologische Lohnethik Test L 13.

[73] PsSal 5, 6. Apk Sedrach (→ A 13) 14 a A.
Pseud-Philo 12, 9; gr Bar 16 (slaw Zusatz).
[74] Sanh 38 a; aus der Gemara zu Sanh 4, 5
(→ 327, 16 ff). Ein Vergleich zeigt, wie die
Moralisierung in der Spätzeit noch zunimmt.
[75] S ThStKr 102 (1930) 242 A 1, dazu Ass
Mos 1, 13: ut in ea gentes arguantur.
[76] S ThStKr 102 (1930) 255 A 1.

allem Radikalismus auf das eine und einzige, was not ist (Mk 10, 21; Lk 10, 42
sy^c), auf das eschatologische Heilsziel. Unsere ganze Lebensführung muß auf
dieses Ziel gerichtet sein; sie muß Vorbereitung und Kampf sein, Verzicht und
Opfer διὰ τὴν βασιλείαν, Mt 19, 12. 23 ff. Die Frage: τί ποιήσω ἵνα ζωὴν αἰώνιον
5 κληρονομήσω, ist die Frage aller Fragen, Mk 10, 17, vgl Ag 16, 30. Die Antwort
lautet: ἀγωνίζεσθε εἰσελθεῖν (→ ἀγών, I 137, 6), ποιήσατε φίλους, ἵνα δέξωνται ὑμᾶς[77],
und vor allem: ἀφίετε, ἵνα καὶ ὁ πατὴρ ἀφῇ ὑμῖν τὰ παραπτώματα, Mk 11, 25,
vgl Mt 7, 1. Aber auch in der ethischen Zielsetzung nennt Jesus als Hochziel
jenes Telos, das die theologische Gedankenführung des NT bestimmt, die gloria
10 dei. Λαμψάτω τὸ φῶς ὑμῶν ἔμπροσθεν τῶν ἀνθρώπων, ὅπως ἴδωσιν ὑμῶν τὰ καλὰ
ἔργα[78] καὶ δοξάσωσιν τὸν πατέρα ὑμῶν τὸν ἐν τοῖς οὐρανοῖς[79].

b. Ermöglichungsgrund und Antrieb allen menschlichen
Tuns aber ist das Handeln Gottes. Das ist schon bei Jesus die theologische
Voraussetzung aller ethischen Imperative, das wird dann besonders von Pau-
15 lus und seinen Nachfolgern herausgearbeitet. Hier werden die theologischen Leitgedanken der apokalyptischen Ethik zu Ende gedacht. Alles Schaffen Gottes wird verstanden als ein Hervorrufen im ursprünglichsten Sinne
des Wortes. Alles geschichtliche Werk Gottes trägt Wortcharakter, ist Wort,
Ruf, gerichtet an den Willen des Menschen[80]. In diesem Sinne werden die
20 Aussagen über Gottes Wille und Tat weitergeführt mit Finalsätzen, die von
den Möglichkeiten und Aufgaben sprechen, die nunmehr dem Menschen gesetzt
sind[81]. In diesem Sinne steht am Anfang aller Geschichte die Praedestination,
die auf das Endziel der Menschenwege gerichtet ist, R 8, 29; 9, 11 f. 17. 23.
Aber diese Zielbestimmung bedeutet nicht fatalistische Schicksalsbestimmung.
25 Die Praedestination ist vielmehr auf den Willen des Menschen gerichtet. Diese
Willensbestimmung wiederum bedeutet nicht deterministische Willensbindung,
sondern durchaus voluntaristische Willensweckung. Gott will den Willen des
Menschen, und der menschliche Wille ist es, den er nach Seinen Absichten
Seinen Zielen entgegenlenkt, nicht ein willenloses Fahrzeug. Der Wille Gottes
30 ruft den Willen des Menschen hervor und befreit ihn, indem er Besitz von ihm
ergreift.

Zur Durchsetzung aber kommt dieser prädestinatianische Wille Gottes im
Christusereignis, das wiederum Gotteswerk und Gotteswort zugleich ist,
an den Willen des Menschen gerichtet und sein Handeln hervorrufend. τῇ χά-
35 ριτί ἐστε σεσωσμένοι, οὐκ ἐξ ἔργων, ἵνα μή τις καυχήσηται· αὐτοῦ γάρ ἐσμεν ποίημα,
κτισθέντες ἐν Χριστῷ Ἰησοῦ ἐπὶ ἔργοις ἀγαθοῖς, οἷς προητοίμασεν ὁ θεὸς ἵνα ἐν αὐτοῖς περιπατήσωμεν, Eph 2, 8 f. Darum münden die Indikative, in denen Paulus
vom Christusereignis spricht, gern mit einem οὖν, ὥστε oder διό in Imperative
aus[82]. Darum schließt Paulus mit besonderer Vorliebe an einen kerygmatischen
40 Hauptsatz einen Finalsatz an, der von Gottes Willen mit und an uns redet[83].

[77] Lk 16, 9. → A 72.
[78] Vgl Mt 5, 15; Lk 11, 33.
[79] Mt 5, 16, vgl J 3, 20 f; 1 Pt 2, 12; 4, 11.
[80] Gl 1, 16; R 15, 15 f.
[81] 1 Th 5, 8 ff; 1 K 12, 24 ff; 2 K 9, 8.

[82] Vgl auch RBultmann, Das Problem der
Ethik bei Paulus, ZNW 23 (1924) 123 ff;
HWindisch, Das Problem des paul Im-
perativs, ebd 265 f.
[83] 1 K 5, 7; (15, 49;) 2 K 5, 15; R 6, 4 ff.
Vgl Eph 4, 14; 5, 26 f (3 mal ἵνα).

Die Grundformel des Logos vom Kreuz kann vom Soteriologischen unmittelbar ins Ethische hinüberlenken: ὁ θεὸς τὸν ἑαυτοῦ υἱὸν πέμψας ἐν ὁμοιώματι σαρκὸς ἁμαρτίας καὶ περὶ ἁμαρτίας κατέκρινεν τὴν ἁμαρτίαν ἐν τῇ σαρκί, ἵνα τὸ δικαίωμα τοῦ νόμου πληρωθῇ ἐν ἡμῖν τοῖς μὴ κατὰ σάρκα περιπατοῦσιν ἀλλὰ κατὰ πνεῦμα, R 8, 3f. Den λόγος τοῦ σταυροῦ ernst nehmen heißt mit ihm Ernst machen. 5 Demgemäß hat Paulus in bewußter Anlehnung an die paradoxe Inkarnations-formel die Grundformel seiner Ethik geprägt: ὑμεῖς ἐθανατώθητε τῷ νόμῳ διὰ τοῦ σώματος τοῦ Χριστοῦ, εἰς τὸ γενέσθαι ὑμᾶς ἑτέρῳ, τῷ ἐκ νεκρῶν ἐγερθέντι, ἵνα καρποφορήσωμεν τῷ θεῷ[84]. Nachdrücklich weist das finale εἰς und ἵνα auf die urbildliche Gewalt hin, die das Kreuz des Christus über das Leben des Christen 10 gewinnen will und soll[85]. Vor allem das Apostelleben und Apostelamt steht notwendig im Zeichen des Kreuzes, und Paulus sagt Ja zu dieser Notwendig-keit, Ja zu dem Widerstreit, durch den hindurch er sein Lebens- und Berufsziel erreicht: πάντοτε τὴν νέκρωσιν τοῦ Ἰησοῦ ἐν τῷ σώματι περιφέροντες, ἵνα καὶ ἡ ζωὴ τοῦ Ἰησοῦ ἐν τῷ σώματι ἡμῶν φανερωθῇ[86]. 15

c. Aber die Finalsätze in den paulinischen und nach-paulinischen Briefen sprechen nicht nur von der menschlichen Haltung, die in der **Absicht des göttlichen Heilswerkes** liegt, sondern auch von den **Zielen, die Gott dem menschlichen Handeln** gesteckt hat: πᾶσιν γέ-γονα πάντα, ἵνα πάντως τινὰς σώσω · πάντα δὲ ποιῶ διὰ τὸ εὐαγγέλιον, ἵνα συγ- 20 κοινωνὸς αὐτοῦ γένωμαι, sagt Paulus von sich selbst[87], und wendet sich dann sogleich seinen Lesern zu mit der Mahnung: τρέχετε ἵνα καταλάβητε[88]. Das hat mit billiger Zweckmoral nichts zu tun. Denn das Ziel, das die äußerste An-spannung und Opferbereitschaft von uns verlangt, ist ganz im Sinne Jesu das eschatologische Heil[89]. Aber auch jede religiös verfeinerte Nützlichkeitsmoral, 25 jedes ichsüchtige „Nur selig" ist hier ausgeschlossen. Denn Paulus kennt eine ganze Rangordnung von Zielen, in der nicht nur das Vorläufige dem Endgül-tigen, sondern auch das persönliche Heil dem Heil des Ganzen dienend zuge-ordnet ist[90]. Der Endzweck aber, der bestimmend durch unser ganzes Handeln hindurchgehen soll und alle vorletzten Ziele in seinen Dienst stellen muß, ist 30 wiederum die Verherrlichung Gottes: τὰ γὰρ πάντα δι' ὑμᾶς, ἵνα ἡ χάρις πλεο-νάσασα διὰ τῶν πλειόνων τὴν εὐχαριστίαν περισσεύσῃ εἰς τὴν δόξαν τοῦ θεοῦ[91].

Dies Fernziel kann nicht ohne den Willen des Menschen erreicht werden. Aber das ganze NT stimmt darin zusammen, daß das hohe Telos der urchrist-lichen Ethik über Menschenwille und Menschenkraft hinausgeht. Darum ist 35 die Ethik des NT eine Ethik des Gebets. Ἀγωνίζεσθαι ἵνα heißt zugleich kämpfen und beten um das vorgesteckte Ziel und wird zum Inbegriff christ-licher Lebensführung, zum Wahrzeichen der Erkenntnis, daß das Arbeiten des

---

[84] R 7, 4, analog Gl 2, 19. Analyse in Th StKr 103 (1931) 184f.
[85] 1 K 1, 17; 2, 5; Phil 2, 30; 1 Pt 2, 21; 3, 9.
[86] 2 K 4, 10, vgl 7, 8ff; 11, 7; 1 K 3, 18.
[87] 1 K 9, 22f, vgl R 1, 11ff; 1 K 1, 15.
[88] S 1 K 9, 12—27 (15mal ἵνα uä); 7, 5; 2 K 2, 11. Vgl Eph 6, 18.

[89] Vgl Apk 3, 18: συμβουλεύω σοι ἀγοράσαι . . . ἵνα πλουτήσῃς, καὶ . . . ἵνα περιβάλῃ καὶ μὴ φανερωθῇ . . . καὶ . . . ἵνα βλέπῃς.
[90] 1 Th 2, 16; 4, 12; 2 Th 3, 9; 1 K 7, 5; 8, 13; 10, 33; 14, 1ff; 2 K 2, 4; 6, 3; Gl 2, 5; Phil 2, 15f; Kol 1, 28.
[91] 2 K 4, 15; 5, 15; R 15, 16; vgl 1 Pt 2, 12; 4, 11.

Christen letztlich ein Beten sein muß. Die finalen Paränesen münden aus in Segens- und Gebetsworte, die mit einem ἵνα eingeleitet werden. Jesus selber betet zum Vater, daß der Glaube des Petrus nicht aufhöre[92], und die Jünger weist er an: ἀγρυπνεῖτε . . . ἐν παντὶ καιρῷ δεόμενοι ἵνα κατισχύσητε ἐκ-
5 φυγεῖν ταῦτα πάντα . . . καὶ σταθῆναι ἔμπροσθεν τοῦ υἱοῦ τοῦ ἀνθρώπου[93]. Paulus tut keinen Schritt auf seinem gottbestimmten Wege, der nicht Gebet und vom Gebet getragen wäre; und er erwartet ein Gleiches von seiner Gemeinde. Denn im Gebet erst erfährt der Wille des Menschen seine restlose Einschaltung in den Gotteswillen, hier erst gewinnt das Werk des Menschen seine äußerste Möglich-
10 keit (→ ἀγών, I 139, 3 ff). Das mächtigste Gebet aber ist die Fürbitte. Darum soll die Gemeinde eintreten für ihren Apostel, ἵνα ὁ θεὸς ἀνοίξη θύραν τοῦ λόγου . . . ἵνα φανερώσω (τὸ μυστήριον) ὡς δεῖ με λαλῆσαι[94]. Der Apostel aber bittet für seine Gemeinde, und das Gebet ist ihm Anfang und Ende seiner Paränese[95]. Es ist darum nicht nur eine Stilgewohnheit, wenn er seine Briefe mit Dank
15 und Fürbitte beginnt und mit Segenswunsch beschließt. Er setzt größere Hoffnung auf seine Fürbitte als auf seine Mahnworte und mehr Vertrauen auf Gott als auf den guten Willen und die Kraft seiner Gemeinde. Und wenn Jesus seine Jünger ihr Gebet beginnen heißt mit der Bitte: ἁγιασθήτω τὸ ὄνομά σου, so eröffnet Paulus seine Briefe mit dem Gebetswort: προσεύχομαι, ἵνα . . . εἰς . . .
20 ἵνα ἦτε εἰλικρινεῖς καὶ ἀπρόσκοποι εἰς ἡμέραν Χριστοῦ, πεπληρωμένοι καρπὸν δικαιο-σύνης τὸν διὰ . . . Χριστοῦ, εἰς δόξαν καὶ ἔπαινον θεοῦ[96]. Das letzte Ziel des Gebets kann kein anderes sein als das Endziel unserer Wege und das Hochziel der Wege Gottes, die gloria dei.

Stauffer

25 Ἰορδάνης → ποταμός

┌─────────────────────┐
│ † ἰός, † κατιόομαι   │
└─────────────────────┘

Zu unterscheiden ist ὁ ἰός *der Pfeil* (Thr 3, 13: εἰσήγαγεν τοῖς νεφροῖς μου ἰοὺς φαρέτρας αὐτοῦ) von dem davon verschiedenen Wort ὁ ἰός *Flüssigkeit, Saft, Gift, Rost.* ἰός = Pfeil (seit Hom) gehört zum indoiran išu = Pfeil[1]; ἰός = Flüssig-
30 keit, Gift (seit Theogn, Pind und Aesch, vgl auch Pap und LXX) ist mit dem lat virus und altind viša verwandt[2]. Im NT begegnet nur das letztere Wort in der Bedeutung *1. Gift* R 3, 13; Jk 3, 8; und *2. Rost* Jk 5, 3. In Jk 5, 3 finden wir das auch sonst bezeugte Verbum κατιοῦσθαι (ὁ χρυσὸς ὑμῶν καὶ ὁ ἄργυρος κατίωται); κατιοῦν auch in Sir 12, 11 (γνῶση ὅτι οὐκ εἰς τέλος κατίωσεν). In Sir 12, 10 der Vergleich: ὡς γὰρ
35 ὁ χαλκὸς ἰοῦται. In Sir 29, 10 auch die Mahnung: ἀπόλεσον ἀργύριον δι' ἀδελφὸν καὶ φίλον, καὶ μὴ ἰωθήτω ὑπὸ τὸν λίθον εἰς ἀπώλειαν.

1. ἰός = „Gift".

Das AT kennt zunächst das *Schlangengift* („ἰὸς ἀσπίδων" ψ 139, 4;
ψ 13, 3 A nach R 3, 13 als Übersetzung von חֲמַת עַכְשׁוּב). Der Psalmist sieht
40 in diesem Schlangengift ein Bild für das arglistige Wort seiner Gegner,

---

[92] Lk 22, 32, vgl J 17, 15. ἐρωτᾶν ἵνα im alltäglichen Sinn J 4, 47; 19, 31. 38.
[93] Lk 21, 36; Mt 24, 20; 26, 41. → βοάω, I 626, 20 ff.
[94] Kol 4, 3 f, vgl R 15, 30 ff; 2 Th 3, 1 f, dazu Eph 6, 18 ff.

[95] Kol 1, 9 ff; 2 K 13, 7; vgl Eph 1, 17 ff; 3, 16 ff.
[96] Phil 1, 9 ff, vgl 2 Th 1, 11 f; 2 K 1, 8 ff. Δόξα als Fürbittemotiv in Eph 1, 17 ff; 3, 16.

ἰός κτλ. [1] Walde-Pok I 107.
[2] Walde-Pok I 243 f.

die den Frommen zu Fall bringen wollen. Die Zunge der Schlange enthält das Gift als heimtückische Angriffswaffe; so schärft auch der Frevler die Zunge und hält Gift „unter den Lippen" (ὑπὸ τὰ χείλη) bereit. Man vermutet sogar, daß hinter dem Vergleich mit dem Schlangengift sich die Furcht vor bösem Zauber und wirkendem Fluchwort verbirgt (vgl auch ψ 57, 5: θυμὸς αὐτοῖς κατὰ τὴν ὁμοίωσιν τοῦ ὄφεως, Mas 5 חֲמַת־נָחָשׁ)[3]. Der Fromme fühlt sich dieser Art von Feindschaft nicht gewachsen und wendet sich in seinem Gebet an Gott, der ihm helfen soll. Nach Hi 20, 12—16 mag wohl das Böse im Munde süß schmecken, es verwandelt sich aber im Leibe in Ottergift (20, 14: χολὴ ἀσπίδος). Prv 23, 32 wendet dasselbe Bild auf die Wirkung des Weines an: zuerst glänzt er und geht leicht ein, dann aber beißt er wie eine Schlange 10 (τὸ δὲ ἔσχατον ὥσπερ ὑπὸ ὄφεως πεπληγὼς ἐκτείνεται καὶ ὥσπερ ὑπὸ κεράστου διαχεῖται αὐτῷ ὁ ἰός).

Im NT schildert **Paulus R 3, 10—18** mit at.lichen Worten **die Gebundenheit der menschlichen Glieder unter der Herrschaft der Sünde;** die Zungen sind trügerisch, die Lippen verbergen Schlangengift (ἰὸς ἀσπίδων 15 nach ψ 139, 4), der Mund ist voll Fluch und Bitterkeit (3, 13—14). Die Sünde treibt also die Menschen in Feindschaft gegeneinander und macht ihr Wort zu einer heimtückischen Waffe; das Wort wird zum Schlangengift, wenn es aus der Sünde stammt und Verderben bringt. Auch hier ist das Glied Verkörperung der Tätigkeit des Menschen und λάρυγξ, γλῶσσαι, χείλη, στόμα vertre- 20 ten das menschliche Wort. Ist auch in R 3, 10—18 eine gewisse Steigerung unverkennbar, so fällt doch die Breite der Schilderung auf; in dieser Häufung menschlicher Glieder, die dem Worte dienen, liegt einerseits eine Anerkennung der Bedeutung des Wortes selbst, andererseits eine besondere Abscheu vor der unheimlichen Macht der menschlichen Zungensünden. Die anderen Glieder wer- 25 den kürzer erwähnt (πόδες 3, 15; ὀφθαλμοί 3, 18). Das zerstörende Wort der Sündenherrschaft ist das negative Gegenstück zur heilschaffenden Christusbotschaft (R 10, 15).

In der Erkenntnis der Gefährlichkeit der Zunge berührt sich Paulus mit dem Jakobusbrief, besonders Jk 3, 8, wo die Zunge als ein Glied geschildert wird, 30 das man nicht zähmen kann, ein unruhiges Übel voll tödlichen Giftes (μεστὴ ἰοῦ θανατηφόρου)[4]. **Die Sündenerkenntnis ist gegenüber Prv 10, 19f gesteigert und radikalisiert;** durch die Zunge kommt nicht ab und zu Böses in die Welt, sondern **in ihrer Giftigkeit offenbart sich ihr Wesen.** Wie man die Leidenschaftlichkeit (ψ 57, 5: θυμός) und Heim- 35 tücke (Prv 23, 32) der Schlange fürchtet, so liegt auch im leidenschaftlichen und trügerischen Wort der Tod. Das weiß man seit der Paradieserzählung, die Sünde und Tod miteinander verband[5]. **Gottes Forderung zielt aber auf die Überwindung der Bosheit und Zwiespältigkeit (Jk 3, 10—12).**

Von listigen und verleumderischen Menschen heißt es in Herm s 9, 26, 7: „Denn 40 wie das Getier mit seinem Gift (τῷ ἑαυτῶν ἰῷ) den Menschen mordet und ins Verderben stürzt, so morden auch die Worte solcher Leute den Menschen und stürzen

---

[3] Vgl SMowinckel, Psalmenstudien I (1921) 19: „Die Zunge und das Machtwort als Mittel des Auremannes"; 23: „es ist die Erfahrung von einer todbringenden Wirklichkeit, die den Ursprung dieses traditionellen Bildes gebildet hat"; vgl 46 zu Ps 58, 5. HBirkeland, Die Feinde des Individuums in der israelitischen Psalmenliteratur (1933) denkt bei Ps 140 an Krieg und auswärtige Feinde (vgl Ps 21, 12)

und bezeichnet ihn als Schutzpsalm (S 228 bis 230).

[4] Ähnlich Sib Fr 3, 33: τῶν δὴ κὰκ στόματος χεῖται θανατηφόρος ἰός; vgl sonst Test R 5, 3; G 6, 3 (τὸν ἰὸν τοῦ μίσους).

[5] „Aber es entspricht gerade der Eigenart des Jk im Unterschiede von den Test XII, daß er viel weniger auf den Satan als Verursacher des Bösen anspielt. Er redet viel mehr psychologisch". Hck Jk 169 A 86.

ihn ins Verderben". Vor einer Vergiftung durch Irrlehrer warnt Ign Tr 6, 2: sie gleichen solchen, die tödliches Gift (θανάσιμον φάρμακον) in den Honigwein mischen, das der Unwissende lüstern nimmt, um sich in böser Lust den Tod zu trinken.

2. ἰός = „Rost".

5   Als *Rost*, der Gold und Silber verdirbt und zum Ankläger gegen den Besitzer wird, warnt ἰός in Jk 5, 2 f vor der Gefahr des Reichtums und irdischer Schätze (ὁ πλοῦτος ὑμῶν σέσηπεν . . ., ὁ χρυσὸς ὑμῶν καὶ ὁ ἄργυρος κατίωται). Apokalyptisch klingt die Drohung, daß der Rost des Reichtums gegen den Besitzer Zeugnis ablegen und wie Feuer sein Fleisch verzehren 10 wird (ὡς πῦρ ist zu φάγεται zu ziehen). Daß Gold und Silber rosten, ist eine wiederholte biblische Warnung vor falschem Vertrauen auf Besitz (vgl Mt 6, 19—20)[6]. Zeugt der Rost sowohl für die Vergänglichkeit des Besitzes als auch des Besitzers[7]? Oder klagt er den Reichen an, daß er lieber die Güter verderben ließ als sie den Armen zu überlassen[8]? Der Kontext spricht 15 eher für die letztere Deutung. Im apokalyptischen Bild nimmt der Rost geradezu lebendige Strafgewalt an.

Ezechiel erhält den Auftrag, einen Topf mit Fleischstücken auf das Feuer zu setzen (24, 3 ff); er erkennt aber, daß seine Innenseite vom Rost angefressen ist (חֶלְאָה LXX: ἰός: 24, 6; 24, 11—12). Vielleicht spielt der Prophet damit auf die Blutschuld 20 Jerusalems an. Zunehmende Hitze soll die Unreinigkeit und den Rost ausbrennen, aber es ist fraglich, ob dies gelingt. Jerusalem verfällt dem Gericht wie der Topf auf dem Feuer. A u c h h i e r z e u g t d e r R o s t g e g e n d e n B e s i t z e r u n d k ü n d i g t d a s n a h e E i n g r e i f e n G o t t e s a n. In ep Jer deuten Rost und Zerfressen die Vergänglichkeit und Hilflosigkeit der silbernen, goldenen und hölzernen 25 Götzen an, die sich nicht retten und ihren Glanz nicht bewahren können (v 10. 23). Ebenso polemisiert Dg 2, 2 gegen den Gott von Eisen, vom Rost zerfressen (ὁ δὲ σίδηρος ὑπὸ ἰοῦ διεφθαρμένος).

N e b e n d i e a p o k a l y p t i s c h e D r o h u n g (Ez, Jk) t r i t t d i e A u f k l ä r u n g d e r A p o l o g e t i k (ep Jer, Dg); d a s B i l d v o m „R o s t" (ἰός) i s t i n b e i d e n 30 G e d a n k e n k r e i s e n g e b r ä u c h l i c h.

Michel

'Ιουδαία, 'Ιουδαῖος, ἰουδαΐζω, 'Ιουδαϊσμός → 'Ισραήλ

┌─────────┐ ἵππος[1] └─────────┘

1. Das Pferd in Palästina, im AT und im Judentum.

35   Seit der Hyksoszeit (um 1700) spielt das Pferd in Ägypten als Wagenpferd im Kriege eine Rolle; als solches findet es auch in der Folgezeit im Flachland Palästinas eine begrenzte Verwendung. Nach at.lichem Bericht begegnet

---

[6] Sir 29, 10: καὶ μὴ ἰωθήτω ὑπὸ τὸν λίθον εἰς ἀπώλειαν; ep Jer 10, 23; Cl Al Paed II 38, 2. Dagegen Philo Rer Div Her 217: ὁ χρυσὸς ἰὸν οὐ παραδέχεται. Diese allgemeine Meinung, daß Gold und Silber nicht rosten, wird in der Bibel als falsch bekämpft.
[7] JChrKvHofmann: Der Brief Jakobi (D hl Schrift NTs VII 3 [1876]) zSt.
[8] Dib Jk, Hck Jk zSt.

ἵππος. Vgl MEbert, Reallexikon der Vorgeschichte 10 (1927—28) 109—115; KGalling, Biblisches Reallexikon (1934 ff) sv „Pferd"; zur Lit der apokalypt Reiter vgl MWMüller ZNW 8 (1907) 290 ff; GHoennicke in: Studierstube 19 (1921) 3 ff; AvHarnack, Erforschtes und Erlebtes (1923) 53 ff; LKöhler, Die Offenbarung des Joh (1924) 59—68; weitere Angaben bei Pr-Bauer[3] sv.
[1] ἵππος ist allgemein griech-indogerm Erbwort (lat equus) vgl Walde-Pok I 113.

es uns zunächst auf ägyptischem, später auf kanaanäischem Boden (Gn 47, 17; Ex 9, 3; 14, 9; Dt 17, 16; Ez 17, 15). Ägypten hat schon frühzeitig (wenn auch nicht ausschließlich) Pferde nach Palästina eingeführt; daneben mag in Palästina auch das kleinasiatische Pferd zunächst für den Kriegsbedarf gekannt und gebraucht worden sein. Erst mit Salomo spielt das Wagenpferd in Israel eine Rolle; David läßt noch die erbeuteten 5 Rosse der Gegner lähmen (2 S 8, 4). Salomos Marstall und Wagenstädte (vgl den archäologischen Befund von Megiddo) werden gerühmt (1 Kö 5, 6; 2 Ch 9, 25); er erhält Pferde zum Geschenk (1 Kö 10, 25) und kauft auch solche aus Ägypten auf (1 Kö 10, 29). Roß und Wagen, in späterer Zeit (Assyrer, Perser) Roß und Reiter sind feste Bestandteile, ja die Kernkraft des alten Heeres (Israel: 1 Kö 18, 5; 22, 4; 10 Syrien: 1 Kö 20, 1 ff; 2 Kö 5, 9; 6, 14; 7, 7 ff; Assyrien: 2 Kö 18, 23 Reiter!). Gerühmt wird die Schnelligkeit (Jer 4, 13) und die Stärke (2 Εσδρ 4, 23 LXX: ἐν ἵπποις καὶ δυνάμει); bewundernd preist Hi 39, 19—25 die Kraft und den Kampfesmut des Pferdes. Weil Gott der Herr der Heerscharen (Zebaoth) ist, verfügt er über himmlische Boten und Mächte, die auch in kriegerischer Gestalt (Funktion) 15 auftreten können[2]. So holen Feuerwagen und Feuerrosse den Propheten Elias gen Himmel (2 Kö 2, 11); in der gleichen Weise offenbart Gott Elisa und seinem Diener seine kriegerische Macht (2 Kö 6, 17). Daß das Roß Reittier des Königs ist, erfahren wir aus Est 6, 8 ff; (Ez 23, 6 ff). In Jerusalem wird in späterer Zeit ein „Roßtor" bezeugt (Jer 31, 40; Neh 3, 28)[3]. 20

Daß das Pferd eigentlich das Wahrzeichen fremder Kriegsmacht ist, bleibt aber unvergessen. Im Prophetismus und im Psalter finden sich genug Stimmen, die davor warnen, auf Roß und Wagen menschliches Vertrauen zu setzen: „Vor deinem Schelten, Gott Jakobs, ward betäubt so Wagen wie Roß" (ψ 75, 7 vgl Hos 1, 7; Am 2, 15). LXX trägt sogar gelegentlich diesen Gedanken auch dort ein, wo er in HT fehlt 25 (Na 2, 4; Am 6, 7); sie kämpft hier gegen gottfeindliche ὕβρις. Das Roß wird zum Sinnbild des Fleisches überhaupt und des fleischlichen Vertrauens (Js 30, 16; 31, 1—3; ψ 19, 8; 32, 17 f; 146, 10 f); fremde Kriegsmacht kann nicht retten, fleischliche Sicherheit tritt in Gegensatz zu Gott selbst. Der Glaube und die Hoffnung, die Jahwe verlangt, bedeuten in Wirklichkeit die Absage an alle falsche Sicherheit und menschliche 30 Berechnung (Js 30, 15). Mit Absicht wählt auch der Friedenskönig des Sach den Esel, nicht das Pferd (9, 9); vielleicht schließt er sich damit einem uralten Motiv vom Friedenskönig an[4].

Eine Sonderstellung nimmt die Apokalyptik ein: Die Weissagung Joels vergleicht die Heuschreckenplage mit Rossen und Wagen (Jl 2, 4—5; apokalyptisch-dämonische 35 Ausgestaltung in Apk 9, 7 ff)[5]; in den Nachtgesichten des Sach reitet ein Mann auf einem roten Rosse, hinter ihm erscheinen verschiedenfarbige Pferde, die beauftragt sind, die Erde zu durchstreifen (1, 8—10; 6, 1—8). Die Farben der Tiere hängen wohl mit den verschiedenen Himmelsrichtungen zusammen, in die sie geschickt werden; Himmelswagen werden ausgesandt, um Gottes Willen überall kundzutun[6]. 40 Von einem himmlischen Pferd mit einem furchtbaren Reiter, die im Verein mit zwei Jünglingen den Eindringling Heliodor (θεομάχος) bestrafen, weiß 2 Makk 3, 25—29 zu erzählen[7]; im Kampfe erscheinen fünf herrliche Männer auf goldgezäumten Rossen, stellen sich an die Spitze der Juden und schleudern gegen die Feinde Geschosse und Donnerstrahlen. Die Feinde werden geblendet und nieder- 45 geworfen (2 Makk 10, 29—30).

---

[2] Der Sinn at.licher und nt.licher Erzählungen ist nicht der, daß Gott über himmlische Feuerwagen, Feuerrosse, Reiter verfügt, sondern daß Gott seine Boten zu bestimmten Funktionen besonders ausrüstet; das gilt auch für die Messiasschlacht (Apk 19, 11—15).
[3] Von der Zerstörung der Sonnenwagen und Sonnenrosse bei der josianischen Reform berichtet 2 Kö 23, 11.
[4] ESellin, Das Zwölfprophetenbuch II [2, 3] (1930) 551: „Der Verf erblickt darin, wie die Fortsetzung in v 10 zeigt, ein Zeichen der Friedensliebe des Königs, er unterscheidet sich durch sein Reittier von sonstigen irdischen Königen, die auf Pferden in den Krieg ziehen (Jer 17, 25; 22, 4). In Wirklichkeit aber gehört der Esel als Reittier zum festen Bestande der ältesten Erwartung vom kommenden König; weil in der ältesten Periode der Volksgeschichte die Fürsten noch allgemein auf Eseln ritten, stellte man sich so auch den Paradieskönig vor". (Ri 5, 10; 10, 4; 12, 14; 2 S 19, 27; Gn 49, 11).
[5] Jl 2, 4: ὡς ὅρασις ἵππων ἡ ὄψις αὐτῶν καὶ ὡς ἱππεῖς οὕτως καταδιώξονται.
[6] Sellin aaO 515: „Die Himmelswagen stehen im Begriff, in alle Himmelsrichtungen hinauszufahren, um Gottes Geist dahinzubringen und die zerstreuten Juden zu sammeln, daß sie sich am Tempelbau beteiligen".
[7] Vgl zur Heliodorlegende im Zusammenhang mit der Anschauung vom θεομάχος: HWindisch, Die Christusepiphanie vor Damaskus (Ag 9, 22 und 26) und ihre religionsgeschichtlichen Parallelen ZNW 31 (1932) 1—23.

2. Das Pferd im NT.

a. Jesus reitet auf einem Esel, nicht auf dem kriegerischen Roß des Königs in Jerusalem ein (Mk 11, 1—10); Mt sieht darin eine ausdrückliche Annahme und Bestätigung der Weissagung auf den Friedenskönig und eine auch äußerlich sichtbare Bezeugung der „Sanftmut" Christi (πραΰς Mt 5, 5; 11, 29; 21, 5). Nach Joh ist im Prophetenwort dies „königliche" Handeln des Christus geweissagt („ὁ βασιλεύς σου" J 12, 15). Der Glaube erkennt den einziehenden König der Endzeit und sieht in der Art seines Einzuges die Erfüllung der Schrift und die Offenbarung des Messiasgeheimnisses[8].

b. Gelegentlich war schon im AT die Unbändigkeit von Roß und Maultier sowie die Notwendigkeit von Zügel, Zaum und Geißel hervorgehoben worden (ψ 31, 9; Prv 26, 3). Die Weisheitsliteratur hat dies Bild gerne aufgegriffen und spricht in verschiedenem Sinn vom Wagenlenker (ἡνίοχος) und Steuermann (κυβερνήτης)[9]. Nach Jakobus vermag der vollendete Mann (τέλειος ἀνήρ) den ganzen Leib im Zaum zu halten (3, 2: χαλιναγωγεῖν, 3, 3: χαλινός). Jk denkt an die Beherrschung des Wortes (3, 2) und der Zunge (3, 4); zur Vollkommenheit (τελειότης) als dem Ziel der christlichen Heiligung gehört nach ihm die Herrschaft über jedes Glied des Körpers und über seine Tätigkeit. Darin liegt sein Beitrag zur Lehre von der Schöpfung und von der Heiligung.

c. Im Anschluß an die Apokalyptik des ATs spricht auch die Apokalypse von verschiedenen Arten von Pferden. Am bekanntesten sind die vier Rosse mit richtenden und verderbenden Reitern (6, 1—8). Jedes Tier folgt dem andern und bildet als besondere Erscheinung ein Siegel für sich. Die Verbindung von Himmelsrichtungen und Winden mit den verschiedenen Farben der einzelnen Tiere tritt hier zurück[10]. Das weiße Roß bringt den Sieger (νικῶν), der von außen mit fremder Waffe (τόξον) angreift

---

[8] Vgl b Sanh 98 a: RAlexandrei (um 270) hat gesagt: RJehoschua b Levi (um 250) hat gegenübergestellt Da 7, 13: „Siehe mit den Wolken des Himmels kam einer wie ein Menschensohn", und Sach 9, 9: „Arm und reitend auf einem Esel". Wenn sie (Israel) Verdienste haben (dessen würdig sind), kommt er mit den Wolken des Himmels; wenn sie keine Verdienste haben, kommt er arm und reitend auf einem Esel. Der König Schabor (I) sagt zu Schemuel († 254): Ihr sagt, der Messias werde auf einem Esel kommen; ich will ihm ein schimmerndes Pferd (Schimmel) senden, wie ich es besitze. Er antwortete ihm: Hast du denn eins von tausend Farben (wie sein Esel tausendfarbig sein wird)? Midr Qoh 1, 9: Wie der erste Erlöser, so der letzte Erlöser: wie es vom ersten Erlöser heißt Ex 4, 20: Es nahm Mose sein Weib und seine Söhne und ließ sie auf einem Esel reiten, so vom letzten Erlöser Sach 9, 9: Arm und reitend auf einem Esel. PRE 31 zu Gn 22, 3 (Abrahams Esel): Das war der Esel, auf welchem Mose ritt, als er

nach Ägypten kam (Ex 4, 20), und dieser Esel wird es sein, auf welchem dereinst der Sohn Davids reiten wird (Sach 9, 9).

[9] Das Bild vom Wagenlenker (ἡνίοχος) allein oder in Verbindung mit dem Steuermann (κυβερνήτης) findet sich häufig bei Philo: Op Mund 88; Leg All II 104; III 223; Spec Leg I 14. Ferner: Dio Chrys Or 12, 34; 36, 50; Stob III 493. Berühmt Platos Bild vom Wagenlenker und den Rossen (Phaedr 246 f). Vgl außerdem Ab RNat 24: Der Mann, dessen Studium mit guten Taten verbunden ist, ist ein Reiter, dessen Roß auch einen Zügel hat (χαλινός). Bloßes Wissen ist wie ein Roß ohne Zügel, das den Reiter plötzlich abwirft. Weitere Beispiele s Dib Jk zSt, Wnd Kath Br zSt. Im Hellenismus ist der Sinn entweder profan gewandt: „Kleine Ursachen, große Wirkungen" oder religiös (auf Gottes Leitung der Welt) bzw ethisch (auf die Herrschaft des menschlichen Geistes über den Körper) bezogen.

[10] Nord = rot, Süd = schwarz, Ost und West = weiß und gelb (nicht ganz gesichert).

und das Reich bedrängt[11]. Ihm folgt das feuerrote (πυρρός), das den Frieden nimmt und den Bürgerkrieg entfesselt (ἵνα ἀλλήλους σφάξουσιν). Folgerichtig schließt sich das schwarze mit dem Träger der Waage (ζυγός) an; der dritte Reiter legt Teuerung auf notwendige Lebensmittel (Weizen, Gerste), läßt aber Öl und Wein unbehelligt. Den Abschluß bildet das fahle Roß, dessen Reiter, die Pest (דֶּבֶר = LXX: θάνατος Apk 2, 23), mit Hades als Knappen die Schrekken vervollkommnet. Ein wildes Heer dämonisch-apokalyptischer Heuschreckenschwärme stürzt sich nach Apk 9 auf die Erde und ihre Bewohner (vgl Ex 10; Jl 1—2); sie sind wie Rosse, die zum Kampf geschirrt sind (9, 7); das Rauschen ihrer Flügel ist wie das Rauschen vieler Wagen, von vielen Rossen, die zum Kampfe eilen (9, 9). Das Reiterheer beträgt zweimal Myriaden von Myriaden (9, 16). Die Reiter sind mit verschiedenfarbigen Rüstungen gepanzert (9, 17). Die Häupter der Rosse gleichen Löwenhäuptern und sie schlagen und töten mit Kopf und Schwanz (9, 19). Verschiedene at.liche Plagen und Tierwesen (Heuschrecken, Skorpione, Leviathan) vereinigen ihre dämonische Gewalt und steigern die Furchtbarkeit dieses apokalyptischen Heeres.

> Ein grausiges Bild aus dem Kampf, das auch sonst in der Apokalyptik öfter wiederkehrt, schildert das Blutbad, das durch das Gericht des Engels entsteht: „Blut quoll bis an der Pferde Zügel aus der Kelter, 1600 Stadien weit" (14, 20). Ähnlich weissagt Hen 100, 2—3: „(In jenen Tagen) werden die Sünder vom Morgengrauen bis Sonnenuntergang einander morden: ein Roß wird bis an seine Brust im Blut der Sünder waten und ein Wagen bis zu seiner Höhe einsinken" [12]. In dem Klagelied, das die Händler über den Untergang Babylons anstimmen (18, 11—14), zählen sie auf, was sie früher in die gottlose Stadt einführen konnten; darunter befinden sich auch „Vieh und Schafe, Pferde und Wagen, Sklaven und Menschenseelen" (18, 13) [13].

Als Gegenstück zu dem wilden Dämonenheer erscheint am Schluß der Offenbarung der Messias selbst und seine himmlische Macht auf weißen Rossen (19, 11—16); weiß ist die Farbe des Siegers (6, 2), der durch Christus erworbenen neuen Reinheit (7, 14; 19, 14) und des himmlischen Glanzes (Mk 9, 3). Die frühere Vorstellung der Vielfarbigkeit ist überwunden. Noch einmal zieht ein himmlisches Heer zum Kampf und Streit aus, aber nur der Messias selbst streitet (κρίνει καὶ πολεμεῖ 19, 11), allerdings mit dem Schwert seines Mundes (19, 15) [14].

Michel

---

[11] Die unheilbringende Tätigkeit der Reiter wird verkannt, wenn man den ersten mit dem richtenden und streitenden Messias von 19, 11—16 oder gar mit dem die Welt durchziehenden Evangelium (Mk 13, 10) gleichsetzt.
[12] Vgl die Schilderung des Blutbades von Beth-ter in den rabbinischen Quellen (Str-B III 817). Außerdem auch sonst im orientalischen Bild, Lidz Ginza XVIII 390, 391 (Ⓢ 417, 15): „Da kommt jener König, läßt sein Pferd los, und dieses schreitet über sie bis zum Sattel im Blut und der Wirbel des Blutes gelangt bis an seine Nasenflügel".
[13] Hier wird scheinbar ganz allgemein vom Pferd ohne besondere Beziehung auf den Krieg gesprochen. Es ist kein apokalyptisches Wesen, sondern ein irdisches Tier und ein Zeichen der Kultur der dämonischen Weltstadt.
[14] Wie in der Kriegsgeschichte tritt das Wagenpferd der at.lichen Erzählung zugunsten des Reitpferdes zurück. Beachtlich ist auch der ganze Einsatz: „die Heerscharen im Himmel folgen" (τὰ στρατεύματα τὰ ἐν τῷ οὐρανῷ); das ganze Himmelsheer wird aufgeboten. Das Pferd steht hier nur im Dienst des Reiters und hat keine besondere Aufgabe im Streit.

---

† ἶρις

A. Die Sachlage außerhalb des Neuen Testaments.

1. Seit Homer ist ἶρις das übliche Wort für den *Regenbogen* (vgl etwa Il 17, 547; Theophr, De Signis Tempestatum 22: ὅταν ἶρις γένηται, ἐπισημαίνει [Regen nämlich]) und entsprechend auch für den *Mondregenbogen* (Aristot Meteor III 4 p 375 a 18: μέγιστον δὲ σημεῖον τούτων ἡ ἀπὸ τῆς σελήνης ἶρις). Im übertragenen Sinne erscheint ἶρις weiter als Bezeichnung jeglichen *Strahlenkranzes*, sowohl etwa für den „*Hof*" *um ein Licht* (Theophr aaO 13) als auch etwa für die *Iris des menschlichen Auges* und gar für das *Farbenspiel um die Augen auf den Federn eines Pfaus* (Luc De Domo 11). Auch innerhalb des übertragenen Gebrauchs ist also der dem Wort ursprünglich eigentümliche Gedanke des **farbigen** Ringes oder Bogens erhalten. Die Griechen haben unter vielen anderen Naturerscheinungen auch den Himmel und Erde verbindenden Regenbogen in der Person der *Götterbotin Iris* personifiziert (Hom Il 15, 144; 24, 77 ff), die dann auch in die römische Mythologie hinübergegangen ist (Vergil Aen 4, 693 ff) [1]. In ihrer Gestalt spiegeln sich **die religiösen Empfindungen und Gedanken**, die der Anblick des Regenbogens in den antiken Menschen ausgelöst hat: man erlebt in ihm die von oben her hergestellte Verbindung der Welt der Götter mit der Welt der Menschen.

2. Die Auffassung des Regenbogens in der biblischen Welt weicht von der der Antike nicht unerheblich ab. Er begegnet zum ersten Male Gn 9, 13 als das „Zeichen des Bundes" zwischen Gott und der Erde, das den Menschen Gottes guten gnädigen Willen mit ihnen bezeugt. Wieso gerade der Himmelsbogen dies Zeichen sein kann, erklärt der Erzähler nicht eigentlich, wenn er auch einen Versuch der Erklärung des Zeichens als solchen macht: in und über den regenschwangeren Wolken bürgt er dafür, daß Gott die Menschheit vor einer neuen Flut verschonen wird (9, 14 ff). Vielleicht liegt eine uralte Vorstellung von dem in die Wolken versetzten und damit seiner feindlichen Wirkungen beraubten Bogen des Kriegsgottes oder auch des Gewittergottes der Erzählung zugrunde [2]. Auf das Vorliegen einer derartigen Historisierung eines mythischen Zuges [3] könnte sehr wohl hinweisen, daß der Grundtext vom קֶשֶׁת Gottes spricht und daß dies Wort eben von Haus aus den *Bogen des Kriegers und des Jägers* bezeichnet.

Dieser Sprachgebrauch ist im AT durchaus gewöhnlich. Er findet sich auch Ez 1, 28 und beherrscht noch die Septuaginta, wenn diese Gn 9, 13; Ez 1, 28 קֶשֶׁת mit τόξον übersetzt [4], ein Verfahren, das auch Sir 43, 11; 50, 7 befolgt ist. ἶρις erscheint nur Ex 30, 24, und zwar als Übersetzung von קִדָּה, einem dem Salböl zugefügten Gewürz, das vielleicht aus Arabien oder Indien eingeführt wurde. Wieso gerade ἶρις hier eintritt, ist nicht durchsichtig, da קִדָּה Ez 27, 19 von LXX nicht mit ἶρις übersetzt ist. Allerdings scheint hier der Text nicht in Ordnung zu sein. Ist er es doch, so liegt der Grund der Verwirrung am ehesten wohl darin, daß קִדָּה nicht eindeutig war, sondern der Bezeichnung verschiedener Gewürzpflanzen diente [5].

ἶρις. Pr-Bauer sv; Liddell-Scott sv.
[1] Vgl zu ihr die Feststellungen mythologischer und archäologischer Art bei WRuge, Pauly-W IX (1916) 2037 ff.
[2] Vgl die Kommentare zu Gn 9, 8 ff. So schon Jos Ant 1, 103 (vgl dazu SRappaport, Agada und Exegese bei Flavius Josephus [1930] 63), ferner Schatzhöhle 20, 11 f (PRießler, Altjüd Schrifttum [1928] 965).
[3] Vgl zum Grundsätzlichen MNoth, Die Historisierung des Mythus im AT, in: Christentum und Wissenschaft 4 (1928) 265 ff, 301 ff;

AWeiser, Glaube und Geschichte im AT = BWANT IV 4 (1931) 23 ff.
[4] Ez 1, 4 steht nur im Hebräer der Hexapla ἶρις: φῶς γὰρ ἐν μέσῳ αὐτοῦ ὡς ὅρασις ἶριδος. Mas hat חַשְׁמַל, das LXX durch ἤλεκτρον wiedergibt und das wohl ein glänzendes Metall meint.
[5] Diese Möglichkeit erwägt für קִדָּה ASocin, BW 358 unter „Kasia". — In Ex 30, 24 bezeichnet ἶρις eine der Schwertlilienarten, die in Südeuropa und Vorderasien in der volks-

Neben dem Erweis der göttlichen Gnade ist der Regenbogen dem AT ein **Erweis der göttlichen Herrlichkeit.** Ez 1, 28 dient der Vergleich mit ihm der Beschreibung der Größe des כְּבוֹד־יְהוָה. Sir 43, 11 bezeugt er mit der ganzen Natur die wunderbare Macht des Schöpfers, und Sir 50, 7 erscheint er als Gleichnis für den Eindruck, den der Hohepriester Simon machte, neben dem 5 Morgenstern und der Sonne.

3. Das (spätere?) Rabbinat[6] hat diesen Gedanken weitergesponnen, wenn es davor gewarnt hat, auf den Regenbogen zu blicken. Resch Laqisch (um 250 n Chr) sah darin eine Gefährdung des Augenlichts (bChag 16 a), da der Mensch den Anblick der Herrlichkeit Gottes (Ez 1, 28) nicht ertrage (vgl Js 6, 5), und Rabba 10 († 331 n Chr) hat es für Überhebung gegenüber dem Schöpfer und demgemäß für eine Entheiligung des göttlichen Namens (→ ὄνομα) erklärt (bQid 40 a). Hier ragt in die Beurteilung und Betrachtung des Regenbogens der die rabbinische Frömmigkeit beherrschende Verdienstgedanke hinein. Sein Kennzeichen ist das Zerbrechen der Einheit von Herrlichkeitsoffenbarung Gottes und Gnadenoffenbarung Gottes, die sich 15 doch nicht voneinander trennen lassen, da sich in beiden derselbe Gott bezeugt, dessen Wirken in allem auf dasselbe Ziel hin geschieht. Zur Auflösung dieser Einheit muß es kommen, weil in der Leistungsreligion Gottes Gnade vom Verhalten des Menschen abhängig gemacht wird. Die Frage ist nun nicht mehr, ob man der Erscheinung der göttlichen Herrlichkeit, die einem zuteil wird, gewachsen ist (Js 6, 5), sondern ob 20 man es wagen darf, seine Augen betrachtend auf das Zeichen des göttlichen Gnadenwillens zu richten, das zugleich seine Allmacht verkündigt. Denn wer weiß und kann wissen, ob Gottes Gnade ihm wirklich gilt? Die „Heils-Ungewißheit" des Spätjudentums (→ II 523, 56 ff) wird aber im Zusammenhang mit dem Regenbogen noch in anderer Weise sichtbar. Wir treffen mehrfach auf die Anschauung (Gn r 35 zu 25 9, 12; bKet 77 b), der Regenbogen erscheine nur dann, wenn sich auf Erden kein vollkommener Gerechter finde, da ein solcher durch sein Dasein den Fortbestand der Welt verbürgen und so die ausdrückliche Bezeugung der göttlichen Gnade durch den Regenbogen unnötig machen würde[7]. Hier ist die Haltung des Erzählers von Gn 9, 8 ff und des AT überhaupt verlassen. 30

B. Das Neue Testament.

1. Nur ein Leser des AT konnte wissen, was gemeint war, wenn er τόξον als Wort für den Regenbogen begegnete. Dem hat Josephus Rechnung getragen, wenn er seinen nichtjüdischen Lesern die im Anschluß an die biblische Erzählung gewählte Benennung τοξεία durch ἶρις erklärte (Ant 35 1, 103). Damit war eindeutig festgestellt, was gemeint war. Ebenso waren für Philo das Wort und die mit ihm verbundenen Vorstellungen unentbehrlich[8]. Und auch das NT konnte nicht darauf verzichten, wenn es verständlich reden wollte. Damit ist das Erscheinen von ἶρις in dem der griechischen Antike gewohnten Sinne in der Apokalypse grundsätzlich erklärt. 40

2. Angesichts der verschiedenen Zusammenhänge, in denen ἶρις Apk 4, 3 und 10, 1 vorkommt, ist die Frage wohl berechtigt, ob der Sinn und die theologische Abwandlung des Wortes hier und dort dieselben sind[9]. 4, 3 umgibt die ἶρις[10] im Kreise den Thron Gottes, der sich zum Gericht anschickt, und erweckt im Beschauer dasselbe Farbenbild wie der Smaragd, 45

---

tümlichen Kosmetik bekannt sind („Veilchenwurz"). Vgl PTebt II 414, 11 (2 Jhdt): πέμψω τῇ θυγατρί σου κοτύλην ἶρις (lies: ἴριδος) = „ein Schälchen Veilchenwurz" (Moult-Mill). κρίνον Mt 6, 28 ist vielleicht dieselbe Pflanzengattung der Iridazeen. [Bertram.]
[6] S Str-B IV Regist unter „Regenbogen".

[7] Vgl Str-B IV 1133 A 1.
[8] Quaest in Gn II 64 p 148 (ed Aucher), in: Philonis Iudaei Paralipomena Armena (1876).
[9] Pr-Bauer 593 nimmt das Wort 10, 1 wörtlich, 4, 3 im übertr Sinne.
[10] Im Text steht kein Artikel.

leuchtet also wohl in einem hellen Grün. Der Anschluß an Ez 1, 27 f ist schon
durch das κυκλόθεν gesichert. Nun ist aber Ez 1, 28 der „Bogen" mit Sicherheit nur ein Mittel, um Art und Größe ·der göttlichen δόξα zu beschreiben.
Heißt das aber, wenn Apk 4, 3 von einer kreisförmigen und noch dazu nur
5 smaragdgrünen Lichterscheinung die Rede ist, nicht, daß hier ἶρις nur auf das
Vorhandensein eines Glanzes hinweist, wie er dem Regenbogen eignet, nicht
aber auf den Bogen als solchen? [11] 10, 1 gehört die ἶρις [12] dagegen zu den
Emblemen des Engels mit dem Büchlein, das eine nur im Himmel bekannte
Weissagung enthält (vgl Ez 3, 1 ff). Dadurch, daß der Seher das Büchlein ver-
10 zehrt, wird er fähig, zum Vermittler dieser göttlichen Weissagung zu werden,
die über das Schicksal der gesamten Menschheit ergeht (Apk 10, 8 ff). Aber
darum ist der, dem er sie zunächst verdankt, doch nicht Gott selbst, sondern
ein Engel. Es ist immerhin beachtenswert, daß die ἶρις über seinem Haupte
steht. Neben der Wolke, die sein Kleid ist, und dem nur der Sonne vergleich-
15 baren Glanz seines Antlitzes kann sie nichts anderes bedeuten als eben den
Regenbogen [13]. Hier ist also durch den Zusammenhang die ursprüngliche Bedeutung gesichert, auch dann, wenn man meint, die ἶρις für einen traditionellen
Zug der Schilderung der Theophanie halten zu sollen [14].
   Man wird aber beide Stellen doch besser zusammennehmen und ἶρις hier und
20 dort gleichartig fassen. Der letzte Grund liegt in dem Anliegen des Buches,
in und neben aller Ankündigung des Gerichts Gottes über die Menschheit die
Seinen seiner Gnade und ihres Heils unerschütterlich gewiß zu machen. Solche
Gewißheit ist der Gemeinde Jesu gegeben, weil sie in seinem Wort und Werk
und vor allem in seinem Sterben und seiner Auferweckung Gottes Gnade als
25 Grund ihres Daseins erfahren hat (vgl nur 1, 17 f). Das kommt 10, 7 darin zum
Ausdruck, daß das Wort des Sehers als der Abschluß und die Zusammenfassung
aller prophetischen Verkündigung gefaßt wird. Ihr Thema ist aber immer und
überall gleichzeitig Gerichts- und Gnadenoffenbarung Gottes (vgl nur das Nebeneinander von Js 3 und 4), und zwar darum, weil die Offenbarung seiner gött-
30 lichen Macht und Herrlichkeit schon als solche für seine Feinde Gericht, für
seine „Knechte" (Apk 1, 1 uö) aber den Anbruch der Heilszeit bedeutet. Dem, dies
zu bezeugen, dient die ἶρις über dem Haupte des Engels 10, 1 als das uralte
„Zeichen des Bundes" (Gn 9, 13), hinter dem Gottes guter und gnädiger Wille
steht [15]. Ist es aber hier so, so wird es vollends 4, 3 am Eingang des großen
35 Gerichtsgemäldes des Buches nicht anders sein. Der θρόνος (→ III 165, 27 ff)
Gottes und die θρόνοι der πρεσβύτεροι lassen keinen Zweifel daran, daß eine
Gerichtshandlung von unerhörtem Ausmaß beginnen soll. Um so wichtiger ist

---

[11] Pr-Bauer übersetzt deshalb „ein Strahlen-
kranz, anzusehen wie ein Smaragd". Vgl auch·
Loh Apk 43 zSt; JBehm, in: NT Deutsch
zSt. Maßvolle Darstellung und Beurteilung
der älteren Exegese bei FDüsterdieck (in
Meyers Komm) [2] (1865) 218 f zSt. Zu der merkwürdigen Lesart ἱερεῖς ℵA s Zn Apk 319 A 4.
[12] Die wichtigeren Texte haben den Artikel.
[13] Über den psychologischen und religionsgeschichtlichen Untergrund des Gesichts,
der hier beiseite bleiben kann, s die Komm
zSt.
[14] Vgl bes Loh Apk 81 zSt; JBehm, in: NT
Deutsch zSt.
[15] Man wird also die Beziehung zu Gn
9, 13 hier — und auch 4, 3 — trotz der Ablehnung von WHadorn (Had Apk 70, vgl 114)
festhalten müssen, wenn man dem Text ganz
gerecht werden will.

dem Verfasser, daß er seiner Kirche bezeugen kann, daß Gott auch als der Richter der ist und bleibt, der seinem Volke gnädig ist. Das kommt zum Ausdruck in der ἶρις, die seinen Richterthron umgibt, wieder nach Gn 9, 13 [16]. Die Angabe gewinnt in diesem Zusammenhang ihr besonderes Gewicht durch v 6, nach dem Gottes Thron und somit er selbst durch eine θάλασσα ὑαλίνη von seiner 5 Umgebung abgeschlossen ist. Wird so Gottes Transzendenz und „Ferne" in überwältigender Weise beschrieben (vgl 1 Tm 6, 16), so bezeugt die ἶρις um den Thron den „fernen Gott" doch wieder als den „nahen Gott" [17]. Was das heißt, zeigt Kp 5, wo allein das geschlachtete Lamm imstande und willens ist, seinen Willen der Welt kundzutun. So erfüllt sich dem Seher Gottes Wort 10 Gn 9, 9 ff in Gottes geschichtlichem Handeln in dem gekreuzigten und auferweckten Jesus. Durch ihn ist er seinen „Knechten" als der Richter „nah" und verbunden.

Im Blick auf die sprachlichen und sachlichen Hintergründe des Wortes ἶρις kann man also abschließend sagen: Der an sich unbiblische Begriff ist 15 in Apk mit dem Inhalt des at.lichen קֶשֶׁת/τόξον gefüllt und mit diesem in das Licht der Christusoffenbarung gerückt worden. Auf der ersten Tatsache beruht sein ungriechischer Charakter, auf der zweiten, daß er nicht mehr nur ein Zeichen verheißener Gnade, sondern ein Zeugnis gewährter Gnade Gottes ist, und damit wieder ist die Beseitigung jedes Leistungs- 20 prinzips im Zusammenhang mit ihm gegeben, wie es für die Betrachtung des Regenbogens durch das Rabbinat bezeichnend ist (→ 341, 7 ff). Denn er bezeugt, daß nur einer das Heil wirkt, Gott selbst, weil vor allem guten Werk der Menschen Gottes Güte und Geduld stehen.

Rengstorf 25

Ἰσαάκ → 191 f.   ἰσάγγελος → I 86, 36 ff.

| † ἴσος, † ἰσότης, † ἰσότιμος | → δίκαιος II 184, 13 ff; → εἷς II 432, 22 ff; → ὅμοιος. |

Inhalt: A. ἰσότης als Gleichheit: 1. Quantitative Gleichheit; 2. Gleichheit des Inhalts bzw des Sinnes; 3. ἰσότης unter den Menschen: bei den Griechen; 4. ἰσότης 30 unter den Menschen: bei den Christen; 5. Wesensgleichheit und Gottgleichheit außerhalb des NT; 6. die Gottgleichheit Jesu im NT. — B. ἰσότης als Billigkeit.

A. ἰσότης als Gleichheit.

1. Quantitative Gleichheit.

a. Die Gleichheit, die durch ἴσος und seine Ableitungen 35 ausgedrückt wird, ist zunächst eine Gleichheit der Menge, der Zahl, aber auch

---

[16] Die ἶρις für ein „Attribut des thronenden Weltrichters" zu erklären: Bss Apk [5] (1896) 361 z 10, 1, legt der Text durch nichts nahe.

[17] Demgemäß ist jede Auseinandersetzung über die Frage, ob man sich den κύκλος in der Horizontale oder in der Vertikale zu denken habe, fehl am Platze. S die grundsätzlichen Bemerkungen bei Düsterdieck z 4, 3.

ἴσος, ἰσότης. Cr-Kö 790 f (sv ὅμοιος); Moult-Mill 307; Bl-Debr [6] § 194, 1 (zu ἴσος); 434, 1; 453, 4 (zu ἴσον); JBLightfoot, St Paul's

des Wertes[1], der Kraft, jedoch im ganzen weniger der Qualität, zu deren Bezeichnung ursprünglich in erster Linie ὅμοιος und seine Verwandten dienen[2]; schon der Ausgang dieses Wortes — -οιος, derselbe wie in ποῖος qualis — weist ja auf qualitas hin.

Unterschied und doch nahe Verwandtschaft der beiden Wörter zeigt Hom Il 1, 187: ἴσον ἐμοὶ φάσθαι καὶ ὁμοιωθήμεναι ἄντην, *den Anspruch auf Gleichwertigkeit mit mir erheben und sich ins Gesicht hinein als wesenhaft gleich hinzustellen.* Aristoteles definiert dann schärfer; Cat 6 p 6 a 26 (vgl Z 33 f): τὸ ἴσον als ἴδιον τοῦ ποσοῦ[3], bzw Metaph III 2 p 1004 b 11: ἰσότης als πάθος ἴδιον ἀριθμοῦ ἢ ἀριθμός[4]. Dementsprechend wird ἴσος besonders häufig zur Bezeichnung von gleich hohen Geldsummen bzw Zinsen, von gleicher Stückzahl, von Stimmengleichheit, von gleichen Längenmaßen und Zeitlängen, von gleich großen Teilen und sonstigen gleichen Größen gebraucht.

Um diese Maßgleichheit handelt es sich auch mehrfach in der LXX: Ex 30, 34 (ἴσον ἴσῳ ἔσται, die Mischung soll zu gleichen Teilen erfolgen); Lv 7, 10 (6, 40: ἑκάστῳ τὸ ἴσον, bei Verteilungen), Ez 40, 5 ff (→ 344, 23 ff), 4 Makk 13, 20 f (von gleichen Zeitlängen), sowie in zwei nt.lichen Stellen: Apk 21, 16 und Lk 6, 34.

b. Apk 21, 16 (vom himmlischen Jerusalem): τὸ μῆκος καὶ τὸ πλάτος καὶ τὸ ὕψος αὐτῆς ἴσα ἐστίν.

Ähnliche Angaben über die Gleichheit von zwei Dimensionen oder von Größen innerhalb derselben Dimension finden sich häufig; vgl Xenoph An V 4, 32: ἴσος τὸ πλάτος καὶ τὸ μῆκος. Ditt Syll[3] 969, 45 ff: πλάτος καὶ ὕψος ἴσα τοῖς ἐπιστυλίοις. Jos Ant 10, 131: χώματα τοῖς τείχεσι τὸ ὕψος ἴσα. — Ex 26, 24; inhaltlich besonders nahe steht Ez 40, wo die Messung des himmlischen Jerusalem unter Anwendung der Maßeinheit des κάλαμος beschrieben wird; vgl v 5: τὸ πλάτος (sc der Mauer) ἴσον τῷ καλάμῳ καὶ τὸ ὕψος αὐτοῦ ἴσον τῷ καλάμῳ, ebenso findet sich im folgenden mehrfach ἴσον τῷ καλάμῳ als Wertangabe.

Das Auffallende in der Stelle Apk 21, 16 ist die Gleichheit der d r e i Dimensionen; und zwar handelt es sich um einen Würfel, bei dem jede Seite ungefähr 2000 km lang ist! Die Gleichheit der Seiten und insbesondere das dreimal gleiche Z w ö l f e r - m a ß der Seiten ist ein Zeichen der Vollkommenheit[5].

Vielleicht genügt diese Erkenntnis allein zur Erklärung der sonderbaren Vorstellung einer kubusförmigen Stadt, der wahrscheinlich weniger eine wirkliche Vorstellung als eben jene Vollkommenheitstheorie zugrunde liegt. Man ist daher nicht genötigt, etwa an bestimmte Vorbilder zu denken wie an die Kubusform des Tempelturms des Gottes Marduk in dem himmlischen Babylon der Babylonier[6] oder an die gleiche Form des Allerheiligsten im salomonischen Tempel[7] und in seinen Nachfolgern, zu denen wohl auch die gleichförmige Kaaba in Mekka gehört. Dagegen mag es sein, daß im Hintergrund aller dieser Vorstellungen und Bauten irgendwelche kosmologische Spekulationen stehen[8]. Die phantastischen Ausmaße besagen innerhalb der Grenzen des damaligen Weltbilds nicht mehr und nicht weniger, als daß das neue Jerusalem Himmel und Erde erfüllt.

Epistles to the Colossians and to Philemon (1892) z Kol 4, 1; Loh Kol 159 mit A 5; → ἁρπαγμός I 472, 19 ff; TKAbbott im Komm (1916) (= ICC XXXV) Kol 296; RHirzel, Themis, Dike u Verwandtes. Ein Beitrag zur Geschichte der Rechtsidee bei den Griechen (1907) 228 ff, 421 ff, hier (421—423 = Exkurs VII) bes zum Verhältnis von ἴσος u ὅμοιος.

[1] Für den Zusammenhang zwischen Gleichheit der Zahl und des Wertes im Wortbegriff von ἴσος mag auf einer frühen Stufe das Verteilen der Beute mitbestimmend gewesen sein, da dem dieser Zusammenhang deutlich hervortritt, insofern es dabei ebensosehr auf Gleichwertigkeit (nicht Gleichartigkeit!) wie auf gleiche Menge ankommt [Debrunner]. Bes einleuchtend tritt derselbe Zusammenhang dann natürlich im Geldverkehr zutage.

[2] Cr-Kö 790; s auch ThZahn in: ZWL 6 (1885) 254.

[3] Ähnlich konstatiert Eustath Thessal Comm in Il 5, 432 ff (II 44 Stallbaum), daß ὅμοιος sich auf die ποιότης, ἴσος dgg auf die ποσότης beziehe (bei Hirzel 422).

[4] Vgl Plat Rer Resp IV 441 c: ἴσα τὸν ἀριθμόν. Philo Rer Div Her 144: λέγεται γὰρ ἴσον καθ' ἕνα μὲν τρόπον ἐν ἀριθμοῖς . . ., καθ' ἕτερον δὲ ἐν μεγέθεσίν. — Für solche Zahlen- und Größengleichheit bieten besonders viele Beispiele die Papyri (vgl Preisigke Wört sv) u Inschriften (vgl FHiller de Gaertringen, Index zu Ditt Syll[3] sv); s vor allem noch die Belege bei Liddell-Scott sv.

[5] Loh Apk zSt; → δώδεκα II 323, 21 ff.

[6] Vgl BMeißner, Babylonien u Assyrien I (1920) 312 f.

[7] Vgl Bss Apk zSt.

[8] Vgl KGalling, Artk Tempel II in RGG[2] V 1044.

Es gibt dafür, zumal für die besonders erstaunliche Höhe, auch jüdische Parallelen: Nach BB 75 b (Str-B III 849 f) wird Gott Jerusalem drei Parasangen (= etwa 17 km) hoch machen, nämlich entsprechend — diese Entsprechung wird aus Sach 14, 10 erschlossen — der Ausdehnung der Stadt in den zwei anderen Dimensionen, die gleichfalls drei Parasangen beträgt; vgl auch Pesikt 137 b (Str-B III 852). Dereinst werden 5 die Grenzen Jerusalems zwölf Meilen im Geviert sein, wo allerdings offenbar nicht auch noch an die gleiche Höhe gedacht ist[9]. Nach Pesikt 143 a (Str-B III 849 gg E) wird Jerusalem dereinst sich erheben und aufsteigen, bis es an den Thron der Herrlichkeit kommt usw; ähnlich Cant r 7, 5 (127 b).

c. Lk 6, 34: ἁμαρτωλοὶ ἁμαρτωλοῖς δανείζουσιν ἵνα ἀπο- 10 λάβωσιν τὰ ἴσα. Der Grundgedanke in diesem und den benachbarten Sätzen Jesu ist zwar klar, nicht aber ihr genauer Sinn. Das Problem der Stelle ist, was τὰ ἴσα, das Ziel der von Jesus abgelehnten, weltförmigen Haltung beim Geldverleihen bedeutet.

Es kann gemeint sein: *1. die gleiche Summe*[10], also das ausgeliehene Kapital (ohne 15 Zinsen); — *2. der entsprechende Betrag*, dh Kapital plus Zinsen[11], wobei beide Male ἀπολαμβάνω im Sinn von *zurückerhalten* gebraucht wäre; — *3*. ist es dagegen einfach *empfangen*, so kann man unter τὰ ἴσα *ein gleiches Darlehen*, dh *den gleichen Dienst* verstehen, den man in Notzeiten erhofft[12]; — *4*. aber es könnte auch erwogen werden, ob ἀπολαμβάνω τὰ ἴσα nicht ein term techn[13] mit der Bedeutung *einen gleich hohen* 20 (dh dem Kapital gleichen) *Zinsenbetrag erhalten* ist, wie zB ἴσοι τόκοι in den Papyri[14] *Zinsen* bezeichnen, *deren Gesamtsumme gleich der Kapitalsumme ist*.

Eine sichere Entscheidung ist deshalb nicht möglich, weil nicht nur ἀπολαμβάνω, sondern auch das hier ganz singulär gebrauchte → ἀπελπίζω (v 35) in seiner Bedeutung *(zurückerwarten* oder *erhoffen?)* unsicher ist. 25

Dagegen ist soviel deutlich, daß Jesus hier, wie in dem ganzen Abschnitt, die „do ut des - Haltung" kennzeichnet, der er die selbstlose Christenliebe gegenüberstellt. Bei jener auf Vergeltung eingestellten „Liebe" spielt, ebenso wie oft bei dem vom gleichen Prinzip beherrschten Rachegedanken (vgl Mt 5, 38), allerdings der Begriff der genauen Entsprechung eine große Rolle, während der 30 Christenhaltung dieses Berechnen und Abwägen fremd ist (vgl zB 1 K 13, 5).

Zum Gebrauch von ἴσος zur Bezeichnung der genauen Entsprechung bei der Vergeltung (im guten und im bösen Sinne) vgl noch Hdt I 2: ταῦτα δὴ ἴσα πρὸς ἴσα[15] σφι γενέσθαι. Plat Leg VI 774 c: ἴσα ἀντὶ ἴσων λαβεῖν bzw ἐκδοῦναι. Ditt Syll[3] 798, 5: ἴσας ἀμοιβὰς οἷς εὐηργέτηνται, 971, 9: ἀμειβόμενα τὸ ἴσον. 35

2. Gleichheit des Inhalts bzw des Sinnes.

Wie bei dem ἴσος der Quantität besonderer Nachdruck auf der genauen Gleichheit liegt, besonders bei der Verwendung in der Mathematik (vgl Aristot Metaph IX 3 p 1054 a 31 ff), so auch namentlich dann, wenn es **Übereinstimmung im Inhalt** bezeichnet; vgl Aristot Pol V 1 p 1301 b 40 31: ταὐτὸ καὶ ἴσον.

τὸ ἴσον kann darum in technischer Verwendung *das Doppel einer Urkunde* (PTebt II 397, 19 [2 Jhdt n Chr]) oder *die beglaubigte Abschrift* (PLond III 1222, 5 [138 n Chr];

---

[9] → δώδεκα II 325, 7 ff.

[10] Pr-Bauer sv; Hck Lk 87; Schl Lk zSt. — Pr-Bauer verweist auf PRyl 65, 7: εἰς τὸ βασιλικὸν τὰ ἴσα. Aber diese Stelle bietet insofern keine genaue Parallele, als τὰ ἴσα auf einen vorher genannten Betrag zurückweist, während es in Lk 6, 34 absolut steht und die Entsprechung nur mittelbar aus δανείζουσιν entnommen werden kann.

[11] So außer der mittelalterlichen Exegese (vgl HJHoltzmann im Komm[3] [1901] 341 zSt) auch APlummer, Lk (ICC)[3] (1907) 187; er

beruft sich dafür auf die Bdtg von δανείζω *auf Zinsen leihen* (im Gegensatz zu κίχρημι); aber dies Argument wird durch v 35 aufgehoben, es müßte denn sein, daß die Verwendung von δανείζω hier eine der Paradoxien in den Jesusworten darstellt.

[12] S Kl Lk zSt u bes d feinsinnigen Ausführungen von FGodet, Lk[2] (1890) zSt.

[13] Vgl Pr-Bauer sv Nr 1.

[14] Vgl Preisigke Wört sv.

[15] Liddell-Scott sv: tit for tat.

PTebt II 301, 21 [190 n Chr]) bedeuten. Ähnlich wird PTebt I 82, 6 (2 Jhdt v Chr) uö
mit Bezug auf eine Nachprüfung von Bucheintragungen am Sachbefund ἴσον im Sinn
von *übereinstimmend* gebraucht, ebenso in PTebt I 120, 127 (1 Jhdt n Chr): τὰ ἴσα
(πιττάκια) ἔχω παρὰ τοῦ δεῖνα, *ich habe einen gleichlautenden, übereinstimmenden Schuld-*
5   *schein*; vgl auch POxy I 78, 27 (3 Jhdt n Chr): τὰ ἴσα ἐπιστέλλειν, *im gleichen Sinne*
Weisung erteilen.

Hierher gehört auch die Verwendung von ἴσος von *übereinstimmenden* Zeugenaussagen in Mk 14, 56: καὶ ἴσαι αἱ μαρτυρίαι οὐκ ἦσαν. 59: καὶ οὐδὲ οὕτως ἴση
ἦν ἡ μαρτυρία αὐτῶν. Trotz des v 57f Mitgeteilten fehlt offenbar die genaue
10 Übereinstimmung der Zeugnisse im einzelnen, worauf es gerade ankam; vgl
dieselbe Forderung in Sus 51 ff.

Die Regeln für diesen Fall waren: Sanh 5, 2 (Str-B I 1002): „wenn sie (sc die beiden
Zeugen) einander widersprechen, so ist ihr Zeugnis ungültig.“ 5, 4: „werden ihre
Worte übereinstimmend gefunden“, so schreitet das Gericht, da nun der Tatbestand
15   erwiesen ist, sofort zur Verhandlung über die daraus sich ergebende Straffälligkeit
des Angeklagten und das Strafmaß, beginnend mit den Argumenten, die allenfalls
eine Freisprechung begründen könnten [16].

Das Bemühen um die ἰσότης der μαρτυρίαι gehört zu der formalen Gerechtigkeit, in die sich die Ungerechtigkeit im Prozesse Jesu hüllte und unter deren
20 Schein diese über ihn triumphierte.

3. ἰσότης **unter den Menschen: bei den Griechen.**

Eine große Rolle spielt der Gedanke der Gleichheit
im griechischen Recht und in der griechischen Staatslehre [17]. „Es gibt kaum
einen Begriff, der bei Betrachtungen über das Recht so häufig wiederkehrt wie
25 dieser“, und nirgends hat der enge Zusammenhang zwischen Gleichheit und
Recht so „runden und vollen Ausdruck, so unverblümte Anerkennung wie bei
den Griechen gefunden“. Vor allem ist festzustellen, daß „die Griechen viel
mehr als die Römer in den Verhältnissen des Rechts die Gleichheit als wesentlich“ erkennen. Aus der Gleichheit geht das Recht hervor, insofern nur Gleiche
30 unter sich in ein Rechtsverhältnis treten können. Aber nach und nach tritt im
Staat der natürlichen Gleichheit der ὅμοιοι die rechtliche Gleichheit der ἴσοι
gegenüber; diese können von Natur verschieden sein; aber durch die Zuerken-
nung derselben Rechte werden sie *gleich*. Die hohe Schätzung der ἰσότης seitens der Griechen spiegelt sich in ihrer Personifizierung bei Euripides (Phoen
35 536) und in den Sätzen des Aristoteles, die sie als Heilmittel für Einheit und
Einigkeit im Staate preisen, Pol II 2 p 1261 a 30 f: τὸ ἴσον τὸ ἀντιπεπονθὸς σῴζει
τὰς πόλεις. Pseud-Aristot Mund 5 p 397 a 3 f: τὸ ἴσον σωστικὸν ὁμονοίας, ähnlich
Philo Rer Div Her 162: ἰσότης εἰρήνην ἔτεκε. Darum sagt Cicero (De Legibus
I 18, 48, ed JVahlen [3] [1883]): societas quoque hominum et aequalitas et iustitia
40 per se < est > expetenda.

Das griechische Ideal der ἰσότης unter den Menschen ist das Spiegelbild oder
eher eine Teilerscheinung der kosmischen Gleichheit, von der die Plato im Gorgias
(507 d ff) spricht; vgl besonders 508 a: ἀλλὰ λέληθέν σε ὅτι ἡ ἰσότης ἡ γεωμετρικὴ
καὶ ἐν θεοῖς καὶ ἐν ἀνθρώποις μέγα δύναται [18]. Diese ἰσότης γεωμετρική ist als Ge-

---

[16] [Umschreibung des Textsinnes nach KGKuhn.]
[17] Vgl zu diesem Abschnitt die wichtigen Ausführungen bei Hirzel 228 ff, aus denen

auch die oben gemachten Anführungen entnommen sind.
[18] Vgl Ditt Syll [3] 526, 28: πολιτεό[σομ]αι
(sic) ἐπ' ἴσα καὶ ὁμοίᾳ καὶ θί[νων κ]αὶ ἀνθρω-

setz der Proportion eine wesentliche, weil ordnende und damit göttliche δύναμις des κόσμος. Gegensatz dazu ist die → πλεονεξία, das Immer-mehr-haben-wollen, als was einem nach der Stellung und Leistung im Ganzen zukommt; vgl dazu auch Menand Mon 259: ἰσότητα τίμα καὶ πλεονέκτει μηδένα.

a. In den griechischen Staaten ist darum die Gleichheit 5 zusammen mit der Freiheit (vgl Aristot Pol IV 4 p 1291 b 35: ἐλευθερία καὶ ἰσότης) ein Grundprinzip der Demokratie. Die ἰσότης πολιτική [19] (Pol VI, VIII, IV), die πολιτεία συνεστηκυῖα κατ' ἰσότητα τῶν πολιτῶν (Aristot Pol III 6 p 1279 a 9) ist der Stolz der griechischen Demokraten.

Das Wesen dieser ἰσότης besteht im Genuß der ἴσα καὶ ὅμοια (Demosth Or 21, 112; 10 → A 19), *der gleichen Stellung und Rechte* seitens aller Bürger, die eben darum ἴσοι καὶ ὅμοιοι sind (vgl Xenoph Hist Graec VII 1, 1). Die Zelle der Demokratie ist der πολίτης ἐφ' ἴσῃ καὶ ὁμοίᾳ (Ditt Syll ³ 333, 25; 742, 45) oder in abgekürzter Redeweise der πολίτης ἴσος καὶ ὅμοιος (ebd 421, 13), dh seine Stellung ist *gleichwertig* (ἴσος) und *gleichartig* (ὅμοιος). Dementsprechend ist die Demokratie selbst eine πολιτεία ἐπ' ἴσῃ καὶ ὁμοίῃ 15 (ebd 312, 25) oder anders gewendet eine πολιτεία ἐν τοῖς ἴσοις καὶ ὁμοίοις (Xenoph Hist Graec VII 1, 45) oder wiederum in ähnlicher Abkürzung (→ Z 13 f): πολιτεία ἴσῃ καὶ ὁμοία (Ditt Syll ³ 254, 6; vgl Aeschin Or 1, 5: ἴσῃ καὶ ἔννομος πολιτεία).

Die Bedeutungsunterschiede der hier überall in stehender Redewendung verbundenen Wörter ἴσος und ὅμοιος hatten sich damals fast gänzlich verwischt, wie auch in 20 den Wendungen αἱ ἰσότητες καὶ αἱ ὁμοιότητες (Isoc 7, 61) und ἡ ὁμοιότης καὶ ἰσότης (Plat Leg V 741 a). Aber auch dieser Doppelausdruck bezeichnet nicht etwa wesenhafte Gleichheit, sondern die Gleichheit der Waage und des Gewichts, wie eben die demokratische Gleichheit eine Gleichheit ist, nach der „jeder soviel Maaß und Lot Recht hat wie der andere" [20]. 25

Im Sinne der Rechtsgleichheit gebraucht auch die LXX ἴσος einmal, 2 Makk 9, 15: πάντας αὐτοὺς (sc die Juden) ἴσους *(politisch gleichberechtigt* [21]*)* Ἀθηναίοις ποιήσειν. Vgl auch ἰσοπολίτης (3 Makk 2, 30).

b. Wie die griechische Staats- und Rechtslehre die ἰσότης als grundlegend für die Staatsgemeinschaft betrachtet, so beruht für die 30 griechische Philosophie auch die persönliche Gemeinschaft von Freunden auf dem gleichen Grundprinzip.

Nach den Pythagoreern ist Freundschaft ἐναρμόνιος ἰσότης von zwei Menschen (Diog L VIII 33), und Aristoteles (Eth Nic VIII 10 p 1159 b 2 f) definiert: ἡ δ' ἰσότης καὶ ὁμοιότης φιλότης. Der rechte Freund ist ἴσος καὶ ὅμοιος (Pol III 16 p 1287 b 33). Aber 35 man darf wohl sagen: die Gleichheit, um die es sich hier handelt, ist eine wesentlich andere, vollkommenere als im Staat, wenn vielleicht auch in diesem das Ideal des πολίτης ἴσος καὶ ὅμοιος nicht so fern von dem φίλος ἴσος καὶ ὅμοιος ist. In der wahren Freundschaft ist einer dem andern nicht nur φίλος ἴσος τῆς ψυχῆς (LXX Dt 13, 6 [7]), *ein Freund, der ihm so teuer (gleichwertig!) ist wie sein eigenes Leben,* hier ist die wesen- 40 hafte ἰσότης, die der Staat mit seinem Gleichheitsideal für seine Bürger in Anspruch nimmt, in einer wirklichen „Harmonie" der Seelen verwirklicht.

c. Jedoch bahnt sich auch beim Begriff der rechtlichen ἰσότης eine Vertiefung an, nämlich dort, wo sie als Prinzip der richterlichen Gerechtigkeit erscheint. Das bedeutet freilich zunächst nur soviel, 45

πίνων. Hier haben wir das Urbild der griechischen Demokratie vor uns (→ 347, 5 ff).

[19] Das bedeutet, wie gesagt, in erster Linie die rechtliche Gleichheit; vgl Thuc II 37, 1: μέτεστι δὲ κατὰ μὲν τοὺς νόμους πρὸς τὰ ἴδια διάφορα *(Privatprozesse)* πᾶσι τὸ ἴσον *(das gleiche Recht).* Dagegen tadelt Demosthenes (21, 112): οὐ μέτεστι τῶν ἴσων οὐδὲ τῶν ὁμοίων πρὸς τοὺς πλουσίους τοῖς πολλοῖς ἡμῶν, *die große Masse hat nicht gleiche Rechte*

mit den Reichen (Pape sv ἴσος). Auch in der Demokratie deckt sich die Praxis nicht immer mit der Theorie.

[20] HvSybel, Vorträge und Abhandlungen (1897) 54, 1 (bei Hirzel 251).

[21] AKamphausens (bei Kautzsch Apkr u Pseudepigr 104) Übers *ebenso frei* trifft nur einen Teil des Begriffes der hier vorliegenden ἰσότης.

daß der Richter ohne Ansehen der Person jedem das gleiche Recht widerfahren
läßt (vgl zB Ditt Syll³ 426, 14: ἀφ' ἴσου πᾶσι ποιησάμενος τὰς κρίσεις).

So meinte es Aristoteles, wenn er sagt (Eth Nic V 1 p 1129 a 34): τὸ δίκαιόν ἐστι
τὸ ἴσον. Δικαιοσύνη besteht für ihn in der Beobachtung und Bewahrung der ἰσότης,
der Gleichheit des einen mit dem andern (Eth Nic V p 1129 ff); sie ist ἕξις ἰσότητος
ποιητικὴ ἢ διανεμητικὴ τοῦ ἴσου (Topica VI 5 p 143 a 16). Dieser echt griechische Gedanke liegt auch in dem ἰσονομεῖν von 4 Makk 5, 24 vor: *Gleiches* (suum cuique) *aus-
zuteilen* und also ganz *unparteiisch zu handeln* ist ein Zeichen wahrer (griechischer)
Gerechtigkeit. Diesem Gerechtigkeitsverständnis entsprechend haben die Pythagoreer
die Quadratzahl als das Produkt gleicher Faktoren zum Symbol der Gerechtigkeit erhoben [22]; vgl Aristot Eth M I 1 p 1182 a 14; auch Philo Op Mund 51: (ὁ τέτταρα)
μέτρον δικαιοσύνης καὶ ἰσότητος, ferner die ἰσότης γεωμετρική des Plato (Gorg 508 a)
als Gerechtigkeitsprinzip des κόσμος (→ 346, 41 ff).

In diesem Sinne ist wohl auch die ἰσότης zu verstehen, mit der der Messias das
erwählte Volk Gottes leitet, Ps Sal 17, 41 (46): ἐν ἰσότητι πάντας αὐτοὺς ἄξει. Aber
ahnend kündet sich hier auch schon die Hoffnung auf die herrliche ἰσότης aller Reichs-
genossen des Messias an (→ 350, 10 ff).

Aber die Bedeutungsentwicklung von ἴσος selbst, das sich immer mehr dem
Begriff des δίκαιος nähert und angleicht (→ B), führt allmählich zu der
jene Definition (richterliche ἰσότης = Gewährung des gleichen Rechts an alle) ergänzenden bzw berichtigenden Erkenntnis, daß wahre Gerechtigkeit darin besteht, daß man jedem — nicht das gleiche, sondern — das Seine zukommen
läßt.

Das kommt bereits in der paradox klingenden Feststellung des Xenophon (Cyrop
II 2, 18) zum Ausdruck: καίτοι ἔγωγε οὐδὲν ἀνισώτερον *(nichts Ungerechteres)* νομίζω ἐν
ἀνθρώποις εἶναι ἢ τοῦ ἴσου τόν τε κακὸν καὶ τὸν ἀγαθὸν ἀξιοῦσθαι.

d. Eine besondere Rolle spielt die ἰσότης bei v e r t r a g -
l i c h e n   R e c h t s v e r h ä l t n i s s e n , kraft deren die Partner nach Rechten und
Pflichten einander gleichgestellt werden.

Vgl Hdt IX 7: συμμάχους ἐπ' ἴσῃ τε καὶ ὁμοίῃ ποιήσασθαι (dieselbe Präpositional-
wendung auch Ditt Syll³ 312, 27 [4 Jhdt v Chr]); ähnlich Thuc I 99, 2: (die Athener
im Athenischen Seebund) . . . οὔτε ξυνεστράτευον ἀπὸ τοῦ ἴσου.

4. ἰ σ ό τ η ς   u n t e r   d e n   M e n s c h e n :   b e i   d e n   C h r i s t e n .

Diesen säkularen Formen einer Gleichheit, die durch
irdisches Recht und Gerechtigkeit bestimmt ist, setzt das NT eine andere G l e i c h -
h e i t   entgegen, d i e   d u r c h   d i e   L i e b e   d e r   C h r i s t e n   u n d   d u r c h   d i e
G n a d e n g a b e n   G o t t e s   h e r g e s t e l l t   w i r d .   Diese doppeltbegründete und
doppelseitige Gleichheit ist im Zentrum des Evangeliums verankert und in sich
innig verknüpft; denn die innere Gleichheit, die Gott in seiner souveränen Gnade
ohne Rücksicht auf Herkunft und Vorgeschichte (Ag 11, 17) oder auf Leistung
und Verdienst (Mt 20, 12) im geistlichen Besitz (Ag 11, 17) und im ewigen
Heile (Mt 20, 12) zwischen den Christen setzt, fordert von ihrer Liebe nach
einer inneren Notwendigkeit einen A u s g l e i c h   auch in den äußeren Dingen (2 K 8, 13).

a. Paulus appelliert offenbar bewußt an den gerade bei
den Griechen so stark entwickelten Sinn für Gleichheit, wenn er den Korinthern
gegenüber bei seinen Mahnungen zur Jerusalemkollekte das Motiv der ἰσότης
verwendet (2 K 8, 13f): οὐ γὰρ ἵνα ἄλλοις ἄνεσις, ὑμῖν θλῖψις, ἀλλ' ἐξ ἰσότητος

---

[22] Hirzel 229.

ἐν τῷ νῦν καιρῷ τὸ ὑμῶν περίσσευμα εἰς τὸ ἐκείνων ὑστέρημα, ἵνα καὶ τὸ ἐκείνων περίσσευμα γένηται εἰς τὸ ὑμῶν ὑστέρημα, ὅπως γένηται ἰσότης.

Man mag fragen, ob bei dieser Motivierung, bei der die ἰσότης Maßstab (ἐξ ἰσότητος) und Ziel (ὅπως γένηται ἰσότης [23]) der Aktion sein soll, nicht doch ein Zugeständnis an säkulares, in diesem Falle griechisches „do ut des-Denken" gemacht ist, ob hier 5 nicht, im Unterschied von R 15, 27 mit seiner abweichenden Begründung der Kollektenmahnung, doch anstatt eines Dienstes aus Dank ein Dienst um Lohn empfohlen wird, so daß die Stelle in eine gewisse Nähe zu der von Jesus abgelehnten Haltung von Lk 6, 32 ff (→ 345, 10 ff) träte [24]. Aber schließlich darf man die von Paulus empfohlene ἰσότης doch wohl als eine Anwendung der dort (Lk 6, 31) unmittelbar voraus- 10 gehenden Goldenen Regel fassen, zumal wenn man ἵνα (v 14) nicht unmittelbar mit dem Vorhergehenden verknüpft, sondern darin weniger menschliche Absichten als vielmehr eine göttliche Zielsetzung ausgesprochen findet, wie sie wohl auch mit dem abschließenden ὅπως-Satz gemeint ist [25]. Ein solches Verständnis dürfte zweifellos der charakteristischen Bewegung des paulinischen Denkens in besonderem Maße ent- 15 sprechen.

Die feine Gedankenführung wäre in unserem Falle dann die: dem göttlichen Ziel der ἰσότης soll auf Seite der Christen „die ἰσότης als regulierendes Prinzip für die gegenseitige Hilfe dienen, so wie es Ag 2, 44 f; 4, 36 f; 5 im Idealbild gezeichnet ist" [26]. Als Vorbild für den Ausgleich des Mangels 20 auf der einen Seite durch den Überfluß auf der andern soll die Verteilung des Manna (Ex 16, 18) dienen, bei der ebenfalls in dem von Gott gewollten und bewirkten Ausgleich die göttliche Zielsetzung der ἰσότης zutage trat [27].

    b. Aber Gott tut selber das meiste, um auch in der Gemeinde des Neuen Bundes die ἰσότης herzustellen. Wie damals im Schattenbild 25 des Alten Bundes (→ Z 20 ff), so erstrahlt in der Wirklichkeit des Neuen die herrliche Gleichheit [28] der Gnadengaben, die auch die größten Gegensätze zwischen Menschen, selbst die Kluft zwischen Juden und Heiden überbrückt. Davor steht Petrus ebenso wie Paulus (vgl bes Eph 2, 14 ff) als vor einem Wunder. Die Tatsache, daß (Ag 11, 17) τὴν ἴσην δωρεὰν ἔδωκεν [29] αὐτοῖς ὁ θεὸς ὡς καὶ ἡμῖν, 30 hat bei dem Führer der Apostel geradezu eine zweite μετάνοια bewirkt. Die gleiche Gabe des Größten, was Menschen hier schon empfangen können, die Gabe des Heiligen Geistes, bezeugt und bewirkt die Gleichheit der Empfänger vor Gott und begründet die Einheit der Kirche (→ εἶς II 436 ff) [30].

Noch prägnanter wird diese Tatsache der Begabung aller Christen mit der 35 gleichen geistlichen Gabe in dem 2. Brief, der demselben Führer der Apostel zugeschrieben wird, zum Ausdruck gebracht. 2 Pt 1, 1: Συμεὼν Πέτρος . . . τοῖς ἰσότιμον ἡμῖν λαχοῦσιν πίστιν ἐν δικαιοσύνῃ τοῦ θεοῦ ἡμῶν κτλ.

[23] Vgl Demosth Or 5, 17: ἄχρι τῆς ἴσης *bis dahin, wo Gleichheit erreicht ist.*
[24] Vgl Ltzm K 134 f.
[25] Vgl EStauffer in: ThStKr 102 (1930) 235 mit A 1 und 2.
[26] Ltzm K zSt.
[27] Vgl Schl K zSt.
[28] Unbeschadet der verbleibenden und von Gott gesetzten Ungleichheiten (→ 351, 20 ff).
[29] Vgl die verwandten Wendungen in Ditt Syll³ 982, 25: duabus κοινῇ τὸ ἴσον διδόναι. Jos Ant 9, 3 (Schl Mt 589): βραβεύειν ἅπασιν τὸ ἴσον. Philo Decal 61 f: ἴσα διδοὺς ἀνίσοις . . . μηδὲ τὸ ἴσον ἀποδιδόντες. Aber im Unterschiede von den hier gebrauchten Wendungen sowie von ἴση μοῖρα (Hom Il 9, 318; Od

20, 282), ἴσον μέρος (Aristoph Pl 225) udgl bezeichnet ἴση δωρεά nicht eine gleich große, sondern eine wesenhaft gleiche Gabe. — Zu der Konstr mit ὡς καί vgl 1 Th 2, 14: ὁ αὐτὸς καθὼς καί, dazu Bl-Debr⁶ § 194, 1; Kühner-Blaß-Gerth I 413 A 11.
[30] Eine Widerspiegelung der gleichen Gabe Gottes soll die gleiche Liebe der Christen untereinander sein. 1 Cl 21, 7: τὴν ἀγάπην . . . μὴ κατὰ προσκλίσεις, ἀλλὰ πᾶσιν . . . ὁσίως ἴσην παρεχέτωσαν. Ähnlich Pol 4, 2: ἀγαπῶσα πάντας ἐξ ἴσου ἐν πάσῃ ἐγκρατείᾳ. — Praktisch muß diese Liebe sich dann auch in einem Ausgleich in den äußeren Dingen des Lebens bewähren (→ 348, 45 ff).

Die Wörter ἰσότιμος und ἰσοτιμία [31] dienen in der Profangräzität namentlich der Bezeichnung gleichen Standes und Ranges im bürgerlichen Leben; vgl zB Thdrt z Kol 4, 1 (MPG 82, 621); ferner Plut Sull 6 (I 454 d/e); Jos Ant 12, 119: Σέλευ-κος ὁ Νικάτωρ ... αὐτοὺς (sc τοὺς 'Ιουδαίους) ... τοῖς ἐνοικισθεῖσιν ἰσοτίμους ἀπέφηνεν Μακεδόσιν καὶ ῞Ελλησιν (vgl 2 Makk 9, 15; 8, 2 f).

Handelt es sich in der Welt um gleichen Rang und gleiche Rechte, so im Reich Gottes um das gleiche geistliche „Los" (λαχοῦσιν): jeder Christ *empfängt* von der alle gleich behandelnden Gnadengerechtigkeit Gottes denselben *gleichwertigen, gleichköstlichen* Glauben, der alle vor Gott gleich gerecht macht [32].

c. Über die Gleichheit in dem, was für Christen in diesem Weltalter am wesentlichsten ist, die Gleichheit der Begnadung mit dem Geiste, hinaus führt Jesus in dem Gleichnis von den Arbeitern im Weinberge, wo (Mt 20, 12) sich die zuerst gedungenen über die Bevorzugung der zuletzt gedungenen beklagen: ἴσους αὐτοὺς ἡμῖν ἐποίησας [33]. Denn gemeint ist hier d i e e s c h a t o l o g i s c h e   G l e i c h h e i t, verwirklicht in dem Zustand des ewigen Reiches, der am Ende hergestellt wird.

Man könnte aufs erste in dem Gleichnis geradezu eine Bestätigung der griechischen Gleichsetzung von δικαιοσύνη und ἰσότης finden; denn der Weinbergsherr verspricht zum mindesten der zweiten Arbeitergruppe (v 4), vielleicht auch den folgenden einschließlich der letzten (vgl v 7 text rec), ihnen das als Lohn zu geben, ὃ ἐὰν ᾖ δίκαιον, und erfüllt das eben, indem er sie alle gleich behandelt. Aber diese ἰσότης im Reiche Gottes ist doch völlig verschieden von aller demokratischen Gleichheit; denn sie ist kein gesetzliches Prinzip, nach dem jeder auf sein gleiches Recht pochen kann, sondern ein völlig souveränes Handeln der göttlichen Gnade. Sie beruht anderseits auch nicht auf einer Gleichheit der Leistung, sondern sie ist nichts als reiner Gnadenlohn [34]; insofern ist Mt 20, 12 ein Gegenstück zu Lk 6, 32—34, wo alles auf die Entsprechung von Leistung und Lohn gestellt ist. Die Gleichheit der Gnade, in der die Gerechtigkeit Gottes triumphiert, ist darum geradezu entgegengesetzt dem aristotelischen und jedem anderen menschlichen Gerechtigkeitsbegriff (→ 347, 29 ff). Das geht schon daraus mit voller Deutlichkeit hervor, daß sie von dem säkularen Gerechtigkeitsempfinden geradezu als Ungerechtigkeit empfunden wird (v 11 f) [35].

---

[31] Zu ἰσότιμος: Moult-Mill 307; Bl-Debr [6] § 118, 1; Kn Pt zSt; Wnd Kath Br zSt; JBMayor (1907) zSt; FField, Notes on the Translation of the New Testament (1899) 240. — Außer den oben angeführten St vgl noch bes die bei Moult-Mill, Pr-Bauer, Pape sv gegebenen Belege.

[32] Wnd Pt zSt meint, der Judenapostel begrüße hier die Heidenchristen als adoptierte, aber vollwertige Glaubensgenossen, mit Hinweis auf Ag 11, 17; 15, 9. Man mag vielleicht noch eher daran denken, daß der Verf die Glaubensgleichheit aller Christen selbst mit den Aposteln, die im 2 Petrusbrief schon hoch über den gewöhnlichen Christen stehen, betonen will (vgl die vorausgehende feierliche Selbstbetitelung). Im Glauben, auf den es letzlich allein ankommt, sind sich alle Gläubigen *gleich durch die „gerechte Gnade" unseres Gottes.*

[33] Zu der Wendung ἴσον ποιεῖν vgl ua Hes Op 705: μηδὲ κασιγνήτῳ ἴσον ποιεῖσθαι ἑταῖρον. Griechische Papyrus der Kaiserlichen Universitäts- und Landesbibliothek zu Straßburg (ed FPreisigke) I (1912) 32, 14 (261 n Chr): τὸν ἴσον σεαυτῷ ποιήσας εἰς τὰ παρά σοι ἔργα.

[34] Vgl Str-B IV 484 ff.

[35] Im übrigen liegt der Nachdruck des Gleichnisses weniger auf der hergestellten Gleichheit als in der Bekämpfung des jüdischen Lohngedankens, und man muß sich stets bewußt sein, daß bei der Ausdeutung von Nebenzügen, sofern sie als allegorische Deutung nicht überhaupt verpönt wird, große Vorsicht walten muß.

— Der gleiche Gnadenlohn aber, den Gott gewährt, ist das ewige Leben, die gleiche Seligkeit[36].

In der griechischen Welt finden sich nur formale Parallelen, zB BGU III 747 II 5 (2 Jhdt n Chr): κατὰ τὸ ἴσον τοῖς ἐγχωρίοις ἵστασθαι, *den Einheimischen gleichgestellt werden* (an Rechten und Pflichten, wie Jos Ant 12, 119).

Dagegen bietet das Judentum auch inhaltlich ähnliche Gedanken; vgl zB Philo Spec Leg II 34: παρὰ μὲν ἡμῖν ἀνισότης, ἰσότης δὲ παρὰ θεῷ τίμιον. — Von eschatologischer ἰσότης, aber wohl mehr im Sinne von *Gerechtigkeit* (→ 348, 14ff) handelt Ps Sal 17, 41 (46): (der Messias) ἐν ἰσότητι πάντας αὐτοὺς (sc die gesamte Herde des Herrn) ἄξει.

Im besonderen aber taucht im späteren Judentum die Vorstellung auch der escha- 10 tologischen Gleichheit trotz verschiedener diesseitiger Leistung auf und wird mit einem ähnlichen Erstaunen aufgenommen wie in dem Gleichnis Jesu. In Tanch כי תשא 110 a (zu Qoh 5, 11) (Str-B IV 498f) ist der Kern der erzählten Geschichte: der Lohn dieses, nämlich dessen, der sich nur 20 Jahre mit der Torah beschäftigt hatte und dann starb, ist gleich dem Lohn jenes, der sich 70 Jahre lang, bis zu seinem 15 Tode im Alter von 80 Jahren, dem Torahstudium gewidmet hatte. — AZ 10 b. 17 a. 18 a (Str-B I 832f): Die Erkenntnis, die sich aus verschiedenen (hier erzählten) Geschichten ergibt, ist zusammengefaßt in dem Satz: Mancher erwirbt seine (sc Gottes) Welt in einer Stunde und mancher erwirbt seine Welt in vielen, vielen Jahren.

Aber ein Paradoxon bleibt: Gleichheit der Christen auf Erden und im Him- 20 mel, bezeugt durch die Gabe des Geistes und das Wort Jesu, — und doch Ungleichheit in der Gemeinde Christi auf Erden und — im Himmel: Unterschiede nicht nur im Äußeren — Sklaven und Freie, Reiche und Arme, Griechen und Barbaren usw —, sondern auch vor allem im Innern. Gerade bei den gewährten Gnadengaben bestehen sehr wesentliche Unterschiede (vgl 25 Mt 25, 14ff; 1 K 12, bes v 28ff; R 12, 6ff; auch Eph 4, 16). Selbst das Organ der Seele für Jesus und sein Wort (vgl Mk 4, 24[37]) und der Glaube (vgl bes R 12, 3: ὡς ὁ θεὸς ἐμέρισεν μέτρον πίστεως, anders 2 Pt 1, 1) weist bei den einzelnen Christen verschiedene Maße auf.

Aber auch für das neue Leben rechnet das NT mit Unterschieden. In dem 30 Gleichnis von Mt 20, 1ff selbst ist die hergestellte Gleichheit eigentlich Ungleichheit, und zwar eine der erwarteten geradezu entgegengesetzte Ungleichheit (v 16). Auch sonst werden Unterschiede im Reich Gottes im NT oft angedeutet oder vorausgesetzt; vgl Mt 5, 19; 10, 41f; 11, 11; 19, 28; 20, 23; 25, 19ff; Lk 19, 17. 19[38]. 35

5. Wesensgleichheit und Gottgleichheit außerhalb des NT.

Im Unterschied von dem ursprünglichen Gleichheitsgedanken von ἴσος, bei dem der Nachdruck wesentlich auf Zahl und Menge fällt, entwickelt sich und verbindet sich mit dem Wort, neben der ersten Bedeutungs- 40 linie, schon frühe eine Art von qualitativem Gleichheitsbegriff, wie er am reinsten in der aristotelischen (Pol II 2 p 1261b 1) Wendung ἴσοι πάντες τὴν φύσιν zum Ausdruck kommt.

---

[36] Zn Mt 598f. Vgl Cl Al Paed I 28, 5: ἰσότης τῆς σωτηρίας. Strom V 30, 4: καινὴ ἡ κτίσις καὶ ἰσότης δικαία: Die Welt der neuen Schöpfung und der Ausgleich, den die Gnadengerechtigkeit Gottes bewirkt, gehören zuhauf. Vgl auch Strom VII 20, 7: πᾶσι πάντα ἴσα κεῖται παρὰ τοῦ θεοῦ.

[37] Vgl JSchniewind, NT Deutsch zSt.
[38] Vgl Kl Mt 159; Zn Mt 598f; Str-B IV 486. — Rabbinische Parallelen über Unterschiede der Herrlichkeit von Gerechten und der Rangstufen unter den Seligen s bei Str-B I 249f, 774, III 476, IV 491, 499f, 1138—1142.

Bereits der homerische Ausdruck (Il 13, 704) ἴσον θυμὸν ἔχειν liegt auf dieser Linie, oder wenn Thukydides (II 65, 10) von den Nachfolgern des Perikles sagt, daß sie ἴσον μᾶλλον αὐτοὶ πρὸς ἀλλήλους waren, so meint er Gleichwertigkeit im charakterlichen Sinn wie auch mit Bezug auf ihre Fähigkeiten. Hierher gehört weiter auch die ur-
5 sprüngliche rigorose Form der stoischen Lehre, daß alle Sünden [39] und Guttaten grundsätzlich gleich seien: Diog L VII 120; Cic Paradoxa Stoicorum (ed OPlasberg [1908]) III: ἴσα τὰ ἁμαρτήματα καὶ τὰ κατορθώματα. Diog L VII 101 (v Arnim III 23, 3): δοκεῖ δὲ πάντα τὰ ἀγαθὰ ἴσα εἶναι. — Ein Nachklang dieser philosophischen Gedanken in biblischem Gewande ist 4 Makk 5, 20: τὸ γὰρ ἐπὶ μικροῖς καὶ μεγάλοις παρανομεῖν
10 ἰσοδύναμόν ἐστιν (doch vgl auch A 39).

Ähnlich verwendet die Septuaginta ἴσος, um die Wesensgleichheit aller Menschen auszudrücken (vgl Jdt 1, 11: ὡς ἀνὴρ ἴσος wie irgendein gewöhnlicher Mensch). Aber die natürliche Gleichheit des Aristoteles (→ 346, 35 ff) konzentriert sich in biblischer Beleuchtung auf die beiden leidvollen Brenn-
15 punkte des Menschenlebens, Geburt (Sap 7, 3: πᾶσιν ἴσα κλαίων, vgl v 6: μία πάντων εἴσοδος) und Tod (ebd 7, 6: ...ἔξοδός τε ἴση), und findet ihren wesent-lichsten Ausdruck in dem Bekenntnis (7, 1): εἰμὶ... κἀγὼ θνητὸς ἴσος ἅπασιν [40].

Der Gleichheit aller Menschen [41] vor Gott steht auf biblischem Boden Gott gegenüber, der nur sich selber gleich ist, vgl Philo Aet Mund 43: ἴσος
20 ... αὐτὸς ἑαυτῷ καὶ ὅμοιος ὁ θεός. Sacr AC 10: (ὁ θεὸς) πλήρης καὶ ἰσαίτατος ὢν ἑαυτῷ. Das AT hallt in erhabener Monotonie wider von dem Michaelsruf: „Wer ist wie Gott?", bald in der Form des prophetischen Gottesspruchs: „Wer ist mir gleich?!" (Js 44, 7; 40, 25; 46, 5; Jer 49, 19), bald in der Form der preisenden Anbetung: „Herr, wer ist dir gleich?" (Ex 15, 11; Ps 35, 10; 71, 19;
25 89, 7). „Niemand ist dir gleich!" (1 Kö 8, 23; 2 Ch 6, 14; 1 Ch 17, 20; Ps 40, 6; 86, 8; Jer 10, 6).

Der Mensch ist zwar von Gott selbst nach seinem Bilde geschaffen worden (Gn 1, 26), so daß er Gott gleicht, aber eben nur wie ein Bild dem Original gleicht (vgl Sap 2, 23); das schließt gerade die Wesensgleichheit aus. Erst für
30 das Ende gilt die große Verheißung (1 J 3, 2): ὅμοιοι αὐτῷ ἐσόμεθα, die auch das Judentum kennt; vgl SLv 26, 12: Gott sagt zu den mit ihm lustwandeln-den Gerechten: warum fürchtet ihr euch? Ich bin wie euer einer. — Das eritis sicut deus ist nun von Gott aus wahr geworden [42]. Aber bis dahin bleibt das Verlangen und Streben darnach eine teuflische Versuchung (vgl Gn 3, 5) und
35 wird in der Bibel verdammt, wie zB im Fall des Königs von Babylon (Js 14, 14), der sagt „ich will mich dem Höchsten gleich machen" und darum in die Scheol gestürzt wird [43]. Vgl Philo Leg All I 49: φίλαυτος καὶ ἄθεος ὁ νοῦς οἰόμενος ἴσος εἶναι θεῷ, und umgekehrt 2 Makk 9, 12: δίκαιον ὑποτάσσεσθαι τῷ θεῷ καὶ μὴ — θνητὸν ὄντα — ἰσόθεα φρονεῖν. Auch jeglicher Vergleich von Menschen
40 mit Gott oder irgendwelche Bezeichnungen wie „gottgleich" und „göttlich", von denen die griechische Literatur widerhallt, werden in der Bibel vermieden. Denn das Griechentum war demgegenüber — trotz aller Warnungen vor der

---

[39] Als biblische Par mag man den „rigo-rosen" Grundsatz des Gottesgesetzes (vgl Gl 3, 10; Jk 2, 10) vergleichen, daß man mit einer Übertretung am ganzen Gesetz schuldig wird.
[40] Vgl was Cl Al Exc Theod 10, 3 von der ἑνότης καὶ ἰσότης καὶ ὁμοιότης der πρωτό-κτιστοι sagt.

[41] Vgl auch Str-B III 562 f.
[42] P Volz, Jüd Eschatologie von Daniel bis Akiba (1903) 357.
[43] Allerdings ist die Bestrafung derjenigen, die „wie Gott" sein wollten, ein gemeinsamer Zug zahlreicher Religionen, vgl B Duhm im Komm [4] (1922) zu Js 14, 14; rabb Aussagen zum Thema s bei Str-B II 462 ff.

ὕβρις — doch nicht nur sehr freigebig mit solchen Vergleichen, sondern tat auch allzuleicht den Schritt zur Behauptung wirklicher Gottgleichheit, ja zur Vergottung: Vergleiche wie δαίμονι ἴσος (Il 5, 438) und schmückende Beiworte wie ἰσόθεος (seit Homer; auch zB Ditt Syll³ 390, 28; 624, 4) und ἰσοδαίμων (Aesch Pers 633; Pind Nem 4, 137; Plat Resp II 360 c) sind nicht nur dem 5 Epos und der Tragödie geläufig⁴⁴. Aber mehr: Plato (Theaet 176 a) stellt es als höchstes Ziel menschlichen Strebens auf: ὁμοιοῦσθαι τῷ θεῷ κατὰ τὸ δυνατόν⁴⁵. Apollonius von Tyana (ep 44)⁴⁶ stellt fest, daß die einen ihn für ἰσόθεος, die andern geradezu für θεός halten, wie es jener Zeit ganz allgemein für irgend-wie überragende Persönlichkeiten nahelag⁴⁷. Besonders wichtig ist noch Corp 10 Herm I 12 (Reitzenstein Poim 331): Der göttliche Ἄνθρωπος ist Gott ἴσος.

6. Die Gottgleichheit Jesu im NT.

a. Auf dem Hintergrunde aller dieser Voraussetzungen ist nun der Anspruch des NT zu sehen, daß Jesus Gott gleich sei. J 5, 18. Die Juden machen Jesus den Vorwurf: πατέρα ἴδιον ἔλεγεν τὸν θεόν, 15 ἴσον ἑαυτὸν ποιῶν τῷ θεῷ. Der Vorwurf⁴⁸ hat seinen Grund nicht nur in dem betonten „mein Vater", sondern auch in der damit verbundenen Äußerung, in der Jesus sich selbst dem göttlichen Gesetzgeber und sein Handeln dem Han-deln Gottes gleichgestellt hatte⁴⁹. Augustin bemerkt dazu: „Die Juden ver-stehen, was die Arianer nicht begreifen", daß nämlich Jesus wirklich Gott gleich 20 sein will. Allerdings ist festzustellen, daß er es nie ausdrücklich von sich ge-sagt hat, sondern im Gegenteil viel mehr die andere Seite betont: ὁ πατὴρ μεί-ζων μού ἐστιν (14, 28). In diesem Sinne antwortet Jesus auch auf den Vorwurf der Juden im folgenden Vers (5, 19); es klingt in der Tat, als wolle er selber das ἴσος ablehnen oder wenigstens modifizieren, indem er allen Nachdruck auf 25 die Gleichheit des Tuns legt (ἃ γὰρ ἂν ἐκεῖνος ποιῇ, ταῦτα καὶ ὁ υἱὸς ὁμοίως ποιεῖ). Aber für Johannes steht fest, daß Jesus beides ist, in paradoxer Einheit: der Sohn, der ganz unter dem Vater steht, aber eben als solcher ganz „eins" ist mit ihm (10, 30; 1, 1), ihm ganz gleich⁵⁰ (vgl noch 10, 33, wo sich der noch stärkere Vorwurf findet: σὺ ἄνθρωπος ὢν ποιεῖς σεαυτὸν θεόν). 30 ἴσος drückt in J 5, 18 weder Vergleich noch Identität, sondern W ü r d e -, W i l l e n s - u n d W e s e n s g l e i c h h e i t aus, das, wofür später mit dem Be-griff ὁμοούσιος gekämpft wurde. Damit gewinnt der Begriff der ἰσότης gleich zahlreichen anderen Begriffen im NT eine Tiefe und Fülle, die er vorher nicht hatte. Aber ἴσος war durch den Charakter der Genauigkeit, der ihm gerade 35 zusammen mit dem quantitativen Gleichheitsbegriff anhaftete, mehr als ὅμοιος⁵¹ für das geeignet, was es im NT ausdrücken sollte — zumal ihm schon vorher

---

⁴⁴ Vgl noch Hom Il 5, 441; 9, 603; Od 15, 520; Thuc III 14. Griech Empfinden hat auch dem Verf des 4 Makkabäerbuches das schmückende Beiwort ἰσαστήρ (17, 5) eingegeben.
⁴⁵ Das klingt ähnlich wie Mt 5, 48 und Lv 19, 2, und ist doch ganz verschieden, da die Voraussetzungen völlig andere sind.
⁴⁶ Bei CLKayser, Philostr (1870) 354, 11.
⁴⁷ Vgl Wettstein zu J 5, 18.
⁴⁸ Vgl den ähnlichen Vorwurf, den nach

Tanch וישלח 8 (83 b Buber) Eliphas dem Hiob macht: Glaubst du, daß er (Gott) dich ihm (dem Abraham) gleich gemacht hat? (bei Schl Mt 589).
⁴⁹ Vgl Zn J zSt.
⁵⁰ Vgl Schl J zSt.
⁵¹ Tatsächlich werden ὅμοιος und Derivate im NT nie von der Gottgleichheit Jesu ge-braucht und später erst recht dafür abge-lehnt; vgl Trench 34.

der Begriff auch der qualitativen Gleichheit nicht fremd war —: sowohl die Wesenhaftigkeit wie die Vollkommenheit der Gleichheit.

b. Dies ist auch der Sinn des ἴσα[52] in der ebenso berühmten wie schwierigen Stelle Phil 2, 6[53]: ὅς ἐν μορφῇ θεοῦ ὑπάρχων οὐχ ἁρ-
5 παγμὸν ἡγήσατο τὸ εἶναι ἴσα θεῷ, ἀλλὰ ἑαυτὸν ἐκένωσεν μορφὴν δούλου λαβών.

Unter der Fülle der Probleme, die diese Stelle aufgibt, treten für uns die folgenden besonders heraus: Ist τὸ εἶναι ἴσα θεῷ etwas, was Christus schon hatte, oder etwas, was er erst anstreben konnte, was er also noch nicht hatte, bevor er seinen Gang durch Niedrigkeit zur Herrlichkeit antrat? Die Frage
10 läßt sich von ἁρπαγμὸν ἡγεῖσθαι aus nicht entscheiden, da dieser Ausdruck sowohl *etwas Vorhandenes ausnützen* als *etwas Mögliches an sich raffen* bedeuten kann (→ ἁρπαγμός I 473). Weiter: handelt es sich um ein Tun des präexistenten oder des geschichtlichen Christus? Und: worauf bezieht sich ἐκένωσεν ἑαυτόν?

Die Entscheidung dieser Fragen muß von ἴσα εἶναι θεῷ ausgehen. Christus
15 war und ist wesenhaft Gott gleich[54]; die Gottgleichheit ist für ihn unaufgebbarer und unverlierbarer Besitz. Sie „ist Anfang seines zu schildernden Weges" (v 6), sie „wird auch das Ende sein" (v 9—11) und mehr: sie ist zugleich „sozusagen der unbewegliche, letzte Hintergrund, von dem sein Weg herkommt, zu dem er wieder hinführt"[55]. Aber *er nützt sein Gottgleichsein nicht aus*[56], in-
20 dem er die *Gottesgestalt*, die er *hatte* (ὑπάρχων steht an Stelle eines Imperfekts), die göttliche Daseinsform festgehalten hätte. Vielmehr *entblößte er sich* deren zeitweilig und nahm statt der Gottesgestalt *die Knechtsgestalt* an; er wurde עבד יהוה, er, der doch selbst der κύριος (= יהוה!) ist. Denn nichts anderes als κύριος-sein bedeutet Gottgleichsein[57], und κύριος bleibt er auch in der Knechts-
25 gestalt, auch in der vollen Menschlichkeit. Aber gerade durch diese Entäußerung und Erniedrigung steigt er auf zur offenbaren Würde des κύριος. Gerade weil er bei seinem Weg nicht an sich selbst dachte — darauf (v 4!)[58] liegt der Nachdruck des paränetischen Vergleichs mehr als auf der Demut (v 3)[59] —, darum erlangte er alles wieder und herrlicher als zuvor (v 9—11); das ist der

---

[52] ἴσα ist hier adverbielles Neutr Plur, das als prädikatives Adj gebraucht ist (ähnlich wie οὕτως R 4, 18), so Bl-Debr[6] § 434, 1. Dgg faßt MRVincent (1911) (ICC) zSt (p 59 f) ἴσα nicht als prädikativisch, sondern als adverbiell gebraucht auf: ‚to exist in a manner of equality'; aber obwohl ἴσα an sich Adverb ist, kann es hier nicht so gedeutet werden (→ 354, 14 ff), und darauf ist Wert zu legen, daß ἴσα hier viel mehr bedeutet als in zahlreichen Stellen der LXX (allein 12—13mal im Hiobbuch), wo es lediglich einen Vergleich einleitet. In Phil 2, 6 eignet ἴσα das Vollgewicht des Gleichheitsbegriffs von J 5, 18. — Zum Sprachlichen vgl noch Winer § 27, 3; Buttmann § 129, 11, sowie die Stellen bei Pr-Bauer sv.

[53] Vgl KBarth, Erklärung des Phil (1928) zSt; Dib Phil, Ew Gefbr z St; JBLightfoot im Komm[3] (1873) zSt; Loh Phil usw zSt und die dort sowie bei Pr-Bauer svv ἁρ-

παγμός, κενόω, μορφή angegebene Lit; → ἁρπαγμός I 472 ff.

[54] An diesem Sinn von ἴσα muß gegen die Einwände von Lightfoot zSt u FGodet (zu J 5, 19; [4] [deutsch 1903]) festgehalten werden.

[55] KBarth zSt (54 f).

[56] Vgl auch JKögel, Christus der Herr = BFTh 12 (1908) 46.

[57] Loh Phil 92 f.

[58] Vielleicht darf hier mit Barth (51 f) das καί als „unübersetzbare", lediglich verstärkende Partikel gefaßt werden.

[59] So gefaßt ist der Vergleich durchaus nicht „barock" (gegen WLütgert in: BFTh 13 [1909] 39 [591]). Außerdem ist zu sagen, daß die Häufung der Ausdrücke in v 7 (μορφὴν δούλου λαβών, ἐν ὁμοιώματι ἀνθρώπων γενόμενος καὶ σχήματι εὑρεθεὶς ὡς ἄνθρωπος) deutlich anzeigt, daß es sich nicht um den Sieg in der Versuchung, sondern um die Menschwerdung Christi handelt; damit fällt die Deutung auf ein Tun des geschichtlichen Christus.

unbeabsichtigte Ertrag des Erlösungswerks für Christus, wenn man só sagen darf. Gerade in dem Weg durch den status exinanitionis erweist sich seine göttliche Art und wird darum von Gott in offenbarer Verherrlichung bestätigt. Sie ist in gewissem Sinne tatsächlich beides, res rapta und res rapienda, das eine kraft ewigen Besitzes, das andere kraft seines demütigen Tuns[60].   5

In den beiden Gedankenkreisen der Gottgleichheit Jesu und der Gleichstellung der Christen untereinander ruht das Schwergewicht des Gleichheitsbegriffs im NT.

B. ἰσότης als Billigkeit.

Aus der Beanspruchung der ἰσότης als wesentlich für 10 die δικαιοσύνη (→ 346, 21 ff) entwickelt sich der Begriff der *Billigkeit*: die aequalitas wird zur aequitas[61].

ἴσος ist der gerechte Richter, der jedem das gleiche Recht gewährt; vgl Plat Leg XII 957 c: ἴσος δικαστής, Polyb 24, 15, 3: κριταὶ ἴσοι καὶ δίκαιοι, Inschr Priene 61, 9 f (vor 200 v Chr): ἴσους *(unparteiisch)* [αὐτοὺς παρασχ]όμενοι τοῖς διαφερομένοις. So fällt 15 „auf dem Gebiete des Rechts der Name des ἴσος zusammen mit δίκαιος, mit dem er auch dieselbe Entwicklung durchmacht von der Bezeichnung des Richters[62][63] zu der des Gerechten"[63] Das Verhältnis der ἰσότης zur Gerechtigkeit (darüber Plut Convivalium Disputationum VIII 2, 2 f [II 719]) wird von den Alten verschieden bestimmt. Nach der Tugendlehre der Stoa, für die ἰσότης *Rechtlichkeit* ist (vgl Stob Ecl 20 II 104 ff), ἕπεται . . . τῇ δικαιοσύνῃ ἰσότης καὶ εὐγνωμοσύνη (Diog L VII 125 bei vArnim III 73, 6)[64], nach Philo, der einen besonderen Traktat περὶ ἰσότητος schrieb (Rer Div Her ,141—206), ist das Verhältnis umgekehrt: Spec Leg IV 231: ἰσότης μήτηρ δικαιοσύνης, Plant 122: ἰσότης δικαιοσύνην . . . ἔτεκεν, Rer Div Her 163: ἰσότης δικαιοσύνης τροφός, oder in einem andern Bild Leg Gaj 85: ἰσότης πηγὴ δικαιοσύνης. Sehr vielfach 25 werden die beiden Begriffe darum als Synonyme behandelt (Aristot Eth Nic V 1 p 1129 a 1 ff) oder als ein Doppelbegriff zusammengefaßt, so bei Demosth Or 14, 3; 19, 15. 21. 67, auch 12, 9 (ἴσον ἢ δίκαιον). Ditt Or I 339, 51 wird der als ἴσος καὶ δίκαιος gerühmt, der in den verschiedensten öffentlichen Ämtern und Leistungen für den Staat als gerecht erfunden wurde[65].   30

Eine ähnliche Verbindung[66] dieser beiden Begriffe von „hellenistischem Gepräge"[67] benutzt auch Paulus in der Paränese von Kol 4, 1: οἱ κύριοι, τὸ δίκαιον καὶ τὴν ἰσότητα τοῖς δούλοις παρέχεσθε[68].

ἰσότης besagt hier nicht etwa die gleiche soziale Stellung[69], die die Herren den Knechten einräumen sollen; so schon Melanchthon: Non vult servos fieri aequales vel 35 pares domino, sed vult servari aequalitatem geometrica proportione[70]. ἰσότης ist das, was billig ist[71]; δίκαιον und ἰσότης mögen mit *recht und billig, just and fair*[72] wiedergegeben

---

[60] Vgl dazu bes die geistreichen Ausführungen bei Loh Phil 93.
[61] Das Übergangsstadium zwischen den beiden Bedeutungen veranschaulicht das paradoxe Nebeneinander von ἄνισος *(ungerecht)* und ἴσος *(gleich)* bei Xenoph Cyrop II 2, 18 (→ 348, 24 ff; Hirzel 276[3]). Vgl auch das Schillern der Bdtg von ἴσος bei Cl Al Strom VII 69, 1: ὁ γνωστικὸς πρὸς τοὺς πέλας ἴσος καὶ ὅμοιος.
[62] Vgl Hirzel 228 A 5.
[63] Ebd 273 f.
[64] Vgl ebd 230 A 1.
[65] Ebd 229 A 4.
[66] Die von Pls gewählte Wortverknüpfung δίκαιον καὶ ἰσότης ist selten; aber vgl PLond IV 1345, 2 (VIII) φυλάσσειν τὸ δίκαιον καὶ τὴν ἰσότητα.
[67] Loh Kol 159 A 5.

[68] Vgl TKAbbott in ICC (1916); Ew Gefbr, Lightfoot, Loh Kol usw zSt.
[69] Es bedeutet überhaupt nicht Gleichheit; das ist auch gg Schlatter zSt trotz seiner feinsinnigen Gedanken einzuwenden.
[70] Vgl Ew Gefbr zSt.
[71] → δίκαιος II 189, 36 ff; weitere Stellen bei Loh Kol 159 A 5, auch ep Ar 263 dürfte hierher gehören, sowie insbes auch die Stellen, wo ἰσότης als Gegenstück zu πλεονεξία gebraucht ist, wie von Archytas bei Stob IV 88, 14 f; vgl Menand Mon 259: ἰσότητα τίμα καὶ πλεονέκτει μηδένα. Dagegen haben beide Begriffe einen andern Sinn bei Xenoph Cyrop I 6, 28: εἰς τὸ ἴσον — *auf gleichem (ebenem) Boden* — καθιστάμενοι μάχεσθαι im Gegensatz zu μετὰ πλεονεξίας ἀγωνίζεσθαι *(im Vorteil sein beim Kampf)*.
[72] Abbott (ICC) zSt (296).

werden. Man wird wohl kaum behaupten dürfen, daß das, was δίκαιον καὶ ἰσότης ist,
dem Urteil der Herren allein anvertraut sei [73]. Es ist wohl besser zu sagen, daß ἰσότης
das bezeichne, ‚what cannot be brought under positive rules, but is in accordance with
the judgment of a fair mind' (Abbott), und als Illustration zu ἰσότης mag man τὰ αὐτά
5   in der Parallelstelle Eph 6, 9 auffassen: dieselben Prinzipien sollen beide, Herren und
Sklaven, leiten [74]. Oder man mag auch mit Theodoret zSt (MPG 82, 621) erklären:
ἰσότητα· οὐ τὴν ἰσοτιμίαν, ἀλλὰ τὴν προσήκουσαν ἐπιμέλειαν ἧς παρὰ τῶν δεσποτῶν
ἀπολαύειν χρὴ τοὺς οἰκέτας.

Auf jeden Fall wird das Urteil darüber, ob die irdischen Herren [75] δίκαιον καὶ
10 ἰσότητα gewährt und bewährt haben, von einem Herrn und Richter gefällt, der
selbst unbedingt δίκαιος καὶ ἴσος ist.

Zu ἴσος als Eigenschaft Gottes vgl Cl Al Paed I 30, 2: ἡ ἰσότης καὶ κοινωνία τοῦ θεοῦ
ἡ αὐτὴ πρὸς πάντας. Strom III 6, 1 (vgl III 7, 1; 8, 1): ἡ δικαιοσύνη τοῦ θεοῦ κοινωνία
τις μετ᾽ ἰσότητος. Strom VI 47, 4: ὁ κύριος σῴζει μετὰ δικαιοσύνης καὶ ἰσότητος τῆς
15 πρὸς τοὺς ἐπιστρέφοντας. Hier ist allerdings nicht von richterlicher ἰσότης die Rede,
sondern von der ἰσότης der Gnade, die mit denen Gemeinschaft begründet, die sich
zu ihr kehren.

Stählin

---

20 ᾽Ισραήλ, ᾽Ισραηλίτης, ᾽Ιουδαῖος,
᾽Ιουδαία, ᾽Ιουδαϊκός, ἰουδαΐζω,
᾽Ιουδαϊσμός, ῾Εβραῖος, ῾Εβραϊκός,
ἑβραΐς, ἑβραϊστί

---

[73] Loh Kol 159.
[74] Abbott 296.
[75] ἰσότης als Eigenschaft der Herren auch
bei Philo Omn Prob Lib 12: καταγινώσκουσί
τε τῶν δεσποτῶν, οὐ μόνον ὡς ἀδίκων, ἰσότητα
λυμαινομένων, ἀλλὰ καὶ ὡς ἀσεβῶν κτλ. Das
bedeutet wohl *aller Billigkeit hohnsprechend*
(ähnlich Polyb 18, 26, 4: λυμαίνεσθαι τὴν
χάριτά τινος). — Vgl noch Cl Al Paed III 74, 2:
ἡ ἰσότης τοῖς δεσπόταις εὐάρμοστος.

᾽Ιουδαῖος κτλ. Zu A: ESachsse, Die Be-
deutung des Namens Israel I (1910), II (1922);
AAlt, Die Landnahme der Israeliten in Palä-
stina (Reformationsprogramm der Universität
Leipzig, 1925); Ders, Die Staatenbildung der Is-
raeliten in Palästina (ebd 1930); MNoth, Das
System der zwölf Stämme Israels, BWANT IV
1 (1930); Ders, Erwägungen zur Hebräerfrage,
Festschr Procksch (1934) 99—112; Ders, Die
Ansiedlung des Stammes Juda auf dem Boden
Palästinas, Palästinajahrbuch 30 (1934) 31—46;

MNaor, Jakob u Israel, ZAW 49 (1931) 317—321;
WCaspari, Die sprachl und religionsgeschichtl
Bedeutung des Namens Israel, Zeitschr für
Semitistik 3 (1924) 194—211; WFAlbright,
The Name „Israel" and „Judah", JBL 46 (1927)
151—185. — Zu B u C: Liddell-Scott,
Moult-Mill, Pape III (Eigennamen), Preisigke
Wört III, Pr-Bauer, Schleusner svv. — Schürer
bes III § 31; SchlTheol d Judt 46 ff; ThReinach,
Textes d'Auteurs Grecs et Romains relatifs
au Judaïsme (1895); JJuster, Les Juifs dans
l'Empire Romain (1914); FMThBöhl, Die Juden im Urteil der griech u röm Schriftsteller,
in: ThT 48 (1914) 371 ff; Trench 79 ff. —
Zu D: BauJ, Exkurs zu J 1, 19; HJCadbury,
note VII: The Hellenists, in: The Beginnings
of Christianity I 5 (1933) 59 ff; WLütgert,
Die Juden im JohEv, in: Nt.liche Studien
für GHeinrici (1914) 147 ff; Ders, Die Juden
im NT, in: Aus Schrift und Geschichte, Abhandlungen für ASchlatter (1922) 137 ff; SchlMt
zu Mt 2, 2; Str-B II 442 ff; Zahn Einl I § 1
A 12; Zn Ag, Exkurs zu Ag 18, 4.

4. bei Paulus; 5. in der Apokalypse; 6. Ἰουδαία, Ἰουδαϊκός; 7. ἰουδαΐζω, Ἰουδαϊσμός; — II. Ἰσραήλ, Ἰσραηλίτης: 1. Vom Patriarchen Israel; 2. Israel als das Gottesvolk: *a.* bei den Synoptikern; *b.* bei Johannes; *c.* in der Apostelgeschichte; *d.* bei Paulus; — III. Ἑβραῖος, ἑβραῖς, ἑβραϊστί: 1. Die abgeleiteten Formen; 2. Ἑβραῖος.

A. Israel, Juda, Hebräer im AT.   5

1. Israel und Juda.

Israel[1] ist in der ältesten uns erkennbaren Zeit[2] nicht Name eines Stammes oder Ortes oder Individuums[3], sondern eines sakralen Stämmebundes, wohl einer Zwölferamphiktyonie, deren Gründung uns Jos 24 berichtet[4]. Ob der Name Israel auch schon einem älteren Stämmebund, dh Stäm- 10 men, die nicht in Ägypten waren, eigen war, ist nicht sicher; die bekannte inschriftliche Erwähnung auf der Merneptahstele um 1220 spräche dafür[5]. Jedenfalls ist Israel von Anfang an ein sakraler Begriff, er bezeichnet die Ganzheit der von Jahwe Erwählten und der zum Jahwekultus Vereinten und umschließt damit die zentralen Glaubensinhalte jenes Stämmebundes. Das Aufkommen des 15 Königtums bedeutet das Ende des sakralen Stämmebundes, und damit bahnt sich ein Wandel im Gebrauch des Namens Israel an.

Sauls Reich hat wohl auch den Süden mit umfaßt[6]; aber mit der Krönung Davids in Hebron löst sich der Name Israel von den Südstämmen, und die Gegenüberstellung von Israel und Juda, die ja schon zu Davids Zeiten zu nicht 20 ungefährlichen Zuspitzungen geführt hat, setzt ein[7]. Ein Sonderdasein, auch hinsichtlich ihrer sakralen Traditionen, hat ja die Leagruppe (bes Juda und Simeon) schon immer geführt[8]. So war es nur mehr ein Offenbarwerden der tiefgreifenden Spannungen in der Struktur des davidischen Großreiches, — von Spannungen, die nur die überlegene Politik seines Gründers auszugleichen in 25 der Lage war — als sich 932 die nördlichen Stämme von Rehabeam lösten und nunmehr das Reich Israel bildeten. Die südlichen Stämme kehrten in ihr Sonderdasein zurück; freilich in anderer Gestalt, nämlich als das Reich Juda unter der davidischen Dynastie.

Juda ist der Name eines Stammes, und er bleibt ein wesentlich politischer 30 Name, nach dem nun a parte potiori das Südreich benannt ist; aber weder in der früheren noch in der jetzigen Verwendung erhebt sich der Name zu sakraler Bedeutung. Er bleibt — und das gilt für den ganzen Umfang der alttestamentlichen Literatur — profaner Stammesname.

---

[1] Über die Frage der Etymologie des Namens Israel vgl MNoth, Die israelitischen Personennamen = BWANT III 10 (1928) 207 ff (ältere Lit bei ESachsse, ZAW 34 [1914] 1 ff). יִשְׂרָאֵל ist als einer der gewöhnlichen Satznamen anzusprechen; das theophore Element אֵל ist Subjekt, das verbale Prädikat das Imperfekt eines Verbums שָׂרָה mit der mutmaßlichen Bedeutung „herrschen"; also: „Gott herrscht". Eine andere Etymologie (von einem Stamm שׂרה „leuchten") vertritt neuerdings HBauer OLZ 38 (1935) 477, ZAW 10 (1933)

83 f, 101. Vgl auch KVollers, in: ARW 9 (1906) 184.
[2] So schon im Deboralied, Ri 5, 2. 7 ff.
[3] Die Übertragung des Namens auf den Ahnherrn Jakob ist ein sekundärer Vorgang, Sachsse aaO (→ Lit-A) I 73.
[4] Noth, System (→ Lit-A) 65 ff.
[5] Übersetzung der Merneptahstele: AOT 20—25.
[6] 1 S 11, 8; 15, 4, vgl auch Noth aaO 110.
[7] ZB 2 S 19, 42 ff; 20, 1 ff.
[8] Über das politische und sakrale Sonderdasein der Leagruppe vgl Noth aaO 26, 32 f, 75 ff, 88 ff.

Der Fall des Nordreiches und die Deportation um 722 ergab für Bedeutung
und Gebrauch des Namens Israel wieder einen Einschnitt, und von da ab datiert
die dritte Phase: der Name Israel geht auf das übrigbleibende Südreich über
und wird wieder die Bezeichnung des gesamten Gottesvolkes und zwar als eine
5 geistliche Selbstbezeichnung, die den politischen Benennungen, wie etwa „Haus
Juda"[9] und später „Provinz Juda"[10], übergeordnet ist. Wie stark die Benennung auch des Südreiches mit Israel schon vorbereitet war, zeigt seine Geschichte, denn Juda war sowohl ein Teil des alten großen Stämmebundes[11]
wie des davidischen Großreiches. Sogar in der späteren Königszeit konnte
10 prophetisch von „den beiden Häusern (Königreichen) Israel" gesprochen werden
(Js 8, 14). So fiel ganz folgerichtig nach 722 der Name Israel mit dem ganzen Gewicht seiner Glaubensinhalte auf das Königreich Juda. Sowohl Jesaja
wie Micha — also unmittelbar nach 722! — tragen der veränderten Situation
Rechnung und meinen mit Israel das Südreich[12]. Dieser Gebrauch von Israel,
15 nicht als politische Bezeichnung, sondern als der Name des Gottesvolkes schlechthin, bleibt nun über alle politischen oder territorialen Veränderungen für die
Folgezeit maßgebend. Es ist aber zu beachten, daß der „großisraelitische Gedanke"[13], dh die Erinnerung an den idealen Umfang des Reiches zur Zeit Davids,
wohl nie abriß. Der König Josia war allerdings der letzte, der es sich durch
20 eigenes Handeln und unter Ausnutzung einer eigentümlichen weltpolitischen
Lage zum Ziel gesetzt hat, den Umfang des davidischen Großreiches zurück-
zuerobern. Er ist daran zugrunde gegangen[14]. Aber als theologisches Postulat
wurde der Glaube an ein Großisrael weiter gepflegt. Das zeigt besonders die
umständliche genealogische Aufführung der zwölf Stämme in dem späten chro-
25 nistischen Geschichtswerk, wie überhaupt die betonte Verwendung des Namens
Israel in der Chronik[15]. Die zwölf Stämme sind für den Chronisten der gottgewollte Bestand Israels, dem freilich der aus den Büchern Esr-Neh hervorgehende tatsächliche Umfang der persischen Provinz Juda merkwürdig genug widerspricht[16].
Das heißt aber, daß in der nachexilischen Zeit Israel mehr und mehr ein
30 Gegenstand der Hoffnung auf eine eschatologische Heilstat Gottes wurde[17]

---

[9] בֵּית יְהוּדָה 1 Kö 12, 21. 23; 2 Kö 19, 30;
Js 22, 21.

[10] מְדִינָה Esr 2, 1; Neh 1, 3; 7, 6; 11, 3.

[11] Gegen EdMeyer, Die Israeliten und ihre
Nachbarstämme (1906) 75, 233 vgl auch AAlt,
Artk Juda, RGG ² III 458 f.

[12] Js 5, 7; 8, 18; Mi 2, 12; 3, 1. 8. 9;
4, 14; 5, 1. So ist übrigens auch der Name
Jakob vom Nordreich auf das Südreich übergegangen: Mi 2, 7; 3, 1. 8. 9; 5, 6; Na 2, 3;
Js 2, 5. 6; 29, 22.

[13] KGalling, Die Erwählungstraditionen
Israels, Beih 48 zur ZAW (1928) 68 ff.

[14] OProcksch, König Josia, in: Festgabe
für ThZahn (1929) 19 ff.

[15] Alles Nähere bei GvRad, Geschichtsbild
des chronistischen Werkes, BWANT 4, 3
(1930) 18—37.

[16] Durch die große territoriale Verringerung
Israels ungefähr auf das alte Stammesgebiet
von Juda war natürlich die Voraussetzung
dafür gegeben, daß die Glieder des Gottesvolkes nun eben auch mit „Juden" bezeichnet
werden konnten; jedoch kommt dieser
Sprachgebrauch innerhalb des AT kaum zur
Geltung; vgl außer etlichen Belegen im
chronistischen Geschichtswerk bes Sach 8, 23;
Da 3, 8. 12.

[17] Js 49, 3; 56, 8; 66, 20; Jl 2, 27; 4, 2. 16;
Ob 20; Sach 12, 1. Vgl auch im Psalter die
Hoffnung, daß „Jahwe Israel erlösen wird",
Ps 25, 22; 53, 7; 130, 7 f. Es fällt aber auf,
daß in der nachexilischen Prophetie der
Name Israel stark zurücktritt. Da aber die
Sache, die Wiederaufrichtung des Gottes-
volkes, weithin das Thema jener Propheten
ist, wird diesem Umstand keine größere Be-
deutung zuzuerkennen sein.

— gelegentlich als Erwartung einer äußeren Wiederaufrichtung der zwölf Stämme [18].

2. Hebräer.

Ganz anderer Art als die Namen Israel und Juda ist die Bezeichnung Hebräer (עִבְרִי). Die Hebräerfrage kann, wie man längst ge- [5] sehen hat, nicht abseits des großen Chabiruproblems gelöst werden, aber erst in letzter Zeit ist darüber Gewißheit entstanden, daß chabiru/עִבְרִי überhaupt kein Gentilicium, sondern ein Appellativum ist, das über die rechtlich-soziale Stellung seiner Träger aussagt. Schon im 2., ja im 3. vorchristlichen Jahrtausend hören wir von Chabiruleuten, die in den Großstaaten von Kleinasien, Mesopo- [10] tamien und Ägypten oder an deren Rändern teils im Frondienst, teils in frei-williger Sklaverei, teils aufrührerisch ihr Wesen treiben [19]. Daß sie keine eth-nische Einheit bilden, steht fest; dagegen fehlt uns noch eine genaue Bestim-mung ihrer sozial-rechtlichen Stellung. Noth möchte in ihnen die je und je ins Kulturland übergehenden und nun dort ohne Grundbesitz zeltenden Nomaden [15] sehen [20]. Alt dagegen hält עִבְרִי für einen von Haus aus juristischen Begriff für die Bezeichnung der Rechtslage von Menschen, die sich zur Selbstverskla-vung entschließen. Dann wäre עִבְרִי die negative Entsprechung von חָפְשִׁי *frei* [21].

Tatsächlich ist עִבְרִי im AT zunächst ein Begriff der Rechtssprache. Das zeigt das Gesetz über die Schuldsklaverei Ex 21, 2 ff — wo עִבְרִי eben kein Ethnikon [20] ist —, und der Passus Jer 34, 8—11 über die Freilassung von Schuldsklaven, wo das Stichwort עִבְרִי bezeichnenderweise wieder auftritt (v 9. 14). Ebenso handelt es sich bei den „Hebräern" 1 S 14, 21 um Leute, die in Abhängigkeit lebten und die nun dieses Verhältnis lösen.

Der Begriff עִבְרִי hat sich nun aber über diese rein juristische Bedeutung [25] hinaus erweitert und verallgemeinert. Wir finden ihn besonders im Munde von Nichtisraeliten als eine mehr oder minder abfällige Bezeichnung für Israel [22], oder im Munde von Israeliten Ausländern gegenüber [23], wobei „ein Ton der Selbst-demütigung oder im anderen Fall der Verachtung, aber niemals ein nationales Hochgefühl mitschwingt" [24]. — Am weitesten abseits von dem ursprünglichen [30] Sprachgebrauch liegen die beiden Stellen Gn 14, 13; Jon 1, 9, die gewiß jungen Datums sind. Zwar wird auch hier die Bezeichnung עִבְרִי Ausländern gegenüber gebraucht, aber sie ist doch schon nahezu ein Gentilicium, so daß man sagen kann, der Gebrauch von עִבְרִי als Bezeichnung für eine ethnische Zugehörigkeit bahnt sich innerhalb des AT gerade noch an [25].   [35]

vonRad

---

[18] Ez 47, 13—48, 29; Js 49, 5 f; Sir 48, 10; später bes Ps Sal 17.

[19] Neueres Material bei MNoth, in: Festschr für OProcksch (1934) 99 ff; älteres bei AJirku, Die Wanderungen der Hebräer im 3. u 2. vor-christlichen Jahrtausend (1934), aaO 24, 2.

[20] Noth Festschr Procksch 111.

[21] AAlt, Die Ursprünge des israelitischen Rechts (1934) 21, Sächsische Akademie der Wissenschaften, Phil hist Klasse 86, 1.

[22] Gn 39, 14. 17; 41, 12; Ex 1, 16; 2, 6; 1 S 4, 6. 9; 13, 19; 14, 11; 29, 3.

[23] Gn 40, 15; Ex 1, 19; 2, 7; 3, 18; 5, 3; 7, 16; 9, 1. 13.

[24] Alt aaO → A 21.

[25] Die „hebräische" Sprache heißt aber שְׂפַת כְּנַעַן Js 19, 18, „hebräisch" heißt יְהוּדִית 2 Kö 18, 26; Neh 13, 24.

B. 'Ισραήλ, 'Ιουδαῖος, 'Εβραῖος in der nach-at.lichen jüdischen Literatur.

I. 'Ισραήλ — 'Ιουδαῖος.

1. Grundsätzliches.

Schon seit dem Untergang des Nordreiches Israel 722 v Chr ist es eigentlich nur noch das verhältnismäßig kleine Ländchen rund um Jerusalem, das Reich יהודה, das die alte Tradition und den Namen des einstigen Gesamtvolkes ישראל weiterführt. So kann schon in vorexilischer Zeit die Gesamtbezeichnung ישראל gebraucht werden an Stellen, wo eigentlich nur das Reich יהודה gemeint ist[26]. In noch viel ausschließlicherem Sinne beschränkt sich seit der Rückkehr aus dem Exil das Volk Israel in Palästina auf die P r o v i n z J u d a, unter scharfer Abgrenzung gegen alles, was a u ß e r h a l b dieser kleinen Provinz Juda wohnt in Palästina, als n i c h t i s r a e l i t i s c h. So ist es ganz natürlich, daß der von dem L a n d יהודה sich herleitende Name hbr יהודי, aram יהודי (יהודאי), griech 'Ιουδαῖος, der an sich ursprünglich nur den „Bewohner des Reiches, bzw der Provinz Juda" meinen konnte, von da aus sofort ganz allgemein zur B e z e i c h n u n g d e s „A n g e h ö r i g e n d e s V o l k e s I s r a e l" wurde. So stehen also seit der nachexilischen Zeit zur Bezeichnung — nicht etwa des Angehörigen eines jüdischen Staates oder des Bewohners eines jüdischen Landes, sondern — d e s M i t g l i e d e s d i e s e s V o l k e s z w e i Namen zur Verfügung: ישראל-'Ισραήλ „Israel(it)" und יהודי-'Ιουδαῖος „Jude"[27].

Beide Namen sind also v ö l k i s c h e Begriffe, dh sie bezeichnen den einzelnen gemäß seiner blutmäßigen Abstammung als Mitglied dieses V o l k e s, ohne Rücksicht auf seine staatliche Zugehörigkeit oder seinen Wohnsitz. Zugleich aber — und das ist das entscheidend Charakteristische des Judentums — ist mit diesem Völkischen bei beiden Namen auch das ganz bestimmte religiöse Bekenntnis des einzelnen gesetzt: Israel ist als dieses Volk die r e l i g i ö s e G e m e i n s c h a f t all derer, die den einen, allein wahren Gott anbeten. So bezeichnet dieses Volk sich selbst als das „auserwählte Volk", als das Volk also, das sich Gott, der eine, wahre Gott, erwählt hat im Gegensatz zu der ganzen anderen Welt, daß es ihm diene und ihn bekenne. So steht jeder Jude, lediglich auf Grund seiner blutmäßigen Abstammung, in dieser allein wahren Religion, im rechten Verhältnis zu Gott, und ist damit Teilhaber an dem den Gläubigen vorbehaltenen Heil[28], und andererseits kann einer, der seiner Abstammung nach nicht Jude ist, nur dadurch ein Bekenner des wahren Gottes und Teilhaber am ewigen Heil werden, daß er Mitglied dieses V o l k e s wird[29].

Demgemäß ist mit ישראל und ebenso mit יהודי-'Ιουδαῖος stets beides zugleich ausgesagt: Die Volks- u n d die Religionszugehörigkeit. Beides ist i m m e r in

---

[26] → 358, 14 u A 12.

[27] יהודי / 'Ιουδαῖος ist also stets allgemein „der Angehörige des jüdischen Volkes", ob er nun in Palästina oder in Babylonien oder in Ägypten oder sonstwo in der Welt wohnt. Von einem Sprachgebrauch יהודי / 'Ιουδαῖος = „Bewohner des Landes Juda" im Gegensatz zu anderen Ländern ist in der nach-exilischen Zeit, soweit ich sehe, nirgends eine Spur zu finden.

[28] Sanh 10, 1: Ganz Israel hat Teil an der zukünftigen Welt.

[29] → προσήλυτος; Weiteres zum Ganzen KGKuhn, Die inneren Voraussetzungen der jüdischen Ausbreitung, in: DTh 2 (1935) 9 ff.

eins, wenn auch je nach dem Zusammenhang manchmal der Ton mehr auf dem einen, manchmal mehr auf dem andern liegen kann.

Nun werden allerdings die beiden Bezeichnungen ישראל-'Ισραήλ und יהודי-'Ιουδαῖος nicht wahllos nebeneinander verwendet. Vielmehr zeigt der Sprachgebrauch hier charakteristische Unterschiede, die sich, aufs große Ganze gesehen, 5 etwa dahin bestimmen lassen, daß ישראל der Name ist, mit dem das Volk sich selbst bezeichnet, während יהודים-'Ιουδαῖοι der Name ist, mit dem die nichtjüdische Welt sie nennt. Darum enthält der Name ישראל immer betont die religiöse Selbstaussage „Wir, das auserwählte Volk Gottes", während demgegenüber 'Ιουδαῖος im Munde von Nicht- 10 juden leicht einmal einen despektierlichen, verächtlichen Klang erhalten kann. Allerdings ist das nicht die Regel. Im allgemeinen wird 'Ιουδαῖος doch ganz unbefangen, ohne verächtlichen Unterton gebraucht. Das zeigt sich besonders auch daran, daß das Judentum der Diaspora, vor allem das hellenistische Judentum, diesem Sprachgebrauch seiner nichtjüdischen Umwelt sich anpaßte, 15 indem es nun auch in Selbstaussage von sich als οἱ 'Ιουδαῖοι redet, den Namen 'Ισραήλ dagegen beschränkt nur auf den ganz speziellen religiösen Sprachgebrauch, dh im Wesentlichen auf Gebete und biblische und liturgische Redewendungen.

Die Betrachtung des Sprachgebrauchs im Einzelnen wird daher am besten 20 für das palästinische und das hellenistische Judentum getrennt durchzuführen sein.

2. Der Sprachgebrauch des palästinischen Judentums.

a. Am klarsten erkennbar ist der Sprachgebrauch der 25 palästinischen Juden an 1 Makk: In der eigentlichen historischen Darstellung dieses Buches, wo also der Verfasser selbst spricht, gebraucht er stets konsequent nur 'Ισραήλ. Ebenso konsequent und ausschließlich gebraucht er aber auch 'Ιουδαῖοι:

1. Wo er Nichtjuden redend einführt. 30
So zB 10, 23 im Munde des Demetrius oder 11, 50 im Munde der Antiochener.

2. Darüber hinaus auch in sämtlichen diplomatischen Schriftstücken, Briefen und Verträgen mit nichtjüdischen Staaten und Herrschern.
> So ist in dem Freundschaftsvertrag des Judas Makkabäus mit den Römern 8, 21—32 stets nur von den „Juden" oder dem „Volk der Juden" (nie von „Israel") die Rede. 35 Ebenso 12, 1—23 bei der Erneuerung des Bündnisses mit den Römern und Spartanern durch Jonathan; 14, 20—23 in dem Brief der Spartaner an Simon zur Erneuerung des Bündnisses; 15, 16—24 in dem diplomatischen Rundschreiben der Römer zugunsten Simons. Desgleichen ist auch in den Reden und Schriftstücken der Syrerkönige stets und ausschließlich nur 'Ιουδαῖοι gebraucht; so 10, 25—45 in der Botschaft des Deme- 40 trius an Jonathan (aber sofort anschließend 10, 46, wo der Verfasser selbst wieder in der historischen Darstellung fortfährt: „Jonathan und das Volk schenkten den Versprechungen des Demetrius keinen Glauben, ... weil sie der großen Bosheit gedachten, die er gegen Israel verübt hatte"!). Ebenso ist in der Urkunde des Demetrius für Jonathan 11, 30—37 nur vom „Volk der Juden" die Rede (dagegen kurz vorher 11, 23, 45 wo der Verfasser selbst spricht: Jonathan nahm auf die Reise zu Demetrius mit „einige von den Vornehmsten Israels"). Ebenso 13, 36 im Brief: „Demetrius entbietet ... dem Volk der Juden seinen Gruß". Ebenso 15, 1—9 in dem Schreiben des Antiochus VII. an Simon.

3. Auch die Juden selbst gebrauchen im diplomatischen Verkehr mit nichtjüdischen Staaten den Namen 'Ιουδαῖοι, nicht 'Ισραήλ.

So die jüdischen Gesandten vor dem römischen Senat 8, 20 (aber gerade wieder vorher 8, 18, wo der Verfasser selbst spricht: „. . . wenn die Römer sehen, daß das Reich der Hellenen Israel knechtet"!).

4. Aber nicht nur im diplomatischen, außenpolitischen Verkehr ist 'Ιουδαῖοι der alleinige offizielle Name des Volkes, auch in rein innerjüdischen amtlichen Urkunden wird stets nur 'Ιουδαῖοι, nie 'Ισραήλ gebraucht.

So in der großen Urkunde des Volkes für Simon, die ihm die Erblichkeit der Hohepriester- und Führerwürde in seiner Familie garantiert: 14, 27—46. Hier ist oft von 'Ιουδαῖοι die Rede (14, 33. 34. 37. 40. 41), nie von 'Ισραήλ (aber gerade vorher 14, 26, wo der Verfasser das Volk unter sich redend einführt: „Simon und seine Brüder . . . haben die Feinde Israels von ihnen abgewehrt"; dagegen in der entsprechenden Stelle der Urkunde 14, 29 nur „die Feinde ihres Volkes"). Ebenso heißt es stets 'Ιουδαῖοι in amtlichen, offiziellen Titeln, so zB 14, 47 uö. „Simon . . ., Feldherr und Volksfürst der Juden".

Besonders instruktiv für diesen amtlichen Gebrauch von 'Ιουδαῖος gegenüber dem sonst ausschließlichen Gebrauch von 'Ισραήλ als Selbstbezeichnung ist 1 Makk 13, 42: „Das Volk Israel[30] fing an, in Urkunden und Verträgen zu schreiben: »Im 1. Jahre Simons, des . . . Anführers der Juden«".

Mit dieser Notiz stimmt genau überein der Befund auf den Hasmonäermünzen, die stets konsequent היהודים bieten, weil es sich hier eben um den amtlichen Namen handelt[31]. Interessant ist dabei der Vergleich mit den sehr wahrscheinlich während des großen Aufstandes 66—70 n Chr geprägten „Sekelmünzen"[32] mit der steten Legende שקל ישראל, und mit den während des Bar Kochba-Aufstandes 132—135 n Chr geprägten mit den Aufschriften לגאלת ישראל und לחרות ישראל[33]: היהודים auf den Hasmonäermünzen ist die korrekte, amtlich offizielle Aufschrift; ישראל auf den Aufstandsmünzen dagegen ist religiös-politisches Programm: „Wir, das Gottesvolk, schütteln jetzt das Joch der Heiden ab. Die messianische Zeit und damit die Erlösung (גאלה!) und die Freiheit (חרות!)[34], die Herrschaft und die Herrlichkeit des Gottesvolkes Israel bricht an!"

b. Dieser an 1 Makk aufgezeigte Sprachgebrauch der palästinischen Judenheit[35] findet seine volle Bestätigung an der sonstigen jüdisch-

---

[30] So die LA der Hdschr A; auch im vorhergehenden v 41 gebraucht der Verf „Israel".
[31] S Schürer I 269, 275, 285.
[32] Schürer I 762 ff.
[33] Schürer I 767.
[34] Vgl für die beiden Begriffe in ihrer eschatologischen Prägnanz bes Schemone-Esre, 7. u 10. Benediktion.
[35] Die einzigen Stellen in 1 Makk, die möglicherweise eine Ausnahme von diesem Sprachgebrauch bilden, sind: a) 2, 23: Ein „jüdischer Mann" will auf dem heidnischen Altar opfern. (Der sonstige Sprachgebrauch von 1 Makk ließe hier eigentlich erwarten: „Ein Abtrünniger aus Israel"). Der Ausdruck ist hier jedenfalls rein formelhaft Bezeichnung der Volkszugehörigkeit, wie im Sprachgebrauch der jüdischen Diaspora (→ 365, 2 ff); vgl Zusätze zu Est 1, 1 b: ἄνθρωπος 'Ιουδαῖος von Mar-

dochai = איש יהודי Est 2, 5 (vgl dazu 364, 31 ff). — b) 1 Makk 4, 2: Gorgias bricht auf, um das „Lager der Juden" zu überfallen. Hier könnte jedoch vielleicht eine fest geprägte Bezeichnung vorliegen; vgl die mehrfachen Ortsnamen (allerdings in Ägypten) castra Judaeorum und 'Ιουδαίων στρατόπεδον (Schürer III 42 f). — c) Keine Ausnahme bildet jedenfalls der Abschnitt 11, 42—53, wo von den jüdischen Truppen in Antiochia und ihrem Kampf dort für Demetrius die Rede ist. Da ist durch die konsequente Verwendung des Namens 'Ιουδαῖοι gesagt: Hier kämpft nicht „Israel" und wird nicht für „Israel" gekämpft", sondern hier kämpfen jüdische Hilfstruppen als Söldner des Syrerkönigs (demgegenüber gerade vorher 11, 41: Die syrischen Besatzungen der Festungen im Land befehdeten Israel beständig!).

palästinischen Literatur. So ist es jetzt sofort verständlich, daß in all den
Schriften, die nicht, wie 1 Makk, historisch-politischen, sondern r e l i g i ö s e n
Inhalt haben, geschrieben von Mitgliedern des Volks zur Erbauung eben dieses
Volkes, also rein innerjüdisch, daß in all solchen Schriften der Name 'Ιουδαῖοι
überhaupt nicht begegnen k a n n, sondern stets nur die S e l b s t b e z e i c h n u n g 5
'Ι σ ρ α ή λ (wobei eben der Charakter als S e l b s t b e z e i c h n u n g es mit sich bringt,
daß der religiöse Anspruch des „auserwählten Gottesvolkes" darin immer mit-
klingt, auch dann, wenn der Name in ganz profanem Kontext, ohne religiöse
Betonung, einfach eben als die übliche Bezeichnung begegnet, wie etwa Jdt 4, 1;
5, 1; 7, 1 uö). So ist es in S i r, J d t[36], T o b, B a r, P s S a l, 4 E s r, 10
T e s t X I I, 3 H e n. Überall ist hier an ungezählten Stellen von 'Ισραήλ die
Rede, aber n i c h t e i n m a l begegnet der Name 'Ιουδαῖος.

Auch die ganze r a b b i n i s c h e L i t e r a t u r bestätigt diesen Sprachgebrauch.
Wohl auf jeder Seite findet sich hier immer und immer wieder der Name יִשְׂרָאֵל,
nicht etwa beschränkt auf betont religiöse Zusammenhänge, sondern auch — 15
genau wie in 1 Makk (und in Jdt; → 363, 8 f) — im rein profanen Gebrauch,
eben als d i e d u r c h g ä n g i g e S e l b s t b e z e i c h n u n g.

יִשְׂרָאֵל kann dabei sowohl das Volk als Ganzes wie auch den einzelnen „Israeliten"
meinen. So — um nur ein Beispiel statt unzähliger zu geben — TPea 2, 9 in der
Gegenüberstellung von Jude und Nichtjude: „Wenn ein גוֹי sein Getreide auf dem 20
Halm einem יִשְׂרָאֵל verkauft hat zum Abernten, ist dieser zur Pea verpflichtet. . . .
Wenn ein יִשְׂרָאֵל und ein גוֹי Getreide auf dem Halm in gemeinsamem Besitz haben,
ist der יִשְׂרָאֵל für seinen Anteil zur Pea verpflichtet, der גוֹי dagegen für seinen
frei" usw. Oft begegnet so יִשְׂרָאֵל als Bezeichnung des „g e w ö h n l i c h e n Israeliten"
im Gegensatz zu den höheren Ständen der Priester und Leviten, aber auch als der 25
„Voll-Israelit" im Gegensatz zu den niedrigeren Ständen der נְתִינִים (niederen Tempeldiener) und מַמְזֵרִים (Bastarde) uä. Sehr selten findet sich יִשְׂרְאֵלִי statt יִשְׂרָאֵל für
den einzelnen Israeliten, dagegen stets das Femininum יִשְׂרְאֵלִית für die „Israelitin".

c. Im Verhältnis zu diesem steten Gebrauch von יִשְׂרָאֵל
sind es nur s e h r w e n i g e Stellen in der umfangreichen rabbinischen Literatur, 30
wo יְהוּדִי = 'Ιουδαῖος begegnet, und zwar auch hier wiederum meist im Munde
von N i c h t j u d e n. Dabei fällt besonders auf, daß es den Rabbinen sehr deutlich bewußt ist, welche tiefe V e r a c h t u n g und welchen H o h n die anderen
Völker mit dem Namen יְהוּדִים-'Ιουδαῖοι verbinden.

So in dem verschiedentlich begegnenden Erzählungsmotiv, daß ein heidnischer 35
Herrscher oder Vornehmer zur Ehrung eines Juden sich von seinem Sitze erhebt, was
seine Umgebung zu der erstaunten Frage veranlaßt: „Vor einem J u d e n stehst Du
auf?!"[37]. Oder wenn RAbbahu (um 300 n Chr) in Eka r Einl Nr 17 (33 b)[38] anschaulich berichtet, wie in den Komödien und Possen des griechischen Theaters über „die
J u d e n" gehöhnt und gespottet wird. Oder wenn (nach Eka r 1, 11 [55a])[39] eine 40
Frau in Askalon es als die ärgste, nicht zu verzeihende Beschimpfung empfindet, daß
man zu ihr gesagt hat: „Dein Gesicht sieht ja wie eine J ü d i n (יְהוּדִיתָא) aus!", was
die Rabbinen zur Anfügung des Zitates von Thr 1, 11 veranlaßt: „O Herr, sieh,
wie verachtet ich bin!"

O h n e diesen ausgesprochen verächtlichen Akzent begegnet יְהוּדִי jSchebi 35 b 1 im 45
Munde eines Heiden in Rom; Gn r 11 z 2, 3[40] im Munde eines römischen Präfekten

---

[36] Zu Jdt s weiter bei 'Εβραῖος → 369, 40 ff.
[37] jBer 9 a 30 (Str-B II 666) und 9 a 32
(Str-B III 97); Lv r 13 z 11, 1 (Str-B III 393
unten); Pesikta 40 b (Str-B III 394 unten);
Meg Taan 9 (Str-B I 555).

[38] Str-B I 615.
[39] Str-B III 97.
[40] Str-B I 614 oben.

und seines Dieners; jBM 8c 30f und 34 im Munde von Heiden: בריך אלההון דיהודאי „Gepriesen sei der Gott der Juden"; Meg Taan 9, wo die Samaritaner dem König Alexander die jüdische Gesandtschaft vorstellen: „Das sind die Juden . . ." [41]; Ex r 42 z 32, 7 [42]: Heiden stellen den Juden vor die Entscheidung, entweder Aufgabe des Judentums oder Märtyrertod, mit den Worten: אַו יְהוּדִי אוֹ צְלוּב.

Ganz selten einmal begegnet daneben יהודי auch im Munde von Juden, bzw sogar der Rabbinen selbst (nicht in der Rede von Nichtjuden). Darin ist aber kein selbständiger Sprachgebrauch der Rabbinen zu sehen, vielmehr liegt in diesen Fällen wohl Nachahmung der Redeweise entweder der Nichtjuden oder der jüdischen Diaspora (→ 361, 14ff) durch die Rabbinen vor.

So sicher in Ned 11, 12, wo die Frage aufgeworfen wird, ob eine Frau sich von ihrem Manne scheiden lassen muß (bzw kann), weil sie das Gelübde getan hat, daß sie allen יהודים zum ehelichen Verkehr verboten sein solle. Ebenso wohl auch Ket 7, 6, wo von דַּת יְהוּדִית, der „(guten) jüdischen Sitte" die Rede ist [43], und bMeg 13a, wo מאכל יהודי begegnet = „jüdische Speise", dh solche, die dem Juden erlaubt ist zu essen (im Gegensatz zu Schweinefleisch). Desgleichen auch Gn r 63 zu 25, 23, wo RChelbo sagt: Während sonst die Namen der Völker mit den in der Gn angegebenen Namen ihrer Stammväter übereinstimmen, ist es bei den Völkern, deren Stammväter Jakob und Esau sind, anders; denn die heißen יהודיין וארמאין „Juden und Römer". Hier paßte nur der Name יהודאין (in Nachahmung heidnischer Redeweise), weil der eigentliche Name des Volkes ישראל eben doch tatsächlich übereinstimmt mit dem Namen des Stammvaters Jakob-Israel. — Solche Nachahmung (in diesem Falle der Redeweise der jüdischen Diaspora) liegt wahrscheinlich auch vor bei der, soweit ich sehe, einzigen Stelle, wo יהדות „das Judentum, die jüdische Religion" begegnet (als Übersetzung von 'Ιουδαϊσμός! → 365, 20ff): Ester r § 7, 11 (ed Wilna 1921, fol, p 12b oben): Die Juden in Babylonien „änderten nicht ihren Gott und ihre Religionsgesetze, sondern hielten fest ביהודתן [44] an ihrem Judentum".

Wie auffällig und ungewohnt es demgegenüber doch den Rabbinen war, daß ein Jude von Juden als יהודי bezeichnet wird — und nun gar, wenn er sich selbst so bezeichnet! —, zeigt am besten ihre Exegese der Bezeichnung Mardochais als איש יהודי in Est 2, 5 [45]. Zunächst versuchen sie hier die Deutung יהודי = „Angehöriger des Stammes Juda"; — aber Mardochai gehörte doch zum Stamm Benjamin! Wieso kann er dann יהודי genannt sein? Die Rabbinen deuten es mit Hilfe des Wortspiels יהודי > יחידי („Monotheist") als Ehrennamen [46]: יהודי heißt Mardochai, weil er sich zu dem einen Gott bekannte.

3. Der Sprachgebrauch des hellenistischen Judentums.

a. Ließ sich der palästinische Sprachgebrauch am besten an 1 Makk erkennen, so der hellenistische an 2 Makk. 'Ισραήλ findet sich hier insgesamt nur fünfmal, und zwar nur in betont religiösen Zusammenhängen: Im Gebet 1, 25: Du, Gott, errettest Israel; 1, 26 Dein Volk Israel; 10, 38 Lobpreis des Herrn, der Israel so große Wohltaten erwiesen hat; 11, 6 Bitte zum

---

[41] Str-B I 555.

[42] Str-B III 96f.

[43] Die beiden genannten St Ned 11, 12 und Ket 7, 6 sind die einzigen in der Mischna, wo יהודי begegnet. (Denn in Meg 2, 3 ist איש יהודי lediglich Zitat von Est 2, 5.)

[44] So richtig die Emendation von Levy Wört sv für ביהודתן des Textes.

[45] Midr Est 2, 5 (93a); ähnlich bMeg 13a (Str-B III 96).

[46] Also bewußt betonte Antithese gerade zu der Verächtlichkeit des Judennamens draußen in der Welt! Eben dies, daß sie das Wort zu einer besonderen Ausdeutung veranlaßt, zeigt, wie fremd und auffällig ihnen dieser Sprachgebrauch als jüdische Selbstbezeichnung ist.

Herrn um Rettung für Israel; und 9, 5 in der biblisch und liturgisch geläufigen
Formel „der Herr, der Gott Israels". Viel häufiger dagegen kommt 'Ιου
δαῖος vor, und zwar durchweg auch ganz unbefangen als Selbstbezeichnung der Juden[47]. Der Sprachgebrauch ist also gerade umgekehrt wie in
1 Makk: Dort wird stets 'Ισραήλ gesagt, außer im Munde von Nichtjuden 5
und als amtlicher Name (wo es 'Ιουδαῖος heißt); hier, in 2 Makk, dagegen wird
stets 'Ιουδαῖοι gesagt, außer in Gebeten und biblisch-liturgischen Formeln
(wo 'Ισραήλ gebraucht wird).

So gleich 2 Makk 1, 1—10: Ein Schreiben der ἐν Ἱεροσολύμοις 'Ιουδαῖοι, die sich selbst
darin ἡμεῖς οἱ 'Ιουδαῖοι nennen[48], an ihre ἀδελφοί, nämlich οἱ ἐν Αἰγύπτῳ 'Ιουδαῖοι! 10
Besonders instruktiv ist der Vergleich von 2 Makk mit den entsprechenden Stellen in
1 Makk. So heißt es 2 Makk 8, 32: „der den Juden viel Leids zugefügt hatte",
während 1 Makk da konsequent sagt: „der Israel viel Leids zugefügt hatte" (o ä ausgedrückt), zB 1 Makk 3, 15. 35. 41; 5, 3; 7, 23; 8, 18; 10, 46 uo. Ebenso steht 'Ιουδαῖοι
2 Makk 6, 1. 6. 8; 10, 14. 15 gegenüber 'Ισραήλ in 1 Makk 5, 3; 6, 18 u a St. Sehr 15
deutlich auch 2 Makk 10, 8: Beschluß der Gemeinde (in Jerusalem), daß das gesamte
Volk der Juden jährlich das Tempelweihfest feiern solle; dagegen 1 Makk 4, 59:
„Judas . . . und die ganze Gemeinde Israel" setzten fest, daß das Tempelweihfest
jährlich gefeiert werden solle!

Daher ist es ganz natürlich, daß in 2 Makk auch der Begriff 'Ιουδαϊσμός begegnet 20
für „Judentum, jüdische Religion", zB 8, 1: Judas Makkabäus und seine
Freunde sammelten um sich zum Kampf τοὺς μεμενηκότας ἐν τῷ 'Ιουδαϊσμῷ. 1 Makk
sagt in solchem Falle (2, 42): „Es sammelten sich zu ihnen . . . tapfere Männer aus
Israel, lauter Leute, die sich willig dem Gesetz hingaben". 'Ιουδαϊσμός ist also ein
Ausdruck des hellenistischen Judentums, der palästinische Jude hat dafür charak- 25
teristischerweise kein Wort![49]

2 Makk völlig analog ist auch der Sprachgebrauch von 3 Makk. Auch hier 'Ισραήλ
nur in betont religiösem Zusammenhang: In Gebeten 2, 6. 10. 16; 6, 4. 9 und in der
geläufigen liturgischen Wendung[50] ὁ θεὸς ὁ σωτὴρ 'Ισραήλ (6, 32; 7, 16) oder ῥύστης
'Ισραήλ (7, 23). Sonst stets, sehr häufig gebraucht, eben als der übliche Name οἱ 30
'Ιουδαῖοι. Besonders charakteristisch 3 Makk 4, 21: „Das war das Werk der Vorsehung, die den Juden vom Himmel her zu Hilfe kam", — eine Ausdrucksweise, die
einem palästinischen Juden völlig unmöglich wäre.

    b. Zu diesem an 2 und 3 Makk festgestellten Sprachgebrauch stimmt genau der Befund auf den griechischen Inschriften, die 35
von Juden stammen oder Juden erwähnen. Auf all den von Schürer III 13—70
passim notierten Inschriften aus der gesamten griechisch-römischen Welt begegnet kein einziges Mal 'Ισραήλ oder 'Ισραηλίτης, sondern ist die stete Bezeichnung, auch die Selbstbezeichnung des Juden 'Ιουδαῖος und die des
ganzen Volkes οἱ 'Ιουδαῖοι[51].   40

Der Sprachgebrauch ist also stets der gleiche, wie auch BGU VI 1282, 2—3, wo ein
Σαββάταιος und sein Sohn sich selbst als 'Ιουδαῖοι bezeichnen. Ebenso ist es in den Grabinschriften der jüdischen Katakombe der Villa Torlonia in Rom[52] auf der Inschrift 28
eine Frau als 'Ιουδαία bezeichnet; ebenso 47: Cresces Sinicerius Judeus proselitus[53].

---

[47] Daneben noch 3 mal Ἑβραῖος; → 369, 32 ff.

[48] Man halte dem gegenüber, wie unverständlich es den Rabb wäre, sich als „Wir,
die Juden (היהודים)" zu bezeichnen! (→
364, 29 ff).

[49] Über die, soweit ich sehe, einzige Stelle
in der rabb Lit und überhaupt im ganzen
palästinisch-jüdischen Sprachgebrauch,
wo doch יהדות = 'Ιουδαϊσμός begegnet, →
364, 22 ff.

[50] S Schemone-Esre, 7. Benediktion: ברוך
אתה יהוה גואל ישראל.

[51] Daneben einige Male auch Ἑβραῖος; s dazu → 370, 9 ff.

[52] HWBeyer-HLietzmann, Die jüdische Katakombe der Villa Torlonia in Rom (1930).

[53] Die einzige Ausnahme macht Inschr 44:
Ein dreijähriges Mädchen θρεπτὴ προσήλυτος
πατρὸς καὶ μητρὸς Εἰουδαία 'Ισραηλίτης.
Die Herausgeber interpretieren: „Zum
Stamme Juda gehörige Israelitin" (ohne
Angabe eines Belegs für einen solchen
singulären Gebrauch von 'Ιουδαῖος; als solchen
könnte man höchstens anführen die → 364, 33

Den gleichen Sprachgebrauch zeigen bereits die aramäischen Briefe und Urkunden der jüdischen Militärkolonisten in persischem Dienst auf der Nilinsel Elefantine aus dem 5 Jhdt v Chr[54]. Stets nennen sich diese Leute selbst יְהוּדִי (zB Nr 6, 3 מחסיה
5 בר ידניה יהודי), Plural יהודיא. Von dem Namen ישראל findet sich in diesen Papyri keine Spur[55].

c. Einige wenige Schriften bleiben noch besonders zu besprechen. So zeigt uns 4 Makk und ebenso Susanna anschaulich den Sprachgebrauch in der **hellenistischen Synagogenpredigt**. Während einerseits die Verwendung von Ἰουδαῖος in Susanna v 4 und v 22 (LXX) und von Ἰου-
10 δαϊσμός in 4 Makk 4, 26 ganz dem sonstigen hellenistisch-jüdischen Sprachgebrauch entspricht, bringt es andererseits eben der Charakter der **Predigt** mit sich, daß der Gebrauch von Ἰσραήλ durch die Anlehnung der Predigtsprache an den Stil der griechischen Bibel und der Liturgie[56] viel stärker als sonst bei den hellenistischen Juden hervortritt.
15 So Susanna v 28 (LXX): In der Synagoge waren versammelt οἱ ὄντες ἐκεῖ πάντες οἱ υἱοὶ Ἰσραήλ. Ebenso v 48 als **Anrede der Gemeinde**: υἱοὶ Ἰσραήλ. Desgleichen 4 Makk 17, 22: Durch das Blut der Märtyrer ἡ θεία πρόνοια τὸν Ἰσραὴλ προκακωθέντα διέσωσεν: Die Sprache des Kontextes ist ganz hellenistisch (θεία πρόνοια!), aber der Predigtstil bedingt doch die Verwendung von Ἰσραήλ; ähnlich Ἰσραηλῖται
20 4 Makk 18, 1[57] [58].

Von Interesse ist hierzu noch die Stelle Zusätze zu Est 6, 5 (Εσθ 10, 3 e—3 f) (in der Deutung des Traumes Mardochais), wo zunächst ganz nach griechischem Gebrauch gesagt wird: τὰ δὲ ἔθνη, (das sind) τὰ ἐπισυναχθέντα ἀπολέσαι τὸ ὄνομα τῶν Ἰουδαίων, aber sofort anschließend (6, 6 [10, 3 f]), mit besonderem Akzent: τὸ δὲ ἔθνος τὸ ἐμόν,
25 οὗτός ἐστιν Ἰσραήλ. In der gleichen Richtung des hellenistisch-jüdischen „Predigtstils" (wenn auch nicht direkt in einer Predigt) liegt Zusätze zu Est 3, 11 (Εσθ 4, 17 i): πᾶς Ἰσραήλ schrie zu Gott um Hilfe[59].

Als Anhang sei noch die **jüdische Sibylle** erwähnt, die (neben Ἑβραῖοι → 369, 7 ff) nur Ἰουδαῖοι gebraucht: Sib 4, 127; 11, 45 = 11, 239; 12, 152; 14, 340; auch in betont
30 religiösem Sinn: Sib 5, 249: (In der Endzeit) Ἰουδαίων μακάρων θεῖον γένος οὐράνιόν τε. — Ἰσραήλ fehlt bei der jüdischen Sibylle ganz, was deutlich auf ihre Herkunft aus dem hellenistischen Judentum hinweist. Es begegnet nur in einem späten, christlichen Stück Sib 1, 360 und 366 (neben Ἑβραῖοι).

II. Ἑβραῖος.

35 Viel seltener sowohl als Ἰσραήλ wie als Ἰουδαῖος begegnet daneben noch als dritte Bezeichnung Ἑβραῖος, und zwar in zwei ganz getrennten Anwendungsbereichen:

---

besprochene rabb Exegese von Est 2, 5). Besser erscheint mir die Interpretation: Ἰουδαία in der üblichen Ausdrucksweise = „sie war Jüdin"; aber religiös betont hinzugesetzt Ἰσραηλίτης = „sie war demnach Angehörige des auserwählten Gottesvolkes"!

[54] A Cowley, Aramaic Papyri of the fifth century BC (Oxford 1923) Regist sv.

[55] Es könnte hier allerdings der Name יהודי auch gemäß palästinischem Sprachgebrauch als der amtliche Name, auch zur Selbstbezeichnung, gebraucht sein (→ 362, 7 ff), da es sich ja durchweg um amtliche Schreiben und Urkunden handelt.

[56] In Analogie zu der Verwendung von Ἰσραήλ, nicht Ἰουδαῖοι, nach hellenistisch-jüdischem Sprachgebrauch in Gebeten und biblisch-liturgischen Formeln; → 364, 40 ff.

[57] Über 4 Makk s weiter bei Ἑβραῖος → 369, 23 ff.

[58] Man beachte bes die Bezeichnung der Susanna in v 22 (LXX) nach dem üblichen Gebrauch als ἡ Ἰουδαία gegenüber v 48 (in der Ansprache an die Gemeinde!) als θυγάτηρ Ἰσραήλ (LXX-Stil!). Interessant auch die Bezeichnung der Susanna als θυγάτηρ Ἰούδα in v 57, was doch wahrscheinlich einfach Synonym zu θυγάτηρ Ἰσραήλ im gleichen Vers ist: Lediglich um mit dem Ausdruck zu wechseln, bildet der Verf im Predigtstil als Analogie zu dem unmittelbar vorher gebrauchten θυγάτηρ Ἰσραήλ nun auch θυγάτηρ Ἰούδα statt des üblichen Ἰουδαία.

[59] Die übrigen Stellen in den Zusätzen zu Est (3, 2. 14. 16; 6, 10 = Εσθ 4, 17 b. 17 k Ende. 17 m; 10, 3 k) zeigen Ἰσραήλ in Gebeten und liturgischen Formeln. Der Gebrauch von Ἰουδαῖος Zusätze zu Est 1, 2; 5, 15. 19 (= Εσθ 1, 1 b; 8, 12 p. 12 s); Bel und der Drache v 28 ist der übliche.

1. Als Bezeichnung der Sprache und Schrift.

a. So ist der Gebrauch von עִבְרִי ausschließlich in der rabbinischen Literatur[60]. In bezug auf die Sprache bezeichnet dabei עברי die sonst im rabbinischen Hebräisch auch oft לשון הקודש „heilige Sprache" genannte, auch von uns als „Hebräisch" bezeichnete Sprache, im Gegensatz zu ארמי, dem auch von uns so genannten „Aramäischen" (bei den Rabbinen auch öfter תרגום genannt), und natürlich auch zu יוני „Griechisch". In bezug auf die Schrift bezeichnet עברי die sogenannte „althebräische Schrift"[61], im Gegensatz zu אשורי der „assyrischen", dh Quadratschrift, und natürlich auch zu יוני, der griechischen Schrift.

Die Hauptbelege für diesen Sprachgebrauch sind: jMeg 71 b 13 v u ff: „Vier Sprachen sind besonders geeignet . . . die griechische für die Poesie . . ., die hebräische (עברי) für die Rede (דיבור, dh wohl: die Gottesrede im AT). Und manche sagen: Auch אשורי „assyrische" (dh Quadratschrift) für die Schrift. — (Denn) das אשורי hat zwar eine Schrift, aber keine Sprache, das עברי „Hebräische" dagegen hat zwar eine Sprache, aber keine Schrift. Darum wählten (die Juden zur Zeit Esras für die Bibel) die כתב אשורי „Quadratschrift" und die עברי לשון „hebräische Sprache". — Warum heißt (diese Schrift) אשורי? . . . RLevi sagt: Weil sie zu (den Juden) aus אשור Assyrien(-Baby-lonien) gekommen ist . . . RNatan sagt: In רעץ, dh in der Schrift der Samaritaner = der althebräischen Schrift, wurde die Tora (dem Mose am Sinai) gegeben. . . . Rabbi sagt: אשורית, dh in der Quadratschrift, wurde die Tora (dem Mose am Sinai) gegeben. Aber da die Israeliten sich versündigten, wurde sie ihnen geändert in רעץ, die Schrift der Samaritaner = althebräische Schrift. Als sie sich jedoch wieder Ver-dienst erwarben zur Zeit Esras, wurde sie ihnen wieder geändert in אשורית, Quadrat-schrift . . ." usw. — Ähnlich bSanh 21 b: „Mar Zutra . . . sagte: Ursprünglich wurde die Tora den Israeliten in כתב עברי der althebräischen Schrift und in לשון הקודש der hebräischen Sprache gegeben. Später, zur Zeit Esras, wurde sie ihnen noch einmal gegeben in כתב אשורית Quadratschrift und in לשון ארמית aramäischer Sprache. Zum Schluß hat man dann für die Israeliten die כתב אשורית Quadratschrift und לשון הקודש hebräische Sprache gewählt, dagegen die כתב עברי althebräische Schrift und לשון ארמית aramäische Sprache den gewöhnlichen Leuten (ἰδιῶται) überlassen. Wer ist da mit ἰδιῶται gemeint? RChisda sagt: Die Samaritaner . . ." — Jad 4, 5: „תרגום, dh die Stücke in aramäischer Sprache, in Esr und Daniel sind Heilige Schrift[62] . . . und כתב עברי, die althebräische Schrift (dh biblische Bücher, die in dieser Schrift geschrieben sind), gelten nicht als Heilige Schrift. Überhaupt gilt (eine Abschrift biblischer Bücher) nur dann als Heilige Schrift, wenn sie geschrieben ist אשורית in Quadratschrift . . ." — Zahlreiche weitere Belege und Parallelstellen dazu gibt Str-B II 442—451, wo aber einzelne Stellen mißverstanden sind[63].

---

[60] In anderem Sinne gebraucht findet sich hier עברי nur noch in den Ausdrücken עבד עברי u העבריה (bzw שפחה (אמה „der he-bräische Knecht, bzw Magd". Aber diese Verwendung ist für die Darstellung des Sprachgebrauchs von vornherein auszu-scheiden, weil sie lediglich (als rabb Ge-lehrtenhebräisch) Zitat bzw Anwendung des entsprechenden Ausdrucks in Ex 21, 2 ist.

[61] Sie war bis zum Exil in Israel üb-liche. Im Exil in Babylonien übernahmen dann die Juden die aram Schrift, die sie zu der künstlichen Zierschrift der „Quadrat-schrift" entwickelten. Die althbr Schrift blieb aber daneben noch lange im Gebrauch,

einmal in der Verwendung auf jüdischen Münzen uä, zum andern bei den Samaritanern, die sie im Gegensatz zu den Juden für die Schreibung des Pentateuch und von da aus auch ihrer anderen Lit beibehielten. In ihrer Anwendung durch die Samaritaner nennen die Rabb diese Schrift רַעַץ bzw דַעַץ.

[62] Den Anfang des folgenden Satzes תרגום שכתבו עברית ועברית שכתבו תרגום verstehe ich nicht. Auch die Interpretationen der Kommentare und Übersetzungen der Mischna zSt sind mE nur Verlegenheitsauskünfte.

[63] So vor allem ep Ar § 11 bei Str-B II 448 unter e.

An all diesen Stellen unterscheiden also die Rabbinen stets genau zwischen
עברי „hebräischer" und ארמי oder תרגום „aramäischer Sprache". Nur ganz
selten einmal begegnet es, daß diese beiden Sprachen durcheinandergeworfen
werden, daß also als עברי auch die aramäische, dh die eigentliche Volks-
5 sprache der Juden Palästinas und Babyloniens in der Zeit der Rabbinen, bezeichnet wird.

So Git 9, 6 und 9, 8, wo von עברית geschriebenen Scheidebriefen die Rede ist im
Gegensatz zu יונית „griechisch" geschriebenen, ebenso von עברית geleisteten Zeugen-
unterschriften im Gegensatz zu יונית „griechischen". — Da Scheidebriefe, ebenso wie
10 alle andern Urkunden (Schuldscheine usw) stets aramäisch abgefaßt waren, muß hier
עברית eben die aramäische Volkssprache der Juden Palästinas und Babyloniens
bezeichnen. — Im gleichen Sinne ist an der genannten Stelle auch von עברים עדים
die Rede, dh von Juden, die Aramäisch als ihre Muttersprache haben und darum
in dieser Sprache ihre Zeugenunterschrift leisten, im Gegensatz zu עדים יונים, dh Ju-
15 den, deren Muttersprache Griechisch ist und die deswegen in dieser Sprache unter-
schreiben. — Genau die gleiche Verwendung von עברי für die aramäische Sprache
liegt vor TBB 11, 8, wo vom Übersetzen von Urkunden aus עברית (dh hier Aramäisch)
ins Griechische und umgekehrt die Rede ist[64].

b. In den at.lichen Apokryphen und Pseudepigraphen findet
20 sich dieser Gebrauch von עברי-Ἑβραῖος für die hebräische Sprache: Sir
Prol 22 (Ἑβραϊστί; der älteste Beleg für diesen Sprachgebrauch) und 4 Makk
12, 7 = 16, 15 ἐν τῇ Ἑβραΐδι φωνῇ. An der letzteren Stelle ist damit möglicherweise nicht das Hebräische, sondern das Aramäische gemeint. Dann würde
also der Sprachgebrauch an dieser Stelle, ebenso wie die Verwendung von עברי
25 für das Aramäische in den oben → 368, 7 ff genannten seltenen rabbinischen
Stellen, übereinstimmen mit dem Sprachgebrauch des Josephus[65] und des NT[66],
wo ja verschiedentlich Ἑβραῖος und Ἑβραϊστί auch für das Aramäische gebraucht
wird.

Eine Erweiterung jedoch dieses Gebrauches von Ἑβραῖος für (hebräische,
30 ev auch aramäische) Sprache und Schrift, wie sie etwa Josephus zeigt[67], bei
dem mit diesem Wort nicht mehr nur Sprache und Schrift, sondern auch Maße,
Münzen, Monatsnamen, überhaupt alles dem palästinischen Juden national
Eigentümliche, bezeichnet sein kann, eine solche Erweiterung ist in der hier
zur Rede stehenden Literatur nirgends zu beobachten.

35   **2.** Ἑβραῖος als archaischer Name und als gewählter Ausdruck für das Volk Israel.

a. Völlig davon zu trennen ist ein zweiter Anwen-
dungsbereich von Ἑβραῖος, der von dem Vorkommen dieses Namens im
Alten Testament, und zwar besonders für die älteste Zeit, ausgeht. Von
40 da aus wird dann Ἑβραῖος gebraucht als archaische Bezeichnung des
Volkes Israel, wenn von seiner Geschichte in der fernen Vergangenheit die
Rede ist.

---

[64] Ob dieselbe Verwendung von עברי auch
in den beiden von Str-B II 447 unter c noch
angeführten Stellen bMeg 18 a und bSchab
115 a vorliegt, ist fraglich. Wahrscheinlich ist

עברית an diesen beiden Stellen doch lediglich Textkorruptel.
[65] → 375, 37 ff.
[66] → 391, 23 ff; 392, 16 ff.
[67] → 375, 33 ff.

So deutlich der Sprachgebrauch des Josephus [68]. Ebenso auch Test Jos 12, 2 und 13, 3 in der Erzählung der Josefsgeschichte: νέος 'Εβραῖος und ὁ παῖς ὁ 'Εβραῖος von Josef. Ebenda 12, 2 auch ὁ θεὸς τῶν 'Εβραίων [69]. Ähnlicher Gebrauch auch Jub 47, 5.

Dieser Sprachgebrauch führte dann zur Verwendung des Namens 'Εβραῖοι für das jüdische Volk auch der Gegenwart und Zukunft in solchen Schriften, 5 die einen archaisierenden Sprachstil anstrebten.

So in den jüdischen Sibyllinen, die verschiedentlich 'Εβραῖοι gebrauchen einfach synonym mit 'Ιουδαῖοι [70]; zB Sib 2, 175 ἐκλεκτοὶ πιστοὶ 'Εβραῖοι (ebenso 3, 69); 5, 161 'Εβραίων ἅγιοι πιστοὶ καὶ λαὸς ἀληθής; 5, 258 'Εβραίων ὁ ἄριστος von Josua. Von da aus wird dann auch in den späteren, christlichen Partien der Sib für „die Juden" fast 10 stets [71] 'Εβραῖοι gesagt (Sib 1, 346. 362. 387. 395; 2, 248. 250; 7, 135; 8, 141; [11, 38]).

b. Noch ein weiterer Schritt führt endlich in einigen jüdischen Schriften von der Verwendung von 'Εβραῖος als eines archaistischen Namens der Juden (auch der gegenwärtigen) zu seiner Verwendung als Name der Juden in gewählter Ausdrucksweise. So wird 'Εβραῖος 15 die vornehmere, gewähltere, höflichere Bezeichnung gegenüber dem üblichen, gewöhnlichen, oft genug in abfälligem, ja sogar verächtlichem, höhnischem Sinn gebrauchten 'Ιουδαῖος [72]. 'Εβραῖος wird daher als Bezeichnung der Volks- und Religionszugehörigkeit des Juden an solchen Stellen gebraucht, wo nicht allein jeder abwertende Nebenton, wie 'Ιουδαῖος ihn leicht 20 hat, vermieden werden, sondern im Gegenteil damit ein hochwertender, ehrender Akzent verknüpft sein soll [73].

So ganz deutlich in den jüdischen Märtyrergeschichten in 4 Makk. Die Märtyrer werden hier nie anders als 'Εβραῖοι tituliert (5, 2. 4; 8, 2; 9, 6. 18). 'Εβραῖος ist ihr Ehrenname (9, 18: μόνοι παῖδες 'Εβραίων ὑπὲρ ἀρετῆς εἰσιν ἀνίκητοι!). Nur einmal 25 begegnet daneben in 4 Makk 'Ιουδαῖος (5, 7) [74], und zwar charakteristischerweise in den höhnischen Worten des die verfolgenden Tyrannen Antiochos gegenüber einem Märtyrer! Auch von den Juden allgemein wird 'Εβραῖοι gesagt (4, 11; 17, 9). Besonders 4, 11 zeigt wieder den ehrenden Charakter dieser Bezeichnung: Apollonius wollte den Tempelschatz berauben, wurde aber durch einen Engel daran ver- 30 hindert; da stürzte er nieder und τοὺς 'Εβραίους παρεκάλει, sie möchten für ihn beten. Im gleichen Sinne steht auch 2 Makk 7, 31 'Εβραῖοι in der Rede eines Märtyrers. Jedoch ist in 2 Makk, wo 'Εβραῖος dreimal gebraucht ist (7, 31; 11, 13; 15, 37), die hochwertende Tendenz dieses Namens nicht so deutlich sichtbar, weil daneben oft und völlig unbefangen, ohne jeden abfälligen Akzent 'Ιουδαῖος gebraucht wird [75], so daß 35 zB in den beiden ganz gleichartigen Stellen 2 Makk 11, 13 und 8, 36 das eine Mal 'Εβραῖος, das andere Mal 'Ιουδαῖος gesagt werden kann (11, 13: ἀνικήτους εἶναι τοὺς 'Εβραίους τοῦ δυναμένου θεοῦ συμμαχοῦντος αὐτοῖς. — 8, 36: ὑπέρμαχον [nämlich Gott] ἔχειν τοὺς 'Ιουδαίους καὶ διὰ τὸν τρόπον τοῦτον ἀτρώτους εἶναι τοὺς 'Ιουδαίους).

Deutlich sichtbar ist dagegen diese hochwertende Tendenz in 'Εβραῖος wieder im 40 Buche Judith, das mit dem sehr häufigen Gebrauch von 'Ισραήλ als steter Selbstbezeichnung des Volkes (→ 363, 5 ff) klar seinen palästinisch-jüdischen Sprachgebrauch zeigt. Und nun genau an den Stellen, wo man nach diesem palästinisch-jüdischen Sprachgebrauch 'Ιουδαῖος erwarten müßte, nämlich 12, 11 und 14, 18 im Munde der Nichtjuden Holofernes und Bagoas und 10, 12, wo Judith sich den 45

---

[68] Darüber → 375, 26 ff, ebenso Philo → 375, 5 ff.

[69] 'Εβραῖος sonst nirgends in Test XII; 'Ιουδαῖοι überhaupt nicht, dagegen unendlich oft 'Ισραήλ; → 363, 11 f. — Zu ὁ θεὸς τῶν 'Εβραίων vgl noch → 375, 49 ff (Jos Ant 9, 20).

[70] 'Ιουδαῖοι begegnet daneben an etwa gleichviel Stellen; → 366, 28 ff.

[71] Dh neben zweimaligem 'Ισραήλ; → 366, 32 ff.

[72] Zn Ag [1.2] (1919) 642 ff meint, dieser letztere Gebrauch von 'Εβραῖος (den er auch mit dem Gebrauch für Sprache und Schrift zusammenwirft) sei erst in der christ-

lichen Gemeinde, aus ihrem Bedürfnis nach einem neuen Ausdruck für das negativ gewertete 'Ιουδαῖος heraus, entstanden. Aber er ist ja schon in der jüdischen Lit eindeutig zu belegen!

[73] Dieser Gebrauch findet sich, wie gesagt, nur in einigen wenigen Schriften. In den meisten at.lichen Apkr u Pseudepigraphen kommt 'Εβραῖος überhaupt nicht vor.

[74] Außerdem je einmal noch 'Ισραήλ, 'Ισραηλῖται, 'Ιουδαϊσμός; s dazu → 366, 9 ff.

[75] S dazu → 365, 2 ff.

assyrischen Vorposten gegenüber als Jüdin zu erkennen gibt, wobei sie natürlich nicht Ἰσραήλ sagen kann, sondern sich der nichtjüdischen Bezeichnung ihres Volkes bedient[76], an diesen 3 Stellen heißt es n i c h t Ἰουδαῖος, sondern Ἑβραῖος, während Ἰουδαῖος im ganzen Buch überhaupt nicht vorkommt. Das ist nur so zu deuten, daß der Verfasser Ἰουδαῖος als abfällige, verächtliche Bezeichnung empfand, die er darum für die Heldin seines Buches, auch da, wo er Nichtjuden redend einführt, nicht gebrauchen wollte. Darum verwendet er in diesen Fällen den gewählteren, nichts Abfälliges enthaltenden Namen Ἑβραῖος.

c. Ganz ebenso ließe sich nun vielleicht auch verstehen die Verwendung von Ἑβραῖος auf einigen griechischen Inschriften[77], wo ja sonst stets und ständig, auch als Selbstbezeichnung des Einzelnen oder des ganzen Volkes, Ἰουδαῖος begegnet[78]. Diese Leute, die hier von Ἑβραῖοι sprechen oder sich selbst so nennen, hätten also Ἰουδαῖος als abfällige, verächtliche Bezeichnung empfunden und daher, um diesen verächtlichen Nebenton zu vermeiden, den gewählteren Ausdruck Ἑβραῖος verwendet.

Wahrscheinlicher ist aber doch, daß hier der andere, oben unter *1* besprochene Gebrauch von Ἑβραῖος vorliegt, für Sprache und Schrift, und zwar in der erweiterten Form, in der er bei Josephus[79] und einigen heidnischen Schriftstellern[80] begegnet, wonach Ἑβραῖος nicht nur die Sprache, sondern überhaupt alles dem p a l ä s t i n i s c h e n Juden national Eigentümliche bezeichnet. Dann sind also diese auf den griechischen Inschriften als Ἑβραῖοι bezeichneten Juden solche Juden, die noch ihre palästinische Eigenart bewahrt haben, dh in erster Linie, die noch ihr heimisches Aramäisch als Muttersprache haben, im Gegensatz zu den in Sprache, Lebensart usw ihrer Umwelt schon völlig angepaßten Diasporajuden.

KGKuhn

C. Ἰουδαῖος, Ἰσραήλ, Ἑβραῖος in der griechisch-hellenistischen Literatur.

I. Ἰουδαῖος.

1. Ἰουδαῖος bei heidnischen Schriftstellern.

a. Im Unterschied von der klassischen griechischen Literatur ist in der der nachklassischen Zeit eine Erwähnung der Juden durchaus keine Seltenheit. Der Ausdruck ist normalerweise Ἰουδαῖος[81 82] für den Einzelnen, οἱ Ἰουδαῖοι für das ganze Volk. Seltener kommt daneben Ἑβραῖοι vor. Besonders etwa die Historiker werden auf dieses Volk aufmerksam und für sie ist natürlich die politisch-geschichtliche Seite in erster Linie von Interesse.

---

[76] Also analog dem Sprachgebrauch oben → 362, 1 ff unter *3*.

[77] Zusammengestellt von Schürer III 83 A 29.

[78] Dazu → 365, 35 ff.

[79] → 375, 33 ff.

[80] → 374, 13 ff. 44 ff und 376, 16 ff.

[81] Natürlich haben die Griechen das ι in Ἰουδαῖος nicht konsonantisch ausgesprochen, sondern rein vokalisch Ἰ-ουδαῖος. Dazu stimmt auch die gelegentlich nachweisbare Nebenform Εἰουδαῖος: Beyer-Lietzmann aaO (→ A 52) Nr 44, CIG IV 9916. Das entspricht — im Gegensatz zur althebräischen — der aramäischen Aussprache, vgl Dalman Gr 62f (§ 10, 3) ī für יְ; auch das ה in יְהוּדָה hat wohl schon im Jüdisch-Aramäischen seinen Konsonantenwert verloren, vgl Dalman Gr 75 ff (§ 10, 1).

[82] Völkernamen auf -ιος werden von jeher ebensowohl substantivisch wie adjektivisch verwendet; zu letzterem Gebrauch vgl Jos Ant 10, 265; Philo Flacc 29; 1 Makk 2, 23; Ag 10, 28 uö.

So zuerst Hekatäus von Abdera (FHG II 392f Nr 13): ἀεὶ τὸ γένος τῶν Ἰουδαίων ὑπῆρχε πολυάνθρωπον. (Freilich wird im Zusammenhang auch eine Schilderung religiöser Zustände dieser Ἰουδαῖοι gegeben, aber doch nicht anders, als wenn man sonst ein beliebiges Volk schildern würde.) Vgl ferner Agatharchides (bei Jos Ap 1, 209): οἱ καλούμενοι Ἰουδαῖοι πόλιν οἰκοῦντες ὀχυρωτάτην (festeste) πασῶν, ἣν καλεῖν Ἱεροσόλυμα 5 συμβαίνει τοὺς ἐγχωρίους. Auch in den Papyri begegnet dieser Name häufig in diesem Sinn. POxy II 335 redet von einem Haus im Judenviertel (ἐπ᾽ ἀμφόδου Ἰουδα[ϊ]κ[οῦ]), erbaut von einem Glied τῶν ἀπ᾽ Ὀξ(υρύγχων) πόλ(εως) Ἰου(δ)αίων (vgl ferner POxy IX 1189, 9; 1205, 7); PFay 123, 15 f: ἐλήλυθεν γὰρ Τεύφιλος Ἰουδαῖος λέγων [83]. Auch Polybius schreibt nach den bei Josephus erhaltenen Resten von τὸ Ἰουδαίων ἔθνος und von τῶν Ἰουδαίων 10 οἱ περὶ τὸ ἱερὸν τὸ προσαγορευόμενον Ἱεροσόλυμα κατοικοῦντες (Polyb 16, 39, 1 u 4). Immer steht hier die nationale oder geschichtliche Seite im Vordergrund.

b. Neben dieser durchgehenden politisch-geschichtlich-völkischen Seite in dem Namen Ἰουδαῖος steht aber immer die religiöse, die an der diesem Volk geschenkten Aufmerksamkeit ausschlaggebend beteiligt war.   15

Gleich in den ersten Fällen, wo Ἰουδαῖος überhaupt vorkommt, bei Klearch und Theophrast, sowie bei Megasthenes, zeigt sich das Hervortreten dieser religiös-weltanschaulichen Seite. So sagt zB Aristoteles bei Klearch (nach Jos): οὗτοι δέ εἰσιν (sc die Juden) ἀπόγονοι τῶν ἐν Ἰνδοῖς φιλοσόφων, καλοῦνται ... οἱ φιλόσοφοι ... παρὰ Σύροις Ἰουδαῖοι (Jos Ap 1, 179). Ganz ähnlich Megasthenes (FHG II 437 Nr 41): ... τὰ μὲν 20 παρ᾽ Ἰνδοῖς ὑπὸ τῶν Βραχμάνων, τὰ δὲ ἐν τῇ Συρίᾳ ὑπὸ τῶν καλουμένων Ἰουδαίων (sc λέγεται). Dio C 67, 14: τὰ τῶν Ἰουδαίων ἔθη, *die jüdische Religion*. (68, 1 redet im selben Sinn vom Ἰουδαϊκὸς βίος; gemeint sind hier wohl auch Glieder der christlichen Kirche, von denen Dio C sagt, sie werden verurteilt oder beschuldigt jüdischer Sitten bzw jüdischen Lebens wegen.)   25

Als Beispiel für viele greifen wir etwa noch Plutarch heraus. Wenn er Superst 8 (II 169 c) davon redet, daß οἱ Ἰουδαῖοι σαββάτων ὄντων ... οὐκ ἀνέστησαν, und dafür ihre δεισιδαιμονία verantwortlich macht, oder wenn Quaest Conv IV 5 (II 669 f — 671 c) die Frage aufgeworfen wird, ob die Ἰουδαῖοι aus Verehrung oder aus Abscheu kein Schweinefleisch essen [84], oder wenn Quaest Conv IV 6 (II 671 c — 672 c) besprochen 30 wird τίς ὁ παρὰ Ἰουδαίοις θεός; und dabei auch über die jüdischen Feste gesprochen wird, so ist zunächst einmal in Ἰουδαῖος der religiöse Charakter der so Bezeichneten gesehen; trotzdem aber wird die Beziehung dieser Ἰουδαῖοι zu ihrer palästinischen Heimat und den dortigen Verhältnissen nicht übersehen, so wenn eben an der letztgenannten Stelle von so speziell palästinischen Dingen wie der Kleidung des Hohe- 35 priesters gesprochen wird. Mehrmals werden auch einzelne Männer näher bezeichnet mit der Apposition: Ἰουδαῖος Anton 36 (I 932 b), 61 (I 944 b), 71 (I 949 b). All das zeigt, daß zwar der religiöse Charakter des Juden in dem Wort Ἰουδαῖος meist im Vordergrund des Interesses steht, aber zugleich die völkische Grundlage, sowie die Beziehung zum Stammland Palästina durchaus im Bewußtsein ist.   40

---

[83] Weitere Stellen vgl Preisigke Wört III. 14 sv.

[84] Hier ist zwar nicht eigentlich der Ort, über den antiken Antisemitismus zu reden, aber einige Gesichtspunkte seien kurz genannt. Der Antisemitismus, soweit er vor allem zur Zeit des NT bestand, war anscheinend weder in erster Linie rassisch bedingt (man lebte eher in einer weltbürgerlichen Aera) noch wirtschaftlich. Er war vielmehr in erster Linie begründet in der Absonderung (der ἀμιξία, vgl zB 2 Makk 14, 38), in der sich das Judt, wenigstens das offizielle Judt, von allem fremden Wesen fernhielt, vor allem in der religiösen Absonderung, in der Weigerung, andere Götter als den eigenen Gott anzuerkennen oder gar zu verehren. (Die Gottesanschauung des Judts hat daneben besonders in der ersten Zeit der Berührung von griech und jüd Welt auch großen Eindruck gemacht und die Verbrei-

tung des Judentums gefördert.) Neben der religiösen fiel aber besonders die dadurch bedingte soziale Absonderung auf. Die Juden essen nicht mit den „Heiden", halten sich von den Spielen fern, haben möglichst eigene Rechtsprechung, gehen keine Mischehe ein, halten sich möglichst vom Heeresdienst fern (vor allem des Sabbats wegen) usw. Von den speziell religiösen Bräuchen fand besonders der Sabbat, die Beschneidung, die Speisegebote und hier wieder vor allem die Enthaltung von Schweinefleisch, spöttische oder ärgerliche Ablehnung. Die vielen seltsamen Verzerrungen und Verleumdungen (die Juden beten einen Eselskopf an, sie sind als Aussätzige aus Ägypten vertrieben worden usw) im einzelnen aufzuzählen, lohnt sich nicht. Zur ganzen Frage vgl ausführlicher J Leipold, Antisemitismus in der alten Welt (1933) (dort S 3 weitere Lit); Schürer III 150 ff; Reinach aaO Préface.

c. Wichtig ist nun vor allem, daß gelegentlich Ἰουδαῖος im rein religiösen Sinn, abgelöst vom jüdischen Volk, als Bezeichnung der Religionszugehörigkeit gebraucht wird.

So wird bei Plut Cic 7 (I 864 c) ein Mann, der ἔνοχος τῷ ἰουδαΐζειν ist, von Cicero Ἰουδαῖος genannt, wobei Ἰουδαῖος also nur die religiöse Stellung des Mannes angibt. Allerdings handelt es sich hier um einen geistreichen Ausspruch (ein χαρίεν). Aber auch aus folgendem Satz bei Dio C wird das deutlich (37, 17): φέρει δὲ (sc die ἐπίκλησις „Ἰουδαῖος") καὶ ἐπὶ τοὺς ἄλλους ἀνθρώπους ὅσοι τὰ νόμιμα αὐτῶν καίπερ ἀλλοεθνεῖς ὄντες ζηλοῦσι. — Vgl ferner noch Arrian von Nikomedien (Epict Diss II 9, 20): ὅταν τινὰ ἐξαμφοτερίζοντα ἴδωμεν, εἰώθαμεν λέγειν ,οὐκ ἔστιν Ἰουδαῖος, ἀλλ' ὑποκρίνεται'. ὅταν δ' ἀναλάβῃ τὸ πάθος τὸ τοῦ βεβαμμένου καὶ ἡρημένου, τότε καὶ ἔστι τῷ ὄντι καὶ καλεῖται Ἰουδαῖος. So kann also in bestimmten Fällen Ἰουδαῖος rein die religiöse Zugehörigkeit ausdrücken ohne die Grundlage der völkischen Zugehörigkeit.

2. Ἰουδαῖος bei Juden und jüdischen Schriftstellern.

a. Da der Name Ἰουδαῖος die Normalbezeichnung der Juden von Seiten der Fremden war, wurde er auch bald von den Juden in der Diaspora als gewöhnliche Selbstbezeichnung gebraucht (→ 365, 2 ff).

So etwa in einer Mieturkunde aus dem 2—1 Jhdt v Chr (BGU VI 1282, vgl 1272, 22), ebenso in Inschriften (Ditt Or I 73: εὐλογεῖ τὸν θεὸν Πτολεμαῖος Διονυσίου Ἰουδαῖος vgl I 74; 96, 5, II 726; ferner CIG 9916, 9926). Vor allem begegnet nun dieser Sprachgebrauch durchweg bei Philo und Josephus.

b. Bei **Philo** begegnet Ἰουδαῖος˙ hauptsächlich in den Schriften Flacc und Leg Gaj, wo er von den gegenwärtigen Juden kaum je anders redet als von Ἰουδαῖοι, ohne daß der Name etwa beschränkt würde auf die in Palästina wohnenden Juden (Flacc 49: οἱ πανταχόθι τῆς οἰκουμένης Ἰουδαῖοι). Diese Juden sind eine Einheit nicht nur im religiösen, sondern auch im völkischen Sinn, so wird Virt 212 von der Herkunft τοῦ τῶν Ἰουδαίων ἔθνους gesprochen. Doch ist bei Philo der Ton in Ἰουδαῖος mehr auf der religiösen Seite. Ein Feind τοῦ τῶν Ἰουδαίων ἔθνους ist, wer es lehrt, den Gehorsam aufzugeben im Vertrauen auf die edle Abkunft und das Verdienst der Väter (Virt 226).

Philo redet daher auch von einem μεταλλάξασθαι πρὸς τὴν Ἰουδαίων πολιτείαν (Virt 108), und der Zusammenhang macht deutlich, daß es im religiösen Sinn des Anschlusses an die jüdische Religion und Gemeinde verstanden werden muß. Das jüdische Volk tritt auch als ganzes in religiösem Sinn entgegen: ὃν λόγον ἔχει πρὸς πόλιν ἱερεύς, τοῦτον πρὸς ἅπασαν τὴν οἰκουμένην τὸ Ἰουδαίων ἔθνος (Spec Leg II 163). Obwohl also irgendwelche durchgehende Trennung zwischen der völkischen und der religiösen Seite in dem Gebrauch von Ἰουδαῖος bei Philo nicht festzustellen ist und es bei ihm nie einen Ἰουδαῖος gibt, der nicht auch national gesehen zur Judenschaft gehörte, so liegt doch der Hauptton bei der Bezeichnung Ἰουδαῖος auf der religiösen Eigenart des so Benannten.

c. **Josephus** gebraucht für die alte Zeit des Volkes die Bezeichnung Ἰουδαῖοι selten (→ Ἑβραῖος 375, 26 ff u → Ἰσραηλίτης 373, 40 ff). Ant 6, 30 nimmt Samuel den Philistern das Land ἣν τῶν Ἰουδαίων ἀπετέμνοντο. Dagegen für die Zeit seit der Rückkehr aus dem Exil, sowie dann vor allem für die Gegenwart, gebraucht Jos ausschließlich Ἰουδαῖοι.

Über das Aufkommen der Bezeichnung Ἰουδαῖος vgl Ant 11, 173: οἱ Ἰουδαῖοι . . . ἐκλήθησαν δὲ τὸ ὄνομα ἀφ' ἧς ἡμέρας ἐκ Βαβυλῶνος ἀνέβησαν ἐκ τῆς Ἰούδα φυλῆς ἧς πρώτης ἐλθούσης εἰς ἐκείνους τοὺς τόπους αὐτοί τε καὶ ἡ χώρα τὴν προσηγορίαν αὐτοῖς μετέλαβον. (Zur Sache → A 16.)

Im einzelnen zu zeigen, wie auch bei Jos in der Bezeichnung Ἰουδαῖος das Religiöse und Nationale dicht beieinander und ineinander liegt, ist eigentlich nicht nötig. Vit 16 wird ein Mann mit Ἰουδαῖος τὸ γένος seiner Volkszugehörigkeit nach als Jude bezeichnet. Wenn dagegen in Ant 13, 171 f die αἱρέσεις τῶν Ἰουδαίων aufgezählt und besprochen werden, so zeigt das deutlich die religiöse Seite des Wortes [85].

Auch Proselyten bezeichnet Jos gelegentlich als Ἰουδαῖοι (vgl 365, 14 u A 53: Ἰουδαῖος προσήλυτος als korrekte jüdische Grabaufschrift): Ant 13, 258. Aus Liebe zur Heimat

---

[85] Vgl auch SchlTheol d Judt 87 f.

nehmen die unterworfenen Idumäer Beschneidung usw auf sich, κἀκείνοις αὐτοῖς χρόνος ὑπῆρχεν ὥστε εἶναι τὸ λοιπὸν Ἰουδαίους.

II. *Ἰσραήλ.*

1. Bei heidnischen Schriftstellern ist Ἰσραήλ als Bezeichnung des jüdischen Volkes in Vergangenheit oder Gegenwart nir- 5 gends zu bemerken, wohl auch nicht zu erwarten, da es die spezifisch jüdische Selbstbezeichnung ist, die das Volk weder in erster Linie nach seinem nationalen Bestand, noch überhaupt nach seiner äußeren Erscheinungsweise bezeichnet.

„Israel" als König der Juden, also vom Patriarchen Jakob gebraucht, kommt einmal bei Trogus Pompeius vor (überliefert bei MJJustin XXXVI 2, 4 ff, ed FRühl-OSeel 10 [1935]) in einer manche richtige Züge mit viel Phantasie vermischenden Darstellung. Dieser „Israel" nennt seine 10 Söhne Judaeos nach dem Namen des frühverstorbenen Juda, dessen Verehrung er allen anbefahl. Ebenso weiß Alexander Polyhistor um den zweiten Namen des Jakob (FHG III 215 b Nr 8). Jakob heißt von der Engelankündigung an Ἰσραήλ, und so erscheint dieser Name mehrmals: καὶ φάναι αὐτῷ τὸν ἄγγελον, ἀπὸ 15 τοῦδε μηκέτι Ἰακώβ, ἀλλ' Ἰσραὴλ ὀνομασθήσεσθαι.

Wo Ἰσραήλ in den Papyris vorkommt, ist stets direkter jüdischer oder christlicher Einfluß zu erschließen oder offenkundig vorhanden, so im großen Pariser Zauber-papyrus (Preis Zaub I, 4, 3034, 3055 uö) ganz im Sinn des AT an den entsprechenden Stellen. Bei der Formel θεὸς τοῦ Ἰσραμα (RWünsch, Antike Fluchtafeln [1907] 5, 3 20 KlT 20) wird zwar wohl eine heidnische Verballhornung von Ἰσραήλ vorliegen, aber der Zusammenhang zeigt, daß sich bei der ganzen Fluchtafel weithin Einflüsse aus dem alexandrinischen Judentum, bes dem AT nachweisen lassen [86]. (Vgl weiter CIG IV 9270; PMasp Bd I [1911] 67002, I 18; POxy XIII 1602, 3.)

2. Ἰσραήλ bei Philo und Josephus. 25

a. Philo gebraucht Ἰσραήλ für die alte Zeit zur Bezeich-nung des Volkes im Sinn und Gebrauch des AT, häufig in Zitaten, seltener selbständig.

Rer Div Her 203 wird der ägyptischen die Ἰσραηλιτικὴ στρατιά gegenübergestellt (vgl Poster C 54). Mehrmals wird Ἰσραήλ für den Patriarchen Jakob verwendet, gewöhn- 30 lich in allegorischen Zusammenhängen, aber Ἰακώβ überwiegt. Meist jedoch bedeutet Ἰσραήλ in übertragenem Sinn das, was seine Übersetzung nach Philo besagt: ἄνθρωπος ὁρῶν θεόν. Darin, daß Israel (als Is-ra-el) Gott schaut, ist sein Vorzug begründet; denn der Schauende hat am Geschauten Anteil (Poster C 92). In diesem durch den Namen ausgedrückten Gott-Schauen ist das Wesentliche über Ἰσραήλ für Philo gesagt 35 (Abr 57—59, Leg Gaj 4). Darum ist es aber andererseits nahe daran, daß der Begriff Ἰσραήλ den Rahmen des jüdischen Volkes sprengt. Ἰσραήλ sind alle οἱ τοῦ ὁρατικοῦ γένους μετέχοντες (Deus Imm 144, Sacr AC 134). Diese Loslösung ist zwar nirgends direkt ausgesprochen, aber doch mindestens stark angebahnt.

b. Josephus gebraucht Ἰσραηλίτης für den Angehöri- 40 gen des Gottesvolkes in der alten Zeit, nie für die Gegenwart, was einerseits mit dem biblischen Text, andererseits mit der von ihm vorausgesetzten Leser-schaft zusammenhängen wird.

Von Ant 12 ab kommt der Name überhaupt nicht mehr vor. Eine besondere Notiz über die Herkunft des Namens, wie für Ἑβραῖος (→ 375, 30) und Ἰουδαῖος (→ 372, 47) 45 gibt er nicht, aber er ist sich der Herkunft des Namens wohl bewußt, so wenn er Mose das Volk einmal anreden läßt ὦ παῖδες Ἰσραήλου (Ant 4, 180). Ἰσραήλ als zweiten Namen des Patriarchen Jakob erwähnt er sonst nur einmal und gibt dort als Über-setzung ὁ ἀντιστάτης ἀγγέλῳ θεοῦ (Ant 1, 333). Diese Erklärung des Namens ist wesent-lich besser hebräisch gedacht als die Philos [87]. 50

Interessant ist noch, daß an manchen Stellen Josephus denjenigen palästinischen Gebrauch von Ἰσραηλίτης kennt, der die gewöhnlichen Glieder des Volkes unter diesem Namen neben Priester und Leviten stellt: Ἔζρας ἐποίησεν ὀμόσαι τοὺς φυλάρχας τῶν ἱερέων καὶ τῶν Λευιτῶν καὶ Ἰσραηλιτῶν (Ant 11, 146 vgl 151, 312) (→ 363, 24 ff).

---

[86] Vgl noch Deißmann B 23—54. | [87] Vgl auch SchlTheol d Judt 56 A 2.

Daß für Josephus der Name Ἰσραήλ in der Hinsicht Bedeutung gehabt hätte, daß
damit die besondere religiöse Stellung des jüdischen Volkes benannt wäre, ist nicht
sichtbar. Auch eine Stelle wie Ant 9, 20, wo Elia, nachdem ihm ὁ τῶν Ἑβραίων θεός
erschienen war, fragen läßt εἰ θεὸν ὁ Ἰσραηλιτῶν λαὸς ἴδιον οὐκ ἔχει, läßt sich
5   kaum in dieser Richtung verstehen. Jedenfalls ist dieser Gedanke bei ihm nicht
eigentlich schon mit dem Wort mitgesetzt. Gewiß hängt das auch damit zusammen,
daß Jos nicht Ἰσραήλ als Ganzheitsbezeichnung (→ | | , |) benützt, sondern nur
Ἰσραηλῖται als Volksname.

III. Ἑβραῖος.

10   ### 1. Ἑβραῖος bei heidnischen Schriftstellern.

a. Das Wort Ἑβραῖος [88] kommt in der griechischen Literatur nur selten vor. Es wird gewöhnlich verwendet in einem engeren Sinn
der **geographischen, völkischen oder auch sprachlichen Näherbestimmung**, also meist in Fällen, wo Ἰουδαῖος an sich ebenso möglich wäre,
15 aber deshalb wohl vermieden wird, weil es normalerweise für die Juden überhaupt, und dann besonders auch im religiösen Sinn gebraucht wird.

Wenn bei Antonius Diogenes (bei Porphyr Vit Pyth 11) neben Ἄραβες und Χαλδαῖοι
auch Ἑβραῖοι aufgezählt werden, so sind das einfach die Bewohner Palästinas, ganz
abgesehen von ihrer etwaigen besonderen Religion, vgl auch Porphyr Abst II 61, Plut
20 Anton 27 (I 927 e). Dieser Tatbestand ist besonders deutlich bei Tacitus: Nach einigen
Berichten „Judaei colunt proprias urbes hebraeasque terras et prop(r)iora Syriae"
(Historiarum V 2). Judaei ist der allgemein übliche Ausdruck, der ebenso für die
Juden in Rom oder sonstwo gelten würde, die hebraeae terrae sind speziell die palästinischen Landschaften.

25   *b.* Gelegentlich scheint Ἑβραῖος als **altertümlicher
Ausdruck** empfunden zu sein, so daß dann uU der Grund zur Wahl dieses
Namens der gewähltere Klang ist.

So wenn Damascius (bei Phot Cod 242 [89]) sagt: Ἄβραμος ὁ τῶν πάλαι Ἑβραίων πρό-
γονος, oder Charax von Pergamon (FHG III 644 b Nr 49): Ἑβραῖοι ... οὕτως Ἰουδαῖοι ἀπὸ
30 Ἀβραμῶνος (vgl ferner Alexander Polyhistor in FHG III 206 a).
In ähnlichem Sinn oder einfach als gewählterer Ausdruck scheint Ἑβραῖος bei Plutarch gebraucht zu sein (Quaest Conv IV 6 [II 671 c]): Διόνυσον ἐγγράφεις καὶ ὑπονοεῖς
τοῖς Ἑβραίων ἀπορρήτοις (der geheimnisvolle Gott der Juden) [90].

c. Einmal steht Ἑβραῖος deutlich von der besonderen **Sprache** der
35 so Bezeichneten: Luc Alex 13: Alle Leute laufen wegen des Betrügers Alexander zusammen, der nun φωνάς τινας φθεγγόμενος, οἷαι γένοιντ' ἂν Ἑβραίων ἢ Φοινίκων. Die
Ἑβραίων φωνή ist also eine unverständliche Sprache, die von den Ἑβραῖοι gesprochen
wird, so wie die phönizische von den Phöniziern.

d. Mehrmals findet Ἑβραῖος Verwendung bei Pausanias, dessen
40 Gebrauch des Wortes daher kurz dargestellt werden soll: I 5, 5 sagt er, Hadrian
habe τοὺς Ἑβραίους τοὺς ὑπὲρ Σύρων ἀποστάντας bezwungen; ebenso vergleicht er
etwa die βύσσος ἡ ἐν τῇ Ἠλείᾳ mit der βύσσος τῶν Ἑβραίων (V 5, 2), oder redet
er von etwas, was ἐν τῇ Ἑβραίων χώρᾳ ist (V 7, 4; VI 28, 8). Dort wohnen die Ἑβραῖοι
(VIII 16, 4 f). Man kann dies doch wohl auch so wenden: Wer Ἑβραῖος ist, stammt für
45 Paus aus dem Land der Hebräer. (Das müssen nicht einmal unbedingt nur die dortigen
Juden sein, jedenfalls ist eine religiöse Näherbestimmung dieser Ἑβραῖοι nicht ins
Auge gefaßt.) Den Namen Ἰουδαῖοι scheint Paus zu vermeiden. Er redet also von

---

[88] Zur Schreibung ist zu bemerken, daß
nach den sonstigen Transskriptionsgewohn-
heiten eigentlich Spir lenis gesetzt werden
müßte (vgl Bl-Debr [6] § 39, 3). Da aber als
Normalschreibung sich Spir asp durchgesetzt
hat, wird dieser hier immer gesetzt, auch
bei Nebenformen, also ἁβραϊκός oder Αἱβρέος,
auch wo die benützten Ausgaben anders
schreiben.

[89] Zitiert nach Reinach aaO 212.
[90] Die Situation wäre wohl nicht richtig
getroffen, wollte man hier den etwas verächtlichen Ton finden, den im AT (→ 359, 27 ff)
der Name meist hat. Dieser Ton liegt in der
Zeit des NT nicht mehr in diesem Worte
(→ 368, 65 ff).

'Εβραῖος mit geographischer Begrenzung auf Palästina. Eine Beziehung des Wortes auf die besondere Sprache dieser 'Εβραῖοι wird nicht sichtbar, wäre aber ohne weiteres auch denkbar.

2. 'Εβραῖος bei Juden.

a. Philo gebraucht 'Εβραῖος im Anschluß an die LXX [5] für das Volk Israel in der alten Zeit.

Αἰγύπτιον καλοῦσι Μωϋσῆν, τὸν οὐ μόνον 'Εβραῖον, ἀλλὰ καὶ τοῦ καθαρωτάτου γένους ὄντα 'Εβραίων (Mut Nom 117, vgl auch Vit Mos I 243). Zwar wird auch dieser Name gelegentlich allegorisch gedeutet: ein 'Εβραῖος ist ein περάτης (vgl die LXX bei Gn 14, 13) und zwar ἀπὸ τῶν αἰσθητῶν ἐπὶ τὰ νοητά (Migr Abr 20). Aber normaler- [10] weise bleibt 'Εβραῖος Bezeichnung des alten Volkes[91].

Von der Gegenwart braucht Philo das Wort, um das zu bezeichnen, was zwar jüdisch, aber nicht allen Juden gemeinsam ist, und das ist vor allem die hebräische bzw aramäische Sprache.

Er stellt gegenüber die 'Εβραίων γλῶττα der 'Ελλήνων γλῶττα (Conf Ling 68) oder [15] auch, und das ist interessant: ἔστι δὲ ὡς μὲν 'Εβραῖοι λέγουσι . . . ὡς δὲ ἡμεῖς (Conf Ling 129). Philo ist zwar Jude, aber er redet nicht ὡς 'Εβραῖοι λέγουσιν. Besonders deutlich ist dieser Tatbestand in der Erzählung Vit Mos II 31f, wo berichtet wird, der König (Ptolemäus Philadelphus) habe beschlossen, den „chaldäischen" Text des AT ins Griechische übersetzen zu lassen; dazu wurden ihm aus Judäa 'Εβραῖοι geschickt, [20] die neben der heimischen auch hellenische Bildung, dh wohl vor allem Sprachkennt- nisse besaßen. Als 'Εβραῖοι verstehen sie den Text des AT. Freilich wird Philo in solchen Zusammenhängen kaum an eine bestimmte Gegend denken, deren Bewohner er, weil sie aramäisch sprechen, 'Εβραῖοι heißen würde; aber dazu wäre ja nur noch ein kleiner Schritt (vgl weiter Som II 250, Abr 28). [25]

b. Wie Philo braucht Josephus 'Εβραῖος als Normal- bezeichnung für das Volk in der alten Zeit; es erscheint also besonders häufig in Ant 1—9 (neben 'Ισραηλίτης, ohne ersichtlichen Unterschied zwischen beiden, vgl zB Ant 2, 201/2).

Josephus erklärt den Namen von Heber aus, ἀφ' οὗ τοὺς 'Ιουδαίους 'Εβραίους ἄρχηθεν [30] ἐκάλουν (Ant 1, 146). Dieser Satz ist typisch. 'Ιουδαῖοι ist der den Lesern geläufige Begriff, 'Εβραῖοι der altertümliche.

Genau wie Philo gebraucht nun aber Jos 'Εβραῖοι, um das dem jüdischen Volk als Nation Eigentümliche zu beschreiben, das etwa beim Diasporajuden normaler- weise nicht mehr vorhanden war, vor allem wieder die Sprache, aber auch [35] Schrift, Maße, Münzen, Monatsnamen.

Καθ' 'Εβραίων γλῶτταν oder διάλεκτον (zB Ant 5, 323; 1, 36) und ähnliche Ausdrücke kehren mehrmals wieder. Als Josephus im Auftrag des Titus zu den Jerusalemern sprach, διήγγελεν τὰ τοῦ Καίσαρος ἑβραΐζων (Bell 6, 96), um besser verstanden zu werden. Aber auch etwa zur Zeit Jesajas redet Rabsakes, der babylonische Unterhändler, [40] ἑβραϊστί, um in der Stadt verstanden zu werden, im Gegensatz zu συριστί (Ant 10, 8). Josephus unterscheidet also bei ἑβραϊστί nicht immer zwischen hebräischer und aramäischer Sprache, obwohl ihm der Unterschied bekannt war (→ 368, 2ff). Für die nt.lichen Stellen interessant ist eine vl zu Bell 1, 3: Josephus παῖς γένει 'Εβραῖος als aus Jeru- salem stammender Priestersohn. Josephus spricht zwar als Palästiner aramäisch, aber [45] hier wäre er nicht deshalb, sondern seiner Abstammung aus palästinischer Familie wegen 'Εβραῖος genannt.

Ganz vereinzelt ist, daß 'Εβραϊκά einmal religiöse jüdische Gebräuche sind (Ant 18, 345). Die Formulierung ὁ 'Εβραίων θεός wird man dagegen wieder in dem Sinn auffassen, wie 'Εβραῖος sonst verwendet wird, als Bezeichnung des Volkes in der [50] alten Zeit (Ant 9, 20).

Der geschichtlich altertümliche Gebrauch von 'Εβραῖος findet sich auch etwa bei dem Dichter Ezechiel[92] und zwar, soweit seine Werke bekannt sind, durchgängig. In seinem „Auszug" begegnet nur 'Εβραῖοι, nie 'Ιουδαῖοι.

---

[91] → 368, 39 ff. | [92] REJ 46 (1903) 48 ff, 161 ff.

c. Von dem Bisherigen aus wird auch der Gebrauch von ʿΕβραῖος auf den Inschriften mit verhältnismäßiger Sicherheit zu deuten sein. Da die Inschriften nicht den historischen Gebrauch haben, sondern sich auf die Gegenwart beziehen, liegt am nächsten, ʿΕβραῖος zu verstehen als Bezeich-
5 nung desjenigen Juden, der aus Palästina stammt (daher freilich wohl auch aramäisch spricht) und sich eben dadurch von andern Gruppen in der Judenschaft unterscheidet.

Dreimal ist eine συναγωγὴ (τῶν) ʿΕβραίων bekannt[93], in Rom neben mehreren andern. Zweimal erscheint ein Vorsteher dieser Hebräersynagoge in Rom[94]. Für die Deutung
10 dieses Namens einer röm Synagoge sind verschiedene Vorschläge gemacht worden[95]; das aber ist ihnen allen gemeinsam, daß diese ʿΕβραῖοι durch Herkunft und Sprache oder doch mindestens durch ersteres näher mit Palästina verbunden sind als andere Juden. Besonders deutlich wird das, wenn ein Jude namens Μακεδόνις näher bezeichnet wird als ὁ Αἰβρέος Κεσαρεὺς τῆς Παλαιστίνης[96]. In drei weiteren Fällen sind als ʿΕβρέοι,
15 ʿΕβρέος bezeichnete Leute bekannt[97].

Zusammenfassend wird man also sagen können: ʿΕβραῖος steht entweder geschichtlich-altertümlich oder speziell palästinisch national (auch sprachlich), insbesondere dann, wenn Juden nicht nur faktisch als ʿΕβραῖοι bezeichnet werden, sondern als solche andern Juden, die nicht ʿΕβραῖοι sind, gegenüberstehen.

20   **D. Ἰουδαῖος, Ἰσραήλ, ʿΕβραῖος im Neuen Testament.**

I. Ἰουδαῖος, Ἰουδαία, Ἰουδαϊκός, ἰουδαΐζω, Ἰουδαϊσμός.

1. Ἰουδαῖος bei den Synoptikern.

Bei den Synpt ist Ἰουδαῖος bzw Ἰουδαῖοι selten. Während etwa bei Joh (→ 378, 26 ff) οἱ Ἰουδαῖοι das normale Wort zur Bezeichnung
25 der Leute ist, mit denen es Jesus zu tun hat, ist bei den Synpt der Sammelausdruck vor allem ὁ ὄχλος oder οἱ ὄχλοι, was bei Joh viel seltener begegnet. Daneben wird bei den Synpt mehr differenziert: γραμματεῖς, πρεσβύτεροι, Φαρισαῖοι, Σαδδουκαῖοι, ἀρχιερεῖς sind entweder bei den Synpt häufiger als bei Joh (Φαρισαῖοι und ἀρχιερεῖς), oder sie fehlen bei Joh ganz (γραμματεῖς, Σαδδουκαῖοι,
30 πρεσβύτεροι).

Ἰουδαῖος erscheint bei den Synpt als eigentliche Bezeichnung des Volkes, mit dem Jesus es zu tun hat, gar nicht. Es findet nur Verwendung in der Formel βασιλεὺς τῶν Ἰουδαίων, und auch das bezeichnenderweise nie im Munde von Juden oder des Evangelisten selbst, sondern stets nur im Munde Fremder, so
35 Mt 2, 2: die μάγοι fragen: ποῦ ἐστιν ὁ τεχθεὶς βασιλεὺς τῶν Ἰουδαίων; So fragt nicht der Jude, sondern der Fremde, der Heide[98].

Inhaltlich ist dabei dasselbe zu beobachten, was außerhalb des NT im Gebrauch des Wortes oft liegt: Ein βασιλεὺς τῶν Ἰουδαίων, der neu geboren wird,

---

[93] CIG IV 9909; Deißmann LO 12 f A 8; JKeil u AvPremerstein, Bericht über eine dritte Reise in Lydien, Denkschriften der Akademie der Wissenschaften in Wien, philhist Kl LVII (1914) Nr 42.
[94] NMüller-NBees, Die Inschr der jüdischen Katakombe am Monteverde zu Rom (1919) Nr 14 u 50.
[95] Schürer III 83 A 29; G la Piana, Foreign Groups in Rome during the first Centuries of the Empire, in: Harvard Theol

Review 20 (1927) s bes 356 A 26. Weitere Lit dort, sowie bei Keil u vPremerstein aaO. Vgl ferner besonders Müller-Bees aaO 24 A 1 (Deißmann) „landsmannschaftliche Organisation".
[96] Müller-Bees aaO Nr 118.
[97] Müller-Bees aaO Nr 117, 122; CIG IV 9922.
[98] Vgl SchlMt zSt: „der messianische Gedanke in vorchristlicher Gestalt nach der Sprache der Heiden"; ferner Trench 83.

kann zwar vernünftigerweise nur in Palästina, speziell in Jerusalem gesucht werden, und insofern bleibt die völkische, ja geographische[99] Grundlage bei dem Namen Ἰουδαῖος bestehen. Aber in erster Linie liegt doch gerade hier bei dieser Formel der Ton auf der religiösen Seite. Die Ἰουδαῖοι sind eben das-jenige Volk, dem von Gott ein König verheißen ist, zu dem man kommt, ihn 5 anzubeten; und darin unterscheidet sich dieses Volk von andern Völkern und der König der Juden von andern Königen[100].

Außerdem kommt βασιλεὺς τῶν Ἰουδαίων bei den Synpt in der Leidensgeschichte vor und wieder ganz folgerichtig nur im Munde von Außenstehenden: Mt 27, 11 (Par) fragt Pilatus Jesus: σὺ εἶ ὁ βασιλεὺς τῶν Ἰουδαίων; Freilich kennt Pilatus 10 (bei Mt) auch den Ausdruck χριστός für einen solchen βασιλεὺς τῶν Ἰουδαίων (Mt 27, 17. 22), den er allerdings ebensowenig ernst nimmt, wie den andern (τὸν λεγόμενον χριστόν; vgl dagegen Mk 15, 9. 12). Er faßt den so Bezeich-neten, auch wenn er Jesus wirklich dafür hielte, nur als politische Größe, die nicht etwa anzubeten, sondern zu vernichten ist, und er benützt gerne die Ge- 15 legenheit, in diesem harmlosen Judenkönig den jüdischen Messianismus, den er nur von der politischen Seite aus ansieht, zu treffen[101]. So zeigt gerade ein Vergleich von Mt 2, 2 und 27, 11, wo beide Male βασιλεὺς τῶν Ἰουδαίων im Munde eines Nichtjuden erscheint, die beiden Möglichkeiten, die in dem Aus-druck Ἰουδαῖος dadurch liegen, daß dies zugleich eine politische und religiöse 20 Bezeichnung ist. Da Pilatus seinerseits wohl auch weiß, daß in dem Titel βασιλεὺς τῶν Ἰουδαίων auch ein religiöser Anspruch steckt, so entsteht der Unter-schied zwischen der Verwendung hier und dort, wo die Magier zur Anbetung kommen, vor allem daran, welcher von diesen beiden Zügen mehr in den Vor-dergrund gerückt wird. 25

Die übrigen Stellen mit βασιλεὺς τῶν Ἰουδαίων: Mt 27, 29 (im Munde der Kriegs-knechte) und Mt 27, 37 (in der Kreuzesaufschrift) zeigen nur noch einmal denselben Tatbestand.

Bezeichnend ist nun aber der Gegensatz zu dieser Ausdrucksweise der Frem-den, der dann erscheint, wenn die Führer des jüdischen Volkes Jesus ob seines 30 messianischen Anspruchs verspotten: Mt 27, 42 βασιλεὺς Ἰσραήλ ἐστιν . . . (Mk 15, 32 ὁ χριστὸς ὁ βασιλεὺς Ἰσραήλ, Lk 23, 35 ὁ χριστὸς τοῦ θεοῦ). So geben sie auf palästinische Art Jesu Selbstanspruch richtig wieder.

Neben diesem Gebrauch kommt Ἰουδαῖος bei den Synpt nur noch ganz ver-einzelt vor. 35

Bei Mt nur noch 28, 15: διεφημίσθη ὁ λόγος οὗτος (sc daß die Jünger Jesus gestohlen hätten) παρὰ Ἰουδαίοις μέχρι τῆς σήμερον [ἡμέρας]. Auffällig ist hier zunächst das Fehlen des Artikels, so daß man sinngemäß wohl wiedergeben muß: bei solchen, die Juden sind[102]. Man müßte dann hier einen Gebrauch von Ἰουδαῖος annehmen, wie er bei Joh (→ 380, 20 ff) nicht selten ist, wobei Ἰουδαῖος den bezeichnet, der den Glauben an Jesus 40

---

[99] Freilich nicht in dem speziellen Sinn der Landschaft Ἰουδαία, sondern dann ohne Unterscheidung der einzelnen von Juden be-siedelten Gebiete Palästinas. Eine Beschrän-kung von Ἰουδαῖος auf die Bewohner Judäas wird im NT nirgends sichtbar, würde sich aber auch vom sonstigen Sprachgebrauch entfernen (dazu → A 27). Auch J 7, 1, das sich zunächst von dieser Regel zu ent-fernen scheint, wird nicht in diesem Sinn zu deuten sein. Fraglich ist ferner Ag 2, 14 im Vergleich mit 2, 5.

[100] SchlMt zSt: „Ἰουδαῖος ist der Name für die durch das Gesetz und das Bekenntnis zum einen Gott geeinte Gemeinde". Aller-dings wird diese inhaltliche Füllung nicht schon aus dem Gebrauch bei Mt hervorgehen.

[101] Vgl SchlJ zu 19, 15.

[102] Vgl indirekt SchlMt zSt.

verweigert. Jedenfalls kann dieser einzelne Ausdruck weder über die religiöse oder völkische Zugehörigkeit des Verfassers noch über die der Leser etwas aussagen. Trotzdem ist dieser Ausdruck bei Mt so auffällig, daß der Gedanke naheliegt, hier eine glossenartige Zwischenbemerkung eines frühen Abschreibers anzunehmen[103], der zu seiner Zeit noch diese Behauptung bei „Juden" vernommen hat. Etwas Unbefriedigendes bleibt sonst auf jeden Fall.

Interessant ist die Stelle Mk 7, 3; v 3 u 4 sind eine Zwischenbemerkung im Gespräch über die Reinigungsfrage, die den vorliegenden Tatbestand dem Fernstehenden erklärt: οἱ γὰρ Φαρισαῖοι καὶ πάντες οἱ Ἰουδαῖοι . . . Mk schreibt also für Leute, die mit dem jüdischen Gesetz und den jüdischen Sitten nicht vertraut sind. Deutlich ist dabei die religiöse Näherbestimmung in Ἰουδαῖος. Solche Gebote beobachtet man als Ἰουδαῖος, als ans Gesetz Gebundener. Dieser Gebrauch von Ἰουδαῖος in erklärenden Bemerkungen für Außenstehende ist dann bei Joh noch viel stärker vorhanden (→ 379, 7ff).

Ebenso bildet eine gewisse Ausnahme vom sonstigen synpt Gebrauch von Ἰουδαῖος Lk 7, 3: Der Hauptmann schickt zu Jesus πρεσβυτέρους τῶν Ἰουδαίων. Man wird hier weniger daran zu denken haben, daß das im Sinn des Hauptmanns so geformt sein könnte, als daß hier der eigene Sprachgebrauch des Lukas oder doch Rücksicht auf seine(n) Leser zum Durchbruch kommt, wie auch wohl Lk 23, 51, wo Arimathia eine πόλις τῶν Ἰουδαίων genannt wird (vgl dazu Mt 10, 23 die πόλεις [τοῦ] Ἰσραήλ).

Es zeigt sich also durchweg bei den Synpt der palästinische Sprachgebrauch, der etwa in 1 Makk sichtbar wird (→ 361, 25 ff): Ἰουδαῖοι ist die Bezeichnung des jüdischen Volkes im Munde von Nichtjuden oder von Juden im Verkehr mit Nichtjuden, während Ἰσραήλ die eigene, von Nichtjuden normalerweise nicht benützte Benennung ist.

2. Ἰουδαῖος bei Johannes.

Der Gebrauch von Ἰουδαῖος bei Joh ist schon manchmal aufgefallen[104], besonders angesichts des spärlichen Vorkommens bei den Synpt (bei Mt 5, bei Joh 70 mal). Doch wird man sich davor hüten müssen, nun eine einzige Bedeutung herausstellen zu wollen, die Ἰουδαῖος bei Joh haben sollte; denn zunächst einmal ist festzustellen, daß in manchen Stücken auch eine Parallele zu den Synpt besteht.

a. So vor allem in der Leidensgeschichte, wo βασιλεὺς τῶν Ἰουδαίων oder auch nur Ἰουδαῖος im Munde von Nichtjuden mehrmals begegnet 18, 33. 39; 19, 3. 19. 21. Bemerkenswert ist hierbei noch 18, 35, wo Pilatus auf die Frage Jesu antwortet: μήτι ἐγὼ Ἰουδαῖός εἰμι; In diesem Wort ist wieder die religiöse und nationale Seite, die in dem Wort Ἰουδαῖος liegt, deutlich.

Bedeutsam ist ferner eine Stelle wie 4, 9, wo Jesus ohne Hemmung als Ἰουδαῖος bezeichnet wird. Es ist zweifellos nicht zu übersehen, daß es im Munde der Samariterin geschieht.

In diesem Zusammenhang dürfte auch 4, 22 in seiner Verwendung von Ἰουδαῖος nicht aus dem Rahmen des sonstigen Gebrauchs bei Joh herausfallen. Die σωτηρία kommt ἐκ τῶν Ἰουδαίων. Das ist hier einfach im Gegensatz zu den Samaritern gesagt und meint also nicht: deswegen weil die Juden „Juden" sind, kommt aus ihnen das Heil, sondern aus denen, die bis jetzt die Gemeinde Gottes sind und diesen Anspruch den Samaritern gegenüber mit Recht erheben können.

Auch in der rabb Literatur begegnet der Name „Jude" im Munde von Samaritern[105]. Daher ist ihnen gegenüber Ἰουδαῖος ebenso eine normale Bezeichnung Israels wie etwa den Heiden gegenüber.

b. Nun begegnet aber Ἰουδαῖος bei Joh im Gegensatz zu den Synpt auch ohne solche Beziehung zu Nichtjuden in ganz gewöhnlichem Sinn zur Bezeichnung der Leute in Palästina und zwar, wie wir nun gleich

---

[103] S bei Kl Mt zSt.
[104] WLütgert, Die Juden im JohEv, in:

Festschr für Heinrici (1914) 147 ff; BauJ, Exk zu J 1, 19.
[105] j Sanh 2 d s Str-B II 424.

sagen können, in der Weise, wie es Nichtjuden gegenüber angebracht ist, im selben Sinn, wie etwa bei Josephus, oder wie an den ganz vereinzelten Stellen aus den Synpt, Mk 7, 3; Lk 7, 3. Es dient einfach zur Kennzeichnung des Dort und Damals und zeigt immer eine gewisse Fremdheit und räumliche wie zeitliche Entfernung. Die Gesamtbezeichnung οἱ 'Ιουδαῖοι, wie auch die einzelnen 5 Differenzierungen werden dadurch etwas formelhaft und schwebend.

Besonders deutlich ist das der Fall, wenn 'Ιουδαῖος bei den mancherlei Erklärungen von jüdischen Sitten oder Ausdrücken verwendet wird, die wesentlich häufiger sind, als etwa in den Synpt, wo nur der vereinzelte Fall Mk 7, 3 zu bemerken war. In J 2, 6 ist die Rede von Krügen κατὰ τὸν καθαρισμὸν τῶν 10 'Ιουδαίων. Dem mit den jüdischen (national und religiös gefaßt) Sitten nicht Vertrauten wird diese Erklärung gegeben. 4, 9 steht eine für einen mit palästinischen Verhältnissen einigermaßen Vertrauten völlig überflüssige, aber für den Fernstehenden zum Verständnis der Szene notwendige Erklärung über das Verhältnis der Juden zu den Samaritern. Ebenso in erklärendem Sinn ist aufzu- 15 fassen die Näherbestimmung bei τὸ πάσχα, das als ἡ ἑορτὴ τῶν 'Ιουδαίων bezeichnet wird (6, 4), und überhaupt die Bezeichnung der Feste als Feste der Juden 2, 13; 5, 1; 7, 2; 11, 55 (sonstige Erklärungen unter Verwendung des Namens 'Ιουδαῖος 19, 40. 42).

In ebenso unbetontem, rein feststellendem Sinn begegnet 'Ιουδαῖος aber auch 20 sonst im Joh-Ev. So gleich an der ersten Stelle 1, 19: ἀπέστειλαν πρὸς αὐτὸν (Joh d Täufer) οἱ 'Ιουδαῖοι ἐξ 'Ιεροσολύμων ἱερεῖς καὶ Λευίτας ἵνα . . . Obwohl es nicht unmöglich ist, auch hier schon in 'Ιουδαῖος den Sinn der religiösen Gegnerschaft (→ 380, 20 ff) zu sehen, so ist das doch durchaus nicht notwendig, denn genau ebenso wie hier Joh könnte etwa Josephus von einem Tun der 25 „Juden" erzählen. Daß hier der Täufer den 'Ιουδαῖοι gegenübergestellt wird, braucht nicht dagegen zu sprechen, wenn man nur jene nationale und zeitliche Distanz der Leser (ob auch des Verf, bleibe dahingestellt) berücksichtigt [106].

In der Charakterisierung des Nikodemus 3, 1 wird man ebenfalls den religiösen Charakter mehr in Φαρισαῖος zu suchen haben, als in der Bezeichnung 30 ἄρχων τῶν 'Ιουδαίων. Dieses stellt vielmehr nur fest, daß er in jenem Volk damals eine führende Stellung hatte. (Hier ist sofort zu bemerken, daß natürlich eine scharfe Trennung der verschiedenen Bedeutungsnüancen nicht möglich ist.) Auch bei dieser unbetonten Verwendung von 'Ιουδαῖος ist freilich der Blick nicht von der religiösen Eigenart der so Bezeichneten abgewendet, so 3, 25: 35 die Jünger des Joh d T haben eine Auseinandersetzung mit einem 'Ιουδαῖος über die Reinigungsfrage. In ähnlichem Sinn werden oft οἱ 'Ιουδαῖοι als Partner Jesu genannt, ohne daß dabei schon notwendigerweise eine Ablehnung, die Jesus von dieser Seite erfahren hätte, in den Blick gefaßt wäre 7, 11; 8, 31; 10, 19; 11, 19. 31. 33. 36; 12, 9. 11. Zwar handelt es sich dabei jeweils um 40 die Frage des Verstehens und Glaubens, und oft liegt bei diesen 'Ιουδαῖοι weder Verständnis noch Glauben vor, aber doch nicht wesentlich anders, als das bei irgend jemandem sonst auch der Fall sein könnte. Unsicherheit zB Jesus gegen-

---

[106] Wir können auch davon reden, wie sich „die Franzosen" etwa Voltaire gegenüber   verhalten haben, obwohl er selbst ebenfalls Franzose ist.

über wird nun eben im Ev von Juden erzählt, ist damit aber keineswegs direkt als Eigenart des Juden qua Juden charakterisiert, so daß ein feindseliger Ton schon an dem Namen 'Ιουδαῖος haften müßte.

Weil hier allein die nationale und zeitliche Entfernung vorliegt, kann auch
5 ohne weiteres von 'Ιουδαῖοι gesprochen werden, die an Jesus glauben 8, 31; 11, 45; 12, 11. Auch sie glauben freilich nicht, weil sie Juden sind, aber auch nicht, wenigstens liegt dieser Ton nicht im Text, obwohl sie Juden sind, sondern der Ton liegt ganz auf dem gläubig werden oder gläubig geworden sein und nicht darauf, daß das nun gerade Juden sind, die da gläubig werden.
10 All das zeigt, daß 'Ιουδαῖος bei Joh oft einfach als **Bezeichnung der Leute, mit denen es Jesus zu tun hatte, verwendet wird, in der Weise, wie es national und zeitlich Fernstehenden gegenüber angebracht war.**

Die damit zusammenhängende Frage, ob diese Fremdheit in erster Linie auf Rech-
15 nung der Leserschaft oder des Autors zu setzen ist, kann von dem Gebrauch dieses Wortes aus nicht entschieden werden, da die Parallele des Josephus zu beachten ist, der überhaupt nur den Namen 'Ιουδαῖοι für die Juden der Gegenwart gebraucht (→ 372, 45 f) und doch selbst geborener Palästiner ist. Daß Johannes auch 'Ισραήλ gebraucht, würde vielleicht eher dafür sprechen, daß er Jude ist (→ 373, 4 ff).

20 *c.* Aber nun steht neben dieser Verwendung von 'Ιουδαῖος zur Bezeichnung der Leute von Palästina diejenige Bedeutung von 'Ιουδαῖος, die gewissermaßen schon mit dem Namen das ausdrückt, daß die so Bezeichneten den Glauben an Jesus als den Christus verweigern, daß sie im Gespräch mit Jesus nicht nur Partner, sondern Gegner sind oder ihm sonst als
25 Gegenspieler entgegenarbeiten. Allerdings ist eine scharfe Grenzziehung nicht möglich, weil es sich hier mehr um einen Ton handelt, der durch den jeweiligen Zusammenhang der betreffenden Erzählung in den Namen 'Ιουδαῖος hineinkommt, als daß er schon etwa in dem Namen als solchem liegen müßte. Nur das häufige Vorkommen solcher Zusammenhänge wirkt gewissermaßen versteifend in
30 dieser Richtung.

Die Juden als Juden widersprechen Jesus, als er, wie sie verstehen, den Tempel verwirft. Für sie ist der Tempel der Ort der Gegenwart Gottes; so entsteht ihr Widerspruch aus ihrem Judesein, aus ihrer Bindung an den Tempel, 2, 18. 20. Die Juden als Juden murren, als sie Jesus sich das Brot des Lebens
35 nennen hören und als sie erfahren, daß nur, wer sein Blut trinke, das Leben haben könne Kp 6 (bes etwa v 41 uö). Wenn 10, 31 erzählt wird, wie nach der Aussage Jesu, er und der Vater seien eins, ἐβάστασαν πάλιν λίθους οἱ 'Ιουδαῖοι ἵνα λιθάσωσιν αὐτόν, so tun sie das als Juden, denen eine derartige Gotteslästerung unerträglich ist, und sie stellen sich so als 'Ιουδαῖοι gegen den Christus. Das-
40 selbe gilt sonst, wenn die Juden Jesus töten wollen 5, 16. 18; 7, 1. Vgl ferner 8, 48. 52. 57; 10, 33; 13, 33. Manche Leute, die selbst auch Juden sind, lassen sich aus Furcht vor „den Juden" [107] zu einer Stellungnahme gegen Jesus oder doch zu einer unklaren Haltung ihm gegenüber bewegen 7, 13; 9, 22; 19, 38. Diese 'Ιουδαῖοι sind hier wohl nicht eine auch sonst scharf abgegrenzte beson-
45 dere Gruppe besonders gesetzesstrenger Leute [108], sondern sind deshalb so ge-

---

[107] Zu dem Gen obj vgl Bl-Debr [6] § 163. | [108] Lütgert aaO 152 f.

nannt — oder jedenfalls liegt das faktisch in dieser Bezeichnung —, weil sie sich Jesus widersetzen, und zwar aus religiös-jüdischen Gründen. Sie sind in der Geschichte mit dem Blindgeborenen (Kp 9) Gegenspieler Jesu, indem sie sich auf Mose berufen (9, 29). Daher besteht auch ein Gegensatz zwischen den Jüngern Jesu und den Juden 11, 8; 20, 19, nicht weil diese gesetzestreu wären 5 und die Jünger nicht, sondern weil sie Jesu Herrschaftsanspruch ablehnen und darum auch gegen seine Jünger Stellung nehmen.

In alledem wird eine weitergehende und andersartige Entfernung deutlich, die den Verf von diesen 'Ιουδαῖοι trennt, als nur die historische und nationale Fremdheit, mit der mindestens seine Leser den 'Ιουδαῖοι gegenüberstehen. In 10 diesem Sprachgebrauch wird die **Entfernung** sichtbar, die die **Geschichte zwischen der Christengemeinde und der Judenschaft herbeigeführt hatte**, die Kluft, die darin begründet ist, daß die Judenschaft den ihr gesandten Christus im ganzen verworfen hat, und zwar eben **mit Berufung auf ihr Judesein**, mit Berufung auf den religiösen Besitz, der ihnen als dem 15 Volk Gottes eignete.

Nur durch diese tatsächlich geschehende Geschichte, die sich in den einzelnen Erzählungen vollzieht, bekommt bei Joh οἱ 'Ιουδαῖοι diesen Ton, der natürlich nicht schon vorher in dem Namen lag, dessen Aufkommen aber freilich dadurch ermöglicht ist, daß 'Ιουδαῖος ja immer schon Bezeichnung auch für die religiöse 20 Haltung des so Genannten war. **οἱ 'Ιουδαῖοι ist dann Bezeichnung derer, die den Herrschaftsanspruch Jesu ablehnen und eben damit Juden bleiben.**

Anderseits ist festzuhalten, daß dadurch keine Ablösung des Namens von der völkischen Grundlage erfolgt: Nicht weil einer nicht glaubt und den Christus ablehnt, wird er etwa als 'Ιουδαῖος bezeichnet, ohne daß er selbst auch national gesehen Jude 25 wäre; begegnet ja doch faktisch 'Ιουδαῖος bei Joh nicht einmal für den zum Judentum übergetretenen Proselyten (was allerdings auch durch den Rahmen des Ev bedingt ist).

So ist also in der joh Verwendung von οἱ 'Ιουδαῖοι sowohl eine historisch-allgemeine Entfernung, mindestens der Leser, zu bemerken, als dann besonders die Entfernung, die durch das im Ev berichtete Geschehen zwischen Christen- 30 heit und Judenschaft entstand.

3. 'Ιουδαῖος in der Apostelgeschichte.

In der Ag liegt weithin ein ähnlicher Gebrauch von 'Ιουδαῖος vor, wie er bei Joh zu beobachten ist. Das liegt einmal in der Tatsache, daß die Ag ebenso wie Joh bestimmte Ereignisse mit bestimmten Juden 35 erzählt, und zwar für eine Leserschaft, die der des Joh-Ev parallel steht. Unwesentlich ist die Erweiterung in der Verwendung von 'Ιουδαῖος in Ag gegenüber Joh auf die außerhalb Palästinas in der Diaspora wohnende Judenschaft, die durch den berichteten Stoff bedingt ist. Dies unterstreicht nur, daß die Juden diesen Namen nicht tragen als Bewohner Palästinas, sondern als Ange- 40 hörige dieses Volkes, dieser religiösen Gemeinde, sowenig andererseits in der Ag eine Ausdehnung des Namens 'Ιουδαῖος auf solche Leute sichtbar wird, die zwar als Proselyten der jüdischen Religionsgemeinschaft angehören, aber nicht geborene Juden sind (Ag 2, 5 könnte uU die einzige Ausnahme sein [109]).

---

[109] Vgl dazu verschiedene Deutungen bei Wdt Ag zu Ag 2, 5.

Ἰουδαῖος ist die normale Bezeichnung dieses Volkes im Munde Außenstehender, etwa der römischen Beamten (18, 14; 22, 30; 23, 27), oder im Verkehr mit Fremden im Munde von Juden 21, 39; 23, 20; 24, 5.

Wie weit dabei der religiöse Charakter der Juden ins Auge gefaßt ist, ist an den einzelnen Stellen naturgemäß verschieden und schwer abzuschätzen. 16, 20 zB scheint die Diffamierung der Apostel als Ἰουδαῖοι seitens der philippischen Römer zunächst rein völkisch gemeint zu sein; sofort aber ist von den ἔθη die Rede, die sie fürchten aufgedrängt zu bekommen. Mit dem guten Zeugnis, das Kornelius vom Volk der Juden bekommt, 10, 22, ist nicht nur über seine gesellschaftliche, sondern vor allem über seine religiöse Stellung etwas ausgesagt.

Ebenso kann aber Ἰουδαῖος in Ag einfach die unbetonte Bezeichnung von Leuten dieses Volkes und dieser Religion enthalten, so wenn Petrus 10, 39 erzählt, was Jesus ἐν τῇ χώρᾳ τῶν Ἰουδαίων getan habe. Daß Elymas Jude genannt wird, wird wohl nicht in einem ihn besonders belastenden, sondern einfach in feststellendem Sinn zu verstehen sein 13, 6. Juden und Griechen stehen oft unbetont nebeneinander 14, 1; 18, 4; 19, 10. 17. Deshalb kann auch ohne weiteres erzählt werden, daß sich Ἰουδαῖοι der Gemeinde angeschlossen haben 14, 1.

Wenn allerdings Glieder der Gemeinde als Ἰουδαῖοι bezeichnet werden, so meist mit einer in den besonderen Umständen oder in einer Notiz liegenden Erklärung, daß es sich um die geburtsmäßige Zugehörigkeit handelt. 16, 1: Timotheus ist υἱὸς γυναικὸς Ἰουδαίας πιστῆς. Pls bezeichnet sich nicht nur vor dem Chiliarchen, sondern auch vor der Judenschaft (21, 39; 22, 3) als in Tarsus geborenen Juden (vgl Apollos 18, 24). Wenn Aquila 18, 2 als Ἰουδαῖος bezeichnet wird, so um zu erklären, warum er in Korinth ist; er mußte als Jude aus Rom weichen, abgesehen davon, ob er etwa selbst schon Christ gewesen sein mochte. (Jedenfalls ist dies nicht dadurch ausgeschlossen, daß er hier als Ἰουδαῖος bezeichnet wird.)

Ἰουδαῖος ist aber freilich uU für die Ag auch der, der sich jüdisch verhält, der ans Gesetz gebunden ist 10, 28. Pls beschneidet den Timotheus um der Juden willen 16, 3 (vgl 9, 22; 18, 28; 22, 12). Das kann nun weiter dazu führen, daß ähnlich wie bei Joh die Ἰουδαῖοι als solche sich in Gegensatz zu dem von den Aposteln gepredigten Christus und seiner Gemeinde setzen 9, 23; 12, 11; 13, 50; 17, 5. 13 usw. Und doch ist wieder nicht schon an sich dieser Charakter mit dem Namen Ἰουδαῖος verbunden, so sehr auch der jüdische Teil der Gemeinde von diesen Ἰουδαῖοι distanziert werden kann 14, 1 ff. Hier zeigt zwar v 2, daß es auch Ἰουδαῖοι gibt, die glauben; trotzdem werden aber im folgenden die Nichtglaubenden einfach als οἱ Ἰουδαῖοι bezeichnet.

4. Ἰουδαῖος bei Paulus.

Daß bei Paulus in der Verwendung von Ἰουδαῖος gegenüber den bisher festgestellten Tatbeständen eine gewisse Abweichung vorliegt, geht schon aus äußeren Beobachtungen hervor. Pls gebraucht Ἰουδαῖος gerne in der Einzahl, was sonst kaum der Fall ist, wenn nicht gerade eine bestimmte Person als jüdisch bezeichnet werden soll. Und in dieselbe Richtung geht es, wenn er Ἰουδαῖος oder auch Ἰουδαῖοι häufig ohne Artikel gebraucht, was ebenfalls sonst selten ist. Schon aus diesen beiden Tatbeständen ist zu erkennen, daß Pls unter Ἰουδαῖος gewissermaßen einen Typus, eine geistige, religiöse Größe versteht. Bei Ἰουδαῖος hat Pls meist nicht eine bestimmte Person im Auge, die dieser Nation und Religion angehören würde; Ἰουδαῖος ist vielmehr eine Größe, mehr oder weniger abgezogen von den bestimmten Vertretern dieses Typus. Selbstverständlich liegt hierin nicht eigentlich eine neue Bedeutung dieses Wortes vor, sondern diese Verschiedenheit ist in erster Linie bedingt durch den Charakter der paulinischen Literatur.

Pls benützt natürlich Ἰουδαῖος auch im gewöhnlichen Sinn, so etwa 1 Th 2, 14: Die Christengemeinden ἐν τῇ Ἰουδαίᾳ haben zu leiden ὑπὸ τῶν Ἰουδαίων, denselben, die Jesus und die Propheten getötet haben. Obgleich nun aber οἱ Ἰουδαῖοι hier bestimmte Menschen in Palästina bezeichnet, tritt doch auch hier vor allem durch den Zusatz „und die Propheten" etwas Überzeitlich-Typisches in den Namen hinein. Diese Ἰουδαῖοι sind solche, die sich gegen Gott und seine Gemeinde immer wieder entscheiden und auflehnen.

Freilich ist diese Seite am Juden, daß er sich gegen den Christus auflehnt, durchaus nicht die einzige Richtung, in der Ἰουδαῖος typisiert wird, und nicht durchgehend mit dem Wort verbunden. Die „abstrakte" Bedeutung von Ἰου- 5 δαῖος tritt vielmehr auch da hervor, wo er etwa den wahren Juden dem gegenüberstellt, der es nur nach außen hin ist, R 2, 28 f: ὁ ἐν τῷ φανερῷ Ἰουδαῖος wird unterschieden von ὁ ἐν τῷ κρυπτῷ Ἰουδαῖος. Der echte Jude ist nach dem Zusammenhang der, der das Gesetz nicht nur kennt, sich seiner rühmt, es verbreitet, sondern der es hält (vgl R 2, 17). Hier ist nicht eine bestimmte Per- 10 son gemeint, sondern der religiöse Begriff des Juden.

Ἰουδαῖος ist man bei Paulus auf Grund eines bestimmten Verhaltens, nämlich desjenigen, bei dem man ans Gesetz gebunden ist. 1 K 9, 20: ἐγενόμην τοῖς Ἰουδαίοις ὡς Ἰουδαῖος, ἵνα Ἰουδαίους κερδήσω. Wenn Pls hier fortfährt τοῖς ὑπὸ νόμον ὡς ὑπὸ νόμον, so wird damit noch einmal dasselbe wiederholt, nur in 15 noch deutlicherer Herausarbeitung des springenden Punktes. Die Ἰουδαῖοι, um deretwillen er „Jude" wird, sind freilich die bestimmten Menschen, mit denen er es jeweils zu tun hat[110], aber gefaßt von der Seite, nach der sie am Begriff Ἰουδαῖος Anteil haben, nach ihrer Verpflichtung gegenüber dem Gesetz.

Ein besonders deutliches Beispiel dafür, daß Ἰουδαῖος bei Pls der ist, der sich 20 als Jude, dh als ans Gesetz Gebundener verhält, ist Gl 2, 13: συνυπεκρίθησαν αὐτῷ (sc Petrus) [καὶ] οἱ λοιποὶ Ἰουδαῖοι, zu denen zB auch Barnabas gehört. Es sind Christen, die Pls hier gewissermaßen in Anführungszeichen Ἰουδαῖοι nennt, weil sie sich an die durch das Gesetz vorgeschriebenen Schranken halten. In diesem Sinn nennt sich Pls nicht Ἰουδαῖος. Ist dagegen mit dem Wort die 25 geburtsmäßige Zugehörigkeit gemeint, so schließt er sich selbstverständlich ein: v 15 ἡμεῖς φύσει Ἰουδαῖοι. Nur Ἰουδαῖος, ohne besonderen erläuternden Zusatz, könnte Pls von sich nicht aussagen. Bezeichnend dafür ist 2 K 11, 22 ff: Dort nennt Pls sich und seine christlichen Gegner Ἑβραῖος und Ἰσραηλίτης; sofort aber v 24, wo die Beschreibung seiner Leiden beginnt, nennt er die, die ihn 30 zur Geißelung verurteilt haben, Ἰουδαῖοι. Wieder steckt in dem Ἰουδαῖος faktisch die Frontstellung gegen den Christus, die diese Leute mit ihrem Tun eingenommen haben.

Dieselbe typische Verwendung von Ἰουδαῖος bei Pls liegt auch in der Gegenüberstellung Ἰουδαῖοι-Ἕλληνες und Ἰουδαῖοι-ἔθνη (beides wesentlich wohl im sel- 35 ben Sinn): Dieser Unterschied ist nicht in erster Linie ein rassischer oder völkischer, sondern er ist in Gottes Offenbarung begründet. Der Ἰουδαῖος hat als solcher einen Vorzug vor den andern Menschen, R 3, 1 f: τί οὖν τὸ περισσὸν τοῦ Ἰουδαίου; . . . πολὺ κατὰ πάντα τρόπον (vgl R 9, 4 f). Dahin gehört auch das mehrmalige Ἰουδαίῳ τε πρῶτον καὶ Ἕλληνι R 1, 16; 2, 9; 2, 10. Dieser Vorzug 40 des Juden, der mit seinem Judesein gegeben ist, besteht dadurch, daß er das Gesetz hat R 3, 2. Er ist also ein durch Gottes Willen gesetzter und damit gültiger.

---

[110] Vgl Bl-Debr [6] § 261, 1.

Allerdings besteht nun anderseits in diesem Vorzug des Juden für diesen kein Anlaß zum Ruhm; denn er hält das Gesetz nicht (R 2, 17 ff), und deshalb hat er nun
doch eigentlich keinen Vorsprung vor dem Heiden R 3, 9. Und auch ohne diese
gemeinsame Schuld besteht keine absolute Trennung zwischen Juden und Heiden;
5 denn Gott ist einer, der nicht nur der Juden, sondern auch der Heiden Gott ist, und
in Abraham sollten alle Völker gesegnet werden (Gl 3, 8). Erst recht aber in der
christlichen Gemeinde gibt es keinen grundsätzlichen Unterschied mehr zwischen dem
Ἰουδαῖος und dem Ἕλλην (Gal 3, 28; Kol 3, 11; R 9, 24; 10, 12), so sehr die geschichtlichen Unterschiede als bestehend anerkannt werden 1 K 7, 17 ff [111].

10 So wird fast durchweg Ἰουδαῖος bei Pls in einem Sinn gebraucht, der in diesem Namen das **Überpersönlich-Wesentliche**, **das Typische heraushebt, sei es negativ in der geschichtlich gegebenen Richtung
auf die Abwendung vom Christus, sei es positiv in Hinsicht auf
die Bindung ans Gesetz**, die das Wesen des Juden als Juden bestimmt.
15 Das bedeutet freilich wieder nicht eine Entfernung des Namens Ἰουδαῖος von denen,
die Juden sind, auf irgendeine Idee eines Juden hin, die es auch gäbe ohne die
nationale Zugehörigkeit zu diesem Volk.

5. Ἰουδαῖος in der Apokalypse.

Hier kommt Ἰουδαῖος nur 2 mal vor, 2, 9; 3, 9, beidemal
20 im selben Sinn. Es ist die Rede von Ἰουδαῖοι, die sich selbst anscheinend voll
Stolz so nennen, es aber nicht sind, sondern die Synagoge Satans sind. Wären
sie wirklich Ἰουδαῖοι, so können wir entgegensetzen, so wären sie die Synagoge
Gottes. Hier ist Ἰουδαῖος in dem positiven Sinn verstanden als Bezeichnung
des an Gott und Gottes Willen Gebundenen, und dies ist in Gegensatz gestellt
25 zu dem Judesein nur dem Namen und der Herkunft nach. Dieser Gebrauch
von Ἰουδαῖος berührt sich stark mit dem des Pls etwa R 2, 18 ff. Die Sätze
führen aber nicht dazu, daß nun etwa die Christen als die echten Ἰουδαῖοι
bezeichnet würden.

Auf eine kurze, damit allerdings auch verkürzende Formel gebracht ist Ἰου-
30 δαῖος im NT entweder der Jude überhaupt, wie gewöhnlich außerhalb des
NT: sei es mehr unbetont national, sei es religiös mit Beziehung auf das Ge-
bundensein ans Gesetz und also an Gott, oder dann durch den Verlauf der
nt.lichen Geschichte: der (uU mit Berufung aufs Gesetz) sich gegen den Christus stellende Jude.

35 ## 6. Ἰουδαία, Ἰουδαϊκός.

Ἰουδαία als Landname ist zwar zunächst adjektivisch (ἡ Ἰουδαία
χώρα Mk 1, 5; J 3, 22), meist aber selbständig gebraucht; an die adjektivische Herkunft erinnert, daß der Artikel nie fehlt [112]. Ἰουδαία ist entweder im engeren Sinn
die Landschaft Judäa, so vor allem bei den Synpt, die sogar meist Jerusalem noch
40 besonders nennen, wenn Ἰουδαία genannt ist, Mt 3, 5; 4, 25 uö. Daneben erscheinen
etwa Mt 19, 1 allerdings auch ὅρια τῆς Ἰουδαίας πέραν τοῦ Ἰορδάνου, so genannt wohl
weil ein Teil dieser Gebiete auch rein von Juden bewohnt war, im Gegensatz zu
den griechischen Städten. Ferner aber kann Ἰουδαία auch der Name des ganzen
palästinischen Landes sein, besonders bei Landfremden, die die einzelnen Teile nicht
45 genauer unterscheiden, so sagt Strabo Geogr XVI 21 ἡ δ' ὑπὲρ ταύτης (sc Φοινίκης)
μεσόγαια μέχρι τῶν Ἀράβων, ἡ μεταξὺ Γάζης καὶ Ἀντιλιβάνου Ἰουδαία λέγεται. In diesem
weiteren Sinn erscheint Ἰουδαία auch R 15, 31; 2 K 1, 16; 1 Th 2, 14. Jedenfalls ist
dort eine engere Begrenzung nicht in den Blick gefaßt [113].

---

[111] Vgl dazu WGutbrod, Die paul Anthropologie (1934) 29 ff.
[112] Vgl Bl-Debr[6] § 261, 4.

[113] Unklar ist Ἰουδαία in Ag 2, 9; vgl dazu
ZNW 9 (1908) 253.

In theologisch bedeutsamer Weise erscheint 'Ιουδαία nirgends, es ist einfach geographische Bezeichnung ohne besondere innere Beziehung zu dem nt.lichen Geschehen.

'Ιουδαϊκός. Ein Adjektiv, das mit dem Suffix -ικος gebildet ist, bedeutet entweder „die Gattung oder Klasse, der ein Gegenstand, zu dem das Adj als Attribut tritt, angehört, in Bezug auf das Wort aber, von dem es abgeleitet ist, 5 das zu diesem in Beziehung Stehende, dazu Gehörige, seine Art Tragende" [114]. An der einzigen Stelle, an der 'Ιουδαϊκός im NT vorkommt, Tt 1, 14, wird damit weniger die Art dieser Fabeln gemeint sein als ihre Herkunft und Zugehörigkeit; es sind faktisch bei Juden vorhandene, von ihnen übernommene μῦθοι (vgl die ἐντολαὶ ἀνθρώπων), nicht solche, die ihrer Art nach als jüdisch zu bezeichnen wären.   10
Ähnlich Plut Is et Os 31 (II 363 d) 'Ιουδαϊκὰ εἰς τὸν μῦθον παρέλκειν: jüdische Geschichten, dh bei Juden vorhandene und bekannte Dinge, in den zur Debatte stehenden μῦθος eintragen. Die 'Ιουδαϊκά sind weniger ihrem Wesen als ihrer Herkunft nach so bezeichnet. Nach Philo 55 werden von den fünf Stadtteilen Alexandrias zwei 'Ιουδαϊκαί genannt, weil in ihnen vornehmlich Juden wohnen. Vgl in ähnlichem Sinn 15 Aristeasbrief 22. 24. 28. 121. 176; Ditt Or II 543, 15/16; 586, 7; Philo Leg Gaj 170, 245.

7. ἰουδαΐζειν, 'Ιουδαϊσμός.

ἰουδαΐζειν bedeutet im außernt.lichen Sprachgebrauch entweder das faktische, vor allem in der Übernahme der Beschneidung sich vollziehende Übertreten zum Judentum (Est 8, 17: πολλοὶ τῶν ἐθνῶν περιετέμοντο καὶ 20 ἰουδάϊζον διὰ τὸν φόβον τῶν 'Ιουδαίων, Jos Bell 2, 454: ἱκετεύσαντα [einen Metellius] καὶ μέχρι περιτομῆς ἰουδαΐσειν ὑποσχόμενον διέσωσαν μόνον), oder aber das Sympathisieren mit dem Judentum, das ganze oder teilweise Übernehmen von jüdischen Sitten, das damit verbunden ist, Jos Bell 2, 463: nachdem die Juden ausgerottet sind, τοὺς ἰουδαΐζοντας εἶχον ἐν ὑποψίᾳ (die Bewohner von Syrien), Plut Cic 7 (I 864 c) ein Mann ist 25 ἔνοχος τῷ ἰουδαΐζειν [115].

In diesem letzteren Sinn wird ἰουδαΐζειν an der einzigen nt.lichen Stelle Gl 2, 14 aufzufassen sein; man würde mit diesem Verhalten die Heiden zwingen, 'Ιουδαϊκῶς zu leben, dagegen handelt es sich in der Auseinandersetzung mit Petrus nicht um ein völliges Judaisieren, das bis zur Beschneidung führen würde.   30

Der Ausdruck 'Ιουδαϊσμός kommt im NT nur Gl 1, 14 vor. Außerhalb des NT begegnet 'Ιουδαϊσμός besonders in 2 Makk [116], und zwar wohl in zwei Bedeutungen: entweder Judentum im Sinn einer Gesamtbezeichnung jüdischen Wesens und Lebens (objektiv), so wohl 2 Makk 2, 21: Vom Himmel geschehen Erscheinungen τοῖς ὑπὲρ τοῦ 'Ιουδαϊσμοῦ φιλοτίμως ἀνδραγαθήσασιν [117], oder Judentum im 35 Sinn von Judesein und das Judesein im Leben und Denken darstellen (subjektiv), 2 Makk 14, 38: ein angesehener Mann namens Rhazis ist καὶ σῶμα καὶ ψυχὴν ὑπὲρ τοῦ 'Ιουδαϊσμοῦ παραβεβλημένος.

In letzterem Sinn ist 'Ιουδαϊσμός wohl auch Gl 1, 14 aufzufassen. Im Judesein, im Darstellen dieses Judeseins im ganzen Leben und Denken war Paulus, so sagt er 40 hier, allen seinen Altersgenossen voran.

II. 'Ισραήλ, 'Ισραηλίτης.

1. Vom Patriarchen Israel.

Als Name für den Patriarchen Jakob kommt 'Ισραήλ im NT direkt nie vor; es ist aber möglich, daß man in einzelnen Wendungen die 45 Beziehung auf ihn sich vorhanden denken muß. Wenn Pls sich Phil 3, 5 als: ἐκ γένους 'Ισραήλ und gleich anschließend, noch näher bestimmend: φυλῆς Βενιαμίν bezeichnet, so mag hier an das Geschlecht des Patriarchen Israel gedacht sein [118]. Wahrscheinlicher ist aber doch wohl, daß der Ausdruck γένος 'Ισραήλ

---

[114] Kühner-Blaß I § 384, 5.
[115] Zu den beiden Möglichkeiten vgl Kühner-Blaß I § 328, 4.
[116] Es ist ein hellenistisch-jüdischer Ausdruck → A 49.
[117] Sicher ist diese Deutung nicht, 'Ιουδαϊσμός könnte auch hier im zweiten Sinn zu verstehen sein.
[118] So ist 3 Makk 6, 9. 13 nacheinander vom Geschlecht Israels und dann vom Geschlecht Jakobs die Rede. Hier scheint die Beziehung auf den Stammvater auch im ersten Ausdruck deutlich vorzuliegen.

zwar als daher stammend gedacht wird (zur Sache jedoch → A 3), aber daß man normalerweise diese Beziehung nicht im Bewußtsein hat, sondern der Formel einfach den Sinn von Volk Israel gibt, wie wir den Ausdruck auch ohne Rücksicht auf den Patriarchen benützen.

5 Dasselbe wird für R 9, 6 gelten: οὐ πάντες οἱ ἐξ Ἰσραήλ, οὗτοι Ἰσραήλ. Hier scheint durch die Nachbarschaft des folgenden Satzes, wo von der Abrahamskindschaft die Rede ist, zunächst für das erste Ἰσραήλ die Beziehung auf den Patriarchen naheliegend[119]. Trotzdem wird auch hier das οἱ ἐξ Ἰσραήλ eher einfach bedeuten: Leute, die durch Geburt Glieder des Volkes Israel sind, denn 10 Ἰσραήλ ist ja auch sonst einfach feststehende Bezeichnung des Volkes. Das ist hier um so wahrscheinlicher, als dann die mit dieser Zugehörigkeit gegebene und sie erst recht bedeutsam machende Beziehung zu den Vätern am Verhältnis zu Abraham dargestellt wird (σπέρμα und τέκνον).

Auch Hb 11, 22, wo Joseph des Auszugs der Kinder Israel gewiß ist, wird bei 15 dem Ausdruck nicht direkt an den Patriarchen gedacht sein, sondern der Ausdruck ist einfach term techn, dessen Herkunft nicht eigentlich im Bewußtsein ist.

Dasselbe wird wohl auch für alle die Ausdrücke gelten, die an sich eine solche Beziehung nahelegen könnten, wie οἶκος Ἰσραήλ: Mt 10, 6; 15, 24 [120] [121]; λαὸς Ἰσραήλ: Lk 2, 32; γένος Ἰσραήλ: Phil 3, 5 [122]; denn in demselben Sinn wird auch geredet von 20 einem βασιλεὺς Ἰσραήλ Mt 27, 42 (Mk 15, 32; J 1, 49; 12, 13) und von den φυλαὶ τοῦ Ἰσραήλ (Mt 19, 28; Apk 7, 4; 21, 12).

2. Israel als das Gottesvolk.

a. Bei den Synoptikern, dh eigentlich nur bei Mt und Lk (Mk hat Ἰσραήλ kaum; ob das mit Rücksicht auf die Leserschaft so 25 ist, bleibe dahingestellt) ist Ἰσραήλ die gangbare Bezeichnung des Volkes, allerdings immer nur im Munde von Juden (vgl den außernt.lichen Tatbestand → 361, 25 ff). Nun legt zwar Ἰσραήλ meist den Ton auf die religiöse Seite der Judenschaft, aber es kommt doch auch in religiös unbetontem Sinn vor als geläufiger Name dieses Volkes, so wenn Mt 2, 20 Joseph εἰς γῆν Ἰσραήλ zurück-30 kehren soll. Das entspricht ganz der normalen Bezeichnung des Landes in der rabb Literatur: אֶרֶץ יִשְׂרָאֵל [123]. Der Ausdruck kommt sonst im NT nicht vor. Das Land wird außerhalb des NT oft mit Παλαιστίνη [124], im NT meist nach den einzelnen Provinzen genannt. Da nun aber bei Mt Ἰουδαία zB den engeren Sinn der Landschaft Judäa hat (→ 384, 38 ff) und dies zwar wohl für Bethlehem, 35 nicht aber für Nazareth passen würde, wählt Mt den umfassenden Ausdruck γῆ Ἰσραήλ [125]. Aber auch sonst kann Ἰσραήλ unbetonte Bezeichnung des Volkes

---

[119] Schl R 297 „hier ist Israel der Name des Stammvaters",

[120] Der Ausdruck οἶκος Ἰσραήλ speziell vom 10-Stämmereich, wie öfters im AT, begegnet im NT nur als Zitat Hb 8, 10.

[121] Zu diesen Formeln mit Ἰσραήλ ohne Artk als Gen vgl Bl-Debr[6] § 259, 2, § 262, 3 („Hebraisierende Formeln"). Im allgemeinen fehlt sonst der Artk nur im Nominativ; in den andern Kasus steht er, wohl vor allem, weil Ἰσραήλ indecl ist und so ohne den Artk Härten entstehen würden und andererseits eine so stark gräzisierte Form wie Ἰσραήλος (Jos Ant 4, 180) im NT nicht vorkommt.

[122] Bei dem Ausdruck θεὸς Ἰσραήλ Lk 1, 68;

Mt 15, 31 ist insofern eine direkte Beziehung auf den Patriarchen nicht wahrscheinlich, als etwa in der Formel θεὸς Ἀβραὰμ καὶ Ἰσαὰκ καὶ Ἰακώβ Mt 22, 32 Par; Ag 3, 13 (vgl Mt 8, 11 Par) stets Jakob, nicht Israel als Name des 3. Patriarchen steht.

[123] Vgl Str-B I 90 f.

[124] Schon bei Aristot Meteor II 3 p 359 a 17: Das Tote Meer liegt in Palästina.

[125] Vgl dessen Grenzen Str-B I 91. Es wird daher wohl zuviel gesagt sein, wenn Zn Mt zSt meint, „der Messias gehört in das heilige Land ‚Israel' ". Jedenfalls muß das nicht in dieser Verwendung von Ἰσραήλ stecken.

sein, ohne daß besonders an den Charakter des Volkes als Gottesvolk gedacht ist. Mt 10, 23: die πόλεις [τοῦ] 'Ἰσραήλ, Lk 1, 80: Johannes d Täufer ist in der Wüste ἕως ἡμέρας ἀναδείξεως αὐτοῦ πρὸς τὸν 'Ἰσραήλ. Etwas geschah oder geschieht ἐν τῷ 'Ἰσραήλ Lk 4, 25. 27; Mt 9, 33.

Normalerweise liegt aber nun in 'Ἰσραήλ der besondere Sinn, daß das so be- 5 nannte Volk das Gottesvolk ist; deshalb ist in betonendem Sinn vom Gott Israels die Rede Mt 15, 31; Lk 1, 68. Nicht als ob Gott damit auf Israel beschränkt würde, aber er ist der Gott, der Israel sich erwählt und in Israel sich offenbart hat. Wird Jesus spottend βασιλεὺς 'Ἰσραήλ genannt Mt 27, 42; Mk 15, 32, so ist das doch an sich der volle Titel des Gotteskönigs, denn der Be- 10 treffende ist als βασιλεὺς 'Ἰσραήλ König des Gottesvolkes, nicht etwa nur einer bestimmten nationalen Größe. Für Juden ist der Messias nicht „der König der Juden" (→ 376, 35 f), sondern der König Israels. Das gilt auch von den sonstigen Beziehungen zwischen dem Messias und Israel Lk 2, 25. 32; 24, 21.

Weil nun 'Ἰσραήλ speziell das Gottesvolk ist, darum ist das Wort bei Mt 15 sicher mit Absicht gebraucht, wenn Jesus sagt (8, 10 vgl Lk 7, 9): παρ' οὐδενὶ τοσαύτην πίστιν ἐν τῷ 'Ἰσραήλ εὗρον [126]. Darin, daß die, bei denen Jesus bisher Glauben gesucht hatte, 'Ἰσραήλ genannt sind, liegt, daß es von ihnen als von 'Ἰσραήλ zu erwarten und zu verlangen wäre, daß sie dem Christus glaubten.

Wenn Jesus sich gesandt weiß zu den verlorenen Schafen vom Hause Israel 20 Mt 10, 6; 15, 24, so liegt der Grund seines Kommens nicht nur in dem Verlorensein dieser Schafe, denn das haben sie mit den andern Völkern gemeinsam, sondern darin, daß sie zu Israel, dem Gottesvolk, gehören. Israel ist als Israel das Volk, für das Gott sorgt Lk 1, 16 und das er durch den Christus in die Entscheidung stellt Lk 2, 34. Daß die Jünger, die Jesus folgen, in der παλιγ- 25 γενεσία die 12 Stämme Israel (→ δώδεκα) richten werden Mt 19, 28, zeigt die ganze Größe der ihnen verheißenen Stellung, da ihnen das Urteil über das Gottesvolk übergeben werden wird.

So ist festzustellen, daß durch 'Ἰσραήλ bei den Synpt meist das spezifische Wesen dieses Volkes als Gottesvolk in den Blick gefaßt 30 ist und von da her der jeweilige Zusammenhang sein besonderes Gewicht bekommt. Ein Hinausgreifen dieses Namens über die Glieder des jüdischen Volkes, etwa auf die Glieder der neuen Gemeinde, ist nirgends zu bemerken.

b. Bei Johannes kommt 'Ἰσραήλ (4 mal) und 'Ἰσραηλίτης (1 mal) nicht oft vor und verschwindet daher fast gegenüber dem 35 weit überwiegenden 'Ἰουδαῖος (70 mal), es ist aber (im Unterschied zu jenem → 378, 27 ff) in eindeutigem, festgeprägtem Sinn verwendet. 'Ἰσραήλ ist das Gottesvolk, und mit Israel in Beziehung stehen heißt, mit Gottes Volk und also mit Gott in Beziehung stehen. 1, 49 nennt Nathanael Jesus den Sohn Gottes und den König Israels. In der Weise der Sohnschaft mit Gott in Verbindung 40 stehen heißt, das Königtum über das Gottesvolk innehaben (vgl die Hoheitsaussage 12, 13). Johannes tauft, damit der, den er nicht kannte, das Lamm

---

[126] Die Stellung scheint durch ihre Hervorhebung von ἐν τῷ 'Ἰσραήλ das noch besonders zu unterstreichen, vgl Zn Mt zSt.

Gottes, φανερωθῇ τῷ 'Ισραήλ 1, 31. Stünde τοῖς 'Ιουδαίοις, so wären es die bestimmten, jetzt lebenden Menschen dieses Volkes; 'Ισραήλ ist dieses Volk als Ganzes, und zwar nach der Seite hin beschrieben, wo es sein Wesen hat. Dieses Wesen besteht darin, daß es Gottes Volk ist. 'Ισραήλ ist dabei fast eine über
5 zeitliche Größe.

Nathanael wird 1, 47 ein ἀληθῶς 'Ισραηλίτης genannt, ἐν ᾧ δόλος οὐκ ἔστιν. Aus welchem Grund Nathanael so bezeichnet wird, ist hier nicht wesentlich [127]. Mit 'Ισραηλίτης wird er jedenfalls beschrieben als Glied des Gottesvolkes. Man kann allerdings anscheinend auch 'Ισραηλίτης, Glied des Gottesvolkes, sein, ohne
10 es in Echtheit zu sein, daher die besondere Bezeichnung ἀληθῶς 'Ισραηλίτης (vgl die sachliche Berührung mit R 9, 6, aber auch R 2, 28 f).

Ebenso hat das Wort an Nikodemus, 3, 10: σὺ εἶ ὁ διδάσκαλος τοῦ 'Ισραήλ, darin sein besonderes Gewicht, daß beides: Lehrer Israels sein, und: nicht wissen um das Tun Gottes, um die Geburt aus dem Geist, einander gegenüber
15 steht.

Mit 'Ισραήλ ist bei Joh immer der Charakter dieses Volkes oder seiner so bezeichneten Glieder als des Gottesvolkes gemeint. Daher bezeichnet es nicht nur die jetzt lebenden Glieder, sondern das ganze Volk beinahe als überzeitliche Größe [128], was durch die Form sehr stark nahegelegt ist, da 'Ισραήλ
20 kollektiver Volksname ist [129]. Andererseits wird auch bei Joh nichts sichtbar von einer Erweiterung des Namens auf das neue Gottesvolk. Wahrhaftiger Israelit ist man schon als ans Gesetz und damit an Gott gebundener Jude.

c. In der Apostelgeschichte ist auffallend, daß 'Ισραήλ vorwiegend im ersten Teil erscheint, während 'Ιουδαῖος den zweiten
25 Teil beherrscht. (Ob das nur mit dem hier und dort verschiedenen Stoff der Erzählung oder mit bestimmten literarischen oder stilistischen Verhältnissen zusammenhängt, kann von hier aus allein nicht beurteilt werden.) Auch in Ag kann Israel unbetont verwendet werden: die γερουσία τῶν υἱῶν 'Ισραήλ 5, 21 könnte wohl ebensogut γερουσία τῶν 'Ιουδαίων heißen. Man könnte aber freilich auch daran
30 denken, daß dieser volle, theologisch bedeutsamere Name gewählt ist, weil jetzt die Entscheidung der Führer des Gottesvolkes über die Anerkennung des Christus und seiner Gemeinde gefällt werden soll [130]. So wird auch bei der mehrmaligen Anrede des Volkes mit ἄνδρες 'Ισραηλῖται (2, 22; 3, 12; 5, 35; 13, 16, vgl auch 4, 8, wenn dort ursprünglich) jeweils den Hörern die Verantwortung vorge
35 halten, die sie damit haben, daß ihnen als Gliedern des Gottesvolkes das Tun

---

[127] Vielleicht ist mit dem Sitzen unter dem Feigenbaum das Studium der Schrift gemeint (vgl Str-B zSt).

[128] Ähnliches kann mit Israel auch in der rabb Lit gemeint sein, vgl dazu SKaatz, Die mündliche Lehre und ihr Dogma, 1. Heft (1922) 43 f: „Das Volk Israel ist ihm (sc dem Talmud) einerseits ein geschichtlicher Begriff, die Aufeinanderfolge der Generationen, andererseits ein zeit- und geschichtsloser, eine Gemeinschaft, die in ihrer allumfassenden, auch die spätesten Generationen einschließenden Totalität schon bei der sinaitischen Offenbarung bestanden hat, wo nicht nur die damals lebenden Israeliten, sondern auch die Seelen der noch nicht Geborenen gegenwärtig waren und in den sinaitischen Bund eintraten". Vgl zum Gegensatz Jos (→ 374, 6 ff).

[129] Vgl Bl-Debr [6] § 262, 3.

[130] Bes da die Worte neben συνέδριον als dessen an sich sonst nicht notwendige Wiederaufnahme, durch epexegetisches καί verbunden, stehen. Vgl Str-B zSt, jedoch auch Schürer II 245 A 17.

Gottes verkündigt wird [131] [132]. Ähnlich wenn Israel als Israel zum Erkennen des Weges Gottes aufgefordert wird 2, 36; 4, 10; 13, 24 vgl auch 9, 15.

Deshalb kann 'Ισραήλ auch verwendet werden, wenn der Gegensatz zwischen dem alten und dem neuen Gottesvolk ins Auge gefaßt wird 4, 27; 5, 21. Aber sowenig wie etwa bei 'Ιουδαῖος, bzw wohl noch weniger, liegt das im Wort 'Ισραήλ selbst, sondern 'Ισραήλ bleibt der Name auch für das Gottesvolk, dem der Christus die βασιλεία aufrichten wird 1, 6 (vgl auch 28, 20). Hier wird zwar die Grenze des „Volkes" Israel noch nicht überschritten, aber es ist doch nahe an einer Erweiterung des Gebrauchs dieses Namens zur Bezeichnung des neuen Gottesvolkes.

Daneben erscheint 'Ισραήλ in der Ag für das Volk in der Vergangenheit 7, 23. 37. 42; 13, 17. Und hier zeigt sich wieder die in diesem Wort liegende, über die einzelne Zeit hinausgreifende Einheit des Volkes „Israel". Was dem Israel der Vergangenheit gilt, gilt dem Israel der Gegenwart. Zwischen beiden besteht nicht nur Übereinstimmung, sondern geradezu Identität, 13, 23: κατ' ἐπαγγελίαν ἤγαγεν (sc ὁ θεὸς) τῷ 'Ισραήλ σωτῆρα 'Ιησοῦν. Das Israel, das die Verheißung empfing, und das Israel, dem die Erfüllung zuteil wird, ist ein und dasselbe, denn es ist die Gottesgemeinde.

d. Bei Paulus wird 'Ισραήλ ebenfalls meist in spezifischer Bedeutung als Gottesvolk verwandt, besonders in R 9—11. Das ist nicht zufällig; denn hier handelt es sich um eine Frage, die eben an dem Charakter der Judenschaft als Gottesvolk entsteht. Kann die neue Gemeinde dem Worte Gottes trauen, wenn doch das Wort Gottes an die Judenschaft hinfällig geworden zu sein scheint R 9, 6? Hier ist die Antwort nur vollständig, wenn sie gegeben wird in Beziehung auf die Judenschaft, sofern sie Israel ist, weil in diesem Namen eben das enthalten ist, daß sie Gottes Volk ist. Das schwingt auch mit an Stellen, wo 'Ισραήλ im geschichtlichen Sinn verwendet wird R 9, 27 (vgl 2 K 3, 7), wenn es auch hier nicht im Vordergrund stehen wird. Für die volle Bedeutung von Israel ist 11, 1 sehr aufschlußreich: Auf die Frage, ob Gott sein Volk verstoßen habe, gibt Pls die Antwort: Keineswegs, καὶ γὰρ ἐγὼ 'Ισραηλίτης εἰμί. Soll das Sinn haben, so nur, wenn er als 'Ισραηλίτης Angehöriger des Gottesvolkes ist. Ebenso 9, 4: Die Juden, des Pls Volksgenossen nach dem Fleisch, sind 'Ισραηλῖται und haben als solche alle die in v 4 f angeführten Güter, und zwar hat diese Güter das leibliche Israel. „Israel" ist ans Gesetz gebunden, sucht durch das Gesetz die Gerechtigkeit R 9, 31 f, geht aber eben damit an der Gerechtigkeit Gottes vorbei R 11, 7. Dadurch ist Israel jetzt wie einst (R 10, 21; 11, 2) im Ungehorsam, und deshalb πώρωσις ἀπὸ μέρους τῷ 'Ισραήλ γέγονεν 11, 25. Und doch weiß Pls, daß πᾶς 'Ισραήλ σωθήσεται 11, 26 um der den Vätern gegebenen Verheißung willen (v 28). Man wird dabei beachten müssen, daß es nicht dasselbe ist, wie wenn Pls sagen würde πάντες οἱ 'Ιουδαῖοι

---

[131] Es ist also wohl nicht nur die Anrede, die den Ohren der Hörer am angenehmsten war, Trench 84.

[132] Sogar in 21, 28 könnte dieser spezifische Sinn von 'Ισραήλ anzunehmen sein, indem die Leute als Israeliten aufgefordert werden, die Entweihung des Tempels abzuwehren oder zu rächen. Eher aber gibt hier Lk die Ausdrucksweise wieder, die in Jerusalem üblich war.

σωθήσονται [133]; denn Israel ist etwas anderes als die Gesamtheit seiner derzeitigen Glieder, es ist als 'Ισραήλ Träger der Verheißung und so auch Empfänger ihrer Erfüllung.

Eph 2, 12 ist ein weiteres deutliches Beispiel für die Bedeutung von 'Ισραήλ als Gottesvolk: In der Zeit ohne Christus waren die Heiden fern von der πολιτεία τοῦ 'Ισραήλ und zugleich ἄθεοι ἐν τῷ κόσμῳ.

An all diesen Stellen ist nirgends eine Erweiterung von 'Ισραήλ in der Richtung auf Bezeichnung des neuen Gottesvolkes zu bemerken, ja etwa in R 11 würde damit der ganze Gedanke aufgelöst, so sehr zB auch das Gleichnis vom Ölbaum eine derartige Möglichkeit sachlich in die Nähe rückt.

Auch in R 9, 6 ist insofern ein Schritt auf eine solche Erweiterung hin gemacht, als die Zugehörigkeit zum Gottesvolk nicht anerkannt wird bei nur blutmäßiger Zugehörigkeit zum Geschlecht Israel. Andererseits aber ist hier auch nicht von Heidenchristen die Rede, die das wahre Israel genannt würden. Die Unterscheidung in R 9, 6 geht nicht hinaus über die J 1, 47 vorauszusetzende [134] und entspricht im ganzen der Unterscheidung zwischen 'Ιουδαῖος ἐν τῷ κρυπτῷ und 'Ιουδαῖος ἐν τῷ φανερῷ in R 2, 28 f, die ja auch nicht dazu führt, daß nun Pls die Christen die wahren Juden nennen würde.

Immerhin ist nun aber der Schritt zu jener Erweiterung dadurch bei 'Ισραήλ leichter denkbar, daß dieser Name am reinsten das Wesen des Gottesvolkes bezeichnet, und so begegnet tatsächlich bei Pls, wenn auch nur gewissermaßen am Rand, 'Ισραήλ auch als Bezeichnung des neuen Gottesvolkes negativ darin, daß 1 K 10, 18 von 'Ισραήλ κατὰ σάρκα gesprochen wird. (Auch dies hier von der religiösen Seite genommen, denn es handelt sich um den Gottesdienst der alten Gemeinde, der als Vorbild hingestellt wird.) Allerdings wird diesem 'Ισραήλ κατὰ σάρκα nicht ausdrücklich ein 'Ισραήλ κατὰ πνεῦμα gegenübergestellt (dieser Ausdruck begegnet im NT gar nicht), aber andere Analogien erlauben diese Gegenüberstellung. Daß es sich dabei nicht eigentlich um eine Übertragung des Namens auf die neue Gemeinde unter Ausschluß der alten handeln kann, zeigt besonders deutlich das Bild vom Ölbaum R 11, 17 ff; Israel ist die eine Gottesgemeinde, in die nun Leute aus den Heiden eingepflanzt werden.

Die einzige Stelle, an der mit großer Wahrscheinlichkeit 'Ισραήλ direkt in dieser neuen Bedeutung anzunehmen ist, ist Gl 6, 16. Dort steht 'Ισραήλ τοῦ θεοῦ für die, die nach dem Maßstab des Pls sich halten, denen Beschneidung und Unbeschnittenheit nichts ist, denen die Welt durch Christus gekreuzigt ist. Man wird aber nicht außer Acht lassen dürfen, daß der Satz sich gegen solche wendet, die die Güter des alten Israel, vor allem die Beschneidung, als notwendige Voraussetzung für den Christenstand ansahen und nur unter dieser Bedin-

---

[133] πᾶς 'Ισραήλ kann nicht aufgefaßt werden als „jeder Israelite", denn 'Ισραήλ als Bezeichnung für den einzelnen Israeliten ist zwar im palästinischen Sprachgebrauch häufig (→ 363, 18 ff), aber im NT nirgends zu finden. Die Formel ist vielmehr mit Bl-Debr [6] § 275 als „hebraisierend" aufzufassen: „das ganze Israel". Das verlangt ja schon der Zusammenhang.

[134] Vgl dazu ferner die Erwägungen bei manchen Rabbinern, ob die bloße Abstammung von Israel einen Menschen schon zum rechten Israeliten mache, die allerdings im ganzen positiv ausfielen (Str-B III 263 f). Über die Kennzeichen des echten Israeliten s Str-B III 125, ferner → A 52.

gung von einer Zugehörigkeit zum Gottesvolk reden zu können glaubten. So ist also hier der Ausdruck gewissermaßen in Anführungszeichen zu denken [135].

Außer dieser polemischen Stelle und jener Stelle von 1 K 10, 18 erscheint Ἰσραήλ bei Pls nicht zur Bezeichnung der neuen Gottesgemeinde, da Pls, wie eben etwa R 9—11 zeigt, diesen Namen doch nicht eigentlich trennen wollte 5 und konnte von denen, die auch blutmäßig zu Israel gehören.

III. Ἑβραῖος, Ἑβραϊκός, ἑβραΐς, ἑβραϊστί.

1. Die abgeleiteten Formen.

Die von Ἑβραῖος abgeleiteten Formen ἑβραΐς und ἑβραϊστί sind im NT nur in sprachlichem Sinn gebraucht. Bei ἑβραϊστί liegt das 10 schon in der Wortform [136], und ἑβραΐς kommt nur in Ag und nur in der Formel τῇ ἑβραΐδι διαλέκτῳ vor.

a. Ἑβραϊκός, die sonst normalerweise übliche Adjektivform, ist im NT nicht gebraucht außer Lk 23, 38 im westlichen Text und im Reichstext entgegen der Hesychianischen Rezension. Es scheint aber hier die Parallele J 19, 20 15 eingewirkt zu haben. Mit Ἑβραϊκοῖς γράμμασιν sind neben den griechischen und römischen Schriftzeichen dort wohl nicht nur die hebräischen gemeint, sondern auch die ihnen entsprechende Sprache. Ἑβραϊκός kommt außerhalb des NT vorwiegend im speziell sprachlichen Sinn vor, aber auch im allgemeinen der Zugehörigkeit zum hebräischen Judentum. Zu ersterem vgl Preis Zaub Bd I IV 3085, 8 Buch Mose [137]; 20 Aristeasbrief 3. 30. 38; Jos Ant 12, 48 uö. Zu letzterem vgl Philo Vit Mos I 240, 285; Jos Ant 13, 345.

b. Zu ἑβραΐς vgl Jos Ant 2, 226. ἑβραΐς wird in der Formel τῇ ἑβραΐδι διαλέκτῳ in Ag 21, 40; 22, 2 gebraucht, wo erzählt wird, daß Pls aramäisch zur Menge gesprochen habe, die das nicht erwartet, aber nun um so aufmerksamer 25 zugehört habe. (Zur Sache vgl Jos Bell 6, 96 → 375, 38 ff.) Daß Pls hebräisch bzw aramäisch gekonnt haben muß, geht nicht nur aus seinem in Ag 22 kurz geschilderten Bildungsgang hervor, sondern überhaupt aus seinen theologischen Grundlagen, ferner wohl auch indirekt aus den Stellen, wo er sich einen Ἑβραῖος nennt (→ 393, 8 ff).

Von hier aus wird man vielleicht auch die etwas undurchsichtige Bemerkung 26, 14 30 verstehen müssen: Die Stimme vom Himmel an Pls ertönt τῇ ἑβραΐδι διαλέκτῳ. Man könnte sich fragen, ob dahinter die Anschauung steht, daß Hebräisch überhaupt die Sprache des Himmels sei [138] oder daß Aramäisch als die irdische Sprache Jesu gemeint sein sollte (Zn zSt). Sachlich ist vielleicht doch eher daran zu denken, daß es die Muttersprache des Pls ist, die ihm als solche besonders vertraut ist und in der ihn 35 daher diese Stimme trifft [139]. Vielleicht ist dazu zu vergleichen, daß die in Jerusalem an Pfingsten Versammelten die Sprache des Geistes aus den Aposteln jeder in der Sprache hören, in der sie geboren sind (Ag 2, 8). Etwas Sicheres wird sich aber für Ag 26, 14 wohl nicht sagen lassen.

c. Die Formel ἑβραϊστί kommt nur im Joh-Ev und in der Apk vor (je 40 5 und 2 mal). Es findet entweder Verwendung, wo ein in griechischer Sprache geläufiger oder doch verständlicher Ausdruck vorliegt, der nun auch „im Original" wiedergegeben werden soll, oder wo zu einer genannten Sache aus irgend einem Grund der ursprüngliche Name angegeben werden soll.

Während etwa bei ἑρμηνεύειν und seinen Ableitungen (→ II 659 ff) ein fremdsprach- 45 licher Ausdruck in der eigenen, dh eben gerade benützten Sprache wiedergegeben werden soll, wie es natürlich auch bei Joh nicht selten vorkommt (1, 38; 1, 41 f; 4, 25; 9, 7), ist bei der Formel ἑβραϊστί umgekehrt nicht die Deutung der Zweck bei der Angabe der zwei sprachlichen Ausdrücke, sondern die historisch genauere Fixierung, aus welchem Grund sie im einzelnen erstrebt sein mag. Daß dies nur im 50

---

[135] Dieser Eindruck wird verstärkt durch die Ähnlichkeit dieses Satzes mit jüdischen Gebetsschlüssen, zB Achtzehngebet 19: „Lege Frieden und Erbarmen auf uns und auf dein Volk Israel" (zitiert nach Str-B III 579).
[136] Vgl Kühner-Blaß I 303 β.

[137] ADieterich, Abraxas (1891) 177, 2; 182, 15.
[138] Hbr ist die heilige Sprache der Tora, mit der sich auch Gott beschäftigt Str-B III 160.
[139] Vgl KBornhäuser, Studien zur Ag (1934) 18.

Joh-Ev begegnet und nicht etwa bei den Synpt, ist sicher nicht zufällig, denn das Joh-Ev hat auch sonst oft ein Interesse an sorgfältiger und genauer Festlegung von ihm wichtigen Ereignissen (zB 1, 39: die Angabe der Tageszeit, vgl ferner 19, 35). Daß sich dieses ἑβραϊστί gerade in der Leidensgeschichte besonders findet (19, 13. 17. 20; 20, 16, sonst nur noch 5, 2), wird daher kommen, daß gerade hier dem Verfasser an sorgfältiger Genauigkeit lag[140]. An dieser Tatsache zeigt sich dasselbe, was sich bei der Verwendung von οἱ Ἰουδαῖοι (→ 380, 10 ff) gezeigt hatte, daß zeitlich und räumlich eine größere Entfernung Verf und Leser von den im Ev zu berichtenden Geschehnissen trennt, so daß nun um so mehr Interesse besteht an genauer und richtiger Berichterstattung.

Etwas anders wird das Interesse sein, das in Apk 9, 11 und 16, 16 zur Verwendung von ἑβραϊστί geführt hat. Ganz scharf wird es sich dort allerdings nicht erfassen lassen. Entweder war das Gemeinte unter dem fremden hebräischen Namen schon bekannt, der nun deswegen mitgenannt wurde, oder aber liegt der Zweck darin, das Unheimliche und Fremdartige zu steigern.

Bemerkenswert ist, daß die beiden mit ἑβραϊστί eingeführten Worte in Apk hebräisch sind, im Joh-Ev dagegen fast ausnahmslos aramäisch[141]. Auch etwa Josephus, der sich auskennen mußte, unterscheidet nicht immer zwischen beidem, was die Verwendung des Wortes Ἑβραῖος usw angeht (→ 375, 37 ff). Derselbe Tatbestand ist auf rabbinischer Seite sichtbar, wo bei עברית die Unterschiede ebenfalls nicht ganz folgerichtig durchgeführt werden[142].

2. Ἑβραῖος.

Das Wort Ἑβραῖος begegnet im NT nur an 3 Stellen: Ag 6, 1; Phil 3, 5; 2 K 11, 22. Es wird sich bei dieser geringen Zahl von Stellen der Sinn nicht aus einem durchgehenden nt.lichen Sprachgebrauch erschließen lassen, sondern es ist zu überlegen, wie weit die vom sonstigen Gebrauch von Ἑβραῖος angebotenen Möglichkeiten sich am besten in den jeweiligen Zusammenhang einfügen.

a. Ag 6, 1: Es gibt in der Gemeinde zwei Gruppen, deren einer, Ἑβραῖοι genannt, zB anscheinend die 12 Apostel angehören. Der berichtete γογγυσμὸς τῶν Ἑλληνιστῶν πρὸς τοὺς Ἑβραίους muß dabei mit der in Ἑβραῖος liegenden Charakterisierung dieser Gruppe zusammenhängen, sonst müßte eine anderweitige Angabe eines Grundes vorhanden sein. Sachlich wäre aber nun das Übersehen der Witwen der Ἑλληνισταί (→ II 508, 26) seitens der Ἑβραῖοι schwer verständlich, wenn in erster Linie an den sprachlichen Unterschied zu denken wäre, da in dem zweisprachigen Land die aramäische Muttersprache der einen Gruppe kein entscheidendes Hindernis in der Beziehung zur andern Gruppe sein konnte. Viel näher liegt wohl, daß die einen, die Ἑβραῖοι, die im Lande Geborenen sind, die sich in allem auskennen, sich auch gegenseitig großenteils längst bekannt sind; daß die andern dagegen ursprünglich Landfremde sind, ob nun Juden oder Proselyten oder auch nur σεβόμενοι (vgl etwa die Ἕλληνες von J 12, 20 und dazu Str B II 548), die einfach deswegen, weil sie bei der Gemeindeleitung nicht so bekannt sind, ohne jeden bösen Willen bei der Arbeitsüberlastung der Apostel (v 2) leicht übersehen werden konnten.

Die Ἑβραῖοι von Ag 6, 1 werden also wohl die geborenen Palästiner sein, die ganz natürlich in der Gemeinde eine besondere Gruppe gebildet haben, die

---

[140] Unmöglich ist es, mit Holtzmann NT zu J 20, 16 zu meinen, der Evangelist denke seine Personen griech und nur ausnahmsweise in aram Glossen redend. Das Interesse liegt vielmehr auch hier wohl „in der buchstäblichen Wiedergabe von Rede und Gegen-

rede" (BWeiß, Erklärung des Joh-Ev ⁹ [1902] zSt).
[141] Zn J zu J 20, 16: „neuhebräisch".
[142] Vgl Str-B II 442 ff; Zahn Einleitung I § 1 A 12; SchlJ zu J 5, 2 (→ 368, 2 ff).

sich unterschied von später nach Palästina gekommenen, seien es Juden, die
aus der Diaspora heimgekommen waren, seien es Proselyten. Daß solche Leute
in Jerusalem und bei der Gemeinde waren, scheint deutlich aus Ag 2 hervorzugehen. Daß zwischen beiden Gruppen auch sprachliche Grenzen vorlagen, ist
zwar nicht ausgeschlossen, sondern sogar wahrscheinlich, aber hier für das Ver- 5
ständnis wohl nicht wesentlich und so auch für die Deutung von 'Εβραῖος hier
nicht in erster Linie maßgeblich [143].

         b. Ebenso wird in Phil 3, 5 bei der Formulierung des
Pls, der sich 'Εβραῖος ἐξ 'Εβραίων nennt, nicht in erster Linie von seiner sprachlichen Zugehörigkeit die Rede sein, sondern von seiner Herkunft, mit der dann 10
die sprachliche Zugehörigkeit mitgesetzt sein mag. Man wird mit Lightfoot [144]
für Phil 3, 5 eine fortschreitende Näherbestimmung annehmen dürfen: Ein am
achten Tag Beschnittener könnte auch von Proselyten stammen, Pls aber ist
aus dem Geschlecht Israel. Ein Israelite könnte seinen Stammbaum nicht nachweisen können [145]. Pls kann es, er entstammt dem Stamm Benjamin. Ein sol- 15
cher könnte als Diasporajude hellenisiert sein. Pls ist 'Εβραῖος ἐξ 'Εβραίων, ein
durch seine Herkunft aus Palästina vor der Hellenisierung bewahrt gebliebener
Jude [146]. Dieser Zusammenhang legt also nahe, den Ausdruck zu verstehen als
Bezeichnung der Abstammung aus palästinischer Familie, nicht nur als starken
Ausdruck für die nationale Zugehörigkeit [147]. Diese Herkunft in Verbindung 20
wohl mit pharisäischer Richtung der Familie (Ag 22, 3) ist dann der Grund
dafür, daß Pls als Muttersprache aramäisch spricht, nicht umgekehrt dies der
Grund, warum er sich 'Εβραῖος ἐξ 'Εβραίων nennen kann [148].

         c. Ähnlich wird 'Εβραῖος in 2 K 11, 22 zu verstehen
sein. Auch dort liegen wohl nicht nur einfach „drei Bezeichnungen desselben 25
Begriffs »Vollblutjude«" vor, bei denen „die Abwechslung im Namen rhetorische
Wirkung ermöglicht" [149], sondern ebenfalls wieder ein Fortschreiten, nur diesmal
mit der Richtung auf die jeweils mit dem Namen gegebene Hoheitsbezeichnung.
Pls gehört wie seine Gegner, mit denen er sich auseinandersetzt, dem jüdischen
Volk als ein Abkömmling einer palästinischen Familie an [150]; er ist als solcher 30
Glied des Gottesvolkes und weiter Erbe der den Vätern zuteilgewordenen Ver-

---

[143] So auch Cadbury aaO 65 „the word
('Εβραῖος) is not commonly used elsewhere in
a strictly linguistic sense". Wenn Cadbury allerdings daraus, sowie aus seinem Verständnis von
'Ελληνιστής in Ag 6, 1 'Εβραῖοι gleich Juden
und 'Ελληνισταί gleich "Ελληνες setzt und von
da aus das ganze bisherige Bild von der
Entwicklung der Urgemeinde, in das allerdings eine größere heidenchristliche Gruppe
zu diesem Zeitpunkt nicht paßt, korrigiert,
so geht beides, diese Gleichsetzung und die
daraus gezogenen Folgerungen, weit über
das aus Ag 6, 1 zu Entnehmende hinaus und
läßt zudem die Sachlage von Ag 6, 1 nicht
recht verständlich werden.
[144] JBLightfoot, Saint Paul's Epistle to the
Philippians (1903) zSt.
[145] Vgl Jos Ant 11, 70, wo von Leuten die

Rede ist, die Israeliten sein wollen, es wohl
auch sind, aber ihren Stammbaum nicht nachweisen können. Vgl Esr 2, 59.
[146] Wie weit hier genauer der etwas späten
Hieronymustradition von der aus Giskala in
Galiläa stammenden Familie des Pls vertraut
werden darf, bleibe dahingestellt. Hieronymus zu Phlm 23 (MPL 26 p 653); ADeißmann,
Paulus (1925) 71 ff.
[147] Zu beidem vgl Dib Gefbr zSt.
[148] Vgl dazu die Variante bei Jos Bell 1, 3
(→ 375, 43 ff.)
[149] Ltzm K zSt.
[150] Die Folgen dieser Deutung für die Auffassung von den Gegnern, gegen die sich
Pls in 2 K wendet, sind beträchtlich, aber
hier nicht weiter auszuführen.

heißung, ja weit mehr: Diener Christi. Wieder ist, im Zusammenhang gesehen, die aramäische Muttersprache kaum das Merkmal, auf das der Ton gelegt wäre, wenngleich es in der Bezeichnung mitgesetzt sein kann.

d. Von dieser Deutung der Ἑβραῖος-Stellen im NT her
5 ist zu dem Titel des Hebräerbriefs Πρὸς Ἑβραίους zu sagen: In diesem Titel wird weniger die sprachliche Zugehörigkeit der Adressaten gemeint sein, denn eine Übersetzung aus aramäischem Original ist der Brief sicher nicht[151]. Wieder wird vielmehr an die durch Ἑβραῖος bezeichnete Herkunft dieser Adressaten zu denken sein. Das schließt aber nicht in sich, daß sie Bewohner Palästinas sein
10 mußten; es ist vom Titel aus nicht unmöglich, daß der Brief an eine Gruppe von Palästinern etwa in Italien (zB vom Jahr 70 her verschleppte Kriegsgefangene?) gerichtet sein kann, was ja durch Hbr 13, 24 immer wieder nahegelegt sein dürfte. Eine eindeutige Entscheidung über die Adressaten dürfte sich jedenfalls aus der übrigens ja auch späteren Überschrift wohl nicht gewinnen
15 lassen[152].

Gutbrod

---

† *ἱστορέω (ἱστορία)*

---

1. ἱστορέω ist abzuleiten von ἵ σ τ ω ρ, einem Wort, das im älteren Griechisch verschiedener Gegenden nachgewiesen ist und vom Stamme ϝιδ in Schwund-
20 stufe mit der Endung -τωρ als nomen agentis gebildet ist[1]. Die Bedeutung ist: *der Wissende* bzw *der, der gesehen hat*, und zwar der im ausgezeichneten Sinne Wissende, also *der Kundige, der Sachverständige*. Das Wort wird als Substantiv und Adjektiv gebraucht[2]. Dabei darf nicht übersehen werden, daß ἵστωρ eine Betätigung und nur abgeleiteter Weise einen Zustand bezeichnet. Der ἵστωρ ist nicht nur ein Wissender,
25 sondern einer, der sein Wissen betätigt.

---

[151] Zur Frage vgl zB FBleek, Der Brief an die Hebräer (1828) I § 2.

[152] Die später gelegentlich vorgenommene Ersetzung des etwas anstößig gewordenen Namens Ἰουδαῖος für Judenchristen durch die Bezeichnung Ἑβραῖος hilft hier nicht weiter, da der Titel sonst zu allgemein wird, wenn er den Brief als an Judenchristen überhaupt gerichtet bezeichnen wollte. Zu dieser Ersetzung des Namens in späterer Zeit vgl Zu Ag zu Ag 18, 4 (→ jedoch A 72).

ἱστορέω. WAly, De Aeschyli Copia Verborum (Diss Bonn 1904) 26 ff; BSnell, Die Ausdrücke für den Begriff des Wissens in der vorplatonischen Philosophie = Philologische Untersuchungen, hsgg AKießling u UvWilamowitz, 29 (1924) 59 ff; FMüller I fil, De „Historiae" Vocabulo atque Notione, in: Mnemosyne 54 (1926) 234 ff; Liddell-Scott unter ἵστωρ, ἱστορέω, ἱστορία; Pr-Bauer unter ἱστορέω; WSchmid-OStählin, Geschichte der griech Lit I 1 (1929) 683—714; WKroll, Artk Hekataios, in: Pauly-W VII (1912) 2667 ff; FJacoby, Artk Herodotos, in: Pauly-W Supplement II (1903) 205 ff; EMeyer, Geschichte des Altertums I 1 ² (1907) 223 ff; EFraenkel, Geschichte der griech Nomina agentis I (1910)

218 f; II (1912) 243 (Register); WNestle, Griech Geschichtsphilosophie, in: Archiv für Geschichte der Philosophie 41 (1932) 80 ff; RLaqueur, N Jbch f Wiss u Jugendbildung 8 (1932) 1 ff.

[1] Die Frage der Aspiration ist von Aly, Snell, Müller nicht behandelt. FSommer, Griech Lautstudien (1905) 82 ff hat sie schwerlich gelöst. Die Aspiration fällt um so mehr auf, als ähnliche Formen vom Stamme ϝιδ ἴσμεν, ἴστω sie nicht haben.

[2] So heißen die Musen: ἵστορες ᾠδῆς Hom Hymn 32, 2, oder die Amazonen: ἐγχέων ἵστορες κοῦραι Bacchyl 8, 44. Vgl auch Hes Op 792: εἰκάδι δ᾽ ἐν μεγάλῃ, πλέῳ ἤματι, ἵστορα φῶτα γείνασθαι · μάλα γάρ τε νόον πεπυκασμένος ἐστίν. Homer hat ἵστωρ im Sinne von: Schiedrichter Il 18, 501; 23, 486. Daß der Sachverständige streitenden Parteien gegenüber zum Schiedrichter wird, liegt nahe; auf die Bdtg „Zeuge" geht die des „Schiedsrichters" schwerlich zurück. ἵστωρ bzw ἵστωρ ist freilich auch der Zeuge; so werden die Götter zu Zeugen beim Eide angerufen, Thuc II 74: θεοὶ . . . ξυνίστορές ἐστε, oder im Bürgereide der athenischen Epheben Poll Onom VII 106: ἵστορες θεοί (vgl Ζεὺς ἵστω Hom Il 7, 411; 10, 328).

Von ἴστωρ sind ἱστορέω und ἱστορία abgeleitet wie ἀδικέω und ἀδικία von ἄδι-κος. Das Verbum müßte also bedeuten: Wissen im besonderen Sinne, Sachverständig-keit betätigen; das Substantiv: diese Betätigung bzw ihr Ergebnis. Die Beobachtung des Wortgebrauchs ergibt für ἱστορέω und ἱστορία die Bedeutungen: *forschen, fragen*, und: *Forschung, Kunde* (wie in: Länder-kunde, Erd-kunde); so bei den Joniern[3]. 5 Daneben findet sich ἱστορέω in der Bedeutung: *bezeugen* bei Hippokrates[4]. Die Bedeu-tung: *bezeugen* ergibt sich für ἱστορέω aus der angegebenen Grundbedeutung zwang-los. Dem Nicht-Sachverständigen gegenüber betätigt sich der Sachverständige sich, indem er ihm bezeugt, was er weiß. Aber auch die andere Bedeutung: *forschen, fragen* macht keine Schwierigkeiten. Denn von Sachverständigkeit ist Forschung sachlich nicht zu 10 trennen; in vielen Fällen betätigt sich jemand als Sachverständiger nur so, daß er sich zugleich als Forscher betätigt[5]. Stellt man sich die Vertreter der jonischen ἱστορίη vor: Thales, Herakleitos, Hekataios von Milet, Herodot, namentlich so, wie sie ihre Umgebung, die „Hellenen", überragten[6], so taten sie dies als Forscher. Aus dem Jonischen ist ἱστορέω in der Bedeutung: *forschen, fragen* in die Sprache der attischen Tragödie über- 15 gegangen[7]. Mit der jonischen Naturphilosophie ist auch ἱστορία als term techn für *Forschung, Wissenschaft, Kunde* zu den attischen Philosophen gelangt. Plato kennt das Wort[8] und benutzt es, um seine Wortwitze darüber zu machen[9]. In seinen eige-nen wissenschaftlichen Sprachgebrauch nimmt er es nicht auf. Vielleicht spielt hier mit, daß auch Heraklit es zur Bezeichnung einer wertlosen Vielwisserei gebraucht[10]. 20 Aber bei Aristoteles hat es dann seinen Platz in der wissenschaftlichen Terminologie. Er redet von: ἡ ἱστορία ἡ περὶ τὰ ζῷα oder ἡ ζῳϊκὴ ἱστορία[11], später Theophrast von περὶ φυτῶν ἱστορία (ed FWimmer p 1ff). ἱστορία ist hier die Kunde, die auf wissen-schaftlicher, methodischer Untersuchung beruht. Daß diese Methode induktiv sein müsse, ist mit dem Worte nicht gesagt. In dieser allgemeinen Bedeutung ist ἱστορία 25 noch lange gebraucht, auch ins Lateinische übergegangen. Das Lateinische kennt die *naturalis historia,* dh Naturkunde[12].

Seit wann ἱστορία *Geschichtserzählung, Geschichte* bedeutet, läßt sich nicht genau er-mitteln, seit Aristoteles sicher[13], wahrscheinlich aber schon seit Herodot[14]. Thuky-dides verwendet ἱστορία und ἱστορεῖν nicht; er nennt seine Arbeit I 1, 1: συγγράφειν, 30 schwerlich um sich von Herodot abzuheben[15], eher weil die Bedeutung: *Geschichte* für ἱστορία damals noch nicht ausreichend verbreitet war. Als Titel eines Geschichts-

---

[3] Aly 27—29 A 14.
[4] Aly 28, 31; Snell 61 A 7.
[5] Snells Ableitung (p 63) der Bdtg des Ver-bums: „forschen" von der Bdtg des Subst: „Schiedsrichter" ist gekünstelt, denn nach Snell ist der ἴστωρ Schiedsrichter als der, der gesehen hat, also nicht zu fragen braucht.
[6] Vgl das bezeichnende Fr 332 des Heka-taios (ed RHKlausen [1831]): τάδε γράφω, ὥς μοι ἀληθέα δοκεῖ εἶναι · οἱ γὰρ Ἑλλήνων λόγοι πολλοί τε καὶ γελοῖοι ὡς ἐμοὶ φαίνονται εἰσίν.
[7] Aly 31 f; Snell 62 A 1.
[8] ἐγὼ (Sokrates) . . . νέος ὢν θαυμαστῶς ὡς ἐπεθύμησα ταύτης τῆς σοφίας ἣν δὴ καλοῦσι περὶ φύσεως ἱστορίαν: Phaed 96 a.
[9] Crat 437 b: ἡ ἱστορία . . . ἵστησι τὸν ῥοῦν. Phaedr 244 c steht ἱστορία parallel zu νοῦς im Sinne von „Kunde".
[10] Fr 129 (I 103, 13 ff Diels): Πυθαγόρης Μνησάρχου ἱστορίην ἤσκησεν ἀνθρώπων μάλιστα πάντων καὶ ἐκλεξάμενος ταύτας τὰς συγγραφὰς ἐποιήσατο ἑαυτοῦ σοφίην, πολυμαθείην, κακο-τεχνίην, vgl Snell 66, der auch aus Hippocr Ähnliches belegt.
[11] Part An III 14 p 674 b 16; III 5 p 668 b 30.
[12] Plin (d Ä) HistNat, woher das deutsche: „Naturgeschichte" stammt.
[13] Poet 9 p 1451 b 3, wo der ἱστορικός und der ποιητής gegenübergestellt sind, ist ἱστορία das Werk des Herodot, also die Geschichts-erzählung. Bei Aristoteles heißt ἱστορέω auch: „erzählen": De Plantis I 3 p 818 b 28;

De Mirabilibus Auscultationibus 37 p 833 a 12; Rhet I 4 p 1360 a 36 f: τὰς τῶν περὶ τὰς πράξεις γραφόντων ἱστορίας läßt vielleicht noch etwas von dem Wege erkennen, auf dem ἱστορία die Bdtg: „Geschichte" erlangte: die allgemeine Bdtg verengte sich.
[14] Bei Hdt ist ἱστορίη zunächst Forschung, II 99, 1: μέχρι μὲν τούτου ὄψις τε ἐμὴ καὶ γνώμη καὶ ἱστορίη ταῦτα λέγουσά ἐστι, τὸ δὲ ἀπὸ τοῦδε Αἰγυπτίους ἔρχομαι λόγους ἐρέων κατὰ ἤκουον. Ähnlich II 118, 1; II 119, 3; I 1, 1: ἱστορίης ἀπόδεξις wird „Darlegung der Forschung" bedeuten. ἱστορέω ist seine eigene Arbeit II 19, 3; II 34, 1. VII 96, 1: οὐ γὰρ ἀναγκαίη ἐξέργομαι ἐς ἱστορίης λόγον ist wohl mit GStein (Herodot erklärt [6] [1908]) zu über-setzen: Ich werde nicht genötigt mit Rück-sicht auf die Erzählung. Freilich machte diese Stelle dann eine Ausnahme, da ἱστορίη sonst „Forschung" ist. Snell 64 A 4 zieht, um die Bdtg „Forschung" festzuhalten, die Übers von Maran an: I am not impelled . . . to give any account of my inquiries on this head. Indessen sachlich ist account of my inquiries dasselbe wie Erzählung, vgl Liddell-Scott: written account of one's inquiries-narrative. Hat ἱστορίη schon bei Herodot die Bdtg: „Geschichte", so kann diese nicht von ἱστορεῖν: „bezeugen" abgeleitet werden (was Aly 31 in Betracht zieht), da diese Bdtg bei Hdt fehlt.
[15] Vgl Snell 65.

werkes tritt ἱστορία zuerst auf bei Ephoros, danach bei Polybius und anderen[16]. Weshalb sich ἱστορία zu *Geschichte* verengt hat, läßt sich nur vermuten. Nicht uninteressant ist, daß nach einer freilich späten Notiz Pythagoras die Geometrie ἱστορίη genannt hat[17]. Jedenfalls ist ἱστορία der auf Forschung beruhende Bericht von Geschehenem, im Unterschiede von der Erzählung des Dichters.

2. Die bedeutungsgeschichtlichen Ergebnisse betreffs ἱστορέω und ἱστορία fügen sich ohne Zwang dem ein, was über die Entstehung der griechischen Geschichtsschreibung bekannt ist[18]. Lange Zeit hat die epische Dichtung die Stelle eingenommen, die der Geschichtsschreibung gebührte. Im 6. Jahrhundert hat man in Jonien und danach auch auf der andern Seite der Ägäis unternommen, die Sagen von der Gründung der Städte und Ähnliches aufzuzeichnen. Das Interesse erweiterte sich; man begann von fremden Ländern, ihren Bewohnern und ihrer Geschichte zu erzählen. Diese Berichte hatten zT noch stark sagen- bzw romanhafte Art, wie noch bei Herodot aus den eingeflochtenen Abschnitten über die barbarischen Länder und ihre Geschichte zu sehen ist. Das Bedeutendste dieser Art leistete Hekataios von Milet. Indessen die Ehre, die Geschichtsschreibung der Griechen begründet zu haben, gebührt nicht ihm, sondern Herodot[19]. Herodot fußt zwar in vielem einzelnen auf Hekataios und hat auch noch manches von der Art der Früheren an sich. Aber wenn die Geschichtsschreibung nicht mit ihm beginnt, beginnt sie nur nach ihm, nicht vor ihm.

Die Geschichtsschreibung der Griechen ist deutlich Ergebnis ihrer Geschichte. Als sie Weltgeschichte im vollen Sinne des Wortes erlebten und machten, als sie den Zusammenstoß mit der persischen Weltmacht siegreich bestanden, erzeugte dieses Ereignis bei ihnen die Geschichtsschreibung. Herodot spricht es I 1 aus, daß er darum Geschichte schreibt, weil er erfüllt ist von der Größe dessen, was Griechen und Barbaren im Kampf miteinander geleistet haben; damit dies nicht der Vergessenheit anheimfalle, hat er gearbeitet. Um seine Größe recht würdigen zu können, hat er seine Vorgeschichte[20] bis zu den ersten Zusammenstößen der Griechen und Barbaren in seine Forschung einbezogen. Läßt ihn auch die Freude am Erzählen vielfach Episoden einflechten, die nur lose mit seinem Hauptgegenstande zusammenhängen: er verliert ihn nicht aus den Augen. Er ist nicht getrieben von der Lust am Fabulieren[21], sondern von dem Bewußtsein um die Größe dessen, was im Kriege der Griechen mit den östlichen Großreichen auf dem Spiele stand und bewältigt wurde. Noch ausgeprägter zeigt die Würde des Historikers Thukydides. Er schreibt, um die Größe dessen, was er erlebt hatte, darzustellen, des Krieges zwischen den beiden größten Griechenstaaten in ihrer Blütezeit I 1[22].

Erst mit der Zeit der Perserkriege und durch sie erreichte der griechische Geist jene Reife, die Voraussetzung der Geschichtsschreibung ist. Solange der Mensch die Tiefe seines Lebens noch nicht erfaßt hat, teils weil er noch nicht hinlänglich Großes zu erleben und zu leisten gehabt hat, teils weil er seiner und seines Lebens noch nicht hinlänglich bewußt ist, wird ihn immer das Leben ferner Heldenzeiten[23] oder entlegener Gegenden mehr beschäftigen als das eigene bzw das der unmittelbaren

---

[16] Schmid-Stählin I 1 (1929) 685. Ephoros ist ein Historiker des 4 Jhdts, sein Werk verloren; vgl Pauly-W VII (1912) 1 ff.

[17] Jambl Vit Pyth 89 mit Berufung auf Nikomachos (2 Jhdt n Chr): ἐκαλεῖτο δὲ ἡ γεωμετρία πρὸς Πυθαγόρου ἱστορία. Damit entfallen alle Versuche, die ἱστορία auf die empirische oder induktive Wissenschaft zu beschränken.

[18] Vgl Schmid-Stählin I 1, S 683—714 dazu die Artk von FJacoby bei Pauly-W „Hekataios" VII (1912) 2667ff und „Herodotos" Supplement II (1903) 205 ff; sowie EMeyer aaO 223ff; EHowald, Jonische Geschichtsschreibung, in: Hermes 58 (1923) 113 ff.

[19] Mit EMeyer gegen Jacoby und Schmid. Die dürftigen Reste von Hekataios' geschichtlichem Werke geben nicht das Recht, die Meinung der Alten: Herodot ist der Vater der Geschichte, umzustoßen. Hekataios ist jedenfalls über eine Bearbeitung sagenhafter Überlieferung in seinem geschichtlichen Werke nicht hinausgekommen. Sein länder-

kundliches Werk ist wissenschaftlicher, aber auch mitunter phantastisch. Herodot behauptet nicht nur, ihm überlegen zu sein, er ist es, wenn auch nicht immer.

[20] Über dieses eigentümliche, echt historische Interesse vgl KAPagel, Die Bedeutung des ätiologischen Momentes für Hdts Geschichtsschreibung (Diss Berlin 1927).

[21] Die Späteren, die Herodot um seiner ποικιλότης willen schätzten, hielten sich an seine schwächste Seite und waren im Grunde ohne geschichtlichen Sinn. Nach Thukydides ging die griech Geschichtsschreibung erheblich zurück und geriet stark unter die Vorherrschaft der Ethik und der Rhetorik.

[22] Zugleich leitete ihn das Interesse, künftigen Geschlechtern die Möglichkeit zu bieten, sich aus der Vergangenheit zu belehren, vgl I 22, 4. „Romanhaftes" (μυθῶδες) zu bieten, lehnt er ausdrücklich ab.

[23] In einem ἡμεῖς τοι πατέρων μέγ' ἀμείνονες εὐχόμεθ' εἶναι (Hom Il 4, 405) blitzt zuerst etwas von geschichtlichem Bewußtsein auf.

Vergangenheit. Dieses nur vorgestellte Leben für bedeutsamer als das eigene anzusehen und es demgemäß durch die Kunst der Darstellung mit erhöhter Bedeutsamkeit auszustatten, also in dichterischer Form als Epos oder Roman zu schildern, wird ihm dann selbstverständlich sein. Ist ihm aber im Leben seiner Zeit und seiner Welt die Tiefe des Daseins aufgegangen, so tritt das Interesse an einem nur vorgestellten und 5 vorzustellenden Leben und an dichterischer Erhöhung der Darstellung zurück. Die Wahrheit interessiert als solche. Es gibt dann nichts Größeres mehr als die Wahrheit. Der Mensch, der sich selbst gefunden hat, braucht nichts mehr als die Wahrheit seines Lebens und nimmt die Arbeit der Forschung nach ihr auf sich. Hat der Mensch einmal sich selbst gefunden und so die Fähigkeit, die Geschichte zu erfassen, 10 erworben, so wird er das geschichtliche Leben und die Wahrheit des Geschehenen auch in entfernten Zeiten und Gegenden herauszuarbeiten verstehen, jenes entfernte Geschehen nicht nur vorstellen, sondern es als Darstellung des Menschendaseins in seiner Tiefe begreifen. Aber der Beginn geschichtlichen Verstehens liegt bei der Geschichte der Zeit, die man selbst mit Hassen und Lieben, mit wagendem Einsatz 15 des eigenen Daseins, mit Stolz und Schmerz des Sieges und der Niederlage erlebt hat und die man deshalb gar nicht als Gedicht, sondern nur so, „wie es wirklich gewesen ist", sehen will. Man mag urteilen, daß die Aufgabe der Geschichtsschreibung in diesem Sinne unlösbar ist, daß an die Stelle der geschichtlichen Wahrheit, weil sie unerreichbar bleibt, der Mythus, dh die bloße Vorstellung von einer für die Erkennt- 20 nis nicht erfaßbaren Wirklichkeit, treten und die künstlerische Erhöhung und Abrundung dieser bloßen Vorstellung nach sich ziehen wird. Man mag es reizvoll finden zu studieren, wie bei Herodot ganz naiv Dichtung und Wahrheit sich mischen. Man mag von da aus sogar zu einem vertieften Interesse an seinen Vorgängern kommen. Wahrhafte Größe hat Herodot nur, sofern er Geschichte in dem ausgeführten Sinne schreibt. 25

Mehrfach ist bezweifelt bzw bestritten, daß die Griechen eine wirkliche Geschichtswissenschaft gehabt haben [24]. ME genügt ein Hinweis auf Thukydides zur Widerlegung solcher Zweifel oder Bestreitungen. Aber die Leistung der Griechen in der Geschichtswissenschaft hat unverkennbar ihre Grenzen. Eine geschichtlich ausgerichtete Gesamtanschauung von der Welt und vom Leben haben die Griechen nicht gehabt. 30 Das Gesamtbild von der Welt, das sie hatten und das ihre Philosophie spekulativ verarbeitete, sah die Welt als Natur, nicht zugleich als G e s c h i c h t e. Deshalb fehlt ihrer Geschichtsschreibung auch, was für die moderne Geschichtswissenschaft bezeichnend ist: die Erkenntnis, daß die Menschen der verschiedenen Zeiten und Kulturen sich in ihrem Wesen, nicht nur in ihren Erlebnissen und Taten unterscheiden [25] und 35 daß folglich alle Geschichtsschreibung zur Voraussetzung hat, daß der Historiker sich in fremdes Wesen als solches hineinzuversetzen willens und fähig ist. Deshalb fehlt in der griechischen Geschichtswissenschaft auch eine methodisch so durchgebildete Quellenkritik, daß an die Stelle eines mehr oder minder legendären Bildes, das frühere Geschlechter von der Vergangenheit überliefert haben, das geschichtlich richtige durch 40 eine konstruktive Kritik der Quellen gesetzt werden kann [26]. Aber, ist die geschichtswissenschaftliche Leistung der Griechen auch begrenzt [27], so ist sie doch in diesen Grenzen so bedeutsam, daß sie richtungweisend für die spätere Zeit gewirkt hat.

3. *a.* Als die u r c h r i s t l i c h e V e r k ü n d i g u n g begann, war sie V e r k ü n d i g u n g v o n J e s u s, d e m A u f e r s t a n d e n e n, zur Rechten 45 Gottes Erhöhten, auf dessen Wiederkunft man vorausblickte und auf dessen geschichtliche Wirksamkeit als Lehrer, Wundertäter, Prophet, Messias man zurückblickte [28]. Diese Verkündigung war Frohbotschaft (→ εὐαγγέλιον, → κήρυγμα), aber zugleich Zeugnis (→ μαρτύριον), Dienst Gottes und zugleich Dienst an der Wahrheit und das auch in dem Rückblick auf das Geschichtliche, das zu berichten 50

---

[24] UvWilamowitz-Moellendorf, Die griech u lat Lit u Sprache = Kultur der Gegenwart I 8 ³ (1912) 4; vgl auch Ders, Staat und Gesellsch d Griechen u Römer = Kultur der Gegenwart II 4, 1 (1910) 203 A 2: „Die Griechen haben eine wirkliche Geschichtswissenschaft nicht erzeugt; ihr Denken war durchaus darauf gerichtet, aus der Beobachtung Regeln zu abstrahieren und diesen den absolut verbindlichen Wert von Naturgesetzen beizulegen". Der Satz wäre richtig, wenn es statt Geschichtswissenschaft Geschichtsphilosophie hieße.

[25] Die Unterscheidung von Griechen und Barbaren bedeutet nicht, daß die Barbaren nicht auch Menschen im Vollsinne wären (vgl besonders Herodot), und der Humanitätsgedanke wird je länger je bedeutsamer.
[26] Vgl die Arbeit von BNiebuhr an der römischen Geschichte.
[27] Die griechische Geschichtswissenschaft erscheint naiv gegenüber der so sehr bewußten Geschichtsforschung seit der Aufklärung.
[28] Vgl die Petrus-Reden der Ag und MDibelius, Die Formgeschichte des Evs ² (1933) 8ff.

war. Die urchristliche Überlieferung (→ παράδοσις) umfaßte also von Anfang an
auch geschichtliche Kunde über Jesus. Aus den geringen Resten, die aus der
Zeit erhalten sind, als diese Überlieferung nur mündlich weitergegeben wurde,
1 K 15, 3 ff; 11, 23 ff, läßt sich noch erkennen, daß auf Sicherheit und Ge-
5 nauigkeit bei dieser geschichtlichen Kunde Wert gelegt wurde. 1 K 15, 3 ff
führt Zeugen auf, denen der Auferstandene erschien, und nennt als solche bekannte, noch lebende Personen; 1 K 15, 4 und 1 K 11, 23 bringen genaue (rela-
tive) Zeitangaben. Aus all dem geht hervor, daß es von Anfang an auf geschichtliche Richtigkeit bei der Überlieferung ankam. Es konnte nicht jeder Gläubige
10 geltend machen, was er mit gutem Glauben vortrug. Das Zeugnis der ausgewie-
senen Zeugen galt [29].

Aber, so sehr diese Überlieferung sich bemühte, das geschichtlich Richtige
und Wichtige zu erhalten und weiterzutragen, von der Kunst der griechischen
Geschichtsschreibung war sie unberührt. Formgeschichtlich sind die Einzel-
15 erzählungen über Worte, Taten und Erlebnisse Jesu am nächsten verwandt den
Erzählungen über Worte, Taten und Erlebnisse der Rabbinen, die die jüdische
Traditionsliteratur enthält: knapp erzählte Geschichten, zugespitzt auf eine
charakteristische Äußerung der Person, in der diese in ihrer Gesamtart anschaulich wird. Ebenso sind formgeschichtlich die Sprüche und Gleichnisse Jesu
20 den von den Rabbinen überlieferten Sprüchen und Gleichnissen nächst verwandt [30].
Als aus der Sammlung und Aufzeichnung dieser Einzelerzählungen die erste
Evangelienschrift entstand, uW Mk, war sie ein Schriftwerk eigener Art,
eigenen Ursprungs. Der Gesichtspunkt, unter dem das Ganze zusammengefaßt
und aufgebaut war: die irdische Wirksamkeit des jetzt zu Gott erhöhten Mes-
25 sias, war der griechischen Biographie fremd wie die Formung der Einzelbestand-
teile. Auch von der jüdischen Geschichtsschreibung in griechischer Sprache
und nach griechischem Vorbilde, wie sie in den Makkabäerbüchern und in größerem Umfange bei Josephus vorliegt, war die Schriftstellerei der Evangelisten
nicht beeinflußt, nicht einmal befruchtet.

30   b. In Berührung mit der griechischen Geschichtsschreibung tritt die urchristliche Überlieferung erst mit Lukas. Er hat zweifellos
literarische Bildung im Sinne des zeitgenössischen Hellenismus gehabt. Das
beweist die Vorrede seines zweiteiligen Werkes [31] und, zwar nicht so sehr der
erste als der zweite Teil, die Apostelgeschichte, namentlich die großen Reden,
35 die die ganze Apostelgeschichte durchziehen und von der Verkündigung der
Apostel ein umfassendes und durchaus nach Person und Situation des Redenden
individualisiertes Bild vermitteln. In diesen Reden, die sich von den Spruch-
reihen der Jesusreden in den Evangelien in ihrer Form bezeichnend abheben,
zeigt sich das gebildete Können eines, der griechische Geschichtswerke gelesen
40 hat. Ebenso in der Schilderung der Reise des Paulus von Cäsarea nach Rom.
Das Werk des Lukas kann nicht hinlänglich gewürdigt werden, wenn es nur
in die Reihe der zeitgenössischen niederen Literatur, wie der über Helden,

---

[29] Vgl auch KHoll, Ges Aufsätze II: Der
Osten (1928) 50 ff.
[30] Vgl Schl Gesch d Chr 7; Dibelius aaO

131 ff. — Zum Folgenden vgl auch Bultmann
Trad 362 ff.
[31] Vgl die Komm von Zn, Hck, bes Kl zSt.

Wundermänner und ähnliche volkstümlich gewordene Personen eingereiht wird [32]. Es ist wirklich Geschichtsschreibung [33]. Freilich zogen der Entfaltung historischer Kunst die Art des Gegenstandes und die Überlieferung, die zu verarbeiten war, enge Grenzen. Im Evangelium entfernt sich Lukas nur in geringem Maße von seinen Vorgängern. Er begnügt sich, die Geschichte Jesu in die Weltgeschichte der Zeit einzuordnen 3, 1—2 vgl 1, 5; 2, 1, einen höheren Grad von Vollständigkeit in der Ausschöpfung der Überlieferung zu erreichen als seine Vorgänger [34], allzu volkstümliche Erzählungen auszuschließen [35] und ein stilistisch besseres Griechisch zu schreiben. Er kann und will auch nicht aus dem Evangelium eine Biographie Jesu von Nazareth machen. Und die Geschichte der Gemeinde Jesu und seiner Apostel unterscheidet sich notwendig der Art nach von der Geschichte eines Staates, Volkes, Krieges udgl. Aber jedenfalls schreibt hier ein Mann, der mit der Kunst der griechischen Geschichtsschreibung bekannt war. So finden sich bei ihm Fachausdrücke der Geschichtsforschung und Geschichtsschreibung → αὐτόπτης, διήγησις (→ II 911), → λόγος, → πρᾶγμα, → ἀσφάλεια, ἀνατάξασθαι (→ τάσσω), καθεξῆς, → γράψαι udgl.

   c. Paulus nahm zwar ein starkes Interesse an der Reinheit und Richtigkeit der Überlieferung (1 K 11, 2. 23; 15, 2. 3. 11; Gl 1, 9). Er war auch durchaus nicht gleichgültig gegen die Geschichte Jesu, pflegte vielmehr seinen Gemeinden Jesus als (unter ihnen) Gekreuzigten vor Augen zu malen Gl 3, 1 [36]. Aber mit der hellenistischen Geschichtsschreibung hatte er nichts gemein (bei ihm kommt ἱστορέω Gl 1, 18 vor — die einzige Stelle im ganzen NT! —, und zwar, wie oft im hellenistischen Griechisch, in der Bedeutung: *besuchen, um kennenzulernen* [37]), ebensowenig Johannes. Der vierte Evangelist überragt die drei ersten erheblich an darstellerischem Können. Er zeichnet die Nebenpersonen in weit höherem Maße individuell, die Martha, den Thomas, die Maria von Magdala, den Kaiphas und den Pilatus, den Petrus und den Lieblingsjünger. Er gibt in den Gesprächen und Reden Jesu das Ringen der Gegensätze miteinander in einer Tiefe und Kraft wieder, wie sie die andern Evangelisten nicht beweisen. Er versteht, die Stimmung der Volksmasse zu zeichnen 7, 11—13; 11, 55—57 uö und in knappster Andeutung die Situation höchst wirksam zu umreißen 13, 30; 20, 19 uä. Aber aus der griechischen Geschichtsschreibung oder gar aus dem griechischen Drama stammt das nicht. Das ist ursprüngliche geistige Kraft eines Menschen von seltener Lebendigkeit und Begabung, nicht Ergebnis von literarischer Bildung [38].
   So bleibt Lukas gerade mit seinem Eingehen auf die Kunst der griechischen Geschichtsschreibung eine vereinzelte Erscheinung im Urchristentum.

Büchsel

---

[32] PWendland, Die urchristlichen Literaturformen (1912) 325 f.

[33] Meyer Ursprung III 7.

[34] Das LkEv ist das längste im Kanon und hat noch Dubletten des Mk (und Mt) getilgt; dazu ist es das an Sondergut reichste.

[35] Mk 7, 31—37; 8, 22—26 die beiden Speichelheilungen fehlen bei ihm uäm.

[36] Vgl FBüchsel, Der Geist Gottes im NT (1926) 275 ff.

[37] Vgl LtzmGl zSt, der anführt: Plut Thes 30 (I 14 c); Pompejus 40 (I 640 b); Lucullus 2 (I 493 a); De Curiositate 2 (II 516 c); Epict Diss II 14, 28.

[38] Bezeichnend ist, daß Joh Augenzeugenschaft in Anspruch nimmt 1, 14 vgl 21, 24, aber den Fach-Ausdruck αὐτόπτης nicht braucht; dagegen redet er von μαρτυρεῖν 19, 35 vgl 1, 15 uö.

| ἰσχύω, ἰσχυρός, ἰσχύς, κατισχύω | → δύναμαι II 286 ff |

1. Die Wortgruppe ἰσχύ- hat die Bedeutung: *vermögen, fähig sein, Vermögen, Kraft* und *Stärke*. Sie fügt sich weithin ein in die Bedeutungsreihe von δυνα- und deckt sich mit den von diesem Stamm abgelei-
5 teten Vokabeln in den Bedeutungen. Es liegt auf der Stammgruppe ἰσχύ- mehr der Ton der tatsächlichen Kraft, die in Vermögen und Fähigkeit gegeben ist[1], der Kraft, die einer hat, denn der Stamm der Worte hängt mit ἰσχ- ἔχω zusammen.

10   ἰσχύω[2] *stark sein, kräftig sein*, im Blick auf körperliche Stärke; in diesem Zusammenhang hat es auch die Bedeutung: *gesund sein* und ist Gegensatz zu → ἀσθενέω, s auch → ὑγιαίνω; ferner *vermögen, fähig sein* im Blick auf psychische Qualitäten.

    κατισχύω wie ἰσχύω *a. zu Kräften kommen, stark sein, vermögen; b. einem an Kraft überlegen sein, überwältigen, besiegen; c. verstärken.* Das Wort kommt seit Soph vor, auch in LXX, dagegen selten in Inschr und Pap.

15   ἰσχυρός *stark, mächtig* sowohl von Personen wie von Sachen. In LXX öfters von Gott, zB 2 Βασ 22, 32 f.

    ἰσχύς *Kraft, Stärke, Macht, Vermögen*, auch *Heeresmacht.* Das Wort ist besonders in der alten Gräcität häufig, während es später immer mehr verschwindet. Im Hellenismus ist es selten geworden und findet sich kaum in Inschriften und Pap. Hingegen
20 ist es außerordentlich häufig und bevorzugt in LXX. Dort ist es vor allen Dingen Übersetzung von כֹּחַ und kommt in dieser Bedeutung 98 mal vor (+ 13 Da Θ); 16 mal gibt es מָעֹז wieder, 28 mal עֹז, 13 mal (+ 1 Da Θ) גְּבוּרָה; ferner עָצְמָה (Js 47, 9); גָּאוֹן (Js 2, 10); הוֹד (1 Ch 29, 11); גֹּרֶל (Dt 3, 24; 9, 26); ferner חֵזֶק je 1 mal (ψ 17, 2); חֹזֶק (Am 6, 13); מְאֹד (4 Βασ 23, 25); מַעֲרָצָה (Js 10, 33); מִשְׁעָן (Js 3, 1); תּוּשִׁיָּה (Hi 12, 16);
25 תִּקְוָה (Da 11, 17 Θ). Es ist in LXX der gebräuchteste Kraftbegriff[3].

2. Im NT fügen sich die Begriffe dem allgemeinen Rahmen ein. *a.* ἰσχύειν hat die Bedeutung *vermögen, können* und kommt besonders häufig bei Lukas (6, 48; 8, 43; 13, 24 ua, auch Ag) vor, steht aber auch sonst Mt 8, 28; 26, 40; Hb 9, 17; Apk 12, 8. Mt 5, 13 heißt es von dem
30 dumm gewordenen Salz: εἰς οὐδὲν ἰσχύει ἔτι. Es hat für keine Sache mehr Kraft. Vom Wort der Evangeliumspredigt heißt es Ag 19, 20: οὕτως κατὰ κράτος τοῦ κυρίου ὁ λόγος ηὔξανεν καὶ ἴσχυεν[4]. Das Wort Gottes, das gepredigt wird, gewinnt Kraft durch die wirksame Macht des Herrn[5]. Die Kraft, die es gewinnt, wirkt sich als dämonenüberwindend und glaubenschaffend (19, 13 ff) aus. Gl 5, 6
35 lesen wir: ἐν γὰρ Χριστῷ οὔτε περιτομή τι ἰσχύει οὔτε ἀκροβυστία, ἀλλὰ πίστις δι' ἀγάπης ἐνεργουμένη. Das ist gesagt im Blick auf die aus dem Glauben kommende, im Geiste wurzelnde Hoffnung, die in der δικαιοσύνη als Heilsinhalt besteht und auf die sich das verlangende Erwarten der ἡμεῖς (v 5) richtet: → ἀπεκδεχόμεθα. In Christus, also in der Sphäre, in der sich die wartenden
40 ἡμεῖς befinden, ist es deutlich geworden, daß im Blick auf diese δικαιοσύνη eine

---

ἰσχύω κτλ. WGrundmann, Der Begriff der Kraft in der nt.lichen Gedankenwelt = BWANT 4, 8 (1932), dort weitere Lit; → δύναμαι II 286 ff.
[1] Die mit dem Begriff der Kraft zusammenhängenden Gedanken und Probleme sind bei δύναμαι ausführlich entwickelt, so daß an dieser Stelle nur die einzelnen Bedeutungen skizziert werden. Zum vollen Verständnis

dieser Erörterung ist der Aufsatz über δύναμαι Voraussetzung.
[2] Belege s Pape, Pass, Liddell-Scott.
[3] Seine Bdtg ist bei δύναμαι mitbehandelt → II 292 ff.
[4] D liest . . . ἐνίσχυσεν καὶ ἡ πίστις τοῦ θεοῦ ηὔξανε καὶ ἐπλήθυνε.
[5] → II 310, 22 ff.

Heilsdisposition durch irgendein von Menschen vollzogenes Ereignis am Menschen, wie es die περιτομή ist, keine Kraft hat, wie auch eine fehlende Heilsdisposition, wie es die ἀκροβυστία vom jüdischen Standpunkt ist, nichts schaden kann [6]. Im Blick auf die δικαιοσύνη hat nur Kraft die πίστις δι' ἀγάπης ἐνεργουμένη. Es ist für das urchristliche Denken bedeutsam, daß die Gottesgabe 5 der πίστις ihre Auswirkung in der ἀγάπη hat [7]. Wirksamkeit im Blick auf menschliche Hemmnisse und Nöte und deren Überwindung hat das Gebet: πολὺ ἰσχύει δέησις δικαίου ἐνεργουμένη Jk 5, 16. Kraftquelle für alles Vermögen, das Paulus gegenüber aller Wirklichkeit des menschlichen Lebens hat, ist Christus: πάντα ἰσχύω ἐν τῷ ἐνδυναμοῦντί με [8] Phil 4, 13. Wer in Christus ist, hat an 10 einer Kraft Anteil, die ihm alles möglich macht. Damit ist die Kraftquelle des Christen bezeichnet. Mittel seines Vermögens in der Zeitlichkeit ist die δέησις, im Hinblick auf die Ewigkeit aber die πίστις δι' ἀγάπης ἐνεργουμένη.

b. κατισχύω hat in Lk 23, 23 (κατίσχυον αἱ φωναὶ αὐτῶν) die Bedeutung: *stark werden, durchdringen*, in Lk 21, 36 (δεόμενοι ἵνα κατισχύ- 15 σητε ἐκφυγεῖν ταῦτα πάντα τὰ μέλλοντα γίνεσθαι καὶ σταθῆναι ἔμπροσθεν τοῦ υἱοῦ τοῦ ἀνθρώπου) die Bdtg: *stark sein, vermögen*. Die Jünger sollen um die Stärke bitten, daß sie in den kommenden Katastrophen der Endzeit der Vernichtung entgehen und vor dem Angesicht des Menschensohnes zu stehen vermögen. Gottes Kraft rettet sie hindurch und bringt sie ans Ziel. In dem Jesuslogion 20 Mt 16, 18 heißt es von der Gemeinde (→ ἐκκλησία) καὶ πύλαι ᾅδου οὐ κατισχύ- σουσιν αὐτῆς. Es steht hier in der Bdtg: *überwältigen, besiegen*. Das Totenreich vermag die Gemeinde Gottes nicht zu überwältigen, weil sie die Gemeinde des Stärkeren (→ 403, 3 ff) ist.

c. ἰσχυρός *stark, kräftig* wird im NT wie auch sonst ab- 25 solut und in Verbindung mit Personen und Sachen gebraucht: Lk 15, 14; 1 K 4, 10; 10, 22; 2 K 10, 10; Hb 5, 7; 11, 34; Apk 18, 2. 21. 1 K 1, 25 heißt τὸ ἀσθενὲς τοῦ θεοῦ ἰσχυρότερον τῶν ἀνθρώπων im Blick auf die Heilsoffenbarung Gottes im Kreuz Christi [9]. Menschliche Anstrengungen in Ethik und Religion, menschliche Erkenntnisse und Weisheit haben kein Vermögen in Hinsicht auf 30 das Heil; was aber vor den Augen der Menschen als Unterliegen und Schwachheit erscheint, das Kreuz, das ist wirksamer, kräftiger, vermögender als Menschen in ihrer Kraft und Weisheit es sind. Hb 6, 18 spricht davon, daß die Christen ἰσχυρὰν παράκλησιν haben, einen Trost, der deshalb etwas vermag und kräftig ist, weil er sich in der Heilstat Christi gründet, die darin besteht, daß 35 er als unser Vorläufer in das Allerheiligste eingegangen ist als ewiger Hoherpriester. Diese Heilstat verleiht kräftigen Trost, der der Seele Festigkeit zu geben vermag. 1 J 2, 14 werden die Jünglinge als ἰσχυροί bezeichnet, ἰσχυροί deshalb, „weil . . . ihr durch das Wort Gottes als lebendige Kraft in eurem Wesen fort und fort gestaltet werdet und den Teufel überwunden habt" [10]. 40 Apk 18, 8 heißt Gott: ἰσχυρὸς κύριος ὁ θεὸς ὁ κρίνας [11] und erweist seine Macht

---

[6] → II 309, 16 ff.
[7] → II 315, 11 ff.
[8] → II 313, 40 ff.

[9] → II 317, 10 ff.
[10] BüJ in der Textparaphrase 30.
[11] → II 307, 20 ff.

gegenüber der Βαβυλὼν ἡ πόλις ἡ ἰσχυρά Apk 18, 10.   Apk 5, 2; 10, 1; 18, 21
redet von einem ἄγγελος ἰσχυρός.

               d. ἰσχύς *Vermögen* des Menschen Mk 12, 30: zur Got-
tesliebe soll alles menschliche Vermögen angespannt werden. So besagt es das
5 vornehmste Gebot. Das κράτος τῆς ἰσχύος des Herrn (Eph 6, 10) ist der Grund
des Starkseins[12], zu dem die christliche Gemeinde aufgefordert wird. Sie ist im
Christus. Dieser Ort ist gewissermaßen geladen mit der übermächtigen Kraft, die
dem Christus gehört. Deshalb können ihre Glieder aufgefordert werden: seid
stark! Wozu dieses Vermögen des Christus gebraucht wird, zeigen die folgenden
10 Verse (Eph 6, 11 ff). 2 Th 1, 9 redet von der ἰσχύς, die die Herrlichkeit des
wiederkommenden Christus erfüllt[13] und alle Gottlosen ins ewige Verderben
stürzt, eine Kraft, die das vermag, was Menschen nicht vermögen (Lk 12, 4. 5).
Aller Dienst in der Gemeinde gründet in und kommt aus der Christuskraft[14]:
εἴ τις διακονεῖ, ὡς ἐξ ἰσχύος ἧς χορηγεῖ ὁ θεός 1 Pt 4, 11 — dann ist er wirk-
15 sam zum Aufbau der Gemeinde. An der ἰσχύς haben — in verschiedener Weise
— auch die Engel Anteil 2 Pt 2, 11. Die Gottes ewiges Wesen und Gottheit
anerkennende und preisende Doxologie spricht ihm und ebenso seinem Christus
auch ἰσχύς zu: Apk 5, 12; 7, 12[15].

               3. Einige Stellen bedürfen noch einer gesonderten Be-
20 sprechung. *a.* Mt 9, 12 sagt Jesus, als die Pharisäer seine Jünger fragen, wie
er dazu komme, mit Zöllnern und Sündern zu essen, das Wort: οὐ χρείαν ἔχουσιν οἱ ἰσχύοντες ἰατροῦ ἀλλ' οἱ κακῶς ἔχοντες. Sein Heilandswerk beschreibt er
mit dem Wort ἰατρός. Er ist Arzt, der zu den kranken Menschen gekommen
ist, um sie zu heilen, dh er ist der, der Sünder, Leidende, am Leben und an
25 sich Verzweifelnde in eine neue Lebenslage stellt, indem er sie in seine Gemeinschaft zieht und in seiner Gemeinschaft ihnen Gottes Gemeinschaft schenkt.
In seiner Gemeinschaft beginnen die Menschen zu erkennen, daß der Grund
ihrer Not und Sünde ihre Trennung von Gott ist, daß hier ihre Krankheit ist
und daß darum Jesus Christus der Heiland ist. Mit ihm können die ἰσχύοντες,
30 die Gesunden oder die Starken, nichts anfangen, weil sie um diese Krankheit
nicht wissen. Jesus stellt in diesem Wort seine Sendung heraus und sagt, wem
sie gilt. Ob die fragenden Schriftgelehrten und Pharisäer tatsächlich vor Gott
ἰσχύοντες sind, entscheidet er damit nicht.

               b. Als Johannes der Täufer gefragt wird, ob er der
35 Christus sei, gibt er die Antwort: ἐγὼ μὲν ὑμᾶς βαπτίζω ἐν ὕδατι εἰς μετάνοιαν·
ὁ δὲ ὀπίσω μου ἐρχόμενος ἰσχυρότερός μού ἐστιν, οὗ οὐκ εἰμὶ ἱκανὸς τὰ ὑποδήματα
βαστάσαι· αὐτὸς ὑμᾶς βαπτίσει ἐν πνεύματι ἁγίῳ καὶ πυρί Mt 3, 11 par. Damit
scheidet der Täufer seinen Auftrag von der Sendung des Christus. Sein Auftrag besteht in der Wassertaufe der Sünder zur Buße im Anblick des kommen-
40 den Gottesreiches, der Christus aber ist der ἰσχυρότερος, demgegenüber Johannes kaum zum geringsten Sklavendienst geeignet ist. Worin er der ἰσχυρότερος

---

[12] → II 314, 8 ff.   [14] → II 312, 6 ff.
[13] → II 306. 25 ff.   [15] → II 306, 23 ff u 307, 46 ff.

ist, sagt Johannes damit, daß er ausspricht: er wird euch mit dem heiligen Geist und mit Feuer taufen. → βαπτίζω; → πνεῦμα und → πῦρ.

Das Wort von Christus als dem ἰσχυρότερος kommt aber noch in anderem Zusammenhang vor und gewinnt daselbst gewichtige Bedeutung. In einer Selbstaussage Lk 11, 20—22 sagt Jesus: εἰ δὲ ἐν δακτύλῳ θεοῦ ἐκβάλλω τὰ δαιμόνια, 5 ἄρα ἔφθασεν ἐφ' ὑμᾶς ἡ βασιλεία τοῦ θεοῦ. ὅταν ὁ ἰσχυρὸς καθωπλισμένος φυλάσσῃ τὴν ἑαυτοῦ αὐλήν, ἐν εἰρήνῃ ἐστὶν τὰ ὑπάρχοντα αὐτοῦ· ἐπὰν δὲ ἰσχυρότερος αὐτοῦ ἐπελθὼν νικήσῃ αὐτόν, τὴν πανοπλίαν αὐτοῦ αἴρει, ἐφ' ᾗ ἐπεποίθει, καὶ τὰ σκῦλα αὐτοῦ διαδίδωσιν. Dieses Logion steht in dem Streitgespräch über die Dämonenaustreibungen Jesu und knüpft an an die Frage der Pharisäer und Schriftge- 10 lehrten, ob Jesus im Namen des Beelzebub Dämonen austreibe. Nachdem Jesus auf das Unsinnige dieser Auffassung aufmerksam gemacht hat, im Bilde des mit sich selbst uneinigen Reiches, kommt er zu dieser Aussage über seine Tätigkeit. Der ἰσχυρός ist der Satan, dem er sich als der ἰσχυρότερος gegenüber sieht und mit dem er im Kampfe liegt. Das vorliegende Bild vergleicht den Satan mit einem 15 Burgherrn, in dessen Burg ein Eroberer eingedrungen ist. Die einfachere Matthäus-Markusauffassung, die den ἰσχυρός als Hausherrn sieht, hat das Wort ἰσχυρότερος nicht, aber die Sache genau so. Sie lautet: ἢ πῶς δύναταί τις εἰσελθεῖν εἰς τὴν οἰκίαν τοῦ ἰσχυροῦ καὶ τὰ σκεύη αὐτοῦ ἁρπάσαι, ἐὰν μὴ πρῶτον δήσῃ τὸν ἰσχυρόν, καὶ τότε τὴν οἰκίαν αὐτοῦ διαρπάσει Mt 12, 29 und Mk 3, 27. Der ἰσχυρός 20 hat einen bestimmten Herrschaftsbereich. Christusgeschichte ist Einbruch in diesen Herrschaftsbereich. Weil Jesus Christus siegreich eingebrochen ist, darum ist er der Stärkere. Zum Verständnis dieser Aussagen sind einige Zeugnisse aus der religiösen Welt, die zur Zeit Jesu lebendig war, von Bedeutung.

Im AT lesen wir Js 49, 25: גַּם־שְׁבִי גִבּוֹר יֻקָּח [16]. Auch die Gefangenen des Starken 25 sollen weggenommen werden. Das ist eine Gottesverheißung. Im Liede vom leidenden Gottesknecht steht der ebenfalls an unsere Stelle erinnernde Satz [17]: διὰ τοῦτο αὐτὸς κληρονομήσει πολλοὺς καὶ τ ῶ ν ἰ σ χ υ ρ ῶ ν μ ε ρ ι ε ῖ σ κ ῦ λ α, ἀνθ' ὧν παρεδόθη εἰς θάνατον ἡ ψυχὴ αὐτοῦ (Mas: לָכֵן אֲחַלֶּק־לוֹ בָרַבִּים וְאֶת־עֲצוּמִים יְחַלֵּק שָׁלָל תַּחַת אֲשֶׁר הֶעֱרָה לַמָּוֶת נַפְשׁוֹ) Js 53, 12: Deshalb wird er viele ererben und die Beute der Starken ver- 30 teilen, dafür daß seine Seele in den Tod gegeben ward. Die Gegner des Gottesknechtes sind die ἰσχυροί, deren Beute er verteilt. Der deuterojesajanische Einfluß ist nun bei der Deutung von Jesu Sendung in den Evangelien sehr beträchtlich. Wir haben daher allen Grund, die Stellen hinter unserem Jesuslogion zu sehen. Damit entpuppt sich das Jesuslogion den fragenden Schriftgelehrten, die doch die Schrift 35 kennen mußten, als Anspruch: In meinen Dämonenaustreibungen ist Erfüllung der at.lichen Verheißung gegeben: Ich bin der Gottesknecht, der das Werk der Dämonenüberwindung vollbringt und die gewonnene Beute verteilt. Test L 18, 12 lesen wir: „Und Beliar wird gebunden werden von ihm, und er wird Vollmacht geben seinen Kindern, auf bösen Geistern zu schreiten" [18], Test Seb 9, 8 (b d g): „Und darnach wird 40 euch Gott selbst aufleuchten als Licht der Gerechtigkeit und Heilung und Erbarmung auf seinen Flügeln. Er wird alle gefangenen Menschen von Beliar erlösen, und jeder Geist des Irrtums wird zerstreut werden . . ." Jub 10, 8: Mastema zu Gott: „Wenn nicht für mich einige von ihnen (nämlich von den Dämonen, die auf Noahs Bitte hin gebunden werden sollen) übrigbleiben, kann ich die Herrschaft meines Willens 45 an den Menschenkindern nicht ausüben. Denn sie sind zum Verderben und zum Verführen vor meinem Gerichte, denn groß ist die Bosheit der Menschenkinder". Vgl auch in der rabbinischen Literatur Pesikt r 36 (161 a): Als er (nämlich Satan) sie (nämlich

---

[16] Der LXX-Text ist entstellt und nicht verwendbar.
[17] Vgl KFEuler, Die Verkündigung vom leidenden Gottesknecht aus Js 53 in der griech Bibel = BWANT 4, 14 (1934) 113.

[18] Daß diese Worte und Vorstellungen im NT bekannt sind, beweist Lk 10, 19: ἰδοὺ δέδωκα ὑμῖν τὴν ἐξουσίαν τοῦ πατεῖν ἐπάνω ὄφεων καὶ σκορπίων καὶ ἐπὶ πᾶσαν τὴν δύναμιν τοῦ ἐχθροῦ . . .

die Seele des präexistenten Messias) sah, ward er erschüttert, fiel auf sein Angesicht
und sprach: „Wahrhaftig das ist der Messias, der dereinst mich und alle (Engel-)Fürsten
der Weltvölker in den Gehinnom stürzen wird; denn es steht geschrieben: Ver-
schlingen wird er den Tod auf immerdar und abwischen wird der Allherr Jahwe die
5   Tränen von einem jeglichen Angesicht (Js 25, 8)“. Aus dem nt.lichen Bereich führen
wir noch an Lk 4, 6, wo nun der Satan als Herr der Welt gezeigt ist, und Lk 13, 16,
wo es von einer von Jesus Geheilten heißt: ταύτην δὲ θυγατέρα Ἀβραὰμ οὖσαν, ἣν
ἔδησεν ὁ σατανᾶς ἰδοὺ δέκα καὶ ὀκτὼ ἔτη, οὐκ ἔδει λυθῆναι ἀπὸ τοῦ δεσμοῦ τούτου τῇ
ἡμέρᾳ τοῦ σαββάτου;

10   Diese Zeugnisse weisen auf einen in sich geschlossenen Vorstellungskreis hin.
Sie reden von einer satanischen Herrschaft, unter der die Menschen gebunden
sind. In den verschiedenen Formen von Sünde und Krankheit und Besessenheit
und Tod übt der Satan seine Herrschaft aus. Die Dämonen sind seine Werkzeuge. Sie sehen es als die Sendung des Christus an, daß er die satanischen
15   Fesseln sprengt und die durch sie gebundenen Menschen befreit und den Sieg
über den Satan erringt. In diesen Gedankenkreis gehört unser Jesuslogion
hinein: er redet vom Satan als von einem ἰσχυρός, von einem Starken, der seine
Herrschaft ausübt. Die σκεύη (Mt 12, 29 und Mk 3, 27) bzw τὰ ὑπάρχοντα (Lk
11, 21) und τὰ σκῦλα (v 22) sind die vom Satan beherrschten Menschen[19]. Die
20   Sendung des Christus aber bedeutet: Der ἰσχυρότερος kommt, besiegt und bindet den ἰσχυρός, nachdem er in sein Haus eingedrungen ist, und raubt ihm seine
Beute. So sind die Dämonenaustreibungen zu verstehen. In diesen Worten
lüftet Jesus den Hintergrund seines Handelns. Und da wird sichtbar: Sein
Handeln und Reden ist getragen von der Tatsache, daß er gegenüber dem
25   „Starken“, der die Herrschaft hat, der „Stärkere“ ist, der den „Starken“ überwunden hat und an Stelle der Satansherrschaft die Gottesherrschaft bringt. Jesu
Vollmacht, die sich in Verkündigung und Wundertat erweist[20], ist die Macht
der Gottesherrschaft und hat die satanische Macht überwunden. Dieses Logion
enthält nun zweifellos ältestes Traditionsgut und steht noch vor der Gemeinde-
30   theologie. Es muß von Jesus selbst herkommen. In der Gemeindetheologie
gilt als Sieg über die satanisch-dämonischen Mächte Tod und Auferstehung
Jesu[21]. In unserem Logion hingegen ist der entscheidende Sieg bereits vorausgesetzt — er besteht im Sieg in der Versuchung (Mt 4, 1 ff par) —, und Jesu
ganze Tätigkeit gleicht dem Raub der Beute. Sie besteht darin, die vom Satan
35   Beherrschten und Gebundenen zu lösen, die Gottesherrschaft vorwärts zu tragen,
die Satansherrschaft zur Enthüllung zu zwingen, sie dadurch zu überwinden
und zu zerstören[22]. Damit ist aber ein für das Verständnis der synoptischen
Geschichte einfach entscheidender Gesichtspunkt gewonnen: Wir stoßen in
diesem Jesuslogion, das sich einem näheren Zusehen als ursprünglich erweist,
40   auf das entscheidende Selbstverständnis Jesu, auf die Urchristologie,
die ganz schlicht in der Tatsache begründet liegt, daß Jesus der ἰσχυρότερος ist, der den ἰσχυρός besiegt hat und seine Beute raubt. Von

---

[19] Es ist ein Irrtum, wenn Kl Mk zSt
in den σκεύη die ausgetriebenen Dämonen
erblicken will. Die at.lichen und die pseudepigraphischen Beispiele verbieten diese Deutung.
[20] → II 300 ff. In dieser Aussage gipfelt
alles, was dort über die δύναμις der Christus-

tatsache gesagt ist. Von dieser Aussage her
bekommt alles die richtige Beleuchtung.
[21] Vgl DAFrövig, Das Sendungsbewußtsein
Jesu und der Geist = BFTh 29, 3 (1924) 145
bis 168, bes 162.
[22] Vgl SchlMt 406 f und Grundmann 49 f,
68 ff.

dieser urchristologischen Aussage aus entfaltet sich das synoptische Jesusbild ganz konsequent[23]. Das hinter dem Logion stehende Wort aus Js 53, 12 bringt die Verbindung zum Tode des Gottesknechtes. Das Logion stellt die Verbindung zu den Aussagen in der Gemeindetheologie her, auf die Jesus Mt 20, 28 hinweist. Der Dienst, unter dem das Leben und Sterben des Christus als eine Einheit zusam- 5 mengefaßt sind, besteht in der Enthüllung und Überwindung der Satansherrschaft und in der Befreiung der Menschen zur Gottesherrschaft. Das λύτρον-Bild weist dabei in unseren Bildkreis von Gefangenschaft und Gefangenenbefreiung. So bilden Js 53, 12; Lk 11, 22 und Mt 20, 28 einen völlig in sich geschlossenen Zusammen- hang, in dem Leben und Sterben und damit auch Auferstehen des Christus zusam- 10 mengefaßt sind als die entscheidende Befreiungstat des Christus für die Menschen; diese Tat wirkt sich in seinem Dienst an ihnen aus.

c. Eph 1, 18. 19: . . . εἰς τὸ εἰδέναι ὑμᾶς . . . τί τὸ ὑπερ- βάλλον μέγεθος τῆς δυνάμεως αὐτοῦ εἰς ἡμᾶς τοὺς πιστεύοντας κατὰ τὴν ἐνέργειαν τοῦ κράτους τῆς ἰσχύος αὐτοῦ. Die Exegese des ersten Teiles ist bereits gege- 15 ben[24]. Der zweite Teil führt den Glauben der Gemeinde auf die Kraftwirkung Gottes zurück. Gottes Kraft schafft den Glauben. In seinem Glauben findet der Mensch Gottes Kraft wirksam. Auffällig ist an dieser Stelle die Häufung der Kraftbegriffe, die besonderer Beachtung bedarf.

Wir finden den Anfang zu solcher Häufung bereits im AT: LXX Js 40, 26 lesen 20 wir ἐν κράτει ἰσχύος. Dem entspricht Eph 6, 10: ἐν τῷ κράτει τῆς ἰσχύος αὐτοῦ. Durch das zu ἰσχύς hinzugesetzte κράτος soll die Mächtigkeit zum Ausdruck kommen. Es ist für das Adjectivum, wie es bei Js 40, 26 Mas hat (אַמִּיץ כֹּחַ), eingetreten. Gleichartig ist die Lage gr Hen 1, 3, wo vom Erscheinen Gottes die Rede ist ἐν τῇ δυνάμει τῆς ἰσχύος αὐτοῦ vgl 61, 6. Js 44, 12 hat der Targumist צְרוֹעַ כֹּחַ mit תְּקוֹף חֵילֵיהּ über- 25 setzt. Es ist also in der nächsten Umwelt des NT die Verbindung zweier Kraftbegriffe nichts Außergewöhnliches. Nun haben wir aber hier im Eph eine dreigliedrige Formel vor uns (vgl auch Kol 1, 11). Die nächste Analogie finden wir im Tg Js, wo wieder- holt die Formel gebraucht ist: תְּקוֹף דְּרַע גְּבוּרְתֵּיהּ (die Kraft des Armes seiner Stärke), die einfache masoretische Aussagen wiedergibt (Tg Js 40, 10; 51, 5 [2 mal]; 53, 1). 30 Die formelhafte Dreigliedrigkeit fällt auf. Eine interessante Parallele findet sich in LXX, wo auch eine dreigliedrige Formel den masoretischen Text erweitert: ἐν τῇ ἰσχύϊ σου τῇ μεγάλῃ καὶ ἐν τῇ χειρί σου τῇ κραταιᾷ καὶ ἐν τῷ βραχίονί σου τῷ ὑψηλῷ Dt 9, 26. 29; 26, 8. Zu der einfachen Häufung zweier Ausdrücke gesellt sich also im Targum, in LXX und im NT in ähnlicher Weise eine dreigliedrige Formel, die die 35 Kraft Gottes zum Ausdruck bringt. Die Dreigliedrigkeit ist dabei beabsichtigt und entspricht einem beliebten Kompositionsschema. In Eph 1, 19, das Anlaß zu dieser Erörterung gab, ist sie in dichterischer Form gehandhabt und ist bestimmt durch die vorhergehende, ebenfalls dreigliedrige Aussage: ὁ πλοῦτος τῆς δόξης τῆς κληρονομίας αὐτοῦ.

Grundmann 40

---

† **ἴχνος** → ἀνεξιχνίαστος I 359, 18 ff.

1. ἴχνος heißt *Fußspur*[1], und zwar sowohl der einzelne Eindruck des auf den Boden gesetzten Fußes, als auch die fortlaufende Linie

---

[23] Diese Tatsache, die in den dämonischen Vorstellungen des NT begründet ist, ist zum Schaden der nt.lich-synpt Forschung zu lange außer acht gelassen worden. Das hat auch die Lösung des Jesus-Pls-Problems stark beein- flußt. Vgl Grundmann 73 A 25.

[24] → II 314, 30 ff.

ἴχνος. [1] Etymologie unsicher, vgl Boisacq sv, Walde-Pok I 9. 104. 196 u Class Rev 3 (1889) 45 b.

dieser Eindrücke, die *Fährte*[2]. Diese anschauliche Vorstellung ist festzuhalten, auch wo das Wort in bildlichem Sinn verwendet wird, dh angewandt auf die geistige Seite des menschlichen Lebens. ἴχνος ist dann allg die Spur, die durch jemandes Verhalten oder Lebens-„Wandel" erkennbar geprägt, auch andern vor-
5 geprägt, vorgezeichnet ist[3]. So stellt Pls 2 K 12, 18 fest, daß sein und des Titus Verhalten (sc: in der Geldfrage) der Gemeinde gegenüber genau überein- stimme, weil sie beide ihr Verhalten nach ein und derselben Spur ausgerichtet haben, wie sie ihnen als verantwortlichen Aposteln vorgezeichnet war und auch der Gemeinde erkennbar sein mußte: οὐ τῷ αὐτῷ πνεύματι περιεπατήσαμεν; οὐ
10 τοῖς αὐτοῖς ἴχνεσιν; Sehr prägnant redet Pls, ebenfalls bildlich, R 4, 12[4] von ἴχνη τῆς ἐν ἀκροβυστίᾳ πίστεως τοῦ πατρὸς ἡμῶν Ἀβραάμ, denen die Gläubigen aus dem Heidentum sich anschließen (→ στοιχεῖν). Der Glaube Abrahams ist nicht „spurlos" vergangen, sondern hat Eindrücke hinterlassen. Zwar nicht der Glaube selbst, wohl aber sein Wesen (vgl τῆς ἐν ἀκροβυστίᾳ πίστεως), seine
15 Wirklichkeit ist in den ἴχνη wahrnehmbar. Nun dienen die nachhaltigen Spuren des Abrahamglaubens dazu, den οὐκ ἐκ τῆς περιτομῆς kommenden Gläubigen ihren Standort in derselben Linie zu geben: durch die ἴχνη wird die πίστις Abra- hams in ihrem Wesen den Heiden zugänglich. So sind die ἴχνη gewissermaßen der Ort, wo die Glaubensgemeinschaft über den zeitlichen Zwischenraum hin-
20 weg (→ A 8) entsteht (Abraham πατὴρ πάντων τῶν πιστευόντων). Die Wieder- gabe von ἴχνη mit „Merkmale", die sprachlich durchaus möglich wäre (→ 407, 5 ff), wird man lieber vermeiden. Sie befördert das Mißverständnis, als handle es sich um spezielle Einzelzüge aus dem Glaubensleben Abrahams, deren wieder- holende Nachahmung etwa den Heiden an der Glaubensgemeinschaft Teil gäbe.
25 Es ist ebenso undenkbar, daß jemand die einzigartige πίστις des πατὴρ τῶν πιστευόντων nachmachen sollte, wie es einleuchtend ist, daß jede πίστις in der Linie der Glaubensgemeinschaft derjenigen Abrahams zeitlich und sachlich nach- folgt[5]. — Endlich 1 Pt 2, 21: Χριστὸς ἔπαθεν ὑπὲρ ὑμῶν, ὑμῖν ὑπολιμπάνων ὑπο- γραμμὸν ἵνα ἐπακολουθήσητε τοῖς ἴχνεσιν αὐτοῦ. Hier erhält die Grundbdtg ἴχνος
30 *Fußspur* durch den Zshg (→ ἐπακολουθεῖν I 215 f) die genauere Bestimmung des Vorbildlichen, die übrigens auch 2 K 12, 18 und R 4, 12 implicite da ist. Bei unsrer Stelle knüpfen sich an ἴχνος zwei inhaltliche Fragen: *1.* Ist, um des par- allelen ὑπογραμμός (→ I 773) willen, ἴχνος hier zu verstehen als das konkrete Einzelmerkmal, dessen möglichst getreue Nachahmung in ἐπακολουθήσητε bindend

---

[2] Poll Onom V 11 reiht ἴχνος ein in die Wortgruppe, die sich auf das Jagdwesen be- zieht (so schon Homer: πρὸ δ' ἄρ' αὐτῶν ἴχνι' ἐρευνῶντες κύνες ᾖσαν Od 19, 435 f, von menschlichen Fußspuren zB Il 18, 321). Phot Lex sv gibt als bedeutungsähnliche Wörter an ὁδός, πορεία, βῆμα. Außer den prof-griech Belegen der Wörtb vgl ἴχνος LXX ψ 76, 20 (entspr hbr עָקֵב) par ὁδός-τρίβοι, u Prv 30, 19 (entspr hbr דֶּרֶךְ) par ὁδοί-τρίβοι; ähnl Prv 5, 5 für hbr צַעַד.
[3] So schon Pind Pyth 10, 12: τὸ δὲ συγγενὲς ἐμβέβακεν ἴχνεσιν πατρός, ebs Plat Resp VIII 553 a. Oder in einer Weihinschrift: ... ἐπειδὴ

Ἀρισταγόρας Ἀπατουρίου, πατρὸς γεγονὼς ἀγα- θοῦ καὶ προγόνων εὐεργετῶν καὶ ἱερημένων τῶν θεῶν πάντων, καὶ αὐτὸς στοιχεῖν βουλό- μενος καὶ τοῖς ἐκείνων ἴχνεσιν ἐπιβαίνειν ... Ditt Syll³ 708, 3 ff. Selten in dieser über- tragenen Bdtg in LXX, zB Sir 21, 6 μισῶν ἐλεγμὸν ἐν ἴχνει ἁμαρτωλοῦ. In dieser Bdtg auch bei Philo selten, zB vom λόγος: πάντα καὶ λέγειν καὶ πράττειν ἐσπούδαζεν εἰς ἀρέ- σκειαν τοῦ πατρὸς καὶ βασιλέως, ἑπόμενος κατ' ἴχνος αὐτῷ ταῖς ὁδοῖς ... Op Mund 144.
[4] S Schl R zSt.
[5] Auch hiefür gilt in gewissem Sinn das → A 8 Gesagte.

gefordert wird? *2.* Ist mit den folgenden Versen 22—24 eine abschließende inhaltliche Näherbestimmung der ἴχνη gegeben, dh sollen die von Christus der Gemeinde hinterlassenen ἴχνη den Leidens- und Kreuzesweg und nur ihn bezeichnen?

Zur ersten Frage: ἴχνη läßt sich in der Bdtg *Merkmal*, das möglichst getreu nach- 5 geahmt werden soll, in der Tat belegen; es steht dann, wie hier, im Plur, und zwar gerade bei der Formung des Charakters als Nachahmung und Wiederholung eines voraufgegangenen Vorbildes: von Kimon wird gesagt, daß er seinen Vater Miltiades οὕτως εὖ καὶ καλῶς . . . ἐμιμήσατο καὶ ὥσπερ ἰχνῶν εἴχετο τῶν ἔργων τοῦ πατρὸς ὥστ' εἰ μηδεὶς τῶν συγγραφέων ἐτύγχανεν εὑρηκὼς ὅτου παῖς ἦν, ἀπ' αὐτῶν εἶναι τῶν ἔργων 10 εἰκάσαι τὸν πατέρα αὐτοῦ (Ael Arist 46, 160 [II p 214 Dindorf])[6]. Das „in den Spuren Gehen" ist zum Festhalten oder Sich anschließen, Zusammenhängen (εἴχετο), zum → μιμεῖσθαι, zum → ὁμοιοῦν (→ A 6) geworden; die „Spur" zum „Modell". Dieses Hinübergleiten aus dem Verhältnis der Spur, der man folgt, in das Verhältnis des Modells, das man nachbildet, ist sprachlich in dem Wort ἴχνη ebenso ermöglicht wie in 15 → ἀκολουθέω. Ursprünglich bleibt jedoch die Bdtg *Spur*, die als solche nicht nachgeahmt, sondern n a c h g e g a n g e n wird[7].

2. Auch 1 Pt 2, 21 wird ἴχνος so, dh in seiner ursprünglichen Bdtg, zu verstehen sein. Als eine Aufforderung zur Nachahmung der in den folgenden Versen aufgezählten Einzelmerkmale kann man den Satz schon 20 deshalb nicht verstehen, weil das πάσχειν Christi ὑπὲρ ὑμῶν bzw ἡμῶν geschah, vgl v 24. Das ὑπέρ entzieht den ganzen Vorgang einem wiederholenden Nachahmen. Vielmehr ist in ἴχνη wieder der Ort angegeben, an dem das gegenwärtige Leiden der im Brief Angeredeten in einen Zusammenhang tritt mit dem Leiden Christi bzw umgekehrt. Das Leiden der christl Sklaven soll in 25 der Nachfolge des im Leiden vorangegangenen Erlösers (v 24) geschehen, dann geschieht es in der Gemeinschaft (→ 408, 1 ff) mit ihm. Gemeinschaft entsteht aber nicht im Verhältnis der Nachahmung von Einzelmerkmalen, sondern nur eben im Verhältnis der Nachfolge, bei der es zuerst immer auf die erkennbare Richtung (→ ὑπογραμμός und daneben den Plur ἴχνη) ankommt, in welcher der 30 gehen muß, der mit dem Vorangehenden oder Vorangegangenen in Verbindung bleiben will: ἐπακολουθεῖν τοῖς ἴχνεσιν[8].

Die zweite Frage (die weder entsteht an der Vokabel ἴχνος noch mit sprachlicher Untersuchung zu lösen ist) ist mit dem bisher Gesagten noch nicht beantwortet. Auch wenn ἴχνος in der wörtlichen Bedeutung *Fußspur* gefaßt wird 35 an unsrer Stelle, ist die Frage noch offen, ob die von Christus der Gemeinde hinterlassenen ἴχνη ausschließlich den Leidensweg bezeichnen, dh ob wirklich Nachfolge immer — wie hier im Zshg der v 21—24 — Leidens-Nachfolge ist. Freilich läuft schon diese Frage, wie viele derartige, auf Allgemein-Aussagen zielende Fragen, dem Kontext zuwider. Weil die augenblickliche Lage der Brief- 40

---

[6] Vgl ἡνίκα ἂν ποιῶ λόγους τῶν ἰχνῶν ἔχεσθαι τῶν Ἀριστείδου καὶ πειρᾶσθαι τοὺς ἐμοὺς ἀφομοιοῦν εἰς ὅσον οἷόν τε τοῖς ἐκείνου Lib Or 64, 4.

[7] Die Unterscheidung läßt sich einfach nachprüfen an einem Satz wie Sir 50, 29: φῶς κυρίου τὸ ἴχνος αὐτοῦ („des Herrn Licht leitet ihn" Luther).

[8] In ἴχνος ist an der historischen Person Jesu in richtiger Weise festgehalten, sofern es als echte Fuß-Spur verstanden ist, die zugleich immer auch vom zeitlichen (und räum-

lichen) Abstand zwischen dem Vorangegangenen und den Nachfolgenden zeugt (vgl οὐκ ἰδόντες 1 Pt 1, 8). Dieses nt.liche Verständnis — aus dem der Segen aller praktischen „Imitatio" in der Christenheit geflossen ist und fließt — ist in Gefahr verloren zu gehen, sobald aus ἴχνος lediglich das Merkmal für die Nachahmung wird, und damit eine „Gleichzeitigkeit" (etwa im Sinne Kierkegaards) angenommen wird, die es nicht gibt.

empfänger die des Leidens ist, deshalb zeigt der Verf der Gemeinde, wie sie
in dieser Lage ihrem Herrn nachfolgen, in seinen Spuren gehen, mit ihm Gemeinschaft haben kann — selbstverständlich nun mit ihm als dem, der auch
(sc: wie jetzt die Gemeinde) ein Leidender gewesen war; vgl 1 Pt 4, 1. Dies
5 trifft nun, über den 1 Ptbrief hinaus, für eine Reihe von Stellen zu, an denen
zB Pls vom Leiden mit Christus redet, ebenso für Stellen bei den Synpt, wo
(ohne daß das Wort ἴχνος vorkommt) vom Gehen des Jüngers in den Fußstapfen des leidenden Herrn die Rede ist, zB Mt 20, 20 ff par. Aber ebenso
erhalten beispielsweise die Jünger Mt 10, 1 ff Auftrag und Vollmacht, das
10 gleiche zu tun, was Jesus nach Mt 8 u 9 selber getan hatte[9]; und für Pls
gilt das σὺν Χριστῷ nicht bloß im Blick auf das Leiden, sondern auch auf das
δοξασθῆναι R 8, 17; vgl ganz besonders R 6, 1—11! Auch das joh καθώς
J 13, 15; 15, 12 ist nicht erschöpft mit der Formel Leidens-Nachfolge. Sachlich gehört wohl auch hierher Jk 5, 10 f (τὸ τέλος κυρίου εἴδετε)[10] (zur ganzen
15 Frage → ἀκολουθέω I 210 ff; → μιμέομαι).

        3. Eine absichtliche Anwendung des Grundsatzes, daß das Leben
    der Gläubigen in Einzelzügen eine Nachahmung des Lebens
    Jesu sein müßte, läßt sich im NT nicht feststellen. Dies gilt wohl auch für
    die Darstellung der Ag, wo sich allerdings etwa 7, 58. 59. 60 im Bericht über den Tod
20 des Stephanus ein naher Anklang an die Leidensgeschichte findet, der von der alten
    Catene zSt nicht unbemerkt bleibt. Daß Heilungs- und Wundergeschichten in Ag an
    synpt Vorgänge erinnern, ist in der Sache begründet. Ebenso stellt Pls die Gestalt
    Jesu in bestimmten Lagen der Gemeinde als Vorbild vor Augen, Phil 2, 5 ff; R 15, 1—3,
    vgl auch 2 K 8, 9 im dortigen Zshg, dazu Stellen wie Kol 1, 24; Phil 3, 10; Gl 6, 17.
25 Man wird aber Pls an diesen Stellen durchweg so verstehen müssen, daß er mit dem
    Vorbild Nachfolge wecken will, nicht Nachahmung. Sofern praktisch beides ineinan-
    der übergeht, wird man zum grundsätzlich richtigen Verständnis sich immer an den
    ἐν- und σύν-Aussagen orientieren müssen.
        In den apokryphen Apostel-Akten kann man von einer planmäßigen
30 Durchführung des Nachahmungs-Gedankens ebenfalls nicht reden. Doch weisen auch
    hier wieder Heilungs- und Wundergeschichten stark auf die Synpt zurück (zB die Dämo-
    nenaustreibung Act Thom 45) oder finden sich Einzelzüge der evangelischen Geschichte
    sonst wiederholt (zB der Backenstreich Act Thom 6; die Kreuzigungsgeschichte Act
    Pt Verc 36 ff).
35   Auslegung und Praxis der Alten Kirche hat die Nachfolge gern als Nachahmung
    verstanden und die ἴχνη speziell auf die passio bezogen, so daß in erster Linie der
    Märtyrer der war, der in den Spuren Christi bzw anderer Märtyrer ging[11]. Dabei
    wurde mehr oder weniger Wert gelegt auf die Angleichung von Einzelzügen des
    Martyriums an Einzelzüge aus der Passionsgeschichte. So beispielsweise in der Catene
40 zu J 21, 18: Ἄξιον καὶ ἐν τούτῳ θαυμάσαι τὴν τοῦ Κυρίου πρόγνωσιν πρὸ τοσούτων ἐτῶν
    προειπόντος αὐτῷ οὐ μόνον ὅτι μάρτυς γενήσεται, ἀλλ' ὅτι καὶ διὰ σταυροῦ ὑποστήσεται
    τὴν ἀναίρεσιν. ἡ γὰρ ἔκτασις τῶν χειρῶν, καὶ ὁ δεσμὸς τῆς ζώνης, οὐδὲν ἕτερον ἐδήλου
    ἢ τὸ σχῆμα τοῦ σταυροῦ. βούλεται δὲ αὐτὸν ἀκολουθεῖν αὐτῷ, μιμούμενον αὐτοῦ ἐν πᾶσι
    τὴν κατ' εὐσέβειαν πολιτείαν. οἱ γὰρ κατ' ἴχνος τῆς ἐκείνου βαίνοντες ἀρετῆς, καὶ κατὰ
45 δύναμιν ὁμοιούμενοι αὐτοῦ τὴν τῆς δικαιοσύνης ἀκρίβειαν, οὗτοι αὐτῷ τὸ τηνικαῦτα ἀκο-
    λουθήσουσιν ὁδηγοῦντι εἰς τὴν κατ' οὐρανὸν βασιλείαν. In derselben prägnanten Bdtg
    findet sich ἴχνος schon Ign Eph 12, 2: πάροδός ἐστε (angeredet ist die Gemeinde) τῶν
    εἰς θεὸν ἀναιρουμένων, Παύλου συμμύσται, τοῦ ἡγιασμένου, τοῦ μεμαρτυρημένου, ἀξιο-
    μακαρίστου, οὗ γένοιτό μοι ὑπὸ τὰ ἴχνη εὑρεθῆναι, ὅταν θεοῦ ἐπιτύχω[12]. Vgl auch Mart
50 Pol 22, 1: ἐμαρτύρησεν ὁ μακάριος Πολύκαρπος, οὗ γένοιτο ἐν τῇ βασιλείᾳ Ἰησοῦ Χριστοῦ
    πρὸς τὰ ἴχνη εὑρεθῆναι ἡμᾶς.

---

[9] Im weiteren Verfolg der Frage müßten
alle Stellen untersucht werden, in denen
Jesus sein Handeln in die ὡς-οὕτως-Beziehung
zu dem seiner Jünger stellt.
[10] Vgl ZNW 7 (1906) 276 f.

[11] Vgl ZNW 4 (1903) 123.
[12] θεοῦ bzw Χριστοῦ ἐπιτυχεῖν bezeichnet
wiederholt den Märtyrertod s WBau zu
Ign Eph 12, 2.

4. ἴχνος kann auch *Fußsohle, Fuß* bedeuten. In der klass Gräz ist dieser Sprachgebrauch nicht häufig, und dann meist dichterisch[13]. Später, in der Koine[14], geht er in die Umgangssprache über. Davon zeugen ua zahlreiche Papyrus-Belege[15]. Bemerkenswert ist, daß auch in LXX ἴχνος in der Mehrzahl der Stellen Wiedergabe von כַּף ist, so ἴχνος τοῦ ποδός oder ἴχνη τῶν ποδῶν Dt 11, 24; 28, 35. 65; 5 Jos 1, 3; 2 Βασ 14, 25; 4 Βασ 19, 24; Da 10, 10 LXX; zu vergleichen ist ἴχνος κτηνῶν als Parallelglied zu πούς ἀνθρώπου Ez 32, 13 (ἴχνος für hbr פַּרְסָה); vom „Fuß" Gottes Ez 43, 7. In dieser Bdtg spielt ἴχνος in der Religions-Geschichte eine (noch nicht restlos aufgehellte) Rolle[16]. Es sind Votivsteine erhalten mit eingegrabenen Fuß-spuren (2- oder 4fach), sowie Steine, die nackte oder mit Sandalen bekleidete 10 Füße darstellen. Soweit es sich dabei nicht um Gedenksteine handelt, die von Pilgern an Wallfahrts-Orten zur Erinnerung an ihren Besuch, uU an ihre Heilung hinter-lassen worden sind[17], haben wir wahrscheinlich das ἴχνος vor uns, das bezeugt, daß eine Gottheit an dem betreffenden Ort vorübergekommen ist oder verweilt hat[18]. Ein solches aus Syrien stammendes Denkmal ist durch die Inschrift als dem Serapis geweiht 15 gekennzeichnet: ἴχνος ἔχων πόδ' ἂν ἴχνος ἔχων ἀνέθηκα Σεράπει[19]. Vielleicht gehören auch einige andere derartig geformte Steine dem Serapiskult an. Ins NT wirkt dieser ganze Vorstellungskreis **nicht** herein[20].

Stumpff

[13] Belege bei Liddell-Scott sv.
[14] Vgl FBlumenthal, Der ägyptische Kaiser-kult, APF 5 (1913) 335 Text u A 4.
[15] S Preisigke Wört sv.
[16] An Lit darüber ist zu nennen: AMaury, Sur un Pied en Marbre blanc, Découvert à Alexandrie, in: Revue Archéologique 7 (1850) 600 ff; Berichte über die Verhandlungen der Kgl Sächs Ges d Wiss zu Leipzig, Phil-hist Kl 7 (1855) 103; GMaspero, in: Revue Ar-chéologique NS 43 (1882) 38; KGraf Lancko-ronski, Städte Pamphyliens und Pisidiens II (1892) 220 Nr 178; Martyrium d Dasius ed FCumont, in: Anal Boll 16 (1897) 11 ff Text und Anmerkungen; OWeinreich, in: Ath Mitt 37 (1912) 36 f; FBlumenthal, Der ägyptische Kaiserkult, APF 5 (1913) 335; PRoussel, Les Cultes Égyptiens à Délos du 3ᵉ au 1ᵉʳ siècle avant J-C, in: Annales de l' Est 29/30 (1915 f) 115 f; JHatzfeld, Inscrip-tions de Panamara, in: BCH 51 (1927) 106; WDrexler, Artk Isis, in: Roscher II 360 ff (Sp 526—528).
[17] Drexler aaO; Weinreich aaO.
[18] Zu diesem Zug des Volksglaubens er-innert Lanckoronski aaO an Hdt II 91; IV 82 u Luc Historiae Verae I 7. Inter-essant ist im Unterschied dazu eine Be-merkung der (doketistischen) Acta Johannis über Jesus: ἐβουλόμην δὲ πολλάκις σὺν αὐτῷ βαδίζων ἴχνος αὐτοῦ ἐπὶ τῆς γῆς ἰδεῖν εἰ φαίνεται· . . . καὶ οὐδέποτε εἶδον Act Joh 93. — Zum Ganzen vgl Maury aaO 602. — Im Urchristentum findet sich diese Vor-stellung in der bekannten Domine-Quo-Vadis-Legende. Diese Legende begründet die Ver-ehrung der Fußspuren des Herrn an zwei römischen Kultstätten, in San Sebastiano und in Santa Maria della Piante. Hier haben die Fußstapfen nichts mit der Nachfolge zu tun. Sie sind vielmehr sichtbares Zeichen der Er-scheinung Christi vor Petrus und begründen

als stehengebliebene Zeichen dieser Erschei-nung einen (bzw sogar zwei) örtlich gebun-denen Christuskult [Bertram].
[19] Weinreich aaO 36; Roussel aaO 115 f; Hatzfeld aaO 106 Nr 80.
[20] Fehlt das mythische Motiv von den stehenbleibenden Fußstapfen auch im NT, so hat es doch seine Bedeutung für die Aus-prägung des Nachfolgegedankens in der ur-christlichen Volksfrömmigkeit. Das wich-tigste Zeugnis dafür ist die berühmte 39. Ode Salomos. Dort ist die Vorstellung, daß die Fußstapfen des Herrn in den Wogen stehen-bleiben und einen unzerstörbaren Weg dar-stellen, auf dem die Gläubigen hinüber-schreiten können durch die Wogen des Todes (vgl dazu auch Ps 18, 5 u Gunkel zu 2 S 22, 5 ff). Ps 77, 17 ff (v 20: „Dein Weg war im Meer und dein Pfad in großen Wassern, und man spürte doch deinen Fuß nicht") zeigt die heilsgeschichtliche Grundlage dieses Motivs in der Exodusgeschichte vom Durch-zug der Israeliten durchs Meer (Ex 14, 16 ff vgl Jos 3, 10 ff; 4, 7). Im Anschluß an Hiob 11, 7 LXX („Kannst du etwa die Spur des Herrn finden?") sagt Paulus R 11, 33: ἀνεξ-ιχνίαστοι αἱ ὁδοὶ αὐτοῦ. Wenn nach OSal 39 die Fußstapfen des Herrn wie eingerammte Pfähle im Wasser unzerstört bleiben, so ent-springt dieses der biblischen Gottesvorstellung zunächst fremde Motiv dem kultischen Ge-danken der Nachfolge. Seine Ausprägung in der vorliegenden Ode hat die Entwicklung bzw Umbildung der at.lichen Offenbarung zur kultischen Erlösungsreligion zur Vor-aussetzung. Diese Umbildung hatte statt auf dem Boden des hellenistischen Juden-tums. Viele der hier geprägten Vorstellungen haben wie die vorliegende auch die volks-tümliche urchristliche Frömmigkeit bestimmt. [Bertram.]

† 'Ιωνᾶς

A. Jona, der Vater der Apostel Petrus und Andreas.

Mt 16, 17 wird Simon Petrus Βαριωνᾶ (בַּר יוֹנָא) genannt[1], während J 1, 42; 21, 15—17; Ev Hebr Fr 9 als Namen des Vaters 'Ιωάννης (יוֹחָנָן) überliefern. Außer dem Namen ist uns nichts bekannt über Jona-Johanan.

Die Beurteilung der zweifachen Überlieferung der Namensform hat folgenden Tatbestand zu berücksichtigen. Außer als Name des Propheten Jonas (→ B) ist Jona(s) bis zum dritten nachchr Jhdt einschließlich als selbständiger männlicher Eigenname nicht nachweisbar. Jub 34, 20 begegnet der Name als Frauenname (= Taube), sonst nur in der Septuaginta als Variante zu יוֹחָנָן—'Ιωαν(ν)ης; so 4 Βασ 25, 23 B: Ιωνα für hbr יוֹחָנָן; LXX 1 Ch 26, 3 A: Ιωναν, B: Ιωνας für hbr יְהוֹחָנָן; 1 Εσδρ 9, 1 B: Ιωνα für hbr יְהוֹחָנָן (Esr 10, 6); 1 Εσδρ 9, 23 endlich liest A: Ιωνας, dagegen B: Ιωανας[2]. Kein Tannait trägt den Namen. Erst im 4 Jhdt ist er nachweisbar: zwei palästinische[3] und ein babylonischer[4] Amoräer, sämtlich aus dem 4 Jhdt, heißen יוֹנָה. Das heißt: Da Jona(s) in nt.licher Zeit als selbständiger Name nicht nachweisbar ist, sondern nur als vl der LXX zu 'Ιωαν(ν)ης, möchte man schließen, daß יוֹנָא Mt 16, 17 Abkürzung von יוֹחָנָן ist[5].

Als gesichert kann jedoch dieser Schluß nicht gelten, weil die übliche palästinische Abkürzung von יוֹחָנָן anders lautete: יוֹחָי bzw יוֹחָא[6]. Es muß daher die Möglichkeit offen bleiben, daß der sonst in nt.licher Zeit nicht bezeugte Name Jonas Mt 16, 17 vereinzelt begegnet und daß J 1, 42; 21, 15—17; Ev Hebr Fr 9 dieser seltene Name durch den überaus geläufigen[7] Johannes ersetzt ist. Eine sichere Entscheidung zwischen beiden Möglichkeiten ist nicht zu fällen.

B. Der Prophet Jonas.

1. Die spätjüdische Jonasauffassung[8].

Das Spätjudentum, dem die Jonasgeschichte Anlaß zu phantastischer Ausmalung des Bibelberichtes gab, hat die Gestalt des Jonas

---

'Ιωνᾶς. Zu A: Pr-Bauer sv Βαριωνᾶ und 'Ιωνᾶς; Winer (Schmiedel) § 5, 26 c; Dalman Gr 179 A 5; AMerx, Die vier kanonischen Ev nach ihrem ältesten bekannten Texte II 1: Das Ev Mt (1902) 169; II 2: Das Ev Joh (1911) 466; Bl-Debr[6] § 53, 2. — Zu B: FZimmer, Der Spruch vom Jonazeichen (1881); Winer (Schmiedel) § 30, 10 d; GRunze, Das Zeichen des Menschensohnes und der Doppelsinn des Jonâzeichens (1897); (dazu die Kontroverse PWSchmiedel, Literarisches Centralblatt [1897] 513—515; GRunze, ZwTh 41 [1898] 171—185; PWSchmiedel ebd 514—525); EtLTyson, in The Biblical World 33 (1909) 96 bis 101; CMoxon, Exp T 22 (1911) 566f; CRBowen, The American Journal of Theology 20 (1916) 414—421; JHMichael, JThSt 21 (1920) 146—159; Str-B I 642—649, 651; II 705; IV 266; Pr-Bauer[2] 1201; JBonsirven, Recherches de Science Religieuse 24 (1934) 450—455.

[1] So auch nach den Codd (vgl EKlostermann, Apocrypha II[3] [1929] 9 = KlT 8) Ev Hebr Fr 11: Simon, fili Jonae (folgt Mt 19, 24).

[2] Kein Gewicht ist zu legen auf die Varianten zu J 1, 42 (Kpl lat sy: 'Ιωνᾶ für ursprüngliches 'Ιωαννου), 21, 15. 16. 17 (Kpl

'Ιωνᾶ, sy^sin arm: יוֹן [Jaunan] für ursprüngliches 'Ιωαννου), da diese Varianten durch Mt 16, 17 veranlaßt sind. Dafür spricht besonders die vl יוֹן, die sicher Angleichung an Mt 16, 17 ist, da Jaunan mit יוֹחָנָן nichts zu tun hat, vielmehr die syrische Wiedergabe von Jona(s) ist (Merx II 1, 169; II 2, 466).

[3] Bacher Pal Am III 220—231, 723; Strack Einl 146 f.

[4] Nur bChul 30 b erwähnt (EJ IX 278).

[5] Winer(Schmiedel) § 5, 26 c; Bl-Debr[6] § 53, 2, vgl Str-B I 730.

[6] Dalman Gr 179. — AMeyer, Die Muttersprache Jesu (1896) sucht dieser Schwierigkeit dadurch zu entgehen, daß er 'Ιωνᾶ erst im Griechischen aus 'Ιωανᾶ kontrahiert sein läßt (47 A 3), ähnlich Michael 151 f.

[7] Im NT begegnen 5 (6) Träger des Namens. Ferner vgl Ges-Buhl sv יוֹחָנָן; LXX-Konkordanz und Index zu Jos u ep Ar sv 'Ιωαννης; Strack Einl Index sv Johanan; Bacher Tannaiten; Ders, Bab Am; Ders, Pal Am Indices sv Jochanan.

[8] Quellen: Im AT wird der Prophet Jonas nur 2 Kö 14, 25; Jon 1—4 erwähnt. — Tob 14, 4. 8 AB; 3 Makk 6, 8; Sib 2, 248; Jos

verherrlicht. Er gilt ihm als der von Elias auferweckte Sohn der Witwe von Zarpath[9]. Seine Flucht (Jon 1) geschah nach der Haggada im Interesse Israels; er wollte vermeiden, daß die Buße der Heiden Gott veranlassen könnte, Israels Unbußfertigkeit zu strafen[10], und setzte im Blick auf dieses Ziel sein Leben ein für sein Volk. „R.Jonathan (um 140 n Chr)[11] sagte: Jonas ging nur zu dem Zwecke hin, um sich selbst im Meer zugrunde zu richten; denn es steht geschrieben: ‚Und er sagte zu ihnen: Nehmt mich und werft mich ins Meer‘ (Jon 1, 12). Und ebenso findest du es bei den Vätern und Propheten, daß sie sich selbst für Israel hingaben"[12]. Er war ein „vollkommener Gerechter"[13].

2. Der Prophet Jonas im NT.

Zwei Ereignisse aus seinem Leben erwähnt das NT: seinen Aufenthalt im Innern des Seeungeheuers (Jon 2: Mt 12, 40) und seine erfolgreiche Bußpredigt in Ninive (Jon 3: Mt 12, 41; Par: Lk 11, 32)[14].

Außerdem finden sich in der Perikope von der Stillung des Sturmes (Mk 4, 35—41 Par) Anklänge an Jon 1, 3. 4. 5. 6. 10. 11. 12. 16.

a. Die Buße der Niniviten wird den ungläubigen Juden als Warnung und Drohung vorgehalten: *Die Männer von Ninive werden beim Gericht Anklage erheben gegen*[15] *dieses Geschlecht und seine Verurteilung bewirken*[16]*, weil sie auf die Predigt des Jonas hin Buße taten, und hier ist mehr als Jonas* (Mt 12, 41 = wörtlich Lk 11, 32). Ein Doppeltes gibt also der Drohung besondere Schärfe: dort Heiden, hier Israel; dort nur ein Prophet, hier der, der über allen Propheten steht[17].

b. Umstritten ist, was mit dem Jonaszeichen (Mt 12, 39; 16, 4; Lk 11, 29f) gemeint ist.

Ant 9, 206—214; Prophetarum Vitae Fabulosae hsgg ThSchermann (1907) Index. Das rabb Material bei Str-B I 642—649, 651; II 280, 705; IV 266; LGinzberg, The Legends of the Jews IV (1913) 197, 246—253; VI (1928) 348—352; MJ bin Gorion, Die Sagen der Juden. Juda und Israel (1927) 20, 202f, 390 bis 403; EJ IX 272—274.

[9] Prophetarum Vitae 19, 7 Par; Gn r 98 z 49, 13 (Par: jSukka 5, 55a); Midr Ps 26 § 7 z 26, 9; PREl 33 uö.

[10] MEx 12, 1; jSanh 11, 30b; PREl 10.

[11] Str-B I 643.

[12] MEx 12, 1.

[13] Midr Ps 26 § 7 z 26, 9.

[14] Bonsirven (450—455) erklärt die Verknüpfung dieser beiden Begebenheiten in der Perikope Mt 12, 38—42 Par von der Beobachtung aus, daß nach Ta'an 2, 1 in der (zur Buße aufrufenden) Fastenpredigt die Buße der Niniviten und nach Ta'an 2, 4 in der 5. Sonder-Benediktion des Fastengebetes das Gebet Jonas um Errettung aus dem Seeungeheuer erwähnt wurde. Er schließt, daß Jesus Mt 12, 38—42 an die Fastenliturgie anknüpfe, und folgert weiter unter Hinweis auf Mt 16, 2f; Lk 12, 54f, daß das von Jesus geforderte Zeichen „vom Himmel her" (Mk

8, 11 Par) im Fallenlassen des Regens bestanden habe. Aber das letztere ist Eintragung in den Text und die (an sich durchaus mögliche) Anknüpfung Jesu an die Fastenliturgie wird unwahrscheinlich, wenn die beiden Jonas-Logien erst durch die Tradition zusammengestellt worden sind (→ 412, 17ff).

[15] ἀνίστασθαι μετά = aram עַם קָם = a) mit jemandem auftreten (vor Gericht, um ihn anzuklagen oder um gegen ihn Zeugnis abzulegen), Wellh Mt 65; Dalman WJI 51; PJoüon, L' Évangile de Notre-Seigneur Jésus-Christ (1930) 83. Möglich bleibt an unserer Stelle b) mit jemandem (zusammen) auferstehen, so Kl Mt z 12, 41 in der Erklärung (dagegen in der Übers wie a).

[16] κατακρίνειν = aram חַיֵּב = als im Unrecht befindlich erweisen, die Verurteilung bewirken, Wellh Mt 65; Dalman WJI 51; PJoüon aaO 82f; SchlMt 418.

[17] Vgl die verwandte doppelte Gegenüberstellung MidrThr Einl Nr 31: „Einen Propheten habe ich nach Ninive gesandt und er brachte sie (Fem = die Stadt) zur Umkehr in Buße. Und diese Israeliten in Jerusalem — wie viele Propheten habe ich zu ihnen gesandt!"

Zu der Verschiedenheit der exegetischen und literarkritischen Auffassung kommt die Verschiedenheit der grammatischen Auffassung der Wendung τὸ σημεῖον Ἰωνᾶ: bald faßt man den Gen als Gen appositivus *(das Zeichen, das in Gestalt des Jonas gegeben war)*, bald als Gen subj *(das Zeichen, das Jonas gab)*, bald als Gen obj *(das Zeichen, das Jonas widerfuhr)*.

Folgende Deutungen bieten sich dar[18]: *1.* Das Wort vom Jonaszeichen bezog sich ursprünglich auf Johannes den Täufer. Ἰωνᾶ ist (ebenso wie Mt 16, 17) Abkürzung von Ἰωάν(ν)ης; erst die Fehldeutung auf den Propheten Jonas hat die Einfügung von Mt 12, 40; Lk 11, 30 in den Zshg veranlaßt[19]. Nun wäre in der Tat denkbar, daß Jesus, der den Täufer als den durch Maleachi angekündigten Elias bezeichnet hat (→ II 939, 22 ff), ihn als das einzige dem Geschlecht seiner Tage gegebene Zeichen Gottes (vgl J 5, 35) hingestellt hätte. Aber die sprachliche Grundlage der ganzen Hypothese ist nicht sicher (→ 410, 18 f). — *2.* Der Zshg Lk 11, 29—32 war der Anlaß, daß die ältere Exegese[20] weithin die Ansicht vertrat, mit dem Jonaszeichen sei die Bußpredigt des Jonas in Ninive gemeint, mit seiner Erneuerung die Bußpredigt Jesu (nach einigen: Johannes des Täufers[21]). Aber der Zshg Lk 11, 29—32 (Par Mt 12, 38—42) wird sekundär sein[22] und durch die Zusammenstellung der Zeichenablehnung (Lk 11, 29 f Par) mit der Gerichtsdrohung (11, 31 f Par) ad vocem Jonas entstanden sein; das futurische ἔσται Lk 11, 30 schließt die Möglichkeit aus, daß Lk die gegenwärtige Wirksamkeit Jesu als Bußprediger als das erneuerte Jonaszeichen betrachtet habe; vor allem aber wäre die Bezeichnung der Bußpredigt als → σημεῖον ganz ungewöhnlich, da ein σημεῖον nicht in dem besteht, was Menschen tun, sondern in dem „Eingriff der göttlichen Allmacht in den Verlauf der Ereignisse"[23]. — *3.* Mit dem Jonaszeichen muß daher vielmehr das Jon 2 berichtete Wunder der Errettung des Propheten aus dem Innern des Seeungeheuers gemeint sein: dieses Ereignis gilt den Zeitgenossen als das dem Jonas widerfahrene Wunder[24]. Auch der Ausdruck „Zeichen" wird auf dieses Wunder angewendet; so heißt es PREl 10 Ende im Anschluß an den Bericht von der Errettung des Propheten: „Die Schiffsleute sahen die Zeichen (אותות) und großen Wunder, die der Heilige — gepriesen sei er — an Jonas getan hatte". Während aber Mt 12, 40 das tertium comparationis

---

[18] Nur als Einfall zu werten ist die Vermutung von Runze, Das Zeichen des Menschensohnes 74 ff, Jesus habe ursprünglich von אות יונה im Sinne von: „Zeichen der Taube" gesprochen — ganz abgesehen davon, daß im Aramäischen יונה zwar nicht ausschließlich, aber in weitem Umfang als Fem gebraucht wird mit dem status emphaticus יונתא (so zB Tg J I Gn 8, 8. 11; Tg Ps 68, 14 u Cant 1, 15), der eine Verwechslung mit dem Eigennamen יונה ausgeschlossen hätte.

[19] CMoxon, Exp T 22 (1911) 566 f; JHMichael, JThSt 21 (1920) 146—159, beide angeregt durch die in → A 21 genannten Autoren.

[20] Von Neueren zB Holtzmann NT I 144.

[21] So WBrandt, Die Evangelische Geschichte u der Ursprung des Chrts (1893) 459 A 2; Ders, Die jüdischen Baptismen =

ZAW Beih 18 (1910) 82—84; TKCheyne, EB II 2502; BWBacon, The Sermon on the Mount (1902) 232; Ders, The Fourth Gospel in Research and Debate (1910) 350; Ders, Christianity, Old and New (1914) 160; ABlakiston, John the Baptist and his Relation to Jesus (1912) 220 f A 54. — Dagegen Bowen 414—421.

[22] Wellh Mt 64 f; Bultmann Trad 124 A 1; Kl Mt z 12, 41 f.

[23] SchlMt 416. Der letztgenannte Einwand ist auch gegen die durch Lk 11, 30 veranlaßte Deutung zu erheben, Jonas sei den Niniviten dadurch zum Zeichen geworden, daß er „aus dem fernen Lande" zu ihnen kam (Bultmann Trad 124 vgl Hck Lk z 11, 30). Das Kommen „aus dem fernen Lande" ist kein σημεῖον.

[24] 3 Makk 6, 8 → A 26; Jos Ant 9, 213; Str-B I 645—649, ferner Taʻan 2, 4; bSanh 89 a b uö. Vgl SchlMt 416 f.

zwischen Jonaszeichen und Jesuszeichen in dem drei Tage und drei Nächte
dauernden Aufenthalt des Jonas im Fischleib sieht, dem der ebensolang dauernde
Aufenthalt des Menschensohnes im *Herzen der Erde*[25] entspricht, sieht Lk 11, 30
das tertium comparationis auf Seiten des Jonas darin gegeben, daß er den
Niniviten zum Zeichen wurde — offensichtlich dadurch, daß er als der aus dem 5
Inneren des Seeungeheuers Errettete vor sie trat[26]. Diesem tertium comparationis
entspricht auf Jesu Seite, daß er als der aus den Toten Errettete *diesem Geschlecht* vor Augen gestellt werden wird. Nach Lk besteht also das alte wie
das neue Jonaszeichen in der Legitimierung des Gottgesandten durch
die Errettung aus dem Tode[27]. Das wird der ursprüngliche Sinn des 10
Logions sein. Mt 12, 40 muß demgegenüber — trotz der dem Verlauf der Geschichte nicht entsprechenden und darum ursprünglich erscheinenden (in Wahrheit wohl lediglich durch wörtliche Zitierung von LXX Jon 2, 1 veranlaßten)
Zeitangabe *drei Tage und drei Nächte* — als sekundäre Ausdeutung gelten, die
den Nachdruck auf die Zeitangabe statt auf die Errettung aus dem Tode legt[28]. 15
Jesus[29] weist also die ein Zeichen Fordernden im Rätselwort auf das in der
Offenbarung[30] des aus den Toten wiederkehrenden Menschensohnes erneuerte Jonaszeichen als das einzige Zeichen, das ihnen zuteil werden
wird[31]. Sachlich besteht kein Unterschied zwischen der schlechthinnigen Ablehnung der Zeichenforderung (Mk 8, 11) und der Ankündigung des Jonaszei- 20
chens; denn beide Aussagen stellen fest, daß Gott kein Zeichen gibt, das losgelöst wäre von der Person Jesu und vom Ärgernis.

JoachJeremias

---

[25] Dh in der Totenwelt → I 148, 23 ff.

[26] Daß die Niniviten von der Errettung
des Jonas erfuhren, ist im AT nicht ausdrücklich gesagt. Wohl aber weiß die Legende von dem Bekanntwerden der Errettung
des Propheten zu berichten. So schildert
PRE1 10 Ende, wie die Schiffsleute, die den
Propheten ins Meer geworfen hatten, durch
seine Errettung veranlaßt wurden, ihre Götter
ins Meer zu werfen und zum Judentum über-
zutreten. Daß ferner die Angehörigen des
Propheten von seiner Errettung erfuhren,
scheint bereits 3 Makk 6, 8 vorausgesetzt zu
sein, wenn es dort heißt: „Auf Jonas, der
im Bauche des in der Tiefe lebenden Seeungeheuers verging, hast du, o Vater, deine
Augen gerichtet (ἀφιδών = ἀπιδών vgl Thak-
keray 125) und ihn allen (seinen) Angehörigen unversehrt wiedergezeigt". Und wie
Lk 11, 30 setzt vielleicht auch Just Dial
107, 2 voraus, daß die Niniviten von der
Errettung des Jonas erfuhren (τοῦ ’Ιωνᾶ
κηρύξαντος αὐτοῖς μετὰ τὸ ἐκβρασθῆναι [an den
Strand geschleudert werden] αὐτὸν τῇ τρίτῃ
ἡμέρᾳ ἀπὸ τῆς κοιλίας τοῦ ἄδρου [groß] ἰχθύος
ὅτι μετὰ τρεῖς ἡμέρας παμπληθεὶ ἀπολοῦνται).

[27] Jalqut Jon 4 wird die Errettung des
Jonas als Errettung „aus dem Bauche der
Sche'ol" bezeichnet. Das macht begreiflich,
wie Jesus sein Schicksal mit dem des Jonas
vergleichen kann.

[28] Prophetarum Vitae 30, 15—17 Schermann: ὥσπερ γὰρ τὸ κῆτος (Seeungeheuer)
ἀδιάφθορον (unversehrt) ἐξήμεσε (ausspie) τὸν
’Ιωνᾶν, οὕτω καὶ ὁ τάφος τὸν δεσπότην ἐξήμεσε
εἰς κρείττονα ζωήν. Hier ist richtig gesehen,
daß das tertium comparationis nicht in der
Dauer des Aufenthalts des Jonas im Inneren
des Seeungeheuers liegt (wie es nach Mt
12, 40 scheinen könnte), sondern in der Errettung aus dem Ungeheuer. Dagegen ist der eschatologische Klang der Stelle nicht erkannt.

[29] Gegen die Echtheit des Logions spricht
nicht, daß Jesus mit seinem Tode rechnet und
von seiner Parusie redet, da er beides auch sonst
tut. Wohl aber könnte dagegen sprechen, daß
Jesus sich Lk 11, 30 entgegen seinem sonstigen
Verhalten zum Verhör vor dem Synedrion
in der Öffentlichkeit als → ὁ υἱὸς τοῦ ἀνθρώπου bezeichnet und in der Öffentlichkeit von
seiner Parusie redet. Indes darf nicht übersehen
werden, daß Jesus in Maschal-Form redet und
nur für den Eingeweihten deutlich ist, daß
er von sich selbst redet.

[30] Berücksichtigt man das → 411, 2—9
Gesagte, so bleibt die Möglichkeit offen, daß
Lk 11, 30 der Gedanke an die Selbsthingabe
des Jonas in den Tod eingeschlossen ist.
Dann müßte es oben im Text heißen: auf
das in der Selbsthingabe und der Offenbarung
des aus den Toten wiederkehrenden Menschensohns erneuerte Jonaszeichen.

[31] Vgl Mt 24, 30: τὸ σημεῖον τοῦ υἱοῦ τοῦ
ἀνθρώπου.

† καθαιρέω

Das seit Homer häufig vorkommende Verb begegnet in vier Bedeutungen im Profangriechischen: *a. von oben herunternehmen* (Gegenstände, das Joch, den Mond; vgl Hom Il 24, 268; Od 9, 149; Aristoph Nu 750); von hier aus versteht sich auch die Wendung: καθαιρεῖν ὀφθαλμοὺς (ὄσσε) θανόντι (*einem Toten die Augen zudrücken*); — *b. niederreißen* (Bauwerke, Häuser, Mauern; vgl Thuc I 58; Xenoph Hist Graec IV 4, 13); — *c. vernichten, überwinden, ausrotten, verurteilen* (Gegner, Städte, auch übertragen: δόγματα, ὕβριν usw; vgl Hdt 6, 41; 9, 27; Soph Oed Col 1689f = *töten*; Plut Pomp 8 (I 622e); POxy XII 1408, 23; Epict Diss I 28, 25); — *d. entthronen* (Jos Ant 8, 270; übertr Luc Nigrinus 4).

Septuaginta braucht es für 11 hbr Äquivalente: *1.* דְּכָא pi; *2.* הָרַם; *3.* יָרַד; *4.* כָּרַת[1]; *5.* נָסַח; *6.* נָצָה; *7.* נָתַץ; *8.* נָתַשׁ; *9.* סוּר hi; *10.* פָּרַץ; *11.* רוּד hi. Davon in Bedeutung *a*: Gn 24, 18. 46 (ὑδρίαν); 44, 11 (μάρσιππον); Nu 4, 5 (καταπέτασμα); 2 Kö 16, 17 (das eherne Meer von seinem Gestell); Jdt 13, 6 (ἀκινάκην); Jer 13, 18 (στέφανον); 2 Makk 12, 35 (von oben her den Arm abhauen). Speziell kommt die Bedeutung Jos 8, 29; 10, 27 (Gehenkte von einem Pfahl abnehmen) in Betracht. — Bedeutung *b*: Ex 34, 13 uö (Altäre); Prv 21, 22; Thr 2, 2; 1 Makk 5, 65; 8, 10 (ὀχύρωμα); Lv 14, 45 uo (Häuser); Ez 26, 4 (πύργους); Dt 28, 52 uo (Mauern und Mauerteile); Lv 11, 35 (verunreinigte Geräte); Ez 23, 24 (Götzenbilder); 2 Kö 10, 27 (Götzentempel). Auch das Abbrechen des heiligen Zeltes vor dem Aufbruch wird mit καθαιρέω bezeichnet. Sehr häufig steht das Wort ganz allgemein im Gegensatz zu οἰκοδομεῖν: ψ 27, 5; Js 49, 17; Ιερ 24, 6; 38, 28; 49, 10; 51, 34; Ez 36, 36; 1 Makk 9, 62, bes Sir 34, 23: εἰς οἰκοδομῶν καὶ εἰς καθαιρῶν[2]. — Bedeutung *c*: Ri 9, 45 uo (Städte); 1 Makk 11, 4 (περιπόλια); 2 Makk 10, 2 (τεμένη). Als Ausdruck gänzlicher Vernichtung Thr 2, 17: καθεῖλεν καὶ οὐκ ἐφείσατο. Übertragen Sach 9, 6: ὕβριν ἀλλοφύλων. — Bedeutung *d*: Sir 10, 14: θρόνους ἀρχόντων καθεῖλεν ὁ κύριος.

Im Neuen Testament begegnet **1.** Bedeutung *a.* für die *Kreuzabnahme* Mk 15, 36 (vom Lebendigen); Mk 15, 46; Lk 23, 53; Ag 13, 29 (vom Gestorbenen).

Außerhalb des NT kommt es so Polyb I 86, 6; Philo Flacc 83 vor[3]. Über die Kreuzabnahme Jesu läßt sich deswegen nichts Genaueres sagen, da wir nicht wissen, ob er am patibulum des Kreuzes angenagelt oder nur angebunden, ob sein Kopf durch das patibulum durchgesteckt oder frei war[4]. Häufig, besonders bei Massenkreuzigungen, ließ man die Toten am Kreuze verwesen oder von Raub- und Aasvögeln fressen[5];

καθαιρέω. Pr-Bauer 602. Das seit Thuc auftauchende Subst καθαιρέτης (vgl Dio C 44, 1: καθαιρέται τοῦ Καίσαρος) kommt im NT nicht vor; erst Mart Pol 12, 2.

[1] Der Mischnatraktat כְּרִיתוֹת handelt von Sünden, die die Strafe der Ausrottung nach sich ziehen.

[2] Vgl die Wendung Dalman Wört 177: לֹא מַעֲלֶה וְלֹא מוֹרִיד = „er läßt unberücksichtigt" (wörtl: „er setzt im Wert weder hinauf noch hinab").

[3] Mt 27, 59 hat statt καθελών nur das einfache λαβών.

[4] HFulda, Das Kreuz und die Kreuzigung (1878); VSchultze, Artk Kreuz u Kreuzigung, RE[3] XI 90 ff; FHitzig, Artk crux, Pauly-W IV (1901) 1728—31. Wichtigste Quellenstellen zur Kreuzigung: Artemid Oneirocr I 76; II 53; Apul Met III 17; Cic Verr IV 11, 26; Lucanus Pharsalia VI 538ff; Plin HistNat XXVIII 4, 11; Philo Flacc 83; Polyb I 86, 6; Suet Galba 9; Xenophon Ephesius Ephes IV 281f.

[5] Horat Ep I 16, 48. Rückgabe des Leichnams an Verwandte Philo Flacc 83; Ulpianus Digest XLVIII (Mommsen Il 863).

die Rücksicht auf das Passahfest ließ das bei Jesus und seinen Mitgekreuzigten nicht zu.

καθαιρέω ist sinngemäß, da der Gekreuzigte hoch hing; ὑψηλὸς ὁ σταυρωθείς (Artemid Oneirocr II 53; daher ist es für einen Armen gut, vom Kreuzigen zu träumen). Die ausführliche Kreuzigungsszene Xenophon Ephesius Ephes IV p 281 f ist nicht zu 5 verwenden, da hier das ganze Kreuz mit dem Gekreuzigten infolge des weichen Bodens in den Nil rutscht.

2. Bedeutung *b* hat Lk 12, 18 im eigentlichen Sinn: τὰς ἀποθήκας[6]; die Torheit des Reichen soll wohl besonders dadurch noch unterstrichen werden, daß er Vorhandenes trotz einer ungewissen Zukunft unnötig 10 *niederreißt*.

3. Bedeutung *c* im Sinne von *ausrotten* Ag 13, 19 nach Dt 7, 1; Jos 3, 10; 24, 11[7]; der Apostel will damit das Handeln Gottes in einem konkreten Stück Geschichte betonen, auch da, wo es sich als Vernichtung zeigt. Übertragen 2 K 10, 4 (λογισμούς) → Z 35. 15

4. Bedeutung *d* im wörtlichen Sinne begegnet in dem Zitat Lk 1, 52. Zu Grunde liegt Sir 10, 14; vgl auch Hi 12, 19. Es gehört dem AT zu den deutlichsten Beweisen des göttlichen Handelns in der Geschichte, daß Gott Mächtige, die seinen Willen nicht erfüllen, stürzt; die Geschichte Sauls ist ihm Musterbeispiel dafür. Mit der zunehmenden Verdrängung der 20 Geschichtstheologie durch die Eschatologie tritt auch hier der Messias an die Stelle Gottes, und die Könige werden erst im Eschatologischen gestürzt (Hen 46, 5). Da das Magnificat wohl einen eschatologischen Hymnus darstellt, will diese Stelle auch eschatologisch verstanden werden. Übertragen Ag 19, 27: μέλλειν τε καὶ καθαιρεῖσθαι τῆς μεγαλειότητος αὐτῆς (die ephesinische Artemis, be- 25 fürchten die Silberschmiede, würde „ihrer Majestät entthront" werden)[8].

Das Wort spielt wohl auf eine kultische Formel von Ephesus an (vgl Xenophon Ephesius Ephes I 11: τὴν πάτριον ἡμῖν θεὸν τὴν μεγάλην Ἐφεσίων Ἄρτεμιν)[9].

† *καθαίρεσις*

Das Subst καθαίρεσις kommt seit Thuc in den gleichen Bedeu- 30 tungen wie das Verb vor, besonders als *Niederreißen* von Bauwerken, auch übertragen als *Zerstören, Abnehmen* (Gegensatz οἰκοδομή oder seit Aristot Phys III 6 p 206 b 29. 31 uo αὔξησις). In LXX nur zweimal für Formen von הָרַס Ex 23, 24 = Niederreißen und 1 Makk 3, 43 = Vernichtung des Volkes.

Im NT 2 K 10, 4: καθαίρεσιν ὀχυρωμάτων, das dann durch das folgende καθαι- 35 ροῦντες wieder aufgenommen wird[1]. Paulus befindet sich im Angriffskampf[2], in dem er die Bollwerke menschlicher Sophistik (λογισμούς) zu Ehren des Christus mit Hilfe der echten christlichen Gnosis einnehmen und niederreißen will.

---

[6] Vgl SKrauß, Talmudische Archäologie II (1911) 195.
[7] Während Dt 20, 17 nur sechs Völker genannt sind.
[8] Grammatisch ist die Stelle unsicher. Bl-Debr[6] § 180, 1 hält sie sogar für unmöglich und zieht ἡ μεγαλειότης αὐτῆς oder αὐτῆς ἡ μεγαλειότης vor. Immerhin könnte sie eine Dialektwendung sein, bei der das Subj fehlt und aus dem Vorangehenden ergänzt werden muß (Artemis).

[9] Zur Formenlehre von καθαιρέω ist das Futur καθελῶ, aus εἶλον abgeleitet, bemerkenswert, vgl Radermacher[2] 96 u 226.

καθαίρεσις. [1] „Also Weiterführung durch nom absol" Ltzm K zSt.
[2] HWindisch, Der mess Krieg u das Urchr (1909) 66 ff; Ders, Paulus und Christus (1934) 200—214.

Das Bild ist ursprünglich vom echten Weisen gebraucht worden; zugrunde liegt bei Paulus Prv 21, 22. Verwandt ist vor allem Philo Conf Ling 129 ff: der Weise ist πρός γε τὴν τοῦ ὀχυρώματος τούτου καθαίρεσιν bestellt; das widergöttliche ὀχύρωμα ist τῶν λόγων πιθανότης. Ähnlich auch Epict Diss III 22, 94 ff; IV 1, 86 f³.

5 Als Gegensatz zu οἰκοδομή wird καθαίρεσις bildlich gebraucht 2 K 10, 8 und 13, 10. Wie häufig wendet Paulus hier auch den Kampf schließlich ins Positive. Die Gegner zerstören, er baut auf. Auch die Auseinandersetzungen haben letztlich nur den Sinn, aufzubauen. Vielleicht spielt Paulus damit selbst auf seine frühere Verfolgertätigkeit an; einst hat auch er niedergerissen; jetzt weiß 10 er, daß Christus nur Aufbau von ihm verlangt. Zugrunde liegen Jer 1, 10; 24, 6.

Carl Schneider

καθαρός, καθαρίζω, καθαίρω,
καθαρότης, ἀκάθαρτος,
ἀκαθαρσία, καθαρισμός,
15 ἐκκαθαίρω, περικάθαρμα

· Acts 15:6-11

† καθαρός, καθαρίζω, † καθαίρω, † καθαρότης

Inhalt: A. Der Sprachgebrauch. — B. Rein und unrein außerhalb des NT: Erster Teil: 1. in der primitiven Religion; 2. im Griechentum; 3. in der at.lichen Religion. — C. Rein und unrein außerhalb des NT: Zweiter Teil: 20 im Judentum: 1. Die kultische Unreinheit; 2. Die kultische Reinigung; 3. Die Stellung der Rabbinen zum Gesetz; 4. Reinheit des inneren Menschen. — D. Rein und unrein im NT: 1. Physische Reinheit; 2. Kultisch-religiöse Reinheit und Reinigung; 3. Sittlich-religiöse Reinheit.

A. Der Sprachgebrauch.

25 Von *physischer, religiöser (ritueller, kultischer)* und *sittlicher Reinheit.* Das Wort begleitete als wichtiger Begriff das religiöse Denken auf seinen verschiedenen Stufen.

1. καθαρός *a. rein* (von Schmutz), opp: ῥυπαρός; *b. rein, frei,* opp: πλήρης, μεστός: ἐν καθαρῷ Hom Il 23, 61; *c. moralisch frei* von Befleckung, Schande 30 uä: ἀδικίας Plato Resp VI 496 d, καθαρὸς χεῖρας Hdt I 35; *d. rein, frei von Mischungen:* χρυσίον καθαρώτατον Hdt IV 166. — καθαρίζειν, jüngere hellenistische Form von καθαίρω¹,

---

³ Weitere St Wnd 2 K zSt.

καθαρός κτλ. RE³ XVI 564 ff; XXIV 382 ff; RGG IV 1839 ff; 1847 ff; ERE X 455 ff; JBenzinger, Hbr Archäologie³, Angelos-Beih 1 (1927) 395 ff; WBrandt, Die jüdischen Baptismen (1910), ZAW Beih 18; Ders, Jüdische Reinheitslehre und ihre Beschreibung in den Evv = ZAW Beih 19 (1910); JDöller, Die Reinheits- u Speisegesetze des AT in religionsgeschichtlicher Beleuchtung, At.liche Abh 7, 2. 3 (1917); BStade-ABertholet, Bibl Theol d AT I (1905) bes 134 ff; II (1911) 50 ff; WEichrodt, Theol d AT I (1933) 60 ff; Trench 299, 375; Hamburg, Artk καθαρμός, in: Pauly-W X (1919) 2513 ff; FPfister, Artk Katharsis ebd Suppl VI (1935) 146 ff; EFehrle, Die kultische Keuschheit im Altertum, RVV

6 (1910); ThWächter, Reinheitsvorschriften im griech Kult, RVV 9, 1 (1910); EWilliger, Hagios, in: RVV 19, 1 (1922); Reallex der Vorgesch XI (1927/28) 80 ff Artk „Reinheit"; PStengel, Griech Kultaltertümer³ (1920) 156 ff; GWissowa, Religion u Kultus der Römer², in: Handbuch d kl Altert.-Wissensch V 4 (1912) 390 ff; JohHorst, Die Worte Jesu über d kult Reinheit und ihre Verarbeitung in den ev Berichten, ThStKr 87 (1914) 429 ff; HWenschkewitz, Die Spiritualisierung der Kultusbegriffe 1932 (Angelos-Beih 4); IScheftelowitz, Die Sündentilgung durch Wasser, ARW XVII (1914) 353 ff.

¹ Jon Nebenform καθερίζω, Bl-Debr⁶ § 29, 1; καθαίρω wird in der Koine mehr auf *putzen, fegen* beschränkt, vgl ἐκκαθαίρω. — καθαίρω im NT nur J 15, 2.

a. eigentlich: *reinigen* (von Schmutz uä): τὸ γεώργιον PLips I 111, 12; *b.* übertragen, bes von kultischer Wiederherstellung der verletzten Reinheit: [μηδένα] ἀκάθαρτον προσάγειν (sc zum Tempel). καθαριζέστω δὲ ἀπὸ σ[κ]όρδων κα[ὶ χοιρέων] κα[ὶ γ]υναικός, Ditt Syll³ 1042, 2 ff (2/3 Jhdt n Chr); 736, 37 (92 v Chr); Jos Ant 10, 70 τὴν χώραν. — καθαρότης, schon im klassischen Griechisch in eigentlicher und übertragener Bedeutung: Plato Leg VI 778 c; Jambl Vit Pyth 13: ψυχῆς καθαρότητα; ep Ar 234: μέγι- 5 στον ... τὸ τιμᾶν τὸν θεόν · τοῦτο δ' ἐστὶν οὐ δώροις οὐδὲ θυσίαις, ἀλλὰ ψυχῆς καθαρότητι καὶ διαλήψεως ὁσίας.

2. In Septuaginta ist καθαρός ganz überwiegend Gegenwort für טָהוֹר; wie → *a* Ez 36, 25: ὕδωρ, wie → *c* von ritueller (Lv 7, 19; 10, 10) und mora- 10 lischer Reinheit (Ps 51, 12; Hab 1, 13), wie → *d* Ex 25, 11: χρυσός. — Weit seltener Gegenwort für בַּר (Grundbedeutung wohl *frei sein*) (Ps 24, 4) oder für נָקִי (von נקה *ausgeleert* und daher *rein sein*) *rein, unschuldig* (Hi 4, 7) oder für זַךְ (Nebenform von זכה) *glänzend, rein sein*, dann auch ethisch *lauter, unschuldig* (Hi 15, 15; 25, 5). — καθαρίζω ganz überwiegend Gegenwort für טהר qal und pi (Pass: hitp) (Gn 35, 2; Lv 12, 7. 8; 15 14, 4. 7 f), einigemal für נקה pi (Pass ni) (Ex 20, 7; 34, 7; Dt 5, 11; ψ 18, 13 f). Mehrfach gibt καθαρίζω auch כפר pi (Ex 29, 37; 30, 10), gelegentlich auch חטא pi (Ex 29, 36; Lv 8, 15) wieder². Als Synonym tritt καθαρίζω neben ἐξιλάσκεσθαι: Lv 14, 18; 12, 8; 16, 30. Deklarativ vom *Reinsprechen* durch den Priester Lv 13, 13. — καθαρότης³ in Ex 24, 10 A für טהר; ferner Sap 7, 24; ψ 88, 45 Σ. 20

B. Rein und unrein außerhalb des NT: Erster Teil.

1. Rein und unrein in der primitiven Religion.

Auf der Stufe primitiver Religion denkt der Mensch unter dem Begriff des Machterfüllten (tabu). Das Numen ist darum das zu scheuende (→ ἅγιος I 87 ff). Wer in Berührung mit dem Machterfüllten kommt, 25 wird dadurch selbst machtgeladen und damit für seine Umgebung gefährlich. Erst eine vorgenommene Reinigung befähigt wieder zum allgemeinen Verkehr. Da nach primitiver Vorstellung bes Geburt, Tod und Geschlechtsvorgang mit dem Machterfüllten zusammenhängen, verunreinigen sie und machen bei eingetretener Berührung eine Reinigung nötig. 30

Aber das Numen wird nicht nur als gefährlich, feindlich, sondern als wohltätig und freundlich empfunden, nicht nur als Dämon, sondern — in der weiteren Entwicklung — als Gottheit. Um in Verkehr mit der Gottheit treten zu können, muß der Mensch sich in einen gesteigerten Zustand versetzen, der derselben gemäß ist. Der Mensch muß Reinigungen auf sich nehmen, Unreines bei sich 35 entfernen, abwaschen. Hier entsteht der Gedanke der kultischen Reinheit. Unrein ist alles, was der Gottheit widerstreitet, so bes auch alles, was fremden oder verdrängten Kulten und Mächten angehört (Dämonen). Reinheit und Unreinheit sind bisher als etwas stofflich Anhaftendes gedacht. Sie können wie Schmutz übertragen, bzw mit Wasser ua beseitigt werden. Indem die Religion 40 die Begriffe „Heilig" und „Rein" nebeneinander stellt (→ ἅγιος I 88, 14), schafft sie den Ansatzpunkt zur schließlich moralischen Verinnerlichung des Rein-

---

² Im Sinn der at.lichen Opfertypologie Lv 16, 29 f hat LXX das Verbum auch in Js 53, 10 verwendet. Sie versteht dabei wohl aramaisierend statt דכא „zerschlagen" זכה „rein sein", wenn nicht, wie FWutz, Die Transskriptionen von der LXX bis zu Hieronymus I (1925) 85 annimmt, ein Mißverständnis einer griech Umschrift vorliegt. Zur theol Deutung vgl KFEuler, Die Verkündigung vom leidenden Gottesknecht aus Jes 53 = BWANT 4, 14 (1934) 75 ff u 120 [Bertram].

³ Daneben καθαριότης Ex 24, 10 B; 2 S 22, 21. 25; ψ 17, 21. 25; Sir 43, 1.

heitsgedankens. Rein wird vom kultisch-rituellen zum sittlichen Begriff, nachdem die Gottheit selbst als sittliche Größe erfaßt ist.

2. Rein und unrein in der griechischen Religion.

Dieser allgemeine Entwicklungsgang wiederholt sich
5 deutlich zB in der griechischen Religion[4]. Die primitive Stufe des Denkens blickt hier noch erkennbar durch in den altüberlieferten Vorstellungen von der gefährlichen „verunreinigenden" Kraft, welche von den geheimnisvoll machterfüllten Vorgängen der Geburt, des Geschlechtslebens, der Krankheit und des Todes ausgeht[5]. Die geschichtliche griechische Religion steht wesentlich auf
10 der zweiten Stufe, auf der die Götter bereits als erhabene, den Menschen befreundete Mächte vorgestellt werden. Diese Stufe ist beherrscht von der Forderung der kultischen Reinheit. Der Mensch, der es wagt, sich der Gottheit zu nahen, muß sich sorgfältig hüten, sie durch solches, was ihr widerspricht, zu verletzen[6]. Das ganze Gebiet des Dämonischen wird so zum Widergöttlichen
15 und muß sorgfältig vom Kultus ferngehalten werden. Maßregeln, die ursprünglich als Schutz vor dämonischer Gefährdung gedacht waren, werden jetzt stehende kultische Vorschrift zur Respektierung der heiligen Art der Götter. So werden eine Menge kultische Vorschriften ausgebildet, wonach durch vorbereitende Weihungen (ἁγνεῖαι) die Reinheit des Betreffenden gesichert werden soll. Nur im
20 reinen Zustand darf sich der Mensch Gott nahen. Andernteils kommt es zu Vorschriften über καθαρμοί, welche bei eingetretener Unreinheit diese nachträglich beseitigen sollen[7]. Diese ganze Kathartik ist zunächst rein kultischer, nicht sittlicher Art. Neben der im Kultus geforderten Reinheit geht aber im Griechentum eine private Kathartik weiter, welche eifrig durch allerlei Reinigungen,
25 Enthaltungen und dergleichen dämonische Einflüsse abzuwehren versucht. Hierbei kommt es zu einer Sublimierung des Reinheitsgedankens wie bei den Orphikern und Pythagoreern, wonach nicht so sehr Freiheit von den Dämonen als positive Lebensreinheit angestrebt wird[8]. Besonders durch das philosophische

---

[4] FPfister, Die Religion der Griechen und Römer (1930) 114 ff; Stengel aaO 156 ff; Wächter aaO 2 ff; über die persische Religion, in der die Reinheitsfrage zentrale Bedeutung hat, vgl Chant de la Saussaye II 239 ff.
[5] Belege bei Wächter aaO 7 ff, zB: die Wöchnerin ist unrein, ebenso das neugeborene Kind und die bei der Geburt anwesenden Personen, Wächter 26 f; durch eine im Heiligtum vorkommende Geburt wird dieses verunreinigt, ebd 31; Wahnsinn, durch feindliche Mächte verursacht, erfordert Reinigungen, ebd 41; über die Reinigung des rasenden Proitiden am Fluß Anigros bei Elis vgl Paus V 5, 10. Der Leichnam ist unrein, Berührung, Teilnahme am Begräbnis verunreinigt, Wächter 43 ff.
[6] Hes Op 336 f: ἔρδειν (tun, bringen, opfern) ἱερ' ἀθανάτοισι θεοῖσιν ἁγνῶς καὶ καθαρῶς. Leges Graecorum Sacrae II 1 (1906) n 49, 2 f (ed LZiehen): Zutritt zum Heiligtum: [μηδένα] ἀκάθαρτον προσάγειν. Über Wassergefäße (περιρραντήρια) beim Eingang der Tempel zur Besprengung, vgl Wächter 7. Waschungen vor dem Opfer, ebd 12; reine Hände beim Gebet Hom Od 2, 261, Stengel 156.
[7] Über Reinigungen und Sühnungen Stengel 155 ff; Diog L VIII, 33: τὴν δ' ἁγνείαν εἶναι ... καθαρεύειν ἀπό τε κήδους (Leichenbegängnis) καὶ λέχους (Ehebett) καὶ μιάσματος παντός. Hesych sv ἁγνεύειν· καθαρεύειν ἀπό τε ἀφροδισίων καὶ ἀπὸ νεκροῦ. Plat Leg IX 865 a b. καθαρός u → ἁγνός sind Synonyme. Williger aaO 46 sieht in καθαρός den älteren Terminus für kultische Reinheit. Das Wort ist schon bei Hom religiöser Begriff Il 16, 228 ff. Als schwerste Befleckung gilt Blutschuld. Auch der unfreiwillige Mörder bedarf der Entsühnung (Il 23, 85 ff; Demosth 23, 61 [p 639]): so Stengel 157; für die homerische Zeit bestritten von ERohde, Psyche I [9.10] (1925) 271.
[8] Über Orphiker u Pythagoreer Stengel aaO 681 f.

Denken wird der Gedanke der Reinheit dann vom Kultischen gelöst und in das geistige Gebiet des persönlich Moralischen verlegt[9]. Auch im Gebiet des Kultus gewinnt schließlich die Forderung der sittlichen Reinheit als Voraussetzung für das Nahen gegenüber der Gottheit Raum[10].

3. Rein und unrein in der at.lichen Religion. 5

Auch die at.liche Religion spiegelt zunächst die allgemeine religiöse Entwicklung wider. Reste primitiven Denkens sind die auch hier sich findenden Urteile, daß die Vorgänge der Geburt[11], des Todes[12] und des Geschlechtslebens[13] als mit Dämonen zusammenhängend verunreinigen (טָמֵא und טֻמְאָה; → ἀκάθαρτος). Die Unreinheit ist dabei nicht bloß ein Mangel an 10 Reinheit, sondern selbst positiv verunreinigende Macht. Insbesondere ist alles unrein, was mit fremdem Kult zusammenhängt und damit Jahwe zuwider ist. Hier liegt in erster Linie der Ursprung der at.lichen Speisegebote. Tiere werden disqualifiziert, die einst als Totemtiere oder als einer Gottheit geweihte Tiere qualifiziert waren[14]. Höchstens in einigen Fällen sind auch ästhetische 15 oder hygienische Rücksichten Grund der Unreinerklärung[15]. Palästina als Jahwes Eigentum ist rein[16], das Fremdland, als fremden Göttern zugehörig, ist unrein. So schattet sich in den Reinheitsgeboten noch der Kampf der Jahwe-Religion gegen das vor- und außerisraelitische Heidentum ab. Gerade weil die Religion Israels die Heiligkeit Gottes (→ ἅγιος) so stark empfindet, bildet sie 20 auch den Reinheitsgedanken mit entsprechender Energie aus. Das Gesetz entwickelt eine Menge Vorschriften, welche teils als vorbereitende Reinigungen den Menschen in den heilig-reinen Zustand, der zur Begegnung mit der Gottheit befähigt, versetzen sollen[17], teils als sühnende Reinigungen die verlorene Reinheit durch allerlei Lustrationen wiederherstellen sollen[18]. Insbeson- 25

---

[9] Pind Pyth 5, 2: καθαρὰ ἀρετή. Plat Resp VI 496 d: καθαρὸς ἀδικίας τε καὶ ἀνοσίων ἔργων. Xenoph Cyrop VIII 7, 23: ἔργα καθαρὰ καὶ ἔξω τῶν ἀδίκων. Nach Plat Leg IV 716 e ist unrein: τὴν ψυχὴν ὁ κακός. Nach Epict (Diss II 18, 19) besteht die κάθαρσις ψυχῆς in der Annahme der ὀρθὰ δόγματα; IV 11, 8; II 22, 34 ff.

[10] Leg Gr Sacr (→ A 6) n 91, 9 ff: [παρ]ιέναι εἰς τὸ ἱερὸν . . . [χε]ρσὶν καὶ ψυχῇ καθα[ρᾷ]. Inschrift am Asklepiosheiligtum in Epidaurus: Nur wer rein ist, betrete die Schwelle des duftenden Tempels; niemand aber ist rein, außer wer Heiliges denkt (ἁγνείη δ' ἐστὶ φρονεῖν ὅσια), Übersetzung von J Bernays, Theophr Schrift über die Frömmigkeit (1866) 67. Die Einweihung eines Mysten in die eleusinischen Mysterien forderte umständliche Reinigungen, die größte Ähnlichkeit mit der Reinigung eines Schuldbefleckten haben, Stengel 180. Aber auch hier scheint moralische Reinheit erst in späterer Zeit gefordert zu sein, Orig Cels III, 59: . . . ὅστις ἁγνὸς ἀπὸ παντὸς μύσους (Verbrechen) καὶ ὅτῳ ἡ ψυχὴ οὐδὲν σύνοιδε κακὸν καὶ ὅτῳ εὖ καὶ δικαίως βεβίωται, Wächter aaO 9 f.

[11] Lv 12.

[12] Nu 19, 11; Dt 26, 14; Jer 16, 5 ff. Vgl Stade-Bertholet aaO I 138; Döller aaO 125 ff.

[13] 1 S 21, 4 ff; 2 S 11, 4; Lv 12; 15, 18; Stade-Bertholet aaO I 140; Döller aaO 10 ff, 64 ff.

[14] Lv 11; Dt 14, 7 ff; Stade-Bertholet aaO I 136, 138; Döller aaO 168 ff. Das Schwein ist altkanaanäisches Haus- und Opfertier. Es galt in Babylonien, Cypern und Syrien als heiliges Tier (Aphrodite, Luc Syr Dea 54). Mäuse, Schlangen, Hasen galten im Zauberwesen als bes Träger dämonischer Kräfte, Eichrodt aaO I 61; das Kamel galt den Ägyptern als typhonisch; der Hund war in Phönizien, Babylonien, Ägypten, Persien heiliges Tier, Döller aaO 190 f.

[15] zB Kriechtiere Lv 11, 29 f; J Hehn, RGG IV 1844.

[16] Am 7, 17; Ez 4, 12 f.

[17] Ex 19, 10; Nu 8, 15; 2 Εσδρ 6, 20.

[18] Lv 16, 1 ff. 19. 23 ff; Ez 39, 12; 2 Ch 29, 15; 34, 3. 8; Stade-Bertholet aaO I 142 f; Eichrodt aaO I 60 ff.

dere dienen dazu Waschungen [19]. Bei schwerer Verunreinigung tritt dazu, steigernd, ein Feueropfer, oder es kann das Reinigungswasser mit heiligen Dingen versetzt werden [20]. Auch kann die Unreinheit auf ein Tier übertragen werden, welches dieselbe mit fortnimmt [21]. Wie Jahwes Heiligkeit auch einen sittlich-

5 religiösen Inhalt gewinnt, wird die vom Gläubigen geforderte rituelle Reinheit auch zum Symbol innerlich moralischer Reinheit [22]. Vom Unreinen, dem eine eigene Macht innewohnt, ist das Profane (לֹח, → κοινόν) zu unterscheiden, das zum allgemeinen Gebrauch freisteht [23].

Während so im Kultus der Gedanke der rituellen Reinheit stark ausgebildet

10 wird, wird von den Propheten das ethisch-religiöse Urteil geschärft. Es kommt hier sogar gelegentlich zu einer Entgegenstellung der Werte, indem von den Propheten der ethisch gedachten Reinheit der Vorzug vor der bloß kultisch-rituell gedachten und betriebenen gegeben wird [24]. So sind die Propheten die Wegbereiter für die Religion Jesu. Die Forderung kultischer Reinheit hatte

15 einen inneren Wert und ein inneres Recht als tiefer weisendes Symbol. Es wurde der Mangel der spätjüdischen offiziellen Religion, daß sie der Forderung kultischer Reinheit ein weit übertriebenes Übergewicht gegenüber den innersten Anliegen der Religion einräumte [25] und daß sie unfähig zur Abstoßung des Primitiven blieb. Beides führte zu einer verhängnisvollen Verzerrung und Verstei-

20 nerung der jüdischen Religion.

Im hellenistischen Judentum zeigt sich weithin die Neigung, unter Festhaltung des alten, rituell-kultisch begrenzten Reinheitsgedankens denselben doch zu vergeistigen. Das Gewicht des Rituellen wird zugunsten des Geistig-Ethischen zurückgeschoben. Die Berührung mit dem Griechentum hat hier die Gedankenbildung beeinflußt. Die

25 alte rituelle Forderung wird nicht negiert, aber es herrscht doch eigentlich Übereinstimmung, daß der wirkliche Wert der Reinheit im Geistigen liegt. So begegnet in LXX καθαρός sowohl als Wiedergabe von Begriffen, die wie טָהוֹר vor allem die äußere rituelle Reinheit (Gn 7, 2; Lv 4, 12), als auch von solchen, die wie נָקִי (Gn 44, 10; Hi 4, 7) die sittliche Unschuld bezeichnen. Ähnlich reproduziert Josephus natürlich

30 die alten Reinheitsforderungen als zu Recht bestehend [26]. Aber die von Gott geforderte Reinheit geht tiefer, auf eine solche der Seele und des Gewissens [27]. Diese wahrhafte Reinigung geschieht durch Rechtschaffenheit [28].

---

[19] Lv 11, 32; 15, 7. 16 ff. Fließendes Wasser hat erhöhte Kraft: Lv 14, 5; 15, 13.

[20] Asche der roten Kuh Nu 19, 9 ff; Feuer und Wasser 31, 22 ff. Wasser, Feuer und Blut sind dabei wohl ursprünglich als Gegenzauber gedacht, Döller aaO 261.

[21] Lv 14, 7 (Vogelopfer für den Aussätzigen); 15, 13 ff; 16, 21 ff (Bock am Versöhnungstag).

[22] Sowohl im Dt (21, 6 ff) wie im Heiligkeitsgesetz (Lv 17—26).

[23] Ez 22, 26; 42, 20; → ἅγιος I 88, 30.

[24] Js 1, 15 ff; Ps 51, 4; Jer 33, 8 (Ιερ 40, 8).

[25] In bes Steigerung zB bei den Essenern, die geradezu καθαροὶ ἄνδρες heißen, 8 Buch Mose 66 f bei A. Dieterich, Abraxas (1891) 141, 143; über ihre Reinheitssitten Jos Bell 2, 128 ff; Schürer II 566 ff.

[26] μὴ καθαρός vom Aussätzigen: Ant 9, 74; σάρκας ποιῆσαι καθαράς (vom Blut reinigen): 6. 120; Ap 1, 282; Ant 4, 298 (στρατός); Ent-

sühnung des Tempels: Bell 1, 153, der Stadt: 6, 110 (Gegensatz μίασμα); vgl SchlTheol d Judt 130 f.

[27] Bell 6, 48: (ψυχαὶ) τὰ μάλιστα κηλίδων (Flecken) ἢ μιασμάτων . . . καθαραί. Auch die μνήμη der Sünde stellt ein μίασμα der Seele dar und muß deshalb getilgt werden, Ant 9, 261 f. Jos bevorzugt καθαίρειν vor καθαρίζειν, letzteres zB Ant 10, 70; 12, 286.

[28] Von da aus lobt Jos Joh den Täufer, der seine Taufe nur dann als gottwohlgefällige Handlung bezeichnet habe, wenn sie nicht als Bitte zur Abwendung von Sünden (vgl 1 Pt 3, 21, Wnd Pt 73) angewendet wird, sondern nur zur Reinigung des Leibes dienen soll. Die Seele muß vorher durch Rechtschaffenheit gereinigt werden, Ant 18, 117 (μὴ ἐπί τινων ἁμαρτάδων παραιτήσει χρωμένων, ἀλλ' ἐφ' ἁγνείᾳ τοῦ σώματος, ἅτε δὴ καὶ τῆς ψυχῆς δικαιοσύνῃ προεκκεκαθαρμένης) Brandt aaO 80 f, 87.

Dieselbe Beobachtung ist in den Test XII [29] und ep Ar [30] zu machen. Vollends bei Philo findet fortwährend eine ethisierende Vergeistigung des Reinheitsgedankens statt. Die at.lichen Reinheitsforderungen werden festgehalten [31], gewinnen aber überwiegend symbolische Bedeutung. Die innere, sittliche Reinheit ist die Forderung Gottes [32].

Hauck   5

C. Rein und unrein außerhalb des NT: Zweiter Teil: im Judentum.

Die Begriffe „rein" und „unrein" werden in der talmu-disch-midraschischen Literatur wie im AT in kultischer und ethischer Hinsicht gebraucht. In dieses Schema lassen sich die meisten Aussagen einordnen, wenn auch zu beachten ist, daß die Grenze zwischen Kultus und Ethik fließend ist. 10 Das palästinische Ideal von der Heiligung des einzelnen im Alltag [33] ist die Triebfeder für die Schaffung der Reinheitsverordnungen, die, auf den Reinigungs-gesetzen des AT aufgebaut, das gesamte Leben der Juden durchdringen.

1. Die kultische Unreinheit.

a. Die levitische Unreinheit [34] gilt dem Judentum als etwas 15 dem unreinen Menschen bzw Gegenstand stofflich Anhaftendes und daher auch auf andere Menschen bzw Gegenstände Übertragbares. Man unterscheidet den Unrein-heitsherd [35] (אַב הַטֻּמְאָה) von dem Infizierten (וְלַד הַטֻּמְאָה): Toharot 1, 5. Als Unrein-heitsherde gelten zB: Kriechtiere, der durch einen Toten Verunreinigte [36], gefallenes Vieh, normale geschlechtliche Ausscheidungen bei Mann und Frau, mit krankhaften Ausflüssen 20 Behaftete, ihre Ausscheidungen, Sitzgelegenheiten und Betten, Aussätzige und Toten-knochen: Kelim 1, 1—4. Der Leichnam gilt teils als einfacher Unreinheitsherd, teils als Urherd der Unreinheit (אֲבִי אֲבוֹת הַטֻּמְאָה) [37]. Je nach dem Abstande vom Herd redet man von einer Ansteckung ersten, zweiten, dritten, vierten Grades (רִאשׁוֹן לְטֻמְאָה usf). Menschen, Geräte, Kleider werden nur unmittelbar vom Herde infiziert, also nur 25 erstgradig. Hände (Jad 3, 1), profane Speisen und Getränke (חֻלִּין) sind für die An-steckung im zweiten Grade empfänglich, Geweihtes niederen Grades, zB die Ernte-abgabe für die Priester (תרומה), im dritten, Opfer schließlich im vierten [38]. Die Inten-sität der Unreinheit nimmt bei jeder neuen Übertragung um einen Grad ab. Ist ein

---

[29] Test B 6, 5: ἡ ἀγαθὴ διάνοια . . . ἔχει καθαρὰν διάθεσιν, 8, 2: καθαρὸς νοῦς οὐκ ἔχει μιασμόν, 8, 3; Test R 4, 8: (καθαρίζειν) τὰς ἐννοίας ἀπὸ πάσης πορνείας.
[30] Ep Ar 2: ψυχῆς καθαρὰ διάθεσις, 234: καθαρότης ψυχῆς.
[31] Det Pot Ins 20; Vit Cont 66; Spec Leg IV 110.
[32] Deus Imm 132: βελτιοῦσθαι τὰ ἔνδον καὶ ἐξ ἀκαθάρτων καθαρὰ γίνεσθαι; Ebr 143; Plant 64: ὁ τελείως ἐκκεκαθαρμένος νοῦς; Ebr 125 (τοῦ συνειδότος); Leg Gaj 165 (desgl); Vit Mos II 24 (διάνοια); Ebr 28 (desgl).
[33] Vgl Bousset-Greßm 127.
[34] טֻמְאָה; hierüber vor allem die sechste Mischnaordnung; SLv 11—15; SNu 1 zu 5, 1—4; 125—130 zu 19, 11—22; 157—158 zu 31, 19—24 und dazu die Übersetzung und Er-klärung dieser Abschnitte bei KGKuhn, SNu übers (1933 ff); Schürer II 560 ff; Moore II 74 ff.
[35] Die Übersetzung „Hauptunreinheit" (zB Levy Wört I sv אַב; Schürer II 561) ist falsch, da sie irreführt.
[36] Wer einen Toten berührt hat, gilt als

אַב הַטֻּמְאָה. Kommen Gefäße, ausgenom-men irdene, mit einem Toten in Berüh-rung, so haben sie die gleiche Wirkung wie der Tote selber. Wer sie berührt, wird also auch אַב הַטֻּמְאָה. — Geräte, die mit einem durch einen Toten Verunreinigten in Berührung kommen oder mit einem Men-schen, der Gefäße berührt hat, die durch einen Toten infiziert sind, werden ebenfalls אַב הַטֻּמְאָה. Kommen dagegen irdene Gefäße und Nahrungsmittel mit einem Toten in Be-rührung, so nehmen sie nur eine Unreinheit ersten Grades an. Der Leichnam ist dann: אַב הַטֻּמְאָה, die infizierten Gegenstände: רִאשׁוֹן לְטֻמְאָה; vgl Ohalot 1, 1—3, Obadja von Bertinoro (vgl Strack Einl 159) z Kelim 1, 1.
[37] So Raschi zB b BQ 2 b: מי שנגע במת הוי אב הטומאה דמת עצמו אבי אבות הטומאה הוא, doch → A 36.
[38] Vgl EBaneth, Mischna II (1927) 171 A 24 f.

Mensch oder Gegenstand nur soweit verunreinigt, daß er in seiner Klasse nicht mehr
ansteckt, sondern nur eine levitisch empfindlichere Klasse, so heißt er „untauglich"
(פָּסוּל) [39].

b. Die Übertragung der Unreinheit geschieht durch Berühren
(מַגָּע), durch Tragen (מַשָּׂא), durch Druck (Sitzen, Liegen usf) (מִדְרָס), dadurch, daß
Unreines in den inneren Hohlraum (אֲוִיר) [40] eines Gefäßes gelangt, dadurch, daß ein
Aussätziger ein Haus [41] betritt (בִּיאָה), dadurch, daß Reines sich mit einem Leichnam
unter dem gleichen Dach [42] befindet (אֹהֶל). Dazu kommen die sieben Flüssigkeiten
(מַכְשִׁירִין) oder (מַשְׁקִין), die trockene und als solche immune Nahrungsmittel, wenn sie
mit ihnen vermischt werden, verunreinigungsfähig machen [43].

c. Der jeweilige Grad von Unreinheit bedingt bei leichterer Unreinheit Ausschluß von dem entsprechenden Geweihten, bei höherer Unreinheit darüber
hinaus neben der vorgeschriebenen Reinigung auch Opfer. Eine schematische Darstellung hierüber bietet Kelim 1, 5. Danach gibt es beim Menschen zehn Unreinheitsstufen:
1. Wer nach Ablauf der Reinigungsfrist [44] das dann noch erforderliche Sühnopfer noch
nicht dargebracht hat (מְחֻסַּר כִּפּוּרִים), darf (als Priester) Opfer nicht genießen
(אָסוּר בַּקֹּדֶשׁ), doch Teruma und Zehnt sind ihm erlaubt. — 2. Hat jem ein Tauchbad
genommen, die dann noch notwendige Reinigungsfrist (bis zum Abend) ist aber noch
nicht abgelaufen (מְבוּל יוֹם), so ist ihm nur der Zehnt gestattet [45]. — 3. Einer, der
nächtliche Pollution hatte (בַּעַל קְרִי), ist von allem Geweihten ausgeschlossen [46]. —
4. Hat jem einer Frau in ihrer Periode beigewohnt (בּוֹעֵל נִדָּה), so ist er selber ein
Unreinheitsherd [47]. — 5. Ein mit krankhaften Ausflüssen Behafteter verunreinigt
nach zwei Ergüssen Bett und Sitz [48], er muß in fließendem Wasser baden, doch vom
Opfer ist er befreit. — 6. Bei drei Ergüssen ist er auch zu letzterem verpflichtet.
— 7. Ein wegen Aussatzverdachtes vom Priester Eingeschlossener (gemäß Lv 13,
4—5. 21. 26. 31—33) verunreinigt das Haus durch seinen Eintritt (בִּיאָה). Er ist jedoch
befreit vom Wildwachsenlassen der Haare, vom Einreißen der Kleider, vom Scheren
und Vogelopfer. — 8. Ein sicher Aussätziger ist auch hierzu verpflichtet. — 9. Ein
Glied vom Menschen, das als Knochen betrachtet werden kann, verunreinigt durch Be-
rühren und Tragen [49]. — 10. Ist aber soviel Fleisch daran, daß am ursprünglichen
Körper eine Verheilung möglich gewesen wäre, so verunreinigt es wie ein ganzer
Leichnam alles, was sich mit ihm unter einem Dache (אֹהֶל) befindet. — Auch das Land
Palästina, heiliger als die Heidenländer, ist in zehn Heiligkeitsgrade eingeteilt, so daß
Unreine je nach der Heiligkeit des Ortes von seinem Betreten ausgeschlossen sind:
Kelim 1, 5—9; zB sind Aussätzige aus ummauerten Städten verwiesen; ein Toter darf
aus einer Stadt nur hinausgeschafft, aber nicht wieder hereingebracht werden. Den
Tempelberg dürfen nicht betreten: männl oder weibl Ausflußbehaftete, Menstruierende
und Wöchnerinnen. Heiden [50] und durch einen Toten Verunreinigte dürfen die inneren
Tempelhöfe nicht betreten. Ein מְבוּל יוֹם ist vom Betreten des Frauenvorhofes ausgeschlossen. Der Eintritt in den Vorhof der Israeliten ist jedem untersagt, der noch
(nach Erledigung aller sonstigen Reinigungsriten) sein Sühnopfer ausstehen hat usf.

---

[39] zB: hat jem unreines Brot gegessen, so
ist er untauglich, Opferfleisch und Geweihtes
zu essen; er muß ein Tauchbad nehmen, um
wieder tauglich (כָּשֵׁר) zu werden. Zum Genuß unreiner Speise s Er 8, 2 u Baneth,
Mischna II 110 A 18.

[40] Auch אֲוִיר = gr ἀήρ.

[41] „Haus" ist im weitesten Sinne zu
fassen; s Obadja von Bertinoro z Kelim 1, 4.
Über den Aussatz: Str-B IV 745 ff (Exk).

[42] אֹהֶל „Zelt", ebenfalls im weitesten Sinne
aufzufassen; zB sogar Laubdach eines Baumes.

[43] Makschirin 6, 4: Tau, Wasser, Wein, Öl,
Blut, Milch, Bienenhonig. Über die Verstär-
kung von Unreinheit durch Flüssigkeiten s
Baneth, Mischna II 171 f A 26.

[44] zB der vom Aussatz Geheilte; vgl Obadja

von Bertinoro zSt. Oder auch der Totenun-
reine (Nu 19, 11).

[45] Der מְבוּל יוֹם verunreinigt im dritten
Grade, macht also Teruma untauglich. Gemeint
ist mit dem Zehnten מַעֲשֵׂר רִאשׁוֹן, der soviel wie חֻלִּין gilt, also für einen zweitgradig
Unreinen gestattet ist: Tebul jom 4, 1 u Obadja von Bertinoro zSt.

[46] Denn er ist רִאשׁוֹן לְטֻמְאָה: Obadja von
Bertinoro z Kelim 1, 1.

[47] Er verunreinigt sämtliche unteren Lagen
seines Bettes erstgradig durch Liegen: Kelim
1, 3 u Obadja von Bertinoro zSt.

[48] Ansteckung wie beim בּוֹעֵל נדה (→ Z 21)
durch מִדְרָס (→ Z 5).

[49] מַגָּע u מַשָּׂא.

[50] Vgl hierzu Ag 21, 28 und die Verbots-
tafel am Tempeltore: Ditt Or II 598.

d. Wie weit ein Gegenstand verunreinigt werden kann, hängt nicht nur von der Art der Infektion, sondern auch von Beschaffenheit und Material ab. zB sind „von den Gefäßen aus Holz, Leder, Knochen und Glas die flachen nicht verunreinigungsfähig, die vertieften aber verunreinigungsfähig": Kelim 2, 1. Dagegen „was die Metallgeräte betrifft, so sind die flachen u n d die vertieften verunreinigungs- 5 fähig": ebd 11, 1. Auch nehmen die Geräte nicht allseitig gleichmäßig Unreinheit an: während die vertieften Geräte aus Holz, Leder, Knochen und Glas allseitig Unreinheit annehmen, werden irdene und Asphaltgeräte nur im Inneren verunreinigt und verunreinigen auch nur dort: ebd 2, 1; auch ihre Fußhöhlung nimmt Unreinheit an, doch an ihrer Außenseite sind sie immun: ebd. Andererseits muß man bei all- 10 seitig verunreinigungsfähigen Geräten zwischen der Außenseite und dem immunen Griff[51] unterscheiden; zB Kelim 25, 8: hat jem einen außenseitig unreinen Becher angefaßt, „so braucht er nicht zu fürchten, daß seine Hände ... verunreinigt werden, wenn er ihn an seinem Henkel ergriffen hat". Will man etwas vor Unreinheit schüt- zen, so muß man bei dem zu verwendenden Gefäße auf Material und guten Verschluß 15 achten. Kelim 10, 1: „Folgende Gefäße, die mit einem festen Verschluß verschließbar sind[52], schützen [ihren Inhalt]: Gefäße aus Kuhmist, Erdharz, Steinen, Erde, Ton, aus Knochen des Fisches und seiner Haut, aus Knochen des Meergetiers und seiner Haut; auch reine Gefäße aus Holz schützen [vor Unreinheit]."

Auch alle übrigen Gebrauchsgegenstände sind nach Form, Material und Bestimmung 20 verschieden verunreinigungsfähig. Nach Kelim 24, 1 zB unterscheidet man drei ver- schiedene Schilde: 1. den Rundschild: er kann durch Druck verunreinigt werden, da er nicht nur ein Kampfgerät, sondern auch für die Soldaten eine Sitzgelegenheit ab- gibt[53]; — 2. den Turnierschild: er wird durch Berührung eines Leichnams unrein (→ A 36); — 3. den kleinen Araberschild: er ist überhaupt immun. 25

Selbst im Wirtschaftsleben spielt die Frage nach rein und unrein eine Rolle; zB wird Leder als Rohmaterial verunreinigungsfähig, wenn der Besitzer über seine Ver- wendung bestimmt hat. Es nimmt dann die Eigenschaften des Bestimmungsgegen- standes an; im Besitze des Gerbers jedoch ist es den Verunreinigungsgesetzen noch nicht unterworfen, da er nicht endgültiger Besitzer ist: Kelim 26, 8. 30

e. Vom Standpunkte des pharisäischen Reinheitsbegriffes erschei- nen die übrigen jüdischen und halbjüdischen Gruppen mit Ausnahme der Essener[54] als zurückgeblieben. Die Kleider eines 'am ha-'arez verunreinigen einen Pharisäer, wenn er sich daraufsetzt[55]: Chag 2, 7. Die Frau eines Chaber darf nur solange der- jenigen eines 'am ha-'arez beim Backen helfen, wie diese kein Wasser zum Mehl hin- 35 zugibt[56]: Schebi 5, 2 = Git 5, 9. Die Samaritanerinnen sind von Kind an unrein: Nidda 4, 1[57]. Ihre Männer haben den Unreinheitsgrad eines, der einer Menstruierenden bei- gewohnt hat: ebd (→ A 47). Leben die Sadduzäerinnen nach alter Weise, so gleichen sie den Samaritanerinnen; doch bekehren sie sich, so gelten sie für rein als Voll- jüdinnen: ebd 4, 2. 40

Der Heide gilt ebenfalls als unrein. Vom Tempelbesuch ist er ausgeschlossen (→ 422, 36 ff). Nahrungsmittel und Gegenstände, die zum Götzendienst gebraucht werden, sind dem Juden untersagt (zB AZ 2, 3 ff). Beim Hausbau hat man die unmittelbare Nachbar- schaft eines Tempels zu meiden (AZ 3, 6) usf. Den Verkehr mit Nichtjuden charak- terisiert AZ 5, 12: „Kauft [ein Jude] Gebrauchsgerät von einem Heiden, so reinigt 45 er durch Tauchen, was man zu tauchen pflegt, durch Abbrühen, was man abzubrühen pflegt, durch Ausglühen, was man auszuglühen pflegt."

f. Scheinbar im Gegensatz zu dem bisher Gesagten steht die rabb Aussage, daß die heiligen Schriften die Hände verunreinigen: Jad 3, 5. Der Ausdruck ist nachgerade term techn für die kanonische Geltung. Angeblich geht die 50 Vorstellung von der Verunreinigung der Hände auf folgendes Ereignis zurück[58]: man wollte die in der Tempelkammer zusammen mit der Teruma aufbewahrten Rollen vor Mäusefraß schützen; daher erklärte man sie für unrein, um so ihre von der Teruma

---

[51] בֵּית הַצְּבִיעָה.

[52] בְּצָמִיד פָּתִיל; s über diesen Begriff KGKuhn, SNu übers (1933 ff) 481 A 70.

[53] Ist der Soldat zB mit Ausfluß behaftet, so verunreinigt er durch מִדְרָס: → 422, 5.

[54] Schürer II 664; Bousset-Greßm 460; EJ III sv.

[55] Chag aaO entwickelt eine kultische Ständeordnung: 1. 'am ha-'arez; 2. Pharisäer; 3. Priester als solcher; 4. Priester bei Verrich-

tung einer Opferhandlung; eine jede Gruppe verunreinigt die nächsthöhere durch מִדְרָס.

[56] Wasser befähigt das Mehl, die Unrein- heit der Frau des 'am ha-'arez anzunehmen und damit die Chaberfrau anzustecken: → A 43.

[57] Sie gelten als dauernd נִדָּה.

[58] So auch Levys Deutung: Wört II sv טמא. Ebenso Str-B IV 433 f. Dagegen wohl mit Recht KGKuhn (→ I 100, 25 ff u A 44).

getrennte Aufbewahrung zu erreichen: bSchab 14a par. Die junge Erzählung stellt
eine legendenhafte Erklärung eines überkommenen Tatbestandes dar. Der ursprüngliche Sinn der Verunreinigung ist ein anderer: rein und unrein sind ursprünglich der Ausdruck für den gleichen Zustand, nämlich daß etwas der Gottheit verfallen
— tabu — ist. In späterer Zeit, wo man mehr die Lichtseite der Gottheit empfindet,
ist der Tabu-Begriff ein Ausdruck der Gottesferne: ein Unreiner ist aus dem Heiligtum verbannt; die Bannung, die von Geweihtem ausgeht, kommt nur noch vereinzelt
zur Geltung [59]. So ist es auch bei den Schriften, die Unreinheit verbreiten. Bereits
Jochanan bZakkai weiß nicht mehr um den eigentlichen Sinn dieser Vorstellung Bescheid; daher die Hilflosigkeit gegen die Vexierfrage der Sadduzäer: Jad 4, 6. So
ist es auch erklärlich, daß sich der Spätzeit die legendenhafte, dafür aber rational
erfaßbare Erklärung, wie sie der Vorgang im Tempel bot, in den Vordergrund drängte.
Daß aber hier nur eine sekundäre Deutung vorliegt, zeigt das Weiterleben der Tabu-
vorstellung bMeg 32a par: „Wer ein Torabuch mit bloßen Händen [60] anfaßt, wird
auch nackt begraben werden" [61].

2. Die kultische Reinigung.

Zur Wiederherstellung der levitischen Reinheit bedarf
es beim Menschen der Reinigung durch Wasser, uz unterscheidet man: *a*. das
Bespülen (נְטִילָה); — *b*. die Besprengung (הַזָּיָה); — *c*. das Tauchbad (טְבִילָה).
Dazu kommt *d*. bei bestimmten Fällen das Sühnopfer (כַּפָּרָה). Die Geräte
werden durch Wasser gereinigt, indem man sie taucht oder ausbrüht, oder
durch Ausglühen. Daneben kommt auch Vernichtung bes von im Haushalt
gebrauchten Gefäßen vor: zB Kelim 2, 1; 11, 1. Die Beschädigung muß dabei
so groß sein, daß das Gefäß unbrauchbar ist: Kelim 17 passim. Neben dem
Reinigungsakt muß auch die Dauer des Unreinseins (bei Totenunreinen zB 7 Tage,
Nu 19, 11) beachtet werden.

Da das Wasser das am häufigsten gebrauchte Reinigungsmittel darstellt, sei
hier kurz auf die sechs Reinigungsstufen des Wassers nach Miq 1, 4—8 eingegangen. *1*. Das Wasser aus Teichen, Zisternen, Höhlen, stagnierendes Bergwasser und Tauchbäder, die weniger als die vorgeschriebenen 40 Sea Wasser
enthalten, eignen sich, wenn nicht verunreinigt, zur Zubereitung der Teig-
spende (חַלָּה) und für das rituelle Händewaschen. — *2*. Bergwasser, das
Zufluß hat, eignet sich für die Priesterabgabe (תְּרוּמָה) und zum Händewaschen.
— *3*. Das Tauchbad mit dem Mindestgehalt von 40 Sea reinigt Mensch und
Gerät. — *4*. Ein kleiner Quell, zu dem man geschöpftes Wasser hinzugegeben
hat, reinigt in einer Sammelstelle wie das Tauchbad, anderseits gleicht er dem
reinen Quell darin, daß er ohne Rücksicht auf die vorhandene Wassermenge
Gefäße reinigt. — *5*. מֵי מוֹכִין (Bedeutung unsicher; vielleicht „Wasser aus
mineralhaltigen Quellen"?) reinigt im Fließen. — *6*. Am wirksamsten ist fließendes Wasser: es reinigt den, der mit krankhaftem Ausfluß behaftet war, bildet
das Besprengungswasser für den Aussätzigen und ist zur Herstellung des Sühn-
wassers geeignet.

Der häufigste kultische Reinigungsakt ist das Händespülen (נְטִילַת יָדַיִם) [62]. Es
geschieht vor den Benedictionen bei Mahlzeiten. Das vor der ersten Bene-

---

[59] Vgl Bousset-Greßm 147. Die gleiche
Vorstellung Lv 16, 4. 24.

[60] עָרוּם: Wortspiel; Raschi erläutert: בלא
מטפחת סביב ספר תורה — man muß vielmehr
die Tora im Umschlage in die Hand neh-

men; vgl JLeipoldt, Gegenwartsfragen in der
nt.lichen Wissenschaft (1935) 22.

[61] Autor: Jochanan bNappacha, um 250 n
Chr.

[62] Die Hände sind ja noch im zweiten
Grade verunreinigungsfähig.

diction gebrauchte Wasser heißt: מַיִם רִאשׁוֹנִים, das vor der Schlußbenediction: מַיִם אַחֲרוֹנִים; ersteres ist nach der Ansicht des RJdi bAbin rabbinisches Gebot (מִצְוָה), letzteres ist in der Tora geboten (חוֹבָה). Dazu kommt noch die Reinigung der Hände während des Mahles, die jedoch nicht gesetzlich gefordert wird, sondern freigestellt ist (רְשׁוּת) [63]. Die Vorschrift der levitischen Händereinigung 5 gilt ebenso bei den Gebetszeiten. Die vollkommen korrekte Rezitation des Schᵉmaʻ muß nach RJochanan (→ A 61) so vor sich gehen, daß man seine Notdurft verrichtet, darauf die Hände wäscht, die Tefillin anlegt und dann das „Höre Israel" spricht und betet: bBer 15a. In Ermangelung von Wasser hat man in Palästina auch Sand usf benutzt; in Babylonien war der Brauch nicht 10 üblich: bBer 15a.

Befindet sich ein Jude im Augenblicke des Gebetes im Zustande levitischer Unreinheit, so darf er nicht wie üblich beten; Ber 3, 4: „Hat sich jem in der Nacht verunreinigt, so denkt er [nur das ‚Höre Israel'] in seinem Herzen. Bei der Mahlzeit spricht er [nur] die Benedictionen danach"; ebd 3, 5: „Steht jem 15 beim Achtzehngebet und fällt ihm ein, daß er sich durch einen Erguß verunreinigt hat, so . . . kürzt er [es] ab" [64].

Auch für das Gesetzesstudium ist levitische Reinheit erforderlich; doch sind sich die Rabbinen über die endgültige Regelung nicht einig: bBer 22a oben. Wie das Verhalten eines Schülers Jehuda bBathyras (um 110 n Chr) zeigt, scheute 20 man sich, im Zustande der levitischen Unreinheit Worte der Tora auszusprechen: bBer 22a [65].

3. Die Stellung der Rabbinen zum Gesetz.

Die Stellung der Rabbinen zu den drückenden und das ganze Leben einengenden Gesetzen faßt Jochanan bSakkai Pesikt 40b (Buber) 25 zusammen: „Bei eurem Leben, nicht der Tote verunreinigt (מְטַמֵּא) und nicht das Wasser macht rein (מְטַהֲרִים); sondern es ist eine Verordnung des Königs aller Könige. Gott hat gesagt: . . . kein Mensch ist berechtigt, meine Verordnungen zu übertreten . . ." [66]. Doch wird man annehmen müssen, daß Jochanans religiöse Haltung nur von wenigen erreicht wurde. Die volkstümlichere und damit 30 häufigere Meinung war, daß alle Unreinheit dem Reiche des Todes und der Dämonen angehörte und daß man zu ihrer Beseitigung apotropäische Mittel brauchte.

Zuweilen, doch nur an wenigen Stellen, zeigt sich eine etwas freiere Stellung zum Gesetz. Nach bBer 19b ist es Brauch, um der Ehre eines Leidtragen- 35 den willen, dem man das Geleit gibt, selbst auf unreinem Wege zu folgen [67], wenn dieser ihn einschlägt. Von Eleazar bZaddoq (um 110 n Chr) wird erzählt, zu seiner Zeit sei man jüdischen Königen sogar über Särge mit Toten hinweg entgegengesprungen. Nach Chanina, dem Priestervorsteher (um 70 n Chr), muß

---

[63] bChul 105a par; vgl ferner das Material bei Str-B I 697.

[64] Nach Möglichkeit wird man sich morgens seiner levitischen Unreinheit entledigt haben; darauf deutet Ber 3, 5b.

[65] Der Schüler vertritt den allgem Brauch.

[66] Vgl das Material Str-B I 719. Zu Sinn und Bedeutung dieses Satzes s insbes ASchlatter, Jochanan Ben Zakkai = BFTh 3, 4 (1899) 41ff und KGKuhn, SNu übers (1933ff) 591 A 53.

[67] Gemeint ist ein Weg, wo sich ein Grab befindet; Raschi: שׁישׁ בָּה קבר [דרך].

einem die Trauer um das zerstörte Gotteshaus am 9. Ab soviel wert sein, daß
man auf ein Tauchbad verzichtet und seine levitische Unreinheit erträgt: bTaan
13a. Doch im allgemeinen macht sich die Schwere des Gesetzes und die innere
Bindung daran stärker bemerkbar. Vor Jehuda bBathyra saß ein Schüler und
5 wagte wegen levitischer Unreinheit nicht zu lesen. Der Rabbi sagte, er solle
sich nicht scheuen und seine Worte leuchten lassen, da die Worte des Gesetzes
ebenso wie das Feuer keine Unreinheit annehmen: bBer 22a. Der Schüler vertritt die landesübliche Meinung. Sein Lehrer ist freiheitlicher gesinnt; doch
nur insofern, als er dem Gesetz reinigende Macht wie dem Feuer zuschreibt.
10 Die religiöse Höhe Jochanan bSakkais erreicht er nicht. Das geht auch
aus einer zweiten Begebenheit hervor: im Gegensatz zu dem strengeren Aqiba,
der einem durch Pollution Verunreinigten das Lehrhaus sperren möchte, läßt
Jehuda bBathyra wenigstens das Studium der Lebensweisheit (דֶּרֶךְ אֶרֶץ) zu. Als
er selbst levitisch unrein ist, fordern ihn seine Schüler auf, Lebensweisheit vor-
15 zutragen. „Er stieg hinab, badete und (dann erst) lehrte er sie. Sie wandten ihm ein:
Hat nicht unser Lehrer so gelehrt: «[Der Samenergußbehaftete] studiere Halakhoth
der Lebensweisheit»? Er sagte ihnen: Wenn ich auch für andere [das Gesetz]
erleichtere, für mich erschwere ich [es]“: bBer 22a. Der Ausspruch zeigt deutlich die innere Bindung an das Gesetz, für die eine freiheitlichere Regung
20 eine Gewissensbelastung von zu großer Schwere darstellt.

4. Reinheit des inneren Menschen.

Es gäbe ein schiefes Bild, wollte man nicht auch den
sittlichen Reinheitsbegriff des rabbinischen Judentums erwähnen; daß wir uns
hier kürzer fassen können, darf nicht über die Breite dieses Gedankenstromes
25 in der talmudisch-midraschischen Literatur hinwegtäuschen.

Der Mensch hat von Gott eine reine Seele bekommen, und er hat die Verantwortung für ihre Reinerhaltung: zB bNidda 30b, und bSchab 152b lautet
eine Bar: „So wie [Gott] dir [den Geist] in Reinheit gegeben hat, sollst auch
du ihm [den Geist] in Reinheit [zurück]geben“ [68]. Daher wird Rabba bNach-
30 mani bBM 86a von einer Himmelsstimme bei seinem Tode gepriesen: „Heil
dir . . ., daß dein Leib rein (טָהוֹר) war und daß deine Seele mit [dem Worte]
טָהוֹר [69] ausgefahren ist.“ Joab wird bSanh 49a gepriesen: „Wie die Wüste rein
(מְנֻקֶּה) ist von Raub und verbotener Ehe, so war auch Joabs Haus rein (מְנֻקֶּה)
von Raub und verbotener Ehe.“

35 Die Forderung der inneren Reinheit erstreckt sich auf das ganze Leben.
RMeïr (um 150 n Chr) sagt ua: „Bewahre deinen Mund vor jeder Sünde, und
reinige und heilige dich von jeder Schuld und Sünde; dann werde ich überall
bei dir sein“: bBer 17a [70]. Man soll nicht den Geist der Unreinheit, sondern
den Geist der Reinheit in sich einziehen lassen: bSanh 65b. Wie die Schrift
40 nur in unanstößiger Weise von intimen Dingen redet, so soll auch der Mensch
nur in reinen Ausdrücken (בְּלָשׁוֹן נְקִיָּה) reden: bPes 3a [71]; denn „durch die Sünde

---

[68] Vgl Str-B I 719.
[69] Dagegen bSanh 68a: „Er war rein (טהור),
und seine Seele fuhr in Reinheit (במהרה)
aus“.

[70] Vgl Str-B I 719.
[71] → A 70; לָשׁוֹן נְקִיָּה Euphemismus im
Sinne von anständiger Ausdrucksweise.

unreiner Rede (‎בַּעֲוֹן נִבְלוּת פֶּה‎) werden viele Nöte [und] schwere Regierungserlasse, die sich [immer wieder] erneuern, bewirkt, und die Jünglinge der Hasser Israels[72] sterben, und Waisen und Witwen schreien und werden nicht erhört": bSchab 33a[73]. Schließlich sei noch erwähnt, daß ein Gerichtshof rein sein muß (‎מְנֻקֶּין‎), sowohl was die Gerechtigkeit wie was die Herkunft betrifft: bSanh 36b.

Rudolf Meyer

D. Rein und unrein im NT.

Es gehört zum Wesen der nt.lichen Religion, daß der alte rituelle Reinheitsgedanke hier nicht nur überwunden, sondern auch als nicht mehr bindend wirklich abgestoßen wird. Der Gedanke der dinglichen Verunreinigung fällt. Die sittlich-religiöse Reinheit tritt an die Stelle der kultisch-rituellen. Während das hellenistische Judentum beim Vordringen zu geistiger Fassung der Reinheit doch die alten Forderungen anerkennt und beibehält, tritt Jesus in Gegenstellung zu der alten Reinheitsfassung (vgl die Propheten). Die vollen Konsequenzen der neuen Stellung werden im Lauf der apostolischen Zeit bes durch Paulus erkämpft. Der nt.liche Wortgebrauch von καθαρός spiegelt diesen Gang der Entwicklung noch wider. Da der Kampf um die neue vergeistigte Reinheitsauffassung noch im Gang ist, ist an jedem Punkt zu prüfen, in welchem Sinn das Wort jeweils gemeint ist.

1. Physische Reinheit.

So in Zusammenhängen, die im Sinn der alten Auffassung das physisch Reine als geeignet für kultischen (Hb 10, 22: ὕδωρ), rituellen (Mt 23, 26: ποτήριον) oder überhaupt ehrenden Gebrauch (Mt 27, 59: σινδών) beurteilen. In Zusammenhängen nt.lichen Denkens stehen dem jüdischen Gebrauch am nächsten die Aussagen der Apk über das neue Jerusalem. Das physisch Reine ist das für den heiligen Gebrauch und den Verkehr mit Gott geeignete und gemäße[74]. Umgekehrt ist alles Profane (κοινόν) und Gottwidrige (ὁ ποιῶν βδέλυγμα καὶ ψεῦδος) von der heiligen Stadt ausgeschlossen (Mt 21, 27).

2. Kultisch-religiöse Reinheit und Reinigung.

So von der rituellen Reinigung der Gefäße nach pharisäischer Ordnung Mt 23, 25; von der Reinigung vom Aussatz, die den Genesenen wieder zum vollberechtigten Glied der Heilsgemeinde macht Mt 8, 2. 3 Par; 10, 8 Par; 11, 5 Par; Lk 4, 27; 17, 14. 17; vom Blut als dem anerkannten kultischen Reinigungsmittel Hb 9, 22. Im Kampf um die Speiseenthaltung der nt.lichen Gemeinde spricht Pls die grundsätzliche und allgemeine religiöse Reinheit der

---

[72] ‎שׂוֹנְאֵי יִשְׂרָאֵל‎ wird gesagt statt des eigentlich gemeinten ‎יִשְׂרָאֵל‎. Der Sprachgebrauch, daß man an Stellen, wo man Ungünstiges, Schädliches oder Gefährliches über Israel auszusagen hat, statt „Israel" sagt „die Feinde Israels" (also das Gegenteil, um die Unheilskraft eines solchen Wortes apotropäisch abzulenken), ist in der rabbinischen Lit häufig. Hier ist gemeint: Die Strafe für die Sünde

unreiner Rede ist, daß die israelitischen Männer nicht alt werden, sondern bereits im frühen Mannesalter sterben und daher unversorgte Witwen und Waisen hinterlassen. [KGKuhn.]

[73] Eleasar bJehuda aus Bartotha; zur textl Überlieferung: Bacher Tannaiten I² 441 A 4.

[74] Das Baumaterial des neuen Jerusalem Apk 21, 18. 21; die Kleiderstoffe der Heiligen 19, 8. 14 und Engel 15, 6.

Schöpfungsdinge aus R 14, 20 (πάντα μὲν καθαρά; vgl v 14: οὐδὲν κοινὸν δι' ἑαυτοῦ). Kein Ding ist also von sich aus fähig, den Menschen von Gott zu trennen. Darum ist vom religiösen Gesichtspunkt des NT aus jede Speise für den Frommen genießbar. Dieselbe Erkenntnis wird in der Ag als Erlebnis des
5 Petrus erzählt. Gott selbst erklärt die ehemals unreinen Tiere für rein (καθαρίζει deklarativ) und fordert zum Genuß derselben auf (Ag 10, 15; 11, 9). Darin liegt, daß Gott selbst in der neuen Heilszeit die alte Unterscheidung von rein und unrein aufhebt. Petrus hat daraus die Folgerung für die Tiere einerseits und für die religiöse Achtung auch des heidnischen Menschen andrerseits zu ziehen.
10 Die Reinigung des Frommen geschieht fortan nicht durch rituelle Maßnahmen, sondern durch den Glauben in der Sphäre des Personlebens Ag 15, 9 (τῇ πίστει καθαρίσας τὰς καρδίας αὐτῶν). Vielleicht wird vom Evangelisten Mk — oder einem Glossator — in dem schwer deutbaren Satz Mk 7, 19 (καθαρίζων πάντα τὰ βρώματα) dieser Fortschritt bereits in das Urteil Jesu selbst verlegt, der
15 durch die im Text vorangehenden Worte alle Speisen grundsätzlich „rein gesprochen habe"[75]. In den Past, die auf den paulinischen Erkenntnissen fußend Regeln für das Gemeindeleben aufstellen, wird der Grundsatz der schöpfungsmäßigen Reinheit der Dinge dahin formuliert, daß diese den religiös Reinen, dh den Gliedern der Heilsgemeinde gilt, die sich in ihrem Gesamtleben der
20 Ordnung Gottes unterstellen Tt 1, 15. Dagegen ist den bekämpften Irrlehrern und Ungläubigen, deren Inneres (διάνοια, νοῦς) befleckt ist, nichts rein, dh gottgemäß. Die Reinheit geht also nicht vom Ding, sondern von der Person aus. Nach 1 Tm 4, 5 wird die Speise durch die beim Essen stattfindende Danksagung geheiligt (ἁγιάζεται) und damit jedes Bedenken gegen ihren Genuß gründ-
25 lich beseitigt.

3. Sittlich-religiöse Reinheit.

Die vom Judentum gepflegte kultisch-rituelle Reinheit ist nach Jesu Urteil vollkommen ungenügend, da sie am äußerlich Dinghaften hängen bleibt, Mt 23, 25f; Lk 11, 41[76]. Die Reinheit der nt.lichen Gemeinde
30 ist demgegenüber persönlicher, sittlich-religiöser Art. Sie besteht in der vollen, rückhaltlosen Hingabe an Gott, welche das Herz erneuert und jede Bejahung des Gottwidrigen ausschließt. Die, welche in dieser Weise lauteren Herzens sind, sind zur Teilnahme am Reiche Gottes berufen, Mt 5, 8. Diese Reinheit des Herzens tritt der vom Pharisäismus übermäßig geschätzten Reinheit der Hände als
35 die vor Gott einzig wertvolle gegenüber. Aber weder in den synpt Evangelien noch bei Pls[77] wird der neue Reinheitsgedanke Jesu zu einem positiven Leit-

---

[75] Vgl Kl Mk 80.

[76] Die Form des Spruches bei Lk ist vermutlich durch Verlesung des aram Originalwortes entstanden (Wellh Lk zSt): δότε ἐλεημοσύνην = זַכִּי, während das καθάρισον bei Mt auf aram דְּכִי führt. Nach Lk wirkt das Weggeben des Vorhandenen (τὰ ἐνόντα) durch Wohltat eine umfassende und erst voll gültige Reinheit. Vgl Dalman WJ I 50 f.

[77] Der Stamm καθαρός, καθαρίζειν kommt

bei Pls (außer Past u Eph) außer der grundsätzlichen Erklärung R 14, 20 nur 2 K 7, 1 vor. Die paul Abfassung des Abschnittes 6, 14—7, 1 ist stark umstritten (vgl AJülicher-EFascher, Einleitung in das NT[7] [1931] 87 f). Die Terminologie einer Befleckung des Fleisches und des Geistes ist dem Pls sonst fremd, aber zB Herm geläufig (s 5, 7, 2. 4; 6, 5f; m 5, 1, 3). Es kann in 2 K 7, 1 natürlich nur an Befleckung des menschlichen Geistes, etwa durch Lieblosigkeit, Streitsucht uä gedacht sein, Wnd 2 K 218.

motiv der neuen Frömmigkeit. Jesus spricht von Gehorsam, Pls von Heiligung, keiner von Reinheit der Lebensführung. Dieses Motiv tritt erst in den Vordergrund in den Past, Hb, Joh, auch bei Jk und 1 Pt, dh in den Schriften, die entweder stärker durch den Gegensatz zum at.lichen Kultus (Hb) oder durch die fromme Redeweise des hellenistischen Judentums beeinflußt sind. Der Gegen- 5 satz gegen das Ungenügen einer bloß kultischen Reinheit spricht aus den Mahnungen des Jakobusbriefes, wenn er die schlichte Liebestat neben der Enthaltung von der sündlichen Weltart als den rechten, reinen und unbefleckten Gottesdienst bezeichnet (1, 27) oder vom Sünder eine Reinigung der Hände und Heiligung des Herzens als Voraussetzung für das rechte Nahen zu Gott fordert (Zusammen- 10 hang von 4, 7. 8; vgl Js 1, 16 f). In allgemeiner Mahnung fordert 1 Pt 1, 22 neben Heiligung der Seele Liebe aus reinem Herzen[78]. In Eph 5, 26 wird die Symbolik des Taufakts eindringlich als grundlegende und für die ganze Lebensführung verpflichtende religiös-sittliche Reinigung durch Christus gewendet (καθαρίσας τῷ λουτρῷ τοῦ ὕδατος ἐν ῥήματι, so sonst nie bei Pls)[79]. Besonders wird 15 der Tod Jesu unter dem Gesichtspunkt eines wirkungskräftigen Opfers betrachtet, das sühnend die Sünde wegnimmt und damit den ihm Verbundenen eine neue Reinheit schafft. So sind die Christen durch Christi Opfertod ein neues gereinigtes Eigentumsvolk Gottes, das zu gottgemäßen Werken willig und fähig ist (Tt 2, 14 vgl 1 J 1, 7. 9). Ganz ähnlich wie im hellenistischen Judentum 20 reden die Past von dem reinen Herzen (1 Tm 1, 5; 2 Tm 2, 22) und reinen Gewissen (1 Tm 3, 9; 2 Tm 1, 3), dh dem von geschehener Sünde gereinigten und Gott ungeteilt zugewendeten Innenleben der Gläubigen. Das Wort drückt teils die Rückhaltlosigkeit der vollzogenen Hinkehr zu Gott, teils die innere Einheit des von Schuldbewußtsein nicht mehr gestörten Gewissens aus (vgl Ag 18, 6; 25 20, 26).

Besonders der Hebräerbrief, der die Überlegenheit des neuen Bundes über den alten hervorhebt, benützt dazu auch das Motiv des Reinheitsgedankens und stellt die neue sittlich-religiöse Reinheit der alten rituell-kultischen als die wahre und vollendete Reinheit gegenüber (9, 13). Er hält den theoretischen Satz der kulti- 30 schen Religion von der Reinigungskraft des Blutes aufrecht (9, 22), wobei er sofort Reinigung und Vergebung synonym nebeneinanderstellt. Er wagt dabei den Gedanken, daß auch das himmlische Heiligtum einer Reinigung bedarf (9, 23)[80], die natürlich nicht von Tierblut geleistet werden kann. So schließt er aus kultischen Gedanken auf die Notwendigkeit des Todes des Gottessohnes. 35 Der Erfolg dieser überragenden Opfertat ist dann aber auch eine zeitlich unbegrenzte (10, 2: ἅπαξ, „ein für allemal gültig") und inhaltlich höchst gesteigerte

---

[78] So nach der LA von א* CR; dagegen BA vg: — καθαρᾶς.

[79] ἐν ῥήματι, wohl mit τῷ λουτρῷ τοῦ ὕδατος zu verbinden, will vermutlich in Kürze (vgl 2, 15) erinnern, wie das bei der Taufe gesprochene Wort der Taufformel (→ ῥῆμα, wirkungskräftiges Wort) dieser solche übermaterielle Wirkung verleihe. HJHoltzmann, (AJülicher, WBauer), Nt.liche Theol² I (1911) 455; WBousset, Kyrios Christos² (1921) 226 f, 287.

[80] WndHb 85 nimmt dabei an, daß nach dem Gesetz der Entsprechung (8, 5) die Sünden des Volkes auch das obere Heiligtum verunreinigten, HStrathmann (NT Deutsch III 113), daß nur der allgemeine Gedanke der Einweihung oder Eröffnung des Heiligtums den Vergleichspunkt bilde. An Verunreinigung durch streitende Engel (Kol 1, 20) oder Satan (Lk 10, 18) ist gewiß nicht gedacht.

Reinigung. Sie gilt nicht nur wie im alten Bunde dem Leibe (9, 13), sondern dem Gewissen (9, 14). Der Opfertod Christi wirkt so eine Reinigung von Sünden (1, 3) und Befreiung von den sündigen Trieben (9, 14: νεκρὰ ἔργα, beflekkende im Gegensatz zu den im Dienst Gottes geschehenden). Er schafft so 5 einen Zustand der Heiligkeit, die es dem Menschen ermöglicht, wirklich in der Nähe Gottes zu weilen.

Auch in den joh Schriften wird der Reinheitsgedanke zu einem positiven Leitmotiv (3, 25; 13, 10f; 15, 2f; 1 J 1, 7. 9). Es ist Grundaussage, daß die Jünger Jesu rein sind (15, 3; 13, 10). Aber es besteht die Frage über ihre Be10 gründung, ihre absolute Gültigkeit und ihre etwaige Wiederherstellbarkeit. Nach dem Ev ist die Reinheit der Jünger durch die Lebensverbindung mit dem heiligen Jesus gewirkt (15, 3). Sein Wort, das ja seinen Geist und seine höhere, göttliche Lebensart wirksam in sie eingehen läßt, hat sie gereinigt (15, 3 vgl 17, 14ff). In 1 J wird der Tod Jesu als sündentilgendes Mittel gewertet (1, 7). 15 Im Brief und im Ev klingt das Problem der völligen Reinheit der Christen an. Sie wird in der absoluten theoretischen Redeweise des Joh bejaht (15, 3; 1 J 2, 10; 3, 6), in der relativen, die praktische Wirklichkeit beschreibenden Redeweise verneint (1 J 1, 7ff; 2, 1ff; J 13, 10f). Die Frage klingt auch in J 13 herein, wo die Fußwaschung zwei Deutungen erhält. Die eine deutet sie als 20 Gleichnishandlung (v 6—11), die zweite rein ethisch als Vorbildhandlung (v 12 bis 17). Die erstere drückt aus, daß das Vollbad (ὁ λελουμένος v 10) der Taufe völlige Reinigung wirkt. Der Getaufte ist rein (v 10, vgl 3, 6)[81]. Im Unterschied zu anderen Waschungen bedarf und erträgt die Taufe keine Wiederholung. Die Fußwaschung (νίπτεσθαι von Teilwaschung) symbolisiert jedoch 25 den Liebesdienst, den Jesus den Seinen durch die tägliche Vergebung der geringeren Verstöße (vgl 1 J 5, 16: ἁμαρτία μὴ πρὸς θάνατον) gewährt. Die Verbundenheit mit Jesus kann nur aufrechterhalten werden, wenn der Jünger sich diesen Liebesdienst von seinem Meister gefallen läßt. Die Reinheit der neuen Gemeinde ist auch in der joh Apk wichtiger Leitgedanke. Die 30 dingliche und rituelle Reinheit wird hier zum Symbol der vollendeten inneren Heiligkeit.

† ἀκάθαρτος, ἀκαθαρσία

35 Von der *physischen*[1], *kultischen* und *sittlichen Unreinheit*[2] (→ καθαρός). Nach antiken Begriffen liegen diese Kategorien stark ineinander. Physische Unreinheit wirkt sich kultisch aus. Anderseits bedeutet ἀκάθαρτος auch den *unge-*

---

[81] Die LA ℵ vg Or: — εἰ μὴ τοὺς πόδας muß als irriger Ausgleichsversuch mit ὅλος beurteilt werden. ZSt vgl EHirsch, Das 4 Ev (1936) 331f. Brandt aaO 121; AMerx, Das Ev des Joh (1911), 350f; Zn J 539.

ἀκάθαρτος κτλ. Lit → καθαρός 416 A.
[1] POxy VI 912, 26: Unrat, Mist; PLips 16, 19: Vermietung eines Hauses einschließlich θύραις καὶ κλεισὶ καὶ ἀπὸ πάσης ἀκαθαρσίας. Geoponica XV 3, 4 (ed HBeckh): ν Blüten,

neben δυσώδης; Plut De Placitis Philosophorum V 6 (II 905d): ἀκαθαρσία τῆς μήτρας; Luc Lexiphanes 19: χρόνου ἤδη ἀκάθαρτον εἶναι αὐτῷ τὴν γυναῖκα.
[2] Demosth Or 21, 119; 25, 63: neben ὠμός, ἀσεβής, συκοφάντης; 37, 48: neben μιαρός; Suid sv ἀκάθαρτος· ἁμαρτητικός. Epict Diss IV 11, 5 (περὶ καθαριότητος), πρῶτη οὖν καὶ ἀνωτάτω καθαρότης ἡ ἐν ψυχῇ γενομένη καὶ ὁμοίως ἀκαθαρσία . . . IV 11, 8: ὥστε ψυχῆς μὲν ἀκαθαρσία δόγματα πονηρά, κάθαρσις δ' ἐμποίησις οἵων δεῖ δογμάτων.

sühnten Zustand, der zur kultischen Störung führt [3]. Auch das Recht fordert Reinigung durch Sühnung des Unrechts [4]. Bei der sittlichen Unreinheit ist im weiteren Sinn an Verunreinigung der Seele durch allerlei Unrecht [5], im engeren Sinn an geschlechtliche Ausschweifung gedacht [6].

In Septuaginta ist ἀκάθαρτος und ἀκαθαρσία überwiegend Wiedergabe von טָמֵא 5 und טֻמְאָה und wird vor allem von der *kultischen Unreinheit* gebraucht (→ καθαρός), Lv 5, 3; 15, 24; Ri 13, 7. Nach alter Vorstellung haftet die Unreinheit wie eine infizierende Kraft am Ding und macht dasselbe ungeeignet zur kultischen Verwendung; so vom Ding Lv 7, 21; Tier 11, 1 ff; Ort 14, 40. 45; Am 7, 17; Gerät Lv 15, 26, von Personen zB Aussätzigen 13, 11. 46, Wöchnerinnen 12, 5, vom Toten Nu 9, 6. Nach 10 primitivem Denken verunreinigt die Berührung von Unreinem Nu 19, 13. 22. Verunreinigend wirken bes die geschlechtlichen Vorgänge. Bathseba muß sich deshalb nach dem Ehebruch mit David von ihrer ἀκαθαρσία (nicht dem Ehebruch!) „heiligen", 2 S 11, 4. Die Beurteilung des Geschlechtlichen als kultisch verunreinigend kommt zum Ausdruck in der Wiedergabe von נַבְלוּת (weiblicher Scham) Hos 2, 12 [7] und נִדָּה (ge- 15 schlechtl Ausfluß) Lv 20, 21 mit ἀκαθαρσία. Außerdem bezeichnet ἀκάθαρτος bes alles mit dem heidnischen Kult zusammenhängende, Ez 36, 17; Ιερ 39, 34; 2 Εσδρ 6, 21. Aufgabe des Priesters ist es, zwischen rein und unrein zu scheiden Lv 10, 10; Ez 22, 26 und durch die vorgeschriebenen Riten Personen oder Sachen (zB das Heiligtum Lv 16, 16) zur verlorengegangenen Heiligkeit zurückzubringen. Während in der älteren 20 Zeit Rituelles und Sittliches noch ganz ineinander liegt, läutert und steigert sich in der prophetischen Religion ἀκαθαρσία zum Begriff des *sittlich-religiösen* Ungenügens des unheiligen Menschen gegenüber dem heiligen Gott Js 6, 5. Dieser vergeistigte Reinheitsgedanke scheint auch in Prv erreicht; hier steht ἀκαθαρσία mehrmals für תּוֹעֵבָה (zB 6, 16); jeder παράνομος ist ἀκάθαρτος vor Gott, 3, 32; 16, 5; 20, 10 (13). 25

Das hellenistische Judentum ist dadurch gekennzeichnet, daß es einesteils die kultische Beziehung des Wortes festhält [8]. Sie liegt auch vor in dem Ausdruck πνεῦμα ἀκάθαρτον für Dämonen, der in LXX nur Sach 13, 2 (für רוּחַ טֻמְאָה) vorkommt, aber sonst dem hellenistischen Judentum sehr geläufig ist. Als Wesen, die außerhalb des anerkannten Kultus stehen, sind die Dämonen „unrein" (→ καθαρός) [9]. Andernteils 30 zeigt gerade das hellenistische Judentum die Erweiterung und Vergeistigung des Begriffs der ἀκαθαρσία ins Sittlich-Religiöse [10], die im christlichen Sprachgebrauch dann vollends zur Herrschaft kommt, bes denkt ἀκαθαρσία wie im NT an geschlechtliche Ausschweifung [11].

---

[3] Plat Leg IX 868 a: ὅστις ἂν ἀκάθαρτος ὢν τὰ ἄλλα ἱερὰ μιαίνῃ.

[4] Plat Leg IX 854 b: ἐκ παλαιῶν καὶ ἀκαθάρτων ἀδικημάτων.

[5] Plat Leg IV 716 e: ἀκάθαρτος τὴν ψυχὴν ὅ γε κακός, καθαρὸς δὲ ὁ ἐναντίος, Tim 92 b: τὴν ψυχὴν ὑπὸ πλημμελείας πάσης ἀκαθάρτως ἐχόντων. Plut Lib Educ 17 (II 12f): τοῦτον (sc τὸν λόγον) δὲ ἀκάθαρτον ἡ πονηρία ποιεῖ τῶν ἀνθρώπων. Porphyr v Verunreinigung durch Fleischgenuß: Abst II 45: παθῶν ὄντες πλήρεις καὶ πρὸς ὀλίγον ἀπεχόμενοι τῶν ἀκαθάρτων (sc tierischer) βρώσεων, μεστοὶ ὄντες ἀκαθαρσίας, δίκας τίνουσιν.

[6] Plut De Othone 2 (I 1067 a b): αὐτάς τε τὰς ἀνοσίους καὶ ἀρρήτους ἐν γυναιξὶ πόρναις καὶ ἀκαθάρτοις ἐγκυλινδήσεις.

[7] Na 3, 6 steht ἀκαθαρσία für das Verbum נבל pi „beschimpfen". LXX ändert den Sinn gegenüber Mas. Während Mas von einer Behandlung als Scheusal und einer Beschimpfung redet, spricht LXX von der Unreinheit (ἀκαθαρσία, א ἁμαρτία), deretwegen die Behandlung als Scheusal stattfindet, und fügt damit den Hinweis auf das Verhalten des Menschen als Ursache der Gottestat ein (→ I 289, 39 ff [Bertram]).

[8] Jos Bell 4, 562: τὴν πόλιν πᾶσαν ἐμίαναν ἀκαθάρτοις ἔργοις. Ap 1, 307; Test L 15, 1:

ὁ ναὸς ὃν ἐκλέξεται κύριος ἔρημος ἔσται ἐν τῇ ἀκαθαρσίᾳ ὑμῶν. ep Ar 166: ἀκαθαρσίαν . . . ἐπετέλεσαν μιανθέντες αὐτοὶ . . . τῷ τῆς ἀσεβείας μολυσμῷ. Hen 10, 20. 22, neben ἀδικία, ἁμαρτία, ἀσέβεια Philo Deus Imm 132; Virt 147; Spec Leg IV 106.

[9] Test B 5, 2: ἐὰν ἦτε ἀγαθοποιοῦντες καὶ τὰ πνεύματα τὰ ἀκάθαρτα φεύξονται ἀφ' ὑμῶν. Jub 10, 1: gleichbedeutend mit den πνεύματα πονηρά, vgl 11, 4; 12, 20; Test S 6, 6; 4, 9; Str-B IV 503. Das Dämonische als das Unreine tritt bes in der persischen Religion hervor: Yasna 30 (Chant de la Saussaye II 220, 239 ff). δαίμονες ἀκάθαρτοι: Schol Aeschin Tim 48, 11 (Oratores Graeci III 724 ed JReiske [1771]).

[10] Ep Ar 166: von der Gesinnung; vgl bes Philo: Spec Leg III 209: ἀκάθαρτος γὰρ κυρίως ὁ ἄδικος καὶ ὁ ἀσεβής, I 150: von der ἐπιθυμία (Gegensatz ἀρετή) neben βέβηλος und ἀνίερος, Leg All III 139: ἀκάθαρτος οὖν καὶ ὁ τῷ ἑνὶ (sc πάθει) χρώμενος τῇ ἡδονῇ, II 29: πάθος u ἡδονή verunreinigen, der λόγος reinigt. Plant 99. 109.

[11] Test Jos 4, 6: οὐχὶ ἐν ἀκαθαρσίᾳ θέλει κύριος τοὺς σεβομένους αὐτόν, οὔτε τοῖς μοιχεύουσιν εὐδοκεῖ, ἀλλὰ τοῖς ἐν καθαρᾷ καρδίᾳ καὶ στόμασιν ἀμιάντοις αὐτῷ προσερχομένοις. Test Jud 14, 5.

Das Neue Testament gebraucht ἀκάθαρτος und ἀκαθαρσία

1. im Sinn kultischer Unreinheit, zB Mt 23, 27 (Verwesungsinhalt der Gräber). Es übernimmt die geläufige jüdische Wendung πνεῦμα ἀκάθαρτον (Mt, Mk, Lk, Ag, Apk)[12] zur Bezeichnung der Dämonen. — 5 Nach Ag 10, 14. 28; 11, 8 zieht Petrus die entscheidende praktische Folgerung der in der Verkündigung Jesu grundsätzlich gewonnenen Erkenntnis. Der vom Judentum festgehaltene Unterschied von profan (κοινόν) bzw unrein (ἀκάθαρτος) und rein hört auf, für die Lebensführung der Gemeinde göttlich bindende Vorschrift zu sein. Die Gemeinde wagt es, den Verkehr mit „Unreinen" aufzu-10 nehmen (Cornelius, der Heide 10, 28; Simon der Gerber ist durch seinen Beruf unrein 9, 43; Gl 2, 11 ff). Sie fühlt sich nicht mehr verpflichtet, nach derartigem Verkehr rituelle Reinigungen vorzunehmen. Sie wächst damit aus der jüdischen Gemeinde heraus.

2. von der sittlich-religiösen Unreinheit, welche 15 den Menschen von der Gottesgemeinschaft ausschließt (Gegensatz ἅγιος). Pls übernimmt aus dem Judentum ἀκαθαρσία zur Allgemeinschilderung des vollkommen gottwidrigen Zustands, in dem sich das Heidentum befindet, nur daß er diesen eben nicht mehr wie jenes rituell ungenügend empfindet, R 1, 24; Eph 4, 19 (neben ἀσέλγεια und πλεονεξία). Das Zitat 2 K 6, 17 (Js 52, 11) zeigt 20 dabei deutlich den Übergang von der at.lichen dinglichen Reinheitsauffassung (ἀκαθάρτου μὴ ἅπτεσθε) zur nt.lichen geistig-religiösen im Zusammenhang des paulinischen Briefes. Die heidnische ἀκαθαρσία steht im vollendeten Gegensatz zur Gerechtigkeit der christlichen Heiligung R 6, 19; 2 K 12, 21. Unreine Motive (etwa πλεονεξία v 5) sind deshalb bei der Arbeit des Pls völlig ausge-25 schlossen 1 Th 2, 3. Auch 1 Th 4, 7 bezeichnet ἀκαθαρσία als den unsittlichen Zustand des vorchristlichen Lebens[13] und denkt wohl vor allem an πορνεία und πλεονεξία, wie es Eph 4, 19 und 5, 3. 5 zwischen diesen beiden steht (Gegensatz ἁγιασμός). Die junge Christenheit empfindet bes die geschlechtliche Unsittlichkeit der hellenistischen Welt als Gott widerstreitende ἀκαθαρσία 30 (R 1, 24 ff; neben πορνεία 2 K 12, 21; Gl 5, 19; Eph 5, 3. 5; Kol 3, 5, vgl Apk 17, 4). Die ἀκαθαρσία ist ἔργον τῆς σαρκός Gl 5, 19, dh es wirkt sich in ihr die Art des unwiedergeborenen Menschen aus, der nicht aus der Hingabe an Gott, sondern an die natürlichen ἐπιθυμίαι handelt. Das junge Christentum geht hier mit dem hellenistisch-jüdischen Sprachgebrauch und Urteil zusammen[14]. Wie im Judentum die Un-35 reinheit als ansteckende und weiterwirkende Kraft gedacht ist, so urteilt Pls ähnlich über die den Gläubigen einwohnende Heiligkeit. Diese überträgt sich auch auf ihre — also ungetauft zu denkenden — Kinder und hebt diese so aus dem Zustand heidnischer Unreinheit heraus, 1 K 7, 14[15].

---

[12] Mk 1, 23. 26 f; 3, 11. 30; 5, 2. 8. 13; 6, 7; 7, 25; 9, 25; Mt 10, 1; 12, 43 p (Mt nur zweimal!); Lk 4, 33 (hier πνεῦμα δαιμονίου ἀκαθάρτου); 4, 36; 6, 18; 8, 29; 9, 42; Ag 5, 16; 8, 7; Apk 16, 13; 18, 2 (hier neben ὀρνέου ἀκαθάρτου, nach Js 34, 11: Raben, Eulen).
[13] Sie waren zwar ἐν ἀκαθαρσίᾳ, aber nicht auf Grund davon (ἐπί) hat sie Gott berufen,

so daß er diese gebilligt hätte, sondern unter (ἐν) Heiligung, Dob Th 170 f.
[14] Die nachnt.liche Entwicklung beurteilt, dem sexualasketischen Zug des Hellenismus folgend, zT Geschlechtsumgang überhaupt als ἀκαθαρσία, Act Pl et Thecl 17.
[15] Pls gebraucht vielleicht ἀκάθαρτος nur hier; 2 K 6, 17 ist Zitat, Eph 5, 5 vielleicht

† καθαρισμός

καθαρισμός, die *Reinigung*, tritt als jüngere Wortbildung in der hellenistischen Sprache neben das attische καθαρμός[1]. Es bezeichnet die *physische*[2] und dann insbesondere die *kultische Reinigung*[3].

In Septuaginta bes von der Wiederherstellung der kultischen Reinheit, über- 5 wiegend als Wiedergabe von טָהֳרָה (Lv 15, 13), aber auch von כִּפֻּרִים (expiatio Ex 29, 36) und אָשָׁם (Prv 14, 9). In Ex 30, 10 (P) wird die jährliche expiatio des großen Versöhnungstages als Reinigung von den Sünden durch das Mittel des Blutes bezeichnet[4]. Ritueller und sittlicher Sündenbegriff liegen dabei noch ineinander. Es entspricht der kultischen Religion, daß der καθαρισμός (→ καθαρός) ein einzelner kul- 10 tischer Akt ist (anders → ἁγιασμός).

Im Neuen Testament steht καθαρισμός zunächst an einigen Stellen im Sinn der *kultischen Reinigung*, zB Mk 1, 44 Par (Aussatz), Lk 2, 22 (die Wöchnerin und das neugeborene Kind[5]), J 2, 6 (Reinigung vor der Mahlzeit). Dann dem nt.lichen Reinheitsbegriff entsprechend von der *sittlich-religiösen Reinigung*. 15 Dabei zeigt sich der Zusammenhang mit der kultisch-religiösen Art der bisherigen Religion, daß auch im NT καθαρισμός wesentlich auf einen einmaligen Akt bezogen scheint, in dem es zu solcher Reinigung kommt. Es entspricht dem doppelten Ansatz in der nt.lichen Religion, daß diese grundlegende Reinigung einerseits in die Taufe (J 3, 25; Eph 5, 26; 2 Pt 1, 9), andrerseits in 20 den Sühnetod Jesu verlegt ist (Hb 1, 3, vgl 1 J 1, 7 ff). Daß die nt.liche Reinigung beidemal als solche von der Sünde gefaßt ist (vgl 1 Pt 3, 21), gewinnt seine Tiefe gegenüber dem AT erst in dem verinnerlichten Sündenbegriff des NT. Pls, der bei der Taufe wie beim Tode Jesu andere Bilder als das von der Reinigung bevorzugt, hat καθαρισμός überhaupt nicht, sondern verwendet ἁγιασ- 25 μός, das dem Wesen der nichtkultischen Religion entsprechender an einen fortlaufenden, dynamischen Prozeß denkt (1 K 1, 30; 1 Th 4, 7. 3; R 6, 19).

† ἐκκαθαίρω

a. ausreinigen, gründlich säubern, τί τινος; ἑαυτὸν ἀπό τινος: Epict Diss II 23, 40; 21, 15. — *b. wegfegen, ausrotten* Lib 36: ἐκκαθαῖρε . . . τῆς σῆς καρδίας τὴν 30 λύπην. Philo Vit Mos I 303: τὸ μίασμα τοῦ ἔθνους ἐκκαθαίρουσι διὰ τῆς . . . τιμωρίας. Ebr 28: ἔψεται δίκη πάντα μοχθηρὸν (schlecht) τρόπον ἐκκαθαίρουσα διανοίας. Luc Vit Auctio 8: στρατεύομαι δὲ ὥσπερ ἐκεῖνος ἐπὶ τὰς ἡδονάς . . . ἐκκαθάραι τὸν βίον προαιρούμενος.

In LXX nur Dt 26, 13; Ri 7, 4: *aussondern, aus einer größeren Zahl ausscheiden*, Jos 17, 15: *ausroden*[1]. 35

In 1 K 5, 7 ist ἐκκαθάρατε τὴν . . . ζύμην Übersetzung des rabb term techn בִּעֵר חָמֵץ (vgl Str-B III 359 f): *den Sauerteig wegschaffen, ausfegen*. Mit dem Bild

---

deuteropaulinisch, → καθαρισμός. ἀκάθαρτος fehlt auch bei Joh u Hb.

καθαρισμός. [1] ThWächter, Reinheitsvorschriften im gr Kult, RVV 9, 1 (1910); Ziehen Leg sacr VII 117 (→ 418 A 6).
[2] zB in der Landwirtschaft PLond II 168, 11 (Ölpflanzung), vgl J 15, 2.
[3] Test L 14, 6 (LA β): θυγατέρας ἐθνῶν λήψεσθε εἰς γυναῖκας καθαρίζοντες αὐτὰς καθαρισμῷ παρανόμῳ. Jos hat καθαρισμός nicht, sondern gebraucht κάθαρσις und καθαρμός, Philo häufig κάθαρσις und καθάρσια.
[4] Ex 30, 10: καὶ ἐξιλάσεται ἐπ' αὐτὸ (sc θυσιαστήριον) Ἀαρὼν ἐπὶ τῶν κεράτων αὐτοῦ ἅπαξ τοῦ ἐνιαυτοῦ· ἀπὸ τοῦ αἵματος τοῦ καθαρισμοῦ τῶν ἁμαρτιῶν τοῦ ἐξιλασμοῦ ἅπαξ τοῦ ἐνιαυτοῦ καθαριεῖ αὐτὸ εἰς τὰς γενεὰς αὐτῶν.
[5] Sy[s]: דתדביתה = καθαρισμοῦ αὐτῆς, D: αὐτοῦ, a b c e ff[2]: eius, die Griechen bieten αὐτῶν. Das jüd Gesetz kennt nur eine Reinigung der Mutter. Der Plur αὐτῶν könnte damit zusammenhängen, daß nach griech Volksauffassung die Mutter, das neugeborene Kind und die bei der Geburt anwesenden Personen als unrein galten, vgl Wächter aaO 26; zur Textfrage AMerx, Die 4 kanon Evv II 2 (1905) 191.

ἐκκαθαίρω. [1] Einigemal ἐκκαθαρίζειν Dt 32, 43; Jos 17, 15. 18; Js 4, 4.

der Beseitigung alles Gesäuerten vor dem Passahfest fordert Pls zur Wegschaffung aller heidnischen Sünden und Greuel auf, die da nötig ist, wo Christus, unser Passahlamm, herrschen soll. 2 Tm 2, 21 von der Reinigung von schimpflichen Dingen (Gegensatz ἡγιασμένος).

5

† περικάϑαρμα

περικάθαρμα ist Steigerung des in der Profangräzität häufigeren κάθαρμα[1]. Es bezeichnet wie dieses *a. das mit der Schuld beladene Opfer*[2], das sühnend die Reinigung des Opfernden erwirkt. So wird κάθαρμα besonders auch von den Menschenopfern gebraucht, welche regelmäßig oder in besonderer Notzeit zur Entsühnung der btr Gemeinschaft (Volk, Stadt) dargebracht wurden. Zur Wirksamkeit war Freiwilligkeit erfordert. Da sich zu solchem Opfer, mit dem vorhergehende gute Versorgung verbunden war, nur verkommene Menschen, Hungerleider, Krüppel udgl hergaben, wird κάθαρμα bzw περικάθαρμα *b. Schimpfwort für einen nichtswürdigen, heruntergekommenen Menschen*[3]. Nach antiken Vorstellungen hat der reinigende Gegenstand (zB Wolle) die Unreinheit dinglich in sich aufgenommen und wird deshalb hernach weggeworfen. Dem entsprechend bedeutet κάθαρμα auch *c. das nach der Reinigung Wegzuwerfende*[4]. Es laufen also in κάθαρμα die drei Linien des Sühneopfers, des Verächtlichen und des Wegzuwerfenden zusammen[5].

Die genannten drei Bedeutungsinhalte passen genau zu 1 K 4, 13, wo Pls sich selbst als περικάθαρμα τοῦ κόσμου[6] bezeichnet (neben → περίψημα).

Hauck

```
┌─────────┐
│ καϑεύδω │   → ὕπνος, → ἐγείρω
└─────────┘
```

Inhalt: A. Der allgemeingriechische Gebrauch: 1. Anwendung auf Menschen; 2. Anwendung auf Götter und Heroen. — B. Schlafen im AT und im Judentum: 1. Der Schlaf des Menschen; 2. Die schlafenden Götzen und der nicht schlafende Gott. — C. καθεύδειν im NT: 1. καθεύδειν im eigentlichen Sinn; 2. Der übertragene Gebrauch von καθεύδειν. — D. Ausblick in die Kirchengeschichte.

A. Der allgemeingriechische Gebrauch.

1. Anwendung auf Menschen.

a. καθεύδειν (von Homer abwärts) bedeutet gleich dem in attischer und nachattischer Prosa seltenen Simplex εὕδειν[1] *schlafen*, zunächst im eigent-

---

περικάϑαρμα. HUsener, Kl Schriften IV (1914) 255 ff; ERohde, Psyche [9,10] II (1925) 78 f; FrSchwenn, Die Menschenopfer bei den Griechen u Römern, RVV 15, 3 (1915) 26 ff, 57 f; Ltzm K Exk z 1 K 4, 13.
[1] Die häufigen Zusammensetzungen mit περί bei den die Katharsis betreffenden Stämmen (περικαθαίρω ua) hängen nach FrPfister (Pauly-W, Suppl VI [1935] 149 f) damit zusammen, daß bei der Katharsis Umgang und Umwandlung eine große Rolle spielen.
[2] Schol in Aristoph Ra 745 (ed Dindorf) 370: φαρμάκοισι: καθάρμασι· τοὺς γὰρ φαύλους καὶ παρὰ τῆς φύσεως ἐπιβουλευομένους εἰς ἀπαλλαγὴν αὐχμοῦ (Dürre) ἢ λιμοῦ ἤ τινος τῶν τοιούτων ἔθυον, οὓς ἐκάλουν καθάρματα. — Suid sv κάθαρμα: ὑπὲρ δὲ καθαρμοῦ πόλεως ἀνήρουν ἐστολισμένον τινά, ὃν ἐκάλουν κάθαρμα. — Aesch Choeph 98; Eur Herc Fur 225; Iph Taur 1316.

[3] Poll Onom V 163: τῶν ἐν ταῖς τριόδοις καθαρμάτων ἐκβλητότερος. Philo Virt 174. Epict Diss III 22, 78: Πρίαμος ὁ πεντήκοντα γεννήσας περικαθάρματα.
[4] Ammonius p 143: καθάρματα τὰ μετὰ τὸ καθαρθῆναι ἀπορριπτούμενα.
[5] In LXX begegnet die Vokabel nur Prv 21, 18: περικάθαρμα δὲ δικαίου ἄνομος, was wohl im Sinne von 11, 8 aufzufassen ist. Jedenfalls schwingen auch hier die drei genannten Bedeutungsinhalte mit. Ἀ κάθαρμα zweimal (Dt 29, 16 und Ez 6, 4) κάθαρμα für גִּלּוּלִים, natürlich in abwertendem Sinne [Bertram].
[6] Statt ὡς lesen G 69: ὡσπερει καθαρματα, wohl Angleichung an die häufigeren Sprachgebrauch.

καϑεύδω. [1] Die Etymologie ist nach Prellwitz Etym Wört u Boisacq fraglich. Walde-Pok verzeichnet die Vokabeln im Regist überhaupt nicht.

lichen Sinn. Vergil (Aen IX 224 f) schildert aus allgemein menschlichem Empfinden heraus den Schlaf als erquickenden Sorgenbrecher:

Cetera per terras omnis animalia somno
laxabant curas et corda oblita laborum . . .

Gleiche Hochschätzung bezeugt die schon altgriechische, inschriftlich bezeugte 5
(→ 197 A 6) Verehrung des Gottes Hypnos. Auch der übertragene Gebrauch weist teilweise in dieselbe Richtung. Anderseits ist die aktive Lebenseinstellung des antiken Menschen dem Schlaf abgeneigt. Die Griechen und noch mehr die Römer sind Frühaufsteher. Man legte sich bald nach Sonnenuntergang, stand aber mit dem ersten Hahnenschrei wieder auf. In den Spätherbst- und Wintermonaten hatte man 10
dann bis zum Sonnenaufgang noch mehrere Stunden, in Rom 3—4 und darüber. Diese sog Lucubrationen (von dem ausgestorbenen *lucubrum* Kerze) sind die Hauptzeit für geistige Arbeit[2]. Plato will zwar, um nicht ins Kleinliche zu verfallen, in seinen „Gesetzen" von staatlicher Beschränkung der Schlafzeit für den Bürger absehen, erklärt es aber für schimpflich, wenn Hausherr oder Hausfrau die ganze Nacht hindurch 15
schlafen (ὅλην διατελεῖν νύκτα εὕδοντα) und sich von ihren Sklaven wecken lassen, anstatt diese zu wecken. καθεύδων γὰρ οὐδεὶς οὐδενὸς ἄξιος, οὐδὲν μᾶλλον τοῦ μὴ ζῶντος. Wer wirklich leben und geistig tätig sein (φρονεῖν) möchte, der wacht möglichst viel (Leg VII 807 e ff). Im Nachlaß Platos fand sich eine Weckuhr, die er sich hatte machen lassen[3]. Es kann jedoch endlich auch ein Zeichen von besonderer Charakter- 20
größe sein, wenn jemand in gefahrvoller Lage, etwa angesichts des nahenden Todes, noch ruhig zu schlafen vermag. So richtet Kriton an Sokrates im Kerker, ehe dieser den Giftbecher trinkt, die Worte: ἀλλὰ καὶ σοῦ πάλαι θαυμάζω αἰσθανόμενος ὡς ἡδέως καθεύδεις (Plat Crito 43 b). Der Schlaf steht also je nach den Umständen unter verschiedenartiger Beurteilung. Diese Problematik wirkt sich weiter aus. 25

b. Der Schlafzustand gilt im menschlichen Leben als die Einbruchstelle des Übersinnlichen. Besonders die ausgehende Antike schenkt dem Traumleben erhöhte Beachtung und glaubt allen Ernstes, die Traumdeutung auf eine erfahrungsmäßig-wissenschaftliche Grundlage stellen zu können. Artemidors Traumbuch ist dafür charakteristisch. Tieferen religiösen Einschlag sucht man allerdings hier ver- 30
gebens. Gesundheit, langes Leben, Ansehen, Reichtum, Liebe, Nachkommenschaft mit ihren Gegenteilen bilden in ermüdendem Einerlei den Gegenstand der „Offenbarungen". Das Denken dreht sich ständig um die eigene Achse. Bedeutsamer werden die nächtlichen Erfahrungen, wo hinter ihnen ein bestimmter Gott mit konkreten Macht- und Willensäußerungen auftaucht. Zoilos empfängt ἐν ὕπνοις von Sarapis den Befehl, für 35
die Errichtung eines Sarapeions in seinem Wohnort zu sorgen, und wird wiederholt mit längerer Krankheit bestraft, als er die pünktliche Weitergabe des Befehls an den ägyptischen Finanzgewaltigen Apollonios unterläßt[4]. Ein Anhänger einer verwandten ägyptischen Mysterienreligion erhält auf ähnlichem Wege immer dringendere Anweisungen für die Übersetzung einer uns leider nicht erhaltenen Kultschrift[5]. Mandulis- 40
Aion schenkt einem in seinem Tempel nächtigenden Wallfahrer die lange und heiß ersehnte Gewißheit über sein Wesen[6]. Der Tempelschlaf, die Inkubation, findet sich bei den Griechen vor allem seit alter Zeit in den Asklepiosheiligtümern und wird hier zum Gefäß bedeutsamer religiöser Erfahrungen (→ 209, 15 ff). Es entspricht der Würde des Gotteshauses, wenn hierfür besondere Bestimmungen und Beschränkungen 45
eintreten, etwa bezüglich der Trennung der Geschlechter. So im Kultstatut des Amphiareions in Oropus (4 Jhdt v Chr, Ditt Syll[3] III 1004, 43 ff): ἐν τοῖ κοιμητηρίοι καθεύδειν· χωρὶς μὲν τὸς ἄνδρας, χωρὶς δὲ τὰς γυναῖκας.

c. Alles dies hindert nicht, daß der übertragene Gebrauch überwiegend in die Richtung des Geringschätzigen weist. Die Vokabel dient zur Bezeich- 50
nung mangelnder Aufmerksamkeit, vor allem aber mangelnder Tatkraft. Ein Glied des platonischen Kreises muß sich die nicht gerade schmeichelhafte Anrede gefallen lassen: Wenn ein anderer Dichter als Homer rezitiert wird, καθεύδεις τε καὶ ἀπορεῖς ὅτι λέγῃς (Plat Ion 536 b). Der Feldherr rüttelt seine Soldaten auf: ἐμοὶ οὖν δοκεῖ οὐχ ὥρα εἶναι ἡμῖν καθεύδειν οὐδ' ἀμελεῖν ἡμῶν αὐτῶν, ἀλλὰ βουλεύεσθαι ὅ τι χρὴ ποιεῖν 55
ἐκ τούτων (Xenoph An I 3, 11). Der größte Redner Athens ruft in die Reihen seiner Mitbürger hinein: τίς ὁ συσκευάζεσθαι τὴν Ἑλλάδα καὶ Πελοπόννησον Φίλιππον βοῶν, ὑμᾶς δὲ καθεύδειν; (Demosth Or 19, 303). Epiktet empfiehlt ironisch dem Epikur für den Fall, daß er mit seiner Mißachtung der menschlichen Gesellschaft im Rechte wäre,

---

[2] Vgl ORoller, Das Formular der paul Briefe = BWANT IV 6 (1933) 311 ff u die dort genannte Lit.
[3] UvWilamowitz-Moellendorff, Platon I[2] (1920) 715 [JLeipoldt].

[4] Deißmann LO 121 ff.
[5] POxy XI 1381.
[6] ADNock, A Vision of Mandulis Aion, Harvard Theological Review 27 (1934) 53—104.

eine rein vegetative Lebensweise: „Lege dich hin und schlafe und besorge die Geschäfte des Wurmes, deren du dich selbst für würdig erachtest; iß und trink, paare
dich, geh auf den Abort und schnarche (Diss II 20, 10)!" Für Plutarch sind καθεύδειν
und προσέχειν τοῖς πράγμασι Gegensätze (Pomp 15 [I 626 d]) wie für Aristoteles καθ-
5 εύδειν und ἐνεργεῖν (Eth Nic VIII 6 p 1157 b 8). Der Tragiker sagt von denen, die
„den Ruhm des Wartens zu Boden treten", dh vom Säumen nichts halten, in gewagter
Bildrede: οὐ καθεύδουσιν χερί (Aesch Ag 1357). So sagt man auch von wirkungslos
gewordenen Dingen, daß sie schlafen: die Mauern in der Erde (Plat Leg VI 778 d),
die Gesetze, wenn sie nicht in die Tat umgesetzt werden (Plut Ages 30 [I 613 a]).
10 ἐλπίδες οὔπω καθεύδουσι (Eur Phoen 634).

d. Von dem allen aus versteht man endlich, daß sich in dem
Ausdruck die gesamte Problematik des menschlichen Lebens und Sterbens zu-
sammendrängen kann. Plato erörtert die Frage, ob wir etwa im irdischen Leben
schlafen und alles, was wir zu erleben glauben, nur träumen (Theaet 158 b). Der
15 platonische Sokrates setzt den Fall, daß der Tod nichts wäre als ein tiefer, traum-
loser Schlaf, und meint, daß er selbst in diesem Fall nur Gewinn wäre: εἴτε μηδεμία
αἴσθησίς ἐστιν, ἀλλ' οἷον ὕπνος, ἐπειδάν τις καθεύδων μηδ' ὄναρ μηδὲν ὁρᾶ, θαυμάσιον
κέρδος ἂν εἴη ὁ θάνατος (Ap 40 d/e). Die eigentliche Meinung des platonischen Kreises
ist das allerdings nicht. Wenn es zwar ein Einschlafen gäbe, ein entsprechendes Er-
20 wachen (ἀνεγείρεσθαι ἐκ τοῦ καθεύδοντος) aber nicht, so wäre die Sage von Endymion,
dem Zeus ewigen Schlaf, Unsterblichkeit und Jugend verlieh, nichts als eine abge-
schmackte Fabel, denn es würde allem anderen ebenso ergangen sein wie ihm, daß
es schliefe (διὰ τὸ καὶ τἆλλα πάντα ταὐτὸν ἐκείνῳ πεπονθέναι, καθεύδειν, Plat Phaed 72 b/c).
Hier wird aus der Gleichsetzung von Schlaf und Tod also umgekehrt die Unsterblich-
25 keit gefolgert. Der Ursprung der Bildrede liegt nicht in philosophischen Gedankengängen. Schon durch den unmittelbaren Augenschein mußte sich auch volkstümlichem
Empfinden die Analogie aufdrängen. Da die Vorstellung von dem ruhigen Daliegen
des Toten ausgeht, so ist → κοιμᾶσθαι (verwandt mit κεῖσθαι) in solchen Zusammenhängen dem allgemeingriechischen Sprachempfinden angemessener als καθεύδειν. Die
30 Anwendung unserer Vokabel beruht auf weiter fortgesetzter Übertragung. Sie kommt
aber vor und wird dann ihrerseits wohl auch euphemistisch weitergesponnen. So in
der römischen Grabschrift einer gewissen Popilia: καὶ λέγε Ποπιλίην εὕδειν, ἄνερ· οὐ
θεμιτὸν γὰρ | θνήσκειν τοὺς ἀγαθούς, ἀλλ' ὕπνον ἡδὺν ἔχειν [7].

2. Anwendung auf Götter und Heroen.

35 a. Der handfeste Anthropomorphismus Homers empfindet
es als selbstverständlich, daß auch die Götter schlafen, und umgibt den Schlaf seiner
Götter mit derselben behäbigen Sicherheit wie den seiner Helden. Die Ilias sagt von
Zeus: ἔνθα καθεῦδ' ἀναβάς, παρὰ δὲ χρυσόθρονος Ἥρη (1, 611). Ganz entsprechend die
Odyssee (3, 402 f) von Nestor und seiner Gemahlin! Aber der homerische Götterglaube
40 ist trotz seines kanonischen Ansehens nur eine Episode der griechischen Religion.
Schon die vor- und nebenhomerische Frömmigkeit findet das Numinose vielmehr da,
wo Leben und Tod sich berühren und scheiden. Je mehr vollends die philosophische
Spekulation sich des Gottesgedankens bemächtigt, desto mehr wird dieser zur reinen
Idee. Für die physische und kosmologische Allegorese der Stoa sind die homerischen
45 Götter nur noch personifizierte Naturkräfte. Ob es sich nun um diese oder um „das
Göttliche" im höchsten Sinn handelt, in jedem Fall ist die Aussage: „Gott schläft",
buchstäblich verstanden, sinnlos. Das Denken ist über sie hinaus.

b. Aber weder ist das reine Denken zu irgend einer Zeit die
einzig maßgebende Geistesfunktion, noch verschmäht es seinerseits die Anregung
50 durch Mythos und Legende. So ist faktisch die Vorstellung von schlafenden
Göttern und Heroen bis in die Spätzeit des Griechentums hinein durchaus
lebendig, so aber, daß die Problematik des Todes wohl überall irgendwie in sie hin-
einragt. Von dem toten Adonis singt Bion (Ende des 2 Jhdts v Chr, ed UvWilamowitz-Moellendorff [1900] 71): καὶ νέκυς ὢν καλός ἐστι, καλὸς νέκυς, οἷα καθεύδων. Attis
55 liegt wie leblos in der Höhle, aber er ist unverweslich, seine Haare wachsen weiter,
und sein kleiner Finger bewegt sich (Arnobius ed AReifferscheid [1875] V 7):
er schläft. Beide Götter fließen mit Endymion zusammen. Diesen stellen spätere
Künstler mit offenen Augen schlafend dar. Likymnios von Chios gibt dafür die Erklärung, daß Hypnos sich in den Knaben verliebte und, um den Anblick seiner Augen
60 nicht missen zu müssen, diese offen hielt [8]. Dieselbe Erscheinung zeigt der älteste

---

[7] Epigr Graec 559, 2 Jhdt n Chr.
[8] OGruppe, Griech Mythologie u Religions-   geschichte I (1906), Handbuch der klass Altertumskunde V 2, S 280 A 5.

bekannte Adonissarkophag[9]. Von dem kretischen Wundertäter Epimenides, der wohl
eine historische Persönlichkeit, aber nach Heroenart von Legenden umwuchert ist,
erzählt man, daß er 40 (Paus I 14, 4), nach anderen Angaben sogar 57 Jahre geschlafen
habe. Die erste Zahl entspricht der für ein Menschenalter angenommenen Dauer.
Hier taucht also das Generationenproblem am Rande auf. Vielleicht bestehen auch 5
Beziehungen zwischen der Epimenidessage und dem kretischen Kult des sterbenden
und wieder geboren werdenden Zeus. Die einschlägigen Sagenkreise haften vor allem
an uralten Traumorakel- und Inkubationsstätten[10].

B. Schlafen im Alten Testament und im Judentum.

1. Der Schlaf des Menschen. 10

a. Auch der Israelit schätzt den Schlaf als Erquickung
und Kraftquelle hoch (Jer 31, 26). Es gilt als eine schwere Plage, wenn man
infolge von Krankheit, Sorgen oder Gewissensbissen keinen Schlaf findet (Ps 32, 4;
Sir 31 (34), 1; 40, 5). Das Gesetz Jahwes schützt den Schlaf des Armen: das
Obergewand darf nicht über den Sonnenuntergang als Pfand behalten werden, 15
weil es als Decke für die Nacht dient (Ex 22, 25 f; Dt 24, 12 f). Aber gegen
die Üppigkeit der Ruhebetten der Reichen eifern die Propheten (Am 6, 4).
Viel Schlafen bedeutet sträfliche, zur Verarmung führende Faulheit (Prv 10, 5;
19, 15 hbr). Des Nachts nicht zu schlafen, ist das Kennzeichen eines treuen
und arbeitswilligen Knechts (Gn 31, 40). Die Regel ist freilich anders. „Zehn 20
Maß Schlaf sind in die Welt herabgekommen, neun nahmen die Sklaven, und
eins nahm die ganze übrige Welt dahin" (bQid 49 b, Str-B II 48). Der Fromme
wacht, oder er gedenkt noch im Einschlafen der Tora (Ps 1, 2; Dt 6, 7; Jos
1, 8; Prv 6, 22). Mit der göttlichen Weisheit und Erkenntnis im Herzen kann
er dann süß schlafen (Prv 3, 24). Im Schutze seines Gottes schläft er sicher 25
und in Frieden (Ps 3, 6; 4, 9). Denn sein Hüter schläft nicht (Ps 121, 3;
→ 438, 35 f). An Jahwes Segen ist alles gelegen! Frömmigkeit ist daher ein
Gegengewicht gegen falsche Vielgeschäftigkeit und unnötige Mühsal. „Seinen
Geliebten gibt er's im Schlaf" (Ps 127, 1 f; LXX [126, 2] falsch: ὅταν δῷ τοῖς
ἀγαπητοῖς αὐτοῦ ὕπνον). Jona allerdings schläft während des Seesturms den 30
Schlaf sträflicher Gleichgültigkeit (Jon 1, 5).

b. Der Schlaf kann auch zur B e t ä u b u n g werden und
dann ein Gericht Jahwes über die Schlafenden, eine Hilfe für die Wachenden
bedeuten (Js 51, 20; 1 S 26, 12 vgl v 7). Anderseits gibt Gott im Schlaf seine
O f f e n b a r u n g e n. Im Schlafe empfangen Abraham und Jakob Gottesverheißungen 35
(Gn 15, 12: תַּרְדֵּמָה, LXX ἔκστασις, vgl 2, 21; Gn 28, 10 ff). Schlafend im Heiligtum zu Silo wird der junge Samuel von Jahwe gerufen, der ihm dann das
Gericht über das Haus Eli ankündigt (1 S 3, 1 ff). Die Vätersagen sind wohl
angeregt durch uralte Traumorakel, vor allem in Bethel. Die Samuelgeschichte
beweist, daß die Inkubation auch dem israelitischen Volke nicht völlig fremd war. 40

Strabo schreibt von Mose ua: ἐγκοιμᾶσθαι καὶ αὐτοὺς ὑπὲρ ἑαυτῶν καὶ ὑπὲρ τῶν ἄλλων
ἄλλους τοὺς εὐονείρους (XVI 761)[11]. Er mag damit zunächst Hellenistisches in die
altisraelitische Überlieferung hineindeuten, wird aber sachlich nicht allzu weit am
Richtigen vorbeitreffen. Möglich, daß sich sogar jüdische Einrichtungen seiner Umwelt in seinen Worten spiegeln. Schlief man in den Synagogen, oder wurde das 45

---

[9] Angelos 3 (1930) 163 ff.   [11] [Hinweis von JLeipoldt.]
[10] Gruppe aaO 778.

Übernachten in den mit ihnen gelegentlich verbundenen Herbergen [12] als Inkubation aufgefaßt? Die Inschriften der Synagoge von Delos zeigen deutliche Analogien zu Asklepiosweihungen [13]. Von da aus gesehen liegt der Schlaf im Heiligtum nicht allzu fern.

5 Traumgesichte werden im AT vielfach als göttliche Offenbarungen angesehen. Sie bedürfen als solche allerdings gottgegebener Deutung. Die bekanntesten Beispiele sind: der Traum Jakobs von der Himmelsleiter (Gn 28, 10 ff), der Traum Josephs (Gn 37, 5. 9), die von Joseph gedeuteten Träume (Gn 40, 5 ff; 41, 1 ff), der Traum Salomos (1 Kö 3, 5 ff), die von Daniel gedeuteten 10 Träume Nebukadnezars (Da 2, 1; 4, 1 ff) und der Traum Daniels (7, 1 ff), in weiterem Sinn auch die Nachtgesichte Sacharjas (1, 7—6, 8). Träume gelten als reguläres Mittel prophetischer Offenbarung und besondere Begnadigung, aber freilich nicht als die höchste und zuverlässigste Form der göttlichen Willenskundgebung, manchmal auch als trügerisch und gefährlich (Nu 12, 6 f; 15 1 S 28, 6; Jl 3, 1; Jer 23, 28. 32; 29, 8; Sach 10, 2).

Ähnlich geteilt ist die Meinung des späteren Judentums. Für den apokalyptischen Apparat unentbehrlich (Hen 13, 8 ff; 4 Esr 11, 1—12, 3; gr Bar 36, 1 ff; Test Jos 19 uö), werden die Träume auch von manchen Rabbinen positiv (bezeichnend bBer 57 b: „Der Traum ist ein Sechzigstel von einer Prophetie"), von anderen skeptisch beurteilt und 20 oft psychologisch erklärt [14]. Philo deutet Jakobs Schlaf in Bethel darauf, daß der Tugendbeflissene (ἀσκητής) auf der Tüchtigkeit ruht (καθεύδει), indem das Leben der Sinne stillgelegt (κοιμᾶσθαι), das der Seele aber wach ist (ἐγρηγορέναι, Som I 174).

c. Im übertragenen Sinn kommt καθεύδειν zur Bezeichnung der Lässigkeit im AT nicht vor (wohl aber νυστάζειν Na 3, 18 und ὑπνοῦν). Öfter 25 dient es dagegen zur Bezeichnung des Todeszustandes, uz einfach neutral, ohne Euphemismus (ψ 87, 6; Da 12, 2).

2. Die schlafenden Götzen und der nicht schlafende Gott.

In der ausdrücklichen Nichtanwendung der Vokabel auf 30 die Gottheit kommt die Selbstabgrenzung der Offenbarungsreligion gegenüber dem Heidentum zum Ausdruck. Die Baalspriester, die sich vergeblich bemühen, ihren Gott in Wirksamkeit zu setzen, ermuntert Elias ironisch: „Rufet nur laut, denn er ist ja ein Gott! Er hat wohl den Kopf voll oder ist beiseite gegangen oder hat eine Reise vor oder er schläft vielleicht, so wird er wieder aufwachen" 35 (ἢ μήποτε καθεύδει αὐτός, 3 Βασ 18, 27; → ἐγείρειν τὸν θεόν II 332 A 1). Dagegen „der Hüter Israels schläft noch schlummert nicht" (ἰδοὺ οὐ νυστάξει οὐδὲ ὑπνώσει ὁ φυλάσσων τὸν Ἰσραήλ, ψ 120, 4).

Eine scheinbare Ausnahme bilden Stellen wie Ps 44, 24 (43, 24); 78 (77), 65. Aber hier ist nur die Ausdrucksweise, nicht die Anschauung mythologisch. Entsprechendes 40 gilt von Gn 2, 2 f, wo außerdem als mythologischer Hintergrund nicht ein Schlafen, sondern nur ein Ausruhen und Feiern Gottes durchblickt.

C. καϑεύδειν im Neuen Testament.

Für die nt.liche Frömmigkeit scheidet die Frage, ob Gott schläft, von vornherein als gegenstandslos aus. Nur mit äußerster Vor-

---

[12] Vgl die Theodotosinschr bei Deißmann LO 378 ff.
[13] Etwa: Ἀγαθοκλῆς καὶ Λυσίμαχος ἐπὶ προσευχῆ oder: Λυσίμαχος ὑπὲρ ἐμαυτοῦ θεῷ ὑψίστῳ χαριστήριον oder: Λαωδίκη θεῷ ὑψίστῳ

σωθεῖσα ταῖς ὑφ' αὑτοῦ θαραπήαις εὐχήν. Mélanges Holleaux, Recueil de Mémoires concernant l'Antiquité Grecque. Offert à MHolleaux (1913) 201 ff.
[14] Weiteres Str-B I 53 ff zu Mt 1, 20.

sicht — schon von der Methodik der Gleichnisauslegung aus — wird man letzte
Ausklänge mythologischer Vorstellungen in Lk 11, 5 ff angedeutet finden. Übernommen ist nur, bei voller Wahrung der strengen Überweltlichkeit Gottes, was
der Verlebendigung des Gebetslebens dienen kann. Es handelt sich also bei
unserer Vokabel im NT ausschließlich um den Menschen.   5

1. καθεύδειν im eigentlichen Sinn.

a. Allgemeine Betrachtungen über Wesen und Bedeutung
des Schlafs sucht man im NT vergebens. Hier zeigt sich an einem speziellen
Punkt besonders deutlich, wie wenig das NT auf eine vollausgebildete religiöse
Welt- und Lebensanschauung ausgeht. Es setzt das Schlafen der Menschen als 10
eine selbstverständliche Tatsache voraus (Mt 13, 25; Mk 4, 27), kann auch ohne
Gereiztheit berichten, daß ein Jüngling während einer langen Predigt des
Paulus in einen so tiefen Schlaf fällt, daß er vom Dach stürzt (Ag 20, 9), ist
aber im übrigen mehr dem Wachen als dem Schlafen geneigt. Jesus verbringt
ganze Nächte im Gebet oder steht beim ersten Morgengrauen auf, um mit 15
seinem Vater im Himmel zu reden (Lk 6, 12; Mk 1, 35). Der Apostel Paulus
arbeitet Nacht und Tag, um nur niemand lästig zu fallen (1 Th 2, 9). Eine
fast dämonische Schlaftrunkenheit fand die älteste Gemeinde [15] bei den wenigen
Zeugen des Gethsemaneringens (Mt 26, 40 ff Par). Jesus rüttelt sie auf durch
die Mahnung zur Wachsamkeit (Mt 26, 41 ff Par) und mit einem Wort vom 20
Weiterschlafen, das als ironische Aufforderung oder als vorwurfsvolle Frage
verstanden werden kann (Mt 26, 45 a Par). In dem energiegeladenen Leben
Jesu findet sich aber auch das ergreifende Bild, wie er mitten im tobenden
Seesturm schläft (Mk 4, 38 Par). Vom Körperlichen aus betrachtet bezeugt dies
Schlafen wohl weniger die restlose Erschöpfung der Nervenkraft als vielmehr 25
deren gesammelte Disziplin. Das Geheimnis liegt aber tiefer. In der Hut seines
Vaters weiß Jesus sich auch im Toben der Elemente geborgen. Wie die Furcht
der Jünger im Kleinglauben (Mk 4, 40 Par), so liegt seine ruhige Sicherheit, im
Schlafen wie im Erwachen, in seiner ungetrübten Gottesgemeinschaft begründet.

b. Auch das NT weiß davon, daß Gott uU im Schlaf 30
den Menschen **W e i s u n g e n** gibt: dem Joseph (Mt 1, 20; 2, 13. 19. 22), den
Magiern (Mt 2, 12), dem Weibe des Pilatus (Mt 27, 19), dem Paulus (Ag 16, 9;
18, 9). Auf die Pfingsterfahrung der Gemeinde wird die bereits zitierte
Joelweissagung angewandt. Dabei ist die Eigenart des Traumlebens einfacher
Menschen, zumal im Orient, mit in Rechnung zu stellen. Auf das Ganze ge- 35
sehen taucht die religiöse Wertung des Traums nur am Rande der nt.lichen
Frömmigkeit auf. Das Wesentliche der Offenbarung liegt nicht hier, sondern in der
geschichtlichen Selbstdarbietung Gottes, → ἀποκαλύπτω. Die Träume der Gnostiker
sind gefährliche, vor allem auch sittlich bedenkliche Schwärmerei (Jd 8).

2. Der übertragene Gebrauch von καθεύδειν.   40

a. Die Vokabel dient, seltener zwar als κοιμᾶσθαι (→ 13
A 60), zur euphemistischen Bezeichnung des Todes (1 Th 5, 10). Spezifisch

---

[15] Vgl GBertram, Die Leidensgeschichte
Jesu u der Christuskult = FRL NF 15 (1922) 45.

Christliches liegt in dieser Redeweise nicht. Eine eigene Bewandtnis hat es mit Mt 9, 24 Par. Daß die Evangelisten eine wirkliche Totenauferweckung erzählen wollen, läßt sich nicht bezweifeln. Es ist aber auch fraglich, ob das Herrnwort, wenn es authentisch ist, ursprünglich anders gemeint war. Von
5 antiken Voraussetzungen aus ist der Sinn am ehesten dahin zu bestimmen, daß die Seele des Mägdleins zwar den Körper verlassen hat, sich aber noch in der Nähe desselben aufhält und deshalb durch ein Machtwort Jesu in der Kraft Gottes zurückgerufen werden soll. Daß der Tod im allgemeinen nur ein Schlaf sei, will das Wort nicht sagen.

10   b. καθεύδειν bezeichnet — in charakteristischer Spe-
zialisierung des allgemeinen Sprachgebrauchs — eine geistliche oder viel-
mehr ungeistliche Haltung, die im Gegensatz steht zu der Sammlung und Energie des Glaubenslebens, wie sie von den Christusgläubigen, zumal angesichts der nahenden Parusie, erwartet und verlangt werden muß. Die Auf-
15 forderung μὴ καθεύδωμεν (1 Th 5, 6) ist also nicht allgemeine Lebensweisheit, aber auch nicht Ermunterungswort im Blick auf eine bestimmte Einzelsituation, vielmehr, wie der Zusammenhang deutlich zeigt, eschatologische Bildrede (vgl v 7). Dies trifft auch für Mt 25, 5 zu, aber in anderer Weise. Nicht das Schlafen an sich erscheint hier als das Bedenkliche, denn es wird auch von den
20 „klugen" Jungfrauen ausgesagt, sondern dies, daß man nicht Vorkehrung ge-
troffen hatte, im rechten Augenblick am Platze und bereit zu sein. Ohne Bild gesprochen: nicht das bloße Warten schon auf den kommenden Herrn rettet, sondern nur die Ausdauer bis zuletzt. Nicht die zeitweilige Entspannung der Erwartung an sich schon führt ins Verderben, sondern die Unfähigkeit, sich
25 im entscheidenden Augenblick aufzuraffen. Über Eph 5, 14 → II 335, 35 ff.

D. Ausblick in die Kirchengeschichte.

In der ältesten nachnt.lichen Literatur kommt καθεύδω nicht vor. Vom Eindringen antiker Gedanken zeugen die verschiedenen Legenden von Heiligen, die Jahrzehnte oder Jahrhunderte hindurch schliefen und dann wieder
30 erwachten. Die bekannteste von ihnen ist die wohl infolge der Johannestradition an Ephesus haftende Siebenschläfererzählung. Sie ist frühestens in der zweiten Hälfte des 5 Jhdts entstanden. Außer von den oben erwähnten Mythen ist sie wohl auch von jüdischen Vorbildern (Ass Mos 9?) abhängig [16].

Oepke

35   † καθήκω (τὸ καθῆκον)

1. Der populäre Sprachgebrauch.

a. herunterkommen, dann aber auch allgemeiner: *hinzukommen, herankommen*, in verschiedenen Zusammenhängen: Thuc II 27: ὁδὸς καθήκουσα ἐπὶ θάλατ-ταν, Aeschin 2, 25: καθῆκεν εἰς ἡμᾶς ὁ λόγος, Xenoph Hist Graec IV 7, 2: ὁπότε

---

[16] JKoch, Die Siebenschläferlegende, ihr Ursprung und ihre Verbreitung (1883); MHu-ber, Die Wanderlegende von den Sieben-schläfern (1910). Weiteres RGG² V 482f; Gruppe aaO II 934 A 10, 1525 A 1, 1652 f.

καθήκω. Pass, Preisigke Wört, Anz Sub-sidia 332 f.

καθήκοι ὁ χρόνος, vgl Polyb 4, 7, 1: καθηκούσης αὐτοῖς ἐκ τῶν νόμων συνόδου κατὰ τὸν καιρὸν τοῦτον, da nach dem Gesetz in diese Zeit eine Versammlung fiel; Demosth Or 19, 185: εἶτ' ἐκκλησίαν ποιῆσαι, καὶ ταύτην ὅταν ἐκ τῶν νόμων καθήκῃ, vgl Plut Fab Max 18, 2 (I 184 e). Von daher etwa: τὰ καθήκοντα (πράγματα) *die gegenwärtige Lage der Dinge* Hdt I 97; V 49 ua. Polyb 4, 14, 1 uö: ἡ καθήκουσα σύνοδος, 5 *die regelrechte Versammlung;* Demosth Or 59, 80: αἱ καθήκουσαι ἡμέραι, *die festgesetzten Tage;* Ditt Syll³ 487, 1 ff: καὶ τοῖς ἄλλοις θεοῖς, οἷς πάτριον ἦν, ἔθυσαν . . . ἐν ταῖς καθηκούσαις ἡμέραις καλῶς καὶ φιλοτίμως, vgl 1 Makk 12, 11. — *b. zukommen, passen,* besonders in dem allgemeinen Sinn von convenire und in verschiedener Abstufung der Bedeutung: *es gehört, geziemt, gebührt sich, es ist notwendig,* es ist (meine) 10 *Schuldigkeit,* (meine) *Pflicht*[1]: PTebt I 5, 39: οἱ τὴν πλείω γῆν ἔχοντες τῆς καθηκούσης, wer mehr Acker hat als ihm zusteht; Xenoph Cyrop VIII 1, 4: οὕτω καὶ αὐτοὶ πειθώμεθα, οἷς ἂν ἡμᾶς καθήκῃ, Xenoph An I 9, 7: οἷς καθήκει ἀθροίζεσθαι, ep Ar 149: οὐδ' ἅψασθαι καθῆκε τῶν προειρημένων, Ag 22, 22: οὐ . . . καθῆκεν αὐτὸν ζῆν, Inschr Priene 114, 32: καθῆκόν ἐστιν αὐτὸν ἐπαινεῖσθαι, PTebt I 38, 7: καταστῆναι, ἐφ' οὓς καθήκει, vor die 15 zuständigen Richter stellen. BGU IV 1200, 10 ff: τὰς καθηκούσας θυσίας καὶ σπονδάς, die gebührenden Opfer und Weihen, vgl 2 Makk 14, 31; Ditt Syll³ 687, 27: τὴν καθήκουσαν ἐπιμέλειαν ἐποιήσατο, 1 Makk 10, 39: καθήκουσα δαπάνη, Ditt Syll³ 709, 14: καθήκουσαι τιμαί, vgl 1 Cl 1, 3; PAmh 90, 14; PFlor I 16, 17 ua: ἔργα ὅσα καθήκει. In solchen Bedeutungen kommt auch das substantivierte Neutrum vor: Hdt VII 104: τὰ 20 καθήκοντα Σπαρτιήτῃσι, Ditt Syll³ 717, 25 f: καὶ ἔθυσαν τῷ Αἴαντι καὶ τἆλλα καθήκοντα ποιήσαντες ἀνεστράφησαν εὐτάκτως, 1042, 9 f: παρέχειν δὲ καὶ τῷ θεῷ τὸ καθῆκον, δεξιὸν σκέλος καὶ δορὰν καὶ κεφαλήν κτλ. Im absoluten Gebrauch etwa Xenoph Cyrop I 2, 5: τὰ καθήκοντα ἀποτελεῖν, Menand fr 575: ἐμὲ δὲ ποιεῖν τὸ καθῆκον οὐχ ὁ σὸς λόγος, εὖ ἴσθ' ἀκριβῶς, ἀλλ' ὁ δ' ἴδιος πείθει τρόπος, Polyb 6, 6, 7: τῆς τοῦ καθήκοντος 25 δυνάμεως καὶ θεωρίας, vgl 12, 12, Diod S XVI 1, 1; POxy VI 939, 16: τοῦτο τοῦ καθήκοντος ἀπαιτοῦντος; adverbial Polyb 5, 9, 6: δικαίως καὶ καθηκόντως. Dabei ist mit τὸ καθῆκον diejenige Forderung gemeint, die das Herkommen und die allgemeine Moralität als solche erscheinen lassen.

2. Der philosophische Sprachgebrauch. 30

Aus dem populären Gebrauch von καθῆκον wurde der Begriff von Zenon (nach Diog L VII 108) in die philosophische Sprache übernommen, wo er eine mannigfaltige, uns nicht immer durchsichtige Verwendung findet[2]. Aufs Ganze gesehen, kann man sagen, daß τὸ καθῆκον (bzw τὰ καθήκοντα) *das dem Menschen Zustehende und Anstehende* bezeichnet, mit anderen 35 Worten: die Forderungen und Handlungen, die ihm aus dem Anspruch seiner Umwelt erwachsen und sich vor der kritischen Vernunft als seinem Wesen entsprechend erweisen, vgl Diog L VII 107 ff; Stob Ecl II 85, 12 ff. Das καθῆκον ist dabei von dem κατόρθωμα insoweit unterschieden, als es die Mitte zwischen dem κατόρθωμα und dem ἁμάρτημα bezeichnet. Freilich umfaßt das καθῆκον als ein solches 40 μέσον nicht etwa ein sittlich „neutrales" Gebiet, dessen Handlungen sittlich indifferent wären (Stob Ecl II 86, 10 f: πᾶν δὲ τὸ παρὰ τὸ καθῆκον ἐν λογικῷ ζῴῳ γινόμενον ἁμάρτημα εἶναι, vgl II 93, 14 ff; 96), sondern solche Verpflichtungen, die sowohl der Unweise wie der Weise für zweckmäßig und geboten erachten, nur natürlich ein jeder von seinen Gesichtspunkten aus (vgl Epict Diss II 17, 31: θέλω δ' 45 ὡς εὐσεβὴς καὶ φιλόσοφος καὶ ἐπιμελὴς εἰδέναι, τί μοι πρὸς θεούς ἐστιν καθῆκον, τί πρὸς γονεῖς, τί πρὸς ἀδελφούς, τί πρὸς τὴν πατρίδα, τί πρὸς ξένους, vgl Ench 30).

---

[1] Während in 1 a καθήκω mit ἐπί, πρός, εἰς c Acc konstruiert wird, wird es hier, synonym mit προσήκει, πρέπει, meist mit Dativ gebraucht [Debrunner].

[2] Vgl zum folgenden: EWellmann, Die Philosophie des Stoikers Zenon, Jbch klass Phil 19 (1873) 441 ff; ASchmekel, Die Philosophie der mittleren Stoa in ihrem geschicht-lichen Zshg (1892) 214 f, 358 f; AdBonhöffer, Die Ethik des Stoikers Epiktet (1894) 193—233; AdDyroff, Die Ethik der alten Stoa (1897) 133—145; AdBonhöffer, Epiktet und das NT = RVV 10 (1911) 154, 157 ff; GNebel, Der Begriff des καθῆκον in der alten Stoa, Hermes 70 (1935) 439 ff.

Als Handlungen gehören die καθήκοντα bei dem Weisen, der sie allein richtig (ὡς δεῖ und εὐκαίρως Epict Diss III 2, 2; 21, 14; Sext Emp Math XI 200; Philo Leg All III 74) erfüllen kann, zum κατόρθωμα (vollkommene Pflichten), bei dem φαῦλος, der das καθῆκον nicht ἀφ' ἕξεως καθηκούσης tun kann (Philo Leg All III 210), zum ἁμάρτημα. Dem entspricht, daß das καθῆκον in einem engeren Sprachgebrauch den Bereich der „natürlichen", überlieferten, menschlichen Verpflichtungen umschreibt, ὡς ἔχει τὸ γονεῖς τιμᾶν, ἀδελφούς, πατρίδα, συμπεριφέρεσθαι φίλοις, Diog L VII 108 — Chrysipp brachte zB in seiner Schrift περὶ τοῦ καθήκοντος die Pietät gegen die Verstorbenen zur Sprache, Sext Emp Math XI 194, vgl 189 —, in einem weiteren Sprachgebrauch umfaßt es das ganze Gebiet der pflichtmäßigen Handlungen. So finden sich bei Epiktet drei Arten des καθῆκον: einmal die Pflichten gegenüber den natürlichen Bedürfnissen und dem Vorteil des Menschen; zweitens die durch Gesetz und Sitte zu allgemeiner Geltung gelangten Pflichten der Legalität; drittens Pflichten, die dem gewöhnlichen sittlichen Bewußtsein fremd sind, ja widersprechen, wie die Aufopferung für die Freunde, Diss II 14, 18, die Nächstenliebe, Diss IV 10, 12 ua. Bei Epiktet findet sich aber auch noch eine ältere Umschreibung des Gebietes des καθῆκον, die ebenfalls die Weite des Begriffes zeigt: Diss III 7, 25: οὐκοῦν καὶ καθήκοντα τρισσά· τὰ μὲν πρὸς τὸ εἶναι, τὰ δὲ πρὸς τὸ ποιά εἶναι, τὰ δ' αὐτὰ τὰ προηγούμενα, also wohl καθήκοντα, die sich auf das Daß und das Wie der Existenz als solcher und auf die sittliche Entscheidung innerhalb der Existenz beziehen (vgl Cic Off III 20). Infolge dieses weiteren und engeren Gebrauches von καθῆκον wird verständlich, daß der Begriff καθῆκον den des κατόρθωμα verdrängt. So kommt κατόρθωμα bei Epict nur noch einmal, und zwar im altstoischen Gegensatz zu ἁμάρτημα vor, Diss II 26, 5, auch können καθήκειν und κατορθοῦν promiscue gebraucht werden: vgl Diss II 26, 5 mit Ench 42; Diss I 7, 1 mit II 3, 4. Bezeichnend ist auch, daß nun innerhalb des καθῆκον eine Unterscheidung eintritt. So verwendet wohl schon Chrysipp für κατόρθωμα den Begriff τέλειον καθῆκον (Stob Ecl II 85, 18; vgl IV 5). Treten diesem τέλειον καθῆκον etwa die μέσα καθήκοντα gegenüber, wie in Stob Ecl II 86, so sind mit diesen „neutrale" Verpflichtungen gemeint wie γαμεῖν, πρεσβεύειν, διαλέγεσθαι, vgl II 96. Das μέσον καθῆκον ist das, was Epict nach Chrysipp ἐκλογὴ κατὰ φύσιν nennt und was er von dem moralischen καθῆκον, das ihm als προηγούμενον erscheint, unterscheidet.

3. In der Septuaginta[3] liegt nur der populäre Sprachgebrauch von τὸ καθῆκον bzw καθήκω vor. Dabei kommt eine Reihe von Färbungen, die im Begriffe liegen, zur Geltung: 1 Makk 10, 36: καὶ δοθήσεται αὐτοῖς ξένια, ὡς καθήκει πάσαις ταῖς δυνάμεσιν τοῦ βασιλέως (wie es . . . zukommt); Tob 1, 8; 6, 12f: ὅτι σοὶ ἐπιβάλλει ἡ κληρονομία αὐτῆς, 1, 13: ὅτι τὴν κληρονομίαν σοὶ καθήκει λαβεῖν ἢ πάντα ἄνθρωπον, 7, 10; Ez 21, 32; 2 Makk 2, 30: τὸ . . . ἐμβατεύειν (Eintreten, Eindringen [übertr]) . . . τῷ τῆς ἱστορίας ἀρχηγέτῃ καθήκει. (ist Sache des . . .), 11, 36: ἵνα ἐκθῶμεν ὡς καθήκει ὑμῖν (wie es für euch nützlich ist; vgl Epict Diss III 22, 43: λυσιτελὲς καὶ καθήκει, I 18, 2: συμφέρον καὶ καθήκει), 3 Makk 1, 11: τῶν δὲ εἰπόντων μὴ καθήκειν γίνεσθαι τοῦτο (es dürfe dies nicht geschehen), vgl Jdt 11, 13, Hos 2, 7: τῶν ἐραστῶν μου τῶν διδόντων μοι . . . πάντα ὅσα μοι καθήκει (wessen ich bedarf); vgl Ex 16, 21: ἕκαστος τὸ καθῆκον αὐτῷ[4], Ex 36, 1: ποιεῖν πάντα τὰ ἔργα κατὰ τὰ ἅγια καθήκοντα (alle zur Errichtung des Heiligtums nötigen Arbeiten).

Bemerkenswert ist, daß καθήκω bzw (τὸ) καθῆκον noch die Übersetzung dreier hbr Begriffe ist und von diesen seine jeweilige Bedeutung erhält: von דֶּרֶךְ Gn 19, 31: καὶ οὐδείς ἐστιν ἐπὶ τῆς γῆς, ὃς εἰσελεύσεται πρὸς ἡμᾶς ὡς καθήκει πάσῃ τῇ γῇ (nach aller Welt Brauch, Sitte); von דָּבָר Ex 5, 13: συντελεῖτε τὰ ἔργα τὰ καθήκοντα καθ' ἡμέραν (die bestimmte tägliche Arbeit), vgl 5, 19; von מִשְׁפָּט Lv 5, 10: καὶ τὸ δεύτερον (Turteltaube) ποιήσει ὁλοκαύτωμα ὡς καθήκει (nach dem Gesetz), Dt 21, 17: καὶ τούτῳ (dem Erstgeborenen) καθήκει τὰ πρωτοτόκια (gebührt nach dem Gesetz); vgl Lv 9, 16; Ez 21, 32; 3 Βασ 2, 16 (וַיֹּאמֶר); 1 Esr 1, 13; 2 Makk 6, 21; 14, 31. Hierher kann man auch Sir 10, 23:

οὐ δίκαιον ἀτιμάσαι πτωχὸν συνετόν
καὶ οὐ καθήκει δοξάσαι ἄνδρα ἁμαρτωλόν

stellen, wo der Maßstab für das, was sich gehört und gebührt, nicht mehr einzelne Gebote oder Befehle sind, sondern die vorausgesetzte, allgemeine sittlich-religiöse Überzeugung. Dasselbe gilt für 2 Makk 6, 4: τὸ μὲν γὰρ ἱερὸν ἀσωτίας καὶ κώμων

---

[3] Von den 30 St entfallen 16 auf die sogenannten at.lichen Apokryphen.
[4] Nach Anz Subsidia 333 sind die καθήκοντες in Ex 16, 16 (18): συναγάγετε ἀπ' αὐτοῦ (Manna) ἕκαστος εἰς τοὺς καθήκοντας als propinqui zu verstehen. Vgl PPar 13, 17: τῶν ἐκείνης ἐμοὶ καθηκόντων, Act Thom 40: τῆς γενεᾶς εἰμι ἐκείνης . . . ἧς καὶ ὁ κύριός σου . . . εἰς τὸν καθήκοντά μοι κατὰ γένος ἐκάθισεν.

ὑπὸ τῶν ἐθνῶν ἐπεπληροῦτο ῥᾳθυμούντων (sich belustigen) μεθ᾽ ἑταιρῶν καὶ ἐν τοῖς ἱεροῖς περιβόλοις γυναιξὶ πλησιαζόντων, ἔτι δὲ τ ὰ μ ὴ κ α θ ή κ ο ν τ α ἔνδον εἰσφερόντων, und 3 Makk 4, 16: εἰς δὲ τὸν μέγιστον θεὸν τ ὰ μ ὴ κ α θ ή κ ο ν τ α λαλῶν.

4. Im Neuen Testament kommt τὸ καθῆκον n u r e i n m a l und zwar im Plural vor, R 1, 28: καὶ καθὼς οὐκ ἐδοκίμασαν τὸν θεὸν ἔχειν ἐν ἐπιγνώσει, παρέδωκεν αὐτοὺς ὁ θεὸς εἰς ἀδόκιμον νοῦν, ποιεῖν τὰ μὴ καθήκοντα, πεπληρωμένους πάσῃ ἀδικίᾳ . . .   Sowohl aus der Form der Verneinung wie auch aus dem Inhalt dessen, was hier als „Ungebührliches" bezeichnet wird, ist ersichtlich, daß es sich nicht um den spezifisch philosophischen Begriff des καθῆκον handelt.   Im philosophischen Sprachgebrauch heißt das, was wider das καθῆκον ist, immer τὸ παρὰ τὸ καθῆκον, Diog L VII 108, aber auch Epict Diss I 7, 21; 28, 5 ua; Philo Leg All II 32, dagegen Cher 14. Was Paulus mit den μὴ καθήκοντα, zunächst unbestimmt zusammenfassend, meint, ist das, was dem Menschen auch im Sinne des populären heidnischen sittlichen Bewußtseins nicht ansteht, sind Vergehen und Frevel auch nach dem natürlichen mensch- lichen Urteil. Nach ihrer immer schon geschehenen Entscheidung gegen den Schöpfer überläßt Gott die Menschen schließlich ihrem stumpfen Sinn. Die religiöse Indifferenz hat die sittliche zur Folge. In ihr wird dann der Heide, aus einer bösartigen Grundhaltung und -stimmung heraus, von zerstörerischen Leiden- schaften besessen, mit Lastern aller Art überschüttet, und verliert so den Rest von Menschlichkeit, von Humanität, die auch für den gesunden Heiden ehrwürdig ist.

Philosophischer ist die Terminologie des 1 Clemensbriefes. Darauf verweisen zwar nicht die τιμὴ ἡ καθήκουσα und das καθηκόντως in 1, 3, aber doch das παρὰ τὸ καθῆκον in 41, 3 und das πολιτεύεσθαι κατὰ τὸ καθῆκον τῷ Χριστῷ in 3, 4, wo καθῆκον in poin- tiertem Sinn = officium ist.

Schlier

> **† κάϑημαι, † καϑίζω,**
> **† καϑέζομαι**   → θρόνος

κάθημαι (LXX fast immer für יָשַׁב; יָתַב; selten für הָלַךְ, הָיָה; סָכַךְ hi; רָכַב; שָׁכַב) sowohl intr *sitzen* wie — in der Koine und LXX häufig — reflexiv *sich setzen*, im NT nach LXX Ps 109, 1: Mt 22, 44; Mk 12, 36; Lk 20, 42; Ag 2, 34; Hb 1, 13; ferner Jk 2, 3; Mk 4, 1; Mt 28, 2; 26, 58; J 6, 3; wohl auch Mt 13, 1 f; 15, 29; Lk 22, 55. Die attizistische 2 Sing κάθη Ag 23, 3, der Imp κάθου in dem LXX-Zitat (Ps 109, 1) und Jk 2, 3 [1]. Impf ἐκαθήμην, entsprechend die anderen aug- mentierten Formen [2]. Das Fut καθήσομαι (Mt 19, 28; Lk 22, 30 א, A ua) verdrängt das attische καθεδοῦμαι.

καθίζω (LXX fast immer für יָשַׁב q u hi; יָתַב; selten für הָיָה; רָכַב; בּוֹא; גּוּר; נוּחַ; נָפַל hi; פָּנָר pi; צוּר) trans *niedersetzen*, kausativ *sich setzen lassen* und reflexiv *sich setzen*, in der Koine gelegentlich auch intr *sitzen*. Fut καθίσω (Mt 25, 31); Imp Aor κάθισον (Mk 12, 36 B); Perf κεκάθικα (Hb 12, 2) [3]. Das klassische καθίζω εἰς wird falsch auf κάθημαι übertragen: Mk 13, 3 [4].

Das seltene ἐκαθέζετο (für ἐκάθητο) von καθέζεσθαι nur Mt 26, 55; J 4, 6; 11, 20; καθεζόμενος für καθήμενος Lk 2, 46; J 20, 12; Ag 20, 9 und in den meisten Hdschr von Ag 6, 15 [5].

κάϑημαι κτλ. Pr-Bauer 606—608. Wilke- Grimm 218.
[1] Bl-Debr [6] § 100.
[2] Ebd § 69, 1; Radermacher [2], 68 ff.

[3] Bl-Debr [6] § 101 sv; JHMoulton, Grammar of NT Greek II (1929) 242.
[4] Bl-Debr [6] § 205.
[5] Ebd § 101 sv; Moulton Grammar I 118; II 242. Im NT hat es immer durative Bdtg.

1. Im neutralen Sinne als *sitzen, sich setzen, nieder-*
setzen (Hom Il 3, 68 usw; LXX Gn 18, 1; 19, 1; Lv 15, 6; Sach 5, 7; Gn 8, 4;
1 S 5, 11; ψ 25, 4 uo). Für gewöhnlich sitzt man auf einem Stuhl (כִּסֵּא, δίφρος,
aram כוּרסיא[6]), der auch im einfachsten Raum nicht fehlen darf (2 Kö 4, 10),
5 oder, in Anlehnung an ägyptische und griechische Sitte[7], auf einer κλίνη (Gn
48, 2; Ez 23, 41), im Freien auf Steinen (Ex 17, 12), besonders gern unter
Bäumen (Ri 4, 5; 1 Kö 13, 14 uo), auf Berggipfeln (2 Kö 1, 9), auf einem
Brunnenrand (Ex 2, 15; vgl J 4, 6). Jesus sitzt gern im Freien, besonders
am Strand (Mt 13, 1; Mk 4, 1) und auf Bergen (Mt 5, 1; 15, 29; 24, 3; Mk
10 13, 3; J 6, 3); das ist bestimmt Ausdruck seines Naturgefühls[8]. Beliebt ist der
Hof als Sitzplatz, besonders für Sklaven und Untergebene (Est 5, 13); so setzt
sich Petrus in den Hof (Mt 26, 58. 69; Lk 22, 55f)[9], um Nachrichten über das
Geschick seines Herrn zu erhalten. Ungewöhnlich ist es, daß Soldaten auf Wache
sitzen (Mt 27, 36), doch setzt Petronius in einer ähnlichen Situation[10] noch viel
15 Schlimmeres voraus.

Während man im Orient häufig beim Essen sitzt (Ez 44, 3; Gn 27, 19; 37, 25;
Ex 32, 6 [vgl 1 K 10, 7]; Rt 2, 14; 1 S 20, 5; Prv 23, 1)[11], hat sich im NT die griechisch-
hellenistische Sitte des Liegens allgemein durchgesetzt: Mt 9, 10; 26, 7ff; J 13, 23 uo.

2. Sitzen als Zeichen besonderer Würde.

20   *a.* Götter. Das archäologische und literarische Material
sowohl der ägyptischen wie der vorderasiatischen und der griechisch-hellenistischen Welt zeigt das Sitzen als besonderes Zeichen der Gottheit. Häufig sitzt
der Gott, während der Beter vor ihm steht[12]. In der älteren Zeit der israelitischen Geschichte galt die Lade als Gottesthron[13]; κύριος καθήμενος (ἐπὶ τῶν)
25 χερουβίμ (1 Βασ 4, 4; 2 Βασ 6, 2; 4 Βασ 19, 15; 1 Ch 13, 6; ψ 79, 2; 98, 1;
Js 37, 16; 2 Βασ 22, 11; Da 3, 55 [LXX + Θ]) ist beliebte Gottesbezeichnung;
Jesaja sieht ihn thronen (Js 6, 1ff), und die liturgische Sprache hat das aufgenommen (ψ 46, 9 uo). An Stelle des himmlischen Thrones kann dabei eine
Wolke treten (Js 19, 1). Auch für Jesus ist das Thronen liturgischer Ausdruck
30 für die göttliche Würde (Mt 5, 34f; 23, 22); vor allem hat der Apokalyptiker

---

[6] Zum lehnenlosen at.lichen Stuhl: PVolz,
Bibl Altertümer[2] (1925) 294; JBenzinger,
Hbr Archäologie[3] (1927) 220, 221. Für später
SKrauß, Talmudische Archäologie I (1910) 61f.

[7] Volz ebd; Krauß I 390ff. Zum Sitzen in
der hell Welt: JMüller-ABauer, Die griech
Privat- und Kriegsaltertümer[2], Handbuch
der klass Altertumskunde IV 1 (1893) 55, 59,
265; HBlümner, Die röm Privataltertümer[3]
(1911) 112—123.

[8] Zum Naturgefühl Jesu bes JLeipoldt,
Jesus oder Paulus, Jesus und Paulus (1936)
29—36; LFriedländer, Sittengeschichte Roms[9]
I (1921) 461—490; CSchneider, Nt.liche Zeit-
geschichte (1934) 66ff.

[9] αὐλή ist das atrium, nicht der Palast selbst,
zu dem er ja gar keinen Zutritt haben konnte.
Vgl Kl Mk z 14, 54.

[10] Satir 111ff ed FBücheler (1882). Doch ist
auch zu erwägen, ob καθήμαι Mt 27, 36 nicht
nur aramaisierend pleonastisch steht.

[11] Benzinger aaO 106. Übrigens auch im
alten Griechentum. Bei Hom u Hes fehlt das
Wort κλίνη noch.

[12] ZB Hom Il 4, 1; Od 16, 264; Aesch Suppl
101; Eur Tro 884; Paus V 17, 9. Reiches Bild-
material bei JLeipoldt, Bilderatlas zur Religionsgeschichte, Lfrg 9—11: Die Religionen in
der Umwelt des Urchr (1926); ferner HMöbius,
Form und Bdtg der sitzenden Gestalt, Ath Mitt
41 (1916) 199ff. Man bedenke, daß Isis die
Hieroglyphe Thron hat! Im AT heißt vor dem
sitzenden Gott stehen einfach „dienen" (1 Kö
17, 1; 18, 15).

[13] Zur Lade: MDibelius, Die Lade Jahwes
(1906); HGunkel, Die Lade Jahwes als Thronsitz, ZMR 21 (1906) 1ff; HGreßmann, Die
Lade Jahwes u das Allerheiligste des salomon
Tempels (1920); GvRad, Zelt und Lade, NKZ
42 (1931) 476—98. Das Neujahrsfest ist wohl
als Fest der göttlichen Thronbesteigung gefeiert worden, vgl PVolz, Das Neujahrsfest
Jahwes (1912).

im Nacherleben von Js 6 den thronenden Gott visionär geschaut [14] (4, 2 ff; 5, 1 ff; 6, 16; 7, 10 ff; 19, 4; 20, 11; 21, 5). Aber auch sein Gegenspieler, der Antichrist, kann thronen (2 Th 2, 4).

b. Herrscher. Die für die gesamte Antike belegten engen Beziehungen zwischen Gott und Herrscher [15] — mögen sie nun mehr der Person oder der Institution gelten — machen es leicht verständlich, daß im Archäologischen wie im Literarischen der Herrscher wie der Gott thront [16]. Auch dem AT ist das Thronen sein besonderes Vorrecht (Ex 11, 5; 12, 29 von Pharao; 1 Kö 1, 17 ff; 3, 6; 8, 25 uo vom König); auch die Königin (1 Esr 4, 29) und besondere Günstlinge des Königs (1 Esr 4, 42; vgl Mt 20, 21 ff) erhalten diese Würde. Der König darf sogar in Gegenwart Gottes sitzen (Ps 110, 1; 1 Ch 17, 16). Bei der Herstellung der Throne, wie die durch Ausgrabungen belegte Schilderung 1 Kö 10, 18 ff zeigt, wurden gewisse traditionelle Formen festgehalten, die schon in der Ornamentik Symbole der Macht erkennen ließen [17]. (Rein at.lich Ag 2, 30.)

Vor allem thront im NT der *messianische König*, und zwar gemeinsam mit Gott und seiner Gemeinde (Apk 3, 21). Diese Vorstellung hat schon durch die häufige Verwendung von ψ 109, 1 Eingang gefunden (außer den unter *a* genannten Stellen vgl noch Mt 26, 64; Mk 14, 62; Lk 22, 69; Kol 3, 1; Hb 1, 3; 8, 1; 10, 12; 12, 2); auch Da 7, 13 hat eingewirkt (vgl noch Apk 14, 14 ff). Aber auch die Gott und dem Christus feindlichen Weltmächte thronen in der Apk; so Rom als Zeichen seiner Weltherrschaft (17, 1. 9. 15; 18, 7).

c. Richter. Zu einer ordentlichen Gerichtsverhandlung gehört, daß der Richter seiner Würde gemäß sitzt. Die ägyptischen Götter thronen beim Gericht in den Totenbuchtexten, ebenso die 3 Totenrichter auf den griechischen Unterweltsvasen, genau nach der Sitte einer irdischen Gerichtsversammlung. Im römischen Reich sprechen alle höheren juristischen Beamten von der sella curulis (βῆμα) aus Recht [18]. Daher leiten auch die Prokuratoren des NT die Gerichtsverhandlungen von der sella curulis aus (Mt 27, 19; J 19, 13 [19]; Ag 25, 6. 17). Herodes Agrippa I (Ag 12, 21) und der Hohepriester (Ag 23, 3) folgen dem gleichen Stil. Damit ist auch der Richter des Endgerichtes im NT sitzend geschaut, ebenso wie in der übrigen Apokalyptik (Mt 19, 28; 25, 31) [20].

[14] CSchneider, Die Erlebnisechtheit der Apk des Joh (1930), z Apk 4.
[15] FKampers, Vom Werdegang der abendländischen Kaisermystik (1924); ELohmeyer, Christuskult und Kaiserkult (1919); OWeinreich, Antikes Gottmenschentum, in: N Jbch Wiss u Jugendbildung 2 (1926) 633—651.
[16] Wenn der König sich auf den Thron setzt, ergreift er endgültig die Herrschaft, vgl 1 Kö 1, 35. 46. Noch nach dem Sachsenspiegel muß der deutsche König erst auf dem „hohen Stuhl" in Aachen sitzen, ehe er rechtsgültig anerkannt ist, u bei der englischen Königskrönung ist bis heute der Inthronisation auf dem „Stein Jakobs", dem „Coronation chair" in Westminster Abbey, eine der notwendigsten Zeremonien.
[17] AWünsche, Salomos Thron und Hippodrom Abbilder des babyl Himmelsbildes = Ex Oriente Lux II 3 (1906); HGreßmann, Der Messias (1929) 21 A 7.
[18] Zur sella curulis, einem Klappstuhl aus Elfenbein, vgl ThMommsen, Röm Staatsrecht [8] I (1887) 395 ff, Handbuch der röm Altertümer I 2; HSchiller-MVoigt, Röm Staats-, Kriegs- u Privataltertümer [2] (1893) 39, Handbuch der klass Altertumskunde IV 2; Blümner aaO 122 f. Niedere Justizbeamte saßen auf einfacheren Sesseln.
[19] Doch ist die Stelle nicht eindeutig, vgl PCorssen, ZNW 15 (1914) 339 f. Hier wird sie intr verstanden. Jesus wird zum Spott von Pilatus auf das βῆμα gesetzt. Doch dürfte es sich dabei natürlich nicht um die sella curulis handeln.
[20] Vgl Volz Esch 260-264; Bousset-Greßm 257.

d. Lehrer. Die meisten Darstellungen antiker Schul-
szenen zeigen uns den Lehrer sitzend[21]. Jesus lehrt fast durchweg im Sitzen
(Mt 5, 1; 13, 1f; 15, 29; 24, 3; Mk 4, 1; 9, 35; 13, 3; 26, 55; Lk 5, 3; J 6, 3; 8, 2).
Er folgt dabei, wie Mt 23, 2; Mk 2, 6; Lk 5, 17 zeigen, rabbinischer Sitte,
5 ohne damit wohl eine besondere Würde betonen zu wollen. —

e. Versammlungen. Schon bei Homer tagen die Griechen
sitzend (Hom Od 2, 69 uo); und der Senat sitzt (Plut Otho 9 [I 1071 a uo]) ebenso wie
das Synedrion[22] oder wie einfache Versammlungen von Gemeindeältesten (Rt 4, 1ff;
2 Kö 6, 32 uo) und später die christlichen Synoden. Die Apokalyptik weiß von einem
10 himmlischen Senat (Apk 20, 4), ein Bild, das jedoch mit dem eines himmlischen Gottesdienstes (doch → 447, 3) wechselt. — *f.* Über besondere Rangordnungen beim
Sitzen → δεξιός.

3. Sitzen als psychologische Haltung.

a. Sitzen als Klagegestus. Wie weithin im Orient
15 noch heute ist schon im AT Sitzen Zeichen der Trauer; es ist psychologisch
die Haltung des apathischen Gelöstseins. Man sitzt zum Beklagen eigenen und
fremden Elendes (Hi 2, 8 ff; 1 Makk 1, 27 uo); καθήμενος ἐν σκότει (ψ 106, 10;
Js 9, 1 A [= Mt 4, 16; Lk 1, 79]; Js 42, 7) wird term techn für den Elenden
überhaupt. Daher sitzt für gewöhnlich auch der Bettler (2 Kö 7, 3; Mt 20, 30;
20 Mk 10, 46; Lk 18, 35; J 9, 8; Ag 3, 10; 14, 8). Als religiöser Klagegestus
begegnet das Sitzen bei den um Mysteriengötter trauernden Frauen; so sitzt
die trauernde Isis[23] oder Frauen bei der Adonisklage (Ez 8, 14). Auch die
um Jesus trauernden Frauen sitzen (Mt 27, 61). Ebenso sitzen die Büßer in
trauernder Haltung (Jon 3, 6; Lk 10, 13).

25   *b.* Sitzen als praktisches Erfordernis. Rein praktisch ist es
zu bewerten, daß gewöhnlich der Schüler sitzt (Mk 3, 32; 5, 15; Lk 2, 46; 8, 35).
Zuweilen ist das Sitzen beruflich nötig, so beim Zöllner (Mt 9, 9), Fischer (Mt 13, 48),
Händler (J 2, 14), in der Verwaltungsarbeit (Lk 16, 6). Daß Kinder beim Spielen
sitzen, kann man noch heute im Süden häufig beobachten (Mt 11, 16; Lk 7, 32).

30   ## 4. Sitzen im Gottesdienst.

Im allgemeinen steht man in den antiken Tempeln;
höchstens ἱκέται sitzen auf Altären, oder man sitzt beim Warten auf Orakel-
empfang[24]. Erst die langen Gottesdienste der Mysterienreligionen machten Sitzgelegenheiten nötig; wie weit das aber allgemeiner Brauch war, wissen wir
35 nicht; ganz sicher bezeugt sind sie nur durch die Steinbänke an den Wänden
der Mithräen; bei Isis scheint man zwanglos gestanden oder gesessen zu haben[25].
In der Synagoge sitzen außer dem Lehrenden und dem Synagogenvorsteher
wenigstens die Frauen; eine beschränkte Anzahl von Sitzplätzen ist aber in den
Seitenbänken auch für die Männer erhalten, außerdem sitzen diese oft auf Matten
40 (ציפי)[26]. Jesus (Lk 4, 20) und Paulus (Ag 13, 14; 16, 13) sitzen auch im Syn-

---

[21] Vgl das bekannte Grabrelief von Trier.
Blümner aaO 321.
[22] Schürer II 165; Sanh IV 3f.
[23] Belege bei HBonnet, Ägyptische Religion. Bilderatlas z Religionsgeschichte 2—4
Lfrg (1924).
[24] ZB Aristoph Nu 254; Plut Def Orac
passim.
[25] Auf den beiden Gemälden vom Isis-
gottesdienst aus Herkulanum im Museo
Nazionale in Neapel sitzt allerdings nur eine
Gestalt, alle anderen stehen. Doch sind hier
besondere Höhepunkte des Gottesdienstes
dargestellt.
[26] bBB 8 b/9 a; JElbogen, Der jüd Gottesdienst und seine geschichtl Entwicklung[2] (1924)
475 f; SKrauß, Synagogale Altertümer (1922)
384—398.

agogengottesdienst. In den urchristlichen Gemeindeversammlungen sitzt man ganz allgemein (Ag 2, 2; 20, 9; 1 K 14, 30; Jk 2, 3, wohl auch Apk 4, 4; 11, 16), wenn diese Stellen einen himmlischen Gottesdienst und nicht eine Inthronisationsszene als Vorbild haben.

5. Übertragene Bedeutungen.

a. Bleiben (Aristoph Ra 1103; Thuc IV 124; sehr häufig LXX, im NT wiederholt: Mt 26, 36; Lk 24, 49; Ag 18, 11). — *b. wohnen* (Thuc III 107, 1; Hdt V 63; LXX oft, so Gn 23, 10; Ri 6, 10 usw). Im NT nur Lk 21, 35; Apk 14, 6. — *c.* Sehr häufig werden die Verben in Verbindung mit dazu passenden Subst für *reiten* und *fahren* gebraucht (Mk 11, 2. 7; Lk 19, 30; J 12, 14 f; Ag 8, 28. 31; Apk 6, 2. 4 f. 8; 9, 17; 17, 3; 19, 11. 18 f. 21). — *d.* zu etwas *einsetzen, bestallen*, an zwei Stellen des NT mit Durchschimmern der wörtlichen Bedeutung: 1 K 6, 4 zum Richter, Eph 1, 20 zum „Haupt", also Erinnerung an eine Herrscherinthronisation (vgl Phil 2, 9 ff). — *e.* sitzen = *meditieren* in dem Doppelgleichnis Lk 14, 28. 31. — *f.* Endlich erlebt die Pfingstgemeinde in visionärer Schau, daß sich der Geist in Feuerzungen „auf einen jeden von ihnen" setzt, Ag 2, 3 → πνεῦμα.

Carl Schneider

> **καθίστημι, ἀκαταστασία, ἀκατάστατος**

† καθίστημι

Aus der Grundbedeutung *niedersetzen, hinstellen* ergeben sich folgende für den nt.lichen Sprachgebrauch in Betracht kommende Bedeutungen:

1. *hinbringen, abliefern, geleiten*, Hom Od 13, 274; Hdt I 64; BGU I 93, 22; Jos 6, 23; 2 Ch 28, 15 (בוא hi); Ag 17, 15.

2. in eine **gehobene Stellung, ein Amt** *einsetzen; verordnen, bestellen a.* mit **einf** Acc der Person PHibeh 29, 21 (3 Jhdt v Chr); ἐπίτροπον: PRyl II 121, 15; 153, 18; πρεσβυτέρους: Tt 1, 5; Pass: Hb 5, 1; 8, 3; Diod S XVII 62; Philo Mut Nom 151. — *b.* mit Acc und ἐπί c Gen: Jos Ant 2, 73; Gn 39, 4; Mt 24, 45; Lk 12, 42; ἐπὶ πολλῶν σε καταστήσω: Mt 25, 21. 23; Ag 6, 3; 7, 27; Pass: ἐπὶ τῆς Αἰγύπτου κατασταθείς APF II (1902) 429, 12; mit Acc und ἐπί c Dat: ἐπὶ πᾶσιν τοῖς ὑπάρχουσιν: Mt 24, 47; Lk 12, 44; mit Acc und ἐπί c Acc: Xenoph Cyrop 8, 1, 9; Isoc 12, 132; καταστήσεις ἐπὶ σεαυτὸν ἄρχοντα οὐκ ἀλλότριον: Philo Spec Leg IV 157; Ps 8, 7; 1 Βασ 8, 5. — *c.* mit **doppeltem** Acc: Hdt VII 105; PHibeh 82, 14; τινὰ ἀρχιερέα: Diog L IX 64; Jos Ant 12, 360; Ex 2, 14; gr Sir 32 (35), 1; ἀνθρώπους ἀρχιερεῖς: Hb 7, 28; teilweise mit *b.* kombiniert: Lk 12, 14; Ag 7, 10. 27. 35. — *d.* mit **finalem** Inf, auch im Gen, oder mit εἰς: δικάζειν 1 Βασ 8, 5; τοῦ δοῦναι: Mt 24, 45; Lk 12, 42; εἰς τὴν ἀρχήν: Jos Ant 17, 232; εἰς τὸ προσφέρειν δῶρα: Hb 8, 3.

3. Mit **dopp** Acc: *machen, daß jemand als etwas dasteht, ihn in eine bestimmte Lage, einen Zustand versetzen;* Pass: *als etwas hingestellt werden, etwas werden;* Perf: *als etwas dastehen, etwas sein.* Die vielfach vertretene Meinung, als ob hier wie beim deutschen „hinstellen", „dastehen" unter ausdrücklichem Absehen vom **Tatsächlichen** nur das Moment der **Beurteilung** in Betracht gezogen werde, ist philologisch unbegründet. Vielmehr wird durchweg der betreffende Zustand als wirklich vorausgesetzt.

καθίστημι. Cr-Kö sv; Khl u Zn R z 5, 19; │ R 5, 19; Jk 3, 6; 4, 4 en de Κοινή, ThSt 31 Hck, Dib, Wnd, Jk z 3, 6; 4, 4; JdeZwaan, │ (1913) 85—94.

In der Profangräzität weist alles in diese Richtung. κλαίοντά σε καταστήσει: Eur
Andr 635; ἔρημον καὶ ἄπορον κατέστησεν: Plat Phileb 16 b; (Monobazos) κατέστησεν
ἐγκύμονα (schwängerte die Helene): Jos Ant 20, 18. Vgl ferner die Verbindungen von
καθιστάναι τινά mit εἰς oder ἐν: εἰς ἀνάγκην: Lys 3, 3; εἰς ἀγῶνα: Plat Ap 24 c; τὴν
5   πόλιν ἐν πολέμῳ: Plat Menex 242 a. Dsgl Med und Pass: ἀνάγκη τὴν ναυμαχίαν πεζο-
μαχίαν καθίστασθαι: Thuc II 89 (die Seeschlacht wird notgedrungen zur Landschlacht);
οἱ μὲν ὀφθαλμῶν ἰητροὶ κατεστέασι, οἱ δὲ κεφαλῆς: Hdt 2, 84 (nicht: die einen gelten
für Augen-, die anderen für Kopfärzte, sondern: sie s i n d es); Kronos, Ares, Aphrodite ἐπιτάραχοι καὶ ἐπίδικοι καθίστανται: Vett Val I 22 (43, 22 f Kroll). Von ποιεῖν mit
10 dopp Acc oder γίγνεσθαι unterscheidet sich die Vokabel nur, sofern öfter die Vorstellung eines Beobachters vorschwebt, der die entstandene Situation feststellt: ψευδῆ γ᾽
ἐμαυτὸν οὐ καταστήσω πόλει: Soph Ant 658. Die Betonung eines Auseinanderklaffens
von Urteil und Wirklichkeit liegt aber im Ausdruck nicht.

Eindeutige Belege für die Koine liefern vor allem Pap[1]. Besonders lehrreich ist
15 POxy II 281 (aus der Zeit des Paulus, 20—50). Syra, Tochter des Theon, beschwert sich
beim Richter Herakleides über ihren Mann, den sie einst völlig mittellos (λειτὸν παντελῶς ὄντα) in ihr Haus aufnahm: οὐ διέλειπεν κακουχῶν με καὶ ὑβρίζων καὶ τὰς χεῖρας
ἐπιφέρων καὶ τῶν ἀναγκαίων ἐνδεῆ κ α θ ι σ τ ά ς, ὕστερον δὲ καὶ ἐνκατέλιπέ με λ ε ι τ ὴ ν
κ α θ ε σ τ ῶ σ α ν. διὸ ἀξιῶ συντάξαι κ α τ α σ τ ῆ σ α ι αὐτὸν ἐπὶ σέ. In den beiden ersten
20 Fällen handelt es sich um tatsächliche Zustände. καθιστάς steht im Sinne von *reddens,*
καθεστῶσαν gleich οὖσαν. Im dritten Fall liegt dagegen Bdtg *1* in technischer Zuspitzung vor: *vor den Richter stellen.* Daß von da aus der forensische Gedanke der
Feststellung in den übrigen Sprachgebrauch hineinspiele, kann man aber nicht sagen

Die theologisch bedeutsamste Stelle ist R 5, 19: ὥσπερ γὰρ διὰ τῆς παρακοῆς
25 τοῦ ἑνὸς ἀνθρώπου ἁμαρτωλοὶ κατεστάθησαν οἱ πολλοί, οὕτως καὶ διὰ τῆς ὑπακοῆς
τοῦ ἑνὸς δίκαιοι κατασταθήσονται οἱ πολλοί. Auch hier besteht zwischen κατεστάθησαν und ἐγένοντο sprachlich und sachlich kaum ein Unterschied[2]. Die zutreffende Übersetzung lautet: „Denn wie durch den Ungehorsam des einen
Menschen die Vielen zu Sündern *wurden,* so *werden* durch den Gehorsam des
30 Einen die Vielen Gerechte *werden.*" Das bedeutet aber nicht, daß das forensische
Moment außer Ansatz bliebe. 2 K 5, 21; Gl 3, 13 beweisen, daß sogar auch
ποιεῖν und γίνεσθαι bei Paulus nicht notwendig effektiven Sinn haben, sondern uU
affektiven Sinn erhalten. Der Zusammenhang entscheidet. Das forensische Moment tritt aber in R 5 schon v 18 deutlich heraus (κατάκριμα — δικαίωσις). Weiter
35 beweisen v 13f, daß für Gottes Urteil nicht, mindestens nicht ausschließlich,
die Beschaffenheit des einzelnen, sondern vor allem der übergreifende Charakter
der alten (bzw neuen!) Schöpfungsordnung (→ ἐν II 538, 8 ff) ausschlaggebend
ist[3]. Nach landläufiger jüdischer Vorstellung entscheidet Gott über die Qualität in dem Sinne, daß im Grunde die Qualität über den göttlichen Richter-
40 spruch und das Schicksal entscheidet. Paulus kehrt, indem er an andere jüdische
Vorstellungen anknüpft[4], das Verhältnis mit größter Kühnheit um. Der göttliche Richterspruch entscheidet souverän über Schicksal und Qualität. Zwar
nicht o h n e eigene Schuld, aber nicht ihretw e g e n, vielmehr i n A d a m *wurden*
die Vielen, virtuell alle, Sünder. Sie *standen* in Gottes Urteil als solche *da.* Um-
45 gekehrt *werden* die Vielen, virtuell ebenfalls alle, tatsächlich die Gläubigen,
trotz eigener Sünde (δικαιοῦντα τὸν ἀσεβῆ R 4, 5) in C h r i s t u s Gerechte *werden.*
Sie *werden,* ebenfalls im Urteil Gottes, als Gerechte *dastehen.* Als Gerecht-
gesprochene werden sie dann normalerweise auch faktisch Gerechte (R 8, 3f).

---

[1] JdeZwaan aaO.
[2] Die anders lautenden Bemerkungen bei
Zn R u Khl R sind philologisch nicht stichhaltig.
[3] Alle Auslegungen, die diesen Gedanken

ausmerzen (zB Khl), sind bedenklich, wie
man das Sätzchen ἐφ᾽ ᾧ πάντες ἥμαρτον auch
erklären mag.
[4] Vgl BMurmelstein, Adam, WZKM 35
(1928) 242 ff.

Aber hier fällt aller Nachdruck auf den göttlichen Richterspruch, der auf Grund der Tat des Anfängers das Schicksal der Gesamtheit gestaltet. Die Feinheiten, die man in unserer Stelle mit Recht gefunden hat, liegen in der Sache, nicht in der Vokabel. Die Annahme, daß Paulus Bdtg *3* mit Bdtg *1* und *2* zu einer beziehungsreichen eschatologischen Rätselrede verbunden habe [5], ist zu künstlich. 5

        4. Zu einem anderen Ergebnis führen auch **d i e ü b r i g e n n t.l i c h e n S t e l l e n** nicht. So ist 2 Pt 1, 8: ταῦτα . . . οὐκ ἀργοὺς . . . καθίστησιν an reale Wirkung gedacht. Jk 4, 4: ἐχθρὸς τοῦ θεοῦ καθίσταται ist zwar prägnanter als bloßes ἐστίν [6]: er *erweist sich, steht* in Gottes Augen *da* als Feind, aber die Meinung ist: er ist es auch wirklich. Jk 3, 6 allenfalls: καὶ ἡ γλῶσσα 10 πῦρ. ὁ κόσμος τῆς ἀδικίας ἡ γλῶσσα καθίσταται ἐν τοῖς μέλεσιν ἡμῶν, ἡ σπιλοῦσα ὅλον τὸ σῶμα [7] „und die Zunge ist ein Feuer; als die Welt der Ungerechtigkeit *steht* die Zunge *da* unter unseren Gliedern, sie, welche den ganzen Menschen befleckt". Dem Sinne nach könnte ἐστίν stehen. Der Feststellungscharakter tritt bei καθίσταται stärker heraus.   15

† *ἀκαταστασία*

        Die *Unordnung, Unruhe,* a. *politische Umwälzung, Aufruhr* Polyb 1, 70, 1 (synon ταραχή); 14, 9, 6. Im Plur: Polyb 32, 21, 5; Dion Hal Ant Rom VI 31, 8; vArnim III 99, 31; Vett Val I 1 (4, 18 Kroll); IV 18 (191, 3. 15 Kroll) uö; Catal Cod Astr Graec VII 226, 13 f. Ebd 227, 17; 228, 27; VIII 3, 182, 8 auf das 20 k o s m i s c h e Gebiet übertr: κοσμικαὶ ἀκαταστασίαι, φθορὰ καρπῶν, νόσος τε καὶ ἀκαταστασία. — *b. persönliche Unruhe* Vett Val IV 18 (190, 33 Kroll): ταραχαὶ οἰκείων τε ἀκαταστασίαι καὶ θηλυκῶν ἐπιπλοκαί; Prv 26, 28: στόμα ἄστεγον ποιεῖ ἀκαταστασίας; Tob 4, 13 synon ἀπώλεια.

    B d t g *a*: Lk 21, 9: πολέμους καὶ ἀκαταστασίας. B d t g *b*: 2 K 6, 5: ἐν ἀκα- 25 ταστασίαις. B d t g *c*, dem NT eigentümlich: *Störung* der Ruhe und des Friedens i n d e r G e m e i n d e, e n t w e d e r durch S t r e i t i g k e i t e n Jk 3, 16: ὅπου γὰρ ζῆλος, . . . ἀκαταστασία καὶ πᾶν φαῦλον πρᾶγμα, im Lasterkatalog 2 K 12, 20: ἔρις . . . ἀκαταστασίαι, o d e r durch o r g i a s t i s c h e s T r e i b e n in der Gemeindeversammlung 1 K 14, 33: οὐ γάρ ἐστιν ἀκαταστασίας ὁ θεὸς ἀλλὰ εἰρήνης. 30

        Sachlich parallel die Mysterieninschrift von Andania Ditt Syll³ II 736, 42: ὅπως εὐσχημόνως καὶ εὐτάκτως (vgl 1 K 14, 40) . . . πάντα γίνηται, ferner die Iobakcheninschrift Ditt Syll³ III 1109, 63 ff: οὐδενὶ δὲ ἐξέσται ἐν τῇ στιβάδι (bei der Festversammlung) οὔτε ᾆσαι οὔτε θορυβῆσαι οὔτε κροτῆσαι (Beifall klatschen), μετὰ δὲ πάσης εὐκοσμίας καὶ ἡσυχίας τοὺς μερισμοὺς (die zugeteilte Rolle) λέγειν καὶ ποιεῖν. 35

† *ἀκατάστατος*

        Unruhig a. *der Unruhe ausgesetzt* Ditt Syll³ III 1184, 10. LXX so von Personen Js 54, 11 (Σ: Gn 4, 12; Thr 4, 14; Hos 8, 6). — *b. ruhelos, unbeständig,* die Verleumdung ἀκατάστατον δαιμόνιόν ἐστιν, μηδέποτε εἰρηνεῦον Herm m 2, 3; *wankelmütig,* Polyb 7, 6, 4; Plut Def Orac 50 (II 437 d). 40

    Im NT nur B d t g *b*. Jk 1, 8 (trotz des pass Bildes v 6): ἀνὴρ → δίψυχος, ἀκατάστατος ἐν πάσαις ταῖς ὁδοῖς αὐτοῦ, dem Synonym nach tadelnd: *wankelmütig, unbeständig.* · Dem zweifelnden Beter fehlt die volle Hingabe an Gott. Jk 3, 8 von der Zunge: ἀκατάστατον κακόν (vl: ἀκατάσχετον „unzähmbar").

                                                                Oepke 45

---

[5] JdeZwaan aaO 92: Hineinspielen der Bdtgen „als Missetäter *vorgeführt*" und „als Gerechte *angestellt* werden".
[6] Vgl v 4 a, Hck Jk.
[7] Interpunktion nach BWeiß u Hck Jk.

Spitta (Zur Gesch u Lit des Urchr II [1896] 96 f) streicht καὶ ἡ — τῆς ἀδικίας und ἡ σπιλοῦσα — σῶμα, Dib Jk zSt ὁ κόσμος — ἡμῶν. Wnd Jk zSt nimmt vielmehr zwei Textlücken an.

Κάϊν → Ἄβελ I 6, 6 ff.

**καινός, καινότης,
ἀνακαινίζω, ἀνακαινόω,
ἀνακαίνωσις, ἐγκαινίζω**

---

5   † καινός

1. Sprachliches.

Von den beiden seit der klassischen Zeit gebräuchlichsten Adjektiven für *neu*, → νέος und καινός [1], bezeichnet νέος eigentlich *das, was noch nicht da war, was erst vor kurzem entstanden oder in die Erscheinung getreten ist*, dagegen καινός
10   *das, was im Vergleich zu anderem neu und eigenartig ist*. νέος ist *neu der Zeit, dem Ursprung nach, jung*, uU mit der Nebenbedeutung *jugendlich unreif, ohne Pietät gegen das Alte* (Belege → νέος). καινός ist *neu der Art nach, verschieden von dem Gewohnten, daher Eindruck machend*, wohl auch *besser als das Alte, ihm an Wert und Anziehungskraft überlegen*. So zB Xenoph Cyrop III 1, 30: καινῆς ἀρχομένης ἀρχῆς ἢ τῆς εἰωθυίας καταμε-
15   νούσης, Mem IV 4. 6: πειρῶμαι καινόν τι λέγειν ἀεί (Gegensatz: τὰ αὐτά . . . περὶ τῶν αὐτῶν), vgl vorher: ἐκεῖνα τὰ αὐτὰ λέγεις ἃ ἐγὼ πάλαι ποτέ σου ἤκουσα, Demosth Or 35, 1: οὐδὲν καινὸν διαπράττονται οἱ Φασηλῖται, . . . ἀλλ᾽ ἅπερ εἰώθασιν, Isoc 5, 84: οὔτε γὰρ ταὐτὰ βούλομαι λέγειν . . . οὔτ᾽ ἔτι καινὰ δύναμαι ζητεῖν, Aeschin 3, 208: ὅτι τῷ πολλάκις μὲν ἐπιορκοῦντι, ἀεὶ δὲ μεθ᾽ ὅρκων ἀξιοῦντι πιστεύεσθαι, δυοῖν θάτερον ὑπάρξαι δεῖ, . . .
20   ἢ τοὺς θεοὺς καινοὺς ἢ τοὺς ἀκροατὰς μὴ τοὺς αὐτούς, Plat Euthyphr 3 b: φησὶ γάρ με (dh Sokrates) ποιητὴν εἶναι θεῶν, καὶ ὡς καινοὺς ποιοῦντα θεοὺς τοὺς δ᾽ ἀρχαίους οὐ νομίζοντα ἐγράψατο τούτων αὐτῶν ἕνεκα, vgl Ap 24 b (dazu Just Apol 5, 3: καινὰ εἰσφέρειν αὐτὸν δαιμόνια, ebenso Epit 10, 5); Ap 27 c: οὐκοῦν δαιμόνια μὲν φῂς με καὶ νομίζειν καὶ διδάσκειν, εἴτ᾽ οὖν καινὰ εἴτε παλαιά, Philo Spec Leg I 28: (die Mythen-
25   dichter) θεοὺς καινοὺς . . . εἰσαγαγόντες, Plut Cato Major 1 (I 336 b): εἰωθότων δὲ τῶν Ῥωμαίων τοὺς ἀπὸ γένους δόξαν οὐκ ἔχοντας, ἀρχομένους δὲ γνωρίζεσθαι δι᾽ αὑτῶν καινοὺς προσαγορεύειν ἀνθρώπους, Jos Ap 2, 182: (der gegen die Juden erhobene Vorwurf), τὸ δὴ μὴ καινῶν εὑρετὰς ἔργων ἢ λόγων ἄνδρας παρασχεῖν. Mit νέος begegnet sich καινός in der Bedeutung *unbekannt, unerwartet, auffällig, wunderbar, unerhört*, zB Eur
30   Hec 689: ἄπιστ᾽ ἄπιστα καινὰ καινὰ δέρκομαι (ich sehe), Xenoph Mem I 1, 1: ἕτερα δὲ καινὰ δαιμόνια, Hippocr De Morbis Internis 17: οὐ καινόν *(es ist nicht verwunderlich)*, Luc Nigrinus 22: τὸ καινότατον *(das Alleruffallendste)*, 1 Cl 42, 5: καὶ τοῦτο οὐ καινῶς *(und das war nichts überraschend Neues)*, Just Apol 15, 9: εἰ ἀγαπᾶτε τοὺς ἀγαπῶντας ὑμᾶς, τί καινὸν ποιεῖτε (vgl Mt 5, 46); ebd 10 (vgl Lk 6, 34); Philo Migr Abr 50: καινὸς
35   *(unerhört)* δ᾽ ὢν (sc die Schrift) ἐν ἅπασι τὴν ἐπιστήμην, Plut Cicero 14 (I 867 d): ὁ δὲ πολλοὺς οἰόμενος εἶναι τοὺς πραγμάτων καινῶν *(= res novae, Revolution)* ἐφιεμένους ἐν τῇ βουλῇ vgl Apophth Lac 52 (II 212 c): περὶ πραγμάτων καινῶν καὶ μεταστάσεως τοῦ πολιτεύματος, Ael Var Hist 2, 14: ὁ Ξέρξης . . . ἑαυτῷ δὲ εἰργάζετο καινὰς ὁδοὺς *(ungewohnte Wege)* καὶ πλοῦν ἀήθη, Achill Tat III 16: ὦ τροφῶν καινὰ *(neumodisch)* μυστήρια. Aber
40   die begriffliche Unterscheidung zwischen καινός und νέος wird je länger desto weniger streng durchgeführt, vgl auch den Gebrauch beider Adjektive nebeneinander, der zur Verstärkung des gemeinsamen Grundbegriffes dient, Polyb 1, 68, 10: καθόλου δ᾽[ἀ]εί τι νέον [καὶ] καινὸν προσεξεύρισκον, 5, 75, 4: καινοί τινες ἀεὶ καὶ νέοι πρὸς τὰς τοιαύτας ἀπάτας πεφύκαμεν, Cl Al Paed I 5, 14, 5: λαὸν νέον καὶ λαὸν καινόν, ebd 20, 3: ἀεὶ νέοι καὶ ἀεὶ
45   ἤπιοι καὶ ἀεὶ καινοί uam. Im modernen Griechisch ist καινός das literarische, νέος das vulgäre Wort [2].

Die LXX gebraucht καινός regelmäßig für חָדָשׁ Dt 32, 17; ψ 32, 3; Ez 11, 19; Ἰερ 38, 31 usw, nur Js 65, 15 für אַחֵר. Mehrfach [3] dringt infolge Verlesung der Radikale

---

καινός. Zu 1: Cr-Kö 550 ff; Moult-Mill 314 f; Liddell-Scott 858; Preisigke Wört I 720; Pr-Bauer ³ 655. — Zu 2: PGennrich, Die Lehre von der Wiedergeburt (1907) 13 ff; AvHarnack, Die Terminologie der Wiedergeburt u verwandter Erlebnisse in der ältesten Kirche, TU 42, 3 (1918), 101 ff, 135 ff.
[1] Vgl JHHSchmidt, Synonymik der griech Sprache II (1878) 94 ff, bes 112 ff; Ders, Handbuch der lat u griech Synonymik (1889) 490 ff;

Trench 133 ff. — Etymologie: νέος (lat novus), altes indogermanisches Wort, abgeleitet von dem Adv nu (νύ) „jetzt", also urspr „zum jetzigen Augenblick gehörig". Herkunft von καινός nicht sicher, wahrscheinlich von einer Wurzel ken- „frisch hervorkommen, anfangen" [Debrunner].
[2] Vgl Moult-Mill aaO.
[3] 450, 48—451, 3 von Bertram.

חרש in חדש‎ καινός in der LXX ein, vgl 1 Βασ 23, 15 ff. Im Ιωβ hat א und A mehrfach innergriechisch κενός in καινός verlesen, das dann hier etwa im Sinne von *unerhört* zu verstehen ist. So auch Dt 32, 47 vom λόγος τοῦ νόμου.

Im NT bedeutet καινός *neu* = *unbenutzt* Mt 9, 17 Par; Mk 2, 21; Lk 5, 36; Mt 27, 60; J 19, 41, = *ungewohnt* und darum *interessant* Ag 17, 21[4]; Mk 1, 27[5]; Ag 17, 19 vgl v 20: ξενίζοντα, vor allem aber *neu der Art nach* Mt 13, 52: καινὰ καὶ → παλαιά[6], Eph 2, 15[7]; J 13, 34; 1 J 2, 8 vgl v 7 u 2 J 5: ἐντολὴν καινήν, *dazu imstande und bestimmt, Veraltetes zu ersetzen und zu überbieten* Hb 8, 13 vgl v 6 ff; 7, 22 uö: die καινὴ διαθήκη[8] usw. Auch der Gegensatz καινός / παλαιός ist durchweg der Gegensatz der Art. Doch vgl Eph 4, 22 ff. Ebenso ist der Gesichtspunkt der Zeit mit ins Auge gefaßt 2 K 5, 17; Hb 8, 13: καινὴν ... τὴν πρώτην κτλ; vgl v 7 u 9, 15; 1 J 2, 7: οὐκ ἐντολὴν καινὴν ..., ἀλλ' ... ἣν εἴχετε ἀπ' ἀρχῆς, s 2 J 5. Vgl Oecumenius zu Apk 21, 1 (p 232 ed HCHoskier): καινὸν γὰρ ἅπαν καλεῖται τὸ μὴ ὂν μὲν τοιοῦτον πρότερον, νῦν δὲ γενόμενον.

2. Theologisches.

καινός ist der Inbegriff des ganz Anderen, Wunderbaren, das die Endheilszeit bringt. Daher ist *neu* zielweisendes Leitwort der apokalyptischen Verheißung: *ein neuer Himmel und eine neue Erde* Apk 21, 1; 2 Pt 3, 13 (Js 65, 17)[9], *das neue Jerusalem* Apk 3, 12; 21, 2 (Test D 5, 12)[10], der *neue Wein* des eschatologischen Freudenmahles Mk 14, 25 Par (→ II 34, 11 ff), der *neue Name* Apk 2, 17; 3, 12 (Js 62, 2; 65, 15) vgl 19, 12, das *neue Lied* 5, 9; 14, 3 (vgl Js 42, 10; ψ 95, 1 ua)[11], *siehe, neu mache ich alles* 21, 5 (Js 43, 19)[12]. Neuschöpfung ist das herrliche Ende der Heilsoffenbarung Gottes, das Hochziel urchristlicher Hoffnung, das aus der Heilszukunft schon in die Gegenwart der Christen auf der alten Erde hineinleuchtet, weil sie durch Christus Heilsgegenwart geworden ist 2 K 5, 17: εἴ τις ἐν Χριστῷ, καινὴ → κτίσις· τὰ ἀρχαῖα (→ I 485, 28 ff) παρῆλθεν, ἰδοὺ γέγονεν καινά, vgl Gl 6, 15[13]; der neue Aeon, der mit Christus angebrochen ist, bringt eine neue Schöpfung, die Erschaffung eines neuen Menschen, mit sich. Christus selbst ist *der neue Mensch* (so ausdrücklich erst Ign Eph 20, 1, doch dem Sinne nach schon Jesus mit seiner Selbstbezeichnung ὁ → υἱὸς τοῦ ἀνθρώπου und Paulus R 5, 12 ff; 1 K 15, 21 f. 45 ff), der Anfänger der neuen, endzeitlichen Schöpfung[14]. So wird

---

[4] Vgl Pr-Bauer zSt; KLake-HJCadbury zSt, in: FJFJackson-KLake, The Beginnings of Christianity I 4 (1933).

[5] Vgl POxy X 1224 Fr 2 verso (aus einem unbekannten Evangelium): π[ο]ίαν σέ [φασιν διδα]χὴν καιν[ὴν] δι[δάσκειν ἢ τί β]ά[πτισ]μα καινὸν [κηρύσσειν].

[6] S Jülicher GlJ II 132 f; Zn Mt zSt; Schl Mt 450 f. Das rabb Material bei Str-B I 677 ist für Mt 13, 52 unergiebig.

[7] Dazu Chrys Hom in Eph (MPG 62, 40): ὁρᾷς οὐχὶ τὸν Ἕλληνα γενόμενον Ἰουδαῖον, ἀλλὰ καὶ τοῦτον κἀκεῖνον εἰς ἑτέραν κατάστασιν ἥκοντας;

[8] Zu der Antithese παλαιά — καινὴ διαθήκη vgl SDt 33 z 6, 6 (übersetzt von GKittel. 1. Lfrg [1922] 60): „eine alte Verordnung, die kein Mensch beachtet . . ., eine neue, der alle entgegenlaufen".

[9] Vgl aus der jüdischen Apokalyptik äth Hen 91, 16 f; 45, 4 f; 72, 1: „die neue Schöpfung, die in Ewigkeit währt"; Jub 1, 29: „. . . Tag der neuen Schöpfung . . ., wann Himmel und Erde und alle ihre Kreatur erneut werden wird"; 4, 26; s Bar 32, 6; 44, 12:

„die neue Welt"; 57, 2; 4 Esr 7, 75. Dazu Str-B III 840 ff.

[10] Vgl äth Hen 90, 29; s Bar 4, 1 ff.

[11] Vgl Loh Apk zu 5, 9. Das „neue Lied", das in der at.lichen Festgemeinde zum Preise neuer Heilsgaben Gottes erklang (Ps 33, 3 usw), als Loblied der Endheilszeit auch bei den Rabb, vgl Str-B III 801 f. Philo Vit Mos I 255: ᾆσμα καινόν bezieht sich auf das „Brunnenlied" Nu 21, 17 f.

[12] Vgl im rabb Judt die Erwartung der „neuen Thora", die der Messias bringen werde (Str-B IV 1 f).

[13] Zu dem äußerlich gleichartigen, aber dem Wesen nach verschiedenen Gedanken der „neuen Kreatur" [בְּרִיָּה חֲדָשָׁה] im rabb Judt vgl Str-B II 421 ff, III 217 f, IV 1243 (sv Kreatur). Pls am nächsten kommt SDt 30 z 3, 29 (S 49 Kittel → A 8): „siehe, ihr seid jetzt neu; schon ist verziehen das Vergangene". Weitab liegt der stoische Gedanke der Welterneuerung, vgl Wnd 2 K zSt.

[14] → I 367, 3 f; JoachJeremias, Jesus als Weltvollender = BFTh 33, 4 (1930) 56 f.

καινός auch zum Kennwort der in Christus schon jetzt gewissen Heilswirklich-keit (→ II 701, 26 ff). In Christus sind Juden und Heiden εἰς ἕνα καινὸν ἄνθρωπον geschaffen Eph 2, 15 (→ I 366, 45 ff), zu der Kirche als der neuen Menschheit. Für den einzelnen ist der neue Mensch Gabe und Aufgabe zugleich
5 Eph 4, 24: ἐνδύσασθαι τὸν καινὸν ἄνθρωπον τὸν κατὰ θεὸν → κτισθέντα (→ ebd 43 ff) [15]. Gottes Heilswille hat sich in der Geschichte verwirklicht in der Jer 31, 31 ff für die Endzeit verheißenen, von Jesus aufgerichteten καινὴ διαθήκη (→ II 132 ff) 1 K 11, 25 (Lk 22, 20); Hb 8, 8 ff; 9, 15, die von der alten Gottesordnung wesensverschieden ist 2 K 3, 6: οὐ γράμματος, ἀλλὰ πνεύματος
10 (→ I 766, 41 ff) [16], besser als jene Hb 7, 22, auf höhere Verheißungen gegründet 8, 6, fehlerlos 8, 7, ewig gültig 13, 20 — das vollkommene Gegenbild ihrer veralteten, überlebten, dem Untergang geweihten Vorgängerin 8, 13 vgl 7, 18 f [17]. Auch die Gleichnisse von dem Neuen, das nicht zum Alten paßt, Mk 2, 21 f Par weisen hin auf das totaliter aliter des Inhaltes der Botschaft Jesu [18]. Die
15 καινὴ ἐντολή der Liebe, die Jesus gibt, J 13, 34, hat ihr eigentümliches Gepräge daran, daß sie die Liebespflicht der Jünger gründet auf die Liebe Jesu, die sie erfahren haben (→ II 550, 12 ff) [19]. Daß dasselbe Gebot 1 J 2, 7 f; 2 J 5 *alt* und *neu* heißt, erklärt sich aus der Abwehr neuartiger Forderungen der Irr-lehrer, über die aber Genaueres nicht auszumachen ist (→ II 551, 37 ff) [20]. In der
20 Verheißung Mk 16, 17: γλώσσαις λαλήσουσιν καιναῖς deutet καινός auf die himm-lische Art der Wundersprache: in der Glossolalie wird schon jetzt etwas kund von den Kennzeichen künftigen himmlischen Seins (→ I 725, 29 ff; II 700, 17 ff).

Noch in der Literatur der Apost Väter und der Apologeten ist καινός häufig charakterisierendes und wertendes Epitheton der Heilsoffenbarung, die aber vor-
25 wiegend innergeschichtlich und gesetzlich verstanden wird. Jesus Christus ist *das neue Tor* zum Reiche Gottes Herm s 9, 12, 1 ff, der καινὸς ἄνθρωπος Ign Eph 20, 1, in dem Gott sich als Mensch zeigte zu einem neuen, ewigen Leben (19, 3), der sich τὸν λαὸν τὸν καινόν bereitet hat Barn 5, 7; 7, 5 (vgl Dg 1, 1: καινὸν τοῦτο γένος). Christ werden heißt *neu werden* Barn 16, 8, *ein neuer Mensch werden* Dg 2, 1: γενόμενος ὥσπερ
30 ἐξ ἀρχῆς καινὸς ἄνθρωπος, ὡς ἂν καὶ λόγου καινοῦ... ἀκροατὴς ἐσόμενος [21]. Es kommt eine Zeit, μηκέτι οὔσης τῆς ἀνομίας, καινῶν δὲ γεγονότων πάντων ὑπὸ κυρίου Barn 15, 7. Der Inhalt der nt.lichen Offenbarung ist ὁ καινὸς νόμος τοῦ κυρίου ἡμῶν Ἰησοῦ Χριστοῦ Barn 2, 6 vgl Just Dial 11, 4; 12, 3, καινὴ διαθήκη καὶ νόμος αἰώνιος 122, 5 uö; Chri-stus selbst ist diese Gottesordnung und dies Gesetz in Person 11, 4: οὗτός ἐστιν ὁ
35 καινὸς νόμος καὶ ἡ καινὴ διαθήκη vgl 51, 3 uö oder ὁ καινὸς νομοθέτης 14, 3; 18, 3 [22].

† καινότης

Neuheit, zB der Erfindung auf dem Gebiete der Sprache Thuc III 38, 5: μετὰ καινότητος ... λόγου, Isoc 2, 41: οὐκ ἐν τοῖς λόγοις χρὴ τούτοις ... ζητεῖν τὰς καινότητας, ἐν οἷς οὔτε παράδοξον οὔτ' ἄπιστον οὔτ' ἔξω τῶν νομιζομένων

---

[15] Die Par Kol 3, 10: τὸν νέον (sc ἄνθρω-πον) und der Zusammenhang Eph 4, 22 ff zeigt, daß die Gedanken der neuen Art und der neuen Zeit (→ 450, 10 ff), in der der Christ steht, dicht nebeneinander wohnen und sich ergänzen.
[16] Vgl Wnd 2 K zSt.
[17] Daß sie auch διαθήκη νέα ist 12, 24, er-gibt sich aus ihrem zeitlichen Verhältnis zur alten (→ 450, 10 ff, 39 ff).
[18] Vgl Hck Mk 38; JSchniewind, Das Evangelium nach Mk (NT Deutsch [2] 1 [1935] 61].
[19] Vgl Zn J zSt; Schl J 288 f; Holtzmann NT II 1026.

[20] Vgl BüJ 27 f.
[21] Vom neuen Menschen im nt.lichen Sinne spricht wohl auch Preisigke Wört 2266, 9 f (Mitte des 4 Jdts): θεωροῦμεν σὲ τὸν δεσπότην καὶ κενὸν (soll heißen: καινὸν) ἄ<ν>[θ]ρωπ[ον], wenn nicht mit Deißmann LO 183 statt ἄν-θρωπον: πάτρωνα zu lesen ist.
[22] Vgl JBehm, Der Begriff διαθήκη im NT (1912) 102 ff, 98 ff.

καινότης. JHHSchmidt, Synonymik der griechischen Sprache II (1878) 118; Liddell-Scott 858; Pr-Bauer [3] 655 f.

οὐδὲν ἔξεστιν εἰπεῖν, ἀλλ' ἡγεῖσθαι τοῦτον χαριέστατον, ὃς ἂν τῶν διεσπαρμένων ἐν ταῖς τῶν ἄλλων διανοίαις ἀθροῖσαι τὰ πλεῖστα δυνηθῇ καὶ φράσαι κάλλιστα περὶ αὐτῶν. Oft mit dem Nebensinn des Eigenartigen, Staunen Erregenden Anaxandrides 54, 5 f (CAF II 159): χρὴ γὰρ εἰς ὄχλον φέρειν ἄπανθ' ὅσ' ἂν τις καινότητ' ἔχειν δοκῇ, Plut Mar 16 (I 414 d): ἡγεῖτο γὰρ πολλὰ μὲν ἐπιψεύδεσθαι τῶν οὐ προσόντων τὴν καινότητα τοῖς 5 φοβεροῖς (Gegensatz: συνήθεια), Philo Vit Cont 63: εὐπαράγωγα... ταῦτα πάντα, δυνάμενα τῇ καινότητι τῆς ἐπινοίας τὰ ὦτα δελεάζειν, Ign Eph 19, 2. Eigentümlich LXX: 3 Βασ 8, 53 a; Ez 47, 12.

Im Neuen Testament kommt das Wort nur bei Paulus vor und bezeichnet, dem Sinne von καινός entsprechend (→ 451, 31 ff), die Wertfülle der den Christen 10 durch Christus geschenkten Heilswirklichkeit gegenüber dem Unwert des früheren Zustandes R 7, 6: δουλεύειν ἐν καινότητι → πνεύματος καὶ οὐ → παλαιότητι γράμματος (→ I 766, 21 ff), R 6, 4: ἐν καινότητι ζωῆς περιπατήσωμεν [1]. Wo καινὴ κτίσις ist (→ 451, 25 ff), liegen Gesetz und Sünde dahinten, ist der Geist die ganz andere, das neue Leben bestimmende Macht. 15

Ähnlich Ign Eph 19, 3: εἰς καινότητα ἀϊδίου ζωῆς, Mg 9, 1: εἰς καινότητα ἐλπίδος.

† ἀνακαινίζω → ἀνακαινόω, → ἀνανεόω

Das Simplex καινίζω *neu machen, etwas Neues hervorbringen, neu in Gebrauch nehmen, einweihen* in mannigfacher freier Verwendung seit den Tragikern, zB Aesch Ag 1071: καίνισον ζυγόν, Soph Trach 867: καί τι καινίζει στέγη, Eur Tro 889: εὐχὰς ὡς 20 ἐκαίνισας θεῶν, Ditt Or 669, 47: οὐκ ἐξὸν τοῖς βουλομένοις εὐχερῶς (leicht, schnell) καθολικόν. τι καινίζειν (vgl 62), Vett Val VII 2 (p 270, 24 f Kroll): πολλὰ τῷ βίῳ καινίζει. In LXX für חָדָשׁ Js 61, 4 *wiederherstellen* vgl 1 Makk 10, 10; *neue Bräuche einführen* 2 Makk 4, 11; in religiösem Sinne *erneuern* Sap 7, 27: (ἡ σοφία) τὰ πάντα καινίζει, Zeph 3, 17: κύριος ὁ θεός ... καινιεῖ σε ἐν τῇ ἀγαπήσει αὐτοῦ. — ἀνακαινίζω *erneuern, etwas schon Da-* 25 *gewesenes auffrischen, wiederherstellen* Isoc Areop 3: τῆς ἔχθρας τῆς πρὸς βασιλέα πάλιν ἀνακεκαινισμένης, Jos Ant 9, 161: τὸν ναὸν ἀνακαινίσαι τοῦ θεοῦ (vgl 13, 57 und Test L 17, 10: ἀνακαινοποιήσουσιν οἶκον κυρίου), Plut Marcellus 6 (I 300 d): ἀνακαινίσαι τὸν πόλεμον, Appian Mithr 37 (I 475, 19 Mendelssohn): ἀνακαινίζων ... τὸ ἔργον ἀεί. In LXX für חָדָשׁ *erneuern, neu machen* (von Gott) ψ 103, 30; Thr 5, 21; 2 Ch 15, 8 B, 30 vgl ψ 102, 5. Pass von immer wiederkehrender Gemütsbewegung ψ 38, 3 (Mas: עכר ni); 1 Makk 6, 9.

Hb 6, 6: (ἀδύνατον τοὺς ἅπαξ φωτισθέντας) πάλιν ἀνακαινίζειν εἰς μετάνοιαν *wieder von neuem zur Umkehr zu bringen.* Der Ernst des dem Hb eigentümlichen Gedankens, daß es keine „zweite Buße" (→ μετάνοια) gibt, wird hier 35 vom Standpunkt des christlichen Lehrers aus, der im Hb spricht, gezeigt: er und seinesgleichen können mit ihrer Predigt Menschen, die sich ganz vom Christentum abgewandt haben, nicht zu einem nochmaligen neuen Anfang, der zur Bekehrung führt, verhelfen[1]. Das Wunder, daß jemand eine καινὴ κτίσις wird (→ 451, 25 ff), geschieht nur einmal. 40

In der altchristlichen Literatur[2] begegnet ἀνακαινίζω öfter in der Terminologie der Wiedergeburt und der Taufe Barn 6, 11: ἀνακαινίσας (sc Gott) ἡμᾶς ἐν τῇ ἀφέσει τῶν ἁμαρτιῶν, Chrys Hom in R 20 (MPG 60, 598): ἀνακαίνισον αὐτὴν (sc τὴν

---

[1] Zu der gut griech Gen-Verbindung, die stärker als πνεῦμα καινόν oder ζωὴ καινή das wesenhaft Neue hervorhebt, s Winer § 34, 3; Bl-Debr [6] § 165; Khl R 227 f.

ἀνακαινίζω. Pass I 1541 vgl 176; Cr-Kö 552; Pr-Bauer [3] 92 f; Moult-Mill 34; Liddell-Scott 107 vgl 858; RggHb zu 6, 6; AvHarnack, Die Terminologie der Wiedergeburt..., TU 42, 3 (1918) 101 ff.

[1] In dem Zshg von Hb 5, 11 ff, bes 6, 3, ist ein christlicher διδάσκαλος, wie der Autor ad Hebraeos, das Subj von ἀνακαινίζειν, nicht Gott (so noch Cr-Kö) oder der einzelne abgefallene Christ (so Orig Comm in Joh zu 8, 40 [p 341 Preuschen]). Vgl RggHb u Wnd Hb zSt.
[2] Vgl auch die Karikatur bei Luc Philopatris 12: Γαλιλαῖος ..., ἐς τρίτον οὐρανὸν ἀεροβατήσας καὶ τὰ κάλλιστα ἐκμεμαθηκώς, δι' ὕδατος ἡμᾶς ἀνεκαίνισεν.

ψυχήν) μετανοίᾳ, Liturgia Marci (FEBrightman, Liturgies Eastern and Western [1896] 126, 1): ἀνεκαίνισας διὰ τοῦ φρικτοῦ (schauervoll) καὶ ζωοποιοῦ καὶ οὐρανίου μυστηρίου τούτου, vgl O Sal 11, 11: „der Herr erneuerte mich durch sein Kleid und schuf mich durch sein Licht"; 17, 4: „eines neuen Wesens Antlitz und Gestalt empfing ich, ging darin ein und ward erlöst"; Act Thom 132 (Taufhymnus): σοὶ δόξα ἀνακαινισμὸς δι' οὗ ἀνακαινίζονται οἱ βαπτιζόμενοι οἱ μετὰ διαθέσεως σοῦ ἁπτόμενοι. Vom Bußengel Herm s 8, 6, 3: τοῦ ἀνακαινίσαι τὰ πνεύματα αὐτῶν, vgl s 9, 14, 3; v 3, 8, 9.

† ἀνακαινόω → ἀνακαινίζω, → ἀνανεόω

Das Grundwort καινόω entspricht καινίζω (→ 453, 18 ff) sowohl in der Bedeutung *neu machen, etwas Neues hervorbringen, erneuern* Thuc III 82, 3: καινοῦσθαι τὰς διανοίας *(Denkarten [„Mentalitäten"] von bisher nicht dagewesener Art entstanden),* Dio C 47, 4 (3): ἐς τὸ καινῶσαί πως τὰ ἐπιβουλεύματα, als auch in der Bedeutung *einweihen* Hdt II 100: ποιησαμένην γάρ μιν οἴκημα περίμηκες ὑπόγαιον καινοῦν τῷ λόγῳ. Davon ἀνακαινόω *erneuern* pass 2 K 4, 16; Kol 3, 10; Athanasius contra gentes 2 (MPG 25, 8): ἀνακαινούμενος ἐπὶ τῷ πρὸς τοῦτον (τὸν πατέρα) πόθῳ uö bei Kirchenvätern. Das Verbum braucht keine Neubildung des Pls zu sein, obwohl es sich bei außerkirchlichen Autoren erst in byzantinischer Zeit findet, vgl Heliodorus Prusanus, Paraphrasis in Eth Nic (Commentaria in Aristot Graeca 19, 2 [p 221, 12 ff GHeylbut]): καὶ γὰρ ἀνάπαυσίς τις ἡ παιδιὰ τοῖς ἀγωνιζομένοις, συνεχῶς οὐ δυναμένοις πονεῖν, ἢ τὴν δύναμιν αὐτοῖς ἀνακαινουμένη, τοῖς πόνοις ἀκμῆτας ἀποδίδωσιν.

Die tägliche Erneuerung des inneren Menschen, von der Paulus aus überreicher Erfahrung der Leiden des Apostelberufes 2 K 4, 16 spricht: ὁ ἔσω ἡμῶν (ἄνθρωπος) ἀνακαινοῦται ἡμέρᾳ καὶ ἡμέρᾳ (→ I 366, 13 ff; II 696, 20 ff), ist ihm der tröstliche Ausgleich für das Vergehen des äußeren Menschen (→ II 573, 3 ff), dessen Kräfte sich in der Mühsal des Erdenlebens des Apostels aufzehren (v 16 a). Ohne die Entstehung des ἔσω ἄνθρωπος und sein Verhältnis zum καινὸς ἄνθρωπος (→ 452, 2 ff) zu berühren, auch ohne an einen Vorgang religiös-sittlicher Wesensänderung oder an einen fortschreitenden Prozeß der Heiligung oder Verherrlichung bei dem ἀνακαινοῦσθαι zu denken, gibt Paulus lediglich der frohen Gewißheit Ausdruck, daß er als Christ sich jeden Tag neubelebt, gestärkt und über alle äußere Not hinausgehoben weiß [1]. Daß es der Geist Gottes ist, der diese Erneuerung bewirkt, ergibt sich, abgesehen von dem ausdrücklichen Hinweis auf die Gegenwart des Geistes 4, 13 und 5, 5, aus der Gesamtanschauung des Paulus vom → πνεῦμα [2]. — Von religiös-sittlicher Erneuerung [3] handelt Kol 3, 10: ἐνδυσάμενοι τὸν → νέον (ἄνθρωπον) τὸν ἀνακαινούμενον εἰς ἐπίγνωσιν κατ' εἰκόνα τοῦ κτίσαντος αὐτόν. Der neue Mensch (→ 452, 4 ff) ist da, und er ist in stets neuem Werden (Part Praes!), indem er immer wieder neues Leben

---

ἀνακαινόω. Pass I 176 vgl 1543; Cr-Kö 552 f; Pr-Bauer³ 93; Moult-Mill 34; Liddell-Scott 107 vgl 859; JHH Schmidt, Synonymik der griech Sprache II (1878) 118 f; Trench 138; Bchm u Wnd 2 K zu 4, 16; Haupt Gefbr, Dib Gefbr u Loh Kol z Kol 3, 10; AvHarnack → 453 Lit-A.
[1] Anders spricht, unter Bezugnahme auf Thr 3, 23, Midr Ps 25 (Str-B I 897) von dem Arbeiter, der am Abend müde von der Arbeit seine Seele in die Hand Gottes zur Verwahrung legt; „am Morgen aber kehrt sie als ein neues Geschöpf in seinen Leib zurück"; vgl dazu Gn r 14 zu 2, 7: „und in der Stunde, da der Mensch schläft, steigt die Seele nach oben und schöpft ihm Leben (dh sinngemäß: neues Leben) von oben", und Jos Bell 7, 349: ὕπνος . . ., ἐν ᾧ ψυχαὶ . . . θεῷ . . .

ὁμιλοῦσαι κατὰ συγγένειαν. . . Wieder anders ist der Gedanke der Selbsterneuerung der Seele oder des Geistes bei Philo Agric 171: ἡ δ' [sc ψυχή] ἐφ' ὅσον πρόεισιν, ἐπὶ μήκιστον ἡβᾷ καὶ ἐπακμάζει τὸ ἀειθαλὲς εἶδος φαιδρυνομένη καὶ ταῖς συνεχέσιν ἐπιμελείαις καινουμένη, Vit Mos II 140: τὸ δὲ τῆς διανοίας (sc κάλλος) . . . μὴ χρόνου μήκει μαραινόμενον, ἀλλ' ἐφ' ὅσον ἐγχρονίζει καινούμενον καὶ νεάζον.
[2] Naturmythologische Vorstellungen, wie sie altägyptischer Glaube mit der „täglichen Erneuerung" der Sonne oder der Erdenschlange verband (s Wnd 2 K zSt), liegen weitab von dem paul Gedanken.
[3] Den Gedanken der Erneuerung in diesem Sinne spricht in der rabb Lit erst Ex r 15 zu 12, 1 f aus, vgl Str-B III 601.

geschenkt erhält. Diese Erneuerung des Wesens ist sittlicher Art[4] und hat das in Christus offenbare Bild Gottes zum Maßstab (→ II 395, 27 ff), dh der Christ soll neuer Mensch werden, wie Christus der neue Mensch ist (→ 451, 28 ff).

† ἀνακαίνωσις

Erneuerung. Erst die Koine hat anscheinend abstrakte Nomina 5 zu den Verben (ἀνα-)καινόω, (ἀνα-)καινίζω gebildet. So begegnet καίνωσις bei Jos Ant 18, 230: καίνωσίν τινα γεγονέναι τῶν λόγων; καίνισις bei Jos Ant 18, 9: ἡ τῶν πατρίων καίνισις καὶ μεταβολή; καινισμός PLond II 354, 16: ἀποστάσεως καινισμόν παραλογιεῖσθαι, Vett Val IV 19 (p 192, 15 Kroll). ἀνακαίνωσις zuerst bei Paulus: R 12, 2; Tt 3, 5; dann Herm v 3, 8, 9: ἡ ἀνακαίνωσις τῶν πνευμάτων ὑμῶν. In 10 gleichem Sinne (vgl Suid sv) in altchristlicher Literatur öfter ἀνακαίνισις vgl Act Joh 78: ἐπὶ δὲ τὴν ἰδίαν . . . ἀνακαίνισιν βίου, Orig Orat 22, 4: τῇ ἀνακαινίσει τοῦ νοός (vgl R 12, 2), auch ἀνακαινισμός Act Thom 158: ἀνακαινισμὸν τῆς ψυχῆς . . . καὶ τοῦ σώματος. Bas Ep I 8, 11 (MPG 32, 264): ἣν . . . Παῦλος . . . ἐξανάστασιν εἴρηκε, ταύτην Δαβὶδ ἀνακαινισμὸν προσηγόρευσε (vgl ψ 103, 30), Didym Trin II 23 (MPG 39, 557): 15 ἡμεῖς χρῖσμα δεχόμεθα ἐν τῷ ἀνακαινισμῷ (= Taufe, vgl Act Thom 132 → 454, 5 f).

R 12, 2: → μεταμορφοῦσθε τῇ ἀνακαινώσει τοῦ → νοός, handelt es sich um Erneuerung des Denkens und Wollens, deren die Christen immer wieder bedürfen, um durch ihr sittliches Handeln zu beweisen, daß sie dem neuen Aeon angehören, Glieder einer neuen Menschheit sind (vgl Kol 3, 10 → 454, 34 ff). Als das 20 Subjekt dieser inneren Erneuerung, die im Zentrum des Personlebens einsetzt, ist nach R 8, 9—13 vgl 1 K 12, 13 der Geist Gottes, der in den Christen wohnt und wirkt, zu denken. — Auf den einmaligen, grundlegenden neuen Anfang, den der heilige Geist in der Taufe mit dem Menschen macht, geht das Wort in Tt 3, 5: ἔσωσεν ἡμᾶς διὰ → λουτροῦ → παλιγγενεσίας καὶ ἀνακαινώσεως πνεύ- 25 ματος ἁγίου[1]. Ohne alles menschliche Zutun entsteht hiernach in der Taufe die καινὴ κτίσις (2 K 5, 17 → 451, 25 f) durch das Wunder der *Erneuerung durch den heiligen Geist,* das ein so noch nicht dagewesenes Leben schafft (→ 450, 9 ff; 451, 15 ff).

† ἐγκαινίζω [1]

Außerhalb der griechischen Bibel selten: Archigenes, nach Ori- 30 basius, Collectionum Medicarum Reliquiae (CMG VI 1, .1 [1928]) VIII 46, 16: ἔλαιον, οὗ . . . ἀποχυθέντος εἰς χύτραν ἐγκεκαινισμένην, IG XII (fasc 5) 712, 58: ἐνκενί<σ>[θη ὁ] ἱ[ερὸς (?) . . . ναὸς τοῦ ἁ]γίου . . . *Neu machen, erneuern* Js 16, 11; 1 Βασ 11, 14; 2 Ch 15, 8; ψ 50, 12 (1 Cl 18, 10 zitiert): πνεῦμα εὐθὲς ἐγκαίνισον ἐν τοῖς ἐγκάτοις μου (für שׁדֵּחַ); Sir 36, 5. *Einweihen, weihen* Dt 20, 5; 3 Βασ 8, 63; 2 Ch 7, 5 (für ךנַחַ); 1 Makk 35 4, 36. 54; 5, 1. Davon ἐγκαίνισις Nu 7, 88 A (vl ἐγκαίνωσις) und ἐγκαινισμός Nu 7, 10 f. 84; 2 Ch 7, 9; Da 3, 2; 1 Esr 7, 7; 1 Makk 4, 56. 59; 2 Makk 2, 9. 19 *Einweihung,* sowie τὰ ἐγκαίνια *Fest der Weihe* 2 Εσδρ 22, 27; Da 3, 2 Θ; Philo Congr 114, bes *Fest der Tempelweihe* 2 Εσδρ 6, 16 f; J 10, 22.

Wenn in dem schwierigen Satz Hb 10, 19 f die Rede ist von dem *Eingang* 40 *in das Heiligtum* als dem *frischen . . . Weg, den Jesus für uns neu hergestellt hat:* . . . τὴν εἴσοδον τῶν ἁγίων . . ., ἣν ἐνεκαίνισεν ἡμῖν ὁδὸν πρόσφατον, so bedeutet ἐγκαινίζειν ὁδόν hier sowohl *einen Weg bahnen, den es bis dahin nicht gab,*

---

[4] Vgl Dib Gefbr u Loh Kol zSt.

[1] Zur Konstr vgl JBehm, Die Handauflegung im Urchr (1911) 165 A 4.

ἀνακαίνωσις. Pass I 1541, 1543; Cr-Kö 553; Pr-Bauer ³ 93; Nägeli 52, 86; Liddell-Scott 107 vgl 858 f; Zn R u Ltzm R zu 12, 2; SchlR 334; Dib Past zu Tt 3, 5; PGennrich, Die Lehre von der Wiedergeburt (1907) 7 ff.

ἐγκαινίζω. Cr-Kö 552; Pr-Bauer ³ 355; Liddell-Scott 469; Moult-Mill 215; RggHb u WndHb zu 9, 18 u 10, 20.
[1] Später auch ἐγκαινιάζω, vgl CIG IV 8660: ἐγκαινιάσθη ὁ ναὸς οὗτος.

wie *den Weg erstmalig benutzen, eröffnen, einweihen*[2]. Der Weg zu Gott, den Jesus neu erschlossen hat und selbst vorangegangen ist, ist der Weg, auf dem nun auch die Christen bei Gott Eingang finden können. — Auf διαθήκη (→ II 133 ff) angewandt, Hb 9, 18: οὐδὲ ἡ πρώτη (sc διαθήκη) χωρὶς αἵματος (→ I 174, 1 ff) ἐγκεκαίνισται, heißt ἐγκαινίζειν eindeutig *etwas Neues feierlich in Wirksamkeit treten lassen, einweihen.* Es gehört zum Wesen einer διαθήκη, einer heilsgeschichtlichen Gottesordnung[3], daß sie durch Blut geweiht, durch ein Sterben in Kraft gesetzt wird; das trifft auch auf die erste, die Ordnung vom Sinai (Ex 24, 6 ff), zu.

Behm

> ### καιρός, ἄκαιρος, ἀκαιρέω,
> ### εὔκαιρος, εὐκαιρία,
> ### πρόσκαιρος

† καιρός

A. Der außerbiblische Sprachgebrauch.

Über den ursprünglichen Wortsinn ist offenbar mit etymologischen Untersuchungen, die zu recht verschiedenen Ergebnissen geführt haben[1], keine Sicherheit zu gewinnen; doch stellt sich an Hand der sprachlichen Entwickelungslinie als Grundbedeutung heraus *das Entscheidende, der wesentliche Punkt,* und zwar erstens örtlich, zweitens sachlich und drittens zeitlich verstanden.

1. Im ö r t l i c h e n Sinn findet sich das Wort selten; in der Ilias wird das Adj καίριος entsprechend verwendet (während bei Homer [in der Odyssee] ὥρα den zeitlich günstigen Punkt bezeichnet)[2].

2. Im s a c h l i c h e n Sinn entfaltet das Wort seine entscheidende Bedeutung. *a.* Im nachhesiodeischen[3] Sprachgebrauch, zunächst offenbar meist positiv wertend, und zwar im Sinn der *Norm* bei Dichtern[4] und Philosophen fast gleichbedeutend mit der σωφροσύνη im eigentlichen Sinn, ist es das *weise Maßhalten*: μηδὲν ἄγαν· καιρῶι πάντα πρόσεστι καλά[5]. So erscheint einmal der καιρός auch bei Plato in einer Reihe mit dem μέτριον, πρέπον, δέον, als etwas, was εἰς τὸ μέσον ἀπῳκίσθη τῶν ἐσχάτων (Polit 284 e)[6]. — *b.* Nach einer anderen Seite entwickelt sich die Bedeutung des *sachlich Entscheidenden,* wenn καιρός den Gedanken des *Schicksalhaften* an sich nimmt. Es liegt dann wohl die Vorstellung zugrunde, daß die „Moira" den Menschen zu einer Entscheidung zwingt, indem sie ihn in eine bestimmte Situation hineinstellt. Dabei kann καιρός ganz neutral gemeint sein; so offenbar in der alten Sentenz καιρὸν

---

[2] So Chrys Hom in Hb 19 (MPG 63, 139): ἣν ἐνεκαίνισεν . . . τουτέστιν, ἣν κατεσκεύασε, καὶ ἧς ἤρξατο· ἐγκαινισμὸς γὰρ λέγεται ἀρχὴ χρήσεως λοιπόν· ἣν κατεσκεύασε, φησὶ, καὶ δι' ἧς αὐτὸς ἐβάδισεν, vgl Theodoret zSt (MPG 82, 752): ἐγκαινισμὸν δὲ ὁδοῦ, τὸ πρῶτον διὰ τούτων ὁδεῦσαι.

[3] Mit einem Begriff διαθήκη T e s t a m e n t ließe sich der Gedanke der Einweihung nicht verbinden → II 134, 33 ff.

καιρός. JHHeinrSchmidt, Synonymik der griech Sprache II (1878) 60 f, 63, 65, 71 f; Trench (1901) 196 ff, deutsch (1907) 125 ff; DLevi, Il καιρός attraverso la letteratura greca, Rendiconti della Reale Academia Nazionale dei Lincei Classe di scienzia morali RV Bd 32 (1923) 260 ff; Ders, ebd Bd 33 (1924)

Il concetto di καιρός e la filosofia di Platone 93—118. — [1] Boisacq sv; Levi (1923) 261 ff; KBrugmann, Indogerm Forsch 17 (1904/5) 363 ff. — [2] Vgl Levi aaO 264. — [3] Die Echtheit von Hes Op 694 bestreitet Levi aaO 265. — [4] Öfters bei Pindar; καιρὸν χάριτος Aesch Ag 787 (vgl Levi [1923] 266); Eur Hipp 385 (vgl Levi ebd 272). — [5] Kritias Fr 7 (Diels II 315, 29); ganz ähnlich Theogn 401 (Diehl I 137): μηδὲν ἄγαν σπεύδειν· καιρός δ' ἐπὶ πᾶσιν ἄριστος ἔργμασιν . . . und Soph Oed Tyr 1516 (πάντα γὰρ καιρῷ καλά). — [6] Die Verwendung noch bei Aristot (in banalem Sinn): ψυχροτέρα . . . τοῦ καιροῦ (ultra modum; Probl XXX 1 p 954 b 35).

γνῶθι[7]: erkenne jeweils in deinem Leben die *kritische Lage* und daß sie eine Entscheidung von dir fordert und welche, erziehe dich selbst dazu, den dir *gegebenen Entscheidungspunkt* in deinem Leben als solchen zu erkennen und danach zu handeln. In der Mehrzahl der Fälle ist es allerdings positiv zu verstehen; seine ἐπιστήμη ist auch nach den verschiedenen Berufen verschieden (Aristot Eth Nic I 4 p 1096 a 32); aber 5 die negative Bedeutung ist auch nicht selten (bei Polyb öfters = *Gefahr. — Die Lage, Umstände*: Thuc VI 85, 1; Demosth Or 1, 2). — Von da aus kann καιρός geradezu die Bedeutung *Wirkung* (Thuc I 36, 1) erlangen, die *Gunst* (Orph Fr 237, 9), die *Gelegenheit* (Philo Mut Nom 196), den *Vorteil* (Plat Leg XI 926 e), überhaupt den schädlichen oder nützlichen *Erfolg* bezeichnen, auch die *weitere Entwicklung* (Aristot Eth Nic III 10 1 p 1110 a 14) — und schließlich sogar den *Zweck* (Demosth Or 23, 182).

3. *a.* Von da aus ist der Weg zu der z e i t l i c h e n Bedeutung: *der entscheidende Augenblick, Zeitpunkt*, nicht mehr weit (deutlich so seit Soph). Auch hier findet sich die 3 fache Gliederung in die neutrale, positive und negative[8] Sinnrichtung, wobei die positive die häufigste ist (daher die 15 aristotelische Begriffsbestimmung τἀγαθὸν . . . λέγεται . . . ἐν χρόνῳ καιρός [Eth Nic I 4 1096 a 23 ff] und die Definition Philos [Op Mund 59]: καιρός = χρόνος κατορθώσεως, *Zeitpunkt der glücklichen Durchführung)*[9]. Auch hier spielt der Gedanke des s c h i c k s a l h a f t e n καιρός wieder herein, ohne daß natürlich eine reinliche Trennung von Bdtg *b.* immer möglich wäre: (Eur Fr 745, TGF 593 Nauck) 20 ein *vom Schicksal bestimmter Augenblick* entscheidet — den nutze wagend: τολμᾶν δὲ χρεών · ὁ γὰρ ἐν καιρῷ μόχθος πολλὴν εὐδαιμονίαν τίκτει θνητοῖσι τελευτῶν — wer im schicksalhaften Augenblick fest ins Ruder greift, zwingt das Glück; darum glaube an dein Schicksal! — Daß es sich dabei gelegentlich um eine n a h e z u religiöse Wertung handeln kann, zeigt der aristotelische Satz[10]: ὁ και- 25 ρὸς οὐκ ἔστι χρόνος δέων · θεῷ γὰρ καιρὸς μὲν ἔστι, χρόνος δ' οὐκ ἔστι δέων διὰ τὸ μηδὲν εἶναι θεῷ ὠφέλιμον. καιρός ist nicht mit χρόνος δέων, der „g ü n s t i g e n Zeitlage", identisch, weil Gott nur einen (jeweiligen) καιρός hat (keinen χρόνος δέων); καιρός ist also der immer neue Zeitpunkt, an dem Gott schöpferisch handeln muß. Die Pythagoreer haben dem καιρός in ihrem System sogar einen ganz 30 festen und offenbar[11] nicht unbedeutenden Platz gegeben: im Rahmen der pythagoreischen Prinzipienlehre, die ja die sonst geläufigen → ἀρχαί des Kosmos durch Zahlen ersetzt, wird der καιρός durch die Sieben repräsentiert[12], genauer: der καιρός ist nach pythagoreischer Lehre πάθος einer Zahl[13].

---

[7] Diels II 216, 10. Zu γινώσκειν in diesem Zshg → I 690, 30.

[8] Diese ist selten; siehe etwa Plat Leg XII 945 c: πολλοὶ καιροὶ πολιτείας λύσεώς εἰσιν.

[9] Öfters ist der Nachklang der eben entwickelten Bedeutung sehr stark, so wenn καιρός der *eintretende Umstand* ist (Aristot Rhet 6 p 1427 b 26) oder die *akute Bedeutung* (Plat Ep 7, 339 c). — Vgl zu oben ECurtius, Archäol Zeitung 33 NF 8 (1876) 1 b (= Ges Abh II [1894] 188): „Kairos und Chronos, indem der eine die Zeit bezeichnet als den äußeren Rahmen, innerhalb dessen alles menschliche Tun sich bewegt, der andere die Zeit soweit sie unser ist, . . . die Zeit in Beziehung auf den Inhalt, welchen wir ihr geben, also den für jedes Handeln entscheidenden Augenblick".

[10] An Pri I 36 p 48 b 35 ff; der Satz stimmt also mit dem oben zitierten (p 1096 a 23 ff)

nicht ganz überein. — καιρός als Glücksstunde im religiösen Sinn vielleicht auch im Hymnus auf Demetrius Poliorketes, Athen VI 63 (p 253 d).

[11] Jambl Theol Arithm 44; vgl Philo Spec Leg II 56 ff.

[12] Stob Ecl I 21, 27 ff: Πυθαγόρας . . . ἐπωνόμαζεν . . . τὴν δὲ ἑβδομάδα Καιρὸν καὶ Ἀθηνᾶν. Schol zu Aristot Metaph I 5 p 985 b 26: 540 a 26 f.

[13] Aristot Metaph I 5 p 985 b 30; WHRoscher (ASG 24, 1 [1904] p 31): „weil nach einer uralten, auch in die antike Medizin übergegangenen Volksanschauung bei Krankheiten der s i e b e n t e Tag der e n t s c h e i d e n d e (= καιρός) ist"; Beleg: Jambl Theol Arithm 53. — Die ethische Wertung ist natürlich nicht immer feststellbar; oft ist καιρός dann der „richtige Zeitpunkt" überhaupt, den es abzumessen gilt (zB Democr Fr 226 [II 106, 8

In jenem Zusammenhang erscheint καιρός auch öfter in Verbindung mit τύχη, doch nicht als Wechselbegriff, sondern in deutlicher Scheidung: τύχη ist durch die Zufälligkeit charakterisiert, *fortuna* etwa im Sinn der Dürerschen Darstellung, der der Mensch in nahezu fatalistischer Passivität unterworfen ist — και-
5 ρός durch das Schicksalhafte, das das entscheidungsvolle Handeln des Menschen fordert und so durch seinen Anruf[14] allenthalben das Menschenleben bestimmt[15]. Dieser Forderung nachkommen heißt καιρὸν λαμβάνειν, καιρῷ χρῆσθαι, sogar καιρὸν ἁρπάζειν, ihr ausweichen καιρὸν παριέναι; wer das letztere tut, vernichtet seine Existenz (ἐάν τίς τινος παρῇ ἔργου καιρόν, διόλλυται Plat Resp II
10 370 b). Gleichsam durch Schicksalsfügung[16] ist dem Menschen im καιρός die sittliche Entscheidung aufgegeben. — Natürlich konnte dieser καιρός-Begriff in einer ausgesprochen verantwortungsbewußten Ethik wie der der Stoa eine bedeutende Rolle spielen; deutlich wird das aber nur bei Epiktet: wenn ein solcher καιρός offenbar wird (φανῇ), dann heißt es auch im selbstüberwindenden Kampf
15 gegen die ἡδονή, den Lusttrieb, seinem Anspruch gehorchen (Ench 34); Gott fordert vom Menschen Rechenschaft, ob er sich gerüstet hat, den Anforderungen des καιρός zu entsprechen (Diss III 10, 8, vgl IV 4, 30. 12!), Anforderungen, die er gerade im Alltag an die selbsteigene Charakterformung stellt (IV 4, 45 f); so kann denn schließlich καιρός sogar die *sittliche Notwendigkeit* sein (II 7, 3),
20 die kraft der Vernunft erkannt wird (I 1, 6).

Hierher gehört wohl sachlich auch zunächst die religiöse Verehrung des Καιρός, der (später) unter den Göttern auftaucht[17], auf den ein religiöses Preislied, ein Hymnus gedichtet ist (Paus V 14, 9).

Für seinen Kultus haben wir freilich nur einen literarischen Beleg: am Eingang
25 zum Stadion von Olympia stand ein Altar des Kairos[18]. Aber Inschriften weisen doch andeutend weiter: eine besagt, daß der Geehrte seine Erfolge dem Kairos verdankt (IG XII 5, 939), eine andere, daß der Verpflichtende vom Kairos seine Aufgaben erwartet[19]. Ferner führt ua[20] der Denkmalsbefund daraufhin, daß „in späterer Zeit ... sich ... der Kult des Gottes ausgebreitet haben" muß[21]. Diese Darstellungen sind
30 Nachbildungen der Kairosstatue des Lysipp[22]; von ihm dargestellt war vermutlich „ein nackter jugendlicher Ephebe mit Fußflügeln, auf den Fußspitzen vorüberhuschend ... Als Attribute hatte er außer den Fußflügeln nur eine auffällige Frisur, Stirnlocke bei ganz kurzem Haar am Hinterkopf"[23]. Dies letztere Kennzeichen bestätigt, daß der Kairos auch in der religiösen Betrachtung den Entscheidungs-
35 charakter mindestens ursprünglich hat: die Haarlocke deutet symbolisch an, daß

Diels]; Fr 229 [II 107, 2 Diels]). Übrigens bemächtigte sich die Sophistik auch des καιρός-Begriffes zur Durchführung der dialektischen Nivellierung der ethischen Maßstäbe: zur *rechten Zeit* getan, ist alles „schön" — zur Unzeit, schimpflich (Diels II 338, 9).

[14] καιροῦ παρακαλοῦντος Epict Ench 33, 2; καιροῦ καλοῦντος Epict Diss II 1, 34.

[15] Plat Ep 9, 358 a: πολλὰ δὲ καὶ τοῖς καιροῖς δίδοται τοῖς τὸν βίον ἡμῶν καταλαμβάνουσι. — Vgl HLamer bei Pauly-W X (1919) 1519: zum Kairos gehören Attribute, die „eine entscheidende Kraft des Menschenwillens voraussetzen".

[16] συνῆκτο γὰρ αὐτῷ τὰ πράγματα, ὥσπερ ἐκ τύχης, εἰς καιρὸν τοιοῦτον ... Demosth Or 19, 317. Levi aaO 32: per volonta del destino.

[17] Stob Ecl I 22, 4, auch hier nicht etwa

mit Tyche, sondern mit Athene zusammengeordnet (→ A 12).

[18] Paus V 14, 9. Die daran anknüpfende Hypothese von Curtius (→ A 9) 3 ff bzw 191 ff, der Kairos gehöre ursprünglich zum Agon und zu Hermes, ist einseitig auf der Pausaniasstelle aufgebaut und deshalb problematisch.

[19] Ditt Syll[3] 852, 42. Wenn bei τύχη hier an die Stadttyche gedacht ist (Ditt zSt) dann auch bei καιρός an die Gottheit. — Auch Athen VI 63 (p 253 d) könnte καιρός religiös gemeint sein.

[20] Auch Philo Poster C 121 f spricht für eine weitere Ausbreitung des Kairoskultes.

[21] HLamer bei Pauly-W X (1919) 1509.

[22] ca 270 v Chr; Lamer aaO 1511.

[23] Lamer aaO 1518 f; doch vgl Jahresh des österr archäol Inst 26 (1930) 4.

man „die günstige Gelegenheit beim Schopfe packen" muß [24], daß der Mensch durch den Kairos zum Handeln gefordert ist [25].

Im „Achten Buch Mose" kommt der Kairos vor als der nächste nach dem obersten Gott, mit aller Gewalt begabt, offenbar glückbringend [26]; ebd 584f erscheint er als Engel des Aion, und der Mensch steht im Verhältnis des δοῦλος zum Kairos. 5

               b. Von der eben gekennzeichneten Bedeutung *a* aus hat sich dann (denn die umgekehrte Entwickelung, die auch gelegentlich angenommen wird, ist wohl sprachhistorisch unmöglich) καιρός in völliger Verblassung der ursprünglich charakteristischen Bedeutung zu einem bloßen Terminus für *Zeit* entwickelt, α. zunächst noch mit der Einschränkung *kurzer Zeitraum* (Hippocr Praeceptiones 1: καιρός 10 [ἐστιν] ἐν ᾧ χρόνος οὐ πολύς; dafür gibt er das Beispiel: die Heilung vollzieht sich meist χρόνῳ, ἔστι δὲ ἡνίκα καὶ καιρῷ), *Zeitpunkt* (zumal in der Verbindung ἐν τούτῳ τῷ καιρῷ; vgl τὰ κατὰ καιρούς die *punktuell historischen* Ereignisse [vom Geschichtsschreiber aufgezeichnet, Polyb 5, 33, 5]), daher δέων καιρός der *günstige Zeitpunkt* (! Menand Sam 294 f; Polyb 1, 61, 7; 2, 26, 1); *regelmäßig sich wiederholender Termin* (IG V 1, Inschr 15 1390, 101: καιρὸν τάσσειν), dann aber auch β. in ganz weiter Fassung die *Zeitstrecke* (Strabo XVII 46 Ende [C 816]: μετὰ τὸν τῆς παλλακείας καιρόν nach Ablauf der *Dauer...*), *Lebensalter* (Aristot Pol VII 16 p 1334 b 35), *Jahreszeit* (IG V 2, Inschr 169; XIV Inschr 1018, 3); καιροί als Jahreszeiten ist auch archäologisch belegt (Mosaik, Münzen [27]).

B. Die Verwendung in der Septuaginta. 20

       In LXX ist καιρός meist Wiedergabe von עֵת (198mal außer Da Θ) [28], daneben (im Pentateuch) von מוֹעֵד (das ja speziell den Zeitpunkt bezeichnet; 25 bzw 27mal außer Da Θ); dann steht es biblisch-aram auch für זְמָן (die *bestimmte Zeit*; 1mal 2 Εσδρ, 5mal Da LXX) und עִדָּן (die *Zeit allgemein*; 6mal in Da LXX); עֵת vereinigt ja alle diese Besonderheiten in sich. Außerdem wird יוֹם (3mal) und קֵץ 25 (5—7mal) damit übersetzt. Der LXX-Sprachgebrauch ist nicht unwesentlich durch diese Äquivalentia beeinflußt; umgekehrt ist später in der rabbin. Literatur empfunden worden, daß keines den eigentlichen Sinn von καιρός trifft, und deshalb קירוֹם als selten verwendetes Fremdwort übernommen worden (vgl Levy Wört sv). — Anderseits ist in LXX deutlich die Fortsetzung der oben geschilderten sprachgeschicht- 30 lichen Entwickelung von καιρός zu beobachten: der nach unsrer Zählung erste, örtliche Sinn begegnet gar nicht mehr, der zweite, sachliche selten: die *Umstände* 1 Makk 8, 25. 27; *Lage* Sir 18, 26; 29, 5 b; der *Nutzen* Sir 6, 8; *Zweck* Est 4, 14; der *Mangel* Sir 29, 2; die *Hilfe* (der Götter) Nu 14, 9; plur die *Erwartung* Hi 28, 3 A; endlich das *Gericht*, die göttliche Strafe ψ 80, 16, hier aber wohl schon absolut gesetzt 35 her vom (sehr umfangreichen) dritten, zeitlichen Gebrauch. Dieser umfaßt folgende Bedeutungen:

             1. Der *entscheidende Zeitpunkt*; der ethische (bzw für LXX religiöse) Hintergrund des Terminus tritt, wie natürlich schon im außerbiblischen Gebrauch, nur in den selteneren Fällen ins Bewußtsein. Aber auch 40 dort, wo das geschieht, steht weniger die Anforderung im Mittelpunkt, die der καιρός an den Menschen stellt, als seine göttliche Bestimmtheit. Gott ist es, der den καιρός „ergreift" (ὅταν λάβω καιρόν ψ 74, 3; → 458, 7; vgl Hi 39, 18: κατὰ καιρόν wann Gottes Zeit gekommen ist; Nu 23, 23; ψ 118, 126); αὐτός (Gott) ἀλλοιοῖ καιρούς (*Zeitlage*) Da 2, 21; von Gottes καιρός ist die 45 Rede, nicht vom καιρός schlechthin (Qoh 3, 11; Sir 51, 30 [38]; ψ 20, 10); der καιρός, die religiös *entscheidende Zeit* (hier: die selige Endzeit), wird von Gott

---

[24] So deutet Lamer aaO 1516.

[25] Vgl die Wiedergabe einer älteren Nachbildung in Jahresh des österr archäol Inst 26 (1930) TI und in einer späteren Nachahmung bei Roscher II 1, 899, nach (→ A 9) Archäol Zeitg T I ob (= ECurtius T IV ob), s ABaumeister-BArnold, Denkmäler des klass Altert II (1887) Abb 823.

[26] Preis Zaub XIII 508ff; falls nicht mit ADieterich (DLZ 38 [1917] 1431) Κρόνος zu lesen ist.

[27] Roscher sv II 1, 897.

[28] καιρός ist die regelmäßige Übersetzung von עֵת, das nur selten anders wiedergegeben wird [Debrunner]. Im übrigen vgl dazu die anderen Zeitbegriffe.

gegeben[29], von Gott bestimmt ist anderseits auch die Stunde des Todes (Qoh 7, 17). — Offenbar hat sich in diesem Zusammenhang καιρός zu einem festen heilsgeschichtlichen Begriff entwickelt, der schon an sich, ohne genauer bestimmenden Zusatz, die *Gerichts- und Endzeit* (besonders das erstere) bezeichnet, die Gott „ruft" (Thr 1, 21; vielleicht steht hier καιρός in Analogie zu ἡμέρα → II 950, 32 ff; 954 ff): so deutlich Ez 22, 3; 7, 12; Gn 6, 13 (für קץ!); Thr 1, 21; 4, 18 (sogar ὥρα καιροῦ Da LXX 8, 17). — Endlich wird kühn Gott selbst dem καιρός verglichen[30].

So kann der LXX-Fromme mit dem Ekklesiasten in der ganzen Kette der καιροί, die sein Leben durchzieht, die Führungen seines Gottes sehen (Qoh 3, 10—14); der καιρὸς τοῦ κλαῦσαι und der τοῦ γελάσαι, der τοῦ φιλῆσαι und der τοῦ μισῆσαι, der τοῦ τεκεῖν und der τοῦ ἀποθανεῖν usw — sie alle sind von Gott gesetzt (3, 2—8).

Wie gesagt, klingt der religiöse Grundton oft nicht hervor: so ist 1 Ch 12, 33; Sir 22, 16 (20) καιρός die *kritische Situation*, in der die richtige Entscheidung gefällt werden muß. In der Lebensweisheit der Spruchpoesie spielt der *richtige Moment*, der abzupassen ist (συντήρησον καιρόν, Sir 4, 20), eine gewisse Rolle (vgl Sir 27, 12; 20, 6 f). — Es überwiegt dann die Bedeutung *der günstige Zeitpunkt*; der καιρὸς συνεργεῖ dem Menschen 1 Makk 12, 1. Vgl noch allgemein Hag 1, 2. — Gelegentlich findet sich auch der sensus ad malum (Todesstunde 1 Makk 9, 10. — Vgl noch Jer 27 [50], 26).

2. Die rein zeitliche Bedeutung von καιρός überwiegt bei weitem, ist aber von geringerem theologischem Interesse. *a.* Bei καιρός = *Zeitpunkt*[31] ist oft, offenbar unter Nachwirkung der Bedeutung 1, ein bestimmter *Termin* gemeint (wie auch sonst in der Koine[32]), sei es ein als einmalig festgesetzter (von Gott Sir 48, 10; Da LXX 4, 26; vgl Gn 17, 21. 23; 18, 10; so offenbar auch ἕως καιροῦ bis zu einem bestimmten Zeitpunkt, dessen Festsetzung von Gott erwartet wird, s Da Θ 11, 24), sei es ein regelmäßig wiederkehrender. Besonders häufig: *Fest-termin*, zB Ex 34, 18; Lv 23, 4; Nu 9, 3. 7. 13; wöchentlicher: 1 Ch 9, 25; dann auch: naturgesetzlich *regulärer Zeitpunkt* eines biologischen (Ez 16, 8; Lv 15, 25; Hi 39, 1; 1 Βασ 1, 20; als term techn 4, 20) oder klimatischen (Lv 26, 4; Dt 28, 12) oder sonstigen Naturgeschehens (Ps 1, 3; Hi 38, 32).

b. Der ursprüngliche Wortsinn ist ganz verlorengegangen, wenn von καιροί = *Zeitstrecken* die Rede ist (die der Mond abteilt, ψ 103, 19, vgl Gn 1, 14) oder von πολλοὶ καιροί (= lange Zeit, 1 Makk 12, 10; vgl Ez 12, 27; Tob 14, 5 καιροί die *Dauer der Weltzeit*, von denen ein → πληροῦσθαι ausgesagt wird), oder wenn καιρός mit dem Gen mensurae erscheint (ἐνιαυτοῦ Da LXX 11, 13; μιᾶς ἡμέρας 2 Makk 7, 20; 3 Makk 4, 14) oder die Lebensdauer (Sap 2, 5; Sir 17, 2 [3][33]; → 459, 16 ff) oder einen Lebensabschnitt (3 Βασ 11, 4; 15, 23; ψ 70, 9) bezeichnet. Bei Da wird καιρός in der endgeschichtlichen Zeitrechnung dann zu einem *bestimmten Zeitmaß* (die sieben „Zeiten" Da Θ 4, 16. 23. 25. 32; vgl 7, 25; 12, 7; LXX 7, 25; 9, 27; 12, 7). — Endlich erscheint καιρός in ganz ähnlicher Verwendung wie → ἡμέρα, einerseits bei allgemeinen Zeitangaben (mit ἐν und ἐκεῖνος, besonders Dt 1—3; Ri; 3. 4 Βασ; 1. 2 Ch), anderseits zur Charakterisierung eines Zeitabschnittes im Leben des Einzelnen oder des Volkes nach seinem Erlebnisinhalt (mit attributivem Genitiv oder [seltener] Partizip, besonders häufig καιρὸς θλίψεως; andere Verbindungen besonders bei Sir). — καιρός = *Jahreszeit* Sap 7, 18 uä.

C. καιρός im NT[34].

Im NT fehlt die örtliche Bedeutung; die **sachliche** begegnet nur Hb 11, 15: *die (gottgegebene) Möglichkeit.* Ausgedehnt ist die nach unserer Zählung dritte, die **zeitliche**:

---

[29] ἐδόθη im prophetischen Aor, Da LXX 7, 22; vgl Jdt 13, 5 (7).
[30] καθὼς καιρός Ri 13, 23 B; vgl → 459, 34 Nu 14, 9 und Philo Mut Nom 265.
[31] Als kurzer Zeitraum bes deutlich 1 Ch 11, 11. 20: ἐν καιρῷ ἑνί.

[32] S Preisigke Wört I 721.
[33] Vgl κατὰ τὸν καιρόν τινος zu jmds Lebzeiten Jdt 16, 21.
[34] Zu dem Auftreten von καιρός ist von vornherein zu bemerken, daß an vielen Stellen eine unbedingte Sicherheit über den

1. *a. Der (schicksalhaft) entscheidende Zeitpunkt,* außer Ag 24, 25 immer unter scharfer (wenn auch nicht immer ausgesprochener) Betonung der göttlichen Bestimmtheit; doch tritt im NT, dem nt.lichen Gottesbegriff entsprechend, deutlicher die überreiche, ganz unerrechenbare, völlig geschenkweise Güte Gottes in der Gabe des καιρός und der richtende, das Verfehlte unwiederbringlichmachende Ernst in seiner Forderung zutage: Jerusalem hat den καιρός, in dem sich Gott in Jesus ihm gab zur Errettung, in seiner Einmaligkeit nicht erkannt (Lk 19, 44)[35] — und diese ist unwiederbringlich. Das ist der Vorwurf, den Jesus der Masse des jüdischen Volkes, den ὄχλοι (Lk 12, 54), machen muß, daß sie es nicht einmal der Mühe für wert halten, den in seiner messianischen Gegenwart vorliegenden καιρός der religiösen Entscheidung auf seinen Entscheidungscharakter hin zu prüfen (Lk 12, 56; vgl Mt 16, 3 Reichstext). Daß dieser καιρός jetzt in Erfüllung der at.lichen Weissagung (πεπλήρωται[36]) als Geschenk Gottes vorliegt, ist nach Mk 1, 15 der aufrüttelnde Anfangssatz des Urevangeliums Jesu.

So wird anderseits auch durch den vom Griechentum dargebotenen Begriff des καιρός der Ernst der Entscheidung, vor die Jesus in seiner religiösen Verkündigung und Pls in seiner sittlichen Forderung den Menschen stellt, in einer unserem religiösen Denken nicht mehr gegenwärtigen Weise verschärft: je mehr das Ende mit der schon gegenwärtigen Erfüllung zusammen geschaut wird, desto dringlicher wird diese Forderung des καιρός, der sich in jedem Augenblick des Christendaseins erneuert und in dieser Jeweiligkeit vom Christen heischt, daß er ihn erkenne und seiner Forderung konkret (R 13, 8—10), etwa in der Betätigung der Bruderliebe, nachkomme (R 13, 11; → I 51, 25). Denn der Christ ist im Besitz dieses καιρός, dh er hat als pneumatischer Mensch die Fähigkeit, ihn zu erkennen und seinen Willen zu verwirklichen (Gl 6, 10); so muß jeder seiner Ansprüche erfüllt werden (Eph 5, 16; Kol 4, 5; → I 128, 17 ff), zumal auch in der Situation des Christen gegenüber dem Nichtchristen eine besondere Nötigung dazu vorliegt. — Hierher gehört auch R 12, 11 (nach D* G 5 it).

Aber nicht nur die Existenz des Christen, auch das Erdenleben Jesu steht unter der Aufgabe des göttlichen καιρός. Diesen wartet er ab in den einzelnen Entscheidungen (J 7, 6. 8; → ὥρα). Es hat den Anschein, daß (was ja ganz dem eigentlichen Sinn von καιρός entspricht) Jesus selbst den καιρός nicht vorher kennt, sondern ihn erst im Zeitpunkt seines Eintretens (πεπλήρωται) als

---

Begriffsinhalt nicht zu erreichen ist. Bes die unter *1 a* behandelten Vorkommen im NT könnten allenfalls auch rein zeitlich gemeint sein; doch ist das ganz unwahrscheinlich. Die Entscheidung darüber wird großenteils davon abhängen, wie weit man dem Schriftsteller ein Empfinden für die griech Sprachfeinheiten zutraut. Daß ein solches auch dem Semiten möglich war, darauf weist wohl auch die oben gemachte Feststellung über קירום (→ 459, 28 f).

[35] Schon darin liegt es begründet, daß καιρός hier im prägnanten Sinn gebraucht ist; ebenso in dem tt ἔγνως (→ 456, 33 ff u A 7),

der mit καιρός zusammen eine stereotype Formel bildet.

[36] Ob der Satz in dieser Formulierung der ältesten Verkündigung Jesu angehören kann, wird nicht sicher auszumachen sein. — D it haben diesen Sinn des πληροῦσθαι nicht verstanden und lesen deshalb καιροί = Zeiträume, die Epochen, die bis auf Jesus vergehen sollten. — Wenn Jos Ant 6, 49 (ἐξεδέχετο τὸν καιρὸν γενέσθαι, πληρωθέντος δ' αὐτοῦ . . .) von einem πληροῦσθαι καιρόν redet, so ist schwer auszumachen, ob er die Erfüllung des von Gott bestimmten Zeitpunktes oder das Verstreichen der Zeit meint.

solchen erkennt und sich dann seinem göttlichen Anspruch gemäß entscheidet.
J 7, 6. 8 macht zudem deutlich, wie grundlegend sich dieser gottgegebene καιρός von jedem kosmisch-menschlichen unterscheidet: diesen meint der, der sich
nicht unter dem καιρός Gottes stehen weiß, bei allen möglichen Gelegenheiten
5 für sich bereit liegen zu sehen, die ihm für die Erreichung seiner kosmischen
Pläne günstig scheinen (vgl Ag 24, 25), ohne daß es sich dabei um einen echten,
dh wirklich gottgegebenen καιρός handelt. Entscheidend kommt hier auch der
Unterschied zwischen der griechischen Religiosität und dem NT zur Geltung:
wenn der auf sich gestellte Mensch von seinem καιρός redet, so sieht er ihn in
10 vermeintlich selbständiger Entscheidung — und bleibt doch blind. Wenn Jesus
auf seinen καιρός wartet, so läßt er ihn sich vom Vater zeigen und gewinnt
daraus eine echte Gewißheit. — Besonders steht unter diesem καιρός natürlich
das Ende Jesu, von dem man überhaupt den Eindruck hat, daß Jesus seinen
Zeitpunkt aus eigener, nach Gottes Willen getroffener Entscheidung bestimmt
15 hat. So auch Mt 26, 18: ὁ καιρός μου ἐγγύς ἐστιν. Für den Gastgeber (τὸν
δεῖνα) muß dieses Wort zunächst dunkel geblieben sein; aber um so deutlicher
wird, wie bewußt hier Jesus den für ihn nach Gottes Willen gegebenen καιρός
erfaßt in freier Unterwerfung. Daß dieser Entschluß zur Todesbereitschaft und
seine Durchführung „gemäß dem καιρός", gemäß der Entscheidungsforderung
20 Gottes geschehen ist, nämlich zur Zeit der Entscheidung über das Gelingen des
Werkes Jesu, besagt auch R 5, 6. (— καιρός = der günstige, gelegene Zeitpunkt
[μεταλαβών! → 458, 7; 459, 43] Ag 24, 25).

                    b. *Der bestimmte*, besonders der inhaltlich bestimmte, *ent-
scheidende Zeitpunkt*: auch hier wird fast durchgehends stark die Bestimmtheit
25 des καιρός durch den göttlichen Willen betont, nur daß der ursprüngliche
καιρός-Sinn der vom Menschen geforderten Entscheidung schon stark abgeblaßt
ist. Dagegen tritt häufig der Gedanke des festen, vorgefaßten Heilsplanes mit
großer Deutlichkeit hervor: Gott bestimmt vorher nach einem relativen Ent-
wickelungsschema die hervorragenden Zeitpunkte der Heilsgeschichte, gibt ihnen
30 ihren Inhalt, deren Eintreten der Gläubige in getroster Sicherheit abwartet. —
Zunächst findet sich καιρός in Verbindung mit ἴδιος (meist im Plur) im Dat temporis in der paul Literatur als die *von Gott bestimmte, mit einem Inhalt gefüllte
Zeit*, sei es auf die Zeit der Logosoffenbarung in Jesus (Tt 1, 3) und der Bezeugung der göttlichen Liebe (μαρτύριον) durch Jesus in seinem Kreuzestod be-
35 zogen (1 Tm 2, 6), sei es auf die Zeit der Epiphanie des Christus (1 Tm 6, 15)
und der für die Gläubigen nachfolgenden Seligkeit in der βασιλεία (Gl 6, 9). —
Aber natürlich stehen auch die sonstigen entscheidenden Termine der weiteren
heilsgeschichtlichen Entwickelung, in der sich der Gläubige des NT mitten inne
stehen weiß (1 Pt 4, 17, vgl 2 Th 2, 6), unter dieser göttlichen Bestimmtheit
40 und werden deshalb als καιρούς, οὓς ὁ πατὴρ ἔθετο ἐν τῇ ἰδίᾳ ἐξουσίᾳ (Ag 1, 7),
bezeichnet: so der Beginn der messianischen Macht über die Dämonen (Mt 8, 29),
der Anfang des im Verfolgungsleiden der Gläubigen sich vollziehenden immanenten Gerichtes (1 Pt 4, 17), die Aufhebung der Macht des κατέχον (2 Th 2, 6),
der Zeitpunkt des Endgerichts an den Gläubigen (1 K 4, 5) und des allgemei-
45 nen Totengerichts (Apk 11, 18). Ihre Berechnung ist jedoch, obwohl von den

at.lichen Propheten versucht (1 Pt 1, 11), auch dem Christen unmöglich (Mk 13, 33; 1 Th 5, 1 f; Ag 1, 7), wohl weil sie von Gott selbst erst nach den Notwendigkeiten der Heilsgeschichte im absolut chronologischen Schema festgesetzt werden, eine vorherige Festlegung Gottes auf Jahr und Tag seiner Souveränität widerspräche (Ag 1, 7). — καιρός wird dann geradezu eschatologischer term techn 5 für das *Endgericht* bzw das *Ende* überhaupt, wohl auch unter dem Einfluß der LXX-Frömmigkeit (→ 460, 2 ff), Lk 21, 8 (im Evangelium der Pseudomessiasse); 1 Pt 5, 6; Apk 1, 3; 22, 10; vgl ἐν καιρῷ ἐσχάτῳ 1 Pt 1, 5 [37].

Aber auch die entscheidenden Zeitpunkte des Einzellebens erkennt der Gläubige als gottbestimmten καιρός (2 Tm 4, 6), ebenso die Zeit der Erfüllung einer 10 persönlichen göttlichen Verheißung (Lk 1, 20); endlich ist von daher wohl auch (entsprechend dem → 460, 25 ff zu ἕως καιροῦ in LXX Gesagten) ἄχρι καιροῦ (Lk 4, 13; Ag 13, 11) zu verstehen: bis zu dem von Gott zu bestimmenden Zeitpunkt.

2. *a*. Der *kurze Zeitraum*: ἐν παντὶ καιρῷ (auch in LXX ö) Lk 15 21, 36; Eph 6, 18 soll sich der Christ in innerer Gebetshaltung befinden. — Speziell der *Termin*: einmaliger R 9, 9 (nach Gn 18, 10, vgl → 460, 24 ff), regelmäßiger: der Essensausgabe Mt 24, 45; Lk 12, 42; der Ablieferung des Ernteanteils Mk 12, 2 Par; im Naturgeschehen Mt 13, 30; 21, 34; Mk 11, 13; Ag 14, 17; von Festen (Gl 4, 10; vgl LXX). — *b*. Die *Zeitstrecke*: mit Gen mensurae 1 Th 2, 17; von Menschen fest- 20 gesetzt 1 K 7, 5; unbestimmte Lk 8, 13; die zur Verfügung stehende (von Gott bestimmt) Lk 21, 24; 1 K 7, 29 [38]; Apk 12, 12. — *Lebensabschnitt* Hb 11, 11; *historische Epoche* Ag 17, 20 s Eph 1, 10; καιρός ἐκεῖνος von dem vorchristlichen Lebensabschnitt: Eph 2, 12; die *gegenwärtige Zeit* Mk 10, 30 Par, s ὁ νῦν καιρός (→ I 206, 14 f. 43 f) R 3, 26, entspr 8, 18; 11, 5; 2 K 8, 14, ἐνεστὼς καιρός Hb 9, 9; apokalyptisches Zeitmaß (vgl 25 LXX Da) Apk 12, 14. — In allgemeinen Zeitangaben („um jene Zeit") in Erzählungen aus dem Leben Jesu (ἐν ἐκείνῳ τῷ καιρῷ Mt 11, 25; 12, 1; 14, 1) und der christlichen Missionsgeschichte (κατ' ἐκεῖνον τὸν καιρόν Ag 12, 1; 19, 23); exakter ἐν αὐτῷ τῷ καιρῷ „im Anschluß daran" (Lk 13, 1); ἐν ᾧ καιρῷ von der Zeit des Moses (Ag 7, 20); ἐν ὑστέροις καιροῖς von unbestimmten späteren Zeiten (1 Tm 4, 1). — Mit attributivem 30 G e n e t i v: πειρασμοῦ Lk 8, 13; ἐπισκοπῆς Lk 19, 44 vgl LXX Sap 3, 7; Jer 6, 15; 10, 15; ἀναψύξεως Ag 3, 20 → I 390, 25 ff; διορθώσεως Hb 9, 10; vgl 2 Tm 4, 6, → 460, 42 ff; A d j (2 K 6, 2; 2 Tm 3, 1; Ag 14, 17, → 460, 44); T e m p o r a l s a t z 2 Tm 4, 3.

† *ἄκαιρος,* † *ἀκαιρέω, εὔκαιρος,* † *εὐκαιρία* 35

Auch in den Gegenbegriffen zu → καιρός und καίριος: ἀκαιρία und ἄκαιρος [1] kommt die Mannigfaltigkeit des καιρός-Begriffs noch zu teilweiser Darstellung; so ist *a*. ἄκαιρος *unmäßig, übermäßig, was nicht mit dem griechischen Ideal des Maßhaltens übereinstimmt* (Democr Fr 71 [2]), *was im Gegensatz zum* χρή steht (ἀκαιρότερον ὄντα ἢ χρὴ Plat Polit 307 e); entsprechend ἀκαιρία die *Ungehörigkeit* (neben ἀδικία, Plat Symp 182 a). 40 — *b*. ἄκαιρος *unwillkommen* bzw ἀκαιρία *unwillkommenes Ereignis, übler Zustand* [3]. — *c*. ἄκαιρος *zeitlich unpassend,* ἀκαιρία *die ungelegene Zeit*. — *d*. ἀκαιρία *Mangel an Zeit*.

Hierher gehört ἀκαιρέω bzw das Med: *keine Zeit haben* (spät und selten).

In LXX findet sich von allen von ἀκαιρ- abgeleiteten Wörtern nur ἄκαιρος(-ως) in Sir (3 mal) in der Bedeutung: *zur Unzeit* (doch → A 1). Der merkwürdige Befund hat 45

<hr>

[37] Pr-Bauer möchte hierher auch noch ziehen Mk 13, 33; Mt 8, 29; 1 K 4, 5; Eph 1, 10; Mt 16, 3. Ganz unmöglich scheint mir Eph 1, 10 in diese Reihe hineinzugehören. — Anderseits wäre eschatologische Deutung noch möglich, wenn auch kaum sehr wahrscheinlich: Mk 1, 15; R 13, 11.
[38] Zur Deutung vgl GDelling, Paulus' Stellung zu Frau und Ehe (1931) 77.

ἄκαιρος κτλ. [1] ἀκαίριος ganz selten, s die Lexica und 2 Makk 6, 25, wo aber falsche LA von A für das unbekannte ἀκαριαῖος.
[2] Diels II 77, 5. So zu übersetzen mit Pass(-Cr) gg Diels. Vgl die sonstigen Belege bei Pass(-Cr) sv.
[3] Belege zu *b—d* bei Pass(-Cr) sv.

seine noch auffallendere Entsprechung darin, daß in Papyris nur eine Ableitung vom Stamm ἀκαιρ- vorkommt (ἄκαιρος), und zwar nur einmal und an einer späten Stelle.

Entsprechend der oben (→ καιρός, bes 459, 6 ff) aufgezeigten Entwickelung war bei der Mehrdeutigkeit von καιρός bzw καίριος die Herausbildung eindeutigerer Begriffe für die *günstige Zeit* wünschenswert. Sie vollzog sich seit der klassischen Zeit (εὔκαιρος, εὐκαιρία; εὐκαιρέω spät)[4]. Daneben werden καιρός und καίριος weiter im Sinn der günstigen Zeit verwendet (καίριος jedoch weit weniger, in LXX zB nur Prv 15, 23). — Schließlich hat sogar εὐκαιρία eine Abschwächung erfahren, vgl Suid sv σχολή: σχολή ... ἣν οἱ πολλοὶ ἀκύρως καλοῦσιν εὐκαιρίαν (richtig vielmehr εὐκαιρία ... τάττεται ... ἐπὶ καιροῦ τινος εὐφυΐας καὶ ἀρετῆς). → auch LXX.

In LXX ist εὐκαιρία *günstige Zeit* (Sir 38, 24; doch ist hier auch die Bedeutung *reicher Besitz* möglich); *günstige Gelegenheit* (1 Makk 11, 42); *angemessene(r) Zeit(punkt)* ψ 144, 15; aber auch überhaupt *Zeit* (der Not!) Ps 9, 10; ψ 9, 22. — εὔκαιρος sowohl: *zur rechten Zeit* (ψ 103, 27, Adv Sir 18, 22) wie: *günstig, passend* (nicht zeitlich; 2. 3 Makk).

Im Neuen Testament: 2 Tm 4, 2: ἐπίστηθι εὐκαίρως ἀκαίρως „übe dein Vorsteheramt (vgl ἐπιστάτης), tritt (an Gemeindeglieder, die der amtlichen Betreuung bedürfen) heran (wenn es nach deinem Ermessen deine Pflicht ist), mag es (ihnen[5] [oder: dir?]) *gelegen sein oder nicht*". — Hb 4, 16: εἰς εὔκαιρον βοήθειαν, „so, daß wir göttliche Hilfe finden *im gottgeschenkten Zeitpunkt*". Der Zeitpunkt der Hilfe wird dadurch aus dem menschlichen in das göttliche Ermessen gerückt; gleichwohl gewährleistet die menschliche ὁμοιότης des Hohepriesters (v 15), daß das Eintreten des gottgeschenkten Zeitpunktes die Geduld des Christen auf keine übermenschliche Probe spannt.

εὐκαιρία nur Mt 26, 16 = Lk 22, 6: *günstige Gelegenheit, günstiger Zeitpunkt* (günstig: dh ἄτερ ὄχλου, Lk 22, 6). Die Stelle zeigt, welches gefährliche Anschwellen des Einflusses Jesu die letzten Tage bedeuteten; die glühende Erwartung auf Jesu entscheidende Messiastat läßt ihn ständig von einem begeisterten Menschenschwarm umgeben sein.

ἀκαιρέω (Med) nur Phil 4, 10.

† πρόσκαιρος

Sämtliche Belege sind spät[1]. *a.* (selten) *zeitlich bedingt, durch die Augenblickslage nahegelegt* (ῥῆμα Aristoph Schol Ach 275; ἀδικία Ditt Or 669, 14; ἑορτή Ditt Syll[3] 1109, 44). — *b.* (meist) *zeitlich beschränkt* (daher in Pap bes von Steuern: *außergewöhnlich*[2], *behelfsmäßig* (τεῖχος Jos Bell 6, 32), *vergänglich*: im Gegensatz zum bleibenden Ruhm des Athleten Dion Hal Art Rhet 7, 4 (36, 7 Usener): τοῖς μὲν γὰρ (den Zuschauern bei den gymnischen Spielen) πρόσκαιρος ἡ τέρψις, τοῖς δὲ ἀθάνατος ἡ δόξα und 7, 6 (39, 7 Usener): τὰ μὲν [χρήματα] πρόσκαιρα, ἡ δὲ [δόξα] ἀθάνατος. Im Gegensatz zu ἀΐδιος Dio C XII fr 46, 1: οὐ γὰρ πρόσκαιρόν τινα ἀνοχὴν *(vorübergehende* Erleichterung) ἀλλ' ἀΐδιον φιλίαν ... (dauernden Frieden); vgl ebd LVI 39, 3: μικράν τινα ἰσχὺν καὶ ταύτην πρόσκαιρον ... (nur *für eine begrenzte Zeit*).

In moralischen Erörterungen wird πρόσκαιρος zu einem Begriff der Wertlehre: Aristoph Schol Nu 360: [τῇ ἀρετῇ] ... καὶ τοὺς ἐκείνης ἱδρῶτας προκρῖναι τῶν προσκαίρων τῆς κακίας ἡδονῶν, vgl die verwandte Aussage Jos Ant 2 51 (προσκαίρῳ τῆς ἐπιθυμίας ἡδονῇ im Gegensatz zur ehelichen Treue).

---

[4] Plat Phaedr 272 a: εὐκαιρίαν — ἀκαιρίαν. Sonst bei Plat vom Stamm εὐκαιρ- nur εὔκαιρος Phaed 78 a (die Ableitungen von ἀκαιρ- dgg öfter).

[5] Dann ist ἀκαίρως mit leichter Ironie gesagt. Die Beziehung auf die Gemeindeglieder ist wahrscheinlicher.

πρόσκαιρος. [1] Ableitung: „was πρὸς καιρόν ist", dh *1.* „was sich auf den rechten Augenblick bezieht" (so πρὸς καιρόν bei Soph); *2.* „was (nur) für eine (beschränkte) Zeit bestimmt ist" (so πρὸς καιρόν im NT ua) [Debrunner]. — Die Lexica finden mancherorts die Bdtg *zeitlich günstig, zu guter Stunde*; doch ist diese Bdtg nirgends sicher zu belegen.

[2] Vgl Preisigke Wört sv.

Im anthropologischen Dualismus des Neuplatonikers Jambl Protr 21 (p 110, 14 Pistelli) ist πρόσκαιρος offenbar als Qualitätsbegriff gebraucht: ἡμῖν μὲν ἅτε σωματικοῖς ὑπάρχουσι γενητοῖς τε καὶ φθαρτοῖς (→ I 478, 1 ff) καὶ προσκαίροις uns, da wir ja leiblich, geworden, vergänglich, zeitlich sind (ist die Erkenntnis des Göttlichen eben dadurch erschwert). πρόσκαιρος ist hier also nicht nur *kurzlebig*, sondern kennzeichnet 5 den Menschen in seiner Verhaftung an die Sinnenwelt, als *zeitlich*, dh nicht nur der durativen, sondern vor allem *der* qualitativen *Beschränkung der Zeitlichkeit unterworfen*, im Gegensatz zur absoluten Freiheit des Ewigen im Sinne der Metaphysik (→ Z 29 ff).

In LXX nur 4 Makk 15, im absoluten Gegensatz von zeitlich und ewig im Sinne von „dieser Welt angehörig", v 2: δυεῖν προκειμένων, εὐσεβείας καὶ τῆς . . . σωτηρίας προσ- 10 καίρου . . . τὴν εὐσέβειαν μᾶλλον ἠγάπησεν. v 8: διὰ τὸν πρὸς τὸν θεὸν φόβον ὑπερεῖδεν τὴν τῶν τέκνων πρόσκαιρον σωτηρίαν. v 23: τὰ σπλάγχνα αὐτῆς ὁ εὐσεβὴς λογισμὸς . . . ἐπέτεινεν τὴν πρόσκαιρον φιλοτεκνίαν παριδεῖν. Die an sich selbst zunächst durchaus bejahten Werte (hier der leiblichen σωτηρία und der φιλοτεκνία [3]) werden durch πρόσκαιρος als entwertet gekennzeichnet gegenüber den höheren der εὐσέβεια (bzw dem 15 φόβος πρὸς τὸν θεόν).

Im Neuen Testament rein durativ Mt 13, 21 = Mk 4, 17, für πρὸς καιρόν [4]. — An die außerbiblische Verwendung des Wortes im moralischen Sinn und besonders an LXX erinnert vor allem Hb 11, 25: auch hier dient πρόσκαιρος in der beliebten Gegenüberstellung zur Bezeichnung des niederen Wertes, 20 der gegenüber dem zu wählenden sogar zum Unwert (ἁμαρτίας ἀπόλαυσιν!) wird; πρόσκαιρος ist also ethisch-normativ gemeint (vgl 2 K 4, 17 D* G lat sy[p]).

2 K 4, 18 würde im Rahmen der jüdischen Apokalyptik nur besagen, daß der gegenwärtige Daseinsinhalt *vergänglich*, daß der endgültige Zustand noch nicht erreicht ist; der Mangel des jetzigen Daseins liegt für jüdische Denk- 25 weise nicht darin, daß es zeitgebunden, sondern darin, daß es inhaltlich wechselvoll, *vorübergehend* ist. Es ist also eine Last gar nicht für die, die (nach dieser Zeit) „zur Qual gehen" (s Bar 44, 11), sondern nur für die „Erben" der Herrlichkeit. Innerhalb der griechischen Denkform dagegen wären τὰ βλεπόμενα und πρόσκαιρα strenge Korrelatbegriffe: die Sinnenwelt ist notwendig 30 *der Zeit verhaftet*, und schon in dieser Tatsache der Zeitgebundenheit liegt das Drückende, und zwar gleicherweise für alle Menschen (→ Z 1 ff Jambl). Bei Paulus scheint sich die griechische Auffassung über die jüdische gelagert zu haben: der Christ richtet sein inneres Augenmerk nicht auf das im Bereich der Sinnenwelt [5] verlaufende Schicksal des „äußeren" Menschen, weil (γάρ) dieses 35 *zeitlich* ist. In πρόσκαιρος kann (wie im deutschen *zeitlich*) beides mitschwingen, die Reihe *vergänglich, vorübergehend, nicht endgültig*, und die andere *zeitverhaftet, zeitgebunden, nicht transzendent*.

Auffallend ist die Seltenheit von πρόσκαιρος und ähnlichen Ausdrücken in verwandten Erörterungen der griechischen Philosophie [6]. Plat etwa setzt Phaed 79 b. d 40 das Unsichtbare mit dem ἀεὶ ὄν gleich: aber ein entsprechender Begriff für die Zeitlichkeit fehlt, und auch das ἀεὶ ὄν tritt im folgenden ganz zurück; es wird meist θνητός (bezw θεῖος) gebraucht. Das liegt nicht etwa an einem Mangel der sprachlichen Ausdrucksmöglichkeiten begründet; denn noch Plot Enn IV 7 verwendet in einer Erörterung über die Unvergänglichkeit der Seele fast immer das Gegensatzpaar sterb- 45 lich — unsterblich (bzw göttlich); VII 1 (II 120, 24 f Volkmann) begegnet einmal εἰς χρόνον τινὰ δοθείς *(zeitlich)*, sonst einige wenige Male ἀΐδιος. Ähnliches gilt von der Stoa [7].

Delling

---

[3] Die letztere ist zumal im Judt ein betonter Wert.
[4] Vgl Ditt Syll [3] zu 1109, 44; Hck Mk zu 4, 17.
[5] Diese wird durch βλεπόμενα gekennzeichnet. Entsprechend steht bei Plat, nachdem er Phaed 79 a exakter die Sphäre des

äußeren Menschen durch die verschiedenen sinnlichen Wahrnehmungen charakterisiert hat, kurzerhand nur noch τὸ ὁρατόν für diese.
[6] Vgl immerhin das von Wnd 2 K zu 4, 18 b gesammelte Material.
[7] Vgl II 223 ff vArnim.

καίω

Von den 13 nt.lichen Stellen, an denen καίω vorkommt: *anbrennen, verbrennen,* sind theologisch von Belang: Lk 24, 32 und 1 K 13, 3.

1. Lk 24, 32: οὐχὶ ἡ καρδία ἡμῶν καιομένη ἦν ἐν ἡμῖν; „brannte nicht unser Herz in uns?"[1]. Diese allgemein geläufige Wendung ist begreiflicherweise auch im antiken Schrifttum, sowohl im griechischen als im lateinischen, belegt. Vielleicht aber ist im vorliegenden Falle mit der Nachwirkung eines biblisch-jüdischen Sprachgebrauchs zu rechnen[2]: ψ 38, 4: ἐθερμάνθη ἡ καρδία μου ἐντός μου, καὶ ἐν τῇ μελέτῃ μου ἐκκαυθήσεται πῦρ, ψ 72, 21: ἐξεκαύθη ἡ καρδία μου. Das Wort καίω findet sich Test N 7, 4: ἐκαιόμην τοῖς σπλάγχνοις.

Die an sich ebenfalls sinnvolle vl κεκαλυμμένη in D dürfte als Schreibfehler für κεκαυμένη statt καιομένη verständlich zu machen sein. Mehr Gewicht hat die Lesart jaqir in den syr Versionen (sy[cs]); das entspricht dem griech βαρεῖα, während dem καιομένη jaqid entspricht. Es könnte also auch hier eine Verwechslung vorliegen. Oder für jaqir, das auch in alten it-Hdschr, etwa exterminatum in e, vorausgesetzt ist, erscheint als die ursprüngliche griech vl βεβαρημένη in dem Sinn: „Wie urteilslos sind wir gewesen!"[3].

2. 1 K 13, 3: ἐὰν παραδῶ τὸ σῶμά μου ἵνα καυθήσομαι[4], „wenn ich meinen Leib hingebe, um verbrannt zu werden". Die Auslegung ist strittig. Man hat sich für **Feuermartyrium**[5], für **Selbstverbrennung**[6] oder für **Sklavenbrandmarkung**[7] ausgesprochen.

a. Das **Feuermartyrium** hat jedenfalls vom **Judentum** her im Gesichtskreis des Paulus gelegen, während nicht auszumachen ist, ob der Apostel auch schon etwa **christliche Feuermartyrien** im Auge gehabt haben kann.

Die Stelle Hb 11, 34: ἔσβεσαν δύναμιν πυρός zeigt, daß das Durchhalten und der Sieg im Feuermartyrium als höchster Glaubenserweis angesehen wurden. Diesen Erweis haben die drei Männer im feurigen Ofen erbracht, wie das Da 3, 23ff geschildert ist und worauf 2 Makk 7, 3ff und 1 Cl 45, 7 kurz hingewiesen wird.

καίω. [1] S Kl Lk zSt u Str-B zSt.

[2] Wellh Lk zSt: „**Unser Herz brannte** entspricht dem biblischen נכמרו רחמי".

[3] Vgl das textkritische Referat bei Kl Lk zSt; ferner WCAllen, JThSt 2 (1901) 299.

[4] Die von 𝔓 69 pc Or vertretene LA καυχήσωμαι wird von AvHarnack (SAB [1911] 142) für ursprünglich gehalten. Dagegen Ltzm K zSt: „Bedenklich ist nur, daß es (sc καυχήσωμαι) den Gegensatz ἀγάπην δὲ μὴ ἔχω vorweg zu nehmen scheint". Ferner FJDölger, Antike und Christentum I (1929) 254: „Bei der Variante καυχήσωμαι möchte man einen Hörfehler annehmen, der bei nachlässigem Sprechen durchaus begreiflich wäre. Es könnte sich aber auch die Vermutung nahelegen, daß das Wort ursprünglich nur als Erläuterung und Erklärung des καυθήσομαι von einem Erklärer an den Rand gesetzt wurde und daß es dann, in den Text hereingenommen, das ähnliche καυθήσομαι verdrängt hätte. Der Begriff καυχήσωμαι »damit ich mich rühme« hätte danach das καυ-

θήσομαι »damit ich verbrannt werde« in seinem letzten Ziele dahin bestimmt, daß dieses Verbrennen aus Ruhmsucht geschehe." ADeißmann, Paulus [2] (1925) 76 A 6: „Die Abänderung von καυθήσομαι legte sich später durch die Reflexion nahe, daß das Martyrium des Paulus kein Feuermartyrium gewesen sei." EPreuschen, ZNW 16 (1915) 129: „Die Lesart καυχήσωμαι wird so lange als Erleichterung zu gelten haben, als für καυθήσομαι eine befriedigende Erklärung gefunden werden kann." JohW 1 K zSt: „καυχήσωμαι ist ein Ersatz, weil man καυθήσομαι nicht mehr verstand." Wenn Nestle für καυχήσωμαι auch Cl, also Clemens Alexandrinus, nennt, so ist das ein Irrtum; denn die betreffende Stelle bei Cl Al Strom IV 18 § 112, 1 lautet: ἔστι γὰρ καὶ ὁ λαὸς ὁ τοῖς χείλεσιν ἀγαπῶν, ἔστι καὶ ἄλλος < ὁ > παραδιδοὺς τὸ σῶμα, ἵνα καυθήσεται.

[5] So ADeißmann aaO.

[6] So JohW 1 K zSt und sehr ausführlich FJDölger aaO 254ff.

[7] So EPreuschen aaO 127ff.

Auch in der rabbinischen Literatur sind die Feuermartyrien als Gegenstand sehr beliebt: erwähnt seien das Feuermartyrium Chanina bTeradions bAZ 18 a par. Nach dem Vorbild von Da 3, 23 ff hat sich die Legende von Abrahams Martyrium im Feuerofen schon frühzeitig gebildet; sie begegnet bereits bei Pseud-Philo (Ausg Basel 1527, 6 D bis 7 B): Abraham ist mit 11 Genossen festgenommen, weil 5 er sich geweigert hat, am babylonischen Turme mitzubauen. Der maßgebende Fürst Jectam will den Gefangenen zur Freiheit verhelfen. Abraham allein bleibt standhaft: ecce ego fugio hodie in montana: et si evasero ignem, exient de montibus ferae bestiae et comedent nos, aut escae nobis deficient, et moriemur fame, et inveniemur fugientes ante populum terrae, cadentes in peccatis nostris. Et nunc vivit in quo 10 confido: quia non movebor de loco meo, in quo posuerunt me, et si fuerit aliquod peccatum meum, et consumens consumar, fiat voluntas dei. — Die Legende von Abrahams Martyrium und Rettung hat im Judt eine große Ausbreitung erfahren, ein Zeichen für die Popularität des Gedankens vom Glaubensheldentum. Von den Juden haben die Araber die Legende übernommen und weiter ins Phantastische ausgestaltet. 15 Auch die gleich zu nennende Stelle 2 Makk 7 (das Martyrium der Mutter mit ihren 7 Söhnen) hat in der rabb Lit nachgewirkt: Eka r I § 50 zu 1, 16 (Wilna 1887, 17 d/18 a) und par (wo allerdings gerade der Feuertod fehlt)[8].

Besonders ausführliche Darstellungen des Feuermartyriums finden sich dann 2 Makk 7, 3 ff und 4 Makk passim[9]. Wenn 4 Makk wahrscheinlich nicht zu lange vor Paulus, 20 vielleicht sogar zu seinen Lebzeiten entstanden ist, so mag dieses Buch dem Apostel bekannt gewesen sein. Jedenfalls fanden zu dieser Zeit bei den Judenverfolgungen im ägyptischen Alexandria unter Caligula öffentliche Judenverbrennungen statt, die die ganze jüdische Welt erregten[10]. Diese Juden nahmen das Martyrium auf sich, weil sie den Kaiserkult verweigerten. Es handelt sich also wie auch bei den makka- 25 bäischen Feuermartyrien im Grunde um ein freiwillig vom Märtyrer übernommenes Geschick, dem er sich hätte entziehen können, wenn er sich den Zumutungen der Machthaber unterworfen hätte[11].

Paulus steht solchem Heroismus, bei dem der Mensch schließlich mehr auf sich selbst als auf Gott sieht, skeptisch gegenüber. Der Apostel, der gerade 30 im 1 K gegen alle Standpunktsbetontheit, gegen alle -ismen, gegen Libertinismus, Asketismus, Perfektionismus, Individualismus kämpft, findet auch den Märtyrer-Enthusiasmus verdächtig als einen Ausfluß des gefährlich werdenden Charismatikertums, bei dem die menschliche Hybris nicht gerade herausschauen muß, aber kann. Religiöse Bravourleistungen entarten zur Werkgerechtigkeit, bei 35 der die Gnade Gottes nicht mehr alles ist. Die Sucht nach dem eigenen Kreuz im Martyrium kann das Kreuz Jesu Christi verdunkeln. Die paulinische Standpunktslosigkeit ist demgegenüber ein Absehen von allen, selbst den begeisterndsten und edelsten Zuständen und Betätigungen, wie sie dem Menschen, auch dem Christenmenschen lieb sind, ein Leerseinwollen, ein Gehorsameinwollen, 40 damit Gott allein im Regimente sitzt und im Gericht über den Menschen die Gnade in Christus heraufführt[12]. Die übliche Deutung von 1 K 13, nach der die dort gepriesene ἀγάπη als die Bruderliebe gegen alles andere, schließlich sogar gegen die πίστις gestellt wird, zu welchem Mißverständnis die letzten

---

[8] Z 1—18 von RMeyer.
[9] Vgl Kautzsch Apkr u Pseudepigr II 149 ff (ADeißmann).
[10] Vgl Schürer I 498.
[11] Damit widerlegt sich der Einwand von JohW 1 K zSt, der meint: „Pls setzt den Fall, daß Jemand freiwillig seinen Leib hingibt; damit ist die Deutung auf irgend ein Martyrium ausgeschlossen." Ähnlich EPreuschen aaO 131: „Wenn man an ein Martyrium denkt, so ist schwierig, die Freiwilligkeit festzu-

halten." FJDölger aaO 258 f dürfte ebenfalls übertreiben, wenn er meint: „Das paul Wort ist stärker. Es müßte bei der Ausdeutung der Verbrennung auf die Martyriumstrafe mindestens von einer freiwilligen Meldung u Selbstanzeige vor der weltlichen Obrigkeit verstanden werden, die dann das Urteil der Feuerstrafe verhängen u ausführen ließe."
[12] Vgl KLSchmidt, Der Apostel Paulus u die antike Welt (Vorträge der Bibliothek Warburg [1927]) 59 ff.

Worte des Kapitels Anlaß geben, trifft nicht das Entscheidende[13]. Denn die ἀγάπη, an die Paulus denkt, bildet keinen Gegensatz zur πίστις.

Ganz richtig spricht Tertullian in seiner Schrift gegen Praxeas (Kp 1) von der dilectio dei, wie er überhaupt 1 K 13, 3 richtig so versteht: (Praxeas) „insuper de iactatione martyrii inflatus ob solum et simplex et breve carceris taedium; quando, et si corpus suum tradidisset exurendum, nihil profecisset, dilectionem dei non habens, cuius charismata quoque expugnavit". Also: auf die dilectio dei und die charismata dei kommt es an[14]. Auch die „makkabäische" Märtyrerfrömmigkeit hat in solchem Zusammenhang ihre Bedenklichkeiten. Der tapfer hingenommene und erduldete Feuertod gilt dem Stoiker als die schwerste und dann herrlichste Probe. Ein Seneca verlangt Gleichmut auch im Angesicht von Feuertod und Kreuz[15]. Solche stoische Gedankeneinstellung findet sich auch im hellenistischen Judentum, wofür 4 Makk ein besonders deutlicher Beweis ist[16]. Wenn Paulus diese Schrift gekannt hat, so hat er das in ihr zutage tretende heroische Persönlichkeitsideal des vir bonus et impavidus abgelehnt.

b. Nicht anders steht es mit der Selbstverbrennung, die in der griechisch-römischen Welt als eine besonders ruhmvolle Tat gegolten hat[17].

Das berühmteste Beispiel und mannigfache Vorbild aus dem griechischen Mythos ist die Selbstverbrennung des Herakles (auf dem Ötagebirge); vgl dazu etwa Soph Trach 1195 ff; Soph Phil 728; Apollodor II 7, 7 (JGFrazer [1921] 270); Diod S IV 38, 4. Solch eine Tat ist das τηλαυγὲς πρόσωπον für das heroische Ende — und zugleich für das Hinüberschreiten zu den Göttern — des Menschen, dessen ganzer Lebensweg, den Tod nicht ausgenommen, nur Mühe und Qual (πόνος) ist[18]. Tertullian (Apologeticum 50, 4. 5) sieht in diesen Vorgängen, die große Männer und Frauen der früheren Zeiten auf sich genommen hätten, famae et gloriae causa, etwas für die vor dem Martyrium stehenden Christen Vorbildliches. Das schließt natürlich nicht aus, daß Paulus, wenn er von solchen Selbstverbrennungen gewußt hat, in dieser Sache anders gedacht und gesprochen hat. Eine besondere Stelle nimmt in der Schätzung seitens der antiken Schriftsteller die indische Selbstverbrennung ein (die Geschichte von Alexander dem Großen und dem Inder Kalanos), von der Philo (Omn Prob Lib 96) erzählt. Dieser Bericht über die wahre innere Freiheit des Philosophen, der auch über den Tod im Feuer erhaben ist, wurde im christlichen Altertum vielfach weitergegeben, und zwar in dem Sinne, daß, wie vor einer solchen indischen Selbstverbrennung, vor der Martyriumssucht mancher Christen gewarnt wird. Nach Cl Al Strom IV 4 § 17, 1—3 „geben sich solche Christen einem unnützen Tod preis, wie die Gymnosophisten der Inder, die sich einem zwecklosen Feuertode überantworteten". Ein Nachahmer solcher indischer Philosophen und dann auch des Herakles war Peregrinus Proteus, über dessen Freitod auf dem Scheiterhaufen Luc Pergr Mort 39 berichtet: durch seine Selbstverbrennung und seine nachfolgende Himmelfahrt stempelte er sich selbst zum νέος Ἡρακλῆς. Hierher gehört auch die Selbstverbrennung indischer Witwen, von der ebenfalls das Altertum schon wußte. In der stoischen Philosophie wurde das alles als ein besonders wirksamer Beleg für die Lehre von der ἀπάθεια, ἀταραξία, καρτερία gewertet. Wenn Paulus diesen Stoff und seine hohe Einschätzung gekannt hat, so hat er nun den vielgerühmten freiwilligen Feuertod ohne die ἀγάπη für nutzlos erklärt[19].

---

[13] → I 51 f (ἀγάπη) ist richtig erkannt, daß die ἀγάπη im Zeichen von σταυρός und τέλος steht; aber das Ganze ist zu sehr auf die Bruderliebe eingeengt, während es auch 1 K 13 um die ἀγάπη θεοῦ geht, wobei der Genetiv θεοῦ viel zu komplex ist, um in das Schema Gen subj oder Gen obj eingefangen werden zu können.

[14] Anders FJDölger aaO 259: „Selbst wenn Christenverbrennungen in der Zeit vor dem ersten Korintherbrief vorgekommen wären, so scheint mir ein selbstgesuchter Martertod durch Verbrennung dem Texte des Paulus nicht gerecht zu werden. Denn dem im Glaubenseifer erstrebten Martertod wird Paulus die Liebe nicht abgesprochen haben. Das konnte nur ein temperamentvoller Mann, wie Tertullian, wenn er im Kampfe mit den Ketzern stand". Dieser Einwand dürfte zu

wenig damit rechnen, daß Paulus gegen die Werkgerechtigkeit auch in ihren feinsten Verästelungen kämpft. Im übrigen mag Paulus mindestens genau so temperamentvoll wie Tertullian gewesen sein und zudem wie dieser auch im 1 K gegen „Ketzer" haben kämpfen müssen. Und schließlich: wenn keine christlichen Martyrien anzunehmen sind, so können es jüdische gewesen sein.

[15] Auf Sen bei Lact Inst VI 17 § 28 weist FJDölger aaO 258 hin.

[16] ADeißmann (→ A 9) zitiert ENorden, Die antike Kunstprosa . . . I (1898) 417: Bewiesen werden soll 4 Makk „der stoische Satz, daß die Vernunft Herrin über die Affekte ist".

[17] Reiches Material bei FJDölger aaO 259 ff.

[18] Z 18—23 von HKleinknecht.

[19] FJDölger aaO 269 schließt seine Zusammenstellung mit den Worten: „Die Lit

Die Frage, ob Paulus 1 K 13, 3 an das Feuermartyrium oder an die Selbstverbrennung gedacht hat, wird sich nicht mit Bestimmtheit beantworten lassen, als wenn nur das aut-aut in Betracht käme. Paulus kann an beides zugleich gedacht haben. Eine solche vermittelnde Hypothese als Ergebnis unserer Ausführungen liegt deshalb einigermaßen nahe, weil Feuermartyrium und Selbst- 5 verbrennung schließlich auf denselben Enthusiasmus hinauslaufen: in dem einen wie dem andern paradiert der Stoiker, bewährt sich aber nicht der Christ.

c. Mehr anhangsweise sei noch von der Sklavenbrandmarkung gesprochen. Unter der Voraussetzung dieser Sache wäre der Text 1 K 13, 3 so zu verstehen: „Wenn ich meinen Leib hingebe, daß er das Sklavenmal erhält". 10 Die Hinnahme eines solchen Males wäre die Selbsthingabe in die Sklaverei in der Absicht, anderen zu helfen. Dann wäre aber schon die ἀγάπη da, die Paulus erst darnach als das Höhere nennt. Dazu kommt, daß Brandmarkung und Sklavenmal nicht ohne weiteres identisch sind: die Einbrennung eines Males kommt mehr für flüchtig gegangene Sklaven und Verbrecher in Betracht, während das eigentliche Sklavenmal 15 die Eintätowierung war[20].

Abgesehen von diesen Schwierigkeiten gewinnt 1 K 13, 3 mehr Farbe, wenn wir das Wort mit den unter *a* und *b* geschilderten Vorgängen zusammenbringen.

KLSchmidt

---

† κακολογέω   20

Seltenes Wort (seit Lys und Gorg; das Subst κακολογία seit Hdt, das zugrundeliegende Adj κακολόγος seit Pind) *schmähen, beschimpfen, Schlechtes nachreden.* In LXX für קלל pi und hi: *fluchen,* dafür aber meist καταρᾶσθαι. Daneben tritt in LXX öfter die besser attische Wendung κακῶς ἐρεῖν oder εἰπεῖν auf.

Im NT Mt 15, 4; Mk 7, 10 in der negativen Fassung des vierten Gebotes: 25 „Wer Vater oder Mutter flucht, soll des Todes sterben"; fast wörtlich LXX Ex 21, 16[1]; ähnlich Lv 20, 9; Dt 27, 16; Prv 20, 9a; Ez 22, 7. Nach rabbinischer Deutung verfällt der Strafe (die als Steinigung wenigstens theoretisch gefordert wird[2]) nur der, der die Eltern mit Nennen des Gottesnamens verflucht[3]. Jesus lehnt auch hier jede Kasuistik ab und faßt dadurch das Gebot viel weiter, tiefer 30 und strenger. Schon wer den Eltern etwas vorenthält, sei es auch unter einem religiösen Vorwand, übertritt das Gebot Gottes[4].

Mk 9, 39 sagt Jesus von dem fremden Exorzisten: „Wenn jemand auf Grund meines Namens ein Wunder tut, wird er mir nicht so bald Übles nachreden"[5]. Die sprichwortartige Wendung, die, wie schon JWeiß[6] vermutete, einen feinen 35

---

der damaligen Zeit war erfüllt mit dem Ruhm von Persönlichkeiten, die sich freiwillig dem Feuertode ausgeliefert haben."

[20] Der Kritik von FJDölger aaO 255 ff an EPreuschen aaO 127 wird man hier zustimmen müssen.

κακολογέω. Pr-Bauer 619 ([3] 660); Wilke-Grimm 222; Bl-Debr [6] §151, 1; Helbing, Kasussyntax 20; LBrun, Segen u Fluch im Urchr = Skrifter utgitt av det norske Videnskaps Akademi, Hist-Filos Kl (1932).

[1] Das Fehlen der Possessiva im NT ist viel-

leicht galiläisches Aramäisch, vgl Zn Mt zSt, kann aber ebensogut griech sein.

[2] Sanh VII 4; MEx 21, 17 (88a); Str-B I 709.

[3] Sanh VII 8; Str-B ebd.

[4] Im Zshg würde man eigentlich vermuten, daß LXX Dt 27, 16 ἀτιμάζειν statt κακολογεῖν stehen sollte. Doch ist durch die rabb Tradition κακολογεῖν gefordert, → A 3. ἀτιμάζειν ist weiter als κακολογεῖν, vgl AHMac Neile, The Gospel according to St Matthew (1915) zSt; Jesus kommt es darauf an, die Enge der Gegner zu charakterisieren.

[5] Ähnlich ist κακολογεῖν 2 Makk 4, 1 gebraucht.

[6] Schr NT I [2] (1907) zSt.

Humor enthält, hat formale Parallelen[7]. Unwahrscheinlich ist, wie Loisy nach älteren Vorgängern vermutete, daß mit der Wendung die Jerusalemer Urgemeinde angegriffen werden solle, die Paulus als „falschen Exorzisten" betrachte[8]. Dagegen bedeutet das Wort 1 K 12, 3 in seiner letzten Wirklichkeit verstanden:
5 wer irgendwie den Herrn anerkennt, tut das schon unter der Wirkung des heiligen Geistes.

Ag 19, 9 schmähen Juden öffentlich in der Synagoge die Botschaft des Paulus (ὁδός wie Ag 9, 2); hier heißt κακολογεῖν deutlich: *lästern, schimpfen*, nicht „fluchen".

10   *Carl Schneider*

κακοπάθεια, -θέω → πάσχω

κακός, ἄκακος, κακία, κακόω, κακοῦργος, κακοήθεια, κακοποιέω, κακοποιός, ἐγκακέω, ἀνεξίκακος

→ ἀγαθός I 10 ff; → ἁμαρτάνω I 267 ff;
→ πονηρός.

15   *κακός*

Inhalt: A. κακός im Griechentum; — B. κακός im Hellenismus; — C. Das böse Prinzip im Parsismus; — D. κακός im AT (LXX): 1. τὸ κακόν als Unheil und Übel; 2. als ethischer Begriff; — E. κακός im NT.

Das Wort κακός, das stets im Gegensatz zu → ἀγαθός gesehen
20   wird, bringt zum Ausdruck das Vorhandensein eines Mangels. Es ist keine positive Macht, sondern ein Unvermögen, eine Schwäche. Es hat also — wie unser „schlecht" — nicht nur eine sittliche Bedeutung. Der ganze Bedeutungsreichtum der Vokabel kommt in den drei Steigerungen — χείρων, κακίων, ἥττων — zum Ausdruck. So bedeutet κακός: *a. gering, untauglich, wenig leistungsfähig, schlecht in seiner Art*, zB: κακοὶ
25   νομῆες Hom Od 17, 246; κακὸς ἰατρός Aesch Prom 471. Durch Zusätze wird eine nähere Bestimmung erreicht: πάντα γὰρ οὐ κακός εἰμι (nicht in jeder Hinsicht . . .), μετ' ἀνδράσιν ὅσσοι ἄεθλοι Hom Od 8, 214; κακοὶ γνώμαισιν Soph Ai 964; εἶδος μὲν ἔην κακός Hom Il 10, 316; κακὸς μανθάνειν Soph Oed Tyr 545. — *b. sittlich schlecht, böse*, zB: ἐν νόστῳ ἀπόλοντο κακῆς ἰότητι γυναικός Hom Od 11, 384; οὐχ ὁ χρηστὸς τῷ κακῷ
30   (κακός und χρηστός Gegensätze!) λαχεῖν ἴσα Soph Ant 520; κακὸς πρός . . . Thuc I 86, 1. — *c. schwach*, zB: κακὸς καὶ ἄθυμος Hdt VII 11; κακὸς καὶ δειλός Plat Menex 246 e; κακοὺς ὄντας πρὸς αἰχμήν, ἐν δὲ τοῖς λόγοις θρασεῖς Soph Phil 1306. Vgl auch die Zusammensetzung κακοσκελής mit schwachen Beinen zB: Xenoph Mem III 3, 4. — *d. unglücklich, schlimm, verderblich, übel*, zB: κακὸς δαίμων Aesch Pers 346; κακὴ τύχη Aesch

---

[7] Str-B II 19.
[8] ALoisy, L'Evangile selon Marc (1912) zSt; vgl auch Kl Mk zSt.

κακός. FrBillicsich, Das Problem der Theodizee im philosophischen Denken des Abendlandes (= Philos Abh der österreichischen Leo-Gesellschaft) I (1936); WCapelle, Zur antiken Theodizee, Archiv der Geschichte der Philosophie 20 (1907) 173 ff; ODittrich, Geschichte der Ethik I/II (1926) Regist sv „böse", „schlecht", „Übel"; PGünther, Das Problem der Theodizee im Neuplatonismus, Diss Leipzig (1906); HHommel, Das Problem des Übels im Altertum, Neue Jahrbücher für Wissenschaft und Jugendbildung 1 (1925) 186 ff; FAMärcker,

Das Prinzip des Bösen nach den Begriffen der Griechen (1842); CRitter, Platons Gedanken über Gott und das Verhältnis der Welt und des Menschen zu ihm, ARW 19 (1919) 232 ff, 466 ff; ESchröder, Plotins Abhandlung πόθεν τὰ κακά [Enn I 8], Diss Leipzig (1916); WSesemann, Die Ethik Platos und das Problem des Bösen, in: Philos Abh HCohen dargebracht (1912) 170 ff; ATitius, Platons Gottesgedanke und Theodizee, in: RSeeberg-Festschr I (1929) 141 ff. Weitere Lit → A 23. Für das AT und NT tauchen die mit dem Begriff κακός zusammenhängenden Fragen nicht selbständig auf, sondern fallen unter die Frage der Sünde. Lit also → ἁμαρτάνω I 286; ferner → ἀγαθός I 10 Lit-A.

Ag 1203; Soph Ai 323; ἄτη κακή Soph Ai 123; κακὸν ἔπος ἀγγελέοντα Hom Il 17, 701; ὁδὸς δύσποτμός τε καὶ κακή Soph Oed Col 1432 f. Von daher ist das Substantivum τὸ κακόν, τὰ κακά bestimmt: *das Übel, das Leid, das Unglück, das Verderben,* zB: τὰ πολλ' ἐκεῖν' ὅτ' ἐξέχρη κακά Soph Oed Col 87 uä.

Die Frage des Mangels und Unvermögens, die in verschiedenster Form für 5 alle Gebiete der Wirklichkeit an der Vokabel κακός aufbricht, hat nun eine erhebliche Bedeutung für Leben und Religion der Menschen aller Zeiten gewonnen. An ihr hat sich besonders eine Frage entzündet, die größte Bedeutsamkeit gewonnen hat, die Frage nach dem Woher und dem Wozu des Bösen und des Übels, die Frage damit nach dem Sinn der Welt und nach dem Sinn Gottes, die 10 Frage der Theodizee. An ihr entsteht ebenso die sittliche Frage nach der Überwindung des Mangels.

A. κακός im Griechentum.

Im ältesten Griechentum schon bereiten sich auf die Frage nach dem Bösen und dem Übel[1] zwei Antworten vor, die in bestimmten 15 Abwandlungen immer neu gegeben worden sind. Die ältere besagt, daß aus einer göttlichen Notwendigkeit heraus auch das κακόν von der Gottheit kommt und gesetzt ist: ἀτὰρ θεὸς ἄλλοτε ἄλλῳ Ζεὺς ἀγαθόν τε κακόν τε διδοῖ· δύναται γὰρ ἄπαντα Hom Od 4, 236 f (vgl auch Il 24, 525 ff). Dem steht eine jüngere Auffassung, die zwischen selbstverschuldetem und gottgesandtem Unheil 20 unterscheidet, gegenüber. In der Götterversammlung verkündet Zeus: ὢ πόποι, οἷον δή νύ θεοὺς βροτοὶ αἰτιόωνται. ἐξ ἡμέων γάρ φασι κακ' ἔμμεναι· οἱ δὲ καὶ αὐτοὶ σφῇσιν ἀτασθαλίῃσιν ὑπὲρ μόρον ἄλγε' ἔχουσιν Hom Od 1, 32 f. In dem folgenden Beispiel (1, 37 f) zeigt Zeus, daß das Unheil durch Nichtbeachtung göttlicher Warnung entstehen kann: εἰδὼς αἰπὺν ὄλεθρον, ἐπεὶ πρό οἱ εἴπομεν ἡμεῖς, Ἑρμείαν 25 πέμψαντες. Auf dieser doppelten Anschauung baut sich die griechische Tragödie auf, sowohl die des Äschylus wie auch des Sophokles, die um das Problem Schuld und Verhängnis kreisen[2]. Sophokles hat dabei einmal im Ödipus auf Kolonos den Glauben begründet, der im Chorlied vor der Entrückung des Ödipus seinen Ausdruck findet: νέα τάδε νεόθεν ἦλθέ μοι [νέα] βαρύποτμα κακὰ παρ' 30 ἀλαοῦ ξένου, εἴ τι μοῖρα μὴ κιγχάνει. μάτην γὰρ οὐδὲν ἀξίωμα δαιμόνων ἔχω φράσαι. ὁρᾷ ὁρᾷ ταῦτ' ἀεὶ χρόνος, ἐπεὶ μὲν ἕτερα, τὰ δὲ παρ' ἦμαρ αὖθις αὔξων ἄνω Oed Col 1448 ff, ein Glaube, der besagt, daß alles Tun der Götter sinnvoll und das Ziel erreichend ist, daß sie auch Verhängnis sinnvoll wandeln, ein Glaube, der allerdings zu seinem Ausdruck das Wunder einer Entrückung benutzt und darin 35 seinen ahnenden Charakter enthüllt: in der Zeit zwischen Geburt und Tod, die dem Menschen gegeben ist, gibt es keine letzte Lösung der Frage. Aus der Schau des politischen griechischen Menschen geht Solon in der Elegie ἡμετέρα δὲ πόλις der Frage des Unheils nach, das er für seine Stadt heraufziehen sieht, nicht als ein von den Göttern kommendes Verhängnis, sondern als ein selbst- 40 verschuldetes Unheil, das nach dem Gesetz der in der Zeit sich erfüllenden δίκη kommen muß, weil sie die Warnung nicht hören, die er, Solon, der damit an die Stelle des warnenden Götterboten bei Homer und in der Tragödie tritt,

---

[1] → ἁμαρτάνω I 299 ff.   → bes ἁμαρτάνω I 300, 11 ff.

ausspricht: ταῦτα διδάξαι θυμὸς Ἀθηναίους με κελεύει³. „Seine Belehrung baut
sich in zwei sich deutlich voneinander abhebenden Teilen auf, einem negativen
(v 1—32), der Warnung vor den zerrüttenden Folgen der Ungerechtigkeit, und
einem positiven (v 33 bis Schluß), dem Lobpreis der Segnungen der εὐνομία"⁴.
5 Diese Elegie hat zur Voraussetzung den echt griechischen Gedanken, der von
Sokrates und Plato durchgebildet ist, daß an der Unwissenheit das κακόν, an
dem Wissen das ἀγαθόν entsteht.

Was also den Dichter und den Politiker bewegt, dem geht der Philosoph
denkend nach. In der ältesten griechischen Philosophie schon fragte man nach
10 dem κακόν, nach seinem Wesen, nach seinem Woher und Wozu.

> Den Pythagoreern erscheint das gestaltlose ἄπειρον als Quelle des κακόν: τὸ
> γὰρ κακὸν τοῦ ἀπείρου ὡς Πυθαγόρειοι εἴκαζον, τὸ δὲ ἀγαθὸν τοῦ πεπερασμένου Aristot Eth
> Nic II 5 p 1106 b 29 f. Sie haben also von vornherein eine dualistische Lösung. Dem
> Unbegrenzten steht das die Weltordnung schaffende Begrenzende gegenüber. Dem
> 15 Heraklit erscheint das Schlechte als der notwendige Gegensatz zum Guten, ohne das
> Schlechte kein Gutes: νοῦσος ὑγιείην ἐποίησεν ἡδύ, κακὸν ἀγαθόν, λιμὸς κόρον Fr 111
> (Diels I 99, 8). Bei ihm schon findet sich das aristokratische Urteil: οἱ πολλοὶ κακοί,
> ὀλίγοι δὲ ἀγαθοί Fr 104 (Diels I 98, 8 f)⁵. Doch steht für ihn hinter den Gegensätzen
> eine verborgene, aber wunderbare Harmonie. Empedokles hat eine ganz andere Lö-
> 20 sung gefunden: πάντα τὸν καθ᾽ ἡμᾶς τόπον ἔφη κακῶν μεστὸν εἶναι καὶ μέχρι μὲν σελήνης
> τὰ κακὰ φθάνειν ἐκ τοῦ περὶ γῆν τόπου ταθέντα, περατέρω δὲ μὴ χωρεῖν, ἅτε καθαρω-
> τέρου τοῦ ὑπὲρ τὴν σελήνην παντὸς ὄντος τόπου Fr 163 (Diels I 210, 27 ff)⁶. Da-
> hinter steht der Gedanke, daß die dem Menschen einwohnenden Seelen aus einem
> Guten oberhalb der irdischen Sphäre, das ein glückseliger Zustand war, verstoßen
> 25 wurden wegen einer Schuld in das jammervolle irdische Dasein, aus dem sie sich
> wieder emporläutern müssen. Der Zustand des Bösen und Übeln ist also Strafe.
> Demokrit sieht die Quelle des Schlechten im Menschen und sagt: ἂν δὲ
> σαυτὸν ἔνδοθεν ἀνοίξῃς, ποικίλον τι καὶ πολυπαθὲς κακῶν ταμιεῖον εὑρήσεις καὶ θησαύρισμα
> Fr 149 (Diels II 88, 28 ff). Scharf grenzt er sich — darin in Übereinstimmung mit
> 30 Empedokles — dagegen ab, daß die Gottheit mit dem Schlechten in Verbindung ge-
> bracht werde; vielmehr im Menschen liegt es und hat seine Ursache in der menschlichen
> Unwissenheit: . . . ὁκόσα κακὰ καὶ βλαβερὰ καὶ ἀνωφελέα, τάδε δ᾽ οὔ<τε> πάλαι οὔτε νῦν
> θεοὶ ἀνθρώποισι δωροῦνται, ἀλλ᾽ αὐτοὶ τοῖσδεσιν ἐμπελάζουσι (nähern sich) διὰ νοῦ τυφλότητα
> καὶ ἀγνωμοσύνην Fr 175 (Diels II 96, 8 ff). Diese Überzeugung findet sich besonders
> 35 stark bei Sokrates. Ihm ist das Böse, das einer tut, eine Folge seiner Unwissenheit
> um die Tugend und das Leiden an einem Übel die Folge seiner Unwissenheit um die
> Vorsehung der Gottheit. Durch das Wissen der Tugend, die den Menschen zum Tun
> des Guten führt und ihn damit zum sittlichen Menschen macht, kommt er zugleich
> in den Schutz göttlicher Vorsehung, die für den sittlichen Menschen alles zum Besten
> 40 lenkt. Sokrates hat diese seine Lehre mit dem Tode bestätigen müssen und bezeugt
> sie angesichts seines Todes: „Das eine aber muß man als wahr erkennen, daß es für
> einen guten Mann kein Übel gibt, weder im Leben noch im Tode. So ist auch, was
> mir nun begegnet, nicht zufällig so gekommen, sondern so viel ist mir klar, daß für
> mich schon Tot- und Erlöstsein das Beste ist", Plat Ap 41 c⁷.

45   Damit sind der Ansatz für ein weiteres Nachdenken und die beiden Möglichkeiten gegeben, um die das Denken immer wieder kreiste, die

---

³ Vgl WJaeger, Solons Eunomie, SAB
(1926) 69 ff. Unser Zitat S 76.

⁴ Jaeger 77.

⁵ Dieses Urteil findet sich auch bei Plat:
. . . ὁρᾶν αὐτῶν τοὺς μὲν ἀχρήστους, τοὺς δὲ
πολλοὺς κακοὺς πᾶσαν κακίαν . . . τί ποθ᾽ οἱ πολλοὶ κακοί Resp V 490 d, vgl entsprechend von
den κακά II 379 c: πολὺ γὰρ ἐλάττω τἀγαθὰ
τῶν κακῶν ἡμῖν, auch X 609 a; in der Stoa:
τῶν δὲ ἀνθρώπων οἱ πλεῖστοι κακοί . . . Alex
Aphr Fat 28 (Bruns Suppl Aristot II 2 p 199).

⁶ Vgl: τὰ δὲ κακά φησι καὶ οὗτος (sc Aristot)
κατ᾽ ἐναντίωσιν τῶν ἀγαθῶν γενέσθαι καὶ εἶναι
ὑπὸ τὸν περὶ σελήνην τόπον, ὑπὲρ δὲ σελήνην

μηκέτι Hipp Philos 20, 16 (HDiels, Doxographi Graeci [1879] 570, 31 ff); τὴν γὰρ κακίαν ἐνθάδε δεῖν οἰκεῖν εἶπ᾽ ἐν τῷ ἑαυτῆς
χωρίῳ οὖσαν· χωρίον γὰρ αὐτῆς ἡ γῆ, οὐχ ὁ
κόσμος, ὡς ἔνιοί ποτε ἐροῦσι βλασφημοῦντες
Corp Herm IX 4 b. Die Beschränkung des
Bösen auf ganz bestimmte Sphären kommt
auch in der Anschauung zum Ausdruck, daß
das Böse den Planeten zugehöre und es die
Seele beim Abstieg zur Erde empfange und
beim Aufstieg wieder ablege, vgl Corp Herm
I 25.

⁷ Vgl Billicsich 13 f.

es einseitig durchführte oder auch in verschiedener Weise verband, nämlich im Schlechten ein metaphysisches Prinzip zu sehen, nach dessen Woher und Warum dann gefragt wurde, auf das verschiedene Antworten gefunden wurden, oder als Grund des Schlechten den aus Unwissenheit lebenden Menschen in seinem Sosein zu erkennen. 5

Plato steht mit Gedanken, die er über das Schlechte ausspricht, durchaus in der von Demokrit eingeschlagenen, von Sokrates weitergeführten Linie, die er selbst weiter ausbildet. Er hat die von Demokrit schon formulierte, von Sokrates entfaltete Erkenntnis aufgenommen, daß aus Unwissenheit die Menschen unfreiwillig das Schlechte tun: οὐδεὶς τῶν σοφῶν ἀνδρῶν ἡγεῖται οὐδένα ἀνθρώπων ἑκόντα ἐξαμαρτάνειν οὐδὲ 10 αἰσχρά τε καὶ κακὰ ἑκόντα ἐργάζεσθαι, ἀλλ' εὖ ἴσασιν, ὅτι πάντες οἱ τὰ αἰσχρὰ καὶ τὰ κακὰ ποιοῦντες ἄκοντες ποιοῦσιν Prot 345 d e. Deshalb führt die Erkenntnis zur Verwirklichung des Guten: ἐάνπερ γιγνώσκῃ τις τἀγαθὰ καὶ τὰ κακά, μὴ ἂν κρατηθῆναι ὑπὸ μηδενὸς ὥστε ἀλλ' ἄττα πράττειν ἢ ἂν ἐπιστήμη κελεύῃ, ἀλλ' ἱκανὴν εἶναι τὴν φρόνησιν βοηθεῖν τῷ ἀνθρώπῳ Prot 352 c [8]. Aber Plato, der von da aus nun die Frage stellt, worin das 15 Schlechte bestehe, und zu der Definition kommt: τὸ μὲν ἀπολλύον καὶ διαφθεῖρον πᾶν τὸ κακὸν εἶναι, τὸ δὲ σῷζον καὶ ὠφελοῦν τὸ ἀγαθόν (Resp X 608 e), sieht mit eben dieser Definition ein, daß das ἀπολλύον καὶ διαφθεῖρον, also das κακόν eine kosmische und psychische Macht ist. Das Böse ist also nicht nur in der Unwissenheit begründet, — Plato ist weiter fortgeschritten — sondern in den das Seelenleben beeinflussenden aus der Materie 20 stammenden Affekten, so daß die Unfreiwilligkeit des Bösen nur für den vernunfthaften Seelenteil, aber nicht für den affekthaften gilt. Für das seelisch-sittliche Leben wird das Schlechte näher bestimmt: ψυχῇ ἆρ' οὐκ ἔστιν ὃ ποιεῖ αὐτὴν κακήν; καὶ μάλα ... ἀδικία τε καὶ ἀκολασία καὶ δειλία καὶ ἀμαθία Resp X 609 b c [9]. Dieses psychische bel hat aber durchaus seine Entsprechung in den kosmischen κακά, den vernichtenden und zerstö- 25 renden Mächten (vgl Resp X 608 e ff). Von hier aus stellt Plato die Frage nach der Ursache des Bösen. In scharfer Ablehnung der These, daß das Schlechte von den Göttern komme — die Gottheit will vielmehr nur das Gute, καὶ τῶν μὲν ἀγαθῶν οὐδένα ἄλλον αἰτιατέον, τῶν δὲ κακῶν ἄλλ' ἄττα δεῖ ζητεῖν τὰ αἴτια, ἀλλ' οὐ τὸν θεόν „als Urheber des Guten darf man keinen andern suchen als Gott, dagegen für das Übel alle möglichen Ur- 30 sachen, nur nicht Gott" (Resp II 379 c) [10] —, begründet er zugleich die dialektische, den Kampf gegen das Böse setzende Notwendigkeit des Bösen: οὔτ' ἀπολέσθαι τὰ κακὰ δυνατόν ... — ὑπεναντίον γάρ τι τῷ ἀγαθῷ ἀεὶ εἶναι ἀνάγκη — οὔτ' ἐν θεοῖς αὐτὰ ἱδρῦσθαι, τὴν δὲ θνητὴν φύσιν καὶ τόνδε τὸν τόπον περιπολεῖ ἐξ ἀνάγκης Theaet 176 a. Zur positiven Beantwortung der Frage, woher nun das Schlechte komme, hat Plato zwei Wege 35 eingeschlagen und nach zwei Seiten hin Antwort versucht, einmal, anknüpfend an pythagoreische Gedanken aus einer Definition des Schlechten aufnehmend, fand er die Ursache des Bösen im σωματοειδές (Polit 273 b ff), dh in dem „nicht näher bestimmten Körperartigen, der Quelle alles Schlechten" [11], in jenem Stoff, den der Weltenschöpfer vorfand und benutzte zur Weltgestaltung, denn im griechischen Denken ist die Welt- 40 schöpfung eigentlich Weltordnung. Er drang also vor zu einem metaphysischen Dualismus von Geist und Materie, der seine ethische Entsprechung im Dualismus Seele-Leib hat. In seinem Alterswerk aber kommt er noch zu einem anderen Gedanken, nämlich zur Annahme einer neben der guten existierenden schlechten Weltseele (Leg X 896 a ff), dh er dringt vor zu einem kosmologischen Dualismus [12]. Lebensmäßig von 45 außerordentlicher Bedeutung ist der bereits an Sokrates erkennbare, von Plato verkündete und bis zu Plotin sich hinziehende und einen neuen Höhepunkt erhaltende gläubige Heroismus dem κακόν gegenüber. ὑποληπτέον περὶ τοῦ δικαίου ἀνδρός, ἐάντ' ἐν πενίᾳ γίγνηται ἐάντ' ἐν νόσοις ἤ τινι ἄλλῳ τῶν δοκούντων (!) κακῶν, ὡς τούτῳ ταῦτα

---

[8] Damit wird im Prot der Satz abgewiesen: γινώσκων ὁ ἄνθρωπος τὰ κακὰ ὅτι κακά ἐστιν, ὅμως αὐτὰ ποιεῖ 355 c. Diese Erfahrung findet sich durchaus im Griechentum zB: Eur Med 1078 ff: καὶ μανθάνω μὲν οἷα δρᾶν μέλλω κακά · θυμὸς δὲ κρείσσων τῶν ἐμῶν βουλευμάτων, ὅσπερ μεγίστων αἴτιος κακῶν βροτοῖς, auch Xenoph Cyrop VI 1, 41: οὐ γὰρ μία γε οὖσα ἅμα ἀγαθή τέ ἐστι καὶ κακή ... ἀλλὰ δῆλον ὅτι δύο ἐστὸν ψυχαί ...

[9] Vgl bes Leg V 731 d e: πάντων δὲ μέγιστον κακῶν ἀνθρώποις τοῖς πολλοῖς ἔμφυτον ἐν ταῖς ψυχαῖς ἐστιν ... τοῦτο δ' ἐστὶν ὃ λέγουσιν ὡς φίλος αὑτῷ πᾶς ἄνθρωπος φύσει τέ ἐστιν καὶ

ὀρθῶς ἔχει τὸ δεῖν εἶναι τοιοῦτον. Die Selbstliebe ist hier als das Seele und Gemeinschaft zerstörende κακόν anerkannt. Die Resp X 609 b c genannten seelischen Mächte heißen ebenso wie die körperlichen (νόσοι, πενία Resp X 613 a) und kosmischen κακά = Übel.

[10] Vgl Resp II 379 c ff, Tim 29 c f, ferner Resp III 391 e: ἐκ θεῶν κακὰ γίγνεσθαι ἀδύνατον. Vgl Ritter, in: ARW 481 ff und Titius 147.

[11] Vgl Schröder aaO 29; Sesemann aaO (→ Lit-A).

[12] Zu diesen Gedanken vgl Schröder 21 bis 33, Billicsich 28 ff.

εἰς ἀγαθόν τι τελευτήσει ζῶντι ἢ καὶ ἀποθανόντι Resp X 613 a [13]. Den stärksten Eindruck für diesen gläubigen Heroismus wird Plato von seinem sterbenden Lehrer Sokrates empfangen haben. Die auf der Gottheit Vorsehung und Güte gründende Gläubigkeit wird heroisch in Lebensgestaltung zum Guten und Schönen und in Überwindung der Übel eingesetzt.

Dem Aristoteles liegen die Gedanken über das Schlechte fern. Die platonische Fassung des Bösen als eines metaphysischen Prinzips, das mit der Materie verbunden ist, lehnt er ab [14]. „Das Böse ist nicht außerhalb der Dinge" Metaph IX 9 p 1011 a 15 f. Ihm besteht das Schlechte als Möglichkeit in der Freiheit des Menschen: ἐφ' ἡμῖν δὲ καὶ ἡ ἀρετὴ ὁμοίως δὲ καὶ ἡ κακία Eth Nic III 7 p 1113 b 6 f. Zu dieser Freiheit des Tuns und Lassens gehört die Unwissenheit, aus der das Schlechte abgeleitet wird. Sie, die Unwissenheit, ist selbst die Schuld. Ohne diese Ansetzung der Freiheit wäre keine Gesetzgebung möglich. So bleibt es dabei: ὁμοίως γὰρ (sc τῷ ἀγαθῷ) καὶ τῷ κακῷ ὑπάρχει τὸ δι' αὐτὸν ἐν ταῖς πράξεσι καὶ εἰ μὴ ἐν τῷ τέλει Eth Nic III 7 p 1114 b 20 f.

Die Stoa entwickelt, über Aristoteles hinausgehend, in scharfer Antithese zum ἀγαθόν auch das κακόν weiter: Es gibt κακὰ τὰ περὶ ψυχήν (sc κακίαι σὺν ταῖς μοχθηραῖς ἕξεσι καὶ καθόλου αἱ ψεκταὶ ἐνέργειαι), τὰ δ' ἐκτός (sc οἱ ἐχθροὶ σὺν τοῖς εἴδεσιν) und τὰ δ' οὔτε περὶ ψυχὴν οὔτ' ἐκτός (sc οἱ φαῦλοι καὶ πάντες οἱ τὰς κακίας ἔχοντες) Stob Ecl II 70, 8 ff. Die ethischen κακά werden an anderer Stelle ausführlicher aufgezählt als ἀφροσύνη, von der es gelegentlich heißt: ἣν μόνην φασὶν εἶναι κακὸν οἱ ἀπὸ τῆς Στοᾶς (Sext Emp Math XI 90), ἀκολασία, ἀδικία, δειλία καὶ πᾶν ὅ ἐστι κακία ἢ μετέχον κακίας Stob Ecl II 57, 19 ff; der Charakter des κακόν schlechthin tritt in Erscheinung als βλάβη ἢ οὐχ ἕτερον βλάβης Sext Emp Math XI 40 und ist aus den Synonyma erkennbar: τὰ δὲ κακὰ ἐκ τῶν ἐναντίων πάντα βλαβερὰ καὶ δύσχρηστα καὶ ἀσύμφορα καὶ ἀλυσιτελῆ καὶ φαῦλα καὶ ἀπρεπῆ καὶ αἰσχρὰ καὶ ἀνοίκεια Stob Ecl II 69, 13. Die Stoa knüpft darin an Aristoteles an, daß sie das Schlechte sowohl als Getanes — das Böse — wie als Erlittenes — das Übel — aus jeder metaphysischen Bestimmtheit herausnimmt — vgl Chrysipp: οὐ γὰρ ἥ γ' ὕλη τὸ κακὸν ἐξ ἑαυτῆς παρέσχηκεν· ἄποιος γάρ ἐστι, καὶ πάσας ὅσας δέχεται διαφορὰς ὑπὸ τοῦ κινοῦντος αὐτὴν καὶ σχηματίζοντος ἔσχε Plut Comm Not 34 (II 1076 c d) — und — als das Böse — in die Freiheit des Menschen setzt, zB Kleanthes: οὐδέ τι γίγνεται ἔργον ἐπὶ χθονὶ σοῦ δίχα, δαῖμον, | οὔτε κατ' αἰθέριον θεῖον πόλον οὔτ' ἐνὶ πόντῳ | πλὴν ὁπόσα ῥέζουσι κακοὶ σφετέρῃσιν ἀνοίαις Stob Ecl I 26, 4 ff; ferner: αὐτίκα ὁ μὲν κακὸς φύσει, ἁμαρτητικὸς διὰ κακίαν γενόμενος, φαῦλος καθέστηκεν, ἔχων ἣν ἑκὼν εἵλετο Cl Al Strom VI 12, 98, 2, schließlich Epiktet: ποῦ ζητήσω τὸ ἀγαθὸν καὶ τὸ κακόν; ἔσω ἐν τοῖς ἐμοῖς Diss II 5, 5. Während Zeno lehrte, daß Gott auch die Übel und das Böse bewirke, steht die gesamte Stoa, von Kleanthes an, im Widerspruch dazu [15]. Sie endet, wie es bei Epiktet deutlich ist, in einem platonisch-psychologischen Dualismus. In dem Aufbau der stoischen Philosophie, die von einem humanistisch-monistischen Daseinsverständnis ausgeht, ist im Grunde für das Schlechte kein Platz, und es werden Versuche gemacht, es zu vergleichgültigen und in das System einzubauen, sei es nun, daß man es sowohl als Böses wie als Übel als notwendigen Gegenbegriff zum ἀγαθόν erklärt (zB: . . . οὐκ ἀχρήστως γίνεται πρὸς τὰ ὅλα· οὔτε γὰρ τἀγαθὰ ἦν Plut Stoic Rep 35 [II 1050 f]), sei es, daß man es, soweit es ein Übel ist, als Strafe faßt (zB: ταῦτα [sc κακά] ἀπονέμεται κατὰ τὸν Διὸς λόγον, ἤτοι ἐπὶ κολάσει, ἢ κατ' ἄλλην ἔχουσάν πως πρὸς τὰ ὅλα οἰκονομίαν Plut Stoic Rep 35 [II 1050 e]), sei es, daß man es aus falschem Weltverständnis ableitet (zB: τοῦτο γάρ ἐστι τὸ αἴτιον τοῖς ἀνθρώποις πάντων τῶν κακῶν, τὸ τὰς προλήψεις τὰς κοινὰς μὴ δύνασθαι ἐφαρμόζειν τοῖς ἐπὶ μέρους Epict Diss IV 1, 42), indem man lehrt, daß „die Vollkommenheit des Ganzen die des Einzelnen nicht nur nicht einschließen, sondern sogar ausschließen" [16] muß, wobei er zu bedenklicher Einschränkung der Allmacht des Göttlichen kommt. Für die stoische Eschatologie tritt an einer Stelle die Einsicht auf: ὅταν ἐκπυρώσωσι τὸν κόσμον οὗτοι, κακὸν μὲν οὐδ' ὁτιοῦν ἀπολείπεται, τὸ δ' ὅλον φρόνιμόν ἐστι τηνικαῦτα καὶ σοφόν Plut Comm Not 17 (II 1067 a).

B. κακός im Hellenismus.

Durchaus in den Bahnen griechischen Denkens wandelt Philo, wenn er von der Gottheit sagt: τὸ πάντων μὲν ἀγαθῶν αἴτιον, κακοῦ δὲ μηδενὸς νομίζειν εἶναι τὸ θεῖον Omn Prob Lib 84 und erklärt: παντὸς μὲν ἀμέτοχος κακοῦ Spec Leg II 53, dagegen es in den Menschen hineinverlegt: ἐν ἡμῖν αὐ-

---

[13] → ἀγαθός I 16, 32 ff u A 19; Billicsich 25 f. | [15] Billicsich 44 f.
[14] Schröder 34.   [16] Billicsich 37 f.

τοῖς . . . οἱ τῶν κακῶν εἰσι θησαυροί Fug 79, es auf die Erde konzentriert: τὸ κακὸν ἐνταυθοῖ καταμένει, πορρωτάτω θείου χοροῦ διῳκισμένον, περιπολοῦν (sich umherbewegend um) τὸν θνητὸν βίον καὶ μὴ δυνάμενον ἐκ τοῦ ἀνθρωπίνου γένους ἀποθανεῖν Fug 62 und es als schärfste Antithese zum Guten erklärt: φύσει δὲ μάχεται ἀγαθῷ κακόν Poster C 32. 5

Nach Philos Anschauung liegt von der Geburt an das Schlechte als eine Möglichkeit im Menschen genau so wie das Gute: παντὸς ἀνθρώπου κατ' ἀρχὰς ἅμα τῇ γενέσει κυοφορεῖ δίδυμα ἡ ψυχή, κακὸν καὶ ἀγαθόν Praem Poen 63. Die Seele ist als nackt gedacht, die sich das Gute oder das Schlechte als Kleider anlegt (Leg All II 53), sie hat also zwei Möglichkeiten des Daseins. Zu dem Schlechten wird sie geführt durch die ἐπιθυμία, die 10 als ἁπάντων πηγὴ τῶν κακῶν und als ἀρχίκακον gilt (Spec Leg IV 84 f)[17]. Seine letzte Tiefe erreicht das κακόν in der ἀσέβεια, dem μέγιστον κακόν (Congr 160)[18]; den Weg dahin beschreibt Philo folgendermaßen: διὰ λαγνείας (Ausschweifung) καὶ ἀκολασίας, μεγάλου κακοῦ, πρὸς μεῖζον κακόν, ἀσέβειαν, ἄγειν αὐτοὺς ἐσπούδασεν (sc Bileam die Israeliten) ἡδονὴν δέλεαρ (Lockmittel) προθεὶς Vit Mos I 295. Im irdischen Leben liegt der Mensch, 15 auch wenn er die Möglichkeit des Guten wählend ergreift (→ ἀγαθός), im Kampf mit dem κακόν. Deshalb wird der Tod begrüßt als die κακῶν ἁπάντων ἀπαλλαγὴ καὶ ὡς ἀληθῶς τελευτή Spec Leg II 95. Bei Philo ist das Schlechte eine mit dem Menschen und der Erde verbundene, innerweltliche, Gott entgegenstehende Realität, aber kein metaphysisches Prinzip. Die Tongebung ist bei ihm gegenüber der griechischen Philo- 20 sophie anders durch den stärkeren religiösen und ethischen Ton — Überwindung des Bösen in der Einung mit Gott — und durch die Verbindung des Sündengedankens (→ ἁμαρτία I 292, 35 f) mit dem Bösen.

Als metaphysisches Prinzip erscheint im Hellenismus das κακόν sonst durchweg. 25

Plutarch nimmt die eine Möglichkeit, die Plato ins Auge faßte, wieder auf, indem er als Ursache der κακία in der Welt[19] die schlechte Weltseele annimmt: ὁ γὰρ Πλάτων μητέρα μὲν καὶ τιθήνην (Amme) καλεῖ τὴν ὕλην, αἰτίαν δὲ κακοῦ τὴν κινητικὴν τῆς ὕλης καὶ περὶ τὰ σώματα γινομένην μεριστήν, ἄτακτον καὶ ἄλογον, οὐκ ἄψυχον δὲ κίνησιν, ἣν ἐν Νόμοις, ὥσπερ εἴρηται, ψυχὴν ἐναντίαν καὶ ἀντίπαλον τῇ ἀγαθουργῷ προσεῖπε. ψυχὴ γὰρ 30 αἰτία κινήσεως καὶ ἀρχή . . . De Animae Procreatione, in Timaeo Platonis 7 (II 1015 de)[20]. Eine absolute Scheidung, wie sie bisher in der griechischen und hellenistischen Philosophie noch nicht vollzogen war, ist vorhanden in einigen Traktaten des Corpus Hermeticum. Hier wird der κόσμος als πλήρωμα τῆς κακίας (V 4a) geschieden von der Gottheit als dem πλήρωμα τοῦ ἀγαθοῦ (ebd): ὥσπερ γὰρ οὐδὲ τῶν 35 κακῶν ἐν τῇ τοιαύτῃ οὐσίᾳ (sc der Gottheit), οὕτως ἐν οὐδενὶ τῶν ἄλλων τὸ ἀγαθὸν εὑρεθήσεται. ἐν πᾶσι γὰρ τοῖς ἄλλοις πάντα ἐστὶ κακά καὶ ἐν τοῖς μικροῖς καὶ ἐν τοῖς μεγάλοις . . . παθῶν γὰρ πλήρη τὰ γενητά, αὐτῆς τῆς γενέσεως παθητῆς οὔσης. ὅπου δὲ πάθος, οὐδαμοῦ τὸ ἀγαθόν VI 2a. Nur mit Hilfe der Offenbarung des νοῦς ist der Zugang zum (→ I 12, 20 ff) ἀγαθόν und die Flucht vor dem Schlechten möglich: κακίαν δὲ τῷ 40 νοῦν ἔχοντι διεκφυγεῖν ἔστι XII 7. Den νοῦς zu haben, bedeutet Vereinigung mit der Gottheit, dh mit dem Guten; von ihr getrennt zu sein, ist der Grund alles Übels: νόσος δὲ μεγάλη ψυχῆς ἀθεότης· ἐπεὶ ταῖς τῶν ἀθέων δόξαις πάντα τὰ κακά ἐπακολουθεῖ, καὶ ἀγαθὸν οὐδέν XII 3. So ist hier aus dem metaphysischen Prinzip des Bösen ein kosmologischer Dualismus geworden, der von der völligen, absoluten Schlechtigkeit 45 alles dessen redet, was nicht zur Sphäre der Gottheit gehört.

Plotin greift in einer eingehenden Abhandlung περὶ τοῦ τίνα καὶ πόθεν τὰ κακά[21] die Probleme noch einmal auf, um sie systematisch zu behandeln. Für

---

[17] ·Auch die ἀδικία (Rer Div Her 163) und die ἀναρχία (Som II 289) gelten als Wurzel des κακόν.

[18] Vgl auch Fug 61; als κακά werden genannt: ἀλαζονεία Migr Abr 147; ἀπληστία Spec Leg IV 100; κακία καὶ αἱ κατὰ κακίαν ἐνέργειαι Op Mund 75, als μέγιστον κακόν φιλαυτία Congr 130.

[19] Vgl die Schilderung des Typhon genannten bösen Prinzips: Τυφῶν δὲ τῆς ψυχῆς τὸ παθητικὸν καὶ τιτανικὸν καὶ ἄλογον καὶ ἔμπληκτον (das Unbesonnene) · τοῦ δὲ σωματικὸν τὸ ἐπίκλητον καὶ νοσῶδες καὶ ταρακτικὸν αἰθρίαις

καὶ δυσκρασίαις καὶ κρύψεσιν ἡλίου καὶ ἀφανισμοῖς σελήνης Plut Is et Os 49 (II 371 b).

[20] Vgl bes Is. et Os 46 ff (II 369 ff). Allerdings sind diese Fragen nur die Voraussetzung für moralphilosophische Gedanken, die er rasch abgleitet. Vgl Schröder 58—60.

[21] Max Tyr, der in die hell Philosophie gehört, hatte sich ausdrücklich verbreitet über die Frage: τοῦ θεοῦ τὰ ἀγαθὰ ποιοῦντος πόθεν τὰ κακά. Aber zu einer tieferen Durchdringung kommt er nicht, vielmehr versucht er in stoischer Weise das κακόν zu eliminieren. Zwei Ursachen nimmt er an: τὰ ὕλης

ihn als wesentlich religiösen Menschen ist die Frage nach dem Schlechten von besonderer Bedeutung, und er hat ihm die in der alten Philosophie eindringendste und umfassendste Untersuchung gewidmet, deren Mittelpunkt die erwähnte Abhandlung bildet[22].

5   Ihm ist die Philosophie Wegweisung zur Einung mit der Gottheit. Seiner ganzen Haltung nach findet er sich in besonderer Nähe von Plato. Aber auch die in der Stoa entwickelten Argumente nimmt er auf und vereinigt sie zu einer systematischen Schau. Ein durch den Neupythagoreismus vermitteltes Platoverständnis führt ihn dazu, die Materie als das Prinzip des Schlechten zu erklären, das er seinem Wesen
10 nach bestimmt: ἀμετρίαν εἶναι πρὸς μέτρον καὶ ἄπειρον πρὸς πέρας καὶ ἀνείδεον πρὸς εἰδοποιητικὸν καὶ ἀεὶ ἐνδεὲς πρὸς αὔταρκες, ἀεὶ ἀόριστον, οὐδαμῇ ἑστώς, παμπαθές, ἀκόρητον, πενία παντελής Enn I 8, 3. Eben dies ist die Materie: τὴν δὴ ὑποκειμένην . . . κακὸν εἶναι πρῶτον καὶ καθ' αὐτὸ κακόν (ebd). Hier entspringt alle Schlechtigkeit, die es gibt. Die Materie steht am Ende der vom Einen, das zugleich das höchste Gute
15 ist, ausgehenden Entwicklung. Wie das Licht immer geringer wird und der vom Licht ausgehende Strahl sich verliert im Gegensatz des Lichtes, in der Finsternis, so wird auch die Wirkung des Einen immer geringer und endet in der Materie, die zugleich das Nicht-Gute ist. „Man kann die Notwendigkeit des Bösen auch so begreifen: Da das Gute nicht allein ist, so entsteht notwendig durch das Ausgehen von ihm, oder
20 wenn man es so ausdrücken will, durch das stete Hervorgehen und die stete Entfernung das Letzte, dh nach dem nichts mehr entstehen kann. Dies ist das Böse . . . und dies ist die Notwendigkeit des Bösen" I 8, 7. Dem ganzen griechisch-hellenistischen Denken ist das Böse ein Mangel: ὅταν παντελῶς ἐλλείπῃ (sc τοῦ ἀγαθοῦ), ὅπερ ἐστὶν ἡ ὕλη, τοῦτο τὸ ὄντως κακὸν μηδεμίαν ἔχον ἀγαθοῦ μοῖραν I 8, 5. Die Notwendig-
25 keit des Schlechten sowohl als Übel wie als Böses wird dialektisch begründet als die Notwendigkeit des Unterschiedes und Gegensatzes und erträglich gemacht durch den Hinweis auf die Harmonie des Alls und die Kraft der Gottheit, „auch das κακόν schön gebrauchen zu können" III 2, 5. So heißt es denn bei Plotin: τὸ δὲ κακὸν οὐ μόνον ἐστὶ κακὸν διὰ δύναμιν ἀγαθοῦ καὶ φύσιν, ἐπείπερ ἐφάνη ἐξ ἀνάγκης περιληφθὲν δεσμοῖς
30 τισι καλοῖς . . . κρύπτεται τούτοις, ἵνα οὖσα [κακὴ] μὴ ὁρῷτο τοῖς θεοῖς καὶ ἄνθρωποι ἔχοιεν μὴ ἀεὶ τὸ κακὸν βλέπειν I 8, 15. Da die Seele, die in näherer Beziehung über die Weltseele, deren Teil sie ist, zum νοῦς und damit zum Alleinen steht, in die Materie herabgestiegen ist und sich von dem Bösen, das ihr anhangt, unbefleckt und göttlich erhält, hat sie den Zug zur Einung mit der Gottheit, die sie in der Ekstase und nach
35 dem Tode erreicht. So endet die durchgreifendste Theodizee griechisch-hellenistischen Geistes mit der schon dem Begriff in seiner Bedeutung innewohnenden Erkenntnis: das Schlechte ist eine Wirklichkeit, als Wirklichkeit aber nur ein Mangel an wirklichem Sein.

C. Das böse Prinzip im Parsismus[23].

40   In der zoroastrischen Religion hat das böse Prinzip eine besondere Ausgestaltung gefunden: der metaphysische Dualismus zweier sachlicher Prinzipien ist hier ersetzt durch den Dualismus zweier Willenskräfte, die als Gottheiten gedacht werden.

    Unter diesen beiden Geistern wählten sich der zu Drug (Lüge) haltende das Tun
45 des Bösesten aus, das Aša (Wahrheit) aber der heiligste Geist. Darin ist die Frage nach dem Woher von Gut und Böse in der Welt beantwortet: „Durch Wahl und freien Willen des Geistes". Diese beiden Geister ringen in Welt und Menschen zusammen um den Sieg: „Die beiden Geister zu Anfang, die sich durch ein Traumgesicht als Zwillingspaar offenbaren, sind das Bessere und das Böse in Gedanken, Wort
50 und Tat; und zwischen ihnen beiden haben die Verständigen die rechte Wahl getrof-

---

πάθη, die den σπινθῆρες ἐξ ἄκμωνος (Funken aus dem Amboß) gleichen und von dem er urteilt: ἃ δὲ ἡμεῖς καλοῦμεν κακὰ καὶ φθοράς, καὶ ἐφ' οἷς ὀδυρόμεθα, ταῦτα ὁ τεχνίτης καλεῖ σωτηρίαν τοῦ ὅλου (41, 4 e—g). Die andere Ursache ist ψυχῆς ἐξουσία, als die Freiheit des Menschen in der Wahl seines Weges (41, 5).

[22] Vgl die neueste ausführliche Darstellung bei Billicsich 56—97.
[23] Vgl ELehmann, in: Bertholet-Leh II ⁴ 220 ff, 250 ff; JReiner-CSchmitt, Zarathustra (Die Unsterblichen VI [1930]) 91 ff, 126 ff; HLommel, Die Religion Zarathustras (1930) bes 17 ff, 36 ff, 111 ff. OGWesendonck, Das Weltbild der Iranier (1933) 71—89; 212—218.

fen" Yasna 30 [24]. Die Menschen haben also die freie Wahl zwischen zwei Möglichkeiten ihres Daseins, die vollzogen wird in der wesenhaften und vorzeitlichen Existenz und betätigt wird in diesem Dasein [25]. Von dem bösen Geist rührt alles Böse und Üble her, er wirkt es durch seine Dämonen: „Zwischen den beiden haben auch die Daeva nicht die richtige Entscheidung getroffen, weil, als sie sich berieten, die Betörung 5 über sie kam, so daß sie sich das böseste Denken auserwählten. Zusammen gingen sie darauf zu Aešma über, durch den sie das Leben der Menschen krank machen" (ebd). Die parsistische Eschatologie sieht zunächst eine Scheidung der Menschen in Gute und Böse vor, denen je nach ihren Taten Himmel oder Hölle zuteil wird: „... als diese beiden Geister zusammentrafen, da setzten sie fürs erste das Leben und das 10 Nichtleben fest, und daß zu Ende der Dinge den Druggenossen das böseste Dasein, aber dem Ašaanhänger der beste Aufenthalt zuteil werden sollte" Yasna 30, 4. Darüber hinaus wurde der Gedanke eines Endkampfes und einer endgültigen Vernichtung des Bösen und der Bösen gefaßt: „Es wird verkommen die Böse (sc die Lüge Drug) und es wird verschwinden das böse Oberhaupt (Ahriman) ... die böse Gesinnung wird über- 15 wunden, die gute Gesinnung überwindet sie. Die falsch gesprochene Rede wird überwunden, die wahr gesprochene Rede überwindet sie. Es werden Vollkommenheit und Unsterblichkeit beides, den Hunger und Durst, überwinden, Vollkommenheit und Unsterblichkeit werden den bösen Hunger und Durst überwinden. Machtlos wird der Übeltäter Ahriman entweichen" Yašt 19, 90, 96 [26]. 20

D. κακός im AT (LXX).

In der gesamten biblischen Literatur sind die im Griechentum und Hellenismus am Begriffe κακός, κακόν entstandenen Fragen nicht an diesen Begriffen orientiert: hier treten → ἁμαρτία, → ἀδικία, → ἁμαρτωλός, → ἄδικος und zT auch → πονηρός [27] dafür ein. Vom Begriff κακός fällt nur teilweise ein Licht auf die da entwickel- 25 ten Gedanken.

κακός gehört zu denjenigen Vokabeln in LXX, die in der Hauptsache einem bestimmten hebräischen Stamm, nämlich רע, entsprechen, daneben aber doch in zahlreichen Fällen für andere teils synonyme, teils nur im allgemeinen verwandte Begriffe eintreten und damit zwar gewisse Abtönungen des Grundtextes beseitigen, aber dafür 30 die Einheitlichkeit und Eindrücklichkeit des dem Judentum eigentümlichen sittlich-religiösen Urteils, das Übel und Schlechtigkeit zusammensieht, noch stärker ausprägen. Vor allem hat der Übersetzer der Prv in diesem Sinne gearbeitet. Wenn hier schon im mas Text die Vokabel רע verhältnismäßig häufig vorkommt, so ist die Zahl der κακός-Stellen in der LXX demgegenüber noch etwa verdoppelt. — Von 371 Stellen [28], 35 an denen die Vokabel in LXX vorkommt, ist sie 227 mal Übersetzung von רע (293 mal in Mas), bzw רעה (346 mal in Mas), die öfter auch mit κακία, sonst aber meist (266 mal) mit πονηρός wiedergegeben werden. Für andere hebräische Vokabeln als רע, רעה tritt κακός 33 mal ein. 20 mal hat Mas einen anderen Text; 32 mal fehlt Mas überhaupt und 61 mal handelt es sich um Stellen in den nur griechischen, bzw nur griechisch erhal- 40 tenen Büchern.

1. τὸ κακόν als Unheil und Übel.

In LXX ist im ganzen Komplex der Geschichtsbücher der Begriff nur in der Bedeutung *Übel, Unheil* gebraucht (τὸ κακόν, τὰ κακά) [29], wobei die beiden Gedanken verbunden sind: Übel und Unheil sind Strafe 45 Gottes für die Sünde, wenn er seine Hand abzieht: καὶ εὑρήσουσιν αὐτὸν κακὰ πολλὰ καὶ θλίψεις, καὶ ἐρεῖ ἐν τῇ ἡμέρᾳ ἐκείνῃ · διότι οὐκ ἔστιν κύριος ὁ θεός μου ἐν ἐμοί, εὕροσάν με τὰ κακὰ ταῦτα ... διὰ πάσας τὰς κακίας ἃς ἐποίησαν, ὅτι ἐπέστρεψαν ἐπὶ θεοὺς ἀλλοτρίους Dt 31, 17 f vgl 4 Βασ 21, 11 f; 22, 16 f. Hier er-

---

[24] In CBartholomae, Die Gathas der Awesta (1905) 13 ff.
[25] Vgl Lommel 148 ff.
[26] Nach KFGeldner, Die zoroastrische Religion, Religionsgeschichtl Lesebuch I (1926) 45 f; vgl auch die Übers des Bundahish S 47 ff.
[27] Zu dem Gedanken des Schlechten vgl bes diesen Begriff. Am Begriff πονηρός wird

die Frage des Bösen auch im Judentum entwickelt.
[28] Die Zahlen auf Grund von Hatch-Redp, bzw Mandelkern. — Z 27—41 von Bertram.
[29] Vgl zB Gn 19, 19; ποιεῖν κακόν (ein Übel antun) Gn 26, 29; 44, 34; 48, 16; 50, 15; ferner 3 Βασ 22, 8. 18. 23 usw.

scheint das Unheil als eine von Gott herbeigeführte Handlung der Strafe. Ihren Grund hat diese Handlung Gottes im Götzendienst und Abfall von Gott. Deshalb kann die Weisheitsdichtung zusammenfassend sagen: ἡ γὰρ τῶν ἀνωνύμων εἰδώλων θρησκεία παντὸς ἀρχὴ κακοῦ Sap 14, 27. Der Gedanke ist
5 prophetisch: ἄκουε, γῆ· ἰδοὺ ἐγὼ ἐπάγω ἐπὶ τὸν λαὸν τοῦτον κακά, τὸν καρπὸν ἀποστροφῆς αὐτῶν Jer 6, 19, vgl 11, 10f; 16, 10ff; Mi 1, 12f. Auch hier ist jeweils Abfall von Gott und Götzendienst Ursache des Übels. Dazu tritt der andere Gedanke: Gott ist der Retter aus dem Übel. So kann Jeremia Gott anrufen und zu ihm beten im Blick auf die durch die Gottlosigkeit hervorgerufene Art: κύριε,
10 ἰσχύς μου καὶ βοήθειά μου καὶ καταφυγή μου ἐν ἡμέρᾳ κακῶν 16, 19[30]. Seine prophetische Predigt verfolgt das Ziel, entsprechend Gottes Gnadenwillen: καὶ νῦν βελτίους ποιήσατε τὰς ὁδοὺς ὑμῶν καὶ τὰ ἔργα ὑμῶν, καὶ ἀκούσατε τῆς φωνῆς κυρίου, καὶ παύσεται κύριος ἀπὸ τῶν κακῶν, ὧν ἐλάλησεν ἐφ' ὑμᾶς Ἰερ 33 (26), 13, vgl v 3 u 19. Das entspricht durchaus dem Wesen Gottes, das Jeremia mit den
15 Worten enthüllt: καὶ λογιοῦμαι ἐφ' ὑμᾶς λογισμὸν εἰρήνης καὶ οὐ κακὰ τοῦ δοῦναι ὑμῖν ταῦτα 36 (29), 11[31]. Die Frage des Übels ist in diesen Gedanken hineingestellt in das völkisch-politische Erleben des Volkes. Gott und Volk — dieses große Thema des AT — formt auch die Frage nach dem Übel. Die κακά sind politische Schläge, die das Volk treffen. Sie kommen von Gott als dem Herrn
20 der Geschichte und sind Strafe für Schuld, die im Abfall von Gott und in der Hinwendung zum Götzendienst besteht. Sie sind „Frucht des Wandels" (Jer 6, 19), der von Gott weg führt. Der Weg von Gott weg führt ins Verderben. Gott läßt Menschen und Völker diesen Weg bis zum Ende gehen und beschleunigt diesen Weg, um die Erkenntnis des Verderbens und des falschen Wandels
25 zu schaffen und Mensch und Volk zur Umkehr von dem falschen Wege zu bewegen. Das Verderben, das in den κακά besteht und das aus Gottes Zulassung und Beschleunigung als Strafe kommt, ist zugleich Heimsuchung des Gottes, der, auch wenn er κακά veranlaßt und sendet, Gedanken des Friedens hat und verfolgt, die das letzte Movens in Gottes Wesen sind. Menschliche Schuld und
30 göttliche Handlung sind also verquickt bei der Frage nach dem Woher des Übels. Die Übel sind die Antwort der Gerechtigkeit Gottes auf die Schuld des Volkes, aber als Heimsuchung zugleich Ausdruck der suchenden Güte Gottes. Damit ist aber ein die biblische Gottesanschauung ganz bedeutungsvoll bestimmender Zug berührt: Gott ist es, der die Übel schickt und der auch wieder
35 aus den Übeln errettet, in dessen Hand sie also Mittel sind, Mensch und Volk zum rechten Gottesdienst zu rufen. Das Gottesbild bekommt hierdurch einen geheimnisvollen und ernsthaften Charakter, wird mysterium tremendum. Nicht ein metaphysischer Dualismus klärt die Frage nach dem Woher des Übels auf, sondern ein ethischer Monotheismus, das Wissen um den Gott, dem das Böse
40 der Menschen Schuld ist und der es dementsprechend straft. Aus diesem Wissen ergibt sich Hiobs Haltung: εἰ τὰ ἀγαθὰ ἐδεξάμεθα ἐκ χειρὸς κυρίου, τὰ κακὰ οὐχ ὑποίσομεν; Hi 2, 10. Mit dieser Erkenntnis ist vom Propheten die andere in Einheit verbunden: Gottes Wesen besteht in seiner Tiefe in Frieden und Liebe

---

[30] Vgl die Gott vertrauende Aussage des Psalmisten: ἐὰν γὰρ καὶ πορευθῶ ἐν μέσῳ σκιᾶς θανάτου, οὐ φοβηθήσομαι κακά, ὅτι σὺ μετ' ἐμοῦ εἶ, ψ 22, 4.
[31] Vgl ψ 120, 7; Sap 16, 8; 2 Makk 1, 25; 2, 18.

— darauf ist seine Absicht gerichtet, die die Übel zur Heimsuchung werden läßt. Gottes Wesen ist also im mysterium tremendum zugleich das mysterium fascinosum. Wir stoßen an dieser Stelle zur einsamen Höhe prophetischer Gottesverkündigung und Geschichtsschau vor.

2. τὸ κακόν als ethischer Begriff. 5

Als ethischer Begriff erscheint κακόν bei den Propheten. Micha redet von den λογιζόμενοι κόπους καὶ ἐργαζόμενοι κακὰ ἐν ταῖς κοίταις αὐτῶν 2, 1; vgl 7, 3; ʼΙερ 7, 24; 9, 13; 51 (44), 7. 9. Er findet sich so in den Psalmen (ψ 27, 3; 33, 13 ff). Als Sitz des Bösen ist das menschliche Herz, die Mitte menschlicher Existenz, erkannt (κακὴ καρδία Jer 7, 24; 9, 13; κακὰ ἐν ταῖς 10 καρδίαις ψ 27, 3).

Diese Verwendung bei den Propheten und in den Psalmen ist vereinzelt gegenüber der Weisheitsliteratur, besonders den Proverbien.

95 mal kommt κακός in diesem Buch überhaupt vor. Davon steht es an 43 Stellen für רַע, רָעָה; an 21 Stellen für andere, recht verschiedenartige hebräische Vokabeln; 15 an 13 Stellen hat Mas einen anderen Text, und an 18 Stellen scheint eine Entsprechung in Mas überhaupt zu fehlen. Hier liegt bewußte, exegetisch und religionsgeschichtlich zu wertende Arbeit des Übersetzers vor, der seine zT recht hausbackenen sittlich-religiösen Grundsätze in seiner Arbeit unwillkürlich Einfluß gewinnen läßt. Wie dabei die eigentümlichen bildhaften Gedankengänge des hebräischen Textes auf einen 20 Nenner gebracht werden, dafür einige Beispiele: In Prv 1, 18 lautet Mas: Leute, die Unschuldigen nachstellen, „lauern auf ihr eigenes Blut, stellen ihrem eigenen Leben nach". Die LXX hat dafür die im allgemeinen sachlich ja entsprechende Formulierung: αὐτοὶ γὰρ οἱ φόνου μετέχοντες θησαυρίζουσιν ἑαυτοῖς κακά, ἡ δὲ καταστροφὴ ἀνδρῶν παρανόμων κακή. Und in 2, 16 ist davon die Rede, daß nur Weisheit einen 25 jungen Menschen vor einem fremden verführerischen Weibe bewahren kann, „die einschmeichelnd redet, die den Freund ihrer Jugend im Stiche gelassen und den vor ihrem Gott geschlossenen Bund verlassen hat". Die LXX (2, 17) vertritt hier mit ihrem Text, der kaum noch als Übersetzung zu bezeichnen ist, eine Auslegung, die noch bis in die moderne Zeit Geltung besessen hat. Sie sieht in dem fremden Weib 30 die „Frau Torheit", oder, wie LXX sagt, die κακὴ βουλή, die „schlechte Ratgeberin" ἡ ἀπολείπουσα διδασκαλίαν νεότητος καὶ διαθήκην θείαν ἐπιλελησμένη. Daß es sich für LXX um eine der „Weisheit" gegenüberstehende Personifikation handelt, zeigt das Folgende, wo es von Mas unabhängig heißt, daß sie bei Tod und Hades ihre Wohnung hat. In 3, 31 ist in Mas von dem אִישׁ חָמָס die Rede, auf den man nicht eifersüchtig 35 sein und dessen Wege man nicht wählen[32] soll. LXX hat in sehr freier Wiedergabe: μὴ κτήσῃ κακῶν ἀνδρῶν ὀνείδη (erwirb dir nicht Tadel wie schlechte Menschen [Gen qual]), μηδὲ ζηλώσῃς τὰς ὁδοὺς αὐτῶν. Von der ὁδὸς κακή spricht LXX auch 4, 27 (Mas hat hier nur רַע) und fügt dazu die bekannte Gegenüberstellung der beiden Wege[33]. 40

Gutes und Schlechtes sind die beiden Möglichkeiten des Menschen. Durch die Hilfe der Weisheit vermag der Mensch das Gute zu ergreifen und sich von dem Schlechten abzuwenden. Darauf richten sich die Mahnungen des Weisheitslehrers. Verknüpft ist mit dem ethischen Begriff des κακόν der Begriff κακόν, κακά = Leid, Übel durch das Schema: dem Guten Gutes, dem Bösen Böses, also durch die starre Vergeltungs- 45 theorie. Was im Prophetismus eine lebendige Deutungskategorie der Geschichte war, hervorgebrochen aus dem lebendigen Gottesglauben, ist hier zum Schema erstarrt und verfälscht, in das alles hineingepreßt wird. Das Schlechte ist menschliche Möglichkeit:

[32] Die Änderung von תִּבְחַר in תִּתְחַר, hitp von חרה sich entrüsten, oder auch wetteifern (?), nach LXX und nach Prv 24, 19; Ps 37, 1, wie sie von BHK²·³, von Steuernagel zSt, von FWutz, Die Transskriptionen von der Septuaginta bis zu Hieronymus (1933) 288 f ua vorgeschlagen wird, ist bei der eigentümlichen Fortsetzung an unserer Stelle nicht begründet: „Denn ein Greuel ist für Jahwe, wer Abwege geht." Das ist eine Warnung vor der Wahl des Abweges. — Die Übersetzungen, soweit nichts anderes bemerkt, nach CSteuernagel bei Kautzsch (1923).

[33] PdeLagarde, Anmerkungen zur griechischen Übersetzung der Proverbien (1863) 19 denkt hier, schwerlich mit Recht, an einen christlichen Glossator.

εἰσὶν ὁδοὶ κακαὶ ἐνώπιον ἀνδρός· ἀποστρέφειν δὲ δεῖ ἀπὸ ὁδοῦ σκολιᾶς καὶ κακῆς Prv 22, 14;
aus Gottlosigkeit und Unwissenheit entspringt es: πλανώμενοι τεκταίνουσι κακά ... οὐκ
ἐπίστανται ἔλεον καὶ πίστιν τέκτονες κακῶν Prv 14, 22. Auf die Loslösung vom Bösen
richtet sich die Mahnung: ἀπόστρεψον δὲ σὸν πόδα ἀπὸ ὁδοῦ κακῆς Prv 4, 27. Die
5   Realisierung des Schlechten geschieht mit menschlichem Willen: κακὸς μεθ' ὕβρεως
πράσσει κακά Prv 13, 10. Die Folge des Bösen ist das Übel: μὴ ποίει κακά, καὶ οὐ μή
σε καταλάβη κακόν Sir 7, 1 vgl Prv 1, 18; 25, 19. Der Begriff κακός wird gegenüber
Mas nivellierend gebraucht. In Prv 9, 7—12 findet sich in Mas die Gegenüberstellung
Spötter-Weiser. LXX stellt gegenüber Schlechter und Weiser.
10   An verschiedenen Stellen dringt mehrfach der Begriff des Schlechten an Stelle
verschiedener hebräischer Vokabeln oder auch ganz neu ein. Namentlich Begriffe
wie Zank und Streit bringt der Übersetzer auf diesen Nenner; so übersetzt er in
13, 10; 16, 28; 18, 6 verschiedene hebräische Vokabeln dafür gleichmäßig mit κακός.
Auch sonst ist diese griechische Vokabel noch mehrfach in Prv vom LXX-Übersetzer
15   zT ganz selbständig eingefügt, zB 19, 6. 27; 21, 26; 22, 8. 14 (bis); 24, 34 ff (30, 11 ff);
27, 21; 28, 20.
So blaß und nichtssagend die Vokabel an und für sich auch ist, so bedeutungsvoll
ist sie doch mit ihrem raschen, gleichmäßigen und unbeirrbaren Urteil für die sittliche
Haltung des Spätjudentums. Und was bei dem Prv-Übersetzer sich als besondere
20   Eigenart des hellenistischen Judentums gegenüber Mas abhebt, das gilt für den Leser
der ganzen LXX. So oberflächlich und schematisch wie bei dem Übersetzer der Prv
ist das sittliche Urteil des Judentums jener Zeit überhaupt. Der Dualismus der Weltanschauung setzt sich auf sittlich-religiösem Gebiet durch und hat die Ächtung alles
dessen zur Folge, was dem „Frommen" nicht liegt. Etwas ist „schlecht"; mit diesem
25   Urteil wird es ausgeschlossen aus der Lebenssphäre des Frommen, der weder mit dem
Bösen noch mit dem Übel etwas zu tun haben darf oder will. Damit ist die Verkrampfung der sittlich-religiösen Haltung vollendet, die für die Gesetzesfrömmigkeit
des Judentums bezeichnend ist[34].

E. *κακός* im NT.

30   Auch im NT hat κακός nur geringe Bedeutung. Die
das griechische und hellenistische Denken angesichts der κακά
bewegende Frage der Theodizee hat im NT infolge der durch
Christus verkündeten und durch die Apostel bezeugten frohen
Botschaft von der siegenden, kommenden Gottesherrschaft, die
35 in Christus Gegenwart ist, wenig Gewicht. Sie hat in der Geschichte des Christus ihre Lösung gefunden. κακός, κακόν als sittlicher Begriff tritt hinter → ἁμαρτία und → πονηρός zurück. Wir stellen nach
fünf Gesichtspunkten die wichtigen Stellen zusammen.

1. Jesus sieht als Sitz des Bösen das menschliche Herz
40 an: ἔσωθεν γὰρ ... οἱ διαλογισμοὶ οἱ κακοὶ ἐκπορεύονται ... πάντα ταῦτα τὰ πονηρὰ
ἔσωθεν Mk 7, 21. 23 par[35]. Aus dem Menschen kommt also das Böse. Er ist
der Urheber. Freilich sieht er hinter dem Menschen den → πονηρός als letzte
Instanz. In Jk ist Gott ausdrücklich getrennt von allem Bösen: θεὸς ἀπείραστός
ἐστιν κακῶν 1, 13. An Gott reicht das Böse nicht heran. Die Beschränkung
45 auf die menschliche Sphäre ist deutlich, wenn 1 Tm die Liebe zum Gelde als
ῥίζα πάντων τῶν κακῶν (6, 10) genannt wird und Jakobus auf die Zunge weist
als ἀκατάστατον κακόν, μεστὴ ἰοῦ θανατηφόρου 3, 8[36].

2. Mit dem Ausdruck τὰ κακά wird auch im NT das
Unheil, das einen Menschen trifft, bezeichnet, sowohl im irdischen wie im ewigen
50 Dasein. Im Gleichnis vom reichen Mann und armen Lazarus steht der Satz aus

---

[34] 479, 14—40; 480, 10—28 von Bertram.   [36] Vgl παυσάτω τὴν γλῶσσαν ἀπὸ κακοῦ 1 Pt
[35] Mt hat διαλογισμοὶ πονηροί 15, 19.   3, 10, Zitat aus Ps 34, 13—17.

dem Munde des Abraham: τέκνον, μνήσθητι ὅτι ἀπέλαβες τὰ ἀγαθά σου ἐν τῇ ζωῇ σου, καὶ Λάζαρος ὁμοίως τὰ κακά · νῦν δὲ ὧδε παρακαλεῖται, σὺ δὲ ὀδυνᾶσαι Lk 16, 25. Diese Erzählung ist insofern von Bedeutung, als sie die den Menschen bewegende Frage nach dem Schicksal, das Unheil bringt, über den Rahmen des irdischen Lebens hinausführt. Irdisches Unheil und himmlisches Heil, irdisches Heil 5 und ewiges Unheil entsprechen einander. Der Sinn der Erzählung, deren Stoff Jesus vielleicht vorgefunden hat, wäre aber völlig mißverstanden, wenn man darin eine mechanistische Vergeltungstheorie erblicken wollte. Auch dieses Gleichnis ist Zeugnis von der Gottesherrschaft und besagt zunächst: Die Gottesherrschaft, die zuletzt über Heil und Unheil entscheidet, kommt nicht in diesem Leben 10 zur Vollendung. Darum muß ein Fragen nach Heil und Unheil, das allein aus dem irdischen Leben Antwort sucht, ohne Antwort bleiben. Aber die wichtige Frage, um die es im Gleichnis nun geht, ist die, wie aus der Gottesherrschaft τὰ ἀγαθὰ καὶ τὰ κακά entsteht: nicht in mechanischer Vergeltung, sondern in der im irdischen Leben vollzogenen Entscheidung vor dem Gottgehorsam und 15 Liebesgebot. Der leidtragende Lazarus, der sein Vertrauen auf Gott setzt, wie sein Name zeigt[37], wird getröstet, der Reiche aber, der nicht nach Gott fragt und das Liebesgebot überhört, wird verworfen und erleidet deshalb Unheil[38]. Das Gleichnis ist eine Veranschaulichung der Scheidungsrede Jesu Mt 25, 31 ff und der Makarismen Mt 5, 3 ff.   20

3. Im Staat erkennt Paulus die gottgewollte Ordnung, der die Aufgabe gesetzt ist, das Schlechte, das in der Welt ist, niederzuhalten: οἱ ἄρχοντες οὐκ εἰσὶν φόβος τῷ ἀγαθῷ ἔργῳ, ἀλλὰ τῷ κακῷ · . . . ἐὰν . . . τὸ κακὸν ποιῇς, φοβοῦ · οὐ γὰρ εἰκῇ τὴν μάχαιραν φορεῖ · θεοῦ γὰρ διάκονός ἐστιν ἔκδικος εἰς ὀργὴν τῷ τὸ κακὸν πράσσοντι R 13, 3. 4. So erkennt also das NT in 25 voller Nüchternheit das Schlechte in der Welt. Angesichts dieser Tatsache bekommt der echte Staat diakonische Verantwortung und Würde von Gott her im Gesamtzusammenhang der göttlichen Weltregierung.

4. Eine von allem Pessimismus wie von idealistischer Notwendigkeitserklärung des Schlechten sich scheidende Radikalisierung der 30 Anschauung über das κακόν ergibt sich nun im Angesicht der Christusoffenbarung, des ἐν Χριστῷ εἶναι. Von hier aus erscheint das Schlechte als die einzige und letztlich immer wieder verwirklichte Möglichkeit des Menschen ohne πνεῦμα und aller menschliche Optimismus als Täuschung, der zwar auf den Willen zum Guten hinweist, aber damit eine nicht zu verwirklichende Möglichkeit, also 35 eine Unmöglichkeit ins Auge faßt: οὐ γὰρ ὃ θέλω ποιῶ ἀγαθόν, ἀλλὰ ὃ οὐ θέλω κακόν, τοῦτο πράσσω . . . εὑρίσκω ἄρα τὸν νόμον τῷ θέλοντι ἐμοὶ ποιεῖν τὸ καλόν, ὅτι ἐμοὶ τὸ κακὸν παράκειται R 7, 19. 21. Das ist die Wirklichkeit des Menschen vor Gott. Sie bedeutet für ihn, da Gott nach dem Grundsatz richtet: θλῖψις

---

[37] Es ist zu beachten, daß in dem Gleichnis ein Name erscheint, was sonst nicht der Fall ist. Der Name ist von Bedeutung, wie der Name (→ ὄνομα) überhaupt eine große Bedeutung in der alten Welt hat. Lazarus kommt von Eliezer und heißt „Gotthelf". Er ist also ein πτωχὸς τῷ πνεύματι, dem Jesus die Gottesherrschaft zuspricht. Das ist aber von Jesus dem vorgefundenen Stoff aufgeprägt.
[38] Vgl die Auslegung Schlatters in: Schl Lk 374 ff. Als Kommentar zu diesem Gleichnis vgl das Jesuslogion Lk 17, 26—31.

καὶ στενοχωρία ἐπὶ πᾶσαν ψυχὴν ἀνθρώπου τοῦ κατεργαζομένου τὸ κακόν (R 2, 9),
das Ende schlechthin. Was ist aber für Paulus das κακόν? Es steht eng mit dem zusammen, was für ihn ἁμαρτία ist (→ I 312, 3 ff). Sünde ist ihm das Tun des von
Gott gelösten Menschen, der sich gegenüber Gott behauptet, ein Selbst sein
5 will vor Gott und ohne Gott. Das kommt darin zum Ausdruck, daß der Mensch
Gott nicht die Ehre gibt und sich wider Gott stellt. Das kommt aber ebenso
in den Lastern selbst zum Ausdruck [39] (vgl R 1, 18 ff). Das κακόν hat also nicht
nur sittliche Bedeutung und meint nicht nur das sittlich Böse, sondern es hat
eine umfassende Lebensbedeutung und meint die Gottlosigkeit. Nun deckt Pau-
10 lus hier den Widerspruch auf, in dem der Mensch sich befindet. Er stimmt Gottes
Gesetz, das ihn zur Gottgebundenheit und zum sittlich Guten ruft, zu. Er will
das Gute tun, also Gott ehren und gehorchen und sittlich leben. Gottessehn-
sucht und Tugendstreben überall sind dafür Beweis. Diese innere Zustimmung
zeigt, daß der Mensch Gottes Geschöpf ist, das seines Ursprungs nicht vergessen
15 kann. Ebenso wird aber nun deutlich, daß der Mensch nicht zu einer Verwirklichung dessen, was in ihm als Zustimmung zu Gottes Gesetz offenkundig wird,
kommt. Der Mensch kommt immer wieder tatsächlich in die Gottgelöstheit und
in das sittlich Böse hinein. Er kommt über Ansätze nicht hinaus. So verkündet
ihm das Gesetz Gottes als Urteil: ὅτι ἐμοὶ τὸ κακὸν παράκειται R 7, 21. All sein Lebens-
20 bemühen endet deshalb im Tod. Aus diesem Wissen folgt der Aufschrei: ταλαί-
πωρος ἐγὼ ἄνθρωπος · τίς με ῥύσεται ἐκ τοῦ σώματος τοῦ θανάτου τούτου; (R 7, 24).
In dem κακόν ist also auch das Ende des κακόν als des Schlechten, der Tod, in-
begriffen. Das Gesetz des κακόν ist Todesgesetz. Darin, daß alles Leben zum
Tode führt, wird offenbar, daß es Tatsache ist: ἐμοὶ τὸ κακὸν παράκειται (R 7 21).
25 Die Frage ist, wie der Mensch von diesem Todesgesetz erlöst wird. „Vollzogen
ist die Trennung des Menschen von seinem Sündigen erst dann, wenn er im
Glauben mit dem Christus verbunden ist, der ihm sein Sündigen nicht nur verbietet, sondern für ihn seine Schuld getragen hat. Nun trennt den Glaubenden
von der Sünde nicht nur ein Verbot, sondern Gottes rettende Kraft [40]."

30   5. Durch den Christusglauben, das ἐν Χριστῷ εἶναι, wird
nun die bisherige Unmöglichkeit zur echten Möglichkeit, die der Christ ergreifen kann und soll: νεκρώσατε . . . ἐπιθυμίαν κακήν Kol 3, 5 (vgl 1 K 10, 6). Die
neue Lebenswirklichkeit der Christen heißt: θέλω δὲ ὑμᾶς σοφοὺς εἶναι εἰς τὸ
ἀγαθόν, ἀκεραίους δὲ εἰς τὸ κακόν R 16, 19. Die Abwendung vom Bösen vollzieht
35 sich in der Liebe: μὴ νικῶ ὑπὸ τοῦ κακοῦ, ἀλλὰ νίκα ἐν τῷ ἀγαθῷ τὸ κακόν R 12, 21;
ἡ ἀγάπη τῷ πλησίον κακὸν οὐκ ἐργάζεται R 13, 10; (ἡ ἀγάπη) οὐ λογίζεται τὸ κακόν
1 K 13, 5, vgl auch R 12, 17; 1 Th 5, 15; 1 Pt 3, 9. Da das Böse von hier
aus zugleich als die die menschliche Gemeinschaft störende Macht (vgl R 1, 30:
ἐφευρετὰς κακῶν) — ein Gesichtspunkt, der erst im NT seine volle Bedeutung
40 bekommt — gesehen wird, ist erst von der dem Christus entstammenden ἀγάπη
aus volle Gemeinschaft möglich.

_____

[39] RBultmann, R 7 u die Anthropologie des
Pls, in: Imago dei, Festschr für GKrüger
(1932) 53 ff. → ἁμαρτάνω I 312 ff.

[40] Schl R 243 f.

† *ἄκακος*

Die Wortbedeutung ist deutlich: ἄκακος ist *derjenige, der das Schlechte von sich aus nicht verwirklicht, der also aufrichtig ist* (vgl Thes Steph I 1142: ἀκάκους esse μὴ προεννοοῦντας τὰ κακά, nach Dionysius Areopagita, ep 8 [ad Demophilum] vl), und *derjenige, den das Schlechte nicht berührt, also der unschuldig ist* (vgl Pseud-Ammon Adfin Vocab Diff sv [Valckenaer p 147]: κακὸς πονηροῦ διαφέρει ὥσπερ ὁ ἄκακος τοῦ ἀγαθοῦ), wobei die zweite, passive Bedeutung überwiegt.

Der Begriff kommt bereits vor bei Aesch Pers 661: Βάσκε (komme) πάτερ ἄκακε Δαριάν. Plat Tim 91 d redet von ἄκακοι ἄνδρες, ähnlich Polyb 3, 98, 5: τοῦτον ἄκακον ὄντα τὸν ἄνδρα καὶ πρᾷον τῇ φύσει. Bei Plutarch werden θαυμασικοὶ καὶ ἄκακοι den καταφρονη- 10 τικοὶ καὶ θρασεῖς gegenübergestellt (De Recta Ratione Audiendi 7 [II 41 a]). Philo braucht es zB von den Kindern, die eben ins Leben gekommen sind: νηπίοις ἄρτι παρεληλυθόσιν εἰς φῶς καὶ τὸν ἀνθρώπινον βίον . . . ἀκακωτάτοις οὖσιν Spec Leg III 119 (vgl Virt 43: ζωγρήσαντες [lebendig fangen] παρθένους, ἄκακον ἡλικίαν οἰκτισάμενοι). Den Zustand im Paradies bezeichnet Philo mit ἀκακία und ἁπλότης: τοιοῦτος μὲν ὁ βίος τῶν 15 ἐν ἀρχῇ μὲν ἀκακίᾳ καὶ ἁπλότητι χρωμένων Op Mund 170. Der Sündenfall bewirkt den Zustand der πανουργία: τοῦτ' ἐξαπιναίως ἀμφοτέρους ἐξ ἀκακίας καὶ ἁπλότητος ἠθῶν εἰς πανουργίαν μετέβαλεν ebd 156. Vgl ferner Dionysius Areopagita, ep 8 (MPG 3, 1196): Christus ist (im Anschluß an Hb 4, 15) ἄκακος.

In LXX wird Hiob mit ἄκακος bezeichnet: ἄνθρωπος ἄκακος, ἀληθινός, ἄμεμπτος, 20 θεοσεβής, ἀπεχόμενος ἀπὸ παντὸς κακοῦ, ἔτι δὲ ἔχεται ἀκακίας Hi 2, 3. Vom ἄκακος heißt es: κύριος οὐ μὴ ἀποποιήσηται τὸν ἄκακον 36, 5; 8, 20. Der ἄκακος ist der, der vor Gott bestehen kann. Im mas Text steht hier סָם. ἄκακος bedeutet also *unversehrt, rein.* Besonders häufig ist das Wort in den Proverbien, wo es allerdings mit einer Tonverschiebung von *unberührt vom Schlechten* die Bedeutung hat *unwissend, einfältig* 25 *in bezug auf das Schlechte* (zB 21, 11). Jeremia nennt sich an einer Stelle ein ἀρνίον ἄκακον Jer 11, 19.

Im Neuen Testament steht das Wort R 16, 18: Paulus warnt vor denen, die Spaltungen und Ärgernisse anstiften: οἱ γὰρ τοιοῦτοι τῷ κυρίῳ ἡμῶν Χριστῷ οὐ δουλεύουσιν ἀλλὰ τῇ ἑαυτῶν κοιλίᾳ, καὶ διὰ τῆς χρηστολογίας καὶ εὐλογίας ἐξαπα- 30 τῶσιν τὰς καρδίας τῶν ἀκάκων. Durch die Mittel der Täuschung, von denen die Rede ist, wird die Bedeutung von ἄκακος bestimmt als *arglos, einfältig,* steht also in der Linie des Septuaginta- und Philogebrauches.

Ferner steht es Hb 7, 26: τοιοῦτος γὰρ ἡμῖν καὶ ἔπρεπεν ἀρχιερεύς, ὅσιος, ἄκακος, ἀμίαντος, κεχωρισμένος ἀπὸ τῶν ἁμαρτωλῶν, καὶ ὑψηλότερος τῶν οὐρανῶν γενό- 35 μενος. Bezeichnet → ὅσιος seine religiöse Fähigkeit — er ist der rechte Priester vor Gott, da er ὅσιος ist —, → ἀμίαντος seine kultische Fähigkeit — ihm haftet kein μίασμα an, das ihn kultisch unfähig macht —, so ἄκακος die sittliche Fähigkeit. Er ist als Hohepriester einer, der nichts Schlechtes getan hat. ἄκακος wird hier aktiv zu verstehen sein, während ἀμίαντος die passive Beschaffenheit aus- 40 drückt. Die beiden folgenden Aussagen bezeichnen neben seiner Beschaffenheit seine Hoheit. Die negativen Aussagen reden im Gegensatz zu allem irdischen Priestertum stärker als positive Aussagen von seiner Eignung.

κακία

Der Begriff steht im selben Verhältnis zum κακόν wie 45 die (→) ἀρετή zum ἀγαθόν. Es ist die *Eigenschaft eines* κακός und kann die tatsächliche Auswirkung dieser Eigenschaft bedeuten, wodurch auch ein Plural möglich wird.

κακία kann **synonym** mit τὸ κακόν gebraucht werden, vgl zB Corp Herm IX 4 b: τὴν γὰρ κακίαν ἐνθάδε δεῖν οἰκεῖν . ., dann Plat Resp X 609 a ff: τὸ σύμφυτον ἄρα κακὸν 50 ἑκάστου καὶ ἡ πονηρία ἕκαστον ἀπόλλυσιν . . . ὥσπερ σῶμα ἡ σώματος πονηρία νόσος οὖσα

τήκει καὶ διόλλυσι καὶ ἄγει εἰς τὸ μηδὲ σῶμα εἶναι, καὶ ἃ νυνδὴ ἐλέγομεν ἅπαντα ὑπὸ τῆς οἰκείας κακίας...εἰς·τὸ μὴ εἶναι ἀφικνεῖται. Es wird aber meistens abgegrenzt von κακόν, eben als tatsächliche Auswirkung des κακόν, als des Prinzips des Schlechten, vgl zB: κακία . . . ποιητικὸν κακοῦ, ἀλλ' οὐ τὸ κακὸν ἡ κακία ἔσται . . . ἀπὸ τῆς κακίας
5 καταβαίνοντι τὸ κακὸν αὐτό, ἀρξαμένῳ μὲν ἀπὸ τῆς κακίας [καὶ] θεωροῦντι μὲν ἢ θεωρία τίς ἐστι τοῦ κακοῦ αὐτοῦ, γινομένῳ δὲ ἢ μετάληψις αὐτοῦ Plot Enn I 8, 13. Hier ist die κακία durchaus auf das ethische Gebiet eingeschränkt. So geschieht es auch in der Stoa, wo die κακά in zwei Klassen geteilt werden: τῶν κακῶν τὰ μὲν εἶναι κακίας, τὰ δ' οὔ · ἀφρο-
σύνην μὲν οὖν καὶ ἀδικίαν καὶ δειλίαν καὶ μικροψυχίαν καὶ ἀδυναμίαν κακίας εἶναι · λύπην δὲ
10 καὶ φόβον καὶ τὰ παραπλήσια οὐκ εἶναι κακίας Stob Ecl II 58, 14 ff[1]. Über die κακία schlechthin äußert sich Plato: Das Wissen darum, daß Gott δικαιότατος ist und daß es gibt οὐκ αὐτῷ ὁμοιότερον οὐδὲν ἢ ὃς ἂν ἡμῶν αὖ γένηται ὅτι δικαιότατος, ist ἀρετὴ ἀληθινή; ἡ δὲ ἄγνοια ἀμαθία καὶ κακία ἐναργής Theaet 176 c. Hier bekommt der Begriff der κακία religiösen Charakter und ist *Verschuldung vor der Gottheit*. κακία kann aber
15 auch die *Untauglichkeit* und *Untüchtigkeit* schlechthin sein ohne ethischen Akzent, zB: κακίας καὶ ἀρετῆς ψυχῆς τε πέρι καὶ σώματος Plat Symp 181 e; ... κακίᾳ ἡνιόχων πολλαὶ μὲν χωλεύονται, πολλαὶ δὲ πολλὰ πτερὰ θραύονται heißt es im Mythus Plat Phaedr 248 b. Bekannt ist die von Prodikos erzählte Geschichte vom Herkules am Scheidewege, wo er zwischen der personifizierten Ἀρετή und Κακία zu wählen hat (Xenoph Mem II 1,
20 21—23).

In der philonischen Ethik spielen die κακίαι eine große Rolle, worin sich der stoische Einfluß zeigt.   Er definiert sie als ἀλαζονεία ψυχῆς Virt 172; als ὅλης τῆς ψυχῆς ἀρρώστημα Sobr 45, als ἡ τῶν παθῶν ἡγεμονίς Leg All III 38. Sie ist eine Möglichkeit des menschlichen Lebens: ... τοῦ βίου διττὴ ὁδός, ἡ μὲν ἐπὶ κακίαν, ἡ δ' ἐπ' ἀρετὴν ἄγουσα
25 Spec Leg IV 108. Der Mensch, der den ersten Weg eingeschlagen hat, ist der Schlechte und Unwissende, der andere der Weise: ὁ...σοφὸς τεθνηκέναι δοκῶν τὸν φθαρτὸν βίον ζῇ τὸν ἄφθαρτον, ὁ δὲ φαῦλος ζῶν τὸν ἐν κακίᾳ τέθνηκε τὸν εὐδαίμονα Det Pot Ins 49. Ihrem Inhalt nach werden sie bestimmt als ἀφροσύνη, ἀκολασία, δειλία, κακία Conf Ling 90, als λήθη καὶ ἀχαριστία καὶ φιλαυτία καὶ ἡ γεννητικὴ τούτων κακία, οἴησις Sacr AC 58.
30 Daneben redet er von einem τῶν κακιῶν ἀμήχανον πλῆθος Op Mund 79. Sie werden religiös bestimmt als ἐχθρὸν θεῷ κακία Mut Nom 30. Weil Gott πάσης κακίας ἀμέτοχος Spec Leg II 11 ist, können sie in seiner Gegenwart nicht bestehen: τῶν ὅρων οὐρανοῦ μακρὰν κακία πεφυγάδευται Op Mund 168.

In LXX ist κακία einerseits die *einzelne schlechte Tat*, sowohl des Einzelnen wie des
35 Volkes; als *Einzeltat*: Salomo zu Simei: σὺ οἶδας πᾶσαν τὴν κακίαν σου ἣν ἔγνω ἡ καρδία σου, ἃ ἐποίησας τῷ Δαυὶδ τῷ πατρί μου · καὶ ἀνταπέδωκεν κύριος τὴν κακίαν σου εἰς κεφαλήν σου 3 Βασ 2, 44; als *Volkstat*: πάσας τὰς κακίας αὐτῶν ἐμνήσθην Hos 7, 2 (vgl den ganzen Zusammenhang v 1—3).   In dieser Bedeutung wird es synonym mit πονηρία gebraucht (vgl Ri 1, 56 f A κακία B πονηρία). Der Begriff steht im religiösen
40 Zusammenhang drinnen: jede κακία ist κακία vor und an Gott: καὶ λαλήσω πρὸς αὐτοὺς μετὰ κρίσεως περὶ πάσης τῆς κακίας αὐτῶν, ὡς ἐγκατέλιπόν με καὶ ἔθυσαν θεοῖς ἀλλοτρίοις καὶ προσεκύνησαν τοῖς ἔργοις τῶν χειρῶν αὐτῶν Jer 1, 16 (vgl 2, 13, wo diese κακίαι πονηρά heißen). Andererseits ist κακία synonym mit κακόν und bedeutet *Unheil, Unglück, Verderben*, zB συντετέλεσται ἡ κακία παρ' αὐτοῦ 1 Βασ 20, 7; διὰ τοῦτο ἰδοὺ ἐγὼ
45 ἄγω κακίαν πρὸς σὲ εἰς οἶκον Ἱεροβοάμ: 3 Βασ 14, 10f.

Im Neuen Testament bedeutet κακία an einer Stelle *Plage, Mühe, Übel*. Mt 6, 34 sagt Jesus: ἀρκετὸν τῇ ἡμέρᾳ ἡ κακία αὐτῆς. „Am Maß desjenigen Verlangens gemessen, das in Gottes Herrschaft und Gerechtigkeit sein Ziel hat, stellt sich die natürlicher Bedürftigkeit abhelfende Arbeit als Plage dar. Sie ...
50 ist es an sich, da sie den Jünger bei dem festhält, was die Natur verlangt[2].“ Im Wissen um Gott als den Vater, der für die Seinen sorgt, wird diese Plage erträglich, und der Jünger bleibt nicht an ihr hängen.

Sonst hat κακία stets ethische Bedeutung. Es ist sowohl eine ganz bestimmte Einzelschlechtigkeit, so das gewinnsüchtige Verlangen des Simon Magus:
55 μετανόησον ... ἀπὸ τῆς κακίας σου Ag 8, 22, wie allgemeiner Ausdruck für Schlechtigkeit, die die Menschen untereinander sich antun.   Die κακία als ge-

κακία.   [1] Vgl Plat Resp IV 444 b: τὴν τού-
των ταραχὴν καὶ πλάνην εἶναι τήν τε ἀδικίαν | καὶ ἀκολασίαν καὶ δειλίαν καὶ ἀμαθίαν καὶ συλ-
λήβδην πᾶσαν κακίαν.
[2] SchlMt 236.

meinschaftzerstörende Macht ist die Wirklichkeit dieses Kosmos, die Paulus als strafenden Fluch ansieht, der der Ursünde, der Gottlosigkeit, folgt. Aus der Zerstörung der Gemeinschaft mit Gott folgt die der Gemeinschaft der Menschen: παρέδωκεν αὐτοὺς ὁ θεός ... πεπληρωμένους πάσῃ ἀδικίᾳ, πονηρίᾳ, πλεονεξίᾳ, κακίᾳ R 1, 28f. Davon redet der Titusbrief: ἐν κακίᾳ καὶ φθόνῳ διάγοντες Tt 3, 3. 5 Mit der Schaffung der christlichen Gemeinde ist die Möglichkeit zur Ausschaltung dieser die Gemeinschaft zerstörenden Macht gegeben: ἀποθέμενοι οὖν πᾶσαν κακίαν καὶ πάντα δόλον καὶ ὑποκρίσεις καὶ φθόνους καὶ πάσας καταλαλιάς 1 Pt 2, 1 vgl Jk 1, 21; Eph 4, 31; Kol 3, 8. Der 1 Pt mahnt, die dem Christen gegebene Freiheit nicht als individualistische Willkür zu benutzen: μὴ ὡς ἐπικάλυμμα 10 ἔχοντες τῆς κακίας τὴν ἐλευθερίαν ἀλλ' ὡς θεοῦ δοῦλοι 2, 16. Und Paulus mahnt: τῇ κακίᾳ νηπιάζετε 1 K 14, 20. Wie ἀρετή im NT nicht im Sinne einer stoischen Tugendlehre gebraucht ist, so κακία nicht im Sinne griechischer Lasterlehre. κακία ist, wie wir sahen, gemeinschaftzerstörende Macht.

† κακόω 15

κακόω bedeutet durchgängig *Übles antun, mißhandeln, Schaden zufügen*, so schon Hom Il 11, 690; Od 4, 754; Plat Leg XI 928c: ἀμελείᾳ ... κακῶσαι τὸν ὀρφανόν, aber auch später in der Umgangssprache ein Vater an seine Tochter: εὖ ποιήσεις μὴ κακώσασα ... PTebt II 407, 9 (2 Jhdt n Chr).

In LXX häufig. Das Schicksal der Israeliten wird mit κακοῦν bezeichnet: ἐκάκωσαν 20 ἡμᾶς οἱ Αἰγύπτιοι Nu 20, 15 vgl Ex 5, 22f; Dt 26, 6; Jos 24, 5. Vom Gottesknecht bei Dtjs heißt es: διὰ τὸ κεκακῶσθαι οὐκ ἀνοίγει τὸ στόμα Js 53, 7.

Im Neuen Testament außer 1 Pt 3, 13: τίς ὁ κακώσων ὑμᾶς ἐὰν τοῦ ἀγαθοῦ ζηλωταὶ γένησθε; ἀλλ' εἰ καὶ πάσχοιτε διὰ δικαιοσύνην, μακάριοι nur in Ag, uz vom Leiden Israels in Ägypten Ag 7, 6. 19; vom Leiden der Gemeinde Jesu 25 unter den Verfolgungen der Juden 12, 1; 14, 2; von der Gefahr einer Verfolgung des Paulus, die Gott abwehrt Ag 18, 10.

† κακοῦργος → λῃστής

κακοῦργος, *der, der Böses tut, der Übeltäter, Schurke*, zB: ... τάχ' ἂν κακοῖς γελῶν ἃ δὴ κακοῦργος ἐξίκοιτ' ἀνήρ Soph Ai 1042f; ... κακούργους ἐρευνῆσαι 30 Xenoph Cyrop I 2, 12. Häufig in Gerichts- und Umgangssprache vgl Ditt Or II 669, 17; POxy XII 1408, 19; BGU I 325, 3; III 935, 4.

In LXX in gleicher Bedeutung Prv 21, 15; Sir 11, 33: πρόσεχε ἀπὸ κακούργου, πονηρὰ γὰρ τεκταίνει. Auch Jos Ant 1, 270.

Im Neuen Testament Lk 23, 32. 33. 39: Jesus ist gekreuzigt in der Mitte 35 von zwei Übeltätern. Einen der Übeltäter erreicht Jesu rettendes Vergebungswort. 2 Tm 2, 9 schreibt Paulus von sich: ἐν ᾧ (sc εὐαγγελίῳ) κακοπαθῶ μέχρι δεσμῶν ὡς κακοῦργος. Darin erfüllt sich die Gleichheit des Schicksals zwischen Meister und Jünger, von der im NT oft die Rede ist.

† κακοήθεια 40

Pseud-Ammon Adfin Vocab Diff sv (Valckenaer p 148) definiert das Wort als κακία κεκρυμμένη. Aristoteles sagt von ihr: ἔστι γὰρ κακοήθεια τὸ ἐπὶ τὸ χεῖρον ὑπολαμβάνειν πάντα Rhet II 13 p 1389b 20f: Plat: ... ἀσχημοσύνη καὶ ἀρρυθμία καὶ ἀναρμοστία κακολογίας καὶ κακοηθείας ἀδελφά Resp III 401a. Es gehört auch der Umgangssprache an, zB: BGrenfell, An Alexandrian Erotic Fragment (1896) 60, 13. 45

In LXX, außer Est 8, 12f, nur in 3 u 4 Makk. Vgl bes 4 Makk 3, 4: κακοήθειάν τις ἡμῶν οὐ δύναται ἐκκόψαι, ἀλλὰ τὸ μὴ καμφθῆναι τῇ κακοηθείᾳ δύναιτ᾽ ἂν ὁ λογισμὸς συμμαχῆσαι. Überall heißt es *Bosheit, Arglist.*

Im Neuen Testament nur R 1, 29: . . . μεστοὺς φθόνου, φόνου, ἔριδος, 5 δόλου, κακοηθείας . . . Die Reihe zeigt, daß es sich um *bewußte* und *willentliche Bosheit* handelt.

† κακοποιέω, κακοποιός

κακοποιέω bedeutet *a. schlecht handeln, Böses tun,* zB: . . . ὅπως ὅτι πλεῖστοι κακοποιῶσιν Xenoph Cyrop VIII 8, 14. — *b. schlecht behandeln, Böses antun*
10 *verderben,* zB: οὐ δυναμένου δὲ τοῦ πλήθους ἀπέχεσθαι τῆς χώρας . . . κακοποιοῦντες αὐτὴν καὶ λυμαινόμενοι διῄεσαν Polyb 4, 6, 10 vgl 8, 14, 1; πολλὰ τὸν Ἀλέξανδρον ἐκακοποίουν Plut Alex 59 (I 698 c).

κακοποιός ist *derjenige, der Böses tut, der schlecht handelt, dasjenige, das schädigend wirkt,* zB: das κακοποιόν der ὕλη Aristot Phys I 9 p 192a 15; Σωσίβιος . . . ἐδόκει γεγονέναι
15 σκεῦος . . . κακοποιόν Polyb 15, 25, 1. Wie → ἀγαθοποιός, ἀγαθοποιέω auch astrologischer Terminus: . . . Χαλδαῖοι . . . τῶν πλανητῶν . . . δύο μὲν ἀγαθουργούς, δύο δὲ κακοποιούς, μέσους δὲ τοὺς τρεῖς ἀποφαίνουσι καὶ κοινούς Plut Is et Os 48 (II 370c).

In LXX findet sich κακοποιέω meist in der Bedeutung *jem Böses antun* gleichmäßig über Geschichts- und Weisheitsliteratur verteilt, in den Propheten einmal bei Jesaja
20 und zweimal bei Jeremia. Beispiele: Gn 31, 7: οὐκ ἔδωκεν αὐτῷ ὁ θεὸς κακοποιῆσαί με auch v 29; . . . πόδες ἐπισπεύδοντες κακοποιεῖν Prv 6, 18; ἐὰν εὕρη καιρόν, κακοποιήσει Sir 19, 28; σοφοί εἰσιν τοῦ κακοποιῆσαι Jer 4, 22; κακοποιός nur Prv 12, 4 (γυνὴ κακοποιός) und 24, 19: μὴ χαῖρε ἐπὶ κακοποιοῖς. Im mas Text stehen fast immer Formen des Stammes רעע[1].

25 Im Neuen Testament stehen die beiden Worte vor allem im 1 Pt[2]. κρεῖττον . . . ἀγαθοποιοῦντας, εἰ θέλοι τὸ θέλημα τοῦ θεοῦ, πάσχειν ἢ κακοποιοῦντας 3, 17. In diesem Zusammenhang: μὴ γάρ τις ὑμῶν πασχέτω ὡς . . . κακοποιός 4, 15[3]; ferner: τὴν ἀναστροφὴν . . . ἔχοντες καλήν, ἵνα ἐν ᾧ καταλαλοῦσιν ὑμῶν ὡς κακοποιῶν, ἐκ τῶν καλῶν ἔργων ἐποπτεύοντες δοξάσωσιν τὸν θεὸν ἐν ἡμέρᾳ ἐπισκοπῆς
30 2, 12. Leiden werden über die Gemeinde hereinbrechen, und das Jesuswort, daß sie wie Übeltäter behandelt werden, wird sich an ihnen erfüllen (2, 12). Daß sie als solche, die gut handeln und nicht als Übeltäter leiden, daß also ihr Leiden wirklich zur Ehre Gottes geschieht und das Preisen Gottes bei den Menschen erweckt[4], darauf richtet sich des Petrus Mahnung (1 Pt 4, 15). 1 Pt steht
35 es noch 2, 14, die Aufgabe der Obrigkeit umschreibend: jeder Obrigkeit ist Gehorsam zu leisten ὡς δι᾽ αὐτοῦ (sc: κυρίου) πεμπομένοις εἰς ἐκδίκησιν κακοποιῶν ἔπαινον δὲ ἀγαθοποιῶν.

3 J 11 steht: ὁ ἀγαθοποιῶν ἐκ τοῦ θεοῦ ἐστιν· ὁ κακοποιῶν οὐχ ἑώρακεν τὸν θεόν. Die Scheidung ist grundsätzlich. Die Welt ohne Gott kennt kein ἀγαθο-
40 ποιεῖν, keine Liebe und kein Erbarmen. Im Anblick Gottes, in Jesus Christus entsteht Liebe und Erbarmen als die Himmelsmacht in dieser Welt. Wer Gott gesehen hat, kann nicht mehr κακοποιεῖν. Diese Wendung des Gedankens ist eigentümlich johanneisch: an dem Anblick Gottes entsteht die Gottesart durch die Wiedergeburt zur Gotteskindschaft. Ohne diesen Anblick ist sie nicht da.

κακοποιέω κτλ. [1] 2 Εσδρ 4, 13. 15 steht κακοποιεῖν für רעע; 2 Βασ 24, 17 für עוה hi.

[2] Vgl außerdem: ἔξεστιν τοῖς σάββασιν ἀγαθὸν ποιῆσαι ἢ κακοποιῆσαι . . . Mk 3, 4 vgl Lk 6, 9.

[3] κακοποιός 4, 15 als „Zauberer" zu übersetzen, wie Windisch vorschlägt, ist kaum an-

gängig, weil sonst das Wort im Zshg des 1 Pt diese Bedeutung nicht hat.

[4] Vgl Mt 5, 16: . . ὅπως ἴδωσιν ὑμῶν τὰ καλὰ ἔργα καὶ δοξάσωσιν τὸν πατέρα ὑμῶν τὸν ἐν τοῖς οὐρανοῖς.

Aber aus dem Anblick entsteht sie notwendig. Der Anblick Gottes aber vollzieht sich im Schauen seines Christus: ὁ ἑωρακὼς ἐμὲ ἑώρακεν τὸν πατέρα Joh 14, 9.

ἐγκακέω

ἐγκακέω *sich schlecht benehmen,* uz *schlecht behandeln*: . . . ἐγκακη- 5
θέντα τὸν ἐμὸν πατέρα PLond III 1708, 92 b; *(aus Schlechtigkeit) unterlassen*: Λακεδαιμό-
νιοι δὲ τὸ μὲν πέμπειν τὰς βοηθείας κατὰ τὴν διάταξιν ἐνεκάκησαν Polyb 4, 19, 10.

Im Neuen Testament steht es bei Lk 18, 1: ἔλεγεν δὲ παραβολὴν αὐτοῖς πρὸς τὸ δεῖν πάντοτε προσεύχεσθαι αὐτοὺς καὶ μὴ ἐγκακεῖν. Der Zusammenhang gibt eine klare Bedeutung. In der vorhergehenden Rede hatte Jesus die Frage 10 des kommenden Endes besprochen. Die Rede gibt „kräftig das Verbot aller apokalyptischen Rechnungen, sowohl derer, die das Rabbinat angestellt hat, als solcher, die im Kreise der Jünger entstehen könnten" [1]. Die Haltung der Jünger besteht in dem δεῖν πάντοτε προσεύχεσθαι καὶ μὴ ἐγκακεῖν. In der Spannung, die den Jüngern aus der Erwartung entsteht, fordert Jesus von ihnen das *nicht* 15 *müde werden* — das bedeutet μὴ ἐγκακεῖν — im Gebet. Es ist also ein von der Eschatologie bestimmter Terminus.

Diese Bedeutung hat der Begriff auch bei Paulus, der ihn auf die Führung seines Dienstes anwendet. καθὼς ἠλεήθημεν, οὐκ ἐγκακοῦμεν 2 K 4, 1. Aus dem Erbarmen, das ihm widerfahren ist, wächst ihm die Kraft zum μὴ ἐγκακεῖν. Die 20 Fortsetzung zeigt, daß die griechische Bedeutung *sich schlecht benehmen* in die Bedeutung *nachlassen, müde werden* aufgenommen ist. Durch keine Schlechtigkeit will sich Paulus von seinem Dienst abbringen lassen und in ihm müde werden. Der von der Eschatologie bestimmte Ton zeigt sich besonders Eph 3, 13: αἰτοῦμαι μὴ ἐγκακεῖν ἐν ταῖς θλίψεσίν μου ὑπὲρ ὑμῶν, ἥτις ἐστὶν δόξα ὑμῶν. 25 θλῖψις ist die Bedrängnis, die aus dem Schon und dem Noch-nicht eschatologischer Situation entsteht. In solcher Situation in seinem Dienst nicht nachzulassen, ist seine Bitte im Gebet. Dieses μὴ ἐγκακεῖν fordert Paulus aber nun auch von seinen Gemeinden in der Ausübung der Liebe, die die ihnen durch den Christus in eben dieser Situation gegebene Möglichkeit des Handelns ist: τὸ δὲ καλὸν 30 ποιοῦντες μὴ ἐγκακῶμεν Gl 6, 9; μὴ ἐγκακήσητε καλοποιοῦντες 2 Th 3, 13.

† ἀνεξίκακος

Das Wort ist belegt zB bei Herodotos Medicus Apud Oribasium
V 30, 7; bei Luc Judicium Vocalium 9. Bei Josephus findet sich ἀνεξικακία; auch
LXX Sap 2, 19. Es bedeutet *Duldung des Bösen, Langmut*. ἀνεξίκακος ist *Böses oder* 35
Ungemach aushaltend, langmütig.

Im Neuen Testament nur 2 Tm 2, 24, wo vom δοῦλος κυρίου gefordert wird, daß er nicht streitsüchtig, sondern langmütig und duldsam gegenüber den widerstrebenden Menschen sein soll: ἤπιον εἶναι πρὸς πάντας, διδακτικόν, ἀνεξί-
κακον, ἐν πραΰτητι παιδεύοντα τοὺς ἀντιδιατιθεμένους. 40

Grundmann

ἐγκακέω. [1] Schl Lk 369. Der Begriff kommt | Lk von Pls, der es in der Paränese verschie-
bei Jos nicht vor. Wahrscheinlich hat ihn | dentlich verwendet.

καλέω, κλῆσις, κλητός, ἀντικαλέω,
ἐγκαλέω, ἔγκλημα, εἰσκαλέω,
μετακαλέω, προκαλέω, συγκαλέω,
ἐπικαλέω, προσκαλέω, ἐκκλησία

ἀνέγκλητος → I 358 f, → παρακαλέω,
παράκλητος, → συμπαρακαλέω

---

5   † καλέω

1. Der Bestand.

Bei einem so oft vorkommenden Wort wie καλέω *rufen*,
das füglich auch im Neuen Testament öfters vorkommt, empfiehlt es sich,
vorerst eine Bestandsaufnahme für das NT zu machen und in Verbindung
10 damit etwaigen Bedeutungsfärbungen nachzugehen.

In fast allen nt.lichen Schriften findet sich καλέω, besonders häufig im Lk-Ev
und in der Ag. Daß gerade das lukanische „Geschichtswerk" im Vordergrunde
steht, mag daran liegen, daß καλέω zunächst ein weltläufiges Wort ist. Immerhin findet es sich öfters auch im Mt-Ev, nur einige Male dagegen im Mk-Ev,
15 was daher kommen dürfte, daß beim zweiten Evangelisten Worte Jesu nicht
so ausgiebig mitgeteilt sind. Auffallend ist dann aber das seltene Vorkommen
im Joh-Ev, was damit erklärt werden dürfte, daß der vierte Evangelist gegenüber den drei Synoptikern auch sonst einen eigentümlichen Sprach- und Begriffsschatz hat. Paulus, Hb, 1 und 2 Pt verwenden καλέω verhältnismäßig oft, und
20 zwar meistens mit einer besonderen Betonung, der eine ebensolche Betonung
in einigen synoptischen Stellen und in dem einige Male zitierten AT entspricht.
Bei alledem kommt man für die Übersetzung immer mit dem Wort *rufen* aus.
Dort indes, wo eine besondere Betonung vorliegt, drängt sich die Übersetzung
berufen auf, womit dann die eigentlich biblisch-theologische Frage aufgeworfen ist.

25   *a*. Das Aktivum zieht Objektsakkusativ und Vokativ nach sich:
Lk 6, 46: τί με καλεῖτε · κύριε κύριε; = „warum *ruft*, *nennt* ihr mich: Herr, Herr?"
Häufiger zieht das Aktivum Objekts- und Prädikatsakkusativ nach sich. Im Deutschen
ist bei dieser grammatischen Verbindung die Bedeutung *nennen* geläufig geworden.
Mt 10, 25: τὸν οἰκοδεσπότην Βεελζεβοὺλ καλοῦσιν, bzw ἐκάλεσαν (vl: ἐπεκάλεσαν, → ἐπικαλέω),
30   22, 43: καλεῖ αὐτὸν κύριον. Vgl 22, 45. Hierher gehört auch 23, 9: καὶ πατέρα μὴ καλέσητε ὑμῶν ἐπὶ τῆς γῆς, welche Stelle wir so übersetzen, als wenn für μή ein μηδένα
dastände; Lk 1, 59 mit dem Zusatz ἐπὶ τῷ ὀνόματι, 20, 44 (= Mt 22, 45, während Mk
12, 37 λέγει sagt); Ag 14, 12; R 4, 17: θεοῦ . . . καλοῦντος τὰ μὴ ὄντα ὡς ὄντα, 9, 25
(= Hos 2, 25); Hb 2, 11; 1 Pt 3, 6. Besonders deutlich kommt der Vorgang des *Nen-*
35   *nens*, *Benennens* zum Ausdruck, wenn der mit einem Prädikatsakkusativ verbundene
Objektsakkusativ τὸ ὄνομα . . . lautet: Mt 1, 21. 23 (= Js 7, 14). 25; Lk 1, 13. 31.
Das Passivum *genannt werden* ist verbunden mit Subjekts- und Prädikatsnominativ,
bzw mit einem anderen entsprechenden Doppelkasus bei Partizipialkonstruktionen.
Mt 2, 23: ('Ιησοῦς) Ναζωραῖος κληθήσεται, 5, 9: οἱ εἰρηνοποιοί . . . υἱοὶ θεοῦ κληθήσονται.
40   Vgl 5, 19 (2mal); 21, 13 (= Js 56, 7); 23, 7. 8 (vl: μηδένα καλέσητε ῥαββί, bzw διδάσκα-
λον ἐπὶ τῆς γῆς, wie FBlaß [bei Nestle] konjiziert); 23, 10; 27, 8; Mk 11, 17 (= Mt
21, 13); Lk 1, 32. 35. 36 (τῇ καλουμένῃ στείρᾳ); 1, 60 (D fügt hinzu τὸ ὄνομα αὐτοῦ);
1, 62. 76; 2, 4. 21 b (mit dem Zusatz τὸ ὄνομα αὐτοῦ, D hat dafür ὠνομάσθη); 2, 21 c.
23 (= Ex 13, 2 ff); 6, 15; 7, 11; 8, 2; 9, 10 (D liest λεγομένην); 10, 39; 15, 19. 21; 19, 2
45   (mit vorangestelltem ὀνόματι, womit bei D G al lat syr καλούμενος als überflüssig gestrichen wird); 19, 29; 21, 37; 22, 25; 23, 33; J 1, 42; Ag 1, 12. 19. 23; 3, 11; 7, 58;
8, 10 (vl: λεγομένη, während in anderen Handschriften und Übersetzungen καλουμένη
fehlt); 9, 11; 10, 1; 13, 1 (D liest ἐπικαλούμενος); 15, 22 (auch ἐπικαλούμενον ist überliefert); 15, 37 (ebenso); 27, 8. 14. 16; 28, 1; R 9, 26 (= Hos 2, 1); 1 K 15, 9; Hb 3, 13;

Jk 2, 23; 1 J 3, 1; Apk 1, 9; 11, 8; 12, 9; 16, 16; 19, 11. 13 (mit dem Zusatz τό ὄνομα αὐτοῦ).

b. *Rufen* im Sinne von *herbeirufen, heranrufen, einladen*, das von Menschen vollzogen wird, findet sich an folgenden Stellen: Mt 2, 7; 20, 8; 22, 3: καλέσαι τοὺς κεκλημένους εἰς τοὺς γάμους (die zur Hochzeit Geladenen [die Gäste] rufen); 22, 4: τοῖς κεκλημένοις (den Geladenen . . .); 22, 8. 9; 25, 14; Mk 3, 31 (A hat hier, Mt 12, 46 folgend, ζητοῦντες, andere Handschriften lesen φωνοῦντες); Lk 7, 39 (für ὁ Φαρισαῖος ὁ καλέσας αὐτόν hat D sinngemäß ὁ Φαρισαῖος παρ' ᾧ κατέκειτο); 14, 7. 8 (2 mal). 9. 10 (2 mal). 12. 13. 16. 17 (א D al fügen hinzu ἔρχεσθαι); 14, 24; 19, 13; J 2, 2; 10, 3 (ebensogut wie καλεῖ ist φωνεῖ überliefert); Ag 4, 18; 24, 2 (beidè Male wohl ein juristischer terminus); 1 K 10, 27.

c. An einigen wenigen Stellen in den Evangelien und an verhältnismäßig zahlreichen Stellen in den Paulusbriefen ist es Gott oder Christus, der in ebensolcher Weise *ruft* und damit *beruft*. Erst diese Aussagen sind von biblisch-theologischem Belang. Gottes Spruch lautet Mt 2, 15: ἐξ Αἰγύπτου ἐκάλεσα τὸν υἱόν μου (= Hos 11, 1; LXX liest hier μετεκάλεσα, während Θ umdeutet: ἐκάλεσα αὐτὸν υἱόν μου = „ich habe ihn meinen Sohn genannt"). Jesus *rief, berief* seine Jünger Mt 4, 21 = Mk 1, 20. Jesus fühlte sich dazu gekommen, daß er nicht die „Gerechten", sondern die Sünder *berufen* sollte Mt 9, 13 = Mk 2, 17 = Lk 5, 32 (an der letztgenannten Stelle ist sinngemäß εἰς μετάνοιαν hinzugefügt). Daß Gott *zu sich ruft, beruft, zu seinen Heilsgütern beruft*, ist aber dann vor allem Paulus geläufig: R 8, 30 (2 mal) zusammen mit → προορίζω, bzw → προγινώσκω, ferner → δικαιόω und → δοξάζω, woraus sich sehr deutlich die Gefülltheit des Ausdruckes καλέω ergibt. 9, 7: Gott hat in Isaak dem Abraham Samen berufen (= Gn 21, 12), vgl Hb 11, 18. R 9, 12: Gott ist der καλῶν, vgl Gl 5, 8; 1 Th 5, 24; 1 Pt 1, 15; R 9, 24: aus Juden und Heiden hat Gott berufen. 1 K 1, 9: Gott hat die Christen zur κοινωνία mit seinem Sohn berufen. 7, 15: er hat uns ἐν εἰρήνῃ berufen, vgl Kol 3, 15. 1 K 7, 17: Jeder soll so wandeln, wie er berufen worden ist ἐν κυρίῳ, vgl 7, 18 (2 mal). 20. 21. 22 (2 mal). 24; Eph 4, 1. Gl 1, 6: Gott hat die Galater berufen ἐν χάριτι ('Ιησοῦ) Χριστοῦ (vl: θεοῦ), 1, 15: διὰ τῆς χάριτος αὐτοῦ, 5, 13: ἐπ' ἐλευθερίᾳ. Eph 1, 11: ἐν ᾧ ἐκλήθημεν oder ἐκληρώθημεν, 4, 4: ἐν μιᾷ ἐλπίδι, Kol 1, 12: εἰς τὴν μερίδα τοῦ κλήρου τῶν ἁγίων ἐν τῷ φωτί (vielleicht muß hier allerdings für καλέσαντι ein ἱκανώσαντι gelesen werden), 1 Th 2, 12: εἰς τὴν ἑαυτοῦ (sc: θεοῦ) βασιλείαν καὶ δόξαν, 4, 7: οὐκ ἐπὶ ἀκαθαρσίᾳ, ἀλλ' ἐν ἁγιασμῷ, 2 Th 2, 14: ἐν ἁγιασμῷ πνεύματος καὶ πίστει ἀληθείας, εἰς ὃ (καὶ) ἐκάλεσεν ὑμᾶς (bzw ἡμᾶς) διὰ τοῦ εὐαγγελίου ἡμῶν εἰς περιποίησιν δόξης τοῦ κυρίου ἡμῶν 'Ιησοῦ Χριστοῦ, 1 Tm 6, 12: εἰς τὴν αἰώνιον ζωήν, 2 Tm 1, 9: σῴζειν καὶ καλεῖν κλήσει ἁγίᾳ, Hb 5, 4: Christus wie Christenmensch = καλούμενος ὑπὸ τοῦ θεοῦ, καθώσπερ 'Ααρών, 9, 15: die Christen sind die κεκλημένοι schlechthin, 11, 8: Abraham als unser τύπος ist καλούμενος. 1 Pt 2, 9: Gott ruft uns ἐκ σκότους εἰς τὸ θαυμαστὸν αὐτοῦ φῶς, 2, 21: Wir sind zum Leiden (2, 20) berufen, 3, 9: εἰς τοῦτο . . . ἵνα εὐλογίαν κληρονομήσητε, 5, 10: εἰς τὴν αἰώνιον αὐτοῦ δόξαν ἐν Χριστῷ, 2 Pt 1, 3: ἰδίᾳ (sc θεοῦ) δόξῃ καὶ ἀρετῇ (BℵAl: διὰ δόξης καὶ ἀρετῆς), Apk 19, 9: μακάριοι οἱ εἰς τὸ δεῖπνον (τοῦ γάμου) τοῦ ἀρνίου κεκλημένοι.

Zusammenfassend ist über unser *Gerufen- und Berufenwerden durch Gott in Christus* folgendes zu sagen: Die einheitliche Vorstellung des Paulus und seiner Schüler ist, daß Gott durch seine Mittel und zu seinem Zweck die

Menschen in Christus beruft. Wenn nach den synoptischen Evangelien Jesus von Nazareth als der καλῶν hingestellt wird, so übt er damit das göttliche Geschäft aus. Die Antwort des berufenen Menschen kann nur das → πιστεύειν im Sinne des → ὑπακούειν sein. Wie oben gesagt, kommt der Übersetzer bei
5 alledem mit dem Wort *rufen* aus. Die Tatsache jedoch, daß Gott der καλῶν ist und die Christen als die κεκλημένοι ohne besonderen Zusatz angesprochen werden, zeigt, daß καλεῖν im NT ein terminus technicus für den Heilsvorgang ist. Da Gott immer das Subjekt ist, kommt es sachlich auf dasselbe hinaus, ob der Heilsvorgang nur mit dem Hinweis auf Gott angedeutet oder
10 nach Mittel und Zweck so plerophorisch wie etwa 2 Th 2, 14 beschrieben ist. Auf Grund dieses Ergebnisses wird man an einzelnen Stellen, wo sich ein terminus technicus zunächst nicht nahelegt, damit rechnen können und müssen daß ein technischer Wortgebrauch mitschwingt[1]. Wenn Gott oder auch Christus einen Menschen ruft, so ist solches *Rufen, Berufen, Nennen* ein verbum
15 efficax. Gott, bzw Christus, beruft immer richtig, Gericht und Gnade heraufführend. Damit hängt zusammen, daß von Gott sowohl ἐκάλεσεν als καλεῖ gebraucht ist: beide Tempora kommen nebeneinander vor; 1 Th 2, 12 ist sowohl καλέσαντος als καλοῦντος überliefert.

2. Die Parallelen.

20   Daß es bei einem so üblichen, „profanen" Wort wie καλέω zu dem aufgezeigten nt.lichen Sprachgebrauch im griechischen Schrifttum, damit auch in der LXX und in außerbiblischen altchristlichen Schriften ältere und jüngere Parallelen gibt, liegt auf der Hand. Dabei hat die LXX auch da nachgewirkt, wo es sich um den terminus technicus für den Heilsvorgang nicht
25 handelt.

          a. Die oben festgestellte Redensart *nennen*: καλεῖν τὸ ὄνομά τινος mit Beifügung des Namens, findet sich Gn 17, 19: καλέσεις τὸ ὄνομα αὐτοῦ Ἰσαάκ, vgl 1 Βασ 1, 20: ἐκάλεσεν τὸ ὄνομα αὐτοῦ Σαμουήλ, ferner 1 Makk 6, 17: . . . Εὐπάτωρ. Diese Konstruktion entspricht dem hebräischen קָרָא אֶת־שְׁמוֹ. Für die antike religiöse
30 und auch die biblische Welt ist ja das → ὄνομα nicht „Schall und Rauch", sondern etwas ungemein Wirkliches, so daß ein mit Namen Genanntwerden ohne weiteres ganz nahe an die Bedeutung *sein* herankommt. Daraus wird verständlich, daß Lk 1, 32: υἱὸς ὑψίστου κληθήσεται im Parallelismus zu dem voraufgegangenen ἔσται μέγας steht und daß 1 J 3, 1 auf τέκνα θεοῦ κληθῶμεν die (allerdings nicht in allen Handschriften
35 stehenden) Worte folgen: καὶ ἐσμέν. Wenn Lk, Ag und Apk dem Namen oder Beinamen einer Person oder einer Sache, meistens einer Örtlichkeit, das Participium Praesentis Passivi voranstellen, so gibt es dazu Parallelen vor allem in den Papyri und Ostraka[2].

          b. Rufen im Sinne von *einladen* (vgl voco = invito) kommt seit
40 Homer vor und ist den Papyri und auch der LXX geläufig, vgl POxy XII 1487, 1: καλῖ σε Θέων . . . εἰς τοὺς γάμους, Est 5, 12: . . . εἰς τὴν δοχήν. Beliebt ist auch der absolute Gebrauch in demselben Sinne, so 2 Βασ 13, 23: ἐκάλεσεν Ἀβεσσαλὼμ πάντας τοὺς

καλέω. [1] Einen umgekehrten Erklärungsweg versucht Cr-Kö sv mit seiner an sich ansprechenden Vermutung: „Der Gebrauch in den Parabeln Mt 22 u Lk 14 (vgl Apk 19, 9: οἱ εἰς τὸ δεῖπνον τοῦ γάμου τοῦ ἀρνίου κεκλημένοι) könnte die spezifisch christl Verwendung dieses Wortes zu vermitteln scheinen: zur Teilnahme am Reiche Gottes auffordern und einladen, berufen . . ." Mit Recht vertritt aber dann Cr-Kö einen „anderen Anknüpfungspunkt, an den sich erst wieder jene Bilder anschließen". Dieser von Cr-Kö gesehene Anknüpfungspunkt deckt sich mit dem, was oben im Text unter *3* über die at.lich-jüdische Herkunft des nt.lichen technischen Gebrauchs von καλέω gesagt ist.
[2] S Pr-Bauer sv u Moult-Mill sv IV 318.

υἱοὺς τοῦ βασιλέως. Die κεκλημένοι sind die *Geladenen*, die *Eingeladenen*, die *Gäste*. Vgl Damoxenos bei Athen III 59 (p 102c). Der oben für Ag 4, 18 und 24, 2 vermutete juristische terminus ist öfters in den Papyri belegt: *rufen, einladen, vorladen*[3].

    c. Daß Gott *ruft, beruft*, damit die Menschen gehorchen sollen, hat eine menschliche Parallele in PHamb I 29, 3 (89 n Chr): κληθέντων τινῶν . . . καὶ 5 μὴ ὑπακουσάντων. Durch einen solchen Satz im Bereich des Menschlichen wird der Gott der Bibel deutlich als eine Person, die den Menschen als Personen gegenübersteht: Prv 1, 24: ἐκάλουν καὶ οὐχ ὑπηκούσατε, als Wort der Weisheit, der Hypostase Gottes. Im Ganzen und im Einzelnen findet sich bei den Apostolischen Vätern derselbe Sprachgebrauch: 1 Cl 32, 4: διὰ θελήματος αὐτοῦ (sc: θεοῦ) ἐν Χριστῷ Ἰησοῦ κλη- 10 θέντες, 59, 2: ἀπὸ σκότους εἰς φῶς. Anderseits auch ohne nähere Bestimmung: 2 Cl 9, 5; 10, 1. Ebd 5, 1: Christus der καλέσας. 1 Cl 65, 2: die Christen sind κεκλημένοι ὑπὸ τοῦ θεοῦ δι' αὐτοῦ (sc Ἰησοῦ Χριστοῦ). Vgl Herm s 9, 14, 5; m 4, 3, 4 (κληθέντες). Die Aussage über Gott 2 Cl 1, 8: ἐκάλεσεν ἡμᾶς οὐκ ὄντας, legt es nahe, die oben unter *nennen* gebuchte Stelle R 4, 17 (→ 288, 33) unter *rufen* einzuordnen und dabei 15 an Philo Spec Leg IV 187 zu erinnern: τὰ γὰρ μὴ ὄντα ἐκάλεσεν εἰς τὸ εἶναι. Einen solchen religiösen Sprachgebrauch kennt auch die Isis-Religion, über die bei Apulejus und Pausanias Auskunft gegeben wird. Apul Met XI 21 berichtet, daß der vom Priester einzuweihende Myste „neque *vocatus* (= κεκλημένος) morari nec non etc". Und bei Paus X 32, 13 heißt es: οὔτε ἔσοδος ἐς τὸ ἄδυτον ἄλλοις γε ἢ ἐκείνοις ἐστὶν οὓς ἂν αὐτὴ 20 προτιμήσασα ἡ Ἶσις καλέσῃ σφᾶς δι' ἐνυπνίων[4].

3. Die Herkunft.

    a. Eine viel reichere und dazu genauer entsprechende Ausbeute für den besonderen nt.lichen Sprachgebrauch, dessen Herkunft auf diese Weise beleuchtet werden kann, liefert die Septuaginta. Am ergiebig- 25 sten ist hier der zweite Teil des Jesaja-Buches. Js 41, 9 erfährt das ἐκάλεσά σε seine gewichtige Auslegung durch die unmittelbar folgenden Worte: καὶ εἶπά σοι· παῖς μου εἶ, ἐξελεξάμην σε —. καλεῖν ist also soviel wie ἐκλέγεσθαι. Dazu 42, 6: ἐγὼ κύριος ὁ θεὸς ἐκάλεσά σε ἐν δικαιοσύνῃ . . . καὶ ἔδωκά σε εἰς διαθήκην γένους. Vgl ferner 46, 11, auch 48, 12: Ἰσραὴλ ὃν ἐγὼ καλῶ, 48, 15: 30 ἐγὼ ἐλάλησα, ἐγὼ ἐκάλεσα, vor allem 50, 2: ἐκάλεσα, καὶ οὐκ ἦν ὁ ὑπακούων, 51, 2: ἐκάλεσα αὐτὸν καὶ εὐλόγησα αὐτὸν καὶ ἠγάπησα αὐτόν. In diesem Zusammenhang bekommt dann auch die Nennung des Namens eine besondere Betonung: 43, 1: ἐκάλεσά σε τὸ ὄνομά σου, ἐμὸς εἶ σύ; 45, 3: ἐγὼ κύριος ὁ θεὸς ὁ καλῶν τὸ ὄνομά σου, θεὸς Ἰσραήλ[5]. 35

    b. Das entsprechende hebräische Wort im AT ist meistens קָרָא, das Dt 20, 10 noch prägnanter durch ἐκκαλεῖν übersetzt ist. Wie gegenständlich wirkungskräftig καλεῖν in der LXX ist, ergibt sich anderseits daraus, daß die hebräischen Correlata auch so lauten können: לָקַח (= nehmen) oder הָיָה (= sein). קָרָא wird wie durch ἐκκαλεῖν auch durch ἀνακαλεῖσθαι wieder- 40 gegeben: Ex 31, 2. Tg O verändert hier den Sinn so: „Ich habe den Bezaleel durch Namen(snennung) verherrlicht, geehrt." Ebenso überträgt Tg O auch

---

[3] S Class Rev 12 (1898) 194 f; 15 (1901) 199; APF 9 (1928—1930) 69; Preisigke Wört sv I 728, 7: καλεῖν εἰς τὴν δίκην = „vors Gericht laden".

[4] Abgedruckt bei AOepke, Die Missionspredigt des Apostels Paulus (1920) 56, offenbar im Anschluß an RReitzenstein, Die hellenistischen Mysterienreligionen (1910) 26, 99. Vgl auch RPerdelwitz, Die Mysterienreligion und das Problem des I Petrusbriefes, RVV 11, 3 (1911) 78: „Wir dürfen annehmen, daß

der Begriff der Berufung ein in die Mysteriensprache durchaus geläufiger und verbreiteter war; der Gott oder die Göttin beruft diejenigen, welche die Weihe zum Mysten erhalten sollten."

[5] Weitere Belege u Erörterungen über καλεῖν mit Bezug auf Gottes Handeln in der Geschichte der Völker u des einzelnen im AT bringt GBertram in seinem Artk „Berufung (biblisch)" RGG² I 743 f.

die analoge Stelle 35, 30: Jahwe hat den Bezaleel durch Namen(snennung) verherrlicht[6].

               c. Jedenfalls ist der rabbinischen Theologie die Vorstellung
von einer *Einladung* oder *Berufung zu den Heilsgütern* bekannt. So gibt es rabbinische
5   Gleichnisse, in denen der Gesamtgedanke und die Einzelgedanken des Gleichnisses
Mt 22, 2—14 anklingen[7]. Für קָרָא steht dabei öfters זִמֵּן, was dem → τάττω Ag 13, 48
entspricht: τεταγμένος εἰς ζωὴν αἰώνιον[8]. —

Im AT und im Judentum kommt deutlich zum Ausdruck, daß, wie καλεῖν
in der LXX und im NT, so קָרָא, bzw זִמֵּן an sich ein profanes Wort ist, das
10 einmal durch die Nennung des Heilsgutes als des Grundes und Zieles,
aber dann vor allem durch die Nennung Gottes als des Urhebers und Voll-
enders seinen betonten Sinn erhält: Gott beruft die Seinen durch
seine Gnade zu seiner Gnade, zuletzt und endgültig in Jesus
Christus, der die Fülle der Gnade ist[9]. —

15   † *κλῆσις*

                1. Der Bestand.

             R 11, 29: κλῆσις τοῦ θεοῦ = der von Gott ausgehende
Ruf, die göttliche *Berufung*, erläutert durch die Worte χαρίσματα (v 29) und
→ ἐκλογή (v 28). 1 K 1, 26: βλέπετε . . . τὴν κλῆσιν ὑμῶν . . . ὅτι οὐ πολλοὶ
20 σοφοί κτλ = „sehet auf den Zustand eurer *Berufung*, daß nämlich nicht viele
Weise da sind"; im folgenden Vers 27 wird diese κλῆσις durch → ἐκλέγεσθαι
umschrieben und verstärkt. 7, 20: ἕκαστος ἐν τῇ κλήσει ᾗ ἐκλήθη, ἐν ταύτῃ μενέτω
= jeder soll in dem Zustand der *Berufung* bleiben, in dem er berufen wurde,
weil er so oder so ἐν κυρίῳ κληθείς ist (v 22), weil ihr τιμῆς ἠγοράσθητε, dh bar
25 bezahlt, losgekauft wurdet (v 23), weil solche κλῆσις sich παρὰ θεῷ vollzieht
(v 24)[1]. Eph 1, 18: ἡ ἐλπὶς τῆς κλήσεως αὐτοῦ = die Hoffnung, zu der er,

---

[6] Vgl Str-B III 1 f. — Diese Veränderung
ist jedoch durchaus nicht singulär. Vielmehr
wird die Wendung קָרָא (בְּ)שֵׁם in den Targumen
öfter durch רַבִּי (בְּ)שׁוּם wiedergegeben, uz
dann, wenn Gott (als Subjekt) קָרָא (בְּ)שֵׁם
eines Menschen (denn dadurch eben „verherrlicht, ehrt" er ihn). So außer an den beiden
genannten St auch Js 43, 1; 45, 3; Jer
11, 16; 20, 3 uö; ebenso wird auch, wenn
Gott (als Subjekt) יָדַע בְּשֵׁם eines Menschen,
dies in den Targumen durch רַבִּי wiedergegeben: Ex 33, 12. 17. [KGKuhn.]
   [7] Str-B I 878 ff.
   [8] Ebd II 726 f; dazu Dalman WJ I 97.
   [9] Zur Frage nach der Abgrenzung zwischen
καλέω (κλῆσις) u → ἐκλέγω (→ ἐκλογή) ·s EvDobschütz, ThStKr 106 (1934/35) 9 ff.

   κλῆσις. [1] LtzmK schreibt zSt: „κλῆσις bezeichnet hier, wie aus dem Zusammenhang u
aus v 24 klar wird, den Zustand des Be-
schnitten- bzw Unbeschnittenseins, ist also
etwa = ‚Stand‘ wie unser Wort ‚Beruf‘." Mit
Recht sagt demgegenüber Cr-Kö sv: „Für
1 K 7, 20 . . . hat man unnötigerweise . . .

die Bedeutung Beruf, externa conditio, erfunden . . ." Es ist zuzugeben, daß v 20
κλῆσις = „Beruf" gut stimmen würde. Aber
gegen diese Deutung spricht eher der Zshg,
als daß er dafür spräche; auch v 24 ändert
daran nichts. Ferner ist nicht einzusehen,
warum 1 K 7, 20 anders verstanden werden
sollte als 1 K 1, 26, wo an sich auch die Bdtg
„Beruf" möglich wäre, wo aber auch LtzmK
richtig übersetzt: „Seht doch eure (eigene)
Berufung (zum Christentum) an." Schließlich
ist darauf hinzuweisen, daß sonst im NT die
Bdtg „Beruf" ausgeschlossen ist. Daraus
dürfte gefolgert werden müssen, daß man
nicht an einer einzigen St (1 K 7, 20) eine
andere Bdtg annehmen sollte, solange die
sonst übliche nt.liche Bdtg immerhin auch
hier möglich ist. — KHoll, Die Geschichte
des Worts Beruf (SAB 1924) XXIX ff = Gesammelte Aufsätze zur Kirchengeschichte III
(1928) 189 ff, schließt sich Lietzmann an:
„Von diesem strengen Sprachgebrauch (sc
κλῆσις = Berufung) weicht nur eine St ab.
1 K 7, 20 schreibt Pls: Jeder soll in der κλῆσις,
in der er berufen wurde, auch verbleiben.
Unser sprachliches Wissen reicht noch nicht

Gott, *berufen* hat. 4, 1: ἀξίως περιπατῆσαι τῆς κλήσεως ἧς ἐκλήθητε. 4, 4 ähnlich wie 1, 18. Phil 3, 14: τὸ βραβεῖον τῆς ἄνω κλήσεως (dafür ἀνεγκλησίας: codd apud Orig) τοῦ θεοῦ ἐν Χριστῷ 'Ιησοῦ = der Kampfpreis der oberen, dh himmlischen *Berufung* durch Gott in Christus Jesus. 2 Th 1, 11: ἵνα ὑμᾶς ἀξιώσῃ τῆς κλήσεως ὁ θεός. 2 Tm 1, 9: (θεοῦ) τοῦ σώσαντος ἡμᾶς καὶ καλέσαντος 5 κλήσει ἁγίᾳ, οὐ κατὰ τὰ ἔργα ἡμῶν ἀλλὰ κατὰ ἰδίαν πρόθεσιν καὶ χάριν. Hb 3, 1: ἀδελφοὶ ἅγιοι, κλήσεως ἐπουρανίου μέτοχοι. 2 Pt 1, 10: σπουδάσατε βεβαίαν ὑμῶν τὴν κλῆσιν καὶ ἐκλογὴν ποιεῖσθαι.

Diese 11 Stellen, die möglichst in extenso vorgeführt sind, zeigen, daß κλῆσις im NT ein paulinischer und deuteropaulinischer terminus tech- 10 nicus ist. Auch hier kommt man mit der einfachen Übersetzung *Ruf* aus. Es empfiehlt sich aber wie oben (entsprechend καλέω *1 c*) die betontere Über-

---

so weit, um sicher zu entscheiden, ob Pls hier zusammen mit einem kühnen Gedanken eine ebenso kühne Wortumprägung gewagt hat: die Berufung des Christen schließt auch die Lebensstellung, in der er sich befindet, als etwas Gottgeordnetes mit ein, oder ob er einen schon vorhandenen, freilich dann sehr seltenen u höchstens volkstümlichen Sprachgebrauch aufnimmt: κλῆσις = das, wovon einer seinen Namen trägt, also sein ,Stand' oder sein ,Beruf' in unserem Sinn. Wahrscheinlicher ist wohl das letztere. In jedem Falle war es von Bdtg, daß auch ein das Weltliche berührender Sinn des Worts den Christen durch eine St im NT nahegebracht wurde" (190). Holl, dessen hier mitgeteilte Ausführungen nicht haltbar sind, betont dann richtig: „Aber zunächst blieb diese Anregung ohne alle Wirkung. Die Weiterentwicklung des Worts knüpft vielmehr an das zuerst Hervorgehobene, an die Vorstellung von einer besonderen Berufung des Christen an" (ebd). „Die Beschlagnahme des Titels der vocatio durch das Mönchtum hat es nun auch im Abendland lange verhindert, daß eine entsprechende religiöse Schätzung der weltlichen Stände sich entwickelte oder daß das Wort vocatio für sie üblich wurde. 1 K 7, 20 ist so gut wie im Osten nach dieser Seite hin zunächst unwirksam geblieben" (199). Im Mittelalter wird das anders. Meister Ekkart findet, daß nach 1 K 7, 20 nicht alle Leute in einen Weg zu Gott gerufen sind (205). In der Folgezeit wirkte sich die so verstandene Bibelstelle aus. Und Luther hat nachdrücklicher als alle anderen vor ihm das Wort „Beruf" (vocatio) anstatt im Sinne von „Berufung" als gleichbedeutend mit „Stand" oder „Amt" verwendet. In Abweichung von der Septemberbibel hat er dann in dem genannten Sinne κλῆσις 1 K 7, 20 mit „Beruf" übersetzt. Diese Neuerung Luthers, der daneben immer noch Beruf im Sinne von Berufung oder für Beruf auch „Ruf" oder „Orden" sagt, ist in die Confessio Augustana übernommen worden, deren Artikel 16, 26 u 27 vom Beruf handeln. Man hat den Eindruck, daß die eine St 1 K 7, 20, an der allenfalls

„Beruf" in dem uns heute geläufigen Sinne gemeint sein könnte, bei deren Übers aber gerade auch Luther geschwankt hat, gegen die im Urchr sich findende Haltung überbetont worden ist: für Pls ist der „Beruf", der „Stand", das „Amt" des Menschen nicht so wichtig gewesen wie für Luther, der hierbei zu erklären u durchzudrücken hatte, daß nicht das Mönchtum einen Beruf habe, sondern jeder Christenmensch innerhalb der Welt u ihrer Arbeit. Es scheint, daß Holl diese reformatorische Auffassung in die Erklärung von κλῆσις 1 K 7, 20 hineinträgt. — ENorden, Antike Menschen im Ringen um ihre Berufsbestimmung (SAB 1932) XXXVIII ff, nennt folgende Korrelate: „Beruf" = ἔργον oder πρᾶγμα, „Berufszweige" = βίοι, „Berufswahl" = προαίρεσις. Zu κλῆσις = classis → 494, 32 ff. — Auf diese eigentümliche Tatsache hat vorher MWeber, Die protestantische Ethik und der Geist des Kapitalismus, Archiv f Sozialwissenschaft und Sozialpolitik 20/21 (1904/1905) = Gesammelte Aufsätze zur Religionssoziologie I (1920) 63 A 1 hingewiesen: „Im Griechischen fehlt eine dem deutschen Wort (sc : »Beruf«) in der ethischen Färbung entsprechende Bezeichnung überhaupt." Vor, neben und über Holl hinaus hat Weber über die sprachlich und, sachlich weitverzweigte und verwickelte Frage nach dem Begriff „Beruf" das Umfassendste und Beste gewußt und gesagt. Was er auf 20 Seiten seines genannten Aufsatzes (63—83) über „Luthers Berufskonzeption" und die „Aufgabe der Untersuchung" darlegt, ist geeignet, die Aufstellungen Holls, der sich mit Weber stofflich und methodologisch nicht genug auseinandersetzt, im Hinblick auf die nötige Abgrenzung zwischen der nt.lichen κλῆσις und dem „lutherischen" Beruf richtig zu stellen. Im Mittelpunkt der Weberschen Beweisführung steht mit Recht die Tatsache, daß Luther bei der ihm nur im griechischen Text bekannten St Sir 11, 20 f: ἐν τῷ ἔργῳ σου παλαιώθητι und ἔμμενε τῷ πόνῳ für ἔργον und πόνος das Wort „Beruf" verwendet, was dort in keiner vorlutherischen Bibelübersetzung zu finden ist.

setzung *Berufung*. Immer ist es Gott, der in Christus beruft. Die unmittelbaren Attribute lauten dementsprechend ἄνω, ἁγία, ἐπουράνιος, und genau so entsprechend sind die damit verbundenen Substantiva χαρίσματα, χάρις, ἐκλογή, πρόθεσις und die Verba ἐκλέγεσθαι, σῴζειν. Der gefüllteste Ausdruck 2 Tm 1, 9 hebt 5 besonders deutlich heraus, daß es sich um einen reinen Gnadenakt seitens Gottes handelt[2].

2. Die Parallelen.

In der uns bekannten griechischen Literatur kommt κλῆσις bei Aristophanes, Xenophon, Plato, in den Papyri, in der LXX und in alt- 10 christlichen Schriften vor.

a. Die Bedeutung *Benennung* (entsprechend καλέω 2a), *Name* ist einige wenige Male belegt[3]. — *b.* Etwas häufiger ist die Bedeutung *Einladung, Vorladung* (entsprechend καλέω *2b*)[4]. Hierher gehören die drei LXX-Stellen, an denen κλῆσις vorkommt. Jdt 12, 10: οὐκ ἐκάλεσεν εἰς τὴν κλῆσιν (so A; B liest χρῆσιν) οὐδένα, ist von dem Gastmahl 15 des Holofernes die Rede. 3 Makk 5, 14: ὁ πρὸς ταῖς κλήσεσιν τεταγμένος = derjenige, der mit den Einladungen (Plural!) betraut ist. 'Ιερ 38 (= Jer 31), 6: ὅτι ἐστιν ἡμέρα κλήσεως ἀπολογουμένων, ist falsche Übersetzung für כִּי יֶשׁ־יוֹם קָרְאוּ נֹצְרִים.

c. Im übrigen kommt κλῆσις fast ausschließlich in religiösem Sinne, also in der Bedeutung *Berufung* vor (entsprechend καλέω *2c*). Der nt.lichen Vorstellung 20 scheint parallel eine Aussage bei Epict Diss I 29, 49 zu sein, der von einer κλῆσις ἣν κέκληκεν (ὁ θεός) spricht. Es handelt sich hier aber nur um eine formale Parallele. Im Gegensatz zur hellenistischen Erlösungsreligion und vollends im Gegensatz zum nt.lichen Erlösungsglauben „bedeutet für den Stoiker die κλῆσις, daß er in eine schwierige, kritische Lage versetzt wird, in welcher er 25 von der Wahrheit und Kraft seiner Grundsätze Zeugnis abzulegen hat"[5]. Sachlich stimmen mit den nt.lichen Aussagen solche der Apostolischen Väter überein, die hier wie auch sonst dem Paulinismus, bzw Deuteropaulinismus huldigen. Vgl Barn 16, 9: κλῆσις τῆς ἐπαγγελίας = die Berufung, die in der Verheißung besteht; Herm m 4, 3, 6: μετὰ τὴν κλῆσιν ἐκείνην τὴν μεγάλην καὶ σεμνήν = nach 30 jener großen und hehren Berufung, wobei an die Taufe gedacht ist; vgl Herm s 8, 11, 1.

Völlig für sich steht eine Aussage bei Dion Hal Ant Rom IV 18, 2: ἐγένοντο δὴ συμμορίαι ἕξ, ἃς καλοῦσι 'Ρωμαῖοι κλάσσεις, [κατὰ] τὰς 'Ελληνικὰς κλήσεις παρονομάσαντες. Darnach sind κλήσεις wie καλέσεις die römischen classes[6].

---

[2] Gut Wilke-Grimm sv: „ . . . divina invitatio ad amplectandam salutem in regno dei."
[3] S Pape sv, Moult-Mill sv IV 348, Preisigke Wört I 808, Liddell-Scott sv.
[4] Ebd.
[5] So richtig AOepke aaO (→ καλέω A 4).
[6] Von hier aus etwa an der St 1 K 7, 20 κλῆσις als „Beruf" zu verstehen, erscheint nicht angängig. LtzmK (→ A 1), der „Beruf" postuliert, gibt zu: „Parallelen zu diesem Sprachgebrauch fehlen." Zum Begriff „Beruf" teilt Cr-Kö sv mit: „Es ist interessant, daß auch für den Sprachgebrauch des Epict ABonhöffer (Epikt u das NT, RVV 10 [1911] 208) glaubt das gleiche feststellen zu können, κλῆσις auch niemals im Sinne unseres deutschen Wortes Beruf." Pr-Bauer sv meint, daß die Lietzmannsche Deutung von 1 K 7, 20 „wegen des völligen Fehlens von Par-allelen immerhin gewagt" sei. Anders urteilt mit positiver Auswertung der Dion Hal-St unter den neueren Lexikographen FZorell (SJ), Lexicon Graecum Novi Testamenti[2] (1931) sv über 1 K 7, 20: „,in eo vitae genere seu statu in quo (ad fidem christianam) vocatus est'... fort. etiam 1 C 1, 26 huc revocari potest." Nach ADebrunner ist die oben mitgeteilte St aus Dion Hal eine verunglückte etymologische Erklärung von lat classis und als reine Erfindung des Dion Hal zu betrachten, ebenso das Wort καλέσεις (κἀλέσεις); gegen diese Etymologie mit Recht AWalde-JBHofmann, Lat etymolog Wörterbuch[3] (1931) Lfrg 3, S228, u AErnout-AMeillet, Dictionnaire étymologique de la Langue Latine (1932) 187, also die beiden jetzt maßgebenden Werke. Vgl auch MWeber aaO 67; ThSiegfried, Artk „Beruf (Christentum u Beruf)", in: RGG[2] I 930 ff.

3. Die Herkunft.

Da κλῆσις als Verbalsubstantivum (Endung -σις) in der Bedeutung *Berufung* dasselbe ist wie καλεῖν *berufen*, bzw καλεῖσθαι *berufen werden*, so ist über die Herkunft sachlich dasselbe wie über die Herkunft des Verbums zu sagen (entsprechend καλέω *3*). Durch das betonte Vorkommen des [5] terminus technicus κλῆσις im NT wird das, was über Sache und Form von καλεῖν in dem Zusammenhang der entsprechenden at.lich-jüdischen Aussagen festgestellt werden konnte, verstärkt. Daß in der LXX das Verbalsubstantivum im Sinne von *Berufung* fehlt, mag auf dem Zufall der Statistik beruhen, wird aber auch damit zusammenzubringen sein, daß im hebräischen AT, von dem die [10] LXX als Übersetzung mitbestimmt ist, weniger Verbalsubstantiva als Verba vorkommen.

† κλητός

1. Der Bestand.

a. Dieses Verbaladjektiv kommt im NT 10 bzw 11 mal vor. [15] An Mt 20, 16 ist bei C 𝔎 D pl latt syr der Satz: πολλοὶ γάρ εἰσιν κλητοί, ὀλίγοι δὲ ἐκλεκτοί angehängt, der Mt 22, 14 bei allen Textzeugen überliefert ist. R 1, 1 ist die Aussage: κλητὸς ἀπόστολος durch das hinzugefügte: ἀφωρισμένος εἰς εὐαγγέλιον θεοῦ und weiter durch die Verse 2—5 exegesiert. Dieselbe Aussage 1 K 1, 1 (wo allerdings A D κλητός nicht haben) wird durch den Zusatz: διὰ [20] θελήματος θεοῦ erläutert. Im übrigen bezieht sich wie Mt 22, 14 κλητός auf den Gläubigen, den Christen, was jeweils durch entsprechende Hinzufügungen geklärt ist: R 1, 6: κλητοὶ Ἰησοῦ Χριστοῦ = von Jesus Christus *Berufene*; 1, 7: κλητοὶ ἅγιοι = *berufene* Heilige; 8, 28: κατὰ πρόθεσιν κλητοί = nach dem Ratschluß (Gottes) *berufen*; 1 K 1, 2: κλητοὶ ἅγιοι näher bestimmt durch das vorangestellte [25] ἡγιασμένοι ἐν Χριστῷ Ἰησοῦ. 1, 24 sind die κλητοί von den ungläubigen Juden und Heiden (v 22 f) abgehoben. Jd 1 sind die κλητοί als ἐν θεῷ πατρὶ ἠγαπημένοι (𝔎: ἡγιασμένοι) καὶ (bzw ἐν) Ἰησοῦ Χριστῷ τετηρημένοι beschrieben. Apk 17, 14: οἱ μετ’ αὐτοῦ (sc: κυρίου Ἰησοῦ Χριστοῦ) κλητοὶ καὶ ἐκλεκτοὶ καὶ πιστοί.

Diese Übersicht zeigt, daß κλητός bald verbal, also = κεκλημένος, bald sub- [30] stantivisch als Bezeichnung für den Christen überhaupt (so R 1, 6; 1 K 1, 24; Jd 1; Apk 17, 14) gebraucht wird. Aus dem substantivischen Gebrauch ergibt sich besonders deutlich, daß wir es mit einem terminus technicus zu tun haben, dessen Erklärung mit der entsprechenden Erklärung von καλέω (*1 c*) und κλῆσις (*1*) gegeben ist. — [35]

b. Eine gewisse neue Eigentümlichkeit könnte der Ausdruck κλητὸς ἀπόστολος bedeuten, weil es sich hier um die Berufung zu einem Amte handelt. Ein eigentliches Novum liegt aber deshalb nicht vor, weil ja das Christwerden und -sein und das Apostelwerden und -sein gerade bei Paulus nicht voneinander abgehoben werden können und sich so als Übersetzung, je- [40] denfalls als Auslegung nahelegt: **christlicher Apostel**[1]. —

κλητός. [1] Bei Pr-Bauer u auch bei Cr-Kö ist das κλητός als Kennzeichnung des Apostels zu mechanisch-lexikalisch von dem κλητός als Christenbezeichnung abgetrennt. Vgl GBertram, Artk Berufung (biblisch), RGG² I 941 ff.

c. Eine crux interpretum bedeutet Mt 22, 14, wo zwischen κλητοί und ἐκλεκτοί ein Unterschied gemacht wird, was allen anderen Stellen zuwiderläuft, zumal da vollends Apk 17, 14 κλητοί, ἐκλεκτοί, πιστοί gleichmäßig nebeneinander genannt werden. Dieser Widerspruch kann und soll nicht vertuscht werden². Doch von zwei Erwägungen aus verbietet es sich, von diesem Widerspruch zu viel Wesens zu machen: *1.* Wir wissen nicht, welches Wort der aramäisch sprechende Jesus hier gebraucht haben könnte.

Die Versuche einer Rückübersetzung haben zu keinem sicheren Ergebnis geführt³. Der Hauptgegensatz, der offenbar hinter dem Jesuslogion steckt, ist der zwischen den Vielen und den Wenigen, wie er in jüdischen und griechischen sprichwortartigen Wendungen ausgedrückt ist. Vgl 4 Esr 8, 3: „Viele sind geschaffen, Wenige aber gerettet⁴.“ Dazu 8, 1: „Diese Welt hat der Höchste um Vieler willen geschaffen, aber die zukünftige nur für Wenige.“ Ferner sBar 44, 15: „... diesen wird die Welt gegeben, die da kommt; der Aufenthalt der vielen Übrigen aber wird im Feuer sein.“ Eine treffende Parallele ist auch der orphische Spruch bei Plat Phaed 69 c: ναρθηκοφόροι μὲν πολλοί, βάκχοι δέ τε παῦροι⁵.

2. Bei alledem hat Mt 22, 14 seinen richtigen neutestamentlichen, d i a l e k t i s c h zu verstehenden Sinn: Viele sind berufen, und doch sind nur Wenige berufen; oder auch: Viele sind auserwählt, und doch sind nur Wenige auserwählt. Der wichtige Gedanke, daß unsere Berufung o d e r Erwählung kein sicherer Besitz ist, sondern immer wieder unter Gottes Gericht und Gnade zu stellen ist, hätte Mt 22, 14 einen p a r a d o x e n Ausdruck bekommen. Sollte nicht damit zu rechnen sein, daß man gerade an dieser Stelle κλητός und → ἐκλεκτός als Worte und Begriffe von gleicher Bedeutung zu verstehen hat?

Die sachliche, innere Paradoxie findet sich ja auch sonst in der Predigt Jesu, wenn er etwa einerseits in der Betonung des Menschen, der als Person der Person Gott gegenübersteht, auf die Ausdauer und Dringlichkeit des Betens hinweist und wenn er anderseits in der Betonung des Menschen, der doch nun wieder ganz abhängig ist von Gott, das Gegenteil zu behaupten scheint, daß unsere Gebete zu Gott gar nicht nötig sind. Übergeordnet ist der diese Paradoxie auflösende Gedanke, daß jedenfalls der allwissende Gott unserer Gebete nicht bedarf, wozu sich aber der Mensch hindurchringen, hindurchbeten muß wie der betende Paulus von 2 K 12, 1 ff, ja sogar wie der betende Christus von Gethsemane. Dialektisch-paradox ist es, wenn Jesus Mt 8, 12 die sich verstockenden Juden als die υἱοὶ τῆς βασιλείας anspricht, was sie sind, aber auch wieder nicht sind, oder auch, wenn Jesus Mt 9, 12 f die Pharisäer ἰσχύοντες und gar δίκαιοι nennt, was sie ebenfalls sind und wieder nicht sind. Nicht anders ist Mt 22, 14 zu verstehen: wir sind berufen und auserwählt und sind es auch wieder nicht, wenn wir daraus einen Anspruch ableiten gegen den frei richtenden und begnadenden Gott. Immer ergeht an uns die Mahnung 2 Pt 1, 10: σπουδάσατε βεβαίαν ὑμῶν τὴν κλῆσιν καὶ ἐκλογὴν ποιεῖσθαι. Gott ist nur dann wirksam gütig, ἐὰν ἐπιμένῃς τῇ χρηστότητι (sc θεοῦ), ἐπεὶ καὶ σὺ ἐκκοπήσῃ, R 11, 22. Oder 1 K 10, 12: ὥστε ὁ δοκῶν ἑστάναι βλεπέτω μὴ πέσῃ und Gl 5, 4: κατηργήθητε ἀπὸ Χριστοῦ ... τῆς χάριτος ἐξεπέσατε⁶. —

---

² Zunächst sieht Wilke-Grimm sv richtig, wenn dort zu lesen ist: „ ... quae distinctio non est e mente Pauli“, während die einigermaßen gewundene Auslegung bei Cr-Kö sv den zunächst einmal vorliegenden Unterschied zu wenig wahr haben will.

³ Str-B I 883 bezieht sich auf Dalman WJ I 97, nach dem „der Ausspruch aram in Jesu Mund gelautet haben würde: סַגִּיאִין זְמִינִין וְזְעִירִין בְּחִירִין“. Es dürfte aber fraglich sein, ob man in solcher Weise זמן u בחר voneinander sich abheben lassen kann.

⁴ HGunkel zSt (bei Kautzsch Apkr u Pseudepigr II 378) verweist ausdrücklich auf Mt 22, 14 u 20, 16.

⁵ S Kl Mt z Mt 22, 14.

⁶ Wieder ist es doch Cr-Kö, der die im letzten richtige Auslegung vertritt, wenn er solche Stellen aus den Plsbriefen zur Erfassung von Mt 22, 14 heranzieht. Cr-Kö, der implicite die sachliche Dialektik fein herausspürt, wird nur der formalen Dialektik des Ausspruches nicht gerecht. Andere neuere Lexikographen u Exegeten beachten die ganze Dialektik überhaupt nicht. So bleibt Wilke-Grimm sv bei seiner zunächst (aber nur zunächst!) richtigen Behauptung stehen. Zorell (→ 494 A 6) sagt zu ἐκλεκτός: „ ‚multi quidem, immo Israëlitae ad regnum meum messianum intrandum vocantur; sed, pro

2. Die Parallelen im Gebrauch von κλητός in der sonstigen griechischen Literatur sind nicht sonderlich häufig.

Nach dem Ausweis der allgemeinen griechischen Wörterbücher kommt das Wort seit Homer vor. *a.* Von καλέω = *nennen* her ist κλητός an einer Anzahl von LXX-Stellen zu verstehen: Ex 12, 16: ἡ ἡμέρα ἡ ἑβδόμη κλητὴ ἁγία ἔσται; ähnlich Lv 23, 2. 5 3. 4 (hier κληταί bei F für καὶ αὐταί). 7. 8. 21. 24. 27. 35. 36. 37; Nu 28, 25. — *b.* Von καλέω = *rufen, einladen* ist κλητός Hom Od 17, 386 abgeleitet im Sinne von *eingeladen, willkommen*; vgl Hom Il 9, 165. In der griechischen Prosa ist die Bedeutung *(vor Gericht) vorgeladen* bekannt[7]. Die LXX hat einige Male κλητός = *geladen*, etwa zu einem Mahle; vgl Ri 14, 11; 2 Βασ 15, 11; 3 Βασ 1, 41. 49; Zeph 1, 7; 3 Makk 5, 14. 10

c. Daß κλητός der *von Gott Berufene* ist, ist in der griechischen Literatur nur insoweit belegt, als es sich um eine Auswirkung des paulinischen Sprachgebrauchs handelt. Vgl die inscriptio zu 1 Cl, in der die Christen als κλητοὶ ἡγιασμένοι ἐν θελήματι θεοῦ διὰ τοῦ κυρίου ἡμῶν Ἰησοῦ Χριστοῦ angeredet werden. Barn 4, 14 wird Mt 22, 14 zitiert[8]. 15

3. Die Herkunft.

Bei dieser Sachlage gilt für die Frage nach der Herkunft des nt.lichen κλητός das über die Herkunft des nt.lichen κλῆσις Gesagte. Für מִקְרָא Js 48, 12, das dem κλητός R 8, 28 und 1 K 1, 24 entspräche, hat die LXX: ὃν ἐγὼ καλῶ. Daß Ex 12, 16 und Lv 23, 2 ff κλητὴ (*genannt*) ἁγία = 20 מִקְרָא קֹדֶשׁ vorkommt, mag die Nebeneinanderstellung von κλητός und ἅγιος im NT begünstigt haben[9].

Daß κλητός ein religiös-biblischer terminus technicus ist, mag auch darin zum Ausdruck kommen, daß das Wort im Neugriechischen nicht üblich ist, während dort gebraucht werden: καλῶ = *nennen, rufen, einladen* bzw *vorladen*; κάλεσις oder κάλεσμα 25 = *Einladung*; καλεστής = *Gastgeber*; κλῆσις = *Aufruf* (ὀνομαστικὴ κλῆσις *Namensaufruf*), *Einladung, Vorladungsbefehl.*

ἀντι-, ἐγκαλέω, ἔγκλημα, εἰσ-, μετα-, προ-, συγκαλέω

Für das Vorkommen der Composita von καλέω .im NT ist ein Doppeltes bezeichnend: *1.* ἀνακαλέω, ἀποκαλέω, ἐκκαλέω, κατακαλέω fehlen im 30 NT. — *2.* ἐγκαλέω *anklagen* als juristischer terminus technicus findet sich 6 mal in der Ag und sonst nur 1 mal bei Paulus R 8, 33; das dazu gehörige Substantivum ἔγκλημα *Anklage* nur 2 mal in der Ag[1]. Über → ἀνέγκλητος, das über das Juristische und Ethische hinaus einen religiösen Charakter hat, ist → I 358 f gehandelt. μετακαλέομαι *(zu sich) holen lassen* findet sich nur in der Ag (4 mal). συγκαλέω 35

---

dolor! pauci huic vocationi parebunt'." JWellhausen, Das Ev Mt (1904) 112: „Die κλητοί sind nicht die κεκλημένοι von 22, 3. 4, sondern die Zaungäste, dh die Mitglieder der Kirche, die aber zum Teil durch das Gericht ausgesichtet werden." Moult-Mill IV 348 sv notiert eine ähnliche patristische Meinung, nach der zwischen κλητοί und κεκλημένοι zu unterscheiden wäre: „ . . . we may cite Cl Al Strom I 18, 89, 3 (p 57, ed Stählin) πάντων τοίνυν ἀνθρώπων κεκλημένων οἱ ὑπακοῦσαι βουληθέντες ,κλητοί' ὠνομάσθησαν."

[7] S Preisigke Wört I 808 sv.

[8] Wenn vorher Barn 4, 13 gesagt ist: ἵνα μήποτε ἐπαναπαυόμενοι ὡς κλητοὶ ἐπικαθυπνώσωμεν ταῖς ἁμαρτίαις ἡμῶν, so spricht das nicht für die Notwendigkeit, zwischen Berufenen u Auserwählten zu unterscheiden, sondern für die oben gegebene Exegese von

Mt 22, 14: auch Barn 4, 13 könnte für das κλητοί ein ἐκλεκτοί stehen.

[9] Daß eine Ableitung der nt.lichen κλητός-Aussagen aus dem griech Bereich schon an dem Mangel an Parallelen scheitert, ergibt sich aus Moult-Mill sv: „Slaten (Qualitative Nouns p 57) throws out the conjecture (also nur Vermutung!) that κλητός was a cult term adopted by the Christians from the terminology of the Greek mysteries, but he offers no evidence."

ἀντικαλέω κτλ. [1] Zu dem juristischen Charakter von ἐγκαλέω u ἔγκλημα vgl Preisigke Fachwörter, wo außerdem ἐγκληματίζω, ἐγκληματικός, ἐγκλημάτιον, ἔγκλησις, ἔγκλητος gebucht sind; Liddell-Scott nennen ferner ἐγκληματογράφω, ἐγκληματόομαι, ἐγκλήμων.

zusammenrufen steht Mk 15, 16; Lk 15, 6. 9; Ag 5, 21; συγκαλέομαι *zu sich berufen* Lk 9, 1; 23, 13; Ag 10, 24; 28, 17[2]. εἰσκαλέομαι (nur als Medium belegt)· *hineinrufen, einladen* nur Ag 10, 23 (D hat einen anderen Text). Das fast alleinige Vorkommen dieser Verba in den lukanischen Schriften dürfte darauf zurückzuführen sein, daß es sich um Ausdrücke der gehobeneren Koine handelt. Dem Verwenden juristischer Wörter entspricht es, daß in den lukanischen Schriften gegenüber dem übrigen NT auch genaue medizinische Wörter vorkommen. — ἀντικαλέω *wiedereinladen*, nur Lk 14, 12; προκαλέομαι (meistens nur Medium) *herausfordern*, nur Gl 5, 26.

Für Exegese und biblische Theologie sind im Neuen Testament neben ἐκκλησία (→ 502 ff) von ἐκκαλέω und neben → παρακαλέω mit seinen Ableitungen παράκλησις, παράκλητος, συμπαρακαλέω nur ἐπικαλέω und προσκαλέομαι wichtig.

† ἐπικαλέω

1. Der Bestand.

a. Aktivisch und passivisch wird ἐπικαλέω[1] in der Bedeutung *nennen, benennen* wie καλέω (→ *1 a*) gebraucht. Dem entspricht es, daß in den nt.lichen Handschriften an derselben Stelle bald das Simplex, bald das Compositum vorkommt. Aktivisch: nur Mt 10, 25 (D: καλοῦσιν, auch das sonst im NT nicht gebräuchliche ἀπεκάλεσαν ist überliefert). Häufiger passivisch: Mt 10, 3 vl; Lk 22, 3 (BD καλούμενον); Ag 1, 23; 4, 36; 10, 5. 18. 32; 11, 13; 12, 12. 25; 15, 17 (= Am 9, 12); 15, 22 (auch καλούμενον überliefert); Hb 11, 16; Jk 2, 7. Nicht gehören hierher Ag 9, 14. 21; 1 K 1, 2[2].

b. Das Medium ἐπικαλέομαί τινα *jemanden anrufen (für sich, zu seinen Gunsten)* ist im NT als ein ohne weiteres ersichtlicher juristischer terminus technicus geläufig (= lat *provocare* [ad]).

Παῦλος ἐπικαλεῖται Καίσαρα = Paulus *appelliert an, beruft sich auf, legt Berufung ein bei dem Caesar* Ag 25, 11. 12. 25 (hier statt Καίσαρα: τὸν Σεβαστόν = den Augustus); 26, 32; 28, 19. Hierher gehört auch der absolute Verbumgebrauch Ag 25, 21: Paulus legt Berufung ein, um zur Entscheidung durch den Augustus verwahrt zu werden. Ähnlich, doch wohl weniger technisch ist die Wendung 2 K 1, 23: μάρτυρα τὸν θεὸν ἐπικαλοῦμαι ἐπὶ τὴν ἐμὴν ψυχήν = ich rufe Gott als Zeugen gegen meine Seele (dh gegen mich) an[3].

Öfter heißt es im NT, daß der Gläubige Gott oder Christus, bzw seinen Namen *anruft (im Gebet)*: Ag 2, 21: ὃς ἐὰν ἐπικαλέσηται τὸ ὄνομα κυρίου (= Jl 3, 5); ebenso R 10, 13; Ag 7, 59: . . . τὸν Στέφανον ἐπικαλούμενον καὶ λέγοντα · κύριε Ἰησοῦ (bei diesem absoluten Verbalgebrauch ist an die Stelle des Akkusativobjekts der Vokativ getreten); 9, 14: τοὺς ἐπικαλουμένους τὸ ὄνομά σου (sc Χριστοῦ, weniger naheliegt θεοῦ); 9, 21: . . . τὸ ὄνομα τοῦτο; 22, 16: . . . τὸ ὄνομα αὐτοῦ (sc θεοῦ); R 10, 12: . . . αὐτόν (sc Χριστόν eher als θεόν); vgl 10, 13 (→ 500, 27 ff) u 14; 1 K 1, 2: . . . τὸ ὄνομα τοῦ κυρίου ἡμῶν Ἰησοῦ Χριστοῦ; 2 Tm 2, 22: . . . τὸν

---

[2] Bl-Debr[6] § 316, 1: „συγκαλεῖν u -εῖσθαι (»bei sich, zu sich«) ist überall richtig geschieden, wenn man Lk 15, 6 mit DF, 9 mit ADEG al συγκαλεῖται statt -εῖ liest.“

ἐπικαλέω. [1] In der Kontroverse über „The meaning of ἐπίκλησις“ (dieses Substantivum kommt im NT u bei den Apost Vät nicht vor) zwischen JWTyrer u RHConnolly in JThSt 25 (1924) 139 u 337 ff werden auch die Verba ἐπικαλέω u ἐπικαλέομαι behandelt.
[2] Richtig Cr-Kö sv: „Völlig unerfindlich ist es, wie die Wendung 1 K 1, 2: σὺν πᾶσιν τοῖς ἐπικαλουμένοις τὸ ὄνομα τοῦ κυρίου in demselben Sinne verstanden werden kann = »die benannt sind nach dem Namen des Herrn«, womöglich auch Ag 9, 14. 21 . . ., wo doch die med Fassung unbedingt viel näher

liegt u einem in der ersten Gemeinde landläufigen Sinn entspricht . . . Auch 1 Cl 64, 1 erscheint das unnötig u gesucht: πάσῃ ψυχῇ ἐπικαλουμένῃ τὸ μεγαλοπρεπὲς καὶ ἅγιον ὄνομα, zumal dann der Acc τὸ ὄνομα erst mühselig als Acc des inneren Obj gedeutet werden muß. Hingegen läßt der Dat bei Herm s 9, 14, 3: ἐπὶ πᾶσι τοῖς ἐπικαλουμένοις τῷ ὀνόματι αὐτοῦ (vgl 8, 6, 4) ein solches Verständnis schon wahrscheinlicher sein.“ Die zuletzt von Cr-Kö genannte St übersetzt Pr-Bauer sv mit „die mit seinem Namen Benannten“ und verweist auf Js 43, 7. Dort heißt es: ὅσοι ἐπικέκληνται τῷ ὀνόματί μου.
[3] Vgl Deißmann LO 258, wo als sachliche Parallele aus Ditt Or II 532, 28 ff mitgeteilt ist: ἐπαρῶμαι αὐτός τε κατ' ἐμοῦ καὶ σ[ώμα]τος τοῦ ἐμαυτοῦ καὶ ψυχῆς καὶ βίου κτλ.

κύριον (für ἐπικαλουμένων liest A: ἀγαπώντων, welche Lesart einen sinnvollen Kommentar liefert); 1 Pt 1, 17: . . . πατέρα (vgl ψ 88, 27).

2. Die Parallelen.

Zum vorgeführten nt.lichen Sprachgebrauch finden sich Parallelen im griechischen Schrifttum, in dem ἐπικαλέω seit Homer vorkommt. 5 *a.* Die Bedeutung des Aktivums *nennen, benennen,* die aus *zurufen* entwickelt ist, findet sich zB Hdt VIII 44: ἐπεκλήθησαν (vl: ἐκλήθησαν) Κεκροπίδαι und weiter bei den meisten bekannten griechischen Schriftstellern wie auch in den Inschriften, Papyri und in der LXX[4]. — *b.* Der juristische terminus technicus ἐπικαλέομαι = *appellieren* ist belegt Plut De Marcello 2 (I 299 a): τοὺς δημάρχους und Plut Tib Gracch 16 (I 832 b): τὸν δῆμον ἀπὸ 10 τῶν δικαστῶν. Öfters kommt die Wendung ἐπικαλέομαί τινα μάρτυρα, σύμμαχον, βοηθόν vor: Hdt, Plat, Polyb, Diod S, Plut, Heliodor. Als genaue Parallele zu 2 K 1, 23 sei genannt Jos Ant 1, 243: (Abraham und Elieser) ἐπικαλοῦνται τὸν θεὸν μάρτυρα τῶν ἐσομένων. — Zahlreich sind die Parallelen zu ἐπικαλέομαι = Anrufen der Gottheit (im Gebet): Hdt, Xenoph, Plat, Polyb, Diod S, Epict, Inschriften, Papyri. Aus der 15 hellenistischen Zeit seien folgende Belege mitgeteilt: PLeid II W p 9 a 35: ἐπικαλοῦ τὸν τῆς ὥρας καὶ τὸν τῆς ἡμέρας θεόν, POxy VI 886, 10: ἐπικαλοῦ μέ[ν(?)] τὸν (ἥλιον) κὲ τοὺς ἐν βυθῷ θεοὺς πάντας[5]. Vgl damit den Anfang der Rachegebete von Rheneia[6]: ἐπικαλοῦμαι καὶ ἀξιῶ τὸν θεὸν τὸν ὕψιστον τὸν κύριον τῶν πνευμάτων καὶ πάσης σαρκός, ἐπί[7] τοὺς δόλῳ φονεύσαντας κτλ. Wie hier im Jüdischen, so handelt es sich auch im 20 Christlichen um LXX-Formulierungen: vgl 1 Cl 52, 3 (= ψ 49, 15); 57, 5 (= Prv 1, 28); 60, 4. In denselben Zusammenhang gehört Jos Ant 4, 222: ἐπικαλεῖσθαι ἵλεω τὸν θεόν und Bell 2, 394: ἐπικαλεῖσθαι τὸ θεῖον (sic! τὸ θεῖον statt τὸν θεόν). Besonders häufig ist dann in der LXX die Wendung ἐπικαλεῖσθαι τὸ ὄνομα θεοῦ.

3. Die Herkunft.   25

Bei der Fülle der griechischen Parallelen, von denen füglich nur einige Beispiele vorgeführt zu werden brauchten, könnte der nt.liche Sprachgebrauch als der allgemein griechische erklärt und damit erkannt sein. Nun kann und muß über die Herkunft der besonders bezeichnenden nt.lichen Wendungen doch etwas Bestimmteres gesagt werden. Wie auch sonst ist 30 schon durch die im NT immer wieder vorkommenden at.lichen Zitate der Einfluß der Septuaginta zu beachten.

a. So hat sich bei ἐπικαλέω in der Bedeutung *nennen, benennen* (→ *1a*) ein bestimmter LXX-Sprachgebrauch ausgewirkt. Wenn Ag 15, 17: πάντα τὰ ἔθνη ἐφ' οὓς ἐπικέκληται τὸ ὄνομά μου ἐπ' αὐτούς aus Am 9, 12 35 (vgl 2 Ch 7, 14) zitiert ist, so stößt man auf die at.liche Ausdrucks- und Vorstellungsweise, daß der Name Gottes über einem Menschen genannt wird, der auf diese Weise Gottes Eigentum ist, weil sich Gott an ihm offenbart und erkannt wird: ἐπικαλεῖται τὸ ὄνομα θεοῦ ἐπί τινα = נִקְרָא שֵׁם יְהוָה עַל־[8].

---

[4] Die Bedeutung ἐπικαλέω τί τινι *jemandem etwas vorwerfen, ihm Vorwürfe machen, gegen ihn Anklage erheben,* also ungefähr dasselbe wie ἐγκαλέω, kommt in der Bibel nur 3 Βασ 13, 2 vor: ἐπεκάλεσεν πρὸς τὸ θυσιαστήριον ἐν λόγῳ κυρίου καὶ εἶπεν κτλ, entsprechend קָרָא, das sonst in diesem Sinne durch κράζω wiedergegeben wird. Vgl dazu Str-B II 769: „Statt ἐπικαλοῦμαι gebraucht der Midr einmal in gleicher Bdtg ἐγκαλοῦμαι אֲנָקְלִיטוֹן. Dt r 9 (205 d) zu 31, 14: Nicht errettet der Frevel den, welcher ihn übt Qoh 8, 8. Kein Mensch darf vor ihm (Gott) einen Vorwurf אַנְקְלִיטוֹן (= ἔγκλητον) erheben; kein Mensch kann vor ihm sagen: Ich lege Berufung ein אֲנָקְלוּמָא!"

[5] S Moult-Mill III 239 sv.
[6] S die genaue Besprechung dieser Texte durch Deißmann LO 351—362, bes 355: „Das Rachegebet beginnt mit dem Verbum ἐπικαλοῦμαι, das ebenso bei den LXX u in altchristlichen Texten massenhaft vorkommt (Anm: Einzelbelege sind überflüssig), oft auch in den Gebetsformeln der Zaubertexte (Anm: zB oft in den von Wessely edierten Texten)".
[7] Zu dieser Verwendung von ἐπί vgl 2 K 1, 23.
[8] Die Formel נִקְרָא שֵׁם יְהוָה עַל־ entstammt der profan-juristischen Sphäre u bedeutet ein Eigentumsverhältnis und uU damit auch ein Schutzverhältnis (2 S 12, 28; Js 4, 1). In der

So 2 Βασ 6, 2 (τὴν κιβωτὸν τοῦ θεοῦ, ἐφ᾽ ἣν ἐπεκλήθη τὸ ὄνομα κυρίου); 2 Ch 6, 33 (ἐπικέκληται τὸ ὄνομά σου ἐπὶ τὸν οἶκον τοῦτον); Jer 7, 30; Bar 2, 15; Da 9, 19; 1 Makk 7, 37 (א liest hier den Genitiv). An anderen Stellen ist ἐπί mit dem Dativ oder auch Genitiv verbunden; oder es findet sich statt der Partizipialkonstruktion der Dativ.

5 Die andere nt.liche Stelle neben Ag 15, 17 [9] ist Jk 2, 7, wo dasselbe vom Namen Jesu gesagt wird: οὐκ αὐτοὶ βλασφημοῦσιν τὸ καλὸν ὄνομα τὸ ἐπικληθὲν ἐφ᾽ ὑμᾶς; Wenn hier kein unmittelbares at.liches Zitat vorliegt, so wird man doch mit der Nachwirkung at.licher Redeweise zu rechnen haben.

          b. Ebenso deutlich ist die Nachwirkung der LXX bei 10 ἐπικαλέομαι in der Bedeutung (Gott) *anrufen (im Gebet* → 498, 31 ff).

Wenn 1 Cl 52, 3; 57, 5 at.liche Zitate sind, so mag auch 60, 4 eine Nachwirkung der LXX vorliegen, ohne daß ein Zitat gegeben ist. Zu ψ 49, 15 treten weitere Psalmstellen: ψ 13, 4; 30, 18; 52, 5; 85, 5; 88, 27; 90, 15; 101, 3; 114, 4 ua. Nicht anders ist es über die Rachegebete von Rheneia zu urteilen, deren jüdische Herkunft 15 durch viele Anklänge an die LXX gesichert ist. Zu der Wendung ἐπικαλοῦμαι τὸν θεὸν ὕψιστον ist zu vergleichen Sir 46, 5: ἐπεκαλέσατο τὸν ὕψιστον δυνάστην, 47, 5: ἐπεκαλέσατο . . . κύριον τὸν ὕψιστον, 2 Makk 3, 31: ἐπικαλέσασθαι τὸν ὕψιστον [10]. Es ist bezeichnend, daß die Wendung ἐπικαλεῖσθαι τὸν θεόν, die sich im hebräischen Kanon verhältnismäßig selten findet (Am 4, 12; Jon 1, 6), häufiger gerade in der helle-20 nistisch bestimmten LXX vorkommt und dabei Gott nicht nur mit κύριος, sondern auch mit δυνάστης oder παντοκράτωρ näher bezeichnet wird. Und wenn Josephus gar für ὁ θεός sagt: τὸ θεῖον (Bell 2, 394), so ist das eben für den Hellenismus bezeichnend.

Aus alledem mag sich wohl doch ergeben, daß man sich mit der im NT und 25 in der LXX vorkommenden Redewendung ἐπικαλεῖσθαι τὸν θεόν im Rahmen der (allgemeinen) hellenistischen Religionsgeschichte bewegt.

          c. Während es sich aber hier um verhältnismäßig wenige Stellen im NT und in der LXX, soweit dieser der hebräische Kanon entspricht, handelt, sind um so häufiger die Stellen mit ἐπικαλεῖσθαι τὸ ὄνομα κυρίου. 30 Wenn man schon auf Grund der nt.lichen Stellen den Eindruck hat, daß ein terminus technicus vorliegt, so wird dieser Eindruck durch die LXX-Stellen verstärkt und gesichert.

Vgl Gn 13, 4; 21, 33; 26, 25; ψ 78, 6; 79, 19; 104, 1; 115, 4; Js 64, 6; Jer 10, 25; Zeph 3, 9; Sach 13, 9; Jl 3, 5. Die entsprechende hebräische Ausdrucksweise lautet: 35 קָרָא בְּשֵׁם יְהוָה. Im Stil des Semitismus wird בְּשֵׁם nicht durch τὸ ὄνομα, sondern durch ἐν τῷ ὀνόματι (3 Βασ 18, 24 ff; 4 Βασ 5, 11; 1 Ch 16, 8; ψ 19, 8 — statt ἐπικαλεσόμεθα ist auch μεγαλυνθησόμεθα oder ἀγαλλιασόμεθα überliefert —; 115, 8 vl) oder durch ἐπὶ τῷ ὀνόματι Gn 12, 8 (E liest τὸ ὄνομα) wiedergegeben. Ein besonderer Ton liegt darauf, daß die Gläubigen wie die Erzväter und Elias den einen, wahren, ewigen 40 Gott anrufen, bei seinem Namen anrufen: θεὸς αἰώνιος = יְהוָה אֵל עוֹלָם Gn 21, 33; dieser Gott und nicht der kanaanäische Baal ist der wahre Herr: ἐγὼ (Elias) ἐπικαλέσομαι ἐν ὀνόματι κυρίου τοῦ θεοῦ μου = וַאֲנִי אֶקְרָא בְשֵׁם־יְהוָה gegenüber ἐπεκαλοῦντο (die Baalspriester) ἐν ὀνόματι τοῦ Βααλ = וַיִּקְרְאוּ בְשֵׁם־הַבַּעַל 3 Βασ 18, 24 + 26.

Sicherlich ist es nicht zufällig, daß in der Welt der (griechischen) Apokryphen der 45 Gegensätzlichkeitscharakter der Anrufung des wahren Gottes Israels mehr zurücktritt: nur Bar 3, 7 und Jdt 16, 1 findet sich: ἐπικαλεῖσθαι τὸ ὄνομα κυρίου.

          d. Das hebräische Korrelat zu ἐπικαλεῖσθαι ist in der LXX meistens קָרָא. Dieses für *beten* geläufige Wort wird allerdings nicht immer durch ἐπικαλεῖσθαι, sondern sehr oft durch → κράζειν wiedergegeben.

---

auf das Verhältnis zwischen Gott u Mensch übertragenen Wendung liegt dementsprechend der Gedanke des Rechtsanspruchs, den Gott hat, im Vordergrund [vRad].

[9] S auch Str-B II 729.
[10] S Deißmann LO 355.

Und wie קָרָא, das den Akkusativ regieren kann (Ps 14, 4; 17, 6; 88, 10; 91, 15), neben לְ (Ps 57, 3) öfters mit אֶל verbunden ist (Ps 4, 4; 28, 1; 30, 9; 55, 17; 61, 3; Hos 7, 7[11]), so heißt es meistens κράζειν πρός (Ps 4, 4; ψ 21, 6; 27, 1; 29, 9; 54, 17; 56, 3; 60, 3; 87, 10). Sachlich bedeuten ἐπικαλεῖσθαι und κράζειν dasselbe; daß קָרָא so oft durch κράζειν wiedergegeben ist, mag daran gelegen haben, daß wie in anderen 5 Fällen für die griechisch sprechenden Juden der Gleichklang eine Rolle gespielt hat[12].

Daß es sich bei קָרָא wie bei ἐπικαλεῖσθαι und κράζειν um einen terminus technicus für das Verhalten beim Gebet handelt, ergibt sich auch daraus, daß wie im NT so auch im AT diese Verba absolut, dh ohne Objekt gebraucht werden können. 10

קָרָא Ps 4, 2; 22, 3; 34, 7; 69, 4; ἐπικαλεῖσθαι Ps 4, 2; κράζειν ψ 21, 3; 33, 7; 68, 4. Ebenso ἐπικαλεῖσθαι Ag 7, 59 und wohl auch R 10, 14.

e. Die Tatsache, daß in der LXX ἐπικαλεῖσθαι = anrufen im Gebet und ἐπικαλεῖσθαι τὸ ὄνομα (bzw andere Konstruktionen) κυρίου = den Namen des Herrn anrufen im Gebet und vorher in der Masora קָרָא und קָרָא בְשֵׁם 15 יְהֹוָה ebenso gebraucht werden,. wirft schließlich auf die entsprechenden nt.lichen Stellen noch ein besonderes Licht vom Glauben an den → κύριος her. Was im AT von dem κύριος יְהֹוָה gesagt wird, das wird im NT von dem κύριος Ἰησοῦς Χριστός gesagt. An einigen wenigen Stellen ist das Objekt von ἐπικαλεῖσθαι Gott der Vater: Ag 2, 21; 1 Pt 1, 17 (auch 2 K 1, 23 ist fast ein Gebet); 20 an den übrigen Stellen dagegen Gott der Sohn: Ag 7, 59; 9, 14. 21; 22, 16; R 10, 12—14; 1 K 1, 2; 2 Tm 2, 22. Die Formel 1 K 1, 2: οἱ ἐπικαλούμενοι τὸ ὄνομα τοῦ κυρίου ἡμῶν Ἰησοῦ Χριστοῦ bezeichnet das, was wir „Christen" nennen[13], während ja im NT der Gebrauch von → Χριστιανός selten ist. „Von hier (sc: vom AT) aus wird es verständlich, daß die Beziehung des ἐπικαλεῖσθαι 25 auf Christus im NT als das charakteristische Moment des Messiasglaubens erscheint... Die Richtung des Gebetes auf Jesus ist das unterscheidende Kennzeichen des Messiasglaubens, analog קָרָא בְשֵׁם־יְהֹוָה der Patriarchen, des Elias usw"[14].

† προσκαλέω 30

1. Der Bestand.

Im NT und in der LXX nur das Medium. Die meisten Stellen scheinen kein besonderes Gewicht in einem biblisch-theologischen Sinne zu haben.

Im Gleichnis vom Schalksknecht heißt es von dem Herrn des Sklaven Mt 18, 32: 35 προσκαλεσάμενος αὐτόν = er ruft ihn zu sich. Jk 5, 14: ein Kranker ruft andere zu sich; Mk 15, 44: Pilatus; Lk 7, 18: der Täufer Johannes; 15, 26: der „brave" Sohn im Gleichnis vom verlorenen Sohn; 16, 5: der ungerechte Haushalter; Ag 5, 40: die Mitglieder des Synedriums; 6, 2: die Zwölf; 13, 7: Sergius Paulus; 20, 1 (andere Lesarten: μεταπεμψάμενος und μεταστειλάμενος); 23, 17. 18: Paulus; 23, 23: ein Chiliarch. 40 Einige von diesen Aussagen machen den Eindruck, daß ein juristischer terminus technicus vorliegt.

---

[11] LXX hat hier die semitisierende Wendung: ὁ ἐπικαλούμενος πρός με.
[12] → I 226.
[13] Vgl Ltzm K z 1 K 1, 2.
[14] Mit diesen Worten schließt Cr-Kö den

Artk ἐπικαλέω sehr treffend. Vgl auch JHorst, Proskynein, zur Anbetung im Urchr nach ihrer religionsgeschichtlichen Eigenart = Nt.-liche Forschungen 3, 2 (1932) 193 f.

An zwei Stellen ist Gott der προσκαλούμενος Ag 2, 39; 16, 10; oder der
(Heilige) Geist 13, 2. Und besonders häufig wird Jesus als der προσκαλούμενος τοὺς μαθητὰς αὐτοῦ, bzw τὸν ὄχλον genannt: Mt 10, 1; 15, 10. 32; 18, 2;
20, 25; Mk 3, 13. 23; 6, 7; 7, 14; 8, 1. 34; 10, 42; 12, 43; Lk 18, 16. An
5 sich könnten auch diese Stellen damit erklärt sein, daß Gott, Jesus, der Heilige
Geist eben zu sich rufen. Es erscheint als eine Empfindungssache, ob der Erklärer mehr hineinlegen darf und muß.

2. Die Parallelen aus dem griechischen Schrifttum zeigen,
daß entsprechend den Aussagen in der griechischen Bibel bei ganz seltenem Vor-
10   kommen des Aktivums durchweg das Medium bevorzugt wird und daß προσκαλεῖσθαι
in der Tat ein juristischer terminus technicus ist: *(vor Gericht) laden* [1].

3. Die Herkunft.

An einer Stelle, nämlich Ag 2, 39, ist die Nachwir-
kung der Septuaginta schon dadurch gesichert, daß dort Jl 3, 5 zitiert
15 wird (οὓς κύριος προσκέκληται); jedenfalls ist deutlich, daß Ag 2, 39 προσκαλεῖσθαι
die Bedeutung und das Gewicht von καλεῖν (→ καλέω *1 c*) hat [2]. Dasselbe gilt
dann von Ag 16, 10: προσκέκληται ἡμᾶς ὁ θεὸς εὐαγγελίσασθαι αὐτούς und von
13, 2: τὸ πνεῦμα . . . εἰς τὸ ἔργον ὃ προσκέκλημαι αὐτούς.

Vgl dazu 1 Cl 22, 1: αὐτός (sc: Χριστός) διὰ τοῦ πνεύματος τοῦ ἁγίου οὕτως προσκα-
20   λεῖται ἡμᾶς und Ign Tr 11, 2: δι' οὗ (sc: τοῦ σταυροῦ) ἐν τῷ πάθει αὐτοῦ προσκαλεῖται
(das Subjekt ist Christus) ὑμᾶς.

Wenn bei Mt und Mk Jesus die Menschen, vor allem seine Jünger *zu sich
ruft*, so besteht zum mindesten die Möglichkeit und ein gewisser Anlaß, dabei
an die göttliche Berufung, wie sie durch Jesus als den Christus vollzogen
25 wird, zu denken.

Unterstützt wird diese Erklärung durch eine Erwägung, die weniger der lexikographischen als der stilkritischen Fragestellung gilt: ('Ιησοῦς) προσκαλεσάμενος τοὺς
μαθητὰς αὐτοῦ oder ähnlich ist ein stereotyper Perikopenanfang, der als solcher
eine christologische Art hat und damit an die göttliche Berufung denken läßt: Mt
30   10, 1 = Mk 3, 13. 23; 6, 7; Mt 15, 10 = Mk 7, 14; Mt 15, 32 = Mk 8, 1 (der zweite
Evangelist schiebt hier das seinen Stil kennzeichnende πάλιν ein); Mt 18, 2; 20, 25 =
Mk 10, 42; Mk 8, 34; 12, 43. Während Mt und Mk hier immer wieder die fast gleichlautende Ausdrucksweise haben, hat der mehr „literarische" dritte Evangelist nur
18, 16: ὁ δὲ 'Ιησοῦς προσεκαλέσατο αὐτά (sc: τὰ παιδία), im übrigen aber die genannten
35   Perikopenanfänge nicht [3].

† *ἐκκλησία*

Inhalt: A. Vorläufiges. — B. Neues Testament: 1. Apostelgeschichte;
2. Paulinische Briefe I; 3. Paulinische Briefe II: Kolosser- und Epheserbrief; 4. Übriges NT. —
C. Griechentum. — D. Parallelausdrücke. — E. Matthäus 16, 18 und 18, 17: 1. Me-

---

προσκαλέω. [1] Einzelbelege etwa bei Pape
sv.
[2] Gut Wilke-Grimm sv: „ . . . deus dic.
προσκαλεῖσθαι gentiles ab ipso alienos ad sui
in messiano regno consortium ope praedi-
cationis evangelii invitans et perducens."
[3] Vgl KLSchmidt, Der Rahmen der Geschichte Jesu (1919) 122, 163, 197, 232, 245.

ἐκκλησία. Bibliographien: OLinton
(schwedischer Gelehrter), Das Problem der
Urkirche in der neueren Forschung, eine

kritische Darstellung = Uppsala Universitets
Arsskrift (1932) I (im folgenden = Linton): 378
Titel von Büchern u Abhandlungen der verschiedensten Sprachen u Konfessionen, im wesentlichen seit 1880 (Besprechung über Linton:
FKattenbusch, ThStKr 105 [1933] 97 ff); LKösters (katholisch), Die Kirche unseres Glaubens
(1935). — Zum Ganzen sind bes hervorzuheben:
FKattenbusch, Der Quellort der Kirchenidee,
Festgabe für AvHarnack (1921) 143—172 (im
folgenden = Kattenbusch I); Ders, Die Vorzugsstellung des Petrus u der Charakter der

thodik; 2. Verhältnis der beiden Stellen zueinander; 3. Text- und Literarkritik; 4. Sachkritik: *a.* Statistik; *b.* Eschatologie; *c.* Kirchengeschichte; *d.* Psychologie; 5. Hebräisch-aramäisches Korrelat. — F. Altes Testament und Judentum: 1. Griechisches Judentum: 2. Hebräischer Text. — G. Etymologie? — H. Apostolische Väter und Frühkatholizismus. — I. Folgen und Folgerungen.　5

A. Vorläufiges.

Die allgemeinen Wörterbücher wie Passow, Pape, KJacobitz-EESeiler (1839—41), Benseler [15] (1931) teilen mit: *1. Volksversammlung, 2. Kirche,* wobei die erste Bedeutung als „profan", die zweite als „biblisch" und „kirchlich" angesprochen wird. Darüber hinaus, ohne das übliche Schema zu sprengen, beziehen 10 Liddell-Scott die LXX ein und teilen mit: *1.* „assembly duly summoned, less general than σύλλογος", *2a.* in LXX „the jewish congregation", *b.* in NT „the Church as a body of Christians".

Die neutestamentlichen Wörterbücher schließen sich dem an, indem sie über das Gesagte hinaus die nt.lichen Stellen auf zwei Bedeutungen verteilen: 15 α. *Kirche = Gesamtgemeinde,* β. *Gemeinde = Einzelgemeinde* wie etwa auch Hausgemeinde. Dabei besteht die Frage, ob α oder β das prius ist, dh in welchem Sinne es sich an Stelle eines bloßen Nebeneinander um ein Nacheinander handelt. Diese Frage wird verschieden beantwortet. Wilke-Grimm behandelt den „christianus sensus" als „coetus Christianorum" in dieser Reihenfolge: „ . . . qui alicubi regionum, urbium, vicorum 20

Urgemeinde zu Jerusalem. Festgabe für KMüller (1922) 96—131 (im folgenden = Kattenbusch II); Ders, Der Spruch über Petrus u die Kirche bei Matthäus, ThStKr 94 (1922) 96—131 (was Kattenbusch in diesen drei Abhandlungen an Fülle des Stoffs u der Gesichtspunkte bietet, ist wohl immer noch nicht ausgeschöpft); KLSchmidt, Die Kirche des Urchristentums, eine lexikograph u biblisch-theolog Studie, in: Festgabe für ADeißmann (1927) 258—319 (2. Abdruck dieses Sonderdruckes, durch ein Vorwort ergänzt [1932]) (im folgenden = KLSchmidt, Die Kirche); Ders, Das Kirchenproblem im Urchristentum, ThBl 6 (1927), 293—302 (Skizze dieses auf dem ersten deutschen Theologentag gehaltenen Vortrages zusammen mit der Aussprache darüber in: Deutsche Theologie 1 1928] 13—26); Ders, in: Forschungen u Fortschritte 3 (1927) 277 f. — Ferner zum Ganzen: FJAHort, The Christian Ecclesia (1897); ELohmeyer, Von urchristlicher Gemeinschaft, ThBl 4 (1925) 135 ff; Ders, Vom Begriff der religiösen Gemeinschaft (1925); HEWeber, Die Kirche im Lichte der Eschatologie, NKZ 37 (1926) 299 ff; WMacholz, Um die Kirche, ThBl 7 (1928) 323 ff; EPeterson, Die Kirche (1929); GHolstein, Die Grundlagen des evangelischen Kirchenrechts (1928); WMichaelis, Täufer, Jesus, Urgemeinde = Nt.liche Forschungen 2, 3 (1928); GGloege, Reich Gottes und Kirche im NT = Nt.liche Forschungen 2, 4 (1929); EvDobschütz, Die Kirche im Urchristentum, ZNW 28 (1929) 107 ff; AJuncker, Neuere Forschungen zum urchristlichen Kirchenproblem, NKZ 40 (1929) 126 ff, 180 ff; Die Kirche im NT in ihrer Bdtg für die Gegenwart, ein Gespräch zwischen lutherischen, reformierten u freikirchlichen Theologen, hsgg von FSiegmund-Schultze (1930); HDWendland, Der christliche Begriff der Gemeinschaft, ThBl 9 (1930) 129 ff; Ders, Die Eschatologie des Reiches Gottes bei Jesus (1931); HWBeyer, Die Kirche des Evangeliums und die Loslösung des Katholizismus von ihr, im Sammelwerk: Der römische Katholizismus und das Evangelium (1931); AMédebielle, in: Dictionnaire de la Bible, Suppl II (1934) 487 ff. — Zu A: Die im Text genannten Wörterbücher. — Zu B: KHoll, Der Kirchenbegriff des Pls in seinem Verhältnis zu dem der Urgemeinde, SAB (1921) 920 ff = Ges Aufsätze zur Kirchengeschichte II (1928) 44 ff; WKoester, Die Idee der Kirche beim Apostel Pls, Nt.liche Abhandlungen 14, 1 (1928); HSchlier, Zum Begriff der Kirche im Eph, ThBl 6 (1927) 12 ff; Ders, Christus u die Kirche im Eph (1930). — Zu C: CGBrandis, Ἐκκλησία, in: Pauly-W V (1905) 2163 ff. — Zu E: ADell, Mt 16, 17—19, ZNW 15 (1914) 1 ff; Ders, Zur Erklärung von Mt 16, 17—19, ZNW 17 (1916) 27 ff; RBultmann, Die Frage nach dem messianischen Bewußtsein Jesu u das Petrusbekenntnis, ZNW 19 (1919/20) 165 ff; JSickenberger, Eine neue Deutung der Primatsstelle (Mt 16, 18), Theologische Revue 19 (1920) 1 ff; DVölter, Mt 16, 18, Nieuw Theol Tijdschrift 10 (1921) 174 ff; SEuringer, Der locus classicus des Primats . . ., Festgabe für AEhrhard (1922) 141 ff; HDieckmann, Neuere Ansichten über die Echtheit der Primatsstelle, Biblica 4 (1923) 189 ff; ThHermann, Zu Mt 16, 18 u 19, ThBl 5 (1926) 203 ff; GKrüger, Mt 16, 18—19 u der Primat des Petrus, ThBl 6 (1927) 302 ff; KGGoetz, Petrus als Gründer u Oberhaupt der Kirche u Schauer von Gesichten nach altchristlichen Berichten u Legenden = UNT 13 (1927); KGuggisberg, Mt 16, 18 u 19 in der Kirchengeschichte, ZKG 54 (1935) 276 ff. — Zu H: EFoerster, Kirchenrecht vor dem ersten Clemensbrief, in: Harnack-Ehrung (1921) 68 ff; FGerke, Die Stellung des ersten Clemensbriefes innerhalb der Entwicklung der altchristlichen Gemeindeverfassung u des Kirchenrechts, TU 47, 1 (1931).

eiusmodi coetum constituunt atque in unam societatem coniuncti sunt" und „universus
Christianorum coetus per totam terram dispersus." Der Katholik FZorell (Lexic Graec
Novi Testamenti [2] [1931]) ordnet: „coetus religiosus . . . universitas eorum qui ad socie-
tatem religiosam a Christo institutam pertinent" und „ecclesia aliqua particularis, i e
alicuius regionis vel civitatis Christi fideles suo episcopo subditi, fere = dioecesis."
Pr-Bauer dagegen ordnet: „Gemeinde als Zusammenfassung der an einem Ort lebenden
Christen" und „universal die Kirche, in der sich alle Berufenen zusammenfinden";
dementsprechend handelt er von der „lokalen" und der „universalen" ἐκκλησία. Die
Verteilung auf die beiden Rubriken „Kirche" und „Gemeinde" fällt in den Wörterbüchern verschieden aus. Und in der Tat gibt es Stellen, bei denen man schwanken
kann, ob die „Kirche" oder die „Gemeinde" nach dem üblichen sondernden Sprachgebrauch gemeint ist.

Die vorgeführten Unterschiede sind zunächst mehr solche der Konfessionen oder
auch Richtungen als solche einer unmittelbar lexikographischen und biblisch-theologischen Besinnung. Der Anglikaner spricht von der ἐκκλησία vorerst als der e i n e n
Kirche, dem „body of Christians". Der römische Katholik geht aus von der ecclesia
universalis mit sofortiger Hervorhebung von Mt 16, 18 [1] und dann folgender Betonung
der Unterordnung der Einzelgemeinde unter den Bischof. Der „positive" Protestant
nennt zuerst die „Gesamtgemeinde", der „liberale" Protestant dagegen zuerst die
„Einzelgemeinde", wobei vom früheren landesherrlichen Kirchenregiment her („alicubi
regionum") eine gewisse Verwirrung kommen kann. In den Übersetzungen und Kommentaren hat sich das in entsprechender Weise niedergeschlagen. Wie immer gräbt
als rühmliche Ausnahme Cr-Kö tiefer, wobei seine b i b l i s c h - t h e o l o g i s c h e Betrachtungsweise gerade auch l e x i k o g r a p h i s c h ergiebiger ist. Er nennt im engsten
Anschluß an den at.lichen Sprachgebrauch von der ἐκκλησία als der „G e s a m t h e i t
d e r i s r a e l i t i s c h e n V o l k s g e m e i n d e" die „nt.liche Gemeinde", die
sich einmal als die Gesamtgemeinde und dann als dieselbe nt.liche Heilsgemeinde „in
lokaler Begrenzung" (dieser vorsichtige Ausdruck erscheint gut gewählt) darstellt.
Ausdrücklich wird darauf hingewiesen, „daß die Unterscheidung, ob Einzelgemeinde
oder Gesamtgemeinde, nicht immer scharf durchzuführen ist". Hierher gehört die
Bemerkung von Zorell: „Cum primo tempore 1 et 2 (sc ecclesia universalis et ecclesia
particularis) coinciderent, ad utrumvis licebit referre A (= Ag) 2, 47; 5, 11 al."

Daß es nicht angeht, bei der Übersetzung und Erklärung von ἐκκλησία verschiedene
Ausdrücke in dürrer Weise zu addieren, ergibt sich schon sozusagen grundsätzlich
aus der ebenso einfachen wie aber nun doch zwingenden Tatsache, daß im NT
i m m e r d a s s e l b e W o r t g e b r a u c h t i s t, w ä h r e n d w i r ü b l i c h e r w e i s e b a l d
v o n K i r c h e, b a l d v o n G e m e i n d e sprechen. Und wenn dasselbe Wort im
p r o f a n e n Griechischen einerseits und im at.lichen und nt.lichen Griechischen anderseits gebraucht ist, so sollte wiederum grundsätzlich eine e i n z i g e Ü b e r s e t z u n g
versucht werden. Man sollte es einmal durchprobieren, ob nicht entweder immer
„Kirche" oder immer „Gemeinde" i m N e u e n T e s t a m e n t gesagt werden kann
und muß. Schon diese Bemühung um eine einheitliche und eindeutige Übersetzung
führt ein Stück weiter und rückt gleich die entscheidenden Fragen der nt.lichen
Kirchenauffassung ins Licht: Wie verhält sich die sogenannte Kirche zur sogenannten
Gemeinde? Woran ist Mt 16, 18 gedacht? Ist die jerusalemische Urgemeinde
„Kirche" oder „Gemeinde"? In welcher Beziehung stehen gerade zu dieser
Urgemeinde die anderen Gemeinden im weiten imperium Romanum? Was bedeutet
ἐκκλησία im Judenchristentum (Petrus!), was im Heidenchristentum (Paulus!),
was im Katholizismus der alten Kirche? Man sollte es einmal einmal durchprobieren, ob nicht f ü r d e n g a n z e n b i b l i s c h e n G e b r a u c h von ἐκκλησία
ein einziges Übersetzungswort, also entweder immer „Kirche" oder immer „Gemeinde" gesagt werden kann und muß. Auch diese Bemühung führt ein Stück
weiter und rückt die Frage nach dem Zusammenhang von AT und NT ins Licht.
Wie hinter dem LXX-Wort ἐκκλησία [2] ein hebräischer Ausdruck steht, so muß

---

[1] Eine gewisse Ausnahme macht im katholischen Lex ThK [2] V 968 ff LKösters in seinem
Artk „Kirche", wenn er schreibt: „Im Neuen
Testament wohl schon früh von den Hellenisten in Jerusalem gebraucht = »die (versammelte) christl Ortsgemeinde«, dann »die
christl Gesamtgemeinde«."
[2] EPeterson (→ Lit-A) 19: „Es genügt nicht,
wenn man den technischen Sprachgebrauch
von ἐκκλησία aus der LXX ableitet. Man muß
ihn vielmehr aus der neuen Situation, die
für die Apostel gegeben war, deutlich machen."

Sicherlich genügt die LXX nicht; man muß
vielmehr sogar auf HT zurückgehen. Peterson
kümmert sich aber weder um das griechische
noch um das hebräische AT — zum beträcht-
lichen Schaden der Sache. Petersons These:
„Zum Begriff der Kirche gehört, daß sie
wesentlich Heidenkirche" (aaO 1) scheitert
gerade an der Tatsache, daß in der LXX, im
Judenchristentum u im Heidenchristentum
derselbe Ausdruck ἐκκλησία vorkommt. Die
Last des Beweises, daß und wie es sich bei
diesem selben Ausdruck nicht um dieselbe

dann auch für den aramäisch sprechenden Jesus und die ebenso sprechende Urgemeinde
in Jerusalem die Frage nach der aramäischen Entsprechung von ἐκκλησία geklärt
werden. Das ist eine Frage, die wiederum sofort in sachliche Zusammenhänge hineinführt. Man sollte es schließlich durchprobieren, ob sich nicht f ü r d e n g a n z e n g r i e -
c h i s c h e n S p r a c h g e b r a u c h einschließlich des sogenannten profanen dasselbe 5
Übersetzungswort ergeben kann und muß. Vielleicht immer *Gemeinde*, vielleicht immer
Versammlung? Auch diese Bemühung führt ein Stück weiter und rückt die Frage nach
der besonderen Selbstbezeichnung der nt.lichen Gemeinde ins Licht. Wie kommt es,
daß kein ausgesprochen kultisches, sondern ein durchaus profanes Wort verwendet
wird?   10

Wenn die Wörterbücher sowohl für den profanen als für den biblischen Gebrauch
von ἐκκλησία einen Unterschied zwischen dem Sichversammeln von Menschen und den
versammelten Menschen machen, so dürfte sich als Übersetzung das Wort *Versammlung*
in erster Linie empfehlen, weil ein solches Wort mit der Endung — ung abstrakten
u n d konkreten Sinn hat.   15

B. Neues Testament.

Ein Überblick über die Verwendung von ἐκκλησία im
N e u e n T e s t a m e n t ergibt, daß das Wort bei Mk, Lk, Joh, 2 Tm, Tt, 1 Pt,
2 Pt, 1 J, 2 J, Jd nicht vorkommt[3]. Daß 1 J und 2 J fehlen, mag nicht weiter auffällig sein, weil ja 3 J vertreten ist. Ebenso steht es mit 2 Tm und Tt, weil 20
ja 1 Tm vertreten ist. Wenn ein so kleiner Brief wie Jd das Wort nicht hat,
so muß hier wie auch sonst mit der Zufälligkeit der Statistik gerechnet werden.
Auffälliger dagegen ist das Fehlen des Wortes 1 Pt und 2 Pt. Weil aber gerade
im 1 Pt in besonders betonter Weise von dem Sein und dem Sinn der at.lichen
Gemeinde unter Verwendung at.licher Ausdrücke gesprochen ist, so taucht die 25
Frage auf, ob nicht die Sache vorliegt, obwohl das Wort fehlt. Dieselbe Frage
drängt sich im Hinblick auf das Fehlen des Wortes bei zwei Synoptikern, Mk
und Lk, und dann auch bei Joh auf.

1. A p o s t e l g e s c h i c h t e.

Da das dreimalige Vorkommen an zwei Mt-Stellen, 30
16, 18 und 18, 17, umstritten ist und tatsächlich in sich fraglich ist, empfiehlt
es sich, von dem oftmaligen und vielfältigen ἐκκλησία-Gebrauch in der A p o s t e l -
g e s c h i c h t e auszugehen. Schon die ersten Stellen 2, 47; 5, 11; 7, 38; 8, 1;
8, 3; 9, 31 sind höchst belangreich. Zunächst ist von der ἐ κ κ λ η σ ί α in J e r u -
s a l e m die Rede, die 8, 1 ausdrücklich als solche bezeichnet wird. 7, 38 wird 35
ohne weiteres, ohne ·daß wortgetreu aus dem AT zitiert wird, das von Moses
durch die Wüste geführte V o l k I s r a e l ἐκκλησία genannt; das entspricht Dt
9, 10, wo ἐκκλησία (LXX) = קָהָל (Mas) steht. 9, 31 wird wiederum ohne
weiteres nicht nur die Gemeinde von Jerusalem, sondern auch die von ganz
Judäa, Galiläa und Samaria ἐκκλησία genannt[4]. Während also zunächst von 40
einer Einzelgemeinde gesprochen ist, ist auf einmal von m e h r e r e n Einzel-
g e m e i n d e n als der ἐκκλησία die Rede, so daß wir eher „Kirche" als „Ge-

---

Sache handeln sollte, empfindet Peterson
nicht. Vgl auch EPeterson, Die Kirche aus
Juden und Heiden, in: Bücherei der Salzburger Hochschulwochen II (1933).
[3] Bei Cr-Kö wie schon in allen früheren
Auflagen von Cremer sind versehentlich 1 Pt
u 2 Pt nicht genannt.

[4] 9, 31 liegt wahrscheinlich, obwohl der
Artikel nicht wiederholt ist (in der Koine
möglich, während 1 K 1, 2 u 2 K 1, 1 dann
auch wieder ein „besseres" Griechisch, dh den
Artikel, verwenden!), nicht eine prädikative
(so zB Luther), sondern eine attributive Bestimmung vor.

meinde" sagen möchten. Dabei schwanken 9, 31 die guten Textzeugen zwischen dem **Singular** und dem **Plural**[5], so daß also ἡ ἐκκλησία = αἱ ἐκκλησίαι ist. Sicherer überliefert ist der Plural 15, 41 (διήρχετο δὲ τὴν Συρίαν καὶ Κιλικίαν ἐπιστηρίζων τὰς ἐκκλησίας), wo nur B D pc den Singular haben. Ganz sicher ist der
5 Plural 16, 5 (αἱ μὲν οὖν ἐκκλησίαι ἐστερεοῦντο τῇ πίστει). Im übrigen überwiegt der Singular, sei es, daß die Gemeinde in Jerusalem 11, 22 genannt oder 12, 1 (D pc fügen ἐν τῇ Ἰουδαίᾳ hinzu). 5; 15, 4. 22 gemeint ist; sei es, daß die Gemeinde des syrischen Antiochia 13, 1 genannt oder 11, 26; 14, 27; 15, 3 gemeint ist; sei es, daß die Gemeinde von Caesarea maritima 18, 22 oder die von Ephesus 20, 17. 28
10 gemeint ist. Die Wendung κατ' ἐκκλησίαν 14, 23 bedeutet „gemeindeweise" und mag den pluralischen Wortgebrauch voraussetzen (so Luther: „in den Gemeinden", ähnlich neuere Übersetzer: „in jeder Gemeinde"). Eine besonders gefüllte, vielfältige Stelle ist 20, 28: ποιμαίνειν τὴν ἐκκλησίαν τοῦ θεοῦ (vl: κυρίου), ἣν περιεποιήσατο διὰ τοῦ αἵματος τοῦ ἰδίου. Nestle nennt hier als at.liche Parallele
15 ψ 73, 2, wo allerdings nicht die ἐκκλησία, sondern die συναγωγή genannt ist: μνήσθητι τῆς συναγωγῆς σου (= Ps 74, 2: עֲדָתְךָ) ἧς ἐκτήσω ἀπ' ἀρχῆς.

Die besondere Eigentümlichkeit des nt.lichen Kirchen- bzw Gemeindebegriffs wird durch die genannten Stellen aus der Ag deutlich. Es muß unterstrichen werden, daß ohne weiteres nacheinander und nebeneinander die Gemeinde an
20 verschiedenen Orten ἐκκλησία heißt. Daß dabei eine eigentliche **örtliche Bindung nicht** das Entscheidende ist, erhellt daraus, daß auch von einer ἐκκλησία in Judäa, Galiläa und Samaria gesprochen wird. Es muß ferner unterstrichen werden, daß **Singular und Plural** promiscue gebraucht sind. Es ist nicht so, daß die ἐκκλησία in ἐκκλησίαι zerfällt. Es ist auch nicht so, daß erst eine
25 Addition von ἐκκλησίαι die ἐκκλησία ergibt. Es ist vielmehr so, daß an den genannten Orten sich **die** ἐκκλησία findet, was durch die Nennung von ἐκκλησίαι nebeneinander nicht verwischt werden kann und soll. Immer sollte man übersetzen und verstehen: **entweder Gemeinde und Gemeinden oder Kirche und Kirchen.** Und das Wort Gemeinde ist dem Worte Kirche vorzuziehen. Daß
30 Kirche nicht recht entbehrt werden kann, liegt allein daran, daß in unserem nun einmal üblichen Sprachgebrauch die Gemeinde als die Einzelgemeinde von der Kirche als der Gesamtgemeinde abgehoben wird. Wichtig ist, daß die **judenchristliche** Gemeinde, etwa in Jerusalem, und die **heidenchristliche** Gemeinde, etwa im syrischen Antiochien, **dieselbe Bezeichnung**
35 haben. **Nirgends** findet sich ein Attribut im Sinne eines **Epitheton ornans.** Das einzige vorkommende derartige Attribut, wenn man es so nennen will, ist der Genetiv τοῦ θεοῦ. Und dieser Genetiv ist at.lich. Wenn er meistens fehlt, so ist er doch mitzudenken, da sonst das Gewicht der ἐκκλησία gar nicht deutlich wäre. Die Gemeinde bzw Kirche **Gottes** ist immer so gemeint, wie sie
40 allen anderen Gemeinschaftsformen gegenüber- oder gar entgegensteht. Das ist gleich an der ersten Ag-Stelle geklärt: 2, 47 ist vorher der λαός oder auch κόσμος (so D) genannt.

---

[5] Während Bruder den Plural ansetzt und die Singular-LA bucht, setzt Nestle den Singular an, ohne leider die wichtige Plural-LA zu buchen.

An drei Stellen kurz hintereinander 19, 32. 39. 40 ist von einer solchen ἐκκλησία des Volkes, der Welt, dh von der heidnischen Volksversammlung
gesprochen. Es ist also hier ἐκκλησία ein profaner Ausdruck im Vollsinne dieser
Bezeichnung. Bei der grundsätzlich nötigen und sinnvollen Bemühung, bei
demselben Schriftsteller für denselben Ausdruck möglichst dieselbe Übersetzung 5
zu wählen, fällt das Wort Kirche weg. Eher empfiehlt sich das Wort Gemeinde,
obwohl dieses im allgemeinen im Sinne von „Kirchgemeinde" gebraucht wird,
wenn nicht etwa durch den Zusatz „politisch" eben die politische, die nicht
kirchliche Gemeinde angesprochen ist. Die sauberste Übersetzung ist hier die
einfachste: *Versammlung*[6]. Von hier aus würde einmal die Verschieden- 10
heit der weltlichen und „kirchlichen" Versammlung bei Verwendung gerade
desselben Ausdruckes deutlich werden. Besser verständlich würde dann auch
das selbstverständliche Nebeneinander von Singular und Plural: Wer Versammlungen sagt, denkt an die Versammlung im Sinne des Sichversammelns. Entscheidend ist nicht, daß sich irgendwer und irgendetwas versammelt; entschei- 15
dend ist vielmehr, wer und was sich versammelt. Der ausgesprochene oder gedachte Zusatz τοῦ θεοῦ bzw κυρίου weist auf den, der versammelt, der die
Menschen sich versammeln läßt. Und wenn es von der ἐκκλησία heißt: ἣν περιεποιήσατο . . . (20, 28), so wird deutlich, daß Gott die Seinen versammelt. Zur
ἐκκλησία gehören alle, die die Seinen sind. Ausdrücklich ist ὅλη 5, 11 und 20
15, 22 hinzugefügt, was dem Begriff der Versammlung, der Sammlung entspricht. Dieses ὅλη fügt aber nicht etwas Besonderes im Sinne eines Neuen
hinzu, sondern unterstreicht nur, was ohnehin mit der ἐκκλησία τοῦ θεοῦ da ist.
Diese ist im Gegensatz zu anderen (weltlichen) ἐκκλησίαι kein Quantitäts-,
sondern ein Qualitätsbegriff. Eine Volksversammlung ist das, was sie 25
ist und sein soll, desto mehr, je größer sie ist. Die Volksversammlung Gottes
dagegen ist davon unabhängig. Sie ist da, wenn Gott die Seinen versammelt.
Wie viele es sind, liegt bei dem, der ruft und versammelt, und dann — aber
erst dann — auch bei denen, die sich rufen lassen und sich versammeln. „Wo
zwei oder drei versammelt sind in meinem Namen, da bin ich mitten unter 30
ihnen" (Mt 18, 20).

2. Paulinische Briefe I.

In den paulinischen Briefen liegt zunächst derselbe
Sprachgebrauch wie in der Ag vor. „Judenchristliche" und „heidenchristliche"
Begriffsbildung und Anschauungsweise gehen nicht auseinander. Daß einzelne 35
Gemeinden nebeneinander stehen, könnte aus der Verwendung des Plurals
und dabei am ehesten aus den Stellen 2 K 11, 8: ἄλλας ἐκκλησίας und 12, 13:
τὰς λοιπὰς ἐκκλησίας, ferner Phil 4, 15: οὐδεμία ἐκκλησία herausgelesen werden.
Aber nicht ein solches Nebeneinander, sondern das Ineinander von „Gemeinden"

---

[6] Mit alledem soll nun nicht etwa verlangt
werden, daß wir das Wort „Kirche" oder
auch das Wort „Gemeinde" aus unserem
Sprachschatz ausmerzen sollen. Abgesehen
davon, daß solches Unterfangen unmöglich
ist, bleibt es sinnvoll, das Gefülltsein der
Vorstellung, wie es solchen Ausdrücken
eignet, nicht preiszugeben. Es ist aber zu
verlangen, daß man sich die genaue Bedeutung des Ausdruckes ἐκκλησία vergegenwärtigt, weil gerade hier die sprachliche
Sauberkeit zur Erkenntnis der biblisch-theologischen Bedeutung und Tragweite verhilft.

zur „Gemeinde" ist entscheidend. Dem dargelegten Gedanken der Versammlung als der Sammlung entspricht ἡ ἐκκλησία ὅλη R 16, 23; 1 K 14, 23 und
πᾶσαι αἱ ἐκκλησίαι R 16, 4. 16; 1 K 7, 17; 14, 33; 2 K 8, 18; 11, 28; einmal
auch πᾶσα ἐκκλησία 1 K 4, 17, wobei die hier gebrauchte Redewendung παντα-
5 χοῦ ἐν πάσῃ ἐκκλησίᾳ sachlich genau den Worten ἐν ταῖς ἐκκλησίαις πάσαις entspricht[7]. Auch sonst ist der Übergang vom Singular zum Plural und
umgekehrt durchaus fließend. 1 K 14, 35 zeigt sich das in der Zwiespältigkeit der textlichen Überlieferung. Jedenfalls steht kurz vorher 14, 33f
der Plural. Gl 1, 13 wie 1 K 15, 9 und Phil 3, 6 erzählt Paulus, er habe die
10 ἐκκλησία verfolgt, und gleich darnach Gl 1, 22 bezeichnet er diese als die ἐκκλησίαι. τῆς ᾽Ιουδαίας. Ebenso ist das Ineinander von Singular und Plural 1 K
10, 32 und 11, 16 zu beurteilen, da man hier ganz beliebig die beiden Numeri
vertauschen könnte.

Öfters wird der Ort ausdrücklich genannt, so Kenchreae: R 16, 1; Korinth: 1 K
15 1, 2; 2 K 1, 1; Laodicea: Kol 4, 16; Thessalonich (die Θεσσαλονικεῖς): 1 Th 1, 1;
2 Th 1, 1; oder auch die Landschaft, so Asien: 1 K 16, 19; Galatien: 1 K 16, 1;
Gl 1, 2; Mazedonien: 2 K 8, 1; Judäa: Gl 1, 22 (→ Z 10); 1 Th 2, 14.

Öfters fehlt der Artikel, wobei zwischen ἡ ἐκκλησία und bloß ἐκκλησία kein
Unterschied zu erkennen ist: 1 K 14, 4 (gleich darnach 14, 5. 12 wieder der
20 Artikel); 14, 19. 28. 35; 1 Tm 3, 5. 15. Offenbar kommt ἐκκλησία einem Eigennamen sehr nahe, bei dem ja gewöhnlich der Artikel fehlt. Auch beim Plural
kann der Artikel fehlen, so 2 K 8, 23, während unmittelbar vorher (v 19) und
nachher (v 24) der Artikel steht[8].

Auch eine so kleine Gemeinschaft wie die sogenannte Hausgemeinde wird
25 ἐκκλησία genannt: R 16, 5. 1 K 16, 19 wird eine solche Hausgemeinde ohne
weiteres neben die anderen größeren Gemeinden gestellt; Kol 4, 15 ist wichtig, daß eben eine solche Hausgemeinde inmitten tiefgründiger Erörterungen
über Sein und Sinn der ἐκκλησία mit demselben Ausdruck ausgezeichnet ist; Phlm 2.

Aufschlußreich für die Vorstellung, daß nicht erst eine Addition von
30 Einzelgemeinden die Gesamtgemeinde, die Kirche ergibt, sondern
daß jede, wenn auch noch so kleine, Gemeinde die Gesamtgemeinde, die Kirche
darstellt, ist 1 K 1, 2: τῇ ἐκκλησίᾳ . . . τῇ οὔσῃ ἐν Κορίνθῳ, ebenso 2 K 1, 1.
Hier sollte man nicht übersetzen: „die korinthische Gemeinde", neben der dann
die römische Gemeinde usw stände, sondern: „die Gemeinde, Kirche, Versamm-
35 lung, wie sie in Korinth ist." Wenn jemand in einer solchen Versammlung verachtet ist (1 K 6, 4), wenn man zusammenkommt in ihr (1 K 11, 18; vgl 14, 23
und Ag 14, 27), wenn die Frau in ihr schweigen soll (1 K 14, 34), wenn sie
nicht belastet werden soll (1 Tm 5, 16), so ist nicht an die an einen Ort gebundene Gemeinde, sondern an die Gemeinde überhaupt gedacht.

40 Soweit bei Paulus die ἐκκλησία eine Näherbestimmung attributiver oder prädi-
kativer Art erhält, ist es zunächst nur der Genetiv τοῦ θεοῦ, und zwar sowohl

---

[7] Wie auch sonst liebt Pls solche Hyper-
beln, die aber trotzdem einen sachlichen
Grund haben.
[8] Bl-Debr[6] § 254 macht auf das Fehlen

des Artikels bei Personenbezeichnungen wie
θεός, κύριος, νεκροί, ἔθνη aufmerksam. Bei
ἐκκλησία dürfte es ähnlich liegen.

beim singularischen als beim pluralischen Gebrauch: Singular 1 K 1, 2; 10, 32; 11, 22; 15, 9; Gl 1, 13; 1 Tm 3, 5. 15; Plural 1 K 11, 16; 1 Th 2, 14; 2 Th 1, 4. Daß beide Numeri diesen Zusatz haben, ist wichtiger, als man wohl annehmen mag. Bei der uns geläufigen Trennung zwischen Kirche als Gesamtgemeinde und Gemeinde als Einzelgemeinde, ist es uns entsprechend geläufig, von der 5 Kirche Gottes, aber nicht von den Gemeinden Gottes zu sprechen. Daß bei Paulus eine solche Abtrennung nicht möglich ist, ist wiederum ein Zeichen dafür, daß bei ihm die später üblich gewordene Trennung zwischen „Kirche" und Gemeinde eben nicht vorhanden ist. Wenn auf der anderen Seite sehr oft der Zusatz τοῦ θεοῦ fehlt, so ist dieser immer mitzudenken; genau so wie bei βασιλεία im 10 NT, wenn nicht irgendein irdisches Königreich ausdrücklich erwähnt wird, an die βασιλεία τοῦ θεοῦ gedacht werden muß (→ I 583). Es ist bezeichnend, daß in manchen Textüberlieferungen ohne weiteres, dh durchaus sinngemäß τοῦ θεοῦ hinzugefügt worden ist, so 1 K 14, 4; Phil 3, 6 (beide Male G vg al). Der in und mit der ἐκκλησία Handelnde ist immer Gott; vgl 1 K 12, 28: ἔθετο ὁ 15 θεὸς ἐν τῇ ἐκκλησίᾳ πρῶτον ἀποστόλους κτλ.

Da Gott handelt ἐν Χριστῷ, wird hier und da Christus ausdrücklich mitgenannt; die reichste, sozusagen erschöpfende Stelle ist 1 Th 2, 14: τῶν ἐκκλησιῶν τοῦ θεοῦ τῶν οὐσῶν ἐν τῇ Ἰουδαίᾳ ἐν Χριστῷ Ἰησοῦ. Gl 1, 22 steht nur ἐν Χριστῷ (ohne τοῦ θεοῦ), R 16, 16 nur τοῦ Χριστοῦ, welcher Genetiv aber das- 20 selbe bedeutet wie die Formel ἐν Χριστῷ[9]. Jedenfalls ist das τοῦ Χριστοῦ nicht mit dem matten Adjektivum „christlich" wiederzugeben. Paulus spricht nicht von einer christlichen Kirche oder Gemeinde, neben der es eine andere Kirche oder Gemeinde gäbe, sondern von der Versammlung Gottes in Christus. Vereinzelt ist der Zusatz τῶν ἁγίων und nun gerade beim Plural 1 K 14, 33, was 25 aber trotz solcher Vereinzelung sachlich nicht auffallend ist, weil Paulus 1 K 1, 2 die ἐκκλησία ausdrücklich den ἡγιασμένοι ἐν Χριστῷ Ἰησοῦ gleichsetzt[10]. —

Bevor im folgenden auf die reicheren und gefüllteren und gerade deshalb umstrittenen, dem Paulus abgesprochenen Stellen von Kol und Eph eingegangen wird, werfen wir einen Blick zurück auf die bis jetzt angeführten Aussagen 30 des Apostels Paulus im Verhältnis zu denen der Apostelgeschichte. Im Hinblick auf die Auseinandersetzung und den Streit zwischen Paulus und der Urgemeinde in Jerusalem ist rein statistisch-lexikographisch die große Gemeinsamkeit der ἐκκλησία-Aussagen auffallend, wie sich aus der fortlaufenden Stellenübersicht zwingend ergibt. Daß Paulus verhältnismäßig oft den Zusatz τοῦ 35 θεοῦ hat gegenüber der einzigen Ag-Stelle 20, 28, bringt beide besonders nahe zusammen; denn Ag 20, 28 ist als Zitat aus ψ 73, 2 an die im AT genannte Versammlung Gottes gedacht, deren Gewicht also gerade von Paulus noch besonders hervorgehoben wird. Über die Ag hinaus erwähnt dann Paulus zusammen mit der ἐκκλησία Jesus Christus, was verbotenus in der Ag so nicht 40

---

[9] Auf diesen Austausch zwischen der ἐν-Formel und dem Genetiv an anderen zahlreichen St hat mit Recht ADeißmann, Paulus[2] (1925) 126 f hingewiesen u den Ausdruck Genetivus communionis bzw mysticus vorgeschlagen, was allerdings bedenklich, zum mindesten überflüssig ist.

[10] Vgl dazu RAsting, Die Heiligkeit im Urchr = FRL NF 29 (1930) 134. 147. 204. 269; ferner → I 108.

getan ist [11]. Das bedeutet aber keinen sachlichen Unterschied, sondern nur einen
formalen in der Ausdrucksweise. Denn sachlich arbeitet Paulus in seiner Kirchenauffassung das mit den Urjüngern Gemeinsame heraus, und dem entspricht
dann auch sein praktisches Verhalten. Das Novum der ἐκκλησία τοῦ θεοῦ ἐν
5 Χριστῷ Ἰησοῦ, dh die Erfüllung der at.lichen Weissagung im Neuen Bund, ist
damit gegeben, daß eine bestimmte Zahl ausgesonderter Jünger Jesu die Auferstehung Jesu Christi von den Toten erlebt und daraus besondere Befugnisse
abgeleitet haben. Die mit der Auferstehung Jesu Christi zum erstenmal
wirklich gewordene Versammlung Gottes des Neuen Bundes leitet Auftrag und
10 Anspruch nicht aus dem Enthusiasmus von Pneumatikern und Charismatikern
ab, sondern allein aus einer bestimmten Anzahl bestimmt abgegrenzter Erscheinungen des Auferstandenen [12]. Das ergibt sich nicht nur aus der in manchen
Punkten strittigen Ag, sondern vor allem aus dem Bericht des Paulus selbst
1 K 15, 3 ff, wo der Heidenapostel allen Wert darauf legt, seine Christuser-
15 scheinung bei Damaskus mit den Auferstehungserscheinungen der Urjünger auf
eine und dieselbe Linie zu rücken. Paulus war Pneumatiker und Charismatiker
und als solcher mit Visionen, Auditionen, Entrückungen und Verzückungen begabt (vgl etwa 2 K 12, 1 ff). Er hat aber seinen Apostolat als den Dienst für
die Versammlung Gottes nicht daraus abgeleitet, sondern einzig und allein aus
20 der Damaskus-Vision als dem ihm mit den Urjüngern gemeinsamen Auferstehungs-
vorgang.

Von hier aus gesehen haben Paulus und die jerusalemische Urgemeinde
dieselbe Kirchenanschauung gehabt [13]. Damit hängt zusammen, daß
Paulus besondere Befugnisse und Vorrechte der jerusalemischen Urgemeinde
25 und ihrer Beauftragten anerkannt hat. Nicht genug kann hier sein Kollekten-
werk für die „Armen" in Jerusalem betont werden, das nicht den Armen
von Jerusalem, sondern den Armen von Jerusalem gilt. Diese Verpflichtung
hat Paulus anerkannt. Mit dem bloßen Hinweis auf die Caritas, die ja bei alledem nicht abzuleugnen ist, ist hier nichts getan. Und noch weniger kann es
30 sich um persönliche Diplomatie und Taktik des Paulus handeln, sondern nur
um die von Paulus als schuldig empfundene Rücksichtnahme auf die Männer
in Jerusalem, die eben doch als die ersten die Versammlung Gottes in Christus
dargestellt haben. Daß dies keine persönliche Rücksichtnahme bedeutet, ergibt
sich daraus, daß derselbe Paulus sich gar nicht scheut, mit Ironie von den
35 „Säulen" in Jerusalem zu sprechen und schließlich sogar dem Petrus, als dieser
sich im Verkehr mit Heidenchristen nicht zurechtfand, öffentlich Heuchelei vor-
zuwerfen (Gl 2). Aber dennoch bleibt für Paulus auch dieser in Sünde verstrickte Petrus der aus der Menge der Gläubigen Hervorgehobene und Ausge-

[11] Mehr nebenbei sei bemerkt, daß die knappen ἐκκλησία-Aussagen in der Ag für das hohe Alter dieser Schrift sprechen. Die an sich in Betracht kommende Möglichkeit, daß ein späterer Verf sehr alte Quellen ohne Änderung weitergegeben hätte, dürfte in dem vorliegenden Falle nicht verfangen; denn ein späterer Verf hätte ohne weiteres die späteren reicheren Kirchenaussagen einfließen lassen.

[12] Unter den Neueren hat diesen Tatbestand im Anschluß an ASchlatter besonders stark betont KHoll in seiner ungemein fördernden Abhandlung über den Kirchenbegriff des Paulus (→ Lit-A).
[13] In der Verkennung dieser Tatsache scheint mir der entscheidende Fehler von KHolls Schlußfolgerungen zu liegen.

zeichnete. Es geht nicht um einzelne Menschen, sondern um die Gemeinschaft der Menschen als die Versammlung Gottes in Christus. Diese Versammlung ist nicht der Gegenstand eines ungebundenen Willens und einer ungebundenen Spekulation, sondern eine von Gott gesetzte Sache, über die wir Menschen von uns aus nicht verfügen können und dürfen. Psychologisierende Werturteile 5 können hier nicht gegenüber einem Menschen verfangen, der ein stärkerer Enthusiast und Pneumatiker gewesen ist als alle diejenigen, die ihn auf der enthusiastischen und pneumatischen Linie festhalten und dann schließlich noch tadeln möchten, weil er sich nicht genug frei gemacht habe von der Kirchenauffassung der Urgemeinde [14]. 10

Paulus selbst hat vor alle seine Kirchenaussagen ein Vorzeichen gesetzt, richtiger: es ist ihm ein Vorzeichen gesetzt worden, das nicht übersehen oder gar weggewischt werden darf. Nun waren aber gerade die Jerusalemer drauf und dran, dieses Vorzeichen zu verwischen, indem sie ihre autoritären Personen (Urjünger!) und ihren heiligen Ort (Jerusalem!) überbetonten, 15 kurzum einer geradezu theokratischen Wucherung anheimzufallen drohten, vor der die Propheten von den großen Schriftpropheten an bis zum Täufer Johannes und dann Jesus selbst gewarnt haben, wenn sie auf den Ruf Gottes an sein Volk hinzuweisen nicht müde geworden sind. Auf dieser Linie steht Paulus, der also von der Versammlung Gottes in ihrer Verheißung und Erfüllung ver- 20 nehmlicher, reiner spricht als die Urjünger und nicht daran denkt, denken will, denken darf, eine neue Kirchenanschauung gegen die von Jerusalem zu stellen. Nicht er ist der Zwischeneingekommene, sondern die Urjünger, die von vornherein nicht als Zwischeneingekommene betrachtet werden können, haben zwischeneingekommene Dinge vorherrschend werden lassen. Im Sinne der Urjünger, der 25 richtigen Jünger, die hier besonders auf der Hut sein müssen, steht und fällt für Paulus die Versammlung Gottes damit, daß sie nur in seinem Messias Jesus gegründet ist und besteht, daß nur Christus ihr Herr ist und nicht Menschen in theokratischer Anmaßung, auch wenn diese Menschen mit dem Geschenk der Offenbarung in besonderer Weise ausgezeichnet worden sind. Daß einige wenige 30 Male Paulus die ἐκκλησία(ι) (τοῦ θεοῦ) als die Versammlung(en) ἐν Χριστῷ Ἰησοῦ oder Χριστοῦ hinstellt, mag eine gewisse Spitze gegen die persönlich und örtlich versteifte Urjüngerhaltung sein, wie vielleicht auch die Worte ἡ δὲ πέτρα ἦν ὁ Χριστός 1 K 10, 4 eine solche Polemik in sich schließen [15].

Eine eigentliche Lehre von der ἐκκλησία gibt mit alledem Paulus eben- 35 sowenig wie die Apostelgeschichte. Was zur Rede steht, ist eben die Versammlung von Menschen als Versammlung Gottes in Christus. Wer versteht, daß und wie Gott an den Menschen in Christus handelt, der versteht damit implicite Sein und Sinn der Versammlung Gottes, ohne daß explicite die ἐκκλησία mit besonderen Attributen und Prädikaten ausgestattet wäre. Eine ge- 40 wisse Kennzeichnung über das Gesagte hinaus liegt nur 1 Tm 3, 15 vor, wo

---

[14] In solcher Weise tadelt HWeinel den Pls in: RGG¹ III 1130.

[15] Vgl HLietzmanns Fußnote bei KHoll, Ges Aufsätze II 63: „Ob nicht ἡ δὲ πέτρα ἦν ὁ Χριστὸς 1 K 10, 4 auch eine gewisse Spitze enthält? Jedenfalls für ihn (sc: Pls) selbstverständlich, daß Christus die πέτρα ist." Vgl auch 1 K 3, 11: auf beide Stellen wird bei der Behandlung von Mt 16, 18 zurückzukommen sein.

die ἐκκλησία als der → οἶκος θεοῦ bezeichnet wird, womit sich der Gedanke der Erbauung der Kirche, der → οἰκοδομὴ τῆς ἐκκλησίας 1 K 14, 4 f. 12 ergibt. Aber → οἶκος ist ja noch farbloser als ἐκκλησία. Und alles kommt dann wiederum auf die Betonung und das Verständnis des Zusatzes τοῦ θεοῦ an. —

5   **3. Paulinische Briefe II: Kolosser- und Epheserbrief**[16].

Explicite dagegen werden über die ἐκκλησία im **Kolosser**- und vor allem im **Epheserbrief** Ausführungen gemacht. Erst in diesen Briefen wird eine **besondere Kirchenlehre** vorgetragen. Kol 1, 24 ist die ἐκκλησία das 10 σῶμα Χριστοῦ; 1, 18 ist Christus die κεφαλή dieses σῶμα. Dasselbe ist Eph 1, 22; 5, 23 gesagt. Eigentümlich ist, daß 3, 21 und 5, 32 Christus und die ἐκκλησία wie gleichgeordnet nebeneinander genannt werden, wobei es gerade auf die Zuordnung und Unterordnung ankommt (in manchen Hdschr fehlt deshalb das καί): 5, 24: ἡ ἐκκλησία ὑποτάσσεται τῷ Χριστῷ, 5, 25: Χριστὸς ἠγάπησεν τὴν ἐκκλησίαν, 15 5, 29: Χριστὸς τὴν ἐκκλησίαν (ἐκτρέφει καὶ θάλπει), 5, 27 wird die ἐκκλησία ἁγία καὶ ἄμωμος genannt. Solche unmittelbare Kennzeichnung als ἁγία kommt bei Paulus sonst nicht vor, ist dagegen häufig in späteren urchristlichen und altchristlichen Schriften. Solche Aussagen sind überschwänglich: 3, 10 heißt es: ἵνα γνωρισθῇ ... διὰ τῆς ἐκκλησίας ἡ πολυποίκιλος σοφία τοῦ θεοῦ. Trotz genaueren Zusehens sind 20 diese Ausführungen im Eph schwer faßbar. Die Bildersprache erscheint nicht logisch. Christus ist die ἐκκλησία selbst, indem diese das σῶμα Χριστοῦ ist. Dann aber steht Christus auch wieder über der Kirche, deren κεφαλή er ist. Solche Aussagen sind ganz eng ineinander verwoben. Jedenfalls ist Christologie gleich Ekklesiologie und umgekehrt. Und das alles ist nicht nur für uns 25 dunkel, weil wir an sich helle Aussagen nicht recht verstehen könnten. Sondern diese Dinge sind im Sinne des Apostels dunkel, weil Menschenaussagen um ein Mysterium kreisen (3, 4 f). Das bedeutet keine Flucht in den Bereich des Numinosen. Vielmehr ist das, was für Menschenaugen „Geheimnis" ist und bleibt, von Gott her „Offenbarung". Um was es bei Christus und der ἐκ- 30 κλησία geht, ist von Gott gedacht, geschaffen, getragen. Alles gipfelt in dem Schlußhymnus 5, 25—32. Die übliche Haustafel hat nur den Sinn, daß das Verhältnis von Mann und Frau gegründet sein soll in dem Verhältnis von Christus und ἐκκλησία, und daß auf der anderen Seite dieses Verhältnis seine Klärung findet in dem von Mann und Frau.

35   Die dabei verwendeten Bilder entstammen der **mythologischen Sprache** der damaligen Zeit. HSchlier[17] hat festgestellt, „daß in den Aussagen des Epheserbriefes über Christus und die Kirche eine einheitliche Vorstellungswelt zum Ausdruck kommt und daß der Verfasser des Epheserbriefes die Sprache bestimmter gnostischer Kreise spricht. Der Erlöser, der zum Himmel auffährt, über- 40 windet auf seinem Wege die himmlischen Mächte (4, 8 ff) und durchbricht die

---

[16] Zum folgenden vgl NGlubokowsky, WFHoward, KLSchmidt: Christus und die Kirche (Eph 5, 25—32) (Referate auf der ost-westlichen Theologenkonferenz in Bern 1930), ThBl 9 (1930) 327 ff.

[17] → Lit-A. In den mandäischen Liturgien (s MLidzbarski, Mandäische Liturgien [1920]) ist von einem himmlischen Bau die Rede, der der große Lichtort und weiter der ἄνθρωπος, der ἀνὴρ τέλειος ist, wobei dieser ἄνθρωπος mit seinem σῶμα wechselt.

Grenzmauer, die die Welt von dem göttlichen Reiche trennt (2, 14ff). Er kehrt dabei zu sich als dem oberen Anthropos zurück (4, 13ff), der in den himmlischen Reichen selbständig weilt. Ist er doch die → κεφαλή des → σῶμα. In diesem bringt er seine μέλη empor, schafft er den »neuen Menschen« (2, 15) und baut seinen Leib auf zu dem himmlischen Bau seiner ἐκκλησία (2, 19ff; 4, 12ff. 16), 5 an der die Arbeit Gottes offenbar wird (3, 10f). Der Soter liebt und pflegt, reinigt und rettet seine Kirche. Sie ist seine γυνή, er ihr ἀνήρ, im Gehorsam und in der Liebe einer dem anderen verbunden (5, 22—32)". Diese einzelnen Vorstellungsreihen (1. die Himmelfahrt des Erlösers, 2. die himmlische Mauer, 3. der himmlische Anthropos, 4. die Kirche als Leib Christi, 5. der Leib Christi 10 als himmlischer Bau, 6. die himmlische Syzygie) zeigen, daß sie nur in beschränktem Maße den allgemein gemeindechristlichen Aussagen entsprechen. Die immer wieder betonte Vorstellung, daß die Kirche der Leib Christi sei, kann kaum damit erklärt werden, daß die Verhältnisse des natürlichen Leibes auf Christus und die Kirche übertragen worden wären. Der Leib, von dem 15 Eph spricht, ist eigentlich nur ein Rumpf. Alles Wachsen aber vollzieht sich einerseits zum Haupte hin, wobei dieses Wachsen sich anderseits von diesem Haupte herleitet. Christus ist einerseits die κεφαλή und anderseits das ganze σῶμα, also Leib einschließlich des Hauptes. Diese verwickelte Vorstellung kann nicht gut aus den paulinischen Ausführungen R 12, 4ff und 1 K 12, 12ff ent- 20 wickelt werden. Vor allem kann die Gleichung σῶμα = σάρξ = γυνή = ἐκκλησία aus dem sonstigen paulinischen Sprachgebrauch nicht abgeleitet werden. Nach 1 K 12 stehen die Christen in einem Verhältnis zueinander, im Eph sind sie der Leib Christi. Diese Vorstellungswelt findet sich einigermaßen deutlich in der valentinianischen Gnosis, in den Oden Salomos usw [18]: Der Erlöser führt die 25 Erlösten als sein σῶμα empor. Christus ist der ἄνθρωπος, dessen σῶμα die Gläubigen sind und dessen κεφαλή er selbst ist. Die ἐκκλησία als das σῶμα des ἄνθρωπος wird überhaupt erst durch ihn und in ihm. Die Kirche ist einerseits identisch mit dem σῶμα des ἄνθρωπος, bzw mit diesem selbst; anderseits kann dieser ἄνθρωπος mit seinem weiblichen Gegenbild, das meist σοφία heißt, wech- 30 seln. Von dieser Syzygievorstellung aus sind die eigentümlichen Aussagen 5, 25—32 zu verstehen, die in dem Satze gipfeln: Χριστὸς ἐκτρέφει καὶ θάλπει τὴν ἐκκλησίαν. Man hat den Eindruck, daß in einer so verwickelten, dabei großartigen Auffassung Spekulationen vorliegen, in denen das Bekenntnis zu Gott

[18] Ausspruch des Valentin-Schülers Theodotus, Cl Al Exc Theod 58, 1: ὁ μέγας ἀγωνιστὴς Ἰησοῦς ἐν ἑαυτῷ δυνάμει τὴν ἐκκλησίαν ἀναλαβών, τὸ ἐκλεκτόν καὶ τὸ κλητόν ... ἀνέσωσεν καὶ ἀνήνεγκεν ἅπερ ἀνέλαβεν. Zur Vorstellung, daß die Gläubigen den Leib des (himmlischen) Anthropos ausmachen, vgl OSal 17, 14ff: „Sie empfingen meinen Segen und wurden lebend, sie scharten sich zu mir und wurden erlöst. Denn sie wurden meine Glieder und ich ihr Haupt. Preis sei dir, unser Haupt, Herr Christus!" Weitere Belege aus dem christlich-apokryphen, gnostischen und auch mandäischen Schrifttum bei Schlier passim. — Diese Zusammenhänge werden sich nicht leugnen lassen, auch wenn Einzelheiten strittig bleiben. In solcher Betrachtungsweise eine Auslieferung des Paulus an gnostische Mythologie zu sehen, wäre ein Mißverständnis. Vielleicht hätte Schlier schärfer betonen sollen, daß wie sonst im NT auch im Epheserbrief die christologische Sprache polemisch ist und daß damit erst recht die einzigartige Würde Jesu Christi gesichert ist, der trotz neuer Prädikate immer das logische Subjekt bleibt. Bei der Verwendung der Prädikate κύριος, σωτήρ und vor allem λόγος haben wir es mit demselben Vorgang zu tun. Es heißt nicht: Christus ist der λόγος, sondern: Christus ist der λόγος. → A 19 und A 20.

und seiner Versammlung in Christus eine deutende Untermalung erhält. So
sehr sich solch ein Eindruck aufdrängt, so sehr muß man ihn aber auch wieder
zurückdrängen. Die ganze Art, wie von der σοφία gesprochen wird, zeigt,
daß es sich nicht um freischwebende Spekulationen, nicht um esoterische Er-
5 kenntnisse handelt. Auch im Eph ist die Weisheit und Erkenntnis Gottes nicht
theoretisch, sondern praktisch, nämlich ein Erkennen des „Herzens" (1, 18), das
sich im Gehorsam gegen Gott, also im Glauben, vollzieht[19].

Mit dieser Feststellung des W o h e r der Vorstellungswelt des Eph ist noch
nicht die Frage nach dem W o z u und W a r u m beantwortet. Man wird ein
10 Doppeltes vermuten dürfen, das eng miteinander zusammenhängt: *a.* Die gnostische Begriffssprache und Vorstellungswelt, wie sie im Eph benutzt wird, ist
geeignet, die strenge B e z o g e n h e i t v o n C h r i s t u s u n d K i r c h e aufeinander
auszudrücken, und ist so in den Dienst einer christologischen Ekklesiologie gestellt. *b.* Der gnostische Hintergrund ist geeignet, in einer s c h w i e r i g e n
15 k i r c h l i c h e n Lage (Ansturm der Irrlehre, Gegensatz zwischen Judenchristentum und Heidenchristentum) eine notwendige hohe Christologie zu sichern, und
ist so in den Dienst einer hohen Christologie gestellt. Mit alledem ist der
Eph i n d e r S a c h e durchaus p a u l i n i s c h, einerlei, ob dieser Brief von Paulus oder von einem seiner Schüler geschrieben ist. Gerade wenn man die äu-
20 ßeren und inneren Schwierigkeiten für einen urchristlichen Apostel versteht, in
denen er war, wenn er recht klar machen wollte, was denn eigentlich die Versammlung Gottes in Christus ist und bedeutet, wird man in der Weise der
üblichen kritischen Meinung, daß der Apostel selbst (Kol und) Eph nicht geschrieben haben könne, nicht die übliche kritische Sicherheit haben können.
25 Jedenfalls mußte Paulus selbst einerseits gegen judenchristliche oder gar judaistische Verflachung kämpfen und anderseits auch gegen gewisse heidenchristliche oder gar gnostische Übersteigerung. Da mußte er stark und hoch reden,
wie es dann im Eph geschehen wäre. Dieser Kampf nach außen war ein
Kampf innerhalb der christlichen Gemeinde, die immer in Gefahr war, das, was
30 ἐκκλησία ist und sein soll, zu verderben. Gegenüber einer jüdischen Privile-
gierungssucht, wie sie sogar bei den Urjüngern drohte, menschliche Personen
und einen irdischen Ort in den entscheidenden Mittelpunkt zu rücken, konnte
und mußte gesprochen werden von der ἐκκλησία, die ἄνωθεν ist. Gegenüber absonderlichen gnostischen Spekulationen, etwa über die Syzygie von Christus als
35 dem männlichen Prinzip mit der σοφία als dem weiblichen Prinzip, konnte und
mußte gesprochen werden von der ἐκκλησία, die allein den Platz dieses „Weiblichen" einnimmt. Von all solchen Auseinandersetzungen ist der Paulus, der
in seinen zweifellos echten Briefen zu uns spricht, nicht nur nicht fern, sondern
er steht mitten darin. Was das zuletzt über das „Weibliche" Gesagte angeht,
40 so braucht nur an 2 K 11, 2 erinnert zu werden, wo Paulus den Vorsatz kund-

---

[19] Damit dürfte die Auffassung HSchliers, ich hätte in meiner Arbeit über „Die Kirche des Urchristentums" 313 u 315 verkannt, „daß die Mythologie des Eph nicht im eigenen Dienste und also im Dienste der Spekulation stehe", als unrichtig erwiesen sein. Jedenfalls stimme ich Schlier in der Sache durch- aus zu, wenn er sagt, daß die Mythologie von Eph „die begriffliche Möglichkeit ist, in der sich der Verf u seine Hörer selbstver- ständlicher auszudrücken vermögen." Auf S 315 meiner genannten Schrift habe ich nur von „Rändern der Spekulation über die Kirche" gesprochen.

gibt, die Christen ἑνὶ ἀνδρὶ παρθένον ἁγνὴν παραστῆσαι τῷ Χριστῷ. Und wenn,
wie schon gesagt, R 12, 4 ff und 1 K 12, 12 ff die Christen als σῶμα in einem
Verhältnis zueinander und nicht zu Christus stehen, so ist das nicht ein Gegensatz in der Sache (man denke an das Beieinander und Ineinander von Gottesliebe und Nächstenliebe!), sondern nur in der Form. Die Schwierigkeit, Paulus 5
selbst die Kirchenaussagen im Kol und Eph zuzuschreiben, betrifft überhaupt
nicht die Sache, sondern die Form. So gut man es verstehen kann, daß Paulus
in einer besonderen, polemischen Lage eine Lehre über die Kirche vorträgt,
wie sie im Kol und Eph vorgetragen ist, so schwierig ist aber nun doch die
Annahme, daß Paulus selbst auf einmal diese gnostisch-mythologische Begriffs- 10
sprache so unbedenklich gehandhabt haben soll[20]. Jedenfalls aber kommt so
oder so klar zum Ausdruck, daß die ἐκκλησία als das σῶμα Χριστοῦ nicht eine
bloße Gemeinschaft von Menschen ist. Von einem soziologisch bestimmten Gemeinschaftsgedanken aus erreicht man nicht das, was die Versammlung Gottes
in Christus besagt und besagen will. Entscheidend ist die Gemeinschaft mit 15
Christus. Zugespitzt wäre zu sagen: Ein einziger Mensch könnte und müßte
die ἐκκλησία sein, wenn er die Gemeinschaft mit Christus hat. Erst von hier
aus gibt es überhaupt die Gemeinschaft der Menschen als Brüder untereinander[21].
Gegenüber allen soziologischen Versuchen, die Kirchenfrage zu erfassen, muß bei Paulus, den Deuteropaulinen und dann auch beim vierten Evan- 20
gelisten beachtet werden, daß die Ekklesiologie nichts anderes ist als
Christologie und umgekehrt. Paulus spricht mit starker Betonung davon,
daß unter den Christen, also in der ἐκκλησία als dem σῶμα Χριστοῦ, alle menschlichen Unterschiede aufgehoben sind: Kol 3, 11 = Gl 3, 28. Gleich nach dem
zuletzt genannten Wort heißt es: „Wenn ihr aber Christus angehört, so seid 25
ihr nunmehr Abrahams Same, auf Grund der Verheißung Erben", Gl 3, 29. Vom
Leibe Christi muß, wenn wir Paulus recht verstehen, verhalten, mit Vorbehalt
gesprochen werden. Von Paulus her darf man nicht zu laut, nicht zu viel sprechen von dem Organismus, den der Leib Christi darzustellen hätte. Diese bildliche Sprechweise darf nicht dahin übersteigert und mißverstanden werden, daß 30
es sich hier um ein höheres Wachstum im Sinne eines natürlichen Wachstums
handelte. Gottes Organ sein heißt auf Gottes Ruf hören. Eine losgelöste
Christologie und Ekklesiologie im Sinne einer Christus- und Kirchenmystik gibt
es nicht, da in Christus der Gott des Alten Bundes, der dann den Neuen Bund
gestiftet hat, spricht und da die nt.liche Versammlung Gottes in Christus nichts 35

[20] Auf diesen Punkt allein dürfte sich die
vielverhandelte Echtheitsfrage zuspitzen, wobei dann noch das eigentümliche Verhältnis
zwischen Kol und Eph eine Rolle spielt. Es
gibt „traditionalistische" Theologen, die den
Eph für „echt", dh für paulinisch halten,
weil sie dem Paulus eine Entwicklung, vielleicht bis hin zu gnostischen Gedankengängen, zutrauen. In diesem Zusammenhang
ist eine Echtheitserklärung wie die von
TSchmidt, Der Leib Christi (Σῶμα Χριστοῦ)
(1919) 255 durch folgende Erwägung belastet:
„In der Tat, nirgends so wie hier erhebt sich
Paulus so zur Höhe einer Himmel und Erde,

Vergangenheit, Gegenwart und Zukunft umfassenden Welt- und Geschichtsbetrachtung."
Es gibt „kritische" Theologen, die den Eph
wegen der gnostischen Begriffssprache, ohne
daß damit gnostische Gedankengänge vertreten wären, dem Paulus absprechen und
dabei zugleich den in der Sache paulinischen
Charakter von Eph festhalten.
[21] Das ist gut dargelegt in dem Vortrag
des altkatholischen Theologen EGaugler: Die
Kirche, ihr Wesen und ihre Bestimmung,
Internat Kirchl Zschr 17 (1927) 136 ff, vor
allem 146.

anderes ist als die erfüllte at.liche Versammlung Gottes. Derselbe Gott hat gesprochen und spricht zu Israel mit dem Wort der Verheißung und zu den Christen mit dem Wort der Erfüllung dieser Verheißung. So wie der at.liche Gott bei aller sog Christusmystik bleibt, so bleibt die at.liche **Gottesgemeinde**
5 **bei allem sog Christuskult.** Der ἐκκλησία ist die ἁγιότης zugesprochen, ohne daß solche Heiligkeit der Kirche wie eine Qualität eignet. Anders ausgedrückt: Die rechte Erfassung dessen, was Kirche, Gemeinde, Versammlung Gottes in Christus ist, steht und fällt mit der rechten Erfassung dessen, was Rechtfertigung ist. Darum geht es wie im ganzen Kampf des Paulus, ob er
10 sich nun gegen Judaisten oder gegen Gnostiker richtet.

4. Die wenigen Stellen über ἐκκλησία im **übrigen Neuen Testament** tragen nach dem Gesagten nichts Neues bei. In der Apk enthält nur die Einrahmung dieser Schrift ἐκκλησία-Aussagen: 13 mal kommt der Plural vor; je einmal ist die ἐκκλησία von Ephesus, Smyrna, Pergamon, Thyatira,
15 Sardes, Philadelphia und Laodicea genannt. 3 J nennt ἐκκλησία 3 mal, und zwar 2 mal mit und 1 mal ohne Artikel, ohne daß damit ein Unterschied verbunden wäre. Jk 5, 14 spricht von den πρεσβύτεροι τῆς ἐκκλησίας, wobei nicht an eine Einzelgemeinde, sondern an die Gemeinde überhaupt gedacht ist, da ja dieses Schreiben an die Allgemeinheit der Christen gerichtet ist. Hb 2, 12 sagt: ἐν
20 μέσῳ ἐκκλησίας ὑμνήσω σε, wörtlich zitierend ψ 21, 23 = Ps 22, 23: בְּתוֹךְ קָהָל אֲהַלְלֶךָּ. 12, 23 ist von der ἐκκλησία πρωτοτόκων ἀπογεγραμμένων ἐν οὐρανοῖς gesprochen. Das ist die einzige Stelle, an der im Hinblick auf das himmlische Jerusalem der Ausdruck ἐκκλησία vorkommt. Es erscheint indes fraglich, ob gerade hier der technische Gebrauch von ἐκκλησία wie sonst im NT vorliegt; daneben ist
25 die πανήγυρις genannt, so daß an eine **Festversammlung** zu denken ist, die im Himmel stattfindet, wie andere Festversammlungen auf der Erde stattfinden[22].

C. Griechentum.

Daß ἐκκλησία ein Wort aus der **profanen Gräzität** ist und *Volksversammlung* bedeutet, ist uns aus dem NT selbst, nämlich aus Ag 19, 32. 39 f,
30 deutlich geworden. Der biblische at.-nt.liche Wortsinn ergibt sich erst aus dem Zusatz τοῦ θεοῦ, der besondere nt.liche Wortsinn aus dem weiteren Zusatz ἐν Χριστῷ Ἰησοῦ, einerlei ob solch ein Zusatz in jedem einzelnen Falle dasteht oder nicht, ganz oder teilweise fehlt. Was besagt es, daß das griechische Spätjudentum und das griechische Urchristentum gerade diesen Ausdruck genommen, übernommen haben? Sollte es sich
35 vielleicht innerhalb der Profangräzität um einen **kultischen Ausdruck** handeln?

Von Thuc, Plat, Xenoph an, vor allem dann auch in den Inschriften ist ἐκκλησία die **Versammlung** des δῆμος in Athen und in den meisten griechischen πόλεις. Die Etymologie ist ebenso einfach wie sinnvoll: Die Bürger sind die ἔκκλητοι, dh die vom Herold Heraus- und Zusammengerufenen[23]. Von hier aus kann man auch dem biblisch-
40 christlichen Sprachgebrauch etwas abgewinnen: Gott ruft in Christus die Menschen aus der Welt heraus[24].

Fraglich ist, ob und wie eine **kultische Genossenschaft**, ein Kultverein sich ἐκκλησία genannt hat, so daß wir von einem kultischen Ausdruck innerhalb der Pro-

---

[22] WndHb zSt vermeidet mit Recht das Wort „Gemeinde" u übersetzt: „Festschar u Versammlung."
[23] WKoester (→ Lit-A) 1 verweist im Anschluß an andere auf die auch in den neuesten

Wörterbüchern nicht gebuchte Schreibweise ἐκλησία („ἐκ-λαός"), die aber so vereinzelt ist, daß von ihr aus keine weiteren Schlüsse gezogen werden können.
[24] Vgl Deißmann LO 90.

fangräzität sprechen müßten[25]. Diese Frage aufzuwerfen, hat deshalb einen gewissen Sinn, weil man bei ihrer Bejahung gut verstehen könnte, daß sich von einem genossenschaftlich-kultischen Wortgebrauch aus eine christliche Gemeinde als ἐκκλησία und damit als Kultverein verstanden hätte. Man muß dabei vor allem an die korinthischen Verhältnisse denken, wie sie Paulus im 1 K geschildert hat. Doch einmal ganz abge- 5 sehen davon, daß überhaupt die Basis zu schmal ist, um einen kultischen ἐκκλησία-Gebrauch im Griechischen festzustellen, würde Paulus einen solchen Wort- und Sinngebrauch als einen abusus abgelehnt haben; denn ihm kam alles auf die at.-nt.liche Versammlung Gottes in Christus an. Gewisse heidenchristliche Kreise, die in dem at.lichen Zusammenhang nicht sonderlich oder gar nicht zu Hause waren, mochten von 10 der unmittelbaren Worterklärung und der vielleicht vorhandenen Erinnerung an griechische Genossenschaften aus ihre eigene Gemeinschaft verstehen. Es ist durchaus möglich, ja eigentlich selbstverständlich, daß mancherlei organisatorische Dinge in den christlichen Gemeinden nach dem Vorbild der damaligen Genossenschaften geregelt wurden[26]. 15

Konstitutiv innerhalb des griechischen Sprachgebrauches für die christliche ἐκκλησία ist die Linie von der Septuaginta zum Neuen Testament. Erst auf dieser Linie hat das Wort sein spezifisches Gewicht bekommen. Nachdem einmal bei denen, die vom Judentum herkamen und über das Judentum hinauswiesen, die Entsprechung zwischen at.licher und nt.licher 20 ἐκκλησία deutlich geworden war, konnte eben nur dieser Zusammenhang Richtung und Kraft geben. Die ἐκκλησία des antiken δῆμος ist dazu eine Entsprechung formaler Art aus der profanen Welt, aber nur eine Entsprechung im Sinne einer Analogie, nicht mehr und nicht weniger[27], genau so wie der κύριος Καῖσαρ als eine (polemische) Entsprechung und nicht als das Vorbild des κύριος 25 Χριστός erscheint. Daran wird nichts geändert durch die Tatsache, daß die ἐκκλησία im Sinne der politischen Volksversammlung nicht eines religiösen Untertones — wenigstens in der klassischen Zeit — entbehrt und zwar eben als eine

[25] Das wird bejaht von Joh W 1 K XVII im Anschluß an WLiebenam, Zur Geschichte und Organisation des römischen Vereinslebens (1890); EZiebarth, Das griechische Vereinswesen (in: Preisschr, gekrönt und hsgg von der Fürstl Jablonowskischen Gesellschaft zu Leipzig, 1896) — dort findet sich allerdings kein Beleg für das Wort ἐκκλησία — und FPoland, Geschichte des griechischen Vereinswesens (ebd, 1909) 332. Die neueren Wörterbücher wie Pr-Bauer u Moult-Mill verwenden diese Belege nicht. Und Ltzm K 4 bemerkt ausdrücklich: „... als Bezeichnung der Kultvereine erscheint es (sc: das Wort ἐκκλησία) nicht, u die drei scheinbaren Ausnahmen (s FPoland 332) bestätigen diese Regel, denn da heißt ἐκκλησία nicht der Verein, sondern analog dem üblichen Profangebrauch seine ‚geschäftliche Versammlung'."

[26] Vgl GHeinrici, Zum genossenschaftlichen Charakter der paulinischen Christengemeinden, ThStKr 54 (1881) 505 ff. Gegen Heinrici ist mit Recht geltend gemacht worden, daß es sich hier um Dinge handelt, die bei jeder Gemeinschaftsbildung wiederkehren und nicht gerade nur den damaligen Genossenschaften eigentümlich sind. Näheres bei Joh W 1 K XX ff.

[27] Anders EPeterson (→ Lit-A) 19 A 19: „Daß der λαός der christlichen ἐκκλησία der Nachfolger des antiken δῆμος ist, läßt sich auf verschiedene Weise zeigen. Ich denke nicht bloß an die Akklamationen, die von dem δῆμος an den λαός übergegangen sind, sondern ich mache noch auf einen von JPartsch entdeckten Zusammenhang aufmerksam, wonach die manumissio in der christlichen ἐκκλησία, in der Form der Ausrufung, auf einen Brauch der profanen ἐκκλησία zurückgeht (JPartsch, Mitteilungen aus der Freiburger Papyrussammlung, 2: Juristische Texte der röm Zeit = SAH VII 10 [1916], 44 f).“ Es mag hier richtig erkannt sein, daß in einem solchen Einzelfall eine solcher Übergang stattgefunden hat. Von einer derartigen Einzelheit aus aber kann Petersons These über die Nachfolgerschaft von heidnischer und christlicher ἐκκλησία nicht bewiesen werden. Etwas vorsichtiger schreibt Peterson im Text, der mit den genannten Worten als einer Anmerkung belegt werden soll (14 f): „Die profane ἐκκλησία der Antike ist bekanntlich eine Institution der πόλις. Es ist die zum Vollzug von Rechtsakten zusammentretende Versammlung der Vollbürger einer πόλις. Man könnte in analoger Weise die christliche ἐκκλησία die zum Vollzug bestimmter Kulthandlungen zusammentretende Versammlung der Vollbürger der Himmelsstadt nennen ... In dem öffentlich-rechtlichen Charakter des christlichen Gottesdienstes spiegelt sich wider, daß die Kirche politischen Gebilden, wie Reich und πόλις, weit näher steht als den Freiwilligkeitsverbänden und Vereinen.“

der Haupteinrichtungen der doch von den Göttern gegebenen Polis und ihrer
Lebensordnung. Das geht zB deutlich hervor aus den Gebeten, die vor der
ἐκκλησία vom → κῆρυξ und dann noch von jedem einzelnen Redner vor seiner Rede
in der Volksversammlung gesprochen zu werden pflegten [28]. Daß später und
5 zwar schon im kirchlichen Altertum aus Entsprechungen Übergang, Fortsetzung,
Nachfolgerschaft abgeleitet wurde, steht auf einem anderen Blatt, dh auf dem
Blatt der römischen und dann byzantinischen Kirchengeschichte.

  Daß der griechische Ausdruck ἐκκλησία in dem beschriebenen Sinne Richtung
und Kraft hatte, ergibt sich daraus, daß er für die christliche Gemeinschaft, soweit
10 diese mit einem terminus technicus zu bezeichnen war, allein das Feld behauptet hat. Die Lateiner haben kaum das Bedürfnis, jedenfalls nicht die Möglichkeit
gehabt, ἐκκλησία ins Lateinische zu übersetzen. Wenn der die lateinische Kirchensprache so stark prägende Tertullian in seinem Apologeticum (39 a E) „curia" sagt, so
ist das eine an sich richtige Übersetzung von ἐκκλησία; sie ist aber nicht technisch
15 geworden [29]. Ebenso steht es mit dem augustinischen „civitas dei" [30]. Auch noch
andere lateinische Übersetzungen kommen in Betracht und sind auch hier und da vorgekommen, so öfters contio oder comitia [31]. Die wörtliche Übersetzung hätte auch
convocatio lauten können. Keines von diesen Wörtern ist aber als Bezeichnung für die
Kirche technisch geworden. Und den Römern sind hierin die verschiedenen romanischen
20 Völker gefolgt Weniger auffällig mag sein, daß die Neugriechen ἐκκλησία beibehalten
haben. Und wenn auch das deutsche Wort „Kirche" und die entsprechenden anderen
germanischen Formen, wie zB das englische „church", so gut wie sicher von dem
Adjectivum κυριακός, jedenfalls nicht von ἐκκλησία abzuleiten sind, so stellt man doch
immer wieder in einer Art Volksetymologie den Zusammenhang mit dem Wort ἐκκλησία
25 her. Warum ist das so? Warum hat sich das griechische Wort erhalten? Man
könnte darauf hinweisen, daß schon im außerchristlichen Sprachgebrauch das Sprachgefühl vorherrschte, daß es im Lateinischen kein Wort gäbe, das genau dem ἐκκλησία
entspräche [32]. Entscheidend sind aber nicht solche an sich interessanten, oft reizvollen
Analogien, sondern die Genealogie der ἐκκλησία von der griechischen Bibel her. Man
30 gab der Kirche keine neue Bezeichnung, wie man auch Gott weiter mit κύριος bezeichnete. Solche Feststellungen und Überlegungen machen es zwar nicht mathematisch
zwingend, daß bei der ἐκκλησία, bzw ecclesia die Linie der griechischen Bibel allein
entscheidend ist. Aber ein Wahrscheinlichkeitsbeweis dürfte erbracht sein: Nicht ein
Wort, das die griechischen Christen von sich aus ihrem Sprachschatz entnommen
35 hätten, sondern nur ein Wort, das eine heilige Geschichte vom heiligen Buche her
hatte, konnte und mußte in das dem Griechischen folgende Latein übernommen
werden.

Bei alledem kommt nun gerade im profanen, weltlichen Ausdruck, der
ja ἐκκλησία von Haus aus ist, der größte Anspruch der christlichen Gemein-
40 schaft gegenüber der Welt zum Ausdruck. An sich hätte eine Christuskultge-
nossenschaft, als welche sich sicherlich viele Heidenchristen (in Übereinstimmung
mit den modernen Religionsgeschichtlern!) betrachtet haben, diesen oder jenen

---

[28] Vgl G Busolt - H Swoboda, Griechische
Staatskunde [3] (= Handbuch der Altertumswissenschaft Bd IV, Abt 1, Teil 1) I (1920)
518 f; II (1926) 996. Belege für das Beten in
der athenischen ἐκκλησία bei Aristoph Eq
763 ff; Demosth Or 18, 1; Plut Pericl 8
(I 156 c); Praec Ger Reip 8 (II 803 f) [Klein-
knecht].
[29] Vgl A v Harnack, Die Mission und Ausbreitung des Christentums in den ersten drei
Jahrhunderten I [4] (1924) 420 A 1.
[30] Nach Kattenbusch I 144 A 1 ist das „der
erste Versuch einer den Sachsinn wieder-
gebenden Übersetzung". Dagegen Kleinknecht: „‚Civitas dei' bei Augustin gibt den
(platonisch beeinflußten) politischen Begriff
πολιτεία in seiner ganzen (antiken) Vielseitigkeit wieder, aber gewiß nicht ἐκκλησία." Die

hier auftauchende Frage, wie es mit der
Verwendung politisch-öffentlicher, mehr rechtlich oder mehr kultisch-sakral betonter Ausdrücke steht, die der Profangräzität entnommen oder analog gebraucht sind, wird
bei der Wortgruppe → πόλις, πολίτευμα, πολι-
τεύομαι zu behandeln sein. Vgl auch → παρ-
επίδημος II 63 f und → πάροικος, παροικία.
[31] Vgl Deißmann LO 90.
[32] Deißmann LO 90 f erinnert daran, daß
schon der jüngere Plinius das latinisierte
„ecclesia" gebrauche (Brief an Trajan, ep
X 110 [111] bule [sc: βουλή] et ecclesia con-
sentiere), ebenso eine zweisprachige Inschrift von Ephesus vom Jahre 103/104 n Chr,
in der das griechische Wort ἐκκλησία „einfach transskribiert" ist.

Ausdruck kultischer Art als Selbstbezeichnung wählen können. Solche Ausdrücke aus dem Bereich der Genossenschaften und Mysterienvereine standen ja reichlich zur Verfügung.

Heidnische Schriftsteller haben tatsächlich die Christengemeinde mit solchen Ausdrücken belegt. Lukian hält die Christen für einen θίασος, wenn er ihren Vorsteher 5 θιασάρχης nennt[33]. Celsus nennt die Jünger Christi θιασῶται[34]. Auffälliger ist, daß auch Eusebius die Christen zweimal θιασῶται nennt und sogar einmal auf die Kirche das aus heidnischer Religiosität bekannte θίασος anwendet[35]. Mehr Stoff dieser Art ist nicht bekannt. Daher muß man sich vor Übertreibungen, das Christentum als Kultgenossenschaft zu betrachten, grundsätzlich hüten[36]. Um die Tragweite des Nebeneinanders 10 von θίασος und ἐκκλησία recht zu würdigen, muß man bedenken, wie ungemein oft θίασος und verwandte Ausdrücke für die verschiedenen antiken Genossenschaften üblich waren: ἔρανος, κοινόν, σύνοδος, σύλλογος uam. Keine von diesen Bezeichnungen ist bei den Christen heimisch geworden. Zu den genannten allgemeinen Gattungsnamen treten einzelne Individualnamen, die entweder von Götternamen oder Personennamen 15 abgeleitet sind[37]. Demgegenüber ist vom Namen „Jesus" keine Ableitung versucht worden. Der Name Χριστιανοί, der im NT ganz selten ist (nur Ag 11, 26; 26, 28; 1 Pt 4, 16), ist erst allmählich in den Vordergrund getreten und durch die Form Χρηστιανοί mit dem Eigennamen Χρηστός zusammengebracht worden. Christianer sind Parteigänger Christi, dh eines Mannes mit dem vermeintlichen Eigennamen Christus, 20 wie etwa Herodianer solche des Herodes (Mk 3, 6; 12, 13; Mt 22, 16). Christianer sind eine Richtung neben anderen Richtungen.

Die Kennzeichnung des Ausschließlichen aber kommt durch die Betonung der ἐκκλησία (τοῦ θεοῦ) schärfer heraus als durch die Wahl eines kultischen Wortes, das dann vielleicht noch durch einen Personennamen individualisiert wäre. Der 25 sogenannte Christuskult war nicht und wollte nicht sein ein Kult neben anderen Kulten, sondern stand gegen alle Kulte in dem Sinne, daß er gegen die ganze Welt, auch gegen die ganze sogenannte religiöse Welt stand. Das alles ist durch die Wahl der Selbstbezeichnung ἐκκλησία verbürgt, bei der, wie immer wieder betont werden muß, der Zusatz τοῦ θεοῦ (ἐν Χριστῷ) mitzudenken ist. 30

Man kann fragen und hat gefragt, wer innerhalb der urchristlichen Bewegung als erster ἐκκλησία gesagt hat. Sollte Paulus als der älteste christliche Autor der Gesuchte sein, dem dann die griechisch sprechenden und schreibenden Christen gefolgt wären?[38] Es erscheint aber schwierig, hier eine bestimmte Einzelpersönlichkeit verantwortlich zu machen. Wahrscheinlicher ist, 35 daß griechisch sprechende Judenchristen, die von der hellenistischen Synagoge herkamen, und die sich ihnen dann anschließenden Heidenchristen, die es ja vor und neben Paulus gab, Gemeinden also vom Typus der hellenistischen Syn-

---

[33] Luc Pergr Mort 11: τὴν θαυμαστὴν σοφίαν τῶν Χριστιανῶν ἐξέμαθε . . . προφήτης καὶ θιασάρχης καὶ συναγωγεύς . . .
[34] Orig Cels III 23: ὁ δὲ ἡμέτερος Ἰησοῦς ὀφθεὶς τοῖς ἰδίοις θιασώταις — χρήσομαι γάρ τῷ παρὰ Κέλσῳ ὀνόματι — ὤφθη μὲν κατ' ἀλήθειαν. Origenes ist es also aufgefallen, daß Celsus diesen Ausdruck verwendet. Dem entspricht in der lat Kirche, daß bei Minucius Felix, Octavius 8 f (MPL 3), ein Heide von der Christengemeinde als einer *factio, coitio, consensio* (Worte mit etwas üblem Sinn) spricht. → A 40.
[35] Eus Hist Eccl I 3, 12: (Χριστὸς αὐτὰς γυμνὰς ἀρετὰς καὶ βίον οὐράνιον αὐτοῖς ἀληθείας δόγμασιν τοῖς θιασώταις παραδούς; vgl I 3, 19. Das Wort θίασος für Kirche steht X 1, 8.
[36] Ein bezeichnendes Beispiel für solche Übertreibung u falsche Sicht bietet KJNeumann, Der römische Staat u die allgemeine

Kirche bis auf Diocletian (1890) 46 f mit der Behauptung, daß „es geradezu der Erklärung bedürfte, wenn griechische Christen in ihren neuen Verbindungen keine religiösen Genossenschaften, keine Thiasoi sollten gesehen haben." Der sicherlich anzunehmende abusus seitens gewisser Heidenchristen ist aber noch kein usus legitimus
[37] S dazu die genauen Untersuchungen von FPoland (→ A 25).
[38] Kattenbusch I 144 A 1 neigt zu dieser Annahme. Vgl dazu FTorm, Hermeneutik des NT (1930) 80. Die These von HDieckmann, De Ecclesia I (1925) 280: „Nomen Ecclesiae ad ipsum Christum ut auctorem reducitur" wird auch von katholischen Gelehrten abgelehnt, da sich Jesus kaum des Griechischen bedient habe; vgl KPieper, Jesus u die Kirche (1932) 11.

agoge, sich ἐκκλησία genannt haben[39]. Als ehemalige Juden kommen diese hellenistischen Christen von der LXX her. Sie nannten sich nicht mehr συναγωγή
(über diesen Ausdruck ist nachher noch zu sprechen), sondern ἐκκλησία. Als
Christen griffen sie zu dem Ausdruck, der von den Juden nicht mehr so sehr
5 gebraucht wurde. Im Gegensatz zum Sprachgebrauch der LXX bekam συναγωγή immer mehr einen beschränkten und lokalen Sinn. Von hier aus mußte
sich ἐκκλησία mehr empfehlen. Vom Griechischen her hatte dieses Wort mehr
Gewicht[40]. Beachtlich ist ferner, daß in der LXX ἐκκλησία durch lobende Prädikate unterstrichen wird[41].

10   Warum aber haben die LXX-Juden das hebräische קָהָל fast immer mit ἐκκλησία übersetzt? Ganz abgesehen von der Bedeutung der in beiden Sprachen zu
Grunde liegenden Verbalstämme hat die Vermutung viel für sich, daß der Gleichklang von קָהָל und ἐκκλησία eine Rolle gespielt hat[42]. Diese Vermutung kann
unterstrichen werden durch den Hinweis darauf, daß die griechischen und die latei-
15 nischen Juden es ja liebten, zu ihren hebräischen oder aramäischen Personennamen ähnlich klingende griechische und lateinische Namen hinzuzunehmen[43].

D. Parallelausdrücke.

          Wenn es sich bei der jüdisch-christlichen ἐκκλησία um
eine alttestamentlich-neutestamentliche Sache und ein griechi-
20 sches Wort handelt, so ist es nicht verwunderlich, daß diese Sache nicht
steht und fällt mit dem einen bestimmten Worte. Demgemäß kommt es im NT
öfters vor, daß das Stichwort ἐκκλησία selten oder gar nicht zu finden und daß
dennoch die zur Rede stehende Sache vorhanden ist. Am wichtigsten ist hier
der erste Petrusbrief, der in seiner Gesamthaltung paulinisch ist, im Gegen-
25 satz zu Paulus aber den Ausdruck ἐκκλησία nicht hat[44] und dabei nun doch
inhaltlich eine besonders reiche Ausführung dessen bietet, was die ἐκκλησία τοῦ
θεοῦ ist. 2, 9 bringt eine Häufung alttestamentlicher Bezeichnungen:
γένος ἐκλεκτόν, βασίλειον ἱεράτευμα, ἔθνος ἅγιον, λαὸς εἰς περιποίησιν. Dazu 2, 5:
οἶκος πνευματικός, 2, 10: → λαὸς θεοῦ. Hierher gehört, daß Paulus Phil 3, 3 mit
30 starker Betonung behauptet: ἡμεῖς γάρ ἐσμεν ἡ περιτομή. Nicht anders steht es mit

---

[39] Vgl KLSchmidt, Die Stellung des Apostels Paulus im Urchristentum (1924) 16.

[40] Wellh Mt 84 meint: „Im Griechischen
ist ἐκκλησία das vornehmere Wort.“ Die
→ 518, 13ff genannte St aus Tertullians Apologeticum 39 dürfte als eine betonte Paraphrase des betonten Wortes ἐκκλησία zu verstehen sein: „Hoc sumus congregati quod et
dispersi, hoc universi quod et singuli . . .
cum probi, cum boni coëunt, cum pii, cum
casti congregantur, non est factio dicenda,
sed curia.“ Hierher gehört auch, daß Aug
Enarr in Ps 82, 1 den Grund, warum ἐκκλησία
der christlichen, συναγωγή der jüdischen Gemeinde zugeteilt wurde, darin fand, daß
„convocatio“ (= ἐκκλησία) ein edlerer Ausdruck sei als „congregatio“ (= συναγωγή),
sofern das erstere Wort eigentlich ein Zusammenrufen von Menschen bedeute, das

letztere aber ein Zusammentreiben von
Vieh. Vgl auch Trench sv.

[41] Darauf macht Ltzm K zu 1 K 1, 1 aufmerksam. Ebs KPieper (→ A 38) 20. Ähnlich
vorher AvHarnack (→ A 29) 419f, dessen These
aber, die Wahl von ἐκκλησία sei ein „meister-
hafter Griff“ gewesen, bedenklich, wenn nicht
gar abwegig ist.

[42] Vgl Cr-Kö sv 566. Ferner GStählin, Skandalon = BFTh II 24 (1930) 44, dazu → I 226
z ἀκροβυστία.

[43] Das bekannteste Beispiel ist Saulus-
Paulus; ferner: Jesus-Jason, Silas (offenbar
= שְׁאִילָא, aram Form für שָׁאוּל) - Silvanus.
Aus der Neuzeit: Luser (= Lazar, El'azar)
- Ludwig, Moses - Moritz, Isaak - Isidor (bzw
Ignaz).

[44] Vgl ThSpörri, Der Gemeindegedanke im
ersten Petrusbrief (1925), vor allem 271 ff.

folgenden at.-nt.lichen Selbstbezeichnungen: → Ἰσραήλ (R 9, 6: οὐ γὰρ πάντες οἱ ἐξ Ἰσραὴλ οὗτοι Ἰσραήλ), Ἰσραὴλ τοῦ θεοῦ (Gl 6, 16), Ἰσραὴλ κατὰ πνεῦμα (zu erschließen aus 1 K 10, 18: Ἰσραὴλ κατὰ σάρκα), σπέρμα Ἀβραάμ (Gl 3, 29: εἰ δὲ ὑμεῖς Χριστοῦ, ἄρα τοῦ Ἀβραὰμ σπέρμα ἐστέ, κατ' ἐπαγγελίαν κληρονόμοι, vgl Hb 2, 16), δώδεκα φυλαί (Jk 1, 1). Der Tatsache der Diaspora (→ διασπορά II 5 102 ff) wird in diesem Zusammenhang eine besondere Seite abgewonnen: Die Christen gerade als ἐκκλησία sind die παρεπίδημοι διασπορᾶς 1 Pt 1, 1 und die δώδεκα φυλαὶ αἱ ἐν τῇ διασπορᾷ Jk 1, 1.

Andere nur lose oder gar nicht mit dem AT zusammenhängende Bezeichnungen widersprechen nicht dem ἐκκλησία-Würdetitel. Sie umschreiben zT die 10 Glaubens- und Lebenshaltung der Christen (οἱ ἅγιοι — dieser Begriff hängt noch am meisten mit dem AT zusammen —, οἱ πιστοί, οἱ ἀδελφοί, ἡ ἀδελφότης); zT handelt es sich um Bezeichnungen, die sich in einer bestimmten Lage ergaben, um dann wieder zu verschwinden (οἱ μαθηταί, οἱ πτωχοί). Daß der Ausdruck „Schüler" den ersten Jesusanhängern gilt, sich dann erweiterte und schließlich 15 wieder verengte, um darnach als Christenbezeichnung in den Hintergrund zu treten, ergibt sich aus dem eigenartigen Verhältnis, in dem diese ersten Jesusanhänger als unmittelbare Schüler zu ihrem Meister gestanden haben. Eine Entwicklung von der einen Bezeichnung zur anderen, schließlich zur ἐκκλησία ist damit nicht gegeben[45].   20

Eine besondere Bewandtnis hat es mit dem Ausdruck Synagoge, der hier nur in seinem Verhältnis zu ἐκκλησία besprochen werden soll. Üblich ist die oberflächenhafte Betrachtung: ἐκκλησία ist die christliche Kirche, συναγωγή die jüdische Synagoge. Diese reinliche Zweiteilung ist aber erst in den späteren Jahrhunderten maßgebend geworden und dann bis heute geblieben. Daß συν- 25 αγωγή Selbstbezeichnung für die christliche Gemeinde sein kann, dafür scheint Jk 2, 2 im Vergleich mit 5, 14 zu sprechen[46]. Sicherer und eindeutiger ist die Tatsache, daß die Judenchristen im Ostjordanland ihre Kirchengemeinschaft und wohl auch ihr Kirchengebäude συναγωγή genannt haben[47]. Doch abgesehen von einer solchen mehr oder weniger versprengten Einzelheit bezeichneten sich 30 die Judenchristen zunächst nicht als συναγωγή, sondern als ἐκκλησία. Umgekehrt aber ist ausgerechnet eine συναγωγή der Marcioniten bekannt[48]. Daß die Judenchristen, als ihre Abtrennung von der Großkirche immer deutlicher wurde, ihre Versammlungen und ihre Versammlungsorte συναγωγαί nannten, ist wahrscheinlich. In der ersten Zeit jedoch haben alle Christen, sowohl Judenchristen als 35 Heidenchristen, beide Ausdrücke, ἐκκλησία und συναγωγή, verwendet. Zudem muß daran erinnert werden, daß das zweite Wort auch bei antiken Genossenschaften belegt ist[49]. Trotz solcher Analogien ist aber bei συναγωγή die Herleitung des christlichen Sprachgebrauchs aus dem AT noch handgreiflicher als bei ἐκκλησία. Und die geschilderte Verkoppelung beider Wörter ist vor allem 40

---

[45] Eine solche nimmt AvHarnack (→ A 29) 416 ff an.

[46] Vgl Zn Mt[4] (1922) 546.

[47] Epiph Haer 30, 18, 2: πρεσβυτέρους γὰρ οὗτοι (sc: die ostjordan Judenchristen) ἔχου-

σιν καὶ ἀρχισυναγώγους· συναγωγὴν δὲ καλοῦσιν τὴν ἑαυτῶν ἐκκλησίαν καὶ οὐχὶ ἐκκλησίαν.

[48] συναγωγὴ Μαρκιωνιστῶν: le Bas-Waddington, Inscr Grecques et Latines III (1870) Nr 2558 p 582; vgl AvHarnack (→ A 29) 421, 659.

[49] Vgl WKoester (→ Lit-A) 1 A 12.

wichtig für die Frage, welchen Ausdruck die aramäisch sprechenden ersten
Christen und vorher Jesus von Nazareth gebraucht haben. Die Frage ist, ob
und wie ein semitisches Korrelat in dem griechischen ἐκκλησία nachgewirkt hat.

E. Matthäus 16, 18 und 18, 17 (hbr: קָהָל, aram: כְּנִשְׁתָּא, syr: k'nuštā,
5 *ἐκκλησία).*

1. Mt 16, 18 und 18, 17 sind von mancherlei S c h w i e -
r i g k e i t e n belastet. Beide Aussprüche Jesu ordnen sich nicht ohne weiteres
in die bis jetzt behandelten ἐκκλησία-Stellen ein. Schon von hier aus scheint
einer einschneidenden Kritik Tür und Tor geöffnet zu sein. Dabei liegen auch
10 für den Ausleger, der nicht gleich mit einem Unechtheitsverdikt arbeitet, ja
gerade für einen solchen, große Schwierigkeiten eben in der Auslegung vor.
Die Auslegung ist und bleibt schwierig, einerlei ob man sich mit dem jetzt
vorliegenden griechischen Wortlaut oder mit dem Urwortlaut in der Muttersprache Jesu beschäftigt. Reichlich verwickelt ist die Wechselwirkung von
15 Unterfragen, wenn sie auf einmal doch die Hauptfrage betreffen. Je nachdem
man den griechischen Text auslegt, ergibt sich das semitische Korrelat für ἐκκλησία. Und umgekehrt: je nachdem man ein solches Urwort ansetzt, legt man
aus. Je nachdem man den jetzt vorliegenden Text auslegt, ergibt sich eine
bestimmte Antwort auf die Frage nach der Echtheit. Und wiederum umge-
20 kehrt: je nachdem man — etwa aus anderen Gründen — diese Frage zum Ausgangspunkt nimmt, ändert sich die Auslegung. Jedenfalls gibt es in sich mehr
oder weniger zwingende Auslegungen einmal unter der Voraussetzung der Echtheit und dann auch unter der Voraussetzung der Unechtheit. Das alles hat
Einfluß auf die Erfassung von ἐκκλησία als einer Vokabel, wie sie bei Mt ver-
25 wendet wird. Allerlei s a c h k r i t i s c h e F r a g e n betreffen also das L e x i k o n
und dann auch wieder umgekehrt. Diese Wechselwirkung muß erkannt und
anerkannt werden. Wort, Begriff, Sache der ἐκκλησία sind ungemein komplex,
dh mathematisch ausgedrückt: aus imaginären und reellen Größen zusammengesetzt, und damit recht kompliziert, dh verwickelt und schwierig, aber nicht
30 konfus, dh verwirrt und verworren, wie sich das bei dem Hin und Her, dem
Auf und Ab der Erklärungsarbeit gezeigt hat und immer wieder zeigt.

2. Eine besondere Schwierigkeit ist vorerst damit gege-
ben, daß die beiden zu behandelnden Stellen Mt 16, 18 und 18, 17 als n i c h t
a u f e i n a n d e r a b g e s t i m m t erscheinen. Unter der Voraussetzung der Unecht-
35 heit beider Stellen läßt 16, 18 an die Kirche als weltumfassende Größe und
18, 17 an die Einzelgemeinde denken. Es leidet keinen Zweifel, daß die übliche, aber deshalb nicht richtige Aufteilung in „Kirche" und „Gemeinde" zu-
rückwirkt auf die Erklärung der beiden Stellen im Sinne einer Unechtheitser-
klärung. Unter der Voraussetzung der Echtheit scheint aber die Erklärung be-
40 sonders schwierig zu werden: 16, 18 ist an den קָהָל gedacht, 18, 17 dagegen
an die Synagoge. Wie ist es dann zu verstehen, daß beide Male ἐκκλησία gesagt ist? Jedenfalls sollten wir den Zwang empfinden, einmal das gegenseitige
Verhältnis von קָהָל und Synagoge durchzudenken. Ist es sicher, daß 16, 18
קָהָל anzusetzen ist?

3. Textkritisch lassen sich gegen 18, 17 wie dann vor allem auch gegen 16, 18 keine Einwendungen machen. Wir haben keine griechischen Handschriften und keine alten Übersetzungen, in denen 16, 17—19 oder wenigstens 16, 18 fehlt. Was die Kirchenväter anlangt, so darf es heute als ausgemacht gelten, daß aus der Art, wie die strittigen Stellen von Justinus 5 Martyr an vorkommen oder nicht vorkommen, nichts gegen die Verse gesagt werden kann[50].

Daß die textkritischen Versuche nicht völlig aussterben wollen, hängt, abgesehen von einem „protestantischen" und vor allem „modernistischen" Streben, den locus classicus für den Primat des Papstes radikal zu beseitigen[51], mit der 10 Literarkritik zusammen, die sich vielen aus der Tatsache aufdrängt, daß 16, 18 innerhalb einer Aussage steht, die bei Mk und bei Lk fehlt. Daraus können zwei Folgerungen gezogen werden: *1.* Mt 16, 17—19 ist nachträglich in den Mt-Text eingeschoben. Oder *2.* Mt selbst oder auch ein Vorgänger, dem er gefolgt ist, hat diese „unechten" Worte in einen bei Mk und bei Lk vorlie- 15 genden ursprünglichen, auf Jesus zurückgehenden oder wenigstens ursprünglicheren Text eingeschoben. Die erstgenannte Folgerung ist zu grobschlächtig, um sonderlich ernst genommen werden zu können. Gerade bei einer so wichtigen Stelle ist große Vorsicht am Platze. In anderen Fällen wird ja keineswegs eine Überlieferung für unecht erklärt, weil sie eine Sonderüberlieferung 20 ist[52]. Aber auch die vorsichtigere zweitgenannte Folgerung hat nicht die Beweiskraft, die ihr vielfach zugestanden wird. Um einen Einschub seitens des Mt oder seines Vorgängers, dem er folgt, handelt es sich ja wohl. Damit ist aber die Frage nach der Echtheit des Logions noch nicht beantwortet. Es muß damit gerechnet werden, daß ein Einschub aus einer sonst nicht bekannten 25 echten Überlieferung erfolgt ist, deren Gültigkeit ganz abgesehen von der jetzigen Einrahmung zu prüfen ist. Daß wir bei der Art der evangelischen Überlieferung nicht imstande sind, mit Erfolg chronologische und psychologische Fragen zu beantworten, ändert nichts daran, daß ein rahmenloses Logion als solches auszulegen ist[53]. 30

4. Die Literarkritik ist jedenfalls so unsicher, daß der Kritiker, wenn er vorsichtig ist, sein Augenmerk auf die Sachkritik richten muß. Im Grunde führen ja alle Bedenken gegen die ἐκκλησία-Aussagen bei Mt in sachkritische Erörterungen hinein. Da ist zunächst festzustellen, daß Mt 16, 17—19 eine durchaus semitische Färbung hat, daß man also nicht in der Lage 35

---

[50] Näheres bei KLSchmidt, Die Kirche 283 ff. Vor allem muß unterstrichen werden, daß der neueste textkritische Versuch, wie ihn AvHarnack auf Grund einer Ephrämstelle angestellt hat, von katholischen Gelehrten widerlegt worden ist. Vgl CAKneller, Zeitschr f kath Theol 44 (1920) 147 ff.; JSickenberger (→ Lit-A); SEuringer (→ Lit-A); JGeiselmann, Der petrinische Primat, in: Bibl Zeitfr XII 7 (1927); KPieper (→ A 38) 37 ff. Dazu JoachJeremias, Golgotha (1926) 68 ff.

[51] Vgl KLSchmidt, Die Kirche 300 f gegen JSchnitzer, Hat Jesus das Papsttum gestiftet?[2]

(1910) u FHeiler, Der Katholizismus (1923) 25 ff, 39 ff.

[52] Linton (→ Lit-A) 158 sagt mit Recht über den literarkritischen Einwand gegen die Echtheit: „Allein für sich genügte aber dieser nicht, da man in anderen Fällen das Sondermaterial der Evangelisten nicht so scharf beurteilte."

[53] Vgl dazu KLSchmidt, Der Rahmen der Geschichte Jesu (1919) 217 ff. Anders analysiert Bultmann Trad 277 zu Mk 8, 27—30. Gegen diese Analyse, die Bultmann in der 1. Aufl. seines Buches (1921) ebenso vorgetragen hat, vgl KLSchmidt, Die Kirche 282 A 1.

ist, diese Stelle jenseits der palästinischen Urgemeinde festzulegen[54]. Nun ist mit dieser Feststellung die Echtheit von Mt 16, 18 als eines Jesus-Logions noch nicht erwiesen. Die sachkritischen Bedenken[55], die dann immer noch bleiben, beziehen sich auf 2 Fragen: *1.* Jesus und die Kirche, *2.* die Stellung des Petrus
5 im Urchristentum. Beide Fragen enthalten je 2 Unterfragen: *a.* die Stati- stik: nur an 2 Stellen innerhalb der Evangelien kommt ἐκκλησία vor; *b.* die Eschatologie: kann Jesus, der Prediger der βασιλεία τοῦ θεοῦ, eine ἐκκλησία gegründet haben?; *c.* die Kirchengeschichte: hat Petrus wirklich die autori- tative Stellung gehabt, die ihm Mt 16, 18 zugeschrieben wird?; *d.* die Psycho-
10 logie: hat sich der Mensch Petrus wirklich als „Fels" bewährt?

a. Die Statistik beweist hier ebensowenig wie im 1 Pt, wo das Stichwort ἐκκλησία nicht vorkommt, aber das, was ἐκκλησία ist, durch andere und zwar at.liche Ausdrücke besonders reich umschrieben wird. Solche Synonyma[56] gibt es aber auch in der evangelischen Überlieferung.
15 Mt 26, 31 und J 10, 16 ist von der → ποίμνη gesprochen, die 1 K 9, 7 recht deut- lich mit der ἐκκλησία gleichgesetzt wird. Vgl dazu ποίμνιον Lk 12, 32; Ag 20, 28; 1 Pt 5, 2 f; ἡ αὐλὴ τῶν προβάτων J 10, 1; ἀρνία μου J 21, 15; τὰ προ- βάτιά μου J 21, 16 f. Es fehlt also auch nicht das μου entsprechend dem μου bei ἐκκλησία Mt 16, 18. So wie der ποιμὴν καλός (pastor bonus) derselbe ist wie
20 der κύριος, so ist seine ποίμνη dasselbe wie seine ἐκκλησία. Diese Herde, diese Versammlung, ist zunächst das Zwölferkollegium der Jünger Jesu (→ II 325, 16). Aus der Menge des jüdischen Volkes hat Jesus eine kleine Schar ausgesondert, die in scharfem Gegensatz zu den pharisäischen Schriftgelehrten und schließlich zum ganzen „sich verstockenden" Volke stand und das wahre Volk Gottes, dh
25 eben die ἐκκλησία darstellte. Wir haben es daher Mt 16, 18 nicht mit einem vereinzelten Vorgang im Leben Jesu als in der Geschichte des Christus zu tun. Gegen das Dasein dieses Jüngerkreises zu Lebzeiten Jesu spricht weder die Unbestimmtheit der verschiedenen Namenlisten noch das Fehlen des Individuel- len. In der Zeit, wo diese δώδεκα-Listen zum mindesten entstanden sein müssen,
30 dh in der Zeit der Urgemeinde, fehlt ja auch noch dieses Persönlich-Konkrete. Die vermißte Deutlichkeit findet sich erst in den apokryphen Apostelgeschichten mit ihrem novellistischen Gepräge im Stile des hellenistischen Romans[57]. In der Zeit der Urgemeinde war es demgegenüber wichtiger, daß Jesus die Zwölf um sich hatte, als daß man von all diesen Zwölfen etwas Bestimmtes gewußt hätte.
35 Wenn es aber so ist, so besteht keine zwingende Veranlassung, Jesus und seine Jünger zu seinen Lebzeiten nicht in diesem Zusammenhang zu sehen[58]. Eine tiefere und zugleich breitere Grundlage bekommt das alles, wenn die Frage in

---

[54] Vgl Str-B zSt; Bultmann Trad 277; JoachJeremias (→ A 50).
[55] Von Linton 175 ff gut gekennzeichnet.
[56] Vgl Linton 176. Das Problem der Kirche im Johannesevangelium behandelt die Berner Dissertation (1925) von EGaugler, Die Bedeu- tung der Kirche in den johanneischen Schriften, abgedruckt in der Intern Kirchl Zschr 14 (1924) 97 ff. 181; 15 (1925) 27 ff. Zu den Umschreibun- gen des Wortes ἐκκλησία speziell 15 (1925) 28.
[57] Vgl KLSchmidt, Die Stellung der Evan-

gelien in der allgemeinen Literaturgeschichte, in: Festschr für HGunkel (1923) II 80.
[58] RSchütz, Apostel u Jünger (1921) sagt einerseits im Anschluß an JWellhausen und RBultmann: „Das geschichtliche Kollegium der 12 kann zeitlich nicht viel früher ent- standen sein, als Paulus zum Apostel wurde" (75), muß aber anderseits doch zugeben: „Die Möglichkeit, daß Jesus selbst schon auf die symbolische Bedeutung der 12 Bezug nahm, läßt sich nicht a limine abweisen" (72).

die Diskussion gezogen wird, ob und wie Jesus sich als den Menschensohn betrachtet, ferner ob und wie er das Abendmahl gestiftet hat. Wenn Jesus sich als den Messias im Sinne von Da 7 verstanden hat, so eröffnen sich neue Blicke für die Art und das Gewicht seiner Kirchenstiftung. Der danielische Menschensohn ist ja kein bloßes Individuum, sondern der Repräsentant des [5] „Volkes" der „Heiligen des Höchsten", der sich die Aufgabe gesetzt hat, dieses Volk Gottes, also die ἐκκλησία, darzustellen[59]. Von hier aus kann auch die sogenannte Abendmahlstiftung als ein Akt der Kirchengründung verdeutlicht werden[60]. Abgesehen von der auf solche Weise immer sicherer werdenden Erkenntnis, daß Mt 16, 18 sachlich nicht isoliert ist, erscheint wichtig, daß von [10] dieser Erfassung des Komplexes Jesus-Messias-Menschensohn-Jünger-Gemeinde-Abendmahl bestimmte Linien führen zu der paulinischen und deuteropaulinischen Auffassung von der ἐκκλησία, die einerseits ἄνωθεν und dabei anderseits σῶμα Χριστοῦ ist, wie Christus zugleich der Erhöhte und der in der Gemeinde Gegenwärtige ist. Und die Frage der Kirchenstiftung durch Jesus selbst ist die Frage [15] nach seinem Messiastum[61]. Untergeordnet gegenüber dieser Hauptfrage ist die bei der Art der evangelischen Berichterstattung nicht zu lösende Frage nach dem Wann und Wo im Einzelnen[62].

      b. Verträgt sich das alles mit der Eschatologie, wie sie von Jesus in seiner Reich-Gottes-Predigt vertreten wird? Nach dem Gesag- [20] ten können wir uns in dieser Frage kürzer fassen. Daß auch die ἐκκλησία eine eschatologische Größe ist, ergibt sich gerade aus den eschatologischen Vorgängen des Selbstzeugnisses Jesu als des Menschensohnes und der Stiftung des Abendmahles. Nun sind aber βασιλεία τοῦ θεοῦ und ἐκκλησία nicht dasselbe. Sie sind es nicht in der Urgemeinde, die sich ja sicherlich als ἐκκλησία verstanden, [25] die aber die Verkündigung von der βασιλεία weitergegeben hat. Sie sind es aber auch nicht in der Verkündigung Jesu, der seiner, dh der von ihm gestif-

---

[59] Wenn ich recht sehe, haben in neuerer Zeit drei Gelehrte unabhängig voneinander auf diese Seite der Kirchenstiftung Jesu Christi hingewiesen: TSchmidt (→ A 20) 217 ff (Abschnitt: „Analogie von Messias und Gemeinde"). Ferner Schl Gesch d Chr 375 („Der Christusname verlangte von ihm, daß er die vollendete Gemeinde herstelle"). Am tiefsten hat schließlich Kattenbusch I 143 ff in diese Zusammenhänge hineingesehen (145: „Christus hat ein Sonderdasein, so gut wie jeder der »Seinen«, ist aber er selbst nur im σῶμα. Ohne dieses wäre er nicht, was sein Name sagt." 160: Christus „mußte sich nun in seinem persönlichen Wesen so ausgestalten, daß er wirklich der Typus eines »Volkes« der »Heiligen des Höchsten« werde, zu sein behaupten dürfe. Und er mußte dieses Volk auch als solches herausbilden, »schaffen« unter den Menschen"). Den Genannten folgen Gloege (→ Lit-A) 218, 228 („Der Retter ist nur Retter als Schöpfer eines neuen erlösten, gerechtfertigten Volkes." „Genau sowenig aber der ποιμήν ohne das ποίμνιον Hirt ist, ist der Χριστός ohne die ἐκκλησία der

Christus") und Linton 148 („Der Messias ist keine Privatperson. Zu ihm gehört eine Gemeinde. Zum Hirt gehört die Herde").

[60] Wieder ist es Kattenbusch, dem wir hier die tiefsten Einsichten verdanken. I 171: „In seiner Stiftung der ἐκκλησία, einer »Gemeinde« auf seinen Namen, durch das »Abendmahl« hat er seine Selbstdeutung nach dem Danielgesichte (in Einbeziehung der Jesajaweissagung als der Deutung für die Art des »Menschensohns«!) nicht außer acht gelassen, sondern auf die Spitze geführt." Diese Erklärung wäre zwingender, als sie es vielleicht ist, wenn die Kattenbuschsche Analyse des Abendmahlstextes so zwingend wäre, wie es vielleicht nicht ist. Vgl KLSchmidt, Artk „Abendmahl im NT", RGG² I 6 ff.

[61] Vgl die knappe Behandlung dieser im Gegensatz zu JWellhausen, WWrede, RBultmann zu bejahenden Frage bei KLSchmidt, Artk „Jesus Christus", RGG² III 149 f.

[62] Deshalb ist die an sich ansprechende Stufenschilderung von HDWendland (→ Lit-A) mit einem Fragezeichen zu versehen.

teten ἐκκλησία die βασιλεία τοῦ θεοῦ zuspricht. In diesem Sinne hat sich auch die nach Ostern lebende ἐκκλησία eschatologisch verstanden. In solchem Sinne ist auch der einzelne Mensch als der gerechtfertigte Sünder eschatologisch zu verstehen [63].

5   *c.* **Das kirchengeschichtliche** Argument gegen Mt 16, 18 lautet, Petrus habe im Urchristentum nicht die autoritative Stellung gehabt, die ihm dort zugeschrieben sei. Dieser Einwand, bei dem 1 K 3, 11; 10, 4 (vgl auch Eph 2, 20) gegen die Echtheit von Mt 16, 18 ausgespielt werden (→ 511 A 15) [64], läßt sich so erledigen. Einerseits hat Petrus auch in der Beurteilung durch Paulus eine
10 größere Rolle gespielt, als vor allem in der Auseinandersetzung zwischen Protestantismus und Katholizismus von protestantischer Seite aus zugegeben worden

---

[63] An diesen hier nur angedeuteten Vorgängen konstruiert Bultmann Trad 149 f vorbei, auch in seiner Besprechung des Buches von H D Wendland in der DLZ 55 (1934) 2019 ff. Seine dort vertretene Meinung, daß „das eigentliche Problem der ἐκκλησία . . . . darin besteht, daß an Stelle der von Jesus nah erwarteten βασιλεία τοῦ θεοῦ sich die ἐκκλησία konstituiert", entspricht einer früheren letztlich entwicklungsgeschichtlichen Fragestellung, von der aus der Übergang von Jesus zur Gemeinde, zur Urgemeinde des Petrus sowohl wie des Paulus, nicht richtig erkannt wird. Wenn Bultmann der ἐκκλησία, als welche sich auch nach ihm die Urgemeinde verstanden hat, einen „radikal eschatologischen Sinn" zuspricht, so bleibt er die Antwort auf die Frage schuldig, wie sich denn in dieser Urgemeinde Reich Gottes und Kirche als eschatologische Größen voneinander unterscheiden. → I 591; vgl ferner Vorwort zum 2. Abdruck von KLSchmidt, Die Kirche; Linton 179 f. — JHaller, Das Papsttum I (1934) dekretiert: „Daß Jesus die Worte (sc Mt 16, 18 f) gesprochen haben sollte, die ihm bei Mt in den Mund gelegt werden, hat eine besonnene Forschung, die den einzelnen Ausspruch im Zusammenhang der ganzen Lehre des Heilands betrachtet, niemals glauben können. . . . Wir haben es hier mit einer nachträglichen Weissagung zu tun, die ihre Erfüllung voraussetzt" (4). In einer Erläuterung dazu heißt es: „Ob sie (sc: die St Mt 16, 18 f) auch ein echtes Wort Jesu überliefert, ist noch nicht ausgemacht. ME kann die Entscheidung nur gegen die Echtheit ausfallen, es sei denn, daß man die Worte anders behandelt, als die sonst allgemein gültigen Gesetze der Kritik fordern. Dies tun freilich immer noch manche, wie zB Kattenbusch. . . . Ebs zu beurteilen ist trotz seines gelehrten Scharfsinns der breite u anspruchsvolle Aufsatz von KLSchmidt . . ." (442). Was die von Haller im Interesse einer „besonnenen Forschung" aufgerufenen „sonst allgemein gültigen Gesetze der Kritik" anlangt, so mag man sich abgesehen von allem anderen vergegenwärtigen, daß der Jurist GHolstein, Die Grundlagen des ev Kirchenrechts (1928), u der Historiker ECaspar, Geschichte des Papsttums (1930/33) (vgl auch: Primatus Petri, in: Zschr der Savigny-Stiftung 47 [1927] 253 ff), im ganzen und im einzelnen wesentlich anders urteilen. Über den Leiztgenannten teilt Haller nur mit: „Im übrigen gehen unsere Wege so weit auseinander und sind die Abweichungen in Bewertung und Behandlung der Quellen von so grundsätzlicher Natur, daß ich recht zu tun glaube, wenn ich, von einigen wenigen Stellen abgesehen, auf kritische Auseinandersetzung verzichte. Es gibt verschiedene Arten, Geschichte zu schreiben, und ‚sehe jeder wie er's treibe'" (441). Diese Haltung läßt es als gegeben erscheinen, sich hier mit Haller nicht weiter auseinanderzusetzen. Vgl auch KPieper, Die angebliche Einsetzung des Petrus? (1935); Ders, Jesus u die Kirche (1932). — Auch in der neuesten hierher gehörigen Arbeit: WGKümmel, Die Eschatologie der Evangelien, ThBl 15 (1936) 225 ff, erscheint die Frage nach dem besonderen eschatologischen Charakter der ἐκκλησία gegenüber der βασιλεία τοῦ θεοῦ nicht geklärt. Kümmel schreibt: „KLSchmidt hat durch sprachliche Untersuchungen den Gedanken zu stützen gesucht, daß Jesus eine Sonder-Gemeinde gründen wollte, wofür denn auch das als echt anerkannte Wort an Petrus Mt 16, 18 f als Beweis zu gelten hat. Es ist charakteristisch, wie stark in dieser ganzen Erörterung systematische Konstruktion die exegetische Fragestellung verdrängt hat. Demgegenüber muß aber eine ernsthaft biblisch-theologische Forschung von der Frage nach dem exegetischen Tatbestand ausgehen" (231). Gegenüber einem solchen „kritischen" Votum kann hier nur gesagt werden, daß die hier erneut vorgelegte und ergänzte Erklärung des locus classicus ecclesiae nicht von einer „systematischen Konstruktion", sondern von der „exegetischen Fragestellung" ausgeht und daß es demgemäß dem Verf auf eine „ernsthaft biblisch-theologische Forschung", wie sie dem „exegetischen Tatbestand" entspricht, angekommen ist.

[64] Nach H Windisch, ThR NF 5 (1933) 251 hat „heute wohl nur noch der dritte (sc: Einwand) ein größeres Gewicht".

ist. Da geschichtliche und psychologische Gründe für diese Sonderstellung nicht angegeben werden können, löst sich das Rätsel am einfachsten, wenn eben ein den Petrus auszeichnendes Wort Jesu vorgelegen hat. Und wenn anderseits Petrus im Urchristentum — neben Paulus kommt hier vor allem die johanneische Überlieferung in Betracht (vgl vor allem den „Wettlauf" des Petrus und des 5 ἄλλος μαθητής J 20, 2 ff) — bekämpft worden ist, dann ist nicht ersichtlich, daß aus diesem Kampf heraus Mt 16, 18 post festum entstanden sein soll. Die Annahme eines vaticinium ex eventu scheitert daran, daß der eventus für Petrus gar nicht so aussieht, wie man auf Grund von Mt 16, 18 annehmen müßte. Von hier aus gesehen ist die umstrittene Stelle sozusagen als die lectio difficilior 10 für echt anzusehen [65].

d. Dem psychologischen Einwand, daß der Mensch Petrus sich gar nicht als der „Fels" bewährt habe, folgen, würde bedeuten, das, was nun gerade ἐκκλησία ist, gründlich verkennen. Die Sonderstellung des Petrus ist ein Rätsel, das als solches hingenommen werden muß. Allerlei psycholo- 15 gische Rätselauflösungen mögen mehr oder weniger einleuchtend sein, können aber doch nicht weiterhelfen. Wir können ja auch nicht und wir dürfen ja auch nicht die Frage beantworten, warum Gott gerade das Volk Israel zu seinem Volk, zu seiner Kirche gemacht hat. Petrus ist auserwählt in einem besonderen Sinne, hat sich dann verstockt, bleibt aber auserwählt, weil er das fundamentum 20 ecclesiae geworden ist. Auch Israel ist auserwählt, hat sich dann verstockt, bleibt aber auserwählt, weil ein Rest sich bekehrt hat [66].

---

[65] Im Zshg der vielen Versuche, Petrus mehr einzuebnen, als das erlaubt ist, darf man hier auch Luthers Exegese nicht folgen, der in Mt 16, 18 nicht mehr sehen will als in — Mt 5, 3. Näheres bei KLSchmidt, Die Kirche 289 ff. Auch der Versuch von Str-B I 732 einer Rückübersetzung von Mt 16, 18 ins Hbr ist von dem Bestreben, Petrus einzuebnen, belastet. Bultmann Trad 148 findet diesen Versuch „absurd", Linton 170 findet, daß er „Beachtung verdient".

[66] Vgl WLeonhard, in: Una Sancta 3 (1927) 485: „ . . . der wankelmütige Felsenmann, der verleugnungsgeneigte Bekenner, der haltbedürftige Halt, dieser als erster Mann der Christenheit, das ist in der Tat eine der ergreifendsten Paradoxien des Evangeliums, ein Stück Passionsgeschichte, und hat seinen Reflex in jedem Christenleben. Petrus darf nicht »eingeebnet« werden. So sagt KLSchmidt überzeugend." Daß WLeonhard im übrigen unzufrieden ist mit KLSchmidt, der „es nicht lassen kann zu urteilen, daß gerade die Heraushebung der Persönlichkeit des Simon Petrus jeden Anspruch der römischen Hierarchie zuschanden mache" — es wird das ein „»protestantischer« Extrazoll" genannt —, steht auf einem anderen Blatt. Gut dagegen KHeim, Das Wesen des ev Christentums [5] (1929) 36: „Es ist eine merkwürdige Ironie der Weltgeschichte, daß gerade dieses Christuswort in Riesenbuchstaben an der großen Basilika des Papstes prangt, gerade dieses Christuswort, das, in seinem ursprünglichen Sinn verstanden, das Papsttum in jeder Form ausschließt und verbietet, weil es wie kaum ein anderes dem Apostel eine einzigartige, schlechterdings unwiederholbare Stellung im pneumatischen Gottesbau anweist." — WG Kümmel (→ A 63) 232 weiß hier nur zu sagen: „Und gänzlich unvorstellbar wäre schließlich, daß Jesus einem Menschen die Verfügung über den Eintritt in die Gottesherrschaft zuerkannt haben sollte." Demgegenüber ist darauf hinzuweisen, daß, wie oben im Text gezeigt ist, alles noch unvorstellbarer wird, wenn man Mt 16, 18 f für eine Bildung seitens der Gemeinde hält. — Gegen KLSchmidt u KHeim polemisiert ausführlich KPieper (→ A 38) 60 ff von katholischen Prämissen aus. Charakteristisch ist, daß nach Pieper aaO 67 JGeiselmann (→ A 50) 27 darauf aufmerksam macht, daß „wir uns der Grenzen des Beweises, welcher Art näherhin der petrinische Primat nach der Herrenverheißung war, aus dem reinen Schriftprinzip her bewußt sein müssen", und daß JSickenberger, Leben Jesu V = Bibl Zeitfragen 13 (1929) 16 ff in seinen Ausführungen über das Messiasbekenntnis bei Caesarea Philippi die Frage nach der Beziehung von Mt 16, 17 ff zu den Nachfolgern Petri überhaupt nicht anschneidet, während KAdam, Das Wesen des Katholizismus [7] (1934) 118 meint, die Bezugnahme auf die Nachfolger Petri „kann von dem verneint werden, der die biblischen Texte für sich allein verhört u sie nicht in den Zusammenhang der gottmenschlichen Person Jesu u ihrer Absichten rückt".

Mehr anhangsweise sei noch auf die öfters betonte Schwierigkeit hingewiesen, daß ἐκκλησίαν als Objekt nicht gut zu dem Verbum → οἰκοδομεῖν passe [67]. Das Bild vom Bauen (bes der Welt, als Bild der Erschaffung der Welt) ist im Judentum und im Urchristentum geläufig [68]. Von hier aus könnte man verstehen, daß hinter ἐκκλησία Mt 16, 18 eine οἰκία steckt [69].

5. Die bisherigen Ausführungen haben ihre Geltung, wenn Mt 16, 18 und 18, 17 wie sonst im NT für ἐκκλησία das hebräische Korrelat קָהָל anzunehmen ist. Nun ist aber einmal nicht ausgemacht, ob an das Hebräische oder an das Aramäische zu denken ist. Und dann ist es nicht ausgemacht, ob nur das hebräische קָהָל, bzw das aramäische קְהָלָא (bibl-hbr Lehnwort im Aramäischen), in Betracht kommt.

Daß Jesus und seine Jünger aramäisch gesprochen haben, berechtigt nicht ohne weiteres zu der Annahme, daß sie im Bereich des Gottesdienstes die aramäische Umgangssprache allein benutzt hätten [70]. Eine gewisse Vertrautheit Jesu und seiner Jünger mit dem Hebräischen als der alten Kirchensprache ihres Volkes wird vorausgesetzt werden müssen [71]. Aber auch dann ist קָהָל nicht der einzige in Betracht kommende Ausdruck. Weniger wichtig mag sein, daß auch mit קְהָלָּה (welches Wort FranzDelitzsch in seiner hebräischen Übersetzung des NT [1880] Mt 16, 18 verwendet) gerechnet werden kann; denn dieses Wort ist im AT und im rabbinischen Schrifttum zu selten belegt. Ernster zu nehmen ist עֵדָה [72], welches Wort im AT nicht sonderlich abgehoben ist von קָהָל.

Die Rabbinen verwenden, aufs Ganze gesehen, sowohl קָהָל als עֵדָה selten. Häufiger erscheint צִבּוּר, das im AT einmal in der Bedeutung „Haufe" (2 Kö 10, 8) vorkommt und als der eigentliche Ausdruck für die spätjüdische Gesamt- und Einzelgemeinde angesprochen werden kann [73]. Nicht selten findet sich auch כְּנֶסֶת יִשְׂרָאֵל, wovon im AT nur das Verbum כנס (= *sammeln, versammeln*) vorkommt. Dieses Wort hat eine besondere Betonung in dem Sinne, daß bei ihm an die Personifizierung des gläubigen Gesamtisraels gedacht wird [74]. Sachlich werden wir zwischen קָהָל, עֵדָה, צִבּוּר, כְּנֶסֶת keinen wesentlichen Unterschied festzustellen haben, so daß von dem hebräischen Wortgebrauch aus keine bestimmten Schlüsse gezogen werden können.

Unter der Voraussetzung, daß für ἐκκλησία ein aramäisches Korrelat anzunehmen ist, ist an קְהָלָא zu denken, was in den Targumen vorkommt (als bibl-

---

[67] So kommt Holtzmann NT I 165 f schon von hier aus zu einem Unechtheitsverdikt: „. . . bei Jesus erwartet man ein bildliches Objekt, das zu οἰκοδομεῖν paßt, etwa τὴν οἰκίαν μου."

[68] Vgl Str-B I 732 f; Zn Mt 547; SchlMt 506 f.

[69] Vgl dazu den sorgfältigen u inhaltreichen Aufsatz von ThHermann (→ Lit-A), dessen These keineswegs als „völlig überflüssig" (so RBultmann Trad 149) erscheint, weil es einen gewissen Wert hat, die besondere Affinität von ἐκκλησία und οἰκία im at.lich-nt.lichen Sprachgebrauch zu erkennen. Wenn KPieper (→ A 38) Hermann vorhält, er habe mit seinem Vorschlag ἐκκλησία, bzw das aram Äquivalent so entleeren wollen, daß nur eine religiöse

Gemeinschaft allgemeinerer Art übrig bleibe, so fehlt dafür der Beweis.

[70] Vgl dazu GDalman, Jesus-Jeschua (1922).

[71] GDalman (→ A 70) 34: „Daß Jesus nicht vergeblich gelernt hatte, wird dadurch erwiesen, daß er in der Synagoge seiner Vaterstadt als Vorleser des prophetischen Abschnittes auftrat (Lk 4, 16). Dies schließt in sich, daß er mit dem Hebräischen wohlvertraut war."

[72] Dafür hat OProcksch auf dem Ersten Deutschen Theologentag plädiert; s den Bericht von ATitius, in: Deutsche Theologie I (1928) 23 und die Antwort von KLSchmidt ebd 26.

[73] So Str-B I 734; ferner Dalman Wört sv.

[74] Vgl Str-B I 734; ferner Schürer II 504: „Sofern die Gemeinde als religiöse ins Auge gefaßt wird, heißt sie כְּנֶסֶת."

hbr Lehnwort, nicht im Aramäischen heimisch), während dort für עֵדָה das aramäische עֶדְתָּא nicht zu belegen ist[75]. Wir werden daher gut tun, עֶדְתָּא auszuschalten. Dagegen ist צִבּוּרָא belegt. Der häufigste Ausdruck aber ist כְּנִשְׁתָּא[76]. Und dieses Wort bekommt nun noch dadurch ein besonderes Gewicht, daß es in syrischen, also dem palästinischen Aramäisch Jesu nahe verwandten Ver- 5 sionen für ἐκκλησία bzw συναγωγή gebraucht wird.

Während die Syra Curetoniana (3. Jhdt), die Peschitta (Anfang des 5. Jhdts) und die Syra Philoxeniana (Anfang des 6. Jhdts) für ἐκκλησία als die christliche Kirche 'ēdtā und für συναγωγή als die jüdische Synagoge k'nuštā sagen, hat die Syra Sinaitica (3. Jhdt, wohl älter als die Syra Curetoniana) sowohl für ἐκκλησία als für συν- 10 αγωγή k'nuštā. (In der Syra Sinaitica ist Mt 16, 18 nicht erhalten, dagegen 18, 17.) Dem schließt sich die palästinisch-syrische Übersetzung an, die uns vor allem aus dem sogenannten Evangeliarium Hierosolymitanum bekannt ist[77]. Gerade diese Übersetzung, deren Alter näher bestimmt werden kann, macht jedenfalls einen altertümlicheren Eindruck als die anderen Syrer. Der Dialekt des Evangeliarium Hierosolymitanum, 15 der von dem gewöhnlichen Syrisch ziemlich abweicht, dürfte dem, den Jesus und seine Jünger sprachen, verhältnismäßig nahe stehen[78]. In der Tat findet sich nun hier das aramäische Wort k'nuštā = כְּנִשְׁתָּא sowohl für die christliche ἐκκλησία als die jüdische συναγωγή[79].

Nach alledem hat es einen hohen Grad von Wahrscheinlichkeit, daß Jesus 20 von der כְּנִשְׁתָּא gesprochen hat[80]. Wenn nun קָהָל, bzw קָהָלָא für die Christengemeinde den Sinn und Anspruch der at.lichen Gottesgemeinde hervorheben, so besteht auch für כְּנִשְׁתָּא die Möglichkeit, daß auf diese Gottesgemeinde in ihrer Gesamtheit abgezielt ist. Zunächst ist allerdings durchzudenken, daß dieses aramäische Wort wie sein übliches griechisches Korrelat συναγωγή die irgend- 25 wie (lokal, personhaft, richtungsmäßig) beschränkte Synagogengemeinschaft meint. Wir würden es demnach mit einer Sonder-כְּנִשְׁתָּא zu tun haben. Also: die erste Christengemeinde eine Sekte innerhalb des Judentums? Tatsächlich hat das offizielle Judentum die erste Christengemeinde vielfach so behandelt. Diese selbst aber fühlte sich als eine Synagoge mit dem Exklusivanspruch, das wahre 30 Judentum, das wahre Israel darzustellen, wie ja schon vorher im Judentum solche Synagogen aufgetreten sind. Die Belege hierfür sind zwar nicht zahlreich, aber doch wohl ausreichend. Man denke an 1 Makk 2, 42: συναγωγή Ἀσιδαίων; 7, 12: συναγωγή γραμματέων. Die hier genannten mehr schulmäßig sich abschließenden Synagogen dürften auch den soeben dargelegten Exklusiv- 35 anspruch geltend gemacht haben[81]. Hierher gehört auch die jüdische Gemeinde

---

[75] Dalman Wört bucht allerdings diese aramäische Vokabel. Levy Chald Wört bringt sie nicht. Wellh Mt 84 sagt: „edta ist nicht palästinisch, sondern syrisch."

[76] Vgl Levy Wört sv. Dalman Wört außerdem כְּנִישְׁתָּא. כְּנִסְתָּא (ס statt שׁ, vgl כְּנֶסֶת) für Versammlungshaus (Synagoge) belegt.

[77] Ausgabe mit P de Lagarde, in: Bibl Syr (1892). Vgl dazu FSchwally, Idioticon des christlich-palästinischen Aram (1893) u FSchultheß, Lexicon Syropalaestinum (1903). Zu allen anderen Syrern vgl OKlein, Syrisch-griech Wörterbuch zu den vier kanonischen Ev (1916).

[78] So ENestle, Einführung in das gr NT³ (1909) 115; FSchultheß, Gramm des christlich-palästinischen Aram, hsgg ELittmann (1924) 3.

[79] Vgl Schürer II 504: „Im christlich-palästinischen Aram scheint כנישתא, welches

dem gr συναγωγή entspricht, das gewöhnliche Wort für Kirche gewesen zu sein." Wellh Mt 84: „Das aram Urwort K'nischta bezeichnet sowohl die jüdische als die christliche Gemeinschaft. Die palästinischen Christen haben es immer unterschiedslos beibehalten u sowohl für die Kirche als für die Synagoge gebraucht."

[80] Vgl noch Zn Mt 546 u AMerx, Die vier kanonischen Ev nach der syrischen im Sinaikloster gefundenen Palimpsesthdschr, Mt (1902) 268. JoachJeremias (→ A 50) 69: plädiert für „wahrscheinlich צִבּוּרָא, allenfalls כְּנִשְׁתָּא".

[81] Bultmann Trad 150 meint dazu, daß eine solche (sc: Sondersynagoge) behauptet habe, sie stelle den קָהָל יהוה dar, sei „kaum glaublich". Seine Gegengründe, bei denen eine

des „Neuen Bundes in Damaskus", die sich in ihrem in der Geniza (= Rumpelkammer) der Synagoge zu Kairo gefundenen Texte bald עֵדָה (7, 20; 10, 4. 8;
13, 13), bald קָהָל (7, 17; 11, 22) nennt und sich als den „Rest Israels" (שְׁאֵרִית
לְיִשְׂרָאֵל) empfindet[82]. Der Gedanke des קְהַל יְהוָה wird nicht nur nicht preisge-
5 geben, sondern erfährt sogar noch eine besondere Zuspitzung. Denn in einer
solchen Sondergruppe stellt sich der „Rest Israels" dar, von dem der Bestand
des ganzen Israels als des Volkes Gottes abhängt. So war in der Messias-Jesus-
Synagoge die Gemeinde Gottes verkörpert. In diesem paradox erscheinenden
parsprototo-Vorgang liegt das Wesen der echten Synagoge wie nun auch der
10 echten Gemeinde Jesu Christi beschlossen. Jesu vielberufene Stiftung der ἐκκλησία Mt 16, 18 erschöpft sich in einem solchen Vorgang der Aussonderung
und Zusammenfassung seiner Jüngerschar. Alles, was wir von Jesu Stellung
zum קְהַל יְהוָה wissen, gewinnt Breite und Tiefe und dabei Farbe, wenn wir seine
Bemühung um die כְּנִישְׁתָּא erkennen[83].
15   Von hier aus wird schließlich die Zusammengehörigkeit von Mt 16, 18
und 18, 17 deutlich. Wenn an der zweiten Stelle eine dem Verirrten nötige
Verwarnung zuletzt vor der ἐκκλησία ausgesprochen werden soll, so darf dieser
Vorgang nicht ohne weiteres als ein Stück aus einem urchristlichen Gemeinde-
katechismus erklärt werden[84], sondern muß dahin verstanden werden, daß hier
20 gesprochen ist von der Synagoge, der at.lichen Gemeinde, die Jesus nicht verneint, sondern ausdrücklich bejaht, die dann er, und zwar nur er, vollendet,
indem er sich wie sonst als der Messias unter das Gesetz stellt[85].

F. Altes Testament und Judentum.

1. Griechisches Judentum.

25   *a.* In der Septuaginta kommt ἐκκλησία etwa 100mal vor,
einige Male auch bei Aquila, Symmachus und Theodotion. Soweit ein hebräisches
Korrelat vorhanden ist, ist dieses fast immer קָהָל. Nur folgende Ausnahmen für die
LXX sind zu buchen: 1 Βασ 19, 20 = 1 S 19, 20 לַהֲקָה; Neh 5, 7 קְהִלָּה; ψ 25, 12 =
Ps 26, 12 מַקְהֵלִים; ψ 67, 27 = Ps 68, 27 מַקְהֵלוֹת. Es liegt also ein sehr gleichmäßiger
30   und eindeutiger Übersetzungsgebrauch vor. Die genannten hebräischen Korrelata sind
vom Stamme קהל abgeleitet. Bei לַהֲקָה sind es dieselben Radikale in anderer

---

Überbetonung des Lehrhaften in der Synagoge eine Rolle spielt, erscheinen nicht
zwingend.
[82] Text bei SSchechter, Documents of
Jewish Sectaries I (1910), nach dessen Seiten-
zahlen oben zitiert ist. LRost, Die Damaskusschrift, KlT 167 (1933), wo die Schechtersche
Anordnung neben einer anderen mitgeteilt
ist, während die Lesungen verbessert sind
und der ganze Ertrag der Verbesserungsvor-
schläge bis 1933 und die gesamte bis dahin
erschienene Lit verarbeitet werden. Die verschiedenen Datierungsversuche differieren um
Jahrhunderte. Nach ABertholet, in: RGG² I
1775 f (Artk „Damaskusschrift") ist an „makkabäische, vielleicht richtiger hasmonäische,
wo nicht römische Entstehungszeit (1. Jhdt
v Chr?)" zu denken. GHölscher, Geschichte
der israelitischen u jüdischen Religion (1922)

189 meint mit anderen (vgl LRost aaO 4),
die Damaskusschrift stamme aus der bei Kir-
kisani (10. Jhdt) als Vorläufer der Karäer
erwähnten Sekte der „Söhne Sadoks".
[83] Das wird von Bultmann Trad 149 f völlig
verkannt, wenn er behauptet: „Ob das Wort
ἐκκλησία seine Entsprechung in קָהָל oder עֵדָה
oder in כְּנִישְׁתָּא hat, ist für Mt 16, 18 f völlig
gleichgültig."
[84] Belege für diese übliche „kritische"
Meinung brauchen nicht bes genannt zu
werden.
[85] Vgl KLSchmidt, Die Verkündigung des
NT in ihrer Einheit und Besonderheit, ThBl
10 (1931) Sp 120; ferner KLSchmidt, Das
Christuszeugnis der synoptischen Ev, Kirchenblatt f d reformierte Schweiz 89 (1933) 403
(= Jesus Christus im Zeugnis der Heiligen
Schrift u der Kirche, Sammelband [1936] 22).

Reihenfolge; entweder ist auch hier ein von קָהָל abgeleitetes Wort vorauszusetzen, oder aber es liegt vielleicht eine Dittographie zu dem kurz vorher dastehenden לָקַחַת vor [86].

In der LXX erscheint ἐκκλησία als ein durchaus profanes Wort, das *Versammlung* bedeutet, sei es daß an den Vorgang des Sichversammelns oder an die versammelten 5 Menschen gedacht ist. Das erste zB Dt 9, 10; 18, 16: ἡμέρα τῆς ἐκκλησίας, יוֹם הַקָּהָל, Tag der Versammlung (so auch Luther); das zweite zB 3 Βασ 8, 65: Σαλωμών ... πᾶς Ἰσραὴλ μετ' αὐτοῦ, ἐκκλησία μεγάλη = 1 Kö 8, 65: קָהָל גָּדוֹל, eine große Versammlung (so auch Luther). Es kommt ganz darauf an, w e r sich versammelt, w e r eine Versammlung darstellt. An der schon genannten Stelle 1 Βασ 19, 20 sind es Propheten 10 (Luther: Chor der Propheten). Sir 26, 5: ἐκκλησία ὄχλου, was nach dem Zusammenhang mit „Zusammenrottung des Pöbels" übersetzt werden kann [87]. Daß die ἐκκλησία das Volk Gottes, die Gemeinde Gottes ist, wird erst durch den Zusatz κυρίου deutlich: ἐκκλησία κυρίου = קְהַל יְהוָה Dt 23, 2 ff; 1 Ch 28, 8; Neh 13, 1; Mi 2, 5 (Luther übersetzt hier jeweils: Gemeinde des Herrn, bzw Gottes); vgl ἐκκλησίαν σου = קָהָל לָךְ 15 Thr 1, 10; ferner τοῦ ὑψίστου Sir 24, 2; τοῦ λαοῦ τοῦ θεοῦ Ri 20, 2. Öfters ist Ἰσραήλ hinzugefügt 3 Βασ 8, 14. 22. 55; 1 Ch 13, 2; 2 Ch 6, 3. 12 f; Sir 50, 13; 1 Makk 4, 59. Weniger häufig sind die Attribute υἱῶν Ἰσραήλ Sir 50, 20; Ἰούδα 2 Ch 20, 5; 30, 25; ἁγίων ψ 88, 6; ὁσίων Ps 149, 1; ἐν Ἱερουσαλήμ 1 Makk 14, 19. Auch der Zusatz τῆς ἀποικίας = הַגּוֹלָה zur Bezeichnung der Gemeinde des Exils mag hier genannt werden. 20 Im übrigen ist ἐκκλησία auch ohne Zusatz die Gemeinde Gottes, was sich vielfach aus dem Textzusammenhang ohne weiteres ergibt. Diese Stellen sind vor allem in 1 u 2 Ch, im Psalter und in einigen Apokryphen so häufig, daß mit einem terminus technicus gerechnet werden muß. Ab und zu ist man allerdings wieder im Zweifel. Jedenfalls kommt es auf den ausgesprochenen oder mitzudenkenden Zusatz τοῦ θεοῦ 25 oä an. Bezeichnend für das Gewicht der Gemeinde als Versammlung und Sammlung ist die sehr oft vorkommende Hinzufügung πᾶσα. ψ 25, 12; 67, 27 steht der Plural; 106, 32 schwanken die Handschriften zwischen Singular und Plural. Wie wenig gefestigt ein technischer Gebrauch des Wortes ἐκκλησία an sich ist, ergibt sich aus der Zusammenstellung Prv 5, 14 ἐν μέσῳ ἐκκλησίας καὶ συναγωγῆς. Der Übersetzer gerät 30 hier in Verlegenheit, wie er zwei Ausdrücke, die offenbar dasselbe bedeuten, wiedergeben soll. Luther: „Vor allen Leuten und allem Volk"; revidierte Zürcher Bibel: „Inmitten der Versammlung und der Gemeinde"; ebenso Kautzsch ua.

Das Verbum ἐκκλησιάζω (ἐξεκκλησιάζω) in der Bedeutung *versammeln* steht ua Lv 8, 3; Nu 20, 8; Dt 4, 10; 31, 12. 28; 3 Βασ 8, 1; 12, 21; 1 Ch 13, 5; 15, 3; 28, 1; 2 Ch 5, 2 für das 35 Hiph'il von קָהַל, während sich dafür Ex 35, 1 συναθροίζω, Nu 1, 18; 8, 9; 10, 7 συνάγω und Nu 16, 19 ἐπισυνίστημι findet. Das Verbum ἐξεκκλησιάζομαι in der Bedeutung *sich versammeln* steht ua Jos 18, 1; Ri 20, 1; 2 Βασ 20, 14 für das Niphal von קָהַל, während sich dafür Ex 32, 1 συνίσταμαι (ΑΘ: ἐκκλησιάζομαι), Jos 22, 12 συναθροίζομαι findet.

Mit → συναγωγή steht es im Hinblick auf seinen mehr oder weniger technischen 40 Gebrauch nicht anders. An verschiedenen Gn-Stellen zB wird συναγωγή bzw συναγωγαί mit ἐθνῶν verbunden = קְהַל עַמִּים oder קְהַל גּוֹיִם: 28, 3; 35, 11; 48, 4 (Luther übersetzt hier jeweils mit „Haufe"). ψ 21, 17: συναγωγὴ πονηρευομένων = Ps 22, 17: עֲדַת מְרֵעִים (Luther: der Bösen „Rotte"). ψ 67, 31: συναγωγὴ τῶν ταύρων = Ps 68, 31: עֲדַת אַבִּירִים (Luther: „Rotte" der Ochsen). ψ 85, 14: συναγωγὴ κραταιῶν = Ps 86, 14: 45 עֲדַת עָרִיצִים (Luther: „Haufe" der Gewalttätigen). Vgl dazu noch Ἰερ 51, 15 = Jer 44, 15; Ἰερ 27, 9 = Jer 50, 9. Anderseits wird wie von der ἐκκλησία κυρίου auch von der συναγωγή κυρίου gesprochen: Nu 20, 4; 27, 17; 31, 16; ψ 73, 2 = Ps 74, 2; das entspricht dem קְהַל יְהוָה oder auch der עֲדַת יְהוָה (Luther übersetzt jeweils: „Gemeinde" Gottes). 50

Was durch diese parallele Erörterung von ἐκκλησία und συναγωγή verdeutlicht werden sollte, ist dies: 1. Beide Wörter bedeuten ungefähr dasselbe, wie sie ja öfters auch

---

[86] So Ges-Buhl sv.
[87] So VRyssel bei Kautzsch Apkr u Pseudepigr I 363: „= ἐκκλησία, wörtl »Versammlung"; also ist ἐκκλησία nicht (nach Fr [= OFFritzsche, Libri apocryphi Veteris Testamenti Graece, 1871, zSt]) falsche Übers, indem nicht קְהִלָּה, sondern קְלָלָה (dies: »Verwünschung, Schmähung«, was sich im wesentlichen mit dem parallelen Wort in V 5a

decken würde) im Urtext gestanden habe. Sir hat beides zusammengezogen: »Murren der Gemeindeversammlung bei Vielheit des Volks«, vielleicht deshalb, weil ihm das Schlimme des zweiten nicht einleuchtete — was wiederum die Echtheit von ursprünglich קְהִלָּה bestätigt." Vielleicht hat aber Fritzsche doch recht: sonst ist bei Sir überall ἐκκλησία term techn für die Gemeinde Israel.

beide dem קָהָל entsprechen. 2. Beide Wörter werden bald technisch gebraucht, bald aber auch wieder nicht. Die Lutherschen Übersetzungen, die zwischen „Gemeinde", „Versammlung", „Haufe", „Rotte" schwanken, sollten das unterstreichen. —

b. Bei Philo und Josephus ist es ebenso, nur daß dort der technische Wortgebrauch vom profanen Griechisch her ausgeprägter erscheint. Es hängt das damit zusammen, daß öfters von weltlichen Volksversammlungen gesprochen wird.

Philo stellt zusammen ἀγοραὶ καὶ ἐκκλησίαι Spec Leg II 44, oder auch βουλαὶ καὶ ἐκκλησίαι Omn Prob Lib 138, vgl ὁ μὲν φαῦλος . . . δικαστήρια βουλευτήριά τε καὶ ἐκκλησίας καὶ πάντα σύλλογον καὶ θίασον ἀνθρώπων . . . μετατρέχει Abr 20. Von der ἐκκλησία θεοῦ bzw κυρίου spricht Philo im Anschluß an Dt 23: οἷς ἄντικρυς ἀπείρηται εἰς ἐκκλησίαν θεοῦ φοιτᾶν Leg All III 8; οὐκ εἰσελεύσονται, φησὶ Μωϋσῆς, < εἰς ἐκκλησίαν > κυρίου ebd 81; τῶν τοιούτων οὐδενὶ ἐπιτρέπει Μωϋσῆς εἰς ἐκκλησίαν ἀφικνεῖσθαι θεοῦ Ebr 213; vgl ὄργανον θεοῦ νομοθετοῦντος ἐκκλησίαν Poster C 143. Statt θεοῦ heißt es auch τοῦ πανηγεμόνος Mut Nom 204. Sehr bezeichne ṇd für den Hellenisten Philo ist, daß er die ἐκκλησία mit dem Attribut θεία versieht: Conf Ling 144; vgl auch ἐκκλησίας καὶ συλλόγου θείου Leg All III 81; ferner καλεῖν τε εἰς ἐκκλησίαν καὶ μεταδιδόναι λόγων θείων. Ein solches Reden vom θεῖον εἶναι in bezug auf die ἐκκλησία ist der LXX und dem NT fremd. Genau so steht es mit dem Attribut ἱερός[88]. Philo jedoch spricht von der ἐκκλησία ἱερά Som II 184. 187; Deus Imm 111; Migr Abr 69; vgl Aet Mund 13.

Dem Josephus, der ἅγιος gerne vermeidet und dafür um so lieber θεῖος und ἱερός sagt, würde es gut anstehen, ebenso wie Philo von der ἐκκλησία zu sprechen. Wie indes bei βασιλεία der Sprachgebrauch des Josephus nicht kultisch säkularisiert ist, sondern allgemein säkularisiert[89] (→ I 576), so ist es auch hier. Ein in Jerusalem führender gewisser Simon beruft eine Gemeindeversammlung ein, um Agrippa vom Tempel auszuschließen, πλῆθος εἰς ἐκκλησίαν ἁλίσας Ant 19, 332. Auch Herodes beruft wiederholt die Gemeinde ein, συνήγαγεν ἐκκλησίαν πάνδημον Ant 16, 62; ἐξεκλησίασεν εἰς τὸ θέατρον Ant 17, 161; in Tiberias entscheidet die versammelte Gemeinde, τὸ πλῆθος, über die Politik der Stadt Vit 37[89]. Vgl dazu die weiteren Stellen: ἐκκλησίας ἀγομένης ἐν τῷ θεάτρῳ Ant 14, 150; οὐδεὶς ἀπεστάτει τῆς ἐκκλησίας Bell 4, 255; ἀθροίσαντες εἰς ἐκκλησίαν τοὺς Ἰουδαίους Bell 7, 412.

2. Hebräischer Text.

Alles Wesentliche über קָהָל und sachlich verwandte Wörter wie vor allem עֵדָה ist bereits erörtert (→ 530, 25 ff). Es besteht jetzt nur noch die Aufgabe, קָהָל wie auch עֵדָה vom hebräischen Text aus zu bestimmen, dh den Erklärungsweg nicht, wie geschehen, vom griechischen zum hebräischen Text, sondern umgekehrt zu gehen. Während ἐκκλησία fast immer die Übersetzung von קָהָל ist, wird קָהָל nicht immer durch ἐκκλησία wiedergegeben. Jos, Ri, Ṣ (abgesehen von dem Sonderfall 1 S 19, 20), 1 u 2 Kö, 1 u 2 Ch, Ēsr, Neh steht für קָהָל immer ἐκκλησία, ebenso ist es Dt mit Ausnahme von 5, 22, wo συναγωγή steht. Sonst ist im Pentateuch, also Gn, Ex, Lv, Nu קָהָל durch συναγωγή wiedergegeben, welches Wort sonst עֵדָה entspricht. (Lv 4, 14. 21 findet sich statt συναγωγή ἐκκλησία in der Übersetzung eines Ἄλλος; ebenso Ἰερ 33, 17; Ἀ Ἰερ 51, 15; Ἀ Θ Ez 26, 7; Θ Ez 27, 27; Θ Ez 32, 22 [Bertram].) Ex, Lv, Nu wird עֵדָה häufiger gebraucht als קָהָל. עֵדָה wird fast immer durch συναγωγή wiedergegeben, aber niemals durch ἐκκλησία. Jos und Ri haben häufiger עֵדָה als קָהָל. In den folgenden Büchern jedoch verschwindet עֵדָה immer mehr zugunsten von קָהָל. Im Psalter wird קָהָל nur 40, 11 (= ψ 39, 11; Ἀ Θ haben ἐκκλησία) durch συναγωγή, sonst immer durch ἐκκλησία wiedergegeben. Diese ganze Unausgeglichenheit macht deutlich, daß קָהָל wie auch עֵדָה an sich keine termini technici sind, sondern daß alles ankommt auf den Zusatz יְהוָה oder auch יִשְׂרָאֵל als עַם יְהוָה, einerlei ob solch ein Zusatz dasteht oder, wenn nicht dastehend, mitzudenken ist. Noch deutlicher ist dieser Tatbestand, wenn קָהָל durch ὄχλος wiedergegeben ist: Jer 31, 8 (= Ἰερ 38, 8); Ez 16, 40; 23, 46 f (Ἀ Θ ἐκκλησία); oder auch durch πλῆθος Ex 12, 6; 2 Ch 31, 18; σύστασις Gn 49, 6; συνέδριον Prv 26, 26[90].

---

[88] Vgl θεῖος und ἱερός bei Cr-Kö.

[89] Vgl SchlMt 508; SchlTheol d Judt 90 f.

[90] Anders MNoth, Das System der zwölf Stämme Israels = BWANT 4. Folge Heft 1 (1930) 102 f A 2: „ . . . Es scheint mir nicht

bedenklich . . ., die Worte עֵדָה u קָהָל . . . aus dem Sprachgebrauch der altisraelitischen Amphiktyonie herzuleiten, u es ist gar kein Wunder, daß Worte, die wesenhaft mit einer sakralen Institution zusammenhängen, abge-

G. Etymologie?

Die vorgeführte Geschichte des Wortes ἐκκλησία ist wichtiger als seine Etymologie, über die deshalb erst jetzt ein abschließendes Wort gesagt werden soll. Wenn auf dem Weg über die LXX die nt.liche ἐκκλησία die Erfüllung des at.lichen קָהָל ist, wenn neben קָהָל die diesen קָהָל darstellende 5 כְּנִישְׁתָּא als Korrelat in Betracht kommt, so hat es keinen fördernden Sinn, der Ableitung des Substantivums ἐκκλησία von dem Verbum ἐκκαλεῖν im Zusammenhang mit dem Adjectivum ἔκκλητος ein besonderes Gewicht zu verleihen. Es erscheint deshalb als geradezu sinnvoll, daß im NT weder ἐκκαλεῖν noch ἔκκλητος vorkommen. 10

In der LXX findet sich das erste Wort nur Gn 19, 5 und Dt 20, 10 (hbr: קָרָא) und das zweite Wort nur Sir 42, 11. Im Griechischen sonst sind beide Wörter häufiger, und ἔκκλητος ist sogar terminus technicus im Zusammenhang mit der ἐκκλησία als der (politischen) Volksversammlung; vgl Xenoph Hist Graec II 4, 38, wo οἱ ἔκκλητοι die Mitglieder eines Volksausschusses sind, die in Sparta und in aristokratischen Staaten 15 die Stelle der ἐκκλησία vertreten; dazu Eur Or 949 und ἔκκλητος ὄχλος 612.

---

sehen von den wenigen Stücken der at.lichen Überlieferung, die unmittelbar aus der Tradition der Amphiktyonie selbst stammen, erst in dem priesterlichen Schrifttum wieder auftauchen ... קָהָל bezeichnet offenbar die Versammlung, עֵדָה das zu einer solchen Versammlung vereinigte Volk, das Ri 20, 2 mit einem anderen Ausdruck עַם הָאֱלֹהִים genannt wird auf Grund der Tatsache, daß das Band, das die einzelnen Stämme u ihre Angehörigen einigte, eben der gemeinsame Bundesgott u sein Kult waren." — Nach dem Abschluß des vorliegenden Artk hat auf Grund einer Einsichtnahme in die Druckfahnen L Rost folgende Zeilen zur Verfügung gestellt: „Als at.liche Wurzeln der ἐκκλησία pflegt man עֵדָה u קָהָל anzuführen. Doch gehört das erste zu den Vorstufen von συναγωγή, und nur das zweite ist hier zu behandeln. קָהָל (nomen, verwandt mit קוֹל, davon denominatives Hiph'il u Niph'al gebräuchlich) bedeutet an den ältesten Stellen das ,Aufgebot' des עַם, der ,Mannschaft' zu Beratung oder Kriegszug. So Gn 49, 6; Nu 22, 4. Nu 16, 33 scheint קָהָל die Volksgemeinde zu sein, u zwar in einem Sinn, der von Mi 2, 5 her Licht empfängt. Dort redet Mi vom קָהָל יְהוָֹה, einer ,Volksgesamtheit Jahwes', wobei Jahwe der zur Einheit Zusammenrufende ist. Genau so verwendet das Dt (23, 2 ff) קָהָל יְהוָֹה, wenn es Bedingungen für die Aufnahme Verstümmelter oder Fremdstämmiger aufstellt. Im Dt (5, 19; 9, 10; 10, 4; 18, 16) wird auch ersichtlich, wieso die Verbindung קָהָל יְהוָֹה berechtigt ist. Denn der קָהָל, der zuerst die Beziehung zwischen Jahwe und seinem Volk herstellte, ist die Sinaiversammlung, der Tag, an dem diese Zuordnung der beiden Größen, Jahwe u Israel, erfolgte, der יוֹם הַקָּהָל. Infolgedessen aber wird auch die feiernde Gemeinde bei der Tempelweihe Salomos als קָהָל bezeichnet (1 Kö 8, 14 ff) u

später die Versammlung am Laubhüttenfest des Jahres 444, auf der Esra das Gesetz vor Männern, Frauen und Kindern verlas. Sind es so besondere kultische Höhepunkte, an denen der קָהָל in Erscheinung tritt, so läuft daneben doch die alte profane Linie weiter. קָהָל ist das ,Aufgebot des Kriegsvolks'. So schon 1 S 17, 47, dann an allen echten u ergänzten Stellen im Ez-Buch (23, 24. 46 uä). Ein Aufgebot anderer Art ist die Einberufung einer außerordentlichen Volksversammlung, etwa Jer 26, 17; 44, 15, im ersten Fall ohne, im zweiten unter Beteiligung von Frauen u Kindern. Zusammenfassend wird man קָהָל definieren können als die bei außerordentlichen Anlässen aufgerufene Versammlung, sei es nur der Männer (Aufgebot im Krieg, Aufgebot zu einer plötzlich anberaumten Gerichtssitzung) oder aber des Gesamtvolks (so bes Esra). קָהָל als die durch Aufruf konstituierte Versammlung kann von da aus auch Bezeichnung für die zur Teilnahme Berechtigten werden, so Dt 23, 2 ff. Für die Weiterentwicklung des Begriffs zur nt.lichen ἐκκλησία kommt einmal die Tatsache in Frage, daß das Wort für die beim Bundesschluß am Sinai Beteiligten ebs wie für die unter Esra auf das Gesetz Neuverpflichteten verwendet wird. קָהָל erscheint so als Bezeichnung der Träger des Bundes u damit der göttlichen Verheißung. Zweitens aber ist von Wichtigkeit der Umstand, daß zum mindesten seit Esra (auch schon Jer 44, 15) zum קָהָל Frauen u Kinder hinzugehören. Damit aber bot sich für die christl Gemeinde, die grundsätzlich Frauen u Kinder als vollberechtigt aufnahm, dieses von der LXX mit ἐκκλησία wiedergegebene Wort an, während sich συναγωγή, die ihre Gültigkeit nur an die Anwesenheit u Betätigung von Männern knüpfte, zur Übernahme nicht empfahl. Vgl meine 1937 erscheinende Veröffentlichung: ,Die at.lichen Vorstufen von Kirche u Synagoge.' "

Ob etwa Paulus und andere griechisch schreibende Christen, wenn sie ἐκκλησία sagten, an die „Herausgerufene" gedacht haben, wissen wir nicht. Es ist nicht unmöglich, aber nicht wahrscheinlich. Aussagen wie Eph 5, 25 ff; 1 Tm 3, 15 oder Hb 12, 23 hätten Veranlassung geben können, auf das ἐκκαλεῖν aufmerksam zu machen[91]. Wer den wirklichen Sprachgebrauch erfassen will, darf niemals freibeuterisch und spielerisch etymologisieren, sondern muß dem usus und auch dem abusus eines Wortes nachgehen. Es gibt Theologen, die Wert darauf legen, daß „Sünde" als „Sonderung (sc: von Gott)" zu verstehen ist, was im Deutschen durchaus sinnvoll erscheint. Es gibt Philosophen, die „Zufall" als „Zu-Fall" in einem geradezu existentialphilosophischen Sinne verstehen, was auch im Deutschen recht gekünstelt erscheint. Im Grunde sind das mehr oder weniger pseudophilologische Betrachtungen, bei denen allerdings oft richtige Gedanken umgesetzt werden (das ist ja auch bei den oft absonderlichen Allegoresen des Paulus der Fall). Ἐκκλησία ist in der Tat die von Gott aus der Welt herausgerufene Menschenschar, auch wenn an das ἐξ nicht ausdrücklich gedacht ist; aber diese ist schon der קְהַל יְהוָה, obwohl dort von einem „aus" sprachlich nichts vorliegt.

Wieviel es auf die Geschichte eines Wortes mit seinem usus und abusus ankommt, ergibt sich bei ἐκκλησία aus folgender Erwägung: Wenn wir den biblischen Wort- und Begriffsgebrauch genau wiedergeben wollen, sollten wir überall „Versammlung (Gottes)" sagen. Daß wir das nicht können, liegt einmal daran, daß auf sprachlichem Gebiet durch eine sozusagen diktatorische Maßnahme nichts erreicht wird, vor allem aber auch daran, daß wir wegen des weiten Umfangs des Ausdrucks ἐκκλησία weder das Wort „Kirche" noch das Wort „Gemeinde" entbehren können (→ A 6). Beide Wörter haben Vorteil und Nachteil zugleich. „Kirche" hat den Vorteil der Betonung der Gesamtgemeinde im „großkirchlichen" Sinne und den Nachteil der Betonung des Katholisch-Hierarchischen. „Gemeinde" hat den Vorteil der Betonung der kleinen Gemeinschaft, die ja auch schon „Kirche" ist, und den Nachteil der Einzelgemeinde im kongregationalistischen oder gar schwärmerischen Sinne. An sich würde „Kirche" gerade wegen seiner Etymologie vorzuziehen sein: sie ist die zum Herrn gehörige

[91] Auf diese St weist mit Recht A Jehle in seinem kleinen Artk „ΕΚΚΛΗΣΙΑ, eine bescheidene Anfrage an die Exegeten", Evang Kirchenblatt f Württemberg 95 (1934) 78 hin, wie er überhaupt mit Recht die Fragwürdigkeit, wenn nicht gar die Belanglosigkeit der Etymologie von ἐκκλησία betont. Wenn er indes seine Betrachtung geschrieben haben will „in der Hoffnung, die entscheidende Antwort zu erhalten durch Prof Kittels Werk" (gemeint ist das vorliegende ThW), so muß festgestellt werden, daß diese Antwort in den neueren Arbeiten (Kattenbusch, KLSchmidt ua) schon gegeben ist. — Bezeichnend ist, daß die jetzt noch griechisch sprechenden Christen offenbar kein Bedürfnis haben, das von ihnen gebrauchte Wort ἐκκλησία in seiner geschichtlich gewordenen Prägung etymologisch zu erklären. PBratsiotis (ΠΜπρατσιώτης)-Athen schreibt dem Verf der vorliegenden Artk auf Anfrage hin: „Was den Wortgebrauch von ἐκκλησία im Neugriechischen anbetrifft. so kann ich Ihnen sagen, daß außer der spezifischen Bedeutung (ἐκκλησία eigentlich = ναός) das Wort heute alle Bedeutungen Ihres Wortes Kirche hat. Für Ihr Wort Gemeinde sagen wir entweder ἐκκλησία oder ἐνορία (eigentlich: Pfarrgemeinde). Eine neugriechische Arbeit über ἐκκλησία gibt es leider nicht, außer dem, was in unseren Handbüchern der Symbolik steht. Über den philologischen Sinn des Wortes findet man in diesen Handbüchern nichts Besonderes." — So wie die Israeliten mit קָהָל und die griechischen Christen mit ἐκκλησία an eine ursprünglich politische Beziehung angeknüpft haben, so geschieht das heute noch, wenn neugewonnene Christen außerhalb des christlichen Kulturbereichs von ihrer eigenen Sprache und Kultur her einen Ausdruck für ihren Christenstand suchen u finden. Aus einem Briefe von Missionar EPeyer-StGallen wird das an einem Beispiel deutlich: „Im Duala heißen die Christen *bona-Kristo*, dh Sippenleute des Christus. Das Wort *bona* bedeutet Familie, Verwandtschaft, Sippe. Für das Wort Gemeinde wurde *mwemba* gewählt. Dieses Wort bedeutet ursprünglich die Altersklasse derer, die zB im selben Jahr oder Halbjahr geboren sind. Gemeinsam haben diese in der Jugend u bes in der Pubertätszeit verschiedene Riten zu vollziehen. Es handelt sich also um einen abgegrenzten Kreis, in den nicht jedermann eingelassen wird."

Schar, das κυριακόν bzw die κυριακή. Doch anderseits ist gerade „Kirche" ein so belastetes Wort, daß wir mit ihm allein nicht durchkommen. Man möchte empfehlen, die „Versammlung (Gottes)" als „Kirchgemeinde" zu bezeichnen [92].

H. Apostolische Väter und Frühkatholizismus.

Sofort neben und nach den Schriften des NTs tritt bei 5 den Apostolischen Vätern und im Frühkatholizismus in der Erfassung der ἐκ-

[92] Bekannt ist Luthers Abneigung gegen das Wort „Kirche". Weniger bekannt ist, daß man im revidierten Text der Lutherbibel oder in einer entsprechenden Konkordanz das Wort „Kirche" vergebens sucht, daß dieses aber von Luther selbst in seiner Bibelübersetzung gebraucht wurde und zwar zumeist dann, wenn es sich im AT um — heidnische Heiligtümer handelt, während im NT „Kirche" nur in der Verbindung „Kirchweihe" J 10, 22 vorkommt (Übersetzung von τὰ ἐγκαίνια = Tempelweihfest, vgl 2 Makk 2, 9). Vgl dazu die schöne Zusammenstellung von WRotscheidt, Das Wort „Kirche" in Luthers Bibelübersetzung, Deutsches Pfarrerblatt 34 (1930) 506 f. Bei alledem war die Ableitung von κύριος nicht schlechthin sicher. Vgl RHildebrand im Deutschen Wörterbuch V 790 sv: „die herkunft ist viel bestritten, fremd ist es jedenfalls, zu uns gebracht mit dem christenthum. JGrimm gramm 3, 156 war für entstehung aus lat circus (wie schon JLipsius ua), das früh bei uns auftritt als chirih, chirch uä; sachlich sprach dafür eine glosse bei Kero ,ûzzana chirih foris oratorio‘, die ist aber berichtigt von HHattemer (sc: Denkmale des Mittelalters) 1 (1844) 94 in ûzzana chirihhûn." Mit diesem Hinweis auf circus, der von den Germanisten einhellig abgelehnt wird, mag zusammenhängen, daß KBarth, Credo (1935) 120 schreibt: „Ecclesia ist eine durch Aufruf zustande gekommene Versammlung. Das germanische Äquivalent Kirche, Kerk, church, ist nach meiner Meinung nicht, wie man gewöhnlich hört, eine verstümmelte Wiedergabe des griechischen Adjektivs κυριακή (ἐκκλησία), sondern es weist zurück auf jenen Stamm, dem zB auch die lateinischen Vokabeln circa, circum, circare, circulus usw angehören. Es bezeichnet also einen bestimmten und begrenzten und insofern hervorgehobenen Raum." Wie völlig unwesentlich für die Erklärung der Sache ein Etymologisieren ist, kann man sich daran verdeutlichen, daß für „Kirche" im Rätoromanischen baselgia, im Rumänischen biserică, im Albanischen bijeske gesagt wird, was von basilica — baugeschichtlich — herkommt (s WMeyer-Lübke, Roman Etymolog Wörterbuch [3] [1935] sv basilica; JJud, Zur Geschichte der bündner-roman Kirchensprache [1919] passim): also ohne eine gefüllte Etymologie doch eine gefüllte Sache! Ein etymologisches curiosum findet sich schließlich bei Luther im Großen Katechismus II 3 (JTMüller, Die symbol Bücher der ev-luth Kirche [1860] 457): „Also heißt das Wörtlin Kirche eigentlich nichts anders, denn eine gemeine Sammlung, und ist von der Art nicht deutsch, sondern griechisch (wie auch das Wort ecclesia), denn sie heißens auf ihre Sprache Kyria, wie mans auch lateinisch curiam nennet." Was also Tertullian (→ 520 A 40) als sachliche Erklärung gemeint hat, ist bei Luther eine Etymologie geworden. — Belehrt durch die neueren einschlägigen Deutschen Wörterbücher (FLKWeigand [5], neu bearb u hsgg HHirt [Bd I 1909], FKluge [11] bearb AGötze [1934], HPaul [4] hsgg KEuling [1935]) und durch WAltwegg-Basel u ADebrunner-Bern, habe ich mich an AGötze-Gießen als den kundigsten u zuverlässigsten Berater gewandt; er hat mir folgendes mitgeteilt: „Über ,Kirche‘ beginnen wir Germanisten etwas klarer zu sehen. Luthers Herleitung aus lat curia, offenbar ein Gedankengespinst von der Romreise, wie JGrimms Gedanke an lat circus sind abgetan. Im Ausgang kann allein gr κυρικόν ,Gotteshaus‘, Vulgärform des 4. Jhdt für älteres κυριακόν, stehen. Lat Lehnwörter des kirchlichen Bereichs zeigen (wie ,Papst‘ u ,Propst‘) unverschobene Verschlußlaute, dh sie waren um 600 auf deutschem Boden noch nicht vorhanden (,Kelch‘ ist mit dem Weinbau gekommen, ,Kreuz‘ hat z nicht durch Verschiebung, sondern aus lat crucem mit ts-Aussprache des zweiten c erhalten). ,Kirche‘ dagegen hat gemeindeutsch ch aus k (schweizerdeutsch chilch sogar noch das erste ch), war somit vor 600 schon auf unserm Boden, ist somit von einer früheren Missionswelle zu uns getragen worden als Worte wie ,Papst‘ udgl. Welche Welle das war, ist strittig. Kluges Ansicht (die ich in der 11. Aufl seines Etymolog Wörterbuchs [vollendet 1934, Artk Kirche aber schon 1931, S 301] dargestellt habe u die er in seinem heute noch lesenswerten Artikel ,Gotische Lehnworte im Althochdeutsch‘: Beiträge zur Geschichte der deutschen Sprache u Lit 35 [1909] 124 ff ausführlich begründet hat) wies auf gotisch kyrikō u eine frühe, gotisch-arianische Missionswelle, die den deutschen Südosten erreicht haben müßte, solange sich das Reich Theoderichs d Gr († 526) mit dem Herzogtum Bayern berührte. Daß damals arianische Glaubensboten eine Anzahl Kirchenwörter donauaufwärts u rheinabwärts getragen haben, gehört heute zum anerkannten Erkenntnisgut unserer Wissenschaft; ob ,Kirche‘ in diesen Kreis gehört, ist in Frage gestellt durch ThFrings, Germania Romana, in: Teuthonista, Ztschr f deutsche Dialektforschung und Sprachgeschichte, Beiheft 4 (1932) 24. 31. 37 f. 46. 50.

κλησία eine sehr bezeichnende Verschiebung ein[93]. Während im NT ἐκκλησία nirgends ein titelhaftes adjektives Prädikat hat, häufen sich darnach solche Prädikate. Und während im NT nur von Rändern der Spekulation über die Kirche gesprochen werden kann, dienen darnach verschiedene Prädikate einer 5 regelrechten Spekulation über die Kirche.

In der ältesten Literatur außerhalb des NTs kommt ἐκκλησία abgesehen vom Pastor Hermae nicht allzuoft vor. Dort ist sie ein Individuum, ein Einzelwesen, das der Verf in Gesprächen visionärer Art erlebt, die κυρία neben dem κύριος, geschmückt mit dem Prädikat ἁγία: v 1, 1, 6[94]; 1, 3, 4; 4, 1, 3. Die „Herrin", die 10 πρεσβυτέρα, wie sie ihrem Aussehen nach gekennzeichnet wird, wird als die μορφή eines „heiligen Geistes" beschrieben, der seinerseits identisch sei mit dem „Sohne Gottes". Der paulinische und deutero-paulinische Gedanke von der Kirche als dem ἓν σῶμα wird in der Bildersprache so gefaßt: πύργος ἐξ ἑνὸς λίθου γεγονώς s 9, 18, 3.

Der erste Clemensbrief hat nur 3 ἐκκλησία-Stellen. In der Einleitung wird 15 von der ἐκκλησία τοῦ θεοῦ ἡ παροικοῦσα ῾Ρώμην bzw Κόρινθον gesprochen. Das entspricht 1 Pt 1, 1 und Jk 1, 1 (→ 521, 5 ff). Durchaus nt.lich ist συνευδοκησάσης τῆς ἐκκλησίας πάσης 44, 3 und ἀρχαίαν Κορινθίων ἐκκλησίαν 47, 6.

Ignatius nennt die ἐκκλησίαι, an die er schreibt, einerseits nüchtern οὖσα ἐν ᾿Εφέσῳ usw, gibt ihnen aber anderseits sehr gewichtige Prädikate: ἀξιομακάριστος Eph 20 (vgl R); εὐλογημένη ἐν χάριτι θεοῦ κτλ Mg; ἁγία, ἐκλεκτὴ καὶ ἀξιόθεος Tr; ἠλεημένη ἐν μεγαλειότητι πατρός κτλ κτλ R (Ignatius kann sich hier gar nicht genug tun in der Häufung von solchen Ehrentiteln, von denen er etwa ein Dutzend bringt); ἡλεημένη καὶ ἡδρασμένη κτλ Phld; . . . πεπληρωμένη ἐν πίστει κτλ Sm. Es ist eine überschwängliche Sprache, mit der hier von der Kirche gesprochen wird. Manche Prädikate sind 25 dogmatisch-typisch, manche empirisch-individuell. Einige Prädikate passen nur auf die betreffende Gemeinde, andere sprengen diesen Rahmen. Eigentümlich ist es, wenn Eph 5, 1 gesprochen wird von den ἐνκεκραμένοι („zusammengemischt") αὐτῷ (sc τῷ ἐπισκόπῳ) ὡς ἡ ἐκκλησία ᾿Ιησοῦ Χριστῷ καὶ ὡς ᾿Ιησοῦς Χριστὸς τῷ πατρί, ἵνα πάντα ἐν ἑνότητι σύμφωνα ᾖ. Gott, Christus, die Kirche bilden eine Sachgröße für die Gläubigen. 30 Das ist im NT nicht anders. Darüber hinaus geht die Einbeziehung des monarchischen Bischofs. Sm 8, 2 tritt zum erstenmal das Prädikat καθολική auf, was vielleicht zunächst nur μία μόνη, una sola[95], was aber jedenfalls später οἰκουμενική, universalis, universa bedeutet. Die lateinische Kirchensprache hat wie ecclesia so auch catholica als Fremdwort beibehalten.

35 Polycarp begrüßt die Philipper, wie Clemens die Korinther, als ἐκκλησία παροικοῦσα, und ebenso bezeichnet sich im Mart Pol die Gemeinde von Smyrna und spricht zur Gemeinde in Philomelium καὶ πάσαις ταῖς κατὰ πάντα τόπον τῆς ἁγίας καὶ καθολικῆς ἐκκλησίας παροικίαις. Es gehört zur Würde der Selbstbeurteilung und zur Würde, die jede Gemeinde der anderen schuldet, daß sie einzig und heilig ist. Einerseits gehört 40 die Kirche zur Welt, in der sie (noch) lebt und zu der sie doch nicht gehört, anderseits gehört sie Gott[96].

In der Didache wird ἐκκλησία nur 4mal genannt: 4, 14; 9, 4; 10, 5; 11, 11. ἐν ἐκκλησίᾳ ἐξομολογήσῃ τὰ παραπτώματά σου 4, 14 erinnert an Mt 18, 17. Daß die Kirche jetzt noch zerstreut ist, aber συναχθήτω ἀπὸ τῶν περάτων τῆς γῆς εἰς τὴν σὴν 45 βασιλείαν 9, 4, ähnlich 10, 5, entspricht dem, was im NT über das Verhältnis von

---

120. Er nimmt für κυρικόν, das unter Einwirkung von *basilica* zum Fem geworden wäre, einen Wanderweg Marseille-Lyon-Trier an und stellt ‚Kirche' in eine Gruppe rheinischer Christenwörter, die er sonst gut begründet, ohne mir die Zugehörigkeit des nie belegten ‚Kirche' einleuchtend gemacht zu haben. Freilich ist auch gotisch *kyrikō* nicht belegt (weil Ulfila gestorben ist, bevor es aufkam), aber altslavisch *crukŭ* u russisch *cerkovĭ* können für sein Vorhandensein zeugen. So ist die Frage des Wegs noch unentschieden; WBetz, der Bearbeiter von ‚Kirche' in dem von mir hsgg u jetzt im Erscheinen begriffenen Trübnerschen Deutschen Wörterbuch, wird dazu Stellung nehmen müssen."

[93] Das statistisch Vollständigste und sachlich Beste findet sich darüber bei Katten-busch I 146ff im Anschluß an sein Werk: Das apostolische Symbol II (1900) 683 ff.

[94] Zu dem dort ausgesprochenen Gedanken, daß die Welt um der Kirche willen geschaffen sei, der dem jüdischen Gedanken, daß das Volk Israel der Zweck der Schöpfung sei, entspricht, s MDibelius, Der Hirt des Hermas (1923) zSt.

[95] So Kattenbusch I 148.

[96] Daß es wie im NT nicht gerade auf das Stichwort ἐκκλησία ankommt, zeigt Barn, wo von den Christen niemals als ἐκκλησία gesprochen ist, dagegen öfters als → λαός, nämlich dem Volke, das Gott seinem „geliebten Sohne anvertraut" hat, 5, 7; 7, 5. An anderen St wird vom ναὸς τοῦ θεοῦ 4, 11, bzw von der πόλις 16, 5 gesprochen.

„Kirche" und „Reich" gesagt ist. Schwer deutbar ist der Ausdruck μυστήριον κοσμικὸν ἐκκλησίας·11, 11. Zunächst erinnert das an Kol und Eph. Es scheint aber in der Did dann doch mehr vorzuliegen, und zwar in der Richtung auf eine esoterische Erkenntnis der Gläubigen.

Noch weiter vorgetrieben ist solche Esoterik im Bereich des μυστήριον im soge- 5 nannten z w e i t e n C l e m e n s b r i e f, wo 14, 1 die ἐκκλησία als ἡ πρώτη, ἡ πνευματική, ἡ πρὸ ἡλίου καὶ σελήνης ἐκτισμένη verstanden ist, was dann in den folgenden Versen im Anschluß an die Deutung von γραφή-Stellen bis ins einzelne ausgeführt wird.

Die Vorstellung von der präexistenten, auch der Synagoge vorausgehenden christlichen Kirche lehnt sich an paulinische (R 4, 9 ff; Gl 4, 21 ff) und deuteropaulinische 10 (Eph 1, 3 ff) Aussagen an und verdichtet sich dann bei den valentinianischen G n o - s t i k e r n zu der Spekulation vom Aeon der ἐκκλησία. In entsprechender Weise wird aus dem Bekenntnis, daß die Kirche ἄνωθεν sei, eine weitausholende Spekulation[97], mit der sich die Vertreter einer theologia gloriae, wenn sie sich um das Verständnis des Gegensatzes zwischen einer empirischen und einer ideellen Kirche bemühen, 15 trösten. Es kommt das Empfinden auf von der Doppelheit der ecclesia militans und ecclesia triumphans. Von solchen Spekulationen aus kommt dann eine eigentümliche Unklarheit in die Aussagen über die Kirche hinein. Das gilt für die g r i e c h i s c h e n und die l a t e i n i s c h e n Kirchenväter. Der Größte unter ihnen, A u g u s t i n , der mit seinem umfassenden Denken die Kirche in den Mittelpunkt des r ö m i s c h - 20 k a t h o l i s c h e n Denkens und Lebens gestellt hat, ist gerade derjenige, bei dem das Verhältnis zwischen empirischer und ideeller Kirche nicht geklärt ist. Sowenig sich eigentlich gnostische Spekulationen durchgesetzt haben, so sehr hält man doch die Spekulation in der Form des P l a t o n i s m u s fest, wenn dieser auch verschieden ausgewertet wird, je nachdem man die Kluft zwischen „Wirklichkeit und Idee" betont. 25 Der P r o t e s t a n t i s m u s mit seiner Trennung zwischen ecclesia visibilis und ecclesia invisibilis nimmt in seiner Weise an diesem nicht sachentsprechenden Platonismus teil.

J. Folgen und Folgerungen.

Wo, wann und wie beginnt der Katholizismus, der sich vom Urchristentum abhebt? Nirgends so greifbar wie in der Erfassung der ἐκ- 30 κλησία wird die Umschaltung deutlich. Im Bereich schon der urchristlichen Schriften außerhalb des nt.lichen Kanons hat sie sich vollzogen. Spekulationen bis hin zum Gnostischen wurden immer stärker. Ein latenter und oft auch akuter Platonismus spaltet die ἐκκλησία auf, die aber als corpus mixtum in solcher Weise nicht aufgespaltet werden darf. 35

Kirche ist niemals triumphans, sondern nur militans, dh pressa; ecclesia triumphans wäre die βασιλεία τοῦ θεοῦ und dann nicht mehr ἐκκλησία. Und diese ἐκκλησία als die Versammlung Gottes in Christus ist nicht einerseits ecclesia invisibilis und andererseits ecclesia visibilis. Die christliche Gemeinde, die als Einzelgemeinde die Gesamtgemeinde repräsentiert, ist genau so sichtbar, genau 40 so leiblich wie der christliche Mensch. Der Gemeinde sowohl wie dem Einzelnen ist δικαιοσύνη und ἁγιότης zugesprochen, ohne daß Gerechtigkeit (Rechtfertigung) und Heiligkeit (Heiligung) der ἐκκλησία und dem κλητός als Qualitäten eigneten. Wenn Luther — vor allem in der Polemik gegen Rom — zwischen unsichtbarer und sichtbarer Kirche geschieden hat, so hat er damit nicht 45 dem Platonismus seiner Nachfahren gehuldigt. Daß er in seiner Bibelübersetzung nicht von der Kirche, sondern von der Gemeinde der Heiligen als dem Volke (dem Haufen) Gottes, dem קָהָל יְהוָה gesprochen hat, besagt, daß die sichtbare ἐκκλησία der Gegenstand des Glaubens, aber keine eigentlich unsichtbare civitas Platonica ist. Dieser Rückgang Luthers zum AT ist paulinisch[98]. Das feste 50

---

[97] Gut Kattenbusch I 155: „Gewiß, von bestimmter Zeit an wurde der Gedanke, daß die Gemeinde ἄνωθεν sei, zur Spekulation, er war es nicht von vornherein . . ."

[98] Bezeichnend sind hier Eingeständnis u Schlußfolgerung von RSohm, Kirchenrecht II (1923) 135: „Das Urchr war zu der Erkenntnis der Unsichtbarkeit des Volkes Gottes

Bollwerk gegen alle losgelösten Spekulationen über die Kirche ist die nicht wegzuwischende Bedeutung der auch von Paulus anerkannten Urgemeinde[99].

Wie die Kirche des NT nicht erfaßt werden kann durch ein Ausspielen von Idee und Wirklichkeit, so kann sie auch nicht erfaßt werden durch ein Aus-
5 spielen von Kirche als Gesamtgemeinde und Gemeinde als Einzelgemeinde. Die sich hier einschiebenden praktisch-theologischen und soziologischen Fragen sind sekundär. Jede rechte urchristliche Einzelgemeinde ist genau so gut wie die jerusalemische Urgemeinde sofort die Darstellung der Gesamtgemeinde geworden. Daß allmählich viele Einzelgemeinden organisatorisch zusammengewachsen

noch nicht gelangt. Dadurch ist das Urchr katholisch geworden. Die Entdeckung Luthers aber, daß die Kirche unsichtbar sei, schloß die Aufhebung des Katholizismus in sich." Gegen diese falsche Sicht und dieses falsche Urteil halte man Kattenbusch II 351, nach dessen Urteil Paulus „noch jedem, der von der Kirche »gelehrt« hat, auch Luther, weit überlegen geblieben ist." — Zu der Kontroverse über „sichtbare" u „unsichtbare" Kirche vgl KLSchmidt, Kirchenleitung u Kirchenlehre im NT, in: Christentum u Wissenschaft 8 (1932) 241ff, bes 254ff gegen EFoerster, Kirche wider Kirche, ThR NF 4 (1932) 155f. Unter richtigem Verzicht auf die in den reformatorischen Kirchen weithin geläufige und verhängnisvoll gewordene Unterscheidung zwischen sichtbarer u unsichtbarer Kirche — für Luther selbst bedeutet die Gleichung ecclesia invisibilis = ecclesia (spiritualis) sola fide perceptibilis (älteste Stelle aus dem Jahre 1521, Weimarer Ausg VII 710) — bespricht der englische Kongregationalist CHDodd die ganze Kirchenfrage vom Urchristentum her in ihrer Beziehung auf die heutige(n) Kirche(n) in: Essays Congregational and Catholic (1931). Ganz anders JBöni, Der Kampf um die Kirche, Studien zum Kirchenbegriff des christl Altertums (1934) 130: „Wenn im NT von der Kirche die Rede ist, hat man den Eindruck, daß es sich nur um eine unsichtbare Kirche handelt." (Bönis 326 Seiten starkes Buch ist zZt die neueste u umfassendste exegetische u historische Behandlung des Kirchenbegriffs, uz aus der Feder eines schweizerischen früheren katholischen Priesters u jetzigen evangelischen Pfarrers, dem es weniger auf wissenschaftliche Weiterführung der Probleme angekommen ist als auf die Vorlegung eines Rechenschaftsberichts, der in Verbindung mit Jahre hindurch gesammelten Lesefrüchten die Entwicklung des Verf von einer traditionalistisch-konservativen zu einer modernistisch-liberalen Haltung aufzeigt.)

[99] Vgl ASchlatter, Die Kirche Jerusalems vom Jahre 70—130, in: BFTh 2 (1898) 90: „Am Sterben Israels starb auch die Urkirche, und ihr Sterben ward der Gesamtkirche zum Schaden; denn in die Lücke trat das sektenhafte Christentum, dort Mohammed, hier Bischof, Mönch und Papst." So merkwürdig zugespitzt das gesagt ist, so richtig ist es trotzdem. Richtig u wichtig ist es trotz EPeter-

son! Dieser schreibt aaO (→ A 2) 69 richtig: „Wer das Verhältnis der Kirche zur Synagoge nur noch als historisches und nicht als theologisches Problem sieht, kommt notwendigerweise zur Erneuerung des gnostischen Standpunktes, der das AT u den Messias ‚nach dem Fleische' zu eliminieren sucht. Insofern ist es kein Zufall, daß sich der ‚Historiker' Harnack theologisch zu dem ‚Gnostiker' Markion bekannt hat." Nicht geklärt ist aber die Sicht, mit der Peterson nicht als Historiker, sondern als Theologe sprechen will, wenn er meint: „In der ecclesia haben sie (sc die Kirchenväter) dagegen (sc im Unterschied zur Synagoge) das: ἐκκαλεῖν, die evocatio, das Herausrufen aus der Welt mit ihren natürlichen Ordnungen und natürlichen soziologischen Schöpfungen vernommen" (24f), und wenn er folgende Anmerkung formuliert: „Vgl auch CPassaglia, De ecclesia Christi, I (1853) p 10. — Ich halte diese patristische Deutung des Wortes ἐκκλησία, die im Dienste der Unterscheidung der Konstitutionsformen von Ekklesia und Synagoge steht, für sinnvoller als die modernen Feststellungen, daß in der LXX die Worte ἐκκλησία und συναγωγή promiscue gebraucht seien. Nicht ein Zitat, sondern die konkrete Situation, aus der heraus man spricht, entscheidet über die Bedeutung eines Wortes" (70). Die Verbindung zwischen AT u NT bedeutet mehr als ein bloßes — „Zitat". Und die Betonung der „konkreten Situation" läuft gegenüber der biblischen Theologie auf ein historisches als theologisches Sprechen hinaus. Seine drei Salzburger Vorlesungen über die Kirche aus Juden u Heiden hat Peterson in einem in der Schweiz gehaltenen Vortrag zusammengefaßt u ergänzt, in: Schweiz Rundschau Jan 1936, 875ff; es finden sich dort im Blick auf den Zusammenhang u das Gegenüber von Kirche u Synagoge förderliche, aber auch ungeklärte Erkenntnisse. Im NT jedenfalls fallen beide termini ἐκκλησία u συναγωγή nicht so auseinander, wie es Peterson sehen zu müssen meint. Die Kirchenväter, denen er folgt, bewußt die altchristliche u mittelalterliche Schriftauslegung bejahend, haben im Anschluß an R 9—11 das wahre (geistliche) u das falsche (fleischliche) Israel auf ἐκκλησία u συναγωγή verteilt, was sich schließlich konkret so herausgebildet hat, ohne daß im ganzen NT selbst diese Aufteilung vorgenommen werden könnte. → 521, 21ff.

sind, erweckt ja wohl den Eindruck einer Entwicklung vom Einzelnen zum Ganzen. Dieser Eindruck ist aber nicht maßgebend, sondern allein das Selbstverständnis der Gemeinde als der Repräsentation der Gesamtkirche. Von hier aus ist auch die viel behandelte und strittige Frage nach der sogenannten Entwicklung der Verfassung anzupacken. Von selbstverständlichen Verfassungs- 5 dingen sollte man nicht viel Wesens machen. Das NT zeigt wohl sehr deutlich, daß am Anfang mehr Pneumatikertum und Charismatikertum da gewesen ist als später und daß dann an deren Stelle die Presbyter und Bischöfe getreten sind. Schon die Art aber, wie Paulus über die χαρίσματα denkt und spricht, und vollends die Art, wie er die Verbindung mit der Urgemeinde festhält, zeigt, 10 daß von einer konstitutiv wesentlichen Verschiebung von einer „pneumatischen" zu einer „juristischen" Auffassung nicht gesprochen werden darf. Erst als die res iuris humani zu res iuris divini wurden, zu dessen Aufkommen und Durchbildung die „hohen" ἐκκλησία-Spekulationen viel beitrugen, wurde der Schritt vom Urchristentum zum Frühkatholizismus getan, ein Schritt, der, recht ver- 15 standen, die Kluft zwischen Protestantismus und Katholizismus kennzeichnet.

KLSchmidt

καλοδιδάσκαλος → II 162, 27 ff.

| καλός | → ἀγαθός, κακός, πονηρός

κατὰ τὴν ἀρχαίαν παροιμίαν τὸ καλὸν φίλον εἶναι Plat Lys 216 c [1]. Dieses alte, von Platon aufgegriffene griechische Sprichwort zeigt die Bedeutung des Begriffs καλός für das menschliche Leben.

A. Die Wortbedeutung von *καλός*. 30

καλός „gehört seinem Ursprung nach in eine Reihe mit dem altindischen *kalja-* = *gesund, kräftig, gerüstet, trefflich*. Es ist auf die sprachliche Beziehung zum altgermanischen *hœle* hingewiesen worden [2], was *Held, starker Mann* bedeutet, ein Sinn, der lebendig ist etwa in dem homerischen καλός τε μέγας τε [3]. Damit kommen wir zur Grundbedeutung von καλός als *a.* organisch *gesund, geeignet, tauglich, brauchbar*. 35 ZB καλὸς λιμήν Hom Od 6, 263, ein geeigneter Hafen; σῶμα καλόν »; πρὸς δρόμον πρὸς πάλην, Plat Hi I 295c; καλὴ γῆ gutes Land Mt 13, 8. 23. Es wird unter der Bedeutung *echt, gediegen* von Metall gebraucht χρυσός . . . καλός Theogn 1106, vgl auch

---

καλός. Lit → ἀγαθός und auch κακός. JJüthner, Kalokagathia, in: Charisteria Alois Rzach zum achtzigsten Geburtstag dargebracht (1930) 99 ff; WJaeger, Paideia I (1934); JJeremias, Die Salbungsgeschichte Mk 14, 3—9, ZNW 35 (1936) 75—82; Str-B IV 536 bis 610.
[1] Das Sprichwort findet sich Theogn 17: ὅττι καλόν, φίλον ἐστί · τὸ δ' οὐ καλὸν οὐ φίλον

ἐστί, ferner Eur Ba 881: ὅτι καλὸν φίλον ἀεί, Philo Agric 99: παντὶ τῷ σοφῷ τὸ καλὸν φίλον, ὃ καὶ πάντως ἐστὶ σωτήριον.
[2] FSpecht in Zeitschrift f vergleichende Sprachforschung 62 (1935) 258 A 1.
[3] Andere meinen, καλός gehöre zu gotisch *hails* (*heil, gesund*) und altsächsisch *hêl* (*ganz, vollständig*), doch wird das auch bestritten.

Xenoph Mem III 1, 9. *Fehlerfrei*: μαργαρῖται καλοί Mt 13, 45. ἐν καλῷ ist mit der Ergänzung τόπῳ der geeignete, rechte, bequeme Ort: κεῖσθαι τὴν Κέρκυραν ἐν καλῷ τοῦ Κορινθιακοῦ κόλπου Xenoph Hist Graec VI 2, 9, mit der Ergänzung χρόνῳ die rechte, gelegene Zeit: νῦν γὰρ ἐν καλῷ φρονεῖν Soph El 384. καλὰ ἱερά sind Opfer, denen
5 nichts fehlt, bei denen alles in Ordnung ist und die deshalb Glück verheißen, Xenoph An I 8, 15; οὐ γὰρ σφάγια γίνεται καλά Aesch Sept c Theb 379. *In Ordnung* und daher *glückhaft* ist die Bedeutung von καλός in einer Wendung wie ἀεὶ καλὸς πλοῦς ἐσθ' ὅταν φεύγῃς κακά, Soph Phil 641. Wenn eine Sache oder Person gesund, geordnet, tauglich ist, eignet ihr auch die Bezeichnung *b. schön* im Blick auf
10 die sinnliche Wahrnehmung. καλός ... δέμας schön an Gestalt Hom Od 17, 307; ἰδέᾳ καλός Pind Olymp 10, 103; καλοὶ τὰ σώματα Xenoph Mem II 6, 30. Der Gegensatz ist αἰσχρός: εἴθ'... αἴσχιον εἶδος ἀντὶ τοῦ καλοῦ ἔλαβον Eur Hel 263. In diesem Zusammenhang nimmt καλός die Bedeutungen *angenehm, reizend, lieblich* an. — *c.* Wenn das Wort nun auf die innere Haltung eines Menschen angewendet wird, bekommt es die Bedeutung
15 *sittlich gut*, zB: καλὸς γὰρ οὑμὸς βίοτος ὥστε θαυμάσαι, Soph El 393; ἐργμάτων ἀκτὶς καλῶν ἄσβεστος Pind Isthm 3 (4), 60 (43). Von Kritias ist die auf Haltung und Lebensweise des Menschen bezogene Mahnung überliefert: μηδὲν ἄγαν καιρῷ πάντα πρόσεστι καλά Fr 7 (II 315, 29 Diels). Bei Hom findet sich diese Bedeutung nur im Neutr: οὐ καλὸν ὑπέρβιον εὐχετάασθαι Hom Il 17, 19. Vgl καλόν τοι Il 9, 615: *es ist schön, es ziemt sich,*
20 *es steht wohl an.* Der Ausdruck καλόν ἐστι kommt in dieser Bedeutung zu allen Zeiten und im gesamten griechischen Sprachgebrauch häufig vor. ZB οὔτ' ἐμοὶ τοῦτ' ἔστιν οὔτε σοὶ καλόν Soph Phil 1304; καλόν μοι τοῦτο ποιούσῃ θανεῖν Soph Ant 72. In diesem Zusammenhang steht καλός in einer Reihe mit δίκαιος, ἴσος. Gegensatz ist sowohl αἰσχρός als auch πονηρός.
25 Für das griechische Denken ist der Begriff καλός verbunden mit τάξις und συμμετρία. Von den Pythagoreern ist der Satz überliefert: τὴν μὲν τάξιν καὶ τὴν συμμετρίαν ἀποφαίνομεν αὐτοῖς καλά, τὰ δὲ τούτων ἐναντία, τήν τε ἀταξίαν καὶ τὴν ἀσυμμετρίαν αἰσχρά (I 368, 28 ff Diels). Demokrit definiert das καλόν: καλὸν ἐν παντὶ τὸ ἴσον: ὑπερβολὴ δὲ καὶ ἔλλειψις οὔ μοι δοκέει Fr 102 (II 81, 1 f Diels). Als solches findet es sich nach
30 der Anschauung der Pythagoreer in der gesamten Welt: τὸ κάλλιστον καὶ ἄριστον μὴ ἐν ἀρχῇ εἶναι, διὰ τὸ καὶ τῶν φυτῶν καὶ τῶν ζῴων τὰς ἀρχὰς αἴτια μὲν εἶναι, τὸ δὲ καλὸν καὶ τέλειον ἐν τοῖς ἐκ τούτων (Aristot Met XII 7 p 1072 b 32). **Die drei von uns fest-gestellten Bedeutungen des Organisch-Gesunden, Geeigneten, Brauchbaren, sodann des in der Erscheinung Schönen und schließ-**
35 **lich des sittlich Guten werden also getragen von der umfassenden Bedeutung des** *Geordneten,* dessen also, was τάξις und συμμετρία hat. Grundbedeutung wie Entfaltung in drei, für uns heute getrennte und unterschiedene Gebiete geben dem griechischen καλός-Begriff eine einzigartige und klassische Bedeutung. Von dieser Grundlage aus konnte καλός eine so zentrale Bedeutung im Griechentum gewinnen. Der
40 Grieche meinte, wenn er von καλός redete, den Gesamtzustand des Gesunden, Heilen, Ganzen, Geordneten, sowohl in der äußeren Erscheinung wie in der inneren Haltung. Deshalb gehört dem Griechen das καλόν durchaus auch in die Welt des Göttlichen — τῷ μὲν θεῷ καλὰ πάντα καὶ ἀγαθὰ καὶ δίκαια Heraklit Fr 102 (I 98, 1 f Diels). Nur die Menschen haben freilich nach Demokrit Zugang zum καλόν, die dazu prädisponiert
45 sind: τὰ καλὰ γνωρίζουσι καὶ ζηλοῦσιν οἱ εὐφυέες πρὸς αὐτά Fr 56 (II 75, 6 f Diels), von ihnen gilt es: θείου νοῦ τὸ ἀεί τι διαλογίζεσθαι καλόν Fr 112 (II 82, 6 f Diels).

Das Substantivum τὸ καλόν, τὰ καλά richtet sich in seiner Bedeutung nach dem Adjektivum und bedeutet als das Geordnete, Ganze, Heile, das es zum Ausdruck bringt, 1. *das Gute, die Tugend,* 2. *das Schöne, die Schönheit.* Für letztere Bedeutung tritt
50 auch τὸ κάλλος ein. Auch das Substantivum ist in dem griechischen und hellenistischen Leben und Denken zu einem sehr bedeutungsvollen Begriff geworden.

B. καλὸς καὶ ἀγαθός.

Die Verbindung καλὸς καὶ ἀγαθός, die neben dieser Form noch in den Formen καλός τε καὶ ἀγαθός, καλὸς κἀγαθός und καλός τε κἀγαθός vor-
55 kommt und von der das Substantivum καλοκαγαθία herkommt [4], hat eine große Bedeutung für das griechische Leben.

1. Die Verbindung ist seit dem fünften Jahrhundert nachweisbar. Es sind zwei Bedeutungen klar erkennbar: eine politisch-gesellschaftliche und eine ethisch-geistige. Die letztere ist durch Sokrates veranlaßt. Um den Bedeutungsgehalt

---

[4] Vgl Jüthner 99 f.

zu erfassen, bedarf es einer Entfaltung der beiden Bestandteile. „Von den zwei Bestandteilen macht der zweite keinerlei Schwierigkeit. Die ἀγαθοί sind seit Homer
die durch ihre Tüchtigkeit (ἀρετή), Bildung und Gesittung, sowie ihren Besitz über
die Masse emporragende . . . Klasse der Besten, die Edelmenschen . . ." Was bedeutet nun in dieser Verbindung aber καλός? Jüthner, der dieser nicht ganz einfachen 5
Frage eine eingehende Untersuchung widmet, kommt für die älteste Zeit zu dem
Ergebnis, daß καλός „das Moment zum Ausdruck" bringt, „durch das sich der geborene
»gentleman« vom tüchtigen Bürger, der καλὸς κἀγαθός vom ἀγαθὸς πολίτης unterschied" [5].
Doch diese Bedeutung ist bald verschoben worden. Bedeutung und Bedeutungswandel
dieses Wortes erhellen am besten einige Beispiele. Zunächst ist καλός καὶ ἀγαθός ein 10
politischer Begriff, der rasch ins Gesellschaftliche abglitt. Thuc stellt die καλοὶ καὶ
ἀγαθοί als die vornehme Klasse der Bürger dem δῆμος gegenüber: τούς τε καλοὺς
κἀγαθοὺς ὀνομαζομένους οὐκ ἐλάσσω . . . σφίσι πράγματα παρέξειν τοῦ δήμου, VIII 48, 6.
Ebenso ist der Tatbestand, den die politischen Komödien des Aristophanes zeigen:
τῶν πολιτῶν οἱ καλοί τε κἀγαθοί Aristoph Eq 227. Aus 186 ff geht dabei hervor, daß 15
den καλοὶ κἀγαθοί musische Elementarbildung und ehrsame Charakterhaltung eignen
soll. Vgl besonders Ra 727 ff: τῶν πολιτῶν θ᾽οὓς μὲν ἴσμεν εὐγενεῖς καὶ σώφρονας ἄνδρας
ὄντας καὶ δικαίους καὶ καλούς τε κἀγαθοὺς καὶ τραφέντας ἐν παλαίστραις καὶ χοροῖς καὶ
μουσικῇ προσελοῦμεν, τοῖς δὲ χαλκοῖς καὶ ξένοις καὶ πυρρίαις καὶ πονηροῖς κἀκ πονηρῶν
εἰς ἅπαντα χρώμεθα. Hier ist ganz deutlich, daß sich nun mit dem soziologisch hervor- 20
gehobenen Stand zugleich ein bestimmter qualitativer Vorzug verbunden hat, ein
qualitativer Vorzug, der allerdings nur dem Zugehörigen des soziologischen Standes
eignet. Aristokratisch-politischer Führungsvorzug und charakterlich-bildungsmäßiger
Wertvorzug sind zusammengefügt. Bei Xenoph ist zunächst die politisch-soziologische
Bedeutung noch eindeutig vorhanden, zB ὁ δὲ Θηραμένης ἀντέκοπτε λέγων, ὅτι οὐκ 25
εἰκὸς εἴη θανατοῦν, εἴ τις ἐτιμᾶτο ὑπὸ τοῦ δήμου, τοὺς δὲ καλοὺς κἀγαθοὺς μηδὲν κακὸν
εἰργάζετο, Hist Graec II 3, 15. Cyrop IV 3, 23 — οὐδεὶς ἂν τῶν καλῶν κἀγαθῶν ἑκὼν ὀφθείη
Περσῶν οὐδαμῇ πεζὸς ἰών — ist der Ausdruck für die vornehme Klasse auch bei
Nichtgriechen verwendet.

2. Nun zeigt aber gerade Xenophon, wie es zu dem Bedeutungs- 30
wandel vom Politisch-Gesellschaftlichen zum Geistig-Ethischen in diesem Begriff gekommen ist, durch den καλὸς κἀγαθός zum Ausdruck griechischen Lebensideals wurde. Oec
6, 12 ff berichtet Xenophon, wie Sokrates, auf den der Begriffswandel zurückgeführt
werden muß, dem Gehalt des καλὸς κἀγαθός nachgeht. Auf der Suche nach einem καλὸς
κἀγαθός stellt er fest, daß äußere Schönheit nicht das Erkennungszeichen eines καλὸς 35
κἀγαθός ist. Da begegnet er schließlich einem Mann, der von seiner Umgebung καλὸς
κἀγαθός genannt wird: es ist der Landmann Ischomachos, der in jeder Hinsicht ein
tüchtiger Landwirt ist, eine ordentliche Familie hat und seine Pflichten gegen die
Polis erfüllt. Dabei wird deutlich, daß es durch rechte Lehre und Unterweisung möglich ist, ein καλὸς κἀγαθός zu werden. Während nun der καλὸς κἀγαθός, dem Sokrates 40
begegnet, seine Bezeichnung aus seiner Tüchtigkeit und der damit gewonnenen gesell-
schaftlichen Stellung hat, sieht Sokrates das Wesen der καλοκαγαθία, in der er die
Menschen unterrichten will, in der δικαιοσύνη (Sym 3, 4). Xenophon bezeichnet
Sokrates, der nicht zur politisch und gesellschaftlich führenden Schicht gehört, als
καλὸς κἀγαθός: οἶδα δὲ καὶ Σωκράτη δεικνύντα τοῖς συνοῦσιν ἑαυτὸν καλὸν κἀγαθὸν ὄντα 45
καὶ διαλεγόμενον κάλλιστα περὶ ἀρετῆς καὶ τῶν ἄλλων ἀνθρωπίνων, Mem I 2, 17. Mem I
1, 16 werden die ἀνθρώπινα geschildert, die einer lernen muß, um καλὸς κἀγαθός und
nicht πονηρός, was von Anfang an Gegensatz zu καλὸς κἀγαθός ist und auch seine
Wandlung durchmacht (→ πονηρός), zu werden. Von Sokrates wird der Schüler, der
καλὸς κἀγαθός werden will (Mem I 2, 7), unterrichtet in dem, was „fromm und gottlos, 50
schön und häßlich, gerecht und ungerecht, was Mäßigung und Tollheit, Tapferkeit
und Feigheit, was ein Staat und ein Staatsmann, was Herrschaft über Menschen
und die Befähigung dazu sei und andere Dinge, deren Kenntnis seiner Ansicht nach
die Menschen zur Führung des Namens καλοὶ κἀγαθοί berechtigte" [6]. Die καλοκαγαθία
des inneren Menschen spiegelt sich im Äußeren mit der Zeit wider: Freude hat man 55
mehr am Anblick der Menschen, δι᾽ ὧν τὰ καλά τε κἀγαθὰ καὶ ἀγαπητὰ ἤθη φαίνεται, ἢ
δι᾽ ὧν τὰ αἰσχρά τε καὶ πονηρὰ καὶ μισητά (Mem III 10, 5). Die καλὰ κἀγαθά sind die
Werke und Eigenschaften der καλοὶ κἀγαθοί (vgl Mem I 2, 23; 5, 1). So ist nach Sokrates der καλὸς κἀγαθός ein Mann, der fromm und gerecht, weise und verständig,
mäßig und tüchtig in seiner Tätigkeit ist, dessen Lebenshaltung nach jeder Hinsicht 60
in Ordnung ist. Durch Sokrates ist das ganze folgende griechische Denken bestimmt.
Die καλοκαγαθία hat ihren Inhalt in der δικαιοσύνη, ist eine Angelegenheit der παιδεία
geworden — als Sokrates über die Glückseligkeit des Perserkönigs, deren Voraussetzung die καλοκαγαθία ist, sich äußern soll, fragt er nach seiner παιδεία und δικαιοσύνη

---

[5] Jüthner 113, 119.   [6] Ebd 104.

Plat Gorg 470 e — und ist als Lebensideal zugleich Erziehungsideal. In der καλοκαγαθία allein ist die Glückseligkeit gegeben: τὸν μὲν γὰρ καλὸν κἀγαθὸν ἄνδρα καὶ
γυναῖκα εὐδαίμονα εἶναί φημι, τὸν δὲ ἄδικον καὶ πονηρὸν ἄθλιον ebd. In den politischen Schriften des Plato wird deutlich, daß die καλοὶ κἀγαθοί „die körperlich und
geistig gebildeten, auf sittlicher Höhe stehenden Menschen . . . auch die einzig
wahren Staatsmänner sind“ [7]. (Vgl Resp III 425 d; Gorg 518a—c.) Innerlich, von Ethos
und Charakter her gefüllt, biegt also der Begriff ins Politische zurück. Bei Aristoteles
finden sich neben und in der alten politischen Verwendung des Begriffes (zB Pol II
9 p 1270 b 23 f 1271 a) eingehende Untersuchungen über das Wesen eines καλὸς κἀγαθός
(Eth M II 9 p 1207 b 20 ff; Eth Eud VII 15 p 1248 b 8 ff) [8], das er in der sittlichen
Vollkommenheit erblickt, in der die Glückseligkeit eingeschlossen ist: ἔστιν οὖν καλοκαγαθία ἀρετὴ τέλειος Eth Eud VII 15 p 1249 a 16.

3. Die philosophische Besinnung und Formung des Begriffs wirkt
nun in die politische Welt zurück, wie an den Rednern zu erkennen ist. So hält
Isäus die καλοὶ κἀγαθοί, die vor Gericht als Zeugen auftreten, nicht nur für die γνω-
ριμώτατοι, sondern auch für die ἐπιεικέστατοι τῶν πολιτῶν (3, 20). Isokrates hält für
ein Wesensmerkmal des καλὸς κἀγαθός: τὴν δὲ δικαιοσύνην καὶ σωφροσύνην ἴδια κτήματα
τῶν καλῶν κἀγαθῶν ὄντα, 3, 43 (vgl 13, 6; 12, 183). Bei Demosthenes ist der καλὸς
κἀγαθός „der ideale Politiker, der nicht seine Privatinteressen, nicht seine persönlichen Feindschaften, sondern nur das Wohl des Staates im Auge hat“ [9] (18, 278). Auch
für den Gegner des Demosthenes, Äschines, ist die καλοκαγαθία ein ethischer Begriff
(1, 30 f). Aus alledem geht der Einfluß des philosophischen Denkens auf das politische
Leben hervor und die wechselseitige Beziehung zwischen Leben und Denken einerseits, wie wir sie bei Sokrates erkannten, und Denken und Leben andrerseits, wie
sie uns an den Rednern deutlich wird [10].

4. In späterer Zeit erstarrt das Begriffspaar, aber die durch Sokrates und Plato herausgearbeiteten Grundlinien bleiben bestehen. Für Epiktet sind
die καλοὶ κἀγαθοί die Philosophen, von denen es heißt: ὕλη τοῦ καλοῦ καὶ ἀγαθοῦ τὸ
ἴδιον ἡγεμονικόν, . . . ἔργον δὲ καλοῦ καὶ ἀγαθοῦ τὸ χρῆσθαι ταῖς φαντασίαις κατὰ φύσιν
Epict Diss III 3, 1. Der Unterricht, den einer empfängt, der καλὸς κἀγαθός werden
will, also den der Philosophenschüler empfängt, erstreckt sich auf das Verhältnis von
Begierde und Entsagung, von Trieb und Abneigung, über die Pflicht, über Erkenntnis
und Urteil in sittlichen Fragen (III 3, 2). Der καλὸς κἀγαθός ordnet sich nach Epiktets
Anschauung nach Wille und Gedanken dem Willen der Gottheit ein (III 24, 95).
Philo urteilt wie die alte Philosophie: τὸ μέγιστον καὶ τιμιώτατον τῶν ἐν τῇ φύσει,
καλοκαγαθία Virt 117 [11].

C. καλός und τὸ καλόν im Griechentum und im Hellenismus.

1. Seine bedeutendste und charakteristischste Prägung
hat der Begriff καλός und τὸ καλόν im Griechentum in einer bis zum Ausgang
in Plotin bestimmenden Weise durch Plato erhalten. Bei ihm steht das καλόν
im engsten Zusammenhang mit der Idee des ἀγαθόν (→ I 10, 35 ff), der Zentralidee, die mit dem Göttlichen [12] in eins gesetzt wird. Diese Zentralidee des
Guten war ja aus κάλλος, ξυμμετρία und ἀλήθεια (Phileb 65 a) zusammengesetzt
und ist πάντων . . . καλῶν αἰτία (Resp VII 517 c). Das καλόν ist aber nicht nur
ein Ausfluß des Guten, sondern eine andere Seite des Guten und kann deshalb
mit dem ἀγαθόν identifiziert werden. Es ist die Form des ἀγαθόν, das im καλόν

---

[7] Ebd 106.

[8] HvArnim, Das Ethische in Aristot Topik
(Sitzungsber Akad Wien phil-hist Kl 205, 4
[1927]) 100 ff.

[9] Jüthner 110.

[10] Dieselbe Auswirkung zeigt sich in Inschriften, wo die καλοκαγαθία als Ehrung verwendet wird, zB: . . . ἀξίους αὐτοὺς κατεσκεύ-
ακαν τῆς τε ἰδίας καλοκαγαθίας καὶ τῆς τῶν
προγόνων ἀρετῆς IG IX 2, 1108 Z 13; ὁ δῆμος
Μοσχίωνα Κυδίμου ἀρετῆς ἕνεκεν καὶ εὐνοίας καὶ
καλοκαγαθίας καὶ φιλοδοξίας τῆς εἰς ἑαυτὸν καὶ

εὐσεβείας τῆς εἰς τοὺς θεούς Inschr Priene
108 S 90 Z 326. Vgl Jüthner 111 f.

[11] In römischer Zeit ist καλὸς κἀγαθός zum
schmückenden Beiwort und geradezu zum
Titel geworden, zB: ἄνδρες καλοὶ κἀγαθοὶ καὶ
φίλοι παρὰ δήμου καλοῦ κἀγαθοῦ καὶ φίλου συμ-
μάχου IG IX 2, 89, 16. Vgl Jüthner 113.

[12] Vgl zu den unter → ἀγαθός gegebenen
Stellen noch besonders CRitter, Platons Gedanken über Gott und das Verhältnis der
Welt und der Menschen zu ihm ARW 19
(1916—19) über die Idee des Guten 260 ff. 467 ff

seine Gestalt erhält. πᾶν δὴ τὸ ἀγαθὸν καλόν, τὸ δὲ καλὸν οὐκ ἄμετρον · καὶ ζῷον οὖν τὸ τοιοῦτον ἐσόμενον σύμμετρον θετέον Tim 87 c. Es wird die bewegende Kraft des griechischen Geistes, für den in seltener Harmonie das höchste geistige Erkennen eine Schau ist hinaus auf die Weite und Mannigfaltigkeit des καλόν, und es ist der ewige Antrieb des griechischen Selbstvollendungsstrebens. 5 Die Begründung der παιδεία erfolgt bei Plato durch den Hunger der Seele nach dem καλόν, in dem Streben der Seele nach einem höheren Bilde der Menschen, dadurch, daß er sich zu dem καλόν hinanziehen läßt als zu dem Vorbildhaften. Klassisch ist dies formuliert in dem Gebet des Sokrates: δοίητέ μοι καλῷ γενέσθαι τἄνδοθεν Phaedr 279 b/c [13] und in dem περιποιεῖσθαι ἑαυτῷ τὸ καλόν des Aristo- 10 teles: Eth Nic IX 8 p 1168 b 27.

 Einzelne Belegstellen können das verdeutlichen. Als Form des Guten offenbart sich das καλόν in der gewordenen Welt, und zwar deshalb, weil sie nach der ewigen und unsichtbaren Idee des καλόν, der Form des ewig Seienden und Guten, gestaltet ist: εἰ μὲν δὴ καλός ἐστιν ὅδε ὁ κόσμος ὅ τε δημιουργὸς ἀγαθός, δῆλον ὡς πρὸς τὸ ἀΐδιον 15 ἔβλεπεν ... ὁ μὲν γὰρ κάλλιστος τῶν γεγονότων, ὁ δ᾽ ἄριστος τῶν αἰτίων. οὕτω δὴ γεγενημένος πρὸς τὸ λόγῳ καὶ φρονήσει περιληπτὸν καὶ κατὰ ταὐτὰ ἔχον δεδημιούργηται Tim 29 a (vgl 30 bc). Der Mensch ist imstande, das καλόν wahrzunehmen, weil er es in dem der Einkörperung vorhergehenden Stadium unverhüllt geschaut hat: κάλλος δὲ τότ᾽ ἦν ἰδεῖν λαμπρόν, ὅτε σὺν εὐδαίμονι χορῷ μακαρίαν ὄψιν τε καὶ θέαν ... εἴδόν τε καὶ ἐτε- 20 λοῦντο τῶν τελετῶν ἣν θέμις λέγειν μακαριωτάτην Phaedr 250 b c. Die Fähigkeit des Menschen, in der gewordenen Welt das καλόν wahrzunehmen, ist der ἔρως. Ἔρως δ᾽ ἐστὶν ἔρως περὶ τὸ καλόν Symp 204 b. In der berühmten Diotimarede im Gastmahle zeigt Sokrates, wie der Mensch zum Erlebnis des καλόν durch den ἔρως kommt [14], ein Erlebnis, das sowohl in einem μάθημα wie in einem ἰδεῖν besteht: ... ἀρχόμενον ἀπὸ τῶνδε 25 τῶν καλῶν ἐκείνου ἕνεκα τοῦ καλοῦ ἀεὶ ἐπανιέναι, ὥσπερ ἐπαναβασμοῖς χρώμενον, ἀπὸ ἑνὸς ἐπὶ δύο καὶ ἀπὸ δυοῖν ἐπὶ πάντα τὰ καλὰ σώματα, καὶ ἀπὸ τῶν καλῶν σωμάτων ἐπὶ τὰ καλὰ ἐπιτηδεύματα, καὶ ἀπὸ τῶν ἐπιτηδευμάτων ἐπὶ τὰ καλὰ μαθήματα, καὶ ἀπὸ τῶν μαθημάτων ἐπ᾽ ἐκεῖνο τὸ μάθημα τελευτῆσαι, ὅ ἐστιν οὐκ ἄλλου ἢ αὐτοῦ ἐκείνου τοῦ καλοῦ μάθημα, καὶ γνῷ αὐτὸ τελευτῶν ὅ ἐστι καλόν ... τί δῆτα ... οἰόμεθα, εἴ τῳ γένοιτο 30 αὐτὸ τὸ καλὸν ἰδεῖν εἰλικρινές, καθαρόν, ἄμεικτον, ἀλλὰ μὴ ἀνάπλεων σαρκῶν τε ἀνθρωπίνων καὶ χρωμάτων καὶ ἄλλης πολλῆς φλυαρίας θνητῆς, ἀλλ᾽ αὐτὸ τὸ θεῖον καλὸν δύναιτο μονοειδὲς κατιδεῖν; Symp 211 c d e. Aus diesem Wissen um das καλόν und aus der Schau des καλόν, wozu der ἔρως über die Liebe zum Menschen hinwegführt, wird dem Menschen Tugend und Unsterblichkeit: ἄρ᾽ οἴει ... ὁρῶντι ᾧ ὁρατὸν τὸ καλόν, 35 τίκτειν οὐκ εἴδωλα ἀρετῆς, ἅτε οὐκ εἰδώλου ἐφαπτομένῳ, ἀλλὰ ἀληθῆ, ἅτε τοῦ ἀληθοῦς ἐφαπτομένῳ· τεκόντι δὲ ἀρετὴν ἀληθῆ καὶ θρεψαμένῳ ὑπάρχει θεοφιλεῖ γενέσθαι, καὶ εἴπερ τῳ ἄλλῳ ἀνθρώπων; ἀθανάτῳ καὶ ἐκείνῳ Symp 212 a. Ein solcher Mensch ist καλὸς κἀγαθός, weil er die Tüchtigkeit der Tugend besitzt, vermöge deren er sich bei dem Bemühen um das Schöne auf nichts anderes einstellt als auf das καλόν bzw ἀγαθόν 40 (vgl Resp III 401 e). Das καλόν ist zugleich der Gegenstand der Kunst. In ihr vergegenständlicht sich das Schöne auf folgende Weise: τὰ μὲν ἀρετῆς ἐχόμενα ψυχῆς ἢ σώματος, εἴτε αὐτῆς εἴτε τινὸς εἰκόνος σύμπαντα σχήματά τε καὶ μέλη καλά Leg 655 b.

Wir stehen bei der Frage nach dem καλόν an einem Zentralpunkt und Höhepunkt platonischer Philosophie und damit des griechischen, ja des menschlichen 45 Denkens überhaupt: das καλόν, das als ewige Idee dem Reiche des Göttlichen zugehört, ist das, was als Form des Guten Gottheit, Welt, Menschen zusammenfaßt zu einer idealen Einheit und was in das menschliche Dasein in Kunst und Tugend Sinn, Gemeinschaft und Ewigkeit hineinbringt.

 2. Aristoteles scheidet beim καλόν zwischen τὸ ἡδύ — dem 50 natürlich Schönen, das in das καλόν ἐν τοῖς τῆς φύσεως ἔργοις ἢ ἐν τοῖς τῆς τέχνης zerfällt (Part An I 1 p 639 b 20) und τὸ καθ᾽ αὑτὸ αἱρετόν — dem sittlich Schönen (Rhet I 7 p 1364 b 27 f). In jeder Hinsicht ist das Schöne näher bestimmt durch τάξις καὶ συμμετρία καὶ τὸ ὡρισμένον, was er die μέγιστα εἴδη τοῦ καλοῦ nennt (Metaph XIII 3 p 1078 a 36 f). Vom ἀγαθόν unterscheidet er es: τὸ ἀγαθὸν καὶ τὸ καλὸν ἕτερον (τὸ μὲν γὰρ 55

---

[13] Ritter 492.

[14] Zum Erlebnis des Eros im Anblick des καλόν vgl bes Plat Phaedr 249 ff.

ἀεὶ ἐν πράξει, τὸ δὲ καλὸν καὶ ἐν τοῖς ἀκινήτοις) Metaph XIII 3 p 1078 a 31 f, eine Unterscheidung, die durch die Ablehnung der platonischen Ideenlehre bedingt ist (→ ἀγαθός).
Diese Unterscheidung wird weiter deutlich in der Aussage: τὸ μὲν γὰρ συμφέρον αὐτῷ
ἀγαθόν ἐστι, τὸ δὲ καλὸν ἁπλῶς Rhet II 13 p 1389 b 37 f. Das καλόν ist ihm das Gute
schlechthin [15]. Ausführlicher redet er nun über das καλόν als τὸ καθ' αὑτὸ αἱρετόν.
Das καλόν ist das τέλος τῆς ἀρετῆς Eth Nic III 10 p 1115 b 12. Seine Realisierung
erfährt es in der καλοκαγαθία, der ἀρετὴ τέλειος (Eth Eud VII 15 p 1249 a 16). Die
καλοκαγαθία wird nun auf folgende Weise bestimmt und abgegrenzt: κυλὸς δὲ κἄγαθὸς
τῷ τῶν ἀγαθῶν τὰ καλὰ ὑπάρχειν αὐτῷ δι' αὐτά, καὶ τῷ πρακτικὸς εἶναι τῶν καλῶν καὶ
αὐτῶν ἕνεκα. καλὰ δ' ἐστὶν αἵ τε ἀρεταὶ καὶ τὰ ἔργα τὰ ἀπὸ τῆς ἀρετῆς . . . ὁ δ'
οἰόμενος τὰς ἀρετὰς ἔχειν δεῖν ἕνεκα τῶν ἐκτὸς ἀγαθῶν κατὰ τὸ συμβεβηκὸς καλὰ πράττει
Eth Eud VII 15 p 1248 b 34 ff, 1249 a 14 f. Die platonische Zusammenschau ist, nachdem die Idee des Guten zerschlagen ist, nicht erreicht. An die vorplatonischen Gedanken ist angeknüpft und die sittliche Seite des καλόν in erster Linie ins Auge gefaßt. Der Begriff hat seine feste ethische Prägung bekommen. In den aristotelischen
Bahnen geht die Stoa. Diogenes Laertius stellt die stoischen Anschauungen zusammen:
καλὸν δὲ λέγουσι τὸ τέλειον ἀγαθόν . . . ἢ τὸ τελείως σύμμετρον. εἴδη δὲ εἶναι τοῦ καλοῦ
τέτταρα, δίκαιον, ἀνδρεῖον, κόσμιον, ἐπιστημονικόν· ἐν γὰρ τοῖσδε τὰς καλὰς πράξεις συντε-
λεῖσθαι . . . λέγεσθαι δὲ τὸ καλὸν μοναχῶς μὲν τὸ ἐπαινετοὺς παρεχόμενον τοὺς ἔχοντας
ἀγαθὸν ἐπαίνου ἄξιον· ἑτέρως δὲ τὸ εὖ πεφυκέναι πρὸς τὸ ἴδιον ἔργον. ἄλλως δὲ τὸ
ἐπικοσμοῦν, ὅταν λέγωμεν μόνον τὸν σοφὸν ἀγαθὸν καὶ καλὸν εἶναι VII 100. Das καλόν
ist durchaus eine ethische Größe [16]. Die gelegentliche Durchbrechung, die in der Anschauung zum Ausdruck kommt: φύσει τοῦτο (sc: τὸ καλόν) αἱρετόν ἐστι καὶ ἀπὸ τῶν
ἀλόγων ζῴων (Sext Emp Math XI 99), wird abgewehrt durch die Erkenntnis οὐ γὰρ
φύσει, μαθήσει δὲ οἱ καλοὶ κἄγαθοὶ γίνονται Cl Al Strom I 6, 34, 1. In dieser ethischen
Auffassung bekommt der Begriff die Bedeutung des *Tüchtigen, Ordentlichen, Rechtmäßigen*
und wird zum Maß des Lebens: οὐδὲ ὁ πλεῖστα κιθαρῳδήσας, ἢ ῥητορεύσας, ἢ κυβερνήσας,
ἀλλ' ὁ καλῶς ἐπαινεῖται. Τὸ γὰρ καλὸν οὐκ ἐν μήκει χρόνου θετέον, ἀλλ' ἐν ἀρετῇ καὶ τῇ
καιρίῳ συμμετρίᾳ· τοῦτο γὰρ εὔδαιμον καὶ θεοφιλὲς εἶναι νενόμισται . . . Μέτρον γὰρ τοῦ
βίου τὸ καλόν, οὐ τὸ τοῦ χρόνου μῆκος Plut Cons ad Apoll 17 (II 111 a b d).

3. Der religiöse Charakter, den das καλόν in der Ideenlehre
Platos hatte, kehrt in der späteren hellenistischen Philosophie wieder. Philo, der
einerseits die stoischen Motive aufnimmt [17], gibt andererseits, durch das AT wie durch
den religiösen Hellenismus und Plato bestimmt, dem καλόν religiöse Bedeutung. In
der Schau tritt ihm das Göttliche entgegen: τὸ ἀγένητον καὶ θεῖον ὁρᾶν . . . τὸ πρῶτον
ἀγαθὸν καὶ καλὸν καὶ εὔδαιμον καὶ μακάριον . . . τὸ κρεῖττον μὲν ἀγαθοῦ, κάλλιον δὲ
καλοῦ . . . Leg Gaj 5. Das Göttliche ist schlechthin das καλόν: οὐδὲν γάρ ἐστι τῶν
καλῶν, ὃ μὴ θεοῦ τε καὶ θεῖον Sacr AC 63. Mit diesem göttlichen καλόν steht die Welt in
Verbindung: ὁ θεὸς . . . τὸ ἴδιον μεταδεδωκὼς ἅπασι τοῖς ἐν μέρει τῆς τοῦ καλοῦ
πηγῆς, ἑαυτοῦ· τὰ γὰρ ἐν κόσμῳ καλὰ οὔποτ' ἂν ἐγεγένητο τοιαῦτα, μὴ πρὸς ἀρχέτυπον
τὸ πρὸς ἀλήθειαν καλὸν τὸ ἀγένητον καὶ μακάριον καὶ ἄφθαρτον ἀπεικονισθέντα Cher 86.
Der Weg zum Schönen ist dreifach: . . . τὸν μὲν ἐκ διδασκαλίας (Abraham), τὸν δ' ἐκ
φύσεως (Isaak), τὸν δ' ἐξ ἀσκήσεως (Jakob) ἐφιέμενον τοῦ καλοῦ Abr 52. Auf ihm ist
nötig ἀποστρέφεσθαι τὰ θνητά, ἐπιστρέφειν πρὸς τὸν ἄφθαρτον Poster C 135, ἀδιάστατος
περὶ τοῦ θεοῦ μνήμη καὶ ἡ κατάκλησις τῆς ἀπ' αὐτοῦ συμμαχίας (zum unaufhörlichen
Kampf des Lebens), was genannt wird τοῦ μεγέθους καὶ πλήθους τῶν καλῶν ἀρχὴ καὶ
τέλος (Migr Abr 56). Wer auf diese Weise zum καλόν strebt und es im sittlichen
Handeln realisiert, gehört zu den Söhnen Gottes Spec Leg I 318.

4. Den Abschluß der griechisch-hellenistischen Entwicklung
bildet Plotin. In seinen Enneaden redet er περὶ τοῦ καλοῦ (I 6) und erneuert am
Ausgang des Altertums platonische Gedanken. Plotin geht aus von dem sinnlich wahrnehmbaren Schönen: τὸ καλόν ἐστι μὲν ἐν ὄψει πλεῖστον, ἔστι δ' ἐν ἀκοαῖς κατά τε λόγων
συνθέσεις καὶ ἐν μουσικῇ ἁπάσῃ· καὶ γὰρ μέλη καὶ ῥυθμοί εἰσι καλοί· ἔστι δὲ καὶ προϊοῦσι
πρὸς τὸ ἄνω ἀπὸ τῆς αἰσθήσεως καὶ ἐπιτηδεύματα καλὰ καὶ πράξεις καὶ ἕξεις καὶ ἐπιστῆμαί
τε καὶ τὸ τῶν ἀρετῶν κάλλος I 6, 1. Bei der Überlegung, worin die Schönheit des

---

[15] Ein Vergleich mit den im Artk ἀγαθός
angegebenen Definitionen des Aristot zeigt
die Gemeinsamkeit der Begriffsbestimmung
des ἀγαθόν und des καλόν, so daß den hier
angegebenen Unterscheidungen kein absoluter
Wert beigemessen werden darf.
[16] Die Synonymität von ἀγαθόν und καλόν
hat sich in der Stoa restlos durchgesetzt; vgl
vArnim III 9—11.

[17] Stoische Züge finden sich in der vor-
herrschenden Versittlichung des Begriffes, in
der völligen Synonymität mit ἀγαθός (Spec
Leg II 73; Migr Abr 86), in stoischen Wendungen wie τέλειον ἀγαθόν . . . τὸ καλὸν Poster C 95,
δι' ἑαυτὸ αἱρετόν Som II 20; in der Aussage:
ὁ σπερματικὸς καὶ γεννητικὸς τῶν καλῶν λόγος
ὀρθός Leg All III 150.

sinnlich Schönen wurzele, stößt er mit einer Kritik an der üblichen Ästhetik und Ethik, die sie in der συμμετρία finden, vor zur Idee des Schönen als des wahrhaft Seienden: . . . τὰ ὄντα ἡ καλλονή ἐστιν I 6, 6. Von da aus beantwortet sich die Frage: πῶς δὲ καλὰ κἀκεῖνα καὶ ταῦτα (sc: das Obere und das Irdische); μετοχῇ εἴδους φαμὲν ταῦτα. πᾶν μὲν γὰρ τὸ ἄμορφον πεφυκὸς μορφὴν καὶ εἶδος δέχεσθαι ἄμοιρον ὂν λόγου 5 καὶ εἴδους αἰσχρὸν καὶ ἔξω θείου λόγου I 6, 2. „Die Schönheit der Dinge dieser Welt enthüllt also die Herrlichkeit, die Macht und Güte der geistigen Welt, und es gibt so ein unvergängliches Band zwischen allem, zwischen dem Geistigen und dem Sinnlichen" IV 8, 6 [18]. Die wirkliche Schönheit gehört also der oberen Welt zu, sie ist das Überschöne, das sich im Schönen der Welt auswirkt (V 8, 8). Ihre Schau ist das 10 größte Erlebnis, das der Mensch haben kann: τί δῆτα οἰόμεθα, εἴ τις αὐτὸ τὸ καλὸν θεῷτο αὐτὸ ἐφ᾽ ἑαυτοῦ καθαρόν, μὴ σαρκῶν, μὴ σώματος ἀνάπλεων, μὴ ἐν γῇ, μὴ ἐν οὐρανῷ, ἵν᾽ ᾖ καθαρόν; Dies Erlebnis ist die ἀρίστη θέα, von der Plotin sagt ἧς ὁ μὲν τυχὼν μακάριος ὄψιν μακαρίαν τεθεαμένος I 6, 7; diese Schau löst also die höchste Seligkeit aus. Sie ist das Lebensziel. Das ist deshalb möglich, weil das Schöne zugleich das 15 Gute, das Gute zugleich das Schöne ist, wie das Böse auch das Häßliche ist (I 6, 6). Wie gelangt der Mensch zu ihr? Die Voraussetzung ist in der Schönheit der Seele gegeben: οὐ γὰρ ἂν πώποτε εἶδεν ὀφθαλμὸς ἥλιον ἡλιοειδὴς μὴ γεγενημένος, οὐδὲ τὸ καλὸν ἂν ἴδοι ψυχὴ μὴ καλὴ γενομένη. γενέσθω δὴ πρῶτον θεοειδὴς πᾶς καὶ καλὸς πᾶς, εἰ μέλλει θεάσασθαι τἀγαθόν τε καὶ καλόν I 6, 9. Eine schöne Seele zu erreichen ist nur mög- 20 lich durch Reinigung, wie sie erlangt wird in den Tugenden der Selbstzucht, in der der Mensch keine Gemeinschaft pflegt mit den Lüsten des Leibes, der Tapferkeit, die Furchtlosigkeit vor dem die Trennung der Seele vom Leibe bedeutenden Tode ist, der Seelengröße, die die Fähigkeit von den Erdendingen absehen zu können ist, und der Weisheit, die vom Unteren abwendet und die Seele zum Oberen hinaufführt 25 (I 6, 6). So reckt sich in Plotin noch einmal im Nachdenken über das καλόν der griechische Geist in seiner Größe auf.

5. In der hermetischen Literatur gehört das καλόν, das als das Schöne neben dem ἀγαθόν auftritt, zur Welt Gottes: ἡ δὲ τοῦ θεοῦ οὐσία τίς ἐστιν; τὸ ἀγαθὸν καὶ τὸ καλόν Corp Herm XI 3. Der ideale Kosmos, nach dem der 30 sichtbare Kosmos gebildet ist, heißt καλὸς κόσμος I 8b. Der Weg zum καλόν führt durch das νοεῖν: τολμητέον γὰρ εἰπεῖν . . . ὅτι ἡ οὐσία τοῦ θεοῦ . . . τὸ καλόν ἐστι καὶ τὸ ἀγαθόν· ὑπὸ δὲ τούτων οὐδέν ἐστι καταλάμπεσθαι τῶν ἐν τῷ κόσμῳ. . . . ὥσπερ ὀφθαλμὸς οὐ δύναται τὸν θεὸν ἰδεῖν, οὕτως οὐδὲ τὸ καλὸν καὶ τὸ ἀγαθόν· ταῦτα γὰρ μέρη τοῦ θεοῦ ἐστιν, ἴδια αὐτοῦ μόνου. . . . εἰ δύνασαι νοῆσαι τὸν θεόν, νοήσεις τὸ καλὸν καὶ (τὸ) ἀγαθὸν τὸ ὑπερλαμ- 35 πόμενον ὑπὸ τοῦ θεοῦ . . . ἐὰν περὶ τοῦ θεοῦ ζητῇς, καὶ περὶ τοῦ καλοῦ ζητεῖς. μία γὰρ ἐστιν εἰς αὐτὸ ἀποφέρουσα ὁδὸς ἡ μετὰ γνώσεως εὐσέβεια Corp Herm VI 4 b. 5. Hier ist das καλόν zu einer völlig transzendenten Größe geworden, genau so transzendent wie die Gottheit selbst. Der kosmologische Dualismus gibt dem Menschen keine Möglich-keit, das καλόν zu erblicken. Erst durch das an der Offenbarung entstehende νοεῖν, 40 das sich in der ἡ μετὰ γνώσεως εὐσέβεια konkretisiert, wird es erreicht. Der kosmo-logische Dualismus zersprengt die platonische Einheit. Wesentlich an dieser Literatur ist jedoch, daß die Idee des Schönen wieder da ist und religiös verwertet wird.

D. καλός im AT (LXX) und Judentum.

καλός ist in LXX in den weitaus meisten Fällen Übersetzung 45 von *1.* יָפֶה, zB Gn 12, 14; 29, 17; 39, 6; 41, 2 uö, oft mit Zusatz τῷ εἴδει (יְפַת מַרְאֶה) heißt also *schön im Blick auf die äußerliche Erscheinung;* — *2.* von טוֹב und nimmt an den Bedeutungen dieses Begriffes teil und bedeutet: *a.* seltener: *nützlich, brauchbar, tüchtig,* zB Gn 2, 9; *b.* häufiger: *sittlich gut,* zB Prv 17, 26; 18, 5 uö.

1. Vom griechischen Denken her fällt zunächst auf, wie 50 gering die Rolle ist, die der Begriff im AT (und LXX) spielt. Von dem καλόν im Sinne platonischen und hellenistischen Denkens ist keine Rede. Das Problem des Schönen tritt überhaupt nicht in den Gesichtskreis des bibli-schen Denkens, denn diese Feststellungen gelten genau so für das NT. Was

---

[18] Vgl FBillicsich, Das Problem der Theo-dizee im philosophischen Denken des Abend-landes, in: Philosoph Abh der österreichischen Leo-Gesellschaft (1936) 70 f, dazu Plotin Enn II 9. 17: „Dieses hat seine Existenz durch das Erstere. Wenn nun das Hiesige nicht schön ist, so ist es auch das Dortige nicht. Es ist also das Hiesige schön nach dem Dortigen."

Platon und was der Hellenismus mit dem καλόν als einer Idee meinen, mag in der biblischen Religion, freilich durch den personalen Gottesbegriff anders bestimmt und geformt, in den Aussagen über den כָּבוֹד Jahwes (→ δόξα) enthalten sein. Das Lebens- und Erziehungsideal, wie es in καλὸς κἀγαθός[19] zum
5 Ausdruck kommt, hat in der vom im Gesetz geoffenbarten Willen Gottes bestimmten Ethik keinen Platz, weil diese Verbindung im letzten Grunde humanistischen Charakter trägt. Wo καλός, καλόν in sittlicher Beziehung auftreten (s unter 2), sind sie als Übersetzung von טוב das dem Willen Gottes Entsprechende. καλόν schließlich als ästhetische Größe tritt überhaupt nicht auf, was
10 mit der geringen Bedeutung vor allem der bildenden Kunst innerhalb der biblischen Religiosität zusammenhängt. Nur an einer Stelle mag etwas vom griechischen Schönheitsbegriff hereinspielen: in der Übersetzung der Schöpfungsgeschichte des Priesterkodex. Das abschließende Urteil in Gn 1, 31: וַיַּרְא אֱלֹהִים אֶת־כָּל־אֲשֶׁר עָשָׂה וְהִנֵּה־טוֹב מְאֹד, das die Urteile in 1, 4. 10. 12. 18. 21. 25 auf-
15 nimmt, übersetzt LXX: καὶ εἶδεν ὁ θεὸς τὰ πάντα, ὅσα ἐποίησεν, καὶ ἰδοὺ καλὰ λίαν, und so auch an den anderen Stellen. טוב wird in diesem Zusammenhang als gelungen zu übersetzen sein. Der Übersetzer bringt durch sein καλός Gedanken von der Schönheit der Welt herein, die in der Weisheitsliteratur weiterwirken: Sap 13, 7: καλὰ τὰ βλεπόμενα[20].

20   **2.** In den meisten Fällen bezeichnet καλός, καλόν *sittlich gut* im Rahmen der at.lich-jüdischen Ethik und ist völlig synonym mit ἀγαθός gebraucht, was ja schon durch טוב nahegelegt ist[21]. In dieser Bedeutung heißt es: καλὸν ἐνώπιον κυρίου Mal 2, 17; καλὸν . . . ἔναντι κυρίου Nu 24, 1; auch in Verbindung ποιεῖν τὸ ἀρεστὸν καὶ τὸ καλὸν ἐναντίον κυρίου Dt 6, 18; 12, 28
25 ua; τὸ καλὸν καὶ τὸ εὐθὲς ἐνώπιον κυρίου 2 Ch 14, 1. So ist es in den prophetischen Schriften verwendet, vgl den lapidaren Satz des Amos: ἐκζητήσατε τὸ καλὸν καὶ μὴ τὸ πονηρόν, ὅπως ζήσητε . . . μεμισήκαμεν τὰ πονηρὰ καὶ ἠγαπήκαμεν τὰ καλά 5, 14f; das Wort des Micha: εἰ ἀνηγγέλη σοι, ἄνθρωπε, τί καλόν; ἢ τί κύριος ἐκζητεῖ παρὰ σοῦ ἀλλ' ἢ τοῦ ποιεῖν κρίμα . . .; 6, 8; die Aufforderung des
30 Jesaja: μάθετε καλὸν ποιεῖν 1, 17. Auch die Weisheitsliteratur verwendet es in diesem Sinne: προνοοῦ καλὰ ἐνώπιον κυρίου καὶ ἀνθρώπων Prv 3, 4.

       3. Im Grundbekenntnis הוֹדוּ לַיהוָה כִּי טוֹב[22] taucht neben ἀγαθόν auch καλόν auf: εὐλόγουν εἰς οὐρανὸν ὅτι καλόν 1 Makk 4, 24. Im Parallelismus membrorum kommt es als Übersetzung von נָעִים *lieblich, ange-*
35 *nehm* vor ψ 134, 3: αἰνεῖτε τὸν κύριον, ὅτι ἀγαθὸς κύριος · ψάλατε τῷ ὀνόματι αὐτοῦ, ὅτι καλόν.

---

[19] Die Verbindung καλὸς καὶ ἀγαθός dringt ein in den apkr Schriften, aber ohne weitere Bedeutung vgl Tob 5, 14; 2 Makk 15, 12. Parallel nebeneinander stehen καλός und ἀγαθός Tob 12, 7f.
[20] Weitere Beispiele: 13, 5: ἐκ γὰρ μεγέθους καὶ καλλονῆς κτισμάτων ἀναλόγως ὁ γενεσιουργὸς αὐτῶν θεωρεῖται, Sir 43, 9. 11. 18: κάλλος οὐρανοῦ . . . ἰδὲ τόξον καὶ εὐλόγησον τὸν ποιήσαντα αὐτὸ σφόδρα ὡραῖον . . . κάλλος λευκότητος (χιόνος). Sowohl in Qoh

3, 11 wie Sir 39, 16 bedeutet καλός in Verbindung mit Jahwes Werken in Geschichte und Natur zugleich „trefflich", „nützlich". Der Begriff ist hier bestimmt in seiner Bedeutung durch die überlegene Weisheit Jahwes. Die Voraussetzung dazu liegt in der Grundbedeutung des Geordneten, die der Begriff hat.
[21] Dazu → ἀγαθός I 14, 1 ff.
[22] Vgl → ἀγαθός I 13, 20 ff.

E. καλός im NT.

1. Synoptiker. In der Verkündigung des Täufers steht der Satz: ἤδη δὲ ἡ ἀξίνη πρὸς τὴν ῥίζαν τῶν δένδρων κεῖται · πᾶν οὖν δένδρον μὴ ποιοῦν καρπὸν καλὸν ἐκκόπτεται καὶ εἰς πῦρ βάλλεται Mt 3, 10; Lk 3, 9[23]. Das Bild von Baum und Frucht findet sich auch bei Jesus: πᾶν δένδρον ἀγαθὸν καρποὺς καλοὺς ποι- 5 εῖ Mt 7, 17 ff, vgl Mt 12, 33. Was sind die καλοὶ καρποί? Lohmeyer hat in einer Studie über Mt 3, 10[24] den entscheidenden Gesichtspunkt ausgesprochen: „Nur die Früchte sind »gut«, die aus diesem Grunde göttlicher Buße wachsen und reifen, und nur aus dem Menschen können sie reifen, dem diese Buße durch die Taufe göttliche Norm und Kraft seines Wachstumes geworden, dem in die- 10 sem Sinne »Umkehr« widerfahren ist[25].“ Damit ist der entscheidende Gesichtspunkt auch für die Jesuslogien herausgestellt. Es handelt sich in diesen Bildern nicht um die einfache Feststellung von guten und schlechten Bäumen und Früchten, sondern um den Anruf an den Menschen, durch die μετάνοια des Reiches Gottes teilhaftig zu werden und damit ein guter Baum mit guten 15 Früchten zu sein. Unter diesem Gesichtspunkt sind auch die Gleichnisaussagen zu betrachten: Das καλὸν σπέρμα, das der Mensch des Gleichnisses auf seinen Acker sät, ist das Wort von der Gottesherrschaft (Mt 13, 24. 27. 37. 38)[26], die καλοί, die im Netz gefangen sind und in Gefäße gesammelt werden, sind die, die durch μετάνοια zur Gottesherrschaft gelangt sind. Im synoptischen Kerygma 20 ist also das Adjektiv καλός orientiert am Wort vom Reiche Gottes.

2. Von diesem Gesichtspunkt aus bedürfen die καλὰ ἔργα im Wort Jesu einer besonderen Untersuchung. Die καλὰ ἔργα, zu denen Jesus zB aufruft Mt 5, 16 — οὕτως λαμψάτω τὸ φῶς ὑμῶν ἔμπροσθεν τῶν ἀνθρώπων, ὅπως ἴδωσιν ὑμῶν τὰ καλὰ ἔργα καὶ δοξάσωσιν τὸν πατέρα ὑμῶν τὸν ἐν τοῖς οὐρανοῖς — oder 25 die er in seiner Gerichtsrede aufzählt — Hungrige speisen, Durstige tränken, Gäste beherbergen, Nackte bekleiden, Kranke besuchen, Gefangene aufsuchen — (Mt 25, 35—45), entsprechen den Liebeswerken (מַעֲשִׂים טוֹבִים), die als Werke der Barmherzigkeit im Judentum eine große Rolle spielen[27].

Schon die Propheten haben sich mit der Frage der guten Werke beschäftigt. Js 30 58, 6—7 sind als solche Befreiung Gefangener, Speisung Hungriger, Aufnahme Obdachloser und Bekleidung Nackter erwähnt. Für das spätere Judentum kann Tob 1, 17 f und Test Jos 1 verglichen werden. Das späte Judentum scheidet die gesetzlich geregelten Almosen von den guten Werken: TPea 4, 19: „Wohltätigkeit und Liebeswerke stehen an Wichtigkeit der Erfüllung aller Gebote in der Tora gleich, 35 nur daß die Wohltätigkeit geschieht an Lebenden, das Liebeswerk an Lebenden und an Toten; die Wohltätigkeit an Armen, das Liebeswerk an Armen und Reichen, die Wohltätigkeit durch Geld, das Liebeswerk mit der eigenen Person und mit Geld[28].“ Über die Schätzung von Almosen und Liebeswerken haben sich die Rabbinen ausgesprochen: „Wer Wohltätigkeit übt, der ist wie einer, der die ganze Welt mit (Gottes) 40

---

[23] Vgl Schl Mt 76: הָיוּ עוֹשִׂין פֵּירוֹת יָפִין Tanch תצוה 6 (Buber p 50 a). Daß der Baum „Frucht macht", ist altes Hebräisch, Jer 17, 8; Ez 17, 23.
[24] ELohmeyer, Von Baum und Frucht, in: ZSTh 9 (1931/32) 377 ff.
[25] AaO 396.
[26] Wenn in der Erklärung des Gleichnisses v 38 das καλὸν σπέρμα als υἱοὶ τῆς βασιλείας gedeutet wird, so ist in der Deutung das

Ergebnis mit der Ursache, die Frucht mit dem Samen zusammengefaßt. Im Gleichnis vom viererlei Acker ist das, was gesät wird, der λόγος τῆς βασιλείας v 19.
[27] Vgl die Exkurse bei Str-B über die altjüdische Privatwohltätigkeit IV 536—558 und die altjüdischen Liebeswerke IV 559—610; ferner JoachJeremias, Die Salbungsgeschichte Mk 14, 3—9, in: ZNW 35 (1936) 77 ff.
[28] Str-B IV 537.

35*

Liebe erfüllt, denn es heißt: Wer Wohltätigkeit liebt und Recht, der erfüllt mit Jahwes Liebe die ganze Welt (so Ps 33, 5 nach dem Verständnis dieser rabbinischen Auslegung)" bSukka 49 b. An derselben Stelle heißt es: „Almosen finden ihre Vergeltung nach dem Maß der Liebe, die in ihnen enthalten ist, wie es heißt: Säet euch Almosen, so werdet ihr ernten
5 nach Maßgabe der Liebe (so Hos 10, 12 nach dem Verständnis dieser rabbinischen Auslegung)[29]." Das letzte Wort wehrt dem Mißbrauch und dem uferlosen Lohndenken, das die gesamte Wohltätigkeit verdarb und aus ihr einen äußeren Betrieb machte. Die Rabbinen haben ausführlich darüber nachgedacht, welcher Art der Lohn der guten Werke ist, und haben sowohl Lohn in dieser wie in jener Welt in reichem Maße erwartet. „Wer
10 Liebeswerke übt, erlangt Besitztum auf Erden und seine Feinde fallen vor ihm, er bleibt bewahrt vor Strafen und findet Zuflucht in Gottes Schutz. Liebeswerke bringen den bösen Trieb in die Gewalt des Menschen; sie sühnen Sünde; sie sind des Menschen Fürsprecher vor Gott; sie stiften Frieden zwischen Gott und Israel; sie erretten vom Tode, sie behüten vor den Wehen des Messias und machen den, der sich ihrer beflei-
15 ßigt, in Gottes Augen gleichsam zu einem Erlöser Israels[30]."

Die Liebeswerke finden zuletzt ihre Begründung in Gottes Vorbild. „... Man soll sich nach der Art und Weise Gottes richten. Wie er Nackte bekleidet hat, wie es heißt: ,Jahwe-Elohim machte für Adam und sein Weib Röcke aus Fell und bekleidete sie damit' Gn 3, 21 — so kleide auch du Nackte. Gott hat Kranke besucht, wie es
20 heißt: ,Jahwe erschien ihm (dem Abraham unmittelbar nach der Beschneidung, so Gn r 48 zu 18, 1 mehrfach) bei den Terebinthen Mamres' Gn 18, 1 — so besuche auch du Kranke. Gott hat Trauernde getröstet, wie es heißt: ,Nach dem Tode Abrahams sprach Gott den Trostspruch über Isaak' (so Gn 25, 11 im Verständnis des Auslegers) — so tröste auch du Trauernde. Gott hat Tote begraben, wie es heißt: ,Gott begrub (Mose) im Tal' Dt 34, 6
25 — so begrabe auch du Tote" bSota 14 a[31]. Hier sind nun bereits eine Reihe sehr geschätzter Liebeswerke aufgezählt: Nackte bekleiden, wozu Speisung und Tränkung Bedürftiger[32] tritt, der Besuch Kranker[33] — ganz besonders betont, vgl bNed 39 b Bar: Es gibt kein Maß der Lohnerteilung dafür[34] —, das Geleit und Bestattung der Toten[35] und die Tröstung der Trauernden, nämlich der Hinterbliebenen[36]. Als gute Werke gelten
30 weiter Gastfreundschaft[37], neben dem Krankenbesuch am wichtigsten[38], Aufziehung von Waisenkindern, Auslösung gefangener Israeliten, Unterstützung Gelehrter, Gewähren von Darlehen an Bedrängte, Ausstattung armer Bräute, Teilnahme an Hochzeitszügen[39].

Jesus billigt und fordert die Liebeswerke ausdrücklich. Den Pharisäern und
35 Schriftgelehrten hält er die Forderung vor, die zugleich seine Sendung begründet und aus den Propheten geschöpft ist: „Ich habe Wohlgefallen an der Barmherzigkeit und nicht am Opfer" (Mt 9, 13; 12, 7). Deshalb wendet sich der Christus an die Sünder und Kranken. In seinem Auftreten tut er Liebeswerke und — ist Gottes Liebeswerk an den Menschen. Freilich sind nun die Liebes-
40 werke aus der gesetzlichen Erstarrung losgelöst. Das Entscheidende für Jesus ist die Sache der Gottesherrschaft, der sie als wirkliche Liebeswerke eingegliedert sind, die aber allen Formalismus überwindet. Da will einer Jesus nachfolgen, aber zuvor seinen Vater bestatten — also ein ausgezeichnetes Liebeswerk tun. Jesus sagt ihm rasch und eindeutig: „Laß die Toten ihre Toten begraben,
45 du aber gehe hin und verkündige die Gottesherrschaft" Mt 8, 21 f, eine für einen Juden unerhörte Forderung, die in das Herz jüdischer Frömmigkeit trifft und das Lohndenken — vgl die Schätzung des Totengeleites — an der Wurzel ab-

---

[29] Str-B IV 540. 543.
[30] Str-B IV 562.
[31] Str-B IV 561. Auch im Vorbild Abrahams, Moses, Daniels ist die Übung von Liebeswerken begründet wie in den beiden Geboten: Ex 18, 20 und Mich 6, 8. Vgl Str-B IV 560—562.
[32] Str-B IV 566—568; Tob 1, 17; 4, 16; Test Jos 1; Str-B IV 6 u 12.
[33] Str-B IV 573—578.
[34] Str-B IV 577.
[35] Str-B IV 578—592. Geleit und Bestat-

tung der Toten gehört zu den Werken, deren Lohn der Mensch zT schon in dieser Welt genießt (die „Zinsen" von dem Lohn-„Kapital"), während der Hauptlohn (das „Kapital" selbst) bleibt für die zukünftige Welt.
[36] Str-B IV 592—607.
[37] Str-B IV 565—572.
[38] Str-B IV 560: vgl das Zitat bSchab 127 a.
[39] Zusammengestellt und mit reichlichem Belegstellenmaterial versehen von JoachJeremias (→ A 27) und Str-B IV 572 f.

schneidet. Von daher ist bezeichnend die Auswahl der Liebeswerke in der Gerichtsrede Mt 25, 35 f, alles Werke tatsächlicher Liebe und Barmherzigkeit an lebendigen Menschen, die in das Tun der Gottesherrschaft hineingehören. Zu ihnen tritt Mt 18, 5 (Mk 9, 37; Lk 9, 48) die Aufnahme von Kindern. Nun bringt aber sowohl Mt 25, 35 ff wie Mt 18, 5 einen völlig neuen und entscheidenden Blickpunkt in dem Satz: „Was ihr getan habt einem unter diesen meinen geringsten Brüdern, das habt ihr mir getan" Mt 25, 40 (vgl Mt 18, 5; ferner Mk 9, 41; Mt 10, 40—42; → δέχομαι II 52 f). Jesus, der im NT verschiedentlich als der „Fürsprecher beim Vater" (1 J 2, 1; R 8, 34) bezeichnet ist und sich selbst als Fürsprecher erweist (Lk 13, 8; 22, 32; vgl Liebeswerke als Fürsprecher: TPea 4, 21), wobei besonders an die gewaltige johanneische Schau des hohenpriesterlichen Gebetes zu denken ist (J 17), erweist dieses sein „Für-uns-sein" vor Gott auch als ein „Für-uns-sein" voreinander. Jesus hat die Seinen erkennen gelehrt, daß er so für sie da ist, daß sie ihre Mitmenschen nicht mehr anders sehen können als daß sie den Kyrios hinter ihnen sehen. Was darum Menschen einander antun, Gutes oder Böses, oder auch aneinander versäumen, das tun sie dem Christus an oder versäumen sie an ihm, der gerade in den Hilfsbedürftigen zu den Menschen kommt und sein Heilandswerk durch sie fortgesetzt wissen will. Darin liegt zugleich die entscheidende Frage des Christseins, die als Gerichtsfrage aufgeworfen wird. Gott will das Werk der Liebe. An diesem Werk der Liebe soll sich der Glaube entzünden und zum Lobpreis Gottes werden: οὕτως λαμψάτω τὸ φῶς ὑμῶν ἔμπροσθεν τῶν ἀνθρώπων, ὅπως ἴδωσιν ὑμῶν τὰ καλὰ ἔργα καὶ δοξάσωσιν τὸν πατέρα ὑμῶν τὸν ἐν τοῖς οὐρανοῖς Mt 5, 16. Die καλὰ ἔργα sind nicht in ein Lohndenken mehr eingespannt, sondern — aus Glauben an den Vater getan — haben sie das Ziel Lobpreis und damit Glauben an den Vater zu wecken. Wie radikal das Lohndenken zerbrochen wird, geht aus der Weisung Lk 14, 12—14 hervor, die auffordert, Arme, Krüppel, Lahme, Blinde zu Tisch zu bitten und nicht reiche Freunde und Verwandte, „auf daß sie dich nicht etwa wieder laden und dir vergolten werde ... denn sie (nämlich die Armen) haben es dir nicht zu vergelten, es wird dir aber vergolten werden in der Auferstehung der Gerechten". Die Vergeltung dort ist das „Ererben des von Anbeginn der Welt bereiteten Gottesreiches" durch die „Gesegneten des Vaters" (Mt 25, 34 vgl v 41), die keinen besonderen Lohnschematismus mehr duldet, wie das Gleichnis von den Arbeitern im Weinberg erweist[40]. Das Vorbild dieser gottgewollten Barmherzigkeit, die, aus innerstem Antrieb kommend, nicht nach Lohn fragt, hat Jesus gezeichnet im Gleichnis vom barmherzigen Samariter[41] (Lk 10, 30 ff). Solche Menschen gehören ins Gottesreich, denn: μακάριοι οἱ ἐλεήμονες, ὅτι αὐτοὶ ἐλεηθήσονται Mt 5, 7.

Von besonderem Interesse ist die Salbungsgeschichte Mk 14, 3 ff[42], wo Jesus sagt: ἄφετε αὐτήν · τί αὐτῇ κόπους παρέχετε; καλὸν ἔργον ἠργάσατο ἐν ἐμοί. πάντοτε

---

[40] Ähnliche rabbinische Gleichnisse enthalten das Vergeltungsschema, das von Jesus überwunden wird, vgl Schl Mt 590 f.
[41] Dieses Gleichnis bekommt eine für das Judentum unerhörte Schärfe, wenn man bedenkt, daß der Samariter nach dem Urteil des Volljuden ein Nichtjude ist, der als Vorbild hin-

gestellt ist, und wenn man weiß, daß es jüdische Weisungen gab, vom Nichtjuden kein Almosen anzunehmen. Alle Verdienste, die sich Heiden erwerben, halten Israels Erlösung auf, vgl Str-B IV 538. 543 f.
[42] Vgl dazu JoachJeremias aaO.

γὰρ τοὺς πτωχοὺς ἔχετε μεθ' ἑαυτῶν, καὶ ὅταν θέλητε δύνασθε αὐτοῖς εὖ ποιῆσαι, ἐμὲ δὲ οὐ πάντοτε ἔχετε. ὃ ἔσχεν ἐποίησεν· προέλαβεν μυρίσαι τὸ σῶμά μου εἰς τὸν ἐνταφιασμόν. ἀμὴν δὲ λέγω ὑμῖν, ὅπου ἐὰν κηρυχθῇ τὸ εὐαγγέλιον εἰς ὅλον τὸν κόσμον, καὶ ὃ ἐποίησεν αὕτη λαληθήσεται εἰς μνημόσυνον αὐτῆς Mk 14, 6 ff Par.

5 Der Gedankengang dieser Worte besagt, daß die Frau ein Liebeswerk getan hat (καλὸν ἔργον ἠργάσατο ἐν ἐμοί), daß dieses Liebeswerk wichtiger ist als die Almosen, zu denen die Jünger das Geld der Salbe verwenden wollten (14, 4. 5), da zu dem Liebeswerk bald keine Möglichkeit mehr ist, während sie zu Almosen immer besteht, und daß das Liebeswerk das der Totenbestattung ist, die durch
10 die Salbung proleptisch an einem vollzogen wird, dem der Verbrechertod bevorsteht und dem damit droht, ohne Salbung in ein Verbrechergrab geworfen zu werden.

3. Bei Johannes steht καλός in einem bedeutungsvollen Zusammenhang, nämlich in der Hirtenrede: ἐγώ εἰμι ὁ ποιμὴν ὁ καλός J 10, 11. 14.
15 Mit der Romantik des „guten Hirten" hat dieses Wort nichts zu tun. In diesem Wort liegt der absolute Anspruch Jesu auf Einzigkeit und Einzigartigkeit. ὁ ποιμὴν ὁ καλός ist der „rechte Hirte", der, der wirklich das Recht hat, sich Hirte zu nennen. Sein Recht — daran wird im Zusammenhang unserer Stelle zuerst zu denken sein — richtet sich gegen die Hirten-
20 ansprüche in seiner Umwelt, einerseits gegen die vielen Hirtengötter des Hellenismus[43], andererseits gegen Volksführer, die als Hirten galten und sich als Hirten ausgaben[44]. Sein Recht besteht im Einsatz seines Lebens für die Herde: ὁ ποιμὴν ὁ καλὸς τὴν ψυχὴν αὐτοῦ τίθησιν ὑπὲρ τῶν προβάτων. Er überwindet wirklich den Wolf und rückt die Herde damit heraus aus der Gefahr der Ver-
25 lorenheit — das steckt in dem ὁ λύκος ἁρπάζει αὐτὰ καὶ σκορπίζει. Aus seiner Gemeinschaft mit dem Vater heraus nimmt er die Seinen in diese Gemeinschaft auf, indem sich zwischen Hirt und Schafen ebenfalls (→) γινώσκειν vollzieht, dh es vollzieht sich die Gemeinschaft, die auf dem γινώσκειν beruht. In die göttliche Gemeinschaft stellendes Handeln und die Verlorenheit überwindender
30 Lebenseinsatz machen ihn zum rechten Hirten, der tüchtig[45], gut, lobenswert[46] — das alles kann καλός zum Ausdruck bringen — ist.

In der Auseinandersetzung mit den Juden, die zu einer tumultuarischen Steinigung zu werden droht, sagt Jesus: πολλὰ ἔργα ἔδειξα ὑμῖν καλὰ ἐκ τοῦ πατρός· διὰ ποῖον αὐτῶν ἔργον ἐμὲ λιθάζετε; die Antwort der Juden lautet: περὶ καλοῦ
35 ἔργου οὐ λιθάζομέν σε ἀλλὰ περὶ βλασφημίας καὶ ὅτι σὺ ἄνθρωπος ὢν ποιεῖς σεαυ-

---

[43] Solche Hirtengötter sind Attis, Anubis, Dionysus, Hermes ua → ποιμήν. Diese Wendung scheint sich mir vor allem nahezulegen durch den Schluß: καὶ γενήσεται μία ποίμνη, εἰς ποιμήν v 16, ein Wort, das über die Grenzen von Israel hinausblickt.
[44] Vgl dazu Ez 34, bes 1 ff.
[45] Vgl Philo: φαῦλος μὲν γὰρ ὢν ὁ ἀγελάρχης οὗτος καλεῖται κτηνοτρόφος, ἀγαθὸς δὲ καὶ σπουδαῖος ὀνομάζεται ποιμήν Agric 29, ferner Themist I 9 d—10 b: ποίμνιον ἐκεῖνο εὔκολον τοῖς λύκοις, ὅτῳ ὁ ποιμὴν ἀπεχθάνοιτο ... κακὸς βουκόλος ... αὐτὸς δὲ ἔσται μισθωτὸς ἀντὶ

βουκόλου ... ὁ δὲ ἀγαθὸς νομεὺς πολλὰ μὲν ὀνίναται ἐκ τοῦ ἔργου. Vgl weitere Stellen BauJ zSt.
[46] SchlJ 237: „Weil der Blick auf das Ende Jesu gerichtet wird, nennt er sich den καλός ποιμήν, den Hirten, dem Lob gebührt, weil nach dem menschlichen Urteil das Kreuz Schande ist. Es ist aber für den, der wirklich Hirte ist, καλόν." καλός = lobenswert ist nur die Folge aus der Rechtmäßigkeit, Plut Cons ad Apoll 17 (II 111 d): μέτρον ... τοῦ βίου τὸ καλόν.

τὸν θεόν 10, 31 f. Die καλὰ ἔργα ἐκ τοῦ πατρός — τὰ ἔργα τοῦ πατρός μου v 37 — sind die Gotteswerke, die der Christus tut. In ihnen liegt zugleich der auch ausgesprochene Anspruch, der Messias zu sein. Das messianische Werk wollen die Juden gelten lassen, den Messiasanspruch nicht. καλά sind die Werke deshalb, weil es die rechten messianischen Werke sind (→ σημεῖον)[47]. 5

4. Bei Paulus steht das Wort einerseits absolut und synonym mit (→) τὸ ἀγαθόν und bezeichnet R 7, 18. 21 das Gute, das der Mensch nach seinem Innern will, dem aber das Gesetz seines Fleisches widerstreitet, so daß er das καλόν nicht zu realisieren vermag. Zugleich bezeichnet es in derselben Bedeutung die neue Lebensmöglichkeit für die Christen: . . . ἵνα ὑμεῖς 10 τὸ καλὸν ποιῆτε 2 K 13, 7, eine Möglichkeit, die ihr ganzes Leben ausfüllen soll: τὸ δὲ καλὸν ποιοῦντες μὴ ἐγκακῶμεν Gl 6, 9 (vgl R 12, 17; hier ist das καλόν zugleich das, was Lob erhält). Andererseits braucht er es in der Bedeutung καλόν ἐστι c Inf „es ist recht, gut, lobenswert, wertvoll" bes 1 K 7, 1. 8. 26, nämlich die eheliche Enthaltsamkeit und Jungfräulichkeit[48], aber auch sonst 15 Gl 4, 18 vom Eifer ums Gute, R 14, 21 von dem Verzicht auf Genuß um des Bruders willen. Als Adjektiv steht es R 7, 16 vom Gesetz (→ ἀγαθός) und 1 K 5, 6 vom Ruhm der Korinther. Irgendwelche präzise Bedeutung hat es also für Paulus nicht. Zu guten Werken im Sinne der Liebeswerke (→ 547—550) fordert Paulus seine Gemeinden auf, so zur Erfüllung der Bedürfnisse von Be- 20 dürftigen (R 12, 20), zur Gastfreundschaft (R 12, 13; 1 K 16, 11). Sie sind auch sonst in der apostolischen Zeit Gegenstand der Ermahnung, besonders eindringlich Jakobus, vgl Jk 1, 27 und 2, 15. 16; vgl aber auch 1 Pt 4, 9; Hb 13, 2f; 3 J 5ff. Doch kommt an diesen Stellen der Terminus καλὰ ἔργα nicht vor. 25

5. Der Befund in den Pastoralbriefen muß noch besonders erwähnt werden. Jülicher stellt in seiner Einleitung fest: „Nicht zufällig dürfte zB sein, daß καλός allein in Past vierundzwanzig-, in den zehn Paulusbriefen nur sechzehnmal begegnet, und während Paulus es fast nur substantiviert (τὸ καλόν, καλά, καλόν ἐστι) gebraucht, es in Past zwanzigmal als Adjektiv, beson- 30 ders bei ἔργα — in Tt viermal — vorkommt[49]." Vergegenwärtigen wir uns den Befund: Es ist die Rede von καλὰ ἔργα: 1 Tm 5, 10. 25; 6, 18; Tt 2, 7. 14; 3, 8. 14; καλὸν ἔργον 1 Tm 3, 1. Die καλὰ ἔργα liegen im Sinne des Christus (Tt 2, 14), sie sind Liebeswerke der Barmherzigkeit, wie wir sie bereits kennen lernten. Es geht um eine durch die Liebe aus dem Christusglauben geformte 35 Lebensführung (vgl bes 1 Tm 5, 10f). Von den καλὰ ἔργα sagt der Schreiber des Titusbriefes (3, 8): . . . ἵνα φροντίζωσιν καλῶν ἔργων προΐστασθαι οἱ πεπιστευκότες θεῷ · ταῦτά ἐστιν καλὰ καὶ ὠφέλιμα τοῖς ἀνθρώποις. Die Fürbitte für alle Menschen, für Staat und Obrigkeit und für ein geruhsames Leben wird geboten und gilt als καλόν. Die Aufforderung dazu schließt mit den Worten: τοῦτο 40

---

[47] καλὰ ἔργα sind hier nicht Liebeswerke, sondern, wie wir interpretierten: Gotteswerke, indem sie den Menschen in die Gottesgemeinschaft stellen. Das ist der Sinn der σημεῖα.

[48] Vgl GDelling, Paulus Stellung zu Frau und Ehe (1931) 69, bes A 93.

[49] AJülicher-EFascher, Einleitung in das NT ⁷ (1931) 169.

καλὸν καὶ ἀπόδεκτον ἐνώπιον τοῦ σωτῆρος ἡμῶν θεοῦ 1 Tm 2, 3. Hier hat καλόν
wie in LXX seine Färbung aus dem Willen Gottes. Weiter werden mit dem
Begriff καλός verbunden Bilder aus dem Kriegsleben: Der Empfänger wird aufgefordert: ἀγωνίζου τὸν καλὸν ἀγῶνα τῆς πίστεως 1 Tm 6, 12; συγκακοπάθησον
5 ὡς καλὸς στρατιώτης Χριστοῦ Ἰησοῦ 2 Tm 2, 3 und ταύτην τὴν παραγγελίαν παρα-
τίθεμαί σοι . . . ἵνα στρατεύῃ . . . τὴν καλὴν στρατείαν . . . 1 Tm 1, 18 f; der
Schreiber bekennt von sich: τὸν καλὸν ἀγῶνα ἠγώνισμαι 2 Tm 4, 7. Erinnert
wird der Empfänger an die καλὴ ὁμολογία, die er abgelegt hat vor vielen Zeugen, ein Begriff, der sofort auf Jesus angewandt wird: τοῦ μαρτυρήσαντος ἐπὶ
10 Ποντίου Πιλάτου τὴν καλὴν ὁμολογίαν 1 Tm 6, 12 f. Es wird geredet vom καλὸς
νόμος, womit das AT gemeint ist (1 Tm 1, 8), von der καλὴ μαρτυρία, die ein
Bischofsanwärter besitzen muß (3, 7), von dem βαθμὸς καλός, den sich die Dia-
konen durch καλῶς διακονεῖν erwerben (3, 13), von dem καλὸς διάκονος, der der
Empfänger ist, wenn er die Gemeinde recht unterweist, von der καλὴ διδασκα-
15 λία, die das Evangelium ist (4, 6), von dem καλὸς θεμέλιος εἰς τὸ μέλλον, den
sich einer durch gute Werke verschafft (6, 19), von der καλὴ παραθήκη, die der
Empfänger des Briefes durch das Evangelium erhalten hat (2 Tm 1, 14). Es ist
schließlich davon die Rede, daß πᾶν κτίσμα θεοῦ καλόν ist (1 Tm 4, 4). Woher
kommt dieser dem sonstigen NT, besonders den paulinischen Gemeindebriefen
20 gegenüber auffällige Gebrauch? Es wird keine andere Erklärung geben, als
daß die Vokabel, außer in der Zusammensetzung καλὰ ἔργα, die ins Judentum
weist und aus dem hellenistischen Judentum kommt, der durch die Gedanken
stoischer Ethik geformten Vulgärsprache entnommen ist[50] und die Bedeutung
dem entspricht, was wir bei Plutarch feststellen: es handelt sich bei καλός um
25 die Aussage „gut, tüchtig, ordentlich, recht", wobei der Begriff seine Orientierung am Evangelium, wie es die zweite Generation verstand, erhält. Die
Sache ist getroffen mit der Bemerkung: „. . . es mag sich diese Tatsache wohl
daher erklären, daß sich die Rücksicht auf die äußere Erscheinung und Bewährung des christlichen Verhaltens um so gebieterischer aufdrängt, je mehr das
30 Anfangsstadium vorüber ist und die Weltstellung des Christentums in Betracht
kommt[51]." Innerhalb dieser Situation entstand sowohl die Frage nach der rechten Lehre wie nach dem rechten Wandel, nach der Stellung zur umgebenden
Welt wie nach der rechten Auseinandersetzung mit allerhand Strömungen und
Bewegungen, die dem Glauben und Wandel der Christen entgegenstanden und
35 sie in eine Kampfsituation hineinstellten, so daß sie das Christenleben als Kampf
verstanden. Der Begriff καλός kann geradezu als richtungweisend für diese Auseinandersetzung betrachtet werden; an ihm wird die Stellung der Christengemeinden der zweiten Generation, vor denen eben die große Frage der Bewährung stand, erkannt und an ihm wird damit deutlich, wie diese Gemeinden eben
40 diese Frage lösten.

In diese Linie gehört schließlich auch der Sprachgebrauch der katholischen
Briefe und des Hb hinein: καλοὶ οἰκονόμοι 1 Pt 4, 10; καλὸν ὄνομα τὸ ἐπικληθὲν ἐφ'
ὑμᾶς Jk 2, 7; καλὴ ἀναστροφή 3, 13 vgl 1 Pt 2, 12; καλὴ συνείδησις Hb 13, 18. Ohne

---

[50] Für die Vulgärsprache vgl die bei Prei-   [51] Cr-Kö 576.
sigke Wört gegebenen Beispiele.

daß der Begriff vorkommt, sind die guten Werke als Liebeswerke Gegenstand der Ermahnung, bes eindringlich Jakobus, vgl Jk 1, 27; 2, 15. 16 vgl aber auch 1 Pt 4, 9; Hb 13, 2 f und 3 J 5.

Ergebnis: Zu einer eigenen charakteristischen Bedeutung ist also der Begriff in der biblischen Literatur nicht gekommen. Seine 5 Verwendung stimmt mit dem übrigen Sprachgebrauch überein; was auch ihm Bedeutung gibt, ist der Umstand, daß er verbunden wird mit Begriffen und Gedanken spezifisch nt.lichen Gehaltes.

Grundmann

F. καλός in christologischen Aussagen der alten Kirche. 10

1. Der Einfluß von Js 53 auf die altkirchliche Vorstellung eines häßlichen Christus.

Für die Entfaltung des Christusbildes sind zwei Stellen der griechischen Bibel, die den Begriff der Schönheit, bzw seine Negation enthalten, bedeutsam geworden, Ps 45 und Js 52. 53. Die beiden Aussagen sind 15 einander entgegengesetzt. In Js 52. 53 lauten die entscheidenden Formulierungen: 52, 14: . . . ἀδοξήσει ἀπὸ ἀνθρώπων τὸ εἶδός σου καὶ ἡ δόξα σου ἀπὸ τῶν ἀνθρώπων. 53, 2: οὐκ ἔστιν εἶδος αὐτῷ οὐδὲ δόξα. καὶ εἴδομεν αὐτὸν καὶ οὐκ εἶχεν εἶδος οὐδὲ κάλλος. 3: ἀλλὰ τὸ εἶδος αὐτοῦ ἄτιμον.

Mas hat in 53, 2b: וְלֹא מַרְאֶה וְנֶחְמְדֵהוּ „und ohne Ansehen, um uns zu gefallen". 20 Den Begriff „Schönheit" als solchen hat also Mas nicht; LXX hat ihn vielmehr gewiß sinnentsprechend von sich aus eingeführt. Bei 'A ist an dieser Stelle nur eine Vokabel, διαπρέπεια, überliefert, was dem הדר der Mas und dem δόξα der LXX entspricht. 'A übersetzt auch sonst das hbr הדר mit διαπρέπεια, zB in ψ 44, 4. Σ hat eine der Mas mehr entsprechende Übersetzung: οὐκ εἶδος αὐτῷ οὐδὲ ἀξίωμα, ἵνα εἴδωμεν αὐτόν, οὐδὲ 25 θεωρία, ἵνα ἐπιθυμήσωμεν αὐτόν, ἐξουδενωμένος καὶ ἐλάχιστος ἀνδρῶν, während Θ hier überhaupt fehlt[52]. Die Stelle bestimmt im Wortlaut der LXX, wie Js 53 überhaupt, die Prägung des Christusbildes im frühkatholischen Christentum.

a. Im Neuen Testament allerdings spielen die in Betracht kommenden Begriffe → εἶδος und κάλλος, soweit Js 53 hinter ihnen 30 steht, noch keine Rolle. Die irdische Gestalt des Christus ist nicht bestimmt durch den Verzicht auf Schönheit, sondern durch die Erniedrigung, die Annahme der Knechtsgestalt und des Sündenfleisches und das Tragen der Leiden[53] und Versuchungen[54]. Auch sonst zielen die Aussagen des NT ja nicht auf die äußere Erscheinung des Christus, weder da, wo er als Ebenbild Gottes 35 bezeichnet wird, wie 2 K 4, 4; Kol 1, 15[55], noch auch da, wo die Begriffe Menschensohn und Mensch (vgl Ps 8 und Hbr 2, 6f) auf ihn angewendet werden. Auch 1 Cl 16 ist mit dem Zitat von Js 53 nicht auf das Aussehen Christi im allgemeinen abgezielt, vielmehr dient die Stelle als Zeugnis für die demütige Gesinnung des Christus. Dasselbe soll auch das unmittelbar 40 anschließende Zitat aus ψ 21, 7—9 belegen, in dem es heißt: ἐγὼ δέ εἰμι σκώ-

---

[52] KFEuler, Die Verkündigung vom leidenden Gottesknecht aus Jes 53 in der griechischen Bibel (1934) 13 ff.
[53] Phil 2, 5 ff; 2 K 5, 21; R 8, 3; Gal 3, 13; Hb 4, 15.

[54] JHKorn, Peirasmos, die typische Darstellung der Versuchung des Gläubigen in der griechischen Bibel (1937: erscheint in BWANT).
[55] → εἰκών II 394, 4 ff; → μορφή.

ληξ καὶ οὐκ ἄνθρωπος, ὄνειδος ἀνθρώπου καὶ ἐξουθένημα λαοῦ.   Die Erniedrigung
und Schmach Christi ist nach der Anschauung des 1 Cl nicht mit seiner Menschwerdung gegeben, sondern mit seinem Leiden.

                  b. Bei dieser Anschauung bleibt im wesentlichen auch
Justin, der Js 53 mehrfach in diesem Sinne verwendet.

So heißt es in der Einleitung des ausführlichen Zitates der Stelle in Apol 50, 1 ff
ausdrücklich: παθεῖν καὶ ἀτιμασθῆναι ὑπέμεινε. Allerdings wendet Justin die Begriffe
aus Js 53 auch auf die Menschwerdung und das menschliche Dasein des Christus im
ganzen an. So führt er Dial 100, 2 aus: διὰ τῆς ἀπὸ γένους αὐτῶν (τῶν πατριαρχῶν)
παρθένου σαρκοποιηθείς, καὶ ἄνθρωπος ἀειδής, ἄτιμος καὶ παθητὸς ὑπέμεινε γενέσθαι und
ähnlich heißt es Dial 32, 2: τὸ εἶδος αὐτοῦ ἄδοξον καὶ τὸ γένος αὐτοῦ ἀδιήγητον. Von
der Herkunft des Christus behauptet auch Dial 43, 3: ὅτι ἀνεκδιήγητόν ἐστιν ἀνθρώποις.
Nach 88, 8 könnte sich das auf die angebliche Abstammung Jesu von Joseph beziehen.
Der Irrtum über seine Herkunft gehört ebenso zu seiner Erniedrigung wie der Mangel
an Ansehen (εἶδος): τοῦ Ἰησοῦ . . . νομιζομένου Ἰωσήφ τοῦ τέκτονος υἱοῦ ὑπάρχειν, καὶ
ἀειδοῦς . . . φαινομένου. Doch versteht Justin diese Aussagen nicht vom Standpunkt
menschlichen Ansehens und menschlicher Ehre aus, sondern im Sinne des Verzichtes
auf die Christus eigentlich zukommende göttliche Herrlichkeit. So werden die Ausdrücke aus Js 53 Kennworte für die erste Erscheinung Christi in Niedrigkeit. Sie ist
damit als Gegenbild der zukünftigen zweiten Erscheinung in Herrlichkeit gezeichnet.
Nach Apol 52, 3 ist die erste Erscheinung Christi die eines entehrten und dem Leiden
ausgelieferten Menschen. Nach Dial 14, 8 war Christus dabei ohne Ehre, ohne Ansehen und der Sterblichkeit ausgeliefert. Ebensolche oder ähnliche Feststellungen
finden sich Dial 48, 3; 49, 2; 110, 2; 121, 3. Justin meint, daß die Anschauung von
der Parusie in Niedrigkeit nicht nur in Js 53 und Ps 22, sondern überhaupt im ganzen
AT bezeugt sei (Dial 85, 1). Offenbar ist aber in all diesen Aussagen mehr an die
Ehre und das Ansehen als an das Aussehen des Christus gedacht. Auf sein Aussehen
führt aber jedenfalls die Stelle Dial 36, 6: οἱ ἐν οὐρανῷ ἄρχοντες ἑώρων ἀειδῆ καὶ
ἄτιμον τὸ εἶδος καὶ ἄδοξον ἔχοντα αὐτόν. Wegen seiner **unscheinbaren, häßlichen**
Gestalt haben die himmlischen Mächte den Christus nicht erkannt, daher ihre ver-
wunderte Frage bei seiner Himmelfahrt: „Wer ist dieser König der Ehren?" (Ps 24, 10).
Die Voraussetzung, daß die Zwischenmächte den Christus nicht erkannt haben, entspricht der paulinischen Anschauung in 1 Kor 2, 8: ἣν (θεοῦ σοφίαν ἐν μυστηρίῳ) οὐδεὶς
τῶν ἀρχόντων τοῦ αἰῶνος τούτου ἔγνωκεν· εἰ γὰρ ἔγνωσαν, οὐκ ἂν τὸν κύριον τῆς δόξης
ἐσταύρωσαν [56].

                  c. Am schärfsten ausgeprägt ist der mythologische Gedanke, der
offenbar auch im Hintergrund der paulinischen Aussage steht, in den Act Thom 45
(II 2 p 162, 17 ff) (der Feind-Teufel spricht): οὐ γὰρ ᾔδειμεν αὐτόν· ἠπάτησεν δὲ ἡμᾶς τῇ μορφῇ αὐτοῦ τῇ δυσειδεστάτῃ καὶ τῇ πενίᾳ αὐτοῦ καὶ τῇ ἐνδείᾳ [57]. Hier ist ausdrücklich von
der **Häßlichkeit des Christus** die Rede; in häßlicher Gestalt, in Armut und
Dürftigkeit ist er erschienen und dadurch hat er die Dämonen getäuscht. Der Gegensatz
ist also auch hier nicht menschliche Schönheit, sondern göttliche Herrlichkeit. Derselbe Gegensatz ist auch in den Act Pt Verc 24 (I p 72) gemeint, wo Petrus dem
Simon Magus ua. Js 53, 2 entgegenhält [58]. In diesem Sinne hat sich die christliche
Predigt mit der μικρότης und ταπείνωσις des Herrn (wie die Ausdrücke bei Euseb
Hist Eccl I 13, 20 in seinem Bericht über die Verkündigung des Jüngers Thaddäus
vor Abgar von Edessa lauten) zu befassen. Die Abwertung des menschlichen Wesens
überhaupt steht hinter den Aussagen der Sibyll, die sich auf die Menschwerdung
des Christus beziehen. Nach 8, 256 f kam Christus ὡς βροτὸς εἰς κτίσιν . . . οἰκτρὸς
ἄτιμος ἄμορφος, und 458 sagt: οὐρανόθεν δὲ μολὼν βροτέην ἐνεδύσατο μορφήν [59].

Die biblische Anschauung von dem Menschen als dem Ebenbild Gottes ist
hier ganz vergessen und der optimistische Schöpfungsglaube des hellenistischen
Judentums, wie er etwa bei Philo sich bezeugt findet (vgl zB Op Mund 145:
τοῦ . . . πρώτου φύντος ἀνθρώπου κάλλος, dazu 136, oder Spec Leg I 10, III 108:

---

[56] GBertram, Die Leidensgeschichte Jesu
und der Christuskult (1922) 20. 58.
   [57] JKroll, Gott und Hölle. Der Mythus vom
Descensuskampfe (1932) 31. 43. 58 f. Dort
weiteres Material und Literaturnachweise.

[58] KFEuler aaO 134 ff: Der häßliche Christus.
   [59] JGeffcken, Komposition u Entstehungszeit der Oracula Sibyllina = TU II 8, 1 (1902)
44: v 456—479 sei „ein recht hübsches Stück
Christologie".

ζῷων τὸ κάλλιστον ἄνθρωπος), hat einer pessimistischen auf dualistischer Weltanschauung ruhenden Betrachtung Platz gemacht.

d. Je mehr sich in der Kirche gegenüber allen doketischen Neigungen die Ansicht von der natürlichen Leiblichkeit und geschichtlichen Wirklichkeit Jesu durchsetzte, desto stärker wurde auch das Bestreben, in Js 53 eine Be- 5 schreibung der leiblichen Erscheinung Jesu zu finden. Jesus mußte danach in seinem Äußeren häßlich und unscheinbar gewesen sein. So kann Celsus über das σῶμα μικρὸν καὶ δυσειδὲς καὶ ἀγεννές Jesu höhnen [60], während die Christen sich die Tatsache, die auch ihnen vielfach feststand, damit zu erklären suchten, daß Christus absichtlich nicht in schöner Gestalt erscheinen wollte, um niemanden von seiner Predigt abzu- 10 lenken [61].

Origenes aber schwächt die Bedeutung von Js 53 für die Frage des Jesusbildes ab und weist jedenfalls daneben auf Ps 45, 4 [62] hin. Auch sonst sind bei den Kirchenvätern die Stimmen geteilt. Während die einen sich auf Js 53 berufen, versuchen die anderen die Bedeutung dieser Stelle einzuschränken und 15 oft genug schwankt der einzelne in seiner Meinung. Schließlich entsteht eine gewisse Übereinstimmung darin, daß Js 53 auf die Erniedrigung und das Leiden Christi bezogen wird, daß aber keine Schlüsse auf sein menschliches Aussehen aus dieser Stelle gezogen werden [63].

2. Die Vorstellung eines schönen Christus in 20 der Alten Kirche.

a. Vielmehr wird im Gegensatz zu Js 53 die **überragende Schönheit des Herrn** behauptet [64]. ZT wird diese Auffassung sogar von Theologen vertreten, die sich mit der Anschauung von dem häßlichen Christus auf Grund von Js 53 auseinandersetzen. Die Behauptung von der 25 Schönheit des Christus entspricht einer theologischen Theorie, die im hellenistischen Geiste Schönheit als notwendig zum Wesen der Gottheit gehörig ansah.

Daß eine solche Anschauung auch in der biblischen Sphäre Platz greifen konnte, zeigen schon gewisse Aussagen des griechischen AT über die **Schönheit der Schöpfung** und den Schöpfergott. ZB gehört der Schluß Sap 13, 5: ἐκ γὰρ μεγέθους 30 καὶ καλλονῆς κτισμάτων ἀναλόγως ὁ γενεσιουργὸς αὐτῶν θεωρεῖται, zum Grundbestand der jüdisch- und christlich-hellenistischen Theologie und Apologetik. So heißt es Sir 43, 9. 11. 18: κάλλος οὐρανοῦ . . . ἰδὲ τόξον καὶ εὐλόγησον τὸν ποιήσαντα αὐτὸ σφόδρα ὡραῖον . . . κάλλος λευκότητος (χιόνος), und Sir 39, 16: τὰ ἔργα κυρίου πάντα ὅτι καλὰ σφόδρα. Hier wie Eccles 3, 11: σὺν τὰ πάντα ἐποίησεν καλὰ ἐν καιρῷ αὐτοῦ, und 35 ψ 95, 5. 6: ὁ δὲ κύριος τοὺς οὐρανοὺς ἐποίησεν, ἐξομολόγησις καὶ ὡραιότης ἐνώπιον αὐτοῦ, ist offenbar auf die Schöpfungsgeschichte Gn 1, 4 usw angespielt [65]. Auch ψ 49, 2 ist

---

[60] Orig Cels VI 75. Vgl AMiura-Stange, Celsus und Origenes, das Gemeinsame ihrer Weltanschauung (1926) 144 f.

[61] Cl Al Paid I 10, 89. Vgl WBauer, Das Leben Jesu im Zeitalter der neutestamentlichen Apokryphen (1909) 312 ff.

[62] → A 60. — JZiegler, Untersuchungen zur Septuaginta des Isaias (1934) 128, erwägt die Möglichkeit einer Abhängigkeit des κάλλος in Jes 53, 2 von ψ 44, 3, dessen Einfluß auf den Jes-Übersetzer in 53 auch in dem παρὰ τοὺς υἱοὺς τῶν ἀνθρώπων (B) zu beobachten sei.

[63] Die Nachweise im einzelnen s bei WBauer aaO und bei NMüller, Artk „Christusbilder" in RE IV (1898) 63 ff.

[64] Cl Al Strom II 5, 21, 1: ὁ σωτὴρ ἡμῶν ὑπερβάλλει πᾶσαν ἀνθρωπίνην φύσιν. καλὸς μὲν . . .

[65] Vgl auch ψ 103, 1; 144, 5; ὄνομα καλόν: ψ 134, 3 vl bei A[r] ἡδύ, vgl 1 Makk 4, 24; Jk 2, 7 und Philo Abr 156: φῶς, ὃ καὶ τῶν ὄντων ἐστὶ κάλλιστον καὶ πρῶτον ἐν ἱεραῖς βίβλοις ὠνομάσθη καλόν. — Sirach findet auch im rabb Judentum Fortsetzer des Gedankens von der Schönheit der Schöpfung. So begegnet bJoma 54 b eine Auslegung zu Ps 50, 2, wonach die Schönheit des Kosmos von Jerusalem aus ihre Vollendung erfahren hat. In diesem Zusammenhang gehört auch die Spekulation über das Maß von Schönheit, das Jahwe der Welt zugebilligt hat. So heißt es bQid 49 b: „Zehn Maß Schönheit sind auf die Welt herabgekommen: neun hat Jerusalem in Empfang genommen, eines die ganze [übrige] Welt." [RMeyer.]

das wohl der Fall: ἐκ Σιὼν ἡ εὐπρέπεια τῆς ὡραιότητος αὐτοῦ, ὁ θεὸς ἐμφανῶς ἥξει [66], ebenso ψ 89, 17 Σ: καὶ ἔστω τὸ κάλλος (Mas: נֹעַם, LXX ἡ λαμπρότης) κυρίου τοῦ θεοῦ ἡμῶν ἐπάνω ἡμῶν, und ψ 26, 4 Σ: ὥστε ὁρᾶν τὸ κάλλος ΠΙΠΙ [67] (LXX: τὴν τερπνότητα τοῦ κυρίου, Ἀ: ἐν εὐπρεπείᾳ κυρίου). Auch Philo kennt diese Gedanken, die er zB Op Mund 139 in spekulativer Form zum Ausdruck bringt: θεοῦ δὲ λόγος καὶ αὐτοῦ κάλλους, ὅπερ ἐστὶν ἐν τῇ φύσει κάλλος, ἀμείνων, οὐ κοσμούμενος κάλλει, κόσμος δ' αὐτός, εἰ δεῖ τἀληθὲς εἰπεῖν, εὐπρεπέστατος ἐκείνου [68]. Unter den christlichen Apologeten ist es vor allem Athenagoras, dem diese Gedankengänge liegen. Bei ihm heißt es Suppl 10, 1 von Gott: φωτὶ καὶ κάλλει ... περιεχόμενον und 5, 2: τὴν τοῦ θεοῦ φύσιν τοῦ κάλλους τοῦ ἐκείνου πληρουμένην (οὐρανὸν καὶ γαῖαν). Der apologetische Grundgedanke aber findet sich 16, 1 ausgesprochen: καλὸς μὲν γὰρ ὁ κόσμος ... ἀλλ' οὐ τοῦτον, ἀλλὰ τὸν τεχνίτην αὐτοῦ προσκυνητέον (vgl Aetius, plac 1, 6, 2—6 [Diels]) und 16, 2 lautet die Fortsetzung: πάντα γὰρ ὁ θεός ἐστιν αὐτὸς αὑτῷ, φῶς ἀπρόσιτον, κόσμος τέλειος, πνεῦμα, δύναμις, λόγος ... θαυμάζων αὐτοῦ τὸ κάλλος τῷ τεχνίτῃ πρόσειμι. Ist in diesen Stellen von der Schönheit der Schöpfung die Rede, so spricht 1 Cl 49, 1 ff mit Bezug auf die Erlösung und Heiligung von der erhabenen Art der Schönheit des Bandes der göttlichen Liebe: τὸ μεγαλεῖον τῆς καλλονῆς αὐτοῦ (δεσμὸς τῆς ἀγάπης τοῦ θεοῦ). Mit Recht sind für diesen vergeistigten Schönheitsbegriff die Erosaussagen in Platons Symposion als Analogon herangezogen worden (197 c e): Ἔρως πρῶτος αὐτὸς ὢν κάλλιστος καὶ ἄριστος ... συμπάντων τε θεῶν καὶ ἀνθρώπων κόσμος, ἡγεμὼν κάλλιστος καὶ ἄριστος [69]. Solcher geistiger Schönheitsbegriff wird allerdings auch die sinnliche Vorstellung eines häßlichen Christus unmöglich machen.

b. Die Verbreitung dieser Anschauungsweise macht die messianische Deutung entsprechender Schönheitsaussagen der griechischen Bibel nur um so eher verständlich. Im Vordergrund steht dabei ψ 44, 3. 4. Dort heißt es in der LXX von dem Messias-König: ὡραῖος κάλλει παρὰ τοὺς υἱοὺς τῶν ἀνθρώπων, und v 4: περίζωσαι τὴν ῥομφαίαν σου ... τῇ ὡραιότητί σου καὶ τῷ κάλλει σου.

Die anderen Übersetzer [70] haben ähnliche Formulierungen: Ἀ Vers 3: κάλλει ἐκαλλιώθης ἀπὸ υἱῶν ἀνθρώπων, Vers 4: ... ἐπιδοξότητί σου καὶ διαπρεπείᾳ σου, Σ Vers 3: κάλλει καλὸς εἶ παρὰ τοὺς υἱοὺς τῶν ἀνθρώπων, Vers 4 [71]: περίθου ὡς μάχαιράν σου ... τὸν ἔπαινόν σου καὶ τὸ ἀξίωμά σου, E' Vers 3: κάλλει ὡραιώθης παρὰ τοὺς υἱοὺς τῶν ἀνθρώπων; Allos Vers 4: ... ἡ δόξα σου καὶ ἡ εὐπρέπειά σου. Psalm 45 ist nicht nur im frühen Christentum [72], sondern auch im rabbinischen Judentum [73] messianisch gedeutet worden. Neben die Psalmstelle stellt der Verfasser einer dem Origenes zugeschriebenen Schrift [74] den Typus des schönen Moses nach Ex 2, 2 als Hinweis auf die Schönheit Christi. Mas hat an dieser Stelle טֹוב, das die LXX mit ἀστεῖος, Ἀ mit ἀγαθός, Σ aber mit καλός übersetzen. Neben den Mosestypus tritt in demselben Sinne der Josephtypus mit Bezug auf Gn 39, 6, wo Joseph als schön bezeichnet wird [75]. Dazu kommen noch einige andere Schriftstellen mit Schönheitsaussagen, die auf Christus bezogen werden. In Js 33, 17 lautet Mas: „Deine Augen werden den König in seiner Schönheit erblicken" (בְּיָפְיֹו), das Ἀ, Σ und Θ wörtlich wiedergeben: ἐν τῷ κάλλει αὐτοῦ). LXX setzt statt κάλλος, das zu sehr irdisch bedingt erscheint, δόξα [76]

---

[66] Anders Ἀ: ἐκ Σιὼν τετελεσμένης κάλλει ὁ θεὸς ἐπεφάνη. Hier bezieht sich die Schönheit auf Zion.

[67] Nachmalung des unaussprechlichen יהוה.

[68] Weitere Beispiele bei Leisegang 427 ff.

[69] Kn Cl zSt.

[70] Field zSt.

[71] Zu der Umdeutung bei Σ vgl die rabbinische Deutung der Waffen als Schmucksachen Schab 63 a, dazu Str-B III 680 zu Hb 1, 8. 9.

[72] Das Material bei den Kirchenvätern findet sich bei WBauer aaO und NMüller aaO.

[73] Vor allem im Targum, vgl Str-B III 679 zu Hb 1, 8 f. Andere Deutungen ebd. Zur Deutung auf Abraham vgl OSchmitz, Abraham im Spätjudentum und im Urchristentum, in: Aus Schrift und Geschichte, Festschrift für Adolf Schlatter (1922) 122, und ASchlatter, Das Alte Testament in der johanneischen Apokalypse = BFTh 16, 6 (1912) 41.

[74] Tractatus Origenis VII (ed Batiffol [1900]) p 80. Bei dem Tractatus Origenis de libris ss Scripturarum handelt es sich um eine jetzt meist dem Gregor von Eliberis (Elvira), einem spanischen Antiarianer, zugeschriebene Sammlung von 20 Homilien über meist at.liche Texte aus der 2. Hälfte des 4. Jhdts. Vgl OBardenhewer, Geschichte der altkirchlichen Literatur II (1914) 139. 632; III (1912) 400 f.

[75] AJeremias, Das Alte Testament im Lichte des Alten Orients (1916) 317. 332 und Motivregister sv Schönheit. Jeremias betrachtet Schönheit in diesem Zusammenhange als ein Tamuz-Motiv.

[76] → δόξα. — Vgl GKittel, Die Religionsgeschichte und das Urchristentum (1932) 82 ff. Die Vokabel bezeichnet im griech AT vor allem „die göttliche Majestät und den Glanz der göttlichen Herrlichkeit".

das mehr auf die himmlische Herrlichkeit hinweist. Entsprechend hat die Vulgata: *Regem in decore suo videbunt*, während Luther wörtlich den masoretischen Text wiedergibt. Das Bildwort in Dt 33, 17: πρωτότοκος ταύρου τὸ κάλλος αὐτοῦ, hat Justin Dial 91, 1 auf die geheimnisvolle Kraft des Kreuzes bezogen. Weit verbreitet ist die messianische Deutung des Hohen Liedes. Christus ist der Bräutigam (vgl Mk 2, 19; 5 Mt 25, 1; Joh 3, 29; Eph 5, 25); auf ihn bezieht sich 1, 16: ἰδού, εἶ καλός, ὁ ἀδελφιδός μου, καί γε ὡραῖος und die ausführliche Schilderung der Schönheit des Bräutigams in 5, 10—16[77].

c. Eine deutliche Verbindungslinie läßt sich von diesen at.lichen Texten zu der Vorstellung vom schönen Christus der apo- 10 kryphen gnostischen Apostelgeschichten nicht verfolgen. Es handelt sich hier um die durchaus menschlich vorgestellte Gestalt des Erhöhten. Ewige Schönheit und ewige Jugend gehören notwendig zu dem Jenseitsbild, das man sich in diesen Kreisen macht.

So erscheint Christus als Kind oder Jüngling, dessen Schönheit oft ausdrücklich 15 hervorgehoben wird: Act Andr et Matth 18 (II 1 p 87)[78]: γενόμενος ὅμοιος μικρῷ παιδίῳ ὡραιοτάτῳ εὐειδεῖ; 33 (115, 6f): γενόμενος ὅμοιος μικρῷ παιδίῳ εὐειδεῖ; Mart Mt 13 (II 1 p 232, 1): παιδίον εὔμορφον ἐξ οὐρανοῦ καταβαίνων, vl: ἐν ὁμοιώματι παιδίου ὡραιοτάτου; 24 (II 1 p 250, 10): τὸν Ματθαῖον . . . χειραγωγούμενον ὑπὸ παιδίου εὐμόρφου; 26 (II 1 p 255, 1): τὸ παιδίον τὸ εὔμορφον; Act Thom 109 (II 2 p 220, 21 f): παῖδα εὐχαρῆ καὶ 20 ὡραῖον, υἱὸν μεγιστάνων[79]. Als Jüngling ist Jesus bezeichnet: Act Joh 73 (II 1 p 186, 14): νεανίσκον εὔμορφον μειδιῶντα; Mart Mt 17 (II 1 p 238, 4 ff): Ἰησοῦς . . . ἐμφανισθείς μοι ὅλος ἐξαστράπτων ὥσπερ τις νεανίσκος εὔμορφος[80]; Act Thom 154 (II 2 p 263, 13): ὁ νεώτερος οὗτος. In der Vita et Passio SCCypriani per Pontium 12 (ed PTRuinart, in: Acta Martyrum [1859]) wird Christus als iuvenis bezeichnet. In der Passio Perpetuae et 25 Felicitatis 12 (ebd) wird der Erhöhte beschrieben: Niveos habentem capillos et vultu iuvenili. Zahlreich sind die Stellen, wo einfach von der Schönheit des Erscheinenden die Rede ist, vgl Act Thom 129. 149. 160: ὡραῖος, 36: κάλλος, εὐπρέπεια, 80: εὐπρέπεια, Act Andr 1 (II 1 p 38, 12): ἐσμὲν τοῦ καλοῦ, δι' ὃν τὸ αἰσχρὸν ἀπωθούμενα (vl: -μεθα). Im Gegensatz dazu heißt es vom Teufel Act Thom 44: ὁ δυσειδής, ὁ τοὺς εὐειδεῖς ὑποτάσσων. 30 Als Christus-Bezeichnung und -Anrede begegnet ὁ καλός in den Act Joh 73. 74. Hier zeigt sich auch vor allem der doketische Charakter der ganzen Vorstellungsweise. Christus erscheint dem einen als Kind, dem anderen als Mann, bald schön, bald häßlich (88. 89), überhaupt erscheint er jedem so, wie er ihn fassen kann (Act Pt Verc 20 [I p 67, 6])[81]. So entbehrt die Vorstellung des Christus in den Apostelakten der 35 irdischen Greifbarkeit. Das Bild himmlischer Schönheit, das den Erzählern hier vorschwebt, kann in Menschengestalt nicht wirklich werden.

d. Schließlich muß in unserem Zusammenhange auf die künstlerischen Darstellungen des jugendlich schönen Christus in den Katakomben und auf Goldgläsern verwiesen werden[82]. Nach 40 dem Ausgeführten hängt diese Darstellung schwerlich mit dem Christusbild der apokryphen Apostelgeschichten zusammen[83]. Vielmehr wird es sich hier um

---

[77] Vgl Hippolyts Kommentar zum Hohen Lied (ed GNBonwetsch = TU II 8, 2 [1903] 51), dazu WBauer aaO 313. — Die messianische Deutung des Hohenliedes ist für das Judentum durch das Targum bezeugt. Von da haben sie die Kirchenväter seit Hippolyt und Origenes übernommen. Vgl WRiedel, Die Auslegung des Hohenliedes in der jüdischen Gemeinde und in der griechischen Kirche 1898.

[78] Vgl auch RALipsius, Die apokryphen Apostelgeschichten und Apostellegenden I (1883), II (1884, 1887), I 269. 464 f. 542. 551. 554; II 2, 111 f.

[79] WBousset, Hauptprobleme der Gnosis (1907) 252 ff. In dem Hymnus handelt es sich im ganzen um die Figur des gnostischen Erlösers. Der schöne Knabe ist jedenfalls als ein Doppelgänger des Erlösers aufzufassen.

[80] Vgl auch Act Pt Verc 5 (I p 51, 5).

[81] Hier ist wohl überhaupt auf die gnostische Lehre von dem vielgestaltigen Erlöser zu verweisen. Vgl Act Thom 48 (II 2 p 164,15); Act Archelai 59, 3, in: GCS XVI und dazu WBousset, Manichäisches in den Thomasakten, ZNW 18 (1918), 14 ff. Origenes hat die Lehre biblisch begründet und in der Auseinandersetzung mit Celsus theologisch nutzbar gemacht, vgl Miura-Stange aaO 152 ff.

[82] FXKraus, Geschichte der christlichen Kunst I (1896) 176 f. Ders, RE der christl Altertümer II (1886) 15 ff. KKünstle, Ikonographie der christl Kunst I (1928) 593 ff.

[83] JEWeis-Liebersdorf, Christus- und Apostelbilder, Einfluß der Apokryphen auf die ältesten Kunsttypen (1902). Dagegen Künstle aaO 594 f.

eine selbständig gewordene Vorstellung handeln, die vor allem auch das Bild des guten Hirten geprägt hat.

> Bei diesem in den Katakomben, an Sarkophagen und als selbständige Plastik weitverbreiteten Christusbild ist es strittig, ob es sich dabei um eine Darstellung von J 10, 11 ff (ὁ ποιμὴν ὁ καλός) handelt [84], oder ob die Hirtenbilder „auf die messianischen Weissagungen vom Gotthirten zurückzuführen" sind [85]. Jedenfalls ist besonders auf at.liche Stellen wie Ez 34, 23; 37, 24; Js 40, 11 und das Hirtengleichnis Sach 11, 7—10 (ἡ ῥάβδος „κάλλος") hinzuweisen. Der Gotthirte ist „eine ideale Verkörperung der christlichen Heilsidee" [86]. Darin wird sich auch sachlich die Schönheit der Darstellung begründen, die formal natürlich von den religiösen und profanen Vorbildern der Umwelt nicht unbeeinflußt geblieben ist.

In der messianischen Deutung der Bibelstellen auf den schönen Christus, in dem doketischen Bild der apokryphen Apostelgeschichten wie in der künstlerischen Erfassung des Christusbildes handelt es sich letztlich jedenfalls um die Auswirkung volkstümlicher Anschauungen von der Schönheit Christi, wie sie in der christlichen Volksfrömmigkeit aller Zeiten festgehalten worden sind. Das zeigt die ja mannigfachem Wandel und verschiedensten Einflüssen unterworfene Tradition des Christusbildes, und daran hat auch das gotische Passionsbild im Grunde nichts ändern können [87]. Das kommt in volkstümlicher Form besonders auch im geistlichen Volkslied, bzw im Kirchenlied zum Ausdruck. So heißt es in dem vor 1695 verbreiteten Lied eines unbekannten Verfassers: „Schönster Herr Jesu . . . Alle die Schönheit Himmels und der Erden sind verfaßt in dir allein . . ." Und Johann Scheffler singt ebenfalls im 17. Jahrhundert: „Ich will dich lieben . . . du hochgelobte Schönheit du . . ." [88]. Es ist hier wie bereits im NT: das Bild des irdischen Jesus und das Bild des Erhöhten fließen zusammen.

Bertram

┌───┐
│ *καλύπτω, κάλυμμα, ἀνακαλύπτω,*   │
│   *κατακαλύπτω, ἀποκαλύπτω,*   │
│   *ἀποκάλυψις*   │
└───┘

† καλύπτω

> Die in die indogermanische Zeit zurückreichende Grundbedeutung ist vielleicht *in der Erde verbergen* [1], *bestatten* [2]. Die weitere Bedeutung *verhüllen, bedecken* ist daraus verallgemeinert worden. Die Vokabel ist anscheinend aus dem

---

[84] CMKaufmann, Handbuch der christl Archäologie (1922) 322, der auf die literarische Überlieferung hinweist, die im Anschluß an die Evangelien (J 10; 21, 15 ff; Mt 15, 24; Lk 15, 4 f) gern das schöne allegorische Bild ausmalte, vgl Herm und Cl.

[85] Künstle aaO 402.

[86] Kaufmann aaO 322.

[87] Vgl NMüller aaO 63 ff; HPreuß, Das Bild Christi im Wandel der Zeiten (1932).

[88] Der Text ist in den neuen Gesangbüchern zT geändert. Für „Schönheit" hat das Brandenburgische Gb (1904) „Heiland", das Hessische (1924) „Liebe". Weiteres Material bei G.Brock, Evangelische Liederkonkordanz (1926) 327 f.

καλύπτω. [1] Indogermanische Basis *k̑elu, Weiterbildung des Stammes *k̑el, lat: *celo*, althochdeutsch *helan*, davon *Hel*, neuhochdeutsch „Höhle" und „Hölle". Wie Hel und Nehalennia, so war auch Kalypso von Hause aus eine Unterweltsgöttin, der Hekabe oder Hekate nahestehend. So nach HGüntert, Kalypso, Bedeutungsgeschichtliche Untersuchungen auf dem Gebiet der indogermanischen Sprachen (1919). Schwerwiegende Einwendungen gegen Methode und Einzelforschung Günterts sind von WPorzig, Indogerm Forschungen, Anzeiger 42 (1924) 16 ff erhoben worden.

[2] Viele Belege bei Güntert aaO 31 ff. Verwandt ist auch Anth Pal VII 604 von einem verstorbenen Mädchen: μοῖρα . . . σε καλύπτει.

Ionischen in die Koine geflossen[3]. Sie ist überwiegend poetisch, sehr häufig bei Hom, Tragikern und Lyrikern, kommt ferner in ionischen (Ditt Syll[3] 1218, 7: Keos, 5. Jhdt v Chr) und aeolischen (ebd 999, 10: Lykosura, 2. Jhdt v Chr, → 564 A 3) Inschriften und bei ionischen Prosaikern (Hdt II 47; Hippocr Mul II 146) vor. In attischer Prosa ist das Simplex selten, fehlt zB samt dem Subst κάλυμμα bei Plato ganz. Vgl jedoch Xenoph Cyrop V 1, 4; Eq 12, 5. Später wird es häufiger (Aristot Hist An II 13 p 505a 6 → 559, 9f; Plut, Paus, Ael Arist, Pap)[4].

Das Wort wird gebraucht: 1. eigtl: Hom Il 10, 29: Menelaos *hüllte* (κάλυψεν) den breiten Rücken in ein buntes Pantherfell; Aristot Hist An II 13 p 505a 6: καλυπτόμενα καλύμματι [βράγχια Kiemen]; Jos Ant 13, 208: der die Wege *bedeckende* (τὰς ὁδοὺς καλύψασα) Schnee. Die Grundbdtg schlägt insofern durch, als oft auch da, wo die Bdtg *bestatten* nicht paßt, doch eine Beziehung zum Tode vorliegt. Hom Il 5, 553: τέλος θανάτοιο κάλυψεν, 13, 425: ἐρεβεννῇ (dunkel) νυκτὶ καλύψαι *töten*. Dagegen Hom Il 5, 23: σάωσε δὲ νυκτὶ καλύψας vom rettenden Eingreifen des Hephaistos. Besonders häufig steht καλύπτω bei LXX, so in rein neutralem Sinn Ex 27, 2; 1 Βασ 19, 13 uö, Ex 14, 28 dagegen mit dem Nebensinn *begraben*. Es erhält einen numinosen Klang, wenn gesagt wird, daß die Wolke Jahwes den Berg Sinai oder das Offenbarungszelt *bedeckte* (Ex 24, 15f; Nu 9, 15f). Numinose Scheu kommt auf menschlicher Seite darin zum Ausdruck, daß nach ep Ar 87 die Priester vor dem Brandopferaltar bis an die Knöchel in leinene Leibröcke *gehüllt* sind. — 2. übertr: zuweilen in der Profangräzität, σιγῇ καλύπτειν Eur Hipp 712, öfter im AT (= כסה pi), ψ 31, 5: τὴν ἀνομίαν μου οὐκ ἐκάλυψα ich habe meine Übertretung nicht *verheimlicht*, dagegen ψ 84, 3: ἐκάλυψας πάσας τὰς ἁμαρτίας αὐτῶν du *decktest zu*, *vergabst* alle ihre Sünden (synon: ἀφῆκας). Über Test L 10, 3 → 560 A 11.

Im Neuen Testament steht καλύπτω ebenfalls 1. eigentlich. Mt 8, 24: ὥστε τὸ πλοῖον καλύπτεσθαι ὑπὸ τῶν κυμάτων, Lk 23, 30 vielleicht mit Durchschimmern der Bdtg *begraben* (Zitat aus Hos 10, 8 LXX): ἄρξονται λέγειν τοῖς ὄρεσιν· πέσατε ἐφ' ἡμᾶς, καὶ τοῖς βουνοῖς· καλύψατε ἡμᾶς, Lk 8, 16 im Gleichnis vom Licht: οὐδεὶς λύχνον ἅψας καλύπτει αὐτὸν σκεύει.

2. Übertragen. Mt 10, 26: οὐδὲν γάρ ἐστιν κεκαλυμμένον ὃ οὐκ ἀποκαλυφθήσεται, καὶ κρυπτὸν ὃ οὐ γνωσθήσεται ist ein Allgemeinsatz[5], der im vorliegenden Zusammenhange (v 24f. 27f) betonen will, daß Gott die Reichsgottesbotschaft trotz aller Unscheinbarkeit und trotz aller Anfeindung öffentlich zur Geltung bringen wird.

2 K 4, 3: εἰ δὲ καὶ ἔστιν κεκαλυμμένον τὸ εὐαγγέλιον ἡμῶν, ἐν τοῖς ἀπολλυμένοις ἐστὶν κεκαλυμμένον. Die Gegner erheben den Vorwurf, das paulinische Evangelium sei *verdeckt*, dh der Botschaft mangle die Durchschlagskraft echter Gottesoffenbarung (vgl 3, 12ff) und dem Verkündiger der schlichte Freimut des wirklichen Gottesboten (3, 1ff; 4, 2). Paulus gibt die behauptete Tatsache ironisch zu, jedoch nur, um sogleich den Spieß umzudrehen. Verdeckt ist sein Evangelium allerdings: für die Ungläubigen, welche auf dem Wege zum Verderben sind. Ihnen hat der Gott dieses Aeons, dh der Satan, ihre Begriffe verblendet, daß sie das Leuchten des Evangeliums von der Herrlichkeit Christi nicht sehen. Der Gedanke knüpft an an → κάλυμμα 3, 15f und → ἀνακεκαλυμμένῳ προσώπῳ 3, 18.

Jk 5, 20: Wer einem Sünder zurecht hilft, σώσει ψυχὴν αὐτοῦ ἐκ θανάτου καὶ καλύψει πλῆθος ἁμαρτιῶν. 1 Pt 4, 8: ἀγάπην ἐκτενῆ ἔχοντες, ὅτι ἀγάπη καλύπτει πλῆθος ἁμαρτιῶν.

[3] Nägeli 27.
[4] ABz Subsidia 271f.
[5] Die rabb Parallelen (Str-B I 578f) weisen in die Richtung unseres Sprichwortes: „Es ist nichts so fein gesponnen, es kommt endlich an die Sonnen."

Beide Stellen gehen zurück auf Prv 10, 12 hbr: וְעַל כָּל־פְּשָׁעִים תְּכַסֶּה אַהֲבָה: die
Liebe stiftet Frieden (LXX nach anderer Lesart [בְּשָׁעִים לֹא ?] oder unrichtig: πάντας
δὲ τοὺς μὴ φιλονεικοῦντας καλύπτει φιλία)[6]. 1 Pt 4, 8 kehrt wörtlich wieder in 1 Cl
49, 5; 2 Cl 16, 4 und wird Didask 2, 5 als Herrnwort zitiert[7]. Die literarischen Beziehungen sind noch keineswegs geklärt[8]. Man wird nicht fehlgehen in der Annahme,
daß der Spruch geflügeltes Wort war. Dafür spricht auch das einheitliche Verständnis bei den christlichen Schriftstellern. In der rabbinischen Literatur wird Prv 10, 12
selten zitiert und bald auf die Liebe Gottes, bald auf das Gebet Mosis, bald auf die
Tora (5, 19: Liebe = Tora) gedeutet[9].

Die Väter denken überall daran, daß die Liebe die Sünden dessen, der Liebe
übt, wiedergutmacht[10]. Diese Auslegung wird auch für die beiden nt.lichen
Stellen zutreffen. Sie wollen weder im Sinn von 1 K 13, 7 noch im Sinn der
göttlichen Vergebung für den Nächsten verstanden werden, sondern meinen, daß echte Liebe sich selbst den Zugang zur göttlichen Vergebung sichert[11].
Diese positive, beinahe „werkgerechtliche" Fassung (sonst überwiegend negative
Formulierungen: Mt 18, 35; 6, 15, vgl jedoch v 14, Mk 11, 25) hat innerhalb
der nt.lichen Gedankenwelt zwar etwas Befremdliches, bringt aber nur an ihrem
Teile die allgemein nt.liche Auffassung zum Ausdruck, daß die freie Gnade
Gottes wohl den Verdienstgedanken, nicht aber die Urnorm von Strafe und Lohn
aufhebt.

† κάλυμμα

1. Das Subst ist, wie das Verbum, in der älteren Sprache überwiegend poetisch. Von den mancherlei Bedeutungen[1] ist theologisch bedeutsam nur
Kopfhülle, Schleier. Die Verhüllung des Hauptes ist Ausdruck der Trauer (zB Soph
Ai 246: κάρα καλύμμασι κρυψάμενος). Sie geht vermutlich auf animistische Vorstellungen zurück. Die Kopf- oder auch Körperverhüllung als magisch-religiöser Brauch ist
bei allen Völkern verbreitet, hat aber keinen einheitlichen Sinn. Bald dient sie, wie
die Decke auf dem Angesicht des Toten, dazu, gefährliche Einflüsse des Objekts auf
die Umwelt abzuwehren[2], bald umgekehrt, den Träger vor dämonischen Mächten zu
schützen. So vor allem bei der Mysterienweihe. Da deren Zeremoniell sich mit dem

---

[6] Miteingewirkt haben vielleicht Ez 28, 17:
διὰ πλῆθος ἁμαρτιῶν σου ἐπὶ τὴν γῆν
ἔρριψά σε, Sir 5, 6: τὸ πλῆθος τῶν ἁμαρτιῶν
μου ἐξιλάσεται und ψ 84, 3: ἐκάλυψας πάσας
τὰς ἁμαρτίας αὐτῶν.
[7] AResch, Agrapha[2] = TU II 15, 3/4 (1906)
310f.
[8] Direkte Abhängigkeit eines Briefes vom
andern ist bei der ganzen Art von 1 Pt und
Jk nicht unwahrscheinlich. Für die Abhängigkeit des Jk zuletzt HAppel, Einl in das NT
(1922) 118. Neuerdings mehren sich die
Stimmen für die Umkehrung: AMeyer, Das
Rätsel des Jkbriefes (1930) 75ff; AJülicher-
EFascher, Einl in das NT[7] (1931) 213. Dib
Jk 29f und Hck Jk 14f denken an gemeinsame Benutzung älterer Traditionsstoffes.
Kn zu 2 Cl 16, 4 hält jede Beziehung
zu Prv 10, 12 für unwahrscheinlich. Das Wort
möge aus einem verlorenen Apokryphon
stammen, und sein ursprünglicher Sinn sei
wohl, das Almosengeben zu empfehlen.
[9] Str-B III 766.
[10] Vgl 1 Cl 50, 5; 2 Cl 15, 1.
[11] Wnd Kath Br zdStn. Lehrreich ist der
Vergleich von Test L 10, 3: ἀνομήσετε ἐν
τῷ Ἰσραήλ, ὥστε μὴ βαστάζειν τὴν Ἱερουσαλὴμ

ἀπὸ προσώπου τῆς πονηρίας ὑμῶν, ἀλλὰ σχισ-
θῆναι τὸ καταπέτασμα τοῦ ναοῦ, ὥστε μὴ καλύψαι (vl: κατακαλύπτειν) ἀσχημοσύνην ὑμῶν.

κάλυμμα. ORühle, Artk Masken, in: RGG[2]
III 2038f (Lit über Masken im Abwehr- und
Aneignungszauber!); AJeremias, Der Schleier
von Sumer bis heute=AO 31, 1/2 (1931); JGötts-
berger, Die Hülle des Moses nach Ex 34 und
2 K 3, BZ 16 (1924) 1—17. Über die kirchliche Verwendung des Vorhangs gibt reich-
haltige Auskunft CSchneider, Studien zum
Ursprung liturgischer Einzelheiten östlicher
Liturgien. I. ΚΑΤΑΠΕΤΑΣΜΑ. Kyrios, Viertel-
jahresschrift für Kirchen- und Geistesgeschichte Osteuropas 1 (1936) 57ff.
[1] Decke, Hülle, zB für das Offenbarungszelt Ex 26, 14 (B); Vorhang am Tor des Vor-
hofes Ex 27, 16 und vor dem Allerheiligsten
40, 5; Rüstung. Harnisch 1 Makk 4, 6; 6, 2;
auch hölzerne Verkleidung eines Daches Ditt
Syll[3] 969, 57: καλύμματα usw.
[2] In diesem Zshg gehört auch das Mund-
tuch der parsistischen Priester, um das heilige Feuer vor Verunreinigung zu schützen.
In Griechenland kommen vereinzelte Parallelen vor.

der Eheschließung berührt, mag auch bei der Verhüllung der Braut (→ 561, 5 f) derartiges mitsprechen. Alt und bedeutsam ist auch das Fruchtbarkeitsmotiv. Bei der babylonischen Ištar bedeutet (bräutliche?) Verschleierung Leben, Entschleierung dagegen Tod[3]. An die Verschleierung der Braut knüpft eine Bildrede über den Offenbarungsspruch bei Aesch (Ag 1178) an: ὁ χρησμὸς οὐκέτ' ἐκ καλυμμάτων ἔσται δεδορκὼς 5 νεογάμου νύμφης δίκην „der Seherspruch wird nicht mehr, wie eine neuvermählte Braut, aus einem Schleier hervorsehen (sondern frei heraus gegeben werden)". Hier erscheint die noch halbverhüllte Kundgebung als Anfangsstadium, die restlose Enthüllung als Höhepunkt der Offenbarung. In die Richtung numinoser Unnahbarkeit weist die berühmte Inschrift des „verschleierten" Isis-Athenebildes zu Sais (Plut Is et 10 Os 9 [II 354 c]): ἐγώ εἰμι πᾶν τὸ γεγονὸς καὶ ὂν καὶ ἐσόμενον καὶ τὸν ἐμὸν πέπλον οὐδείς πω θνητὸς ἀπεκάλυψεν. Vgl auch Procl in Tim 21 e (ed EDiehl I [1903] p 98, 17): τὰ ὄντα καὶ τὰ ἐσόμενα καὶ τὰ γεγονότα ἐγώ εἰμι· τὸν ἐμὸν χιτῶνα οὐδεὶς ἀπεκάλυψεν. Es handelt sich hier aber in Wahrheit dem ursprünglichen primitiven Sinn nach wohl um mehr als um vorwitziges Heben des Gesichtsschleiers der Göttin, nämlich, wie die er- 15 wähnten Kleidungsstücke andeuten, um den Raub ihrer Jungfräulichkeit (vgl die Fortsetzung bei Procl aaO: ὂν ἐγὼ καρπὸν ἔτεκον, ἥλιος ἐγένετο). Der Gesichtsschleier hat endlich gelegentlich Beziehung zur Maske. Die Maske der Gottheit deutet in ihrer geheimnisvollen Verbindung von Gegenwartsbetontheit und Ungegenständlichkeit die Nähe und zugleich Ferne des Numinosen an[4]. Das Anlegen der gött- 20 lichen Maske verspricht dem Träger göttliche Kräfte, setzt vor allem den Priester instand, im Namen der Gottheit Orakel zu geben. Das Bedecken des Angesichts dient hier also nicht so sehr der Verhüllung wie der Enthüllung des Göttlichen.

2. Ob und wie in die dargelegten religionsgeschichtlichen Zusammenhänge die Erzählung Ex 34, 33—35 eingereiht werden kann, 25 ist strittig. Der zu P gehörende Abschnitt besagt, daß Mose um des bereits v 29 f erwähnten übernatürlichen Glanzes seiner Gesichtshaut willen im gewöhnlichen Leben eine Gesichtshülle (מַסְוֶה, LXX: κάλυμμα) trug, die er nur abnahm, solange er vor Jahwe stand oder in seinem Namen zum Volke redete.

Von religionsgeschichtlichen Voraussetzungen aus versucht man die Rekonstruktion 30 einer Urgestalt des Berichts, wonach Mose vielmehr, wenn er im Namen Jahwes zum Volke sprach, eine Maske, den Teraphim, getragen hätte. Eine spätere Zeit hätte daran Anstoß genommen, ohne doch die Sage im ganzen entbehren zu wollen[5]. Man muß dann nicht bloß starke Umstellungen vornehmen, sondern mit absichtlicher Textänderung rechnen. Die Teraphim müssen aber wahrscheinlich ganz aus dem Spiel 35 bleiben, denn das rätselhafte Wort ist vermutlich nicht Bezeichnung einer Kultmaske, sondern ein Schimpfname („die Faulenden") für holzgeschnitzte Hausgötter[6]. Der Bericht stammt aus einer Zeit, wo die Jahwereligion sicher mit Kultmasken nichts mehr zu schaffen hatte. Das κάλυμμα-Motiv ist vielleicht erst nachträglich eingetragen. Wie der Bericht heute dasteht, läßt er nicht mit voller Sicherheit erkennen, ob — 40 außerhalb der gottgegebenen Schau an besonderen Höhepunkten — das Volk vor der auch in der Abspiegelung noch todbringenden Herrlichkeit Jahwes oder die letztere vor der Profanierung durch Zuschauer bewahrt werden soll. Ersteres scheint die ältere, letzteres die jüngere Auffassung zu sein. Beide Möglichkeiten schließen sich sachlich nicht aus. Gottes Herrlichkeit darf nur geschaut werden, sofern Gott sie zu schauen gibt. 45 Die Erzählung bringt den Abstand zwischen Gott und Mensch, aber auch die Überbrückung desselben durch den Offenbarungswillen Gottes wirkungsvoll zum Ausdruck.

3. Paulus benutzt in 2 K 3, 7—18 die Exoduserzählung, um in einer Art von Midrasch die Überlegenheit der Apostolischen Verkündigung gegenüber der at.lichen zu illustrieren. κάλυμμα steht v 13 im eigent- 50 lichen Sinn, von Moses Kopfhülle. Die allegorische Anwendung verläuft in doppelter Richtung. *a.* Von sich aus führt Paulus den Gedanken ein, die Hülle habe das allmähliche Verschwinden des Schimmers der Beobachtung des Volkes entziehen sollen (v 13). Er findet darin die Vergänglichkeit der Herr-

---

[3] Jeremias aaO 7 ff.
[4] So vor allem in der Dionysosreligion. Vgl WFOtto, Dionysos, Mythos u Kultus, Frankfurter Studien zur Religion u Kultur der Antike IV (1933).

[5] HGreßmann zu Ex 34, 29 ff, in: Die Schriften des AT hsgg HGunkel I 2 (1914) 76 f.
[6] ILöw WZKM 10 (1896) 136 und MGWJ 73 (1929) 314; LKöhler, in: RGG[2] V 1051.

lichkeit des at.lichen Dienstes angedeutet (vgl schon v 7: τὴν καταργουμένην).
Da nun immerhin dieser Dienst doch eine solche Herrlichkeit besaß, daß die
Israeliten nicht in Moses leuchtendes Angesicht zu blicken vermochten (v 7), so
ergibt sich der Schluß, daß die Herrlichkeit des unvergänglichen neu-
5 testamentlichen Dienstes noch viel größer sein muß (v 8—11). Der nt.liche
Amtsträger darf daher mit der größten Zuversicht auftreten. Er hat nichts zu
verstecken (v 12 f). — *b*. In abruptem Übergange (v 14 a) kommt der Apostel
dann auf die allerdings nicht in der κάλυμμα-Perikope, aber sonst oft genug in
der Tora bezeugte Verstockung der Wüstengeneration zu sprechen und deutet
10 sie auf das ungläubige Judentum seiner Gegenwart. Bis zum heutigen Tage
sei bei der Verlesung des Alten Bundes — wo Mose gewissermaßen als Offenbarer immer wieder in Tätigkeit tritt (v 15: ἡνίκα ἂν ἀναγινώσκηται Μωϋσῆς) —
dieselbe Decke (im Sinne der allegorischen Identität von Typus und Antitypus!)
vorhanden. Diese Anwendung befremdet deshalb, weil die δόξα, die Israel sehen
15 sollte, ja eben nicht die im Angesichte des Mose sich spiegelnde des at.lichen Gottes, sondern diejenige Jesu Christi ist. Aber da Paulus die Identität des alt-
und neutestamentlichen Heilsgottes nicht in Zweifel zieht, ist die Herrlichkeit
Christi auch im recht verstandenen at.lichen Bundeswort zu erblicken (v 18:
δόξα κυρίου auf Christus bezogen). Nun aber droht freilich der Gedanke, daß
20 die Decke auf Mose liegt[7], dem Zweck der Bildrede gefährlich zu werden. In
v 15 gibt Paulus darum der Allegorie die neue Wendung, daß die Decke vielmehr über dem Herzen des verstockten Judentums liegt. Ein gewisses Recht
dazu gibt die Erwägung, daß die Decke auf jeden Fall sich zwischen die Herrlichkeit Jahwes und die Augen der Israeliten schiebt, die letzteren am Sehen
25 hindert. Das wird erst anders werden, wenn Israel sich bekehrt. Auch das
liest Paulus aus dem at.lichen Text heraus (vgl Ex 34, 34 a). Er muß ihn freilich zu diesem Zweck in dreifacher Weise umdeuten: *1*. er deutet das eigentlich und äußerlich gemeinte εἰσεπορεύετο (er ging in das Offenbarungszelt) innerlich auf die Bekehrung (stand in seinem LXX-Texte vielleicht ἐπέστρεψεν?),
30 *2*. er bezieht die von Mose (nach dem Vorhergehenden doch auch der Offenbarer Christi!) handelnde Aussage auf das ungläubige Volk, *3*. er verlegt die
ganze Aussage aus der Vergangenheit in die Zukunft. So kommt der Sinn
heraus: wenn Israel sich bekehrt, wird die Hülle weggenommen werden[8]. → ἀνακαλύπτω. Zur Sache vgl R 10, 2 ff; 11, 25 ff; 2 K 4, 3.

35   † *ἀνακαλύπτω*

                                    Seit Eur, später auch in Prosa häufiger. *Aufdecken* uz *a*. mit
sachlichem oder persönlichem Objekt: *enthüllen*: eigentlich: POxy X 1297, 9: ein
Paket *auspacken*; Ditt Syll³ 1169, 62 (Heiltraum einer Frau in Epidauros): ἐδόκει
αὐτᾶι [τὰν] νηδὺν (Mutterschoß) ὁ θεὸς ἀγκαλύψαι, um ihr Kindersegen zu verschaffen
40 (4. Jhdt v Chr); ψ 17, 16 (bei der Erscheinung Jahwes im Gewittersturm): ἀνεκαλύφθη
τὰ θεμέλια τῆς οἰκουμένης. Philo redet allegorisch davon, daß die Tugend sich verschleiert (ἐγκαλυψαμένη τὸ πρόσωπον) wie Thamar (Gn 38, 14 f) an den Kreuzweg setzt,
damit vorwitzige Wanderer, indem sie sie entschleiern (ἀνακαλύψαντες), ihre jungfräuliche Schönheit an den Tag bringen und schauen (Congr 124). — übertragen: τι

---

[7] Daß auf die Verhüllung oder (gegensätzlich?) auf die Enthüllung der Torarolle im
Synagogengottesdienst Bezug genommen
werden soll, ist kaum anzunehmen.
[8] Vgl Wnd, Ltzm 2 K zSt.

πρός τινα (Polyb 4, 85, 6) *jem etw offenbaren*; τινά *den Charakter jemandes aufdecken* Philochorus Fr 20 (FHG I 387); νοῦν ἀνθρώπων Hi 33, 16. — *b.* mit innerem Objekt: *(eine Hülle) entfernen,* βλεφάρων μὴ ἀνακαλυφθέντων (Aristot De Sensu Et Sensili 5 p 444 b 25): ohne daß die Augenlider *gelüftet* sind; Test Jud 14, 5 (von der Hurerei mit der Thamar): ἀνεκάλυψα κάλυμμα ἀκαθαρσίας υἱῶν μου. 5

Im Neuen Testament findet sich die Vokabel nur 2 K 3, 14. 18. V 14 liegt Bdtg *b* vor: ἄχρι τῆς σήμερον ἡμέρας τὸ αὐτὸ κάλυμμα ἐπὶ τῇ ἀναγνώσει τῆς παλαιᾶς διαθήκης μένει, μὴ ἀνακαλυπτόμενον, ὅτι ἐν Χριστῷ καταργεῖται: „bis heute ist die Decke liegen geblieben, nicht *abgenommen,* weil sie (nur) in (und durch) Christus beseitigt wird[1]." V 18: ἡμεῖς πάντες ἀνακεκαλυμμένῳ προσώπῳ τὴν δόξαν 10 κυρίου κατοπτριζόμενοι τὴν αὐτὴν εἰκόνα μεταμορφούμεθα: „wir alle werden, mit *aufgedecktem* Angesicht die Herrlichkeit des Herrn schauend (→ κατοπτρίζω II 693, 26 ff), auf dasselbe Bild (dieselbe Gestalt?) hin verwandelt." Hier liegt Bdtg *a* vor und zwar in eigentlicher Bdtg, aber in bildhafter Verwendung. Der Ausdruck steht im Gegensatz zu v 13 und vor allem zu v 15. Die Vokabel 15 bringt die Unmittelbarkeit und Absolutheit der nt.lichen Offenbarung und Gottesgemeinschaft kurz und schlagend zum Ausdruck.

† *κατακαλύπτω*

1. **Die Vokabel außerhalb der christlichen Literatur.** κατακαλύπτω kommt in der Bedeutung *verhüllen,* med *sich verhüllen* seit Homer 20 vor allem bei Dichtern, aber auch in Inschriften (Ditt Syll[3] 1218, 10 f: τὸν θανό[ν]τα [φέρειν κ]ατακεκαλυμμένον σιωπῆι μέ[χ]ρι [ἐπὶ τὸ σ]ῆμα, Begräbnisordnung von Iulis auf Keos, 5. Jhdt v Chr) und bei Plato vor. Im AT gewinnt es, von dem anatomischen Gebrauch in Opfervorschriften (Ex 29, 22 uö) abgesehen, sakrale Bedeutung in dem Befehl an Mose, die Bundeslade im Allerheiligsten durch den *Vorhang der Sicht zu ent-* 25 *ziehen* (Ex 26, 34). Von den Seraphim sagt Jahwes Thron sagt Jesaja, daß sie mit ihren Fittichen Antlitz und Füße ehrfürchtig *bedeckten* (κατεκάλυπτον, Js 6, 2). In Israel entspricht die Verschleierung der Frau der Sitte. Die schamhafte Frau erscheint vor Gericht *verschleiert* (κατακεκαλυμμένη Sus 32 Θ). Man kann aber in der *vermummt* (κατεκαλύψατο τὸ πρόσωπον) am Wege kauernden Frau auch eine Dirne vermuten (Gn 30 38, 15). Damit ist das Verständnis der einzigen nt.lichen Stelle vorbereitet.

2. **Die Verschleierung der Frau im Neuen Testament und seiner Umwelt.** Im NT kommt κατακαλύπτειν nur 1 K 11, 6 f, uz medial vor. Paulus begründet die Forderung, daß die Frau nicht mit unbedecktem Haupt in der Gemeindeversammlung beten oder als Prophetin reden 35 soll (→ I 788, 10 ff), mit folgenden naturrechtlich anmutenden Gedanken: εἰ γὰρ οὐ κατακαλύπτεται γυνή, καὶ κειράσθω· εἰ δὲ αἰσχρὸν γυναικὶ τὸ κείρασθαι ἢ ξυρᾶσθαι, κατακαλυπτέσθω. ἀνὴρ μὲν γὰρ οὐκ ὀφείλει κατακαλύπτεσθαι τὴν κεφαλήν, εἰκὼν καὶ δόξα θεοῦ ὑπάρχων· ἡ γυνὴ δὲ δόξα ἀνδρός ἐστιν. Um diese Grundsätze richtig einzuschätzen, müssen wir nach der in der Umwelt des Apostels herrschenden 40 Sitte fragen[1].

Die bei den Theologen bis vor kurzem vorherrschende Meinung, daß Paulus einfach das ungeschriebene Gesetz hellenischen und hellenistischen Ehrbarkeitsempfindens

---

ἀνακαλύπτω. [1] Vgl Wnd, Ltzm 2 K zSt. Zu verbinden μένει μὴ ἀνακαλυπτόμενον („bleibt unaufgehoben") empfiehlt sich wegen der Prägnanz von μένει nicht. μὴ ἀνακαλυπτόμενον als abs Acc, den ὅτι-Satz als davon abhängige Aussage zu verstehen, ist vollends schwierig Gegen alle Textausgaben sind hinter μένει und ἀνακαλυπτόμενον Kommata zu setzen.

κατακαλύπτω. GDelling, Paulus' Stellung zu Frau und Ehe (1931) 96—109; AJeremias, Der Schleier von Sumer bis heute = AO 31, 1/2 (1931); RPRde Vaux, Sur le Voile des Femmes dans l'Orient Ancien, Rev Bibl·NS XLIV (1935) 395 ff.
[1] Reiche Materialsammlung mit Lit bei Delling aaO.

geltend mache, ist nicht haltbar. Der Schleier ist zwar in Griechenland nicht unbekannt. Er wird teils als Schmuckstück getragen, teils aus besonderem Anlaß: bei Brautwerbung und Hochzeit (→ 561, 1 ff), als Zeichen der Trauer (→ 560, 24 ff, auch von Penelope), bei der Verehrung chthonischer Gottheiten (in der Form des über den Kopf gezogenen Gewandes[2]). Es kann aber keine Rede davon sein, daß für die griechische Frau irgendwelcher Zwang bestanden hätte, in der Öffentlichkeit nur verschleiert zu erscheinen. Zwar scheint Plutarch dies anzudeuten. Quaest Rom 14 (II 267 a): συνηθέστερον ταῖς μὲν γυναιξὶν ἐγκεκαλυμμέναις, τοῖς δ' ἀνδράσιν ἀκαλύπτοις εἰς τὸ δημόσιον προϊέναι; [Plut] Apophth Lac, Charilli 2 (II 232 c): . . . διὰ τί τὰς μὲν κόρας (die Unverheirateten) ἀκαλύπτως, τὰς δὲ γυναῖκας (die Verheirateten) ἐγκεκαλυμμένας εἰς τοὐμφανὲς ἄγουσιν . . . Aber die erste Stelle handelt von römischer Sitte, über welche Plutarch möglicherweise nicht einmal genau orientiert war, die zweite spiegelt vielleicht lakonische Spezialsitten. Die Gegenbelege sind jedenfalls so zahlreich und eindeutig, daß die beiden ja nicht apodiktischen, vielleicht auch einer bestimmten Tendenz entsprungenen Aussagen des Weisen von Chaironeia dagegen nicht aufkommen. Die Mysterieninschrift von Andania (Ditt Syll[3] 736), die die Tracht der Frauen bei der Prozession sehr genau beschreibt, erwähnt den Schleier nicht. Die Kultordnung von Lykosura scheint ihn sogar zu verbieten[3]. Kaiserliche Frauen und Göttinnen, auch solche, die auf Anstand halten, wie Hera und Demeter, werden ohne Schleier dargestellt, während Hetären gelegentlich Hauben tragen. Helena zeigt sich dem Paris mit entblößtem Oberkörper, aber verschleiert! Zur Zeit Tertullians fielen die Jüdinnen im Straßenbilde Nordafrikas dadurch auf, daß sie Schleier trugen (De Corona 4 (ed FOehler I [1853] 424 ff), De Oratione 22 [CSEL 20, 193]). Die Verschleierung war also nicht allgemeine, wohl aber jüdische Sitte. Wenn das letztere sogar für den Westen gilt, so ist die Verschleierung der jüdischen Frauen für den Osten erst recht als Regel vorauszusetzen[4]. Dem Juden erscheint es für die Heidinnen typisch, daß sie ohne Schleier herumlaufen (Nu r 9 zu 5, 18 Str-B III 429). Philo bezeichnet die Kopfbinde (ἐπίκρανον) als τὸ τῆς αἰδοῦς σύμβολον, ᾧ ταῖς εἰς ἅπαν ἀναιτίοις ἔθος χρῆσθαι (Spec Leg III 56). Diese Sitte ist aber, wiewohl im Judentum mit besonderer Strenge durchgeführt[5], nicht spezifisch jüdisch, sondern allgemein orientalisch. Die Heimatstadt des Paulus, Tarsus, bezeichnet etwa die Grenzscheide. Für sie ist Verschleierung bezeugt durch Dio Chrys Or 33, 46 und Münzbilder der Tyche von Tarsus. Ausnahmen kommen vor. Tarsus ist aber bereits strenger als das übrige Kleinasien. Im allgemeinen kann man sagen: je weiter nach Osten, desto strenger die Schleieretikette! Diese Regel tritt in helles Licht durch die Bestimmungen des altassyrischen Rechtsbuches[6]. Verheiratete Frauen und Witwen müssen beim Aufenthalt auf freien Plätzen den Kopf verschleiern. Hingegen soll der Kopf der „Dirne", der die Sklavin gleichgestellt wird, bei schwerer Strafandrohung „offen" sein. Wenn ein Mann eine „Eingeschlossene" zur legitimen Frau machen will, bedarf es eines besonderen Aktes der Verhüllung.

Paulus hat hiernach in seinen Gemeinden auch auf griechischem Boden eine Sitte einzuführen versucht, die zwar nicht griechischem, wohl aber orientalischem und speziell jüdischem Anstandsempfinden entsprach. Der Begründung nach erstreckt sich die Forderung auf alle weiblichen Wesen in jeder Situation. Praktisch hat der Apostel die in der Regel wohl verheirateten Frauen der christlichen Gemeinde im Auge, und er macht seine Forderung für den Lebensbereich in erster Linie geltend, der unmittelbar der Jurisdiktion der Gemeinde untersteht, dh den Gemeindegottesdienst. → ἐξουσία II 570, 30 ff.

---

[2] Die Verhüllung beim Opfer im allgemeinen war bei den Römern üblich (mit Ausnahme des Honosopfers, Plut Quaest Rom 13 [II 266 f. 267 a]), bei den Griechen dagegen sonst nicht gebräuchlich. Ein Unterschied der Geschlechter bestand in beiden Fällen nicht. An solche Opfersitten hat Pls also nicht gedacht.

[3] Ditt Syll[3] 999, 9 ff: μηδὲ τὰς τ[ρί]χας ἀμπεπλεγμένας, μηδὲ κεκαλυμμένος. Die Erklärung von Leonardos, wonach die zweite Bestimmung auf Männer zu beziehen wäre, ist zwar grammatisch korrekt, aber dem Zshg nach wenig wahrscheinlich.

[4] IBenzinger, Hbr Archäologie[3] (1927) 85 und SKrauß, Talmudische Archäologie I (1910) 189 betonen, daß die Verschleierung in Israel nicht immer üblich gewesen und daß noch zur nt.lichen Zeit kein Zwang ausgeübt worden sei. Für die tatsächlichen Verhältnisse besagt das jedoch wenig.

[5] Vgl die Str-B III 430 mitgeteilte Anekdote von der Hohepriestermutter Qimchith, die sogar auch im Hause ihren Kopf verschleiert hielt. Eine genaue Beschreibung der Haar- und Schleiertracht der Jüdin ebd 428.

[6] Jeremias aaO 14.

3. Die Verschleierung der Frau in der Kirchengeschichte. Aus den geschilderten Verhältnissen begreift es sich, daß die Anordnungen des Apostels nicht bloß in Korinth, sondern auch sonst auf Widerstand stießen und keineswegs überall durchgeführt wurden. Die Oranten in den Katakomben sind nur teilweise verschleiert. Maria und andere heilige 5 Frauen werden oft ohne Schleier dargestellt. Noch Tertullian mußte eine Schrift schreiben „De Virginibus Velandis" (ed FOehler I [1853] 883 ff). Bei Pseud-Ambrosius ist der Schleier als obligatorisches Kleidungsstück auf die geweihte Jungfrau beschränkt, so daß zwischen *velata* und *nondum velata* unterschieden werden kann. Dabei ist es im großen und ganzen in der Kirche geblieben. Aber für 10 die Klosterfrau ist der Schleier bis heute charakteristisch. Und die herrnhutische Frau trägt wenigstens im Gottesdienst ihre Haube. Die Italienerin, wenn sie eine Kirche betritt, legt zum mindesten ihr Taschentuch auf den Kopf, um wenigstens in dieser Form die apostolische Anordnung zu befolgen: κατακαλυπτέσθω. 15

† ἀποκαλύπτω, † ἀποκάλυψις

Inhalt: A. Die Idee der Offenbarung in der allgemeinen Religionsgeschichte. — B. „Offenbarung" in Griechentum und Hellenismus: 1. Die Volksreligion; 2. Ungläubige und gläubige Kritik; 3. Die Wendung zur Geschichte; 4. Die Rationalisierung der Offenbarungsidee; 5. Mystik und Gnosis; 6. Der Gebrauch der 20 Vokabeln. — C. Offenbarung im AT: 1. Die religionsgeschichtliche Unterlage; 2. Die Offenbarung des lebendigen Gottes; 3. Abgrenzung der Offenbarung; 4. Offenbarung und Eschatologie; 5. Der Sprachgebrauch. — D. Die Stellung des Judentums zur Offenbarung: 1. Allgemeines; 2. Die Apokalyptik; 3. Die „natürliche Offen-

ἀποκαλύπτω κτλ. RGG ² IV 654 ff; EThurneysen, Offenbarung in Religionsgeschichte u Bibel, ZdZ 6 (1928) 453 ff; PTillich, Die Idee der Offenbarung, ZThK NF 8 (1927) 403 ff; KStavenhagen, Offenbarung u Erlebnistheologie ebd 323 ff; Deutsche Theologie 3 (Bericht über den Breslauer Theologentag, 1931) 14 ff: RBultmann, Das Wort Gottes im NT; ebd 24 ff: HSchmidt, Das Wort Gottes im AT; ebd 30 ff: HBornkamm, Äußeres und inneres Wort in der reformatorischen Theologie. — EBrunner, Der Mittler (1927) 3 ff; Ders, Philosophie und Offenbarung (1925); Ders, Natur und Gnade (1934); KBarth, Nein! Antwort an Emil Brunner (1934); PBarth, Das Problem der natürlichen Theologie bei Calvin (1935); GGloede, Theologia naturalis bei Calvin = Tübinger Studien zur Syst Theol 5 (1935). Alles auch für das NT wichtig! — Zu A: Chant de la Saussaye, Regist sv „Offenbarung"; G van der Leeuw, Phänomenologie der Religion (1933) desgl. — Zu B: FPfister, Die Religion der Griechen u Römer = Jahresbericht über die Fortschritte der klassischen Altertumswissenschaft hsgg KMünscher, Suppl 229 (1930) bes 9, 20 ff, 146 ff; Reitzenstein Poim, Hell Mvst; AJFestugière, L'Idéal religieux des Grecs et l'Évangile (1933); EWechssler, Hellas im Evangelium (1936); → γνῶσις. — Zu C: Die biblischen Theologien des ATs von BStade-ABertholet (I [1905], II [1911], überwiegend reli-

gionsgeschichtlich), WEichrodt (I [1933], II [1935] theologisch); ESellin (I [1933] religionsgeschichtlich, II [1935] theologisch); LKöhler (1936), sämtlich passim (vgl die Regist sv Offenbarung); → ἔκστασις, προφήτης. JHempel, Gott und Mensch im Alten Testament ² = BWANT III 2 (1936); JHänel, Das Erkennen Gottes bei den Schriftpropheten = BWANT NF 4 (1923); Ders, Prophetische Offenbarung, ZSTh 4 (1926/27) 91 ff; ESachsse, Die Propheten des AT u ihre Gegner (1919); WStaerk, Das Wahrheitskriterium der at.lichen Prophetie, ZSTh 5 (1927/28) 76 ff; GvRad, Die falschen Propheten, ZAW 51 (1933) 109 ff. — Zu D: Jew Enc 10 (1905) 396 ff; Bousset-Greßm Regist sv „Offenbarung", „Apokalyptik"; RGG ² I 401 ff; Moore I 219 ff; MWiener, Zur Geschichte des Offenbarungsbegriffs (Judaica, Festschrift für HCohen [1912] 1 ff); weitere Lit RGG ² IV 661. — Zu E: Die biblischen Theologien des NT von PFeine ⁶ (1934) und HWeinel ⁴ (1928) s Regist sv „Offenbarung"; RBultmann, Der Begriff der Offenbarung im NT (1929); HEWeber, „Eschatologie" u „Mystik" im NT (1930); GKuhlmann, Theologia naturalis bei Philon u bei Pls = Nt.liche Forschungen I 7 [1930]; HDaxer, R 1, 18—2, 10 im Verhältnis zur spätjüdischen Lehrauffassung (Diss Rostock 1914); GBornkamm, Die Offenbarung des Zornes Gottes, ZNW 34 (1935) 239 ff. — Zu F: Die Dogmengeschichten am betr Ort.

barung". — E. Offenbarung im NT: 1. Offenbarung in der Synopse; 2. Das Offenbarungsverständnis der Urgemeinde; 3. Offenbarung in den nt.lichen Briefen; 4. Offenbarung
in den johanneischen Schriften; 5. Abgrenzung und Sicherung der Offenbarung; 6. Die
Vokabeln im NT; 7. Theologische Zusammenfassung. — F. Ausblick in die Kirchen-
5 geschichte.

Die im folgenden zu leistende begriffsgeschichtliche
Untersuchung steht unter ungewöhnlichen methodischen Schwierigkeiten. Die
üblichen Übersetzungen *offenbaren, Offenbarung* tragen, sei es von der kirchlichen Dogmatik oder irgendwelchen Zeitvorstellungen her, ein vielfach unge-
10 klärtes Vorverständnis an den Gegenstand heran. Es fragt sich, ob dies Vorverständnis dem im NT gemeinten Tatbestande entspricht, ob es nicht dessen
sachgemäße Erhebung vielmehr von vornherein gefährdet. Anderseits geht es
nicht an, sich — etwa unter Anwendung wortwörtlicher Übersetzungen wie
enthüllen, Entschleierung — auf eine rein philologische Erörterung der einschlä-
15 gigen Stellen zurückzuziehen. Denn dabei würde vermutlich gerade das zu
kurz kommen, worum es theologisch geht. Schon die sprachliche Untersuchung
wird außerdem zeigen, daß die Wörter keinen völlig eindeutigen Begriff wiedergeben. Eine innere Einheit liegt trotzdem weithin vor. In welcher Richtung
diese zu suchen ist, gibt das Wort „Offenbarung" irgendwie richtig an. Es
20 empfiehlt sich daher, von ihm sich leiten zu lassen. Dabei soll hier, um nichts
möglicherweise Wesentliches von vornherein auszuschließen, zunächst ein recht
weites und deshalb unbestimmtes Verständnis zugrunde gelegt werden. Offenbarung ist Manifestation des Göttlichen. Im Laufe der Untersuchung
wird sich aber, gerade um das wahrhaft Wesentliche zu erfassen, eine engere
25 Umgrenzung notwendig machen. Diese steigende Bestimmtheit ist ein Ergebnis,
dem die Untersuchung aus in der Sache liegenden Gründen zustrebt.

A. Die Idee der Offenbarung in der allgemeinen Religionsgeschichte.

Das neueste Stadium der allgemeinen Religionswissen-
schaft ist charakterisiert durch die Hinwendung zum Objektiven. Die „voraus-
30 setzungslose", dh im allgemeinen an der Aufklärung orientierte Forschung
machte halt beim subjektiv und daher mehr oder weniger als Illusion gedeuteten Phänomen. Die heutige Forschung sieht hinter dem durchaus nicht ver-
nachlässigten Phänomen ein letztes Objektives, das der Forscher wohl von der
eigenen Religion aus, also, wenn er Christ ist, vom Christentum aus deuten
35 wird, das er aber auch in anderen Religionen, wenn auch in verzerrter Gestalt,
wirksam sieht[1].

Alle Religion hat es irgendwie mit Manifestation des Göttlichen zu tun[2]. Diese
besteht in der Aufhebung der Verborgenheit. Die Gottheit ist nicht in demselben
Sinne wie Dinge und Menschen direkt zugänglich. Sie ist zunächst verborgen. Das
40 weiß schon der Primitive. Anderseits wäre mit einem schlechthin und für immer
verborgen bleibenden Gott keinerlei Verkehr, geschweige denn Gemeinschaft, möglich. Alle Religion lebt daher im weitesten Sinn des Wortes von Offenbarung. Es
fragt sich aber, inwieweit die Verborgenheit als eine wesenhafte verstanden wird.

---

[1] Diese Auffassung vertritt in besonders
eindrucksvoller Weise das angegebene Werk
von van der Leeuw, zB 613: „ . . . bewußt
vom Christentum aus . . ."

[2] Grenzfälle wie der Buddhismus können
hier füglich außer Betracht bleiben.

Im allgemeinen steht der Mensch auf dem Standpunkt, daß es zum Wesen der Gottheit gehöre, sich zu manifestieren. Alles hängt nur an der richtigen Methode, sie dazu zu veranlassen, gegebenenfalls zu zwingen.

So erlebt der primitive Mensch Offenbarung an kraftgeladenen „heiligen" Gegenständen (Fetischen, Bäumen, Tieren) oder auch Personen (Medizinmännern, Häuptlingen). Das unstillbare Verlangen, das Übersinnliche zu enträtseln, den Willen der Götter zu erkunden und vor allem den Schleier der Zukunft zu lüften, führt auf immer neue Methoden zur Erlangung von Offenbarung. Diese sind nicht gleichmäßig verteilt, zumeist aber auch nicht auf einen engen Umkreis beschränkt. Überall wohl gelten Träume als Kundgebungen aus einer anderen Wirklichkeit. Weit verbreitet ist auch das Losorakel. Der Germane zB übt es mit Hilfe von in das Opferblut getauchten Holzspänen. Der Nordländer siedelt, wo die Dachstützen des väterlichen Hochsitzes an Land treiben. Den Frauen traut der Germane durchweg mantische Fähigkeiten zu. Im Orient blüht die Kunst, aus den Gestirnen Offenbarung zu lesen. Sie gibt vor allem der babylonischen Astralreligion das Gepräge. Auspizien und Haruspizien stehen in Rom in besonderer Blüte. Aufklärerische Kritik kommt schon früh gelegentlich vor, ist aber keineswegs Regel.

Die zunächst vereinzelten Erfahrungen verdichten sich zu Einrichtungen (Kult- und Orakelstätten, Riten, Priestertum). Dadurch wird die Offenbarung auf der einen Seite gegen die Nichtoffenbarung stärker abgegrenzt und insofern gesteigert, auf der anderen aber der Gefahr traditioneller Verhärtung ausgesetzt. Ein Gegengewicht bildet das spontane Auftreten institutionell nicht gebundener, ekstatisch-prophetisch begabter Individuen. Bei ihnen ist das hauptsächlichste Offenbarungsmittel das Wort. Die Offenbarung erhält damit einen über das bloße Wohl- oder Übelwollen der höheren Mächte hinausführenden konkreten Inhalt. Institutionelle Verwurzelung oder Verhärtung ist dann freilich auch hier nicht ausgeschlossen. Das prophetische Wort wird als Offenbarungswort aufgezeichnet, zunächst um die vielleicht erst später eintretende Erfüllung zu kontrollieren, mehr und mehr aber auch zum Zweck der Kodifizierung der Offenbarung. Typisch sind die Sibyllinischen Bücher in Rom. Es folgt der Typus des geschichtlich bedeutsamen Offenbarungsmittlers oder Religionsstifters. Er ist außerhalb der Bibel in Zarathustra und in besonders ausgeprägter, freilich nicht originaler, eher verzerrter Gestalt in Mani und Mohammed verkörpert. Das Mittlertum drängt vollends zur Kodifizierung. Die großen Offenbarungsreligionen sind, je mehr in ihnen die Offenbarung ihren ad hoc-Charakter verloren hat, sämtlich Buchreligionen, im einzelnen in mannigfach abgestufter Weise.

B. „Offenbarung" in Griechentum und Hellenismus.

1. Die Volksreligion.

Während die römische Religion in der Frömmigkeit vor allem das Regelmäßige betont und daher besonders Funktionsgötter ausbildet, ohne freilich damit außerordentliche Offenbarung (Auspizien, Haruspizien, Unheilsprophetie) auszuschließen, begegnet der Grieche seinen Göttern zunächst im Außergewöhnlichen.

In Sturm und Wetter, in Krankheit und Seuchen, in den Geheimnissen der Mutter Erde ahnt er das Numinose[3]. Zur Erkundung der Schicksalsmächte bedient er sich der auch sonst bekannten Mittel. Spuren des Losgebrauchs haben sich in Delphi erhalten. Die „Gebeine des Dionysos", von denen die delphische Tradition berichtet, sind wahrscheinlich die alten Orakellose[4]. Daß das Opfertier beim Übergießen mit dem Trankopfer am ganzen Leibe zittere, galt noch zu Plutarchs Zeit als ein schwer zu entbehrendes Zeichen von der Götter Gunst (Def Orac 46 [II 435 c]). Träume gelten vielfach als bedeutsam. Der Heiltraum während der Inkubation ist vor allem die Offenbarungsweise des Asklepios (→ 209, 13 f). Die Traumdeutung schießt im Hellenismus so üppig ins Kraut, daß Artemidor von Ephesus (ca 170 n Chr) allein fünf Traumbücher verfaßte, aus deren einem, dem einzig erhaltenen, man ein annähernd vollständiges Kultur- und Sittenbild seines Zeitalters hat herstellen können[5]. Mantik

---

[3] Die Patrone der Schiffer, die Dioskuren (Ag 28, 11), erscheinen auf einem Weihrelief für die „großen Götter" aus Larissa in Thessalien (um 200 v Chr, Louvre, Haas Lfrg 13/14 Rumpf Abb 4) im Wettersturm zu Pferde über dem Altar. Zeus Meilichios wird gern als Schlange dargestellt (ebd 23. 24). Über Apollon als Pestgott → I 396, 12 ff.

[4] → II 449 A 14.

[5] SLaukamm, Das Sittenbild des Artemidor von Ephesus, Angelos 3 (1930) 32 ff (= theol Diss Leipzig [1928]).

und ekstatisches Prophetentum sind dem Hellenen vertrauter als dem Römer (→ ἔκστασις III 448, 47 ff, προφήτης). Der hellenistischen Verehrung des Kindes entspricht es, daß man auch aus den Stimmen spielender Kinder Offenbarung entnimmt[6]. Die Astrologie flutet als eine, wenn auch nicht immer begehrenswerte, so doch stets begehrte
5   Offenbarungsquelle aus dem Orient stärker und stärker herein[7].

Besonders bezeichnend aber ist für griechische Frömmigkeit das O r a k e l - w e s e n. Unter den zahlreichen griechischen Orakeln[8] nimmt das delphische[9] bei weitem den ersten Rang ein.

Mit der vornehmsten Funktion des delphischen Gottes werden seine Beinamen
10 Δήλιος (eigtl „von Delos"), Φαναῖος ua in Verbindung gebracht (Plut Ei Delph 2 [II 385 b]). Die Rolle von Delphi in der großen Politik war zur hellenistischen Zeit allerdings ausgespielt. Plut (Def Orac 7 [II 413 b]) — vielleicht ein wenig laudator temporis acti — deutet an, daß man zu seiner Zeit den Apollon gleich einem Sophisten auf die Probe stellte und ihn vor allem wegen der Erlangung von Schätzen oder Erb-
15 schaften und wegen unerlaubter Heiraten befragte. Das lebhafte Interesse für derartige „Offenbarungen" zeigt auch die Wirksamkeit des Abenteurers Alexander von Abonuteichos, dessen Einkommen Lukian auf 60000 Mark jährlich schätzt (Alex 23).

Steht der Offenbarungsglaube im Mittelpunkt der griechischen Religion? Ja und Nein[10]. Die griechische Sprache besitzt zwar verschiedene Ausdrücke für
20 „Offenbarung", darunter aber bezeichnenderweise nicht ἀποκαλύπτειν. Man spricht von der ἐπίδειξις oder vom σημαίνειν des Gottes. Darin liegt angedeutet, daß die durch die „Offenbarung" aufgehobene Verborgenheit nicht als eine wesenhafte verstanden wird. Am ehesten ist dies vielleicht noch für die chthonischen Gottheiten, zu denen man auch Dionysos (→ II 449, 19 ff) rechnen kann, der
25 Fall. Im allgemeinen sind für griechisches Empfinden die Götter Grundgestalten der Wirklichkeit. Sie sind genau so offen und so verborgen wie das Sein selbst. Man kann es treffen und kann es verfehlen. Welches von beiden der Fall war, erweist sich in dem meist tragischen Hernach. Es gehört mindestens a u c h zum Wesen des Gottes, daß er sich zeigt. Der Gedanke eines
30 stufenweisen Fortschritts wird dabei gelegentlich gestreift, so in dem Wort des Xenophanes Fr 18 (I 61, 10 f Diels):

οὔτοι ἀπ' ἀρχῆς πάντα θεοὶ θνητοῖσ' ὑπέδειξαν,
ἀλλὰ χρόνῳ ζητοῦντες ἐφευρίσκουσιν ἄμεινον.

Von einer zentralen Einmaligkeit einer Offenbarungstat ist aber selbstverständ-
35 lich keine Rede. Der Grieche kennt keine „Heilstatsachen". Der Gott erschließt überhaupt nicht sich selbst. Er gibt gewisse Winke für das Verhalten, zu deren Enträtselung es noch der menschlichen Vernunft, die zu diesem Zwecke von Hybris frei sein muß, bedarf. Heraklit Fr 93 (I 96, 12 Diels) sagt von dem Herrn des Orakels zu Delphi: οὔτε λέγει οὔτε κρύπτει, ἀλλὰ σ η μ α ί ν ε ι. Der Gott

---

[6] Eine ätiologische Ableitung gibt Plutarch Is et Os 14 (II 356 e): Isis habe Kindern die Kunde vom abtreibenden Sarge des Osiris zu verdanken. ἐκ τούτου τὰ παιδάρια μαντικὴν δύναμιν ἔχειν οἴεσθαι τοὺς Αἰγυπτίους καὶ μάλιστα ταῖς τούτων ὀπτεύεσθαι (schauen, Offenbarung erlangen) κληδόσι (Rufen) παιζόντων ἐν ἱεροῖς καὶ φθεγγομένων ὅ τι ἂν τύχωσιν. Noch im heutigen Griechenland fungieren Kinder, deren beide Eltern leben, beim Liebesorakel (AOepke = ARW 31 [1934] 47 ff). Ael Arist (I 452 f Dindorf) hört am Morgen im Heiligtum des Asklepios den Gesang der Kinder wie eine Offenbarung.

[7] EPfeiffer, Studien zum antiken Sternglauben (ΣΤΟΙΧΕΙΑ, Studien zur Geschichte des antiken Weltbildes u der griech Wissenschaft, hsgg FBoll, Heft II 1916); FBoll, Sphaira (1903); Ders, Sternglaube und Sterndeutung[2] (1926).

[8] Von ihrer großen Zahl gibt die Aufzählung allein der böotischen bei Plut Def Orac 5 (II 411 e ff) einen Eindruck.

[9] → II 449, 48 ff.

[10] Das Folgende teilweise nach Anregungen von HKleinknecht.

sagt nicht offen heraus, er verbirgt auch nicht, sondern er „deutet an". Der Grieche kennt seinen Apoll nur zu gut — und weiß eben deshalb nie, wie er mit ihm daran ist. Die Gottheit ist launisch wie das Schicksal. Ein unverbrüchlicher sittlicher Wille existiert als Richtschnur weder für den Gott noch für den Menschen. Wohl werden die elementarsten sittlichen Grundsätze, wie 5 etwa die Heilighaltung des Eides (→ ὅρκος), mit den Göttern in Verbindung gebracht. Auf den Höhen der griechischen Religion wird auch die καλοκαγαθία Gegenstand des Gebets. Aber das hat mit Offenbarung nichts zu tun. Die griechische Religion weiß von „Offenbarungen", aber sie ist nicht Offenbarungsreligion. 10

2. Ungläubige und gläubige Kritik.

Den „Offenbarungen" steht die Antike keineswegs kritiklos gegenüber. Der Mythos gilt im allgemeinen nicht als geschichtlich zuverlässig. Sachlich Anstößiges wird durch Allegorese beseitigt oder umgebogen. Wunderzeichen werden, sei es hinsichtlich ihrer Wirklichkeit oder ihrer Bedeut- 15 samkeit, bestritten.

In der Kritik an Wundern und Zeichen taten sich die Epikureer, die zwar nicht die Existenz, wohl aber die Beziehung der Götter zur Menschenwelt leugneten, besonders hervor. Die Platoniker, Pythagoreer und Stoiker hielten dagegen den Glauben an wunderbare Verkündigungen und Vorzeichen fest. Epiktet betont daneben, 20 daß man sich durch das Pflichtgefühl leiten lassen solle (Diss II 7; I 1, 17; III 1, 37; IV 4, 5). Am interessantesten ist die offenbarungsgläubige Kritik Plutarchs, weil sie die späteren Kämpfe um die Inspiration der Bibel bis zu einem gewissen Grade vorwegnimmt. Die Frage, warum die Pythia nicht mehr in Versen antwortet, gibt Anlaß zu genauerer Bestimmung des Offenbarungsvorgangs. Man darf nicht glauben, 25 daß Apollon selbst einst die Verse gemacht habe oder jetzt der Pythia die Orakelsprüche zuflüstere, als ob er durch eine Maske redete. Wie der Körper mancherlei Werkzeuge gebraucht, so gebraucht die Seele den Körper als ihr Werkzeug. Sie selbst aber ist Werkzeug des Gottes. Das Werkzeug nun soll den, der es braucht, zwar nachahmen, aber diese Nachahmung bleibt stets unvollkommen. Die Idee mani- 30 festiert sich niemals in ihrer intelligiblen Reinheit, sondern nur vermischt mit der Eigenart ihres Organs (Pyth Or 20f [II 404 b c]). Der Gott knüpft an die Eigenart der inspirierten Menschen an (ebd 21 [II 404 f], wesentlich anders Philo → II 451, 7 ff). Er fügt sich sogar dem Zeitgeschmack und den menschlichen Bedürfnissen seiner Diener (ebd 24 [II 406 b ff]; 26 [II 407 d ff]). Nichts ist abgeschmackter als zu meinen, 35 der Gott selbst gehe leibhaftig in den Leib der Bauchredner ein und gebrauche sie wie willenlose Instrumente (Def Orac 9 [II 414 e]). Vielmehr regen die nach Zeit und Ort in sehr verschiedener Beschaffenheit aus der Erde aufsteigenden Dünste die in der Seele jederzeit bereitliegende mantische Fähigkeit in mannigfach abgestufter Weise an (ebd 40 ff [II 432 c ff]). Als Vermittler der Offenbarungen kommen auch die 40 Dämonen in Frage (ebd 38 [II 431 b]). Bei aller Würdigung der natürlichen Bedingungen verdient aber die Pythia volles Vertrauen Pyth Or 29 (II 408 f): ἡ τῆς Πυθίας διάλεκτος . . . οὐ ποιοῦσα καμπήν (Krümmung) . . . οὐδ' ἀμφιβολίαν (Unsicherheit), ἀλλ' εὐθεῖα πρὸς τὴν ἀλήθειαν οὖσα, πρὸς δὲ πίστιν ἐπισφαλὴς καὶ ὑπεύθυνος (gewissenhaft), οὐδένα καθ' αὑτῆς ἔλεγχον ἄχρι νῦν παραδέδωκεν. 45

3. Die Wendung zur Geschichte.

Eine gewisse Wendung zur Geschichte vollzieht die griechische Offenbarungsidee in der Lehre vom θεῖος ἄνθρωπος[11]. Zwar nimmt diese ebenfalls von magischen Inspirations- und Inkarnationsvorstellungen ihren Ausgang. Allein es handelt sich hier nun doch um geschichtlich, dh in 50 der Regel für längere Zeiträume bedeutsame Offenbarungsträger.

---

[11] HWindisch, Paulus und Christus (1934) 24 ff.

Mythisch verkörpert ist die Idee in Gestalten wie Triptolemos, dem Missionar des eleusinischen Kults, und Orpheus, an dessen Namen sich eine Offenbarungsliteratur knüpft, deren pseudepigraphischer Charakter schon dem Altertum nicht zweifelhaft war[12]. Geschichtlich gestaltet sich der Typ einerseits im Herrscher und überragenden Staatsmann (→ κύριος, σωτήρ), andererseits in dem wahrhaft großen Führer auf geistigem Gebiet, mag er nun Dichter (→ II 450, 23 ff), Arzt, Gelehrter oder Philosoph sein. Der syrakusanische Arzt Menekrates (4. Jhdt v Chr) will Zeus sein und umgibt sich mit einem Gefolge von Geheilten, die die Namen von Heilgöttern erhalten. Empedokles (ca 494—434) lebt und entschwindet den Seinen wie ein Gott, hinterläßt freilich keine Schule. Pythagoras dagegen haftet als „göttliche" Gestalt so tief in der Erinnerung, daß Verfolgung und Martyrium (500 v Chr) seine Gemeinde auf die Dauer nicht unterdrücken kann. Vierhundert Jahre nach seinem Tode nimmt dieselbe einen neuen Aufschwung. Im 1. Jhdt n Chr geht aus ihr Apollonius von Tyana hervor, selbst eine Offenbarergestalt, dessen Leben Philostrat im 3. Jhdt beschreibt, ein formales Gegenstück zu den christlichen Evangelien und Apostelgeschichten. Noch im 4. Jhdt hat Jamblichos den Pythagoras als einen guten Daimon gefeiert, so daß die unmittelbaren Nachwirkungen dieses hervorragenden Mannes sich durch ein volles Jahrtausend verfolgen lassen. Aber auch Sokrates († 399) mit seinem Daimonion gilt seinen Verehrern auf lange hinaus als göttlicher Offenbarer, und sein Hermeneut Platon (427 bis 347) wird bald schon von den Ranken frommer Legende umspielt. In wunderlichem Widerspruch stiftet selbst der aller Offenbarung abholde Epikur († 270) eine Gemeinde nach religiösem Muster, die seinen Geburtstag mit einem Gedächtnismahl feiert und sich bis ins 4. Jhdt n Chr erhält. Ein begeisterter Prophet erstand dem Epikur unter den Römern in dem Dichter Lucrez. Hier wird — seltsam genug — die Bestreitung der Offenbarung zur „Offenbarung".

4. Die Rationalisierung der Offenbarungsidee.

Die griechische Philosophie hat von Hause aus einen starken Hang zur rein kausalen, immanenten Welterklärung. Wo, teilweise unter ausdrücklicher Leugnung eines Schöpfers, die Welt auf einen einzelnen Grundstoff zurückgeführt wird, wie bei Thales, Anaximander, Anaximenes und Heraklit, oder wo sie, wie bei Empedokles, Anaxagoras, Leukipp und Demokrit, aus der „zufälligen" Mischung von Elementen oder Atomen abgeleitet wird, da scheint für irgendwelche Offenbarung schlechterdings kein Raum zu bleiben. Aber eben hier tritt nun eine der gewaltigsten Wendungen in der Geistesgeschichte der Menschheit ein, die Projektion des Denkens in die Natur, die Gleichsetzung von Einzeldenken und Weltvernunft[13]. Die Welt hat trotz allem einen Sinn, und diesen Sinn erfaßt das Denken. Sein und Denken sind aufeinander angelegt, sind im tiefsten eins. Ob man diese letzte rationale Einheit mit Heraklit und der Stoa → λόγος oder mit Anaxagoras → νοῦς oder mit Plato ἰδέα (→ II 371, 15 ff) nennt, darauf kommt für unseren Zusammenhang nicht allzuviel an. Die Hauptsache ist, daß der Kosmos als Manifestation denkenden Geistes, wenn auch nicht überall eines denkenden Geistes, erfaßt wird. Wo die Befruchtung des griechischen Geistes durch die Religiosität des Ostens hinzutrat, wie vor allem bei Posidonius, bedurfte es weiter keines Anstoßes, um jene Stimmung zu erzeugen, die später in dem Gedanken der „natürlichen" Offenbarung ihre folgenschwere Ausprägung gefunden hat.

Cicero bekämpft Tusc I 68 ff den Einwand, wie die Seele ohne Körper existieren könne, mit folgenden vermutlich dem Posidonius entlehnten Gründen[14]: „Wenn wir die Gestalt und den Glanz des Himmels betrachten; die unseren Sinnen unfaßbare

---

[12] Orph (Abel), Orph Fr (Kern).
[13] Verwandt, aber charakteristisch verschieden, vor allem hinsichtlich der Stellung zur sichtbaren Welt, ist die indische Atman-Brahman-Lehre.

[14] Nach der nur die Hauptgedanken heraushebenden Übersetzung ENordens, Agnostos Theos (1913) 25 f.

Schnelligkeit seiner Umdrehung; den Wechsel von Tag und Nacht; die vierfache Ver-
änderung der Jahreszeiten, die so angemessen ist für das Reifen der Früchte und die
rechte Beschaffenheit der Körper; die Sonne, all dieser Verhältnisse Ordnerin und
Führerin; den Mond...; die Planeten...; den sternengeschmückten Himmel bei
Nacht; den aus dem Meere emporragenden Erdball, festgeheftet im Mittelpunkt des 5
Weltalls und in zwei sich entgegengesetzten Zonen bewohnbar...; die Menge von
Tieren, dienlich teils zur Nahrung und zur Bestellung der Äcker, teils zum Fahren
und zur Bekleidung des Körpers; endlich den Menschen selbst, gleichsam den Be-
trachter des Himmels und Verehrer der Götter, und die Menschen Nutzen dienstbar
Land und Meer — wenn wir dies und unzähliges andere schauen, können wir da 10
zweifeln, daß diesem gewaltigen Weltgebäude, falls es, wie Platon will, zeitlich geworden ist, ein Schöpfer, oder falls es, wie Aristoteles behauptet, von Anbeginn bestanden hat, ein Lenker vorstehe? Ebenso verhält es sich auch mit dem menschlichen
Geiste: zwar siehst du ihn nicht, wie du Gott nicht siehst, aber wie du Gott erkennst
aus seinen Werken, so sollst du aus der Gedächtniskraft, dem Erfindungsvermögen, 15
der Bewegungsschnelligkeit und der ganzen Herrlichkeit seiner Begabung die göttliche Kraft des Geistes erkennen." Den Sinnen zwar verborgen, ist die Gottheit doch
der Ratio, dem Noῦς, erfaßbar. Einer b e s o n d e r e n Offenbarung bedarf es nicht.
Die überall und jederzeit erfaßbare „natürliche" genügt.

5. Mystik und Gnosis.   20

In der Mystik scheinen die Dinge auf den ersten Blick
wesentlich anders zu liegen. Hier wird, so scheint es, das Mysterium der
wesenhaft verborgenen Gottheit einerseits voll anerkannt und anderseits von
Fall zu Fall wirksam enthüllt. Außerordentlich lehrreich ist die Deutung, die
die angebliche Inschrift des „verschleierten Bildes zu Sais" (→ 561, 10 ff) bei 25
Plut Is et Os 9 (II 354 b—d) erfährt. In der primitiven Grundbedeutung jener
Inschrift lebt, wie in den Grundlagen der ägyptischen Religion überhaupt, etwas
von echtem Abstandsempfinden der Gottheit gegenüber. Was wird aber daraus?
Eine Geheimtheologie der Priester, in die die Könige, falls sie aus der Kriegerkaste hervorgehen, von Amts wegen eingeweiht werden. So der mysterien- 30
gläubige Plutarch. Die Scheidelinie läuft also doch nicht zwischen Gott und
Mensch überhaupt, sondern zwischen der Gottheit und den Ungeweihten, oder
anders ausgedrückt: zwischen Mysten und Nichtmysten.

Für den Mysten ist die Gottheit, mag sie ihre Geheimnisse auch nur Stück für
Stück preisgeben, nicht mehr verborgen. Und für den Nichtmysten ist sie nur man- 35
gels der Weihe, also nicht wesenhaft, verborgen. Die Mystik ruht auf der ausgesprochenen oder stillschweigenden Voraussetzung, daß der Mensch über das Göttliche
verfügt. Die Wurzeln der Mystik liegen in der Magie. Der aus den Tiefen der
Sakralmagie sich losringende Mythos will die naturhafte Verbundenheit des Menschen
mit dem Göttlichen illustrieren und für die Lebenssteigerung fruchtbar machen. Diese 40
Lebenssteigerung durch Vergottung ist wieder grundsätzlich jederzeit und allerorts
möglich, wenn nur wirksame Formeln und Methoden verwendet werden. Strenge Einmaligkeit widerspricht dem Wesen der Mystik. Diese erträgt keine feste Bindung an
bestimmte „Heilstatsachen", an einen bestimmten geschichtlichen oder kultischen
Offenbarungskomplex. Alle Mysterienreligionen erkennen einander grundsätzlich an. 45
Der beste Beweis, wie wenig es sich hier um echte Offenbarungsreligion handelt!

Die Mystik macht nun teilweise einen starken Vergeistigungsprozeß durch. Die
Sakralhandlung wird Nebensache. Sie kann zuletzt ganz fehlen. Das Schauen der
Gottheit ist nicht mehr kultischer Höhepunkt, sondern vollzieht sich visionär.
Durch Reinigungen und Kontemplation — unter Anwendung manchmal abson- 50
derlicher Mittel, wie die sog Mithrasliturgie zeigt — steigt der Mensch zum
Schauen der Gottheit empor. Die Schau kann sich auch rein innerlich abspie-
len, weniger von Gefühlen begleitet als erkenntnismäßig, spekulativ. Dann
schließt die Mystik einen Bund mit der Gnosis und wohl auch mit der Philo-

sophie. Das Wort wird nun in stärkerem Maße als bisher Träger der „Offenbarung"[15].

Der erwähnte Dreibund tritt zu Anfang der christlichen Zeitrechnung besonders
deutlich in Erscheinung in der sublimen Religiosität der hermetischen Schriften.
Diese beruft sich auf esoterisches Wissen (→ γνῶσις I 692 ff), das von Hermes Tris-
megistos, hinter dem der ägyptische Gott der Schreibkunst und Weisheit Toth oder
Tat steht, halbgöttlichen prophetischen Offenbarungsträgern, unter denen neben
Asklepios (Imhotep) merkwürdigerweise wieder Tat, nun als Sohn des Hermes (vgl
das Offenbarungsgespräch zwischen beiden Corp Herm XIII) auftritt, anvertraut und
in wirkungskräftigen Offenbarungsschriften aufgezeichnet worden ist. Die technischen
Ausdrücke für Geben und Empfangen der Offenbarung sind παραδιδόναι (Corp Herm
XIII 1 uö) und (παρα)λαμβάνειν (ebd I 26 b. 30) bzw διδάσκειν (Pass ebd I 27) und
μανθάνειν (XIII 1), gelegentlich auch unser Verbum (→ 572, 43 ff). Gott offenbart
sich, er will erkannt sein (γνωσθῆναι βούλεται). Das Offenbarungswort hilft zur Wiedergeburt. Der λόγος τῆς παλιγγενεσίας muß mit anbetendem Schweigen aufgenommen
werden. Er bewegt dann zu den λογικαὶ θυσίαι des Dankes, darf keinesfalls durch
Verrat an die Allgemeinheit entweiht, muß vielmehr geheimgehalten werden, treibt
aber doch zum Zeugnis (κηρύσσειν), das in der Aufforderung gipfelt: μετανοήσατε!
Auf solchen Höhen bewegt sich der Schluß des Poimandres (I 27 ff). Zur Vollendung
kommt diese mystisch-philosophische Geheimreligion im späteren Neuplatonismus.
→ II 451, 17 ff.

Von „Offenbarung" kann auch hier nur mit Vorbehalt und jedenfalls nicht
im gleichen Sinne wie in der Bibel geredet werden. Von einem Akt des Aussichheraustretens Gottes, einer einmaligen, suffizienten Selbstdarbietung zur Gemeinschaft weiß man nicht. Die Übergabe des „Wissens" an die Offenbarungsträger ist kaum mehr als schriftstellerische Einkleidung. Es handelt sich in
Wahrheit um ägyptisch-hellenistische Religionsphilosophie. Gegenstand des
Wissens ist der für den Nichtgnostiker zwar faktisch, aber nicht wesenhaft verborgene, bald mehr persönlich, bald mehr unpersönlich gedachte Weltgrund.
Ist das Wissen um ihn einmal wach geworden, so läßt es sich weitergeben,
zwar nicht durch mechanisches Auswendiglernen, nicht ohne gewisse innere
Vorgänge wie Buße und Wiedergeburt, aber doch als „Wissen", nicht als aktu-
elle „Kunde", Evangelium.

6. Der Gebrauch der Vokabeln.

Soweit der Grieche überhaupt das Bedürfnis hat, etwas
dem Begriff „Offenbarung" Analoges zum Ausdruck zu bringen, wählt er andere
Ausdrücke (→ 568, 19 ff). Unsere Vokabeln sind an sich selten, und vollends
ihre theologische Verwendung außerhalb der Bibel gehört durchaus der Spätzeit an.

ἀποκαλύπτειν (= enthüllen) findet sich eigentl Hdt I 119 (τὴν κεφαλήν), übertr
Luc Icaromenipp 21 (schändliche Dinge), PMasp 295 II 8 (byz, Tatsachen), beide
Bdtgen kurz hintereinander Plat Prot 352 a (τὰ στήθη, τόδε τῆς διανοίας), med offen mit
seiner Meinung hervortreten (Diels, Doxographi Graeci 298 a 9). Theologische Bedeutung gewinnt das Verbum in Corp Herm (XIII 1) in einem schwer verständlichen,
vielleicht verderbten Text, in dem es sich um das σωθῆναι und die Übergabe des
λόγος τῆς παλιγγενεσίας handelt: οὐκ ἀπεκάλυψας (synon zu αἰνιγματωδῶς καὶ οὐ τηλαυ-
γῶς ἔφρασας), weiter dann bei Jambl Myst III 17 (ed Parthey 142, 9) in einem Zusammenhang, der die einfältigsten Methoden der Mantik abergläubisch verherrlicht,
von der Gottheit: τὰ πάσης γνώσεως προέχοντα νοήματα ἀποκαλύπτει. Von einem
unerlaubten Verraten der Mysterien durch Menschen dagegen ebd VI 7 (248, 11), wo
ausgeführt wird, daß die Dämonen vor der Drohung eines Menschen, die Weltge-
heimnisse zu entschleiern (τὰ κρυπτὰ τῆς ᾿Ίσιδος ἐκφανεῖν, VI 5), erzittern. Alles bleibt
unversehrt und in Ordnung, ἐπειδὴ τὰ ἐν Ἀβύδῳ ἀπόρρητα (die Geheimnisse von Abydos,

---

[15] Eine glänzende Schilderung dieser Entwicklung bei Reitzenstein Hell Myst 32 ff.

wo nach ägyptischer Lehre das Haupt des Osiris bestattet worden sein soll) οὐδέποτε ἀποκαλύπτεται (VI 7). Es ist charakteristisch, daß solche Drohungen aus Menschenmund von den Dämonen ernst genommen werden. Das ἀποκαλύπτειν von Mysterien von Mensch zu Mensch gilt durchweg als fluchwürdig. Collection des anciens Alchimistes Grecs ed MBerthelot-CERuelle, Texte (1888) p 296 § 14: ἰδοὺ τὸ μυστήριον τῶν φιλοσόφων, καὶ 5 περὶ αὐτοῦ ἐξώρκισαν ὑμῖν οἱ πατέρες ἡμῶν τοῦ μὴ ἀποκαλύψαι αὐτὸ καὶ δημοσιεῦσαι. Noch Sopater, ein Rhetor des 5. Jhdts n Chr, schreibt: αὐτὰ τὰ μυστήρια διατυπώσεις καὶ ἐρεῖς, οὐδὲν ἀποκαλύπτων ὁμοίως τῶν μυστικῶν (Rhet Graec ed EChWalz [1832 ff] VIII p 123, 19 ff). Doch kann auch an ein heilsames Verdeutlichen gedacht werden. Jambl Vit Pyth 103 spricht davon, welche Richtigkeit und Wahrheit die Symbole der 10 Pythagoreer enthalten, ἀποκαλυφθεῖσαι καὶ τοῦ αἰνιγματώδους ἐλευθερωθεῖσαι τύπου.

Das Subst ἀποκάλυψις findet sich eigtl: vom *Nichtbedecktsein* des Kopfes Philodem Philosophus (etwa 110—28 v Chr) Vitia 22 (p 38,15 ed CJensen [1911]), von der Entblößung des Körpers (= γύμνωσις) Plut Cato Maior 20 (I 348 c), vom *Aufbrechen* verborgener Quellen Plut Aem 14 (I 262 b), übertr: ἀποκάλυψις (besser wohl ἀνακάλυψις zu lesen) 15 ἁμαρτίας *Aufdecken* eines Fehlers (= νουθέτησις) Plut Adulat 32 (II 70 f). Nach Synesius († vor 415 n Chr) ist ἀποκάλυψις Fachausdruck der Wahrsager (ep 54, RHercher Epistolographi Graeci [1873] 662). Es kommt in der Tat öfters in späteren astrologischen und alchimistischen Texten vor. Catal Cod Astr Graec VII 4 p 164, 18: ὀνείρων ἀποκαλύψεις, desgl ebd p 145, 26; ebd VIII p 99, 7: τὴν τῶν μυστηρίων ἀποκάλυψιν 20 *Aufdeckung* geheimer Angelegenheiten, in kultischem Zusammenhang Berthelot 219 § 1, mehr gnostisch ebd 112 § 6: ἀποκάλυψις κεκρυμμένων ῥήσεων εἰς φανερὸν γινομένων. In der mystischen Terminologie Philos fehlen dagegen noch beide Ausdrücke.

Dieser Befund zeigt mit aller Deutlichkeit, daß die Begriffe ἀποκαλύπτειν und ἀποκάλυψις in keiner Weise dogmatisch geprägt sind und daß ihre theologische Verwen- 25 dung dem Griechen von Hause aus fernliegt. Sie ist vom Orient her importiert. Angesichts der jüdischen Einflüsse in den Zauberpapyri und der schwer zu bestreitenden Spuren at.licher Reminiszenzen in der Hermesmystik entsteht die Frage, ob nicht die außerbiblische Verwendung unserer Vokabeln im technischen Sinn direkt oder indirekt aus der griechischen Bibel stammt [16]. Philologisch anfechtbar, hat es theologisch ver- 30 standen seinen guten Sinn, wenn Hieronymus von dem Wort ἀποκάλυψις sagt: *proprie Scripturarum est . . . a nullo sapientium saeculi apud Graecos usurpatum* (ad Gal 1, 11 ff, VII 1, 387 ed Vallarsi).

C. Offenbarung im Alten Testament.

1. Die religionsgeschichtliche Unterlage. 35

Die at.liche Religion kennt und verwendet vielfach ähnliche Offenbarungsmittel wie andere Religionen: Vorzeichen und Vorbedeutungen (Gn 24, 12 ff; 25, 21 ff; Ri 6, 36 ff; 1 S 15, 27 ff), die Kunst des kraftbegabten Gottesmannes und Sehers (1 S 9, 6 ff; 9, 15 ff; 2 S 24, 11; 1 Kö 22, 6 ff; Am 7, 12; Js 29, 10; 30, 10; → II 451, 36 ff), Traum und Traumdeutung (→ 438, 5 ff), die Inkubation (→ 437, 35 ff), 40 das Losorakel Urim und Tummim (1 S 14, 37 ff zugleich als Ordal) [17], den Orakelspruch (Gn 25, 23), die Weisung des Priesters (Dt 17, 9. 12), Ekstase und Prophetentum (→ II 452, 2 ff). Als Zurüstung zum Offenbarungsempfang werden Fasten und Kasteiung noch Da 9, 3; 4 Esr 5, 20 erwähnt.

2. Die Offenbarung des lebendigen Gottes. 45

Unter diesen Formen, bald über sie hinausgreifend und sie sprengend, wird Israel eine neue und einzigartige Offenbarung geschenkt. Das AT selbst sieht das Unterscheidende darin, daß Jahwe, der Gott Israels, lebendiger Gott ist (אֵל חַי Jos 3, 10; אֱלֹהִים חַי Js 37, 4; אֱלֹהִים חַיִּים Dt 5, 23;

[16] PTillich (→ Lit-A) 403 formuliert: „Offenbarung als Idee ist so alt wie die Religion . . . Der Offenbarungsbegriff ist eine Schöpfung der hellenistischen Philosophie." Diese Formulierung stellt Idee und Begriff einander zu abstrakt gegenüber. Sie behält die Differenzierungen innerhalb der Offenbarungsidee selbst und die orientalische Herkunft der späthellenistischen Offenbarungsauffassung nicht genügend im Auge. In der berechtigten Absicht, vor historisierender Verhärtung und dogmatisierender Verengerung der Offenbarung zu warnen, fällt sie in das entgegengesetzte Extrem. Sie kommt in Gefahr, den biblisch-kirchlichen Glauben an einen konkreten Offenbarungsinhalt für heidnisch zu erklären und durch subjektivistische Offenbarungsmystik zu ersetzen.

[17] Näheres bei RPreß, Das Ordal im alten Israel, ZAW NF 10 (1933) 121 ff, 227 ff.

Jer 10, 10 uö, im Unterschied von den „Götzen", den Nichtsen, אֱלִילִים Js 2, 8;
Ps 96, 5; 97, 7 uö).

Wann dies Neue in der Geschichte Israels zuerst hervortritt, wird verschieden
beurteilt. Während die ältere historisch-kritische Forschung seine Wiege erst im Pro-
5 phetismus seit dem 8. Jhdt fand, mehren sich neuerdings wieder die Stimmen dafür,
daß schon durch die Volkwerdung unter Mose die Keime des Neuen in die israelitische Geschichte hineingesenkt worden sind [18]. Die bahnbrechende Erkenntnis war
gewiß nicht explizit in dem Sinne, daß man von Anfang an ausschließlich die Realität
Jahwes behauptet, die Realität der heidnischen Götter bestritten hätte. Sie hat sich
10 auch nur unter schweren Krisen durchgesetzt. Aber auf ihr baut sich die biblische
Religion auf „als der Glaube an einen Gott, der wirklich im Vollsinn ,Gott' ist, in
scharfer Abgrenzung gegen alle andere numinose Erfahrung" (→ 87, 26 ff).

Das bedeutet aber eben nicht, daß dieser Gott sich durch fortwährende hand-
greifliche Offenbarung mit den Menschen oder doch seinem Volke gemein macht [19].
15 Er ist vielmehr, eben weil er wirklich Gott ist, „verborgener Gott" (אֵל מִסְתַּתֵּר Js
45, 15), der Gott des Geheimnisses, der sich nur dann erschließt, wenn Er will
(→ κρύπτω). Ebendeshalb aber kommt es nun hier zur Offenbarung im strengen
Sinn. Diese Offenbarung vollzieht sich vor allem nach drei Richtungen hin:
Jahwe offenbart sich als Herr der Geschichte, als der Heilige und Gnädige, als
20 Schöpfer der Welt.

a. Jahwe offenbart sich als Herr der Ge-
schichte. Grundlegend ist und bleibt für die at.liche Religion die Befreiung
Israels aus dem „Diensthause" Ägypten. An dem widerspenstigen Pharao und
seiner Macht offenbarte Jahwe überwältigend seine Herrlichkeit („sie sollen
25 wissen, daß ich Jahwe bin" Ex 14, 18). Durch dies sein gewaltiges Handeln
zog er von allen Völkern Israel in einzigartiger Weise zu sich (Ex 19, 4 ff).
Auf diese Grundtatsache weisen auch die Propheten immer wieder hin (Am 2, 10;
Hos 11, 1 uö; Jer 7, 22; 32, 20; vgl Dt 4, 34 uö). Ausdrücklich wird dabei
der Wahn abgelehnt, als dürfe Israel sich daraus einen Rechtstitel machen (Am
30 9, 7). An sich sind alle Völker vor Jahwe gleich. Er herrscht über sie alle
und führt sie in die Sitze, die er ihnen bestimmt hat. Aber recht verstanden
ist Jahwes Walten in der Geschichte allerdings für sein Bundesverhältnis zu
Israel konstitutiv.

Weil die Religion Israels an der Geschichte erwächst, bleibt die Geschichts-
35 bestimmtheit für sie charakteristisch. Für die biblische Anschauung liegt das
Wesentliche nicht schon in dem, was zu aller Zeit ist, sondern in dem, was
geschieht. Die Geschichte, dh das Geschehende, ist Jahwes Werk.

Mit gewaltiger Hand lenkt er nicht bloß die Geschichte seines Volkes, sondern
die Geschichte aller Völker. Er läßt Reiche kommen und gehen. Die stolzen An-
40 schläge von Königen macht er zunichte (Js 7, 1—9; 8, 1—4). Weltreiche müssen seine
Befehle ausführen. Er ruft, und wie Bremsen und Bienen schwärmen sie herzu, um
an Israel das oft angedrohte Gericht zu vollstrecken (Js 7, 18f). Aber wenn die Rute
sich erhebt gegen den, der sie führt, und der Stecken gegen den, der mit ihm schlägt,
wenn die Axt dem trotzt, der damit haut, und die Säge prahlt gegen den, der sie
45 zieht, so werden sie samt und sonders zerbrochen, und die Geschlagenen bleiben

---

[18] Vgl zB PVolz, Mose und sein Werk [2]
(1932); OProcksch, Der Staatsgedanke in der
Prophetie (1933) 4 ff. In noch ältere Zeit
weist AAlt, Der Gott der Väter = BWANT,
3 Folge 12 (1929).
[19] WBaudissin, ,Gott schauen' in der at.-
lichen Religion = ARW 18 (1915) 173 ff weist

nach, daß die at.liche Religion „den ihr
ursprünglich fremden Gedanken des Gott-
sehens der grundlegenden Idee der Erhabenheit Gottes angepaßt," in dem ihr wesens-
fremden Sinn dagegen wieder ausgeschieden
hat (233).

wunderbar erhalten (10, 5 ff. 12 ff). An den Mauern Jerusalems zerschellt die Macht Assyriens, wenn Jahwe es will (10, 28 ff). „Gleich flatternden Vögeln" wird er die Heerscharen Jerusalems ˚beschirmen (31, 5). Er ruft Kyros bei seinem Namen, damit er seinen Befehl vollstrecke und Israel wieder ins Land der Väter bringe (Js 45, 1 ff). Die Völker sehen es und staunen (52, 10. 15; 60, 3. 5 uö). Jahwe soll alle Welt huldigen (Ps 98). 5

Schon hier wird das Wesen der Offenbarung nach at.licher Auffassung sehr deutlich. Offenbarung ist n i c h t Mitteilung übernatürlichen Wissens und n i c h t Erregung numinoser Gefühle. Wohl kann an der Offenbarung auch ein Wissen erwachsen, und die Offenbarung Gottes ist notwendig von numinosen Empfin- 10 dungen begleitet (Ex 19, 16; Js 6, 5 uö). Aber die Offenbarung ist nicht dies, sondern recht eigentlich H a n d e l n J a h w e s, Aufhebung seiner wesenhaften Verborgenheit, Selbstdarbietung zur Gemeinschaft. Diese Gemeinschaft erhält aber dadurch ihre Eigenart, daß sie auf sittlicher Grundlage ruht.

b. J a h w e o f f e n b a r t s i c h a l s d e r H e i l i g e u n d 15 G n ä d i g e. Als der H e i l i g e im sittlichen Sinn! Das tritt schon im Dekalog mit voller Klarheit hervor. Die elementaren Grundlagen aller Sittlichkeit erscheinen hier als Forderungen Jahwes. Das gleiche läßt sich dann durch die Geschichte der nachfolgenden Jahrhunderte verfolgen. Das Volk erliegt immer wieder der Gefahr, die den Führern geschenkte Gotteserkenntnis naturhaft und 20 kultisch-rituell zu vergröbern. Aber mit unerbittlicher Folgerichtigkeit machen Nathan, Elia, Amos und Hosea, Jesaja, Micha und Jeremia den heiligen Gotteswillen geltend. Nicht Kultus ist es, was Jahwe, sei es allein oder neben einem gewissen bescheidenen Maß sittlichen Handelns, verlangt. Er verlangt ganz einfach G e h o r s a m. Kultus ohne Gehorsam ist ihm ein Greuel. Er wird eher 25 seine erwählten Werkzeuge und sein erwähltes Volk in Grund und Boden vernichten, als seinem heiligen sittlichen Willen auch nur ein Quentlein abdingen lassen (2 S 12, 7 ff; 1 Kö 17, 1; 18, 1 ff; 21, 17 ff; Am 2, 6 ff; 4, 1 ff; 5, 21 ff; 8, 4 ff; Hos 6, 6; Js 1, 10—17; 3, 16 ff; 5, 8 ff uö; Mi 2, 1 ff; 6, 8; Jer 7, 3 ff usw). 30

Jahwe als der Heilige eifert um seine Ehre (Ex 20, 5; Js 42, 8). Die at.liche Religion geht nicht aus von einer abstrakten Idee des Guten, an der auch Gott gemessen würde. J a h w e s W i l l e ist gut. Diese seine Art ist aber keineswegs immer für den Menschen klar durchschaubar. Sein Walten droht gelegentlich schier untersittliche Züge anzunehmen (2 S 22, 27 [= Ps 18, 27]; Ex 20, 5 vgl mit Jer 35 31, 29 f; Ez 18, 2 ff). Und wenn man hier doch noch von gerechter Vergeltung reden könnte, so wäre doch sogleich darauf hinzuweisen, daß eben die Vergeltung Gottes in ihrer sittlichen Gerechtigkeit keineswegs immer durchsichtig ist. Welch schwere Nöte diese Erfahrung der at.lichen Frömmigkeit bereitet hat, ist bekannt (vgl Ps 37; 73; das Buch Hiob usw). Immer wieder kämpft 40 sich der Glaube vom verborgenen Gott zum offenbaren Gott hindurch!

Jahwe ist der G n ä d i g e. Er übt Barmherzigkeit und vergibt Sünde (Ex 34, 6 f; Ps 32, 5; 103, 8 ff uö). So deutet die zur Tatoffenbarung Jahwes ständig hinzutretende Wortoffenbarung sein Walten: durchs Gericht zur Begnadigung! In diesem Zeugnis erreicht sie ihre höchsten, beinahe nt.lichen Höhen 45 (Js 40, 1 ff; 53; 61, 1 ff uö). Hinter dem allen aber steht als unentbehrlicher Hintergrund die über alle Welt erhabene Macht des Schöpfers.

c. Jahwe offenbart sich als Schöpfer und Er-
halter der Welt. Jahwe hat Himmel und Erde gemacht (Js 37, 16). Diese
Erkenntnis bildet nicht den Ausgangspunkt des israelitischen Gottesglaubens.
Jahwe ist nicht einer der halbverblaßten Urhebergötter[20], von denen die Reli-
5 gionsgeschichte weiß, sondern in erster Linie der gegenwärtig machtvoll Handelnde. Aber die Erkenntnis, daß auch der Ursprung der Welt in seinem Willen und Wort liegt, ergibt sich mit innerer Notwendigkeit und steigender Klarheit. Die Kosmogonien der umwohnenden Völker, Phönikiens und Babyloniens,
sind in ihrer mythologischen Gestalt für Israel nicht verwendbar. Erst nach
10 einem tiefgreifenden Läuterungsprozeß können sie als Werkstoff für den biblischen Schöpfungsbericht dienen. Nicht der Kampf der Gottheit mit dem Chaos
ist das Thema des letzteren, sondern durch Jahwes Wort, durch seinen allmächtigen Willen steht die Welt fertig da. Die engen Beziehungen dieser Erkenntnis zu der sittlich-geschichtlichen Weltherrschaft Jahwes werden in Ps 33 be-
15 sonders deutlich. Die Herrlichkeit Jahwes in der Schöpfung gibt der Dichtung
und Prophetie auch sonst ein dankbares Thema — oft mit ähnlicher Abzweckung
(vgl vor allem Ps 18, 8 ff; 19, 1—7; 29; 96, 10 ff; 97, 1 ff; 98, 7 ff; 104; 148;
Js 40, 12 ff. 22 ff; 42, 5; 45, 12. 18; 48, 13; Am 5, 8; 9, 5 f; Hi 9, 5 ff; 38; 39).

Griechische Physikotheologie kann, von da her gesehen, in mancher Hinsicht
20 ähnlich erscheinen; die Grundhaltung ist aber grundsätzlich eine völlig verschiedene. Der Grieche will sich denkend der Welt bemächtigen. Das Ich
wird zu diesem Zweck kosmisch ausgeweitet (→ 570, 34 ff). Der at.liche Fromme
bleibt sich auch da, wo er die Offenbarung Gottes in der Schöpfung und die
Herrscherstellung des Menschen auf der Erde in den höchsten Tönen preist,
25 der Gottgegebenheit dieser Herrschaft, des Abstandes zwischen Schöpfer und
Geschöpf bewußt. Nichts bezeichnender, als ein Vergleich zwischen dem berühmten Chorlied der sophokleischen Antigone (332 ff): πολλὰ τὰ δεινὰ κοὐδὲν
ἀνθρώπου δεινότερον πέλει und Ps 8! Nach griechischer Auffassung offenbart
der Mensch Gott, nach biblischer offenbart Gott sich dem Menschen. Gottes-
30 beweise und Preis des Menschen auf der einen, Gottes Lob auf der anderen
Seite!

3. Abgrenzung der Offenbarung.

Das griechische Offenbarungsverständnis bewegt sich
zwischen den Extremen mysterienhafter Einschränkung und humanistisch-kosmo-
35 politischer Entschränkung. Dem AT liegt beides gleich fern. Der Jahwedienst
ist kein Geheimdienst. Er ist aber auch nicht ohne weiteres Weltreligion.
Jahwe ist seines Volkes Gott. Er ist es, weil er sich dies Volk Israel in freier,
zuvorkommender Gnade zum Eigentum, zu einem Königreich von Priestern und
zu einem heiligen Volk erwählt hat (Ex 19, 4 ff). Er ist aber der Lebendige,
40 der Schöpfer und Herr der Welt. Das Bundesverhältnis bedeutet daher selbstverständlich nicht, daß Jahwe förmlich darauf verzichtet hätte, sich auch anderen Völkern zu manifestieren. Er tut sich allen Völkern kund, in seinen

---

[20] Die Bezeichnung stammt von NSöder- | blom, Das Werden des Gottesglaubens (1916).
Dort 114 ff Genaueres.

Gerichten (Js 13 ff; Jer 25, 12 ff; Am 1, 3—2, 3; Na 1—3; Zeph 2, 8 ff), aber auch in seinen Segnungen (Am 9, 7). Selbst d e r Gedanke ist at.lichem Denken nicht unerschwinglich, daß Jahwe fremde Völker durch prophetische Predigt zur Buße leitet (Jon 3, 4 ff; 4, 11). Einst werden alle Völker an der Heils- offenbarung Anteil haben (Js 2, 2—4; Mi 4, 1—3). Vor allem aber offenbart 5 Jahwe sich einstweilen in der folgerichtigen Leitung seines Volkes Israel zum Heil. Dies letzte ist das eigentliche Thema der Prophetie des zweiten Jesaja (bes 41, 1 ff. 8 ff; 45, 4 ff. 14—25; 49, 1 ff; 51, 4 ff; 52, 13 ff). Die kosmische Weite des Manifestationsbereiches ändert nichts daran, daß die B u n d e s offen- barung dem erwählten Volke vermeint ist und sich als Selbstdarbietung zur 10 Gemeinschaft — zunächst (→ 577, 4 f) — streng innerhalb der Grenzen dieses Volkstums vollzieht. Die Offenbarung bleibt jederzeit und überall im strengen Sinn Akt Gottes. Niemand hat schon deshalb ein Anrecht an sie, weil er Men- schenantlitz trägt. Aber auch der Israelit hat kein Anrecht an sie einfach des- halb, weil er Israelit ist. Vor allem kann auch das verliehene Recht durch 15 Schuld verwirkt werden. Es hieße deshalb die Dinge viel zu einfach sehen, wollte man Israel und Nichtisrael als Offenbarungsort und Nichtoffenbarungs- ort, als Bereiche wahrer und falscher Offenbarung einander gegenüberstellen. Wie Gott einerseits nicht an Israels Grenzen gebunden ist, so gibt es anderseits auch innerhalb Israels den Gegensatz zwischen wahrer und falscher Offenbarung. 20

Es gehört zu den paradoxen Tiefen der at.lichen Gottesanschauung, daß die betörende Falschoffenbarung innerhalb Israels sogar auf Jahwe selbst zurück- geführt werden kann (1 Kö 22, 19 ff). Das schließt freilich den Gesichtspunkt menschlicher Verschuldung nicht aus. Dieser ist sogar bei der Beurteilung der falschen Prophetie der vorherrschende. 25

Das hbr AT hat kein Wort für „falsche Propheten"[21]. Die Auseinandersetzung mit den Falschpropheten zieht sich aber wie ein roter Faden durch mehr als zwei Jahr- hunderte hindurch (1 Kö 22, 5 ff; Mi 3, 5 ff; Jer 2, 26; 6, 13 ff; 14, 13 ff; 18, 18 ff; 23, 9—22. 30 ff; 26, 7 ff; 27—29; Ez 13, 15 f). Der Begriff tritt trotz des fehlenden Wortes in so bestimmter Form auf, daß die Vermutung, es handle sich um eine insti- 30 tutionell gebundene Erscheinung[22], wohl das Richtige trifft. Gemeint sind vermutlich in erster Linie, wenn auch nicht ausschließlich, die zur Fürbitte und zur Heilsweis- sagung gegen Bezahlung gewissermaßen beruflich verpflichteten Kultpropheten[23].

Um die Frage, wo echte Offenbarung zu finden und woran sie von der Falsch- offenbarung zu unterscheiden sei, ist schon im AT selbst auf das ernstlichste 35 gerungen worden (vgl auch Dt 18, 21).

Folgende Kriterien werden erwogen:

a. P e r s ö n l i c h k e i t und M o t i v des Offenbarungsträgers. Die falschen Propheten rufen „Heil!", wenn ihre Zähne zu beißen haben, erklären aber dem, der ihnen nichts in den Mund gibt, den Krieg (Mi 3, 5, vgl 11). Der echte Prophet ist unabhängig 40 (Am 7, 14) — ein Grundsatz, vor dessen schematischer Anwendung allerdings das „Pro- phetenstübchen" (2 Kö 4, 8 ff; vgl 1 Kö 17, 7 ff) warnt.

b. Der H e r g a n g des O f f e n b a r u n g s e m p f a n g s. „Der Prophet, dem ein Traum zu Gebote steht, der mag einen Traum erzählen; wem aber mein Wort zu Gebote steht, der rede treulich mein Wort!" (Jer 23, 28; vgl v 32.) Diese Disqualifizierung 45

---

[21] ψευδοπροφήτης bei LXX Ιερ 6, 13; 33 (26), 7 ff; 34, 9; 35, 1 (hbr: נְבִיאִים).

[22] vRad aaO. Vgl SMowinckel, Kultpro- phetie und prophetische Psalmen = Psalmen- studien III (1923).

[23] Daß Dt 18, 18—22 vom Standpunkt

dieser Kultprophetie aus im Gegensatz zu den sonst gerade anerkannten „Unheilspro- pheten" formuliert sei (vRad), überzeugt nicht völlig. Staerk aaO 92 hält V 21 f für „zeitgeschichtlich bedingtes Ornament", daher unwesentlich.

des Traumorakels — und man darf hinzusetzen: ekstatisch-visionärer Zustände (vgl Js 8, 19) — ist sehr bedeutsam. Allem Offenbarungsmethodismus tritt als der entscheidende Offenbarungsfaktor das empfangene Wort gegenüber. Aber auch für die echte Prophetie scheiden nun doch jene Möglichkeiten keineswegs schlechthin aus, sie verbinden sich vielmehr gelegentlich in mannigfacher Weise mit dem Wortempfang (Js 6; Am 7—9; Ez 1 ff; Sach 1, 7—6, 8 uö). Das AT selbst läßt erkennen, daß der unmittelbare Offenbarungsempfang ein Ideal blieb, das man allenfalls nur bei Mose erfüllt fand (Ex 33, 11; Nu 12, 6 ff; Dt 34, 10). Höchst bedeutsam ist die unmittelbar empfundene hinreißende Wucht des echten Wortempfangs (Am 3, 8; Js 5, 9; Jer 20, 9; 23, 29). Aber bis zu einem gewissen Grade zweideutig bleibt auch sie (Jer 20, 7).

c. Erfüllung oder Nichterfüllung der Weissagung (1 Sm 3, 19; 1 Kö 8, 56; Dt 18, 22; Jer 28, 9: „Durch das Eintreffen des Wortes weist sich der Prophet aus, den Jahwe wirklich gesandt hat;" besonders häufig bei Dtjs: 41, 21 ff; 42, 9; 44, 7 ff; 44, 26; 45, 21; 46, 10; 48, 15 f; 55, 10 f). Allein den nicht seltenen erfüllten Prophetenworten stehen auch bei anerkannten Gottesboten solche gegenüber, die nicht erfüllt sind. Gegen Mi 3, 12 behält Js 29, 5 f einstweilen recht. Die Propheten deuten selbst an, daß Jahwes Wort nicht unabänderliches Dekret ist, sondern daß sein Walten sich der jeweiligen Situation elastisch anpaßt (Js 28, 23 ff).

Das am ehesten untrügliche Kennzeichen bildet d. der Inhalt der Verkündigung. Die falschen Propheten rufen: „Heil!", der wahre Gottesmann ist Gerichtsbote (1 Kö 22, 5 ff; Mi 3, 5; Jer 28). Dem steht freilich gegenüber, daß die falschen Propheten uU auch Unheil, die wahren ein Heil verkündigen (Mi 3, 5; Jer 29, 11; Am 9, 11 ff; Hos 14, 5 ff [24]; Js 7, 1—9; 9, 1—6; Dtjs fast durchweg usw). Der fundamentale Unterschied liegt aber darin, daß die falschen Propheten den Menschen nach dem Munde reden, soweit nicht ihr fleischlicher Egoismus sie andere Wege weist, die echten Offenbarungsträger sich dagegen unerbittlich — es bedeute gleich für ihr Volk und sie selbst den Untergang — an den heiligen Willen Jahwes gebunden wissen.

Die Verkündigung legitimiert sich also durch ihre sittliche Orientierung (Jer 23, 21 f). Aber auch dies darf nicht moralistisch mißdeutet werden. Es steht nicht so, daß der Mensch eine fertige Idee des Guten an die Offenbarung heranzubringen und von da aus über ihre Qualität richterlich zu entscheiden hätte. Vielmehr ist der Mensch derjenige, der dem Gericht untersteht, über den entschieden und verfügt wird. Echte Gottesoffenbarung führt die verkehrte, sündige Menschenart schonungslos ins Gericht, führt aber durchs Gericht hindurch zur Gnade und zum Heil. Dieser Inhalt bindet die Prophetie. „Sie kann nicht wider die Wahrheit des lebendigen Gottes. Andernfalls zerbricht sie an ihr [25]." Um die verstandesmäßige Anwendung eines untrüglichen Wahrheitskriteriums handelt es sich sichtlich auch hier nicht. Gott gibt sich seinen Gesandten als der Heilige und Gnädige zu erkennen, sowohl in ihrem Inneren wie im Lauf der Geschichte. Auf diese seine Kundgebung hin wagen sie es. Ihr Sendungsbewußtsein muß dabei oft genug durch schwere Erschütterungen hindurch. Ihren Höhepunkt erreichen diese, soweit wir sehen, bei Jeremia (20, 7—18!). Aber die erschütterte Gewißheit wird wiederhergestellt. Die Offenbarung behält den Sieg.

4. Offenbarung und Eschatologie.

Die Eigenart der at.lichen Offenbarung kommt am meisten in ihrer Zukunftsbezogenheit zum Ausdruck. Die griechische Offenbarungsidee ist, gerade in ihren höheren Formen, bezogen auf das, was zu aller Zeit, wenn auch verborgen hinter dem empirischen Sein, ist. Der at.liche Offenbarungsglaube richtet sich auf das, was werden soll.

---

[24] Die Zweifel an der Echtheit der verheißenden Schlüsse prophetischer Bücher dürfen heute als behoben gelten.

[25] Staerk aaO 86.

Er knüpft dabei seit alters an die, zumal im Orient, volkstümlichen Erwartungen einer kommenden Heilszeit an. Überwiegend transzendenten Charakter nehmen diese vor allem da an, wo sie korrespondieren mit der utopischen Ausmalung des Urstandes [26]. Den ungebrochenen natürlichen Optimismus dieser Erwartungen lehnt die Prophetie scharf ab. Während das Volk vom „Tage 5 Jahwes" schwärmt, sieht Amos diesen kommen als einen Tag der Finsternis und des Schreckens (5, 18 ff). Dies unerbittliche Nein hindert ihn und andere Propheten jedoch nicht, ihre Gerichtsdrohungen durch die Ankündigung einer letzten, großen Heilszeit zu krönen (Am 9, 11 ff; Hos 2, 16 ff; Mi 4, 1 ff).

Vor allem Jesaja verwendet zur Schilderung dieser Zeit gern auch Farbtöne der 10 volkstümlichen Enderwartung (Js 9, 1 ff; 11, 1 ff). Die messianische Heilszeit wird bei Deutero- und Tritojesaja das eigentliche Thema der Prophetie (Js 40—66 passim). In teilweise stark verinnerlichter Gestalt erscheint die Zukunftserwartung bei Jeremia (31, 31 ff), doch auch bei Ezechiel (36, 24 ff). Der letztere entwirft vom Standpunkt des Priesters aus ein prophetisches Gemälde vom erneuerten Jerusalem und von 15 seinem Tempel (40—48). Mit diesem Ausblick nähern wir uns bereits der Apokalyptik. Die Idee der Offenbarung erfährt eine Umgestaltung. Der Schwerpunkt rückt mehr und mehr von dem fordernden, drohenden, deutenden und tröstenden Wort in die faktische Enthüllung der im Ratschluß Gottes und in der himmlischen Welt bereits verborgen existierenden Zukunftsherrlichkeit. Je übler der Lauf der Welt, desto 20 inbrünstiger richtet sich die Hoffnung auf die Zeit, wo Jahwe seine Weltherrschaft antreten und sich als König allen Völkern offenbaren wird. Die sog Thronbesteigungspsalmen (46; 47; 96—99) feiern diesen Moment in dithyrambischem Überschwang.

5. Der Sprachgebrauch.

ἀποκαλύπτειν dient niemals zur Wiedergabe von יָדַע hi. Es steht 25 bei LXX meist für das sachlich genau entsprechende גָּלָה (pi), aram גְּלָא, uz häufig im eigentlichen Sinn *entblößen, aufdecken* (Ex 20, 26; Lv 18, 6 ff uö), oft auch übertr, zunächst ohne theologische Bdtg hebraisierend: ἀποκαλύπτειν τὸ ὠτίον τινός jemand in eine Sache *einweihen* (1 Βασ 20, 2; 22, 8. 17); auch mit Obj des Mitgeteilten: ἀποκαλύπτειν (nur hier = הִגִּיד) τοὺς λόγους τούτους (Jos 2, 20). Theologische Bdtg gewinnt 30 die Vokabel, wenn Jahwe als Subjekt erscheint (lehrreich Js 52, 10: חָשַׂף יְהוָה אֶת־זְרוֹעַ קָדְשׁוֹ לְעֵינֵי כָּל־הַגּוֹיִם, LXX: ἀποκαλύψει κύριος τὸν βραχίονα αὐτοῦ, hbr wohl „entblößen", gr vergeistigend „offenbaren"); 2 Βασ 7, 27: ἀπεκάλυψας τὸ ὠτίον τοῦ δούλου σου, ähnlich: τοὺς ὀφθαλμούς, von visionärer Schau, Nu 22, 31; 24, 4. 16; pass von der Selbstoffenbarung Gottes mit πρός der Person 1 Βασ 2, 27; 3, 21 (synon δηλωθῆναι) 35 oder wenn das Obj religiös-sittlicher Art ist (ῥῆμα θεοῦ 1 Βασ 3, 7, ῥίζα σοφίας gr Sir 1, 6). Wo bei dem Gebrauch der Vokabel an die Mitteilung von Erkenntnis gedacht ist, handelt es sich nicht um Wissen intellektueller Art, sondern um intuitive Berührung mit dem, was noch in der Transzendenz verborgen ist (ganz anders → δηλοῦν II 61, 3 ff). So besonders im Buche Daniel bei Θ. Dieser jüdische Übersetzer hat eine 40 Vorliebe für das Wort. LXX brauchen dagegen ἀνακαλύπτω, ἐκφαίνω oder δείκνυμι (2, 19. 22. 28. 29. 30. 47; 10, 1). Der Begriff „Offenbarung" ist noch nicht dogmatisch fixiert. So zentral für die at.liche Frömmigkeit die Idee der Offenbarung ist — ein festgeprägter Terminus entspricht ihr noch nicht. Eine interessante und folgenschwere Wendung nimmt der Begriff, wenn er geradezu für das Immanentwerden transzendent 45 präexistierender Realitäten verwendet wird. Tritojesaja kündigt die Heilszeit an mit dem Gottesruf: ἤγγισεν τὸ σωτήριόν μου παραγίνεσθαι καὶ τὸ ἔλεός μου ἀποκαλυφθῆναι (לְהִגָּלוֹת) Js 56, 1.

Hier bedeutet „enthüllt werden" etwa soviel wie *in Erscheinung treten*. Im Interesse einer kurzen Bezeichnung nennen wir diesen Sprachgebrauch den 50 „eschatologischen" im Unterschied vom „mystischen". Die Anführungszeichen wollen das Schematische der Bezeichnungen andeuten. — ἀποκάλυψις brauchen

---

[26] Die Wirkung dieser Ideen auf das Abendland illustriert am besten Vergils 4. Ekloge. Vgl E Norden, Die Geburt des Kindes (1924). Für den hellenistischen Offenbarungsgedanken sind diese Zusammenhänge aber ohne tiefere Bedeutung.

LXX nur übertragen, aber nicht im engeren Sinn theologisch, vom Verrat menschlicher Geheimnisse (gr Sir 22, 22. 41, 26 [42, 1] ist dagegen ἀπὸ καλύψεως zu lesen) und von der richterlichen Aufdeckung menschlichen Wesens durch Gott (gr Sir 11, 27).

D. Die Stellung des Judentums zur Offenbarung.

1. Allgemeines.

Das Judentum sieht sich im allgemeinen von gegenwärtiger direkter Offenbarung Gottes verlassen. Die Prophetie ist erloschen (1 Makk 4, 46; 9, 27; 14, 41). Vereinzelte ekstatische Erscheinungen (→ II 453, 3 ff) ändern daran wenig. Desto mehr richtet sich der Blick in Vergangenheit und Zukunft. Die für alle Zeiten maßgebende Offenbarung besitzt Israel in der Tora (→ νόμος). In abgestuftem Maße haben auch „Propheten" und „Schriften" am Offenbarungscharakter teil (→ κανών). Die Kodifizierung der Offenbarung ist hier fast völlig durchgeführt. Die mündliche Überlieferung (→ II 174, 13 ff) will nichts anderes sein als die immer genauere Erläuterung des geschriebenen Gotteswillens. Das Offenbarungsverständnis ist intellektualistisch[27]. Mag das Walten Gottes zur Zeit der Gesetzgebung noch so wunderbar gewesen sein — das für die Gegenwart Wesentliche ist, daß Israel den Willen Gottes kennt und sich deshalb durch dessen Erfüllung Verdienst erwerben kann. Für die Endzeit wird neue Offenbarung erwartet. Hier scheint ja nun alles auf ein Handeln Gottes hinzudrängen. Es ist aber charakteristisch, in welchem Maße auch hier wieder der Offenbarungsgedanke intellektualisiert wird. Von der wiedererwachenden Prophetie erhofft man vor allem Belehrung über schwierige Einzelfragen, besonders der Kasuistik. Der Gedanke, daß der Messias die Tora Mosis neu auslegen wird, kreuzt sich mit dem anderen, daß er eine neue Tora geben wird. Qoh r 11, 8 p 52 a (Str-B III 577): „Die Tora, die ein Mensch in dieser Welt lernt, ist Nichtigkeit gegenüber der Tora des Messias." גלא tritt als technischer Ausdruck für Offenbarung besonders in der Wendung: „Das Königtum Gottes wird (im ἔσχατον) offenbar (איתגליאת)" hervor (→ I 572). Im übrigen könnte man sagen, der term techn für „Offenbarung" sei „Tora". Auch im hellenistischen Judentum sind ἀποκαλύπτειν und ἀποκάλυψις außerhalb der LXX nicht besonders häufig. Bei Philo fehlen beide Vokabeln ganz. Das hängt außer mit dem Sprachgebrauch, dem er folgt, wohl auch mit der mangelnden offenbarungsmäßigen Bestimmtheit seiner Theologie zusammen. Auch bei Josephus fehlt das zentrale Interesse an der Offenbarung. Er begnügt sich damit, den jüdischen Monotheismus als die Erfüllung der Philosophie und die Tora als Krönung der stoischen Moral zu erweisen.

2. Die Apokalyptik.

Einen gewissen Ersatz für die fehlende lebendige Offenbarung hat sich das Judentum in der Apokalyptik geschaffen.

Ihren Namen hat diese Literaturgattung von der letzten Schrift des NTs erhalten, die sich selbst als ἀποκάλυψις (Apk 1, 1) bezeichnet und manche Verwandtschaft mit der hier gemeinten Literatur aufweist, ohne doch einfach in sie eingereiht werden zu können. Da die früheste Apokalypse, das Buch Daniel, hbr (aram) geschrieben ist und die meisten anderen Apokalypsen nachweislich auf hbr Originale zurückgehen, ist die Apokalyptik vor allem in Palästina heimisch gewesen. Ihr Mutterboden im palästinischen Volkstum und ihr Verhältnis zum rabbinischen Judentum sind aber schwer genauer zu bestimmen. Daß die Apokalyptik zur Geheimüberlieferung der Rabbinen gehört haben sollte[28], ist bei der starken sachlichen Verschiedenheit beider Richtungen und angesichts der weiten Verbreitung der Apokalypsen gerade im hellenistischen Judentum und im Christentum nicht überzeugend. Die Hüter der Apokalyptik sind wohl vor allem in der wenig hervortretenden, aber zweifellos vorhandenen Schicht der „Stillen im Lande" zu suchen. Daß sich die An-

---

[27] So noch im modernen Judt. Sehr charakteristisch MWiener, Zur Geschichte des Offenbarungsbegriffs, Judaica, Festschrift für HCohen (1912) 1: eine Erkenntnis, „die ihren Ursprung nicht den ‚natürlichen', sich allenthalben in den Hantierungen des Lebens manifestierenden Kräften des menschlichen Geistes dankt, sondern die betrachtet wird als ein Wissen, das irgendwie dem Quell unmittelbar von Gott herstammender Eingebung entfließt". Ganz ähnlich freilich auch JHänel ZSTh 4 (1926/27) 91.

[28] JoachJeremias, Jerusalem zur Zeit Jesu II B Lfrg 1, Die gesellschaftliche Oberschicht (1929) 107.

fänge mit dem Pharisäismus verbinden und daß einiges von esoterischem rabbinischem Traditionsgut in die Apokalyptik eingedrungen ist, ist nicht ausgeschlossen.

Dem Offenbarungsverständnis der Zeit entsprechend ist die jüdische Apokalyptik durchweg pseudepigraph. Es handelt sich angeblich um Offenbarung an die Großen der Vorzeit, die versiegelt (vgl Js 8, 16) bis ans Ende der Tage verborgen 5 blieb und nun offenbar wurde. Sachlich bedeutsamer ist die, teilweise wohl unter fremden Einflüssen (→ I 368f ἀνίστημι Lit-A), stark betonte Transzendenz Gottes (→ II 420, 26ff). Diese jetzt und hier bestehende Welt ist zwar auch Gottes Schöpfung, aber durch Adams Fall und die seitdem überhandnehmende Sünde aller Menschen dem Verderben verfallen. Gott hat aber nicht nur einen Aeon erschaffen, sondern 10 zwei. Der neue Aeon existiert bereits in der oberen Welt. Wenn das Verderben im Diesseits seinen äußersten Grad erreicht hat — und das ist nach Meinung des Apokalyptikers jeweils in seiner Gegenwart der Fall —, wird bald die Weltkatastrophe eintreten, und der neue Aeon wird machtvoll hereinbrechen (→ I 206, 25ff). Das gewaltige Erleben des Apokalyptikers bzw seines fingierten Gewährsmannes besteht 15 darin, daß er schon jetzt Einblick erhält in die obere Welt Gottes, um den ringenden Gottesknechten die baldige Erlösung anzukündigen und sie zum Ausharren zu ermuntern. Der Vorhang zwischen Diesseits und Jenseits wird einen Augenblick gelüftet. In zitternder Freude schaut der Seher gewaltige Bilder, deren Sinn ihm meist durch einen Deuteengel erschlossen wird. Dazu tritt ein komplizierter Apparat apoka- 20 lyptischer Berechnungen, um Anstöße zu beseitigen und die Nähe der Heilszeit zu erweisen. Auch das Interesse einer primitivromantischen Kosmologie kommt auf seine Rechnung. Weite Strecken des äthiopischen Henochbuches sind zB mit „astronomischen" oder „angelologischen" Offenbarungen und Beschreibungen von Himmelsreisen gefüllt. 25

Die so entstandenen krausen Gebilde scheinen mit echter Prophetie, die das Walten Gottes in der Geschichte offenbart und seinen sittlichen Willen einschärft, wenig mehr zu tun zu haben. Aber die Absicht ging doch dahin, die Gemeinde unter schwerster Bedrängnis in der Treue gegen den lebendigen Gott zu stärken. Mit welchem Ernst hier um höchste Fragen gerungen wird, zeigt 30 besonders erschütternd das stellenweise an Paulus erinnernde, hinter nt.licher Höhe freilich doch weit zurückbleibende vierte Buch Esra. Der Gedanke der Weltgeschichte taucht, wenn man von den Ansätzen im babylonischen und persischen Denken absieht, wohl zuerst im gesamten Kulturleben der Menschheit bei den jüdischen Apokalyptikern seit Daniel auf[29]. In einer Zeit, wo das jüdi- 35 sche Denken sonst in chauvinistischer Engbrüstigkeit zu ersticken drohte, wo man die Offenbarung in intellektualistischer Kasuistik zerfaserte, hat die Apokalyptik, ohne freilich alle Schlacken auszuscheiden, den Blick kosmisch geweitet und das Verständnis für den Tatcharakter der göttlichen Selbstmitteilung bis zu einem gewissen Grade wacherhalten. 40

3. Die „natürliche Offenbarung".

Während das palästinische Judentum die Transzendenz Gottes einseitig betonte, ging das hellenistische Judentum vielmehr seinen Spuren in der Immanenz nach. Schon die vorexilische Weisheitsliteratur hatte sich dem Einflusse heidnischen Geisteslebens nicht verschlossen[30]. Für das spätere, 45 mit dem Hellenismus in ständiger Berührung stehende Diasporajudentum lag es vollends nahe, in apologetischem, teilweise auch polemischem Interesse den biblischen Gottesglauben mit hellenistischer Physikotheologie zu kombinieren.

---

[29] JBehm, Gott u die Geschichte: Das Geschichtsbild der Offenbarung Johannis (1925); Ders, Johannesapk u Geschichtsphilosophie, ZSTh 2 (1924/25) 323ff.

[30] AErman hat entdeckt, daß in Prv 22, 17—23, 11 ein Stück der ägyptischen Weisheitslehre des Amenemope übersetzt und überarbeitet vorliegt (OLZ 27 [1924] 241ff).

Philo und die Sap sind die Hauptvertreter dieser „natürlichen Theologie". An der Schönheit und Zweckmäßigkeit der Welt ist für nachdenkende Menschen das Dasein eines Schöpfers zu erkennen. „Denn indem sie in diese Welt, gleichsam wie Besucher in eine wohlgeordnete Stadt kamen, . . . gerieten sie in Verwunderung und Erstaunen und kamen so zur Einsicht an der Hand dessen, was sich ihnen darbot, daß so viele Schönheiten und eine so hervorragende Ordnung nicht von selbst, sondern nur durch das Wirken eines Weltbaumeisters entstanden sein könne und daß notwendig eine Vorsehung vorhanden sein müsse; denn es ist ein allgemeines Naturgesetz (νόμος φύσεως), daß sich das Schöpferische dessen, was es gemacht hat, annimmt" (Philo Praem Poen 41 f). Sap 13, 3 ff begründet die Torheit des Götzendienstes wie folgt: „Wenn sie durch die Schönheit einiger [Naturerscheinungen] ergötzt, in ihnen Götter vermuteten, so hätten sie wissen sollen, um wieviel besser als diese der Herr [derselben] ist . . . Waren sie aber durch Macht und Wirksamkeit in Erstaunen gesetzt, so hätten sie von ihnen aus zu der Erwägung gelangen sollen, um wieviel mächtiger der sei, der sie bereitet hat. Denn aus der Größe und Schönheit der Geschöpfe ist vergleichsweise der Urheber derselben zu erschauen. Aber doch liegt auf diesen ein geringerer Tadel, da sie vielleicht [nur] irren, indem sie Gott suchen und finden möchten. . . . Andererseits sind sie doch auch nicht [ganz] zu entschuldigen. . . . Beklagenswert [sind] aber und auf tote Dinge [setzen] ihre Hoffnung diejenigen, welche Werke von Menschenhänden Götter nannten . . ." Hinter dem allen steckt noch Religion. Es handelt sich nicht um ein lediglich theoretisches Erkennen, sondern es wird die praktische Folgerung gezogen, daß man dem in der Schöpfung sich offenbarenden Gott Dienst und Gehorsam schuldig sei. Aber während echte Offenbarungsreligion den sich offenbarenden Gott auch in der Schöpfung erkennt, sucht man hier umgekehrt in dem Weltgrunde, auf den griechisches Denken geführt wurde, den Gott der Offenbarung zu finden. Mit vollem Recht sagt Philo, daß das Denken der Philosophen von unten nach oben geht (κάτωθεν ἄνω προῆλθον οἷα διά τινος οὐρανίου κλίμακος, ἀπὸ τῶν ἔργων εἰκότι λογισμῷ στοχασάμενοι τὸν δημιουργόν: in angemessener Überlegung auf den Weltbaumeister zielend, Praem Poen 43). Damit ist aber ein neues, zweites Prinzip der Gotteserkenntnis eingeführt. Es hilft nun wenig mehr, daß Philo dem drohenden Pantheismus mit allen Mitteln zu entgehen sucht, daß er seinem Logos halbpersönliche Züge gibt und in der mystischen Schau dem κάτωθεν ἄνω ein ἄνωθεν κάτω an die Seite zu stellen bemüht ist. Der Begriff der „natürlichen Offenbarung" ist und bleibt in sich widerspruchsvoll. Das hat nicht verhindert, daß er in der christlichen Apologetik, in der Scholastik und in der Aufklärung große Verbreitung und auch Bedeutung erlangt hat. Die neuere Forschung hat mit steigender Klarheit erkannt, daß hier zwei verschiedene Dinge zu einem unhaltbaren Kompromiß verquickt sind. — In weiterem Sinne kann man von „natürlicher Offenbarung" auch da reden, wo das Zusammenfallen des „geoffenbarten" Sittengesetzes mit dem „natürlichen" Gesetz im Sinne stoischer Moral behauptet wird. So etwa Jos Ap II 173 ff.

E. Offenbarung im Neuen Testament.

Das NT übernimmt den Ertrag der at.lichen Offenbarung. Der Gott des NT ist der des AT, nicht im Sinne der absoluten Identität der Gottesvorstellung, wohl aber im Sinne heilsgeschichtlicher Kontinuität. Das NT setzt also das AT ständig voraus. Dieser Zusammenhang ist für sein Offenbarungsverständnis grundlegend. Weithin knüpft das NT über das Judentum hinweg gerade erneut an das AT an, hier vor allem an den Prophetismus, speziell an Jeremia und Deuterojesaja. Den daraus sich ergebenden negativen Beziehungen zum Judentum treten aber auch positive an die Seite. In erster Linie hat die Apokalyptik von den ersten Anfängen des Christentums an stark anregend auf dasselbe gewirkt und ihm einen großen Teil seiner grundlegenden Begriffe geliefert. Das ist gerade für das Verständnis der Offenbarung wichtig. Daraus ergibt sich nämlich, daß die Wortbedeutung unserer Vokabeln im NT ihren eigentlichen Sitz in der Eschatologie hat. Das NT knüpft vor allem an die oben (→ 579, 44 ff) aufgewiesene Bedeutung ἀποκαλύπτεσθαι = in Erscheinung treten an. Damit hängt weiter das starke Überwiegen des pass Gebrauchs (→ 583, 18 ff; 586, 19 ff) zusammen. Es wäre nun freilich zuviel gesagt, daß das NT nichts

von gegenwärtiger und bereits verwirklichter Offenbarung wisse. Das würde
nicht einmal für den Gebrauch der Vokabeln, geschweige denn für die Sache
zutreffen. An dem Wechselverhältnis von Geschichte und Eschatologie erwächst
die eigentümliche Dynamik des nt.lichen Offenbarungsverständnisses.

1. Offenbarung in der Synopse.   5

Das Wort- und Tatzeugnis des Täufers (Mt 3, 2 Par)
und vor allem die Verkündigung, mit der Jesus auftrat (Mk 1, 15 Par), haben
den Sinn, daß Gott jetzt aus seiner bisherigen Verborgenheit heraustrete, seine
Herrschaft sichtbar antreten und die verheißene Heilszeit herbeiführen werde.
Es gelte sich darauf zu rüsten. Nt.liche Frömmigkeit ist daher von ihren ersten 10
Anfängen an auf Offenbarung als Tat Gottes gerichtet und von ihr abhängig.
Im Verlauf des Wirkens Jesu wird aber in steigendem Maße deutlich, daß er
die kommende Gottesherrschaft nicht bloß ankündigt, sondern sie selber in Person ist (→ I 590, 37 ff). Sie ist als eschatologische Realität in ihm bereits
gegenwärtig. Er hat Vollmacht, den Vater zu offenbaren, wem er will (Mt 15
11, 27 Par). Er ist die leibhaftige Offenbarung Gottes, ist aber, wie alles Göttliche in diesem Aeon, doch zunächst noch verborgen. Er ist der himmlische
Menschensohn, der in den Wolken kommen wird (Mk 8, 38; 14, 62 uö)[31]. Der
Sinn von ἀποκαλύπτειν in der Anwendung auf Jesus ist deshalb grundlegend der,
daß er selber *geoffenbart werden, in die Erscheinung treten* wird — bei der 20
Parusie (Lk 17, 30). Da tritt an die Stelle der bisherigen Verborgenheit die
messianische Doxa. Diese zukünftige Doxa leuchtet aber schon jetzt durch
jene hindurch. Nur daß es, um sie zu sehen, erleuchteter Augen bedarf! Gott
gibt sie, wem er will und wem er sie geben kann. Petrus erkennt in Jesus
den Gesalbten und Sohn Gottes — das hat ihm nicht Fleisch und Blut geoffen- 25
bart, sondern Jesu Vater im Himmel (Mt 16, 17), dh seine Erkenntnis ist ihm
nicht auf rationale Weise oder durch menschliche Vermittlung zuteil geworden,
sondern durch besondere Erleuchtung von oben. Die Offenbarung wird also
nicht im Sinne eines starren geschichtlichen oder eschatologischen Objektivis-
mus verstanden. Das Erkanntwerden vorliegender Offenbarung gehört vielmehr 30
in den Offenbarungsakt mit hinein.

Menschliches Wissen bedeutet für den Empfang solcher gottgewirkten Erkenntnis keinen Vorzug, eher ein Hindernis. Selbst dem, der von allen Weib-
geborenen am besten auf den Empfang des Neuen gerüstet schien, Johannes
dem Täufer, muß Jesus mit leisem Tadel zurufen: „Glückselig, wer an mir 35
keinen Anstoß nimmt!" (Mt 11, 6 Par). Gottes souveränes Walten, von Jesus
in seiner Paradoxie zuerst vielleicht nicht ohne Schmerz erkannt, dann aber
anbetend verehrt, kommt eben darin zum Ausdruck, daß die Heilserkenntnis den

---

[31] WWredes bekannte These (Das Messiasgeheimnis in den Evangelien [1901]), daß die
Gemeindetheologie mit Hilfe des „Messiasgeheimnisses" das Fehlen messianischer Selbst-
aussagen des irdischen Jesus verdecke, über-
spannt richtige Beobachtungen. Mk hat vielleicht das Geheimnismotiv in seiner Vorliebe
für das Numinose gesteigert. Aber daß Jesus
sich für den Messias hielt, anderseits seine Messianität in Erwartung ihrer Enthüllung und
schon, um sensationslüsternes Mißverständnis
zu vermeiden, zunächst verborgen hielt, wird
geschichtlich sein. Insoweit hat ASchweitzer,
Gesch d Leben-Jesu-Forschung [4] (1926) 390 ff
den Tatbestand richtiger gesehen. Vgl ROtto,
Reich Gottes u Menschensohn (1934) 127 ff.

Weisen und Verständigen, dh den rabbinisch-pharisäischen Musterfrommen, versagt
bleibt, ja, ihnen geradezu verschlossen und verborgen, den Unmündigen dagegen, dh den von ihnen verachteten 'Amme ha'areç, durch Offenbarung geschenkt
wird (Mt 11, 25 Par). Freilich, die Zweischneidigkeit der göttlichen Offenbarung
5 erweist sich auch am Volke. Daß Jesus in einem Augenblick des Unmuts auf
das unempfängliche Volk Js 6, 9. 10 angewandt hat (Mk 4, 11 f Par, Mt hat
nach dem bestbezeugten Text das harte ἵνα in ὅτι gemildert, kommt aber durch
die vollständige Anführung des Zitats sachlich auf dasselbe hinaus), erscheint
nicht ausgeschlossen[32]. Das Wort darf dann aber nicht im Sinne einer star-
10 ren Theorie, sei es der Parabelrede, sei es gar des Wirkens Jesu überhaupt
vereinseitigt werden. Weder grundsätzlicher Esoterismus noch abweisender
Paradoxismus entspricht der Weise Jesu. Er redet, um verstanden zu werden;
nicht, um Gott zu verbergen, sondern um ihn — in all seinem Ernst und all
seiner Liebe — zu offenbaren! Als Erfüller führt er die prophetische Offen-
15 barung zum Ziel.

Das Problem einer „natürlichen" Offenbarung oder Theologie existiert innerhalb der Synopse nicht. Wohl erkennt Jesus in der Welt das Walten seines
himmlischen Vaters (Mt 6, 26 ff). Wohl wendet er sich mit seiner sittlichen
Forderung unmittelbar an den Willen seiner Hörer, ohne neue theoretische oder
20 kasuistische Belehrung über das Gute, auch ohne dogmatisch-soteriologische Begründung einer neuen Ethik. „Er gab der Unwissenheit über das Gute niemals
zu, daß sie aufrichtig sei"[33]. Wohl kann er den Inhalt von „Gesetz und Propheten" gelegentlich in einer beinahe rationalistisch anmutenden Weise vereinfachend zusammenfassen (Mk 12, 28 ff). Wohl werden einzelne Töne von „Weis-
25 heitsrede" bei ihm laut (Lk 14, 7 ff)[34]. Und allem voran sind seine Gleichnisse
allerdings darauf angelegt, von allgemein menschlichen Voraussetzungen aus
verstanden zu werden, sind oft genug ein Protest gegen die verkrüppelte „Offenbarungstheologie" des Rabbinats. Allein Ansätze zu „natürlicher Theologie"
liegen darin nicht. Denn es handelt sich hier eben nicht darum, daß der leben-
30 dige Gott durch den Weltgrund verdrängt und sein heiliger Wille durch die
Moral ersetzt wird. Sondern auch das Natur- und Menschenverständnis führt
auf den Gott der Offenbarung hin. Derselbe Jesus, der auf die Lilien des Feldes und die Vögel des Himmels achten lehrt, weist in die Schrift, speziell in
die Gebote des Dekalogs. Die Verkündigung Jesu besteht nicht aus einem
35 rationalen Fundament und einem supranaturalen Oberbau. Sie gleicht nicht
einer Ellipse mit zwei Brennpunkten: Gott und Mensch. Sondern in ihrem
Zentrum steht ganz ausschließlich der lebendige Gott der Offenbarung. Die
Berufsaufgabe Jesu besteht zu einem Teile darin, die echte Offenbarung des
Bundesgottes gegen „Menschensatzungen" wieder zu Ehren (Mk 7, 8 ff; 11, 15 ff

---

[32] Vgl JKögel, Der Zweck der Gleichnisse
Jesu im Rahmen seiner Verkündigung =
BFTh 19, 6 (1916).
[33] Schl Gesch d Chr 177.
[34] Vgl Mt 11, 19. Auf den Zusammenklang
des Logions Mt 11, 25 ff mit Sir, vor allem
Kp 51 und 24, ist seit DFStrauß oft hingewiesen worden. Derselbe wird trotz ENorden,

Agnostos Theos (1913) 277 ff auf direkter Abhängigkeit des Logions beruhen. Inwieweit
die Gemeinde an der Formulierung des
letzteren beteiligt ist, muß hier dahingestellt
bleiben. Die Hermesmystik ist dem Logion
gegenüber schwerlich original, vielmehr wie
dieses von orientalischer Redeweise abhängig.

Par), und zum anderen darin, sie nach allen Richtungen hin zur Erfüllung, zum Ziel zu bringen (Mt 5, 17; 26, 54), uz für alle Menschen. Jesus ist trotz einzelner anders klingender Äußerungen (Mt 10, 5f; 15, 24; Lk 19, 9b) nicht jüdischer Partikularist, sondern Universalist (Mt 8, 11 uö). Er ist dies aber im Sinne der konkreten Selbstdarbietung Gottes an alle Sünder. Das humani- 5 stische Jesusverständnis ist nichts als ein schweres Mißverständnis. Gegenüber dem intellektualistischen Offenbarungsverständnis des Judentums führt Jesus die at.liche Linie fort zur Erfüllung.

2. Das Offenbarungsverständnis der Urgemeinde.

Die Offenbarungsauffassung des Urchristentums ist viel- 10 leicht noch mehr, richtiger: in grundsätzlich anderer Weise zukunftsorientiert als diejenige Jesu selbst. Die Urgemeinde glaubt an den gekommenen Messias als den Kommenden. Einstweilen im Himmel verborgen, wird er bald offenbar werden (Ag 3, 21). Das Erdenwirken Jesu, sein Sterben und seine Auferstehung als Erfüllung der at.lichen Verheißung werden aber ebenso wie die Bot- 15 schaft von ihnen in die Offenbarung mit einbegriffen, so daß aus dem Evangelium Jesu Christi schon jetzt das Evangelium von Jesus Christus wird (Ag 10, 36—43). Aber erst mit der Offenbarung des Gekreuzigten und Auferstandenen in messianischer Herrlichkeit wird Gipfel und Ziel aller Offenbarung, die Rettung der bußwilligen Sünder aus allerlei Volk und die Wiederherstellung 20 der Schöpfung (Ag 2, 38; 10, 34f; 3, 21), erreicht sein. Zwischen der bereits geschehenen und der zukünftigen Offenbarung steht als Bindeglied, einerseits durch das Vorangegangene bedingt, andererseits vorwärtsweisend, die Mitteilung des Geistes. Soviel wird aus den Reden der Apostelgeschichte, wenn sie auch nicht als Stenogramme wirklich gehaltener Reden zu verwerten sind, über das 25 Offenbarungsverständnis der Urgemeinde entnommen werden dürfen. Dagegen fehlen uns bei der Dürftigkeit des Quellenmaterials die Mittel, innerhalb des palästinischen Urchristentums verschiedene Schattierungen des Offenbarungsverständnisses zu unterscheiden[35]. Und zwischen die jerusalemische Urgemeinde und Paulus ein „hellenistisches Urchristentum" einzuschieben, das die Bindung der Offenbarung 30 an die Geschichte durch mystisch-orgiastische Ekstase oder Gnosis ersetzt hätte[36], fehlt ebenfalls jeder ernste Grund. Die ältesten heidenchristlichen Gemeinden sind entstanden unter dem Einfluß des hellenistischen Judenchristentums (Ag 11, 19ff). Dieses, wie es uns in Stephanus entgegentritt, nahm zwar den kultischen und rituellen Bestandteilen des AT gegenüber eine freiere Stellung ein, 35 war aber im Christusglauben, dh im zentralen Offenbarungsverständnis, mit den palästinischen Judenchristen wesentlich eins. Die jüdische und judenchristliche Gnosis gehört, auf das Ganze gesehen, einer späteren Zeit an[37].

---

[35] ELohmeyer, Galiläa und Jerusalem (1936) versucht in scharfsinniger Konstruktion, aber nicht überzeugend, den Messias-Christusglauben als „jerusalemisch", den Glauben an den verborgenen und offenbar werdenden Menschensohn als „galiläisch" zu erweisen.

[36] WHeitmüller ZNW 13 (1912) 320ff; WBousset, Kyrios Christos⁸ (1926) ua.

[37] Der Beweis, den BWBacon, The Gospel of the Hellenists (1933) 81ff für den täufergnostischen Charakter des gesamten hell Christentums der ersten Jahrzehnte zu führen versucht hat, ist nicht überzeugend. Vor allem müssen die Mandäer gänzlich aus dem Spiel bleiben (→ I 534, 27ff).

3. Offenbarung in den neutestamentlichen Briefen.

a. Die Offenbarung wird auch in der Folgezeit nicht im Sinne der Mitteilung übernatürlichen Wissens verstanden, sondern im Sinne des Aussichheraustretens Gottes, als Enthüllung der jenseitigen, kommenden
5 Welt, in steigendem Maße schon auf geschichtlichem Wege bis hin zur Person Jesu, seinem Sterben und Auferstehen in der „letzten Zeit" (1 K 10, 11; Hb 1, 1 f), am Ende der Geschichte dann endlich in der Form der kosmischen Katastrophe. Das AT gilt als heiliger Offenbarungsbuchstabe, wird aber mit großer Freiheit, bewußt oder unbewußt, allegorisch (Gl 4, 24; 1 K 9, 9 f; → I 260, 10 ff)
10 ausgelegt und ganz in den Dienst des Neuen, der Gegenwart gestellt (R 4, 23 f uö). Wir stehen am Anfang des jahrhundertelangen Kampfes des Christentums mit dem Judentum um das Offenbarungsgut der Vergangenheit. Vor allem der Hebräerbrief will unter diesem Gesichtspunkt verstanden sein. Es ist aber schwerlich Zufall und wohl auch nicht bloß sprachgeschichtlich (→ 594, 41 ff) be-
15 dingt, daß die Schrift als solche nirgends im NT mit Hilfe unserer Vokabeln bezeichnet wird. Offenbarung ist nicht ein dinglicher Besitz, den man „Schwarz auf Weiß" davonträgt. Offenbarung ist göttlicher Akt, Enthüllung des Verborgenen.

Auch in den Briefen hat der Begriff der Offenbarung seinen eigentlichen
20 Sitz in der Eschatologie. Daraus ergibt sich der grundlegende Sinn von ἀποκάλυψις Ἰησοῦ Χριστοῦ (1 K 1, 7; 2 Th 1, 7; 1 Pt 1, 7. 13)[38]. Der Gen wird als Gen obj gekennzeichnet durch die parallele Konstruktion ἀποκάλυψις τῶν υἱῶν τοῦ θεοῦ R 8, 19. Beides wird erläutert durch den Gebrauch von φανεροῦσθαι in Kol 3, 4. Christus der Erhöhte, noch bei Gott verborgen, wird bei der Parusie
25 enthüllt werden in Herrlichkeit, und die Gläubigen mit ihm. So kann auch von der ἀποκάλυψις der δόξα Christi oder der Gläubigen bzw von derjenigen ihrer σωτηρία gesprochen werden (1 Pt 4, 13; 1, 5; 5, 1; R 8, 18). Vorher geht die Enthüllung des gerechten Gerichtes Gottes (ἀποκάλυψις δικαιοκρισίας τοῦ θεοῦ R 2, 5). Der Tag des Gerichts wird im Feuer in Erscheinung treten
30 (ἐν πυρὶ ἀποκαλύπτεται 1 K 3, 13) und so das Werk eines jeglichen auf die Probe stellen. Ja, sogar von dem höllischen Gegenstück des Messias, dem Antichrist, heißt es, daß er enthüllt werden wird (2 Th 2, 3. 6. 8). Auch das ist eschatologisches Geschehen, ob es schon noch innerhalb der Geschichte geschieht. Es ist letzter diesseitiger Hinweis auf das Ende. Das ganze eschatologische
35 Drama steht sozusagen bereit und wartet nur darauf, daß der Vorhang beiseite gezogen wird. Und das geschieht bereits mehr und mehr. Zorn Gottes wird enthüllt (R 1, 18). Nicht, mindestens nicht allein durch die Predigt[39], sondern durch das Handeln Gottes „vom Himmel her". Furchtbar rächt er seine gekränkte Ehre, indem er die Götzendiener, verstrickt in die Lüste ihrer Herzen wie sie
40 waren, dahingab an die Unreinigkeit schändlicher Laster. Auf die Frage, ob das nicht seit Jahrhunderten geschehen sei, ist Paulus nicht gefaßt. Bisher stand die Welt noch unter der ἀνοχή Gottes (R 3, 26). Aber nun bricht der

---

[38] Vgl Wnd Pt zSt.
[39] Zu ἀποκαλύπτεται v 18 aus v 16 f ἐν τῷ εὐαγγελίῳ zu ergänzen (PFeine, Der Römerbrief [1903] 86 ff; APallis, To the Romans [1920] 40), ist verfehlt.

Zorn los zum Endgericht. Gleichzeitig wird aber die Gerechtigkeit offenbar, mit der die Gläubigen vor Gott und dem von ihm eingesetzten Richter Jesus Christus bestehen können (R 1, 16 f). Diese Gleichzeitigkeit ist kein Zufall. Auch die Enthüllung dieser Gerechtigkeit ist eschatologisches Geschehen. In dem Neben- oder richtiger Nacheinander von Zorn und Gnade kommt die Tota- 5 lität der Endoffenbarung zum Ausdruck.

Für die Gläubigen ist die Gnade das Entscheidende. Es handelt sich bei ihr um ein Geheimnis, das von ewigen Zeiten her verborgen war, nun aber enthüllt wurde (R 16, 25 f). Grundlegend enthüllt wurde es den berufenen Boten wie Paulus (Eph 3, 3. 5). Dadurch, daß Gott seinen Sohn, den Auferstandenen, 10 ihm (→ II 535, 27 ff) enthüllte, oder, was dasselbe sagen will: durch Selbstoffenbarung Jesu Christi (ἀποκάλυψις Ἰησοῦ Χριστοῦ Gen subj), empfing Paulus sein Evangelium (Gl 1, 12. 16). Nicht in dem Sinne, daß der Tatsachengehalt der christlichen Verkündigung ihm bis dahin völlig fremd gewesen wäre, als wollte Paulus sagen, alles, was er von Jesus zu sagen habe, sei ihm durch 15 unvermittelte ekstatische Offenbarung mitgeteilt worden[40]. Nein, Gott machte ihm durch Offenbarung die Auferstehung des Gekreuzigten gewiß, und dadurch wurde seine Stellung zu dem, was er von Jesus bereits wußte, mit einem Schlage verändert. Aus der „Trugkunde" wurde Heilskunde, und diese weiter zu tragen wurde nun Pauli Aufgabe. 20

Das Ergehen des göttlichen Heroldsrufes (→ κήρυγμα) ist ebenfalls eschatologisches Geschehen. Die göttliche Leitung der Geschichte zielte darauf, daß der Glaube — als Heilsprinzip — geoffenbart werden sollte (Gl 3, 23), geoffenbart durch göttliches Handeln und göttlich-menschliche Predigt (1 Th 2, 13: λόγον ἀκοῆς παρ' ἡμῶν τοῦ θεοῦ). Wie die Botschaft, so gehört auch ihre wirk- 25 same Ausrichtung und Aufnahme mit in die Offenbarung hinein. Die Weitergabe erfolgt nicht auf einfach natürlich-psychologischem Wege. Wohl kann sich sachgemäß ein παραδιδόναι und παραλαμβάνειν (1 K 15, 1 ff), ein διδάσκειν und διδάσκεσθαι bzw μανθάνειν oder παραδίδοσθαι (R 6, 17; 16, 17; Kol 2, 7; Eph 4, 20) ergeben — dann immer im Sinne wirklichen Austausches, nicht bloß lehrhafter Formulie- 30 rung. Aber das Wesentliche läßt sich zuletzt nicht „erlernen". Der „psychische" Mensch versteht diesen Wesenskern nicht und lehnt ihn ab (1 K 2, 14). Die Gläubigen dagegen bekennen: ἡμῖν ἀπεκάλυψεν ὁ θεὸς διὰ τοῦ πνεύματος (1 K 2, 10). Das Offenbarungsbewußtsein des Apostels erreicht in diesem Zusammenhang eine schwindelnde Höhe. Die Tiefen des verborgenen göttlichen Lebens tun 35 sich auf (v 11 f). Man hat bei Paulus das Selbstbewußtsein des hellenistischen Pneumatikers wiederfinden wollen[41]. Aber auch die am stärksten mystisch klingenden Sätze erweisen sich, in den Zusammenhang des Briefes hineingestellt (1 K 2, 6 ff vgl mit 1, 18 ff: das Wort vom Kreuz!), als an der geschichtlichen Selbstdarbietung Gottes orientiert und auf sie bezogen[42]. In welchem 40 Maße Paulus die dem Christentum eigentümlichen Heilstatsachen als grundle-

[40] Gegen diese weitverbreitete Ansicht vgl Joh W 1 K, BchmK z 1 K 11, 23; 15, 3; AOepke, Galaterbrief (1937) bes 31 f.
[41] Reitzenstein Hell Myst 333 ff.

[42] Im Gegensatz zu Reitzenstein herausgearbeitet von KDeißner, Pls u die Mystik seiner Zeit[2] (1921) 21 ff.

gende Offenbarungstatsachen empfindet, zeigt sich daran, daß er in R 8, nachdem er alle Tiefen und Höhen pneumatischen Erlebens durchmessen hat, zuletzt noch einmal alles auf Tod und Auferstehung Christi stellt (8, 31 ff; vgl auch R 5, 6 ff; Gl 2, 20).

5 Auf das Erdenleben Jesu hat Paulus den Begriff der ἀποκάλυψις, soviel wir sehen, nicht angewendet. Er stellt den Erdenlauf Jesu vielmehr, ähnlich wie die Synopse (→ 583, 16 ff), unter den Gesichtspunkt der Verhüllung (R 8, 3: ἐν ὁμοιώματι σαρκὸς ἁμαρτίας, Phil 2, 7: μορφὴν δούλου λαβών, Gl 4, 4: γενόμενον ἐκ γυναικός, γενόμενον ὑπὸ νόμον, vgl 2 K 8, 9; 1 K 2, 8). Aber so ist es Got-
10 tes Weise: sich zu offenbaren, indem er sich verhüllt. Seine Selbstmitteilung steht einstweilen unter dem Paradox (1 K 1, 18 ff). Die der Verhüllung entsprechende Enthüllung beginnt mit der Auferstehung und Erhöhung Christi, nimmt ihren Fortgang durch das messianische Kerygma und findet ihren Abschluß in der Parusie.

15 Daß unter der Verhüllung das Erdenleben Jesu in seiner Gesamtheit doch schon eschatologischen Enthüllungscharakter trägt, wird gesichert durch einen Gedanken, der uns bei Paulus zuerst erfaßbar wird und dann in der Briefliteratur auch sonst auftaucht, so daß er zum Gemeindechristentum gerechnet werden darf, den der Präexistenz Christi[43] (1 K 8, 6; 2 K 8, 9; Gl 4, 4; R 8, 3;
20 Phil 2, 5 ff; Kol 1, 15 ff; Hb 1, 3). Die Christologie des Paulus ist allerdings noch **überwiegend** messianologisch. Der Akzent liegt auf der Postexistenz. Ihr erst gehört das ὄνομα τὸ ὑπὲρ πᾶν ὄνομα (Phil 2, 9) an. Aber schon das präexistente Sein wird in nahezu analoger Weise geschildert (ἐν μορφῇ θεοῦ ὑπάρχων = τὸ εἶναι ἴσα θεῷ Phil 2, 6[44]; vgl die Korrespondenz zwischen Kol
25 1, 15 ff und 1, 18 ff). Indem der Präexistente mit der Weltschöpfung in Zusammenhang gebracht wird, erhält die prospektive, messianologische Betrachtung ein retrospektiv kosmisches Gegengewicht. So bekommt denn bei Paulus schon die Geburt Jesu Offenbarungscharakter. Gott sandte seinen Sohn! Christus ward arm um unsertwillen, damit wir durch seine Armut reich würden!
30 (Gl 4, 4; 2 K 8, 9; R 8, 3.)

Ein direkter Zusammenhang zwischen Präexistenz und Offenbarung ergibt sich, wo der Gedanke einer immanenten Präexistenz Christi gestreift wird. So 1 K 10, 4: als wasserspendender, pneumatisch-sakramentaler Felsen begleitete Christus Israel durch die Wüste. Es liegt in der Richtung dieser freilich im
35 einzelnen nicht durchgeführten Betrachtungsweise, daß die ganze vorchristliche Heilsgeschichte als Werk Christi erscheint. Die enge Verknüpfung von Kyrios und Pneuma macht dann ohne weiteres die Anschauung 1 Pt 1, 11 f verständlich, daß es der Geist Christi[45] war, der die Propheten inspirierte und ihnen die Leiden, die über Christus kommen sollten, und die Verherrlichung, die sei-
40 ner wartete, vorher bezeugte — eine Enthüllung, die sie empfingen, weil sie nicht sich selbst, sondern den Gläubigen der letzten Zeit damit dienten, denen

---

[43] Der Versuch von EBarnikol, Paulus die Lehre von der Präexistenz Christi abzusprechen (Mensch u Messias [1932]; Phil 2, der marcionitische Ursprung des Mythos-Satzes Phil 2, 6—7 [1932]), ist gescheitert.

[44] Dib Gefbr zu Phil 2, 6 Exkurs; → I 472, 20 ff κενόω.
[45] Das Fehlen von Χριστοῦ bei B beruht wohl auf dogmatischer Korrektur.

nun jene jetzt verwirklichten Tatsachen durch die Boten des Evangeliums in dem gleichen heiligen Geist, der nun vollends vom Himmel her gesandt wurde, verkündigt werden.

So steht die gesamte alt- und neutestamentliche Heilsgeschichte im Morgenrot der in der Parusie Christi sich vollendenden Enthüllung. Dennoch mißlingt 5 der Versuch, das engere, „eschatologische" Verständnis unserer Vokabeln überall durchzuführen. Auch der „mystische" Sprachgebrauch (→ 579, 49 ff) wirkt nach und fließt mit dem „eschatologischen" zusammen. Paulus weiß von ἀποκαλύψεις (κυρίου) 2 K 12, 1. 7, die ekstatisch-visionärer Natur sind und keine unmittelbare heilsgeschichtliche Bedeutung haben. Auf Grund einer ἀποκάλυψις, die wir 10 uns etwa nach Art von Ag 16, 9 f vorzustellen haben, ging er zum Apostelkonvent nach Jerusalem (Gl 2, 2). Er setzt voraus, daß auch andere Gemeindeglieder direkte Offenbarungen empfangen, und stellt dieselben mit γνῶσις, προφητεία und διδαχή zusammen, stellt sie der Glossolalie gegenüber (1 K 14, 6. 26. 30). Er verheißt und wünscht seinen Lesern, daß sie durch besondere Offenbarung tiefer in die 15 Erkenntnis hineinwachsen (Phil 3, 15; Eph 1, 17). Es zeigt sich hier besonders deutlich, daß der Begriff ἀποκάλυψις im NT noch nicht oder mindestens nicht überall den bestimmten Sinn hat, den die spätere kirchliche Dogmatik mit dem Wort „Offenbarung" verbindet [46]. Anders liegen die Dinge für → ἐπιφάνεια, λόγος (τοῦ θεοῦ). Unter letzterem wird im NT überall die zentrale Botschaft 20 von Jesus Christus, wenn nicht gar — so bei Johannes (→ 591, 33 ff) — dieser selbst, verstanden. Nur an zwei Stellen ist noch davon die Rede, daß das „Wort Gottes" unmittelbar an einen Menschen ergeht (Lk 2, 29; 3, 2), und beide betreffen die vorchristliche Zeit [47], verwenden auch nicht den term techn λόγος, sondern ῥῆμα. Für unsere Vokabeln ist dieser Umprägungsprozeß im NT 25 nicht zu Ende geführt worden. Die Entwicklung ist bei ihnen auch später viel weniger geradlinig verlaufen, wahrscheinlich so, daß sich etwa seit der Mitte des 2. Jhdts n Chr nicht ohne den Einfluß heidnischer Inspirationsvorstellungen (→ 569, 24 ff) eine intellektualistische Auffassung der christlichen Verkündigung durchsetzte, die an den Kanon herangebracht und mit dem biblischen Begriff ἀποκάλυψις 30 kombiniert wurde.

Es ist nun aber höchst bezeichnend, wie der weitere Gebrauch des Wortes im NT doch bereits mit in den engeren hineingezogen und von ihm affiziert wird. Es handelt sich an den genannten Stellen nun eben doch um Offenbarungen des auferstandenen Herrn an seinen Apostel, die dessen Apostolat 35 zu erweisen dienen können, um Offenbarungen, die ihm in seinem apostolischen Berufsleben Weisung geben, um Offenbarungen, die den Bau der Gemeinde fördern sollen und keine Berechtigung mehr hätten, wenn sie zur bloßen Sensation oder wirren Unordnung ausarten würden. An Christus, an der Liebe, an der Erbauung der Gemeinde muß alles, was innerhalb der Gemeinde als 40 Offenbarung auftritt, sich messen lassen.

        b. Für Paulus nun bedarf noch die Frage der „natürlichen" Offenbarung sorgfältiger Erwägung. Nicht bestreiten läßt sich,

---

[46] Vgl GKittel u KBarth, Ein theologischer Briefwechsel ² (1934) 9 f.

[47] Hinweis von GKittel, → λόγος.

daß der Apostel wiederholt sagt, Gott habe sich ἀπὸ κτίσεως κόσμου auch solchen kundgetan, die von seiner besonderen, biblischen Offenbarung nicht erreicht worden sind. Es gebe auch ohne die letztere ein γνωστὸν τοῦ θεοῦ, ein γινώσκειν τὸν θεόν (R 1, 19 ff). Es komme vor, daß Heiden den Willen Gottes ohne
5 besondere Offenbarung nicht nur bis zu einem gewissen Grade kennen (R 1, 32), sondern auch im Einzelfall φύσει das vom Gesetz Erforderte tun, wodurch sie zeigen, des Gesetzes Werk sei in ihr Herz geschrieben (R 2, 14 ff). Gegenüber allen Versuchen, von diesem Tatbestand irgend etwas abzuziehen[48], ist zu betonen, daß die Aussagen in missionarischen Zusammenhängen stehen und daher
10 nur wirkliche Heiden meinen können[49]. Im gleichen Sinn läßt sich das Zeugnis der Ag (14, 15—17; 17, 22 ff) verwerten[50]. Es kommt hinzu, daß Paulus, wie oft nachgewiesen worden ist[51], von der jüdischen und damit mindestens indirekt auch von der griechischen Physikotheologie terminologisch und wohl gar direkt literarisch abhängig ist[52]. Auf der anderen Seite bestreitet Pau
15 lus, daß die Heiden Gott kennen (1 K 1, 21; Gl 4, 8; 1 Th 4, 5) und das Gesetz erfüllen (R 1, 32; Gl 2, 15). Der hier entstehende logische Widerspruch verteilt sich also nicht auf Paulus und die Apostelgeschichte, etwa in der Weise, daß die letztere rein aufklärerisch, der Apostel dagegen christozentrisch eingestellt wäre[53], sondern er liegt in der Sache nach paulinischer Auffassung. Er
20 läßt sich auch nicht so lösen, daß es sich bei den positiven Urteilen nur um ein gelegentliches Zugeständnis handle, das Paulus „seiner religiösen Theorie zum Trotz dem gesunden Menschenverstand macht", während seine eigentliche Meinung in den negativen zu erblicken wäre[54]. Sondern Paulus unterscheidet, was Gott dem Menschen gegeben und was dieser daraus gemacht hat. Gottes
25 dauernde Selbstbezeugung in der Welt und im Menschenherzen — auch über den Kreis der Heilsoffenbarung hinaus — ist Tatsache. Wäre der Mensch auf diese göttliche Selbstdarbietung in der rechten Weise eingegangen, so hätte die Welt „an der Weisheit Gottes auf dem Wege der Weisheit Gott erkennen" können (1 K 1, 21). Solche direkte und geradlinige Gotteserkenntnis hätte dem
30 ursprünglichen Plane Gottes entsprochen. Allein — die Menschheit hat diese

---

[48] Diese Gefahr entsteht, wenn stark betont wird, daß Gott in der Schöpfung nur denen erkennbar sei, denen durch die Offenbarung in Christus „der Star gestochen" (EBrunner) oder „eine Brille aufgesetzt" (Calvin) sei (vgl PBarth 9 ff). Diese Formulierungen haben christlich-theologische Gotteserkenntnis im Auge. Für diese ist die Formulierung Calvins die sachgemäßere. Paulus will aber gerade die Möglichkeit außerchristlicher, vortheologischer Gotteserkenntnis betonen.
[49] Da der missionarische Zusammenhang für alle anderen einschlägigen Stellen auf der Hand liegt, ist die gleiche Annahme auch für R 1 und 2 einleuchtend. Der ganze Abschnitt R 1, 18—3, 20 trägt (trotz Zn, Schl, Feine) propädeutischen, vorevangelischen Charakter. Er betrachtet Heiden und Juden zwar vom christlichen Standpunkt aus, aber missionstheologisch, dh als von der biblischen

Offenbarung bzw vom Evangelium noch Unberührte. Wahrscheinlich spiegelt er sogar bis zu einem gewissen Grade die Missionspredigt des Paulus wider. Vgl AOepke, Die Missionspredigt des Apostels Pls (1920) 7 und die dort angegebene Lit. Feine hat die früher (Das gesetzesfreie Ev des Pls [1899] 113 ff; Römerbrief [1903] 93 ff) vertretene Deutung von R 2, 14 ff auf Heidenchristen später aufgegeben (Theologie des NTs [6] [1934] 202).
[50] Über die geschichtliche Zuverlässigkeit vor allem der Areopagrede vgl Oepke aaO 178 ff.
[51] Zuletzt von Bornkamm aaO 242 ff, dort Lit.
[52] Vgl etwa Sap 12, 27 ff (→ 582, 1 ff).
[53] Nachweis der christozentrischen Gesamthaltung der Ag bei Oepke aaO 179 ff.
[54] So ABonhöffer, Epiktet u das NT (RVV 10 [1911]) 152.

Absicht vereitelt durch ihre Auflehnung. Dadurch hat sie nicht nur die an sich ihr zugängliche Gotteserkenntnis verscherzt, sondern Gott hat sich ihr richterlich entzogen. Seine Offenbarung ist nun die der gebrochenen Linie, das Paradoxon der göttlichen Torheit und Schwachheit (1 K 1, 21). Soweit ein Rest direkter Gotteserkenntnis potentiell fortbesteht, bildet er die furchtbarste An- 5 klage gegen die Abgefallenen: εἰς τὸ εἶναι αὐτοὺς ἀναπολογήτους (R 1, 20). Auch die sittliche Erkenntnis der Heiden entlastet sie nicht (1, 32), belastet dagegen diejenigen, die meinen, durch den bloßen Besitz der Tora einen unbedingten Vorrang zu haben (R 2, 12 ff). Alle diese Sätze des Paulus gehen sachlich in keiner Weise über die allgemein biblische Anschauung hinaus, daß 10 der lebendige Gott sich nirgends ganz unbezeugt läßt (→ 576, 40 ff) und daß sittliche Entscheidung auch außerhalb der Heilsoffenbarung möglich ist, im Einzelfalle auch positiv ausfallen kann — sonst wäre sie keine Entscheidung. Der Apostel macht von ihnen weder fundamentaltheologischen noch apologetischen, vielmehr lediglich missionarischen, genauer polemischen Gebrauch. Er ist an 15 ihrer systematischen Verknüpfung mit der Offenbarung nicht bloß völlig desinteressiert, sondern sieht in derselben eine direkte Gefahr. Sein Urteil über die „natürliche" Theologie steht 1 K 2, 14. Erst wenn das natürliche Denken durch das Gericht des Kreuzes hindurchgegangen ist, darf der Versuch einer Synthese unter dem Stichwort σοφία unternommen werden (vgl 1 K 1, 21 mit 2, 6 ff). 20 Bis dahin gilt strenge Distanz. Paulus redet überall, auch R 1, aus der Erkenntnis des Gottes der Offenbarung heraus, die keiner rationalen Stütze bedarf. Auf das, was die Heiden von Gott wissen oder wissen könnten, wendet er zwar das Wort φανεροῦν (R 1, 19), niemals aber unsere Vokabeln an. Geoffenbart, enthüllt wird vom Himmel her Gottes Zorn und im Evangelium die Gottesge- 25 rechtigkeit zur Rettung für jeden, der da glaubt. Eine andere Offenbarung, die neben Gott den Menschen in den Mittelpunkt stellen würde, ist dem Paulus nicht bekannt. Er will von ihr nichts wissen.

4. Offenbarung in den johanneischen Schriften.

a. **Evangelium und Briefe.** Die johanneische Theo- 30 logie verwendet unsere Vokabeln nicht (→ 595, 22 ff). Sie ist dennoch Offenbarungstheologie im höchsten Maße, aber in einem etwas veränderten Sinne. Indem sie den Logosbegriff auf Jesus überträgt, bringt sie den absoluten Offenbarungsanspruch des Christentums zu umfassendstem Ausdruck[55]. Der Sinn der Anwendung jener Bezeichnung ist nicht der, die Offenbarung an das natür- 35 liche Denken und Sein, sondern umgekehrt alles Geschaffene seinem Gesamtumfange nach an die Offenbarung in Christus zu binden. Der Evangelist hört mehr das biblische „Wort" heraus (vgl Gn 1, 3 uö) als die hellenistische Bedeutung „Vernunft". Zwar hat der joh Logosbegriff eine starke kosmische Beziehung (J 1, 3); indem aber der Logos im Unterschied vom Hellenismus streng 40 persönlich gefaßt wird, wird das Gesamtsein ihm als göttlicher Mittlerperson

---

[55] J 1, 1. 14; 1 J 1, 1. Die folgenden Ausführungen setzen voraus, daß die technische Verwendung der Logosbezeichnung bei Joh sich nicht ausschließlich von den rein innerbiblischen Voraussetzungen aus erklärt, vielmehr in irgendeinem Zusammenhang mit dem Hellenismus steht. Näheres → λόγος.

im strengen Sinn unterstellt. Und durch den für hellenistisches Empfinden unerhörten Satz ὁ λόγος σὰρξ ἐγένετο (1, 14) wird weiter die Würde des persönlichen kosmischen Mittlers auf den geschichtlichen Heilsmittler Jesus übertragen. Das führt gerade nicht zu „natürlicher“ Theologie, sondern umgekehrt zum vollen
5 Universalismus der Offenbarung, aber so, daß dem hellenistischen Denken zugleich volle Befriedigung seiner berechtigten Anliegen in der Person Jesu verheißen wird. Von da aus wird nun das weitere Verfahren des Evangelisten verständlich. Er hört aus seiner Umwelt mit feinem Verständnis alle religiösen Sehnsüchte heraus, sowohl die Anliegen des jüdischen Messiasglaubens wie diejenigen der Gno
10 sis und Mystik (Licht, Leben, Freude, Rettung, Gnadenkraft, pneumatisches Einswerden mit Gott usw) und zeigt ihre Erfüllung im „Eingeborenen vom Vater“ (1, 14). Wie er Judentum und Hellenismus in der christlichen Synthese überhöht, zeigt besonders lehrreich Kp 6. Zunächst scheint die Rede über das Lebensbrot einseitig hellenistischem Sakramentsmaterialismus zu folgen (bes v 52 ff), um
15 dann im letzten Moment abzudrehen und auch der jüdischen Scheu vor Vergröberung des Göttlichen gerecht zu werden. So kommt ein ebenso realistisches wie geistiges Sakramentsverständnis heraus. Von irgendwelchem Synkretismus ist der Evangelist ebensoweit entfernt wie von „natürlicher Theologie“. Die Absolutheit der geschichtlichen Offenbarung hat niemand strenger gefaßt als
20 gerade er. Er sucht nicht neue Lichter, sondern sieht vielmehr die e i n e Sonne in Myriaden von Tropfen sich spiegeln. Er will nicht neue Töne anschlagen, sondern den e i n e n Ton, den Gott angeschlagen hat, zur vollen Resonanz bringen. Dieser Ton heißt aber vor allem und über allem: Liebe! Daß der Nachdruck bei dem allen auf die Gegenwart fällt, ist von den Voraussetzungen des Evan
25 geliums aus völlig verständlich. Die Eschatologie ist zwar nicht, so oft dies auch behauptet worden ist [56], ausgeschieden, umgebogen oder auch bloß traditionell konserviert. Aber sie beherrscht nicht mehr das Offenbarungsverständnis. Hing bei Paulus noch das Haben am Hoffen, so hängt bei Johannes umgekehrt das Hoffen am Haben [57]. Damit verschiebt sich auch der Schwerpunkt
30 der Christologie. Präexistenz und Postexistenz werden gegeneinander ausgewogen (vgl 1, 1 f mit 17, 5). Die vorchristliche Heilsgeschichte wird mit voller Eindeutigkeit auf den Präexistenten bezogen (zB 8, 58) [58]. Und das Erdenwirken Jesu steht nicht mehr überwiegend unter dem Gesichtspunkt der Verborgenheit, sondern der Offenbarung: ὁ λόγος σὰρξ ἐγένετο καὶ ἐσκήνωσεν ἐν ἡμῖν,
35 καὶ ἐθεασάμεθα τὴν δόξαν αὐτοῦ (1, 14; vgl 1 J 1, 1 ff· uö). Aber damit wird nur zum Ausdruck gebracht, was auch der tiefste Sinn des Selbstzeugnisses Jesu nach den Synoptikern ist (Lk 4, 21; Mt 12, 6). Scheidend und in diesem Sinne schon jetzt richtend, vor allem aber rettend und beseligend leuchtet in Jesus Christus die Wirklichkeit des lebendigen Gottes in diese Welt der Sünde
40 und des Todes hinein (J 3, 14 ff). Der Glaube an den fleischgewordenen Logos ist der Sieg, der die Welt überwunden h a t (1 J 5, 4 vgl J 16, 33).

---

[56] Vgl GStählin, Zum Problem der johanneischen Eschatologie, ZNW 33 (1934) 225 ff.
[57] HEWeber beleuchtet diese Doppelheit für Johannes aaO 167 ff. → ἔχω II 825, 35 ff.
[58] 1, 9—13 und 16—18 auf den Präexistenten zu beziehen, empfiehlt sich allerdings nicht,

obwohl Ausdruck und Gedankenfortschritt zunächst in diese Richtung zu deuten scheinen. Vor dem Auge des Schreibenden steht der Logos im Fleische. Das Denken verläuft „spiralisch“. Aber 1, 1—4 reden ja deutlich genug.

b. Die Apokalypse. Die Offenbarung Johannis bezeichnet sich selbst als ἀποκάλυψις Ἰησοῦ Χριστοῦ. Hier ist das Bild völlig anders. Zwar fehlt es nicht an rätselhaften Übereinstimmungen zwischen Apk und den übrigen johanneischen Schriften. Dahin gehört das Auftauchen der Logosbezeichnung in Apk 19, 13. Aber für das sichere „Haben", dessen Träger der Logosgedanke in der Theologie des Evangeliums und der Briefe geworden ist, hat der Apokalyptiker kein so starkes Interesse. Das Offenbarungsverständnis wendet sich vielmehr ganz der Zukunft zu. Die himmlische Welt wird für den Seher *entschleiert*, weil Gott seinen Knechten zeigen will, ἃ δεῖ γενέσθαι ἐν τάχει (1, 1). In dieser eschatologischen Einstellung und in dem aufgewandten visionären Apparat zeigt das letzte Buch des NT große Verwandtschaft mit der jüdischen Apokalyptik, der es den Namen gegeben hat. Es steht aber der echten Prophetie näher und hat mehr biblischen Offenbarungsgehalt. Es ist wahrscheinlich nicht pseudepigraph [59], auch verhältnismäßig reich an visionärer Erlebnisechtheit [60]. Vor allem aber steht es ganz im Dienste des großen Zwecks, die Kirche als Trägerin der Offenbarung in ihrem ersten schweren Zusammenstoß mit der sich selbst verabsolutierenden Staatsgewalt zu stärken, sie für das Martyrium zu rüsten. Über der in den Wehen des Messias sich krümmenden Schöpfung, über der trotz aller göttlichen Gerichte mehr und mehr sich verhärtenden Menschheit, über der von Todesschauern umwitterten und dennoch gläubig ihres kommenden Herrn harrenden Gemeinde öffnet sich erschütternd groß die ewige Welt. „Sei getreu bis in den Tod, so will ich dir den Kranz des Lebens geben!" (2, 10).

5. Abgrenzung und Sicherung der Offenbarung.

Als Erfüllung des Alten Bundes steht die nt.liche Offenbarung auf der Grenzscheide zwischen völkischer Gebundenheit und vollem Universalismus. Dies aber nicht in dem Sinne, als wäre die erstere schlechthin Rückständigkeit. So gewiß Gott als Herr aller Welt sich auch den „Völkern" nicht unbezeugt gelassen hat (Ag 14, 16 f; 17, 23 ff; R 3, 29 f), so gewiß ist doch das israelitische Volk der heilsgeschichtliche Ort seiner Offenbarung. „Die Rettung, das Heil kommt von den Juden." So läßt selbst der 4. Evangelist, der von Überschätzung der „Juden" so weit wie möglich entfernt ist, seinen Christus sagen (J 4, 22), nicht um törichte Rechtsansprüche zu fördern, sondern um die göttliche Ökonomie zu bejahen. Über den konkret geschichtlichen Charakter der göttlichen Offenbarung entsteht nirgends im NT irgendwelche Unklarheit. Ebensowenig aber über das andere, daß die göttliche Offenbarung zuletzt allen vermeint ist, die Menschenantlitz tragen. Das gilt recht verstanden sogar für den synoptischen Jesus und die Urgemeinde (Mk 13, 10; 14, 9). Wie ernst vollends bei Paulus und Johannes um diese Entschränkung gerungen wird, kann hier nicht im einzelnen ausgeführt werden. Immer wieder kommt auch sonst im NT

---

[59] Der Versuch BWBacons, The Gospel of the Hellenists (1933) 21 ff, die Apokalypse als ein pseudepigraphes Werk einer Frau, der ephesinischen Tochter des „Evangelisten" Philippus, zu verstehen, wird schwerlich viele Gläubige finden. EHirsch zerlegt Apk in zwei nur mechanisch verbundene Bücher, die er aber beide auf den ephesinischen Johannes zurückführt (Studien zum vierten Evangelium [1936] 156 ff).

[60] CSchneider, Die Erlebnisechtheit der Apokalypse des Johannes (1930).

der Universalismus zum Ausdruck, so Ag 1, 8; 2, 39 und Lk 2, 32 (vgl Js 42, 6
und 49, 6; ἀποκάλυψις ἐθνῶν entweder Gen poss „Offenbarung für die Heiden",
oder wohl eher Gen obj nach Analogie von ἀποκαλύπτειν τὸ ὠτίον, τοὺς ὀφθαλμούς τινος → 579, 28 ff, zur Sache 2 K 3, 14 ff).

5   Auch im NT entsteht aber die Frage der Sicherung der Offenbarung gegen
Falschoffenbarung. Einig ist das NT darüber, daß Wunder und Zeichen zwar
ein Hinweis auf echte Offenbarung sein können (Mt 11, 5 f; 12, 28; J 5, 36;
20, 31; Ag 2, 43; R 15, 18 f; 1 K 2, 4; 1 Th 1, 5), aber an sich keineswegs
untrügliche Kennzeichen derselben sind. Es gibt auch dämonische Wunder. Die
10 falschen Propheten und Messiasse der Endzeit, selbst der Antichrist, werden
solche verrichten, um möglichst auch die Auserwählten zu betören (Mk 13, 22 f;
2 Th 2, 9 f). Der Satan kann sich verkleiden in einen Lichtengel (2 K 11, 14).
Selbst das Erscheinen eines Engels vom Himmel böte keine unbedingte Garantie
dafür, daß die Botschaft, die er brächte, echte Offenbarung wäre (Gl 1, 8). Und
15 göttlichen Wundern gegenüber wäre ein Glaube, der nur auf sie sich stützen
wollte, kein echter Heilsglaube, sondern Unglaube und Unbußfertigkeit (Mt
12, 39 Par; J 4, 48; 20, 29). Unterscheiden lassen sich echte und Falschoffenbarung an den Früchten, dh an den Wirkungen, die. sie hervorbringen, sowohl
im persönlichen wie im Gemeindeleben (Mt 7, 15 ff) [61]. Voraussetzung des rech-
20 ten Urteils ist die christlich-sittliche Reife des Beurteilers. Paulus rechnet die
Fähigkeit zur „Unterscheidung der Geister" zu den Charismen, die der Geist
in der Gemeinde wirkt (1 K 12, 10), macht aber die Scheidung echter und falscher Prophetie auch schon einer jungen Gemeinde zur Pflicht (1 Th 5, 20—22).
Die Sachlage ist dem Alten Bunde gegenüber insofern vereinfacht, als in der
25 Person Jesu ein bestimmtes Kriterium gegeben ist, an dem sich die Geister
scheiden. Wer — Paulus will sagen: in der Ekstase und darum im allgemeinen
ehrlich — ruft: „Verflucht sei Jesus!", der redet nicht aus heiligem Geist. Wer
aber ruft: „Herr ist Jesus!", der redet aus heiligem Geiste (1 K 12, 3) [62]. Echt
sind Glaube und Bekenntnis anderseits nur, wo sie sich mit der Liebe verbin-
30 den (1 K 13, 1 ff). Ähnlich ist das Bild in den johanneischen Schriften. Prüfung der Geister tut not, und das Unterscheidungsmerkmal ist das Bekenntnis
zu dem Logos im Fleisch (1 J 4, 1 ff). Der in der Gemeinde wirksame Para-
klet hat darin seine Eigenart, daß er Christus verherrlicht (J 16, 13 ff). Durch
die Gebundenheit an die Person Jesu muß also alles, was als Offenbarung gelten
35 will, sich ausweisen. Anderseits ist aber das Bekenntnis zu Gott und Christus
nicht echt, wenn es sich nicht in der Liebe bewährt (1 J 4, 8 uö; vgl J 13, 35).
Die beiden Kriterien klaffen, recht verstanden, nicht auseinander, sondern sie
ergänzen sich. Das Kriterium des Lebens bewahrt das Christusbekenntnis vor
falsch dogmatischer Verhärtung, umgekehrt dieses das erstere vor moralistischer
40 Verflachung.

6. Die Vokabeln im Neuen Testament.

Zur Bezeichnung göttlicher Manifestationen dienen im NT vor
allem vier Wortstämme: von √γνω γνωρίζειν (→ I 718, 5 ff), von √δηλ δηλοῦν (→ II 60 f),
von √φαν → φανεροῦν und → ἐμφανίζειν, endlich ἀποκαλύπτειν und ἀποκάλυψις. Diese

---

[61] Vgl SchlMt zSt.
[62] Trotz Bchm 1 K zSt ist wohl an Unter-   schiede innerhalb der Gemeinde zu
                                             denken.

Synonyma stehen sachlich zueinander im Verhältnis der Klimax, etwa wie im Deutschen „mitteilen", „kundmachen", „offenbar machen" und „enthüllen". Als Maßstab der Solennität kann der Häufigkeitsgrad profaner Verwendung dienen. Für γνωρίζειν ist dieser zwar schon erheblich geringer als derjenige auf der religiösen Seite, aber doch noch verhältnismäßig hoch. Für δηλοῦν sind 1 K 1, 11; Kol 1, 8 (vielleicht auch Hb 12, 27?) die einzigen menschlich-profanen Belegstellen. Das erheblich häufigere φανεροῦν ist so gut wie ganz für das religiöse Gebiet belegt. Nur ganz gelegentlich blickt in allgemeineren Wendungen, die aber stets mit religiösen Gegenständen in Verbindung stehen und ein menschliches Subjekt nicht voraussetzen, der profane Gebrauch noch durch (Mk 4, 22; 2 K 2, 14; Apk 3, 18). Das wurzelverwandte ἐμφανίζειν zeigt zwar in seiner Wortstatistik ein wesentlich anderes Bild, fällt aber als seltenes und farbloses Wort nicht stark ins Gewicht. ἀποκαλύπτειν ist wieder ausschließlich religiös, wenn auch nicht immer im zentralen Sinne (der Sache nach auch Mt 10, 26, vom richterlichen Aufdecken der Gedanken des Herzens Lk 2, 35). φανεροῦν und ἀποκαλύπτειν scheinen auf den ersten Blick völlig synonym zu sein (vgl etwa Eph 3, 5 ἀπεκαλύφθη mit Kol 1, 26 ἐφανερώθη, wogegen an der ersteren Stelle die konkretisierende Steigerung von γνωρίζειν, in 1 Pt 1, 11 f diejenige von δηλοῦν zu ἀποκαλύπτειν deutlich wird). Bei beiden Wörtern überwiegt in gleicher Weise der pass Gebrauch. Daß aber doch ein Unterschied besteht, wird ersichtlich, wo man auf die Verteilung der Vokabeln achtet. φανεροῦν findet sich in der Synopse, vom unechten Mk-Schluß abgesehen, nur Mk 4, 22, wo es von Mt und Lk durch ἀποκαλύπτειν ersetzt wird, nicht in Gl, Phil, Th, Jk und 2 Pt, ist dagegen besonders häufig in J und 1 J, 2 K, Kol und Past. Umgekehrt begegnet ἀποκαλύπτειν häufig in der Synopse, den meisten Paulusbriefen und 1 Pt, niemals dagegen bei J (12, 38 ist Zitat), 1—3 J, Kol. Auch wenn alle Zufallsmöglichkeiten der Wortstatistik in Betracht gezogen werden, ergibt sich ein eindeutiger Befund. ἀποκαλύπτειν ist von Hause aus jüdisch-urchristlich, φανεροῦν dagegen hat, soweit es nicht neutral steht, gnostische Färbung. Beide Wörter haben im Unterschied von γνωρίζειν und δηλοῦν, die sich mehr an den Intellekt wenden, ein intuitives Innewerden im Auge, aber mit bemerkenswertem Unterschied. Für die Gnosis ist das Geschaute prinzipiell innerweltlich, dem Erkennen zugänglich, freilich nicht jedem Erkennen, sondern dem besonders erwählten und zubereiteten. Ihm wird es offenbar gemacht. Für die Apokalyptik dagegen ist das zu Schauende grundsätzlich überweltlich, dem Menschen unzugänglich. Es wird nur durch besonderen göttlichen Willensakt „enthüllt". Im ersteren Fall liegt der Nachdruck auf dem Übersinnlichen, im anderen auf dem nicht mystisch, sondern radikal verstandenen Übermenschlichen. Über Gnosis, auch wenn sie durch φανεροῦν entstanden ist, verfügt man bis zu einem gewissen Grade, über ἀποκάλυψις nie. Das letzte Wort entspricht daher am meisten dem strengen Offenbarungsbegriff der Bibel. Die Aufnahme des anderen in den nt.lichen Sprachschatz beruht wenigstens teilweise auf missionarischem Entgegenkommen. Es soll zum Ausdruck kommen, daß auch die Anliegen einer berechtigten Gnosis im Christentum Erfüllung finden. Es handelt sich aber dabei nur um eine gewisse Auflockerung der jüdischen Schale, nicht um Preisgabe des Kerns, der wesenhaften Verborgenheit des zu Offenbarenden. In der Sache steht es vielmehr so, daß innerhalb des NT der Gehalt von ἀποκαλύπτειν mehr oder weniger auf die Synonyma überströmt.

7. Theologische Zusammenfassung.

Der Versuch einer theologischen Zusammenfassung kann nur im Sinne bewußter Vereinfachung und Systematisierung unternommen werden. Auch im NT bezeichnet Offenbarung nicht die Mitteilung von Wissen, sondern die aktuelle Entschleierung eines an sich verborgenen Tatbestandes, theologisch: die Manifestation des Transzendenten innerhalb der Immanenz. Was gemeint ist, läßt sich aber nicht rein formal ausdrücken, Krisis des Endlichen am Unendlichen oder ähnlich. Sondern die Offenbarung im engeren Sinn ist in einem bestimmten, nachträglich auch dem Erkennen zugänglichen Inhalt gegeben: der Zuwendung des heiligen und gnädigen Gottes zu der in Sünde und Tod verlorenen Menschheit, vorbereitet in der at.lichen Heilsgeschichte, verwirklicht in der Erscheinung Jesu Christi, seinem Sterben und Auferstehen, der Vollendung bei der Parusie des Erhöhten harrend. Offenbarung ist abgeleiteterweise auch die diesen Inhalt weitertragende Kunde und das wirksame

Heranbringen derselben an den Hörer. Dies hat jedoch nicht den Sinn, als
würde die Offenbarung erst dadurch zur Offenbarung, daß sie als solche aufgenommen wird. Sie wird es dadurch für den einzelnen, tritt aber von Anfang
an mit dem Anspruch auf, um Gottes willen gehört zu werden, und schafft sich
5 selbst in göttlicher Kraft das Organ zu ihrer Aufnahme, wenn sie daran nicht
schuldhafterweise gehindert wird. Offenbarung im nt.lichen Sinn ist, ganz kurz
gesagt, die Selbstdarbietung des Vaters Jesu Christi zur Gemeinschaft.

F. Ausblick in die Kirchengeschichte.

10   Auch in der nachapostolischen und altkatholischen Zeit
begegnen unsere Vokabeln verhältnismäßig häufig. Sie sind vor allem Lieblingswörter des Hermas. Aber hier handelt es sich durchweg um visionäre
Erlebnisse (Herm v 5 Überschrift = ὅρασις) oder deren Deutung — ohne welche die Offenbarung nicht vollständig (ὁλοτελής v 3, 10, 9) wäre —, ohne nähere
15 Beziehung zur Offenbarung im zentralen nt.lichen Sinn. Selbst die Bezeichnung
Apokalyptik wäre für diese treuherzigen, aber matten Ergüsse einer engen
Seele wohl schon zu hoch gegriffen[63]. Auch Justin denkt beim Gebrauch der
Wörter in erster Linie an Einzelweisungen wie sie etwa Joseph oder die Weisen aus dem Morgenlande im Traum erhielten (Dial 78, 2. 4. 7). Gern zitiert
20 er Mt 11, 27, uz mit der bekannten, auch von Irenäus bezeugten Umstellung
des zweiten und dritten Satzes und sonstigen Abweichungen vom üblichen Text
(Apol 63, 3. 13; Dial 100, 1 [106, 1]). Hier steht ἀποκαλύπτειν zweifellos in
zentraler Bedeutung. Um so mehr fällt die intellektualistische Fassung auf.
Jesus ἀπαγγέλλει ὅσα δεῖ γνωσθῆναι, καὶ ἀποστέλλεται μηνύσων ὅσα ἀγγέλλεται (Apol
25 63, 5). ἀπεκάλυψεν ἡμῖν πάντα ὅσα καὶ ἀπὸ τῶν γραφῶν διὰ τῆς χάριτος αὐτοῦ
νενοήκαμεν (Dial 100, 2). Die Propheten offenbarten alles, was sie zu sagen
hatten, in Gleichnissen, um das Verständnis zu erschweren (παραβολαῖς καὶ τύποις
ἀπεκάλυψαν, ὡς μὴ ῥαδίως τὰ πλεῖστα ὑπὸ πάντων νοηθῆναι, κρύπτοντες τὴν ἐν
αὐτοῖς ἀλήθειαν, ὡς καὶ πονέσαι τοὺς ζητοῦντας εὑρεῖν καὶ μαθεῖν, Dial 90, 2). Aber die
30 intellektualistische Fassung des Offenbarungsbegriffs wird mit dieser höchst ein-
seitigen Darstellung nicht verlassen. Ignatius kommt der nt.lichen Auffassung
näher, wenn er das Verbum auf das tiefere Hineinwachsen in die Erkenntnis
der göttlichen „Ökonomie in bezug auf den neuen Menschen Jesus Christus" anwendet (Eph 20, 1). Mehr noch Dg 8, 11: ἐπεὶ δὲ ἀπεκάλυψε διὰ τοῦ ἀγαπητοῦ
35 παιδὸς καὶ ἐφανέρωσε τὰ ἐξ ἀρχῆς ἡτοιμασμένα, πάνθ' ἅμα παρέσχεν ἡμῖν, καὶ μετασχεῖν τῶν εὐεργεσιῶν αὐτοῦ καὶ ἰδεῖν καὶ νοῆσαι, ἃ τίς ἂν πώποτε προσεδόκησεν
ἡμῶν; Nach Origenes[64] ist ἀποκάλυψις „ὅταν ὁ νοῦς ἔξω γίνεται τῶν γηῖνων καὶ
ἀποθῆται πᾶσαν πρᾶξιν σαρκικὴν δυνάμει θεοῦ". Allenfalls kann man, wie er meint,
auch die Kenntnis zukünftiger Dinge so bezeichnen. Es ist aber zu beachten,
40 daß es sich hier nicht um eine allgemeine Definition der Offenbarung handelt,
sondern um eine exegetische Notiz zu 1 K 14, 6. Auf das Ganze gesehen hat

---

[63] Daß zwischen Hermas und der hermetischen Gnosis literarische Beziehungen be-

stehen, hat Reitzenstein Poim 11 ff. 33 ff wahrscheinlich gemacht.
[64] JThSt 10 (1908/09) 36.

die alte Kirche — Theologen wie Irenäus und Athanasius bringen das besonders deutlich zum Bewußtsein und das Dogma will im Grunde nichts anderes zum Ausdruck bringen — doch gewußt um den Bruch, der durch die Schöpfung Gottes hindurchgeht und nur durch das erlösende Handeln Gottes in Christus geheilt werden konnte — mehr gewußt vielleicht als der moderne Darsteller, 5 der sich über die „Hellenisierung des Evangeliums" ereifert[65].

Oepke

---

† *κάμηλος*

Das Kamel ist als ältestes Reittier und gebräuchliches Lasttier (Karawane!) in Vorderasien bekannt. In Arabien vielleicht beheimatet, in Babylonien 10 und Assyrien bezeugt, in spätrömischer Zeit auch in Ägypten eingeführt. Bei Aesch, Hdt, auf Inschriften und Papyri erwähnt, vor allem auch im AT[1]. Nach den Angaben des AT war das Kamel besonders bei den Beduinen beliebt (Ri 6, 5; 7, 12; 8, 21; 1 S 15, 3; 27, 9; 30, 17; Jer 49, 29; 1 Ch 5, 21; 1 Kö 10, 2); auch auf Reisen erscheint es als Reittier der Patriarchen (Gn 24, 10 ff; 31, 17 ff). 15

1. Im NT finden wir (ὁ) κάμηλος nur innerhalb der synoptischen Überlieferung. Johannes der Täufer trägt ein Gewand aus Kamelhaaren (τρίχες καμήλου) nach Mk 1, 6; Mt 3, 4; Ev Eb nach Epiph 30, 13 (Hennecke 44, 4), ein hartes und billiges Kleidungsstück (ἔνδυμα), keineswegs ein Schurz (wie in der Kunstgeschichte dargestellt)[2]. Schon äußerlich hebt sich 20 der Prophet von seiner Umgebung, besonders auch von den Vornehmen aus Jerusalem ab (vgl Mt 11, 8; Lk 16, 19; Jk 2, 2); er steht in einer b e s o n d e r e n   b i b l i s c h e n   B e d ü r f n i s l o s i g k e i t   u n d   Z u c h t (vgl dagegen die Unterscheidung von χιτών und ἱμάτιον Mt 5, 40). Der Wissende und Glaubende sieht aber in dem äußerlich unscheinbaren und harten Gewand das Merkmal des Pro- 25 pheten (der „härene Mantel" Sach 13, 4; Js 20, 2); ja, Elias ist für den König Ahasja am härenen Gewand und am ledernen Gürtel kenntlich (2 Kö 1, 8). Hat schon Johannes sich als der wiederkehrende Elias dem Glaubenden sichtbar machen wollen[3]? Johannes trägt Wüstenkleidung und ißt Wüstennahrung, tritt (im Unterschied von Jesus) nur in der Wüste auf und läßt die Menschen in 30 die Wüste kommen. Offenbar ist das a l t p r o p h e t i s c h e   W ü s t e n m o t i v wie-

---

[65] Vgl EBrunner, Der Mittler (1927) 219 ff.

κάμηλος. [1] MEbert, Reallexikon der Vorgeschichte VI (1926) 196: „Das Kamel ist das erste ausgesprochene Reittier und folgt geschichtlich dem Esel, der aber niemals kriegerische Bedeutung gewann"; 197: „Ägypten hat dagegen viele Jahrhunderte lang, bis in die römische Zeit hinein, dem Übergang des Dromedars in den Erdteil Afrika wirksamen Widerstand geleistet. Erst vom Niedergang des römischen Reiches ab hören wir aus Nordafrika von Kamel-Nomaden und ihren Verheerungen." Dagegen werden beim Zug Alexanders nach der Oase des Ammon Kamele verwandt (Quintus Curtius Rufus, Historiae Alexandri IV 7, 12, ed EHedicke [1919]). Wann das Kamel in Palästina und Syrien be-

kannt geworden ist, wissen wir nicht, doch berichtet GSchumacher von Kamelzähnen und -knochen bei den Ausgrabungen von Megiddo (20. vorchristl Jhdt?). Vgl GSchumacher, Tell el-Mutesellim I Bd Fundbericht (1908) 15 und 158.
[2] Weicher ist eine Verwebung von Kamelhaaren und Schafwolle (Kil 9, 1); über die verschiedenen Wollstoffe Gn r 20 zu 3, 21.
[3] Vgl dazu allerdings J 1, 21; Mk 9, 13; Mt 11, 14. — Zn Mt 132 urteilt: „Auch J 1, 21 widerspricht nicht; denn J 1, 31 spricht Johannes sich die Aufgabe zu, welche nach jüdischer Schulmeinung dem Elia zukommt ... und J 3, 28 muß an Mal 3, 1. 23 erinnern. Johannes verneint nur die Meinung von persönlicher Identität mit Elia cf Mt 16, 14."

der lebendig geworden: in der Endzeit redet Gott wie in der Vorzeit mit seinem Volk in der Wüste (Hos 2, 16)[4].

   2. Im Anschluß an das Gespräch mit dem Jüngling, der
nicht verzichten will und zur Nachfolge ungeeignet ist (Mt 19, 16—22), nimmt
5 Jesu Jüngerrede (διδασκαλία) ein paradoxes Bildwort auf: „Es ist leichter, daß
ein Kamel durch ein Nadelöhr geht, denn daß ein Reicher ins Reich Gottes
komme" (Mt 19, 24; Mk 10, 25; Lk 18, 25). Wie später in Mt 23, 24 gilt das
Kamel als das größte Tier auf palästinischem Boden; so gibt auch der Talmud
eine sprichwörtliche Redensart vom Elefant, der durch ein Nadelöhr geht, wei
10 ter (Ber 55b; BM 38b). Wir haben ein typisch orientalisches Bildwort vor
uns, das etwas ganz Unmögliches durch ein Gegensatzpaar hervorheben will:
„Der Zutritt zu Gottes Reich ist für die Reichen völlig unmöglich[5]." Diese Regel im Reiche Gottes entspricht der ersten Seligpreisung (Mt
5, 3; Lk 6, 20) und hat ihre Grenze an dem wunderbaren Handeln Gottes selbst
15 (Mk 10, 27). Unrichtig ist der Versuch, κάμηλον durch κάμιλον zu ersetzen oder
διὰ τρήματος ῥαφίδος uneigentlich verstehen zu wollen. Es ist weder von einem
Schiffstau noch von einem engen Tor innerhalb der Dorfmauer die Rede[6].

   3. Jesus nennt im prophetischen Weheruf die Schriftgelehrten und Pharisäer blinde Wegführer, die ihre Getränke durchseihen, um eine
20 Mücke zu beseitigen, dagegen ein Kamel schlucken (Mt 23, 24). Wieder wird im
Bildwort das Kleinste und das Größte einander gegenübergestellt. Die ängstliche
Vorsicht der pharisäischen Frömmigkeit und die gewissenlose Sorglosigkeit der

---

[4] → II 656, 43 ff. — Johannes und Jesus in
ihrem Verhältnis zur prophetischen Wüstenüberlieferung s OMichel, Prophet und Märtyrer = BFTh 37, 2 (1932) 65—66. Jetzt auch
JSchniewind, Das Ev nach Mk, NT Deutsch
1 (1933) 43: „Vielleicht weiß sich Johannes
durch das Wort vom Rufer direkt bestimmt
(J 1, 23), in der Wüste aufzutreten? Daß er
den alten Propheten gleicht, das zeigt schon
seine Weltabgewandtheit, die Tracht und
die Nahrung der Steppe."
[5] SchlMt zSt. Wir haben also eine ähnliche
Regel vor uns wie im ἀδύνατον von Hb 6, 4.
Es gibt Mächte und Hemmungen, die den
Glauben unterbinden und zerstören.
[6] Darum Schniewind aaO 131: „Sowohl
‚Kamel‘ wie ‚Nadelöhr‘ ist ganz wörtlich gemeint." Vom Elefanten Ber 55b: RSchemuel bNachman (um 260) hat gesagt, RJonathan (um 220) habe gesagt: Man (Gott)
läßt den Menschen (im Traum) nur die Gedanken seines Herzens sehen; s Da 2, 29.
Rabba († 352) hat gesagt: Du kannst es auch
daraus erkennen, daß man keinen Menschen
(im Traum) sehen läßt eine Palme aus Gold
oder einen Elefanten, der durch ein Nadelöhr
geht. BM 38b (Rab Schescheth um 260 zu
Rab Amram): Du bist wohl aus Pumbeditha,
wo man einen Elefanten durch ein Nadelöhr
gehen läßt. Vom Nadelöhr: Midr HL 5, 2:
„Tu mir auf, meine Schwester"; RJose (um 350)

hat gesagt: Gott sprach zu den Israeliten:
Tut mir auf eine Öffnung der Buße so groß
wie ein Nadelöhr, so will ich euch Türen
öffnen, in die Wagen und Karren hineinkönnen (auch Pesikt 163b). Weitere Beispiele
bei Str-B I 828. κάμιλον statt κάμηλον (η wurde
in nachchr Zeit i gesprochen) in einigen Hdschr und Übers zu Mt 19, 24, Mk 10, 25, Lk 18, 25,
sonst nur in einem Scholion der Vesp des
Aristoph (1035) und bei Suid sv bezeugt. Bis
um 400 n Chr liest man nur κάμηλον an unserer Stelle (s Kirchenväter), dann wird man
unsicher. Ein pseudoorigenistisches Scholion
(Ev Mt, ed Matthaei [1788] 300; vgl Zn Mt
zSt) behauptet: „Einige verstehen unter κάμη
λος a u St τὸ σχοινίον τῆς μηχανῆς, andere
das Tier, und ersteres sei das Richtige"
(auch Theophylakt, Euthymius). Nach Herklotz BZ II (1904) 176 f hat die armenische Bibel κάμηλος durch malh = „Tau,
Seil" übersetzt. Auch im Koran droht Sure 7:
„Sie sollen nicht eher ins Paradies eingehen,
als bis ein Kamel durch ein Nadelöhr geht."
Zur Exegese von Mt 19, 24 vgl GAicher,
Kamel und Nadelöhr (1908); ERostan, Les
Paradoxes du Jésus (1908) 11 ff; RLehmann
und KLSchmidt, Zum Gleichnis vom Kamel
und Nadelöhr u Verwandtes, ThBl 11 (1932)
336—340; EBöklen, Deutsch Pfarrerbl 37 (1933),
162—165. Zum Ganzen auch Zn Mt 598—599
und Pr-Bauer [3] 667.

selben Menschen stehen in einem eigentümlichen Gegensatz zueinander: der Pharisäer läßt das, was er trinkt, zuerst durch ein Tuch laufen, damit kein totes Insekt seine Lippen berühre, vergißt aber Gerechtigkeit, Barmherzigkeit und Treue (23, 23), läßt sich sogar Raub (ἁρπαγή) und Schlemmerei (ἀκρασία) zuschulden kommen (23, 25). Der Maßstab für das Große und Kleine 5 am Gesetz ist ihm verloren gegangen. In diesem Verlust wird Gottes Gericht an der pharisäischen Frömmigkeit offenbar.

Michel

---

† κάμπτω (→ γόνυ, προσκυνέω)

Im NT kommt κάμπτω nur in der Verbindung mit γόνυ (γόνατα) 10 vor und wird in solchem Zusammenhang transitiv mit γόνυ (γόνατα) als Objekt (R 11, 4; Eph 3, 14) und intransitiv mit γόνυ als Subjekt (R 14, 11; Phil 2, 10) gebraucht.

Das κάμπτειν γόνυ (γόνατα) ist *die Gebärde der völligen inneren Unterwerfung in der Anbetung dessen, vor dem man das Knie beugt.* So ist auch in R 14, 11 und Phil 2, 10 mit dem Kniebeugen die Exhomologese verbunden, und zwar 15 R 14, 11 innerhalb einer Gerichtsszene vor dem Throne Gottes, Phil 2, 10 bei der Anbetung des Kosmos vor dem Throne des erhöhten Kyrios Jesus. R 11, 4 ist κάμπτειν γόνυ τῇ Βάαλ der Ausdruck der Hingabe an Baal, Eph 3, 14 stellt die Formel κάμπτω τὰ γόνατα πρὸς τὸν θεόν eine feierliche Umschreibung der Beugung des Beters in dem Gott zugewandten Gebet dar. Aus der übertrage- 20 nen Verwendung des Ausdruckes κάμπτειν τὰ γόνατα im Zusammenhang mit der Aufforderung, sich zu unterwerfen und zur Buße führen zu lassen[1], ist ersichtlich, daß κάμπτειν τὰ γόνατα auch als eine Gebärde demütigen Gehorsams verstanden werden kann.

Paulus entnimmt beide Formeln der LXX. Das geht aus R 14, 11 hervor, 25 wo ein kaum verändertes LXX-Zitat aus Js 45, 23 gebraucht wird. Das ὅτι ἐμοὶ κάμψει πᾶν γόνυ ist Übersetzung des hbr כָּל־בֶּרֶךְ תִּכְרַע לִי־כִּי. כָּרַע (wörtlich: *sich auf die Schenkel niederlassen, niederkauern,* aber auch *niedersinken,* 4 Βασ 9, 24) ist Ri 7, 5. 6 mit κάμπτειν ἐπὶ τὰ γόνατα wiedergegeben, sonst auch mit ἀνα- (προ-) πίπτειν Gn 49, 9; ψ 21, 30, κατακλίνεσθαι Nu 24, 9, ὀκλάζειν 1 Βασ 4, 19; 3 Βασ 8, 54. Außer Js 45, 23 30 findet sich die Formel κάμπτειν γόνυ (γόνατα) in der LXX noch öfter und jedesmal im Zusammenhang mit dem Gebet: 1 Ch 29, 20: καὶ εὐλόγησεν πᾶσα ἡ ἐκκλησία κύριον τὸν θεὸν τῶν πατέρων αὐτῶν καὶ κάμψαντες τὰ γόνατα προσεκύνησαν τῷ κυρίῳ καὶ τῷ βασιλεῖ (κάμπτειν τὰ γόνατα = hbr קָדַד); 1 Esr 8, 70: κάμψας τὰ γόνατα καὶ ἐκτείνας τὰς χεῖρας πρὸς τὸν κύριον ἔλεγον . . .; 3 Makk 2, 1: Der Hohepriester Simon κάμψας τὰ 35 γόνατα καὶ τὰς χεῖρας προτείνας εὐτάκτως ἐποιήσατο τὴν δέησιν τοιαύτην. In R 11, 4 ändert Paulus die LXX-Lesart aus 3 Βασ 19, 18 aus einem πάντα γόνατα, ἃ οὐκ ὤκλασαν γόνυ τῷ Βάαλ (כָּל־הַבִּרְכַּיִם אֲשֶׁר לֹא־כָרְעוּ לַבַּעַל) in ein οἵτινες (ἄνδρες) οὐκ ἔκαμψαν γόνυ τῇ Βάαλ. Das ist ein Zeichen dafür, daß ihm κάμπτειν in diesem Zusammenhang aus dem sonstigen LXX-Sprachgebrauch geläufig war. Neben der tran- 40 sitiven Form von κάμπτω gibt es in LXX auch die intransitive: 4 Βασ 1, 13: καὶ ἔκαμψεν ἐπὶ τὰ γόνατα αὐτοῦ κατέναντι Ἠλίου καὶ ἐδεήθη αὐτοῦ καὶ ἐλάλησεν, Da 6, 11 Θ: ἦν κάμπτων ἐπὶ τὰ γόνατα αὐτοῦ καὶ προσευχόμενος καὶ ἐξομολογούμενος . . . κάμπτειν allein findet sich im selben Sinn 2 Ch 29, 29: ἔκαμψεν ὁ βασιλεὺς καὶ πάντες οἱ εὑρεθέντες καὶ προσεκύνησαν. Parallel dazu heißt es v 30: ἔπεσον καὶ προσεκύνησαν . . . 45 vgl 2 Ch 6, 13: καὶ ἔστη ἐπ' αὐτῆς καὶ ἔπεσεν ἐπὶ τὰ γόνατα ἔναντι πάσης ἐκκλησίας Ἰσραήλ (וַיִּבְרַךְ עַל־בִּרְכָּיו).

κάμπτω. [1] Man vergleiche auch 1 Cl 57, 1: Ὑμεῖς οὖν οἱ τὴν καταβολὴν τῆς στάσεως ποιήσαντες ὑποτάγητε τοῖς πρεσβυτέροις καὶ παιδεύθητε εἰς μετάνοιαν, κάμψαντες τὰ γόνατα τῆς καρδίας ὑμῶν. μάθετε ὑποτάσσεσθαι . . .

Im profanen Griechisch kommt κάμπτειν (beugen, biegen, krümmen) in transitiver Form mit γόνυ (γόνατα) verbunden vor und bedeutet dann das Knie beugen, um sich zu setzen und auszuruhen. So schon Hom Od 5, 453; Il 7, 118; 19, 72; Aesch Prom 32: οὐ κάμπτων γόνυ = nie rastend; Eur Hec 1150 ἵζω . . . κάμψας γόνυ. Auch
5   ohne γόνυ (γόνατα) heißt κάμπτειν sich niederlassen, ausruhen: Soph Oed Col 84f: εὖτε νῦν ἕδρας πρώτων ἐφ' ὑμῶν τῆσδε γῆς ἔκαμψ' ἐγώ. Als Formel für den Gebetsgestus scheint κάμπτειν γόνυ (γόνατα) zu fehlen.

Schlier

```
┌─────────────┐
│  † κανών    │
└─────────────┘
```

10   Inhalt: A. κανών außerhalb des NT. — B. κανών im NT. — C. κανών in der christlichen Kirche.

A. κανών außerhalb des NT.

1 κανών ist gebildet aus κάνη wie κάνης, κάννα, was eine aus Rohr geflochtene Decke, und κάνα, κάνεον, κάνειον, was einen aus Rohr geflochtenen
15   Korb bezeichnet. κάνη ist ein Lehnwort aus dem Semitischen [1], dessen Grundbedeutung „Rohr" ist. Der Stamm kommt im Assyrischen, Hebräischen, Aramäischen, Syrischen, Arabischen und Neuhebräischen vor [2]. Im Hbr bezeichnet קָנֶה das Schilfrohr, Würzrohr, Kalmus, Getreidehalm, dann aber auch wie schon im Assyrischen Meßrohr, Meßrute, Maßstab, schließlich den Waagebalken und die Arme des Leuchters [3]. קָנֶה
20   wird aber in LXX niemals durch κανών, sondern durch κάλαμος, καλάμινος, πῆχυς und andere griechische Worte wiedergegeben. κανών erscheint in LXX nur dreimal. Jdt 13, 6 bezeichnet es den Bettpfosten. Mi 7, 4 liegt eine nicht deutbare Fehlübersetzung vor. Dagegen ist 4 Makk 7, 21 beachtlich, wo offenbar unter griechischem Einfluß die Rede ist von dem, der πρὸς ὅλον τὸν τῆς φιλοσοφίας κανόνα φιλοσοφεῖ.
25   Aquila setzt κανών in der wörtlichen Bedeutung *Meßschnur* Hi 38, 5 statt des σπαρτίον der LXX und des σχοινίου μέτρου des Symmachus. Ganz wörtlich übersetzt Aquila Ps 19, 5 קַוָּם mit ὁ κανών αὐτῶν wie Luther „ihre Schnur", während LXX ψ 18, 5 vielleicht statt קַוָּם „ihre Meßschnur" קוֹלָם „ihre Stimme" gelesen hat und dies mit ὁ
30   φθόγγος αὐτῶν wiedergibt (vgl R 10, 18) [4]. Philo gebraucht κανών oft in der Bedeutung *Regel, Vorschrift, Gesetz*, kaum unterschieden von νόμος [5]. Josephus stellt σκοπός und κανών „Vorbild und *Richtschnur*" zusammen Ant X 49.

2. In der Profangräzität ist von vornherein die semitische Grundbedeutung *Rohr* zurückgetreten hinter der übertragenen, nach der κανών einen *geraden Stab* bezeichnet.

35   *a.* κανών kann im Besonderen angewendet werden auf die Hölzer zur Ausspannung des Schildrandes, auf solche, die beim Weben als Webestab gebraucht werden, oder wie im Hbr auf den Waagebalken.

κανών. Pr-Bauer [3] 669; Cr-Kö 579 ff; Moult-Mill 320 f; RE [3] VI 682 ff, IX 742 ff, 769 ff; Suic Thes II 37 ff; CACredner, Zur Geschichte des Kanons (1847) 1 ff; FChBaur, Bemerkungen über die Bedeutung des Wortes Κανών: ZwTh 1 (1858) 141 ff; CACredner, Geschichte des nt.lichen Kanon (1860) 98 ff; BFWestcott, A general survey of the history of the Canon of the New Testament [6] (1889) 504 ff: App A; ThZahn, Grundriß der Geschichte des nt.lichen Kanons [2] (1904) 1 ff. — Zur Kanonbildung im Judentum → ἀπόκρυφος (→ κρύπτω).
¹ HLewy, Die semitischen Fremdwörter im Griechischen (1895) 133 (vgl auch 99). Boisacq 406 f will den Stamm κάννα durch Vermittlung des babyl-assyr kannu aus dem sum-

akkad gin ableiten. Prellwitz Etym Wört 207 weist außerdem auf das phönizische kaneh hin. Vgl auch ThBenfey, Griech Wurzellexikon (1842) II 156 f. Ob auch die Form κανών selbst schon aus dem Semitischen entlehnt oder eine griech Bildung aus κάνη ist, läßt sich nicht sicher sagen, vgl Zahn aaO 1 A 1.
² Ges-Buhl sv; Levy Wört sv; Levy Chald Wört sv.
³ Belege bei Ges-Buhl sv.
⁴ Vgl FWutz, Die Transskriptionen von der Septuaginta bis zu Hieronymus = BWANT, NF 9 (1933) 205. Anders Ges-Buhl sv. Σ hat ἦχος.
⁵ S Leisegang sv.

Allgemeinere Bedeutung bekommt das Wort aber erst, wo es *die Meßrute* oder *das Richtscheit* bezeichnet, zunächst also ein Gerät der Baukunst:

κανόνι . . . καὶ τόρνῳ (ein Gerät, um Kreise abzustecken) χρῆται (sc: ἡ τεκτονικὴ τέχνη) καὶ διαβήτῃ (Bleiwaage) καὶ στάθμῃ (Richtschnur) καί τινι προσαγωγίῳ κεκομψευ-μένῳ (eine Art künstlicher Schraube) Plat Phileb 56 b/c; ὥσπερ γὰρ ἐν τῇ τεκτονικῇ, 5 ὅταν εἰδέναι βουλώμεθα τὸ ὀρθὸν καὶ τὸ μή, τὸν κανόνα προσφέρομεν, ᾧ διαγιγνώσκεται Aeschin 3, 199. τὸν κανόνα προσάγειν = das Richtscheit anlegen ist ein häufig gebrauch-ter Ausdruck, zB Luc Historia Quomodo Conscribenda Sit 5; vgl auch Epict Diss II 11, 20.

b. Diese Redewendung hat sehr bald zu ihrer ursprüng- 10 lichen technischen eine übertragene Bedeutung gewonnen, indem sie auf die verschiedensten Lebensbereiche angewendet worden ist. So ist ὁ κανών zu der *Norm* geworden, die einerseits *die vollendete Gestalt* und damit *das erstrebens-werte Ziel*, anderseits *der untrügliche Maßstab* zur Beurteilung der Dinge, das κριτήριον, ist. Das Wort drückt mithin etwas aus, was für das griechische 15 Menschentum wesentlich und bezeichnend ist. Der Grieche strebt nach dem Vollkommenen, dem in sich Ausgewogenen, dem Harmonischen, dem Ideal. Dies ist ihm der Maßstab zur Beurteilung der empirischen Erscheinungen. Was dem Kanon entspricht, erreicht jenes anzustrebende Höchstmaß der Vollendung.

c. Bekannt ist, daß im Gebiet der bildenden Kunst der Speer- 20 träger Polyklets als Kanon, als vollkommene Form der in allen ihren Proportionen ebenmäßigen menschlichen Gestalt gegolten hat Plin (d Ä), Hist Nat XXXIV 8, 55. Polyklet selbst soll den Doryphoros so benannt und ein Buch über den „Kanon" ge-schrieben haben: Gal de Placitis Hippocratis et Platonis V 3 (ed Kühn V 449). Vgl auch Eur Hec 602: κανόνι τοῦ καλοῦ μαθών (oder μετρῶν?). 25

d. In der Musik wurde der Monochord, nach dem alle übrigen Tonverhältnisse bestimmt wurden, κανὼν μουσικός genannt: Nicomachus Gerasenus (ed RHoche [1866]), Introductio Arithmetica II 27, 1.

e. Die alexandrinischen Grammatiker sprachen von einem Kanon von Schriftstellern, deren Griechisch als mustergültig galt: Quint Inst Orat X 1, 54. 59. 30

f. Der Kanonbegriff ist, was bei der engen Verwandt-schaft von ästhetischer und ethischer Schönheit in der Vorstellungswelt der Griechen nicht verwunderlich ist, auch auf das Gebiet des Sittlichen übertragen worden. Das Gesetz als verpflichtende Kraft wird κανών, bestimmte Ideale werden κανόνες genannt. 35

So sagt Demosth Or 18, 296: . . . τὴν δ' ἐλευθερίαν καὶ τὸ μηδέν' ἔχειν δεσπότην αὑ-τῶν, ἃ τοῖς προτέροις Ἕλλησιν ὅροι τῶν ἀγαθῶν ἦσαν καὶ κανόνες. Plut (oder Pseud-Plut?) Cons ad Apoll 4 (II 103 a) spricht von: τῆς φρονήσεως καὶ τῶν ἄλλων ἀρετῶν κανόνες. Luc Hermot 76 sagt, daß man einen κανὼν καὶ γνώμων (Richtungszeiger) zur Beur-teilung sittlichen Lebens brauche. Chrysipp Fr (bei LSpengel, Συναγωγὴ τεχνῶν sive Ar- 40 tium Scriptores [1828] 177 A 17): ὁ νόμος πάντων ἐστὶ βασιλεὺς θείων τε καὶ ἀνθρωπίνων πραγμάτων· δεῖ δὲ αὐτὸν προστάτην εἶναι τῶν καλῶν καὶ τῶν αἰσχρῶν . . . καὶ κατὰ τοῦτο κανόνα τε εἶναι δικαίων καὶ ἀδίκων. Es lag nahe, daß der Begriff Kanon auch auf den sittlichen Menschen übertragen wurde, der in seinem Leben dem Gesetz der Vollkom-menheit entsprach. So nennt Plut Aud Poet 8 (II 25 e) Gerechte und Weise, von 45 denen die Dichter singen: κανόνες ἀρετῆς ἁπάσης καὶ ὀρθότητος. Vgl auch Aristot Eth Nic III 6 p 1113 a 33; Epict Diss III 4, 5.

g. Eine besondere Ausprägung hat der Begriff κανών durch die griechische Philosophie, insonderheit durch die Epikureer erfahren. Epi-kur selbst hat ein (verlorenes) Buch περὶ κριτηρίου ἢ κανών geschrieben[6]. Die Logik 50

---

[6] Diog L X 27. 30. 31; Epict Diss II 23, 21;
Cic Nat Deor I 16, 43; Sen ep 89, 11.

und Methodik nennt er Kanonik. Für ihn ist es die Aufgabe des Denkens, den Erkenntnisgrund (κανών) zu gewinnen für das, was wahr und falsch und zugleich was erstrebenswert und was zu vermeiden ist. Einen ähnlichen Gebrauch macht auch Epiktet von dem Begriff Kanon. Auch er versteht unter κανόνες die logi-
5 schen Kriterien, mittels deren man die Wahrheit einer Aussage und den prak-tischen Wert der Dinge beurteilt[7]. Es ist der Anfang aller Philosophie, den Kanon, die Regel für die Erkenntnis des Wahren im Gegensatz zum bloßen Schein zu finden Diss II 11, 13. „Philosophieren heißt nichts anderes, als Maß-stäbe untersuchen und feststellen" II 11, 24. Diese Kriterien sind dem Men-
10 schen von der Natur unmittelbar gegeben I 28, 28, müssen aber durch philo-sophische Denkarbeit erweitert und anwendbar gemacht werden II 20, 21. Diese κανόνες sind dann die Grundregeln für den rechten Gebrauch des freien Willens.

h. Stark formal ist der Begriff κανόνες schließlich ge-braucht worden im Sinne von *Liste*, *Tabelle* und zwar sowohl in der Mathematik
15 und Astronomie wie in der Geschichtswissenschaft. χρονικοὶ κανόνες sind Zeit-tafeln zur Festlegung geschichtlicher Ereignisse[8].

B. *κανών* im NT.

1. Nur Paulus verwendet im NT den Begriff κανών, der später in der christlichen, namentlich der römischen Kirche so weittragende
20 und vielseitige Bedeutung erhalten sollte, und auch er tut es nur selten. Für ihn hat das Wort die Bedeutung *Beurteilungsmaßstab*. Er denkt dabei kaum noch an die ursprüngliche, wörtliche Bedeutung. Wohl aber hat es auch bei ihm, wie schon vielfach in der Profangräzität, den Doppelsinn, in dem es sowohl die Norm bezeichnet, nach der man handeln, als die, nach der man das Han-
25 deln eines anderen beurteilen soll. Das wird ganz deutlich Gl 6, 16. Hier faßt Paulus nicht nur den Inhalt des Galaterbriefes, sondern seine ganze Lehre von der rechten Seinsweise des Christen zusammen: Die Erlösung durch den Kreu-zestod Christi nimmt den, der sie sich schenken läßt, heraus aus der Welt, nach deren Begriffen und Maßstäben er bisher gelebt hat, und stellt ihn hinein in
30 eine „neue Schöpfung", eine neue Wirklichkeit. Zu den alten Begriffen gehören vornehmlich die durch das Gesetz aufgerichteten wie Beschneidung und Unbe-schnittenheit. Dorthin gehört auch der Begriff „Israel", wenn er von der Ab-stammung her oder politisch gefaßt wird und als solcher einen Anspruch vor Gott begründen soll. Für den Christen verliert das alles seine Bedeutung. Für
35 ihn gibt es nur einen Maßstab, eben den, daß jene Begriffe der alten Welt für ihn nichtig geworden sind und er nun sein ganzes Leben von der neuen Wirk-lichkeit der durch Christus geschenkten Freiheit bestimmen läßt. Das ist die inhaltschwere Bedeutung, die das Wort „Kanon" in dem Zusammenhang hat, in dem es zum ersten Male in der Sprache der Christen erscheint. Es bezeich-
40 net den Erkenntnisgrund, aus dem heraus Paulus beurteilen kann, ob ein Mensch

---

[7] A Bonhöffer, Epiktet u das NT (1911) 119 f.
[8] So schon Plut De Solone 27 (I 93 b); der 2. Teil der Chronik des Euseb, der in reiner

Tabellenform gehalten ist, trägt den Titel χρονικοὶ κανόνες (GCS V 5 [1911] ed J Karst) p XXXIII und 156 ff.

Christ ist, ob er zum „Israel Gottes" im neuen, an keine irdischen Unterschiede mehr gebundenen Sinne gehört, ob Paulus ihm in Wahrheit Frieden
und Barmherzigkeit verheißen kann. Luther hat diese Regel für den Christen
beschrieben[9]: „Daß der sei ein neuer Mensch, zum Bilde Gottes geschaffen, in
Gerechtigkeit und wahrer Heiligkeit, der inwendig im Geist gerecht und aus- 5
wendig im Fleisch heilig und rein ist . . . Die Regel, von der Paulus hier
redet, sei (im Gegensatz zu allen mönchischen Ordensregeln) allein gebenedeit,
in der wir leben im Christusglauben und eine neue Kreatur werden, dh wahrhaft gerecht und heilig durch den Heiligen Geist, nicht durch Trug und Heuchelei."   10

Im gleichen Sinne steht das Wort auch in einigen Lesarten von Phil 3, 16. Einige
Handschriften ergänzen das kurze τῷ αὐτῷ στοιχεῖν durch κανόνι und den weiteren
Zusatz τὸ αὐτὸ φρονεῖν[10]. Wenn es sich hier um eine spätere Glosse handelt, so ent-
spricht sie doch dem durch Gl 6, 16 bezeugten paulinischen Sprachgebrauch.

2. Nicht so eindeutig ist der Sinn des Wortes 2 K 10, 13—16, 15
wo Paulus es dreimal in einem sprachlich schwierigen Zusammenhang verwendet[11].
Paulus verteidigt seine apostolische Autorität für Korinth denen gegenüber, die erst
später in die bereits blühende Gemeinde gekommen sind und sich dort mit Empfeh-
lungsbriefen vielleicht aus Jerusalem unter Beiseiteschiebung des Paulus in die Führung drängen wollen. Er bezeichnet ihren Anspruch als selbstherrlich und maßlos, 20
während er selbst den seinen κατὰ τὸ μέτρον τοῦ κανόνος[12] οὗ ἐμέρισεν ἡμῖν ὁ θεὸς
μέτρου, ἐφικέσθαι ἄχρι καὶ ὑμῶν mißt. Er hat also einen Kanon, einen Maßstab für
sein Wirken und den damit verbundenen Anspruch apostolischer Geltung, den er sich
nicht selbst gegeben, sondern von Gott empfangen hat. Worin besteht dieser Kanon?
Sein Inhalt wird angedeutet in dem von ἐμέρισεν μέτρον abhängigen ἐφικέσθαι ἄχρι 25
καὶ ὑμῶν. Daß es ihm gegeben war, bis nach Korinth vorzudringen und dort die
Gemeinde zu gründen, das gibt ihm den Maßstab, den er braucht. Man hat von daher
κανών unter Anknüpfung an die Bedeutung *Meßschnur* erklärt als „einen mit einer
Meßschnur von Gott eingegrenzten *Raum*"[13], als den dem Paulus *zugemessenen Bezirk*[14],
die „*Umgrenzung seines Arbeitsgebiets*, etwa eine Linie auf der Landkarte"[15]. Geht 30
man von einer solchen geographischen Begriffsbestimmung aus, so erhebt sich freilich
die Frage, wo Gott dem Paulus einen solchen auf der Karte abzugrenzenden Raum
zugewiesen habe. Heinrici[16] und auch Windisch[17] denken daran, daß Paulus vor
Damaskus zum ἀπόστολος εἰς τὰ ἔθνη bestimmt, was in Jerusalem anerkannt worden
sei. Es ist aber ganz unmöglich, daß Paulus daraus einen Anspruch auf alleinige 35
Geltung in der Heidenwelt abgeleitet hat, daß also der ihm grundsätzlich zustehende
räumliche Bezirk die Welt außerhalb Palästinas gewesen sei. Eine solche räumliche
Scheidung war schon darum nicht möglich, weil es fast überall in der Welt auch
περιτομή gab[18]. 2 K 10, 13ff beruft sich Paulus nicht auf ein Recht, allein als Missionar nach Korinth zu kommen, sondern auf die geschichtliche Tatsache, daß ihm 40
dies vergönnt gewesen ist[19]. Auch das Recht, seine Arbeit noch weiter auszudehnen,
bekommt er erst, wenn der Glaube der Korinther stark geworden, sein Missionswerk
also gelungen ist.

Der dem Paulus von Gott gegebene Maßstab ist also nicht ein räumlich ab-
gesteckter Bezirk, in dem er allein arbeiten dürfte, sondern die ihm auferlegte 45

---

[9] Nach WA 40 II, 179 f.

[10] So א c K L P syp und in anderer Stellung der beiden Zusätze vg go.

[11] „Gehackte Satzbrocken" Ltzm 2 K zSt.
Der Text sei „merkwürdig schwerfällig, unerträglich, fast unübersetzbar" Wnd 2 K zSt.

[12] Gen subj: „Das durch die Norm bestimmte
Maß."

[13] Heinr 2 K 336.

[14] Pr-Bauer sv.

[15] Wnd 2 K 310.

[16] Heinr Sendschr II 432 f.

[17] Mit seinem Hinweis auf Gl 2, 9; R 1, 5.
14: Wnd 2 K 310.

[18] Vgl dazu meine Auslegung von Gl 2, 9
in NT Deutsch[2] II (1935) 453 f.

[19] Daran wird auch nichts geändert, wenn
Heinr 2 K 337 meint, man dürfe ὡς μὴ ἐφικνού-
μενοι nicht (mit Luther, Beza ua) übersetzen:
„ut si non pervenissemus", die richtige Übers
sei vielmehr: „als wären wir solche, bei denen
das Hinreichen zu euch nicht statt hat". Auch
Wnd 2 K 310 rechnet mit der Möglichkeit,
ἐφικνεῖσθαι heiße „mit Fug und Recht zu jemand hinreichen". Doch ist das nicht sehr
glaubhaft.

Bestimmung und zugleich die ihm geschenkte χάρις (Gl 2, 9; R 15, 15 ff), der Segen, den Gott auf seine missionarische Tätigkeit gelegt hat [20].

Gott hat dem Apostel seine Sendung gegeben, hat ihn bis nach Korinth geführt, als noch kein anderer Jünger Christi an diese Möglichkeit dachte, hat seiner Predigt Erfolg gegeben. Das ist τὸ μέτρον τοῦ κανόνος für Paulus. Wenn seine Arbeit in Korinth durch die innere Festigung der Gemeinde beendet ist, dann wird der Kanon, der dem Apostel gegeben ist, zur Wegweisung für ihn. Seine Sendung ist Mission, nicht Pflege aus sich heraus blühenden Gemeindelebens. Als er in Korinth fand, daß der Glaube der Gemeinde sich „gemehrt" hatte, gab es für Paulus im Osten keinen „Raum" mehr, und er richtet seinen Blick auf Spanien. Rom will er nur auf der Durchreise besuchen. Denn dort kennt man das Evangelium ja schon, es wäre also für ihn ein Ruhm ἐν ἀλλοτρίῳ κανόνι (2 K 10, 16), wenn er sich irgendwelche Verdienste um diese Gemeinde anmaßen wollte, wie es seine Gegner mit Bezug auf das von ihm evangelisierte Korinth tun; das in dem ihm gesetzten κανών liegende Gesetz hat Paulus in Js 52, 15 b gefunden. Er legt es R 15, 20 f aus: „Ich suchte meine Ehre darin, nicht dort zu evangelisieren, wo Christus schon bekannt war, um nicht auf fremdem Grund zu bauen."

C. κανών in der christlichen Kirche.

1. An einer einzigen Stelle (Gl 6, 16) erscheint das Wort κανών im NT im Sinne der Norm echter Christlichkeit. In der Geschichte der Kirche aber ist es ein in mannigfachster Bedeutung verwendeter Begriff geworden, um das kirchlich Normative, sei es in Bezug auf das Ganze des christlichen Glaubens, sei es in Anwendung auf einzelne Gebiete des kirchlichen Lebens, zu bezeichnen. Der Grund dafür liegt in der Geschichte der Kirche selbst. Sehr früh hat der Streit darum, was echt christlich und kirchlich sei, eingesetzt. Immer wieder ist dadurch die Kirche dazu gedrängt worden, Normen zu setzen, sei es für die Lehre oder das Leben, für das, was als heilige Schrift gelten sollte, oder für den Kultus. Damit trat auch das Bedürfnis auf nach einem Wort, welches das kirchlich Geltende und Verbindliche unmißverständlich bezeichnete. Dafür schienen die Begriffe κανών und κανονικός, die bei ihrer Wanderung aus dem Osten in den Westen auch in das Lateinische leicht übergingen [21], geeignet. Gerade für die römische Kirche gewannen sie entscheidende Bedeutung.

Bei den **apostolischen Vätern** findet sich κανών nur im 1 Cl, wo es einmal (7, 2) „die herrliche und erhabene Regel der Überlieferung" bezeichnet, nach der der Christ leben soll, und zwar im Blick auf das, was gut und wohlgefällig und vor dem Schöpfer angenehm ist. Hier ist der Begriff also rein ethisch gefaßt wie auch 1 Cl 1, 3. Dagegen bezeichnet er 41, 1 das dem einzelnen Amtsträger in der Gemeinde bestimmte Maß seines Kultdienstes.

In den ersten drei Jahrhunderten dient ὁ κανών allgemein zur Heraushebung dessen, was für das Christentum inneres Gesetz, bindende Norm ist, während das Wort in der Mehrzahl noch kaum gebraucht wird.

In dreifacher Wortverbindung hat κανών in der alten Kirche eine immer bedeutsamere Rolle gespielt: *a.* als ὁ κανὼν τῆς ἀληθείας, *b.* als ὁ κανὼν τῆς πίστεως, *c.* als ὁ κανὼν τῆς ἐκκλησίας oder ἐκκλησιαστικὸς κανών.

ὁ κανὼν τῆς ἀληθείας ist die verbindliche Wahrheit, wie sie von der Kirche verkündigt wird und in dieser Predigt Gestalt gewonnen hat. Darum kann Iren I 9, 4 f die

---

[20] Gegen Windisch, der gerade umgekehrt urteilt: „die charismatische Befähigung ist eingeschlossen, aber hier sekundäres Moment", Wnd 2 K 310. Wenn Moult-Mill 320 sagen, eine strikte Parallele zu 2 K 10, 13 im Sinne von zugemessenem Raum gäbe es nicht, so haben sie recht. Denn das heißt eben κανών nicht.

[21] So sagt schon Cic Fam XVI 17: tu qui κανών esse meorum scriptorum soles.

Begriffe ἡ ὑπὸ τῆς ἐκκλησίας κηρυττομένη ἀλήθεια und τὸ τῆς ἀληθείας σωμάτιον ganz nahe an κανὼν τῆς ἀληθείας heranrücken. Sachlich nahe steht die Formel κανὼν τῆς πίστεως entsprechend dem lateinischen ‚regula fidei'. Von der Kirche als Subjekt her gesehen ist der die beiden erstgenannten Formeln einschließende Begriff κανὼν τῆς ἐκκλησίας. Nach Eus Hist Eccl VI 13, 3 hat Clemens Alexandrinus eine Schrift 5 περὶ τοῦ ἐκκλησιαστικοῦ κανόνος geschrieben. Dieser kirchliche Kanon umschließt sowohl das als regula veritatis gefaßte Taufbekenntnis Iren I 9, 4, als auch die geltende Kirchenlehre in ihrem ganzen Umfang Cl Al Strom VII 15, 90, 2, aber auch den richtigen Vollzug der kirchlichen Handlungen. Für das 3. Jhdt ist also die Glaubensregel der Kanon der Kirche, lange ehe die hl Schrift mit diesem Worte bezeichnet wurde. 10 Natürlich galt für den Inhalt der Regel als biblisch. So konnte Clemens von Alexandrien (Strom VI 15, 125) den Zusammenklang (ἡ συμφωνία) von Gesetz und Propheten mit dem durch die Menschwerdung des Herrn aufgerichteten Bunde als den kirchlichen Kanon bezeichnen.

Zusammenfassend kann man mit Jülicher sagen[22]: „Der Kanon ist die Norm, 15 nach der alles in der Kirche sich richtet; kanonisieren heißt: als Bestandteil dieser Norm anerkennen. Der Christ von ca 400 empfindet beim Aussprechen des Wortes ‚kanonisch' genau dasselbe wie wir, wenn wir göttlich, heilig, irrtumslos, unbedingt maßgebend sagen." Die Griechen gebrauchen oft an Stelle oder neben dem Begriff κανονιζόμενος den anderen: ἐκκλησιαζόμενος, was „der 20 Kirche gehörig" oder „von der Kirche anerkannt" heißt.

2. Seit dem 4. Jhdt aber ist dieser allgemeine Gebrauch des Wortes dadurch ergänzt worden, daß man **bestimmte Dinge innerhalb der Kirche als κανών oder κανονικός** bezeichnete.

1. Am bedeutsamsten ist die Tatsache, daß **die Sammlung heiliger Schriften** 25 Alten Testamentes, die man von der Synagoge übernahm[23], und Neuen Testamentes, die in ihrem Umfang seit etwa 200 im Wesentlichen feststand, seit der Mitte des 4. Jhdts als der Kanon schlechthin bezeichnet wurde. Das Konzil zu Laodicea in Phrygien (um 360) bestimmt in can 59: ὅτι οὐ δεῖ ἰδιωτικοὺς ψαλμοὺς λέγεσθαι ἐν τῇ ἐκκλησίᾳ οὐδὲ ἀκανόνιστα βιβλία, ἀλλὰ μόνα τὰ κανονικὰ τῆς καινῆς καὶ παλαιᾶς δια- 30 θήκης[24]. Athanasius sagt bald nach 350 vom Pastor Hermae, er sei nicht ἐκ τοῦ κανόνος[25]. Amphilochius von Ikonium beschließt am Ende des 4. Jhdts seinen in Jamben geschriebenen Katalog der heiligen Schriften: οὗτος ἀψευδέστατος κανὼν ἂν εἴη τῶν θεοπνεύστων γραφῶν[26]. Der Begriff κανών hat diese Bedeutung nicht unter dem Einfluß der Tatsache empfangen, daß die alexandrinischen Grammatiker von einem Kanon 35 von Schriftstellern vorbildlicher Grazität sprachen. Entscheidend dafür, daß dieser Sprachgebrauch sich durchgesetzt hat, war auch nicht die Gleichsetzung von κανών mit κατάλογος[27], so formal das Wort dann auch gebraucht werden konnte, sondern maßgebend war der in dem Worte liegende Normbegriff, sein sachlicher Gehalt als κανὼν τῆς ἀληθείας im christlichen Sinne[28]. Die Lateiner haben dann die Gleichsetzung 40 von canon und biblia vollzogen.

2. Älter als dieser Sprachgebrauch ist der, nach welchem **Konzilsbeschlüsse** κανόνες genannt werden, wie es seit Nicaea 325 geschehen ist[29]. Das war eine logische Folgerung aus der Tatsache, daß man das für die Kirche Geltende als κανὼν τῆς ἐκκλησίας zu bezeichnen pflegte[30].   45

[22] AJülicher, Einleitung in das NT [7] (1931) 555.

[23] Zum Schrift- und Kanonbegriff des Judentums → κρύπτω, ἀπόκρυφος und das dort über גָּנַז zu Sagende.

[24] FLauchert, Die Kanones der wichtigsten altkirchlichen Konzilien (1896) 78; JDMansi, Sacrorum Conciliorum... collectio II (1759) 574.

[25] De decretis Nicaenae synodi 18, 3 (ed HGOpitz II 1 [1935] 15).

[26] Jambi ad Seleucum MPG 37, 1598 a; ThZahn, Geschichte des nt.lichen Kanons II 1 (1890) 214 ff.

[27] Was seit FChBaur aaO 149 immer wieder vertreten worden ist.

[28] Ausgesprochen hat das zuerst Isidor von Pelusium ep IV 114; MPG 78, 1185 b. Vgl auch AJülicher (→ A 22) 555.

[29] So spricht can 2 des Konzils von Konstantinopel 381 im Rückblick auf die Beschlüsse von Nicaea und das seitdem geltende Recht von κανόνες, Lauchert (→ A 24) 84. Socrates Historia Ecclesiastica I 13, 11 (I 95 RHussey [1853]): Τότε δὲ οἱ ἐν τῇ συνόδῳ ἐπίσκοποι καὶ ἄλλα τινὰ ἐγγράψαντες, ἃ κανόνας ὀνομάζειν εἰώθασιν, . . . ἀνεχώρησαν. Vgl Sozomenos Historia Ecclesiastica I 23, 1 (I 97 RHussey [1860]).

[30] Rückwirkend prägte man dann auch den Begriff Canones Apostolorum. Vgl Suic Thes sv κανών ad III.

3. Daraus hat sich der umfassende Begriff des ius canonicum entwickelt[31]. Die Synodalbeschlüsse sind seit dem 5. Jhdt in Kanonessammlungen vereinigt worden[32]. Seit dem Anfang des 9. Jhdts wurde der Begriff auch auf die päpstlichen Dekretalen übertragen, die schon seit langem gleichen Rang mit jenen beanspruchten[33]. Im Laufe des Mittelalters wurde dann jede kirchliche Bestimmung Kanon genannt, während νόμος und lex das weltliche Recht bezeichneten[34]. Die zusammenfassende ‚Concordantia discordantium canonum' hat zwischen 1139 und 1142 der Kamaldulensermönch Gratian geschaffen. Sie bildet den Grundstock des in der römischen Kirche geltenden kanonischen Rechts. „Kanonisch" ist seitdem Ausdruck für alles im kirchlichen Recht Vorgeschriebene (zB „kanonisches Alter" der Priester usw).

4. Von der formalen Bedeutung κανών = κατάλογος her erklärt es sich, daß can 16 der Synode von Nicaea von den Amtsträgern der Kirche spricht als von πρεσβύτεροι ἢ διάκονοι ἢ ὅλως ἐν τῷ κανόνι ἐξεταζόμενοι[35]. Zum Nachweis der erfolgten Ordination und Beauftragung mit einem bestimmten Amt wurden alle Kleriker in eine Liste aufgenommen[36]. Dieser ἱερατικὸς κατάλογος hieß κανών[37]. Auch Mönche und gottgeweihte Jungfrauen wurden in solche Verzeichnisse eingetragen.

5. Die ethische Bedeutung des Begriffs hat sich mit der eben genannten verbunden. κανονικός ist der Geistliche, der sein Leben nach der kirchlichen Regel gestaltet. Das gilt zunächst vom Mönch, dem Regularen, der nach seiner Ordensregel lebt. Zur festen Ordnung auch für die Weltgeistlichkeit wurde die vita canonica mit kanonischen Gebetszeiten, Fasten usw durch Chrodegang von Metz erhoben[38]. Durchführen ließ sich dies aber nur für die in fester Gemeinschaft lebenden Kleriker der Dom- oder Kollegiatstifte. So haben diese im Besonderen den Titel Kanoniker erhalten[39].

6. In der römischen Meßliturgie heißt seit Gregor I[40] der unveränderliche Hauptteil Kanon. Er wird still vollzogen und umfaßt einleitende Gebete, die Fürbitte für die Lebenden unter Anrufung von namentlich zu nennenden Heiligen, die Konsekration und Elevation, Anamnese, Epiklese, das Gedächtnis der Verstorbenen wieder unter Nennung von Heiligen und eine Doxologie[41].

7. Fraglich ist, mit welchen der vorgenannten Bedeutungen das kirchlich gültige Verzeichnis der Heiligen am stärksten zusammenhängt. Die Aufnahme in dies ist nur durch den feierlichen Prozeß der Kanonisation möglich. Dann erst werden dem Heiligen die unter *6.* genannten kultischen Ehren zuteil. Die erste nachweisbare Kanonisation ist 993 geschehen. Seit Alexander III. nehmen die Päpste dies Recht für sich allein in Anspruch.

Beyer

---

† *καπηλεύω*

1. Der griechische Sprachgebrauch.

καπηλεύειν kommt von κάπηλος *Kleinhändler, Krämer*, der auf dem Markte die Waren, die er vom ἔμπορος („Großhändler") bezieht, verkauft, und bedeu-

---

[31] Schon bei Socrates (→ A 29) II 8, 4 (I 189 Hussey) heißt es: καίτοι κανόνος ἐκκλησιαστικοῦ κελεύοντος μὴ δεῖν παρὰ τὴν γνώμην τοῦ ἐπισκόπου ʽΡώμης τὰς ἐκκλησίας κανονίζειν.

[32] RE³ X, 1 ff.

[33] Gratian zu Dist III c 2 (Corpus iuris canonici, Ed Lipsiensis secunda I [1876] 4): Porro canonum alii sunt decreta pontificum, alii statuta conciliorum.

[34] Gratian Dist III aA § 1 (aaO 4): Ecclesiastica constitutio nomine canonis censetur. Vgl RE³ X 1 ff. So auch CDDuCange (ed GALHenschel), Glossarium Mediae et Infimae Latinitatis sv.

[35] Lauchert (→ A 24) 41. Ebenso can 17 u 19. Vgl auch Antiochia (341) can 2. 6. 11 (Lauchert 44 ff).

[36] Vgl NMünchen, Über das erste Konzil von Arles, in: Zschr für Philosophie u kath Theologie 26 (1838) 64 ff.

[37] κανονικοί zuerst bei Cyr Procatechesis 4 (MPG 33, 340 a). Can 15 von Laodicea zB redet vom Dienst τῶν κανονικῶν ψαλτῶν (Lauchert 74).

[38] Seine Regel bei JDMansi (→ A 24) XIV 313 ff.

[39] Vgl Du Cange (→ A 34) sv canonicus.

[40] Epistularum IX 12 (MPL 77, 956).

[41] Im griech Kultus ist ὁ κανών ein System von ᾠδαί genannten hymnischen Gesängen; vgl Sophocles Lex sv. Belege für den Gebrauch von κανών zur Bezeichnung kultischer Gesänge in der alten morgenländischen Kirche bei Suic Thes sv κανών ad IV.

καπηλεύω. Heinr 2 K⁸ (1900) 107 f; Wnd 2 K 100 f; Schl K 499; Ltzm K 109; Wettstein zu 2 K 2, 17; Str-B III 499.

tet: *Kleinhandel treiben.* Beide Wörter haben von jeher die Nebenbedeutung des Be-
trügerischen und Gewinnsüchtigen: κάπηλος (adj) „betrügerisch, verfälscht"; καπηλεύειν *betrügerisch, mit Betrug, mit Wucher, mit unerlaubtem Gewinn verkaufen, verschachern,*
oder *die Sache, die Ware verfälschen*; καπηλικός entsprechend „betrügerisch" [1].

Auf Geistiges bezogen, wurde καπηλεύειν ein Schlagwort in der Polemik der 5
Philosophen gegen die unechten Sophisten, die unechten Philosophen, die Geld
nahmen für ihre Lehre.

Plato Prot 313 c d: ἆρ' οὖν ... ὁ σοφιστὴς τυγχάνει ὢν ἔμπορός τις ἢ κάπηλος τῶν
ἀγωγίμων, ἀφ' ὧν ψυχὴ τρέφεται; ... οὕτω καὶ οἱ τὰ μαθήματα περιάγοντες
κατὰ τὰς πόλεις καὶ πωλοῦντες καὶ καπηλεύοντες τῷ ἀεὶ ἐπιθυμοῦντι. Soph 231 d, 10
wo der σοφιστής gekennzeichnet wird: *1.* als νέων καὶ πλουσίων ἔμμισθος θηρευτής,
2. als ἔμπορός τις περὶ τὰ τῆς ψυχῆς μαθήματα, *3.* als περὶ αὐτὰ ταῦτα κάπηλος, *4.* als
αὐτοπώλης (Selbstverkäufer) περὶ τὰ μαθήματα. Luc Hermot 59, wo die Philosophie
sehr drastisch mit dem Wein verglichen wird: ὅτι καὶ οἱ φιλόσοφοι ἀποδίδονται τὰ
μαθήματα ὥσπερ οἱ κάπηλοι, κερασάμενοί γε οἱ πολλοὶ καὶ δολώσαντες (vgl 2 K 4, 2) καὶ 15
κακομετροῦντες. Nach Philostr Vit Ap I 13 gg E bekämpfte Euphrates den Apollonius
von Tyana: ἐπειδὴ πάνθ' ὑπὲρ χρημάτων αὐτὸν πράττοντα ἐπέκοπτεν οὗτος καὶ ἀπῆγε τοῦ
χρηματίζεσθαί τε καὶ τὴν σοφίαν καπηλεύειν — auch Apollonius wurde für einen
geschäftstüchtigen Sophisten gehalten. Aristides 46, 144 (II 193, 1 ff GDindorf [1829]):
ἀλλὰ καὶ τὴν Σωκράτους εἴτε χρὴ σοφίαν εἴτε φιλοσοφίαν λέγειν, ἢ καί τι ἄλλο, καὶ τοῦτ' 20
ἄγαμαι, τὸ μὴ καπηλεύειν μηδ' ἐπὶ τοῖς βουλομένοις ὠνεῖσθαι ποιεῖν ἑαυτόν.

2. Der Sprachgebrauch in Septuaginta und bei Philo.

καπηλεύειν fehlt in Septuaginta; dagegen findet sich zweimal
κάπηλος in charakteristischer Bedeutung: Js 1, 22: τὸ ἀργύριον ὑμῶν ἀδόκιμον · οἱ κάπη- 25
λοί σου μίσγουσι τὸν οἶνον ὕδατι und Sir 26, 29: μόλις ἐξελεῖται ἔμπορος ἀπὸ πλημμελείας
καὶ οὐ δικαιωθήσεται κάπηλος ἀπὸ ἁμαρτίας — jeder κάπηλος steht im Verdacht, ein
Warenverfälscher, Sünder und Betrüger zu sein; das Wort hat einen üblen Neben-
klang bekommen genau wie → τελώνης [2].

Bei Philo findet sich nur καπηλεία „Kleinhandel" und zwar in einer Beschreibung 30
des Wandels der Essener Omn Prob Lib 78: ἐμπορίας γὰρ ἢ καπηλείας ἢ ναυκληρίας
οὐδ' ὄναρ ἴσασι, τὰς εἰς πλεονεξίαν ἀφορμὰς ἀποδιοπομπούμενοι (verabscheuend). Dagegen
beschreibt er mehrfach mit synonymen Worten die Sophistik oder Pseudoprophetie
als ein auf Geld erpichtes, betrügerisches Handeltreiben, so Gig 39: πῶς γὰρ οὐκ
ἐναργῆ καὶ πρόδηλα τὰ ὀνείδη τῶν λεγόντων μὲν εἶναι σοφῶν (vgl R 1, 22), πωλούντων 35
δὲ σοφίαν καὶ ἐπευωνιζόντων (billig verkaufen), ὥσπερ φασὶ τοὺς ἐν ἀγορᾷ τὰ ὤνια προ-
κηρύττοντας, τοτὲ μὲν μικροῦ λήμματος, τοτὲ δὲ ἡδέος καὶ εὐπαραγώγου λόγου, τοτὲ δὲ
ἀβεβαίου ἐλπίδος ἀπὸ μηδενὸς ἠρτημένης ἐχυροῦ, ἔστι δ' ὅτε καὶ ὑποσχέσεων, αἳ διαφέρου-
σιν ὀνειράτων οὐδέν; Weiter Vit Mos II 212: οὐχ ὅπερ μεθοδεύουσιν οἱ λογοθῆραι καὶ
σοφισταὶ πιπράσκοντες ὡς ἄλλο τι τῶν ὠνίων ἐπ' ἀγορᾶς δόγματα καὶ λόγους vgl auch 40
Spec Leg IV 51. Es ist wichtig zu sehen, daß auch der Zeitgenosse des Paulus in
Alexandrien die platonische Tradition kennt und in seine Philosophie und theologisch-
philosophische Erkenntnis einspannt.

---

[1] Vgl die Umschreibungen der alten Lexico-
graphen bei Wettstein aaO.
[2] Gegen die Händlerart wendet sich auch
das AT. Das zeigt vor allem das Orakel
gegen Tyrus Js 23, 1 ff. Die LXX hat hier
μεταβόλος für סֹחֵר. Die Vernichtung der
Händler gehört zu der endzeitlichen Erwartung, Sach 14, 21: „Und kein Krämer (כְּנַעֲנִי)
ist mehr im Hause Jahwes der Heerscharen
an jenem Tage." LXX übersetzt wörtlich
Χαναναῖος, Hieronymus aber, der hier seiner
Angabe nach Aquila folgt, setzt mercator.
In denselben Zshg gehört Zeph 1, 11: „Weh-
geschrei vom Fischtor ... denn vernichtet
ist die gesamte Kaufmannschaft." Gemeint
sind wohl die in Jerusalem am Fischtor wohnenden fremden, phönizisch-kananäischen
Händler, die die Juden zur Verletzung des
Sabbatgebotes verleiteten (Neh 10,32; 13,16ff).
Θ hat Zeph 1, 11 μεταβόλος, während Mas
und LXX den Volksnamen Kanaan stehen
lassen. Die fremden Händler scheinen auch
den Geldwechsel und Opferhandel im Tempel
in der Hand gehabt zu haben. Wenn das,
wie durchaus möglich, bis in die Zeit Jesu
so geblieben ist, so versteht sich von da aus
die Szene der Tempelreinigung. Jesus erfüllt
auch hier ein Zeichen der Heilszeit entsprechend Sach 14, 21. Vgl KMarti bei Kautzsch
zSt sowie JoachJeremias, Jerusalem zur Zeit
Jesu I (1923) S 22. 54 f. [Bertram.]

3. καπηλεύειν im Neuen Testament.

Im NT hat nur Paulus einmal das Wort und zwar in einer an Plato erinnernden Verbindung 2 K 2, 17: οὐ γάρ ἐσμεν ὡς οἱ πολλοὶ[3] καπηλεύοντες τὸν λόγον τοῦ θεοῦ, ἀλλ' ὡς ἐξ εἰλικρινείας, ἀλλ' ὡς ἐκ θεοῦ 5 κατέναντι θεοῦ ἐν Χριστῷ λαλοῦμεν. „Wir gehören nicht zu den vielen (Wortverkündern), die das Wort Gottes verschachern, sondern in Lauterkeit (Ehrlichkeit, Uneigennützigkeit, Sachlichkeit), von Gott her (ermächtigt und inspiriert) im Angesichte Gottes, in Christus reden wir." Das Wort ist eine Art Unschuldsbeteuerung des Apostels, vgl Ag 20, 33, eine Verteidigung gegen ehren-10 rührige Vorwürfe, zugleich ein Abrücken von allen falschen, gewinnsüchtigen Missionaren und Propagandisten, die ihm das Leben schwer machen oder mit denen er fälschlich zusammengeworfen wird 1 Th 2, 3—5; 2 K 11, 12 ff. Eine parallele Wendung findet sich in dem nächstfolgenden apologetisch-polemischen Abschnitt 4, 1 ff: μηδὲ δολοῦντες τὸν λόγον τοῦ θεοῦ[4]. Paulus bedient sich also in 15 seiner Auseinandersetzung mit seinen Gegnern und Konkurrenten, judenchristlichen, gnostischen, jüdischen und griechischen Wanderpredigern, eines Ausdrucks, der von den griechischen Philosophen in ihrem Kampf mit der Sophistik geprägt worden ist. Daß er die Herkunft der Wendung kannte, ist wahrscheinlich, da ihm ja die Nachfahren der Sophisten im griechischen Raume oft begegnet sein müssen und die Philosophen zu seiner Zeit vielfach zu „Wortverkäufern" herabgesunken waren[5].

Nach Ag 17, 18: τί ἂν θέλοι ὁ → σπερμολόγος οὗτος λέγειν ist er in Athen von den zünftigen Philosophen selbst diesen Afterphilosophen zugerechnet worden. → σπερμολόγος ist ein ähnliches Scheltwort wie καπηλεύων oder δολῶν τὸν λόγον (τοῦ θεοῦ).

25 Im Munde des Paulus bedeutet καπηλεύειν τὸν λόγον τοῦ θεοῦ: 1. das dem Missionar aufgetragene Wort von Gott für Geld anbieten[6], womit eigentlich auch die durch ein Herrenwort, das er kennt, legitimierte Sitte, das ἐκ τοῦ εὐαγγελίου ζῆν 1 K 9, 14 diffamiert wird. καπηλεύειν τὸν λόγον τοῦ θεοῦ kann aber 2. auch bedeuten: „das Wort verfälschen"[7] (wie der κάπηλος den Wein mit 30 Wasser vermischt, aber als ungemischt verkauft), mit falschen Zusätzen versehen (vgl 4, 2: μηδὲ δολοῦντες τὸν λόγον τοῦ θεοῦ). Das wäre hier auf das Falschevangelium der Judaisten zu beziehen 2 K 11, 4.

Es stößt hier also bei Paulus die durch Jesus selbst festgesetzte Regel für die Arbeit des Missionars Mt 10, 10; Lk 10, 7 mit dem von den besten Philo-35 sophen festgestellten Grundsatz, die Philosophie nicht für Geld zu lehren, zusammen[8]. Paulus kennt das Herrenwort 1 K 9, 14; 1 Tm 5, 18, aber er hält es, wenn man so sagen darf, mit Sokrates: er verzichtet für seine Person auf

---

[3] Variante der Koine: λοιποί.
[4] Vulgata übersetzt καπηλεύοντες u δολοῦντες mit adulterantes verbum dei. Vgl Wnd 2 K 333 ff.
[5] Vgl Luc Hermot aaO; Philostr Vit Ap aaO; Iust Dial 2, 3 (von einem Peripatetiker): καί μου ἀνασχόμενος οὗτος τὰς πρώτας ἡμέρας ἠξίου με ἔπειτα μισθὸν ὁρίσαι, ὡς μὴ ἀνωφελὴς ἡ συνουσία γίνοιτο ἡμῖν. καὶ αὐτὸν ἐγὼ διὰ ταύτην τὴν αἰτίαν κατέλιπον, μηδὲ φιλόσοφον οἰηθεὶς ὅλως. Wendland Hell Kult 91 ff.
[6] Did 12, 5 bezeichnet einen solchen Chri-

stus für Geld verschachernden Missionar als χριστέμπορος, vgl Kn Did 34. Im interpretierten Brief des Ign Mg 9 (MPG 5) sind beide Ausdrücke kombiniert: οἱ χριστέμποροι, τὸν λόγον καπηλεύοντες καὶ τὸν Ἰησοῦν πωλοῦντες κτλ.
[7] Diese Nebenbedeutung wird von manchen Auslegern hier abgelehnt; doch spricht die Fortsetzung dafür, daß sie mitschwingt.
[8] Auch diese Regel ist freilich durch ein Herrenwort gedeckt, Mt 10, 8: δωρεὰν ἐλάβετε, δωρεὰν δότε = τὸν λόγον τοῦ θεοῦ μὴ καπηλεύσητε.

den Unterhalt der Gemeinden und schilt die Missionare, die sich für ihre Wortverkündigung bezahlen lassen. Einer seiner Gründe ist sicher die schon von
Plato gegeißelte Geldgier der philosophisch-sophistischen Wanderprediger, mit
denen er öfters zusammengetroffen sein wird und mit denen er auch von miß-
günstigen Kritikern zusammengeworfen ist[9]. καπηλεύειν τὸν λόγον τοῦ θεοῦ ist
somit drastischer Ausdruck für einen ungeheuerlichen Mißbrauch, der mit dem
heiligen Wort getrieben wird. Paulus stellt ihm daher sofort die richtige Haltung, seine Haltung gegenüber: Uneigennützigkeit, Gebundenheit an Gottes
eigenes Wort, Verantwortungsbewußtsein gegenüber Gott, Gebundenheit an den
Christus.

Windisch †

καρδία, καρδιογνώστης, σκληροκαρδία

καρδία

Inhalt: A. לֵב, לֵבָב im AT. — B. καρδία bei den Griechen. — C. LXX,
hellenistisches und rabbinisches Judentum. — D. καρδία im NT.

Dieser Artk bietet nur die sprachlichen Grundlagen und die bedeutungsgeschichtlichen Voraussetzungen für das Verständnis des Begriffes καρδία.
Der biblisch-theologische Begriff wird, zusammen mit den verwandten Hauptbegriffen
der nt.lichen Anthropologie ψυχή, νοῦς, διάνοια, πνεῦμα usw im Artk ψυχή behandelt.

A. לֵב, לֵבָב im Alten Testament.

Der Gebrauch von לֵב und לֵבָב[1] ist nicht promiscue. ChABriggs[2]
hat nachgewiesen: „the earliest documents use לב", „לבב first appears in Isaiah".
Einzelheiten s bei Briggs und Holzinger[3].

1. **Herz im eigtl Sinne**: *a.* bei Mensch und Tier, *Herz-
gegend, Brust*, passim; סְגוֹר לֵב *der Brustkorb* Hos 13, 8. — *b.* Sitz der physischen
Lebenskraft: Belebung (סעד) durch Nahrung zB Gn 18, 5; *physisches Gebrochensein*
כָּל־לֵבָב דַּוָּי Js 1, 5.

2. **Übertr: das Innerste des Menschen**. Die Men-
schen sehen aufs Äußere, Gott aber sieht aufs Herz 1 S 16, 7; par zu קֶרֶב Jer 31, 33;

---

[9] Dob Th 106 f.

καρδία. Zu A: Mandelkern sv; Ges-Buhl
sv; ChABriggs, A Study of the Use of לֵב and
לֵבָב in the Old Testament, in: Semitic Stu-
dies in Memory of AKohut (1897); PJoüon,
Locutions hébraïques avec la préposition עַל
devant לֵב, לֵבָב, in: Biblica 5 (1924) 49 ff;
HKornfeld, Herz und Gehirn in altbibli-
scher Auffassung, in: Jbch für jüdische Ge-
schichte u Lit 12 (1909) 81 ff. — Zu B—D:
Pass I 1585; Liddell-Scott 877; Cr-Kö 581 ff;
Pr-Bauer[3] 670 ff; Moult-Mill 321; Levy
Wört II 463 f; Levy Chald Wört I 399 f;
EHatch, Essays in Biblical Greek (1889) 94 ff;
ASchlatter, Herz u Gehirn im 1. Jhdt, in:

Studien zur systematischen Theologie, Thv
Haering ... dargebracht (1918) 86 ff; Schl
Theol d Judt 20 f.
[1] לֵבָה Ez 16,30 nach EKönig, Hbr u aram
Wörterbuch z AT (1910), „als spätere Fem Gestalt von לֵב sprachgeschichtlich unanfechtbar",
aber wohl eher, da sonst nie vorkommend,
als Textverderbnis zu erklären (vgl CHCor-
nill, Das Buch des Propheten Ezechiel [1886]
265). — Von לֵב bzw לֵבָב ist denom לֵבֵב ni
„Einsicht gewinnen" Hi 11, 12, pi „des Verstandes berauben" Cant 4, 9.
[2] Briggs aaO 94 ff.
[3] HHolzinger, Einleitung in den Hexateuch
(1893) 185. — Vgl ferner: Joüon aaO.

bei sich selbst sprechen, denken (אמר, דבר passim, חשב Sach 7, 10, ברך Dt 29, 18; Hi 1, 5). Das Herz ist *Sitz der seelischen bzw geistigen Kräfte und Fähigkeiten*:

a. In *Mut und Tapferkeit* hält das Herz stand (עמד Ez 22, 14): לֵב par כֹּחַ Da 11, 25, מָצָא אֶת־לִבּוֹ sich ein Herz fassen 2 S 7, 27, יִגְבַּהּ לִבּוֹ sein Mut hob sich 2 Ch 17, 6, אַבִּירֵי לֵב die Heldenhaften Ps 76, 6. Das Schwinden des Mutes (לֵב): רכך zB Dt 20, 3, מסס zB Dt 20, 8, חרד zB 1 S 4, 13, יצא Gn 42, 28, עזב Ps 40, 13, נפל 1 S 17, 32, מוג Ez 21, 20, דִּבֶּר עַל־לֵב Mut zusprechen zB Gn 34, 3. — *Freude:* שָׂמַח לֵב zB Dt 28, 47. Vom Frohsein des Herzens: יטב zB Ri 19, 9, טוב zB 2 S 13, 28, שׂמח zB Sach 10, 7, רנן Hi 29, 13, רחשׁ Ps 45, 2, עלץ 1 S 2, 1. *Kummer u Schmerz* (כָּאַב לֵב Js 65, 14) sitzt in den Wänden des Herzens (לֵב קִירוֹת Jer 4, 19). Vom Bekümmertsein des Herzens: רעע Dt 15, 10 (רַע לֵב Neh 2, 2), שׁבר ni zB Ps 34, 19, חִיל Ps 55, 5, הפך ni Thr 1, 20, חמץ hitp Ps 73, 21, כאב Prv 14, 13, סְחַרְחַר Ps 38, 11, זעק Js 15, 5. — *Hochmut:* זְדוֹן לֵב Jer 49, 16, רָם לֵב Jer 48, 29, גָּבַהּ לֵב 2 Ch 32, 26. Vom Hochmütigsein des Herzens: רום zB Dt 8, 14, גבה zB Ez 28, 17, נשׂא 2 Kö 14, 10. — *Zugeneigtheit:* הֵשִׁיב (הֵסֵב) לֵב, הָיָה לֵב אַחֲרֵי 2 S 15, 13, הִטָּה zB 1 Kö 8, 58; Esr 6, 22, נָטָה לֵב מֵעִם 1 Kö 11, 9. — *Sorgendes Anliegen:* שִׂים אֶת־לֵב אֶל oder לְ לֵב עַל Mal 3, 24, 1 S 9, 20; 1 S 25, 25. — *Mitleid:* נֶהְפַּךְ לִבִּי Hos 11, 8. — *Erregung:* חמם zB Dt 19, 6, קנא pi Prv 23, 17; Gelassenheit: לֵב מַרְפֵּא Prv 14, 30. — *Verlangen:* תַּאֲוַת לִבּוֹ Ps 21, 3; Begehrlichkeit, Gelüste: לֵב par zu עֵינַיִם zB Nu 15, 39, אַחַר עֵינַי הָלַךְ לִבִּי Hi 31, 7.

b. Das Herz als Sitz der *verstandesmäßigen Funktionen*. Das Herz ist von Gott gegeben לָדַעַת Dt 29, 3. Die Verstand erworben haben (קָנָה לֵב Prv 19, 8), sind אַנְשֵׁי לֵבָב Hi 34, 10 oder חַכְמֵי לֵב zB Hi 37, 24, mit weitreichender Einsicht (רֹחַב לֵב 1 Kö 5, 9), ihnen eignet לֵב חָכָם וְנָבוֹן 1 Kö 3, 12, von ihnen gilt לֵב נָבוֹן יִקְנֶה־דָּעַת Prv 18, 15, sie reden aus dem Schatze ihrer Erkenntnis (מִלִּבָּם Hi 8, 10). Entsprechend: לִבּוֹ חָסֵר: sein *Verstand* versagt Qoh 10, 3, חֲסַר־לֵב (oder: חֹסֶר־לֵב, vgl BHK[2.3]) *Torheit* Prv 10, 21, חֲסַר־לֵב: unverständig zB Prv 6, 32, אֵין לֵב ohne Verstand zB Hos 7, 11, יִקַּח לֵב: jemanden täuschen zB Gn 31, 20, der Wein nimmt den Verstand Hos 4, 11, תִּמָּהוֹן לֵבָב Geistesverwirrung Dt 28, 28. — Im Herzen wohnen die Gedanken רַעְיֹנֵי לִבְבָךְ Da 2, 30; חִקְרֵי־לֵב Ri 5, 16, die bösen Gedanken מַשְׂכִּיֹּות לֵבָב Ps 73, 7, die Phantasien תַּרְמִית לֵב zB Jer 14, 14, die selbstersonnenen Gesichte חֲזוֹן לֵב Jer 23, 16, der Kunstsinn חָכְמַת־לֵב Ex 35, 35 חֲכַם־לֵב Künstler zB Ex 28, 3). — עָלָה עַל־לֵב in den Sinn kommen zB Js 65, 17, הֵשִׁיב אֶל־לֵב gedenken zB Thr 3, 21, שִׂים (שִׁית) לֵב, die Aufmerksamkeit richten auf zB Hag 1, 5; Jer 31, 21.

c. Aus dem Herzen kommt das *Planen und Wollen* (מְזִמּוֹת לֵב zB Jer 23, 20): בְּלִבְבוֹ es ist in seiner Absicht Js 10, 7, הָיָה עִם־לְבָב die Absicht haben zB 1 Kö 8, 17, עָשָׂה 1 Ch 22, 19 oder לְ nach dem Willen handeln 1 S 2, 35 (כְּלֵב 1 S 13, 14 uö), נָתַן לְבָב לְ בִּלְבָב וּבְנֶפֶשׁ הֵכִין לְבָבוֹ לְ Esr 7, 10 seine Absicht richten auf, שִׂים עַל־לֵב sich vornehmen Da 1, 8, עָלְתָה עַל־לִבִּי es ist meine Absicht gewesen zB Jer 7, 31. — Der *innere Antrieb* quillt aus dem Herzen: כָּל־אִישׁ אֲשֶׁר נְשָׂאוֹ לִבּוֹ jeder, den sein Herz dazu trieb zB Ex 36, 2 (mit מָלֵא Est 7, 5), נְדִיב לֵב der Bereitwillige zB Ex 35, 5, לֹא מִלִּבִּי nicht aus eignem Antrieb zB Nu 16, 28. — Die *Willenshaltung*, der Charakter, wurzelt im Herzen (umfassend: כְּלָיוֹת וָלֵב Jer 11, 20). Soll das Willensleben (דֶּרֶךְ לֵב Js 57, 17; יֵצֶר מַחְשְׁבֹת לֵב Gn 6, 5) in die rechte Richtung gelenkt werden (הַטֵּה לֵב Ps 119, 36 הֵכִין לֵב zB Hi 11, 13), so gilt es die Erneuerung des Herzens (לֵב חָדָשׁ zB Ez 18, 31). — *Der ganze Mensch mit seinem inneren Sein u Wollen* ist in לֵב begriffen: die volle Hingabe בְּכָל־לֵב (par zu בְּכָל־נֶפֶשׁ zB Jos 22, 5, zu בֶּאֱמֶת 1 S 12, 24, zu בְּכָל־רָצוֹן 2 Ch 15, 15, zu בְּכָל־מְאֹד Dt 6, 5) oder בְּלֵב שָׁלֵם zB 1 Ch 29, 9 (par zu בְּנֶפֶשׁ חֲפֵצָה 1 Ch 28, 9, zu בֶּאֱמֶת 2 Kö 20, 3). — So kann לֵב die *Person* meinen zB Ps 22, 27 (neben כְּלָיוֹת Prv 23, 15f, כָּבֵד Ps 16, 9[4], שְׁאֵר Ps 73, 26, בָּשָׂר Ps 84, 3), wenn schon immer eine bestimmte Nuancierung von „Person" gemeint zu sein scheint.

---

[4] So ist wohl Ps 16, 9 zu verbessern, vgl Komm.

d. Im Herzen wurzelt die *religiös-sittliche Haltung.* Mit dem Herzen dient man Gott (1 S 12, 20; par zu בֶּאֱמֶת 1 S 12, 24; „mit ganzem Herzen" passim), in ihm wohnt die Furcht vor Gott Jer 32, 40, das Herz (לוּחַ לֵב) nimmt die Lehren Gottes auf Prv 7, 3 (בְּלִבָּם תּוֹרָתִי Js 51, 7), das Herz der Frommen (יִשְׁרֵי־לֵב zB Ps 7, 11) vertraut auf Gott Prv 3, 5, ist ihm treu לֵבָב נֶאֱמָן Neh 9, 8, ist unverzagt אמץ hi Ps 27, 14. Vom Abtrünnigwerden des Herzens: רחק pi Js 29, 13, סוּר zB Dt 17, 17, סוג zB Ps 44, 19, פנה zB Dt 29, 17, פתה Dt 11, 16, זנה Ez 6, 9. Vom Sichverstocken des Herzens: חזק q u pi zB Ex 4, 21; 7, 13, כבד q u hi zB Ex 9, 7; 8, 11, קשׁה hi zB Ex 7, 3, אמץ pi zB Dt 2, 30; die Verstockten: חִזְקֵי לֵב Ez 2, 4 (par zu קְשֵׁי פָנִים), אַבִּירֵי לֵב Js 46, 12; die Verstocktheit: שְׁרִירוּת לֵב zB Dt 29, 18, מְגִנַּת לֵב Thr 3, 65. Das Herz des Sünders (die Sünde ist aufgeschrieben עַל לוּחַ לִבָּם Jer 17, 1) ist „unbeschnitten": עָרְלַת לֵבָב zB Dt 10, 16, עַרְלֵי לֵב Jer 9, 25. Die Beschneidung des Herzens (מול zB Dt 10, 16) erfolgt in der Herzensumkehr: שׁוּב Jl 2, 12, הֵשִׁיב אֶל־לֵב 1 Kö 8, 47, וַיַּךְ לֵב Ps 51, 19. לֵב es schlug das Gewissen zB 1 S 24, 6; מִכְשׁוֹל לֵב Gewissensskrupel 1 S 25, 31. — Der Fromme ist reinen Herzens: בַּר־לֵבָב Ps 24, 4, אֹהֵב טְהָר־לֵב Prv 22, 11; vgl יֹשֶׁר לֵבָב Dt 9, 5, תָּם־לְבָב Gn 20, 5, יְשָׁרַת לֵבָב 1 Kö 3, 6, לֵב טָהוֹר Ps 51, 12, er redet die volle Wahrheit אֶת־כָּל־לִבּוֹ Ri 16, 17. Der Gottlose hat ein „verkehrtes" Herz: עִקְּשֵׁי־לֵב Prv 11, 20, חַנְפֵי לֵב Hi 36, 13, er redet doppelzüngig בְּלֵב וָלֵב Ps 12, 3.

3. Übertr: בְּלֶב־יָם *mitten im Meer* passim.   20

Die aufgezeigten Nuancen spiegelt die Septuaginta lebhaft wider. Neben καρδία bzw στῆθος sind die häufigsten Äquivalente: διάνοια, ψυχή, ἐνδεὴς φρενῶν, νοῦς.

Baumgärtel

B. *καρδία*[5] bei den Griechen.

Das Wort bezeichnet in der Hauptsache   25

1. eigtl das *Herz* im physiologischen Sinne als zentrales Organ des menschlichen oder tierischen Körpers zB Hom Il 10, 94: κραδίη δέ μοι ἔξω στηθέων ἐκθρῴσκει, 13, 442: δόρυ δ' ἐν κραδίῃ ἐπεπήγει, Aesch Eum 861: καρδίαν ἀλεκτόρων, PLeid V XIII 24 (Preis Zaub XII 438): καρδία ἱέρακος, Gal passim, vgl noch Plat Symp 215d: ἡ καρδία πηδᾷ (ebenso Aristoph Nu 1391; Plut Aud Poet 10 [II 30a]); PLond I 46, 157 (Preis Zaub V 156f): ὄνομά μοι καρδία περιεζωσμένη ὄφιν.

2. übertr, vorwiegend bei Dichtern, selten in der Prosa, das *Herz* des Menschen als Sitz seines seelisch-geistigen Lebens. *a.* Sitz der Gefühle und Leidenschaften: Zorn Hom Il 9, 646: ἀλλά μοι οἰδάνεται κραδίη χόλῳ, Eur Alc 837: ὦ πολλὰ τλᾶσα καρδία, Mut oder Furcht Hom Il 21, 547: ἐν μέν οἱ κραδίῃ θάρσος βάλε, 1, 225: κυνὸς ὄμματ' ἔχων, κραδίην δ' ἐλάφοιο, Freude oder Traurigkeit Od 4, 548: κραδίη καὶ θυμὸς ἀγήνωρ, 17, 489: ἐν μὲν κραδίῃ μέγα πένθος ἄεξεν, Epict Diss I 27, 21: τὸν δὲ τρέμοντα καὶ ταρασσόμενον καὶ ῥηγνύμενον ἔσωθεν τὴν καρδίαν, Liebe Sappho 2, 5f (Diehl I·329): τό μοι μὰν καρδίαν ἐν στήθεσιν ἐπτόαισεν, Aristoph Nu 86: ἐκ τῆς καρδίας μ' ὄντως φιλεῖς, Theocr Idyll 29, 4: οὐχ ὅλας φιλέειν μ' ἐθέλησθ' ἀπὸ καρδίας, MAnt II 3: ἀπὸ καρδίας εὐχάριστος τοῖς θεοῖς. — *b.* Sitz des Denkvermögens Hom Il 21, 441: ἄνοον κραδίην ἔχες, Pind Olymp 13, 16ff: πολλὰ δ' ἐν καρδίαις ἀνδρῶν ἔβαλον ὧραι ... ἀρχαῖα σοφίσμαθ' ..., Corp Herm VII 1: ἀναβλέψαντες τοῖς τῆς καρδίας ὀφθαλμοῖς (vgl IV 11); VII 2: ἀφορῶντες τῇ καρδία εἰς τὸν (οὕτως) ὁραθῆναι θέλοντα, οὐ γάρ ἐστιν ... ὁρατὸς ὀφθαλμοῖς, ἀλλὰ νῷ καὶ καρδίᾳ. — *c.* Sitz des Wollens und der Entschlüsse 45 Hom Il 10, 244: πρόφρων κραδίη καὶ θυμὸς ἀγήνωρ, Soph Ant 1105: καρδίας δ' ἐξίσταμαι τὸ δρᾶν.

In der philosophischen Terminologie begegnen bei Plato schwache Ansätze, der καρδία seelische Funktionen zuzuschreiben, vgl Symp 218a: δεδηγμένος τε ὑπὸ ἀλγεινοτέρου καὶ τὸ ἀλγεινότατον ὧν ἄν τις δηχθείη — τὴν καρδίαν γὰρ [ἢ ψυχὴν] ἢ 50 ὅτι δεῖ αὐτὸ ὀνομάσαι πληγείς τε καὶ δηχθεὶς ὑπὸ τῶν ἐν φιλοσοφίᾳ λόγων, Resp VI 492c: ἐν δὴ τῷ τοιούτῳ τὸν νέον, τὸ λεγόμενον, τίνα οἴει καρδίαν ἴσχειν; Tim Locr 100a: τῷ

---

[5] Zum Wandel der Wortform in den Dialekten u der Dichtersprache (καρδίη, κραδίη usw) vgl Pass u Liddell-Scott aaO; Walde-Pok I 423.

δ' ἀλόγω μέρεος τὸ μὲν θυμοειδὲς περὶ τὰν καρδίαν, τὸ δ' ἐπιθυματικὸν περὶ τὸ ἧπαρ. Aber der physiologische Grundbegriff ist festgehalten, vgl Tim 65 c: τὰ φλέβια (Adern), οἶόν περ δοκίμια τῆς γλώττης τεταμένα ἐπὶ τὴν καρδίαν. Aristoteles, für den das Herz in erster Linie Zentrum des Blutumlaufs und damit physisches Lebenszentrum überhaupt
5 ist (zB De Somno et Vigilia 3 p 456 b vgl 458 a; Mot An 10 p 703 a), kommt von der Sinnesphysiologie aus dazu, die Empfindungen in die Gegend der καρδία zu verlegen, vgl De Sensu et Sensili 2 p 439 a 1 f: καὶ διὰ τοῦτο πρὸς τῇ καρδίᾳ τὸ αἰσθητήριον αὐτῶν, τῆς τε γεύσεως καὶ τῆς ἁφῆς, Part An II 10 p 656 a 28 ff: ἀρχὴ τῶν αἰσθήσεών ἐστιν ὁ περὶ τὴν καρδίαν τόπος, διώρισται πρότερον ἐν τοῖς περὶ αἰσθήσεως· καὶ διότι αἱ μὲν δύο φανερῶς
10 ἠρτημέναι πρὸς τὴν καρδίαν εἰσίν, ἥ τε τῶν ἁπτῶν καὶ ἡ τῶν χυμῶν, ebd 656 b 22 ff: ἔχει δ' ἐν τῷ ἔμπροσθεν τὸν ἐγκέφαλον πάντα τὰ ἔχοντα τοῦτο τὸ μόριον, διὰ τὸ ἔμπροσθεν εἶναι ἐφ' ὃ αἰσθάνεται, τὴν δ' αἴσθησιν ἀπὸ τῆς καρδίας, ταύτην δ' εἶναι ἐν τοῖς ἔμπροσθεν, καὶ τὸ αἰσθάνεσθαι διὰ τῶν ἐναίμων γίνεσθαι μορίων, φλεβῶν δ' εἶναι κενὸν τὸ ὄπισθεν κύτος (Höhlung), ebd III 4 p 666 a 11 ff (nach physiologischen Erörterungen über das Herz): ἔτι δ' αἱ κινή-
15 σεις τῶν ἡδέων καὶ τῶν λυπηρῶν καὶ ὅλως πάσης αἰσθήσεως ἐντεῦθεν ἀρχόμεναι φαίνονται καὶ πρὸς ταύτην περαίνουσαι. In der Stoa wird die καρδία gewissermaßen zum Zentralorgan des geistigen Lebens, zum Sitz der Vernunft, von dem Fühlen, Wollen und Denken ausgehen, vgl Chrysipp[6] nach vArnim II 245, 34 ff: τούτοις πᾶσι συμφώνως καὶ τοὔνομα τοῦτ' ἔσηκεν ἡ καρδία κατά τινα κράτησιν καὶ κυρείαν, ἀπὸ τοῦ ἐν αὐτῇ εἶναι
20 τὸ κυριεῦον καὶ κρατοῦν τῆς ψυχῆς μέρος, ὡς ἂν κρατία λεγομένη, ebd 246, 1 f: ὁρμῶμεν κατὰ τοῦτο τὸ μέρος καὶ συγκατατιθέμεθα τούτῳ καὶ εἰς τοῦτο συντείνει τὰ αἰσθητήρια πάντα, vgl ebd 246, 13 f: Χρύσιππος δὲ τοῦ ψυχικοῦ πνεύματος φασὶν εἶναι τὴν κοιλίαν ταύτην (sc: τὴν ἀριστερὰν τῆς καρδίας), ebd 244, 18 ff; 248, 33 ff; 247, 26 ff. 34 ff; 249, 5 ff; 236, 15. 25. 26 ff, bes 34 f: ἐν τῇ καρδίᾳ τὸ λογιστικὸν ὑπάρχειν[7], ebenso Dio-
25 genes von Babylon, der Schüler Chrysipps, ebd III 216, 16 f: ὁ πρῶτον τροφῆς καὶ πνεύματος ἀρύεται (aufnimmt), ἐν τούτῳ ὑπάρχει τὸ ἡγεμονικόν, ὁ δὲ πρῶτον τροφῆς καὶ πνεύματος ἀρύεται, ἡ καρδία, ebd Z 9 f: ἡ διάνοια ἄρα οὐκ ἔστιν ἐν τῇ κεφαλῇ, ἀλλ' ἐν τοῖς κατωτέρω τόποις, μάλιστά πως περὶ τὴν καρδίαν, und andere Stoiker, vgl vArnim II 228, 4 f: οἱ Στωϊκοὶ πάντες ἐν ὅλῃ τῇ καρδίᾳ ἢ τῷ περὶ τὴν καρδίαν πνεύματι (sc: εἶναι τὸ ἡγεμονικόν),
30 Diog Laert VII 159 (ebd Z 1 ff): ἡγεμονικὸν δὲ εἶναι τὸ κυριώτατον τῆς ψυχῆς, ἐν ᾧ αἱ φαντασίαι καὶ αἱ ὁρμαὶ γίνονται καὶ ὅθεν ὁ λόγος ἀναπέμπεται· ὅπερ εἶναι ἐν καρδίᾳ. Aber im ganzen bleibt diese Betrachtung bei der Frage nach dem Sitz des geistigen Lebens im Körper stehen[8] und dringt nicht zur eigentlichen Übertragung des Begriffes καρδία ins Geistige vor (s vArnim II 248, 33 ff: καθ' ἣν ἔτι φοράν [Meinung] καὶ τὰ τοιαῦτα
35 λέγεται πάντα· „ἡψάμην σου τῆς καρδίας" ὥσπερ τῆς ψυχῆς . . . τῇ δὲ καρδίᾳ καθάπερ ἂν τῇ ψυχῇ χρώμεθα, vgl ebd 249, 5 ff; 247, 26 ff. 36 ff), namentlich nicht zu einer bestimmten Verlegung des Denkvorganges in die καρδία.

Leere Mitte empty center

3. übertr auf die Natur: das Innere; das Mark der Pflanze, der Kern des Baumes zB Theophr Historia Plantarum I 2, 6: καλοῦσι δέ τινες τοῦτο καρ-
40 δίαν, οἱ δ' ἐντεριώνην· ἔνιοι δὲ τὸ ἐντὸς τῆς μήτρας αὐτῆς καρδίαν, οἱ δὲ μυελόν, PLeid V XIII 24 (Preis Zaub XII 438): ἀρτεμισίας (Beifuß) καρδία, PLeid W VI 50 f (Preis Zaub XIII 262 f): λαβὼν βάϊν (Palmzweig) χλωρὰν καὶ τῆς καρδίας κρατήσας σχίσον εἰς δύο.

C. Septuaginta, hellenistisches und rabbinisches Judentum.

45 1. In der Septuaginta ist καρδία das eigentliche Aequivalent für hbr לֵב oder לֵבָב (seltener stehen dafür διάνοια und ψυχή, ganz selten φρένες, νοῦς und στῆθος). Nur an einigen wenigen Stellen tritt καρδία ein für קֶרֶב (ψ 5, 10; 61, 5; 93, 19; Prv 14, 33; 26, 24), für מֵעִים (Thr 2, 11; ψ 39, 9 B), für רוּחַ (Ez 13, 3), für בֶּטֶן (Prv 22, 18; Hab 3, 16 vl) oder für עֹרֶף (2 Παρ 30, 8 B). Nirgends im gesicherten
50 LXX-Text entspricht καρδία נֶפֶשׁ (so nur Dt 12, 20 A; ψ 93, 19 S; 130, 2 A). Der Reichtum der Spielarten, in denen sich die Bdtg der hbr Grundwörter bewegt, kehrt bei καρδία in der LXX wieder. So ist die καρδία vor allen Dingen auch das Prinzip und

---

[6] Zeno u Cleanthes verweisen nur die Affekte ins Herz, s vArnim I 51, 28 f: τοὺς φόβους καὶ τὰς λύπας καὶ πάνθ' ὅσα τοιαῦτα πάθη κατὰ τὴν καρδίαν συνίστασθαι.
[7] Religiöse Funktionen werden der καρδία in hell Texten, soviel ich sehe, nur im Berliner Zauberpapyrus 5025 (Preis Zaub I 21) zugesprochen: ἔσται τι ἔνθεον ἐν τῇ σῇ καρδίᾳ → I 645, 15 f.

[8] Vgl dazu noch Lucrez De Rerum Natura III 136 ff (ed JMartin [1934]); Plut De Placitis Philosophorum IV 5 (II 899 a/b); Claudius Ptolemaeus De Judicandi Facultate et Animi Principatu 26 ff (p XIV f ed FHanow, in: Programm des Gymnasiums Küstrin [1870]). Über die stoische Lehre vom ἡγεμονικόν s JSchneider, Πνεῦμα ἡγεμονικόν ZNW 34 (1935) 64 ff.

Organ des menschlichen Personlebens, der innere Konzentrationspunkt des Wesens und Wirkens des Menschen als geistiger Persönlichkeit (vgl Prv 4, 23: πάσῃ φυλακῇ τήρει σὴν καρδίαν · ἐκ γὰρ τούτων ἔξοδοι ζωῆς, vgl ψ 21, 27), daher auch der Quellort und Sitz des religiös-sittlichen Lebens Dt 6, 5; 1 Βασ 12, 20. 24; 'Ιερ 39, 40; Prv 7, 3; 3, 5; Jl 2, 12 usw. καρδία wechselt vielfach mit ψυχή, διάνοια, πνεῦμα, νοῦς ua, behält aber 5 auch diesen Synonymen gegenüber die Beziehung auf das Ganze und die Einheit des inneren Lebens, das sich in der Mannigfaltigkeit der seelisch-geistigen Funktionen darstellt und auswirkt, → ψυχή.

2. Das hellenistische Judentum redet, wenn es sich in den Bahnen at.licher Gedanken bewegt, von καρδία in demselben Sinne wie die LXX, 10 vgl zB Test L 13, 1: φοβεῖσθε κύριον τὸν θεὸν ὑμῶν ἐξ ὅλης τῆς καρδίας ὑμῶν, Test Jos 10, 5: εἶχον τὸν φόβον τοῦ θεοῦ ἐν τῇ καρδίᾳ μου, Test S 5, 2: ἀγαθύνατε τὰς καρδίας ὑμῶν ἐνώπιον κυρίου, Test D 5, 11: ἐπιστρέψει καρδίας ἀπειθεῖς πρὸς κύριον, Test S 4, 5 (vgl Test R 4, 1 uö): ἐν ἁπλότητι καρδίας, Test R 6, 10: ἐν ταπεινώσει καρδίας ὑμῶν, Test Iss 3, 1: ἐν εὐθύτητι καρδίας, Test N 3, 1: ἐν καθαρότητι καρδίας, Test Jos 15 4, 6: κύριος . . . εὐδοκεῖ . . . τοῖς ἐν καθαρᾷ καρδίᾳ . . . αὐτῷ προσερχομένοις, 17, 3: τέρπεται . . . ὁ θεὸς . . . ἐπὶ προαιρέσει καρδίας ἀγαθῆς, Test S 4, 7: ἀγαπήσατε ἕκαστος τὸν ἀδελφὸν αὐτοῦ ἐν ἀγαθῇ καρδίᾳ, Test G 5, 3: (der Gerechte und Demütige) . . . οὐχ ὑπ' ἄλλου καταγινωσκόμενος ἀλλ' ὑπὸ τῆς ἰδίας καρδίας, Test G 6, 7: ἄφες αὐτῷ ἀπὸ καρδίας, Test S 2, 4: ἡ γὰρ καρδία μου ἦν σκληρά, Test Jud 20, 5: ἐμπεπύρισται ὁ ἁμαρ- 20 τωλὸς ἐκ τῆς ἰδίας καρδίας, Test Seb 2, 5: ἐβόμβει ἡ καρδία μου, Test Jos 15, 3: ἡ καρδία μου ἐτάκη, Test D 4, 7: συναίρονται ἀλλήλοις ἵνα ταράξωσι τὴν καρδίαν, Test Jos 7, 2: πόνον καρδίας ἐγὼ ἀλγῶ, Test L 6, 2: συνετήρουν τοὺς λόγους τούτους ἐν τῇ καρδίᾳ μου, 8, 19: ἔκρυψα . . . τοῦτο ἐν τῇ καρδίᾳ μου, Test D 1, 4: ἐν καρδίᾳ μου ἐθέμην, gr Hen 14, 2: νοῆσαι καρδίᾳ, ep Ar 17: ἐπεκαλούμην τὸν κυριεύοντα κατὰ καρδίαν usw, vgl 4 Esr 25 3, 1: *meine Gedanken drangen mir zum Herzen empor* (s Js 65, 17 uö); 3, 30: *da entsetzte sich mein Herz* (= Ich); 3, 21: Adam trug *ein böses Herz* in sich, daher sündigte er (vgl 4, 30); ebenso haben seine Nachkommen *das böse Herz*, das sie allesamt *abgeleitet hat vom Leben und hingeführt zur Vernichtung und auf den Weg des Todes* (3, 20. 26; 7, 48). 30

So kann auch ⟨Philo⟩ in unmittelbarem Anschluß an das AT von ἀπερίτμητοι τὴν καρδίαν sprechen Spec Leg I 304 (vgl Lv 26, 41) oder mit dem Gesetz fordern, τὰ δίκαια . . . ἐντιθέναι . . . τῇ καρδίᾳ Spec Leg IV 137 (vgl Dt 6, 6). Er greift wiederholt zurück auf Dt 30, 14: ἔστιν σου ἐγγὺς τὸ ῥῆμα σφόδρα . . . ἐν τῇ καρδίᾳ σου Poster C 85; Virt 183; Mut Nom 237 f; Som II 180; Omn Prob Lib 68; Praem Poen 79 f. 35 Aber ihm ist der biblische Gedanke, daß die καρδία der Sitz des inneren Lebens ist, fremd; daher nimmt er das Wort als uneigentlichen Ausdruck und versteht καρδία als bloßes Symbol der διάνοια oder der βουλαί (βουλεύματα). Mut Nom 124 wird der Name Kaleb mit πᾶσα καρδία erklärt, aber in der allegorischen Ausdeutung tritt ψυχή an die Stelle von καρδία, weil Philo dies Wort nur im physiologischen Sinne geläufig ist. 40 Er rechnet die καρδία, die in den στήθη sitzt (Leg All I 68, vgl auch das Bild Vit Mos I 189), zu den 7 inneren Teilen des Körpers, den Eingeweiden (Op Mund 118; Leg All I 12), und erörtert ihre Bedeutung als Zentrum des Blutumlaufs Spec Leg I 216. 218. Er weiß von Ärzten und Naturforschern, daß das Herz zuerst entsteht[9] und zuletzt vergeht: δοκεῖ τοῦ ὅλου σώματος προπλάττεσθαι ἡ καρδία, θεμελίου τρόπον ἢ ὡς ἐν 45 νηὶ τρόπις (Kiel), ἐφ' ᾗ οἰκοδομεῖται τὸ ἄλλο σῶμα — παρὸ καὶ μετὰ τὴν τελευτὴν ἔτι ἐμπηδᾶν φασιν αὐτὴν ὡς καὶ πρώτην γινομένην καὶ ὑστέραν φθειρομένην Leg All II 6. Verrät sich hier der Einfluß des griechischen Denkens auf das Verständnis des Wortes καρδία bei Philo, so zeigt die häufige Erwähnung des Problems, ob das ἡγεμονικόν im Herzen oder im Gehirn wohnt, seine Bekanntschaft mit der Anthropologie der helle- 50 nistischen Philosophen (→ 612, 16 ff)[10]. Er läßt, obwohl er bei passender Gelegenheit die Gleichung καρδία—ἡγεμονικόν vollzieht (Spec Leg I 305 → 616, 24 ff), das Problem offen (Spec Leg I 214; Som I 32; Poster C 137; Det Pot Ins 90), auch unter Hinweis auf die Opferthora, welche nichts über Darbringung von Gehirn oder Herz vorschreibt, die doch wohl besonders geheiligt werden müßten, wenn wirklich auch nach dem 55 Willen des Gesetzgebers in einem von beiden das ἡγεμονικόν anzunehmen wäre, Sacr AC 136 vgl Spec Leg I 213 ff. Einmal erwähnt er bei der Deutung des Lebensbaumes im Paradies die Ansicht von Leuten, die das Herz für das ἡγεμονικόν halten Leg All I 59: τὴν καρδίαν ξύλον εἰρῆσθαι ζωῆς, ἐπειδὴ αἰτία τε τοῦ ζῆν ἐστι καὶ τὴν μέσην τοῦ σώματος χώραν ἔλαχεν, ὡς ἂν κατ' αὐτοὺς ἡγεμονικὸν ὑπάρχουσα. Ein anderes Mal macht 60 er sich ein fremdes Argument zugunsten der Beschneidung zu eigen, die Beschneidung geschehe, um das physische Zeugungsorgan dem Herzen, dem wertvolleren inneren

---

[9] Stoische Lehre, vgl vArnim II 214, 1 ff. 6 ff. 12 ff.   [10] S hierzu JSchneider aaO (→ A 8) 66 ff.

Organ, das Gedanken hervorbringt, ähnlich zu machen, Spec Leg I 6: τὴν πρὸς καρδίαν ὁμοιότητα τοῦ περιτμηθέντος μέρους· πρὸς γὰρ γένεσιν ἄμφω παρεσκεύασται, τὸ μὲν
ἐγκάρδιον πνεῦμα νοημάτων, τὸ δὲ γόνιμον ὄργανον ζῴων. Aber Philos eigene Meinung bleibt
— im Zusammenhang mit seiner religiösen Kritik der Vernunft —, daß der Ort des ἡγεμονικόν im menschlichen Körper nicht festzustellen ist, daß das Herz, das leibliche
Organ, an das er allein denkt, nicht der Sitz des höheren Lebens sein kann. Josephus spricht von καρδία ausschließlich als dem Organ des menschlichen oder tierischen Körpers nach der Weise der Griechen, zB Ant 5, 193: πλήξας δ' αὐτόν . . . εἰς
τὴν καρδίαν, 7, 241: τοξεύσας κατὰ τῆς καρδίας ἀπέκτεινεν, 9, 118: τοῦ βέλους διὰ τῆς
καρδίας ἐνεχθέντος, vgl 19, 346: διακάρδιον ἔσχεν ὀδύνην. Auch der Ansatz zum übertragenen Verständnis, der bei εὐκαρδίως *herzhaft, mutig* gemacht wird[11], Ant 12, 373:
σφόδρα εὐκαρδίως ἐπ' αὐτόν (sc: τὸν ἐλέφαντα) ὁρμήσας, Bell 7, 358: φέρειν εὐκαρδίως
(sc: τὸν θάνατον), entspricht griechischem Sprachgebrauch[12] und ist ohne Analogie in
der LXX. Wo das AT Herz sagt, sagt Josephus διάνοια oder ψυχή.

3. Das rabbinische Judentum bleibt mit seinem Gebrauch
von לֵב, לֵבָב, aram לִבָּא auf der at.lichen Linie, vgl zB Ber 2, 1: כון לבו *er denkt
daran, ist sich dessen bewußt*[13]; SDt 33 zu 6, 6: תן הדברים האלה על לבבך; SDt 24 zu
1, 27 (S 34 Kittel): (Sprichwort) *was du in deinem Herzen gegen deinen Freund hast,
ist dasselbe, was er in seinem Herzen gegen dich hat*; Midr Qoh zu 1, 16[14]: das Herz als
Lebenszentrum; Ab 2, 9: *Welches ist der gute Weg, auf dem der Mensch sich halten soll?
. . . Ein gutes Herz. . . . Welches ist der schlechte Weg, von dem der Mensch sich fernhalten soll? . . . Ein böses Herz*[15]; SDt 41 zu 11, 13 (S 95 Kittel): *gibt es etwa einen
Dienst (Gottes) im Herzen? . . . Das ist das Gebet*; MEx 20, 21: כל גבהי לב קרוים תועבה
alle Hochmütigen werden ein Greuel genannt. „Solange der Jude vom ‚Herzen' sprach,
empfand er das inwendige Leben mit seinem ganzen Wollen, Fühlen und Denken als
Einheit"[16].

D. καρδία im Neuen Testament.

Der nt.liche Gebrauch des Wortes schließt sich dem
at.lichen an mit deutlichem Abstand von dem griechischen Wortverständnis und
konzentriert sich noch stärker als der Sprachgebrauch der LXX auf das Herz
als Hauptorgan des seelisch-geistigen Lebens, damit auch als die Stelle im Menschen, an der Gott sich bezeugt.

1. Daß das Herz das zentrale Organ des Kör-
pers und der Sitz der physischen Lebenskraft ist, klingt außer Lk
21, 34 nur noch in den poetisch gewählten Wendungen von Ag 14, 17: ἐμπι-
πλῶν τροφῆς . . . τὰς καρδίας ὑμῶν und Jk 5, 5: ἐθρέψατε τὰς καρδίας ὑμῶν (vgl
1 Kö 21, 7; ψ 101, 5; 103, 15) an.

2. Daß das Herz der Mittelpunkt des inneren
Lebens des Menschen ist, wo alle seelischen und geistigen Kräfte und
Funktionen ihren Sitz oder Ursprung haben, wird auf mannigfache Weise vom
NT bezeugt.

a. Im Herzen wohnen die Empfindungen und Affekte, die Begier-
len und Leidenschaften:

Freude Ag 2, 26 (vgl ψ 15, 9); J 16, 22 (vgl Js 66, 14); Ag 14, 17; Schmerz und
Leid J 16, 6; 14, 1. 27 (vgl ψ 54, 5; 142, 4; Thr 2, 11; Hi 37, 1); R 9, 2; 2 K 2, 4;

---

[11] Vgl auch Jos Ap 2, 85: nisi cor asini ipse potius habuisset et impudentiam canis.
[12] S zB Eur Hec 549; Dion Hal Ant Rom V 8, 6.
[13] Häufig im rabb Denken vom bewußten, willensmäßigen Entschluß zur Gebotserfüllung [Kuhn].
[14] Str-B I 721.
[15] Str-B II 14.
[16] Schl Theol d Judt 21.

Ag 2, 37 (vgl ψ 108, 16); 7, 54; 21, 13; Lk 4, 18 ℜ (vgl Js 61, 1; ψ 33, 19), Liebe 2 K 7, 3; 6, 11; Phil 1, 7[17], Wunsch und Verlangen R 10, 1; Lk 24, 32 (vgl ψ 72, 21; 38, 4)[18]; von Gott Ag 13, 22: ἄνδρα κατὰ τὴν καρδίαν μου (vgl 1 Βασ 13, 14), Begierde R 1, 24; Jk 3, 14; Mt 5, 28; 6, 21 par.

b. Das Herz ist der Sitz des Verstandes, der Quellort der Gedan- 5 ken und Erwägungen:

Mk 7, 21 par; Mt 12, 34 par; 13, 15 b; J 12, 40 b u Ag 28, 27 b (Js 6, 10); Lk 1, 51 (vgl 1 Ch 29, 18); 24, 38 (vgl Da 2, 29 Θ'); 2, 35; 9, 47; Ag 8, 22; Hb 4, 12; Ag 7, 23: ἀνέβη ἐπὶ τὴν καρδίαν αὐτοῦ *es kam ihm in den Sinn*, s 1 K 2, 9 (vgl 'Ιερ 3, 16; 51, 21; Js 65, 16; 4 Βασ 12, 5); Lk 2, 19. 51 (vgl Da 7, 28 Θ'); Mt 9, 4 (vgl Da 1, 8); Mk 10 11, 23; λέγειν ἐν τῇ καρδίᾳ αὐτοῦ = *denken* Mt 24, 48 Par; R 10, 6; Apk 18, 7 (vgl Js 47, 8; ψ 13, 1; Dt 8, 17; 9, 4; 1 Βασ 27, 1); R 1, 21; Lk 24, 25.

c. Das Herz ist der Sitz des Willens, die Quelle der Entschlüsse:

2 K 9, 7; Ag 11, 23; 1 K 4, 5 (vgl Sir 37, 13); 1 K 7, 37; Lk 21, 14: θέτε οὖν ἐν ταῖς καρδίαις ὑμῶν *so nehmt euch denn vor*, s Ag 5, 4 (vgl Hag 2, 15; Mal 2, 2; Da 1, 8 15 Θ')[19]; J 13, 2[20]; Apk 17, 17 (vgl 2 Esr 17, 5); Ag 5, 3; Kol 4, 8; Eph 6, 22.

Daher faßt sich in der καρδία das ganze innere Wesen des Menschen zusammen im Gegensatz zur Außenseite, zu dem πρόσωπον 1 Th 2, 17; 2 K 5, 12 (vgl 1 Βασ 16, 7), zu Mund und Lippen Mk 7, 6 Par (Js 29, 13); Mt 15, 18; R 10, 8 ff (Dt 30, 14); 2 K 6, 11; R 2, 29: περιτομὴ καρδίας[21] im Gegensatz 20 zu der ἐν τῷ φανερῷ ἐν σαρκὶ περιτομή v 28; Ag 7, 51 (vgl 'Ιερ 9, 25; Ez 44, 7. 9; Lv 26, 41). Ag 4, 32: καρδία . . . μία (vgl 2 Ch 30, 12). Das Herz, das Innerste, repräsentiert das Ich, die Person Kol 2, 2; 1 J 3, 19 f; 1 Pt 3, 4: ὁ κρυπτὸς τῆς καρδίας ἄνθρωπος.

Umschreibungen mit καρδία bedeuten zuweilen nichts anderes als das Personal- oder 25 Reflexivpronomen, zB Mk 2, 6: ἐν ταῖς καρδίαις αὐτῶν = v 8: ἐν ἑαυτοῖς; vgl J 16, 22; Kol 4, 8; Jk 5, 5[22].

d. So ist das Herz vor allen Dingen die eine zentrale Stelle im Menschen, an die Gott sich wendet, in der das religiöse Leben wurzelt, die die sittliche Haltung bestimmt: 30

Lk 16, 15 (vgl 1 Βασ 16, 7; 1 Ch 28, 9); R 8, 27; 1 Th 2, 4 (vgl 'Ιερ 11, 20); Apk 2, 23 (vgl ψ 7, 10; 'Ιερ 17, 10); Gl 4, 6; R 5, 5; 2 K 1, 22; Eph 3, 17; Hb 8, 10; 10, 16 ('Ιερ 38, 33); 2 K 3, 3 (vgl Prv 7, 3); R 2, 15; Lk 8, 15; Mt 13, 19; 2 K 4, 6; Eph 1, 18[23]; Ag 16, 14 (vgl 2 Makk 1, 4); Ag 15, 9 (vgl Sir 38, 10); Hb 10, 22 b; 2 Pt 1, 19; R 10, 9 f; 1 K 14, 25; Mk 12, 30 par (Dt 6, 5)[24]; Mt 18, 35 (vgl Js 59, 13; Thr 35 3, 33); R 6, 17; 1 Pt 1, 22. Das Herz des natürlichen, sündigen Menschen Mk 7, 21 par; Mt 13, 15 a u Ag 28, 27 a (Js 6, 10); Mk 3, 5; 6, 52; 8, 17; J 12, 40; Eph 4, 18; Jk 1, 26; Ag 8, 21 (vgl dagegen ψ 7, 11; 10, 2); 2 K 3, 15; Hb 3, 12; R 1, 21. 24; 2, 5; 1 J 3, 20 (→ 613, 18 f); 2 Pt 2, 14; Ag 7, 39. Das Herz des Erlösten, wie es sein soll, Mt 11, 29 (vgl Da 3, 87); 5, 8 (vgl ψ 23, 4); 1 Tm 1, 5; 2 Tm 2, 22 (vgl ψ 50, 12); 40

---

[17] Ähnlich Ovid Tristia V 4, 23 f: te tamen . . . in toto pectore semper habet.

[18] Vgl dazu PLond I 121, 472 (Preis Zaub VII 472): καιομένην τὴν ψυχὴν καὶ τὴν καρδίαν.

[19] Dieselbe Wendung Lk 1, 66 (vgl 1 Βασ 21, 13; 2 Βασ 13, 20) in der Bdtg „sich zu Herzen nehmen", „im Gedächtnis behalten".

[20] Vgl Zn J u Bau J zSt.

[21] Vgl Od Sal 11, 1 f (Hennecke 447): „Mein Herz ward beschnitten . . . Der Höchste beschnitt mich durch seinen heiligen Geist"; s dazu Dt 30, 6; 10, 16; 'Ιερ 4, 4; 89, 39; Ez 11, 19 f; 36, 26.

[22] Doch vgl Winer (Schmiedel) § 22, 18 b. In der LXX steht das Reflexivum für hbr לֵב Ex 4, 14; ψ 35, 2; Est 6, 6 uö.

[23] Ebenso Corp Herm IV 11 b; VII 1 a (→ 611, 43 ff). Vgl auch das Agraphon POxy I 1, 17 ff verso: πονεῖ ἡ ψυχή μου ἐπὶ τοῖς υἱοῖς τῶν ἀνθρώπων, ὅτι τυφλοί εἰσιν τῇ καρδίᾳ αὐτῶ[ν].

[24] Vgl APF 5 (1913) 393 Nr 312, 9: ἐκ ψυχῆς καὶ καρδίας. Eine ähnliche Formel auch Plaut Captivi II 3, 27: corde et animo atque auribus.

Hb 10, 22 a · (vgl Js 38, 3); Lk 6, 45; Ag 2, 46; 1 Th 3, 13; Kol 3, 22; Eph 6, 5; 1 Pt 3, 15; Jk 4, 8 (vgl Sir 38, 10); 5, 8 (vgl ψ 30, 25; 111, 8; Sir 22, 16); Hb 13, 9; Kol 3, 15; Phil 4, 7; 2 Th 3, 5 (vgl 1 Παρ 29, 18; 2 Παρ 19, 3; Sir 49, 3).

3. Mt 12, 40: ἐν τῇ καρδίᾳ τῆς γῆς *im Innern, im Schoße der Erde,* vgl Jon 2, 4; Ez 27, 4. 25 f; 28, 2; 4 Esr 13, 3 uö.

† καρδιογνώστης

Nur in NT und altchristlicher Literatur: Herm m 4, 3, 4; Act Pl et Thecl 24; Acta Thaddaei 3; Didask 7. 15. 18. 24 (vgl Const Ap II 24, 6; III 7, 8; IV 6, 8; VI 12, 4); Const Ap VIII 5, 6. Cl Al Strom V 14, 96, 4 führt zur Erklärung des Wortes Thales an: τὸ „καρδιογνώστην" λέγεσθαι πρὸς ἡμῶν ἄντικρυς ἑρμηνεύει. ἐρωτηθείς γέ τοι ὁ Θάλης, ... εἰ λανθάνει τὸ θεῖον πράσσων τι ἄνθρωπος, „καὶ πῶς", εἶπεν, „ὅς γε οὐδὲ διανοούμενος;"

Die Bezeichnung Gottes als ὁ καρδιογνώστης *der Herzenskundige, der Herzenskenner* Ag 1, 24; 15, 8 bringt in einem Worte zum Ausdruck, was nt.licher wie at.licher Frömmigkeit je und dann gewiß war (Lk 16, 15; R 8, 27; 1 Th 2, 4; Apk 2, 23 [von Christus], vgl 1 Βασ 16, 7; 3 Βασ 8, 39; 1 Παρ 28, 9; ψ 7, 10; ᾽Ιερ 11, 20; 17, 10; Sir 42, 18 ff uö[1]): der allwissende Gott kennt das Innerste jedes Menschen, wo die Entscheidung für oder wider ihn fällt (→ 613, 3 ff; 615, 28 ff).

† σκληροκαρδία → σκληρός, σκληρότης, σκληρύνω

Sprödigkeit des Herzens, Hartherzigkeit. Von der LXX für hbr עָרְלַת לֵבָב gebildet Dt 10, 16; ᾽Ιερ 4, 4; vgl Sir 16, 10 (3, 26 f: καρδία σκληρά[1]) entsprechend dem Adj σκληροκάρδιος Prv 17, 20; Ez 3, 7 (neben σκληρὸς τὴν καρδίαν Prv 28, 14); analog σκληροτραχηλία Test S 6, 2 (vl) von σκληροτράχηλος Ex 33, 3. 5; Dt 9, 6. 13; Prv 29, 1 uö; Ag 7, 51. Philo Spec Leg I 305 führt Dt 10, 16 an und deutet σκληροκαρδία auf die περιττεύουσαι φύσεις τοῦ ἡγεμονικοῦ, ἃς αἱ ἄμετροι τῶν παθῶν ἔσπειράν τε καὶ συνηύξησαν ὁρμαὶ καὶ ὁ κακὸς ψυχῆς γεωργὸς ἐφύτευσεν, ἀφροσύνη. Sonst begegnet das Wort, außer in at.lichen Pseudepigraphen (zB gr Hen 16, 3; Test S 6, 2), nur im NT und bei altchristlichen Schriftstellern: Herm v 3, 7, 6; Just Dial 18, 2; 45, 3; 46, 7; 137, 1; Act Thom 166 usw.

σκληροκαρδία Mk 10, 5 par; 16, 14 (hier neben ἀπιστία; vgl R 2, 5: τὴν → σκληρότητά σου καὶ → ἀμετανόητον καρδίαν) kennzeichnet die beharrliche menschliche Unempfänglichkeit für die Kundgebungen des Heilswillens Gottes, der vom Herzen des Menschen, dem Zentrum seines Personlebens (→ 615, 28 ff), aufgenommen sein will.

Behm

καρδιογνώστης. Cr-Kö 588; Pr-Bauer ³ 672; Moult-Mill 321; Pr Ag 9.
[1] Ps Sal 14, 8: ταμίεια καρδίας ἐπίσταται (sc: Gott) πρὸ τοῦ γενέσθαι ist wertvoll durch den Hinweis auf das „Herz" als den Ort, von dem die Willensentschlüsse zum Handeln ausgehen. Jos Ant 6, 263 sagt umschreibend: (Gott) οὐ τὰ ἔργα μόνον ὁρᾷ τὰ πραττόμενα, ἀλλὰ καὶ τὰς διανοίας ἤδη σαφῶς οἶδεν, ἀφ᾽ ὧν μέλλει ταῦτα ἔσεσθαι, Rabbinisches vgl Str-B II 595; III 748. Wie der joh Christus Herzenskenner ist (J 2, 25; 21, 17), so auch der mandäische Erlöser, s Lidz Li-

turg 258: „du kennst alle Herzen und durchschaust alle Sinne"; Lidz Ginza R V 4, 193 (S 194, 14 f): „du kennst die Herzen und durchschaust die Sinne. Herzen, Leber und Nieren sind wie die Sonne vor dir ausgebreitet."

σκληροκαρδία. Cr-Kö 588; Pr-Bauer ³ sv; Moult-Mill 578 (sv σκληροτράχηλος); Bl-Debr § 120, 4.
[1] Vgl die καρδία λιθίνη Ez 11, 19 f; 36, 26 (᾽Ιερ 39, 39 f).

**καρπός, ἄκαρπος,
καρποφορέω**

καρπός

Im Profangriechisch *a.* eigentlich: *Frucht*[1], bes der Bäume, des Feldes, Hom Il 6, 142: ἀρούρης, auch die Frucht als Same; übertragen: von den 5 Jungen der Tiere: Xenoph Cyrop I 1, 2. — *b.* allgemein: *Frucht, Ertrag, Ergebnis, Gewinn*, bes von der Auswirkung einer Sache zum Guten oder Schlimmen MAnt IX 42, 11: πράξεως, Jos Ant 20, 48: τῆς εὐσεβείας, Philo Fug 176: ἐπιστήμης. Inschr Priene 112, 14: μόνη μεγίστους ἀποδίδωσιν ἡ ἀρετὴ καρποὺς καὶ χάριτας. Sprichwörtlich Gregorius Cyprius = Corpus Paroemiographorum Graecorum (ed vLeutsch-Schneidewin) II 10 (1851) p 57: καρπὸν ὃν ἔσπειρας θέριζε. In der stoischen Lebensauffassung ist καρπός gern und mannigfaltig gebrauchtes Bildwort[2].

In Septuaginta wie oben *a.* eigentlich, überwiegend als Wiedergabe von פְּרִי, von den Erzeugnissen der Erde Nu 13, 27; Dt 1, 25 (τῆς γῆς); Lv 25, 3 (תְּבוּאָה); Dt 11, 17; Ez 36, 8; uneigentlich von den *Kindern* als Leibesfrucht ψ 131, 11; 126, 3 (γαστρός); 15 Gn 30, 2 (κοιλίας); *b.* allgemein und ins Geistige übertragen *Frucht, Ergebnis, Ertrag* χειλέων Prv 31, 31 vl, στόματος 12, 14, δικαιοσύνης Am 6, 12; von der Folge einer Handlung: ἔδονται τῆς ἑαυτῶν ὁδοῦ τοὺς καρπούς Prv 1, 31; Hos 10, 13; Jer 17, 10; ψ 103, 13 (τῶν ἔργων [Werke Gottes]); seltener werden die Taten selbst als Früchte bezeichnet Prv 19, 22. 20

In der iranischen (wie in der persischen und mandäischen) Literatur wird die Seele gern als Pflanze oder Baum bezeichnet, den der Bote des Lebens pflanzt, damit er Frucht bringe. Das Paradies ist der Garten, die göttliche Pflanzung, in der die Seelen der Vollkommenen die Pflanzen sind, die kostbare, reiche Früchte tragen[3].

Auch das Spätjudentum bezeichnet die Folge einer Tat gern als ihre Frucht, bQid 25 40 a (→ A 5), oder redet von den Taten des Menschen als seinen Früchten[4]. Da פְּרִי in der Bedeutung Zins auch der Geschäftssprache angehört, konnte das Bild auch in dieser Richtung erweitert werden, was bes für die Veranschaulichung der Vergeltung wertvoll wurde. Der früher einheitliche Ansatz, wonach man die Vergeltung einer Tat eben im Diesseits erwartete, spaltete sich mit dem Aufkommen des Jenseitsglau- 30 bens. Nun redete man vom Zins (פְּרִי) einer Tat, der in den diesseitigen Handlungsfolgen ausgezahlt wird, während das Stammkapital (קֶרֶן) bei Gott stehen bleibt und erst mit dem Gerichtstag fällig wird[5].

Im Neuen Testament **1.** eigentlich, Jk 5, 7. 18; Mt 21, 19 Par; 13, 8 Par. 26; 21, 34 Par. 41; Mk 4, 29; Apk 22, 2; uneigentlich 35 vom Kind als Frucht Lk 1, 42 (κοιλίας, vom Weib); Ag 2, 30 (ὀσφύος, vom Mann); Hb 13, 15 (χειλέων).

καρπός. [1] Etymol vgl „carpere", „Herbst" (vgl Prellwitz, Boisacq sv).

[2] MAnt IX 10, 1: φέρει καρπὸν καὶ ἄνθρωπος καὶ θεὸς καὶ ὁ κόσμος; VI 30, 4: καρπὸς τῆς ἐπιγείου ζωῆς; IV 23, 2: πᾶν μοι καρπός, ὃ φέρουσιν αἱ σαὶ ὧραι, ὦ φύσις · ἐκ σοῦ πάντα, ἐν σοὶ πάντα, εἰς σὲ πάντα. Epict Diss IV 8, 36.

[3] Vgl Reitzenstein Ir Erl 138 ff.

[4] Gn r 30 zu 6, 9: Was sind die Früchte des Gerechten, פֵּירוֹתֵיהוּ שֶׁל צַדִּיק? Gebotserfüllungen u gute Werke. Tanch אֱמֹר 173 a: Zu Ps 36, 7: „Deine Gerechtigkeit ist wie die Berge Gottes, deine Gerichte aber eine große Tehôm" gibt der Midrasch die Erklärung: Wie die Berge (dh: das Festland) besät werden können und Früchte bringen, so bringen auch die Gerechten Früchte (dh: gute

Werke); und wie die Tehôm (dh: der Okeanos) nicht besät werden kann und keine Früchte bringt, so haben die Gottlosen keine guten Werke und bringen keine Früchte (Str-B I 466).

[5] TPea 1, 2—4 (18): Das Verdienst hat ein Stammkapital u auch Zinsen (פֵּירוֹת); bei den Sünden dagegen ist es so: eine Sünde, die Frucht trägt (= andere Sünden zur Folge hat), hat — außer dem Kapital (der Bestrafung in der zukünftigen Welt) — auch Früchte (dh Zinsen = Strafen auf Erden); eine Sünde dagegen, die keine Frucht trägt, hat keine Früchte (sondern wird allein in der zukünftigen Welt bestraft) (Str-B I 638). Parallelstelle bQid 40 a (Str-B I 466); vgl Str-B IV Regist sv Kapital.

2. allgemein, übertragen: *Folge, Ertrag, Ergebnis, Gewinn.*
So reden Johannes der Täufer und Jesus von den *Taten* des Menschen als den
Früchten desselben. Die entscheidende Forderung lautet, daß der Mensch gute
Frucht bringen muß Mt 21, 43. Die frommen Taten des Menschen sind die
5 Echtheitsprobe seiner μετάνοια Mt 3, 8 Par. Die Taten des Menschen sind als
Früchte desselben geradezu das Erkennungsmerkmal (ἐπιγνώσεσθε) seiner verborgenen inneren Art Mt 7, 16 f. Wie der Wert eines Baumes nach seinem Ertrag
abgeschätzt wird, so wird die durch die Tat des Menschen bewiesene Frömmigkeit zum entscheidenden Maßstab für das Gerichtshandeln Gottes Mt 3, 10;
10 7, 19. Der Unfruchtbare ist mit Verwerfung bedroht Lk 13, 6.

Während in den synpt Aussprüchen auf die die Frucht hervortreibende
Macht nicht reflektiert ist, wird bei Joh die Christusgemeinschaft J 15, 2 ff,
bei Paulus der heilige Geist Gl 5, 22; Eph 5, 9 als solche angegeben. So ist
die Lebensheiligung die Frucht, die der Christ als Geistträger an sich selbst er-
15 lebt R 6, 22. Umgekehrt untersteht der vorchristliche Mensch der Macht der
Sünde und bringt ihr entsprechende Frucht R 6, 20 f [6].

καρπός wird sodann in mannigfacher Beziehung auf die apostolische Arbeit
angewendet: die Erfolge des Missionars sind seine Frucht R 1, 13; Phil 1, 22;
der Apostel gleicht dem γεωργός, der an der Frucht, die er durch seine Arbeit
20 hervorgebracht hat, teilnehmen darf 2 Tm 2, 6; 1 K 9, 7; die Kollekte zugunsten der jerusalemischen Christen ist eine Frucht der paulinischen Gemeinden
R 15, 28 [7]. Pls erwünscht den Philippern einen Segenslohn (καρπόν, vgl oben
καρπός = Tatfolge) für die Unterstützungen, die sie dem Apostel zuteil werden
ließen, Phil 4, 17. Ähnlich ist in Hb 12, 11 Gerechtigkeit der Segenserfolg
25 (καρπός), den die göttliche παιδεία in den von ihr betroffenen Frommen wirkt.
Nach Jk 3, 18 verleiht Gott Gerechtigkeit als Ertrag denen, die mit der oberen
Weisheit umgehen [8].

Indem im Joh-Ev Christus selbst mit dem Samenkorn verglichen wird, wird
sein Tod als die entscheidende Vorbedingung zu reichem Fruchtertrag ausge-
30 sprochen J 12, 24 [9].

† ἄκαρπος

a. eigentlich: *unfruchtbar,* in LXX nur Jer 2, 6: γῆ; Herm s
2, 3: von der Ulme, welche keine eßbare Frucht hervorbringt; Jos Ant 2, 213: von
Sarah; Epict Diss I 17, 9: ξύλον. Im NT: Jd 12: δένδρα. — *b.* übertr: *keinen Gewinn
35 bringend:* Sap 15, 4: πόνος σκιαγράφων, Plato Phaedr 277 a: λόγοι.

Im Neuen Testament außer Jd 12 (→ 619, 4) immer übertragen. Die
Fruchtbarkeit des Christen, dh die Umsetzung seiner Christus- und Gottver-
bundenheit in fromme Lebensäußerungen, ist die Voraussetzung für sein Beste-

---

[6] Vgl Ab RN 16 (6 a) bei Str-B IV 474.
[7] σφραγίζειν τὸν καρπόν, der Getreidesack
wird zugesiegelt, Deißmann NB 65 f; BGU I
p 250, 21: σφράγεισον τὸ σειτάριον; M-JLagrange,
Épitre Aux Romains = Études Bibliques 13
(1922) z R 15, 28: siegeln = zum Abschluß
bringen. Ltzm R 123.
[8] AMeyer, Das Rätsel des Jk = ZNW Beih 10
(1930) 263; ep Ar 232; Herm s 9, 19, 2.

[9] Vgl zum Bild 1 K 15, 36 ff; Epict Diss
IV 8, 36; eine Berührung mit den eleusin
Mysterien (Ähre) liegt jedenfalls nicht vor.
Dort steht auch das Motiv des Fruchtbrin-
gens gar nicht im Zentrum, Clemen 280;
GAnrich, Das antike Mysterienwesen in sei-
nem Einfluß auf das Christentum (1894) 146 A 1.

hen im Endgericht (2 Pt 1, 8, ἄκαρπος neben ἀργός) (→ καρπός). So dürfen die Frommen nicht *unfruchtbar* sein Tt 3, 14 (neben καλῶν ἔργων προΐστασθαι). Umgekehrt ist es das Kennzeichen ketzerischer Menschen, daß sie *ertraglos* an Gutem sind Jd 12. Die schlimmen Werke können selbst als unfruchtbar bezeichnet werden (Eph 5, 11), da sie von keiner Heilswirkung für den Täter 5 begleitet sind (→ 617, 24 ff). Beim Gebet des Zungenredners bleibt der νοῦς untätig, unfruchtbar 1 K 14, 14. Mt 13, 22 Par von der Erfolglosigkeit der Predigt.

† καρποφορέω

a. eigentlich: *Frucht tragen*, LXX nur Hab 3, 17 (συκῆ) und Sap 10 10, 7. Im NT Mk 4, 28: ἡ γῆ. — *b.* übertragen: Philo Som II 272: ὧν ἐκαρποφόρησεν ἡ ψυχὴ καλῶν, II 173: αὕτη (ἡ ψυχὴ) δ' ἐστὶν ἀμπελὼν ἱερώτατος, τὸ θεῖον βλάστημα (Sproß) καρποφορῶν, ἀρετήν; Cher 84: ἀρετάς.

Im Neuen Testament außer Mk 4, 28 (→ Z 11) stets übertragen (→ καρπός), von den Frommen Mk 4, 20 Par. Die Werke sind die Frucht der From- 15 men Kol 1, 10; die Frommen bringen Gott Frucht R 7, 4, wie die sündigen Leidenschaften dem Tode Frucht tragen 7, 5. Das Wahrheitswort des Evangeliums erweist sich als fruchtbringend in den christlichen Briefempfängern wie in der ganzen Welt Kol 1, 6[1].

Hauck 20

> ### καρτερέω, προσκαρτερέω,
> ### προσκαρτέρησις

† καρτερέω

a. stark sein, mutig sein, ausharren, ausdauern zB ῥᾷον παραινεῖν ἢ παθόντα καρτερεῖν Eur Alc 1078, θαρρῶν καὶ καρτερῶν Plat Theaet 157 d, ἐπὶ τῇ ζητήσει 25 ἐπιμείνωμέν τε καὶ καρτερήσωμεν Plat La 194 a, πῶς ἐσιώπας; πῶς ἐκαρτέρεις; Epict Diss I 26, 12. — *b. standhaft aushalten, ertragen*: τὰ δ' ἀδύναθ' ἡμῖν καρτερεῖν οὐ ῥᾴδιον Eur Iph Aul 1370, . . . σώματός τε καὶ ψυχῆς κακώσεις . . . καρτερήσουσιν Philo Agric 152. Das Wort ist auch Terminus griechischer Ethik, in der es zur rechten Haltung des Weisen gehört. 30

In LXX ist καρτερεῖν Übersetzung von חָזַק hi *festhalten an* Hi 2, 9: עֹדְךָ מַחֲזִיק בְּתֻמָּתֶךָ: μέχρι τίνος καρτερήσεις, wo καρτερεῖν *ausdauern, dulden* bedeutet, und פָּעָה *stöhnen, schreien*: ἐκαρτέρησα ὡς ἡ τίκτουσα Js 42, 14, wo also das Stöhnen einer Gebärenden in das duldende Ausharren einer Gebärenden verwandelt ist. Sir 2, 2 steht καρτέρησον als Mahnung im Zusammenhang mit einer Reihe anderer Ermahnungen, 35 die im Dienste Gottes zu beachten sind. Öfters kehrt es wieder — als der griech Ethik entsprechender Terminus — in 4 Makk (9, 9. 28; 10, 1. 11; 13, 11; 14, 9) in martyrologischen Zusammenhängen und hat dort eindeutig als martyrologischer Terminus die Bedeutung *erdulden*. In der Bedeutung *beharren, ausdauern* vgl noch 2 Makk 7, 17. Sir 12, 15 steht es für התבלכל (von כּוּל) *an sich halten*[1]. 40

καρποφορέω. [1] Med, außer BMI 918 nur hier bezeugt. Zum Gedanken vgl 4 Esr 3, 20; 9, 31: denn siehe, ich säe in euch mein Gesetz, und es soll in euch Früchte der Gerechtigkeit bringen.

καρτερέω. Pape, Pass sv. Wnd Hb z 11, 27. [1] Bei Σ kommt das Verb vor bei Mi 7, 18 für חיל (LXX συνέχειν), bei Ἀ Sach 12, 5, der wohl pi von אמץ liest, während LXX מצא voraussetzt. [Bertram.]

Im Neuen Testament kommt καρτερεῖν nur Hb 11, 27, in dem Glaubenskapitel, vor: πίστει κατέλιπεν Αἴγυπτον, μὴ φοβηθεὶς τὸν θυμὸν τοῦ βασιλέως · τὸν γὰρ ἀόρατον ὡς ὁρῶν ἐκαρτέρησεν: „Im Glauben verließ (Mose) Ägypten und fürchtete sich nicht vor dem Grimm des Königs. Wie wenn er den Unsichtbaren

5 vor Augen hätte, harrte er aus"[2]. Der Glaube ist die Voraussetzung und der Ermöglichungsgrund des Aushaltens in bedrohlicher Lebenslage. Ob das Ausziehen aus Ägypten auf die Furcht vor dem König, auf die Flucht des Mose nach der Erschlagung des Ägypters oder auf den Auszug des Volkes unter Mose sich bezieht, ist nicht sicher auszumachen. Das Aushalten, das den Glauben

10 zur Voraussetzung hat, ist begründet: τὸν ἀόρατον ὡς ὁρῶν. Der Glaube, der das Aushalten ermöglicht, greift zu dem Unsichtbaren durch und hat ihn wie etwas Sichtbares real und gegenwärtig. Die allgemeine Erläuterung des sich auf Gott richtenden Glaubens (ἔστιν δὲ πίστις ... πραγμάτων ἔλεγχος οὐ βλεπομένων ... πιστεῦσαι γὰρ δεῖ τὸν προσερχόμενον [τῷ] θεῷ ὅτι ἔστιν Hb 11, 1. 6) wird

15 hier an einem Beispiel veranschaulicht. Gottes „Unsichtbarkeit gibt dem Glauben seine Eigenheit, nicht Gottes Gnade wie bei Paulus"[3]. Für den Glaubensbegriff des Neuen Testamentes ist daran wesentlich, daß ein Glaube an die unsichtbare, aber wirksame Existenz Gottes, den der Mensch hat und der ihn zum Wirken auch in besonders ernsten Lagen befähigt — ein Glaube, wie ihn

20 zB das AT bezeugt —, neben dem Glauben an den in Jesus Christus offenbaren und sich uns schenkenden Gott steht, ja geradezu die Voraussetzung für diesen spezifisch neutestamentlichen Glauben ist[4].

† προσκαρτερέω

Das Verbum προσκαρτερέω ist im griechischen Sprachgebrauch
25 üblich: es kommt in griechischen und hellenistischen Inschriften und Papyri vor (zB Ditt Syll[3] 717, 84; Or 383, 130. 168 uö). Seine Grundbedeutung ist *beharren bei, ausdauern bei, bleiben bei*. 1. In der Verbindung mit Personen heißt es: *jemandem standhaft anhangen, treu sein* zB: θεραπαίνας τὰς Νεαίρᾳ τότε προσκαρτερούσας Pseud-Demosth Or 59, 155. Vgl προσκαρτέρει τῷ Τίτῳ Polyb 24, 5, 3; Diog L VIII 11, 14.
30 — 2. In Verbindung mit sachlichen Objekten bedeutet es: *a. sich emsig beschäftigen mit, dauernd bedacht sein auf*: ... προσεκαρτέρουν ταύτῃ (τῇ πολιορκίᾳ) κατὰ τὸ δυνατόν Polyb 1, 55, 4; τῇ καθέδρᾳ Jos Ant 5, 130; τῇ γεωργίᾳ PAmh 65, 3; νηστείαις Pol 7, 2; *b. festhalten an etwas*: τῇ κατὰ τὴν δίαιταν ἐπιμελείᾳ προσκαρτερῶν Polyb 1, 59, 12; τῇ ἐλπίδι Pol 8, 1; *c. sich fortgesetzt aufhalten in* οὗτοι προσεκαρτέρουν ἐν τῇ οἰκίᾳ Ἰωακίμ Sus (Θ) 6.
35 In LXX ist προσκαρτερεῖν Übersetzung des hitp von חָזַק Mut fassen, Nu 13, 20: וְהִתְחַזַּקְתֶּם וּלְקַחְתֶּם מִפְּרִי הָאָרֶץ: προσκαρτερήσαντες λήμψεσθε ἀπὸ τῶν καρπῶν τῆς γῆς. προσκαρτερεῖν ist hier — objektlos — verstärktes καρτερεῖν, das das hitp des Hbr zum Ausdruck bringt. Vgl noch — ohne hbr Entsprechung — Tob 5, 8 (nur S) im Sinne von μένειν, ὑπομένειν (jmd erwarten).

40 Im Neuen Testament kommt προσκαρτερεῖν in einer Bedeutung, die *2 c* einzuordnen wäre und *dauernd bereitstehen* bedeutet, Mk 3, 9 vor: καὶ εἶπεν τοῖς μαθηταῖς αὐτοῦ, ἵνα πλοιάριον προσκαρτερῇ αὐτῷ διὰ τὸν ὄχλον. Dahin gehört ferner Ag 2, 46: καθ' ἡμέραν τε προσκαρτεροῦντες ὁμοθυμαδὸν ἐν τῷ ἱερῷ, wo es nach *2 c sich fortgesetzt aufhalten in* bedeutet. In der Bedeutung *2 a dauernd*
45 *bedacht sein auf* kommt προσκαρτερεῖν R 13, 6 vor: λειτουργοὶ γὰρ θεοῦ εἰσιν εἰς

---

[2] GHWhitacker, in: Exp T 27 (1915/16) 186 will unter Bezugnahme auf einige Plutarchstellen übersetzen: die Augen richten auf ...
[3] Wnd Hb zu 11, 27.

[4] Ähnlich R 3, 27 und 4, 16—21.

προσκαρτερέω. ESchürer SAB (1897) 214 f; Moult-Mill sv.

αὐτὸ τοῦτο προσκαρτεροῦντες: die Regierenden sind Gottes Diener und sind in
ihrer ganzen Arbeit und Forderung, zB auch in der Steuerforderung — an die
Verpflichtung, Steuer zu zahlen, schließt unser Satz an — bedacht auf die Erfüllung dieses Dienstes: sie sind Gottes Diener und verharren beständig dabei.
Von Wichtigkeit ist in diesem Zusammenhang, daß Paulus von einem Gottes- 5
dienst im irdischen Geschäft, der auch von Heiden verrichtet wird — denn um
heidnische Obrigkeit handelt es sich —, weiß. In der Bedeutung *1* schließlich
kommt προσκαρτερέω vor Ag 8, 13 von der Anhänglichkeit des getauften Simon
Magus an den Diakon Philippus: καὶ βαπτισθεὶς ἦν προσκαρτερῶν τῷ Φιλίππῳ und
10, 7: στρατιώτην εὐσεβῆ τῶν προσκαρτερούντων αὐτῷ von der Anhänglichkeit des 10
Soldaten an seinen Führer.

Von theologischer Bedeutsamkeit ist derjenige Zusammenhang, der
in *2 b* hineingehört: *festhalten an etwas*, und der als Objekt des Festhaltens das Gebet (und in 2 Stellen die Lehre der Apostel) hat. Von der den Geist erwartenden Jüngergemeinde heißt es: οὗτοι πάντες ἦσαν προσκαρτεροῦντες ὁμοθυμαδὸν 15
τῇ προσευχῇ Ag 1, 14. Es handelt sich um die gemeinsame Anbetung, die auch
die Voraussetzung der Apostelzuwahl ist, die Ag 1, 15 ff erzählt wird. προσευχή (→ II 806 f) ist das Gebet im allgemeinen, also sowohl Dank- wie Bitt-
und Anbetungsgebet. Jede große Entscheidung der Apostelzeit wie auch die
ganze Lebensführung der jungen Christenheit ist getragen von anhaltendem 20
Gebet. In diesem Gebet brachten die Christen mit Dank und Anbetung ihre
Entscheidungen und ihre Sache als Bitte vor Gott, um von ihm Führung zu
erbitten und Weisung zu empfangen und Klärung zu erlangen. Dieses Anhalten
am Gebet, das damit gegeben ist, wie dieses Beten selbst, ist — wir können
die Linie genau verfolgen — bestimmt durch den Blick auf Jesus. Jesus brachte, 25
oft in nächtelangem Gebet, alle Entscheidungen, seine Sache und ihre Menschen vor Gott, um in immer neu erfahrener Einheit mit Willen und Absicht
und Art des Vaters als der Sohn des Vaters Werk zu treiben, die Kraft dazu
zu erhalten und sich in der Hand des Vaters geborgen zu wissen (→ εὔχομαι II
801 f). Er gab seinen Jüngern nicht nur die Weisung zu solchem Gebet (Lk 30
11, 1—13), sondern ebenso zum Anhalten am Gebet (Lk 18, 1—8). Damit ist
aber eine andere Haltung und Gebetsart vorhanden als die im zeitgenössischen
Judentum übliche, die feste Gebetszeiten und Gebetsformeln hatte[1]. Die Jünger
setzten die von Jesus erschaute und von ihm anbefohlene Art fort und gaben sie
der jungen Christenheit weiter. Sie unterschieden sich darin von ihrer jüdi- 35
schen und auch heidnischen Umwelt. Dieser Unterschied der Gebetshaltung
und der Gebetsart ist in dem neuen Gottesverhältnis begründet, das Jesus den
Seinen schenkte und das er selbst hatte: die Einheit mit dem Vater in der
Gottessohnschaft, die die Gotteskindschaft der Christen schafft, die im Kindes-
gehorsam, der des Vaters Willen tut, wie im Kindesvertrauen, das des Vaters 40
Fürsorge traut, sich auswirkt. Nach des Vaters Führung und Willen aber aus
menschlicher Not und Unentschiedenheit fragt das Gebet. So bekennen die Apostel
als Führer der Gemeinde, als die aus der Fürsorge und Liebestätigkeit kommenden

---

[1] Vgl Str-B II 237 f.

Aufgaben überhandnehmen: ἡμεῖς δὲ τῇ προσευχῇ καὶ τῇ διακονίᾳ τοῦ λόγου προσκαρτερήσομεν Ag 6, 4. So werden die christlichen Gemeinden gemahnt: τῇ προσευχῇ προσκαρτεροῦντες — neben Fröhlichkeit in der Hoffnung und Geduld in der Trübsal — R 12, 12 und τῇ προσευχῇ προσκαρτερεῖτε . . . Kol 4, 2. Von 5 der christlichen Gemeinde entwirft Lukas das Bild: ἦσαν δὲ προσκαρτεροῦντες τῇ διδαχῇ τῶν ἀποστόλων καὶ τῇ κοινωνίᾳ, τῇ κλάσει τοῦ ἄρτου καὶ ταῖς προσευχαῖς Ag 2, 42. Dabei tritt neben die Versammlung zum Gebet das gemeinsame Mahl, die Gemeinschaft der Gemeinde und die Lehre der Apostel. Das beharrliche Bleiben bei alledem verwirklicht praktisch die Weisung des Herrn, „an 10 seiner Rede zu bleiben" (J 8, 31)[2]. So kommt in dem προσκαρτερεῖν, mit dem Züge des Gemeindelebens beschrieben werden, ein Stück urchristlicher Kraft und Lebendigkeit zum Ausdruck.

† προσκαρτέρησις

Die Vokabel προσκαρτέρησις kommt neben Eph 6, 18 vor in zwei
15 in Panticapäum am Schwarzen Meer aufgefundenen Inschriften, bei denen es sich um Sklavenfreilassungen handelt und die unter jüdischem Einfluß stehen[1]. Dort heißt es als Bedingung der Sklavenfreilassung Nr 52: χωρὶς ἰς τὴν προσευχὴν θωπείας τε καὶ προσκαρτερήσεως (vorbehaltlich einer ehrerbietigen Anhänglichkeit an die Gebetsstätte) (ähnlich Nr 53). Die Inschriften stammen aus der Zeit nach 80 n Chr. προσ-
20 καρτέρησις bedeutet danach *Ausdauer, Beharrlichkeit, Anhänglichkeit*. Ferner[2]: Philodem Philos Περὶ ῾Ρητορικῆς (ed SSudhaus [1892]) p 11, 36.

Im Neuen Testament kommt προσκαρτέρησις an einer Stelle vor, nämlich Eph 6, 18: προσευχόμενοι ἐν παντὶ καιρῷ ἐν πνεύματι, καὶ εἰς αὐτὸ ἀγρυπνοῦντες ἐν πάσῃ προσκαρτερήσει καὶ δεήσει περὶ πάντων τῶν ἁγίων . . . Zur geistlichen 25 Ritterschaft des Christen, die er im Lebenskampf zu bewähren hat, gehört das Gebet, das alle Zeit im Glauben geführt werden soll. Die besondere Mahnung richtet sich darauf, in solchem Gebet darüber zu wachen, daß neben die Fürbitte für alle Heiligen (und für den Apostel), die gleichfalls in diesem Kampf stehen, das Anhalten am Gebet, die Ausdauer im Gebet treten soll. Das Gebet 30 schließt ein festes Band um die kämpfende Gemeinde und verwurzelt sie in Gottes Kraft. Damit das Band nicht reißt, sondern immer fester geknüpft wird und damit die Wurzeln immer tiefer in den Kraft- und Lebensbereich Gottes dringen, ist die Ausdauer und das Anhalten — ἐν παντὶ καιρῷ, ἐν πάσῃ προσκαρτερήσει — notwendig. Das Gebet ist nicht nur eine fromme Übung, sondern 35 eine ernste Arbeit, ein Stück des Kampfes und der geistlichen Ritterschaft.

Grundmann

καταβαίνω → I 520 f.

---

[2] Vgl Tanch נח 9 a: . . . damit sie in Babel in ihrer Lehre blieben von jenem Tage an bis heute.

προσκαρτέρησις. Deißmann LO 80; Schürer III [4] 24, 93.

[1] Inscriptiones Antiquae Orae Septentrionalis Ponti Euxini Graecae et Latinae ed Basilius Latyschev II (Petropoli 1890).
[2] Liddell-Scott sv.

---

† καταβολή

Das Niederlegen, Niederwerfen. So bei den Pflanzen term techn
für das Niederwerfen des Samens in den Mutterschoß der Erde: σπέρματα εἰς γῆν ἢ
εἰς μήτραν καταβαλλόμενα MAnt IV 36, dann für die männliche Geschlechtsfunktion:
Luc Amores 19: τοῖς μὲν ἄρρεσιν ἰδίας καταβολὰς σπερμάτων χαρισαμένη, τὸ θῆλυ δ' ὥσπερ 5
γονῆς τι δοχεῖον ἀποφήνασα. Gal De Naturae Potent I 6, 11 (ed Marquardt-Müller-
Helmreich, Script Min III [1893]), Philo Op Mund 132 uö. Plut Aquane An Ignis Sit
Utilior 2 (II 956a): ἅμα τῇ πρώτῃ καταβολῇ τῶν ἀνθρώπων (von der Zeugung der
Individuen); von der „Aussaat" eines Krieges: Jos Bell 2, 409. 417; von der *Legung
der Fundamente* eines Gebäudes, einer Herrschaft: Polyb 13, 6, 2: καταβολὴν ποιεῖσθαι 10
τυραννίδος vgl Hb 6, 1; ἐκ καταβολῆς *von Grund aus* Polyb 1, 36, 8. — In der S e p -
t u a g i n t a mehrfach das Verbum καταβάλλειν, zB Prv 25, 28, das Subst nur 2 Makk
2, 29: ἀρχιτέκτονι τῆς ὅλης καταβολῆς.

I m N e u e n T e s t a m e n t **1.** *Grundlegung der Welt*[1], in
der Formel ἀπὸ (πρὸ) καταβολῆς κόσμου, mehrfach als einfache Zeitbestimmung 15
Mt 13, 35; Lk 11, 50; Hb 4, 3; 9, 26, überwiegend jedoch in h e i l s g e s c h i c h t l i c h e m
Zusammenhang. So spricht ἀπὸ καταβολῆς κόσμου die Ewigkeit des göttlichen
Heilsrates aus, der am Uranfang gefaßt, in der Endzeit verwirklicht wird Mt
25, 34; Apk 13, 8; 17, 8. Die Formel steigert sich in πρὸ καταβολῆς κόσμου
zur Aussage der Vorweltlichkeit des göttlichen Tuns J 17, 24 (Liebe zum Sohn), 20
1 Pt 1, 20 (Erwählung desselben), Eph 1, 4 (Erwählung der Gläubigen). Ähnlich reden die Rabbinen von der göttlichen Vorherbestimmung „seit Beginn der
Schöpfung"[2].

2. In Hb 11, 11 ist δύναμιν εἰς καταβολὴν σπέρματος
von der männlichen Geschlechtsfunktion gesagt. Trotz Erlöschen seiner Zeu- 25
gungsfähigkeit (v 12: νενεκρωμένου) gewann Abraham durch den Glauben an
Gottes Verheißung Kraft zur Befruchtung. Zwar kann καταβολὴ σπέρματος nach
jüdischer Vorstellung auch von der Frau ausgesagt werden[3], an unsrer Stelle
zwingt jedoch der Zusammenhang, insbesondere die Fortführung des Satzes
(v 12: ἀφ' ἑνός sc Abraham; νενεκρωμένου) dazu, Abraham auch in v 11 als Sub- 30
jekt zu denken. Bei καὶ αὐτὴ Σάρρα muß eine alte Textverderbnis vorliegen.
Westcott-Hort (Nestle) Rgg Hb vermuten αὐτῇ Σάρρᾳ „in Geschlechtsgemein-
schaft mit Sarah"; andere halten καὶ αὐτὴ Σάρρα für eine Glosse.

Hauck

καταβολή. [1] Schl Mt 444, Schl J 325 übersetzt: vor der Aussaat der Menschheit. Das
Bild ist der Bibel jedoch fremd, die Parallele von κτίζειν legt näher, daß das Bild von
der Grundlegung der Fundamente genommen
ist.
[2] מִתְּחִלַּת בְּרִיָּתוֹ שֶׁל עוֹלָם (= ἀπ' ἀρχῆς κτίσεως) Pesikt 21, 145a; Midr Est 1, 1 (82a).
Von Anfang der Weltschöpfung an hat Gott
jeden zu dem bereitet, was ihm ersehen war.
Derselbe Gedanke in der Variation mit
„ehe" Tanch וירא 48a: Dieses Teil war
ihnen zugedacht, ehe die Welt erschaffen
war. Tanch מצורע 26a: Ehe Gott den Men-

schen schuf, bestimmte er ihm alle Züchtigungen, Str-B I 982.
[3] Vgl bNidda 31a: Sein Vater gibt den
weißen Samen . . ., seine Mutter gibt den
roten Samen . . ., der Heilige, gebenedeit
sei er, gibt den Geist, die Seele . . .; ebd 31b:
RAmi (um 280): Wenn der Same des Weibes
zuerst kommt, so gebiert es einen Knaben,
kommt aber der Same des Mannes zuerst,
so gebiert es ein Mädchen, wie es heißt Lv
12, 2 . . . Es liegt eine primitive Vorstellung
des Geschlechtsaktes vor, wonach im Orgas-
mus vom Weibe „roter Same" (Blut) entsprechend dem männlichen Vorgang („weißer
Same") abgesondert wird [Kuhn].

καταγγελεύς, καταγγέλλω → I 68 ff.

καταγελάω → I 656 ff.

καταγωνίζομαι → I 135 A 7; 138, 4 ff.

καταδικάζω, καταδίκη

---

5 † καταδικάζω

A. καταδικάζω außerhalb des Neuen Testaments.

1. Im Aktiv wird καταδικάζω gebraucht für: *verurteilen*, vor allem im Strafprozeß. *a.* Zunächst absolut: Plat Leg XII 958c, von der verurteilenden Gerichtsbehörde; Philo Flacc 54; Deus Imm 75. — *b.* Wird P e r s o n u n d S a c h e
10 hinzugefügt, so begegnen zwei Haupttypen: Der ältere Gebrauch ist der, daß die Person im Gen, die Sache — zur Bezeichnung der Strafe — im Acc steht. Hdt I 45: ἐπειδὴ σεωυτοῦ καταδικάζεις θάνατον (zum Tode); Jos Bell 4, 274: καταδικάζοιεν ὅλου τοῦ ἔθνους ἀτιμίαν (zur Schmach). Statt des Acc der Sache findet sich auch der Inf: Jos Ant 10, 204 (act): μὴ ζῆν; Luc Historiae Verae I 29 (pass): ἀποθανεῖν[1]. — Dagegen
15 ist καταδικάζειν mit Acc der Person durchweg spätere Gräzität. LXX: Thr 3, 36: κατα-δικάσαι ἄνθρωπον ἐν τῷ κρίνεσθαι αὐτόν (עָוֵּת Pi); Da 1, 10 Θ: μήποτε καταδικάσητε τὴν κεφαλήν μου τῷ βασιλεῖ (חוּב); Sap 11, 10: ἐκείνους καταδικάζων; Gebet Man (LXX) 13 (Odae 12): μηδὲ καταδικάσῃς με. Neben dem Acc der Person steht dann meist zur Bestimmung der Strafe der Dat der Sache: θανάτῳ: Plut Instituta Laconica 42 (II 239 f);
20 Sap 2, 20; Test Sal D IV 2. Statt Dat: ἐπί c Dat: Jos Ant 16, 369: ἐπὶ θανάτῳ. εἴς τι: Preisigke Sammelbuch I 4639, 3 (3. Jhdt n Chr): εἰς ἀλαβαστρῶνα; Corp Herm II 17a. Acc: Dio C 68, 1: θάνατον. — *c.* Der Grund der Verurteilung steht im Gen: Polyb 22, 4, 7: ἱεροσυλίας; Jos Ant 1, 75: τῆς κακίας. Dafür ἐπί c Dat: Diod S IV 76, 4: ἐπὶ φόνῳ (pass).

25 **2.** Im p a s s i v e n G e b r a u c h begegnet besonders häufig das καταδικασθείς. Plat Leg XII 958c (→ Z 8); Philo Leg All III 199: ὑπὸ τοῦ θεοῦ καταδικασθείς; Deus Imm 112: ἐν δικαστηρίῳ καταδικασθέντας, von der gerichtlichen Verurteilung; Plant 175: ἐξ ἐρήμου καταδικασθέντος, vom Versäumnisurteil[2]. Vgl Luc De Calumnia 8; Sap 17, 10: πονηρία καταδικαζομένη. In den Pap bedeutet das pass κατα-
30 δικάζομαι: *den Prozeß verlieren*[3].

3. Medial: *Als Kläger die Verurteilung des Gegners zu seinen Gunsten erzielen oder erwirken, den Prozeß gewinnen*, τινός; Demosth Or 47, 18: ἐμοῦ ἀδίκως κατεδικάσατο[4]. Daher ist ὁ καταδικασάμενος der Kläger: Plat Leg IX 857a. In LXX als Übers von רשׁע hi: ψ 93, 21: αἶμα ἀθῷον καταδικάσονται: *sie erzielen zu ihren
35 Gunsten die Verurteilung unschuldigen Blutes*; Hi 34, 29: καὶ τίς καταδικάσεται;

B. καταδικάζω im Neuen Testament.

Außer Mt 12, 7: οὐκ ἂν κατεδικάσατε τοὺς ἀναιτίους (zum Acc der Person → Z 15) steht im NT καταδικάζειν, καταδικασθῆναι immer absolut. Das ἐκ in Mt 12, 37: ἐκ τῶν λόγων σου καταδικασθήσῃ — opp δικαιωθήσῃ[5] —
40 dient nicht zur Angabe des Grundes der Verurteilung (vgl dagegen: → Z 28), sondern bezeichnet das Beweismaterial, das der Richter heranzieht[6]. Wiederum wird hier durch den Gegensatz die forensische Bedeutung von δικαιόω bestätigt

---

καταδικάζω. [1] Für die Pap vgl Preisigke Wört sv.
[2] Vgl Preisigke Wört sv ἔρημος.
[3] Preisigke Wört sv, daselbst Lit; Moult-Mill 326.
[4] In Pap: Preisigke Wört sv.
[5] Sonst begegnet als opp in der klassischen

Gräzität auch ἀποδικάζειν: Aristot Pol II 8 p 1268 b 18. In den Pap steht es in der Bdtg: einen Prozeß abweisen durch Freispruch, vgl Preisigke Wört u Fachwörter sv. — Rabb Parallelen für den Gegensatz: καταδικάζειν—δικαιοῦν bei Schl Mt 412.
[6] Rabbinisches: Schl Mt aaO

(→ II 219, 7 ff). In Lk 6, 37: καὶ μὴ καταδικάζετε, καὶ οὐ μὴ καταδικασθῆτε (→ 624, 25 ff) heißt der Gegensatz statt δικαιοῦν: ἀπολύειν, freisprechen. Jk 5, 6 steht κατεδικάσατε in dem Ruf an die hartherzigen Reichen, welche die armen Gerechten durch Mißbrauch des Rechtes zur Verurteilung bringen.

† καταδίκη [1]

1. *Die Verurteilung. a.* In der Regel steht es konkret im gerichtlichen Sinn, zB die Verurteilung zu Landesverweisung und Exil: Plut Coriolanus 20 (I 223 d) vgl 29 (I 227 d). Zum Kreuzestod: Jos Bell 4, 317; vgl Epict Diss II 1, 35 (neben δεσμωτήριον, ἀδοξία). — *b.* Allgemeiner: Das verdammende Urteil, das moralisch über eine Handlungsweise ergeht: Philo Spec Leg III 116 (über die Eltern, die in der Liebe versagen).

2. Noch häufiger heißt καταδίκη *die Strafe*: Sap 12, 27: τὸ τέρμα τῆς καταδίκης kam über die Ägypter. Es wird *a.* vorzüglich von der *Geldstrafe* gebraucht: Thuc V 49, 1; Demosth Or 47, 52. Vielfach in den Pap, dort zumal von der Summe, die der Kläger beanspruchen kann: PHibeh I 32, 7 uö[2]. Ähnlich Jos Ant 17, 338: Strafe durch Geldverlust. — *b.* Beliebt ist das Wort auch bei phantasievoller *Gerichtsschilderung*. So Luc Dialogi Mortuorum 10 aE (vom Gericht über die Toten mit den Strafen: Räder, Felsblöcke, Geier); Test Sal 13, 4: στομάτων καταδίκη als Gerichtsplage; Corp Herm X 8 a: ψυχῆς κακῆς.

Im Neuen Testament findet es sich nur Ag 25, 15: αἰτούμενοι κατ' αὐτοῦ καταδίκην[3]: die jüdischen Oberen haben eine Verurteilung des Paulus verlangt, so sagt Festus, als er dem Agrippa die Prozeßsache des Apostels darlegt.

Schrenk

καταδουλόω → II 282 f.
κατάθεμα, καταθεματίζω → I 357, 7 ff. 32. A 2.
καταισχύνω → I 188 ff.
κατακαυχάομαι → καυχάομαι.
κατακληρονομέω → κλῆρος.
κατάκριμα, κατακρίνω, κατάκρισις → κρίνω.
κατακυριεύω → κύριος.
καταλαλέω, -λαλιά, -λαλος → λαλέω.

καταλαμβάνω → λαμβάνω.
καταλείπω, κατάλειμμα → λείπω.
καταλιθάζω → λιθάζω.
καταλλάσσω, καταλλαγή → I 254 ff.
καταλύω, κατάλυμα → λύω.
καταμανθάνω → μανθάνω.
καταμαρτυρέω → μαρτυρέω.

καταντάω, ὑπαντάω, ὑπάντησις   → ἀπάντησις I 380, 10 ff.

† καταντάω

ist besonders im späteren Griechisch in Literatur und Umgangssprache vielfach bezeugt (Polyb, Diod S, Inschr, LXX). Im NT kommt es nur in der Ag (9 bzw 10 mal) und (im übertragenen Sinn) in den Paulusbriefen (einschl Eph 4 mal) vor. Das Simplex ἀντᾶν (von ἄντα „entgegen") begegnet seit Hom häufig, fehlt aber im NT und in der LXX. καταντᾶν heißt

---

καταδίκη. [1] Rückbildung von καταδικάζω. [2] Weiteres: Preisigke Wört u Fachwörter sv; PMMeyer, Jurist Pap (1920) 71 Col II 32 A u S 258.

[3] Textus receptus hat δίκην auf Grund von Ag 25, 3 (Korrektur).

40

eigentl *zur Begegnung herunterkommen,* gewöhnl nur *zu einem Ziel kommen, hingelangen.* Das Ziel ist gegeben, der Abschluß bestimmt, καταντᾶν beschreibt nur die Bewegung, die zu diesem gegebenen Ziel und dem bestimmten Abschluß führt.

5 **1.** *Zu einem äußeren Ziel kommen, gelangen* (εἰς): nach cod D Ag 13, 51 (εἰς Ἰκόνιον); 16, 1 (εἰς Δέρβην); 18, 19 und 18, 24 (εἰς Ἔφεσον); 20, 15 (ἄντικρυς Χίου); 21, 7 (εἰς Πτολεμαΐδα); 25, 13 (εἰς Καισάρειαν); 27, 12 (εἰς Φοίνικα); 28, 13 (εἰς Ῥήγιον). Ag bezeichnet durch καταντᾶν die Erreichung eines Reiseezieles.

2. *Zu einem dem Menschen verordneten oder gesetzten Ziel* 10 *kommen, es erreichen* (εἰς) Ag 26, 7: ἐπαγγελίας ... εἰς ἣν ἐλπίζει καταντῆσαι. Das Zwölfstämmevolk dient Gott bei Tag und Nacht in der Hoffnung, die Verheißung zu erreichen. **Gott legt durch sein Wort und seine Tat das Ziel fest, und ohne Absicht und Abschluß handelt Gott nicht.** Im Glauben klammert sich der Mensch an Gottes Wort, in der Hoffnung an das durch 15 Gottes Wort gesetzte Ziel. Diese Hoffnung fordert den ganzen Einsatz des Menschen (Phil 2, 12—13), und Paulus erkennt Israels ganzen und beharrlichen Einsatz für die Verheißung an (Ag 26, 7). Daß dieser Eifer um Gott an der wahren Erkenntnis Gottes vorbeigeht, sagt R 10, 2 ausdrücklich. Ebenso endzeitlich wie Ag 26, 7 auch Phil 3, 11: εἴ πως καταντήσω εἰς τὴν ἐξανάστασιν 20 τὴν ἐκ νεκρῶν. Christus zieht Paulus durch das Leiden in seinen Tod hinein und gestaltet ihn sich selbst gleich mit dem Ziel der Auferstehung von den Toten. Christus zieht den Apostel in seinen Tod hinein, um ihn über den Tod hinauszuführen. **Auch das Werk des Christus hat ein Ziel,** das allerdings nur mit Furcht und Zittern erhofft werden kann: die Auferstehung von 25 den Toten. Nicht die Verwirklichung dieses Zieles, wohl aber der persönliche Anteil an diesem Ziel steht in Frage[1]. Gottes Ziele gehen immer über den Einzelnen hinaus, schließen aber den Anteil des Einzelnen in sich.

Nach Eph 4, 13 ist das Ziel der Gemeinde die Einheit des Glaubens und der Erkenntnis des Sohnes Gottes, die Vollkommenheit und Ausreifung in der 30 Fülle Christi (μέχρι καταντήσωμεν οἱ πάντες εἰς τὴν ἑνότητα τῆς πίστεως καὶ τῆς ἐπιγνώσεως τοῦ υἱοῦ τοῦ θεοῦ). Auch hier fällt die von Gott gesetzte, der Gemeinschaft zugewiesene und auf das Ende der Geschichte hinweisende Aufgabe und Bestimmung auf, der sich kein Glaubender entziehen kann: **die Gemeinde soll zur Einheit und Reife der Erkenntnis heranwachsen.** Weil 35 der Sohn Gottes eine Einheit ist, ist auch unser Glaube und unsere Erkenntnis zur Einheit bestimmt. Die Bewegung des καταντᾶν bezeichnet auch hier den Weg zum Ziel und zur Gesamtheit über die gegenwärtige Lage und Generation hinaus. Die Einheit garantiert die Sicherheit und Festigkeit des Glaubens, entsteht aber allein aus der Einheit und Geschichtlichkeit der Person Jesu Christi[2]. 40 Das Ziel ist die sichere Erkenntnis der göttlichen Wahrheit im Gegensatz zu

---

καταντάω. [1] „Paulus ‚verfügt' nicht über das letzte Ziel, wie einige meinen. Auferstehung in der Herrlichkeit Christi (nur von ihr, nicht von Auferstehung zum Gericht ist hier die Rede) kann nur mit Furcht und Zittern erhofft werden". GHeinzelmann NT Deutsch II ² (1935) 528.

[2] Einheit und Einmaligkeit, Einheit und Absolutheit, Einheit und Vollkommenheit werden im Eph und Hb zu festen Gedankengefügen miteinander verbunden. Die Theologie der ἑνότης (Eph 4, 4—5) und des ἐφάπαξ (Hb 9, 12) gehört also im NT zusammen.

dem Schwanken und der Verschiedenheit menschlicher Meinung (Harleß). Auch hier ist das Ziel endzeitlich, aber als Aufgabe des göttlichen Wortes und kirchlichen Amtes verstanden, denen die Sorge um den Leib des Christus anvertraut ist (Eph 4, 11—12)[3]. Mit der Einheit ist die Ganzheit, die Reife, die Vollkommenheit,ʹdie Ungeteiltheit verbunden: Einheit und Vollkommenheit, 5 ἑνότης und τελειότης, gehören für Eph und Hb zusammen. Nur dann ist die Erkenntnis Christi in der Gemeinde einheitlich, wenn der Sohn Gottes ungeteilt in unseren Herzen wohnt (Harleß). Einheit und Vollkommenheit sind das Ziel der Gemeinde, und der Christus gibt dem Einzelnen an dieser Einheit und Vollkommenheit Anteil; 10 durch die Bewegung des καταντᾶν, die vom Worte Gottes ausgelöst wird, wächst der Einzelne in das Ziel der Gesamtheit hinein[4].

Im Gleichnis sagt 1 Cl 23, 4: ἐν καιρῷ ὀλίγῳ εἰς πέπειρον καταντᾷ ὁ καρπὸς τοῦ ξύλου. Wie in kurzer Zeit die Baumfrucht zur Reife gelangt, so wird rasch und plötzlich Gottes Ratschluß vollendet werden. Hier kommt der teleologische Sinn des καταντᾶν 15 auch im Gleichnis zum Ausdruck. 1 Cl 63, 1 weist auf das gemeinsame kirchliche Ziel hin, das ohne Tadel erreicht werden soll: ὅπως ἐπὶ τὸν προκείμενον ἡμῖν ἐν ἀληθείᾳ σκοπὸν δίχα παντὸς μώμου καταντήσωμεν. καταντᾶν bezeichnet also im Urchristentum vielfach das von Gott gesetzte, für die ganze Gemeinde bestimmte und auf das Ende der Geschichte hin- 20 weisende Ziel. Daß dann das bekannte und beliebte Bild des Laufes sich mit καταντᾶν verbindet, zeigt 1 Cl 6, 2: ἐπὶ τὸν τῆς πίστεως βέβαιον δρόμον κατήντησαν. Das Ziel des Glaubens ist vollkommene Treue bis zum Tod, wie auch Christus ein Beispiel gegeben hat: Pol 1, 2 beschreibt das Leiden Christi mit den Worten: „ὃς ὑπέμεινεν ὑπὲρ τῶν ἁμαρτιῶν ἡμῶν ἕως θανάτου καταντῆσαι.“ In der nachapostolischen 25 Zeit nimmt καταντᾶν märtyrertheologische Bedeutung an.

3. *Auf den Menschen zukommen, zum Menschen gelangen*[5]. In 1 K 10, 11 (εἰς οὓς τὰ τέλη τῶν αἰώνων κατήντηκεν) wird vorausgesetzt, daß die alte Weltzeit und Weltgestalt vergeht (1 K 7, 31) und daß dies Ende der Gemeinde erkennbar ist (vgl Hb 1, 2: ἐπ' ἐσχάτου τῶν ἡμερῶν τούτων, 9, 26: 30 ἐπὶ συντελείᾳ τῶν αἰώνων). Ganz überraschend und nur dem Glauben sichtbar ist der Abschluß des alten Aeons und der Anbruch des neuen Aeons über die Gemeinde gekommen (κατήντηκεν)[6]. Aus der Ewigkeit kommt also ein Handeln Gottes auf die Gemeinde zu, das eine Absicht und einen Sinn für die Menschen in sich trägt (καταντᾶν). Dieselbe 35 Bewegung von einem nicht genannten Ausgangspunkt zur Gemeinde hin liegt in 1 K 14, 36 vor: ἢ εἰς ὑμᾶς μόνους (sc: ὁ λόγος τοῦ θεοῦ) κατήντησεν; Das

---

[3] GChrAvHarleß, Commentar über den Brief Pauli an die Ephesier [2] (1858), 380: „Der ἀνὴρ τέλειος, die Gemeinde als ein zur Reife gelangtes großes Ganze, ist die Aufgabe, an deren Verwirklichung bis jetzt noch alle menschlichen Lehrer gearbeitet haben, und so hat auch Calvin recht, wenn er bemerkt: hic admonet, usum ministerii non esse temporalem, sed perpetuum, quam diu in mundo versamur.“

[4] Harleß aaO 379: „Die Frucht des Glaubens und der Erkenntnis ist jene Einheit, in welcher Christus ungeteilt in unseren Herzen wohnt. Der Erkenntnis gibt er unerschütterliche Wahrheit, dem Glauben innige Liebe, dies alles durch den Geist, in welchem er in uns wohnt“ (vgl 3, 16—17).

[5] Pr-Bauer [3] sv: „Nicht der Mensch gelangt zu etwas, sondern etwas gelangt zu ihm.“ Vgl im Erbrecht das Eigentum, das an den Menschen gelangt: BGU IV 1169, 21. Sonst POxy I 75, 5; II 248, 11; 274, 19. Auch 2 S 3, 29 LXX: καταντησάτωσαν ἐπὶ κεφαλὴν Ἰωὰβ καὶ ἐπὶ πάντα τὸν οἶκον τοῦ πατρὸς αὐτοῦ. Ähnlich 2 Makk 6, 14 cod A: μέχρι τοῦ καταντήσαντος αὐτοὺς πρὸς ἐκπλήρωσιν ἁμαρτιῶν κολάσαι; Hi 29, 13 Σ: εὐλογία ἀπολυομένου ἐπ' ἐμὲ κατήντα; ψ 31, 6 Ά; Ez 7, 12 Ά und besonders Js 53, 6 Σ: κύριος δὲ καταντῆσαι ἐποίησεν εἰς αὐτὸν τὴν ἀνομίαν πάντων ἡμῶν.

[6] Zu αἰών I 197—209; WStaerk, Soter (1933) 143 ff; RLöwe, Kosmos und Aion, Nt.liche Forschungen III 5 (1935).

40*

Wort Gottes ist weder von Korinth ausgegangen (ἐξῆλθεν) noch allein zu den
Korinthern gekommen (κατήντησεν); es gibt also ältere Gemeinden als Korinth
und andere, die unabhängig von Korinth vom Worte Gottes leben. Darum hat
die Gemeinde die Pflicht, auf das Wort der Brüder zu hören und die eigene
5 Erkenntnis zu prüfen.

† *ὑπαντάω,* † *ὑπάντησις*

(Daneben auch häufig in der LXX συνάντησις und → ἀπάντησις) *die
Begegnung.* Das Wort findet sich auch sonst in griechischer und hellenistischer Literatur (Appian Bell Civ IV 6; Jos Ant 11, 327; Bell 7, 100; Ditt Syll ³ 798, 16. 23),
10 ὑπάντησις in der LXX nur in Textvarianten 1 Ch 14, 8 (cod A) Prv 7, 15 (cod B);
Jdt 2, 6 (cod ℵ); 1 Makk 9, 39 (cod ℵ). Im Anschluß an die ähnlichen Wendungen
der LXX (ἐκπορεύεσθαι, ἐξέρχεσθαι εἰς συνάντησιν) finden wir auch im NT ἐξέρχεσθαι
εἰς ὑπάντησιν (Mt 8, 34; 25, 1; J 12, 13) *jemandem entgegenziehen* (τινί bzw τινός). Auch
hier offenbart sich der semitische Einschlag des ersten und vierten Evangeliums (vgl
15 Bik 3, 3: וּצְאִים לִקְרָאתָם)[1].

Das dazugehörige Zeitwort ὑπαντᾶν (neben συναντᾶν und ἀπαντᾶν auch in der LXX)
kommt ebenfalls in der griech Literatur seit Pind öfter vor (vgl Inschr und Pap). Im
NT ist ὑπαντᾶν in Mt 8, 28; 28, 9; Mk 5, 2; Lk 8, 27 (17, 12?); J 4, 51; 11, 20. 30;
12, 18; Ag 16, 16 bezeugt, allerdings wird in den Hdschr vielfach ὑπαντᾶν und ἀπαν-
20 τᾶν miteinander vertauscht (vgl zB Lk 17, 12)[2]. ὑπαντᾶν auch Mart Pol 8, 2 und
Herm v 4, 2, 1. Gewöhnlich heißt ὑπαντᾶν allgemein *begegnen,* in Lk 14, 31 *feindlich
entgegentreten*[3].

Michel

† *κατανύσσω,* † *κατάνυξις*

25   Das Wort erscheint im NT nur an einer einzigen Stelle
und dort innerhalb eines Zitates aus dem AT (R 11, 8; vgl Js 29, 10 und Dt
29, 3). Auch das zugehörige Verb, ebenfalls hapax legomenon, lehnt sich an
ein Psalmwort an (Ag 2, 37; vgl ψ 108, 16). Paulus findet in den Worten
Jesajas eine Bestätigung für seine Behauptung, daß die Verstockung so vieler
30 Juden ebenso wie die Erwählung Israels Gottes Werk sei. Der Zusammenhang
läßt für πνεῦμα κατανύξεως nur **eine** Übersetzung zu: *Geist der Betäubung.* Das
entspricht gleichzeitig dem Sinn der Js-Stelle.

Sonst drückt κατανύσσεσθαι in LXX starke Affekte verschiedener Färbung aus,
bei denen der freie Wille des Trägers so gut wie ausgeschaltet ist: Entsetzen (Gn
35 34, 7), Zerknirschung (Sir 14, 1), Verstummen (ψ 29, 13) und sinnlose Leidenschaft
(Sus 10 LXX u Θ). Abgesehen von der LXX erscheint κατάνυξις nur in christlicher
Lit[1]. Das Simplex νύσσω *stechen* führt für κατανύσσω[2] auf die Bdtg: *durchstechen,
durchstoßen.* Doch ist schwerlich anzunehmen, daß eine Neuschöpfung der LXX vorliegt: Das Wort kommt dort nur übertragen vor, ohne daß an einer Stelle das Bild
40 des Durchstochen-Seins naheläge. Vielmehr scheint auch den übertr Bdtg schon eine
Geschichte gehabt zu haben, die die Erinnerung an den ursprünglichen Sinn für die
LXX-Übersetzer bereits zurückdrängen konnte.

Greeven

ὑπαντάω κτλ. [1] Schl Mt 294 f.
[2] ἀπαντᾶν scheint im allgemeinen geläufiger
zu sein als ὑπαντᾶν (auch in der LXX).
[3] Pr-Bauer sv: „Auch im feindlichen Sinne
entgegentreten, gegenübertreten (Xenoph) · Lk
14, 31.“

κατανύσσω κτλ. CFAFritzsche, Pauli ad
Romanos epistola II (1839) 558 ff.
[1] Vgl Thes Steph IV 1160 u Pr-Bauer
649 sv.
[2] Ein von Liddell-Scott 903 sv angeführter
außerbiblischer Beleg (Phlegon 36, 4; Obj:
τοὺς ὀφθαλμούς) ist leider nicht aufzufinden.

καταξιόω → I 380, 2 ff.   *καταπατέω* → πατέω.

καταπαύω, κατάπαυσις   → ἀναπαύω, ἀνάπαυσις, ἐπαναπαύω

† *καταπαύω*

auɪhören machen. Auf Zustände und Tätigkeiten aller Art bezogen: *a. beendigen, hindern*: Aesch Suppl 586 (Krankheiten); Hom Od 4, 583 (Götter- 5 zorn); ψ 84, 4 (Gottes Zorn). Auf Personen bezogen: *b. jem dahin bringen, daß er mit einer Tätigkeit aufhört, hindern, absetzen*: Hdt I 130, *töten*: Hom Il 16, 618. Wenn mich das καταπαύειν in diesem Sinne trifft, so ist das also meist ein schmerzlicher Eingriff in meinen Bereich. Dennoch kann das gleiche Wort in gleicher Weise auf Personen bezogen auch einen ganz anderen Sinn haben: *c. jem dahin bringen, daß er* 10 *aufhört, etwas zu erleiden* (zB von seinen Feinden Ex 33, 14; Dt 3, 20, aber auch ohne daß die Quelle der Beeinträchtigung genannt wäre), *jemandem Ruhe verschaffen, ihn zur Ruhe bringen*. Die Tatsache, daß ein von Hause aus mehr negativ bestimmtes Wort in dieser positiven Bdtg gebraucht werden konnte, ist nicht aus einer passiven quie- tistischen Lebensauffassung heraus zu verstehen, sondern aus dem Wissen um die 15 Tatsache, daß der Weg des Menschen, wenn er zielgemäß sein soll, durch überlegenes Eingreifen, durch ein unerbittliches: οὐκ ἐπιθυμήσεις gekennzeichnet ist. So wird es nicht von ungefähr sein, daß uns dieser Sprachgebrauch wesentlich nur aus LXX be- kannt ist, daß durchweg Gott (oder sein Beauftragter) das Subjekt dieses καταπαύειν ist und daß es sich dabei (Dt 3, 20; Jos 1, 13 uo) um die Ruhe im verheißenen Lande 20 handelt. — *d.* Damit wird es denn weiter auch zusammenhängen, daß trans *aufhören machen* und intrans *aufhören* gewissermaßen nahe aneinanderrücken und der gleiche modus des gleichen Wortes auch in diesem Sinne gebraucht wird[1], und zwar mit dem Part verbunden (Gn 49, 33: κατέπαυσεν ἐπιτάσσων) wie auch absolut (Gn 8, 22: θέρος καὶ ἔαρ οὐ καταπαύσουσιν). Oft bedeutet es dann — entsprechend *c* —: *ruhen*, Ex 20, 11: 25 κατέπαυσεν τῇ ἡμέρᾳ τῇ ἑβδόμῃ, vgl Gn 2, 2. Außerhalb LXX wird das Wort im intrans Sinne ganz selten[2] act, häufiger dagegen med u pass gebraucht (so in LXX nur sel- ten: Ex 16, 13; Hi 21, 34).

Im Neuen Testament: Ag 14, 18: μόλις κατέπαυσαν τοὺς ὄχλους τοῦ μὴ θύειν αὐτοῖς *davon abbringen* (*b*). — Hb 4 werden zwei für das AT bezeichnende Aus- 30 sagen einander gegenübergestellt: Josua hatte den Auftrag, das Volk im verheiße- nen Lande *zur Ruhe zu bringen* (κατέπαυσεν [*c*], v 8); Gott *ruhte* (κατέπαυσεν [*d*], v 4) am siebenten Tage. Aus einer zusammenfassenden Besinnung über diese Zwei- heit biblischer Aussagen ergibt es sich, daß das AT auch hier über sich hinaus- weist, und daß es auch jetzt noch Verheißung bleibt. Eine wirkliche Erfüllung 35 des Josua-Auftrages würde — wie auch (v 7) Ps 95, 7 ff beweist — anders ge- artet sein, als die in der Geschichte erfolgte; sie muß und wird (v 10), da sie von Gott kommt, ein καταπαύειν bringen, das dem καταπαύειν Gottes selbst ent- spricht (vgl 1 K 15, 28). „Heute" (Hb 3, 7. 15) sind die μέτοχοι τοῦ Χριστοῦ (3, 14) aufgerufen, für diese Ruhe (→ κατάπαυσις) bereit zu sein. Maßgebendes 40 sprachliches Hilfsmittel für die Darstellung dieses Weges vom AT über das „Heute" des NT zu letzten Zielen Gottes ist der für die LXX bezeichnende Gebrauch unseres Wortes.

† *κατάπαυσις*

a. act: *das Beruhigen, das in den Ruhestand Versetzen*, übertr: *Ab-* 45 *setzung*, Hdt V 38 (τυράννων). — *b.* pass: *Ruhe*, Theophr De Ventis 18: καταπαύσεις

καταπαύω κτλ. GvonRad, Es ist noch eine Ruhe vorhanden dem Volke Gottes, ZdZ 11 (1933), 104—111.
[1] Vgl zu diesem sprachlichen Tatbestand

Philo Leg All III 5 f; LCohn, Schriften d jüd- hell Lit in deutscher Übers III (1919) 18 A 1.
[2] Vgl Pr-Bauer καταπαύω Nr 2.

τῶν πνευμάτων. In diesem Sinne (während *a* dort fehlt) häufig in LXX (→ καταπαύω *c/d*).
3 Βασ 8, 56: von der Ruhe des Volkes; Ex 35, 2 uö vom Sabbath; Js 66, 1: ποῖος τόπος
τῆς καταπαύσεώς μου (Ruhe Gottes = Gegenwart Gottes bei dem Volk). Auch ohne
τόπος heißt κατάπαυσις *Ruhestätte*, zB ψ 94, 11.

5   Im Neuen Testament: Ag 7, 49 nach Js 66, 1 von Gott: Was
ist die Stätte meiner *Ruhe*? Hb 3, 11. 18; 4, 1. 3. 5. 10f nach Ps 95, 11 von
der *Ruhe* (dem *Ruheplatz*) des Volkes. Wie die Verheißung der Schrift über
den „Diener" Mose zweifellos hinausweist auf die Vollendung durch den „Sohn"
(Kp 3, 1—6), so weist auch die Ruhe, von der sie gleich auf dem ersten Blatt
10 (Gn 2, 2) redet, über die Tat Josuas (4, 8) und über David (4, 7) hinaus auf
die letzten Dinge. Die Bewegung, aus der das Leben der Kreatur in den
Schöpfungstagen hervorging, soll in die heilige Ruhe des Schöpfers, in den
siebenten Tag einmünden; dessen wartet Gottes Volk.

Bauernfeind

15   **† καταπέτασμα**

A. καταπέτασμα außerhalb des NT.

1. Das Wort — eigtl „das nach unten Ausgebreitete" — ist bis-
her außerhalb der biblischen Literatur sehr selten belegt, da *Vorhang* gewöhnlich παρα-
πέτασμα oder αὐλαία (von αὐλή, urspr die „Vorhänge", die die nach dem Hof zu gehenden
20   Türen verschlossen) oder als lat Lehnwort βῆλον = *velum* heißt. Jedoch scheint es auch
schon in der griech Welt term techn für eine Art Tempelvorhang — neben παραπέ-
τασμα — gewesen zu sein, was sich bereits 346/5 in einem Inventar des Hera-Tempels
von Samos belegen läßt[1]. Vorhänge selbst kennt das hell Privatleben ebenso wie der
Kultus in allen möglichen Formen. An den Türen, zwischen den Säulen, an den Wän-
25   den, unter der Decke, vor den Fenstern hängen Vorhänge in Privathäusern und öffentlichen Gebäuden[2], meist aus schweren, bunten Stoffen, oft asiatischer Herkunft[3]. In
den Tempeln dienen sie oft zum Verhüllen von Götterbildern, die nur an hohen Festtagen sichtbar sein sollen[4], in den Kultstätten der hellenistischen Religionen sind sie, wie
in den Ostkirchen, zur kultischen Handlung unbedingt nötig[5]; Apuleius hat uns für
30   Isis ein anschauliches Bild davon gegeben[6]. Dabei sind sie wohl auch zuweilen symbolisch gedeutet worden[7].

2. In Septuaginta bezeichnet καταπέτασμα immer einen der
Vorhänge des Tempels oder der Stiftshütte (פָּרֹכֶת oder מָסָךְ), und zwar sowohl den
zwischen Allerheiligstem und Heiligem (Ex 26, 31—35; 27, 21; 30, 6; 35, 12; 37, 3 ff;
35   40, 3. 21—26; Lv 4, 6. 17; 16, 2. 12—15; 21, 23; 24, 3; Nu 4, 5; 2 Ch 3, 14; 1 Makk
1, 22) als auch den zwischen Tempelgebäude (Stiftszelt) und Vorhof (Ex 26, 37; 35, 15
[ΕΞ 35, 12 f]; 37, 5 f. 16; 38, 18; 39, 4. 19; 40, 5; Nu 3, 10. 26; 4, 32; 18, 7; 3 Βασ 6, 36;
Sir 50, 5). Der Aristeasbrief (86) bezeichnet den äußeren Vorhang so, Josephus beide
(Ant 8, 75), während Philo (Vit Mos II, 101) genau scheidet: καταπέτασμα heißt nur der
40   innere, der äußere dagegen κάλυμμα. Nach allen Zeugnissen hat der äußere Vorhang

καταπέτασμα. Pr-Bauer³ 691 f; Wilke-Grimm
233 f; ThZahn, Der zerrissene Tempelvorhang
NkZ 13 (1902) 729—756; HLaible, ebd 35
(1924) 287—314; Ders bei Str-B III 733—736;
PFiebig, Der zerrissene Tempelvorhang,
Neues Sächs Kirchenbl 40 (1933) 227—236;
CSchneider, Studien zum Ursprung liturgischer Einzelheiten östlicher Liturgien I: Καταπέτασμα, in: Κύριος, Vierteljahrschr für Kir-
chen- u Geistesgeschichte Osteuropas I (1936)
Heft 1; HWenschkewitz, Die Spiritualisierung
der Kultusbegriffe Tempel, Priester und Opfer
im NT, in: Ἄγγελος 4 (1932) 70—230.

[1] Deißmann LO 80 nach OHoffmann, Die
griech Dialekte III (1898) 72.
[2] ChDaremberg-ESaglio, Dictionnaire des
Antiquités Grecques et Romaines V (1912/17)
sv velum. Dort reiche Quellenangaben.
[3] LdeRonchaud, La tapisserie dans l'antiquité (1884).
[4] CIG II 2886.
[5] Ovid Fast II 563; Cl Al Paed III 2, 1 ff.
[6] Met XI 20.
[7] Jedenfalls legt das Philo nahe: Vit Mos
II 87 f. 101. Weiteres bei Wenschkewitz aaO.

keine eigentlich kultische Bedeutung; er ersetzt die am Tage nicht geschlossenen Torflügel. Josephus weiß, daß er 55×16 Ellen war: πέπλος ἦν Βαβυλώνιος, ποικιλτός ἐξ ὑακίνθου καὶ βύσσου, κόκκου τε καὶ πορφύρας, θαυμαστῶς μὲν εἰργασμένος[8]. Die Farben symbolisieren dabei das All, jeder Stoff steht für ein Element. Der innere Vorhang dagegen ist der einzige Abschluß des Allerheiligsten nach dem Heiligen hin, da das 5 Allerheiligste keine Tür hat[9]. Nach der Tradition zeigt er die Bilder von zwei Cherubim, und besteht aus feinstem Byssusgewebe mit Purpur und Scharlach durchwoben[10]; nach einer allerdings nicht sicheren Stelle wird er von 82 Mädchen hergestellt, die von der Tempelsteuer bezahlt werden[11]; nach Prot Ev Jk 10, 2 ist Maria eine von ihnen. Umstritten ist nur, ob es sich um einen einzigen — so Josephus — 10 oder um einen Doppelvorhang handelt — so Mischna und Talmude meist[12]. Als Größe wird 40×20 Ellen angegeben[13].

3. Die große **kultische Bedeutung** des inneren Vorhangs liegt einmal darin, daß er allein das Allerheiligste verhüllt, nur der Hohepriester darf ihn am Versöhnungstag durchschreiten[14], andrerseits darin, daß 15 auch er am Versöhnungstag mit Blut besprengt wird[15]. Wie leicht sich dadurch sogar magische Vorstellungen mit ihm verbanden, zeigt die talmudische Legende von dem blutenden Vorhang[16]. Nach der gleichen Überlieferung ist er im Triumphzug des Titus mit herumgeführt worden; das Relief am Titusbogen läßt ihn aber nicht erkennen. 20

4. Daß die Synagogen den Tempelvorhang nachgebildet hätten, ist unwahrscheinlich, da man die heiligen Geräte des Tempels wohl abbilden, nicht aber nachbilden durfte. Immerhin ist unsicher, wie weit man sich an dies Verbot gehalten hat und wie alt es ist[17]. Es muß schon früh Vorhänge in den Synagogen und doch wohl auch vor dem Toraschrein gegeben haben (וילן = velum, heute 25 Prauches)[18].

B. καταπέτασμα im NT.

1. Im NT zerreißt nach Mt 27, 51; Mk 15, 38; Lk 23, 45 τὸ καταπέτασμα τοῦ ναοῦ im Augenblick des Todes Jesu. Aller Wahrscheinlichkeit nach denken die Evangelisten doch an den Vorhang vor dem Allerheiligsten, 30 da dem äußeren viel zu wenig Bedeutung zukam[19]. Sie haben damit doch wohl schon die Vorstellung verbunden, daß der Tod Jesu den Zugang zum Allerheiligsten eröffnet.

Nach einem Fragment des Nazaräerev ist jedoch infolge des Erdbebens statt des Vorhangs die Oberschwelle geborsten („superliminare templi infinitae magnitudinis 35 fractum esse atque divisum")[20]. ENestle[21] nimmt dabei eine Verwechslung von פָּרֹכֶת

---

[8] Jos Bell 5, 212.
[9] Falsch ist aber sicher Joma 5, 1 (→ A 12).
[10] Außer den oben zitierten St Scheq 8, 5; bJoma 54 a; Jos Ant 8, 75.
[11] Scheq 8, 5. Doch ist die Lesung unsicher. bKet 106 a.
[12] Joma 5, 1; bKet 106 a; bJoma 54 a. Laibles Harmonisierung (NkZ 35 [1924] 288), die Zweizahl spiele auf Mt 27, 51 an, ist zu gewagt.
[13] Jos Bell 5, 219; Scheq 8, 5.
[14] Lv 16, 2. 12—15.
[15] Lv 4, 6. 17; Joma 5, 4.
[16] bGit 56 b. Als Titus den Vorhang mit dem Schwert zerschnitt, sei Blut herausgeflossen. REleazar bJose (180) will ihn nach TJoma 3, 8 voll Blutstropfen in Rom gesehen haben. Vgl Str-B I 1043—1046.

[17] KHRengstorf, Zu den Fresken der Villa Torlonia, ZNW 31 (1932) 33—60.
[18] SKrauß, Synagogale Altertümer (1922) 373—381. Jüd Lex sv „Parochet".
[19] Anders Fiebig u Zahn aaO. Sie meinen den äußeren, weil nur dieser dem Volk sichtbar gewesen sei. Ähnlich GDalman, Orte und Wege Jesu[3] (1924) 323. Vgl auch WBauer, Das Leben Jesu im Zeitalter der nt.lichen Apokryphen (1909) 230 ff.
[20] Fr 23 (Hennecke 31), zitiert bei Hier In Mt 27, 51 (MPL 26, 236 f); Ep ad Hedybiam CXX 8 (CSEL 55, 489 ff).
[21] Ev Kirchenblatt für Württemberg 56 (1895) 290 ff; ZNW 3 (1902) 167 f; Nov Test Graeci Suppl (1896) 79.

= Vorhang mit כֹּפְתֹּר = Säulenkopf an, doch ist das unwahrscheinlich [22]. Zu Grunde liegt vielleicht eine auch bei Josephus, Tacitus und im Talmud begegnende Geschichte von Warnzeichen, die der Tempel selbst vor seiner Zerstörung abgibt [23]; so hat auch die alte Kirche die Stellen weithin gedeutet [24].

5   **2.** An drei Stellen hat Hb den Vorhang theologisch gedeutet: 6, 19; 9, 3; 10, 20; immer ist der innere gemeint [25]. Auch das himmlische Heiligtum, das in allem das viel wertvollere Urbild des irdischen Tempels ist, hat seinen Vorhang, aber der wahre Hohepriester Christus geht durch ihn hindurch, und zwar nicht allein und um seiner selbst willen, sondern als
10 πρόδρομος (6, 20) der Seinen. 10, 20 wird dieser Vorhang, durch den der Christus geschritten ist und wir mitschreiten, mit dem Fleisch des Christus identifiziert. Die schwierige Symbolik dieser Stelle meint doch wohl, daß die irdische Existenz Jesu einen doppelten Sinn hat: einmal steht sie — ähnlich 2 K 5, 16 — noch immer verhüllend zwischen Allerheiligstem und Gemeinde,
15 andrerseits aber ist sie auch der einzig mögliche Weg zum Allerheiligsten [26].

An diese Stelle anknüpfend, hat die Ostkirche das καταπέτασμα in ihre Liturgie aufgenommen, und auch nachdem es von seinem eigentlichen Platz an den Ciboriumssäulen des Altars oder am Triumphbogen durch die Bilderwand verdrängt wurde, ist es in den drei Vorhängen an den drei Türen des Ikonostas noch heute vorhanden und
20 dient häufig zur Ankündigung des Szenenwechsels [27].

Carl Schneider

καταπίνω → πίνω.   καταρτίζω, κατάρτισις, καταρτισμός → I 474 f.
καταπίπτω → πίπτω.   κατασκηνόω → σκῆνος.
κατάρα, καταράομαι → I 449 ff.   κατασκοπέω, κατάσκοπος → σκοπέω.
25 καταργέω → I 453 ff.   καταστέλλω, καταστολή → στέλλω.

---

† καταστρηνιάω

Das nur 1 Tm 5, 11 begegnende Wort [1] ist bisher weder im Profangriechischen nachgewiesen, noch kommt es in LXX vor. Das Simplex στρηνιάω in der Bedeutung ἀτακτεῖν oder τρυφᾶν = *heftig entbrennen, gierig sein, sinnlich erregt sein*, in der neueren Komödie [2], auch Apk 18, 7. 9, das Subst στρῆνος außer in der
30 Profanliteratur [3] einmal für שְׁאַנַן im Sinne von *Hochmut, Übermut* in LXX (4 Βασ 19, 28), ferner Apk 18, 3. Die frühchristlichen Kommentare geben 1 Tm 5, 11 mit ἀκκισθῶσιν

---

[22] Dagegen Dalman WJ I 45; Zahn aaO 753. Der Harmonisierungsversuch Zahns u Laibles ist zu einfach. Möglich ist, daß der Verf des Ev Naz rationalisiert hat und zwar mit Hilfe von Js 5, 4. Ein Bruch der Oberschwelle ließ sich als Folge des Erdbebens anschaulicher vorstellen als ein Zerreißen des Vorhangs.
[23] Jos Bell 6, 290 ff; bJoma 39 b; jJoma 43 c; Tacitus Historiae V 13.
[24] Ev Eb 52 (Hennecke 48); Tertullian Marc IV 42. Anders Chrys Hom in Mt 88, 2 (MPG 58, 826).
[25] τὸ ἐσώτερον τοῦ καταπετάσματος (Lv 16, 2. 12) oder τὸ δεύτερον καταπέτασμα.

[26] Vgl Wenschkewitz aaO 207 f.
[27] FEBrightman - CEHammond, Liturgies Eastern and Western I (1896) 590 f; RE³ II 226 f sv Bilderwand; Schneider aaO.

καταστρηνιάω. Pr-Bauer³ 697; Wilke-Grimm 235; Thes Steph IV 1254.
[1] Pseud-Ign Ad Antiochenos 11 ist nur ein freies Zitat aus 1 Tm 5, 11.
[2] Suid sv; Phryn Ecl 357 p 475; Athen III 101 (p 127 d).
[3] Palladas in: Anth Pal VII 686, 6; Lycophron Alexandra 438 (ed CvHolzinger [1895]).

(eitel sein) oder θρύπτωνται (θρύψωνται) wieder[4]. Etymologisch gehört es wohl zu lat strenuus, „emsig, wacker"; die Endung -ιάω ist die der Krankheitsverba[5].

Der Gen τοῦ Χριστοῦ hängt „gewissermaßen" von κατά ab, die Bedeutung von 1 Tm 5, 11 ist also *sie werden üppig gegen Christus* oder *sie entbrennen in sinnlicher Gier im Gegensatz zu Christus*[6].

Der Verf des 1 Tm verlangt, daß keine Witwen unter 60 Jahren in den offiziellen Stand der χῆραι aufgenommen und als Gemeindedienerinnen im engeren Sinne angestellt werden[7], da er fürchtet, daß jüngere auf erneutes Heiraten ausgehen und dadurch dem übernommenen Amt und damit dem Christus untreu werden. Dieser Satz ist nicht aus dogmatischen oder ethischen Erwägungen heraus konstruiert oder gar Ausdruck einer asketischen Haltung, sondern rein aus der Erfahrung in den Gemeinden geschöpft; das zeigen auch die folgenden ebenso wie die vorhergehenden Verse.

Carl Schneider

κατασφραγίζω → σφραγίς.　　　*κατατομή* → τέμνω.

κατα φρονέω, καταφρονητής, περιφρονέω

† *καταφρονέω*

Mit Gen oder doppeltem Gen, zuweilen mit Acc; selten mit ἐπί: *jemand wegen einer Sache* oder *eine Sache verachten, geringschätzen, unziemlich denken, sich nicht kümmern, sich nicht fürchten*: τῶν θεῶν[1]; τοῦ ἀποθανεῖν[2]; αἰσχροκερδείας[3]; μὲ καὶ Θήβας[4]; τῆς ἡλικίας[5]. In LXX für בּוּז und בָּזָה, auch selbständig umgestaltend für חָבַל, בָּגַד und תָּעָה pi: Hos 6, 7 (Gott); Gn 27, 12 (Vater); Prv 23, 22 (Mutter); Jdt 10, 19 (τοῦ λαοῦ); 2 Makk 7, 24; 4 Makk 5, 10 (Antiochos IV); Zeph 1, 12; Tob 4, 18 (Gebote, guten Rat); Prv 19, 16 (τῶν ὁδῶν τοῦ νόμου); Sap 14, 30 (ὁσιότητος); Prv 18, 3; 4 Makk 4, 26 (δόγματα); Hab 1, 13 absolut, wohl im Sinne des Hybrisgedankens → ὕβρις.

Das Neue Testament warnt vor einer ähnlichen Verachtung des Reichtums der Güte Gottes (R 2, 4), wie etwa[6] der Jude der Sap über Gott unziemlich denkt, und vor der Verachtung der Gottesgemeinde durch ein unwürdiges und unsoziales Verhalten bei den Agapen (1 K 11, 22)[7]. Jesus gebietet, auch den Kleinsten nicht zu verachten (Mt 18, 10), wohl auf dem Hintergrund echt hellenistischer Kinderliebe[8]. 1 Tm 4, 12 mahnt, einen Kirchenführer nicht wegen seiner Jugend geringzuschätzen[9], wobei allerdings an den jungen Menschen

[4] Chrys Ad Tim I Hom XV zSt (MPG 62, 634); Theophylact zSt (MPG 125, 578); Cramer Cat zSt.
[5] Debr Gr Wortb § 184.
[6] Bl-Debr[6] § 181.
[7] Zum gesamten Problem LZscharnack, Der Dienst der Frau in den ersten Jahrhunderten der christl Kirche (1902) 100 ff.

καταφρονέω. Pr-Bauer[3] 699; Wilke-Grimm 236; Helbing Kasussyntax 184.

[1] Eur Ba 199.
[2] Epict Diss IV 1, 70.
[3] Xenoph Venat XIII 16.
[4] Eur Ba 503.
[5] PGen 6, 13.
[6] Ltzm R zSt.
[7] Ltzm K zSt.
[8] Vgl JLeipoldt, Gegenwartsfragen in der nt.-lichen Wissenschaft (1935) 55 ff.
[9] σου gehört entweder zu καταφρονείτω oder zu νεότητος; der Sinn ist derselbe.

auch besondere Anforderungen gestellt werden. Bei der drohenden christlichen Sklavenemanzipation fordert 1 Tm 6, 2, daß christliche Sklaven ihre Herren nicht verachten, sondern im Gegenteil nach dem Vorbild des δοῦλος Christus doppelt achten sollen.

5   Hb 12, 2 verwendet das Wort positiv: Jesus verachtet die Schande des Kreuzestodes [10].

In einer bekannten sprichwörtlichen Wendung [11] steht καταφρονέω Mt 6, 24 par Lk 16, 13. Wer dem Reichtum als Sklave verfallen ist, wird Gott geringschätzen und umgekehrt. — Unsicher ist 2 Pt 2, 10, das Jd 8 zur Grundstelle hat. Aller Wahrscheinlichkeit nach ist die κυριότης wie Herm s 5, 6, 1; Did 4, 1 die Herrschaft des Christus, die die Gegner verachten. Zur Not könnte κυριότης wie Hen 61, 10; Kol 1, 16; Eph 1, 21 eine Engelklasse bedeuten. Dann würden die Gegner vor Engelverachtung gewarnt. Jedoch macht das schon der undeterminierte Sing unwahrscheinlich, ebenso erfordert es der Zusammenhang nicht.

15   † *καταφϱονητής*

Im allgemeinsten Sinn *Verächter*; so Plut Brutus 12 (I 988 f), Philo Leg Gaj 322 (τῶν θείων); Jos Ant 6, 347; Bell 2, 122; in LXX für Formen von בָּגַד Hab 1, 5 (Obj: Gott); 2, 5; Zeph 3, 4 (Subj: falsche Propheten, Obj: Gott).

Ag 13, 41 wird in einer Missionsrede Hab 1, 5 zitiert; als Subjekt sind Juden 20 und Proselyten (Ag 13, 26) gedacht, als Objekt die Botschaft von Christus und der gesetzesfreien Sündenvergebung.

† *περιφϱονέω*

Mit Acc oder Gen ursprünglich *erwägen, überlegen* [1], dann *über etwas hinausdenken, über jemand hinwegsehen, verachten* [2], aber auch intr *verständig, weise* 25 *sein* [3]. In LXX *verachten* (4 Makk 6, 9: τῆς ἀνάγκης; 7, 16: τῶν βασάνων; 14, 1: τῶν ἀλγηδόνων).

Im NT nur Tt 2, 15 in ähnlichem Sinn wie καταφρονέω 1 Tm 4, 12 gebraucht; allerdings ist hier die Jugend des Titus nicht besonders als Grund des hochmütigen Herabsehens der anderen genannt.

30   *Carl Schneider*

---

† *καταχϑόνιος*

Seit Hom Il 9, 457, wo Hades als Ζεὺς καταχθόνιος bezeichnet wird, ist καταχθόνιος (aus κατὰ χθονός *wer unter der Erde ist*, im Gegensatz zu ἐπιχθόνιος = ἐπὶ χθονὶ ὤν) in der Bedeutung *unterirdisch* synonym mit dem häufiger gebrauchten 35   χθόνιος [1] nachweisbar als Bezeichnung von göttlichen Wesen, die in der Unterwelt lokalisiert werden. So unterscheidet Apoll Rhod 4, 1412 f unter den weiblichen Gottheiten

---

[10] Wnd Hb zSt.
[11] Zahlreiche Belege für das Sprichwort bei Str-B I 433 u Kl Mt zSt.

περιφϱονέω. Pr-Bauer [3] 1090; Wilke-Grimm 353.
[1] Aristoph Nu 741 (τὰ πράγματα).
[2] Aristoph Nu 225; Thuc I 25, 4; Luc Demosthenis Encomium 8; Pseud-Plat Ax 372 a; Plut Thes 1, 4 (I 1 c); Pericl 31 (I 169 a); POxy I 71 II col 16.

[3] Pseud-Plat Ax 365 b. Das Subst περιφρόνησις nicht im NT.

καταχϑόνιος. Liddell-Scott, Pr-Bauer sv; zu dem Kultus der θεοὶ καταχθόνιοι vgl ERohde, Psyche I [10] (1925) 119 ff.
[1] Ursprünglich nur: „zur Erde gehörig", „zur Erde in Beziehung stehend" bedeutend (Gegensatz: οὐράνιος), wird χθόνιος anscheinend früh mit καταχθόνιος synonym gebraucht [Debrunner].

zwischen den οὐράνιαι θεαί, den καταχθόνιαι und den οἰοπόλοι νύμφαι (dh den an einsamen Orten der Erde lebenden Nymphen). Die θεοὶ καταχθόνιοι werden auf zahlreichen Grabinschriften, gelegentlich mit Anführung und Aufzählung der einzelnen, erwähnt, zB IG III 2, 1423: παραδίδωμι τοῖς καταχθονίοις θεοῖς τοῦτο τὸ ἡρῷον φυλάσσειν, Πλούτωνι καὶ Δήμητρι καὶ Περσεφόνῃ καὶ Ἐριννύσιν καὶ πᾶσιν τοῖς καταχθονίοις θεοῖς. Wenn 5 die Unterirdischen hier als Hüter des Grabes und Schützer der Grabesruhe angerufen werden, so erbittet IG XIV 1660 eine Ehefrau, die ihrem verstorbenen Gatten das Grabmal errichtet, die Fürsorge der *unterirdischen Götter* für die Seele des Toten: περὶ οὗ δέομαι τοὺς καταχθονίους θεοὺς τὴν ψυχὴν εἰς τοὺς εὐσεβεῖς κατατάξαι. Aus den zahlreichen weiteren Inschriften mit Erwähnung der καταχθόνιοι θεοί als der Totengötter 10 seien angeführt IG III 2, 1424; Ditt Or I 382, 1. Der Ausdruck θεοὶ καταχθόνιοι entspricht dabei dem lat di manes. Von δαίμονες καταχθόνιοι spricht Hierocl Carm Aur I p 419; ἄγγελοι καταχθόνιοι werden Audollent Def Tab 74, 1 erwähnt.

Im Neuen Testament kommt καταχθόνιος nur vor Phil 2, 10: ἵνα ἐν τῷ ὀνόματι Ἰησοῦ πᾶν γόνυ κάμψῃ ἐπουρανίων καὶ ἐπιγείων καὶ καταχθονίων, 15 καὶ πᾶσα γλῶσσα ἐξομολογήσηται. Die *Himmlischen, Irdischen und Unterirdischen* stellen den Inbegriff aller geistigen Wesen dar, ähnlich wie Ign Tr 9, 1, wo vom Kreuzestod Christi gesagt wird, daß er sich abgespielt habe βλεπόντων τῶν ἐπουρανίων καὶ ἐπιγείων καὶ ὑποχθονίων, und Apk 5, 13, wo an die Stelle der Gesamtheit der geistigen Wesen der Inbegriff aller Kreaturen tritt: πᾶν κτίσμα 20 ὃ ἐν τῷ οὐρανῷ καὶ ἐπὶ τῆς γῆς καὶ ὑποκάτω τῆς γῆς καὶ ἐπὶ τῆς θαλάσσης[2], καὶ τὰ ἐν αὐτοῖς πάντα, ἤκουσα λέγοντας (folgt der Lobpreis). Wen Paulus bzw der Autor des „Carmen Christi" Phil 2, 6ff unter den καταχθόνιοι verstanden hat, ist nicht mehr festzustellen, zumal die Aufzählung nicht einer Klassifizierung, sondern einer Zusammenfassung dienen soll. Wie wenig solche Formeln einer 25 streng logischen Analyse zugänglich sind, zeigt Apk 5, 13, wo der Begriff der vernünftigen Wesen (λέγοντας!) und der der geschaffenen Dinge (τὰ ἐν αὐτοῖς πάντα) ineinander übergehen. Es ist jedenfalls falsch und zeugt von einem verkehrten Verständnis der liturgisch-poetischen Sprache des Hymnus Phil 2, 6ff, wenn man die 2, 10f genannten Wesen klassifiziert und in den καταχθόνιοι nur die in 30 der Erde ruhenden Toten findet[3]. Dagegen spricht schon der griechische Sprachgebrauch, der in den καταχθόνιοι stets θεοί oder δαίμονες sieht.

Sasse

κατείδωλος → II 376 f.

---

† *κατεργάζομαι* 35

κατεργάζεσθαι, seit Sophokles. bedeutet *a. nieder- (zu Boden-) arbeiten, überwinden,* mit Erhaltung der alten lokalen Bedeutung von κατά; — *b. fertig arbeiten, aufarbeiten;* durch häufigen und übertreibenden Gebrauch abgeschliffen, gewinnt es schließlich die Bedeutung des Simplex. So bezeichnet das Verbum sowohl das *Bearbeiten* und *Bewirken* als auch das *Vollbringen einer Aufgabe.* Es wird namentlich 40 von der Landwirtschaft und von der Bearbeitung von Werkstoffen gebraucht und kommt so auch in LXX vor: Dt 28, 39 (עֲבַד), ebenso wohl auch Ez 36, 9 Pass (עֲבַד

---

[2] Zu der Vierteilung des κόσμος → I 677, 27 ff.
[3] So Ew Gefbr zSt; s dazu Loh Phil zSt.

κατεργάζομαι. Pr-Bauer[3] sv; Moult-Mill 336 f; Preisigke Wört 775; Bachm K zu 2 K 4, 17; 5, 5.

ni); Ex 35, 33 (חָרֹשֶׁת); 3 Βασ 6, 36 (בְּרֻתוֹת); im Sinn von *bereiten, zurüsten* für פָּעַל Ex 15, 17 A [1]; ψ 67, 29 אᶜ·ᵃ; für עָשָׂה Ex 39, 1 (38, 24); für מִשְׂרָה Nu 6, 3.

Religiöse Bedeutung hat von diesen Stellen nur ψ 67, 29, wo in irgendeinem Sinne von der Bereitung des Heils durch Gott die Rede ist. Sonst kommt in LXX noch
5   κάτεργον = עֲבֹדָה Ex 30, 16; 35, 21 vom kultischen Dienst oder doch von Leistungen für den Tempel vor [2]. Ἀ setzt κατεργάζεσθαι, κάτεργον, κατέργασμα und κατεργασία offenbar gern für den Stamm פָּעַל ein: ψ 10, 3; 27, 3. 4. 5; 45, 9; 91, 5. 8. 10; Prv 8, 22; Js 40, 10; ᾽Ιωβ 11, 8; 24, 5. Hier ist wie im Hellenismus häufig eine Unterscheidung des Kompositum vom Simplex nicht mehr möglich, zumal LXX meist ἐργά-
10 ζεσθαι, ἔργον an diesen Stellen hat. Daneben bedeutet κατεργάζεσθαι wie im profanen Griechisch so auch im griechischen AT mehrfach *überwinden, bezwingen*, so Ez 34, 4 für רדה; ebenso für רדה die vl zu Lv 25, 53 neben κατατείνω und παιδεύω vom Sklaven, vgl auch die vl zu Lv 25, 39 für עבד neben δουλεύειν. Jos 18, 1 ist *unterwerfen* vom Land neben κρατεῖν und ὑποτάσσειν mit κατεργάζεσθαι übersetzt. Vielleicht hat
15 auch ᾽Ιωβ 11, 8 bei Ἀ diesen Sinn, während Ri 16, 16 A wohl eine Abschwächung gegenüber dem צוק *bedrängen* der Mas bedeutet. Im hellenistischen Teil der LXX kommt κατεργάζεσθαι überhaupt nur einmal vor und zwar 1 ᾽Εσδρ 4, 4 in der Bedeutung *bezwingen, überwinden*. Auch in diesem Sinn begegnet die Vokabel bei Philo, zB Sacr AC 62: ἀτίθασον καὶ ὠμὸν πάθος κατειργάσαντο ὥσπερ τροφὴν λόγῳ πεπαίνοντι (τρο-
20 φὴν κατεργάζεσθαι = *verdauen*).

Im Neuen Testament findet sich die Vokabel vor allem in R und 2 K, sonst je einmal in 1 K, Eph, Phil, 1 Pt und zweimal Jk. Sie hat an all diesen Stellen ethisch-religiösen Sinn. Sie wird in malam partem gebraucht R 1, 27: κατεργάζεσθαι ἀσχημοσύνην, 2, 9: τὸ κακόν [3], 1 K 5, 3: κατεργάζεσθαι *ein Ver-*
25 *brechen begehen* hat hier von vornherein negativen Sinn. 1 Pt 4, 3: τὸ βούλημα τῶν ἐθνῶν, mit bezug auf die böse Tat (*vollbringen*); R 4, 15: ὀργήν; R 7, 13; 2 K 7, 10: θάνατον, mit bezug auf die bösen Folgen (*bewirken*). Das Subjekt des menschlich-sündigen Handelns ist die Sünde, die die ἐπιθυμία wirkt (R 7, 8. 15. 17. 20).

30 Die entgegengesetzte Verwendung von κατεργάζεσθαι in bonam partem findet sich R 7, 18: κατεργάζεσθαι τὸ καλόν, R 5, 3; Jk 1, 3: ὑπομονήν, 2 K 7, 10a: μετάνοιαν εἰς σωτηρίαν, vgl 7, 11: σπουδήν, ἀπολογίαν κτλ, Phil 2, 12: σωτηρίαν, 2 K 9, 11: εὐχαριστίαν, 2 K 4, 17: βάρος δόξης, warnend Jk 1, 20: δικαιοσύνην [4]. Ob Eph 6, 13: ἅπαντα κατεργασάμενοι von der allseitigen Vorbe-
35 reitung zum Kampf oder von der Überwindung aller Widerstände zu verstehen ist, bleibt eine offene Frage [5]. Daß ebenso wie hinter → ἔργον, ἐργάζεσθαι auch hinter κατεργάζεσθαι als letztes Subjekt Gott, bzw Christus steht, zeigen R 15, 18 und 2 K 12, 12 mit bezug auf die apostolische Wirksamkeit. An der letzteren Stelle ist von der Beglaubigung der Botschaft und der Person des Apostels
40 durch gottgewirkte wunderbare Machttaten die Rede. Zu κατειργάσθη ist also zu ergänzen διὰ θεοῦ [6]. Gott ist es selbstverständlich auch, der all die Heilsgaben wirkt, von denen an den zitierten Stellen die Rede ist. θεὸς γάρ ἐστιν ὁ ἐνεργῶν, das steht wie Phil 2, 12. 13 hinter jedem κατεργάζεσθαι. Gott ist es,

---

[1] Diese Stelle und damit τὸ κατειργάσθαι deutet Philo Plant 50 auf die Erschaffung der Welt.

[2] Letzteres ist wahrscheinlicher trotz der von Moult-Mill gebrachten Verweisung auf PPetr II 4 (2), 8.

[3] Vgl Ἀ ψ 27, 3; 91, 8. 10 (פֹּעֲלֵי אָוֶן); → ἔρ-γον II 641, 30 ff.

[4] Ähnlich findet sich bei Philo ἐργάζεσθαι ἀδικημάτων παραίτησιν (Poster C 48), πρὸς θεὸν οἰκείωσιν (Poster C 135), τελειότητα (Gig 26).

[5] Vgl Dib Gefbr zSt.

[6] Anders Wnd 2 K zSt.

der uns zum Heil, für die Herrlichkeit des Himmelsleibes[7] bereitet hat: 2 K 5, 5. An dieser Stelle weist das Part Aor κατεργασάμενος auf die in der Taufe stattgefundene Neuschöpfung[8], das Praesens κατεργαζόμενος der vl D G lat auf die gegenwärtigen θλίψεις (vgl 4, 17; R 5, 3) hin.

Bertram 5

κατέχω → II 828 f.

κατήγορος, κατήγωρ,
κατηγορέω, κατηγορία

---

† *κατήγορος, κατήγωρ*

κατήγορος = ὁ ἀγορεύων κατά τινος (vgl προσήγορος „an- 10 redend", κακήγορος „Böses redend") *gegen jemand redend, anklagend*, substantiviert: *Ankläger*, im NT nur im gerichtlichen Sinne, meist vom menschlichen Aŋkläger vor menschlichem Gerichte: (J 8, 10) Ag 23, 30. 35; 25, 16. 18; vom Teufel als Ankläger vor dem Gerichte Gottes: Apk 12, 10 (alle Hdschr außer. A). 15

Apk 12, 10 liest A allein κατήγωρ; als die schwierigere LA ist κατήγωρ trotz seiner schwachen Bezeugung vorzuziehen. Die von der üblichen abweichende Form kann als vulgärgriechisch oder als semitisierend verstanden werden. Der einzige Beleg für κατήγωρ ist ein Zauberpapyrus aus dem 4. oder 5. Jhdt n Chr, PLond I 124, 25: ποιεῖ πρὸς . . . κατήγορας[1]. Aber es ist unleugbar, daß ähnliche Umformungen griechischer 20 Worte weit früher vorkommen. διάκων statt διάκονος hat ein Pap von 75 n Chr BGU II 597, 4. Daß κατήγωρ ein Semitismus sein m ü s s e, läßt sich keinesfalls behaupten. Aber ebenso falsch ist, daß es kein Semitismus sein k ö n n e. In der rabbinischen Sprache ist κατήγωρ wie συνήγωρ als Fremdwort קטיגור belegt und zwar eben als Bezeichnung für den Teufel, von dem Apk 12, 10 redet[2]. Entscheiden können nur Er- 25 wägungen über die Sprache der Apk. Mit „vulgärgriechisch"[3] ist sie nur sehr unzulänglich gekennzeichnet. Die Apk gehört anerkanntermaßen zu den am stärksten semitisierenden Büchern des NT[4], und zweifellos ist gerade Kp 12 mit Kp 11 zusammen das jüdischste in der Apk. Die sämtlichen Teufelsnamen in 12, 9 sind jüdischer Herkunft. Deshalb ist es überwiegend wahrscheinlich, daß κατήγωρ Apk 12, 10 ein 30 Semitismus ist, auch wenn es PLond I 124, 25 ein Vulgarismus ist.

Die Vorstellung vom Teufel als dem Verkläger der sündigen Menschen bei Gott findet sich im AT Hi 1, 6 ff, Sach 3, 1 ff. Sie ist im Judentum verbreitet[5]. Das NT hat sie nur hier und vielleicht mitwirkend J 12, 31[6]. Paulus redet R 8, 33 nur vom Verklagen, nicht vom Verkläger. In der eigentlichen 35 Heilslehre des NT bleibt die Teufelsvorstellung nur peripher.

---

[7] Bachm K zSt.
[8] Vgl auch Wnd 2 K zSt.

κατήγωρ. Deißmann LO 72 ff; Bl-Debr[6] § 52. Zu Radermacher 19 vgl Debrunner GGA 188 (1926) 137 ff. Ferner die Komm z Apk 12, 10.
[1] Vgl Deißmann aaO.
[2] Str-B I 141—144. Bes Ex R 18 (80 c): „Wem gleichen Michael und Sammael? Dem Verteidiger und dem Ankläger, die vor Gericht stehen." Vgl Dalman Gr § 37. Punktation nach Dalman Wört sv: קְמִיגוֹר ; nach

Str-B I 141: קְמֵיגוֹר. Beachtung verdient, daß ein συνήγωρ, das dem סָנֵיגוֹר der Rabbinen entspräche, nicht nachgewiesen ist; die nachweisbare Form des griech Wortes lautet συνήγορος.
[3] Deißmann aaO.
[4] Bl-Debr[6] § 4.
[5] Vgl Str-B I 141 f und dazu noch Hen 40, 7, Test L 5, 6, Test D 6, 2.
[6] Leider ist J 12, 31 die Bedeutung des ἐκβληθήσεται nicht näher bestimmt.

† κατηγορέω

Von κατήγορος wie φιλοσοφέω von φιλόσοφος, ἀδικέω von ἄδικος uäm, also: *Ankläger sein, anklagen*[1]. Die angeklagte Person steht im Genitiv, die Sache im Akkusativ oder mit περί oder κατά. Wie viele intransitive Verben wird es auch im Passiv gebraucht[2]. Das Wort bezeichnet auch *anklagen* im weiteren, außergerichtlichen Sinne[3]. Ferner bedeutet es: *verraten, zu erkennen geben*[4] und endlich: *behaupten, aussagen*[5]. Diese letzte Bedeutung tritt namentlich seit Aristoteles[6] hervor; sie findet sich mehrfach bei Philo[7].

Im Neuen Testament ist κατηγορεῖν meist *anklagen* im gerichtlichen Sinne, Mk 3, 2 (Mt 12, 10; Lk 6, 7) Mk 15, 3. 4 (Mt 27, 12; Lk 23, 2) Lk 11, 54 D; 23, 10. 14; J 5, 45 (8, 6); Ag 22, 30; 24, 2. 8. 13. 19; 25, 5. 11. 16; 28, 19; Apk 12, 10; doch auch im außergerichtlichen Sinne R 2, 15[8]. Die Bedeutungen „zu erkennen geben", „behaupten", „aussagen", fehlen im NT. Parallel wird R 8, 33 gebraucht ἐγκαλεῖν.

† κατηγορία

ist von κατήγορος gebildet wie ἀδικία von ἄδικος uäm und bedeutet: *die Anklage im gerichtlichen Sinne*, seit Aristoteles: grammatisch: *die Aussage, das Prädikat*, logisch: *die Kategorie*[1].

Im Neuen Testament nur: *die Anklage* Lk 6, 7 (𝔎); J 18, 29; 1 Tm 5, 19; Tt 1, 6[2].

Büchsel

† κατηχέω

1. κατηχέω ist ein in der Prof-Gräz erst spät und sehr selten, in der LXX gar nicht vorkommendes Wort, das in seiner Urbedeutung „von oben herab antönen" heißt, wie zB bei Luc Jup Trag 39, wo von den Dichtern gesagt wird, daß sie ihre Zuhörer von der Bühne herab μέτροις κατάδουσι καὶ μύθοις κατηχοῦσιν. Vgl auch Philostratus Imagines I 19 (ed OBenndorf-CSchenkl [1893]). Im Gebrauch ist es in zwei Bedeutungen, die beide auch in dem doppeldeutigen deutschen *unterrichten* enthalten sind: *a.* mit doppeltem Acc wie διδάσκω *etwas berichten, mitteilen* Plut Fluv 7, 2 (II 1154 a); 17, 1 (II 1160 a); 8, 1 (II 1154 f): κατηχηθεὶς δὲ περὶ τῶν συμβεβηκότων ὁ Εὔηνος. Jos Vit 366 zitiert einen Brief Agrippas II., in dem dieser ihm nach der Lektüre seines „Jüdischen Krieges" schreibt, er bedürfe zwar offenbar keiner weiteren Belehrung, aber bei einem Besuche wolle er ihm doch noch Manches mitteilen, was ihm entgangen sei: καὶ αὐτός σε πολλὰ κατηχήσω τῶν ἀγνοουμένων. Vgl auch Philo Leg Gaj 198[1]. — In schärfer zugespitztem Sinne bedeutet κατηχέω *b.* mit Acc der Person *jemanden unterrichten, unterweisen, belehren*, insbesondere in den Anfangsgründen eines Wissens oder Könnens. So gibt Suid das Wort durch

---

κατηγορέω. Pape, Passow, Pr-Bauer sv.
[1] Belege bei Pape, Passow.
[2] Bl-Debr[6] § 312.
[3] Belege bei Pape, Passow.
[4] Aesch Ag 271: εὖ γὰρ φρονοῦντος ὄμμα σοῦ κατηγορεῖ.
[5] Plat Theaet 167 a: οὐδὲ κατηγορητέον ὡς ὁ μὲν κάμνων ἀμαθής, ὁ δὲ ὑγιαίνων σοφός.
[6] Vgl Bonitz, Aristot Index.
[7] Vgl Leisegang sv.
[8] Vgl 1 Cl 17, 4.

κατηγορία. [1] Vgl Aristot Index.
[2] An den letzten beiden Stellen scheint κατηγορία term techn einer kirchenrechtlich verfahrenden Kirchenzuchtsübung.

κατηχέω. Thes Steph IV 1348 f; Cr-Kö 480 f; Moult-Mill 337; Pr-Bauer[8] 704; Meyer Ursprung I 7; FVogel, Zu Lk 1, 4, NkZ 44 (1933) 203 ff; JMayer, Geschichte des Katechumenats und der Katechese in den ersten 6 Jahrhunderten (1868) 1 ff; CAGvZezschwitz, System der christl kirchl Katechetik I (1863) 17 ff; EChrAchelis, Lehrbuch der praktischen Theologie[3] II (1911) 281 ff. Vgl ferner das zu → διδάσκαλος II 150 angegebene Schrifttum wie den ganzen Artk → διδάσκω II 138 ff.
[1] PLips I 32, 1 = PStraßb I 41, 37 heißt κατηχέω wahrscheinlich nicht „überzeugen", wie Preisigke übersetzt, sondern „unterrichten, in Kenntnis setzen", zumal es in Entsprechung zu διδάσκω steht.

προτρέπομαι oder παραινέω wieder[2]. Das Subst κατήχησις ist in der Stoa gelegentlich gebraucht worden: Diog L VII, 89; vgl auch Gal De Placitis Hippocratis et Platonis V 290, 33 (ed Kühn V p 463); Cic Att XV 12. Das Zeitwort κατηχέω ist in der Bedeutung *Unterricht erteilen* erst in nachneutestamentlicher Zeit öfter bezeugt, zB Pseud-Luc Asin 48, wo κατηχεῖν das Abrichten eines Esels zu allerlei Kunststücken 5 bezeichnet.

2. Im Neuen Testament kommt κατηχέω in beiden Bedeutungen vor: *a.* allgemein als *Kunde von etwas geben* bzw im Passiv *Kunde erhalten.* So berichtet Ag 21, 21 Jakobus dem Paulus, unter den Judenchristen in Jerusalem gehe das Gerücht über ihn um (κατηχήθησαν περὶ σοῦ), er predige 10 allen Juden in der Diaspora Abfall von Mose, aber seine Mitwirkung bei der Lösung von Nasiräatsgelübden werde alle erkennen lassen, daß diese Kunde falsch sei, 21, 24: ὅτι ὧν κατήχηνται περὶ σοῦ οὐδέν ἐστιν. Gewiß ist es eine von Gegnern des Paulus aus ihrer theologischen Haltung heraus planmäßig — und in Wahrheit nicht ohne Grund — verbreitete Behauptung, um die es geht, 15 aber eine Kunde von geschichtlichen Vorgängen, nicht eine Lehre, die durch lehrmäßigen Unterricht weitergegeben worden ist[3].

b. Paulus verwendet κατηχέω ausschließlich in der Bedeutung *Unterricht über den Glaubensinhalt geben.* Das kann er schon im Blick auf das vorchristliche Judentum tun. Der rechte Jude ist κατηχούμενος ἐκ τοῦ 20 νόμου R 2, 18. Paulus selbst will in der Gemeindeversammlung lieber fünf Worte mit verständlichem Sinn reden, ἵνα καὶ ἄλλους κατηχήσω, als zehntausend in Zungen, 1 K 14, 19. So hoch schätzt er die Bedeutung des κατηχεῖν ein; denn er weiß, daß der Glaube aus der Predigt kommt. Gl 6, 6 stellt den κατηχῶν, der den Unterricht in der christlichen Lehre erteilt, dem κατηχούμενος, der solchen Unter- 25 richt empfängt, gegenüber und begründet zugleich den Anspruch des Lehrers auf Lebensunterhalt, begründet mithin Recht und Notwendigkeit eines berufs- mäßigen Lehrerstandes in der Gemeinde[4]. Die κατηχοῦντες von Gl 6, 6 sind mit den διδάσκαλοι von 1 K 12, 28 und Eph 4, 11 gleichzusetzen. Paulus hat also neben dem üblichen διδάσκειν ein ganz wenig und in der religiösen Sprache 30 des Judentums überhaupt nicht gebräuchliches Wort benützt, um einen term techn für die christliche Unterweisung zu schaffen, wohl um die Besonderheit des Lehrens auf Grund des Evangeliums herauszuheben. Gerade das nicht abgegriffene Wort hat sich dann in der Tat als geeignet erwiesen, den ausschließlichen Sinn christlichen Unterrichtes anzunehmen, der noch heute in dem Begriff Katechese nachklingt. 35 Dies war vornehmlich der Fall, als mit κατηχέω im besonderen der Unterricht vor der Taufe und der sich für diese Handlung Vorbereitende als Katechumen bezeichnet wurde. Dieser Sinn von κατηχεῖν ist 2 Cl 17, 1 bereits klar vor- handen. Catechumeni als Standesbezeichnung erscheint zuerst bei Tertullian[5]. Ein Vorbild für die hohe Bedeutung des Lehrers im religiösen Bereich war 40 nicht der philosophische διδάσκαλος der Griechen, wie er uns etwa bei Epiktet

---

[2] ed AAdler III 77.

[3] Diesen Tatbestand verwischt Meyer Ursprung I 7, wenn er sagt, daß κατηχέω im NT immer den Unterricht in der Religion bezeichne, dabei aber Ag 21, 21. 24 unter den Belegstellen wegläßt und sich in A 1 zur Auslegung von Ag 21, 21 die Doppel-

deutigkeit des deutschen Wortes „unter- richten" zu nutze macht.

[4] An dieser Auslegung halte ich fest auch gegen AOepke, Der Brief des Paulus an die Galater (1937), 114f.

[5] Praescr Haer 41; De Corona 2; Marc V 7. Vielleicht knüpft Tertullian an einen Sprach- gebrauch Marcions an.

besonders stark entgegentritt (→ II 153, 18 ff), sondern der → ῥαββί des Judentums[6], und doch wählt Paulus einen dem Judentum fremden Ausdruck. Es hatte zu Jesu Amt gehört, daß er in besonderer und einzigartiger Weise Lehrer gewesen war (→ II 155, 32 ff). So wurde auch in der Urchristenheit das Lehren
5 ein entscheidender Teil sowohl der missionarischen Arbeit wie des Gemeindelebens (→ II 147, 25 ff). Den Umfang solchen Lehrens faßt Ag 18, 25 in einer Formel zusammen, wenn es dort von Apollos heißt, er sei (wir wissen nicht auf welchem Wege) κατηχημένος τὴν ὁδὸν τοῦ κυρίου gewesen[7] und habe selbst ἀκριβῶς τὰ περὶ τοῦ ᾿Ιησοῦ gelehrt (ἐδίδασκεν)[8]. War der Inhalt des Lehrens
10 Jesu der Wille Gottes mit seinem Anspruch und seiner Verheißung gewesen, so zeugt die Lehre des Urchristentums von diesem Willen, wie er in Christus, in der Ganzheit seiner Erscheinung, offenbar geworden ist. Ein besonderer Lehrerstand hat sich freilich in der alten Kirche nicht erhalten. Seine Aufgabe ist auf die Bischöfe und die anderen Geistlichen übergegangen[9].

15   *c.* Umstritten ist die Frage, ob in Lk 1, 4 in der Widmung des
          Evangeliums an Theophilus und der Zweckbestimmung des Buches: ἵνα ἐπιγνῷς περὶ
          ὧν κατηχήθης λόγων τὴν ἀσφάλειαν das κατηχεῖν den allgemeineren oder den besonderen
          Sinn habe. Im ersten Fall müßte man übersetzen: „damit du bezüglich der Geschichten,
          von denen du Kunde erhieltest, ihre Zuverlässigkeit erkennst", im anderen Fall: „da-
20   mit du bezüglich der Lehren, in denen du unterrichtet worden bist, sichere Gewißheit
          erhältst"[10]. Die Entscheidung der Frage ist darum bedeutsam, weil von ihr abhängt,
          ob man in Theophilus einen Nichtchristen zu sehen hat, der zwar schon von Jesus
          gehört hat, aber nun erst durch das Evangelium des Lukas eine zusammenhängende
          und die Erscheinung des Christus deutende Darstellung erhält oder ob er ein bereits
25   „in ·der Lehre des Herrn unterrichteter" Christ war. Sprachlich ist beides möglich,
          und der Verfasser von Lk und Ag kennt beide Bedeutungen. So muß von der Sache
          her entschieden werden. Da erscheint es glaubwürdiger, daß λόγοι hier nicht „Lehren",
          sondern „Berichte, Nachrichten, Geschichten" über Jesus heißt, von denen Theophilos
          Kunde erhalten hat und deren Wahrheit ihm nun gewiß werden soll, daß κατηχεῖν
30   also in seiner allgemeineren Bedeutung verstanden werden muß.

                                                                                          Beyer

κατιόομαι → III 334 ff.   *κατισχύω* → III 400 ff, bes 401, 14 ff.

κατοικέω, κατοικίζω, κατοικητήριον, κατοικία → οἶκος.   *κατοπτρίζομαι* → II 693 f.

┌─────────────────────────────┐
│   κάτω, κατωτέρω,   │
35 │   κατώτερος   │
└─────────────────────────────┘

          † *κάτω,* † *κατωτέρω*

                    κάτω ist Ortsadverbium: *unten,* und: *nach unten.* Im NT: *unten:*
          Mk 14, 66; Ag 2, 19; *nach unten:* Mt 4, 6[1]; 27, 51 par; Lk 4, 9; J 8, 6 (12, 31 vl); Ag 20, 9.

---

[6] Schürer II 372 ff, 491 ff → II 157, 12 ff.
[7] Was Cod D abwandelt in: ὃς ἦν κατηχημένος ἐν τῇ πατρίδι τὸν λόγον, ohne damit trotz des Gleichklangs mit Gl 6, 6 die Tiefe der Fassung der Formel bei den anderen Textzeugen zu erreichen.
[8] Schon hier scheint es so, als bezeichne κατηχεῖν den Anfangsunterricht im Christenglauben, διδάσκειν die Lehrtätigkeit, die an den Gläubigen immer neu geübt wird.
[9] So schon Did 15, 1.
[10] Das Erste hat zuletzt Vogel aaO so ent-

schieden verfochten wie Meyer Ursprung I 7 das Zweite. Dieser geht dabei aber von der falschen Voraussetzung aus, daß κατηχέω überall im NT „den Unterricht in der Religion" bezeichne (→ A 3). Wie Vogel urteilen ua Zahn Einl II 359 f; 384 und Lk zSt und auch Kl Lk zSt, wie EMeyer Pr-Bauer[8] 705.

     κάτω κτλ. [1] Vgl auch den Zusatz von D Φ usw zu Mt 20, 28: ... ἔτι κάτω χώρει ...

Unten und oben bezeichnet die Erde, die Sphäre der (sündigen!) Menschen, und den Himmel, die Sphäre (des heiligen!) Gottes, so Ag 2, 19 und in dem substantivierten Ausdruck τὰ κάτω J 8, 23 vgl 3, 31; → I 376—378.

Auch im Rabb[2] bezeichnet מַעְלָה „oben" und מַטָּה „unten" *Himmel und Erde.* Vgl jJoma 44 b: כְּשֵׁירוּת שֶׁל מַעְלָן כָּךְ שֵׁירוּת שֶׁל מַטָן: „Wie der himmlische Gottes- 5 dienst, so ist auch der irdische Gottesdienst" (Chija bAbba); bBer 16 b: שֶׁתָּשִׂים שָׁלוֹם בְּפַמְלִיא שֶׁל מַעְלָה וּבְפַמְלִיא שֶׁל מַטָה: „Du wollest Frieden stiften in der himmlischen Dienerschaft (familia) und in der irdischen Dienerschaft" (aus RSafras Schlußgebet); bTem 3 a f: בֵּית דִּין שֶׁל מַעְלָה אֵין מְנַקִּין אוֹתוֹ אֲבָל בֵּית דִּין שֶׁל מַטָה מָלְקִין אוֹתִי וּמְנַקִּין אוֹתוֹ: „Der himmlische Gerichtshof spricht ihn (den Meineidigen) nicht 10 frei, aber der irdische Gerichtshof straft ihn und spricht ihn frei" (Auslegung RMeïrs zu Ex 20, 7). מַעְלָה kann geradezu zum Ersatz für „Gott" dienen; so MEx 22, 6: כִּבְיָכוֹל הַגַּנָּב עָשָׂה אֶת הָעַיִן שֶׁל מַעְלָה כְּאִלּוּ אֵינוֹ רוֹאֶה: „Der Dieb hat gleichsam das Auge ‚Gottes' hingestellt, als ob es nicht sehe" (aus einer Haggada Jochanan bSakkais).

κατωτέρω Mt 2, 16: vom zweijährigen *und darunter*[3]. 15

† κατώτερος

Komparativbildung zu κάτω wie ἐξώτερος zu ἔξω uäm; attisch ist nur das zugehörige Adverb[1]. Der Komparativ ist im NT zugleich der Superlativ[2].

Im NT nur Eph 4, 9: κατέβη εἰς τὰ κατώτερα μέρη τῆς γῆς. Was die κατώτερα μέρη τῆς γῆς hier bedeuten, ist exegetisch seit langem umstritten[3]. Jetzt 20 deutet man diese Stelle meist im Zusammenhange mit dem gnostischen Mythus von dem himmlischen Erlöser, der von seiner Höhe herabsteigt[4]. Die κατώτερα μέρη τῆς γῆς sind dann entweder der Hades, in den er siegreich einbricht, oder die Erde, auf die er mit seiner Menschwerdung kommt[5]. Die zweite Auffassung ist die heute verbreitetste[6]. Nun mag καταβαίνειν term techn für das Hinab- 25 steigen in die Unterwelt sein[7]; damit ist bei der Vielseitigkeit der Verwendung von καταβαίνειν nicht das Geringste dafür bewiesen, daß hinter Eph 4, 7—10 Motive aus dem Mythus von der sieghaften Unterweltsfahrt eines Himmelswesens stehen. Im Eph ist vielmehr grundlegend die Anschauung, daß die Erhöhung des Christus Auferweckung aus den Toten[8] 1, 20 war, also seinen „Abstieg" 30 unter sie im Sterben zur Voraussetzung hatte, wie der allgemein urchristlichen Verkündigung 1 K 15, 3—4 (ἐτάφη!) entspricht.

Ziemlich alle Exegeten geben zu: τὰ κατώτερα μέρη τῆς γῆς kann bedeuten: *a.* die unteren Teile, nämlich die Erde, so daß γῆς Gen appos ist[9], oder *b.* die untersten

---

[2] Z 4—14 von RMeyer.
[3] Vgl Bl-Debr[6] § 62.

κατώτερος. Haupt, Ew, Dib Gefbr zu Eph 4, 7—10.
[1] Bl-Debr[6] § 62.
[2] Bl-Debr[6] § 60.
[3] Ausführliche und immer noch beste Darlegung der in Betracht kommenden Auffassungen mit Angaben zu ihrer Geschichte bei Haupt Gefbr 134—142.
[4] So bei WBousset, Kyrios Christos[3] (1926) 32 f u namentlich seit HSchlier, Christus und die Kirche im Eph (1930), dem auch Schneider → I 519, 3—11; 520, 29—32 folgt. Man redet deshalb, auch wenn man eingesehen hat, daß Eph 4, 7—10 von dem siegreichen Ein-

bruch in den Hades nicht die Rede ist, und die Menschwerdung des Gottessohnes gemeint sieht, von dieser als der „Erdenfahrt des Erlösers", um deutlich zu machen, daß Eph 4, 7—10 „Motive der Unterweltsfahrt" auf diese übertragen sind → I 520, 29—32.
[5] → I 679, 9—14 (Sasse).
[6] Dib Gefbr, Pr-Bauer sv κατώτερος, Schneider aaO, Rendtorff, NT Deutsch II, auch schon Ew Gefbr; Bahn gebrochen hat dieser Deutung EHaupt.
[7] → I 520, 32.
[8] Beachte: nicht aus dem Tode, sondern aus den Toten, die im Hades hausen, ist er auferweckt.
[9] Bl-Debr[6] § 167 vgl 2 K 5, 5: τὸν ἀρραβῶνα τοῦ πνεύματος das Pfand, das im Geiste besteht.

Teile der Erde, wobei γῆς Gen partitivus ist[10]. Nun sollte freilich auch zugegeben werden, daß die Erklärung unter *b* die wesentlich einfachere ist. Denn ein Gen bei μέρη bezeichnet am natürlichsten das Ganze, zu dem die Teile gehören, besonders wenn dieses Ganze nicht schon genannt ist.

5 Aber exegetisch beweiskräftiger ist noch eine andere Erwägung. Dem κατέβη εἰς τὰ κατώτερα μέρη τῆς γῆς entspricht sichtlich ὁ ἀναβὰς ὑπεράνω πάντων τῶν οὐρανῶν: er stieg über alle Himmel hinauf, demgemäß bedeutet κατέβη κτλ: er stieg hinab unter die Erde, nicht: auf die Erde. Bestätigt wird dies durch die Zweckbestimmung ἵνα πληρώσῃ τὰ πάντα. Die äußersten Enden seiner „Lauf-
10 bahn" sind bei dem κατέβη κτλ und ὁ ἀναβὰς κτλ genannt, zwischen denen das „Alles" liegt, das er erfüllt; diese liegen nicht bei der höchsten Himmels- höhe zur Rechten Gottes 1, 20 und der Erde, sondern nur bei jener und den tiefsten Tiefen der Erde bzw der unterirdischen Sphäre, dem Ort der Toten[11]. Das κατέβη κτλ ist also das Eingehen ins Totenreich durch das Sterben, das eben
15 nicht sogleich Erhöhung zum Himmel war, sondern erst nach der Zeit im Grabe bei den Toten (1 K 15, 4) von dieser gefolgt. Nur als der, der unter den Toten geweilt hatte, kam Christus zur Rechten Gottes über alle Himmel zu der alle Geister überragenden Machtstellung, in der er zugleich das Haupt der Gemeinde und der alles Erfüllende ist 1, 20—23. Die Heilsbedeutung Christi beruht im
20 Eph auf seinem Tode 1, 20; 2, 16; 5, 2. 25, gewiß in Verbindung mit seiner Auferstehung 1, 20—23; 2, 5, aber nicht auf einem bloßen Abstieg zur Erde oder gar einem Einbruch in den Hades[12]. „Er führte die Gefangenschaft ge- fangen" besagt nicht, daß der siegreich in den Hades Vorgestoßene von dort Tote befreite, wovon im Eph nie die Rede ist, sondern daß der von den Toten
25 Erweckte 1, 20 und zur Rechten Gottes Erhobene alle Geister unterworfen be- kam 1, 21, die bis dahin die Menschen beherrschten und in Sünden gefangen hielten, wie in 2, 1—7 ausführlich dargelegt ist. Also von einer Anlehnung an die Vorstellung von der sieghaften Unterweltsfahrt eines Himmelswesens ist bei Eph 4, 9 nicht zu reden.
30 Weshalb 4, 7—11 als Vorbedingung für das Gabenausteilen Christi sein Hinauf- und Hinabsteigen über die Himmel und unter die Erde genannt ist, geht hervor aus v 14, zu dem 6, 12 und 1, 20—23 zu vergleichen sind: Die Gaben des Christus befähigen zum Kampf gegen eine Verführung durch Lehrer v 14, hinter denen die bösen Geister stehen 6, 12. Die Überlegenheit Christi über diese
35 Geister zu vermitteln, ist deshalb das Eigentümliche (das μέτρον v 7) der Gaben Christi; diese Überlegenheit Christi beruht darauf, daß er alles, höchste Himmelshöhe, tiefste Erdentiefe durchmessen hat und deshalb erfüllt 1, 20—23,

---

[10] Die früher vertretene Behauptung, κατώτερος sei nur Komp, nicht Superlativ, ist falsch. Die Berufung auf die LXX, die ψ 62, 10; 138, 15 τὰ κατώτατα τῆς γῆς hat, verschlägt nicht, da das LXX-Zitat in v 8 nicht von καταβὰς εἰς κτλ redet. — τῆς γῆς als Gen comparativus zu nehmen, ist möglich, aber nicht empfehlenswert.
[11] Unleugbar erstreckte sich für die Hörer des Eph sowohl τὰ πάντα als auch die von Christus erreichte Tiefe tiefer als nur zur Erde, bis zu der unter ihr liegenden Toten- welt.
[12] Der Einwand: warum ist vom Tode Jesu in dieser sonderbaren Umschreibung κατέβη ... γῆς geredet? zieht nicht. Diese Um- schreibung ist mit Rücksicht auf das ἀναβὰς εἰς ὕψος gewählt und das ἀναβὰς κτλ war durch die Psalmstelle gegeben, die wiederum wegen der Verbindung von ἀναβὰς κτλ mit ἔδωκεν δόματα κτλ angezogen ist.

während die Geister nur auf die Luft 2, 2[13] oder sonst eine Sphäre beschränkt, jedenfalls ihm, dem zur Rechten Gottes Erhöhten, untergeordnet sind. Die Christen kommen vermittelst jener Gaben Christi in der Gemeinde schließlich zur Fülle Christi 4, 13, die er besitzt als der, der alles erfüllt 1, 23, da er durch Tod und Erhöhung alles, vom Ort der Toten bis zur Rechten Gottes 1, 20, durchmessen hat. Christus allein eignet kosmische Größe uz, wie hier mit paulinisch kühner und leidenschaftlicher Erfassung seines Kreuzes[14] gesagt ist: auf Grund seines Todes und seiner Erhöhung in der Auferweckung von den Toten.

Büchsel 10

καῦμα, καυματίζω

† καῦμα

Brand, Glut; bes *Sonnenbrand, Sonnenhitze* (Epigr Graec 649, 5: οὐ χειμὼν λυπεῖ σ', οὐ καῦμα, οὐ νοῦσος ἐνοχλεῖ). In übertr Sinn: *Fieberhitze* (zB Thuc II 49, 6: ὑπὸ τοῦ ἐντὸς καύματος), Hippocr Vet Med 19 (καῦμα καὶ φλογμὸς ἔσχατος); *Frost-* 15 *brand* (Athen III 53 [p 98 b]; so auch Σ ψ 147, 6 [LXX u Ἀ ψῦχος]); *Liebesglut* (Anth Pal XII 87). — Bei Plat Critias 120 b in Verbindung mit ὀρκωμόσια (eidliche Versicherungen): τὰ τῶν ὀρκωμοσίων καύματα. — In Pap neben der Bedeutung *Hitze, Glut* die Bedeutung *Brennstoff*, zB PLond III 1166, 6: γυμν[ασί]ω[ι βα]λανεῖον τὰ αὐτάρκη καύματα . . . Brennstoff zum Beheizen des Gymnasiums. 20

Im apokalyptischen Sprachgebrauch gehört die große Hitze mit zu den letzten Offenbarungen des göttlichen Zorns (Apk 16, 9). Die Erlösten aus allen Völkern werden in der Zeit der Heilsvollendung bewahrt vor Sonnenglut und Hitze (des Glutwindes)[1] (Apk 7, 16), dh die äußeren Bedingungen ihrer Existenz werden völlig verwandelt. 25

καυματίζω

Ausdörren; *durch Hitze quälen*. Übertr: med *an Fieberhitze leiden* (zB Plut De Virtute et Vitio 1 [II 100 b]); Quaest Conv VI 6, 2 (II 691 e); Soranus Gynaeciorum I 108 (ed VRose [1882] 283); M Ant VII 64, 3.

Das Neue Testament kennt das Wort fast nur in der urspr konkreten Bedeu- 30 tung (von den in der Hitze verwelkenden Pflanzen). Apk 16, 8. 9 ist von dem Zornesgericht Gottes die Rede, das die Menschen mit Feuer und Hitze verbrennt.

JohSchneider

---

[13] 2, 2 ist der Teufel als Beherrscher der Luft gekennzeichnet, um zu zeigen, daß seine Herrschaft an die höheren Regionen, die Christus erfüllt 1, 23 vgl 4, 10, in die die Christen mit Christus erhoben sind 2, 6, nicht rührt.
[14] 1 K 1, 17; 2, 2; Gl 6, 14.

καῦμα. [1] So Bss Apk 287: „Bei dem οὐδὲ πᾶν καῦμα ist vor allem an die Hitze des Glutwindes (καύσων) zu denken." — Vgl auch Sir 43, 2 ff, wo von der unwiderstehlichen, verzehrenden Glut (καῦμα) der Sonne die Rede ist. Der Gedanke der Rettung von der Hitze ist von LXX in Prv 10, 5 eingetragen worden (vgl auch Js 4, 6; Jer 17, 8).

┌─────────────────────────────────┐
│ **καῦσις, καύσων, καυσόομαι,** │
│   **καυστηριάζομαι**   │
└─────────────────────────────────┘

† καῦσις

5   Das *Brennen, Verbrennen*. Auf Inschr und Pap auch *Brennstoff*
(PLond III 1177, 74: τιμῆς ἐλαίου κα[ύ]σεως λύχνων [1] Brennöl für die Lampen; PLond
III 1121 b, 4: τιμὴ ἀχύρου καύσεως βαλανείου [Stroh als] Brennstoff für die Beheizung
des Bades). Vgl auch Inschr Magn 179, 11: ὑπὲρ τῆς καύσεως τῆς βαίτης (Badbehei-
zung) [2]. Bei Mitteis-Wilcken I 70, 10 finden sich interessante Angaben über den Kult
eines ägyptischen Tempels: τυγχάνομεν ἀδιαλείπτως τάς τε θυσίας καὶ σπονδὰς καὶ καύ-
10   σεις λύχνων . . . Vgl LXX Ex 39, 16: λύχνοι τῆς καύσεως. — Kultischer Gebrauch
des Wortes auch bei Hdt II 40: καῦσις τῶν ἱρῶν das *Verbrennen* der Opfer. — M e d i -
z i n i s c h: Ausdruck der Chirurgie: das *Brennen* von Leibesschäden (zB Plat Resp
406 d). — Bildhaft Ἀ ψ 101, 4 (Σ ἀπόκαυμα). — T e c h n i s c h: Vom Schmelzen der
Metalle (Strabo 14, 6, 5).

15   Im Neuen Testament nur Hb 6, 8: die unfruchtbare Erde verfällt dem göttlichen Fluch und wird schließlich dem Feuer anheimgegeben. Bild für die
Christen, die der Sünde Raum geben. Sie verfallen dem Fluche Gottes und
werden von dem Feuer des göttlichen Zorns verzehrt werden [3].

† καύσων

20   Ein spätes Wort. Im Verhältnis zu καῦσος „(Fieber)hitze" (Hipp,
Aristot usw) die individualisierende Form; eigtl „der Heiße". *Hitze, Sonnenbrand*. In
dieser Bedeutung bei dem Arzt Diphilos aus Siphnos (am 300 v Chr), zitiert bei Athen
III 2 (p 73 a): καύσωνος ὥρα; LXX: Gn 31, 40 A; Sir 18, 16. Im NT: Mt 20, 12; Lk
12, 55. Dann speziell: *der sengende Glutwind.* So überwiegend in LXX.

25   Bei Jk 1, 11 ist die Auslegung der Worte: ἀνέτειλεν ὁ ἥλιος σὺν τῷ καύσωνι
umstritten. Die Sonne bringt die Hitze, aber nicht den sengenden Ostwind
mit [1]. So ist streng genommen nicht an den aus den arabischen Steppen nach
Palästina hineinwehenden Glutwind zu denken, sondern an die Hitze des Som-
mers. Auch das Verbum ἀνέτειλεν legt die Bedeutung Hitze nahe. Immerhin
30   ist die Übersetzung: „Die Sonne steigt empor, vom Glutwind begleitet" [2] nicht
ganz von der Hand zu weisen.

† καυσόομαι

Eigtl: „mit Gluthitze, Fieberhitze (καῦσος) versehen werden."
An großer Hitze leiden. Bei den Ärzten (Diosc, Gal) medizinischer term techn: *von*
35   *Fieberglut brennen.* — Fehlt in LXX.

Im Neuen Testament sehr selten. 2 Pt 3, 10. 12 zur Bezeichnung eines
apokalyptischen Vorganges: die Elemente der Welt werden sich, von Glut ver-

---

καῦσις. [1] S hierzu GPlaumann, Der Idios-
logos (AAB 1919) 37.
[2] Vgl Inschr Magn 179, 11 Notiz zu βαίτη:
„Teil einer Thermenanlage?"
[3] Hb 6, 8: κατάρας, ἧς τὸ τέλος εἰς καῦσιν.
ἧς dürfte sich nicht, wie Pr-Bauer [3] sv meint,
auf κατάρα beziehen, sondern auf γῆ. So Rgg
Hb 159 A 21. Pr-Bauer übersetzt: „dessen
(des Fluches) Ende zum Verbrennen führt,

der mit dem Verbrennen endigt." — Zu dem
Ausdruck εἰς καῦσιν vgl Js 40, 16; 44, 15;
Da 7, 11.

καύσων. [1] So auch Pr-Bauer [3] sv καύσων.
Vgl auch Hck Jk zSt.
[2] So neuerdings WMichaelis, Das NT II
(1935) 402.

zehrt, auflösen, zerschmelzen (v 10: λυθήσεται, v 12: τήκεται). Im Hintergrund steht die auch sonst in der Religionsgeschichte verbreitete Idee des Weltbrandes[1].

† καυστηριάζομαι

Von καυστήριον (PLond II 391, 7. 10. 11 *Brennofen*) == καυτήριον[5] *Brenneisen* (Eur, LXX, Luc [vl καυστήριον] usw). — Akt: *mit glühendem Eisen brennen, mit einem Brandmal versehen*. Ein seltenes Wort. Es findet sich Strabo 5, 1, 9 (καυτηριάσαι). Vielleicht hat es auch BGU III 952, 4 gestanden (Wilcken glaubt die zerstörte Stelle folgendermaßen rekonstruieren zu können: κονία]ζουσι oder καυστηριά]ζουσι τὴν γύψον).[10]

Das Neue Testament hat das Wort nur 1 mal, und zwar in übertr Bedeutung, 1 Tm 4, 2: die Irrlehrer werden als Menschen bezeichnet, die in ihrem Gewissen gebrandmarkt sind, dh sie tragen ein Sklavenbrandmal in sich. Damit ist gesagt, daß sie unter eine geheime Sünde geknechtet sind. Während sie eine Lehre verkündigen, die strenge asketische Forderungen stellt, sind sie selbst[15] von Selbstsucht und Geldgier beherrscht. So stehen sie insgeheim in sklavischer Abhängigkeit von satanisch-dämonischen Mächten, die sie zu ihren Werkzeugen machen[1].

Im Hintergrunde der Aussage 1 Tm 4, 2 steht die Sitte der Brandmarkung von Sklaven und Verbrechern[2]. Die Brandmarkung stellt bei den Griechen[20] hauptsächlich eine Strafe für das Entlaufen der Sklaven dar[3]. Der Herr des Sklaven konnte aber auch sonst ganz nach Willkür andere Verbrechen von Sklaven auf die gleiche Art und Weise bestrafen[4]. Das Brandmal, → στίγμα, wurde gewöhnlich mittels eines Eisens auf der Stirn angebracht. Die eingebrannten Zeichen wurden auch ἐγκαύματα genannt[5]. — Die Brandmarkung kam bei be-[25] sonders schweren Vergehen auch Freien gegenüber zur Anwendung. Selbst Plato fordert in seinen „Gesetzen" die Strafe der Brandmarkung[6]. Gelegentlich wurden Kriegsgefangene gebrandmarkt[7]. Die zu den Bergwerken Verurteilten erhielten ein Brandmal auf der Stirn, damit ihnen die Flucht erschwert würde[8]. In der späteren Kaiserzeit wurden die Rekruten und die Arbeiter der[30] kaiserlichen Waffenfabriken in der gleichen Absicht durch ein Zeichen am Arm gekennzeichnet[9]. — Auch Unschuldige verfielen der Bestrafung durch Brandmarkung. So wurden alexandrinische Juden von Ptolemaios mit einem Efeublatt gekennzeichnet[10]. Für die Zeit der Christenverfolgungen ist uns die Brandmarkung als ein Stück des Martyriums bezeugt[11].[35]

JohSchneider

καυσόομαι. [1] Vgl RReitzenstein, Weltuntergangsvorstellungen, eine Studie zur vergleichenden Religionsgeschichte, in: Kyrkohistorisk Årsskrift 24 (1924) 129 ff.

καυστηριάζομαι. [1] Vgl hierzu Dib Past (13) 40. JoachJeremias, NT Deutsch III (1935) 19. — Wbg Past 146: „Sie leben in Sünden, die wie Brandmale ihr Gewissen beflecken." [2] S dazu Pauly-W II 3 (1929), 2520 ff sv Στιγματίας (Hug) u Ltzm Gl zu Gl 6, 17. Dort weitere Lit.

[3] Aristoph Av 760; Aeschin Fals Leg 79; Luc Tim 17; vgl auch Cl Al Paed III 10. [4] Vgl Diog L IV 46. [5] Plat Tim 26 c; Luc Cataplus 24. [6] Plat Leg IX 854 d. [7] Plut Pericl 26 (I 166 d); Ael Var Hist II 9. Nach Hdt VII 233 hatte Xerxes die Thebaner mit dem Königszeichen brandmarken lassen. [8] Suet Caes IV 27. [9] S im einzelnen Pauly-W aaO. [10] 3 Makk 2, 29. [11] ZB Prud X 1080; Pontius Vita C Cypriani 7 (Hartel CSEL III 3, XCVII).

```
┌─────────────────────────────────────┐
│   καυχάομαι, καύχημα, καύχησις,       │
│   ἐγκαυχάομαι, κατακαυχάομαι          │
└─────────────────────────────────────┘
```

† *καυχάομαι, καύχημα, καύχησις*

Inhalt: A. Der griechische Sprachgebrauch. — B. AT, LXX und Ju-
5 dentum: 1. AT; 2. Judentum der LXX; 3. Rabbinen; 4. Philo. — C. NT und Urchristentum: 1. Paulus: a. Die christliche Grundhaltung zum Rühmen; b. Der apostolische Selbstruhm; 2. Das nachpaulinische Urchristentum.

A. Der griechische Sprachgebrauch.

καυχᾶσθαι, zuerst bei Sappho (fr 26 [Diehl I 338]), Pindar und Hero-
10 dot bezeugt, wird als Wort der attischen Umgangssprache durch die Komiker erwiesen[1]. Homer sagt statt dessen εὔχεσθαι, die Tragiker αὐχεῖν; dies benutzen auch die
Redner, die καυχᾶσθαι vermeiden (nur Lycurg hat es nach Suidas einmal gebraucht,
Lyc fr 81). Bei den älteren Philosophen fehlt es außer einer gelegentlichen Verwendung bei Aristot Pol V 10 p 1311 b 4. Die Stoa gebraucht es nicht; dagegen Philo-
15 dem Philos (De Vitiis X ed CJensen [1911] col 20 p 35, 22 f), der auch καύχησις (aaO
col 15 p 27, 21) hat; dies auch bei Epic fr 93 (Usener p 130, Diog L X 7); καύχημα
kommt vereinzelt bei Pindar vor (wie auch καυχή[2]).

Die Bedeutung von καυχᾶσθαι ist *sich rühmen*, uz meist in dem abwertenden Sinn
von *prahlen, renommieren*, der auch καύχημα und καύχησις eigen ist. Gibt es auch eine
20 berechtigte Äußerung des Stolzes, so ist doch ein allzu lautes Reden vom eigenen
Ruhm für griechisches Empfinden eine Verletzung der → αἰδώς und das Zeichen eines
ἀνελεύθερος[3]. Die Warnung vor dem Selbstruhm oder seine Verspottung ist ein häufiges Thema bei Popularphilosophen und Satirikern; doch ist meist nicht das Wort
καυχᾶσθαι gebraucht, sondern ἐπαινεῖν ἑαυτόν oder ἀλαζονεύεσθαι. Theophr Char 23
25 schildert den ἀλαζών (dessen Typus dann der miles gloriosus des Plautus ist)[4]. Plutarch
hat Περὶ τοῦ ἑαυτὸν ἐπαινεῖν ἀνεπιφθόνως eine ganze Abhandlung geschrieben (Qua
quis ratione se ipse sine invidia laudet, II 539 ff)[5]. Die Warnung ἐπὶ ῥώμη μὴ καυχῶ
erscheint unter den ὑποθῆκαι des Weisen Sosiades (Stob Ecl III 127, 9) wie im Del-
phicorum praeceptorum titulus Miletopolitanus (Ditt Syll[3] 1268, 23) unter anderen
30 paränetischen Sprüchen.

B. AT, LXX und Judentum.

1. Die Septuaginta gebraucht καυχᾶσθαι für verschiedene
Verben, die den Sinn des *sich Rühmens* und *Frohlockens* haben, zB für הלל hitp (10 mal),
עלז (2 mal), רנן und פאר (je einmal). Ohne hbr Äquivalent erscheint es (abgesehen
35 von den Stellen in Sir, zu denen hbr fehlt) Da 5, 1. 6; 3 Makk 2, 17. Ἐγκαυχᾶσθαι
findet sich 4 mal (ψ 51, 3; 96, 7 für הלל hitp, ψ 73, 4 für שאג, ψ 105, 47 für שבח hitp);
κατακαυχᾶσθαι 3 mal (für הלל hitp 'Ιερ 27, 38; Sach 10, 12 [MT falsch 'הלך]; für עלז
'Ιερ 27, 11). καύχημα erscheint für תְהִלָּה (6 mal) ua, καύχησις für תִּפְאֶרֶת (9 mal).

Vor dem Selbstruhm, dem Prahlen, wird im AT öfter in sprichwörtlichen
40 Sätzen gewarnt (1 Kö 20, 11; Prv 25, 14; 27, 1; vgl 20, 9), wenngleich das

---

καυχᾶσθαι κτλ. RAsting, Kauchesis (1925);
PGenths, NkZ 38 (1927) 501—521; Helbing,
Kasussyntax 260 f; AFridrichsen, Symb Osl
VIII (1929) 81; RSteiger, Die Dialektik der
paulinischen Existenz (1931) 100—103.
[1] Die Belege bei Asting aaO. In der späteren Umgangssprache ist es durch Theocr
u Pap belegt (s Asting aaO u Pr-Bauer). Die
vermutlichen außergriechischen Verwandten
sprechen für die Bedeutung *schreien, rufen*
(Walde-Pok I 529). Wahrscheinlich liegt eine
lautmalerische Verdoppelung vor (Debrunner).

[2] Die Belege bei Asting aaO. Bei Plut Ages
31 (I 613 d) findet sich nicht καύχημα (so Pr-
Bauer sv), sondern αὔχημα.
[3] Am Beispiel des Aias wird Soph Ai 758 ff
geschildert, wie die Gottheit den übermütigen
Prahler stürzt, der nur auf seinen Speer und
nicht auf Gott vertraut; vgl ebd 127 ff und
das neugefundene fr der Niobe des Sophokles mit seiner Warnung vor dem θρασυστομεῖν
(OSchadewald, SAH 24 [1933/34] 3).
[4] ORibbeck, Alazon (1882).
[5] Wnd 2 K z 11, 16.

Sprichwort auch einen berechtigten Stolz kennt (Prv 16, 31; 17, 6). Der Selbstruhm gilt aber nicht nur als ein gelegentlicher Fehler, sondern in manchen
Stellen als die Grundhaltung des törichten und gottlosen Menschen (Ps 52, 3;
74, 4; 94, 3); denn in ihm kommt zum Vorschein, daß der Mensch auf sich
selbst stehen und nicht von Gott abhängen will, daß er auf das baut, was er 5
selbst kann und worüber er verfügt. Daher kann *sich rühmen* (התהלל) mit *ver-*
trauen (בטח) synonym sein (Ps 49, 7)[6]. Gott aber ist der allein Mächtige, vor dem
alles menschliche Rühmen verstummen soll (Ri 7, 2; 1 S 2, 2f; vgl Jer 50,
11; Ez 24, 25). Paradox wird dem selbstvertrauenden Rühmen das einzige
legitime Rühmen entgegengestellt, das in der Beugung vor Gott besteht (Jer 10
9, 22f), der Israels Ruhm ist (Dt 10, 21), und der zu seinem Ruhm an Israel
handelt (Dt 26, 19; Jer 13, 11; Zeph 3, 19f). So rühmen sich die Frommen
oder die Kultusgemeinde der helfenden Taten Gottes (Ps 5, 12; 32, 11; 89, 17f;
1 Ch 16, 27f; 29, 11; Dt 33, 29; Jer 17, 14). *Sich rühmen* (u damit auch das
καυχᾶσθαι der LXX) erhält infolgedessen kultischen Sinn, wie die anderen Ver- 15
ben des *sich Freuens* und *Jubelns*, mit denen das *sich Rühmen* oft verbunden
ist (in LXX καυχᾶσθαι mehrfach verbunden mit → ἀγαλλιᾶσθαι, → εὐφραίνεσθαι,
opp: αἰσχύνεσθαι → I 189, 10). Es erhält aber gelegentlich auch eschatologische
Bedeutung; denn dieses Rühmen wird in der Heilszeit endgültig verwirklicht
werden (Sach 10, 12; Ps 149, 5; 1 Ch 16, 33). — Zu all solchem Rühmen ge- 20
hören konstitutiv die Momente des Vertrauens, der Freude und des Dankes;
und das Paradoxe liegt darin, daß der sich Rühmende von sich selbst absieht,
so daß sein Rühmen ein sich zu Gott Bekennen ist.

2. Das Judentum hat diese Auffassung festgehalten, wie schon
die Septuaginta zeigt, die das Verb καυχᾶσθαι mit richtigem Takt wählt, um die 25
in den verschiedenen hbr Verben zum Ausdruck kommende Grundhaltung zu bezeichnen, und die gelegentlich auch durch eine dem hbr Wortlaut nicht genau entsprechende Übersetzung dieser Anschauung erst Ausdruck verschafft ('Ιερ 12, 13; Prv 11, 7;
so auch Sir 11, 4). Vom Rühmen der Gottlosen redet im alten Sinne 3 Makk 2, 17;
manche Worte des Sir reden vom Rühmen wie die alte Sprichwortweisheit (30, 2; 30
31, 10; 38, 25; 48, 4). Vor allem aber kennt Sir jenes Rühmen, das in Gott und seinen Taten begründet ist (17, 9; 50, 20). Am Glanz Gottes hat gewissermaßen der
Hohepriester in der Pracht seines kultischen Ornats teil (45, 12; 50, 11)[7]. Sir führt
aber den Gedanken aus der kultischen und eschatologischen Sphäre auch in die Sphäre
der Gesetzesfrömmigkeit hinüber, indem er betont, daß die Furcht Gottes der echte 35
Ruhm ist (1, 11; 9, 16; 10, 22), und den Satz prägt, daß sich der Weise (dh für ihn
der Schriftgelehrte) des Gesetzes rühmt (39, 8). So rühmt denn auch die Weisheit,
die für Sir im Gesetz verkörpert ist, sich selbst (24, 1f). Ähnliches auch sonst. Wenn
Judith auch als καύχημα μέγα τοῦ γένους ἡμῶν gepriesen wird (Jdt 15, 9), so schreibt
ihr Hymnus (Jdt 16) alsbald Gott die Ehre zu. Die Test XII zählen zu den bösen 40
Geistern das πνεῦμα ὑπερηφανείας, das den Menschen dazu bringt, ἵνα καυχᾶται (vl κινῆ-
ται) καὶ μεγαλοφρονῇ (Test R 3, 5; so vom Geist der Trunkenheit Test Jud 14, 8; vgl
Δα 5, 1 [Zusatz der LXX]). Der Selbstruhm führt in die Sünde (Test Jud 13, 3), und
die Jugend wird gewarnt, nicht ihrer Taten und Kraft sich zu rühmen (Test Jud 13, 2).

3. Bei den Rabbinen klingen die Gedanken des Sir nach: 45
Israels Schmuck und Krone (wofür eben LXX καύχημα sagte) ist die Tora[8]. So hat
Abraham Ruhm durch die Erfüllung des Gesetzes[9]. Die Warnung erhebt sich freilich
auch gelegentlich, daß man sich auf Erfüllung des Gesetzes nichts zu gute tue[10], wie

---

[6] Vgl zB Ps 97, 7 sich der Götzen *rühmen*,
Js 42, 17 ihnen *vertrauen*.
[7] Die LXX gibt hier durch καύχημα הוֹד
und תִּפְאֶרֶת wieder.

[8] Str-B III 115 ff.
[9] Str-B III 187.
[10] Str-B III 401 (z 1 K 9, 16).

denn die Warnung vor dem Hochmut[11] und die Mahnung zur Demut[12] häufig begegnet (→ ταπεινοφροσύνη). Charakteristisch ist, daß jenes in Gottes Tun begründete Rühmen, das zugleich ein sich Freuen und Danken ist, bei den Rabbinen die Wendung gewinnen kann, daß der Fromme sich auch der Leiden zu freuen und für sie zu danken habe als für die Züchtigung, die ihm zum Bewußtsein bringt, daß Gott ihn als den Seinen betrachtet, die seine Sünden sühnt und sein Verdienst mehrt[13].

4. Bei Philo ist die Warnung vor dem Selbstruhm ein charakteristisches Motiv, wenngleich καυχᾶσθαι usw dabei keine Rolle spielen[14]; statt dessen begegnen die Begriffe φιλαυτία, οἴησις, ἀλαζονεία, ὑπεροψία, κενοδοξία, τῦφος, φυσᾶσθαι ua. Da die philonischen Aussagen die größte Nähe zu den paulinischen erreichen, muß seine Anschauung hier kurz dargestellt werden.

Der Selbstruhm gilt als μέγα (μέγιστον) κακόν[15]; er wird gern in Lasterkatalogen aufgezählt[16], und Kain wird speziell als τὸ φίλαυτον gedeutet, dem Abel als das φιλόθεον gegenübersteht[17].

Die eigentliche Sünde des Selbstruhms ist die, daß der Mensch nicht Gott als den Urheber und Herrn alles Seienden und den Geber aller Güter anerkennt[18], daß er Gottes vergißt[19] und in Undankbarkeit[20] ihm die Ehre nimmt[21]. Der Selbstruhm ist das Gegenteil der εὐσέβεια[22]; er ist ἀθεότης[23]; im Selbstruhm kommt zum Vorschein, daß der Mensch Gott gleich sein will[24]. Der Fromme läßt von solchem Rühmen[25]; er will nur Gott dienen[26], denn er erkennt sich selbst[27], seine ἀσθένεια[28], und weiß, daß er nur Staub und Asche ist[29]. Er erkennt Gott als den Herrn über Leben und Tod an[30] und weiß, daß er seine Seele und alle Güter nur als Lehen vom Schöpfer anvertraut erhalten hat[31]. In solcher demütigen Beugung erlangt er Gottes Gnade[32] und wahren Ruhm[33]; denn die Demütigen stehen hoch bei Gott[34]; er ist ihr einziger Ruhm: ἔστω δή ... μόνος θεὸς αὔχημά σου (nach Dt 10, 21; LXX hat καύχημα!) καὶ μέγιστον κλέος, καὶ μήτ' ἐπὶ πλούτῳ μήτε δόξῃ μήτε ἡγεμονίᾳ μήτε σώματος εὐμορφίᾳ μήτε ῥώμῃ μήτε τοῖς παραπλησίοις, ἐφ' οἷς εἰώθασιν οἱ κενοὶ φρενῶν ἐπαίρεσθαι, σεμνυνθῇς (Spec Leg I 311).

C. NT und Urchristentum.

1. Paulus.

a. Die christliche Grundhaltung zum Rühmen.

Im NT wird καυχᾶσθαι (καύχημα, καύχησις) charakteristischerweise fast nur von

---

[11] Str-B II 101 ff; III 47 (z R 1, 22), 298 (z R 12, 16), 768 (z 1 Pt 5, 5).
[12] Str-B I 192 ff, 197 (z Mt 5, 4 e), 568. Die Demut als die größte der Tugenden Str-B I 789 f (z Mt 18, 15 e). — CGMontefiore, Rabbinic Literature and Gospel Teachings (1930) 7 f. — Dazu auch die A 8 genannten Stellen.
[13] Str-B II 274 ff (bes MEx 20, 23 aaO 277); III 222; AMarmorstein, The old rabbinic doctrine of God (1927) 185 ff; WWichmann, Die Leidenstheologie im Spätjudentum (BWANT 5, 3 [1930]).
[14] Leisegang verzeichnet καυχᾶσθαι usw nicht; καύχησις begegnet Congr 107.
[15] φιλαυτία Spec Leg I 333; οἴησις Cher 57; Vit Mos I 286; ἀλαζονεία Spec Leg IV 170; Virt 161.
[16] Cher 71; Sacr AC 32; Poster C 52; Jos 143.
[17] Sacr AC 3; Det Pot Ins 32. 68. 78; Poster C 21.
[18] Leg All I 52; III 29 f. 33; Cher 65. 71. 74 f. 83. 113—123; Sacr AC 52; Agric 173; Conf Ling 127 f; Som II 219; Decal 72; Virt 161 bis 170.
[19] Sacr AC 52—58; Spec Leg I 344; Virt 163. 165.
[20] Sacr AC 54. 58; Virt 165.

[21] Spec Leg I 195 f.
[22] Praem Poen 12; vgl Leg All III 137.
[23] Leg All I 49; III 33.
[24] Virt 172; Leg All I 49: φίλαυτος δὲ καὶ ἄθεος ὁ νοῦς οἰόμενος ἴσος εἶναι θεῷ καὶ ποιεῖν δοκῶν ἐν τῷ πάσχειν ἐξεταζόμενος.
[25] Vit Mos II 96. Darauf wird die Beschneidung gedeutet Spec Leg I 10—12 und Jakobs Lähmung Praem Poen 47.
[26] Spec Leg IV 131.
[27] Migr Abr 136—138; Spec Leg I 10; → γινώσκω I 702, 21 ff.
[28] Spec Leg I 293; Virt 165.
[29] Sacr AC 55 f; Som I 211 f; Spec Leg I 264 f. 293.
[30] Som II 296 f.
[31] Rer Div Her 106; Congr 130; Mut Nom 221.
[32] Spec Leg I 265; Congr 107: ἵλεως ... εὐθὺς γίνεται (Gott) τοῖς ἑαυτοὺς κακοῦσι καὶ συστέλλουσι καὶ μὴ καυχήσει καὶ οἰήσει φυσωμένοις.
[33] Poster C 136.
[34] Vit Mos II 240 f: die ἀλαζόνες sollen lernen: ὅτι οὕτω ταπεινοὶ καὶ ἀτυχεῖς εἶναι δοκοῦντες οὐκ ἐν ἐξουθενημένοις καὶ ἀφανέσι τάττονται παρὰ τῷ θεῷ.

Paulus, und von diesem sehr häufig, gebraucht[35]. Denn gerade für ihn ist die Grundhaltung des Juden am καυχᾶσθαι deutlich geworden als jenes Selbstvertrauen, das vor Gott „Ruhm" haben möchte, das auf sich selbst stehen will. Deshalb weist er gerade im Gegensatz zum καυχᾶσθαι die → πίστις als die dem Menschen gemäße und durch Christus ermöglichte und geforderte Haltung Gott gegenüber auf. Bezeichnenderweise lautet die erste Frage nach der ersten dogmatischen Exposition des χωρὶς νόμου und διὰ πίστεως (R 3, 21—26): ποῦ οὖν ἡ καύχησις; — ἐξεκλείσθη (v 27). Und der Schriftbeweis beginnt sofort mit dem Satz, daß auch Abraham kein καύχημα vor Gott hat (4, 1 f)[36].

Paulus sieht, daß das im Judentum geforderte sich „Gottes" und des „Gesetzes" rühmen" zu einem ἐπαναπαύεσθαι νόμῳ (R 2, 17. 23) pervertiert ist. Solches καυχᾶσθαι ist in Wahrheit ein πεποιθέναι ἐν σαρκί (Phil 3, 3 f). Für Paulus ist also wie für das AT und Philo das im καυχᾶσθαι enthaltene Moment des Vertrauens das primäre[37]; deshalb muß auch in dem καυχᾶσθαι ἐν τῷ θεῷ das Selbstvertrauen radikal ausgeschlossen sein, und es gibt nur ein legitimes καυχᾶσθαι ἐν τῷ θεῷ, nämlich das διὰ τοῦ κυρίου ἡμῶν Ἰησοῦ Χριστοῦ (R 5, 11). Denn in Christus hat Gott alle Größe, der Juden wie der Heiden, zunichte gemacht (1 K 1, 25—31): ὅπως μὴ καυχήσηται πᾶσα σὰρξ ἐνώπιον τοῦ θεοῦ (v 29; vgl 2 K 10, 17), damit jenes Wort Jer 9, 22 f sich erfülle (v 31[38]). Der Glaubende kennt also eigentlich nur noch ein καυχᾶσθαι ἐν Χριστῷ Ἰησοῦ (Phil 3, 3), dh aber: er hat allen Selbstruhm dahingegeben (Phil 3, 7—10), er hat das Kreuz Christi übernommen und spricht: ἐμοὶ δὲ μὴ γένοιτο καυχᾶσθαι εἰ μὴ ἐν τῷ σταυρῷ τοῦ κυρίου ἡμῶν Ἰησοῦ Χριστοῦ, δι' οὗ ἐμοὶ κόσμος ἐσταύρωται κἀγὼ κόσμῳ (Gl 6, 14).

Durch den Glauben ist jeder Selbstruhm preisgegeben; aber auch für den im Glauben Stehenden kann sich nicht eine neue Möglichkeit des Selbstruhms eröffnen, etwa auf Grund seiner Leistungen in der Verbreitung des Glaubens (Gl

---

[35] Der Unterschied des trans u intr Gebrauchs von καυχᾶσθαι macht für die durch das Verb bezeichnete Grundhaltung nichts aus. Denn auch wo καυχᾶσθαι trans mit Acc Obj konstruiert ist (zB 2 K 7, 14; 9, 2; 11, 30), handelt es sich darum, daß mit solchem Rühmen der Rühmende sich selbst rühmt. — Der Gegenstand des sich Rühmens ist nach dem Vorbild der LXX mit ἐπί (R 5, 2) oder (meist) mit ἐν angegeben (Bl-Debr[6] § 196). So ist das ἐν zB auch R 5, 3; 1 K 3, 21; 2 K 10, 15; 12, 9 zu verstehen; dagegen gibt das ἐν R 15, 17; 1 K 15, 31; Phil 1, 26 (anders 3, 3!) die Sphäre an, in der sich das Rühmen bewegt. Wo ὑπέρ c Gen steht, ist das καυχᾶσθαι als ein „Reden über" verstanden (zB 2 K 7, 14, wo entsprechend durch den Dat angegeben ist, an wen sich dies Reden richtet, während 1 K 1, 29 ἐνώπιον steht; Bl-Debr[6] §§ 187, 4; 231, 1). — καύχησις bezeichnet das Rühmen als Akt; καύχημα ist das zum Ruhm Gesagte (2 K 9, 3), oder der Gegenstand, dessen man sich rühmt, auf den man stolz ist. Indessen ist durch καύχημα bei Pls fast durchweg die Möglichkeit zur καύχησις, die Möglichkeit, sich zu rühmen, bezeichnet (R 4, 2; 1 K 9, 16; 2 K 1, 14; Phil 1, 26). Doch ist der Unterschied zwischen καύχησις und καύχημα nicht scharf (vgl R 3, 27 mit 4, 2), und καύχημα kann den Akt des Rühmens bedeuten (2 K 5, 12), wie καύχησις die Möglichkeit dazu sein kann (2 K 1, 12).

[36] Text und Verständnis von R 4, 1 f sind im Einzelnen unsicher; sicher ist aber, daß dem Abraham ein ihn vor Gott ausweisendes καύχημα bestritten wird. Ich halte den Text von v 1 für heillos verdorben. Den Bedingungssatz von v 2 verstehe ich als Irrealis; das ἀλλ' οὐ πρὸς θεόν ist dann verstärkte Verneinung.

[37] Phil 3, 3 f zeigt, wie καυχᾶσθαι und πεποιθέναι geradezu synonym sind. Ebenso sind das πεποιθέναι ἑαυτῷ Χριστοῦ εἶναι und das καυχᾶσθαι περὶ τῆς ἐξουσίας 2 K 10, 7 f sachlich gleichbedeutend, wie denn das καυχᾶσθαι v 8 der πεποίθησις v 2 entspricht. In gleicher Weise entsprechen sich die καύχησις 2 K 1, 12 und die πεποίθησις 3, 4.

[38] Gott hat diese Wahrheit durch die Auswahl der zur korinthischen Gemeinde Berufenen demonstriert 1 K 1. 26—29; dazu → A 34.

6, 13); denn nicht er selbst wirkt ja in seiner Arbeit, sondern nur Gottes Gnade (1 K 15, 10; 3, 5 ff). Jeder steht ja als Beschenkter vor Gott: τί δὲ ἔχεις ὃ οὐκ ἔλαβες; εἰ δὲ καὶ ἔλαβες, τί καυχᾶσαι ὡς μὴ λαβών; (1 K 4, 7). Dies Beschenktsein von Gott erhebt zwar über die Sphäre menschlicher Abhängigkeit
5 und Dankesverpflichtung: ὥστε μηδεὶς καυχάσθω ἐν ἀνθρώποις · πάντα γὰρ ὑμῶν ἐστιν (1 K 3, 21), aber nur unter der Voraussetzung: ὑμεῖς δὲ Χριστοῦ, Χριστὸς δὲ θεοῦ (v 23). Nicht im Sichtbaren (ἐν προσώπῳ), sondern nur im Unsichtbaren (ἐν καρδίᾳ) ist ein Rühmen begründet (2 K 5, 12)[39].

Die Paradoxie des AT, daß der Mensch sich in echter Weise nur rühmen
10 kann, indem er von sich selbst wegblickt und Gottes Tun rühmt, ist von Pls nicht nur radikal durchgeführt[40], sondern in der Linie rabbinischer Aussagen (→ 647, 47 ff), aber sie weit überbietend, zu der Paradoxie gesteigert, daß sich der Glaubende gerade seiner Bedrängnisse und Leiden rühmt: καυχώμεθα ἐν ταῖς θλίψεσιν R 5, 3, was 2 K 4, 7—11 ebenso illustriert wird wie durch den Kata-
15 log der Leiden in dem Abschnitt des „Selbstruhms" 2 K 11, 23—29: εἰ καυχᾶσθαι δεῖ, τὰ τῆς ἀσθενείας μου καυχήσομαι (2 K 11, 30). Dies wiederum nicht so, als sei ein Selbstruhm nun doch negativ begründet, nämlich durch ein Dulden, das den Charakter einer asketischen Leistung hat[41]; denn die Leiden haben ja nicht ihren Sinn in sich selbst, sondern sind nur die Hülle der δύναμις Got-
20 tes, die in der ἀσθένεια zur Vollendung kommt (2 K 12, 9), der ζωὴ τοῦ Ἰησοῦ, die durch sie offenbar wird (2 K 4, 10 f). Deshalb blickt der sich Rühmende auch in dem Sinne von sich selbst weg, daß er in die Zukunft blickt, weil er in der Gegenwart nichts zu Besitz hat. Das καυχᾶσθαι ἐν ταῖς θλίψεσιν ist deshalb zugleich ein καυχᾶσθαι ἐπ' ἐλπίδι τῆς δόξης τοῦ θεοῦ (R 5, 2). Dieser Blick
25 in die Zukunft ist aber ein anderer als der des frommen Juden; denn die Leiden haben für Pls auch nicht den negativen Sinn der sühnenden Züchtigungsmittel (→ 648, 4 ff), sondern den positiven Sinn, daß sich in ihnen Gottes δύναμις und die eschatologische ζωὴ τοῦ Ἰησοῦ schon jetzt als wirksam erweist für den Leidenden selbst (2 K 4, 16) wie für diejenigen, denen die Leiden zugute
30 kommen (2 K 4, 12).

b. **Der apostolische Selbstruhm.** Dem grundsätzlichen Abweis des Selbstruhms widersprechen solche Stellen nicht, in denen sich Pls doch seiner Wirksamkeit „rühmt". Wenn er etwa die Zuverlässigkeit einer Gemeinde anderen gegenüber rühmt (2 K 7, 4. 14; 8, 24; 9, 2 f), so ist
35 das überhaupt kein Selbstruhm, sondern in diesem Rühmen spricht sich einfach das Vertrauen zur Gemeinde aus[42], und solches gegenseitige Vertrauen ist natür-

---

[39] Das καυχᾶσθαι ἐν προσώπῳ 2 K 5, 12 entspricht dem καυχᾶσθαι κατὰ σάρκα 11, 18 und wiederum dem πεποιθέναι ἐν σαρκί Phil 3, 4 (→ A 37). Das κατὰ σάρκα 2 K 11, 18 hat seinen Gegensatz in dem κατὰ κύριον 11, 17, das also dem ἐν καρδίᾳ 5, 12 entspricht; vgl Phil 3, 3 ἐν Χριστῷ Ἰησοῦ. Zum Gegensatz πρόσωπον — καρδία vgl 1 Βασ 16, 7; R 2, 28 f.
[40] Die Abweisung des Selbstruhms ist bei Pls also nicht wie bei den Griechen (→ 646, 20 ff) dadurch motiviert, daß der Selbstruhm die Würde verletzt und zum ἀνελεύθερος macht, dh das Individuum in die Abhängigkeit von

anderen bringt (so Wnd 2 K z 11, 16), sondern dadurch, daß er Gottes Ehre verletzt und den Menschen in die Abhängigkeit von der σάρξ bringt.
[41] Ein Rühmen auf Grund asketischer Leistungen wäre von Pls auch ausdrücklich ausgeschlossen, wenn 1 K 13, 3 die Lesart ἵνα καυχήσωμαι ursprünglich wäre, was schwerlich der Fall ist; vgl die Komm u die bei Pr-Bauer genannte Lit.
[42] Vgl 2 K 2, 3: πεποιθὼς ἐπὶ πάντας ὑμᾶς, ὅτι ἡ ἐμὴ χαρὰ πάντων ὑμῶν ἐστιν, ferner 2 K 1, 15; 8, 22: πεποιθήσει πολλῇ τῇ εἰς ὑμᾶς.

lich durch den Glauben nicht ausgeschlossen, sondern in der Glaubensgemeinschaft vielmehr gefordert. Es ist ja nicht jenes Selbstvertrauen des auf sich selbst gestellten Menschen, so daß das καυχᾶσθαι, in dem es sich ausspricht, im Gegensatz zu dem καυχᾶσθαι ἐν Χριστῷ 'Ιησοῦ stünde. Pls weiß vielmehr, daß die καύχησις, die ihm seine apostolische Wirksamkeit gibt, nur in dem begrün- 5 det ist, was Christus durch ihn wirkt (R 15, 17f; 1 K 15, 10). Er gewinnt nicht erst durch seine Missionserfolge Gottes Gnade, sondern umgekehrt! Deshalb fügt er, wo er einmal mit Pathos von seiner καύχησις redet[43], sogleich hinzu: ἣν ἔχω ἐν Χριστῷ 'Ιησοῦ τῷ κυρίῳ ἡμῶν. Und deshalb ist solche καύχησις streng auf die seiner Wirksamkeit durch Gott gesteckten Grenzen beschränkt 10 (2 K 10, 13). Daß sich in solchem καυχᾶσθαι nicht das Vertrauen auf die eigene Kraft äußert, wird eben daran deutlich, daß Pls diesen Ruhm nicht dadurch gewinnt, daß er seine Erfolge an denen anderer „mißt"; es ist also nicht der Ruhm des Ehrgeizes, der mehr aufweisen will als andere (2 K 10, 12—16). Wie Pls das συνιστάνειν ἑαυτόν ablehnt (2 K 3, 1; 5, 12; 10, 18) und seine 15 „Empfehlung" darin sieht, daß Christus durch ihn wirkt (2 K 3, 2f), daß Gott ihn „empfiehlt" (2 K 10, 18), wie er sich selbst nur durch seine Verkündigung der „Wahrheit" empfehlen kann (2 K 4, 2) oder paradox durch die die Größe seines Dienstes verhüllenden Leiden (2 K 6, 4—10) — so weist er jenes καυχᾶσθαι der Gegner zurück, das seine Kraft erst durch den vergleichenden Blick 20 auf andere gewinnt, und sagt, daß er sich nur an sich selbst „messe" und deshalb an dem ihm von Gott gegebenen Maßstab (2 K 10, 12f). Das ist kein Widerspruch[44], sondern gerade der echt paulinische Gedanke, der den ganzen Ausführungen 2 K 2, 14—7, 4 zu Grunde liegt, wonach das Urteil über den Apostel seinen Maßstab in seinem Auftrag, seinem Amt hat. Das „Messen" an 25 sich selbst ist also der Vergleich der Leistung mit der gottgegebenen Aufgabe. Diese aber hat ihr Maß an der im Apostel wirkenden δύναμις (2 K 6, 7; 13, 4), die am Erfolg der Arbeit erkennbar wird. So wird das „Messen" an sich selbst zur Abmessung des καυχᾶσθαι nach der faktisch wirkenden δύναμις und deshalb zu einem καυχᾶσθαι der δύναμις Gottes (2 K 4, 7), zum Dank. In solchem Sinne 30 warnt Pls R 11, 18 vor dem vergleichenden Blick auf die ungläubigen Juden: μὴ κατακαυχῶ τῶν κλάδων· εἰ δὲ κατακαυχᾶσαι (so bedenke:), οὐ σὺ τὴν ῥίζαν βαστάζεις, ἀλλὰ ἡ ῥίζα σέ. Und im gleichen Sinne mahnt er Gl 6, 4, daß keiner sein καύχημα durch den vergleichenden Blick auf andere gewinne, sondern nur durch den Blick auf sich selbst; dh er soll seine Leistung an der ihm gestellten 35 Aufgabe messen. Solcher Blick aber ist, wie der Zshg zeigt, zugleich Selbstkritik; ist dann noch Anlaß zum καύχημα gegeben, so wird das Rühmen zugleich ein Danken sein[45].

---

[43] 1 K 15, 31; das ὑμετέραν in νὴ τὴν ὑμετέραν καύχησιν vertritt, wie das folgende ἣν ἔχω . . . zeigt, den Gen obj; der Sinn ist also: „bei dem Ruhm, den ich an euch (erworben) habe."
[44] So Ltzm K z 2 K 10, 12. In diesem v muß mE unbedingt mit DGAmbst das οὐ συνιᾶσιν, ἡμεῖς δέ gestrichen werden. Das ἀλλὰ αὐτοί kann nur auf Pls bezogen werden. Er hat gerade abgelehnt, sich mit anderen

zu vergleichen; das Sich-an-sich-selbst-messen kann also nicht die Eigentümlichkeit der Gegner sein, sondern nur seine eigene.
[45] 2 K 1, 12 zeigt, daß auch solcher Dank mißverstanden werden kann. In v 11 hatte Pls gesagt, daß die Pflicht des Dankes bestünde für das, was Gott an ihm tat. Weil er erwarten muß, daß ihm dieser Anspruch als Selbstruhm ausgelegt wird, beginnt er v 12 mit dem Thema der καύχησις.

Der schon im AT bestehende Zshg von Rühmen mit Dank und Freude (→ 647, 21) macht auch verständlich, daß Pls mehrfach die Hoffnung ausspricht, seine Gemeinden werden einst bei der Parusie des Herrn sein Ruhm sein (1 Th 2, 19 f: χαρά, στέφανος καυχήσεως und δόξα; 2 K 1, 14 und Phil 2, 16: καύχημα).
5 Es versteht sich ja, daß das Rühmen der schenkenden Gnade Gottes, wenn es nicht ein theoretisch-dogmatisches bleiben soll, die dankbare Freude des Rühmenden als eines Beschenkten einschließt. So müssen auch die Korinther verstehen, daß Pls ihr καύχημα ist (2 K 1, 14[46]); sie müssen Gott danken, daß er ihnen Pls geschenkt hat (vgl 1, 11; 5, 12). Und in diesem Sinne soll auch
10 das καύχημα der Philipper, dh ihre Möglichkeit, sich rühmen zu können, wachsen (Phil 1, 26), nämlich dadurch, daß ihr Glaube dank der Wirksamkeit des Pls fortschreitet.

So ist auch der Ruhm des Pls verständlich, den er durch den Verzicht auf seine apostolische ἐξουσία, sich von den Gemeinden unterhalten zu lassen, erwirbt
15 (1 K 9, 15 f; 2 K 11, 10). An diesem καύχημα bringt er sich gerade zum Bewußtsein, daß alle seine Leistung und seine ἐξουσία kein καύχημα begründet, sondern ihm einfach von Gott auferlegt bzw geschenkt ist, daß er aber die göttliche ἀνάγκη nicht einfach als Zwang erleidet, sondern frei bejaht. Eben dieses demonstriert er durch seinen Verzicht, der ihn also nicht vor Gott ausweisen
20 soll, sondern vor ihm selber; der ihn auch nicht als einen Größeren als andere erscheinen lassen soll, vielmehr geeignet ist, ihn als geringer erscheinen zu lassen. Die Gegner rühmen sich gerade ihrer ἐξουσία, und mit ihnen will Pls nicht auf gleicher Stufe stehen (2 K 11, 12).

Nun gibt es aber endlich paradoxe Situationen, in denen jenes Rühmen der
25 beschenkenden Gnade und der Kraft Gottes in Erscheinung tritt in der Form des Selbstruhms. In solche Situation ist Pls den Korinthern gegenüber versetzt durch ihre Bestreitung seiner ἐξουσία. Da diese ἐξουσία nicht seine, sondern Christi Sache ist, in dessen Dienst er sie empfangen hat, muß er sie, und dh in concreto sich selbst, rühmen. Daß er sich darin vergreifen könnte, deutet
30 schon das ἐάν τε γὰρ περισσότερόν τι καυχήσωμαι 2 K 10, 8 an. Grundsätzlich aber muß Pls auf diesem „Selbstruhm" bestehen, und seinen paradoxen Charakter bringt er dadurch zum Ausdruck, daß er dieses Rühmen als ein καυχᾶσθαι ὡς ἐν ἀφροσύνῃ bezeichnet (2 K 11, 16 f. 21; 12, 1. 11[47]). Es ist aber merkwürdig, wie er bei diesem „Thema des Rühmens" (ἐν ταύτῃ τῇ ὑποστάσει
35 τῆς καυχήσεως 11, 17) verfährt: der Selbstruhm κατὰ σάρκα, dh auf Grund der aufweisbaren, sichtbaren Vorzüge (11, 22—23), schlägt nach der Aufzählung dessen, was allgemein geltende Ruhmestitel sind (11, 22), sofort um in jenes paradoxe Rühmen der Leiden, der ἀσθένεια (v 23—30) und damit der χάρις bzw der δύναμις Gottes (12, 8 f; vgl 4, 7 ff). Ja, indem 12, 1—10 gerade das, was in
40 den Augen der Gegner ein καύχημα begründen könnte — die ὀπτασίαι und ἀποκαλύψεις —, als Gegenstand des Rühmens ausdrücklich ausgeschlossen wird (v 5), indem es umgebogen und abgebrochen wird, und indem der Ruhm der ἀσθένεια

---

[46] 2 K 1, 14 ist das ὅτι mit Ltzm K gegen Wnd 2 K als „daß", nicht als „weil" zu verstehen.
[47] Diese Paradoxie tritt bes deutlich hervor, wenn sich Pls bewußt an den Stil der Ruhmesrede, des cursus honorum, anlehnt, wie A Fridrichsen, Symb Osl VII (1928) 25 ff vermutet.

zum beherrschenden Thema gemacht wird, läßt Pls das Motiv des Vergleichens überhaupt fallen, und die ἀφροσύνη wird eigentlich preisgegeben, wenngleich Pls die Rolle des ἄφρων noch beibehält (v 11—13).

2. Das nachpaulinische Urchristentum.

In der deuteropaulinischen Lit wiederholt Eph [5] 2, 8f ausdrücklich das paulinische Grundmotiv: τῇ γὰρ χάριτί ἐστε σεσῳσμένοι διὰ πίστεως· καὶ τοῦτο οὐκ ἐξ ὑμῶν, θεοῦ τὸ δῶρον· οὐκ ἐξ ἔργων, ἵνα μή τις καυχήσηται, und 2 Th 1, 4 variiert das Motiv des apostolischen Selbstruhms auf Grund der Gemeinde (ὥστε αὐτοὺς ἡμᾶς ἐν ὑμῖν ἐγκαυχᾶσθαι). — In Hb 3, 6 findet jenes at.liche Rühmen des Gottvertrauens in christlicher Form seinen Aus- [10] druck: ἐὰν τὴν παρρησίαν καὶ τὸ καύχημα τῆς ἐλπίδος μέχρι τέλους βεβαίαν κατάσχωμεν[48]. Die schon dem AT bekannte Paradoxie des Rühmens enthält Jk 1, 9f: καυχάσθω δὲ ὁ ἀδελφὸς ὁ ταπεινὸς ἐν τῷ ὕψει αὐτοῦ (nämlich, daß er von Gott begnadet ist bzw werden wird), ὁ δὲ πλούσιος ἐν τῇ ταπεινώσει αὐτοῦ (indem er sich demütigt und also auch sich allein Gottes rühmt[49]). Der zweite Teil des [15] Satzes wird durch 4, (13—) 16 verdeutlicht: indem das νῦν δὲ καυχᾶσθε ἐν ταῖς ἀλαζονείαις ὑμῶν· πᾶσα καύχησις τοιαύτη πονηρά ἐστιν der Ergebung und dem Vertrauen auf Gott gegenübergestellt wird, die aus der Einsicht in die Unsicherheit des Lebens erwachsen, wird das legitime καυχᾶσθαι eben in dem ἐὰν ὁ κύριος θελήσῃ ausgesprochen. [20]

In der späteren Lit wird die at.lich-christliche Warnung vor dem Selbstruhm und die Mahnung zur Demut fortgeführt. Das ταπεινοφρονήσωμεν οὖν . . . begründet 1 Cl 13, 1 mit dem Zitat Jer 9, 22f, und 21, 5 redet er von ἄνθρωποι ἄφρονες καὶ ἀνόητοι καὶ ἐπαιρόμενοι καὶ ἐγκαυχώμενοι ἐν ἀλαζονείᾳ τοῦ λόγου αὐτῶν. Entsprechend erscheint καύχησις neben ὑψηλοφροσύνη und ὑπερηφανία im Lasterkatalog Herm m 8, 3. Ign [25] variiert Eph 18, 1 den Satz des Pls 1 K 1, 20 und fragt: . . . ποῦ καύχησις τῶν λεγομένων συνετῶν; und ebenso spricht er nach Pls (2 K 10, 12f) Tr 4, 1: πολλὰ φρονῶ ἐν θεῷ, ἀλλ᾽ ἐμαυτὸν μετρῶ, ἵνα μὴ ἐν καυχήσει ἀπόλωμαι und mahnt Pol 5, 2: εἴ τις δύναται ἐν ἁγνείᾳ μένειν, εἰς τιμὴν τῆς σαρκὸς τοῦ κυρίου ἐν ἀκαυχησίᾳ μενέτω· ἐὰν καυχήσηται, ἀπώλετο. In diesem Sinne sagen die Act Thom 86 von Jesus: ἡ δὲ πραότης καύχημα [30] αὐτοῦ ἐστιν. Ebenso wird Jesus bei Just Dial 101, 1 charakterisiert als οὐ τῇ αὐτοῦ βουλῇ ἢ ἰσχύϊ πράττειν τι καυχώμενος. Der korrespondierende Gedanke, daß die Frommen sich Gottes rühmen, begegnet 1 Cl 34, 5: τὸ καύχημα ἡμῶν καὶ ἡ παρρησία ἔστω ἐν αὐτῷ (sc: τῷ θεῷ). Indem hier die Gemeinde das Subj des Rühmens ist, gewinnt dies den kultischen Sinn (→ 647, 15), wie noch deutlicher Act Andr 1 (εὐχαριστίαν [35] ἢ παρρησίαν ἢ ὕμνον ἢ καύχημα . . . εἰπεῖν εἰς τὸν . . . θεόν → A 48). In diesem Sinne sagt Jesus von sich selbst Mart Mt 2 (cod F): τὸ καύχημα τῶν χειρευόντων ἐγώ[50].

† ἐγκαυχάομαι

Sehr spärlich bezeugt[1], unterscheidet sich in der Bedeutung nicht von καυχᾶσθαι. Es begegnet einige Male in LXX → 646, 35f. In [40] der urchristlichen Lit 2 Th 1, 4 (vl: καυχᾶσθαι) → 653, 8; 1 Cl 21, 5 → 653, 23f.

---

[48] Das mit καύχημα verbundene παρρησία, das bei Pls wie πεποίθησις das apostolische Selbstbewußtsein (2 K 3, 12 → A 37) oder das Vertrauen auf die Gemeinde (2 K 7, 4 → A 42) bezeichnet, bezeichnet in Hb die Situation der Gemeinde vor Gott (→ παρρησία) und gewinnt dadurch wie καύχημα jenen kultischen Sinn, den es neben καύχημα auch 1 Cl 34, 5; Act Andr 1 (→ 653, 35f) hat.

[49] Dieser Gedanke ist schon at.lich-jüdisch, und man darf in dem Satz nicht die ironische Mahnung finden: „der Reiche rühme sich seines (ihm bevorstehenden) Untergangs", wie Dib Jk zSt meint.

[50] Das Verb und die Subst begegnen noch einige Male, ohne daß die Verwendung bes bemerkenswert wäre: καυχᾶσθαι Ign Phld 6, 3; Pseud-Pls ad Cor 15 (Kl T 12 (1905) 17); Just Dial 86, 2; Tat Or Graec 17, 1; καύχημα Just Apol 41, 2; Tat Or Graec 2, 1; καύχησις Just Dial 141, 3.

ἐγκαυχάομαι. [1] Vgl Liddell-Scott.

† *κατακαυχάομαι*

ist außer auf einer Inschr [1] nur in der biblischen und christlichen Lit bezeugt. Es bringt das in jedem Rühmen steckende vergleichende Sich-Abheben gegen andere verstärkt zur Geltung: *triumphierend auf andere herabblickend sich rühmen.* Dieser Sinn tritt zwar in LXX kaum hervor, wo das κατακαυχᾶσθαι nur ein verstärktes καυχᾶσθαι ist; er ist aber deutlich R 11, 18 (→ 651, 30 ff) und in der bildlichen Verwendung Jk 2, 13: κατακαυχᾶται ἔλεος κρίσεως, wie Jk 3, 14: μὴ κατακαυχᾶσθε (im Stolz auf die eigene Weisheit) καὶ ψεύδεσθε κατὰ τῆς ἀληθείας [2]. Worauf der sich Rühmende herabblickt, ergibt sich R 11, 18 aus dem Zshg (auf die ungläubigen Juden), während es Jk 2, 13 (3, 14) durch den Gen angegeben ist.

Bultmann

```
┌─────────────────────────────────────┐
│   κεῖμαι,  ἀνά-,  σvνανά-,  ἀντί-,   │
│   ἀπό-,  ἐπί-,  κατά-,  παρά-,       │
│        περί-,  πρόκειμαι             │
└─────────────────────────────────────┘
```

κεῖμαι

Der Sprachgebrauch von κεῖμαι ist vielseitig. Bei der Grundbedeutung: *liegen* kann an das Zuständliche rein als solches oder als Ergebnis eines *Gelegt-, Gestellt-seins* gedacht werden [1], auch aus dem Räumlichen ein Ideelles werden. LXX haben κεῖμαι nicht häufig. Im NT ist meist das einfach räumliche *Liegen, Gelegt-, Gestellt-sein* gemeint Lk 2, 12. 16; Mt 5, 14; 28, 6; Apk 4, 2; Phil 1, 16 uö. Im ideellen Sinne heißt κεῖσθαι εἰς *bestimmt, eingesetzt sein zu,* Lk 2, 34; 1 Th 3, 3, κεῖσθαι *gegeben sein, gelten* 1 Tm 1, 9 [2], endlich κεῖσθαι ἐν *sich befinden in* 1 J 5, 19 [3].

ἀνάκειμαι, σvνανάκειμαι

Das Verbum bedeutet zunächst: *daliegen, dastehen* bes von Weihgeschenken udgl, dann auch: ἀνάκειται εἴς τι *etwas beruht auf* . . . [1], endlich heißt ἀνάκειμαι: *zu Tische liegen.*

Im NT kommt ἀνάκειμαι nur in den Evangelien vor und in der Bedeutung: *zu Tisch liegen* [2] Mk 14, 18; 16, 14; Mt 9, 10; 22, 10. 11; 26, 7. 20; Lk 22, 27;

κατακαυχάομαι. [1] SAB 1932, 355.
[2] Hängt das κατὰ τῆς ἀληθείας nicht nur von ψεύδεσθε, sondern auch von κατακαυχᾶσθε ab (dessen κατά dann wieder aufgenommen wäre), so liegt ein Hendiadyoin vor: „Rühmt euch nicht lügnerisch der Wahrheit zum Trotz" oder: „Lügt nicht prahlerisch gegen die Wahrheit." Im Grunde richtet sich dann freilich der verachtende Blick der Rühmenden nicht auf die ἀλήθεια, sondern, wie der Zshg (v 13—18) zeigt, auf die minder mit „Weisheit" begabten Brüder. Dies würde noch deutlicher herauskommen, wenn man κατακαυχᾶσθε (wie R 11, 18) absolut faßt und das κατὰ τῆς ἀληθείας nur von ψεύδεσθε abhängen läßt.

κεῖμαι. Pape, Pass, Cr-Kö, Pr-Bauer, Liddell-Scott sv.

[1] κεῖμαι wird als Perf Pass für τίθημι gebraucht vgl 1 K 3, 11.
[2] νόμος κεῖται, νόμος κείμενος sind juristische term techn seit Eur u Thuc vgl Pr-Bauer sv 2 b.
[3] ἐν τῷ πονηρῷ muß nach v 18 persönlich, vom Teufel, verstanden werden. Das κεῖται ἐν . . . ist vielleicht par zu dem μένειν ἐν ἐμοί von J 15, 1—10 zu erklären; wie der Gläubige in Christus bleibt, so daß er von ihm ernährt und getragen fruchtbar wird, so liegt die Welt im Teufel, beherrscht und hilf- und machtlos gemacht, getötet (1 J 3, 14) von ihm vgl auch Pr-Bauer sv 2 d.

ἀνάκειμαι κτλ. [1] Pape, Pass sv.
[2] Mk 5, 40: ὅπου ἦν τὸ παιδίον (die Tochter des Jairus) haben die besten Hdschr kein Part, geringere ἀνακείμενον oder κατακείμενον.

J 6, 11; 12, 2; 13, 23. 28[3]; συνανάκειμαι: Mk 2, 15 par; 6, 22 par. Die Sitte, auf Polstern zu Tisch zu liegen, war bei den Juden, wie bei den Kulturvölkern am Mittelmeer im allgemeinen, zZt Jesu üblich[4]. Doch lag nur, wer sich bedienen lassen konnte; Frauen, Kinder, Sklaven aßen meist stehend oder sonstwie. Der ἀνακείμενος ist deshalb im Gegensatz zum διακονῶν der, der sichs 5 wohl sein läßt, weil er es sich leisten kann, der „Vornehmere" Lk 22, 27. Man lag auf der linken Seite, um die rechte Hand zum Essen frei zu haben. Das Liegen beim Passah sollte zum Ausdruck bringen, daß die Israeliten seit dem Auszuge Freie und nicht Sklaven seien; es galt deshalb als erforderlich zum richtigen Passah Mk 14, 18 par. 10

† *ἀντίκειμαι*

bedeutet: *gegenüberliegen*, dann: *entgegengesetzt, feind sein*[1], im NT nur in der zweiten Bedeutung Gl 5, 17; 1 Tm 1, 10, sonst immer im Part: ὁ ἀντικείμενος *der Feind*[2] Lk 13, 17; 21, 15; 1 K 16, 9; Phil 1, 28; 2 Th 2, 4; 1 Tm 5, 14[3]. 15

† *ἀπόκειμαι*

bezeichnet grundleglich: *bei Seite liegen* bzw *gelegt sein*, dann: *so aufbewahrt sein, daß man damit rechnen kann*, dann: *auf jemanden zukommen, als Verhängnis*, endlich sogar: *verachtet, verworfen sein*[1]. Im NT Lk 19, 20; Kol 1, 5; 2 Tm 4, 8 im Sinne von: *aufbewahrt sein*, Hb 20 9, 27 im Sinne von: *es wartet auf den Menschen*, es ist ihm bestimmt auf Grund der göttlichen Ordnung, der der Mensch unterworfen ist[2]. Kol 1, 5; 2 Tm 4, 8; Hb 9, 27 drückt das Wort die im Willen Gottes begründete Gewißheit der menschlichen Zukunft aus; ihre Güter und Nöte sind schon vorhanden und deshalb unabänderlich. 25

† *ἐπίκειμαι*

darüberliegen, darüber gesetzt sein, ideell: *verordnet sein*, auch: *bedrängen*, auch pass gebraucht: *auf sich liegen haben, anhaben*. Im NT in der Bedeutung: *daraufliegen* J 11, 38; 21, 9, dann: *umdrängen, bedrängen* Ag 27, 20 vom Sturm, Lk 5, 1; 23, 23 von der Menge, endlich: *auf-* 30 *erlegt sein* von gesetzlichen Bestimmungen Hb 9, 10, vom Zwange 1 K 9, 16.

---

[3] ἀνακείμενος kann man manchmal geradezu mit *Gast* übersetzen Mt 22, 10; 11, anderorts den Gen abs mit: *bei Tisch*, Mk 16, 14; Str-B IV 618.
[4] Str-B IV 56 f.

ἀντίκειμαι. Pr-Bauer sv; Nägeli 39.
[1] Pape, Pass sv.
[2] Diese Bedeutung hat ἀντικείμενος schon in LXX und PPar 45, 6 Μενέδημον ἀντικείμενον ἡμῖν.
[3] ὁ ἀντικείμενος ist hier wohl nicht der

Satan, der erst in v 15 genannt wird, sondern generisch gemeint.

ἀπόκειμαι. Pr-Bauer sv; Nägeli 55; FPfister, Zur Wendung: Ἀπόκειταί μοι ὁ τῆς δικαιοσύνης στέφανος ZNW 15 (1914) 94—96.

[1] Pape, Pass sv.
[2] Epigr Graec 416, 6: ὡς εἰδώς, ὅτι πᾶσι βροτοῖς τὸ θανεῖν ἀπόκειται, 4 Makk 8, 11 ἀποθανεῖν ἀπόκειται.

ἐπίκειμαι. Pape, Pass, Pr-Bauer sv.

† κατάκειμαι

darniederliegen, liegen bes von Kranken, Schlafenden, Tafelnden gebraucht, das Aufgelöste ihrer Haltung bezeichnend. Im NT oft von Kranken Mk 1, 30; 2, 4 (Lk 5, 25); J 5, 3. 6; Ag 9, 33; 28, 8, auch von zu Tische Liegenden Mk 2, 15 (Lk 5, 29); 14, 3; 1 K 8, 10.

† παράκειμαι

daneben liegen bzw *gesetzt sein, vor jemand (zur Auswahl) liegen,* auch: *benachbart sein.* Im NT nur R 7, 18. 21: *bereit liegen, verfügbar sein, in jemands Macht stehen* (die menschliche Macht und Ohnmacht bezeichnend).

Vgl PGreci e Latini 542, 12 (3. Jhdt v Chr) ἐμοὶ οὔπω παράκειται κέρμα = ich habe noch kein Geld zur Verfügung.

† περίκειμαι

ringsumherliegen, umgeben auch passivisch: *um sich haben* von Kleidern.
Im NT: *gehängt sein um* Mk 9, 42; Lk 17, 2, passivisch Ag 28, 20: ich habe diese Kette um. Übertragen Hb 12, 1, passivisch Hb 5, 2: er ist mit Schwachheit umgeben, behaftet vgl 7, 28 Vulg: circumdatus est infirmitate.

† πρόκειμαι

vorliegen, vor einem andern Gegenstande oder Menschen, auch: *öffentlich zur Schau gestellt, festgesetzt sein,* auch vom Gegenstande der Beratung.
Im NT gebraucht im Sinne von: *vor aller Augen daliegen* Jd 7 oder mit dem Dat der Person im Sinne von: *für jemand vorhanden sein* 2 K 8, 12; Hb 12, 2 zur Bezeichnung des *Aufgegebenseins* Hb 12, 1, des *Verheißenseins* Hb 6, 18.

Büchsel

† κέλευσμα

Subst zu κελεύω, vom Stamm kel = *antreiben,* Grundbdtg: *das womit man antreibt.* Ältere Form: κέλευμα. In den Hdschr häufig Schwanken zwischen κέλευμα und κέλευσμα. Das Wort wird gleichmäßig von Dichtern und Prosaikern gebraucht, zuerst bei Aesch bzw Hdt.
Es bedeutet im einzelnen: *a. Befehl, Gebot, Geheiß, Anordnung,* jeweils mit bestimmter inhaltlicher Füllung; zB Soph Ant 1219 f: τάδ' ἐξ ἀθύμου δεσπότου κελευσμάτων ἠθροῦμεν (vl: ἐδρῶμεν). Speziell vom Befehl einer G o t t h e i t: Eur Iph Taur 1483 und Andr 1031. Etwas schwächer: *Aufforderung* (die aber oft einem Befehl fast gleichkommt): Hdt VII 16. — *b. Ruf, Anruf, Signal, Kommando,* wobei das, was mit dem Ruf oder Kommando gewollt wird, nicht erst angegeben zu werden braucht, sondern dem Betroffenen von vornherein klar ist (doch lassen sich Befehl und Kommando nicht immer scharf trennen); so Hdt IV 141: ἐπακούσας τῷ πρώτῳ κελεύσματι. Den Sinn *ermunternder Zuruf* gewinnt das Wort, wenn es in Beziehung auf T i e r e (Pferde, Hunde) gebraucht wird; Plat Phaedr 253 d: das ordentliche P f e r d läßt sich lenken κελεύσματι μόνον

κατάκειμαι. Pape, Pass, Pr-Bauer sv. | *περίκειμαι.* Pape, Pass, Pr-Bauer sv.

παράκειμαι. Pape, Pass, Pr-Bauer sv. | *πρόκειμαι.* Pape, Pass, Pr-Bauer sv.

καὶ λόγῳ (Gegensatz: Peitsche); von Hunden: Pseud-Xenoph Cyn 6, 20. Hierher gehört aber auch κέλευσμα als *Ruf des* κελευστής *auf dem Schiff,* der den Ruderern den Takt angibt, nach dem sie rudern müssen [1]; Aesch Pers 397: ἔπαισαν ἅλμην βρύχιον (das tiefe Meer) ἐκ κελεύματος, ebenso Eur Iph Taur 1405. Das Wort ist hier direkt zum term techn geworden und als solcher als Fremdwort ins Lateinische übergegangen: *celeusma, celeustes.* — Eine stehende Redewendung ist: (ὥσπερ, καθάπερ) ἐξ oder ἀφ' ἑνὸς κελεύσματος = *(wie) auf ein Kommando, mit einem Schlag, zu gleicher Zeit, alle auf einmal, wie ein Mann;* zB Thuc II 92, 1; Diod S III 15, 5; Sophron bei Athen III 33 (p 87 a). Das einzige Mal, wo κέλευσμα in LXX vorkommt, steht es in diesem Sinn: Prv 30, 27 [24, 62]. — *c.* Schließlich kann das Wort auch ganz allgemein *Lärm, Geschrei* bedeuten, wobei aber der Ton des Gebieterischen mitschwingt; Aesch Choeph 751: καὶ νυκτιπλάγκτων ὀρθίων (laut, helltönend) κελευμάτων (vom nächtlichen Geschrei des kleinen Orestes); vgl auch Eur Hec 929, wo κέλευσμα, neben κέλαδος stehend (928), wohl soviel bedeutet wie βοή, κραυγή.

Insgesamt läßt sich also feststellen, daß die Bdtg des Worts sich vom inhaltlich klar bestimmten *Befehl* über den knappen *Kommandoruf* bis zum unartikulierten *Schrei* spannt.

Auch Josephus und Philo kennen das Wort in genau denselben Bdtgsmöglichkeiten (LXX → 657, 9 f).

Josephus: *a. Befehl, Anordnung* des Herodes: Ant 17, 199; *Aufforderung,* sich an einer Verschwörung zu beteiligen: Ant 17, 140. *b. Überfall auf ein Kommando:* Ant 19, 110 [2]. *c. Kriegsgeschrei* (ἐγκέλευσμα καὶ κραυγή): Bell 2, 549. — Philo: Praem Poen 117: von Gottes Kommandogewalt; Abr 116: Gehorsam einer Schiffsbesatzung gegenüber der Befehlsgewalt des κυβερνήτης als Bild für eine geordnete Hausgemeinschaft.

Allmählich scheint κέλευσμα im gewöhnlichen Sprachgebrauch durch κέλευσις (und ἐγκέλευσις) verdrängt worden zu sein.

κέλευσις begegnet zum erstenmal Plut Aud Poet 11 (II 32 c), findet sich neben κέλευσμα auch bei Plot (Enn IV 8, 2 sind beide Worte belegt), ist aber vor allem häufig in Inschr und Pap. Während κέλευσμα hier nur ein Mal nachgewiesen scheint (Preisigke Sammelbuch 4279, 3: κελεύσμασιν, Inschr an einem Steinbruch, Ägypten, um 90 n Chr), bringen Liddell-Scott und Preisigke für κέλευσις und ἐγκέλευσις zahlreiche Belege. Es scheint term techn der Behördensprache gewesen zu sein und bezeichnet die *amtliche Anordnung,* den *Erlaß,* den *Entscheid,* und zwar vom untersten Beamten der Provinz bis hinauf zum Kaiser; das kaiserliche Edikt [3] wird dabei mit θεῖος bzw ἱερός benannt: Preisigke Sammelbuch 4284, 8; PMasp 32, 23 uö. Vom Befehl einer Gottheit: Ditt Or 589: κα[τ]ὰ κέλευσι[ν] θεοῦ (es folgt der Name des Gottes) ... εὐχαριστῶν ἀνέθηκα (Weihinschrift, Syrien) [4].

Im Neuen Testament steht das Wort nur 1 Th 4, 16 und zwar im Sinne von *Kommandoruf:* ὅτι αὐτὸς ὁ κύριος ἐν κελεύσματι, ἐν φωνῇ ἀρχαγγέλου καὶ ἐν σάλπιγγι θεοῦ καταβήσεται ἀπ' οὐρανοῦ, καὶ οἱ νεκροὶ ἐν Χριστῷ ἀναστήσονται πρῶτον ... So leicht hier die Feststellung der einfachen Wortbedeutung fällt, so schwierig ist es, sich von den hier beschriebenen Vorgängen bei der Parusie im einzelnen ein deutliches Bild zu machen. Es ergeben sich verschiedene Fragen. Zunächst: das ἐν ist wahrscheinlich nicht temporal bzw

---

κέλευσμα. [1] Vgl Suid sv κελευστής: οἱ κελευσταὶ καθ' ἑκάστην ναῦν τὸ ἐνδόσιμον (den Takt) τοῖς ἐρέταις ἐνέδοσαν. In den Fällen trat an Stelle der menschlichen Stimme etwas anderes, zB Xenoph Hist Graec V 1, 8: λίθων τε ψόφῳ (Schall) τῶν κελευστῶν ἀντὶ φωνῆς χρωμένων. — Zur Vorstellung: „Christus als Steuermann bzw κελευστής auf dem Schiff der Kirche" vgl FJDölger, Sol Salutis = Liturgiegeschichtliche Forschungen 4/5, [2] (1925) 277 ff, bes 280 f [Bertram].

[2] An dieser und der folgenden Stelle gebraucht Jos ἐγκέλευσμα. Das Kompos findet sich auch bei Pseud-Xenoph Cyn 6, 24. — Ant 19, 110 bringt neben ἐγκέλευσμα noch παρακελευσμός. Auch διακελευσμός gebraucht Jos: Ant 3, 53.

[3] Vgl δόγμα Lk 2, 1. Beides scheint zusammengestellt Ditt Or 455, 3: [... κατὰ δόγμα τι κ]αὶ κέλευσιν (Asia, 1. Jhdt v Chr).

[4] Andere Bildungen neben κέλευσμα und κέλευσις samt Kompos: κελευσμός mit Kompos und κελευσμοσύνη (jonisch). → A 2.

instrumental zu fassen, als ob das κέλευσμα das auslösende Moment für das καταβαίνειν wäre (*beim* Signal), sondern drückt wohl die begleitenden Umstände des
καταβαίνειν aus (*unter* Kommandoruf). Wer spricht das Kommando? Gott?
Christus? Oder der Erzengel? Letztere Möglichkeit hängt mit der weiteren
5 Frage zusammen, ob es sich bei den drei Gliedern mit ἐν um drei gleichwertige
Vorgänge handelt oder ob nicht etwa das, was mit κέλευσμα allgemein ausgedrückt ist, durch φωνὴ ἀρχαγγέλου und σάλπιγξ θεοῦ konkretisiert wird, so daß
es sich tatsächlich nur um zwei Vorgänge handeln würde: das κέλευσμα wird
mittels der Erzengelstimme und der Gottesposaune (aber wer bläst sie?) gege-
10 ben. Diese Auffassung könnte sich durch das Fehlen der Genetivbestimmung
bei κέλευσμα und durch das καί zwischen zweitem und drittem Glied nahelegen.
Eine sichere Antwort wird sich auf keine dieser Fragen geben lassen[5]. Wir
haben es bei derartigen Schilderungen mit traditionellen Zügen der apokalyptischen Vorstellungswelt und Literatur zu tun, die mehr dazu dienen, allgemein
15 die „Stimmung" beim Anbrechen des Endes zu zeichnen, als die Vorgänge im
einzelnen zu schildern. Der Versuch einer Zergliederung ist daher als Versuch
am untauglichen Objekt zu betrachten. Eine letzte Frage ist: wozu dient
das κέλευσμα, die φωνή und die σάλπιγξ? Allgemein zur Ankündigung des Endes, der Parusie? Da in unserer Stelle sofort von der Totenauferstehung die
20 Rede ist und auch sonst die Vorstellung herrscht, daß die Toten aus ihren
Gräbern „gerufen" werden (vgl J 5, 28)[6], ist die Frage wohl dahin zu beantworten, daß κέλευσμα, φωνή und σάλπιγξ das Signal zur Totenauferstehung sind,
wobei freilich auch hier wieder zu beachten ist, daß die Vorgänge nicht säuber-
lich auseinandergenommen werden können: κέλευσμα, φωνή und σάλπιγξ ist eben-
25 sosehr Signal zur Totenauferstehung wie begleitendes Merkmal und Ankündigung des Endes überhaupt[7]. Alles geschieht ja ἐν ῥιπῇ ὀφθαλμοῦ (1 K 15, 52),
was ein Nacheinander im strengen Sinn ausschließt: wenn die Zeit erfüllt ist,
wird die Parusie des Herrn unter Kommandoruf, Erzengelstimme und Posaunen-
schall sich ereignen und im selben Augenblick werden auch schon die Toten
30 auferstehen.

Dieser Auffassung steht auch das πρῶτον—ἔπειτα v 16/17 nicht im Weg: es hat
weniger chronologische als vielmehr qualitative Bdtg: Die περιλειπόμενοι sollen vor
den κοιμηθέντες nicht bevorzugt werden (v 15). Was das πρῶτον—ἔπειτα als zwei zeitlich aufeinander folgende Akte zu trennen scheint, wird durch das ἅμα (v 17) als im

---

[5] Auch der durch Reitzenstein Poim 5 A 3
veranlaßte Hinweis auf eine Stelle in der
Ἀποκάλυψις τῆς ὑπεραγίας Θεοτόκου περὶ τῆς
κολάσεως = Descensus Mariae (HPernot, Des-
cente de la Vierge aux enfers, in: Revue des
Études Grecques XIII [1900] 233 ff) aus dem
8. oder 9. Jhdt (aaO p 239 ob) führt exegetisch nicht weiter. Dort wird Michael (in
einer Fassung) von Maria ua angeredet:
χαῖρε, Μιχαὴλ ἀρχιστράτηγε, τοῦ ἁγίου πνεύματος τὸ κέλευσμα (c 3, aaO p 240), wie übrigens vorher schon (c 2, p 240) die Engel
Maria ua angeredet hatten (und zwar deutlich im trinitarischen Schema): χαῖρε, τοῦ
ἁγίου πνεύματος τὸ κέλευσμα (in drei von vier
Fassungen). Von Interesse ist in unserem
Zshg auch flgd Anrede an Michael durch

Maria (c 3, p 240): χαῖρε, Μιχαὴλ ἀρχιστράτηγε,
ὁ μέλλων σαλπίζειν καὶ ἐξυπνίζειν τοὺς ἀπ'
αἰῶνος κεκοιμημένους.

[6] An der Parallelstelle 1 K 15, 52 ist Posaunenruf und Totenauferstehung unmittelbar miteinander verbunden: σαλπίσει γάρ, καὶ
οἱ νεκροὶ ἐγερθήσονται ἄφθαρτοι. → A 5 aE.

[7] Dem entspricht, daß zB der Posaunenruf
im AT u Spätjudt in verschiedenster Weise
auftritt: wie er die Offenbarung Jahwes am
Sinai begleitete (Ex 19, 13. 16. 19), so begleitet er auch die Erscheinung Jahwes am
jüngsten Tag, er kündigt das Ende an, er
dient zur Sammlung der Zerstreuten (vgl
Mt 24, 31) und zur Erweckung der Toten.
Vgl Volz Esch u Str-B Regist sv Posaune.
→ σάλπιγξ.

letzten Grund einheitlicher Akt charakterisiert. Ebenso dient das καταβαίνειν einerseits und das ἁρπαγῆναι εἰς ἀέρα anderseits dem einen Ziel der ἀπάντησις τοῦ κυρίου. Letztes Ziel aller Vorgänge bei der Parusie ist das πάντοτε σὺν κυρίῳ εἶναι der Gläubigen (v 17; vgl Phil 1, 23). Alles andere hat keine selbständige Bdtg, sondern ist bloß Mittel zum Zweck oder gar nur schmückendes Beiwerk, das wechseln kann. 5 Diese Erkenntnis ist wesentlich zum rechten Verständnis der eschatologischen Aussagen des Pls.

Lothar Schmid

κενός, κενόω, κενόδοξος, κενοδοξία   10

---

† κενός

A. κενός außerhalb des Neuen Testaments.

1. Eigtl: *leer, ohne Inhalt*, opp z πλήρης oder μεστός, häufig seit Hom, in Inschr, Pap, LXX, Philo, mit Gen oder abs, meist von Sachen: οἶκος PFlor 294, 52 (6. Jhdt n Chr), eine Zisterne Gn 37, 24, aber auch von Personen: δακρύων 15 Eur Hec 230, bes in Redensarten wie ἥκεις οὐ κενή Soph Oed Col 359, ἀναπέμπειν oder ἐξαποστέλλειν τινὰ κενόν (ThReinach, Papyrus grecs et démotiques [1905] 55, 9, Gn 31, 42) jem *mit leeren Händen* gehen lassen, οὐκ ὀφθήσῃ ἐνώπιόν μου κενός *ohne Opfergabe* Ex 23, 15; 34, 20; Dt 16, 16.

2. Übertr: *a.* von Personen *hohl, nichtig* Pind Olymp 3, 45. 20 Den Übergang bildet κενὸς τοῦ νοῦ Soph Oed Col 931, φρενῶν Soph Ant 754, letzteres häufig bei Philo, Virt 179 uö, als Anrede ὦ κενοὶ φρενῶν Migr Abr 138, Spec Leg IV 200 uö, ἀνόητος καὶ κενός Aristoph Ran 530, Plut Qua quis ratione se ipse sine invidia laudet 5 (II 541 a), vgl Epict Diss II 19, 8. In das zunächst intellektuell gemeinte Werturteil mischt sich die Vorstellung eines vorgetäuschten Inhalts und damit eine 25 moralische Nuance, die dem Doppelsinn des deutschen *eitel* entspricht; διαπτυχθέντες ὤφθησαν κενοί Soph Ant 709. In der biblischen Gräzität verschiebt sich der Sinn noch mehr nach der sittlichen Seite. ἄνδρες κενοί sind nicht sowohl törichte und eitle als *nichtsnutzige, lose* Leute (Ri 11, 3 B; 9, 4; hbr אֲנָשִׁים רֵיקִים synon פֹּחֲזִים „überschäumend, leichtfertig", LXX B: δειλοί, A: θαμβούμενοι [beides nicht ganz treffend]). — 30 *b.* von Sachen, wenn einer vorhandenen Form kein realer Inhalt entspricht: κενὸς φόβος = ψοφοδέεια vArnim III p 99, 7; *nichtig, vergeblich,* wobei der Nachdruck bald mehr auf das Fehlen des Inhalts selbst, bald mehr auf das daraus resultierende Fehlen erfolgreicher Wirkung fällt. κενὴ δόξα *irrige* Meinung Epic 74, 16; 78, 2. 5; 295, 15. 28; κενὰ εὔγματα (Prahlereien) Hom Od 22, 249; κενοὶ λόγοι Plat La 196 b¹, 35 Ex 5, 9; φάσει κενῇ PPar 15, 68 (120 v Chr). Hier liegt der Begriff der Lüge nahe: κενὴ πρόφασις καὶ ψευδής Demosth 18, 150; μεγαλαυχίας κενὸν σχῆμα Philo Ebr 128; κεναὶ ἐλπίδες Aesch Pers 804; Philo Vit Mos I 195; Sap 3, 11; Σιρ 34, 1; κενὴ ὄρεξις Philo Decal 149, αἱ τοῦ θνητοῦ βίου κεναὶ σπουδαί Ebr 152, τόξον ᾽Ιωναθαν οὐκ ἀπεστράφη κενὸν εἰς τὰ ὀπίσω, καὶ ῥομφαία Σαουλ οὐκ ἀνέκαμψεν κενή 2 Βασ 1, 22; mit Wendung 40 ins Ethische ῥήματα κενά Hi 6, 6; 15, 3 A (דָּבָר לֹא יַסְכּוֹן Rede, die nicht fördert). Häufig sind Wendungen wie εἰς κενόν *umsonst* PPetr II 37, 1 b, 12 (3. Jhdt v Chr); Jos Ant 19, 96; Js 29, 8; Jer 6, 29; 18, 15 (לָרִיק), oder διὰ κενῆς: Aristot Probl V 881 a 39 (mit ῥίπτειν); Hi 2, 3; 6, 5. → 660, 18.

B. κενός im Neuen Testament.   45

1. Bdtg *1* liegt vor Mk 12, 3; Lk 20, 10. 11 (ἐξ)απέστειλαν κενόν, in tieferem Sinn Lk 1, 53: πεινῶντας ἐνέπλησεν ἀγαθῶν καὶ πλου-

---

κενός. ¹ Eine schöne Par zu 1 K 1, 17 ff enthält Corp Herm XVI 2: ῞Ελληνες … λόγους ἔχουσι κενοὺς ἀποδείξεων [ἐνεργητικούς]. καὶ αὕτη ἐστὶν ⟨ἡ⟩ ῾Ελλήνων φιλοσοφία, λόγων ψόφος (Geräusch, Geklingel). ἡμεῖς δὲ οὐ λόγοις χρώμεθα, ἀλλὰ φωναῖς με[γι]σταῖς τῶν ἔργων. Der Text schwankt mehrfach. Der Sinn ist aber deutlich.

τοῦντας ἐξαπέστειλεν κενούς. Der Gedanke des Magnificat ist at.lich-jüdisch[2] (vgl 1 S 2, 7f; gr Sir 10, 14; Hi 12, 17ff; 20, 6ff; Ps 107, 9; 34, 11; Ps Sal 2, 31; 10, 6 → πτωχός, ferner die jüdische Deutung der weitverbreiteten Bildrede vom „Rad des Lebens"[3]), aber auch christlich, teilweise vergeistigt (vgl
5 Mt 5, 3ff; Lk 6, 20ff; 1 K 1, 26; 2 K 6, 10; Jk 2, 5).

Bdtg 2a ist in Jk 2, 20 mit eher griechischer als jüdischer Färbung gebraucht. Daß die Anrede ὦ ἄνθρωπε κενέ sprachlich dem ῥακά Mt 5, 22[4] vergleichbar ist, darf schwerlich bestritten werden, ebensowenig aber der mehr intellektuelle, dh griechische Sinn.

10   **2.** Der Hauptmasse der nt.lichen Stellen — mit Ausnahme eines Zitats fast sämtlich paulinisch — liegt Bdtg 2b in verschiedenen Schattierungen zugrunde. Nicht der Sprachgebrauch als solcher ist eigentümlich christlich, wohl aber die inhaltliche Füllung des Begriffs. Dem allgemeinen Gebrauch am nächsten kommen Jk 4, 5; Eph 5, 6: μηδεὶς ὑμᾶς ἀπατάτω κενοῖς
15 λόγοις und Kol 2, 8: συλαγωγῶν διὰ τῆς φιλοσοφίας καὶ κενῆς ἀπάτης. Es handelt sich um das sittlich-religiöse Gebiet. In die Richtung des Wirkungslosen weisen (neben Ag 4, 25 = Ps 2, 1) 1 K 15, 10: ἡ χάρις . . . οὐ κενὴ ἐγενήθη, 15, 58: ὁ κόπος οὐκ ἔστιν κενός, sowie die Aussagen mit εἰς κενόν: 2 K 6, 1 (δέξασθαι); Gl 2, 2 (τρέχω); Phil 2, 16 (ἔδραμον, ἐκοπίασα); 1 Th 3, 5 (μή . . . εἰς
20 κενὸν γένηται ὁ κόπος ἡμῶν). Aus allen diesen Stellen spricht ein starkes Verantwortungsbewußtsein gegenüber der Größe der göttlichen Gabe und der durch sie gesetzten Aufgabe, aber ein noch stärkeres Vertrauen zu der Gnadenmacht Gottes, die normalerweise den Erfolg verbürgt. κενός und οὐ κενός treten, nicht bloß kontradiktorisch, sondern konträr, auseinander als die entscheidenden Prädi-
25 kate für das Widergöttliche und das Göttliche (vgl λατρεῦσαι τοῖς κενοῖς = Götzendienst 3 Makk 6, 6). Inhalt und Wirkung lassen sich dabei nicht reinlich scheiden. Wenn Pls seine Leser zu Zeugen aufruft, daß seine εἴσοδος zu ihnen nicht κενή geschah (1 Th 2, 1), so lehnt er damit im weitesten Umfange alle falschen menschlichen Motive, Falschheit, Hinterlist und Habsucht (v 3—7), aber auch
30 die metaphysische Kraftlosigkeit und faktische Erfolglosigkeit (vgl 1, 5) seines Wirkens ab und lehrt hinter der unter Leiden sich bewährenden menschlichen Kraftleistung (2, 2) die göttliche Wirkungskraft erkennen (1, 6; 2, 4). Bezeichnet der Apostel unter der Voraussetzung der Nichtwirklichkeit der Auferstehung Christi Predigt und Glauben als κενός 1 K 15, 14, so ist mit der Antithese
35 v 20 für beide göttlicher Gehalt und göttliche Wirkungskraft im weitesten Umfang in Anspruch genommen, letzteres hier im Blick auf die Rettung vom ἀπόλυσθαι (→ I 394, 34ff). κενός bedeutet also sowohl *inhaltsleer* wie vor allem *wirkungslos.* → μάταιος v 17 ist synonym (vgl μάταιος λόγος Plat Leg II 654e; κενός καὶ μάταιος Hos 12, 2; Hi 20, 18; Js 59, 4; 1 Cl 7, 2).

---

[2] WSattler, Die Anawim im Zeitalter Jesu, Festgabe für AJülicher (1927) 1—15.

[3] Kittel Probleme 141ff; Wnd Kath Br, Dib Jk z 3, 6. → τροχός.

[4] ῥακά = רֵיקָא „leerer Tropf". Vgl Str-B Kl Schl Mt zSt. Die von Zn Mt im Anschluß an Chrys befürwortete Gleichsetzung mit רְקָא „Sklave, Bursche" ist weniger einleuchtend.

† κενόω

Leer machen dh *a.* des *Inhalts* oder *Besitzes berauben*, meist mit sachl, seltener mit persönl Obj mit Gen oder abs: ἀνδρῶν τάνδε πόλιν κενῶσαι Aesch Suppl 660; vgl Athen IV 17 (p 139 f); Jos Bell 1, 355; 2, 457; τὰς συοπλουτοσύνας: Gott kann den Reichen schnell seines schmutzigen Besitzes *entledigen*, Kerkidas POxy 5 VIII1082 fr 1 col II 9; Philo Leg All III 226 medizinisch: *entleeren*, κενώσω τὸν κάμνοντα. Übertr Somn I 198: κενοῖ ψυχὴν ἁμαρτημάτων. Pass *veröden* Jer 14, 2 (Ez 12, 20 u 26, 2 Σ); Jer 15, 9: ἐκενώθη (אֻמְלְלָה) ἡ τίκτουσα ἑπτά die Mutter von sieben Söhnen welkte dahin, *wurde einsam*; vgl Soph Ai 986: κενός von einer Löwin, die ihrer Jungen, Bion 1, 59 (ed UvWilamowitz-Moellendorff [1900]) von den Eroten, die des Adonis beraubt 10 sind. — *b. zunichte machen* (→ κενός 2 b), ὑπάρξεις (Vermögen) Vett Val II 22 p 90, 7; Pass *zunichte werden.*

Bdtg *a* im Neuen Testament nur Phil 2, 6 f von Christus: ὃς ἐν μορφῇ θεοῦ ὑπάρχων οὐχ ἁρπαγμὸν ἡγήσατο τὸ εἶναι ἴσα θεῷ, ἀλλὰ ἑαυτὸν ἐκένωσεν μορφὴν δούλου λαβών, ἐν ὁμοιώματι ἀνθρώπων γενόμενος κτλ. Hier Bdtg *b* anzu- 15 nehmen „er machte sich zunichte, beraubte sich seiner Geltung, verleugnete sich selbst" (→ I 473, 25 ff), ist schon wegen der dann in ἐταπείνωσεν ἑαυτόν nachhinkenden Tautologie unmöglich. Vielmehr ist als entfernteres Obj τοῦ εἶναι ἴσα θεῷ sinngemäß zu ergänzen, und dieser Begriff nimmt ἐν μορφῇ θεοῦ ὑπάρχων gleichbedeutend auf. Eine Versuchung des Präexistenten, über seinen 20 bisherigen Stand noch hinauszutrachten[1], ist durch nichts angedeutet. Gemeint ist vielmehr, daß der himmlische Christus seine göttliche Gestalt, seine gottgleiche Seinsweise nicht selbstsüchtig ausnutzte (→ ἁρπαγμός I 473, 28 ff), sondern kraft eigener Entscheidung sich ihrer *entäußerte*, auf sie verzichtete, indem er Sklavengestalt annahm, dh menschengleich wurde. Subjekt zu ἐκένωσεν ist 25 nicht der Fleischgewordene[2], sondern der Präexistente. Die Einheit der Person wird stark empfunden. Ihr Wesen behält dieselbe, aber ihre Seinsweise vertauscht sie, ein wirkliches Opfer! Jeder Doketismus ist ausgeschlossen. Den besten Kommentar gibt die Parallele 2 K 8, 9: ἐπτώχευσεν πλούσιος ὢν „er wurde ein Bettler, obwohl er (an sich bis dahin) reich war". 30

Bdtg *b* findet sich in Verbindung mit καύχημα act 1 K 9, 15, pass 2 K 9, 3. Wenn den Apostel jemand verleitete, Unterhalt zu verlangen, so würde dieser ihm seine *materies gloriandi* (und damit seine *gloria*) *zunichte machen*. Sollte die Kollekte in Korinth nicht wunschgemäß ausfallen, so würden die von Pls geäußerten rühmlichen Erwartungen *zunichte werden.* Beides soll nicht geschehen! 35 R 4, 14 werden die Worte κεκένωται ἡ πίστις durch die Parallele κατήργηται ἡ

κενόω. RE³ X 246 ff, XXIII 752 f; RGG² III 725—727; Haupt, Ew, Dib Gefbr, Loh Phil z Phil 2, 5 ff; Nt.l Theol von Holtzmann II² (1911) 96, Feine⁶ (1934) 179 f, Weinel⁴ (1928) 313, 318; Schl Theol d Ap 340 ff; WBeyschlag, Christologie d NTs (1866) 235; OMichel ZNW 28 (1929) 324—333; IADorner, Ges Schriften (1883) 188 ff; EWWeiffenbach, Zur Auslegung d Stelle Phil 2, 5—11 (1884); ThZahn, ZWL 6 (1885) 243—266; OBensow, Die Lehre von der Kenose (1903) bes 174 ff; JKögel, Christus der Herr, BFTh 12, 2 (1908); WWarren, JThSt 12 (1911) 461 ff; HSchumacher, Christus in seiner Präexistenz u Kenose nach Phil 2, 5—8 (1914/21); WWJäger, Herm 50 (1915) 537 ff; FLoofs, Wer war Jesus

Christus? (1916) 208 ff und ThStKr 100 (1927/28) 1—102; AJülicher, ZNW 17 (1916) 1 ff; ELohmeyer, Kyrios Jesus, SAH 13 (1927/28); KBarth, Philipperbrief (1928) 54 ff; WFoerster, ZNW 29 (1930) 115—128; EBarnikol, Phil 2, der marcionitische Ursprung des Mythossatzes Phil 2, 6—7 (1932) sucht mit ungenügender Begründung den Kenosissatz als Einschub zu erweisen.

[1] Lohmeyer aaO 29 mit Berufung auf die iranische Kosmogonie; richtig vielmehr Dib Gefbr² zSt.

[2] Loofs aaO hat diese altdogmatische Auffassung mit großer Gelehrsamkeit patristisch belegt und als exegetisch richtig zu erweisen gesucht.

ἐπαγγελία erläutert: wenn die Gesetzesleute Erben sind, so ist damit (logisch verstanden) der Glaube als Heilsprinzip *zunichte geworden, unwirksam gemacht* und die Verheißung entkräftet. Von da aus wird auch 1 K 1, 17 verständlich: οὐκ ἐν σοφίᾳ λόγου, ἵνα μὴ κενωθῇ ὁ σταυρὸς τοῦ Χριστοῦ. Pls hat jede inhalt-
5 lich mit falscher Synthese, formal mit eitler Redetechnik auftretende Verkündigung zu meiden, damit das Kreuz Christi nicht seines richtenden und eben dadurch beseligenden Inhalts verlustig gehe, seiner anstößigen, eben deshalb aber rettenden, göttlichen Geltung, Kraft und Wirkung beraubt, *nichtig* und *bedeutungslos werde* (vgl 1, 18 ff [3]).

10   † *κενόδοξος*

Einer, der sich ein unbegründetes Ansehen (κενὴ δόξα) zu verschaffen weiß oder zu verschaffen sucht, *großsprecherisch, prahlerisch, ehrgeizig* Polyb 27, 6, 12, Epict Diss III 24, 43 (synon ἀλαζών), Jul Or 6, 180 c, Vett Val VII 2 (p 271, 2): κενόδοξος κληρονομία das *gleißende* Erbe, Did 3, 5: μηδὲ φιλάργυρος μηδὲ κενόδοξος.
15 Pls warnt Gl 5, 26: μὴ γινώμεθα κενόδοξοι laßt uns nicht *Prahler* sein.

          † *κενοδοξία*

a. der *Irrwahn*, Lieblingswort Epikurs: p 78, 7; dort = κενὴ δόξα vgl p 74, 16; p 78, 2. 5 uö; ferner Philodem Philos ed Sudhaus (1892) I p 332, 14 f; Diod S 17, 107 von dem sich selbst dem Feuer übergebenden Inder Karanos; Polyb
20 10, 33, 6; Philo Mut Nom 96; Leg Gaj 114; Sap 14, 14. — *b.* Die *Prahlerei, eitle Ruhmsucht,* Vett Val 358, 31; Polyb 3, 81, 9 (synon: τῦφος); 4 Makk 2, 15 (synon: ἀλαζονεία usw); 8, 19.

B d t g *a* fehlt im N e u e n T e s t a m e n t, findet sich aber mehrfach bei den ap Vätern. Ign Mg 11: τὰ ἄγκιστρα τῆς κενοδοξίας der Angelhaken des *Irrwahns*;
25 Herm s 8, 9, 3: πειθόμενοι ταῖς κενοδοξίαις τῶν ἐθνῶν. B d t g *b* Phil 2, 3: μηδὲν κατ' ἐριθείαν μηδὲ κατὰ κενοδοξίαν, vgl Ign Phld 1, 1; 1 Cl 35, 5; Herm m 8, 5.

Oepke

          ┌─────────────┐
          │ † *κέντρον* │
          └─────────────┘

A. *κέντρον* außerhalb des NT.

30   Grundbdtg: *alles, was sticht.* Geläufigstes Verbum dazu: κεντέω (im NT nur ἐκκεντέω [→ II 444, 24 ff] J 19, 37 und Apk 1, 7) [1]. Im einzelnen:

1. In d e r N a t u r: *Stachel von Tieren*; sehr häufig in den zoolo-
35 gischen Schriften des Aristot, zB Part An IV 6 p 682 b 33 f, vgl Plut Fort 3 (II 98 d). Speziell vom Stachel der B i e n e n: Aristot Gen An III 10 p 759 b 4, vgl Hist An V 21 p 553 b 4; vom Stachel der W e s p e n: Hist An IX 41 p 628 b 4, natürlich auch bei Aristoph Vesp (225, 407, 420 uö). Vom κέντρον des S k o r p i o n s: Part An IV 6 p 683 a 12. Auch von den Stacheln des Stachelschweins und vom Sporn der Hähne usw (Belege bei Liddell-Scott).

---

[3] Vgl JohW, Bchm 1 K zSt.

κενοδοξία. Die gesamte Lit ist verzeichnet

Rheinisches Museum f Philologie NF 70 (1915) 188; 72 (1917/18) 383.

κέντρον. [1] κεντέω in LXX nur Hi 6, 4, ἐκκεντέω mehrmals.

2. Als menschliches Werkzeug: *a. Sporn, Geißel (Stachelpeitsche), Treibstachel* (hölzerner Stecken mit Metallspitze), mit denen **Pferde**, **Rinder und andere Trag- und Zugtiere** angetrieben wurden. Schon bei Hom Il 23, 387: ἄνευ κέντροιο θέοντες (Pferde beim Wagenrennen), vgl 430: κέντρῳ ἐπισπέρχων (beidemal = μάστιξ). Öfter bei Eur: ἐπῆγε κέντρον εἰς χεῖρας λαβὼν πώλοις Hipp 1194 f, vgl 5 Iph Aul 220; Herc Fur 882 und 949. Auch bei Prosaikern: Plat Phaedr 253 e: μάστιγι μετὰ κέντρων μόγις ὑπείκων, vgl 254 a [2], Xenoph Cyrop VII 1, 29, Philostr Imagines (ed OBenndorf-CSchenkl [1893]) II 23, 1. In Beziehung auf **Rinder**: Plut Mar 27 (I 421 b). Häufig kam es vor, daß vor allem das Rind gegen den Treibstachel ausschlug; von daher entstand die **bildliche Redensart:** πρὸς κέντρα λακτίζειν 10 (→ 664, 18 ff). — *b.* Die *Stachelpeitsche* wurde aber auch **Menschen gegenüber** angewandt als **Züchtigungs- und Marterwerkzeug**, so Hdt III 130: μάστιγάς τε καὶ κέντρα, vgl Schol Aristoph Nu 450 (ed FDübner [1842] und Suid sv κέντρων). — *c.* Von sonstigen **Gebrauchsgegenständen:** *Nagel, Niete, Klammer*: Paus X 16, 1: περόναις (Klammern) ἢ κέντροις. Vgl auch die Quittung, offenbar eines Metallwarenhänd- 15 lers, aus dem Faijûm, Zeit des Antoninus, BGU II 189 Nr 544 Z 12/13: κέν[τ]ρου σιδηροῦ κίστην μίαν ταλάντων δύο [3]. Vielleicht gehört hierher auch die Stelle Soph Oed Tyr 1318: κέντρων ... τῶνδ' οἴστρημα (Wut), falls hier mit κέντρα die περόναι (Spangen) gemeint sind, mit denen sich Oed die Augen aussticht (1268 ff). *Speerspitze:* Polyb 6, 22, 4.

3. Ein weites Gebiet hat κέντρον, **übertragen auf das** 20 **menschliche Seelenleben**. Dabei kann sich die **Übertragung entweder aus der Vorstellung Peitsche — Treibstachel oder aus der Vorstellung Giftstachel** herleiten. Deutlich sind in dieser Hinsicht folgende zwei Stellen: ὄνειδος ... ἔτυψεν δίκαν διφρηλάτου (Wagenlenker) μεσολαβεῖ (die Mitte treffend) κέντρῳ (wie mit der treffenden Peitsche des Wagenlenkers) ὑπὸ φρένας Aesch Eum 155 ff; (Perikles) μόνος τῶν ῥητόρων τὸ κέντρον ἐγκατέλιπε τοῖς ἀκρωμένοις Eupolis Δῆμοι (Schol Aristoph Ach 530, ed FDübner [1842]), ganz ähnlich Plat Phaed 91 c im Mund des Sokrates: ὥσπερ μέλιττα τὸ κέντρον ἐγκαταλιπών. An anderen Stellen ist die Herkunft aus dem einen oder andern Vorstellungskreis nicht mehr deutlich sichtbar. **Die Vorstellungen konnten** ja auch leicht **zusammenfließen** insofern, als 30 ihnen beiden **zwei wesentliche Züge gemeinsam** sind: das **Schmerzhafte** und das **Aufreizende** des Stachels. Indem das eine Mal mehr die Schmerzempfindung, das andere Mal mehr die antreibende Wirkung bei der Anwendung des Treibbzw Giftstachels ins Auge gefaßt wird, **teilt sich die Übertragung in zwei Ströme:** *a. Schmerz, Qual, Pein,* und zwar körperlich wie seelisch, *b. Reiz, Antrieb,* 35 *Sehnsucht,* und zwar im bösen wie im guten Sinn. Die Bedeutungen gehen freilich oft durcheinander: der Schmerz macht den Menschen ruhelos, wirkt aufstachelnd, kann zur Verzweiflung treiben. Anderseits: der Antrieb durch das κέντρον ist meist zugleich als mit Schmerzen verbunden gedacht; der Schmerz entsteht vor allem auch dann, wenn sich der Antrieb auf ein objektiv verkehrtes oder subjektiv unerwünschtes 40 Ziel richtet; und Sehnsucht nach etwas Unerreichbarem ist vollends schmerzhaft.

Belege bei den **Tragikern:** Bdtg *a:* Aesch Prom 597: θεόσυτον (gottgewirkt) ...νόσον..., ἃ μαραίνει με χρίουσα κέντροισι φοιταλέοισι (herumirren machend), vgl 692 Bdtg *b:* Aesch Eum 427: ποῦ γὰρ τοσοῦτο κέντρον ὡς μητροκτονεῖν; vgl Soph Phil 1039: τί κέντρον θεῖον ... ἐμοῦ, Eur Herc Fur 20 f: Ἥρας ὕπο κέντροις δαμασθείς. Gerne ist 45 von den κέντρα ἔρωτος die Rede, zB Eur Hipp 39, vgl 1301 ff: τῆς ... ἐχθίστης θεῶν (Aphrodite) ... δηχθεῖσα κέντροις [4], wo die Bedeutung **Schmerz** und **Anreiz** besonders stark durcheinandergehen. Interessant ist an den angeführten Stellen die Beobachtung, wie stark der gläubige griechische Mensch das ganze menschliche Leben durch das heil- oder verderbenbringende Walten der **Götter** bestimmt sieht. — Auch 50 die **Prosaiker** bieten zahlreiche Beispiele: Bdtg *a:* Plat Phaedr 251 e: κέντρων τε καὶ ὠδίνων ἔληξεν. Bdtg *b:* Plat Resp IX 573 a: πόθου κέντρον, vgl 573 e: die κέντρα der ἐπιθυμίαι, vor allem des ἔρως [5]. Vom Reiz, den die Erscheinung der Kleopatra ausübte: Plut Anton 27 (I 927 e); allgemeiner: κέντρον τι θυμοῦ Plut De Cleomene 1 (I 805 b), vgl Ael Arist Or 28, 104 (Keil). Von der anfeuernden Wirkung der **Musik:** 55

---

[2] Sehr beliebt ist die Verbindung κέντρα καὶ μάστιγες, zB Plat Leg VI 777 a.
[3] Um was für eine Art von Nadel, Nagel oder Stachel es sich dabei genauer handelt, läßt sich nach dem, was in unmittelbarem Zusammenhang damit genannt ist (λεπίδας [Plättchen] σιδηρᾶς, ἥλου χαλκοῦ, ἥλου σιδηροῦ, περονῶν χαλκῶν usw), nur vermuten.
[4] Vgl die Vorstellung des Liebesgottes mit dem Pfeil.

[5] Beispiele aus der nichtliterarischen Sphäre: Preis Zaub IV 2908 ff: ἄξον τὴν δεῖνα ... φιλότητι καὶ εὐνῇ, οἴστρῳ ἐλαυνομένην, κέντροισι βιαίοις ὑπ' ἀνάγκῃ (Liebeszauber). Anderseits Sehnsucht nach einem Verstorbenen (Grabinschrift, Byzanz, 3./4. Jhdt n Chr): σῆς γλυκερῆς ψυχῆς κέντρον ἄπαυστον ἔχων (Epigr Graec 534, 8 vgl Moult-Mill sv).

Plut Inst Lac 14 (II 238 a), vgl De Lycurgo 21 (I 53 a). Von der Macht des Worts (in mancherlei Differenzierungen): Eupolis Schol Aristoph Ach 530 (→ 663, 26), Plat Phaed 91 c (→ 663, 28) [6], Ael Arist Or 28, 115 (Keil): κέντρων τῶν λόγων. Speziell von der Zunge: Eur Herc Fur 1288: γλώσσης πικροῖς κέντροισι, vgl Aesch fr 169 (TGF):
5   κέντημα γλώσσης, σκορπίου βέλος λέγω [7].

4. Da der, der über ein κέντρον verfügt, damit Macht besitzt, kann sich κέντρον im menschlichen Bereich mit der Vorstellung *Herrschermacht* verbinden. Weil aber gewöhnlich nur der, dessen Macht nicht auf innerer Überlegenheit beruht, zum κέντρον greift, um sich die Herrschaft durch Anwendung roher Gewalt
10   zu sichern, hat κέντρον dann meist den Unterton *Gewaltherrschaft, Tyrannis* (κέντρον also nicht neutral = σκῆπτρον). Böse Menschen greifen besonders gerne zum κέντρον. Vgl den Vers des Solon: κέντρον δ᾽ἄλλος ὡς ἐγὼ λαβών, κακοφραδής (Schlechtes sinnend) τε καὶ φιλοκτήμων ἀνήρ, οὐκ ἂν κατέσχε δῆμον Solo 24 (Diehl I 37) [8]. Ebenso Soph fr 622 TGF: κωτίλος (geschwätzig) δ᾽ ἀνὴρ λαβὼν πανοῦργα χερσὶ κέντρα κηδεύει (re-
15   gieren) πόλιν [9]. Vgl auch Plat Leg VI 777 a: κατὰ δὲ θηρίων φύσιν κέντροις καὶ μάστιξιν . . . ἀπεργάζονται δούλας τὰς ψυχὰς τῶν οἰκετῶν. Schurken haben δεινὰ κέντρα (Plat Resp VIII 552 c und e).

In diesen Zusammenhang gehört nun auch die zum Sprichwort gewordene Wendung πρὸς κέντρα λακτίζειν (→ 663, 9 f; 665, 40 ff) als Ausdruck eines vergeblichen,
20   schädlichen Widerstands gegen eine stärkere Macht, sei es eine Gottheit oder das Schicksal oder höhere Menschenmacht. Das Sprichwort ist von Aeschylus bis Libanius zahlreich belegt; statt λακτίζειν findet sich auch die Variante κῶλον ἐκτείνειν. Wichtigste und zugleich typische Belege aus älterer Zeit: Pind Pyth 2, 94 ff [173 ff]: ποτὶ κέντρον δέ τοι λακτιζέμεν τελέθει ὀλισθηρὸς οἶμος (ein schlüpfriger Weg) [10].
25   Aesch Ag 1624: πρὸς κέντρα μὴ λάκτιζε, μὴ πταίσας μογῇς (Unglück erleiden). Prom 322 ff: οὔκουν ἔμοιγε χρώμενος διδασκάλῳ πρὸς κέντρα κῶλον ἐκτενεῖς, ὁρῶν ὅτι τραχὺς μόναρχος οὐδ᾽ ὑπεύθυνος (verantwortlich, rechenschaftspflichtig) κρατεῖ. Eur Ba 794 f: θύοιμ᾽ ἂν αὐτῷ μᾶλλον ἢ θυμούμενος πρὸς κέντρα λακτίζοιμι θνητὸς ὢν θεῷ. Eur fr 604 TGF: πρὸς κέντρα μὴ λάκτιζε τοῖς κρατοῦσί σου. Iph Taur 1396: πρὸς κέντρα λακτίζοντες [11].

30   **5.** Eine besondere Bedeutung gewinnt κέντρον in der Sprache der Mathematiker. Zunächst bezeichnet κέντρον hier die *Spitze eines Zirkelschenkels*, ja den *Stechzirkel* überhaupt. Dann aber überträgt sich die Bezeichnung κέντρον von der Spitze des Stechzirkels auf den Punkt, in dem der eine Schenkel einsticht, während der andere um ihn den Kreis beschreibt: κέντρον = *Mittelpunkt* des
35   Kreises (lat: centrum), dann auch überhaupt einer Fläche oder eines Körpers, sogar des Weltalls, zB Aristot An Pri I 24 p 41 b 15, Meteor II 5 p 362 b 1, Probl XV 4 p 911 a 5, Plut De Placitis Philosophorum III Prooem (II 892 e), Epict Diss I 29, 53; weitere Stellen aus der mathemat Lit und zur Verwendung des Begriffs in der Astronomie [12] s Liddell-Scott. Im übertragenen Sinn findet sich in den Moralia des Plut die

---

[6] Vgl die bekannte Stelle Plat Apol 30 e, wo sich Sokrates versteht als προσκείμενον τῇ πόλει ὑπὸ τοῦ θεοῦ, ὥσπερ ἵππῳ μεγάλῳ μὲν καὶ γενναίῳ, ὑπὸ μεγέθους δὲ νωθεστέρῳ (etwas träge) καὶ δεομένῳ ἐγείρεσθαι ὑπὸ μύωπός τινος.
[7] Auch in Beziehung auf das Auge wird von κέντρον gesprochen: οἷον ὀφθαλμῷ κέντρον . . . ἐνθεῖσα Philostr Imagines II 1, 2, ja sogar: πολλὰ . . . αὐτοῦ (sc: ὄμματος) πρὸς τὸν αὐλὸν τὰ κέντρα I 21, 2. Schließlich kann sogar vom Spiegel κέντρον ausgesagt sein: κάτοπτρῳ ἐοικυῖαν παρασχέσθω τὴν γνώμην ἀθόλῳ (blank) καὶ στιλπνῷ (glänzend) καὶ ἀκριβεῖ τὸ κέντρον Luc Quomodo Historia conscribenda sit 51.
[8] Vgl Ael Arist Or 28, 138 (Keil). Die Exegese des Ael Arist trifft nicht das Richtige: ἄλλος δ᾽ ἂν τοῦτο τὸ κέντρον εἰς τοὺς λόγους εἰσενεγκάμενος οὐκ ἂν τοσοῦτο σωφροσύνης εἰσηνέγκατο (ebd 139).
[9] Zur Illustration vgl 1 Kö 12, 11. 14.
[10] Kurz vorher (88): χρὴ δὲ πρὸς θεὸν οὐκ ἐρίζειν.
[11] Lat Belege bei AOtto, Die Sprichwörter

. . . der Römer (1890) 331 f. Lib-Stellen bei ESalzmann, Sprichwörter und sprichwörtl Redensarten bei Lib, Diss Tübingen (1910) 75. JHS 8 (1887) 261 bringt flgd inschriftl Beleg: λακτίζεις πρὸς κέντρα, προ[σα]ντία κύματα μοχθεῖς (zit nach Zn Ag II 801 A 23). Vgl ferner Jul Or 8, 246 b: χρὴ δὲ καὶ οὐ γεγόναμεν τιμᾶν, ἐπειδὴ τοῦτο θεός ἐστι νόμος, καὶ πείθεσθαί γε οἷς ἂν ἐπιτάττῃ καὶ μὴ βιάζεσθαι μηδέ, ὅ φησιν ἡ παροιμία, πρὸς κέντρα λακτίζειν · ἀπαραίτητον γάρ ἐστι τὸ λεγόμενον ζυγὸν τῆς ἀνάγκης. Zum Verständnis des Sprichworts vgl auch die Formulierung bei Ael Arist 45, 53 (Dindorf): πρὸς νόμον καὶ ταῦτα ἀνθρώπων ἅμα καὶ θεῶν βασιλέα μάχεσθαι unter Bezug auf Pindar, ferner Schol Pind Pyth 2, 173 a (ed ABDrachmann [1903 ff]) u Schol Aesch Prom 323 (ed GDindorf III [1851]).
[12] Hiezu gehört auch die Stelle bei ASouter, Greek Metrical Inscriptions from Phrygia VI Z 4 (Class Rev 11 [1897] p 136 a mit Anm p 137 a). — Von Interesse ist noch die Anwendung des Begriffs auf die Kategorie der Zeit = *Zeitpunkt, Augenblick*: Stob I 105, 1 (κέντρου μονή).

stehende Redewendung: (ὡς, καθάπερ) κέντρῳ καὶ διαστήματι περιγράφειν τι: De Garrulitate 21 (II 513 c), De Cupiditate Divitiarum 4 (II 524 f) uö. Der Ursprung der Redewendung erhellt aus Quaest Plat V 2 (II 1003 e): ὁ κύκλος γράφεται κέντρῳ καὶ διαστήματι (Abstand, Radius). Vgl auch De Romulo 11 (I 23 d): ὥσπερ κύκλον κέντρῳ περιέγραψαν τὴν πόλιν [13]. 5

Auch LXX, Philo und Josephus kennen und gebrauchen das Wort.

In Septuaginta findet es sich 5mal. 2mal hat es die Bedeutung *Treibstachel*: Prv 26, 3: ὥσπερ μάστιξ ἵππῳ καὶ κέντρον (hbr מֶתֶג Zaum) ὄνῳ, οὕτως ῥάβδος ἔθνει παρανόμῳ. Sir 38, 25: τί σοφισθήσεται ὁ κρατῶν ἀρότρου καὶ καυχώμενος ἐν δόρατι κέντρου, βόας ἐλαύνων...; (hier ist das δόρυ κέντρου zugleich ironisch als Herrschaftssymbol 10 gemeint, vgl ob unter 4). 4 Makk 14, 19 bedeutet es *Bienenstachel*: μέλισσαι ... ἐπαμύνονται τοὺς προσιόντας καὶ καθάπερ σιδήρῳ τῷ κέντρῳ πλήσσουσιν. 2mal findet sich das Wort bei Hos und zwar in übertragenem Sinn: 5, 12: καὶ ἐγώ ... ὡς κέντρον (hbr רָקָב Wurmfraß) τῷ οἴκῳ Ἰούδα. Die Bedeutung von κέντρον erhellt aus der v 13 geschilderten Wirkung desselben (καὶ εἶδεν ... Ἰούδας τὴν ὀδύνην αὐτοῦ): κέντρον ist das 15 schmerzschaffende, aufrüttelnde Züchtigungsmittel in der Hand Jahwes. 13, 14: ἐκ χειρὸς ᾅδου ῥύσομαι αὐτούς ... ποῦ τὸ κέντρον σου (hbr קֶטֶב Verderben, Seuche), ᾅδη; Ἅιδης ist hier als personifizierte Macht vorgestellt, die ein κέντρον als Symbol ihrer Gewaltherrschaft hat und gegen die Menschen schmerzhaft gebraucht. — Bezeichnenderweise findet sich in den 3 Fällen, wo hbr Text zugrunde liegt, keine ge- 20 naue Entsprechung für κέντρον im Urtext. Dies ist nur der Fall an einer weiteren Stelle, Qoh 12, 11: λόγοι σοφῶν ὡς τὰ βούκεντρα (hbr דָּרְבֹנוֹת).

Philo: Som II 294 ist Gott als Wagenlenker vorgestellt, der der Welt Zügel anlegt, dieselben scharf anzieht und sie mit der *Peitsche* (μάστιξι καὶ κέντροις) an seine δεσποτικὴ ἐξουσία erinnert, die sie zu vergessen droht. An 2 Stellen findet sich die Be- 25 deutung *Mittelpunkt*: Conf Ling 5: die Erde als κέντρον des Alls, 156: κέντρον = Kreismittelpunkt. Die übrigen Stellen sind Belege für die übertragene Bedeutung entsprechend den unter 3 gegebenen Nachweisen: Det Pot Ins 46: ἡδονῆς ἢ λύπης ἢ τινος ἄλλου πάθους κέντροις, Congr 74: κέντροις φιλοσοφίας, Leg Gaj 169: den Scherzen eine boshafte Spitze (κέντρον ὑποκακόηθες) beimischen. 30

Josephus spricht vom κέντρον der *Leidenschaft* Ant 7, 169: τῷ ... ἔρωτι καιόμενος καὶ τοῖς τοῦ πάθους κέντροις μυωπιζόμενος (Amnon gegenüber Thamar), und von κέντρον als *Anreiz*: Bell 2, 385: ἀποστάσεως κέντρον, Bell 3, 440: κέντρον ἑτέρων ... συμφορῶν.

Auch die Ps Sal gebrauchen das Wort: Gott weckt den Menschen vom Sündenschlaf auf: ἔνυξέν με ὡς˙κέντρον ἵππου ἐπὶ τὴν γρηγόρησιν αὐτοῦ (16, 4). 35

B. κέντρον im NT.

1. Im NT findet sich κέντρον an 3 Stellen. Nach Ag 26, 14 erzählt Pls im Verlauf seiner Rechtfertigungsrede vor Agrippa, Christus habe bei seiner Erscheinung vor Damaskus zu ihm ua die Worte gesprochen: σκληρόν σοι πρὸς κέντρα λακτίζειν [14], und zwar wird ausdrücklich bemerkt, dies sei τῇ 40 Ἑβραΐδι διαλέκτῳ geschehen. Hier entsteht sofort die Frage, ob es diese Redewendung, die wir oben (→ 664, 18) als ein geläufiges griech (u lat) Sprichwort festgestellt haben, auch im Hbr bzw Aram gegeben hat. Nun redet zwar das AT vom שֵׁבֶט הַנֹּגֵשׂ Js 9, 3 (LXX: ἡ ῥάβδος τῶν ἀπαιτούντων), und auch der Jude kennt

---

[13] Auch in der mystischen Sprache spielt das Bild der Kreise und damit κέντρον als Mittelpunkt eine Rolle: Plot Enn VI 9, 10: ἕν ἐστιν ὥσπερ κέντρῳ κέντρον συνάψας (von der Einheit von Schauendem und Geschautem). — Ganz am Rand seien noch zwei eigentümliche Anwendungen des Worts angeführt: Soph gebraucht das Wort fr 734 TGF (ῥακτηρίοις [schlagend] κέντροισιν) für κῶπαι = Ruder, wobei offenbar neben dem geläufigen Bilde „Schlagen der See mit den Rudern"

die dichterische Vorstellung „die Ruder in die See stechen" mitschwingt. — Sotades bei Plut Lib Educ 14 (II 11 a) benutzt κέντρον als Deckwort für πόσθη (penis): εἰς οὐχ ὁσίην τρυμαλιὴν τὸ κέντρον ὠθεῖς.
[14] →λακτίζειν im NT nur hier. E und ein Teil der lat u syr Zeugen fügen das Sätzchen auch in den Bericht in Kp 9 hinter v 4 bzw 5 und (nicht ganz so zahlreich) in Kp 22 hinter v 7 ein.

den Ochsenstecken (מַרְדֵּעַ, מַסָּא) mit dem Stachel (דָּרְבָן, aram וְיֻקְתָּא) [15], und das
Wort Qoh 12, 11 von den Worten der Weisen, die wie דָּרְבֹנֹות = βούκεντρα sind
(→ 665, 22), gab dem Rabbinat Anlaß zu exegetischem Nachdenken [16], aber gerade
das dem Griechen und Römer geläufige Sprichwort πρὸς κέντρα λακτίζειν findet
sich im jüdischen Bereich nirgendwo [17]. Es ergibt sich somit, daß Christi Warnung an Pls vor dem Versuch eines Widerstands gegen seinen Willen, der doch
vergeblich und nur ihm selber zum Schaden wäre, in die Form eines für diese
Situation geläufigen griech Sprichworts gekleidet ist [18]; deutlicher gesprochen:
daß Pls bzw Lk hier Christus ein griech Sprichwort in den Mund legt. Dabei
ist es natürlich kein Zufall, daß dieses Sprichwort gerade in dem Bericht über
die Bekehrung des Pls steht, der vor dem hellenistisch gebildeten Agrippa gesprochen ist. Das bedeutet entweder (falls die Formulierung wirklich auf Pls
selber zurückgeht): Pls hat in kluger Anpassung an die Situation, wie wir das
auch sonst von ihm kennen, mit Rücksicht auf seine augenblicklichen Zuhörer
das trefflich passende Sprichwort hier eingeflochten; daß ihm das Wort nicht
bekannt sein konnte, wird man schwerlich sagen dürfen. Oder (falls in Wirklichkeit Lk hier spricht): Lk hat entsprechend seiner mit weisem Bedacht arbei-
tenden literarischen Kunst hier den sowohl für die Situation vor Damaskus
wie auch für die Situation dieser Rede einzigartig passenden festgeprägten Ausdruck gewählt, der ihm als gebildetem Mann seiner Zeit selbstverständlich geläufig sein mußte. Die kleine Unstimmigkeit eines griech Sprichworts in
hebräisch bzw aramäisch redendem Mund wird man dabei nicht weiter in An-
rechnung bringen.

Man ist nun aber bei dieser Auffassung der Sache nicht stehen geblieben, sondern hat
versucht, hier wie auch anderswo eine direkte literarische Abhängigkeit des Lk nachzuweisen, in unserem Fall von den Ba des Eur (die betreffende St → 664, 27 f). Zur
Begründung wird·auf die Ähnlichkeit der Situation der Ba und der Ag hingewiesen:
beidemale handelt es sich um den Widerstand gegen eine Gottheit (uz eine neue
Gottheit), dort des Pentheus gegen Dionysos, hier des Pls gegen Christus (vgl Ag
5, 39 θεομάχος), von dessen Wahnwitz ein Mensch abgehalten werden soll; beidemale
spricht der bekämpfte Gott selber das Wort, um seinen Gegner zu warnen. Dabei
beruft man sich auch noch auf den Plural κέντρα, der bei Eur durch das Versmaß
bedingt, aber bei Lk nicht motiviert und nur im Zitat zu erklären sei [19]. Nun unterliegt es schwerlich ernsthaften Bedenken, dem Lk die Kenntnis der Ba des Eur zuzu-
trauen, und in der Tat sind die beiden Situationen sehr ähnlich. Es könnte daher
wohl sein, daß hier eine feine Anspielung des Lk auf das berühmte Drama vorliegt.
Freilich wird sich das nicht sicher beweisen lassen, da doch das Sprichwort, ganz
losgelöst von den Ba, zum Zitatenschatz des griechisch redenden Menschen gehörte.

---

[15] Str-B II 769 f.
[16] Ebd.
[17] Man könnte allenfalls auf ein Wort wie Mal
3, 8 hinweisen: LXX εἰ (vl: μήτι) πτερνιεῖ (hbr
קבע oder עקב) ἄνθρωπος θεόν; Aber 1. ist
πτερνίζειν hier wohl einfach mit „überlisten"
zu übersetzen, 2. fehlt gerade das Bild vom
κέντρον. Vgl etwa noch ψ 40, 10 samt J 13,
18. Übrigens fehlt das Wort λακτίζειν in LXX
ganz.
[18] Interessant bleibt die Erörterung des
Problems in der diesbezüglichen diss critico-
phil von Hager u Kapp, Leipzig 1738 [Hanse].
[19] Vgl WNestle im Philol 59 NF 13 (1900)

46 ff: Anklänge an Eur in der Ag. AaO 57
formuliert Nestle als Schlußthese: es hat sich
die Wahrscheinlichkeit ergeben, daß Lk „sich
da und dort gewisser Reminiscenzen an analoge Vorgänge im Gebiet der griechischen
Profanliteratur nicht entschlagen konnte, daß
ihn insbesondere auch der gelesenste aller
griechischen Tragiker und namentlich dessen
letztes Drama, die Bakchen, beeinflußte".
Ferner FSmend im Angelos I (1925) 34 ff, bes
41 ff. Smend argumentiert vor allem mit dem
Plural κέντρα. Vgl HWindisch in ZNW 31
(1932) 9 ff. Ergebnis S 14: „Das ‚Wort Jesu'
ist ein griechisches Sprichwort, aller Wahrscheinlichkeit nach ein Zitat aus Euripides."

Auch die Pluralform κέντρα ergibt keinen zwingenden Schluß, da das Sprichwort, wie die Belege, auch aus späterer Zeit, zeigen, nun einmal in dieser Form geläufig war [20].

2. Im Zusammenhang des Auferstehungskapitels 1 K 15 bringt Pls v 55 in freier Kombination zweier at.licher Stellen (Js 25, 8 u Hos 5 13, 14) das Zitat: κατεπόθη ὁ θάνατος εἰς νῖκος. ποῦ σου, θάνατε, τὸ νῖκος; ποῦ σου, θάνατε, τὸ κέντρον; (so nach der wahrscheinlich richtigen LA) u fügt aus Eigenem v 56 erläuternd hinzu: τὸ δὲ κέντρον τοῦ θανάτου ἡ ἁμαρτία, ἡ δὲ δύναμις τῆς ἁμαρτίας ὁ νόμος (diesen Satz, wie oft versucht, als spätere erklärende Glosse zu streichen, liegt kein ersichtlicher Grund vor). Die vielverhandelte Frage des Ver- 10 hältnisses des Zitats aus Hos 13 zum hbr Urtext und damit zusammenhängend die Frage nach dem Sinn dieser Stelle im Urtext selber mag hier auf sich beruhen [21]. Es genügt zunächst die Feststellung, daß κέντρον keine direkte Entsprechung im hbr Text hat (קָטָבְךָ → 665, 17). Im übrigen haben wir vom Wortlaut des Pls aus- zugehen. Was meint Pls, wenn er vom κέντρον θανάτου spricht? Schwebt die 15 Vorstellung vom Treibstachel vor, so daß der Tod personifiziert gedacht wäre, wie er mit dem Treibstachel in der Hand den Menschen beherrscht und quält [22]? Oder die Vorstellung des Giftstachels, so daß der Tod wie ein gefährliches Tier gedacht wäre, das den Menschen sticht, so daß er sterben muß? Beide Bilder mögen hereinspielen, wirken aber, konsequent durchgeführt, in diesem Zu- 20 sammenhang schwierig. Am nächsten wird man der Meinung des Pls kommen, wenn man, v 56 gleich mit dazunehmend, interpretiert: Der Tod herrscht über die Menschheit. Die Realität seiner grausamen Herrschaft beruht auf der Rea- lität der Sünde (vgl R 5, 12). Das, was dem Tod seine Gewalt gibt (→ δύναμις II 309, 27 u → 664, 6 ff) [23], ist die Sünde. Ist die Sünde besiegt, dann hat 25 der Tod seine Macht verloren, so wie das Insekt, wenn sein Stachel vertan ist, hilflos ist, so wie der Treiber allein durch den Treibstachel Gewalt über das Tier hat. Nun ist die Sünde durch Christus besiegt, darum kann Pls trium- phierend ausrufen: Tod, wo ist dein Stachel? Gott aber sei Dank, der uns den Sieg gibt durch unsern Herrn Jesus Christus! (57) [24]. 30

3. Die dritte κέντρον-Stelle findet sich Apk 9, 10 im Zusammen- hang der Schilderung der visionären Vorgänge bei der 5. Trompete, die sich stark

[20] Zur Frage des Plurals vgl WGKümmel, R 7 u die Bekehrung des Pls (1929) 155 ff. Sein Ergebnis lautet: „Wir können darum nicht mehr feststellen, als daß der Verfasser der Acta ein offenbar vielgebrauchtes griechi- sches Sprichwort übernommen hat" (156/7). Offen läßt die Frage AOepke, Probleme der vorchristl Zeit des Pls (ThStKr 105 [1933] 387 ff): „Die Wendung πρὸς κέντρα λακτίζειν ist entweder direkt aus Euripides oder doch aus dem volkstümlichen Wortschatz des Helle- nismus übernommen" (S 402 A 3).
[21] Vgl ua Sellin in Seebergfestschrift I (1929) 307 ff. Auch die Frage des Verhält- nisses zu LXX ist nicht von Belang. LXX liest: ποῦ ἡ δίκη σου, θάνατε; ποῦ τὸ κέντρον σου, ᾅδη; (→ 665, 17 f). Die Abweichungen von LXX (νῖκος statt δίκη u θάνατε statt ᾅδη) er- klären sich leicht aus dem Zusammenhang, in dem Pls das Zitat bringt.

[22] Möglich wäre an sich auch das Bild vom Gewappneten mit der fällenden Lanze oder dem tödlichen Pfeil (vgl unsere Vorstellung vom Tod als Sensemann). Aber dieses Bild ist von κέντρον aus schwerlich faßbar und scheint überhaupt erst später nachweisbar, vgl zB die Darstellung des Todes mit (ge- knickter) Lanze im Uta-Evangeliar vom An- fang des 11. Jhdts, dazu: WMolsdorf, Christl Symbolik der mittelalterl Kunst [2] (1926) 241. Darstellung des Todes mit Pfeilen ebd 243 [Bertram].
[23] Also nicht: das, was den Tod schmerz- haft macht.
[24] Zum Verhältnis Gesetz-Sünde-Tod, wie es v 56 angedeutet ist, s die nähere Ausfüh- rung R 7, 7 ff. Zu dem Lobpreis v 57 vgl R 8, 1 ff.

anlehnt an die Schilderung des Propheten Joel. Aus dem Abgrund steigen ἀκρίδες; καὶ ἐδόθη αὐτοῖς ἐξουσία ὡς ἔχουσιν ἐξουσίαν οἱ σκορπίοι τῆς γῆς (v 3). Sie erhalten Macht, die Menschen, die nicht das Siegel Gottes an der Stirn tragen, zu quälen; καὶ ὁ βασανισμὸς αὐτῶν ὡς βασανισμὸς σκορπίου, ὅταν παίσῃ ἄνθρωπον (v 5 b). Von v 7 ab

5   folgt die phantastische Schilderung dieser grausigen Wesen und schließlich ist in v 10 gesagt: καὶ ἔχουσιν οὐρὰς ὁμοίας σκορπίοις (verkürzte Redeweise für: ὁμοίας οὐραῖς σκορπίων) καὶ κέντρα (nämlich in ihrer οὐρά), dh sie haben Stachelschwänze wie die Skorpionen. Gerade sie sind das Gefährliche an ihnen: καὶ ἐν ταῖς οὐραῖς αὐτῶν ἡ ἐξουσία αὐτῶν ἀδικῆσαι τοὺς ἀνθρώπους (10 b). Es handelt sich also um dämonische

10   Fabelwesen, von orientalischer Phantasie erdacht[25], halb Heuschrecke, halb Skorpion, deren gefährliche Waffe das κέντρον, der Giftstachel ist, wie es der Orientale gerade am Skorpion fürchtet.

Lothar Schmid

☐ † **κέρας**

15   ## A. Das Horn außerhalb des NT.

In der ganzen Gräzität üblich[1]. *Das Horn* eines Tieres. Apk 13, 11 von einem lammartigen Tier: εἶχεν κέρατα δύο. Von den Hörnern, dh den horn-artig gebildeten oberen Ecken des Altars[2], Apk 9, 13 in Anlehnung an at.lichen Sprach-gebrauch (Ex 27, 2 uö).

20   Hörner zur Darstellung und Bezeichnung der Macht und Stärke der Götter sind in der Religionsgeschichte weit verbreitet[3], auch als apotropäisches Mittel und als Zei-chen für menschliche Stärke und Tapferkeit[4]. Das W o r t κέρας dagegen scheint im Griechischen nicht zur Bezeichnung der physischen Stärke gebraucht zu sein, bei Hom ist es vielmehr einmal Ausdruck der Starrheit der Augen[5]. Im Sprichwort ist es

25   einmal Symbol des Mutes[6], Aristot wertet es neben Stachel, Sporn und Hauzahn als Verteidigungswaffe[7]. Auch aus dem Traumbuch des Artemid wird nirgends ersicht-lich, daß Hörner mit Kraft in Verbindung gebracht werden[8].

Dagegen wird im A l t e n T e s t a m e n t das Horn nicht nur als Ausdruck physischer Macht in prophetischer Symbolhandlung gebraucht (3 Βασ 22, 11) und im visionären

30   Gesicht als Bild für die Macht, die Israel zerstreut hat[9], Sach 2, 1—4, sondern das Horn (קֶרֶן) ist im AT direkter Ausdruck für *Macht*. In dieser Bedeutung ist es von LXX (wie auch in seiner weiteren Bedeutung als Horn des Altars) stets mit κέρας übersetzt (bis auf Hi 16, 15, s u): Dt 33, 17 κέρατα μονοκέρωτος τὰ κέρατα αὐτοῦ: seine Kraft ist wie die eines Einhorns. 2 Βασ 22, 3 = ψ 17, 3 werden von Gott die paral-

---

[25] Vgl zB das von Ktesias bei Aristot Hist An II 1 p 501 a 25 ff geschilderte indische Fabelwesen μαρτιχόρας, von dem es am Schluß (30 ff) heißt: τὴν δὲ κέρκον (Schwanz) ὁμοίαν τῇ τοῦ σκορπίου· τοῦ χερσαίου (auf dem Land lebend), ἐν ᾗ κέντρον ἔχειν καὶ τὰς ἀποφυάδας (Schößlinge) ἀπακοντίζειν (sc: φασίν).

κέρας. IScheftelowitz, Das Hörnermotiv in den Religionen, ARW 15 (1912) 451—487; SACook, The Religion of Ancient Palestine in the Light of Archaeology (1930) 29 ff; Komm z Lk 1, 69; Apk 5, 6; 12, 3; 13, 1; 17, 12. ASchlatter, Das AT in der joh Apk, BFTh 16, 6 (1912) 88—90; LBrun, Die römischen Kaiser in der Apk, ZNW 26 (1927) 128—151; WFoerster, Die Bilder in Apk 12 f u 17 f, ThStKr 104 (1932) 279 ff, bes 291—300; Str-B I 9 f. 70; II 110 f.
[1] Zur Verwandtschaft von κέρας/cornu mit קֶרֶן s FDelitzsch, Studien über indoger-manisch-semitische Wurzelverwandtschaft (Diss Leipzig 1873) 88 f; HMöller, Verglei-

chendes indogermanisch-semitisches Wörter-buch (1911) 121. 142; HBauer u PLeander, Historische Grammatik der hbr Sprache des AT (1922) 12.
[2] Es waren wohl ursprünglich wirkliche Hör-ner, Scheftelowitz 473; PVolz, Die biblischen Altertümer [2] (1925) 25; anders KGalling, Bibl Reallexikon (1934 ff) 17 ff. Abb Cook aaO Pl IV 2; Galling 19.
[3] Scheftelowitz passim.
[4] Scheftelowitz 465.
[5] Od 19, 211.
[6] Diogenianus Paroemiographus VII 89, in: Paroemiographi Graeci, ed ELLeutsch und FGSchneidewin I [1839]: πρὸ τούτου σε ᾤμην κέρατα ἔχειν · ἐπὶ τῶν ἀνδρείας ὑπόληψιν ἐχόντων.
[7] Part An III 1 p 661 b 31.
[8] Oneirocr I 39 deuten Hörner im Traum wohl auf gewaltsamen Tod, wenn ζῷα βίαια sie tragen, aber auch darum, weil hörnertra-gende Tiere geschlachtet zu werden pflegen.
[9] Das Bild des nach allen Seiten stoßenden Stieres scheint noch durch.

lelen Ausdrücke ὑπερασπιστής μου, κέρας σωτηρίας μου und ἀντιλήμπτωρ μου gebraucht. Das Bildliche kann jederzeit empfunden werden, ψ 21, 22: σῶσόν με ἐκ στόματος λέοντος καὶ ἀπὸ κεράτων μονοκερώτων τὴν ταπείνωσίν μου. Während aber Zähne, Maul und Klauen immer Bild für gewaltsame Machtausübung bleiben (Mi 4, 13: τὰ κέρατά σου θήσομαι σιδηρᾶ καὶ τὰς ὁπλάς σου θήσομαι χαλκᾶς), wird κέρας auch ohne Bezugnahme 5 auf das ursprüngliche Bild des Tier- (bes Stier-) Hornes gebraucht rein zur Bezeichnung physischer Macht und Stärke: Sir 49, 5: die Könige Judas ἔδωκαν γὰρ τὸ κέρας αὐτῶν ἑτέροις καὶ τὴν δόξαν αὐτῶν ἔθνει ἀλλοτρίῳ. Am häufigsten ist im AT gebraucht die Wendung: ein Horn erhöhen bzw vernichten. Das ursprüngliche Bild blickt noch Hi 16, 15 durch: וְעֹלַלְתִּי בֶעָפָר קַרְנִי (LXX: τὸ δὲ σθένος μου ἐν τῇ ἐσβέσθη). Das Horn 10 zu erhöhen oder zu zerschlagen ist Gottes Sache; wo von Menschen ein ὑψοῦν κέρας ausgesagt wird, ist es Ausdruck des Hochmuts, ψ 74, 5. 6. An Wendungen begegnet 12 mal (ἀν)υψοῦν, je zweimal ἐπαίρειν und (ἐξ)ανατέλλειν; für das Gegenteil dreimal συγκλᾶν, je einmal συντρίβειν, συγκόπτειν und καταγνύαι. Niemals begegnet κέρας ἐγείρειν. Der Sinn ist stets Gewinn bzw Verlust der Macht. 15

Im Spätjudentum ist die geschilderte Verwendung des Hornes noch lebendig: in der Tiervision des äth Hen 90, 9 bedeutet das Wachsen von Hörnern bei Lämmern Wehrhaftwerden, 90, 37 (39) erscheint der Messias als ein weißer Farre (Büffel) mit großen (und schwarzen) Hörnern: damit ist seine Macht und mit der Macht seine Königswürde angedeutet[10]. s Bar 66, 2 heißt es von Josia: Er erhob das Horn der 20 Heiligen und erhöhte die Gerechten und ehrte alle die Weisen. Rabbinische Belege weisen in dieselbe Richtung[11]. Besonders oft begegnet das Bild des Hornes in den Bitten um Beendigung der Knechtschaft Israels unter den Heiden, so in der babylonischen Form des Achtzehnbittengebetes in der 15. Bitte: . . . קַרְנוֹ תָרוּם בִּישׁוּעָתֶךָ בָּרוּךְ אַתָּה יְיָ מַצְמִיחַ קֶרֶן יְשׁוּעָה, im Gebet Abinu malkenu usw[12]. Dabei wird neben 25 dem Verb רוּם das hi von צמח gebraucht. Dies letztere drückt mindestens deutlicher als das erstere aus, daß es sich nicht um Stärkung etwa vorhandener Macht, sondern um Schaffung einer noch nicht vorhandenen handelt.

B. Das Horn im NT.

1. In diesem Sinne nun begegnet Lk 1, 69 die Wen- 30 dung: ἤγειρεν κέρας σωτηρίας ἡμῖν ἐν οἴκῳ Δαυὶδ παιδὸς αὐτοῦ. Das Besondere an dem Verbum ἐγείρειν ist, daß es in LXX nie mit κέρας verbunden erscheint (auch nicht Ex 29, 21; ψ 131, 17). ἐγείρειν wird von Gott als dem Lenker der Geschichte gebraucht, der etwas „auftreten" läßt, der geschichtliche Tatbestände schafft. κέρας σωτηρίας ist aus 2 Βασ 22, 3 = ψ 17, 3 genommen und bedeutet: 35 eine Macht des Heils, eine hilfreiche, heilschaffende Macht. Wenn auch die Rabbinen von dem „Horn des Messias" sprechen, so ist doch die Wendung „Horn der Hilfe" kein unmittelbarer Ausdruck für den Messias, aber der Zusatz bei Lk „im Hause Davids, deines Knechtes" zeigt, daß Zacharias mit der „Macht des Heils" den Messias meint. Inhaltlich ist an dieser Stelle die at.liche Form 40 der Hoffnung nicht überschritten.

2. Eine besondere Stellung nimmt das Bild des Hornes in der Symbolsprache der Apk ein. Zwar die zwei Hörner des „anderen Tieres" 13, 11 sollen dasselbe wohl nur dem Aussehen nach als einem Lamme gleich bezeichnen und damit auf das Wort Jesu von den Propheten in Schafs- 45 kleidern anspielen; ob daneben noch an die zwei Hörner des Widders von Da

---

[10] An sich bedeuten die Hörner nicht die Königswürde, wie RHCharles in ICC z Apk 5, 6 meint.

[11] MEx 15, 14; Str-B II 110 unt, dort weiteres. — Dafür, daß das Horn als Bild für Macht allmählich ungebräuchlicher wurde,

mag sprechen, daß Tg O Dt 33, 17 קֶרֶן mit תּוּקְפָא wiedergegeben hat, WGrundmann, Der Begriff der Kraft in der nt.lichen Gedankenwelt (1932) 72 A 23.

[12] Str-B I 10; II 111.

8, 3 gedacht werden darf [13], ist sehr fraglich. Im übrigen aber ist das Bild des „Hornes" allegorisch verwandt, da es mit den es tragenden Tieren in keiner organischen Verbindung steht, sondern selbständiger Symbolträger ist: das Lamm hat sieben Hörner 5, 6; der Drache und das Tier zehn, 12, 3; 13, 1; 17, 3. 7.

5 12. 16. Die sieben Hörner des Lammes sind, gemäß der Symbolbedeutung der Zahl 7 (→ ἑπτά) und der Bedeutung des Hornbildes, Ausdruck für die göttliche Fülle der Macht. Zehn Hörner trägt sowohl die „große Schlange" wie auch „das Tier", bei letzterem werden die 10 Hörner vor den 7 Köpfen genannt und erhalten die Diademe, die bei der großen Schlange die Köpfe schmücken. Diese

10 kleinen Unterschiede sind schwerlich bedeutungslos, ihr Sinn aber ist nicht mehr mit Sicherheit zu erkennen. Die zehn Hörner dagegen hat Apk selbst 17, 12 ff auf zehn Könige gedeutet, deren Kommen noch bevorsteht, welche mit dem Tier als Könige „eine Stunde lang" Macht bekommen und dem Tier ihre Macht geben, um mit diesem zusammen „Babylon" zu zerstören und gegen das Lamm

15 den Kampf zu wagen. Mit der Zehnzahl schließt sich Apk an Da 7, 7 an, mit der Deutung der Hörner auf Könige an Da 7, 24 und 8, 20 ff. Eine Deutung der zehn Hörner bzw einiger von ihnen auf bestimmte Könige des 3. Jhdts n Chr begegnet einmal in der rabbinischen Literatur [14] und in der hebräischen Eliasapokalypse [15]; die syrische Esraapokalypse [16] deutet die Omajjadenherrschaft

20 durch eine Schlange mit 12 Hörnern an ihrem Kopf und 9 an ihrem Schwanz an; auch Barn 4, 4 f hat sich auf die danielische Weissagung von den 10 Hörnern berufen, doch ist seine Deutung ganz unsicher [17]. So liegt es nahe, in der Linie der zeitgeschichtlichen Deutung des „Tieres" auf Nero redivivus die 10 Hörner der Apk auf damalige Fürsten zu deuten, meist denkt man an par-

25 thische Satrapen, mit deren Hilfe Nero wiederkommen und Rom zur Rache zerstören soll. Eine andere, grundsätzlich verwandte Möglichkeit ist die, in den 10 Hörnern neben den 7 Köpfen eine zweite Zählung der römischen Kaiser (ab Caesar) zu sehen [18]. Es ist auch an dämonische Mächte gedacht worden [19]. Letztere aber werden unter dem Bild von Tieren dargestellt [20]. Aber auch die

30 Deutung auf parthische Satrapen oder auf eine andere Zählung der römischen Kaiser ist mit Sicherheit ein Irrweg. Denn die eigentliche Funktion der „Hörner" ist nicht die Zerstörung von Babylon, sondern, ihre Macht dem Tier zur Verfügung zu stellen zum letzten Kampf gegen das „Lamm": was sollen da parthische Satrapen? Der Sinn des Bildes der 10 Hörner ist dadurch bestimmt,

35 daß sie als 10 Könige identisch sind mit den „Königen der ganzen Welt" Apk 16, 14. 16, die durch von der großen Schlange und den Tieren ausgehende Geister zum Kampf gegen Christus am Harmagedon veranlaßt werden. Was Apk von den 10 Hörnern sagt, heißt also, daß sich alle Regenten der „letzten Zeit" mit ihren Untertanen (vgl Apk 19, 17 ff) dem Antichrist zum letzten, offenen

40 Kampf gegen Christus zur Verfügung stellen. Indem die Apk schon die große Schlange mit 10 Hörnern schaut, stellt sie Satan sofort im endzeitlichen Licht

---

[13] So Bss Apk z 13, 11.
[14] Gn r 76 z 32, 12; Str-B I 95 f.
[15] MButtenwieser, Die hbr Elias-Apk I (1897) 18 Z 5; 63 unt; 68 ff.
[16] WBousset, Der Antichrist (1895) 47.

[17] WndBarn zSt.
[18] So Brun.
[19] Bss Apk 416; Charles aaO z Apk 17, 14.
[20] Foerster aaO 299 A 3.

dar als den, der die Macht der ganzen Menschheit zum Kampf gegen Christus verführen wird. Die anderen Erklärungen können die Tatsache, daß Satan auch das Symbol der 10 Hörner trägt, nicht erklären.

Zu dieser Deutung sei noch bemerkt, daß weder im Kriege 66/70 n Chr noch, soviel wir wissen, in dem von 132/135, obgleich die Deutung des 4. Tieres von Da 7 auf 5 Rom im Judentum feststand, eine Deutung der 10 Hörner auf römische Kaiser eine Rolle spielte. 4 Esr hat das Tier mit den 10 Hörnern als unbrauchbar zur zeitgeschichtlichen Symbolisierung durch das von einem Adler mit einer Reihe von Flügeln ersetzt. Die uns erhaltene rabbinische Exegese zeigt neben der Deutung der letzten der 10 Hörner auf Gestalten des 3. Jhdts n Chr (→ 670, 16 ff) nur eine Verlegenheits- 10 deutung der 10 Hörner [21].

Foerster

---

† **κέρδος**, † **κερδαίνω**

κέρδος *Gewinn, Vorteil, Nutzen*, seit Homer [1], zB Aesch Choeph 825: ἐμὸν . . . κέρδος αὔξεται τόδε, Eum 991: μέγα κέρδος ὁρῶ τοῖσδε πολίταις, Thuc VII 68, 3; 15 Polyb 6, 46, 3: νομίζειν τι κέρδος, Xenoph Cyrop IV 2, 43: κέρδος ἡγεῖσθαι, Plat Polit 300 a: κέρδους ἕνεκά τινος, Epict Diss I 28, 13; III 22, 37 ua; Philo Spec Leg IV 121: οὐ διὰ κέρδος ἄδικον, Leg Gai 242: οὐχ ὑπὲρ κέρδους, ἀλλ᾽ ὑπὲρ εὐσεβείας ἐστὶν ἡ σπουδή· . . . τί γὰρ ἂν εἴη κέρδος λυσιτελέστερον ὁσιότητος ἀνθρώποις; Ditt Syll[3] 249, 19: κέρδους καὶ χάριτος ἕνεκα. Daneben kommt auch die Bedeutung *Verlangen nach Gewinn, Nutzen* 20 vor, zB Pind Pyth 3, 54, zitiert bei Athenag Suppl 29, 1, vgl ebd 31, 2: ἢ κέρδους ἢ ἐπιθυμίας ἐλάττους γενομένους ἁμαρτεῖν, Soph Ant 222, Eur Heracl 3. Im Plural erscheint κέρδος öfters (Homer) im Sinne von *verschlagene Ratschläge, List* oä. Speziell in Bezug auf Leben oder Tod finden sich etwa folgende Formulierungen: Plat Ap 40 e/d: καὶ εἴτε . . . μηδεμία αἴσθησίς ἐστιν, ἀλλ᾽ οἷον ὕπνος, ἐπειδάν τις καθεύδων μηδ᾽ ὄναρ μηδὲν ὁρᾷ, θαυ- 25 μάσιον κέρδος ἂν εἴη ὁ θάνατος, Soph Ant 464: πῶς ὅδ᾽ οὐχὶ κατθανὼν κέρδος φέρει; Eur Med 145: τί δέ μοι ζῆν ἔτι κέρδος; Aesch Prom 747 ff: τί δῆτ᾽ ἐμοὶ ζῆν κέρδος . . . κρεῖσσον γὰρ εἰσάπαξ θανεῖν ἢ τὰς ἁπάσας ἡμέρας πάσχειν κακῶς, Jos Ant 15, 158: κέρδος δ᾽ εἰ θνήσκοιεν ἐν συμφορᾷ τὸ ζῆν ποιούμενοι.

Der Gegensatz zu κέρδος ist → ζημία, und zwar meist nicht in dem engeren Sinn 30 von *Strafe*, sondern in dem allgemeinen von *Nachteil, Schaden*. Soph fr 738 TGF: ζημίαν λαβεῖν ἄμεινόν ἐστιν ἢ κέρδος κακόν, Plat Leg VIII 835 b: οὐδ᾽ αὖ . . . μέγα τῇ πόλει κέρδος ἢ ζημίαν ἂν φέροι, Xenoph Cyrop II 2, 12: μήτε ἐπὶ τῷ ἑαυτῶν κέρδει, μήτ᾽ ἐπὶ ζημίᾳ τῶν ἀκουσάντων, μήτ᾽ ἐπὶ βλάβη μηδεμιᾷ, Isoc 3, 50: μὴ τὸ μὲν λαβεῖν κέρδος εἶναι νομίζετε, τὸ δ᾽ ἀναλῶσαι ζημίαν, Gal De Hippocratis et Platonis Decretis IV 6 (ed JvMül- 35 ler [1874] p 376): ὁ μὲν δειμῶν ἐπιγινομένων ἀφίσταται, ὁ δὲ κέρδους ἢ ζημίας φερομένης ἐξελύθη καὶ ἐνέδωκεν, ὁ δὲ καθ᾽ ἕτερα τοιαῦτα οὐκ ὀλίγα (vArnim III 123, 28 ff), Epict Diss III 26, 25: ἀλλὰ σκεῦος μὲν ὁλόκληρον καὶ χρήσιμον ἔξω ἐρριμμένον πᾶς τις εὑρὼν ἀναιρήσεται καὶ κέρδος ἡγήσεται, σὲ δ᾽ οὐδείς, ἀλλὰ πᾶς ζημίαν. Manchmal wird jedoch ζημία (ζημιοῦσθαι) auch im Sinne von *Strafe* κέρδος entgegengestellt, ohne daß sich 40 dadurch freilich die Bedeutung von κέρδος veränderte. Eur Med 454: πᾶν κέρδος ἡγοῦ ζημιουμένη φυγῇ, Aristot Eth Nic V 7 p 1132a 12.

κερδαίνειν *einen Gewinn, Vorteil, Nutzen haben*, absolut oder mit Angabe dessen, was einem den Nutzen verschafft, und woraus man den Vorteil zieht. Hdt VIII 5, Aristoph Av 1591, POxy XII 1477, 10, Jos Ant 5, 135, Hdt IV 152: μέγιστα ἐκ φορτίων 45 κερδαίνειν, Soph Ant 312· ἐξ ἅπαντος, Xenoph Mem II 9, 4: ἀπὸ παντός, Soph Trach 231: χρηστὰ κερδαίνειν ἔπη, Plat Resp 343 b: ὁ δὲ πολλὰ κερδαίνει, Jos Bell 2, 590: πολλὰ παρὰ τῶν πλουσίων ἐκέρδανεν. Vgl Aristot Eth Nic V 7 p 1132, 13: τὸ μὲν γὰρ πλέον ἔχειν ἢ τὰ ἑαυτοῦ, κερδαίνειν λέγεται· τὸ δ᾽ ἔλαττον τῶν ἐξ ἀρχῆς, ζημιοῦσθαι. Eine allgemeinere Bedeutung von κερδαίνειν, die ebenso häufig erscheint, ist die: *etwas ge-* 50 *winnen, etwas erlangen*. Pind Isthm 5, 27: λόγου (Ruhm) ἐκέρδανεν, Jos Bell 5, 74: Ῥωμαῖοι . . . κερδήσουσιν ἀναιμωτὶ τὴν πόλιν, 2, 324: κερδήσειν αὐτοὺς τὴν πατρίδα καὶ τὸ μηδὲν παθεῖν πλέον. Von hier aus kommt es auch in bestimmten Zusammenhängen zur Bedeutung: *sich etwas ersparen*, Philemo (ed TKock, in CAF 92, 10): μεγάλα κακά, Jos Ant 2, 31: τό γε μὴ μιανθῆναι τὰς χεῖρας αὐτῶν, Diog L VII 14: μέρος τῆς ἐνοχ- 55 λήσεως.

---

[21] Midr Ps 75 § 5z 75, 11; Str-B II 110 f. | **κέρδος κτλ.** [1] Vgl. Pass, Liddell-Scott sv.

In Septuaginta fehlt sowohl κέρδος als auch κερδαίνειν. Wenn κέρδος (κερδαίνω: Hi 22, 3) bei Σ vorkommt, wird es zB Gn 37, 26 (בֶּצַע) von LXX mit χρήσιμον (= Θ) oder ψ 29, 10 (בֶּצַע) von LXX mit ὠφέλεια (vgl Θ Hi 22, 3) oder Eccl 4, 9 (Subst für שָׂכָר) von LXX mit μισθὸς ἀγαθός wiedergegeben.

5   Im Neuen Testament ist Tt 1, 11 von dem αἰσχρὸν κέρδος die Rede, um dessentwillen Glieder der Gemeinde Unziemliches lehren. In Phil 1, 21 spricht Paulus davon, daß ihm, dem das Leben schlechthin Christus ist, das Sterben, in dem sich dieses Leben im Schauen realisiert, Gewinn, Vorteil, Nutzen ist. Um Christi willen, der sein Leben ist, haben sich auch alle natürlich-geschicht-
10 lichen Vorzüge, die den Juden kraft der Bestimmung durch Gott auszeichnen, und insbesondere seine moralische Überlegenheit, ja Fehllosigkeit, die ihm κέρδη, Vorteile, zu sein schienen, als Nachteil, ζημία, herausgestellt (Phil 3, 7[2]). Als Schaden, durch den er im absoluten Sinn geschädigt worden ist, und nicht nur als vergebliches Bemühen erscheint ihm im Lichte der überschwänglichen Er-
15 kenntnis Christi auch weiterhin jenes auf die Herkunft und auf das Gesetz und die Leistung vertrauende und sich berufende Leben.

κερδαίνειν kommt im Neuen Testament einmal im Sinne von *einen (geschäft-lichen) Gewinn machen* Jk 4, 13, zweitens von *sich etwas ersparen* Ag 27, 21, drittens von *etwas gewinnen*, ἄλλα πέντε τάλαντα Mt 25, 16 (17. 20. 22), aber
20 auch Χριστόν, Phil 3, 8, vor. Meist erscheint aber κερδαίνειν als „echter Termi-nus der Missionssprache"[3]. So 1 K 9, 19ff, wo es den Sinn von „zum Christen machen" erhält und mit σῴζειν wechselt, 9, 22. Vgl 1 Pt 3, 1: ἵνα καὶ εἴ τινες ἀπειθοῦσιν τῷ λόγῳ, διὰ τῆς τῶν γυναικῶν ἀναστροφῆς ἄνευ λόγου κερδηθήσονται. Mt 18, 15 handelt es sich um das Gewinnen des fehlenden Bruders, den viel-
25 leicht schon ein Wort des anderen auf den rechten Weg zurückbringen kann. Umstritten ist die konkrete Bedeutung von κερδαίνειν in Mt 16, 26, wo ihm ζημιωθῆναι[4] gegenübersteht: τί γὰρ ὠφεληθήσεται ἄνθρωπος, ἐὰν τὸν κόσμον ὅλον κερδήσῃ, τὴν δὲ ψυχὴν αὐτοῦ ζημιωθῇ; Entweder ist bei dem Gewinn der Welt an die Herrschaft über sie als den Bereich natürlicher Güter und irdischer
30 Möglichkeiten gedacht, oder es sind unter κόσμος (עוֹלָם) die Menschen verstan-den[5], die das Ziel missionarischer Bestrebungen darstellen. Wahrscheinlicher ist aber sowohl im Blick auf die rabbinischen Parallelen[6], die für κερδαίνειν הִשְׂתַּכֵּר und für ζημιωθῆναι אָבַד setzen, als auch auf den Zusammenhang des Textes (v 25), die erstere Auslegung.

35   *Schlier*

┌─────────────────────────────────────┐
│ **κεφαλή, ἀνακεφαλαιόομαι**   │
└─────────────────────────────────────┘

Inhalt: A. κεφαλή außerhalb des NT: 1. Der profane Sprachgebrauch; 2. Septuaginta;   3. Jüdische Literatur;   4. Hellenistisch-gnostischer Sprachgebrauch. — B. κεφαλή im NT: 1. Theologisch bedeutungsloser Sprachgebrauch; 2. 1 K 11, 3ff;
40 3. κεφαλή im Epheser- und Kolosserbrief.

2 → II 892, 32ff.
3 JWeiß z 1 K 9, 19.
4 → II 893, 23ff.
5 Schl Mt 521 f.

6 Str-B I 749f.

κεφαλή. Pass, Liddell-Scott, Moult-Mill sv.

A. *κεφαλή* außerhalb des NT.

1. Für die Geschichte des Begriffes κεφαλή, soweit er theologisch bedeutsam wird, ist aus dem profanen Sprachgebrauch erstens wichtig, daß mit κεφαλή das Oberste, Höchste, auch Äußerste bezeichnet wird. Von der Bedeutung *Haupt, Kopf eines Menschen oder eines Tieres* her, die seit Homer zunehmend und in 5 mannigfachen Zusammenhängen vorkommt, wird κεφαλή auch von der *Spitze*, der *Höhe* oder dem *Ende*, dann aber auch von dem *Anfangs-* oder *Ausgangspunkte* gebraucht. Die Spitze eines Schiffes Theocr Idyll 8, 87, das Kapitell einer Säule CIG II 2782, 31; Poll Onom VII 121; vgl LXX 3 Βασ 7, 21, die Höhe einer Mauer Xenoph Cyrop III 3, 68; Hist Graec VII 2, 8, die Mündung eines Flusses Callim Aetia (POxy XVII 2080, 48). 10 Aber auch die Quelle eines Flusses Hdt IV 91, der Anfangs- bzw Ausgangspunkt der Zeit Aetius, Placita Philosophorum (ed HDiels, in: Doxographi Graeci [1879]) 2, 32, 2; Joh Lyd De Mensibus (ed RWünsch [1898]) 3, 4, eines Monats ebd 3, 12. Bezeichnend ist die Redewendung Aristoph Pl 649 f: τὰ πράγματα ἐκ τῶν ποδῶν εἰς τὴν κεφαλήν σοι πάντ' ἐρῶ, sowie der Ausdruck κεφαλὴν ἐπιθεῖναι, κεφαλὴν ἀποδοῦναι τοῖς εἰρημένοις (dem 15 Gesagten einen Schluß hinzufügen) Plat Tim 69 b, Phileb 66 d, Gorg 505 d ua. κεφαλή findet sich dann mit τέλος zusammen, wofür Philo Sacr AC 115: κεφαλὴ δὲ πραγμάτων ἐστὶ τὸ τέλος αὐτῶν, Vit Mos II 290: τὸ τέλος τῶν ἱερῶν γραμμάτων, ὃ καθάπερ ἐν τῷ ζώῳ κεφαλὴ τῆς ὅλης νομοθεσίας ἐστίν, Som I 66: τῆς ἀρεσκείας κεφαλὴν καὶ τέλος τὸν θεῖον λόγον ua Belege sind. 20

Doch macht sich in solchem Gebrauch von κεφαλή schon das zweite Moment, das im Begriff liegt, bemerkbar: mit κεφαλή ist nicht nur das Oberste, Höchste, das, was am Ende (oder am Anfang) ist, genannt, sondern auch das *Hervorragende, Überlegene* und *Bestimmende*. Als Haupt des Menschen (vor allem) ist die κεφαλή nicht nur ein Glied unter den anderen Xenoph Cyrop VIII 8, 3, sondern auch das erste und vornehmste 25 der Glieder, das die anderen bestimmt. Philo gibt populäre Reflexionen weiter, wenn er Op Mund 118 die sieben äußeren Teile des Körpers aufzählt, und dann 119 behauptet: τὸ ἡγεμονικώτατον ἐν ζώῳ κεφαλή, vgl Spec Leg III 184 ua. Die κεφαλή ist aber τὸ ἡγεμονικώτατον, weil, wie einige Stoiker sagen (vArnim III 217, 19): τὸ ἡγεμονικὸν ἐν τῇ κεφαλῇ. So überlegt auch Cornut Theol Graec 20, angesichts 30 der Überlieferung, daß Athene (ἡ τοῦ Διὸς σύνεσις) aus dem Haupte des Zeus geboren ist: τάχα μὲν τῶν ἀρχαίων ὑπολαβόντων τὸ ἡγεμονικὸν τῆς ψυχῆς ἡμῶν ἐνταῦθ' εἶναι, ... τάχα δ' ἐπεὶ τοῦ μὲν ἀνθρώπου τὸ ἀνωτάτω μέρος τοῦ σώματος ἡ κεφαλή ἐστι, τοῦ δὲ κόσμου ὁ αἰθήρ, ὅπου τὸ ἡγεμονικὸν αὐτοῦ ἐστι καὶ ἡ τῆς φρονήσεως οὐσία· κορυφὴ δὲ θεῶν, κατὰ τὸν Εὐριπίδην, ὁ περὶ χθόν' ἔχων φαεννὸς αἰθήρ. Anders ist die physio- 35 logisch begründete Theorie Galens De Remediis I prooem (ed Kühn XIV p 313): αὕτη γὰρ (sc: ἡ κεφαλή) καθάπερ τις ἀκρόπολίς ἐστι τοῦ σώματος καὶ τῶν τιμιωτάτων καὶ ἀναγκαιοτάτων ἀνθρώποις αἰσθήσεων οἰκητήριον. Wo sich das Moment des Bestimmenden mit dem des Ausgangspunktes oder des Anfangs verbindet, gewinnt κεφαλή leicht die Bedeutung von ἀρχή. Beispiele dafür finden sich in den Texten der LXX und der Gnosis 40 (→ 674, 35 ff; 677, 45).

Drittens wird κεφαλή im profanen Sprachgebrauch Bezeichnung *des ganzen Menschen, der Person*. In der κεφαλή ist der Mensch anzutreffen. Das ist deutlich in bestimmten Sätzen der Verwünschung: Aristoph Ach 833: ἐς κεφαλὴν τράποιτ' ἐμοί, Nu 40: ἐς τὴν κεφαλὴν ἅπαντα τὴν σὴν τρέψεται, vgl Pax 1063; Pl 526; Plat Euthyd 283 e: εἰ μὴ ἀγροι- 45 κότερον (zu grob) ἦν εἰπεῖν, εἶπον ἄν· Σοὶ εἰς κεφαλήν, Demosth Or 18, 290: ἃ σοὶ καὶ τοῖς σοῖς οἱ θεοὶ τρέψειαν εἰς κεφαλήν, 18, 294 ua. In der κεφαλή ist das Leben des Menschen. So wird κεφαλή selbst zur Bezeichnung *des Lebens*: Hom Il 17, 242: ἐμῇ κεφαλῇ περιδείδια, vgl 4, 162; Hom Od 2, 237 heißt es: σφὰς γὰρ παρθέμενοι κεφαλάς, was 3, 74 ψυχὰς παρθέμενοι entspricht. Hdt VIII 65: ἀποβαλέεις τὴν κεφαλήν. 50 Endlich ist κεφαλή *der Mensch selbst*. Hom Il 11, 55: πολλὰς ἰφθίμους κεφαλάς, 18, 82: ἶσον ἐμῇ κεφαλῇ (= nicht weniger als ich selbst), Hdt IX 99: πεντακοσίας κεφαλὰς τῶν Ξέρξεω πολεμίων, Hom Il 8, 281: φίλη κεφαλή, 23, 94: ἠθείη (lieb, traut) κεφαλή, Pind Olymp 7, 67: ἑᾷ κεφαλᾷ, Plat Phaedr 264 a: φίλη κεφαλή, Eur Rhes 226: Ἄπολλον, ὦ δία κεφαλά, Demosth Or 21, 117: ἡ μιαρὰ καὶ ἀναιδὴς αὕτη κεφαλή, 18, 153, Vett Val II 55 16 (p 74, 7): μεγάλη κεφαλή (= ein großer Mann), VII 5 (p 292, 12. 14), Jul Or 7, 212 a: τῆς θείας κεφαλῆς. Auch auf die Formel κατὰ κεφαλήν (= Mann für Mann), die ja den Ausgangspunkt der übertragenen Bedeutung erkennen läßt, kann man in diesem Zusammenhang verweisen: Aristot Pol II 10 p 1272 a 14; Jos Ant 7, 109: φόρους ὑπέρ τε τῆς χώρας καὶ τῆς ἑκάστου κεφαλῆς ua [1]. 60

Soviel sichtbar wird, dient κεφαλή innerhalb des profanen griechischen Sprachgebrauchs nicht zur Bezeichnung des Hauptes einer Gemeinschaft. Eine solche tritt erst in der Sphäre des griechischen AT zu Tage.

---

[1] Vgl Beispiele für ἡ ἁγία κεφαλή = „das teure Haupt" = „die verehrte Person": | FJDölger, in: Antike u Christentum 3 (1932) 81 A 3.

2. In Septuaginta ist in Bezug auf κεφαλή der griechische Sprachgebrauch aufgenommen. Auch hier bedeutet κεφαλή in fast ausschließlicher Wiedergabe von hbr רֹאשׁ [2] *das Haupt* eines Menschen oder Tieres, Gn 28, 11; 40, 16; 48, 14 uo; Gn 3, 15; Ex 12, 9; 29, 10 uo, auch das Haupt eines Götzen Ep Jer 8. Ebenso findet sich der angewandte Sinn wie *die Spitze, das Äußerste, das Höchste* usw, Gn 8, 5: αἱ κεφαλαὶ τῶν ὀρέων, Ri 9, 25. 36; Gn 11, 4: κεφαλή des πύργος von Babel, 28, 12 der κλῖμαξ; 2 Βασ 2, 25: ἔστησαν ἐπὶ κεφαλὴν βουνοῦ ἑνός ua. Vgl auch Hi 2, 7: ἀπὸ ποδῶν ἕως κεφαλῆς. Sehr häufig und in verschiedenartigen Wendungen ist die Umschreibung des Menschen durch die Erwähnung seiner κεφαλή. Neben κατὰ κεφαλήν (גֻּלְגֹּלֶת) Ex 16, 16; Nu 1, 2 uö vgl Gn 49, 26: Die εὐλογίαι ... ἔσονται ἐπὶ κεφαλὴν Ἰωσήφ, καὶ ἐπὶ κορυφῆς ὧν ἡγήσατο ἀδελφῶν, 4 Βασ 25, 27: ὕψωσεν ... τὴν κεφαλὴν Ἰωακίμ, ψ 3, 4: δόξα μου καὶ ὑψῶν τὴν κεφαλήν μου, Prv 10, 6: εὐλογία κυρίου ἐπὶ κεφαλὴν δικαίου, 11, 26; Js 35, 10; 51, 11 ua; Thr 3, 5: ἀνῳκοδόμησεν κατ' ἐμοῦ καὶ ἐκύκλωσεν κεφαλήν μου καὶ ἐμόχθησεν. Ri 9, 57 (B): καὶ τὴν πᾶσαν πονηρίαν ἀνδρῶν Συχὲμ ἐπέστρεψεν ὁ θεὸς εἰς κεφαλὴν αὐτῶν, 1 Βασ 25, 39; Jl 4, 4. 7; 3 Βασ 8, 32: δοῦναι τὴν ὁδὸν αυτοῦ εἰς κεφαλὴν αὐτοῦ, Ez 9, 10; 11, 21; 16, 43 ua; 1 Esr 8, 72: αἱ γὰρ ἁμαρτίαι ἡμῶν ἐπλεόνασαν ὑπὲρ τὰς κεφαλὰς ἡμῶν, 2 Esr 9, 6; Jdt 8, 22; Hi 29, 3 ua. Verbreitet ist auch die Redeweise, die Mt 27, 25 und Ag 18, 6 wiederkehrt, 2 Βασ 1, 16: τὸ αἷμά σου ἐπὶ τὴν κεφαλήν σου, 3 Βασ 2, 32f; 3, 1; Ez 33, 4; ψ 7, 17. Beachtenswert ist Js 43, 4: καὶ δώσω ἀνθρώπους πολλοὺς ὑπὲρ σοῦ καὶ ἄρχοντας ὑπὲρ τῆς κεφαλῆς σου. Es ist die einzige Stelle, wo κεφαλή נֶפֶשׁ wiedergibt. κεφαλή hat hier die Bedeutung *Leben*.

Das Moment des Überlegenen und Bestimmenden, das im Begriff κεφαλή liegt, kommt in der Septuaginta in Verbindung mit seiner Bedeutung *Mensch, Person* zum Ausdruck. κεφαλή dient zur Bezeichnung des *Hauptes und Herrschers einer Gemeinschaft*. In Dt 28, 13 ist als ein Ausgangspunkt für diese Bedeutung der übertragene Gegensatz κεφαλή/οὐρά sichtbar. Dabei ist freilich nicht von Israel als κεφαλή über andere ausdrücklich die Rede. Aber im Vergleich mit v 43 f zeigt auch v 13, daß doch an das κεφαλή-Sein über jemand (über die προσήλυτοι) gedacht ist: καταστήσαι σε κύριος ὁ θεός σου εἰς κεφαλὴν καὶ μὴ εἰς οὐράν, καὶ ἔσῃ τότε ἐπάνω καὶ οὐκ ἔσῃ ὑποκάτω, ἐὰν ἀκούσῃς τῶν ἐντολῶν κυρίου τοῦ θεοῦ σου ... 43: ὁ προσήλυτος ... ἀναβήσεται ἐπὶ σὲ ἄνω ἄνω, σὺ δὲ καταβήσῃ κάτω κάτω ... 44: ... οὗτος ἔσται κεφαλή, σὺ δὲ ἔσῃ οὐρά. In Js 9, 13f werden κεφαλή καὶ οὐρά in Aufnahme einer sprichwörtlichen Redewendung auf die μέγας und μικρός im Volke verteilt, dazu — von einem Glossator — auf die Vornehmen und Lügenpropheten bezogen. Bemerkenswert ist, daß in v 14 κεφαλή mit ἀρχή wechselt. Ohne diesen Zusammenhang mit dem Gegensatz κεφαλή / οὐρά findet sich doch κεφαλή in der Bedeutung *Haupt, Herrscher, Führer anderer Menschen* bzw *einer Gemeinschaft* Ri 10, 18: καὶ ἔσται (wer den Kampf mit den Ammonitern wagt) εἰς κεφαλὴν πᾶσιν τοῖς κατοικοῦσιν Γαλααδ, vgl 11, 8. 9. In 11, 11 heißt es dann καὶ κατέστησαν αὐτὸν (Jephtah) ἐπ' αὐτῶν εἰς κεφαλὴν εἰς ἡγούμενον. Cod B vermeidet in 10, 18; 11, 8. 9 die Vokabel κεφαλή und setzt dafür jedesmal ἄρχων. In 11, 11 dagegen steht auch in B κεφαλή, allerdings in der Zusammensetzung εἰς κεφαλὴν καὶ εἰς ἀρχηγόν. Vgl 3 Βασ 20, 12: καὶ ἐκάθισεν τὸν Ναβουθαι ἐν ἀρχῇ τοῦ λαοῦ, wo Cod A liest: ἐν κεφαλῇ τοῦ λαοῦ. Vgl 2 Βασ 22, 44: καὶ ῥύσῃ με ἐκ μάχης λαῶν, φυλάξεις με εἰς κεφαλὴν ἐθνῶν· λαὸς ὃν οὐκ ἔγνων ἐδούλευσάν μοι (= ψ 17, 44); Js 7, 8f: ἡ κεφαλὴ Αραμ Δαμασκός..., καὶ ἡ κεφαλὴ Εφραιμ Σομορων, καὶ ἡ κεφαλὴ Σομορων υἱὸς τοῦ Ρομελιου. Bei diesem Gebrauch von κεφαλή fehlt jedoch jede Ausdeutung des Bildes in dem Sinn, daß die von der κεφαλή Beherrschten ihr als ein oder als ihr σῶμα gegenüberstehen. Das zeigt sich besonders in Js 1, 4ff, vgl 7, 20, wo der Vergleich des Volkes mit einem menschlichen Leib an sich im Hintergrund steht. Vgl auch Da 2, 31ff, wo die vier Weltreiche unter dem Bild eines Menschen erscheinen, die κεφαλή aber als oberster Teil des Menschen nur das erste der vier repräsentiert, 2, 38.

---

[2] Trotzdem ist die Übersetzung von רֹאשׁ mit κεφαλή in LXX keineswegs konkordantisch. Vielmehr wird רֹאשׁ an zahlreichen Stellen der LXX anders wiedergegeben, vor allem durch ἀρχή, ἄρχων, ἀρχηγός, ἡγεῖσθαι, προηγεῖσθαι, χιλίαρχος und durch κορυφή. Häufig ist auch eine dem Zusammenhang entsprechende sinngemäße Wiedergabe durch die verschiedensten griechischen Vokabeln, von denen etwa 30 für רֹאשׁ eintreten. So steht Nu 1, 49 ἀριθμός, Js 41, 4 ἀρχή (vl: ἀρχαῖος), Jos 21, 1 ἀρχιπατριώτης, 2 Παρ 19, 8; 26, 12 πατριάρχης, 2 Παρ 24, 11 μέγας, 1 Παρ 5, 12; 11, 11 πρωτότοκος (AL), an 9 Stellen πρῶτος usw. Dagegen scheint Aquila רֹאשׁ stets mit κεφαλή wiedergegeben zu haben. Sogar רֹאשׁ = Gift hat er Dt 29, 18 (17); 32, 33 mit κεφαλή übersetzt. [Bertram.]

3. In der jüdischen Literatur wird Dt 28, 13 hie und da zitiert oder gebraucht[3]: Jub 1, 16: „Und ich werde sie umändern zu einer Pflanze der Gerechtigkeit ... und sie werden zum Segen und nicht zum Fluche sein, und sie werden Haupt und nicht Schwanz sein." Vgl Hen 103, 11; Ab 4, 15 b. Eine Auswertung des Gegensatzes κεφαλή/οὐρά zeigt Philo Praem Poen 125: καθάπερ γὰρ ἐν ζῴῳ κεφαλὴ μὲν πρῶτον καὶ ἄριστον, οὐρὰ δ᾽ ὕστατον καὶ φαυλότατον, οὐ μέρος συνεκπληροῦν τὸν τῶν μελῶν ἀριθμόν, ἀλλὰ σόβησις τῶν ἐπιποτωμένων (ein [Mittel zum] Verjagen der Fliegen), τὸν αὐτὸν τρόπον κεφαλὴν μὲν τοῦ ἀνθρωπείου γένους ἔσεσθαί φησι τὸν σπουδαῖον εἴτε ἄνδρα εἴτε λαόν, τοὺς δὲ ἄλλους ἅπαντας οἷον μέρη σώματος ψυχούμενα ταῖς ἐν κεφαλῇ καὶ ὑπεράνω δυνάμεσιν. Das Haupt des Menschen als Hinweis auf die von Gott ge- 10 wollte Einheit Israels ist Test Seb 9 erwähnt: „zerspaltet euch nicht in zwei Häupter; denn alles, was der Herr gemacht hat, hat ein einziges Haupt. Er hat zwei Schultern, Hände, Füße gegeben, aber alle Glieder gehorchen einem Haupte". Auch dieser Vergleich geht über die Vorstellung der Septuaginta nicht hinaus. Erst recht gilt das von den meist später und relativ selten auftauchenden Verbindungen, wie *Haupt* 15 *des Priestertums* slav Hen, Anhang 3, 37; Schatzhöhle 2, 22: „O Adam, siehe ich habe dich gemacht zum Könige, Priester und Propheten und Herrn und Haupt und Führer aller geschaffenen Wesen"; 3, 1: Das „Haupt der unteren Ordnung"; hb Hen 5, 6 (Odeberg p 16): „Das Haupt aller Götzenverehrer der Welt"; 45, 2 (Odeberg p 142): „Das Haupt jeder Generation" ua. ראשׁ bzw κεφαλή hat hier nur noch einen sehr 20 abgeschliffenen Sinn. Vgl den Titel: ראשׁ הכנסת für den ἀρχισυνάγωγος: Sota 7, 7 f; Joma 7, 1; TMeg 4, 21 uö.

4. Der Begriff κεφαλή hat aber nun noch in den hellenistischen und gnostischen Kreisen besondere Bedeutung gewonnen, die von den Aion- und Urmensch-Erlöserspekulationen beeinflußt 25 sind[4]. Die Quellen, die uns diese Anschauungen erkennen lassen, sind oft recht junge, freilich zeigen andere, vorchristliche, daß hier alte Traditionen vorliegen.

Schon in der indischen Mythologie ist der Kosmos als Riesenkörper des höchsten Gottes verstanden[5]. Ebenso ist die iranische Kosmologie von dieser Anschauung beherrscht. Wir können hier nur im Allgemeinen darauf hinweisen. Wich- 30 tig für unseren Zusammenhang ist dagegen die Tatsache, daß auch in dem orphischen Fragment 168 (Kern 201 f) die Vorstellung von dem Ewigkeitsweltgott des Alls auftaucht: Ζεὺς πρῶτος γένετο, Ζεὺς ὕστατος ἀργικέραυνος, Ζεὺς κεφαλή, Ζεὺς μέσσα, Διὸς δ᾽ ἐκ πάντα τέτυκται ... Ζεὺς βασιλεύς, Ζεὺς αὐτὸς ἁπάντων ἀρχιγένεθλος. Der Aion, der hier Zeus genannt wird, umfaßt in seinem Haupt und in seinem Leib das All, 35 das wiederum aus ihm entsteht.

Diese Vorstellung steht auch im Orph fr 167 und in der griechischen Schrift Περὶ Ἑβδομάδων c 6 § 1 (ed WHRoscher [1913]) im Hintergrund. Ihre Ausläufer finden sich in dem Sarapisorakel an den König Nikokreon von Cypern (Macrob Sat I 20, 17):

εἰμὶ θεὸς τοιόσδε μαθεῖν, οἷόν κ᾽ ἐγὼ εἴπω · 40
οὐράνιος κόσμος κεφαλή, γαστὴρ δὲ θάλασσα,
γαῖα δέ μοι πόδες εἰσί, τὰ δ᾽ οὔατ᾽ ἐν αἰθέρι κεῖται,
ὄμμα τε τηλαυγὲς λαμπρὸν φάος ἠελίοιο.

Damit ist mit Recht ein Stück aus dem Leidener Zauberpapyrus (PLeid V, Preis Zaub XII 243) verglichen worden[6], wo es von dem παντοκράτωρ heißt: οὗ καὶ ὁ ἥλιος, οὗ 45 ἡ γῆ ἀκούσασα ἑλίσσεται, ... καὶ οὐρανὸς μὲν κεφαλή, αἰθὴρ δὲ σῶμα, γῆ πόδες, τὸ δὲ περί σε ὕδωρ ὠκεανός ... σὺ εἶ κύριος, ὁ γεννῶν καὶ τρέφων καὶ αὔξων τὰ πάντα[7].

---

[3] Vgl später Const Ap II 14, 12 (VIII 47, 34): Der Bischof ist κεφαλή, er soll nicht οὐρά προσέχειν.

[4] Vgl zum Folgenden RReitzenstein und HHSchaeder, Studien zum antiken Synkretismus aus Iran und Griechenland (1926); HSchlier, Religionsgeschichtliche Untersuchungen zu den Ignatiusbriefen (1929) 88 ff; Ders, Christus und die Kirche im Epheserbrief (1930) 37—60; EKäsemann, Leib und Leib Christi (1933) 59—97, 137 ff. Die weitverzweigte Einzelliteratur findet sich bei Schlier aaO.

[5] ZB Rgveda X 90, wo der Himmel als κεφαλή, die Sonne als die Augen, die Himmelsrichtungen als Ohr, der Luftraum als Leib, die Erde als Füße verstanden werden.

[6] ADieterich, Abraxas (1891) 195; Reitzenstein (→ A 4) 99 f. Im Text ist nach Preis zitiert; bei Reitzenstein u Dieterich mehrfache Varianten.

[7] Vgl auch Corp Herm X 10 b. 11, wo platonische Motive (Tim 44 d ff) mit der Aionvorstellung vermischt zu sein scheinen. Jedenfalls würde sich bei dieser Annahme manche Seltsamkeit des Textes (Scott II 249) erklären lassen. Bei Stob Excerpt XXIV (Scott I 500 f) ist die γῆ, die in der Mitte des Alls liegt, ὥσπερ ἄνθρωπος ⟨πρὸς⟩ οὐρανὸν βλέπουσα.

Die einzelnen Teile (Elemente) der Welt sind Glieder des den Kosmos im Ganzen in sich tragenden Gottes. Die κεφαλή ist dabei ein Glied unter anderen, wenn auch als οὐρανός das höchste und entscheidende.

Dieser Aionmythos, der kosmologisch bestimmt ist, erfährt in der „Gnosis" 5 eine bedeutsame Verwandlung dadurch, daß der Urmensch-Erlösermythos, der soteriologisch orientiert ist, sich seiner Vorstellung und Sprache bedient.

Die Modifikationen, die dabei eintreten, können hier im einzelnen nicht verfolgt werden. Aber die Wandlung des Schemas muß um unserer Frage nach dem κεφαλή-Begriff willen angedeutet werden. Aus dem Weltgott Aion wird von der vorgängigen 10 anthropologischen Fragestellung aus der Menschgott oder „Urmensch", der in sich die Substanz des Kosmos, die Seelenkräfte, enthält. Der Weltgott Aion wird aber zugleich der Menschgott oder „Erlöser", in dem sich die erhaltene Substanz des gefallenen Kosmos, die gereinigten Seelenkräfte, sammeln. Urmensch und Erlöser sind identisch hinsichtlich der Substanz, die in ihnen beschlossen ist, sie sind unterschieden hinsicht-15 lich des Geschickes (oder auch der Formung), das sie erleiden. Der Urmensch (= Aion), der den Kosmos (der Menschen) in sich trägt, kommt aus dem Fall und der Zerstreuung zu sich im Erlöser (= Aion), der den Kosmos (der Menschen) in sich sammelt und aufrichtet.

Im Zusammenhang damit erhält die κεφαλή des Aion eine doppelte Stel-20 lung. Einerseits ist sie κεφαλή außerhalb des σῶμα, zu dem sie gehört, das aber jetzt nur Rumpf ist, des Leibes, der der gefallene und zerstreute Kosmos ist. Andererseits ist sie κεφαλή innerhalb des σῶμα, das der gesammelte und wiederaufgerichtete, der erlöste Kosmos ist. Einerseits aber ist sie dann der Erlöser des Urmenschen, ihres gefallenen Leibes, andererseits ist sie Teil des 25 erlösten Urmenschen. Im Begriff κεφαλή ist also in solchen Zusammenhängen sowohl das Moment der grundlegenden Herrschaft über den Leib, als auch das Moment der Einheit mit diesem Leib enthalten.

Elemente dieser Anschauung sind schon — freilich ohne Einordnung in das Erlösungsschema — in einem Texte des Kommentars Philos zu Exodus enthalten[8]. Auf 30 die Frage, wo dann das Haupt sei, wenn schon die Brust des in seiner Amtstracht dastehenden Hohepriesters den Himmel und die Sterne darstellt, antwortet Philo: verbum est sempiternum sempiterni dei caput universorum; sub quo pedum instar aut reliquorum quoque membrorum subjectus iacet universus mundus, supra quem transiens(?) constanter stat, ... quia necessarium est mundo ad perfectam plenitudinem 35 pro cura habenda exactissimae dispensationis atque pro propria pietate (χρηστότης) omnis generis ipsius, divini verbi, sicut et animantia opus habent capitis, sine quo vivere non possunt. Der Logos, der hier stoisch als διοικητής und nicht gnostisch als σωτήρ verstanden ist, ist das den Kosmos, der in seiner Gesamtheit unter ihm liegt, beherrschende, ihm das Leben gewährende Haupt. In dieser κεφαλή findet 40 der Kosmos, obwohl er universus mundus ist, seine Erfüllung[9]. Deutlicher, weil innerhalb des gnostischen Erlösungsschemas, tritt die Eigentümlichkeit dieser κεφαλή in dem an sich sehr komplizierten Text der sogenannten Naassenerpredigt zu Tage[10]. Nach § 20 gibt es zwei Anthropoi: Den oberen oder Adamas (den ἀχαρακτήρι-στος ἄνθρωπος) und den unteren (den κεχαρακτηρισμένος ἄνθρωπος). Beide sind der 45 Substanz nach identisch, der Form nach verschieden. Der letztere ist der gefallene Urmensch, der von dem ersteren zu sich und also zum oberen Urmenschen zurückgeführt wird. Der obere Anthropos heißt aber nach § 14: ὁ ἀκρογωνιαῖος ⟨ὁ⟩ εἰς κεφαλὴν γωνίας (der Schlußstein), was dann dahin erläutert wird: ἐν κεφαλῇ γάρ εἶναι τὸν χαρακτηριστικὸν ἐγκέφαλον, τὴν οὐσίαν (das geprägte Hirn = die Weltseele = das 50 Selbst = der hinabsteigende Adamas). In der κεφαλή ist die Substanz, die sich als Welt verliert. Er selbst, der obere Adamas, bleibt die κεφαλή, was auch in § 20 sichtbar wird, wo freilich für κεφαλή: κορυφή steht. Eben zu dieser κεφαλή und also

---

[8] In der Prokopwiedergabe § 117 bei RReitzenstein, Die Vorgeschichte der christlichen Taufe (1929) 118.

[9] Ähnlich ist das Verhältnis der κεφαλή zu dem übrigen σῶμα in der Buchstabenmystik des Markus, Hipp Ref VI 44. Die κεφαλή der ἀλήθεια wird aus α und ω gebildet, ihre übrigen Glieder aus je zwei weiteren Buchstaben vom Anfang und Ende des Alphabetes. α und ω sind aber einerseits Buchstaben der ganzen Reihe, andererseits die das Alphabet umschließenden und begründenden → I 1 ff.

[10] Der Text findet sich bei Reitzenstein (→ A 4) 161—173.

zu seiner κεφαλή kehrt der untere Urmensch, der demnach nur ein Leibrumpf ist, zurück. In Exc Theod (bei Cl Al) 42, 1—3 wird in Verbindung mit der Horos-Staurostheologie gesagt, daß Christus als die κεφαλή durch das Kreuz das σπέρμα, die Kirche, in das πλήρωμα hineinbringt. Dabei wird erklärt: ὤμοι . . . τοῦ σπέρματος ὁ Ἰησοῦς λέγεται, κεφαλὴ δὲ ὁ Χριστός. Christus, der himmlische Anthropos, die κεφαλή, bringt 5 in Jesus, dem Urmensch-Erlöser, seinen Leib selbst zu sich, dem oberen Anthropos. Auch sonst finden sich noch Spuren dieser κεφαλή-σῶμα-Vorstellung, auch in Texten, die sie nicht zum Austrag bringen. Man vgl Exc Theod 33, 2: καὶ ἔστιν ὡσπερεὶ ῥίζα καὶ κεφαλὴ ἡμῶν, ἡ δὲ ἐκκλησία καρποὶ αὐτοῦ. In Act Thom 7 (II 1 p 110, 20) stellt der πατὴρ τῆς ἀληθείας die κεφαλή der als Urmensch gedachten Σοφία dar, die sein Leib ist [11]. In 10 Ephr Hymn 55 II (ed Assemani Rom [1732 ff] 558 A) [12] ruft die κόρη (Achamoth-Sophia) mit Worten des Ps 22, 2: „Mein Gott und Haupt, ließest Du mich allein?" Auch in den O Sal liegt der κεφαλή-Begriff des Urmensch-Erlösermythos vor, freilich recht undeutlich, da das Interesse der Oden mehr an dem Verhältnis der Erlösten zum Erlöser haftet. Ode 17, 14 ff heißt es: „Sie empfingen meinen Segen und wurden lebend, 15 sie scharten sich zu mir und wurden erlöst. Denn sie wurden meine Glieder und ich ihr Haupt. Preis sei Dir, unser Haupt, Christus." In der Einheit der sich sammelnden Glieder und des (erlösenden) Hauptes konstituiert sich der neue Mensch. Von diesem „Haupt", dem Erlöser Christus, spricht auch die dunkle Stelle 23, 14: „Das Haupt stieg herab zum Fuß, bis zu den Füßen (dem Fuß) lief das Rad" [13]. Vgl v 18: „Da 20 erschien . . . ein Haupt, das offenbart ward, der Sohn der Wahrheit vom Vater", und 24, 1: „Die Taube (= die Weisheit) flog auf das Haupt unseres Herrn, des Messias, weil er ihr Haupt war." Nicht weit von dieser Vorstellungswelt entfernt ist die der mandäischen Schriften, die zT alte gnostische Traditionen enthalten. Gewiß fehlt hier „der konkret bildhafte Zusammenhang" des κεφαλή-σῶμα-Mythos. Aber das besagt 25 kaum anderes als daß die formelhafte Bezeichnung des Urmensch-Erlösers (Adam, Hibil, Mandā d' Haijē) als „Haupt des Stammes" oder „Haupt der Zeitalters" (Lidz Ginza R I 26 [p 27]; II 1, 49 [p 45] uo) nicht im Zusammenhang mit dem κεφαλή-σῶμα-Mythos und nicht vom Aiongedanken her konzipiert worden ist, sondern jüdischen Sprachgebrauch aufweist [14]. Aber anderseits ist in den mandäischen 30 Schriften die Ausdeutung dieser Formel im Zusammenhang mit dem Urmensch-Erlösermythos erfolgt. Wenn Adam, „das Haupt des Stammes", emporsteigt, folgen ihm sein „ganzer Stamm", „die guten Seelen" nach, L I 2, 16 f (p 435 f); I 2, 19 f (p 437), und wenn Mandā d' Haijē, der „das Haupt der Kundigen", „das Haupt der Gläubigen" ist, den Weg „vom Orte der Finsternis zum Orte des Lichtes" geht, 35 folgen ihm die Gläubigen nach, Ginza L III 10, 86 ff (p 522 ff). Von Hibil gilt dasselbe, Ginza R XI 257 (p 256 f). Das Haupt holt seine Glieder zu sich und wird mit ihnen ein himmlischer Mensch, so wird hier nicht formuliert, aber so wird auch hier gedacht. In Iren Haer I 5, 3 findet sich eine Gegenbildung zur Bezeichnung des Erlösers, bzw des Urmenschen als κεφαλή, sofern dort gesagt ist, daß die Achamoth 40 den Demiurgen zu κεφαλὴν μὲν καὶ ἀρχὴν τῆς ἰδίας οὐσίας, κύριον δὲ τῆς ὅλης πραγματείας machen wollte. Vgl Hipp Ref VII, 23, 3 (200, 25 f), wo der große Archon ἡ κεφαλή τοῦ κόσμου genannt wird. Vgl VII 27, 9 (207, 14 ff); X 14, 6 (275, 16).

Für den formalen Sinn des Begriffes κεφαλή ergibt sich aus dem Ganzen: e r s t e n s , daß κεφαλή in solchem gnostischen Gebrauch dem Begriff ἀρχή sehr 45 nahe kommt, und z w e i t e n s , daß in κεφαλή eine Beziehung zum S e i n derer angezeigt ist, die durch die κεφαλή bestimmt sind.

B. *κεφαλή* im NT.

1. Im Neuen Testament wird von der κεφαλή von Menschen, Tieren, auch von dämonischen Erscheinungen öfters gesprochen, o h n e daß solche 50 Aussagen t h e o l o g i s c h e B e d e u t u n g hätten. Dasselbe gilt, was immerhin beachtet werden mag, von der κεφαλή Jesu, die außer Mt 8, 20; Lk (7, 46;) 9, 58 nur in der Leidensgeschichte vorkommt: Mt 26, 7; 27, 29; J 19, 2; Mt 27, 30; Mk 15, 19; Mt 27, 37; J 19, 30; 20, 7; 20, 12. Vom Haupte des Erhöhten ist Apk 1, 14; 14, 14; 19, 12 die Rede [15]. 55

---

[11] Anders GBornkamm, Mythus und Legende in den apokryphen Thomasakten (1933) 105 f.

[12] RALipsius, Die apokryphen Apostelgeschichten und Apostellegenden I (1883) 305.

[13] Vgl Act Thom 6 (II 1 p 105, 6 f): ἔγκειται δὲ ταύτης τῇ κεφαλῇ ἀλήθεια, χαρὰν δὲ τοῖς ποσὶν αὐτῆς ἐμφαίνει.

[14] So mag EKäsemanns Zögern (→ A 4) Rechnung getragen werden (S 74).

[15] Zu Jesus als κεφαλή γωνίας → ἀκρογωνιαῖος I 793.

2. In 1 K 11, 3 sagt Paulus im Zusammenhang mit der Frage der „Verschleierung" der Frau im Gottesdienst: θέλω δὲ ὑμᾶς εἰδέναι, ὅτι παντὸς ἀνδρὸς ἡ κεφαλὴ ὁ Χριστός ἐστιν, κεφαλὴ δὲ γυναικὸς ὁ ἀνήρ, κεφαλὴ δὲ τοῦ Χριστοῦ ὁ θεός. Aus 11, 7: ἀνὴρ μὲν γὰρ οὐκ ὀφείλει κατακαλύπτεσθαι τὴν
5 κεφαλήν, εἰκὼν καὶ δόξα θεοῦ ὑπάρχων · ἡ γυνὴ δὲ δόξα ἀνδρός ἐστιν ergibt sich, daß der direkten Unterordnung des Mannes unter Christus die Tatsache entspricht, daß der Mann εἰκὼν καὶ δόξα θεοῦ ist, und dem κεφαλή-Sein des Mannes gegenüber der γυνή die Tatsache, daß diese δόξα ἀνδρός ist. εἰκὼν καὶ δόξα haben hier wohl die Bedeutung „Abbild und Abglanz", freilich begrenzt durch
10 die Erinnerung an Gn 1, 27. Das geht auch aus v 8 f hervor, wo das δόξα-Sein der Frau und indirekt das εἰκὼν καὶ δόξα-Sein des Mannes mit dem Hinweis auf den Sachverhalt erläutert wird, daß die Frau sowohl ihr „woher" als ihr „um willen" im Manne hat. Der Mann ist „Abbild und Abglanz" Gottes[16] also insofern, als er in seinem Geschaffensein direkt auf Gott (als den Schöpfer) ver-
15 weist. Die Frau ist Abglanz des Mannes, sofern sie in ihrer Geschaffenheit auf den Mann hinweist und nur über oder mit dem Mann auf Gott. Daß es sich bei diesem Verhältnis von Mann und Frau um die Erörterung ihrer geschöpflichen Fundamente handelt, formal gesprochen also um eine Bestimmung ihres Seins und nicht der Weise ihres geschichtlichen Vorkommens, geht nicht
20 nur daraus hervor, daß in v 7 ff auf Adam reflektiert ist, sondern auch daraus, daß in einer Art Nachtrag in v 11 f nun noch von der christlichen Existenz die Rede ist, und zwar v 12 mit dem Hinweis auf die Weise der geschichtlichen Existenz. Im Blick auf diese heißt es: ὥσπερ . . . ἡ γυνὴ ἐκ τοῦ ἀνδρός, οὕτως καὶ ὁ ἀνὴρ διὰ τῆς γυναικός, so daß „im Herrn" niemand ohne den anderen,
25 vielmehr gegenseitig jeder auf den anderen und durch ihn auf den κύριος gewiesen ist.

Die Frau lebt nicht christlich, auch nicht geschichtlich, wohl aber seinsmäßig, ihrer „Natur" nach aus dem Mann und um des Mannes willen. Ist das richtig, dann ist auch der Gebrauch von κεφαλή — im Unterschied zu κύριος! — in v 3
30 kein zufälliger. Nicht daß Paulus hier den κεφαλή-σῶμα-Gedanken der Gnosis sozusagen individualisierte, wohl aber verwendet er den κεφαλή-Begriff aus dem ihm bekannten Sprachgebrauch heraus, der seine Anknüpfung wenigstens hinsichtlich eines Momentes auch in der LXX hat. κεφαλή meint den, der über dem anderen in dem Sinne steht, daß er sein Sein begründet. Paulus könnte
35 auch ἀρχή sagen, wenn nicht die Beziehung auf Personen κεφαλή näher legte.

So klärt sich auch der Zusammenhang. Paulus setzt eine schöpfungsgemäße Verschiedenheit von Mann und Frau voraus, die er dahin bestimmt, daß die Frau seinsmäßig an den Mann als ihren Grund (in doppeltem Sinn) gewiesen
40 ist. Er findet diese Verschiedenheit in der Verhüllung der κεφαλή der Frau[17], in dem Nicht-offen-sein ihres Hauptes zu Gott und Christus hin, deren Gegen-

---

[16] → εἰκών II 394 f. Dazu jetzt H Willms ΕΙΚΩΝ I. Teil: Philon v Alexandreia (1935) 48 f.
[17] Zur ἐξουσία in 11, 10 → ἐξουσία II 570 f. Zum ganzen Text vgl Bchm K zSt; G Delling, Paulus' Stellung z Frau u Ehe (1931) 96—105.

wart im Kultus durch die Engel angedeutet ist[18], zum Ausdruck gebracht. Es wäre für ihn ein Verlassen der geschöpflichen Fundamente, wenn die charismatisch begabten Frauen der Gemeinde — denn um solche handelt es sich wohl im Gegensatz zu 1 K 14, 33 ff — wie die Männer unverhüllten Hauptes im Gottesdienst beteten oder prophezeiten. Es wäre ein Zuschandenmachen ihres „Hauptes" (im doppelten Sinn), wenn sie sich nicht bedeckten. Die Notwendigkeit der Bedeckung ist ja auch — das ist dem Urteil der Korinther selbst einsichtig — durch die Natur, bzw die Sitte (φύσις) gewiesen, die das lange Haar bei der Frau im Sinne einer Umhüllung für ehrbar hält.

3. Entscheidende theologische Bedeutung gewinnt der Begriff κεφαλή im Zusammenhang des Epheser- und des Kolosserbriefes über Christus und die Kirche. Es handelt sich dabei um die Stellen: Eph 1, 22 f; 4, 15 f; 5, 23; Kol 1, 18; 2, 10; 2, 19.

a. Aus diesen Texten ist ersichtlich, daß der Begriff κεφαλή erstens auf Christus, den erhöhten Herrn, bezogen ist, der das Haupt seines Leibes, der Kirche, darstellt. Und zwar ist Christus das Haupt seines Leibes, der Kirche, in dem Sinn, daß von diesem Haupte her sein Leib zu diesem Haupte hin wächst, Eph 4, 15 f; Kol 2, 19, so daß dann Leib und Haupt den ἀνὴρ τέλειος oder den καινὸς ἄνθρωπος bilden, Eph 4, 13; 2, 15. Es ist schon nach diesem Schema erkennbar, daß hier nicht eine Übertragung des Verhältnisses des natürlichen menschlichen Leibes auf Christus und die Kirche vorliegt, sondern in der Vorstellung des gnostischen Erlösermythos, wie wir ihn als Abwandlung der Aionanschauung verstanden haben, gedacht wird. Und zwar ist mit der Bezeichnung Christi als des Hauptes der Kirche von diesem Hintergrund aus einmal die Einheit zwischen Christus und der Kirche hervorgehoben. Er ist die κεφαλή, die in der Kirche ihren Leib hat, die also in der Kirche irdisch-leiblich gegenwärtig ist. Und die Kirche ist das σῶμα, das in Christus sein Haupt hat, das also in Christus himmlisch gegenwärtig ist. Man hat das Haupt nicht ohne und außerhalb des Leibes und man hat den Leib nicht ohne und abseits vom Haupte[19]. Die Kirche ist der irdisch-gegenwärtige Leib des himmlisch-gegenwärtigen Hauptes.

In dieser Einheit von Christus und Kirche erweist sich das Haupt-Sein Christi ferner darin, daß er das Wachstum des Leibes zu ihm selbst hin besorgt. Mit der κεφαλή ist nicht nur das Sein des Leibes gegeben, sondern auch der besondere Vollzug seines Lebens. Christus ist als die κεφαλή das ἐξ οὗ der αὔξησις des σῶμα zur οἰκοδομή. Er ist das wirksame „Woher" jener Tätigkeit des Leibes, in der sich dieser kraft der zugeteilten Gaben seiner Glieder erbaut. Er ist als κεφαλή das konkrete „Prinzip" des Leibwerdens der Kirche, er ist die ἀρχή Kol 1, 18.

Daß Christus aber κεφαλή des Leibes der Kirche genannt wird, schließt endlich das Moment der eschatologischen Ausrichtung der Kirche ein. Der Leib

---

[18] So sind die ἄγγελοι 11, 10 m E zu verstehen, und weder als Hüter der Ordnung, noch erst recht als feindliche Mächte.

[19] Die ἕνωσις Gottes erlaubt es nicht, daß die Glieder sich vom Haupte trennen, sagt Ign Tr 11, 2.

wächst zu dem himmlischen Haupte hin, Eph 2, 15; 4, 12. 15f, und zwar so, daß die κεφαλή immer das himmlische „Ziel" dieses Leibes bleibt, das nie anders als in der von Glaube und Erkenntnis getragenen Liebe „erreicht" wird. Gerade deshalb bleibt die Basis des Verhältnisses von Leib zu Haupt immer
5 der Gehorsam der Unterordnung, Eph 5, 23f. Mit κεφαλή ist der eschatologische Vorbehalt, unter dem der Leib ständig steht, angedeutet.

              b. Aus den angeführten Texten ist aber z w e i t e n s ersichtlich, daß Christus die κεφαλή noch in einem anderen Sinn ist: er wird auch ἡ κεφαλὴ πάσης ἀρχῆς καὶ ἐξουσίας, Kol 2, 10, genannt. Man beachte die Paral-
10 lelität der Aussagen in Kol 1, 15ff. Dem Haupt-Sein über den Leib und dem „Erstgeborenen aus den Toten" entspricht (καὶ αὐτός ἐστιν) das, was „Vor allem"-Sein und τὰ πάντα ἐν αὐτῷ συνέστηκεν, bzw πρωτότοκος πάσης κτίσεως genannt wird, vgl 2, 9. 10. In Christus, der κεφαλή, ist also nicht nur die Kirche begründet, sondern auch die Schöpfung. Auch hierbei tauchen Vorstellung und Sprache
15 des gnostischen Mythos auf. Christus ist nicht nur Erlöser, sondern auch Urmensch. Er ist das freilich nicht nebeneinander, sondern so, daß im Erlöser der Urmensch wirksam wird und im Leibe des Erlösers der „Leib" der Schöpfung erfahren wird. Das All hat seinen Bestand in dem Christus, der das Haupt des Leibes der Kirche ist. Außerhalb des Christus, und das heißt: außer-
20 halb seines Leibes ist die Schöpfung „Welt". Auch die Schöpfung ist, wie die Kirche, nur unter dem Haupte gegenwärtig. So ist es bezeichnend, daß es Eph 1, 22 heißt: καὶ αὐτὸν ἔδωκεν κεφαλὴν ὑπὲρ πάντα τῇ ἐκκλησίᾳ. Indem der Kirche das Haupt zugetan worden ist, ist auch dem All (πάντα ohne Artk, wegen des Zitats) der Herr gegeben. Deutlicher ist derselbe Sachverhalt in Eph
25 4, 15 gemeint: ἵνα . . . ἀληθεύοντες . . ἐν ἀγάπῃ αὐξήσωμεν εἰς αὐτὸν τὰ πάντα, ὅς ἐστιν ἡ κεφαλή, Χριστός. Indem wir in der Weise der Liebe die Wahrheit sagen, lassen wir das All zu Christus hinwachsen. Deshalb kommt auch Eph 3, 9f, durch die apostolische Verkündigung das vor der Zeit (den Aionen) in Gott, dem Schöpfer, verborgene Geheimnis ans Licht, das kein anderes ist als
30 der unerforschliche Reichtum Christi, zugleich aber die vielfältige Weisheit Gottes. Dieses Geheimnis, Christus oder die Schöpfungsweisheit Gottes, wird der Welt διὰ τῆς ἐκκλησίας bekannt. In der Kirche, als dem Leibe Christi, tritt die verborgene Schöpfungsweisheit Gottes zu Tage. Endlich sei auf Eph 1, 23 b verwiesen. Das σῶμα τοῦ Χριστοῦ ist τὸ πλήρωμα τοῦ τὰ πάντα
35 ἐν πᾶσιν πληρουμένου. In seinem Leib, der das Pleroma, den himmlischen Bezirk seiner Gegenwart darstellt, zieht Christus das All in das Pleroma hinein.

    Damit ist aber gesagt, daß durch den in solchem Sinn und in solchen Zusammenhängen auf Christus bezogenen Begriff κεφαλή auch der Anspruch Christi und der Kirche auf den Kosmos ausgesprochen wird. Christus ist „von vornherein"
40 Herr der Welt, weil „von vornherein" (πρὸ πάντων) die Welt in ihm besteht. Wenn er sich als der Auferstandene in seinem Leibe der Welt bemächtigt, so verwirklicht er damit nur seine tatsächliche Macht über die Schöpfung. So ist auch die Kirche als sein Leib, wenn sie die Welt in sich hineinbezieht, nur auf dem Wege, Eigenes zu erfassen Deshalb geht die Kirche auch jeden und
45 alles an. Sie ist vom Grunde her eine Art Kosmos. Sie wird sich deshalb

auch notwendiger Weise nicht als Verein, sondern als „öffentlicher Körper"
organisieren.

Daß die geschaffene Welt in Christus, dem Haupte des Leibes, der Kirche,
zu Stande kommt, wird aber auch durch den eigentümlichen Begriff → ἀνακεφαλαιοῦσθαι in Eph 1, 10 angedeutet. Gott hat uns — ist die Aussage von 5
v 9 f — das Geheimnis seines Willens bekannt gemacht: . . . ἀνακεφαλαιώσασθαι
τὰ πάντα ἐν τῷ Χριστῷ, τὰ ἐπὶ τοῖς οὐρανοῖς καὶ τὰ ἐπὶ τῆς γῆς.

† ἀνακεφαλαιόομαι

Ein sehr beziehungsreiches und vieldeutiges Wort. Im Profan-
griechischen kommt es selten und in nichtliterarischen Quellen [1] gar nicht vor. Seinem 10
Sinn nach bedeutet es sowohl *etwas auf ein* κεφάλαιον *bringen, summieren, summarisch
zusammenfassen*, als auch: *etwas in Hauptabschnitte zerlegen* [2]. Doch überwiegt die erste
Bedeutung. Es ist hierbei kaum von κεφαλαιοῦν unterschieden. Pseud-Aristot Mund
4 p 394 a 8 : αὐτὰ τὰ ἀναγκαῖα κεφαλαιούμενοι. Dion Hal Ant Rom I 90 : τὴν ἀνακεφαλαίωσιν τῶν
ἐν ταύτῃ δεδηλωμένων τῇ βίβλῳ, De Lysia 9 ; Iren Haer I 9, 2 : ἀνακεφαλαιούμενος . . . περὶ τοῦ 15
εἰρημένου, Orig Comm in J 5, 6 (103, 26 f) : νῦν δέ φησι πάντα μίαν κεφαλίδα, τῷ
ἀνακεφαλαιοῦσθαι τὸν περὶ ἑαυτοῦ εἰς ἡμᾶς ἐληλυθότα λόγον εἰς ἕν. Vgl Thuc VIII 53, 1 :
λόγους ἐποιοῦντο ἐν τῷ δήμῳ κεφαλαιοῦντες ἐκ πολλῶν, Heliodor Aeth 5, 16 : τὰ . . . λεχθέντα . . .
ἐπιτεμνόμενος καὶ ὡσπερεὶ κεφαλαιούμενος. Hierher gehört dann R 13, 9. Vgl Orig Orat
IX 3 (CSEL Orig II p 319, 10). — Aber nicht nur von der Zusammenfassung in der Reflexion 20
oder in der Rede, sondern auch von der *Zusammenstellung bestimmter Dinge* wird ἀνακεφαλαιοῦσθαι gebraucht. So sind wohl Θ und die Quinta zu verstehen, wenn sie ψ 71, 20
lesen : ἀνεκεφαλαιώθησαν προσευχαὶ Δαυίδ (LXX : ἐξέλιπον, Ἀ : ἐτελέσθησαν, MT : וּלַכְּ)
„zusammengestellt sind die Gebete Davids". Auch Barn 5, 11 gehört hierher : οὐκοῦν
ὁ υἱός τοῦ θεοῦ εἰς τοῦτο ἦλθεν ἐν σαρκί, ἵνα τὸ τέλειον τῶν ἁμαρτιῶν ἀνακεφαλαιώσῃ 25
τοῖς διώξασιν ἐν θανάτῳ τοὺς προφήτας αὐτοῦ. Freilich kann man bei den beiden
letzten Stellen fragen, ob nicht die Bedeutung *zum Abschluß bringen* [3] vorliegt. Iren
Haer V 29, 2 : „Et propter hoc in bestia veniente recapitulatio fit universae iniquitatis
et omnis doli, ut in ea confluens et conclusa omnis virtus apostatica, in caminum
mittatur ignis . . . Recapitulans autem et omnem . . . errorem . . ." setzt ἀνακεφαλαί- 30
ωσις, ἀνακεφαλαιοῦσθαι in der Bedeutung: *Zusammenfassung* und darin *Summierung*
voraus. Da in der Zusammenfassung jeglicher Art eine bestimmte Wiederholung liegt,
so kann ἀνακεφαλαιοῦσθαι unter Umständen direkt *wiederholen* bedeuten. Das ἀνα-
kann dann einen iterativen Sinn bekommen, den es sonst nicht hat. Vgl Aristot fr
123 p 1499 a 33 : ἔργα δὲ ῥητορικῆς . . . προοιμιάσασθαι πρὸς εὔνοιαν, διηγήσασθαι πρὸς 35
πίστιν, ἀγωνίσασθαι πρὸς ἀπόδειξιν, ἀνακεφαλαιώσασθαι πρὸς ἀνάμνησιν, Quint Inst Orat
VI 1, 1 : Rerum repetitio et congregatio, quae Graece dicitur ἀνακεφαλαίωσις, a quibusdam Latinorum enumeratio, et memoriam judicis reficit et totam simul causam
ponit ante oculos. Apsines, Ars rhetorica (ed in Rhet Graec) 532 f : ἀνακεφαλαίωσις ist ἀθρόα
ἀνάμνησις τῶν διὰ πολλῶν εἰρημένων. Aber auch Prot EvJk 13 : μήτι εἰς ἐμὲ ἀνεκεφαλαιώθη 40
ἡ ἱστορία τοῦ Ἀδάμ ; wo von der Wiederholung eines Geschehens die Rede ist. Das *reca-
pitulare* des Iren ist in erster Linie wohl auch als *wiederholen* zu verstehen, wenn dabei auch zu beachten bleibt, daß diese Wiederholung zugleich eine Zusammenfassung
von Ursprünglichem und also eine qualitative *Wiederholung* darstellt : Iren Haer III 21, 10 ;
22, 1 ; IV 38, 1. ; V 1, 2 ; (IV 40, 3). In der summarischen Zusammenfassung kann aber 45
nicht nur das Moment der sich darin vollziehenden Wiederholung heraustreten, sondern
auch das in dieser Wiederholung enthaltene Moment der *Bestätigung* oder *Befestigung*.
Vgl Hipp Ref VI 16, 4 : ὥσπερ γὰρ ἡ ἁφὴ τὰ ὑπὸ τῶν ἄλλων αἰσθήσεων ὁραθέντα
θιγοῦσα ἀνακεφαλαιοῦται καὶ βεβαιοῖ, σκληρὸν ἢ θερμὸν ἢ γλίσχρον (schlüpfrig) δοκιμά-
σασα, οὕτως τὸ πέμπτον βιβλίον τοῦ νόμου ἀνακεφαλαιωσίς ἐστι τῶν πρὸ αὐτοῦ γραφέν- 50
των τεσσάρων, Const Ap I 1, 4 : λέγει γὰρ ἐν τῷ Εὐαγγελίῳ, ἀνακεφαλαιούμενος καὶ στηρίζων
καὶ πληρῶν τὴν δεκάλογον τοῦ Νόμου, ὅτι ἐν τῷ Νόμῳ γέγραπται . . .

Von den vorgelegten Möglichkeiten aus läßt sich die Bedeutung von ἀνακεφαλαιοῦσθαι in Eph 1, 10 schwer entscheiden. Das läßt auch die Verschiedenartigkeit der alten Übersetzungen und Kommentierungen erkennen. So 55

ἀνακεφαλαιόομαι. [1] Moult-Mill sv, Ew | [2] EFraenkel, Griech Denominativa (1906) 135.
Gefbr zSt. | [3] Wnd Barn z 5, 11.

muß der Zusammenhang des Eph die Entscheidung bringen. Das ἀνακεφαλαιοῦσθαι τὰ πάντα ἐν τῷ Χριστῷ besteht offenbar in dem διδόναι αὐτὸν κεφαλὴν
ὑπὲρ πάντα τῇ ἐκκλησίᾳ (1, 22). Die Zusammenfassung des Alls geschieht in
seiner Unterordnung unter das Haupt. Die Unterordnung des Alls unter das
5 Haupt geschieht in der Zuordnung des Hauptes zur Kirche. Indem die
Kirche ihr Haupt empfängt, erhält das All sein κεφάλαιον, seine abschließende,
zusammenfassende und sich selbst (im Haupte!) wiederholende Summe. Im
H a u p t e ,   i n   C h r i s t u s   w i r d   d a s   A l l   a l s   i n   s e i n e r   S u m m e   n e u   z u -
s a m m e n g e f a ß t [4]. Gewiß ist ἀνακεφαλαιοῦσθαι von κεφάλαιον und nicht von
10 κεφαλή abzuleiten. Aber es ist wahrscheinlich, daß der Sachverhalt, der mit der
Bezeichnung Christi als der κεφαλή gemeint ist, den Verfasser des Eph veranlaßt hat, diesen relativ seltenen, aber vielfältigen und seiner Intention entsprechenden Begriff zu wählen.

Schlier

15
> ## κῆρυξ (ἱεροκῆρυξ), κηρύσσω,
> ## κήρυγμα, προκηρύσσω

† κῆρυξ (ἱεροκῆρυξ)

Inhalt: A. Der κῆρυξ im Griechischen: 1. Das Ansehen und die soziale
Stellung der Herolde; 2. Die von einem Herold geforderten Eigenschaften; 3. Die religiöse
20 Bedeutung des Herolds: *a.* Die Unantastbarkeit des Herolds bei diplomatischen Missionen;
b. Die Beteiligung des Herolds am kultischen Leben; 4. Der Herold der Götter. —
B. Der Herold im Judentum: 1. Josephus und Philo; 2. Septuaginta; 3. Die Rabbinen:
a. Die Herkunft des Wortes כרז; *b.* Die Bedeutung des כרוז. — C. Der κῆρυξ im NT.

---

[4] Dieses „neu" und damit den eschatologischen, formal gesprochen: den qualitativen
Sinn des ἀνακεφαλαιοῦσθαι übersehen die Valentinianer, wenn sie Eph 1, 10 als Beleg für
ihre These anführen: Σωτῆρα τὸν ἐκ πάντων
ὄντα τὸ π ᾶ ν εἶναι. Vgl Iren Haer I 3, 4.

κῆρυξ. HEbeling, Lexicon Homericum
I (1885) sv; CFvNägelsbach, Homerische Theologie[3] (1884) 451 f; HLoewner, Die Herolde
in den Homerischen Gesängen, Programm des
k k Staats-Ober-Gymnasiums zu Eger (1881)
(dort auch andere, ältere Lit zu dieser Frage);
EBuchholz, Die Homerischen Realien II 1
(1881) 48 ff; Schn Euang 247 ff; JOehler,
Keryx, in: Pauly-W XI (1922) 349 ff; EPot-
tier, Praeco in CDaremberg u ESaglio, Dictionnaire des Antiquités Grecques et Romaines IV (1905) 607 ff; GFSchoemann, Griechische Altertümer I[4] (1897), neu bearbeitet
von JHLipsius, 36 f. 469 f; II[2] (1863) 8 ff. 60 f.

366. 399 ff; GGilbert, Handbuch der griechischen Staatsaltertümer I[2] (1893) Regist;
GBusolt und HSwoboda, Griechische Staatskunde Regist, in: Handbuch der Altertumswissenschaft, hsgg WOtto, IV 1, 1 (1926). KFHermann, Lehrbuch der gottesdienstlichen Altertümer der Griechen Regist, in: Lehrbuch der
griech Antiquitäten II (1846); PStengel, Die
griechischen Kultusaltertümer[3] (1920) Regist;
WDittenberger, Die eleusinischen Keryken,
Hermes 20 (1885) 1 ff; FPoland, Geschichte
des griechischen Vereinswesens (1909) 395;
SKrauß, Griechische und lateinische Lehnwörter in Talmud, Midrasch und Targum I
(1898); II (1899); WBacher, Die exegetische
Terminologie der jüdischen Traditionslit II
(1905); RBultmann, Der Begriff des Wortes
Gottes im NT, in: Glauben und Verstehen
(1933) 275; OSchmitz, Die Bedeutung des
Wortes bei Paulus, in: Nt.liche Forschungen
I 4 (1927); JTSpangler, New Testament Con-
ception of Preaching, Bibliotheca Sacra 91
(1934) 442.

A. Der κῆρυξ im Griechischen.

1. Das Ansehen und die soziale Stellung der Herolde.

[1] κῆρυξ [2] ist ein im Verhältnis zu κηρύσσειν sehr häufig vorkommendes Wort bei Homer [3]. Wir können daran gut erkennen, welche Stellung der Herold in alter Zeit einnahm und welche Bedeutung man ihm zumaß. Er hat seinen Platz am Hofe der Könige. Jeder Fürst hat seinen Herold, oft auch deren mehrere [4]. Ihnen kommt hohe politische wie religiöse Bedeutung zu. Sie gehören zu den angesehenen Männern im Volk. Darum werden sie ἀγαυοί (Il 3, 268; Od 8, 418), δῖοι (Il 12, 343) genannt. Man rechnet sie zu den δημιοεργοί (Od 19, 135) und rühmt ihre Klugheit und Besonnenheit [5]. Als Zeichen ihrer königlichen Würde und Majestät halten sie Zepter in ihren Händen [6]. Trotzdem verrichten sie oft ganz gewöhnliche Arbeiten wie Diener: sie schlachten das Rind und bereiten mit den Mägden zusammen das Mahl (Il 18, 558), sie mischen den Wein und bedienen die Gäste (Od 1, 143 ff; 17, 334). Fährt der König aus, so schirrt der Herold die Rosse an (Il 24, 281 f) und lenkt den Wagen seines Herrn (Il 24, 149; vgl Soph Oed Tyr 802). Für den aus der Schlacht zurückkehrenden Achill bereiten die Herolde das Wasser zum Bade (Il 23, 39). Das alles gehört zu ihren Obliegenheiten. Oft leisten sie, ganz gewöhnliche Botengänge [7]. Darum werden sie gelegentlich auch θεράποντες genannt [8]. Es wäre aber verkehrt, sie einfachen Dienern gleichzusetzen [9]. Sie sind, wie wir sahen (→ 683, 9), nicht Sklaven, sondern Freie. ἐνδοξότεροι θεραπόντων, οἱ κήρυκες. βασιλικοὶ μὲν γὰρ ἄνδρες καὶ θεῖον γένος οἱ κήρυκες Eustath Thessal Comm in Od 1, 109 § 1397, 56. Zu ihren Herren stehen sie fast in einem Freundschaftsverhältnis. Sie sind ihre Begleiter, Kameraden und Genossen [10]. Man könnte sie die Adjutanten der Fürsten nennen; sie sind zu ihrer ganz persönlichen Dienstleistung da [11].

Auch die nachhomerische Zeit hat das Heroldsamt beibehalten. Die Herolde standen nun nicht mehr im Dienste der Könige, sondern des Staates. Wir haben mehrere Erklärungen der Alten darüber, was sie unter einem Herold verstehen. Hesych sv

---

[1] Der Streit, ob κηρυξ Akut oder Zirkumflex erhält, ist wohl so gut wie entschieden. Die Schreibart κῆρυξ hat sich allgemein durchgesetzt. Selbst PhButtmann, Ausführliche Griech Sprachlehre I (1819) 170 A 12, der die andere Ansicht vertritt, muß zugeben, „daß die Aussprache von ιξ und υξ sich allmählich, auch wohl schon früh, verkürzte" vgl II 399. Das υ von κηρυκ ist lang. Da aber nach der Lehre der alten Grammatiker ein langes ι oder ein langes υ vor einem ξ verkürzt werden kann, ergibt sich die Schreibung κῆρυξ. Vgl Bl-Debr 10 u Kühner-Blaß-Gerth § 74 A 3.

[2] Etym Gud (ed Sturz) 320, 42 gibt folgende Ableitung: κῆρυξ, ὡς παρὰ τὸ πτέρω γίνεται πτερῶ, καὶ πτερύσσω, οὕτω παρὰ τὸ ἐρῶ, ὃ δηλοῖ τὸ λέγω, ἐρύσσω, καὶ ἡρύσσω, καὶ πλεονασμῷ τοῦ κ κηρύσσω, ὁ μέλλων κηρύξω, ἀποβολῇ τοῦ ω κῆρυξ. Die Etymologie von κῆρυξ ist natürlich eine andere. In κῆρυξ, dorisch κᾶρυξ = altind kārú, der Sänger, der Dichter, steckt der Stamm qar-, qarā: laut rufen, preisen, rühmen, vgl Prellwitz sv u Walde-Pok I 353.

[3] Es ist bezeichnend, daß uns das Substantiv κῆρυξ bei Homer etwa 90 mal begegnet, das Verbum κηρύσσειν aber nicht einmal 10 mal. Vgl Ebeling sv.

[4] Homer nennt einige mit Namen. Talthybius (Il 1, 321; 3, 118; 4, 192; 7, 276; 19, 196. 250; 23, 897) zB steht im Dienste Agamemnons, Idäus finden wir in der Begleitung des Priamos (Il 3, 248; 7, 276).

[5] δαΐφρων Il 24, 325; πεπνυμένος Il 7, 276; 9, 689; πεπνυμένα εἰδώς Od 4, 696. 711; 22, 361; 24, 442; πεπνυμένα μήδεα εἰδώς Il 7, 278; Od 2, 38; πυκινὰ φρεσὶ μήδε' ἔχοντες Il 24, 282. 674.

[6] Il 7, 277; 18, 505; 23, 567; Od 2, 38.

[7] Od 8, 256 ff. 399; 16, 328 ff; 18, 291. Sie holen zB den Sänger zum Fürstenhof, Od 8, 47. 62 und bedienen ihn, Od 1, 153; 8, 69. 107. 471. Hektor läßt Il 8, 517 durch Herolde die Stadt alarmieren. Il 4, 192 wird der Herold nach einem Arzt geschickt. Il 12, 351 ruft ein Herold Verstärkung herbei.

[8] Von Eurybates und Talthybius heißt es Il 1, 321: τὼ οἱ ἔσαν κήρυκε καὶ ὀτρηρὼ θεράποντε; vgl ferner Od 18, 423 f.

[9] Od 1, 109 werden allerdings Herolde und Diener gegenübergestellt. Aber ihre Arbeit unterscheidet sich nicht wesentlich voneinander. Die Herolde mischen den Wein in den Krügen mit Wasser; die Diener säubern die Tische, stellen sie zurecht und verteilen das Fleisch. Wichtiger ist Od 18, 423:
τοῖσιν δὲ κρητῆρα κεράσσατο Μούλιος ἥρως
κῆρυξ Δουλιχιεύς · θεράπων δ' ἦν Ἀμφινόμοιο.
Hier wird der Herold gerade θεράπων genannt. Aber das Beiwort ἥρως zeigt, daß θεράπων nicht einfach Diener heißen kann. θεράπων bedeutet soviel wie Gefährte, Kamerad; denn auch Achilleus nennt den Patroklus θεράπων Il 16, 244 und Agamemnon die griechischen Heerführer θεράποντες Ἄρηος Il 19, 78.

[10] Der Herold des Odysseus wird ἑταῖρος genannt: Od 19, 247 f:
Εὐρυβάτης δ' ὄνομ' ἔσκε · τίεν δέ μιν ἔξοχον ἄλλων
ὧν ἑτάρων Ὀδυσεύς, ὅτι οἱ φρεσὶν ἄρτια ᾔδη.

[11] Als Odysseus sein Gewand abwirft, hebt es sein Herold geschwind auf (Il 2, 183).

nennt ihn einen ἄγγελος, διάκονος, πρεσβευτής. Ähnlich äußert sich auch Poll Onom IV 94: τάχα δ' ἄν τις τοὺς κήρυκας καὶ ἑρμηνέας καὶ σπονδοφόρους καὶ ἐκεχειροφόρους (→ Z 6) καὶ ἀγγέλους ὀνομάσειεν. Damit ist aber nur die eine Seite des Heroldsamtes beschrieben. Poll Onom IV 91 sagt von der Tätigkeit der Herolde: τὸ δὲ κηρύκων γένος ἱερὸν μὲν Ἑρμοῦ, κατεκήρυττε δ' ἡσυχίαν ἔν τ' ἀγῶσι καὶ ἱερουργίαις καὶ σπονδὰς περιήγγελλε καὶ ἐκεχειρίαν (Waffenstillstand) ἐπήγγελλε καὶ τοὺς ἀγωνιστὰς ἀνεκήρυττεν. Poll Onom VIII 103 teilt ebenso wie Aeschin Schol z Or 1, 20[12] die Herolde in 4 Klassen. Demnach unterscheidet man zwischen dem Herold der Mysterien, dem der Agone, dem der Festzüge und dem, der auf dem Markte die Waren verkauft. Aber auch diese Vierteilung umfaßt noch nicht alle Arten von Herolden. Soviel ist aber schon hier ersichtlich, daß zwischen Herold und Herold ein Unterschied besteht. Darum wird oft eine nähere Bezeichnung, ein Adjektiv wie zB δημόσιος Ael Var Hist II 15 und κοινός Dio C 46, 14 oder auch ein Genitiv zu κῆρυξ hinzugefügt, der anzeigt, welcher Institution der betreffende als Herold dient. Wir hören von einem κῆρυξ τῆς πόλεως (zB GDI I 311, 46)[13], κῆρυξ τῆς βουλῆς (IG XII 8, 53, 17), κῆρυξ τῆς βουλῆς καὶ τοῦ δήμου (IG II/III² 678, 8), κῆρυξ ἄρχοντος (Ditt Syll³ 711 A 15), κῆρυξ βουλῆς τῆς ἐξ Ἀρείου πάγου (Ditt Syll³ 728 uo), κῆρυξ Ἀμφικτυόνων (GDI II 2520, 7), κῆρυξ τῶν λογιστῶν (Aeschin Or 3, 23), κῆρυξ τῶν ἕνδεκα (Demosth Or 25, 56)[14], ἱεροκῆρυξ τῶν ἱερομναμόνων (Ditt Syll³ 445), κῆρυξ τῶν συνέδρων (IG VII 190, 35), κῆρυξ τοῦ μουσικοῦ (Inschr Magn 89, 76), κῆρυξ τῶν μυστῶν (Xenoph Hist Graec II 4, 20), ὁ τῶν ἱερῶν κῆρυξ (Ditt Syll³ 845), κῆρυξ τοῦ Ἀπόλλωνος (Ditt Syll³ 773, 5), κῆρυξ τοῦ θεοῦ (Ditt Syll³ 728 B 7), ἱεροκῆρυξ τῶν ἱερέων Ζακόρων σαώτηρος Ἀσκληπίῳ (GDI I 255, 21)[15].

Es scheint zunächst so, als ob der Herold das Ansehen, das er in der Königszeit besaß, ganz verloren hat. Nur arme und faule Leute, die sich auf diese Weise etwas Geld verdienen wollen, drängen sich zu diesem Amt[16]. Selbst Nichtbürger scheinen zugelassen zu sein[17]. Es ist darum erklärlich, daß ein Herold nicht besonders geachtet war. Er ist nichts anderes als der Amtsdiener seiner Behörde (Plat Polit 290 b). Poll Onom VI 128 rechnet ihn zu den βίοι, ἐφ' οἷς ἄν τις ὀνειδισθείη und nennt ihn mit dem Hurenwirt, Gastwirt, Krämer und anderen in einem Atemzuge. Ähnlich urteilt auch Theophrast[18]. Wahrscheinlich ist aber, daß das offizielle Ansehen, das der Herold besaß, ein besseres war und nur die Volksmeinung so abfällig über ihn urteilte[19]. Nach Aeschin Or 1, 20 soll jeder Vorwurf der ἀτιμία von ihm ferngehalten werden. Wenn wir Ditt Syll³ 145, 13 hören, daß der Herold vereidigt wird, so kann er nicht ὑπηρέτης sein, sondern muß zu den Beamten gehören. Auch in historischer Zeit und nicht nur bei Homer wird er zu diplomatischen Missionen verwandt (→ 687, 22). Dazu wird man nicht die Schlechtesten erwählt haben. Es scheint vorgekommen zu sein, daß man κήρυκες als Richter vorgeschlagen hat. Darum enthält das athenische Recht die Bestimmung, daß Herolde, wenn sie außer Landes sind, als Richter nicht gewählt werden dürfen[20]. Die Herolde gehören zu den ἄσιτοι (IG II/III² 1773, 57 uo) Inschr Priene 111, 194 zählt den κῆρυξ τῆς πόλεως zu den besseren Kreisen der Stadt. Wir hören von manchen Ehrungen, die Herolden wegen ihrer Verdienste zuteil werden[21]. Sie erhalten die προεδρία (Ditt Syll³ 915, 6), haben einen Ehrensessel

---

[12] Aeschin Schol 1, 20 (ed FSchultz [1865]): κηρύκων ἐστὶν ἐν Ἀθήναις γένη τέσσαρα, πρῶτον τὸ τῶν πανάγνων τῶν ἐν τοῖς μυστηρίοις, οἵ εἰσιν ἀπὸ Κήρυκος τοῦ Ἑρμοῦ καὶ Πανδρόσου τῆς Κέκροπος, δεύτερον τὸ τῶν περὶ τοὺς ἀγῶνας, τρίτον τὸ τῶν περὶ τὰς πομπάς, τέταρτον τὸ τῶν περὶ τὰς ἀγοράς καὶ τὰ ὤνια.

[13] Zahlreiche Nachweise für das oben Ausgeführte gibt Öhler (→ Lit-A) 351 ff. Leider finden sich aber gerade da viele Versehen und Druckfehler, so daß man sich nicht auf alle Angaben verlassen darf.

[14] Demosth Or 25, 56 steht nicht das Subst, sondern das Verbum: ἐκήρυττον οἱ ἕνδεκα.

[15] Über die verschiedenen Herolde der einzelnen Kultvereine siehe: Öhler aaO 357 und Poland (→ Lit-A). Vgl zB Ditt Syll³ 57, 40 ff den Herold der „Eleusinischen Sängergilde".

[16] Demosth Or 44, 4 ist von κηρύττειν die Rede. τοῦτο δ' ἐστὶν οὐ μόνον ἀπορίας ἀνθρωπίνης τεκμήριον, ἀλλὰ καὶ ἀσχολίας τῆς εἰς τὸ πραγματεύεσθαι.

[17] Dieses schließt man aus Ditt Syll³ 186. Dort wird Eukles die πρόσοδος zuerkannt.

Dieses Ehrenrecht verlieh man Metöken. Also hatte der Herold Eukles nicht das Bürgerrecht. Vgl AKirchhoff, Hermes 1 (1866) 20.

[18] Vom ἀπονενοημένος (verzweifelter, sittlich verlorener Mensch) sagt er Char 6: δεινὸς δὲ καὶ πανδοκεῦσαι καὶ πορνοβοσκῆσαι καὶ τελωνῆσαι καὶ μηδεμίαν αἰσχρὰν ἐργασίαν ἀποδοκιμάσαι, ἀλλὰ κηρύττειν, μαγειρεύειν, κυβεύειν.

[19] Eur Tro 424:
... τί ποτ' ἔχουσι τοὔνομα
κήρυκες; ἓν ἀπέχθημα πάγκοινον βροτοῖς
οἱ περὶ τυράννους καὶ πόλεις ὑπηρέται.
Eur Or 895:
τὸ γὰρ γένος τοιοῦτον· ἐπὶ τὸν εὐτυχῆ
πηδῶσ' ἀεὶ κήρυκες· ὅδε δ' αὐτοῖς φίλος,'
ὃς ἄν δύνηται πόλεος ἔν τ' ἀρχαῖσιν ᾖ.

[20] Vgl UvWilamowitz-Möllendorff, Aristoteles u Athen I (1893) 202 f.

[21] Ditt Syll³ 444 A 10: στεφανῶσαι δάφνης στεφάνωι παρὰ τοῦ θεοῦ καὶ εἶναι αὐτῶι καὶ ἐκγόνοις προδικίαν, ἀσφάλειαν, ἀσυλίαν, ἀτέλειαν καὶ προεδρίαν ἐμ πᾶσι τοῖς ἀγῶσιν. Ditt Syll³ 445: αὐτῶι καὶ ἐκγόνοις προξενίαν, προμαντείαν, προεδρίαν, προδικίαν, ἀσυλίαν, ἀτέλειαν πάντων.

im Theater (IG II/III ² 5043), werden bekränzt. Es kommt wohl sehr darauf an, welcher Behörde der Herold dient. Sein Ansehen hängt von der Achtung seines Auftraggebers und von der Art seines Auftrages ab. κῆρυξ ist nicht einfach ein Schimpfname, wie es nach den obigen Äußerungen scheinen könnte. Es kann auch durchaus ein Ehrentitel sein. In der römischen Zeit ist der Herold des Areopags eine hoch 5 angesehene Persönlichkeit. Er gehört mit dem στρατηγός und dem βασιλεύς zu den Spitzen der Behörden (IG II/III ² 3616, 5f). Er ist nicht ein armer Mann, sondern sehr begütert, so daß er in der Lage ist, große Geschenke zu machen[22]. Er zählt nicht zu den subalternen Beamten, sondern er ist der Vorsitzende des Areopags[23], der für die Durchführung der Beschlüsse verantwortlich ist (Ditt Syll ³ 796 B 15 ff). 10

2. Die von einem Herold geforderten Eigenschaften.

Will jemand Herold werden, so wird etwas ganz Äußerliches von ihm gefordert. Man verlangt nichts weiter von ihm, als daß er eine gute Stimme hat.

τίς κῆρυξ μὴ Στεντόρειος; Aristot Pol VII 4 p 1326 b 6. Ein Herold ohne Stentor- 15 stimme ist unbrauchbar. Die Bedingung, die an ihn gestellt wird, hängt mit der Aufgabe zusammen, die er zu erfüllen hat. Bei Homer ruft er die Mannen zur Volksversammlung[24], die Krieger zum Kampf (Il 2, 437 ff). In der Volksversammlung selbst ist er für Ruhe und Ordnung verantwortlich[25]. Bei Gerichtsverhandlungen hat er das Volk zu besänftigen, wenn die Erregung zu groß wird und die Anwesenden lär- 20 mend für den einen oder anderen Partei ergreifen (Il 18, 503). Dazu ist er natürlich nur imstande, wenn er λιγύφθογγος (hell tönend)[26], ἠερόφωνος (laut rufend) (Il 18, 505), καλήτωρ (Il 24, 577), ἀστυβοώτης (Il 24, 701), ἠπύτα (Rufer) (Il 7, 384), θεῷ ἐναλίγκιος (ähnlich) αὐδήν (Il 19, 250) ist, wie Homer sagt. Auch in der späteren Zeit ist es ein Haupterfordernis für einen Herold, daß er eine laute, weittragende und 25 wohlklingende Stimme besitzt[27]. Bei den Lakedämoniern war das Heroldsamt erblich und übertrug sich vom Vater auf den Sohn, auch dann, wenn der Sohn stimmlich nicht so begabt war[28]. Meldete sich sonst jemand als Herold, so mußte er sich einer Stimmprüfung unterziehen[29]. Denn auch in späterer Zeit waren seine Aufgaben zum Teil dieselben wie bei Homer[30]. Er ist dazu da, Verfügungen, Bekannt- 30 machungen der Öffentlichkeit mitzuteilen[31]. Das kann er nur ausführen, wenn er

[22] IG II/III ² 2773, 2 ff: ὁ κῆρυξ τ[ῆς ἐξ Ἀρείου πάγου βου]λῆς καὶ ἀρ[χιερεὺς Σεβαστῶν ... [ἐκ τῶν ἰδίων ἔδωκε] τῷ σεμνοτά[τῳ συνεδρίῳ τῶν Ἀρε]οπαγειτῶ[ν πάσας τὰς ὑπογραφεί]σας δωρ(ι)εά[ς].

[23] Ditt Or 505, 1: Ἡ ἐξ Ἀρείου πάγου βουλὴ καὶ ὁ κῆρυξ αὐτῆς ... Αἰζανειτῶν ἄρχουσι, βουλῆι, δήμωι χαίρειν.

[24] Hom Il 2, 50; 9, 10; Hom Od 2, 7; 8, 8 ff.

[25] Eustath Thessal Comm in Il 2, 278 § 220, 11: ἔργον κηρύκων οὐ μόνον κηρύσσειν ἐλθεῖν εἰς ἀγορὰν τὸν λαόν, ἀλλὰ καὶ κελεύειν ἐν ἀγορᾷ τὸν λαὸν σιωπᾶν. Aristoph Acharn 123 wird jemand in der Volksversammlung zur Ordnung gerufen: σῖγα, κάθιζε.

[26] Hom Il 2, 50. 442; 9, 10; 23, 39; Hom Od 2, 6.

[27] Poll Onom IV 94: τὸ δὲ φθέγμα αὐτῶν μέγα, ἁδρόν (stark), ὑψηλόν, πρόμηκες, ἐπίμηκες, σαφές, ἀρτίστομον (deutlich), συνεχές, διηνεκές (zusammenhängend), ἀποτάδην (weitläufig) φθεγγόμενον, ἀπνευστί.

[28] Hdt VI 60: οἱ κήρυκες ... ἐκδέκονται τὰς πατρωίας τέχνας. ...οὐ κατὰ λαμπροφωνίην ἐπιτιθέμενοι ἄλλοι σφέας παρακληίουσι (ausschließen, aussperren), ἀλλὰ κατὰ τὰ πάτρια ἐπιτελέουσι.

[29] Demosth Or 19, 338: λογίζεσθ' ὅτι δεῖ, κήρυκα μὴ δοκιμάζητ' εὔφωνον σκοπεῖν.

[30] In der Volksversammlung ist er für die Aufrechterhaltung der Ordnung verantwortlich. Auf Veranlassung der Versammlungsleiter gibt er das Wort zur Diskussion frei und fordert zur Aussprache auf: τίς ἀγορεύειν

βούλεται; Demosth Or 18, 191; Aristoph Acharn 45. Vgl Aeschin Or 3, 4: τίς ἀγορεύειν βούλεται τῶν ὑπὲρ πεντήκοντα ἔτη γεγονότων καὶ πάλιν ἐν μέρει τῶν ἄλλων Ἀθηναίων; Soll die Sitzung beendet werden, so schließt der Herold sie mit den Worten: οἱ γὰρ πρυτάνεις λύουσι τὴν ἐκκλησίαν Aristoph Acharn 173. Ebenso spielt er nach wie vor bei Gerichtsverhandlungen eine Rolle. Er verkündet das Ergebnis, wenn der Gerichtshof ausgelost wird (Aristot Res Publica Atheniensium ed HOppermann [1928] 64, 3; 66, 1). Bei den Prozeßverhandlungen fragt er, bevor die Richter zur Abstimmung schreiten, laut an, ob nicht vielleicht jemand noch gegen falsche Zeugenaussagen Anklage erheben will. Meldet sich niemand, so fordert er die Richter zur Abstimmung auf. Es ist τὸ ἐκ τοῦ νόμου κήρυγμα Aeschin Or 1, 79. Es lautet Aristot aaO 68, 4: ἡ τετρυπημένη τοῦ πρότερον λέγοντος, ἡ δὲ πλήρης τοῦ ὕστερον λέγοντος. Aristoph Vesp 752 ff fragt der Herold: τίς ἀψήφιστος; ἀνιστάσθω.

[31] PHamb 29, 6 ff läßt zB der Präfekt durch seinen Herold bekanntmachen, daß das Nichterscheinen des Beklagten vor Gericht den Urteilsspruch in seiner Abwesenheit zur Folge haben würde. In späterer Zeit bevorzugte man es, durch Anschläge etwas bekanntzugeben. Claudius wird Dio C 60, 13, 5 gelobt, weil er die Spiele nicht durch Herolde, sondern durch Anschläge verkündigt hat. Ist jemand ... heimlich ermordet worden und der Täter läßt sich nicht ausfindig machen,

stimmlich dazu imstande ist. Er gleicht dem Amtsboten, den wir auch heute noch
in kleinen Dörfern kennen, der mit der Schelle in der Hand durch das Dorf zieht
und die Verfügungen der Regierung mit lauter Stimme allen vernehmlich verliest. So
macht auch der Herold auf dem Marktplatz, begleitet von einer großen Schar von
5 Kindern (Aristot Rhet III 8 p 1408 b 24 f), amtliche und private Nachrichten bekannt [32].
Wenn eine Behörde oder ein Privatmann etwas verkaufen will, so sagt man es dem
Herold, und er sorgt dafür, daß es die anderen erfahren. Er steht auf dem Markt
(Pseud-Luc Asin 35) und ruft Luc Vit Auct 2: τὸν ἄριστον βίον πωλῶ, τὸν σεμνότατον, τίς
ὠνήσεται; c 6 wird er gefragt: πόσου τοῦτον ἀποκηρύττεις; er antwortet: 10 Minen [33].
10 Wenn der Herold durch die Straßen zog oder wenn er die Volksversammlung eröffnete,
scheint er gelegentlich, um sich Gehör zu verschaffen, eine Trompete benutzt zu haben [34].
Ein guter Herold rechnet es sich aber zur Ehre an, ohne Instrumente auskommen zu können.
Bei den großen griechischen Festen zu Ehren der Götter beteiligten sich die Herolde an
den Wettkämpfen. Uns sind eine ganze Reihe von Listen erhalten, auf denen nicht nur die
15 Sieger in den gymnastischen Wettkämpfen aufgezählt sind, sondern auch die Herolde
zusammen mit den Hornbläsern, Zitherspielern, Flötisten, Dichtern ua [35]. Bei diesem Wettstreit wurde die Stärke der Lungen und die Deutlichkeit der Aussprache geprüft. Wer
von den Herolden als Sieger hervorging, hatte das Vorrecht, beim weiteren Verlauf der
Spiele die Wettkämpfer aufzurufen und die Sieger zu verkündigen [36]. Wir sehen
20 daraus also, daß der der beste Herold ist, der die lauteste Stimme hat.

Außer der Forderung der Stimmbegabung, die durchaus im Vordergrunde
steht, wurden von dem Herold auch charakterliche Eigenschaften
verlangt (→ 684, 32). Häufig sind die Herolde sehr schwatzhaft [37], neigen
leicht zu Übertreibungen und stehen darum in der Gefahr, falsche Nach-
25 richten zu überbringen [38]. Sie werden darum angehalten, die Botschaft so auszurichten, wie sie ihnen aufgetragen ist [39]. Das ist ja das Wesentliche
bei der Nachricht, die sie überbringen, daß sie nicht von ihnen
stammt, sondern daß eine stärkere Macht hinter ihr steht. Der
Herold trägt nicht seine Meinung über die Dinge vor, sondern er
30 ist das Sprachrohr seines Herrn. Plat Polit 260 d: τὸ κηρυκικὸν φῦλον
ἐπιταχθέντ' ἀλλότρια νοήματα παραδεχόμενον αὐτὸ δεύτερον ἐπιτάττει πάλιν ἑτέροις.
Die Herolde machen sich die Gedanken ihres Auftraggebers zu
eigen und handeln in der Autorität und Vollmacht ihrer Herren [40].

---

so verkündet der Herold auf dem Marktplatze
das Urteil über den unbekannten Mörder:
Jedes Betreten eines Tempels ist ihm untersagt, der Aufenthalt im Lande wird ihm verboten. Erkennt man ihn und wird er ergriffen, so soll er sterben (Plat Leg IX 874 a).
[32] Luc Char 2 u Demosth Or 25, 56 wird die
Flucht eines Sklaven „ausgeschellt". Ditt Syll³
47, 19 ff wird abgemacht, daß der, welcher
aus Naupaktos in das hypoknemidische Lokris
zurückkehren will, dieses sowohl auf dem
Markt zu Naupaktos wie auch auf dem Markt
der Stadt der hypoknemidischen Lokrer durch
Heroldsruf verkünden lassen muß. Aesch
Sept c Theb 1005:
δοκοῦντα καὶ δόξαντ' ἀπαγγέλλειν με χρὴ
δήμου προβούλοις τοῖσδε Καδμείας πόλεως.
[33] Poll Onom X 18: πρᾶσις . . . ὑπὸ κήρυκι
γενομένη. Demosth Or 51, 22: ὑπὸ κήρυκος
πωλεῖν. Vgl Ditt Syll³ 251 III 20 ff. Dio C 46,
14, 1. κῆρυξ erhält direkt die Bezeichnung:
Verkäufer, Auktionator.
[34] Aesch Eum 566:
κήρυσσε, κῆρυξ, καὶ στρατὸν κατειργαθοῦ
ἥ τ' οὖν διάτορος Τυρσηνικὴ
σάλπιγξ, βροτείου πνεύματος πληρουμένη.

[35] Viele Listen dieser Art findet man IG
VII zB 3197.
[36] Poll Onom IV 92:
Ὑβλαίῳ κήρυκι τόδ' Ἀρχίᾳ Εὐκλέος υἱῷ
δέξαι ἄγαλμ' εὔφρων Φοῖβ' ἐπ' ἀπημοσύνῃ
ὃς τρὶς ἐκάρυξεν τὸν Ὀλυμπίᾳ αὐτὸς ἀγῶνα
οὔθ' ὑπὸ σαλπίγγων οὔτ' ἀναδείγματ' (Hals-
        binde des Ausrufers) ἔχων.
Bacchyl 9 (10), 25 ff werden die κήρυκες, die
die Sieger ausrufen, προφῆται genannt.
[37] Aesch Sept c Theb 1043: αὐδῶ σε μὴ
περισσὰ κηρύσσειν ἐμοί. Soph Trach 319 versichert der Herold: σιγῇ τοὐμὸν ἔργον ἤνυτον.
Eur Suppl 426 wird er παρεργάτης λόγων genannt.
[38] Eur Heracl 292:
πᾶσι γὰρ οὗτος κήρυξι νόμος
δὶς τόσα πυργοῦν τῶν γιγνομένων.
[39] Aesch Suppl 931: καὶ γὰρ πρέπει κήρυκ'
ἀπαγγέλλειν τορῶς ἕκαστα. Vgl Plat Leg XII
941 a. Aeschin Or 3, 189: δεῖ γὰρ τὸν κήρυκα
ἀψευδεῖν, ὅταν τὴν ἀνάρρησιν (Ausrufung) ἐν
τῷ θεάτρῳ ποιῆται πρὸς τοὺς Ἕλληνας.
[40] Darum finden wir in diesem Zusammenhang auch Verba wie παρακαλεῖν u κελεύειν
Thuc IV 30, 5 uo. → κηρύσσειν.

Mit dieser Autorität und Vollmacht führt der κῆρυξ wie der πρέσβυς diplomatische Verhandlungen. κῆρυξ und πρέσβυς werden daher oft synonym gebraucht. Trotzdem besteht ein Unterschied zwischen dem Herold und dem Gesandten (→ 688, 26). Im großen und ganzen wird man sagen müssen, daß der Gesandte selbständiger handelt und mit größeren Vollmachten ausgerüstet ist als der Herold. Es ist etwas Besonderes, wenn ein Herold aus eigenem Antrieb, ohne ausdrücklichen Befehl, etwas unternimmt[41]. Der Herold macht gewöhnlich nur kurz eine Mitteilung bekannt, stellt Anfragen oder überbringt Antworten. Gelegentlich hat er auch nur einen Brief abzugeben (Diod S XIV 47, 1). Er ist an die genauen Anweisungen seines Auftraggebers gebunden (Eur Suppl 385). Gerade das ist ein guter Herold, der sich nicht auf lange Verhandlungen einläßt, sondern der sofort umkehrt, wenn er seine Botschaft ausgerichtet hat (Eur Suppl 459 vgl 388). In den seltensten Fällen ist er ermächtigt, aus eigenem Entschluß heraus etwas zu entscheiden. Er ist nur ausführendes Organ. Weil er nichts anderes als nur der Mund seines Herrn sein soll, darf er nicht die ihm aufgetragene Botschaft durch eigene Zusätze verfälschen, sondern er muß sie so ausrichten, wie sie ihm mitgeteilt ist (Plat Leg XII 941 a). Bei der Volksversammlung und bei den Gerichtssitzungen ist er der Lautsprecher des Vorsitzenden und auch sonst, wo der Herold auftritt, hat er sich stets an die Worte und Befehle seines Herrn genau zu halten.

3. Die religiöse Bedeutung des Herolds.

a. Die Unantastbarkeit des Herolds bei diplomatischen Missionen.

Eine Trennung von Religion und Politik gibt es für den Griechen nicht. Beides ist miteinander eng verbunden. Damit hängt es zusammen, daß auch dem politischen Herold religiöse Bedeutung zukommt. Wenn ein κῆρυξ in ein fremdes Land geht, so steht er nicht nur unter dem Schutz seines Volkes, das für ihn eintritt, wenn ihm etwas zustößt[42], sondern auch unter der besonderen Obhut der Gottheit.

Homer nennt die Herolde ἄγγελοι Διός (Il 1, 334; 7, 274), διίφιλοι (Il 8, 517), θεῖοι (Il 4, 192; 10, 315). Sie gelten als heilig und unverletzlich. Ein Vergehen gegen sie ist ἀσέβεια[43] und hat den Zorn der Götter zur Folge. Auf sie darf man nicht den alten Grundsatz: wie die Botschaft, so der Lohn, anwenden (→ II 720, 5). Man kann wohl ihren menschlichen Auftraggebern zürnen; sie selbst darf man nicht strafen. Sie sind unantastbar, weil sie unter dem Schutz der Gottheit stehen. Auch wenn sie unerfreuliche Nachrichten bringen, muß man sie freundlich aufnehmen[44].

---

[41] Thuc IV 68, 3: Ξυνέπεσε γὰρ καὶ τὸν τῶν Ἀθηναίων κήρυκα ἀφ' ἑαυτοῦ γνώμης κηρῦξαι τὸν βουλόμενον ἰέναι Μεγαρέων μετὰ Ἀθηναίων θησόμενον τὰ ὅπλα.

[42] Plut Pericl 30 (I 168 c ff): Als die Megarer einen Herold der Athener ermordet haben, beschließen diese, nie mehr einen Herold nach Megara zu schicken, zwischen ihnen und den Megarern sollte unversöhnliche Feindschaft herrschen. Jeder Megarer wird für vogelfrei erklärt, und die Feldherrn der Athener mußten sich verpflichten, jähr-lich 2 mal nach Megara einen Raubzug zu unternehmen.

[43] Demosth Or 12, 4; vgl Suid sv κηρύκειον: οὐκ ἐξῆν αὐτοὺς ἀδικεῖν.

[44] Selbst der zürnende Achill respektiert sie: Il 1, 334:
χαίρετε, κήρυκες, Διὸς ἄγγελοι ἠδὲ καὶ
ἀνδρῶν,
ἄσσον ἴτ'· οὔ τί μοι ὕμμες ἐπαίτιοι ἀλλ'
Ἀγαμέμνων,
ὃ σφῶϊ προΐει Βρισηΐδος εἵνεκα κούρης
vgl 1, 391.

Hat man sich im Sturm der Leidenschaft zu Tätlichkeiten verleiten lassen[45], so muß
der Zorn der Götter besänftigt werden. Als der Perserkönig Herolde zu den Spar-
tanern gesandt hatte, die sie zur Unterwerfung auffordern sollten, hatten sie diese
in einen Brunnen geworfen. Weil sie aber dann den Zorn des Talthybius, des Schutz-
5   patrons der Herolde, fürchteten, lieferten sich 2 Spartaner freiwillig dem Perserkönig
aus, um den Tod und das Vergehen zu sühnen (Hdt VII 131—136). Eine Verletzung
des Herolds ist Frevel gegen Gott; denn ἰστέον δὲ ὅτι ἄσυλοι ἐς τὸ παντελὲς ἦσαν οἱ
κήρυκες οἷα θεῖον γένος νομιζόμενοι ... καὶ ἦσαν μέσοι θείου τε γένους καὶ ἀνθρωπίνου καὶ
οὐκ ἦν θεμιτὸν κακοῦσθαι αὐτούς Eustath Thessal Comm in Il 1, 321 § 110, 14. Darum kann
10   der Herold in feindliches Land ziehen, ohne daß ihm etwas zustößt[46], er darf ganz
offen reden, ohne daß er sich zu fürchten braucht. Lehrreich ist in diesem
Zusammenhang Eur Heracl 49. 271. 648: Der Herold will durch eine Gewalttat
erlangen, was ihm durch Verhandlungen zu erreichen nicht gelungen ist. Fast
drohend spricht er zum Herrscher des Landes. Als er soweit geht, sogar die
15   Heiligkeit des Altars zu verletzen, will der König ihm entgegentreten. Entsetzt
ruft der Chor seinem Fürsten zu: μὴ πρὸς θεῶν κήρυκα τολμήσῃς θενεῖν. Obwohl der
Herold im Unrecht ist und der König im Auftrage des Zeus handelt v 238, wenn er
die Heiligkeit des Altars verteidigt, so darf man doch nicht einen Herold „anrühren".
Weil der Herold diesen Schutz der Götter genießt, darum ist er der Begleiter von
20   Gesandten[47]. Er gewährt ihnen Sicherheit vor Übergriffen. In besonders gefahrvollen
Situationen schickt man den Gesandten einen Herold voraus, der ihnen sicheres Geleit
verschafft[48]. Ein Herold kann es wagen, auch mitten im Krieg in das feindliche Lager
zu gehen. Am Heroldsstab und am Kranz auf seinem Haupte, dem Zeichen, daß er
der Gottheit geweiht ist und unter ihrer besonderen Obhut steht, erkennt man ihn
25   als Herold und respektiert ihn[49]. Er beginnt die Verhandlungen wegen Waffenstillstand und Totenbestattung (Xenoph Hist Graec IV 3, 21 uo). Wenn Suid sv sagt: κῆρυξ ἐν
πολέμῳ, πρέσβυς ἐν εἰρήνῃ, so enthält der Satz nicht die volle Wahrheit, unterstreicht aber
etwas ganz Richtiges bei der Unterscheidung von κῆρυξ und πρέσβυς. Der κῆρυξ schafft
die Vorbedingungen für die Verhandlungen des πρέσβυς, oder aber er bricht die diplo-
30   matischen Beziehungen ab, indem er der Stadt oder dem Volk den Krieg erklärt (zB
Thuc I 29, 1 uo). In beiden Fällen wird ihm diese gefahrvolle Aufgabe übertragen, weil
er als Herold unantastbar ist.

b. Die Beteiligung des Herolds am kultischen Leben.

Weil für den Griechen Religion und Politik aufs
35 Engste zusammengehören, darum erhalten alle staatlichen Einrichtungen religiöse Weihen. Bei der Volksversammlung, Ratssitzung, Abordnung des Heeres
wird geopfert und vom Herold das Gebet gesprochen. Derselbe Herold, der für
Ruhe und Ordnung zu sorgen hat, übt auch diese kultische Funktion aus. Daraus
kann man die sakrale Bedeutung des politischen Herolds erkennen.

40   Zu Beginn der Volksversammlung nach der Darbringung der Reinigungsopfer fordert
der κῆρυξ die Anwesenden zu andächtigem Schweigen auf[50], damit er das feierliche
Eröffnungsgebet sprechen kann, in dem er für das Wohl der Stadt bittet und alle
Volksverräter verflucht. Wer Gutes rät, den sollen die Götter segnen[51]. Wer aber

---

[45] Paus IX 25, 4 verstümmelt Herakles die
Gesandten, indem er ihnen die Nasen ab-
schneidet.

[46] Poll Onom VIII 139: ἄσυλοι δ' ἦσαν καὶ
ἐξῆν αὐτοῖς πανταχόσε ἀδεῶς ἰέναι.

[47] Demosth Or 18, 165; Aeschin Or 2, 13;
3, 62. 63. Aus Gründen des persönlichen
Schutzes werden auch den Männern, die Hom
Il 9, 170 zu dem zürnenden Achill gesandt
werden, zwei Herolde mitgegeben.

[48] Demosth Or 19, 163: ὅτε γὰρ τὴν προτέ-
ραν ἀπήρομεν πρεσβείαν τὴν περὶ τῆς εἰρήνης,
κῆρυχ' ὑμεῖς προαπεστείλατε, ὅστις ἡμῖν σπεί-
σεται, vgl Polyb IV 72, 3: πέμψαντες οὖν
κήρυκα πρὸς τὸν βασιλέα καὶ λαβόντες συγχώ-
ρημα περὶ πρεσβείας.

[49] Xenoph Hist Graec IV 7, 3: ἔπεμψαν

ὥσπερ εἰώθεσαν ἐστεφανωμένους δύο κήρυκας
ὑποφέροντας σπονδάς.

[50] Aristoph Thes 295 ff: εὐφημία ἔστω, εὐφημία ἔστω εὔχεσθε ... ἐκκλησίαν τήνδε καὶ
σύνοδον τὴν νῦν κάλλιστα καὶ ἄριστα ποιῆσαι,
πολυωφελῶς μὲν (τῇ) πόλει τῇ Ἀθηναίων ...
Aeschin Or 1, 23: ἐπειδὰν τὸ καθάρσιον περι-
ενεχθῇ καὶ ὁ κῆρυξ τὰς πατρίους εὐχὰς εὔξηται.

[51] Aristoph Thes 332:
εὔχεσθε τοῖς θεοῖσι τοῖς Ὀλυμπίοις
. . . .
εἴ τις ἐπιβουλεύει τι τῷ δήμῳ κακὸν
. . . .
κακῶς ἀπολέσθαι τοῦτον αὐτὸν κ ᾠκίαν
ἀρᾶσθε, ταῖς δ' ἄλλαισιν ὑμῖν τοὺς θεοὺς
εὔχεσθε πάσαις πολλὰ δοῦναι κἀγαθά.

Volk und Staat täuscht[52], wissentlich zum Schaden des Staates spricht, Bestechungen annimmt[53], Eide bricht, Volksbeschlüsse und Gesetze ändert, Staatsgeheimnisse Feinden verrät, mit Persern verhandelt[54], Maße und Münzen fälscht und die Tyrannis einzuführen gedenkt (Aristoph Thes 331 ff), der sei verflucht[55]. Bei den Mahlzeiten im Prytaneum spricht der Herold das Tischgebet[56], ferner erfahren wir, daß er vor der Ausfahrt der Flotte um gutes Gelingen des Unternehmens fleht[57].

Auch bei der Vorbereitung und Durchführung der großen Opfer finden wir Herolde beteiligt.

Der κῆρυξ bereitet alles für das Opfer vor. Im Mysterium von Andania ist er für die richtige Durchführung der Zeremonien am Opferfest mitverantwortlich (Ditt Syll³ 736, 115). Er sucht mit dem Priester zusammen die Opfertiere aus (IG XII 5, 647, 14), schlachtet, enthäutet und zerlegt sie (Athen XIV 79 [p 660a—c]), so daß er direkt μάγειρος (Athen X 26 [p 425e]) genannt wird. Eine genaue Beschreibung dessen, was der Herold bei den Opfern zu tun hat, gibt Ditt Syll³ 1025 (aus Kos; 4. oder 5. Jhdt v Chr)[58]. Es handelt sich um ein Fest dem Zeus Polieus zu Ehren. Nachdem das Opfertier in feierlicher Handlung ausgewählt und die Voropfer dargebracht sind: [κᾶρυξ δ]ὲ καρυσσέτω ἑορτάζ[εν Ζηνὸς Π]ο[λιῆ]ο[ς] ἐνιαύτια ὡραῖα ἑο[ρτάν]. Dann erst beginnt das eigentliche Fest (Ditt Syll³ 1025, 35 ff). Die κήρυκες wählen einen σαφεύς aus ihrer Mitte. Selbstverständlich erhalten sie auch Anteil am Opferschmaus, insbesondere die Zunge der Opfertiere überläßt man ihnen[59]. Nach der Opferhandlung verkauft einer von ihnen in Gegenwart des Priesters die Felle der Opfertiere (IG IX 2, 1110, 4). Auch bei den Opfern spricht der Herold das Gebet. Er gebietet frommes Schweigen[60] und betet um Gesundheit, Wohlergehen und Frieden für die Stadt[61]. Eine Inschrift erzählt, daß auf die Nachricht von der Mündigkeitserklärung des Thronfolgers eine Stadt bei den Opferfeiern durch den ἱεροκῆρυξ für die σωτηρία des Herrschersohnes beten läßt[62].

[52] Demosth Or 23, 97: διόπερ καταρᾶται καθ' ἑκάστην ἐκκλησίαν ὁ κῆρυξ . . . εἴ τις ἐξαπατᾷ λέγων ἢ βουλὴν ἢ δῆμον ἢ τὴν ἡλιαίαν.

[53] Dinarch II 16: καθ' ἑκάστην (ἐκκλησίαν) δημοσίᾳ κατὰ τῶν πονηρῶν ἀρὰς ποιούμενοι, εἴ τις δῶρα λαμβάνων μὴ ταῦτά λέγει καὶ γιγνώσκει περὶ τῶν πραγμάτων, ἐξώλη τοῦτον εἶναι.

[54] Aristoph Thes 356 ff:
. . . ὁπόσαι δ'
ἐξαπατῶσιν παραβαίνουσί τε τοὺς
ὅρκους τοὺς νενομισμένους
κερδῶν εἵνεκ' ἐπὶ βλάβῃ,
ἢ ψηφίσματα καὶ νόμον
ζητοῦσ' ἀντιμεθιστάναι,
τἀπόρρητά τε τοῖσιν ἐ-
χθροῖς τοῖς ἡμετέροις λέγουσ',
ἢ Μήδους ἐπάγουσι τῆς
χώρας οὕνεκ' ἐπὶ βλάβῃ,
ἀσεβοῦσ' ἀδικοῦσί τε τὴν πόλιν.
Vgl Isoc 4, 157.

[55] Vgl ferner Ditt Syll³ 976, 15 ff: ὅταν δὲ [ἡ] χειροτονία μέλλῃ γίγνεσθαι, ὁ τῆς πόλεως κῆρυξ ἐπε[υ]ξάσθω υο. In der Geldstiftung für Schulzwecke Ditt Syll³ 577, 35 ff heißt es: τὸν δὲ ἱεροκήρυκα ἐπεύξασθαι τοῖς ἐκκλησιάζουσιν, ὅστις χειροτονοίη παιδοτρίβας καὶ τοὺς τὰ γράμματα διδάξοντας, οὓς ἄριστα νομίζει τῶν παίδων ἐπιστατήσειν καὶ μηδεμιᾶι φιλοτιμίαι παρὰ τὸ δίκαιον προσνέμοι τὴν αὑτοῦ γνώμην, ἄμεινον αὐτῶι εἶναι.

[56] Athen IV 32 (p 149 e): κατακλιθέντες ἐπανίστανται εἰς γόνατα τοῦ ἱεροκήρυκος τὰς πατρίους εὐχὰς καταλέγοντος συσπένδοντες.

[57] Thuc VI 32: εὐχὰς δὲ τὰς νομιζομένας πρὸ τῆς ἀναγωγῆς οὐ κατὰ ναῦν ἑκάστην, ξύμπαντες δὲ ὑπὸ κήρυκος ἐποιοῦντο.

[58] Vgl zur Inschrift MPNilsson, Griechische Feste von religiöser Bedeutung (1906) 17 ff.

[59] Aristoph Pl 1110: ἡ γλῶττα τῷ κήρυκι

τούτων τέμνεται. Vgl das Scholion dazu (ed FDübner [1842]) und PStengel, Opferbräuche der Griechen (1910).

[60] Ael Arist Or Sacr 4, 17 ff (Keil) vgl Hom Il 9, 171 ff.

[61] Zwei Beispiele seien im Wortlaut angeführt: Ditt Syll³ 589, 20 ff: ἐν τῶι ἀναδείκνυσθαι τὸν ταῦρον κατευχέσθω ὁ ἱεροκῆρυξ μετὰ τοῦ ἱερεω καὶ τῆς ἱερείας καὶ τοῦ στεφανηφόρου καὶ τῶμ παίδων καὶ τῶν παρθένων καὶ τῶμ πολεμάρχων καὶ τῶν ἱππάρχων καὶ τῶν οἰκονόμων καὶ τοῦ γραμματέως τῆς βουλῆς καὶ τοῦ ἀντιγραφεως καὶ τοῦ στρατηγοῦ ὑπέρ τε σωτηρίας τῆς τε πόλεως καὶ τῆς χώρας καὶ τῶμ πολιτῶν καὶ γυναικῶν καὶ τέκνων καὶ τῶν ἄλλων τῶν κατοικούντων ἔν τε τῆι πόλει καὶ τῆι χώραι ὑπέρ τε εἰρήνης καὶ πλούτου καὶ σίτου φορᾶς καὶ τῶν ἄλλων καρπῶν πάντων καὶ τῶν κτηνῶν. — Ditt Syll³ 695, 37 ff beim Fest der Artemis Leukophryene: τὸν δὲ ἱεροκήρυκα [τὸν] νῦν καὶ τὸν κατ' ἐνιαυτὸν ἀεὶ τοῦδε τοῦ μηνὸς ἐν τῆι ἀποδεδειγ[μέ]νηι ἱερᾶι ἡμέραι πληθυούσης ἀγορᾶς συμπαρόντων ἐν ἐσθῆσ[ιν] ἐπισήμοις καὶ δάφνηι στεφάνοις πολεμάρχων, οἰκονόμω[ν, γραμ]ματέως βουλῆς, στρατηγοῦ ἱππάρχων, στεφανηφόρου, ἀν[τιγρα]φέως εὐφημίαν καταγγείλαντα πρὸ τοῦ βουλευτηρίου μετὰ[τῶν παί]δων κατευχὴν καὶ παράκλησιν παντὸς τοῦ πλήθους ποιεῖσθαι τήν]δε · παρακαλῶ πάντας τοὺς κατοικοῦντας πόλιν καὶ χώρ[αν τὴν Μα]γνήτων ἐπὶ καλοῖς Ἰσιτηρίοις κατὰ δύναμιν οἴκου κεχ[αρισμένη θυ]σίαν συντελεῖν Ἀρτέμιδι Λευκοφρυηνῆι τῆιδε τῆι ἡμέ[ραι], εὔχεσθε δὲ] καὶ Μάγνησιν αὐτοῖς τε διδόναι καὶ γυναιξῖν ὑγ[ί]ει[αν καὶ πλοῦτον Ἄρ[τεμιν Λευκοφρυηνήν, καὶ γενεὰν τήν τε ὑπά[ρχουσαν σώιζεσθαι] καὶ εὐτυχεῖν καὶ τὴν ἐπιγονὴν μακαρίαν [γίνεσθαι].

[62] American Journal of Archaeology 2. Ser 18 (1914) 323, 12: κατευχὰς ποιεῖσθαι διὰ τῶν ἱεροκηρύκων ὑπὲρ τῆς σωτηρίας αὐτοῦ.

In allen diesen Fällen ist der Herold der Sprecher der versammelten Gemeinde zur Gottheit. Als solcher bringt er die Wünsche und Bitten der Menschen mit Worten, die fest formuliert und allen bekannt sind[63], vor Gott. Er ist der Liturg beim Gottesdienst der Griechen, der das große Fürbittengebet spricht. Hierzu ist er wegen seiner lauten, wohlklingenden, gut vernehmbaren Stimme auserkoren[64]. Wenn bei den großen Opferfesten gebetet wurde, dann wollte jeder das Gebet hören, um es mitsprechen zu können. Beachtet man aber, daß er auch sonst bei der Opferhandlung beteiligt ist, bei Vereidigungen mitwirkt[65] und bei dem religiösen Akt der Bundesschließung zwischen zwei Völkern eine Rolle spielt[66], so wird man mit Recht annehmen, daß er nicht nur aus äußerlichen Gründen der öffentliche Beter des Volkes ist, sondern daß er eine sakrale Person ist.

Genannt werden sollen noch besonders die κήρυκες, die die Feste und Agone ansagen, obwohl es sich schwer sagen läßt, ob sie politische oder kultische Personen sind. Die großen griechischen Feste zu Ehren der Götter waren Staatseinrichtungen und hatten hohe politische Bedeutung. Fand irgendwo solch ein Fest statt, so wurden Herolde ausgesandt, die es bekannt machten. Sie luden jedermann ein, ganz gleich ob er Bürger oder Gast war, am Fest teilzunehmen (Ditt Syll³ 1045, 5ff u IG XII 7, 35, 5). Ganz Griechenland sollte zusammenkommen. Während der Festzeit ruhten alle Kriege und Feindseligkeiten. Darum heißen die Herolde, die die Feste ansagen, auch σπονδοφόροι (Pind Isthm 2, 23). Damit, daß sie das Fest ausriefen, brachten sie ἐκεχειρία und σπονδαί. Bei diesen Festen verkündigt der κῆρυξ die Verdienste hervorragender Männer, die Verleihung von Ehrenkränzen wird bekanntgegeben (→ 696, 34ff).

Einige Herolde muß man in besonderer Weise zu den sakralen Personen rechnen, weil sie im Dienst einer Kultgenossenschaft, eines Heiligtums oder dergleichen stehen. Ditt Syll³ 773, 5 zählt einen κῆρυξ τοῦ Ἀπόλλωνος auf. Diese κήρυκες oder ἱεροκήρυκες unterscheiden sich kaum von den anderen Herolden, da sie oft dieselben Aufgaben zu erfüllen haben wie diese. Der Unterschied besteht nur darin, daß der Auftraggeber nicht eine politische Institution, sondern eine Kultgenossenschaft ist.

In den eleusinischen Mysterien genießt der Herold sehr großes Ansehen. Neben dem Hierophanten, dem bedeutendsten und angesehensten Priester der Mysterien, dem Daduchos und dem Altarpriester hat der Herold den größten Einfluß. Plut Alcibiades 22 (I 202e), wo erzählt wird, daß Alcibiades die eleusinischen Mysterien nachäfft, heißt er einfach κῆρυξ. Xenoph Hist Graec II 4, 20 bezeichnet ihn als κῆρυξ τῶν μυστῶν und sagt, daß er εὔφωνος sei. Sonst wird er auch ἱεροκῆρυξ genannt. Er ruft die versammelte Gemeinde zur Andacht auf, spricht das Gebet, hilft bei den Opfern und macht die wichtigsten Nachrichten bekannt. Er tut also das, was alle anderen Herolde an ihrem Platz auch tun, nur will beachtet sein, daß er einer der einflußreichsten und angesehensten Männer des Kultes ist. Ditt Syll³ 845, 2 erzählt von einem Philosophen, der eleusinischer Herold gewesen ist.

4. Der Herold der Götter.

Jeder Herold ist eigentlich κῆρυξ τῶν θεῶν; denn er steht unter ihrem Schutz und genießt ihre besondere Gunst. Nun haben die Götter aber außerdem noch ihre ganz speziellen Herolde, die sie mit bestimmten Botschaften beauf-

---

[63] Aeschin Or 1, 23 → A 50; Athen IV 32 (p 149e) → A 56; Thuc VI 32 → A 57.
[64] → 685, 12ff.
[65] ZB Ditt Syll³ 633, 105ff: οἱ δὲ ἀποδειχθέντες ὁρκισάτωσαν μετὰ τοῦ ἱεροκήρυκος τοὺς πρεσβευτὰς τοὺς ἥκο[ν]τας παρὰ Ἡρακλεωτῶν καὶ εἰς Ἡράκλειαν παραγενόμενοι τὸν δῆμον. Im Dionysoskult unterstützt der Hierokeryx die Gemahlin des Basileus bei der Vereidigung der vierzehn ehrwürdigen adligen Matronen vor der heiligen Hochzeit. Demosth Or 59, 78: βούλομαι δ'ὑμῖν καὶ τὸν ἱεροκήρυκα καλέσαι, ὃς ὑπηρετεῖ τῇ τοῦ βασιλέως γυναικί, ὅταν ἐξορκοῖ τὰς γεραιρὰς ἐν κανοῖς πρὸς τῷ βωμῷ, πρὶν ἅπτεσθαι τῶν ἱερῶν.
[66] Vgl Hom Il 3, 116. 245. 268. 274 und Ditt Syll³ 633, 20ff.

tragen, genau so wie es die Könige auf Erden mit ihren Boten machen. Die Herolde, von denen wir bisher sprachen, könnte man eher, wenn wir zB an das Gebet denken (→ 688, 36 ff), Herolde der Menschen zu den Göttern nennen als Herolde der Götter zu den Menschen. Götterherold in besonderem Sinne ist Hermes[67]. Er hat bei der Versammlung der Götter dieselbe Aufgabe zu erfüllen wie der κῆρυξ bei der Volks- 5 versammlung[68]. Ihn schicken die Götter auch zu den Menschen, wenn sie ihnen etwas mitteilen wollen[69]. Herolde der Götter zu den Menschen sind aber auch die Vögel (Plut Pyth Or 22 [II 405 d]), aus deren Flug und Schreien man den Willen der Gottheit erfahren kann (Eur Ion 159. 180; vgl Aristoph Av 561). Um zu den Menschen zu sprechen, bedienen sich die Götter aber nicht nur des Hermes oder der Vögel, sondern 10 sie erwählen sich auch Menschen und beauftragen sie, die Botschaft ihren Mitmenschen auszurichten[70].

Ein solcher Götterherold ist der stoische Philosoph. Diss III 21, 13—16 vergleicht Epiktet den Keryx der Eleusinien mit dem Philosophen. Im Zeitalter des Hellenismus liebten es die Philosophen, sich an Kulten aktiv zu beteiligen[71]. 15 Für Epiktet ist der Philosoph heiliger κῆρυξ, ohne daß er einem Kult angehört[72]. Seine Verkündigung ist etwas Sakrales, sie ersetzt jeden anderen Kult. Die Philosophie ist zur Religion geworden und die Religion zur Philosophie. Der Stoiker ist zutiefst von dem Wissen durchdrungen, daß er von Gott einen besonderen Auftrag an die Menschen hat. Ihm hat die Gottheit das Geheimnis 20 offenbart, seine Aufgabe ist es nun, davon zu zeugen[73]. Durch ihn spricht Gott selbst. Seine Lehre ist Offenbarung, seine Predigt Gottes Wort. Wer sein Wort verachtet und seine Lehre nicht befolgt, beleidigt Gott[74]. Mit diesem Anspruch, gehört zu werden, tritt er vor die Menschen. Als κῆρυξ τοῦ θεοῦ zieht er durch die Lande und nimmt alle Beschwerden auf sich. Familie, Heim 25 und Vaterland nicht kennend[75] — nur mit Ranzen und Stab ausgerüstet — wird er zum Prediger der Bedürfnislosigkeit, den Schwachen zum Trost, den Wohlhabenden zur Mahnung, um ihrer aller Seelenheil bekümmert. Auf den Straßen

---

[67] Pind Olymp 6, 78: κῆρυξ θεῶν; Hes Theog 939 vgl auch Epigr Graec 772: κῆρυξ ἀθανάτων; Aesch Choeph 164: κῆρυξ μέγιστε τῶν ἄνω τε καὶ κάτω.

[68] Luc Jup Trag 18: Hermes soll τὸ κήρυγμα κηρύσσειν; dann ruft er: Ἄκουε, σίγα, μὴ τάραττε. τίς ἀγορεύειν βούλεται τῶν τελείων θεῶν;

[69] Cornut Theol Graec 16: Hermes, der Logos, wird von den Göttern im Himmel zu den Menschen gesandt. παραδέδοται δὲ καὶ κῆρυξ θεῶν ·καὶ διαγγέλλειν αὐτὸν ἔφασαν τὰ παρ' ἐκείνων τοῖς ἀνθρώποις, κῆρυξ μέν, ἐπειδὴ διὰ φωνῆς γεγωνοῦ παριστᾷ τὰ κατὰ τὸν λόγον σημαινόμενα ταῖς ἀκοαῖς, ἄγγελος δέ, ἐπεὶ τὸ. βούλευμα τῶν θεῶν γινώσκομεν ἐκ τῶν ἐνδεδομένων ἡμῖν κατὰ τὸν λόγον ἐννοιῶν. Das ist das Charakteristische an einem Herold, daß er mit lauter Stimme eine ihm aufgetragene Botschaft verkündigt.

[70] Epict Diss III 1, 37 ἀλλ' ἂν μὲν κόραξ κραυγάζων σημαίνῃ σοί τι, οὐχ ὁ κόραξ ἐστὶν ὁ σημαίνων, ἀλλ' ὁ θεὸς δι' αὐτοῦ. ἂν δὲ δι' ἀνθρωπίνης φωνῆς σημαίνῃ τι, τὸν ἄνθρωπον ποιήσει λέγειν σοι ταῦτα.

[71] Philostr Vit Soph II 33, 4: Νικαγόρου τοῦ Ἀθηναίου, ὃς καὶ τοῦ Ἐλευσινίου ἱεροῦ κῆρυξ ἐστέφθη u Ditt Syll 845: Νικαγόρας ὁ τῶν ἱερῶν κῆρυξ καὶ ἐπὶ τῆς καθέδρας σοφι-

στής, Πλουτάρχου καὶ Σέκστου τῶν φιλοσόφων ἔκγονος.

[72] Diss III 21, 13: τί ἄλλο ποιεῖς, ἄνθρωπε, ἢ τὰ μυστήρια ἐξορχῇ (ausplaudern) καὶ λέγεις 'οἴκημά ἐστιν καὶ ἐν Ἐλευσῖνι, ἰδοὺ καὶ ἐνθάδε. ...ἐκεῖ κῆρυξ· κἀγὼ κήρυκα καταστήσω. ἐκεῖ δᾳδοῦχος· κἀγὼ δᾳδοῦχον. ἐκεῖ δᾷδες· καὶ ἐνθάδε. αἱ φωναὶ αἱ αὐταί. τὰ γινόμενα τί διαφέρει ταῦτα ἐκείνων';

[73] Diss I 29, 46 f: ὡς μάρτυς ὑπὸ τοῦ θεοῦ κεκλημένος. 'ἔρχου σὺ καὶ μαρτύρησόν μοι· σὺ γὰρ ἄξιος εἶ προαχθῆναι μάρτυς ὑπ' ἐμοῦ'. → μαρτυρεῖν und Diss III 22, 23: εἰδέναι δεῖ, ὅτι ἄγγελος ἀπὸ τοῦ θεοῦ ἀπέσταλται καὶ πρὸς τοὺς ἀνθρώπους περὶ ἀγαθῶν καὶ κακῶν ὑποδείξων αὐτοῖς ...

[74] Diss III 1, 36 f: ταῦτά μοι Ἐπίκτητος οὐκ εἴρηκεν· πόθεν γὰρ ἐκείνῳ; ἀλλὰ θεὸς τίς ποτ' εὐμενὴς δι' ἐκείνου ... ἄγε οὖν τῷ θεῷ πεισθῶμεν, ἵνα μὴ θεοχόλωτοι ὦμεν.

[75] Diss III 22, 46 ff: ἰδοὺ ἀπέσταλκεν ὑμῖν ὁ θεὸς τὸν δείξοντα ἔργῳ ὅτι ἐνδέχεται. ἰδέτε με, ἄοικός εἰμι, ἄπολις, ἀκτήμων, ἄδουλος· χαμαὶ κοιμῶμαι· οὐ γυνή, οὐ παιδία, οὐ πραιτωρίδιον, ἀλλὰ γῆ μόνον καὶ οὐρανὸς καὶ ἓν τριβωνάριον. IV 8, 31 ἰδοὺ ἐγὼ ὑμῖν παράδειγμα ὑπὸ τοῦ θεοῦ ἀπέσταλμαι μήτε κτῆσιν ἔχων μήτε οἶκον μήτε γυναῖκα μήτε τέκνα ἀλλὰ μηδ' ὑπόστρωμα μηδὲ χιτῶνα μηδὲ σκεῦος.

und freien Plätzen belehrt er die Menschen über Gut und Böse, straft Verfehlungen und ruft zum Nacheifer auf. Er wagt es, mit dem Kaiserkult in Konkurrenz zu treten. Der Frieden, den der Philosoph verkündet, ist ein höherer Frieden als der, den der Kaiser gewähren kann[76].

5   Schon oft ist auf die Verwandtschaft dieser Prediger mit den urchristlichen Missionaren aufmerksam gemacht worden[77]. Beide sind göttliche Sendboten, beide sind Träger einer höheren Mission, beide bringen der Menschheit eine neue Botschaft, die ihnen das Heil anbietet. In der Art ihrer Wirksamkeit unterscheiden sie sich kaum. Ihre Tätigkeit besteht in dem κηρύσ-
10 σειν, dem lauten Ausrufen der ihnen anvertrauten Botschaft. Die Ähnlichkeit, die beide miteinander haben, ist so stark, daß Paulus in Thessalonich in den Verdacht kommt, er sei solch ein kynischer oder epikureischer Wanderprediger, wogegen er sich 1 Th 2, 3 ff verwahrt. Wenn der Stoiker sich ἄγγελος καὶ κατάσκοπος καὶ κῆρυξ τῶν θεῶν Diss III 22, 69 nennt, so unterscheidet ihn κατά-
15 σκοπος wohl am allerbesten vom urchristlichen Missionar. Er sieht seine Sendung darin, die Menschen zu beobachten und zu beaufsichtigen und auf Grund seiner Beobachtungen ihnen dann die göttliche Botschaft zu sagen. Der christliche Missionar ist aber nicht κατάσκοπος der menschlichen Verhältnisse, sondern Prediger des Gotteswortes. Der Inhalt ihrer Predigt mag in manchen Stücken
20 ähnlich sein, der Ausgangspunkt ist aber ein verschiedener. Nicht die Schlechtigkeit der Menschen, ihr Reichtum und ihr Prassen treibt den Christen zum Reden, sondern die Gegenwart Gottes in Jesus Christus. Wenn sich Christ wie Stoiker Gesandte und Prediger Gottes nennen, so ist doch ein Unterschied zwischen ihnen, und dieser Unterschied liegt darin, daß Zeus, dessen Bote
25 Epiktet ist, ein anderer Gott ist als der Vater Jesu Christi, dessen Apostel Paulus ist. Es kommt darauf an, wessen Herold man ist. Der Stoiker greift auf Sokrates zurück, dessen Sendungsbewußtsein er in sich neu verspürt, der christliche Missionar weiß von der Erfüllung des prophetischen Wortes in Jesus Christus. Die philosophische Predigt schafft nicht das Hereinbrechen der neuen
30 Zeit, die die radikale Umkehr und Erneuerung des Menschen zur Folge hat, sondern sie drängt zur Bekehrung, die der Anfang der Entwicklung zum gesunden Menschen ist. Sie soll erziehen und zur Selbsterziehung anleiten. Dazu dienen die Laster- und Tugendkataloge. Der Stoiker übt sich im Schelten. Wie der Arzt durch den schmerzhaften Schnitt des Messers das Geschwür beseitigt,
35 so bringt er als Seelenarzt durch harte Worte dem Menschen die Rettung. Der göttliche Keim, der im Menschen schlummert, wird dadurch freigelegt, so daß er sich weiter entwickeln kann. Der Philosoph verkündigt nicht die βασιλεία τοῦ θεοῦ, sondern Moral; nicht Gottes Zorn und Gnade, sondern des Menschen

---

[76] Diss III 13, 9 ff: ὁρᾶτε γάρ, ὅτι εἰρήνην μεγάλην ὁ Καῖσαρ ἡμῖν δοκεῖ παρέχειν, ὅτι οὐκ εἰσὶν οὐκέτι πόλεμοι οὐδὲ μάχαι οὐδὲ λῃστήρια μεγάλα οὐδὲ πειρατικά, ἀλλ᾿ ἔξεστιν πάσῃ ὥρᾳ ὁδεύειν ... μή τι οὖν καὶ ἀπὸ πυρετοῦ δύναται ἡμῖν εἰρήνην παρασχεῖν, μή τι καὶ ἀπὸ ναυαγίου ...; οὐ δύναται. ἀπὸ πένθους; οὐ δύναται. ἀπὸ φθόνου; οὐ δύναται. ἀπ᾿ οὐδενὸς ἁπλῶς τούτων. ὁ δὲ λόγος ὁ τῶν φιλοσόφων ὑπισχνεῖται καὶ ἀπὸ τούτων εἰρήνην παρέχειν ... ταύτην τὴν εἰρήνην τις ἔχων [οὐχὶ] κεκηρυγμένην οὐχ ὑπὸ τοῦ Καίσαρος (πόθεν γὰρ αὐτῷ ταύτην κηρύξαι;) ἀλλ᾿ ὑπὸ τοῦ θεοῦ κεκηρυγμένην διὰ τοῦ λόγου οὐκ ἀρκεῖται.
[77] Wendland Hell Kult 93. → I 408, 33 ff.

Bosheit und Güte; nicht Vergebung der Sünden, sondern Entwicklung zum Guten; nicht die Menschwerdung Gottes, sondern die Vergottung des Menschen.

B. Der Herold im Judentum.

1. Josephus und Philo.

Solange für Josephus nicht ein Index oder ein vollständiges Wörterbuch vorliegt, kann man über ihn kein abschließendes Urteil fällen. Es ist jedoch anzunehmen, daß bei ihm der Herold gerade im Zusammenhang von kriegerischen Unternehmungen und diplomatischen Verhandlungen häufiger vorkommt (Jos Ant 10, 75)[78]. In den übrigen griechischen Schriften des Judentums findet sich κῆρυξ sehr selten. Leisegang notiert sv keine einzige Stelle für Philo. Nachzutragen ist Philo Agric 112: Die Vorgänge bei den Spielen im Stadion werden auf das ethische Gebiet übertragen. Im Wettkampf mit der Schlechtigkeit ist es ehrenvoll zu unterliegen. μὴ ἐπιτρέψῃς μηδὲ κήρυκι κηρῦξαι μηδὲ βραβευτῇ στεφανῶσαι τὸν ἐχθρόν, ἀλλ' αὐτὸς παρελθὼν τὰ βραβεῖα καὶ τὸν φοίνικα ἀνάδος καὶ στεφάνωσον.

2. Septuaginta.

In der LXX zählen wir die Vokabel κῆρυξ nur 4 mal: Gn 41, 43; Da 3, 4; Sir 20, 15 und 4 Makk 6, 4. Wenn man beachtet, daß Gn 41, 43 κῆρυξ gar kein hbr Äquivalent hat, sondern nur ein Zusatz der LXX, die קָרָא mit κῆρυξ κηρύσσει wiedergibt, so kommt man zu dem Schluß — die andern 3 Stellen fallen von selbst für die Beurteilung aus —, daß der Herold, wie wir ihn im Griechischen kennengelernt haben, in der Anschauungswelt der Bibel keinen Platz hat. Sir 20, 15 ist κῆρυξ in einem Vergleich gebraucht. Der ἄφρων schenkt nicht viel, macht aber großes Aufsehen davon: ἀνοίξει τὸ στόμα αὐτοῦ ὡς κῆρυξ (→ 685, 15 ff u → 686, 23 ff). An den übrigen 3 Stellen ist von dem Herold an einem außerisraelitischen Königshof die Rede. Gn 41, 43 läßt Pharao den Joseph auf dem 2. Wagen fahren καὶ ἐκήρυξεν ἔμπροσθεν αὐτοῦ κῆρυξ. Da 3, 4 befiehlt der Herold Nebukadnezars dem Volk, es solle das Bild anbeten. 4 Makk 6, 4 will der Herold des Antiochus den Eleasar zum Essen von Schweinefleisch bewegen. Wie fremd der Bibel ursprünglich die Vorstellung vom Herold gewesen ist, sieht man daraus, daß sie gar kein eigenes Wort für Herold hat. Da 3, 4 steht im Aramäischen: כְּרוֹזָא. Woher dieses Wort kommt, soll im folgenden Abschnitt gezeigt werden.

3. Die Rabbinen.

a. Die Herkunft des Wortes כרז. Im Gegensatz zu Philo und zur LXX begegnet uns der Herold im rabb Schrifttum recht häufig. Der Herold heißt כרוז, verkündigen כרז (→ 700, 36 ff), das Ausrufen אכרזה bzw אכרזתה und הכרזה (→ 715, 20 f). Darüber, daß כרז ein Lehnwort ist, waren sich die meisten Forscher einig[79]. Unklarheit herrschte nur, woher es genommen ist. Allgemein suchte man Griechenland als Ursprungsland, und die Verschiedenheit der Ansichten bestand darin, daß die einen כרוז = κῆρυξ als das Primäre annahmen, weil die Fremdwörter, die aus dem Griechischen entlehnt sind, meistenteils Personen und Dinge sind, und dann von כרוז das Verbum כרז ableiteten, die anderen dem Verbum כרז den Vorzug gaben und כרוז als Ableitung ansahen.

Alle diese Überlegungen hat HHSchaeder[80] überflüssig gemacht. Nach seiner Ansicht ist כרז ein iranisches Lehnwort, dessen altpersisches Vorbild *xrausa gewesen

---

[78] Vgl ferner Jos Bell 2, 624: Josephus διὰ κηρύκων ἀπειλήσας, u 3, 92: ὁ κῆρυξ δέξιος τῷ πολεμάρχῳ παραστάς, εἰ πρὸς πόλεμόν εἰσιν ἕτοιμοι.

[79] SchnEuang 221; GDalman, Grammatik des jüdisch-palästinischen Aramäisch² (1905) 183; EKautzsch, Grammatik des Biblisch-Aramäischen (1884) § 64, 4; Ges-Buhl sv; Krauß (→ Lit-A) I 146; II 296 f. Anders ThNöldecke, GGA (1884) 1019: „Daß כרז von κῆρυξ oder κηρύσσειν komme, ist mir noch durchaus nicht sicher." Ähnlich KMarti (1901) zu Da

3, 4: „כְּרוֹזָא Herold ist eine gewöhnliche aramäische Bildung, ... daher schwerlich direkte Übernahme des griech Wortes κῆρυξ, sondern eine Ableitung vom Verbum כְּרַז ..., welches nicht notwendig mit κηρύσσειν zusammenhängt, da schon eine ziemlich alte aram Inschrift diesen Stamm aufweist."

[80] HHSchaeder, Iranische Beiträge I, Schriften der Königsberger Gelehrten Gesellschaft, Geisteswissenschaftliche Klasse, 6. Jahr, Heft 5 (1930) 254: „Es ist verwunderlich, daß diese Etymologie, die wie ein Fossil aus vergan-

ist. Es ist uns im mittelpersischen xros, xroh und im neupersischen xuros, xuroh erhalten und heißt Ruf, Rufer. Hauptsächlich den Hahn nennt man im Persischen so, der die Gläubigen am Morgen zum Wachsein ruft[81].

b. Die Bedeutung des כרוז. כרוז ist *1.* ganz allgemein der Ausrufer, der durch die Stadt zieht und etwas bekannt gibt[82]. *2.* Herolde standen im Dienst der Gerichtshöfe. Sie hatten die Beschlüsse des Rates dem Volk mitzuteilen[83]. *3.* Im Tempel befanden sich Rufer, die die Priester zum Opferdienst zu wecken hatten[84]. *4.* Der Rabbi läßt seine Lehrentscheidungen durch einen Herold bekannt geben: jScheq 48 d 53: Rab hat in Gegenwart der Schule des RSchilo (die Worte der Mischna קריאת הגבר) erklärt: der Mann hat gerufen. Da ließ RSchilo durch einen Herold ausrufen (אכריז כרוזא): saget ihm (dem Rab, daß der Sinn der Mischna sei): der Hahn hat geschrien. *5.* Die irdischen Verhältnisse werden auf den Himmel übertragen[85]. Der Engel, der über das Ausrufen gesetzt ist, heißt אכרזיאל (Jalkut Schimeoni I 303 a). Er verkündigt die Beschlüsse des Allerhöchsten. *6.* Gott beauftragt auch Menschen mit seiner Botschaft, daß sie unter ihren Mitmenschen als Herolde auftreten. „Abba bKehana (um 310) hat gesagt: Einen Herold כרוז hatte Gott im Geschlecht der Sündflut, das war Noah (insofern er seine Zeitgenossen zur Buße aufrief)“ Gn r 30, 7 z 6, 9 (Str-B III 645)[86].

C. Der κῆρυξ im NT.

Der κῆρυξ, der in der griechischen Umwelt eine so große Rolle spielt, tritt im NT vollkommen zurück. Nur 3 mal findet sich das Wort in den nt.lichen Schriften, und diese 3 Stellen stammen aus recht später Zeit. Jesus wird nie κῆρυξ θεοῦ genannt, dagegen ist Paulus κῆρυξ καὶ ἀπόστολος καὶ διδάσκαλος 2 Tm 1, 11. Ähnlich auch 1 Tm 2, 7, vgl dazu außerdem die Handschriften zu Kol 1, 23[87]. 2 Pt 2, 5 heißt Noah, der schon im Judentum als Herold Gottes angesehen wurde (→ Z 16), weil er 120 Jahre vor Einbruch der Sündflut durch Wort

---

genen Perioden der Sprachentwicklung anmutet, noch weiter behauptet wird, ohne daß man sich nach einer besseren umgesehen hätte. . . . Das Wort hat tatsächlich nichts mit κῆρυξ zu tun.“ [KGKuhn.]

[81] Der Hahn als Herold, weil er die Menschen weckt, auch Aristoph Eccl 30.

[82] Pesikt 78 a; 82 b; jSchab 15 d 38; Lv r 6 z 5, 1; TgO Ex 36, 6 u oft.

[83] Sanh 6, 1 (vgl Str-B I 1023, 5 b: bSanh 43 a): Man führt einen Verurteilten zur Exekution. Der Herold כרוז geht dem auf den Richtplatz Geführten voran und ruft: NN, Sohn des NN, wird zur Steinigung geführt, weil er das und das Verbrechen begangen hat. NN u NN sind Zeugen. Jeder, der etwas zu seinen Gunsten vorbringen kann, soll es sagen.

[84] bJoma 20 b: Was pflegte der Ausrufer Gebini (der wohl wegen seiner Stimme bekannteste Ausrufer, der in den rabb Texten wiederholt vorkommt: Tamid 3, 8; Scheq 5, 1) zu sprechen? Begebt euch Priester zu eurem Dienst, Leviten auf eure Estrade u Israeliten zu eurem Beistand (eine Abordnung des Volkes, die bei der Darbringung des täglichen Opfers anwesend sein mußte)! Seine Stimme hörte man 3 Parasangen weit.

[85] Dt r 11 z 31, 14: Der Engel, welcher

über das Ausrufen (הכרוה) gesetzt ist, mit dem Namen Achresiel (אכרוזיאל). Hbr Hen 10, 3: „Der Herold ging hinaus in jeden einzelnen Himmel u sagte . . .“. Beth ha Midrasch (ed AJellinek) 3 (1855) 88 Z 7 v unten: „Der Herold tritt heraus aus Araboth Raqia‘ (dem obersten Himmel), gibt bekannt und sagt im oberen himmlischen Gerichtshause: . . .“ Die Stelle Jalkut Re'ubeni II 66 b: „Gallisur steht hinter dem Vorhang und erlangt Kenntnis von den Beschlüssen des heiligen Einen und verkündigt sie . . . und der Herold vertraut sie an dem Elia, und Elia steht als Herold auf dem Berge Horeb“, auf die HOdeberg hbr Hen 10, 3 (II p 28) hinweist, kann für den rabb Gebrauch von כרוז zur Beleuchtung des nt.lichen κηρύσσειν verwendet werden, da der Jalkut Re'ubeni eine Sammlung kabbalistischer Auslegungen zum Pentateuch ist, die von R benHöschkeKohen, Rabbiner in Prag († 1673), stammt. [KGKuhn.]

[86] Vgl Sib I 128: Νῶε, δέμας θάρσυνον ἑὸν λαοῖσί τε πᾶσι κήρυξον μετάνοιαν, ὅπως σωθῶσιν ἅπαντες.

[87] 1 Cl 5, 6: Paulus κῆρυξ γενόμενος ἔν τε τῇ ἀνατολῇ καὶ ἐν τῇ δύσει. Herm s 9, 15, 4: ἀπόστολοι καὶ διδάσκαλοι τοῦ κηρύγματος. Herm s 9, 16, 5 u 9, 25, 2: ἀπόστολοι καὶ διδάσκαλοι οἱ κηρύξαντες.

und Tat seinen Zeitgenossen Buße verkündigt hat, κῆρυξ δικαιοσύνης [88]. Als Herold wird er auch 1 Cl 7, 6 und 9, 4 geschildert [89].

Wie ist die Zaghaftigkeit der Bibel in der Verwendung des Wortes zu erklären? In mancher Hinsicht scheint κῆρυξ ein passender Ausdruck zur Bezeichnung des christlichen Predigers zu sein, berührt es sich doch in der Bedeutung mit → ἀπόστολος [90] (→ 684, 35 ff), gleicht es doch in manchen Stücken dem εὐάγγελος (→ 711, 16 ff) [91]. Trotzdem vermeidet das NT offensichtlich κῆρυξ. Warum? Es kommt nicht auf die Person an, die das Wort verkündigt; denn der eigentliche Prediger ist Gott bzw Christus selbst (→ 706, 49 ff). Darum wird der κῆρυξ wenig beachtet. Die Bibel will nicht von menschlichen Verkündigern erzählen, sondern von der Verkündigung selbst. Außerdem ist κῆρυξ durch seine griechische Vorgeschichte zu stark belastet. Das NT kennt keine heiligen, von der Welt unantastbaren Personen (→ 687, 22 ff). Die Boten Jesu sind vielmehr wie Schafe dem Wolfe ausgeliefert (Mt 10, 16). Wie man den Herrn verfolgt hat, so werden auch seine Knechte verfolgt (J 15, 20). Die Diener Christi sind gleichsam dem Tode geweiht (Apk 12, 11). Aber die Botschaft geht nicht mit dem Verkündiger unter, sie ist unaufhaltsam (2 Tm 2, 9) und macht ihren Siegeslauf durch die Welt (2 Th 3, 1). Wichtiger als der κῆρυξ ist darum das κηρύσσειν im NT.

† *κηρύσσω*

Inhalt: A. κηρύσσω im Griechischen: 1. Bedeutungsunterschiede und Synonyma; 2. κηρύσσω in einigen religionsgeschichtlich wichtigen Stellen: *a.* bei Agonen; *b.* bei Aretalogien; *c.* im Corpus Hermeticum. — B. κηρύσσω im AT. — C. כרז bei den Rabbinen. — D. κηρύσσω im NT: 1. κηρύσσω und die andern Verben für die nt.liche Verkündigung; 2. zum Sprachgebrauch von κηρύσσω; 3. Die profane Bedeutung von κηρύσσω Lk 12, 3; 4. Das Verkünden durch die verschiedenen Prediger: *a.* Die Juden; *b.* Johannes der Täufer; *c.* Jesus Christus: der Irdische, der Gestorbene, der Erhöhte; *d.* Geheilte; *e.* Jünger und Apostel; *f.* Ein Engel; 5. Der Inhalt der spezifisch nt.lichen Botschaft; 6. Die Hörer; 7. Sendung und Verkündigung; 8. Lehren und Verkündigen bei den Synoptikern; 9. Wunder und Verkündigung.

A. *κηρύσσω* im Griechischen.

1. Bedeutungsunterschiede und Synonyma.

κηρύσσω, von κῆρυξ abgeleitet, entstanden aus κηρυκ- jω [1], hat in der griechischen Welt bei weitem nicht die Bedeutung, die wir bei κῆρυξ beobachtet haben. Rein zahlenmäßig tritt das Verb nicht nur bei Homer (→ 683 A 3) völlig hinter dem Substantiv zurück, sondern auch bei den andern Schriftstellern.

---

[88] Der Genitiv bezeichnet hier nicht den Auftraggeber des Herolds (→ 684, 15 ff), sondern den Inhalt der Botschaft. Noah ist Prediger der Gerechtigkeit in dem κόσμος ἀσεβῶν Gn 6.

[89] 1 Cl 7, 6: Νῶε ἐκήρυξεν μετάνοιαν. 1 Cl 9, 4: Νῶε πιστὸς εὑρεθεὶς διὰ τῆς λειτουργίας αὐτοῦ παλιγγενεσίαν κόσμῳ ἐκήρυξεν.

[90] Synon werden ἀπόστολος und κῆρυξ Hdt I 21 gebraucht: ἔπεμπε κήρυκα εἰς Μίλη-

τον . . . ὁ μὲν δὴ ἀπόστολος ἐς τὴν Μίλητον ἦν . . .

[91] Siehe R 10, 15: πῶς δὲ κηρύξωσιν ἐὰν μὴ ἀποσταλῶσιν; καθάπερ γέγραπται· ὡς ὡραῖοι οἱ πόδες τῶν εὐαγγελιζομένων ἀγαθά.

κηρύσσω. [1] Kühner-Blaß-Gerth § 328.

Selten finden wir κηρύσσειν absolut in der Bedeutung Herold sein, das Heroldsamt
verwalten[2]. Gewöhnlich wird es trans gebraucht und dient zur Beschreibung der
Tätigkeit des Herolds, wenn dieser sein Amt ausübt. Da die Tätigkeit des Herolds
eine verschiedene ist (→ 684, 5 ff), so hat auch κηρύσσειν eine verschiedene Bedeutung.
Niemals entfernt es sich jedoch, entsprechend der Haupteigenschaft, die vom Herold
verlangt wird, daß er nämlich eine gute Stimme haben muß (→ 685, 12 ff), von der Grundbedeutung: *laut rufen, ausrufen, ansagen, verkünden, proklamieren.* Bei Homer hat κηρύσσειν
wiederholt den Sinn von → καλεῖν und heißt *jemand zu etwas rufen*[3]. Synonym mit
καλεῖν ist es auch Ditt Or 218, 26: *jemand zu etwas berufen*[4] und Eur Hec 146: *jemand
anrufen, anflehen*[5]. Gewöhnlich steht aber das persönliche Objekt nicht im Acc, sondern
im Dat, und der Acc, bzw ein Nebensatz (→ 703, 5 ff) gibt den Inhalt des Rufes an.
Je nach dem Inhalt der Bekanntmachung durch den Herold gewinnt κηρύσσειν die
Bedeutung *anbieten, versprechen*[6], *anordnen, befehlen*[7], *anfragen*[8]. Beim Ausrufen von
Waren muß man κηρύσσειν mit *feilbieten, auktionieren*[9] überestzen. κηρύσσειν mit Einschluß seiner Komposita (Poll Onom IV 93): ἀνακηρύττειν, ἀποκηρύττειν, διακηρύττειν,
ἐπικηρύττειν, ἀντεπικηρύττειν, κατακηρύττειν, προκηρύττειν, προσκηρύττειν, ὑποκηρύττειν
ist aber nicht das einzige Wort für das Bekanntmachen durch den Herold[10]. In Verbindung mit dem Heroldsdienst stehen eine ganze Reihe anderer Verben und zusam-
mengesetzter Ausdrücke wie: κήρυγμα ποιεῖν Hdt III 52; κηρύγματι δηλοῦν Xenoph Ag
I 33; ἀγορεύειν Hdt VI 97; ἀναγορεύειν Ditt Syll[3] 305, 33; ἀνάρρησιν Aeschin Or 3, 189
und ἀναγόρευσιν ποιεῖν Demosth Or 18, 120; → ἀγγέλλειν Pind Pyth 1, 32, → ἀναγγέλλειν
Ditt Syll[3] 282, 25 ff; ἀγγελίαν ποιεῖν Ditt Syll[3] 656, 31; ἀπαγγέλλειν Aesch Suppl 931;
ἐπαγγέλλειν und περιαγγέλλειν Poll Onom IV 91; βοᾶν Hom Il 2, 97; κράζειν Epict Diss
I 16, 11 f ua. Aus dem Vergleich mit diesen Synonyma kann man schon ersehen, daß
κηρύσσειν hinter κῆρυξ zurücktritt und eine abgeblaßte Bedeutung erhalten hat. In
der Tat findet es sich ganz allgemein in dem Sinn: *etwas kundtun, mitteilen,* ohne daß
eine Beziehung auf die Person und die Tätigkeit des Herolds vorliegt.

2. κηρύσσω in einigen religionsgeschichtlich wichtigen Stellen.

Bedeutungsvoll für die Vorgeschichte des nt.lichen Be-
griffes ist der hellenistisch-religiöse Sprachgebrauch von κηρύσσειν *a.* bei Agonen; *b.* bei Aretalogien; *c.* in der hermetischen Literatur. Über κηρύσσειν bei
Epiktet → 691, 13 ff.

a. In erster Linie muß das sakrale Verkünden von A g o n e n, Ehrungen und
Siegern genannt werden. Neben andern Verben, die auch im NT von großer
Bedeutung sind, ist κηρύσσειν term techn für das Ausrufen von Kampfspielen und
Götterfesten (→ 690, 13 ff). Der Herold proklamiert den Sieger im Wettkampf; Ehrun-
gen und Kränze, die eine Stadt einem verdienten Manne verleiht, werden im
Theater oder in der Volksversammlung verkündet[11]. Ein Beispiel für das wir-
kungskräftige κηρύσσειν, das uns an den nt.lichen Sprachgebrauch erinnert, ist Plut
Apophth Titus Quinctius 2 (II 197 b): νικήσας δὲ μάχῃ τὸν Φίλιππον ἐκήρυξεν ἐν Ἰσθ-

---

[2] Hom Il 17, 323 f: Περίφαντι ἐοικὼς κήρυκ'
Ἠπυτίδη, ὃς οἱ παρὰ πατρὶ γέροντι κηρύσσων
γήρασκε vgl Demosth Or 44, 4 u Theophr
Charact 6.
[3] Hom Il 2, 443 die Achäer πολεμόνδε,
Hom Od 2, 7 ἀγορήνδε, vgl Hom Il 2, 50 f:
αὐτὰρ ὁ κηρύκεσσι λιγυφθόγγοισι κέλευσεν
κηρύσσειν ἀγορήνδε κάρη κομόωντας Ἀχαιούς.
u Hom Il 9, 10:
...κηρύκεσσι λιγυφθόγγοισι κελεύων
κλήδην εἰς ἀγορὴν κικλήσκειν ἄνδρα ἕκαστον.
[4] Ditt Or 218, 26 ἐν τοῖς ἀγῶ[σι] εἰς π[ρο]ε-
δρίαν [κηρύ]σσεσθαι, IG VII 190, 35 uo.
[5] Eur Hec 146: κήρυσσε θεοὺς τούς τ' οὐρα-
νίδας τούς θ'ὑπὸ γαίαν.
[6] Thuc IV 38; 116; Eur Phoen 47.
[7] Soph Ant 32. 447 vgl 449 u Plut Apophth
Lac Agesilaos 72 (II 214 a).
[8] Demosth Or 43, 5; Hdt II 134.

[9] Hdt I 194; Plut Apophth Sebastos 1
(II 207 a): ἐκήρυττε τὰ πατρῷα καὶ ἐπίπρασκεν.
Ptolemaeus De Vocum Differentiis (Hermes
22 [1887] 397, 20): κηρῦξαι μὲν καὶ ἀποκηρῦξαι
λέγουσιν ἐπὶ τοῦ ὑπὸ κήρυκα ἀποδίδοσθαί τι.
Jos Ant 19, 145 τῶν κηρυσσόντων τὰ πωλού-
μενα.
[10] Poll Onom VIII 138: ἀπὸ δὲ κηρύκων
κηρῦξαι ἐρεῖς καὶ ἀποκηρῦξαι καὶ ἐπικηρῦξαι καὶ
προκηρῦξαι, ἀνακηρῦξαι, ἀνειπεῖν καὶ ἀναγορεῦ-
σαι, ἐπικηρυκεύσασθαι, διακηρυκεύσασθαι, ἐκεχειρίαν ἀπαγγεῖλαι.
[11] Soph Ai 1240 ἀγῶνας κηρύσσειν. Lys 19, 64
ἐνίκησε ... ὥστε τὴν πόλιν κηρυχθῆναι καὶ
αὐτὸν στεφανωθῆναι. Aeschin Or 3, 246 κηρύσ-
σεταί τις ἐν τῷ θεάτρῳ, ὅτι στεφανοῦται ἀρετῆς ἕνεκα καὶ ἀνδραγαθίας. POxy XV 1827
κηρυττεσθαι τηι δε [π]ολει τον τουτων [στ]ε-
φανον.

μίοις, ὅτι τοὺς Ἕλληνας ἐλευθέρους καὶ αὐτονόμους ἀφίησιν. In dem Augenblick, in dem dieses bei den Spielen bekannt gegeben wird, sind die Griechen frei. Das NT hat seine Worte nicht aus der beschaulichen Betrachtung der Philosophie, sondern aus der Sprache des öffentlichen Lebens genommen.

b. Als Beispiel für κηρύσσειν in Aretalogien sei POxy XI 1381 angeführt. Der Verfasser wollte eine alte, im Tempel gefundene ägyptische Papyrusrolle, die von der Verehrung des Imouthes-Asklepius handelt und die großen Taten der Götter besingt, ins Griechische übersetzen. Bei dieser seiner Arbeit lernt er das κηρύσσειν v 35. Er wagt die Fortsetzung nicht; denn v 40 „Göttern allein, aber nicht Sterblichen ist es erlaubt, die Machttaten der Götter zu beschreiben". Als Strafe für sein Weigern erkrankt zuerst seine Mutter, dann er selbst. In einer Vision erhält er den Auftrag, das Werk zu vollenden, wogegen er sich anfangs noch sträubt. Er wird nun aber geheilt und v 144 ἐκήρυσσον αὐτοῦ [τ]ὰς εὐεργεσίας. „Entsprechend Deiner Gunst, aber nicht entsprechend meiner Absicht" v 183 beendet er die Übersetzung. Diese Aretalogie ist in mancher Hinsicht bemerkenswert für uns. Der Anhänger des Imouthes-Asklepios-Kultes gesteht ein, daß man nicht von sich aus das κηρύσσειν versteht. Man lernt es erst, wenn man sich in den Dienst der Gottheit stellt und sich mit ihren Machterweisen beschäftigt. Wie Mose (Ex 4, 10) oder Jeremia (1, 6) oder Jona (→ 699, 28 ff) widersetzt er sich dem göttlichen Befehl. Als er dann die Größe des Gottes in seinem persönlichen Leben erfahren hat, da kündet er von ihr. Er erzählt, was der Gott an ihm getan hat, und wird so zum Missionar seiner Religion. Zu κηρύσσειν τὰς εὐεργεσίας v 144 vgl τὰς θεῶν διηγεῖσθαι δυνάμεις v 41, προφητεύειν ἐπίνοιαν v 169, διήγημα λαλεῖν v 177, ἀπαγγέλλειν ἐπ[ι]φανείας δυνάμεως τε μεγέθη εὐε[ρ]γετημάτων ⟨τε⟩ δωρήματα v 214.

c. Corp Herm I 27 ff. Auf Grund der Offenbarung beginnt der Prophet die Verkündigung: καὶ ἦργμαι κηρύσσειν τοῖς ἀνθρώποις τὸ τῆς εὐσεβείας καὶ γνώσεως κάλλος. „ὦ λαοί, ἄνδρες γηγενεῖς, οἱ μέθῃ καὶ ὕπνῳ ἑαυτοὺς ἐκδεδωκότες [καὶ] τῇ ἀγνωσίᾳ τοῦ θεοῦ, νήψατε, παύσασθε δὲ κραιπαλῶντες [καὶ] θελγόμενοι ὕπνῳ ἀλόγῳ . . . Τί ἑαυτούς, ὦ ἄνδρες [γηγενεῖς], εἰς θάνατον ἐκδεδώκατε, ἔχοντες ἐξουσίαν τῆς ἀθανασίας μεταλαβεῖν; μετανοήσατε, οἱ συνοδεύσαντες τῇ πλάνῃ καὶ συγκοινωνήσαντες τῇ ἀγνοίᾳ. ἀπαλλάγητε τοῦ σκότ[ειν]ου<ς, ἅψασθε τοῦ> φωτός· μεταλάβετε τῆς ἀθανασίας, καταλείψαντες τὴν φθοράν". καὶ οἱ μὲν αὐτῶν καταφλυαρήσαντες ἀπέστησαν, τῇ τοῦ θανάτου ὁδῷ ἑαυτοὺς ἐκδεδωκότες· οἱ δὲ παρεκάλουν διδαχθῆναι, ἑαυτοὺς πρὸ ποδῶν μου ῥίψαντες. ἐγὼ δὲ ἀναστήσας αὐτοὺς καθοδηγὸς ἐγενόμην τοῦ γένους, τοὺς λόγους διδάσκων, πῶς καὶ τίνι τρόπῳ σωθήσονται. καὶ ἔσπειρα ἐν αὐτοῖς τοὺς τῆς σοφίας λόγους. IV 4: δοὺς κήρυκα, καὶ ἐκέλευσεν αὐτῷ κηρῦξαι ταῖς τῶν ἀνθρώπων καρδίαις τάδε· „βάπτισον σεαυτὴν ἡ δυναμένη εἰς τοῦτον τὸν κρατῆρα, γνωρίζουσα ἐπὶ τί γέγονας καὶ ἡ πιστεύουσα ὅτι ἀνελεύσῃ πρὸς τὸν καταπέμψαντα τὸν κρατῆρα ἡ γνωρίζουσα ἐπὶ τί γέγονας." ὅσοι μὲν οὖν συνῆκαν τοῦ κηρύγματος καὶ ἐβαπτίσαντο τοῦ νοός, οὗτοι μετέσχον τῆς γνώσεως καὶ τέλειοι ἐγένοντο ἄνθρωποι, τὸν νοῦν δεξάμενοι· ὅσοι δὲ ἥμαρτον τοῦ κηρύγματος, οὗτοι οἱ τὸν μὲν οἱ λογικὸν ἔχοντες, τὸν δὲ νοῦν μὴ προσειληφότες. Die Terminologie dieser Predigt deckt sich mit der der nt.lichen Verkündigung. Es gibt kaum ein Wort, für das sich nicht eine Parallele aus dem NT beibringen läßt. Der Prophet erhält den Auftrag zu predigen (R 10, 15). Er sät τοὺς λόγους (Mk 4, 14. 15: τὸν λόγον) und belehrt die Menschen, wie sie gerettet werden können. Diese sind im Irrtum verstrickt (Jk 5, 20; 2 Pt 2, 18), dem Schlaf (R 13, 11; Mt 25, 5) und der Trunkenheit (Lk 21, 34; R 13, 13) ergeben und taumeln im Rausch (Lk 21, 34). Den συγκοινωνήσαντες (Eph 5, 11; Apk 18, 4) der Unwissenheit (1 Pt 1, 14; Eph 4, 18), die Gott nicht kennen (1 K 15, 34) und sich dem Tode hingeben (R 6, 16; 1, 32), ruft er zu: werdet nüchtern (1 K 15, 34: ἐκνήψατε . . . ἀγνωσίαν γὰρ θεοῦ τινες ἔχουσιν; 1 Th 5, 6. 8; 1 Pt 5, 8)! Laßt die Vergänglichkeit (2 Pt 1, 4: ἵνα διὰ τούτων γένησθε

θείας κοινωνοὶ φύσεως, ἀποφυγόντες τῆς ἐν τῷ κόσμῳ ἐν ἐπιθυμίᾳ φθορᾶς), ihr habt die ἐξουσία (J 1, 12), Unsterblichkeit zu erlangen (vgl 2 Pt 1, 4: θεία φύσις). → μετανοήσατε. → βάπτισον. → ἀπαλλάγητε τοῦ σκότους. Von der Finsternis sollen sie zum Licht kommen (Ag 26, 18; Eph 5, 8; 1 Pt 2, 9). Ziel
5 der Predigt ist die → σωτηρία, die → γνῶσις. Die Menschen sollen τέλειοι (1 K 14, 20; Mt 5, 48) werden und den νοῦς (vgl R 12, 2) empfangen. Nicht alle folgen dem Ruf des Predigers. Einige haben ihren Spott (3 J 10; Ag 17, 32; 2, 12), gehen fort und ergeben sich dem Tode, andere fallen ihm zu Füßen (Ag 16, 29) und wollen mehr hören, und er lehrt sie, wie sie gerettet werden (Ag 17, 34).
10 Wenn wir in diesem Zusammenhang von πιστεύειν und ἁμαρτάνειν lesen, so erinnert uns auch dieses an die Sprache des NT — und doch ist es eine andere Welt. Mögen die Worte dieselben sein, mögen ganze Sätze biblisch klingen — es kommt nicht auf die Worte an, sondern auf den Sinngehalt der Worte. Worte sind Gefäße, die durch den Sprecher mit Inhalt gefüllt werden. In der
15 Hermes-Mystik soll der Mensch nicht von der Sünde befreit werden — ἁμαρτάνειν hat hier nichts mit dem biblischen Begriff zu tun, sondern ist das Gegenteil von συνίημι —, sondern von der Knechtung durch den Erdenleib. Das Kerygma fordert zur Vergottung auf. Die σωτηρία kommt nicht zu den Menschen durch das Ausrufen eines Ereignisses, bei dem Gott in die Geschichte einge-
20 griffen hat, sondern durch einen sakramentalen Akt. Durch die Taufe erlangt man die γνῶσις, empfängt man den νοῦς, wird man τέλειος. Die Predigt ist nicht ein Geschehen, ein Handeln Gottes, sondern ein Belehren, wie man es machen muß (πῶς καὶ τίνι τρόπῳ). Sie zeigt den Weg (καθοδηγός), auf dem man aus dem Irrtum zur Erkenntnis kommt. μετανοεῖτε, mahnt der Prediger
25 der hermetischen Mission. Es fehlt aber die Voraussetzung für die nt.liche Buße: die Nähe der Gottesherrschaft (Mt 3, 2). Darum gibt es auch kein βάπτισμα μετανοίας εἰς ἄφεσιν ἁμαρτιῶν (Mk 1, 4), und er muß die Zuhörer ermuntern: ἀπαλλάγητε, reißt euch los von der Finsternis. Der Christ weiß: . . . ἀπαλλάξῃ Hb 2, 15: „Er hat die, die durch die Furcht des Todes ihr gan-
30 zes Leben hindurch der Knechtschaft teilhaftig waren, erlöst." Der Christ kommt von der Finsternis zum Licht; denn er kennt das Licht der Welt, das gesagt hat (J 8, 12): „Wer mir nachfolgt, wird nicht wandern in der Finsternis, sondern wird das Licht des Lebens haben." Der Inhalt der Predigt ist trotz aller äußeren Ähnlichkeit ein ganz anderer, und κηρύσσειν selbst ist etwas
35 anderes als im NT.

B. *κηρύσσω* im AT.

Im griechischen AT begegnet uns die Vokabel κηρύσσειν
33 mal. Sie hat keine feste hbr Grundlage, sondern tritt für eine Anzahl von Verben und zusammengesetzten Ausdrücken ein, die ein *lautes Schreien* bezeichnen. 18 mal,
40 also in mehr als der Hälfte aller Fälle, ist קרא *schreien, rufen* das hbr Äquivalent, das sonst auch mit καλεῖν, ἐπι- und ἐγκαλεῖν, βοᾶν und ἀναβοᾶν usw ins Griechische übersetzt wird. An 4 Stellen [12] dient es zur Wiedergabe von רוע, *lärmen, jubeln* [13]. Ex

---

[12] Hos 5, 8; Jl 2, 1; Zeph 3, 14; Sach 9, 9.
[13] Die Übersetzung von רוע im Griech ist recht mannigfaltig: Jos 6, 16: κράζειν; 1 S

4, 5: ἀνακράζειν; Esr 3, 13: κραυγάζειν; Jos 6, 10: βοᾶν u ἀναβοᾶν; Ri 15, 14; Ps 81, 2: ἀλαλάζειν; Ps 41, 12: ἐπιχαίρειν; Nu 10, 9: σημαίνειν; Js 44, 23: σαλπίζειν uam.

36, 6 und 2 Ch 36, 22 tritt κηρύσσειν für הֶעֱבִיר קוֹל ein. Jon 3, 7 ist es die Übersetzung von זְעַק, 2 Ch 24, 9 von נָתַן קוֹל, Da 5, 29 Θ von כרז und Jer 20, 8 Σ von דבר.

Wie die sprachliche Grundlage nicht einheitlich ist, so ist auch die Bedeutung von κηρύσσειν nicht fest umgrenzt. Der Wechsel in der Übersetzung zeigt, daß κηρύσσειν kein geprägter Ausdruck für irgendeine bestimmte Verkündigung 5 im AT ist.

Es wird von der Tätigkeit des Herolds gebraucht, der dem Wagen des königlichen Hofes vorauseilt, um das Volk auf den betreffenden Nahenden aufmerksam zu machen (→ 701, 1). Gn 41, 43 ist es Joseph, Est 6, 9. 11 ist es Mardochai, die auf diese Weise ausgezeichnet werden [14]. Ähnlich ist auch das κηρύσσειν Da 5, 29 Θ zu verstehen. Nachdem 10 Daniel dem König Belsazar die geheimnisvolle Schrift erklärt hat, ἐκήρυξεν περὶ αὐτοῦ εἶναι αὐτὸν ἄρχοντα τρίτον ἐν τῇ βασιλείᾳ. Daniel wird als der 3. Herrscher im Königreich proklamiert. Da 3, 4 gibt der Herold den versammelten Beamten den Willen des Herrschers bekannt: sie sollen das Bild anbeten. Häufig lesen wir vom κηρύσσειν irgendwelcher Anordnungen und Verfügungen. Bald ist es der König (2 Ch 24, 9; 15 4 Βασ 10, 20), bald eine andere autoritative Persönlichkeit, zB Mose (Ex 36, 6) oder Aaron (Ex 32, 5), die dem ganzen Volk etwas bekannt zu geben haben, was befolgt werden soll. Meist handelt es sich um Bestimmungen kultischer Art: Ἑορτὴ τοῦ κυρίου (Ex 32, 5) oder νηστεία (2 Ch 20, 3; Jon 3, 5) werden ausgerufen [15]. Solche Bekanntmachungen können auch schriftlich erfolgen (2 Ch 36, 22) [16]. Damit ist bei κηρύσσειν 20 ganz von der Person irgend eines κῆρυξ abgesehen worden, und κηρύσσειν hat die Bedeutung von schreien, rufen, verkünden verloren. Das geschriebene Wort ist an Stelle des gesprochenen getreten, und die Verbreitung des geschriebenen Wortes ist ein κηρύσσειν (→ II 733, 21 ff) [17].

Wider alles Erwarten selten finden wir κηρύσσειν als Ausdruck für die 25 Predigt der Propheten [18]. Mi 3, 5 handelt von den falschen Propheten, die Frieden verkünden, wenn sie etwas zu essen bekommen. Der wahre Prediger ist an den Auftrag Gottes gebunden. Jona erhält den Befehl: ἀνάστηθι καὶ πορεύθητι εἰς Νινευη τὴν πόλιν τὴν μεγάλην καὶ κήρυξον ἐν αὐτῇ (Jon 1, 2). Er weigert sich, es zu tun; denn er kennt das schwere Amt des Predigers [19]. 30

---

[14] Gn 41, 43 wird κηρύσσειν absolut gebraucht. Mas gibt den Inhalt des Heroldsrufes an: אַבְרֵךְ. Was das Wort bedeutet, läßt sich nicht mit Bestimmtheit sagen. Vgl dazu Ges-Buhl sv u HHolzinger in Kautzsch zSt. Est 6, 9. 11 wird der Inhalt des Rufes in direkter Rede wiedergegeben. — Die LXX fügt noch ein λέγων hinzu —: So wird man jedem tun, den der König ehren will.

[15] Für κηρύσσειν können natürlich auch andere Verben eintreten, zB Jer 36, 9 (43, 9) ἐξεκκλησιάζειν νηστείαν oder Thr 1, 21 καλεῖν καιρόν uam.

[16] 2 Ch 36, 22: Kyrus παρήγγειλεν κηρύξαι ἐν πάσῃ τῇ βασιλείᾳ αὐτοῦ ἐν γραπτῷ λέγων. Mas unterscheidet zwischen הֶעֱבִיר קוֹל und der schriftlichen Bekanntmachung: וְגַם בְּמִכְתָּב לֵאמֹר.

[17] Vgl Just Dial 89, 2: αἱ γραφαὶ κηρύσσουσιν, daß Christus leiden muß. Ferner 88, 8.

[18] Den Unterschied zwischen der prophetischen Verkündigung und dem, was wir unter Predigt verstehen, zeigt zB Js 58, 1: ἀναβόησον ἐν ἰσχύι καὶ μὴ φείσῃ, ὡς σάλπιγγα ὕψωσον τὴν φωνήν σου καὶ ἀνάγγειλον τῷ λαῷ μου τὰ ἁμαρτήματα αὐτῶν καὶ τῷ οἴκῳ Ιακωβ τὰς ἀνομίας αὐτῶν. Gewöhnlich hat man eine verkehrte Vorstellung vom Vorkommen des Wortes „predigen" im AT. Wir erinnern uns aus der Lutherbibel, daß Abraham gepredigt hat (zB Gn 12, 8; 13, 4 uö), wir kennen die Propheten als Prediger. Daraus schließen wir, daß auch das Wort „predigen" eine große Rolle im Sprachschatz der Bibel ausmachen muß. Darin täuschen wir uns. Eine Konkordanz der Lutherbibel bietet wohl eine ganze Reihe von Stellen, die das Wort „predigen" enthalten. Untersucht man sie aber, so beobachten wir 1. daß Luther häufig קרא mit „predigen" übersetzt hat, das die LXX aber richtiger mit ἐπικαλεῖσθαι wiedergibt (zB Gn 4, 26; 12, 8; 13, 4. Ps 105 [104], 1 uo). 2. Daß Luther „predigen" oft für das חזה der Propheten setzt (Ez 13, 8. 9. 16. 23; 22, 28). 3. Daß im AT gerade von der Predigt der falschen Propheten gesprochen wird (Jer 14, 14. 15; 20, 6; 23, 16). Übersieht man die Stellen, die nicht zu den genannten 3 Punkten gehören, so ist die Zahl der Stellen verhältnismäßig klein, die im Luthertext wirklich vom Predigen handeln. Natürlich gibt es eine Reihe anderer Stellen, die man mit „predigen" übersetzen kann, wo Luther andere Worte gebraucht hat.

[19] Vgl Js 53, 1; Jos Bell 6, 288 sagt in anderem Zshg vom Volk: τῶν τοῦ θεοῦ κηρυγμάτων παρήκουσαν.

Jeremia bäumt sich ebenfalls gegen Gottes Willen auf: ὅτι ἀφ᾽ οὗ κηρύσσω, ὦ
ἀδικία, ὦ ταλαιπωρία, βοῶ (Jer 20, 8 Σ). Der Auftrag an Jona wird erneuert
(Jon 3, 2), und Jona ἐκήρυξεν καὶ εἶπεν: Ἔτι τρεῖς ἡμέραι καὶ Νινευη καταστρα-
φήσεται (Jon 3, 4). Anders ist die Predigt Js 61, 1. Der Prophet soll den
5 Gefangenen die Freiheit und — so übersetzt bzw verändert die LXX לַאֲסוּרִים
פְּקַח־קוֹחַ — τυφλοῖς ἀνάβλεψιν verkündigen. Indem er das tut, bringt er das,
was er verkündigt. Er ruft die Freiheit aus, und die Gefangenen sind frei;
er verkündigt das Gesicht, und die Blinden sehen. Sein Wort ist wirkungsmächtig, weil er von Gott gesandt ist, weil Gottes Geist auf ihm ruht. Sein
10 Wort ist Gottes Wort, das nicht fordert, sondern schenkt. Der Prophet, der
dieses Wort verkündigt hat, ist nach dem NT Jesus, der gesagt hat: Heute
ist diese Schrift erfüllt Lk 4, 21.

Js 61, 1 führt ins eschatologische Geschehen. Hos 5, 8 heißt κηρύσσειν als
Übersetzung von רוע Lärm machen, Alarm schlagen, weil der Feind sich naht.
15 Solche Alarmsignale werden Jl 2, 1 gefordert, weil der Tag Jahwes unmittelbar bevorsteht: σαλπίσατε σάλπιγγι ἐν Σιων, κηρύξατε ἐν ὄρει ἁγίῳ μου καὶ συγ-
χυθήτωσαν πάντες οἱ κατοικοῦντες τὴν γῆν, διότι πάρεστιν ἡμέρα κυρίου, ὅτι ἐγγύς,
ἡμέρα σκότους καὶ γνόφου. κηρύσσειν ist der alarmierende, alle aufrüttelnde Ruf,
der die Nähe des Gottestages bekannt gibt. Angesichts dieser Lage lautet der
20 נְאֻם־יְהוָה so: שֻׁבוּ עָדַי בְּכָל־לְבַבְכֶם Jl 2, 12. Anders ist κηρύσσειν Jl 4, 9 zu verstehen. Boten
werden ausgesandt, die die Heiden zum heiligen Krieg gegen Jerusalem auf-
fordern sollen. Zeph 3, 14 und Sach 9, 9 ist wieder רוע das hbr Äquivalent,
und von רוע aus ist κηρύσσειν an diesen Stellen zu verstehen [20]. Es ist das
freudevolle Jauchzen der erlösten Gemeinde: χαῖρε σφόδρα, θύγατερ Σιων, κήρυσσε,
25 θύγατερ Ιερουσαλημ, εὐφραίνου καὶ κατατέρπου ἐξ ὅλης τῆς καρδίας σου (Zeph 3, 14).
Die Strafe ist beseitigt, Gott, der König Israels, weilt in ihrer Mitte (Zeph
3, 15). Seine Friedensherrschaft hat begonnen (Sach 9, 9).

Überblicken wir das Bild, das sich uns von κηρύσσειν im AT darbietet, so
müssen wir feststellen, daß dem Verb die hervorragende Stellung, die es im NT
30 hat, im AT nicht zukommt. Aus dem Aufzählen der wichtigsten Stellen ist
die Ähnlichkeit und Verschiedenheit zwischen at.lichem und nt.lichem κηρύσσειν
deutlich geworden. Der Bußruf des Predigers, das Ankündigen des Gottestages,
das Erfüllung schaffende Wort, das Proklamieren des Herrschers — das alles
hat seine volle Bedeutung beim κηρύσσειν im NT erhalten. Völlig fehlt im NT
35 κηρύσσειν in der Bedeutung von Zeph 3, 14 und Sach 9, 9.

C. כרז bei den Rabbinen.

Das Verbum כרז bringt zu dem, was wir unter כרוז als Aufgabe
der verschiedenen Herolde aufgezählt haben, nur wenig Neues hinzu. Es ist term techn

---

[20] רוע übersetzt die LXX gelegentlich mit
ἀλαλάζειν wie zB Ri 15, 14: Beim Anrücken
des Feindes erhebt das Heer das Kriegsgeschrei, das die eigenen Soldaten ermutigt und
den Feind in die Flucht schlägt. רוע ist
aber auch der Ausdruck für die Freude über
den besiegten Feind (Jer 50, 15 = 'Ιερ 27, 15:
κατακροτέω u Ps 108, 10) oder aber für das

Jauchzen der Menge bei der Erwählung
des Königs (1 S 10, 24). Dieser Jubelruf
erschallt auch, wenn Gott Israel erlösen wird
(Js 44, 23). Die ganze Natur stimmt ein
in den Freudengesang. Ps 81, 2 ist es das
kultische Rühmen Gottes für seine Wundertaten.

für das Ausrufen des Platzmachers von vornehmen Leuten (→ 699, 7 ff)²¹. Wichtig ist es ferner in der Gerichtssprache. Nach jüdischem Recht müssen gewisse Sachen, die man gefunden hat, öffentlich bekannt gemacht werden (BM 2, 1 ff). Sie werden „ausgeschellt“. Das Ausrufen eines Rechtsstandpunktes macht diesen zu einem allgemein gültigen Gesetz²². — Natürlich wird כרז nicht nur in der profanen Welt gebraucht, es spielt 5 auch in der sakralen Sphäre eine Rolle. Rabbinen veröffentlichen ihre Lehrentscheidungen und ihre Bekanntmachungen den Kultus betreffend durch einen Herold²³. Im synagogalen Gottesdienst hatte der Prediger oft einen besonderen Sprecher, der die Worte der versammelten Gemeinde laut zurief. „Rabbi befahl . . . seinem Amora (Sprecher): Gib bekannt an die Gemeinde (כרז): wenn einer das Abendgebet beten will, 10 solange es noch Tag ist, besteht dieses Gebet zurecht“ (jBer 7 c 51)²⁴. כרז kann hier die Bedeutung von predigen gewinnen. bAZ 19 b: „R Alexander מכריז: Wer wünscht Leben, wer wünscht Leben? Da versammelte sich die ganze Welt zu ihm und sprach (אמר): Gib uns Leben. Da sprach er zu ihnen (אמר): »Ps 34, 13. 14: Wer ist der Mann, der das Leben begehrt usw? Wahre deine Zunge vor Bösem usw, halte dich fern von 15 Bösem und tue Gutes usw. Vielleicht sagt jemand, ich habe meine Zunge vor Bösem gewahrt und meine Lippe vor trügerischer Rede, ich will mich nun dem Schlaf hingeben, so heißt es: Halte dich fern von Bösem und tue Gutes, und unter Gutes ist die Gesetzeskunde zu verstehen; denn es heißt Prv 4, 2: denn eine gute Lehre gab ich euch, laßt meine Weisung nicht außer acht«“. Diese Predigt ist ausführlich 20 wiedergegeben, um an einem Beispiel den Unterschied zur nt.lichen zu zeigen. Dieses Verkündigen ist Gesetzes- und Moralpredigt und richtet sich an Menschen wie den Juden in R 2, 21 (→ 704, 14 ff). כרז kann zum Ausdruck für die Offenbarung Gottes durch die Himmelsstimme werden²⁵, ja von Gott selbst heißt es: er ruft aus²⁶. כרז ist ein im rabbinischen Sprachgebrauch sehr beliebtes 25 Wort. Darum sind die Stellen, in denen wir כרז finden, recht zahlreich. Das Verbum ist sogar zu einem exegetischen Terminus geworden. Wird von den Rabbinen ein Bibelwort zitiert, so wird es oft mit den Worten: Gott bzw die Schrift מַכְרִיז וְאוֹמֵר eingeführt²⁷. So ist auch Cant r z 2, 13 zu verstehen, wo nach מַכְרִיז וְאוֹמֵר Js 52, 7 als Zitat folgt (→ 711, 34). כרז tritt öfter an die Stelle des biblischen קרא. Wo im AT 30 קרא steht, interpretiert es der rabbinische Text lieber mit כרז²⁸. Das ist ein Zeichen dafür, wie beliebt das im AT nur ein einziges Mal vorkommende כרז im späteren Sprachgebrauch gewesen ist.

D. κηρύσσω im NT.

1. κηρύσσειν und die andern Verben für die nt.liche 35 Verkündigung.

Wenn wir heute von der Ausrichtung des Gotteswortes durch Menschen an Menschen sprechen, so steht uns nur der Ausdruck „pre-

²¹ bKet 77 b: Elias ließ vor ihm ausrufen: Macht Platz für den Sohn Levis. Midr Ps z 17, 7: Wenn der Mensch irgendwo unterwegs ist, dann gehen Engelsbilder vor ihm her und rufen aus u sagen: Macht Platz für die Ebenbilder Gottes.

²² jJeb 10 b 1: Ein durch ein jüdisches Gericht erzwungener Scheidebrief ist tauglich; ist er erzwungen durch heidnisches Gericht, ist er nichtig. Schemuel sagte: Er ist untauglich u macht die Frau untauglich zur Ehe mit einem Priester. Und Mar Schemuel sagte: Man hat das auch ausgerufen.

²³ bRH 21 a.

²⁴ Die rabb Belegstellen sind zum großen Teil von KGKuhn und WGutbrod geprüft, die auch einige Texte ins Deutsche übertragen haben.

²⁵ Ab 6, 2: An jedem Tage geht eine Himmelsstimme vom Berge Horeb aus und sie verkündet (וּמַכְרֶזֶת): Wehe den Menschen

ob der Kränkung, die sie der Tora zufügen. Vgl ferner Midr Ps z 79, 2 u SDt 357 z 34, 5.

²⁶ bPes 113 a: Die Tugendhaftigkeit dreier Klassen von Menschen verkündet Gott an jedem Tage.

²⁷ ZB Pesikt r 199 b; Midr Ps z 18, 41; Midr Ps z 7, 8 vgl dazu WBacher, Die exegetische Terminologie der jüd Traditionslit II (1905) 89 f.

²⁸ bBer 55 a in Str-B III 1 (Hinweis v KGKuhn): RJochanan hat gesagt: Drei Dinge ruft Gott selbst öffentlich aus (מַכְרִיז) und diese sind: Hungersnot, Überfluß und ein guter Verwalter. Hungersnot 2 Kö 8, 1: Jahwe hat den Hunger ausgerufen (קָרָא). Überfluß Ez 36, 29: Ich rufe (קָרָאתִי) dem Getreide zu und mache dessen viel. Ein guter Verwalter Ex 31, 1 f: Es sprach Jahwe zu Mose: Siehe ich habe den Bezalel namentlich berufen (קָרָאתִי).

digen" zur Verfügung, und mit „predigen" hat Luther — von wenigen Ausnahmen abgesehen[29] — stets κηρύσσειν übersetzt. Das NT ist lebendiger und
mannigfaltiger in seinen Ausdrucksformen, als wir es in unserer kirchlichen
Sprache heute geworden sind. Es kennt nicht nur κηρύσσειν, sondern es spricht[30]
5 von → λέγειν, → λαλεῖν, → ἀποφθέγγεσθαι, → ὁμιλεῖν, → διηγεῖσθαι, ἐκδιηγεῖσθαι, ἐξηγεῖσθαι, → διαλέγεσθαι, → διερμηνεύειν, → γνωρίζειν. Bald redet es von → ἀγγέλλειν, → ἀναγγέλλειν, → ἀπαγγέλλειν, → διαγγέλλειν, → ἐξαγγέλλειν, → καταγγέλλειν,
→ εὐαγγελίζεσθαι, bald wieder von → παρρησιάζεσθαι, → μαρτυρεῖν, → ἐπιμαρτυρεῖν,
→ διαμαρτύρεσθαι, → πείθειν, → ὁμολογεῖν. Wir hören von → κράζειν und → προ-
10 φητεύειν wie von → διδάσκειν, → παραδιδόναι, → νουθετεῖν, τὸν λόγον → ὀρθοτο-
μεῖν, → παρακαλεῖν, → ἐλέγχειν und → ἐπιτιμᾶν. Natürlich unterscheiden sich die
Verben voneinander. Daß wir heute fast ausschließlich nur noch das Wort
„predigen" kennen, ist nicht nur ein Mangel der Sprache, sondern auch ein
Zeichen dafür, daß uns vieles verloren gegangen ist, was in der Urchristenheit
15 lebendige Wirklichkeit war.

Aber selbst wenn wir von den andern Verben absehen und das Wort „predigen" auf die Übersetzung von κηρύσσειν beschränken, dann treffen wir mit
unserm heutigen Wort „predigen" nicht mehr den Sinngehalt von κηρύσσειν im
NT. κηρύσσειν heißt nicht: einen lehrhaften oder ermahnenden oder auch erbau-
20 lichen Vortrag in schön gesetzten Worten mit wohlklingender Stimme halten,
sondern κηρύσσειν ist das Ausrufen eines Ereignisses (→ 710, 1 ff), κηρύσσειν bedeutet:
proklamieren. Weil κηρύσσειν d i e s e Bedeutung hat, ist es erklärlich, daß es sich
ebenso wie → εὐαγγέλιον und → εὐαγγελίζεσθαι (vgl auch → καλεῖν) im joh Schrifttum mit Ausnahme von Apk 5, 2 nicht findet. Joh bevorzugt → μαρτυρεῖν. Vom
25 Standpunkt seiner Eschatologie her[31] eignet sich μαρτυρεῖν als Zeugnis davon,
„was von Anfang her war, was wir gehört haben, was wir mit unsern Augen
geschaut haben, was wir sahen und unsere Hände betasteten" (1 J 1, 1, vgl
J 3, 11; 15, 27), besser als der dramatische, die Erfüllung schaffende Heroldsruf. Mit dem Inhalt von Jk und Hb hängt es wohl zusammen, daß dort κηρύσ-
30 σειν nicht gebraucht wird. Wir zählen es bei Mt 9 mal, bei Mk 14 mal, bei Lk
im Ev 9 mal und in Ag 8 mal (außerdem noch 4 mal in verschiedenen Hdschr,
namentlich in D: Ag 1, 2; 16, 14; 17, 15 und 19, 14), bei Paulus 17 mal, zuzüg-
lich 2 mal in den Past, im 1 Pt 1 mal und Apk 1 mal. Das Verbum kommt im
ganzen im NT 61 mal (65 mal) vor. Vergleicht man diese Statistik mit der von
35 → κῆρυξ und → κήρυγμα, so erhalten wir bereits dadurch einen gewissen Aufschluß über die theologische Bedeutung der einzelnen Wörter. Es wird nicht
auf das κήρυγμα der große Wert gelegt, als ob das Christentum inhaltlich etwas
entscheidend Neues gebracht hätte: eine neue Lehre, eine neue Gottesanschauung,
einen neuen Kultus oder sonst etwas, sondern die Handlung, das Verkündigen

---

[29] Warum Luther Mk 1, 45; 5, 20; 7, 36;
Lk 8, 39 κηρύσσειν nicht mit „predigen" übersetzt hat, darüber → 707, 24 ff. Mk 13, 10 gibt
er κηρύσσειν τὸ εὐαγγέλιον mit „verkündigen"
wieder, während Mk 14, 9; 16, 15 und an
den anderen Stellen (→ 703, 16 ff) „predigen"
bei ihm steht. Lk 4, 19 u Apk 5, 2 ist die
Übersetzung „predigen" nicht möglich. Die

Vulgata setzt für κηρύσσειν durchgehend
praedicare, wovon unser deutsches Wort
„predigen" herrührt.
[30] διαφημίζειν wird absichtlich nicht genannt.
[31] GStählin, Zum Problem der joh Eschatologie ZNW 33 (1934) 225 ff.

selbst ist das Entscheidende; denn es führt das herbei, worauf die Propheten des AT gewartet haben. Durch das Verkündigen vollzieht sich die Machtergreifung Gottes. Das Verkündigen selbst ist darum das Neue. Durch das Verkündigen kommt die βασιλεία τοῦ θεοῦ.

2. Zum Sprachgebrauch von κηρύσσω.

κηρύσσειν wird gewöhnlich act gebraucht. Passivkonstruktionen finden wir: Mt 24, 14 par Mk 13, 10; Mt 26, 13 par Mk 14, 9; Lk 12, 3; 24, 47; 1 K 15, 12; 2 K 1, 19; Kol 1, 23; 1 Tm 3, 16. In der Regel wird der Inhalt der Botschaft durch ein Substantiv im Akkusativ angegeben. Man verkündet: Mk 1, 45: ganz allgemein πολλά, Ag 15, 21: αὐτόν nämlich Mose, Gl 5, 11: περιτομήν, 2 K 11, 4: ἄλλον Ἰησοῦν; ferner Ag 10, 37: τὸ βάπτισμα, Mk 1, 4 par Lk 3, 3: βάπτισμα μετανοίας εἰς ἄφεσιν ἁμαρτιῶν, Lk 24, 47: μετάνοιαν εἰς ἄφεσιν ἁμαρτιῶν, Lk 4, 18: ἄφεσιν καὶ ἀνάβλεψιν, Lk 4, 19: ἐνιαυτὸν κυρίου δεκτόν, Ag 9, 20; 19, 13 (vgl 19, 14 D): τὸν Ἰησοῦν, Ag 8, 5; Phil 1, 15; vgl 1 K 1, 24 und 1 K 15, 12 (ferner 1 Tm 3, 16): τὸν Χριστόν, 1 K 1, 23: Χριστὸν ἐσταυρωμένον, 2 K 1, 19; 2 K 4, 5: Χριστὸν Ἰησοῦν, Ag 20, 25: τὴν βασιλείαν, Lk 8, 1; Lk 9, 2; Ag 28, 31: τὴν βασιλείαν τοῦ θεοῦ, Mk 13, 10; Mk 14, 9; Mk 16, 15; Gl 2, 2; Kol 1, 23 (Ag 1, 2 D): τὸ εὐαγγέλιον, Mt 26, 13: τὸ εὐαγγέλιον τοῦτο, Mk 1, 14; 1 Th 2, 9: τὸ εὐαγγέλιον τοῦ θεοῦ, Mt 4, 23; Mt 9, 35: τὸ εὐαγγέλιον τῆς βασιλείας, Mt 24, 14: τοῦτο τὸ εὐαγγέλιον τῆς βασιλείας, 2 Tm 4, 2 (vgl Ag 17, 15 D): τὸν λόγον, R 10, 8: τὸ ῥῆμα τῆς πίστεως. κηρύσσειν kann auch mit einem Infinitiv R 2, 21, mit ὅτι Ag 9, 20; Ag 10, 42; 1 K 15, 12 oder ἵνα Mk 6, 12 konstruiert werden. Ferner wird der Inhalt der Verkündigung in einem Relativsatz Mt 10, 27; Mk 5, 20; Lk 8, 39; Lk 12, 3 oder in direkter Rede angegeben Mt 4, 17; Apk 5, 2, wobei gelegentlich ein λέγων noch besonders auf den Inhalt hinweist Mt 3, 1f; Mt 10, 7; Mk 1, 7 und κηρύσσειν dann die Tätigkeit des Herolds, der seine Botschaft laut ausruft, also den Akt des Kundmachens beschreibt. Absoluten Gebrauch von κηρύσσειν stellen wir fest: Mt 11, 1; Mk 1, 39; Lk 4, 44; 1 Pt 3, 19: von Jesus, Mk 1, 38 in indirekter Rede von ihm; Mk 3, 14; 16, 20: von den Jüngern; Mk 7, 36: von den Leuten nach einer Heilung; 1 K 9, 27; 1 K 15, 11 (R 10, 14. 15): von Paulus.

Die Person, an die sich die Verkündigung wendet, steht im Dativ[32]: Ag 8, 5: αὐτοῖς, 1 K 9, 27: ἄλλοις, Lk 4, 18: αἰχμαλώτοις καὶ τυφλοῖς, 1 Pt 3, 19: τοῖς πνεύμασιν, Ag 10, 42: τῷ λαῷ (vgl 1 K 1, 24: τοῖς κλητοῖς, Ἰουδαίοις τε καὶ Ἕλλησιν), Mk 16, 15: πάσῃ τῇ κτίσει.

Der Ort, an dem die Predigt stattfindet, wird mit einer Präposition angegeben. Gewöhnlich ist es die Präp ἐν: Mt 3, 1: ἐν τῇ ἐρήμῳ, Mk 5, 20: ἐν τῇ Δεκαπόλει, Mt 11, 1: ἐν ταῖς πόλεσιν, Ag 9, 20: ἐν ταῖς συναγωγαῖς[33], Gl 2, 2 (vgl 1 Tm 3, 16): ἐν τοῖς ἔθνεσιν, 2 K 1, 19: ἐν ὑμῖν, Kol 1, 23: ἐν πάσῃ κτίσει, Mt 24, 14: ἐν ὅλῃ τῇ οἰκουμένῃ, Mt 26, 13: ἐν ὅλῳ τῷ κόσμῳ. Für ἐν kann auch εἰς eintreten, ohne daß sich ein Wechsel in der Bedeutung ergibt[34]. Es sind fast dieselben Ortsbestimmungen: Mk 1, 39; Lk 4, 44: εἰς τὰς συναγωγάς[35], Mk 13, 10; Lk 24, 47: εἰς πάντα τὰ ἔθνη, 1 Th 2, 9: εἰς ὑμᾶς (vgl Ag 17, 15 D: εἰς αὐτούς), Mk 14, 9: εἰς ὅλον τὸν κόσμον. Außerdem ist noch zu verzeichnen: Lk 8, 39: καθ᾽ ὅλην τὴν πόλιν[36] und Mt 10, 27; Lk 12, 3: ἐπὶ τῶν δωμάτων.

3. Die profane Bedeutung von κηρύσσω Lk 12, 3.

ὅσα ἐν τῇ σκοτίᾳ εἴπατε ἐν τῷ φωτὶ ἀκουσθήσεται, καὶ ὃ πρὸς τὸ οὖς ἐλαλήσατε ἐν τοῖς ταμιείοις κηρυχθήσεται ἐπὶ τῶν δωμάτων.

Dieser Vers handelt nicht von der Tätigkeit der Jünger[37], wie man es zunächst vermutet, sondern er gehört zu der vorhergehenden Rede über die Pharisäer. „Hütet euch vor dem Sauerteig der Pharisäer, welcher Heuchelei ist", werden die Jünger v 1 gewarnt. Mögen die Pharisäer auch noch so gerissene Heuchler sein, letzten

---

[32] Über die Konstruktion κηρύσσειν ἐν und κηρύσσειν εἰς → Z 38.
[33] Ob Mt 4, 23 u 9, 35 ἐν ταῖς συναγωγαῖς auch zu κηρύσσειν gehört, oder ob das κηρύσσειν u θεραπεύειν bei der Reise durch Galiläa erfolgte, ist unwichtig zu entscheiden.
[34] Vgl Bl-Debr § 205.
[35] Lk 3, 3 ist εἰς πᾶσαν τὴν περίχωρον τοῦ

Ἰορδάνου nicht mit κηρύσσειν zu verbinden, wie es Zn Lk verlangt, sondern mit ἐλθεῖν.
[36] Trotz des Vorschlages von Hck Lk gehört κατὰ πόλιν καὶ κώμην Lk 8, 1 zu διοδεύειν und nicht zu κηρύσσειν.
[37] So die übliche Auslegung. Siehe aber Dausch Synpt.

Endes kann es nicht verborgen bleiben, was sie denken. Sie werden entlarvt werden; denn „es gibt nichts Verborgenes, was nicht offenbar werden wird, und nichts Heimliches, was nicht erkannt werden wird". Um dieses zu bekräftigen, wird ein bekanntes Sprichwort angeführt[38]: „Was ihr in der Finsternis sagtet, wird im Licht gehört werden und was ihr in den Kammern ins Ohr sagtet, wird auf den Dächern ausgerufen werden." So wird es den Pharisäern mit ihren heimlichen Anschlägen gehen. Ihre Absichten werden ans Licht kommen und allgemein bekannt werden. Das „ihr" in v 3 bezieht sich also nicht auf die angesprochenen Jünger, sondern ist vom Zitat des Sprichwortes aus zu verstehen und geht auf die Pharisäer[39]. Erst mit v 4: „Ich sage aber zu euch, meinen Freunden", wendet sich Jesus betont an seine Jünger und redet nun zu ihnen und von ihnen[40].

4. Das Verkünden durch die verschiedenen Prediger.

a. Die Juden. Der Jude predigt das Gesetz (→ 701, 12 ff). Wie der Philosoph zu einem moralischen Lebenswandel auffordert (→ 692, 15 ff), so ruft der jüdische Missionar[41] seinen Hörern zu: Du sollst nicht stehlen R 2, 21. Ag 15, 21 wird das allwöchentliche Lesen des at.lichen Gesetzes in der Synagoge ein Predigen[42] des Mose genannt[43].

b. Johannes der Täufer. Johannes der Täufer ist der Herold der messianischen Zeit[44] (Mk 1, 4 par Mt 3, 1 und Lk 3, 3), der in der Wüste predigt. ἐν τῇ ἐρήμῳ κηρύσσειν scheint ein Unsinn zu sein; denn was soll ein Herold dort, wo kein Mensch wohnt! Johannes geht aber in die Wüste und predigt dort, weil die Königsherrschaft Gottes nahe ist und die Heilszeit in der Wüste ihren Anfang nimmt (→ II 656, 5 ff). Er tritt nicht als Lehrer vor die Gemeinde und legt im Gottesdienst die Schrift aus, sondern er rüttelt die Menschen aus ihrem Schlaf auf und macht sie aufmerksam auf das, was kommen wird, wie die Propheten (→ 700, 13 ff). Wie ein Herold ruft er laut, daß alle, die es hören wollen, vernehmen können: „Tut Buße!", und diese Aufforderung zur Buße begründet er mit der Nähe der Himmelsherrschaft Mt 3, 1. Er ist kein Gesetzesprediger, der die Menschen auffordert, sie sollten sich bessern. Seine Bußpredigt ist gleichzeitig Prophetie. Er weist über sich selbst hinaus auf den

---

[38] Vgl das deutsche Sprichwort: „Es ist nichts so fein gesponnen, es kommt doch ans Licht der Sonnen."

[39] Vgl unser Sprichwort, das auch in persönlicher Anrede gehalten ist: „Was du nicht willst, daß man dir tu, das füg auch keinem andern zu."

[40] Einen anderen Sinn hat das Wort Mt 10, 27. Dort ist das Sprichwort abgewandelt und auf das Verhältnis Jesu zu seinen Jüngern angewandt.

[41] Über Mission der Juden → I 418 u Str-B I 926. Just Dial 108, 2: von den Juden ἄνδρας ... εἰς πᾶσαν τὴν οἰκουμένην ἐπέμψατε, κηρύσσοντας, die Jünger hätten Jesus gestohlen.

[42] Die älteste Bezeichnung für predigen im synagogalen Gottesdienst ist למד vgl 2 Ch 17, 9. Ihrem Wesen nach kann die Predigt in der Synagoge nicht Heroldsruf sein, denn sie bestand aus Auslegung der verlesenen Perikope. Für למד tritt später immer häufiger דרש forschen Esr 7, 10 ein. Die Synagogenpredigt heißt davon ab-

geleitet דרשא und der Prediger דרשן oder דרושא. Den exegetisch-didaktischen Charakter der synagogalen Predigt ändert auch nicht die Tatsache, daß die Ansprache oft mit einem erbaulichen Trostspruch oder mit einem eschatologischen Ausblick schloß. Sie verkündete nicht die Gegenwart der Eschatologie wie die nt.liche Predigt (→ 703, 2 f). Str-B IV 171 ff u JElbogen, Der jüdische Gottesdienst in seiner geschichtlichen Entwicklung[2] (1924) 194 ff.

[43] Viel erörtert ist der Zshg von Ag 15, 21 mit dem Vorhergehenden. Vgl. die Zusammenstellung bei Wdt Ag zSt. Wahrscheinlich will der Vers sagen: wir wollen die Heidenchristen mit dem Gesetz nicht weiter belästigen (v 19). Moseprediger gibt es genug. Wir wollen das Evangelium verkündigen. So Schl Erl; Zn Ag zSt.

[44] Just Dial 49, 3 Johannes der Täufer, der Herold Jesu. Vgl auch 88, 2: μέχρις οὗ προελήλυθεν Ἰωάννης κήρυξ αὐτοῦ τῆς παρουσίας.

Kommenden, auf eine Gestalt in der Zukunft, auf den Messias Mk 1, 7. In Johannes ist die alte Prophetie neu erstanden. Vergebung der Sünden, die Königsherrschaft Gottes, das Kommen des Messias war ihr größtes Sehnen, ihre höchste Hoffnung. Auch das Wort des Täufers war ein Wort der Verheißung. Aber es war getragen von der Gewißheit der unmittelbar bevorstehenden Erfüllung. In dieser Gewißheit, daß die messianische Zeit bald hereinbrechen werde, verkündet er die Vergebung der Sünden. Die Taufe, zu der er aufruft (Ag 10, 37), ist Versiegelung derer, die auf die Gottesherrschaft warten; sie ist Vorwegnahme der messianischen Vergebung: προκηρύσσειν βάπτισμα μετανοίας Ag 13, 24.

c. Jesus Christus.

Der Irdische. Jesus bezeichnet Mk 1, 38 das Predigen als seine Aufgabe auf Erden; dazu ist er vom Vater zu den Menschen gekommen, daß er die Botschaft ausrufe. Das ist seine Sendung Lk 4, 18. 19. 43. 44. Im Joh-Ev ist Jesus das Wort selbst, in den Synpt ist er der Herold, der das Wort verkündigt. Er scheint mit Johannes dem Täufer auf einer Stufe zu stehen. Nach dessen Gefangennahme nimmt er auch seine Tätigkeit auf und predigt dasselbe wie er: „Tut Buße, denn die Herrschaft der Himmel ist nahe" Mt 4, 17 vgl Mk 1, 14 f. Er sagt damit nichts Neues, sondern wiederholt nur, was Johannes gepredigt hat. Und doch ist etwas Neues da. Jesus spricht nicht mehr als Prophet von dem Kommenden[45], sondern von der Erfüllung der Erwartung und Verheißung. Er kündigt nicht an, daß etwas geschehen wird, sondern seine Verkündigung ist bereits ein Geschehen; das Ausgerufene wird im Augenblick der Bekanntgabe Wirklichkeit. Er ruft Lk 4, 18 ff wie ein Herold das Jahr des Herrn, die messianische Zeit aus. Wenn das Jobeljahr von Herolden mit Posaunenstößen im ganzen Lande bekannt gemacht wird, dann beginnt es, dann tun sich die Türen der Gefängnisse auf und die Schulden sind erlassen. Die Predigt Jesu ist solch ein Posaunenstoß. Er hat zur Folge, daß das verkündete Wort Wirklichkeit wird; denn das göttliche Wort ist eine schaffende Kraft und gibt, was es ankündigt.

Der Gestorbene. Zwischen Karfreitag und Ostern hat Jesus dem sündigen Geschlecht des Noah die Botschaft von der Erlösung gebracht. Den Un-

---

[45] EvDobschütz, Matthäus als Rabbi und Katechet ZNW 27' (1928) 338 ff wendet sich gegen die Meinung, Jesus habe die Predigt des Täufers übernommen. Wenn Mt 3, 2 und 4, 17 Täuferpredigt und erste Predigt Jesu denselben Wortlaut haben, so hänge das damit zusammen, daß Matthäus den Gleichlaut liebe und eine einmal gefundene Formel festhalte und sie gerne öfter verwende. Stimmen bei Matthäus zwei Stellen wörtlich überein, so seien diese Worte nicht zuverlässige Überlieferung, sondern Formulierungen des Evangelisten. Nach Dobschütz gehört die Ankündigung der Himmelsherrschaft ursprünglich nicht in die Täuferpredigt. Nur Jesus habe das Nahen der Gottesherrschaft verkündet. Der Täufer predige Buße, Gericht, Unheil, Weltflucht; Jesus dagegen Glaube, Weltbejahung, Evangelium. Gewiß besteht ein Unterschied zwischen Johannes und Jesus, aber nicht der, den Dobschütz herausarbeitet. Auch die Predigt von der Gottesherrschaft ist Verkündigung des Gerichts. Beides schließt sich nicht aus. Ferner fordert Jesus nicht nur Mt 4, 17 zur Buße auf, sondern sonst (→ μετανοέω), und Johannes der Täufer ist nicht nur der finstere Unheilsprediger, sondern auch Evangelist Lk 3, 18. Wir urteilen darum wie WMichaelis: Täufer, Jesus, Urgemeinde, Neutestamentliche Forschungen II 3 (1928) 11: „Vielmehr fügt sich dies Thema dem Bild, das wir sonst von der Täuferpredigt gewinnen, so gut ein, daß wir eher urteilen werden, daß die Formulierung auf den Täufer zurückgeht und dann von Jesus übernommen worden ist."

gläubigen vor der Sündflut wurde jeder Anteil am messianischen Heil abgesprochen. Weil sie besonders ungehorsam waren, sind sie in ein besonderes
Gefängnis gebracht. Wenn Jesus Christus nun zu ihnen herabsteigt und ihnen
das Evangelium predigt, so erweist er sich als der unumschränkte Sieger über
5 alle Mächte und Gewalten. Sein Wort hat auch im Bereich des Todes Macht
1 Pt 3, 19f. Über den Erfolg der Predigt ist nichts gesagt. Den einen wird
sie die Errettung, andern endgültige Verwerfung gebracht haben, wie jede Predigt Scheidung ist und darum praeludium iudicii universalis (Bengel z 1 Pt 3, 19).

10 Die Exegese von 1 Pt 3, 19 muß sich über 5 Fragen im Klaren sein: *1.* Wer sind
die πνεύματα? *2.* Was bedeutet φυλακή? *3.* Wann geschah das πορευθείς? *4.* Wer
ist der Prediger? *5.* Welches ist der Inhalt der Predigt?

1. Wer sind die πνεύματα? Unmöglich ist wegen v 20 die Auslegung Calvins, die
πνεύματα seien die Gerechten des alten Bundes, speziell die Zeitgenossen Noahs.
Meistenteils[46] sieht man in neuerer Zeit in den πνεύματα die gefallenen Engel aus
15 Gn 6; dabei beruft man sich auf äth Hen 10—15. Aber nach Jub 5 (vgl äth Hen 10)
vollzog sich das Gericht an den Engeln und ihren Kindern bereits in den Tagen
Noahs, als er die Arche baute, so daß es für sie damals keine Rettung mehr gab. Ungehorsam gegen die wartende Langmut Gottes waren die damals lebenden Menschen.
Nach Pr-Bauer[3] 1126 (vgl Kn Pt zSt) können πνεύματα auch die Seelen der Verstor-
20 benen sein. Dafür entscheiden wir uns.

2. Was bedeutet φυλακή? Bei Calvin ist φυλακή entweder die Warte, auf der die
Frommen stehen und nach dem Heil ausschauen, oder aber, wenn man φυλακή mit
Gefängnis übersetzt, das Gesetz, das den Frommen wie ein Kerker umgibt.
Auch Augustin (ep 164, 16) gibt φυλακή einen geistlichen Sinn: animae, quae tunc (von
25 den Zeitgenossen Noahs) erant in carne atque ignorantiae tenebris velut carcere claude-
bantur (MPL 33 p 715). Wer die πνεύματα für Engelwesen hält, sucht die φυλακή nach
Jd 6; 2 Pt 2, 4; Jub 5; äth Hen 10 im Innern der Erde. Nach KGschwind[47] ist der
Aufenthaltsort der Geister nicht die Unterwelt, sondern mehrere übereinander liegende
Himmel. Wahrscheinlich ist φυλακή ein besonderes Gefängnis im Hades.

30 *3.* Wann geschah das πορευθείς? Augustin, Calvin, Spitta, Wohlenberg nehmen als
Zeitpunkt der Predigt die Zeit Noahs an. Wohlenberg erklärt ἐν φυλακῇ dann so,
daß er sagt, es werde damit der Zustand der Zeitgenossen Noahs beschrieben, in dem
sie sich zur Zeit der Leser des Petrusbriefes befinden. Das ist reichlich gekünstelt.
Außerdem scheint πορευθείς in zeitlichem Gegensatz zu ἀπειθήσασίν ποτε zu stehen.
35 Nach Gschwind ist die Predigt bei der Himmelfahrt Christi erfolgt (vgl 1 Tm 3, 16;
Phil 2, 10; Eph 1, 20f). Wegen der Stellung zwischen v 18 (Tod), v 21 (Auferstehung)
und v 22 (Himmelfahrt) wird man sich für die zeitliche Reihenfolge des Glaubensbekenntnisses entscheiden müssen: „Niedergefahren zur Hölle, am dritten Tage wieder
auferstanden von den Toten."

40 *4.* Wer ist der Prediger? Gilt die Predigt den Zeitgenossen Noahs in den Tagen,
da er die Arche baute, so ist der Prediger der präexistente Christus, der Noah (so
Wohlenberg und Augustin) oder Henoch (so Spitta) zu seinem Sprecher gemacht hat.
Für uns ergibt sich aus der Beantwortung der vorhergehenden Fragen, daß der Prediger der gestorbene und doch lebende Christus ist.

45 *5.* Welches ist der Inhalt der Predigt? Der Inhalt des Kerygmas ist nicht angegeben, aber er wird derselbe sein wie sonst im NT. Ist Jesus zu den Verstorbenen
hinabgestiegen, so wollte er durch seine Verkündigung des Sieges nicht die Qualen
der Verdammten mehren, sondern sein κηρύσσειν hatte das Evangelium zum Inhalt.
Für diese Bedeutung spricht auch der ganze Abschnitt von v 18 an, der vom Segen
50 des Todes, der Auferstehung und der Himmelfahrt Jesu handelt.

Der Erhöhte. Auch als der Erhöhte spricht Christus zu den Menschen.
Im Wort seiner Boten ist er gegenwärtig, so daß die Predigt gleichzeitig Gotteswort und Menschenwort ist, wie Jesus auch wahrer Mensch und
wahrer Gott ist. Darum ist wirkliche Verkündigung nicht nur ein Reden

---

[46] FSpitta, Christi Predigt an die Geister
1 Pt 3, 19f (1890) 22ff; HGunkel, Zum religionsgeschichtlichen Verständnis des NT
(1903) 72f; Ders, in Schr NT zSt; WBousset,
ZNW 19 (1919/20) 50ff; RReitzenstein, Das

mandäische Buch des Herrn der Größe
(1919) 30; Kn Pt und FHauck, in: NT Deutsch
zSt.

[47] CGschwind, Die Niederfahrt Christi in
die Unterwelt (1911) 118ff.

über Christus, sondern ein Reden des Christus selbst, wie er selbst zu seinen Jüngern gesagt hat: „Wer euch hört, hört mich" Lk 10, 16. Aber dieses Reden bleibt Geheimnis, wie auch Jesus in seinen Erdentagen vielen als Sohn Gottes verborgen geblieben ist. Nur der Glaubende hört den Ruf Gottes im Wort der Menschen und betet Gott an. „Wie sollen sie nun den anrufen, an den sie nicht glaubten? Wie sollen sie an den glauben, den sie nicht hörten? Wie sollen sie hören ohne Verkündiger?" (R 10, 14). Christus selbst ist der Verkündiger im menschlichen Wort, ihn hört man in der Predigt, an ihn glaubt man, ihn ruft man an. Daß dieses der Sinn der Stelle ist, wird ganz deutlich aus v 17: „Also kommt der Glaube aus dem Hören, das Hören aber durch das Wort des Christus." Christus ist der Prediger, Predigt ist Wort Gottes, und Wort Gottes heißt Gegenwart Gottes. Darum kann Paulus von seiner Predigt in Korinth sagen: Treu ist Gott, daß unser Wort zu euch nicht ja und nein ist; denn: „Der Sohn Gottes, Jesus Christus, der bei euch durch uns verkündigt worden ist . . ., wurde nicht Ja und Nein" 2 K 1, 18f. Paulus wagt es, sein Wort und Jesus Christus in die engste Beziehung zu setzen. Durch seine Predigt ist der Sohn Gottes handelnd gegenwärtig gewesen, so daß die Korinther es wissen: „in ihm ist das Ja geschehen." Weil Gott selbst in der Predigt spricht, ist eine inhaltlich korrekte Wiedergabe der nt.lichen Botschaft noch lange nicht Verkündigung. Aus dem Mitteilen des nt.lichen Wortes muß ein Handeln Gottes werden, was dann geschieht, wenn er redet.

d. Geheilte. Zur Topik der Aretalogien gehört es, daß die Geheilten hingehen und die großen Machttaten und Wunder Gottes preisen und verkündigen. Auch in den nt.lichen Wundergeschichten erzählen die Geheilten, was ihnen widerfahren ist, trotz des ausdrücklichen Befehls Jesu, es niemandem zu „sagen" Mk 1, 44 par Mt 8, 4 und Lk 5, 14 und Mk 7, 36 [48]. Dies Verkündigen der Taten Jesu ist keine nt.liche Predigt, obwohl wir in diesem Zusammenhang das Wort κηρύσσειν [49] finden. Es erfolgt nicht nur ohne Auftrag (→ 712, 7 ff), sondern sogar gegen den Willen Jesu. Man darf es darum nicht mit dem Predigen der Jünger nach ihrer Aussendung vergleichen, es bedeutet vielmehr als Predigt nichts anderes, als wenn die Dämonen den Namen Jesu nennen und ihn den Umstehenden bekanntgeben [50]. Mk 1, 44f stehen das Verbot, jemandem etwas zu sagen und der Befehl: zeige dich den Priestern εἰς μαρτύριον αὐτοῖς unmittelbar nebeneinander. Es ist ein Unterschied zwischen einem Zeugen und einem Herold [51]. Der Herold zieht durch die Lande und macht öffentlich bekannt, was er zu sagen hat, so daß es alle Leute hören. Der Zeuge hat

---

[48] Vgl ferner Mt 9, 30; Mt 12, 16; Mk 5, 43 par Lk 8, 56; Mk 8, 26. Über die Gründe, die Jesus zu dem Verbot veranlaßten, s die Zitatsammlung aus der älteren Lit über diese Frage bei W Wrede, Das Messiasgeheimnis in den Ev (1901) 254 ff.

[49] Luther gibt dementsprechend auch κηρύσσειν nicht mit „predigen" wieder, sondern übersetzt Mk 1, 45 „sagte viel davon" und Mk 7, 36 „sie breiteten es aus".

[50] Mk 1, 24 par Lk 4, 34: ὁ ἅγιος τοῦ θεοῦ, Mk 3, 11; Mt 8, 29; Lk 4, 41: ὁ υἱὸς τοῦ

θεοῦ, Mk 5, 7 par Lk 8, 28: ὁ υἱὸς τοῦ θεοῦ τοῦ ὑψίστου, vgl auch Ag 16, 17 und 19, 15. Ag 16, 17: οὗτοι οἱ ἄνθρωποι δοῦλοι τοῦ θεοῦ τοῦ ὑψίστου εἰσίν, οἵτινες καταγγέλλουσιν ὑμῖν ὁδὸν σωτηρίας. Die Dämonen wollen natürlich nicht predigen, sondern sie versuchen durch Nennung des Namens sich zu behaupten. Vgl O Bauernfeind, Die Worte der Dämonen im Mk-Ev (1927).

[51] Das schließt nicht aus, daß μαρτυρεῖν u κηρύσσειν synonym sein können, vgl Lk 24, 47f; 1 K 15, 14f.

45*

seinen Platz im Rechtsstreit [52]. Da wird er aufgerufen, und er tritt auf Grund seiner persönlichen Kenntnis der Dinge für den einen ein und klagt den andern an. Der Geheilte soll als Zeuge auftreten im Streit um Christus gegen die Priester, und er geht hin und wirkt als Herold [53]. Er überschreitet den ihm
5 gegebenen Auftrag. Anders ist das Gebot Jesu Mk 5, 19 f par Lk 8, 39. Jesus verbietet gewöhnlich das Predigen von ihm, weil er nicht Bewunderung, sondern Glaube sucht. Weil seine Taten vielen nicht Offenbarung des Messiasgeheimnisses, sondern nur Schauwunder sind, die sie leicht von dem Eigentlichen ablenken können, darum erteilt er das Schweigegebot. Mk 5, 20 ist die
10 Gefahr einer falschen Wertung des Wunders nicht zu befürchten. Die Anwesenden freuen sich nicht über das Geschehene, sondern bitten Jesus, von ihnen wegzugehen. Jesus muß weichen. Aber er läßt den Geheilten, trotz seiner Bitten, ihn begleiten zu dürfen, als Prediger da, und der zieht als Herold durch die Dekapolis und verkündet, was Jesus an ihm getan hat [54].

15   *e.* Jünger und Apostel. Die Jünger, die von Jesus zum Predigen ausgesandt sind, verkünden dasselbe, was Jesus und Johannes der Täufer dem Volke gesagt haben. Es läßt sich wieder auf die kurze Formel bringen: Buße Mk 6, 12 und: die Nähe der Gottesherrschaft Mt 10, 7. Ihr Verkündigen unterscheidet sich aber von dem des Täufers, weil es von Heilun-
20 gen Kranker begleitet ist. Dieses geschieht darum, weil die Gottesherrschaft nahe ist, so nahe, wie sie bei Johannes noch nicht gewesen ist, nämlich Gegenwart. Jesus selbst hat seinen Christusnamen nicht öffentlich bekannt gemacht. Nur dem vertrauten Jüngerkreis hat er das Geheimnis geoffenbart. Was die Jünger da gehört haben, sollen sie furchtlos in aller Öffentlichkeit verkündigen,
25 damit es jedermann höre Mt 10, 27 [55]; denn das Evangelium ist nicht eine Geheimlehre und Konventikelangelegenheit, sondern es gehört an die große Öffentlichkeit. Auf den Straßen, von den Dächern herab soll die Botschaft erschallen. Mit klarem Mut muß sie immer — es sei zur Zeit oder Unzeit 2 Tm 4, 2 — ohne Rücksicht auf Menschen und Verhältnisse gesagt werden. Wenn die ganze
30 Welt das Wort von Christus gehört hat, ist der Auftrag des Auferstandenen ausgeführt, und das Ende ist da (Mt 24, 14). Die Verkündigung der Apostel gehört mit hinein in den Heilsplan Gottes mit den Menschen wie das Leiden

---

[52] Vgl Schl Mt z 8, 4.

[53] Der Konstruktion nach ist es gut möglich, daß sich das κηρύσσειν Mk 1, 45 auf Jesus bezieht. Nach dem Vorbild ähnlicher Erzählungen handelt der v 45 jedoch von dem Geheilten. Vgl Kl Mk zSt.

[54] Auch dieser Geheilte übertritt den ihm von Jesus gegebenen Auftrag. Er soll die wunderbare Heilung zu Hause den Seinen Mk 5, 19 ἀπαγγέλλειν, Lk 8, 39 διηγεῖσθαι. Damit hätte sich Jesus begnügt. Er aber macht es im ganzen Lande bekannt. Luther übersetzt das κηρύσσειν Mk 5, 20 mit „ausrufen", Lk 8, 39 mit „verkünden". Jesus bleibt durch den zurückgelassenen Prediger Sieger über die teuflischen Mächte, auch wenn er

selbst das Land verlassen muß. Vgl dazu KBornhäuser, Das Wirken des Christus durch Taten und Worte (1924) ² 84 u Bauernfeind (→ A 50) 44 f.

[55] Ob mit dem umgeänderten Sprichwort aus Lk 12, 3 auf die jüdische Sitte angespielt ist, daß der Prediger im Synagogengottesdienst nicht unmittelbar zu der Versammlung redete, sondern sich eines besonderen Sprechers bediente, der die Aufgabe hatte, die ihm ins Ohr geflüsterten Worte der Menge zu verkündigen (→ 701, 7 ff), oder ob hier an gewisse Geheimlehren gedacht ist, die der Lehrer nur seinen vertrautesten Schülern ins Ohr flüsterte (Str-B I 579), erscheint fraglich.

und Auferstehen Christi [56]. Es genügt nicht, daß Christus gelebt hat, gestorben und auferstanden ist, diese Heilstatsachen müssen verkündigt werden, damit sie Heilswirklichkeit für den einzelnen werden. Darum redet das NT nicht nur vom Kreuz 1 K 1, 18, sondern vom λόγος τοῦ σταυροῦ — er ist δύναμις θεοῦ —, nicht nur von der Versöhnung 2 K 5, 19, sondern vom λόγος τῆς καταλλαγῆς [57]. 5 Sündige Menschen werden von Gott beauftragt, diese Botschaft den Menschen zu sagen. Diese Menschen sind weder Wundertäter noch Philosophen, sie sind weder tiefgründige Gelehrte, die durch ihr Wissen alle überzeugen, noch gewandte Redner, die mit mächtigem Wort die Menschen zu fesseln verstehen, sondern Herolde, sonst nichts 1 K 1, 22 f; 2, 4. Ihre moralische Tadellosigkeit 10 und Christlichkeit entscheidet nicht über den Wert und die Wirkung der Predigt; denn dann wäre ja das Wort Gottes von Menschen abhängig. Auch durch eine Predigt, die unlauteren Motiven entspringt Phil 1, 15, können Menschen auf Christus aufmerksam gemacht werden. Christus ist größer als seine Verkündiger, und man predigt ja nicht sich selbst und auch nicht seine ethische 15 Qualität oder seine Erlebnisse, sondern Christus 2 K 4, 5. Trotzdem ist das Leben des Predigers nicht nebensächlich. Zwischen der Botschaft und dem Verhalten des Verkündigers darf kein Zwiespalt entstehen wie bei den jüdischen Missionaren, die predigten: „Du sollst nicht stehlen" und selbst gestohlen haben R 2, 21. Vielmehr: „Ich schlage meinen Leib und mache ihn zum Sklaven, 20 damit ich nicht andern verkündige und selbst verworfen werde" 1 K 9, 27. Der Bote wirbt nicht für sich und seine Interessen, er bindet die Menschen auch nicht an seine Person, sondern an Christus. Christus ist der Herr, ihn verkündigt er, nicht sich selbst 2 K 4, 5 [58].

f. Ein Engel. Apk 5, 2 ist das κηρύσσειν des Engels eine 25 Frage an die ganze Welt. Mit lauter Stimme, so daß es im Himmel, auf Erden und unter der Erde zu hören ist, ruft der Herold nach dem Würdigen, der das Buch öffnen kann.

5. Der Inhalt der spezifisch nt.lichen Botschaft.

Wenn gesagt ist (→ 702, 36 ff), daß es im NT auf die 30 Handlung des Verkündigens ankommt, so heißt das nicht, daß der Inhalt des Verkündeten nebensächlich sei. Gerade weil die Handlung diese Bedeutung hat, daß durch sie das Verkündete Wirklichkeit wird, darum ist auf den Inhalt des Verkündeten zu achten. Der Inhalt der Verkündigung ist natürlich nicht durch die Situation der Leser bestimmt (→ 692, 15 ff), er hängt auch nicht 35 von der Ansicht des Predigers über religiöse Fragen ab, sondern er ist von

---

[56] Lk 24, 46 f: „Und er sagte ihnen: So ist geschrieben, daß Christus leide und am dritten Tage von den Toten auferstehe und auf Grund seines Namens Buße zur Vergebung der Sünden bei allen Völkern verkündigt werde."
[57] Schon 2 K 5, 18 unterscheidet zwischen der Versöhnung Gottes durch Christus und dem Amt der Versöhnung. Weil dieses Amt der Versöhnung gesetzt ist, nennt sich Pls 1 K 4, 1 οἰκονόμος μυστηρίων θεοῦ (→ 716 A 17). Beachte auch die Reihenfolge von σῴζειν und

καλεῖν 2 Tm 1, 9. Das Wort verwirklicht die auf Golgatha geschehene σωτηρία Ag 11, 14 → εὐαγγέλιον II 729, 38 ff.
[58] Bei ἑαυτοὺς δὲ δούλους wird man mit Ltzm K zSt sinngemäß besser λογίζεσθαι und nicht κηρύσσειν ergänzen. Dio Chrys Or 13, 11 f: οἱ μὲν γὰρ πολλοὶ τῶν καλουμένων φιλοσόφων αὑτοὺς ἀνακηρύττουσιν ὥσπερ οἱ Ὀλυμπίασι κήρυκες. Synesius, De Dono Astrolabii, MPG 66 p 1580 A: τὸ κηρύττειν ἑαυτὸν καὶ πάντα ποιεῖν ὑπὲρ ἐπιδείξεως οὐ σοφίας ἀλλὰ σοφιστείας ἐστίν. Heinr Sendschr II zSt.

vornherein festgelegt. Im Mittelpunkt des nt.lichen Kerygmas steht die Gottesherrschaft[59]. Predigt ist aber nicht ein aufklärender Vortrag über das Wesen
des Reiches Gottes, sondern Proklamation, Ausrufen eines Ereignisses. Wenn
Jesus dazu gekommen ist zu predigen, so heißt das, er ist dazu gesandt, die
5 βασιλεία τοῦ θεοῦ auszurufen und damit sie zu bringen. Von der βασιλεία τοῦ
θεοῦ aus sind auch die anderen inhaltlichen Bestimmungen zu verstehen, die
genannt werden. In engster Verbindung mit der Predigt vom Gottesreich steht
die Aufforderung zur Buße: Mt 3, 1 f; Mt 4, 17. Ursache und Grund der μετάνοια
ist nicht die Schlechtigkeit der Menschen, sondern die Nähe der βασιλεία. Weil
10 Gott kommt, seine Herrschaft naht, muß der Mensch sich ändern. Die Buße
zwingt nicht die βασιλεία herbei, sondern sie schafft die Möglichkeit der Teilnahme am Reiche Gottes. Wie der Herold dem Wagen des Königs voranläuft
und die Ankunft des Herrschers meldet (→ 699, 8 f), so eilt der Prediger
durch die Welt und ruft: Macht euch fertig, die βασιλεία ist schon ganz nahe!
15 Darum ist es kein Widerspruch, wenn die Jünger Mt 10, 7; Lk 9, 2 die Nähe
der Gottesherrschaft und Mk 6, 12 Buße predigen. Die Botschaft vom Reiche
Gottes ist immer auch Bußpredigt, und jede rechte Bußpredigt redet vom Reiche
Gottes. Buße wird gepredigt εἰς ἄφεσιν ἁμαρτιῶν Lk 24, 47 vgl Mk 1, 4 par
Lk 3, 3. In der βασιλεία gibt es Vergebung der Sünden; das verkündete Wort
20 ist ein göttliches Wort und als solches eine wirkende Macht, die auch schafft,
was verkündet wird. Darum ist Predigen nicht eine Tatsachenmitteilung, sondern ein Geschehen. Es geschieht, was ausgerufen wird. Vergebung der Sünden ist stets Gericht, das den Sünder sündig nennt. Aber in diesem Gericht
wird dem Glaubenden Vergebung der Sünden zuteil. Die Botschaft der Apostel,
25 die den „Richter über Lebende und Tote" zum Inhalt hat, verkündet auch gleichzeitig mit den Propheten, „daß alle, die an ihn glauben, Vergebung der Sünden
empfangen" Ag 10, 42. Gericht und Gnade sind in demselben Wort enthalten.
Die Verkündigung der Heilsbotschaft wirkt Scheidung und Trennung. Dem
einen wird sie zur Rettung, dem andern zum Gericht. Dem einen ist der ge-
30 predigte Christus σκάνδαλον und μωρία, dem andern δύναμις θεοῦ und σοφία θεοῦ
1 K 1, 23f. Zur βασιλεία gehört der βασιλεύς. Von der Königsherrschaft kann man
nicht sprechen, ohne auch den König zu nennen: κύριος Χριστός. Durch die
Predigt wird Jesus als Messias (Ag 8, 5), als der Sohn Gottes proklamiert (Ag 9, 20).
Ob man vom Gekreuzigten 1 K 1, 23 oder vom Auferstandenen 1 K 15, 12 redet,
35 so meint man immer den ganzen Christus, der durch Tod und Auferstehung
der Herr geworden ist und als solcher verkündet wird 2 K 4, 5. Der Irdische
und der Erhöhte lassen sich nicht scheiden. Man predigt nicht den Mythus vom
sterbenden und auferstehenden Gott, auch nicht eine zeitlose Idee, sondern ein
einmaliges, tatsächliches Ereignis, das Leben Jesu, seine geschichtliche Erschei-
40 nung Ag 9, 20; 19, 13 (→ Ἰησοῦς). Aber die Verkündigung von Christus ist
wiederum nicht nur ein geschichtlicher Unterricht über Jesu Worte und Taten.
Alle Erzählungen von Jesus, mögen sie noch so erbaulich sein, sind leer, 1 K

---

[59] Mt 3, 1; 4, 17 par Mk 1, 14 f; Mt 4, 23;
9, 35; Lk 8, 1; Mt 10, 7 par Lk 9, 2;
Mt 24, 14; Ag 20, 25; 28, 31. Im Joh-Ev

fehlt κηρύσσειν vollständig, βασιλεία τοῦ θεοῦ
ebenfalls fast ganz, sie findet sich nur
J 3, 3. 5; vgl 18, 36.

15, 14, sie bleiben alte Geschichten, die sich einst ereignet haben und für die Gegenwart mehr oder weniger wertlos sind, wenn sie nicht vom Glauben an den Auferstandenen aus verstanden werden. Die Realität der Auferstehung macht die Fülle des urchristlichen Kerygmas aus. Diese ist eine Tatsache, die man nicht mehr als Tatsache zur Kenntnis nehmen kann wie irgendein anderes 5 historisches Ereignis, sondern die einem immer wieder gesagt werden muß; sie ist nicht ein menschliches Dogma, das man andere lehren soll, sondern Heilsgeschichte, die gepredigt sein will, und die Predigt der Heilsgeschichte wird zum Heilsgeschehen. Nicht der Inhalt des Gepredigten wirkt, sondern Gott wirkt durch dieses Wort. Die Botschaft verliert ihre Bedeutung nicht, sondern sie muß 10 immer wieder neu verkündet werden, nicht nur vor der Welt, sondern auch vor der Gemeinde 2 Tm 4, 2. Sie ist δύναμις θεοῦ 1 K 1, 24. Die nt.liche Predigt verträgt keinerlei Beimischung Gl 5, 11. Ihr Radikalismus erweckt Anstoß und Ärgernis und bringt den Verkündigern Verfolgung und Not. Über κηρύσσειν τὸ εὐαγγέλιον → εὐαγγέλιον. 15

Im NT werden κηρύσσειν und εὐαγγελίζεσθαι oft synonym gebraucht (→ II 713 A 90) oder κηρύσσειν wird auch mit εὐαγγέλιον verbunden (→ 703, 15 ff). Ist dieses ein zufälliges Zusammentreffen im NT oder läßt sich diese Verbindung auch sonst beobachten und sprachgeschichtlich erklären? Im Griechischen haben der εὐάγγελος und der κῆρυξ manches miteinander gemein. Rein äußerlich sind sie einander sehr ähnlich. Der Herold 20 erscheint wie der Siegesbote, das Haupt mit dem Lorbeerkranze geschmückt: Ael Arist I 285, 5 (Dindorf): κῆρυξ παρὰ τῶν Θηβαίων ὡς ἐπ' εὐαγγελίοις ἐστεφανωμένος. Herodian Hist VIII 6, 18: κήρυκες δαφνηφόροι. Vgl Xenoph Hist Graec IV 7, 3 u Aesch Ag 493. Gelegentlich bringt der Herold auch die Nachricht vom Siege über die Feinde (Aesch Ag 577). Den Herold, der eine gute Nachricht bringt, begrüßt man freudig Soph 25 Trach 227: χαίρειν δὲ τὸν κήρυκα προυννέπω, χρόνῳ πολλῷ φανέντα, χαρτὸν εἴ τι καὶ φέρεις. Er bemüht sich, so rasch wie möglich berichten zu können und säumt nicht gern, denn er weiß, er erhält Lohn und Dank, wenn er als erster kommt (Soph Trach 189 ff) → II 720, 6 f. Zur Synonymität der Verben siehe Luc Tyrannicida 9: θαρρεῖν ἤδη προκηρύττων ἅπασι καὶ τὴν ἐλευθερίαν εὐαγγελιζόμενος. εὐαγγέλιον ist die Siegesbotschaft 30 vom Schlachtfeld, es kann aber auch auf die Nachricht vom Sieg bei den Spielen angewandt werden (→ II 719, 40). Das κήρυγμα ist die Bekanntmachung des Siegers auf dem Kampfplatz. Über εὐαγγέλιον und κήρυγμα im Kaiserkult siehe IG II/III ² 1077. Js 61, 1 ist κηρύσσειν Konkretisierung des εὐαγγελίζεσθαι. Cant r 2, 13 ist כרז gewiß aus der exegetischen Terminologie zu verstehen (→ 701, 28). Dadurch aber, daß das 35 Wort vom מבשר zitiert wird, gewinnt es für uns an Bedeutung. Ps Sal 11, 1 lesen wir: κηρύξατε ἐν Ἰερουσαλημ φωνὴν εὐαγγελιζομένου, ὅτι ἠλέησεν ὁ θεὸς Ἰσραηλ ἐν τῇ ἐπισκοπῇ αὐτῶν.

6. Die Hörer.

Die Predigt wendet sich nicht so sehr an das Verstehen 40 der Hörer, ihr Ziel ist vielmehr der Glaube der Hörer 1 K 2, 4 f. Jesus bringt nicht eine neue Lehre, die den Intellekt beansprucht, sondern eine Botschaft, die Glauben verlangt. Der Inhalt der Predigt ist für das Rassegefühl aller Menschen unerträglich, weil er von einem Gekreuzigten handelt. Das befriedigt weder den Erkenntnistrieb des Griechen noch das Verlangen des Juden 45 nach religiöser Sicherheit 1 K 1, 21 f. Nur der Glaubende, für den mit dem Wort alles gegeben ist, klammert sich an dieses Wort. Darum ist die Verkündigung im NT so wichtig, weil es in der Bibel nicht um Gottesschau, auch nicht um das Tun geht, sondern allein um den Glauben, der durch das Hören des Wortes entsteht, und dieser Glaube ist mit dem schlichten Wort zufrieden. 50 Er nimmt die Predigt trotz ihrer Torheit an, und das ist für den Menschen

die Rettung. Da ist das Hören der Predigt nicht nur ein Anhören, sondern aus dem Hören ist ein Gehorchen geworden. Dieses Tun des Gehorchenden ist nicht ein Werk des Menschen, sondern es ist durch Gottes Wort gewirkt. Der Glaube, vom Menschen durch das Wort gefordert, ist gleichzeitig ein Geschenk
5 des Wortes R 10, 8. Da der Glaube aus der Predigt kommt, haben Glaube und Verkündigung denselben Inhalt 1 K 15, 14.

7. Sendung und Verkündigung.

πῶς δὲ κηρύξωσιν ἐὰν μὴ ἀποσταλῶσιν; R 10, 15. Dieser Satz ist entscheidend für das Verständnis des Predigtamtes. Das Zusammen-
10 treffen von ἀποστέλλειν und κηρύσσειν auch sonst im NT [60] ist nicht zufällig, sondern in der Sache begründet. Ohne Beauftragung und Sendung gibt es keine Prediger, und ohne Prediger gibt es keine Verkündigung. Rechte Ver-kündigung geschieht nicht durch die Schrift, sondern durch die Auslegung der Schrift Lk 4, 21. Gott sendet nicht Bücher, sondern Boten zu den Menschen,
15 und dadurch, daß er einzelne Männer sich zu diesem Dienst erwählt, stiftet er das Amt der Verkündigung (→ 716, 14 f). Nicht jeder Christ ist zum Predigen berufen. Nur der engste Jüngerkreis erhält zu Lebzeiten Jesu diesen Auftrag (Mt 10, 7 par Lk 9, 2; Mk 3, 14). Ihr Predigtamt ist zunächst nur von be-schränkter Dauer [61]. Der Auftrag wird mit der Auferstehung Jesu erneuert Mk
20 16, 15. Ohne die Auferstehung gäbe es nicht das Amt der Verkündigung. Dieses ist nur da, weil der Auferstandene seine Jünger mit der Ausrichtung der Bot-schaft beauftragt hat: παρήγγειλεν ἡμῖν κηρῦξαι τῷ λαῷ Ag 10, 42. Der Aufer-standene, der der Herr der Welt ist, schickt seine Jünger nun nicht mehr nur zum Volke Israel wie das erste Mal — natürlich auch zu ihm Ag 10, 42 —,
25 sondern zu allen Nationen. Die Mission soll von Jerusalem ausgehen (Lk 24, 47) und alle Welt erfassen. Alle Völker ohne Unterschied sollen die Botschaft hören (Kol 1, 23; Mk 13, 10; Mk 16, 15. 20). Das ἀποστέλλειν läßt sich vom κηρύσσειν gar nicht trennen, ist doch in κηρύσσειν selbst schon in gewisser Weise das Moment der Sendung enthalten (→ 686, 28 ff). Die Sendung bedeutet für den Herold auf
30 der einen Seite Beschränkung, auf der andern Seite aber auch wieder Steige-rung seiner Macht; der Sendende gibt ihm den Inhalt der Botschaft und die Autorität. Die Jünger verkündigen nicht, was sie sich ausgedacht haben oder was ihnen einfällt, sondern was sie von einem andern gehört haben und was ihnen zu sagen aufgetragen ist Mt 10, 27. Ein Prediger ist nicht Berichter-
35 statter, der von seinen Erlebnissen erzählt, sondern Bevollmächtigter eines Höheren. Dessen Willen gibt er laut und vernehmlich der Öffentlichkeit be-kannt. Ohne Berufung und Sendung [62] ist Predigen ein Unding, ja Betrug; denn es täuscht etwas vor, das nicht da ist. Fehlt die Sendung, so ist die Predigt von Christus nur „Propaganda", nicht „Mission".

---

[60] Mk 3, 14; Lk 4, 18. 43 f; 9, 2. κῆρυξ καὶ ἀπόστολος: 1 Tm 2, 7; 2 Tm 1, 11. Vgl den kurzen Markusschluß. Ferner ἐπιταγή Tt 1, 3; κελεύειν Ag 1, 2 D und die Imperative Mt 10, 7; Mk 16, 15.
[61] Bengel z Mt 10, 7: Hic erant discipuli, ut studiosi theologiae, qui rudimenta ministerii ponunt, vicariasque praestant operas, postea in scholam reversuri.
[62] Verwunderlich ist in dieser Hinsicht die Tatsache, daß im 4. Ev, das so viel von der Sendung Jesu spricht, κηρύσσειν gar nicht vor-kommt.

8. Lehren und Verkündigen bei den Synoptikern.

Im NT, hauptsächlich bei den Synpt, stehen κηρύσσειν und διδάσκειν oft nebeneinander: Mt 4, 23; Mt 9, 35; Mt 11, 1; Ag 28, 31 (vgl R 2, 21). Das Lehren erfolgt gewöhnlich in der Synagoge, das Verkündigen unter freiem Himmel an jedem Ort[63]. Die Hörer sind beim Ver- 5 kündigen andere als beim Lehren. → διδασκαλία ist die Schrift-Auslegung im Gottesdienst der Synagoge für die Frommen, um ihre Erkenntnis zu mehren. Das κήρυγμα ist der Heroldsruf, der in den Städten und Dörfern auf den Straßen und in den Häusern erschallt. Er wendet sich an alle, an Sünder und Zöllner, und läßt die aufmerken, die sonst „von ferne" Lk 18, 13 stehen und nicht in 10 die Versammlung der Frommen gehen. Auch ihnen gilt der Ruf. Nun spricht das NT auch von einem κηρύσσειν in der Synagoge (→ 703, 36. 40). Jesus gab nicht nur eine theoretisch betrachtende Lehre, wenn er in der Synagoge sprach, er legte nicht die Schrift aus wie die Rabbinen, indem er fordert: das müßt ihr tun (→ 704, 14 ff), sondern sein Lehren wird zum Verkündigen, wenn er ruft: Das tut 15 Gott heute unter euch: Heute ist diese Schrift erfüllt Lk 4, 21. Seine Schrift- auslegung war Heroldsruf, und sein Lehren vom Kommen der Gottesherrschaft wird zur Anrede, die Entscheidung für oder gegen ihn verlangt. Darum war seine Predigt so ganz anders als die der Schriftgelehrten beim synagogalen Gottesdienst[64]. ἦν γὰρ διδάσκων αὐτοὺς ὡς ἐξουσίαν ἔχων καὶ οὐχ ὡς οἱ γραμμα- 20 τεῖς αὐτῶν Mt 7, 29[65].

9. Wunder und Verkündigung.

Die Tätigkeit Jesu wird zusammenfassend geschildert: „Er zog in ganz Galiläa herum, lehrte in ihren Synagogen, verkündigte das Evangelium von der Gottesherrschaft und heilte jede Krankheit" Mt 4, 23 par Mk 25 1, 39 vgl Mt 9, 35. Als Jesus seine Jünger aussandte, gab er ihnen den Auf- trag zu predigen und zu heilen, Lk 9, 2 par Mk 3, 14f und Mt 10, 7f vgl Mk 6, 12f. Ist die Predigt wahre Verkündigung, in der Gott handelt, so daß die Gottes- herrschaft Wirklichkeit wird, so geschehen auch Zeichen und Wunder. Es ist nicht so, daß die Wunder die neue Zeit herbeiführen, sondern Wunder gesche- 30 hen, weil das wirkungskräftige Wort die Gottesherrschaft ausgerufen hat, und in ihr ist alles heil und gesund. Darum ist nicht das Wunder das Wichtige, sondern die Botschaft, die das Wunder schafft. Die Zeichen begleiten das Wort und dienen nur zur Bestätigung des Verkündeten Mk 16, 20 vgl Hb 2, 3f; Ag 4, 29f; 14, 3[66]. Die Wunder sind als σημεῖα verbum visibile ähnlich wie 35 die Sakramente. Wie es ohne das Wort kein Sakrament gibt, so auch kein

---

[63] Von Johannes dem Täufer wird niemals gesagt, daß er gelehrt habe.

[64] Mk 3, 14f werden die Jünger ausgesandt: κηρύσσειν καὶ ἔχειν ἐξουσίαν ἐκβάλλειν τὰ δαι- μόνια. Als sie zurückkehren, heißt es Mk 6, 30: ἀπήγγειλαν αὐτῷ πάντα ὅσα ἐποίησαν καὶ ὅσα ἐδίδαξαν. Hier wird es deutlich, daß κηρύσσειν und διδάσκειν synonym gebraucht werden können.

[65] Bekannt ist Luthers Übersetzung von διδάσκειν hier: „er predigte gewaltig . . ."

[66] Mk 6, 12f: ἐκήρυξαν . . . καὶ δαιμόνια πολλὰ ἐξέβαλλον καὶ ἤλειφον . . . καὶ ἐθεράπευον. Dämonenaustreiben, Salben und Heilen stehen im Imperfekt, Verkündigen im Aorist. „So erscheint das Predigen als das Hauptstück der Missionsarbeit der Apostel, während die drei anderen Stücke ihres Wirkens mehr den Charakter von Begleiterscheinungen trugen." Wbg Mk zSt.

Wunder ohne den Prediger von Gottes Tat. Darum staunt die Menge im NT nicht nur über das Wunder wie in den hellenistischen Wundererzählungen, sondern auch über die Lehre, das Wort, das verkündigt wird[67]. Nur für den Glaubenden, der im Wort schon die Tat sieht, sind die Wunder Beweise für die
5 Wirklichkeit des Verkündeten. Wer aber auf die den Glauben fordernde Predigt mit dem Verlangen nach einem Zeichen antwortet, dem wird das Zeichen verwehrt 1 K 1, 22 ff. Das Wunder ist nicht ein Ereignis, das den Zuschauer zum Glauben zwingt, sondern es ist derselben Zweideutigkeit ausgesetzt, wie die christliche Predigt auch[68]. Jesus macht nicht viel Aufhebens von seinen
10 Wundern Mk 5, 43; Mk 8, 26. Er lehnt sie als Bestätigung seiner Sendung ab[69]. Die Geheilten sollen schweigen. Sie sind nicht Dokumente seiner Macht, die er als Schaustücke mit sich herumführt. Als Jesus Mk 1, 32 ff viele Kranke gesund gemacht hat und die Jünger den Ruhm des Wundertäters ernten wollen, geht Jesus auf ihr Ansinnen nicht ein. Er ist nicht dazu gekommen, Wunder
15 zu tun, sondern zu predigen, v 38 (vgl Lk 4, 18). Die Verkündigung ist die Hauptsache. Wunder haben keinen Eigenwert, sie sind nur Zeichen, daß durch die Verkündigung des Wortes die Gottesherrschaft hereingebrochen ist Mt 11, 5.

† κήρυγμα

A. κήρυγμα außerhalb des NT.

20   1. Bei den Griechen. Das Substantiv κήρυγμα ist ähnlich
wie die Worte πρᾶγμα, δεῖγμα oder βούλευμα entstanden, indem an den Stamm κηρυκ das Suffix μα angehängt wurde[1]. κήρυγμα hat eine doppelte Bedeutung ähnlich dem deutschen Wort Verkündigung. Einmal ist es das Ergebnis des κηρύσσειν, also *das durch den Herold Ausgerufene*, dann aber auch das *Ausrufen durch den Herold*. Es be-
25 zeichnet also sowohl den Akt des Ausrufens[2] wie den Inhalt des Ausgerufenen[3]. In vielen Fällen läßt sich schwer entscheiden, ob das eine oder andere in κήρυγμα mehr betont sein soll. Entsprechend κηρύσσειν hat es die Bedeutung: *Nachricht*[4], *Bekanntmachung*[5], *Anfrage, Aufforderung*[6], *Verordnung, Erlaß, Befehl*[7], *Proklamation des Siegers*[8], *Ausrufen von Ehrungen*[9].

---

[67] Vgl EPeterson, ΕΙΣ ΘΕΟΣ (1926) 213.
[68] Mt 7, 22; 9, 34; Mk 3, 22 par Mt 12, 24 und Lk 11, 15; Mk 9, 38 par Lk 9, 49; Mt 12, 27 par Lk 11, 19; Mt 24, 24 par Mk 13, 22; 2 Th 2, 9; Apk 13, 13.
[69] Mt 4, 3 ff; Mt 27, 40; Mk 8, 11 f par Mt 12, 38 ff; Mt 16, 1; Lk 11, 16.

κήρυγμα. [1] Debr, Griech Wortb § 310 und 311 und Kühner-Blaß-Gerth § 329, 30.
[2] Ditt Syll[3] 1045, 8: παρήγγειλεν ἐν τῆι ἀγορᾶι μετὰ κηρύγματος. Eur Iph Aul 94: ὀρθίῳ κηρύγματι εἰπεῖν. Xenoph Ag I 33: κηρύγματι δηλοῦν. Barn 12, 6: κηρύγματι καλεῖν.
[3] Eur Iph Taur 239: καινὰ κηρύγματα. Eur Suppl 382: διαφέρων κηρύγματα. Ditt Syll[3] 443, 39 ff: τὸ κήρυγμα κηρύττειν. Thuc IV 105: κήρυγμα τόδε ἀνειπών. IG XII 5, 653, 47 ff: ἀναγορεύειν . . . κήρυγμα τόδε. Ditt Syll[3] 402, 21: ἀνειπεῖν τὸν ἱεροκήρυκα . . . τόδε (τὸ) κήρυγμα. Akt der Verkündigung und Inhalt des Verkündigten läßt sich in dem Begriff „formulierte Botschaft" [Debrunner] zusammenfassen.

[4] Eur Iph Taur 239 u Eur Suppl 382.
[5] Ditt Syll[3] 741, 20 ff: κήρυγμα ποιῆσαι, ὅπως ἐάν τις ζῶν[τας ἀ]γάγη Χαιρήμ[ο]να . . . λάβ[η τάλαν]τα τεσσαράκοντα. Demosth Or 34, 36: κήρυγμα γὰρ ποιησαμένου Παρεισάδου ἐν Βοσπόρῳ, ἐάν τις βούληται Ἀθήναζε εἰς τὸ Ἀττικὸν ἐμπόριον σιτηγεῖν, ἀτελῆ τὸν σῖτον ἐξάγειν. Hdt III 52.
[6] Aeschin Or 1, 79: ἐπηρώτα ὑμᾶς τὸ ἐκ τοῦ νόμου κήρυγμα. 3, 4: σεσίγηται μὲν τὸ κάλλιστον καὶ σωφρονέστατον κήρυγμα τῶν ἐν τῇ πόλει· „τίς ἀγορεύειν βούλεται...;" vgl 3, 23: τίς βούλεται κατηγορεῖν;
[7] Soph Ant 453 ff:
οὐδὲ σθένειν τοσοῦτον ᾠόμην τὰ σὰ κηρύγμαθ' ὥστ' ἄγραπτα κἀσφαλῆ θεῶν νόμιμα δύνασθαι θνητὸν ὄνθ' ὑπερδραμεῖν.
Aristot Oec II p 1349 b 36: κήρυγμα ἐποιήσατο τὰ ἡμίσεα, ὧν ἔχει ἕκαστος ἀναφέρειν vgl 1350 a 5: ἐκέλευσε πάλιν τὰ ἡμίσεα ἀναφέρειν. Athen IV 19 (p 141 f): πάντα ἀπὸ κηρύγματος πράσσεται: „auf Kommando."
[8] Dio C 63, 14, 3.
[9] Aeschin Or 3, 178: δωρεαὶ καὶ στέφανοι καὶ κηρύγματα vgl 3, 210 u IG XII 9, 236, 46.

2 Bei Philo. Während sich κῆρυξ bei Philo nur an einer einzigen Stelle findet (→ 693, 10) und auch κηρύσσειν sehr selten ist [10], wird κήρυγμα recht oft gebraucht und zwar ebenfalls in der Doppelbedeutung: Heroldsruf [11] wie Bekanntmachung, Erlaß [12]. Vorherrschend ist bei Philo κήρυγμα als Ausrufen von Ehrungen und Siegern: Philo Som I 130: βραβεῖον und κήρυγμα, Philo Agric 117: στέ- 5 φανοι καὶ κηρύγματα. Philo Leg Gaj 46: τιμὰς καὶ στεφάνους μετὰ κηρυγμάτων λαμβάνειν. Er kennt die griechischen Sitten und Gebräuche bei den Kampfspielen und diese Kenntnisse verwertet er für seine Zwecke. Er gebraucht das Ausrufen als Bild Philo Spec Leg II 246, er überträgt den gymnastischen Wettkampf auf das ethische Gebiet Philo Agric 112. Die Athleten der Tugend erhalten βραβεῖον und κήρυγμα Philo 10 Praem Poen 6. Als Sieger wird zB Noah gefeiert: ἐπιστεφανῶν δ' αὐτὸν ὡς ἀγωνιστὴν ἐκνενικηκότα κηρύγματι λαμπροτάτῳ προσεπικοσμεῖ φάσκων, ὅτι „τῷ θεῷ εὐηρέστησεν" Philo Abr 35.

3. Septuaginta. In der LXX ist κήρυγμα Übersetzung von קוֹל 2 Ch 30, 5 und von קְרִיאָה Jon 3, 2. קְרִיאָה findet sich nur an dieser Stelle im 15 AT. 2 Ch 30, 5: ἔστησαν λόγον, διελθεῖν κήρυγμα ἐν παντὶ Ισραηλ . . . ποιῆσαι τὸ φασεκ. 1 Εσδρ 9, 3: καὶ ἐγένετο κήρυγμα ἐν ὅλῃ τῇ Ιουδαίᾳ καὶ Ιερουσαλημ πᾶσι τοῖς ἐκ τῆς αἰχμαλωσίας συναχθῆναι εἰς Ιερουσαλημ. Prv 9, 3: ἀπέστειλεν τοὺς ἑαυτῆς δούλους συγκαλοῦσα μετὰ ὑψηλοῦ κηρύγματος ἐπὶ κρατῆρα λέγουσα . . . .

4. Bei den Rabbinen ist הכרזה das Ausrufen im Gerichtshofe 20 (bSanh 26b), namentlich term techn für Ausruf zur Lizitation eines Grundstückes (bKet 100b uo).

B. τὸ κήρυγμα im NT.

Mt 12, 41 par Lk 11, 32 umschreibt man κήρυγμα richtig mit: cohortatio, exhortatio, praedicatio [13]. Das Predigen Jonas hatte zur Folge, 25 daß die Niniviten Buße taten [14]. 1 K 2, 4 bezeichnet κήρυγμα die Handlung des Verkündigens: das Reden. Die christliche Predigt überredet nicht durch schöne und kluge Worte die Hörer — dann würde es nur bei den Worten bleiben. Die Predigt gibt mehr. Sie geschieht in Geist und Kraft, ist also wirkungsmächtig. Im kurzen Markusschluß dagegen will κήρυγμα als inhaltliche 30 Bestimmung angesehen sein: τὸ ἱερὸν καὶ ἄφθαρτον κήρυγμα τῆς αἰωνίου σωτηρίας. Das heilige und unvergängliche Kerygma ist gewissermaßen eine Lehre, die von der ewigen Errettung handelt. Dabei ist es nicht ausgeschlossen, daß die Botschaft, die von der Errettung handelt, sie also verkündet, auch die Rettung schafft. So ist jedenfalls 1 K 1, 21 zu ver- 35 stehen: die törichte Botschaft vom Gekreuzigten errettet den Glaubenden [15]. 1 K

---

[10] Vgl Leisegang Index.

[11] Phil Spec Leg IV 4: durch κοινῷ κηρύγματι wird der Sklave im 7. Jahr für frei erklärt.

[12] Philo Vit Mos I 9: Die Eltern ließen τὰ τοῦ τυράννου κηρύγματα, daß alle männlichen Kinder umzubringen seien, unbeachtet. Philo Conf Ling 197: γράψαντός τε καὶ βεβαιώσαντος τὸ κήρυγμα: Gott fertigt den Erlaß aus und bestätigt ihn, daß die vor der Unvernunft Geflohenen zurückkehren dürfen.

[13] So JSchleusner, Novum lexicon graeco-latinum in NT (1819) sv.

[14] Jos Ant 9, 214: Jona σταθεὶς εἰς ἐπήκοον ἐκήρυσσεν ὡς μετ' ὀλίγον πάλιν ἀπολοῦσι τὴν ἀρχὴν τῆς Ἀσίας καὶ ταῦτα δηλώσας ὑπέστρεψε. 1 Cl 7, 7: Ἰωνᾶς Νινευίταις καταστροφὴν ἐκήρυξεν, οἱ δὲ μετανοήσαντες ἐπὶ τοῖς ἁμαρτήμασιν αὐτῶν ἐξιλάσαντο τὸν θεὸν ἱκετεύσαντες καὶ ἔλαβον σωτηρίαν. Just Dial

107, 2: τοῦ Ἰωνᾶ κηρύξαντος αὐτοῖς μετὰ τὸ ἐκβρασθῆναι (an den Strand geworfen werden) αὐτὸν τῇ τρίτῃ ἡμέρᾳ ἀπὸ τῆς κοιλίας τοῦ ἁδροῦ ἰχθύος, ὅτι μετὰ τρεῖς ἡμέρας παμπληθεὶ ἀπολοῦνται.

[15] κήρυγμα ist hier auf keinen Fall nur modus tradendi religionem christianam, qui, quia omni eruditionis et subtilitatis specie caret, plerisque stultus videtur: Ein ungelehrter und ungekünstelter Vortrag. So Schleusner (→ A 13) sv. Es wäre allerdings zu überlegen, ob nicht auch 1 K 1,21 κήρυγμα den Akt des Verkündigens bedeuten könnte: Gott gefiel es, durch etwas ganz Törichtes, nämlich durch Predigen die Menschen zu erretten. Des Zusammenhanges wegen (v 18 ὁ λόγος ὁ τοῦ σταυροῦ . . . μωρία ἐστίν und v 23 ἡμεῖς κηρύσσομεν Χριστὸν ἐσταυρωμένον . . . ἔθνεσιν μωρίαν) erwartet man bei κήρυγμα v 21 auch eine inhaltliche Bestimmung.

15, 14 ist die Auferstehung Jesu von den Toten Inhalt des Kerygmas. Auch R 16, 25 ist die Botschaft im Hinblick auf einen ganz bestimmten Inhalt gemeint. Das Evangelium des Paulus deckt sich mit dem, was Jesus während seiner Erdenzeit gepredigt hat[16].

5 Tt 1, 3 ist κήρυγμα actus praedicandi. Durch das Predigen wird der λόγος offenbar, der das verheißene ewige Leben den Menschen bringt. Gott könnte sein Wort auch auf andere Weise den Menschen bekannt geben, nur würden das die Menschen nicht ertragen können. Gott wäre dann nicht σωτήρ, der das Leben gibt, sondern seine Kundmachung würde Tod bedeuten. Darum wählt 10 er sich Menschen zu seinen Predigern. Durch sie wird das Wort Fleisch, wie auch sein Sohn sich in menschlicher Gestalt den Sündern naht. Das κήρυγμα ist die Art und Weise, in der der göttliche Logos zu uns kommt. Dieses κήρυγμα ist dem Apostel Paulus anvertraut. Durch den Relativsatz ὃ ἐπιστεύθην ἐγὼ κατ' ἐπιταγήν wird aus dem actus praedicandi das munus praeconis, das apostolische 15 Predigtamt, das Paulus anvertraut und mit dem er beauftragt ist. Die Bedeutung κηρύσσειν = das Heroldsamt verwalten (→ 696, 1 f) fehlt im NT. Die sachlichen Voraussetzungen für diese Bedeutung sind gegeben (→ 712, 8 ff). Der Ton liegt aber mehr auf dem Akt der Verkündigung als auf dem Amt[17]. In der späteren Zeit der urchristlichen Gemeindeentwicklung, als das Amt mehr hervortrat, finden wir 20 das Predigtamt[18]. Diese Bedeutung hat κήρυγμα auch 2 Tm 4, 17. Paulus mahnt 2 Tm 4, 5 Timotheus: τὴν διακονίαν σου πληροφόρησον „erfülle treu dein Amt", und von sich selbst bekennt er 2 Tm 4, 7: „Ich habe den Lauf vollendet, ich habe die πίστις (den Glauben oder die Treue?) bewahrt." Denn 2 Tm 4, 17: ὁ κύριος . . . ἐνεδυνάμωσέν με, ἵνα δι' ἐμοῦ τὸ κήρυγμα πληροφορηθῇ. Gott hat 25 ihn gestärkt, daß er auch in Stunden der Not und Verlassenheit sein Amt als Prediger voll ausgeführt hat. Vor den Richtern und Zuhörern, vor dem ganzen Gerichtshof stand er nicht als Angeklagter, sondern als Herold Gottes. So haben durch ihn alle Völker die Botschaft gehört, Vertreter von Nationen, die sonst nichts von Christus erfahren hätten, hatten nun Gelegenheit, die Predigt 30 zu hören. So hat er sein Predigtamt treu erfüllt.

---

[16] Der Ausdruck τὸ κήρυγμα Ἰησοῦ Χριστοῦ enthält mehrere exegetische Fragen, die sich nicht ohne weiteres beantworten lassen. Selbst wenn feststeht, daß κήρυγμα als Inhalt der Predigt, nicht als Akt der Verkündigens zu verstehen ist, bleibt zu überlegen, wie der Genitiv aufzufassen ist. Ist Ἰησοῦ Χριστοῦ Gen subj: Predigt, die Jesus selbst verkündigt, oder Gen obj: Predigt, die von Jesus handelt? Ferner: ist der historische Jesus oder der erhöhte Christus gemeint? Der Vergleich mit εὐαγγέλιόν μου spricht für Gen subj. Dagegen darf man nicht den Gen obj von ἀποκάλυψις μυστηρίου anführen. εὐαγγέλιον und κήρυγμα sind durch ein καί miteinander verbunden, mit ἀποκάλυψις beginnt etwas anderes. κήρυγμα Ἰησοῦ Χριστοῦ könnte die Predigt des Erhöhten sein, der im Wort seiner Boten in der Gemeinde gegenwärtig ist.

Aber dieses ist ja schon in εὐαγγέλιόν μου enthalten. Im Evangelium des Paulus spricht Christus selbst. Paulus addiert hier nicht sein Evangelium und dazu noch die Predigt des Erhöhten, sondern er betont die Übereinstimmung seiner Predigt mit der des irdischen Jesus. Darum kann τὸ κήρυγμα Ἰησοῦ Χριστοῦ nur heißen: die Botschaft, die Jesus Christus verkündigt hat.

[17] Luther übersetzt 2 K 3, 9 διακονία τῆς δικαιοσύνης: „das Amt, das die Gerechtigkeit predigt"; διακονία τῆς καταλλαγῆς 2 K 5, 18: „das Amt, das die Versöhnung predigt"; Kol 1, 25: οἰκονομία τοῦ θεοῦ „das göttliche Predigtamt". Ag 6, 4: διακονία τοῦ λόγου „Amt des Wortes" → II 88, 3 ff.

[18] Nur in den Past, die auch vom κῆρυξ sprechen, hat κήρυγμα diese Bedeutung.

† προκηρύσσω

Die mit προ zusammengesetzten Ausdrücke können im Griechischen eine doppelte Bedeutung haben. Ursprünglich hat προ den Sinn von *hervor, fort, weg* wie bei προΐημι oder bei προδίδωμι[1]. Danach würde προκηρύσσειν *aus sich heraus, in die Öffentlichkeit, weithin hörbar verkündigen* heißen. Diese alte Bedeutung von προ wird 5 schon vom ältesten Griechisch an zurückgedrängt durch προ im temporalen Sinne von *vor*. προκηρύσσειν heißt nach den Belegen, die wir kennen, recht selten *im voraus etwas verkündigen*. Meistenteils hat es entweder der alten Bedeutung entsprechend oder aber dem hellenistischen Sprachgebrauch folgend, der die Komposita dem Simplex vorzieht, denselben Sinn wie κηρύσσειν. Soph El 683: ὅτ᾽ ἤσθετ᾽ ἀνδρὸς ὀρθίων κηρυγ- 10 μάτων δρόμον προκηρύξαντος. Soph Ant 461: das Bekanntmachen eines Erlasses, ferner Luc Tyrannicida 9. προκηρύσσειν wird ähnlich wie κηρύσσειν häufig gebraucht für *öffentlich ausbieten, versteigern*. Poll Onom VIII 103: οἱ δὲ κατ᾽ ἀγορὰν τὰ ὤνια προ (vl: ἀπο-) κηρύσσοντες. Preisigke Sammelbuch 4512, 7 f: προτεθέντων εἰς πρᾶσιν καὶ προκηρυχθέντων. προκήρυξις ist term techn für Versteigerung. — Philo, der auch προκηρύττειν dem Simplex gegen- 15 über den Vorzug gibt, schreibt Gig 39: οἱ ἐν ἀγορᾷ τὰ ὤνια προκηρύττοντες. Philo Agric 17: ταῦτ᾽ οὖν ἡ ψυχῆς ἐπαγγελλομένη γεωργικὴ προκηρύττει. προκηρύττειν kann man hier mit „verheißen" übersetzen. Wichtig ist in diesem Zusammenhang auch Jos Ant 10, 79: οὗτος ὁ προφήτης καὶ τὰ μέλλοντα τῇ πόλει δεινὰ προεκήρυξεν ἐν γράμμασι καταλιπών. Jeremia weissagte der Stadt das bevorstehende Unglück. 20

Im Neuen Testament begegnet uns προκηρύσσειν nur Ag 13, 24. Ag 3, 20 ist προκηρύσσειν eine falsche Lesart des textus receptus für προχειρίζεσθαι. Ag 13, 24: προκηρύξαντος Ἰωάννου πρὸ προσώπου τῆς εἰσόδου αὐτοῦ βάπτισμα μετανοίας παντὶ τῷ λαῷ Ἰσραήλ. Daß προκηρύσσειν im Sinne von vorherverkündigen im NT so selten vorkommt, ist nicht weiter verwunderlich. Die Verkündigung 25 Jesu und der Apostel handelt nicht so sehr von Ereignissen, die noch kommen werden, sondern die Verkündigung ist selbst Ereignis. Die nt.liche Botschaft kündigt nicht an, daß etwas geschehen wird, sie ist nicht Verheißung, sondern Verwirklichung und Erfüllung. Von Johannes dem Täufer, dem letzten der Propheten (→ 704, 24 ff), ist προκηρύσσειν sinngemäß; doch bedeutet es auch 30 hier nicht weissagen. Die Predigt von der Taufe zur Vergebung der Sünden war wegen der Nähe der βασιλεία τοῦ θεοῦ mehr als Verheißung, sie war ein Vorwegnehmen dessen, was kommen wird.

Friedrich

κεφαλὴ γωνίας → I 793, 10 ff. 35
Κηφᾶς → Πέτρος.

| κινέω, μετακινέω |

κινέω

Hom κίω (*gehen*); lat cieo. — *Etwas in Bewegung setzen; etwas* 40 *fortbewegen*[1]. Im übertragenen Sinn: *anregen, verursachen. a.* auf seelischem Gebiet: *rühren, Eindruck machen, in Aufruhr bringen,* zB καρδίαν: Eur Med 99: μήτηρ κινεῖ κραδίαν, κινεῖ δὲ χόλον, τὸ πνεῦμα; Da 2, 3: ἐκινήθη μου τὸ πνεῦμα (hbr נֵעַם ni) „mein Geist wurde beunruhigt". — *b.* auf geistigem Gebiet: *bewegen, veranlassen,* Beispiele: POxy VIII 1121, 16: τίνι λόγῳ ἢ πόθεν κεινηθέντες, vgl auch P Flor 58, 15: δέομαι κεινηθέντα σε [ἐ]πεξελ[.], s auch Dg 11, 8: θελήματι τοῦ κελεύοντος λόγου ἐκινήθημεν ἐξειπεῖν 45

προκηρύσσω. [1] Vgl J Wackernagel, Vorlesungen über Syntax II [2] (1928) 237 ff. [Debrunner.]

κινέω. [1] Vgl im einzelnen Liddell-Scott 952.

μετὰ πόνου. — *c.* auf p o l i t i s c h e m Gebiet: *anstiften*: πολέμους Plat Resp VIII 566 e;
ταραχήν Jos Bell 2, 175; θόρυβος ἐκινήθη P Par 68 A 6; στάσεις Ag 24, 5. — *d.* Verbindung von ä u ß e r e r und i n n e r e r E r r e g u n g: Ag 21, 30: ἐκινήθη ἡ πόλις ὅλη
„die ganze Stadt (Jerusalem) geriet in Bewegung (gegen Paulus)".

5   In Pap des 6. und 7. Jhdts: *einen Wunsch in Bewegung setzen; Forderungen stellen;*
gegen jemanden (gerichtlich) vorgehen; einen Prozeß anhängig machen, eine Klage in Gang
bringen[2].
     Spezielle Bedeutung: *den Kopf schütteln* κινεῖν τὴν κεφαλήν: Hom, LXX: 4 Βασ 19, 21;
Jer 18, 16; Thr 2, 15; Hi 16, 4; Da 4, 19; Sir 12, 18; 13, 7; NT: Mt 27, 39;
10   Mk 15, 29 (als Zeichen des Hohns; so auch ψ 21, 8); s auch 1 Cl 16, 16.

Im N e u e n T e s t a m e n t: Mt 23, 4 dient das Wort dazu, in bildhafter Anschaulichkeit den inneren Widerspruch in dem Wesen der Pharisäer und ihrer
Gesetzespraxis aufzuzeigen: sie legen den Frommen schwere Lasten auf, ohne
sie selbst auch nur mit einem Finger zu bewegen.

15   Ein tiefer Ernst liegt in der Bildrede Apk 2, 5. Die Gemeinde zu Ephesus,
die als Leuchter vorgestellt wird, erhält den harten Urteilsspruch von dem Herrn
der Kirche: sie wird von Christus verstoßen werden (κινήσω τὴν λυχνίαν σου),
wenn sie nicht Buße tut.

     Theologisch von Bedeutung ist Ag 17, 28: ἐν αὐτῷ (θεῷ) γὰρ ζῶμεν καὶ κινού-
20 μεθα καὶ ἐσμέν *in ihm haben wir Leben, Bewegung und Sein.* Paulus knüpft bei
seiner Predigt in Athen an das pantheistische Gottesgefühl der Griechen an
und sucht ihnen von hier aus den Weg zu dem vollen christlichen Gottesglauben zu erschließen. So ist Ag 17, 28 nicht als ein Ausdruck paulinischer Theologie zu beurteilen. Denn nach seiner theologischen Grundanschauung konnte
25 Paulus nur (in einem dynamischen Sinn) sagen, daß alle Menschen d u r c h G o t t
leben, weben und sind[3]. Der Satz des Paulus ist also nur als ein in der griechischen Welt anerkannter Ausgangspunkt der Missionspredigt des Paulus zu
bewerten, nicht als ein persönliches theologisches Bekenntnis des Apostels.

     Paulus bedient sich s t o i s c h e r Begriffe und Vorstellungen[4]. Es ist nicht zu ent-
30 scheiden, ob Paulus selbst oder erst der Verfasser der Ag die Worte ζῶμεν, κινούμεθα,
ἐσμέν zu einer formelhaften Trias verbunden hat. In der uns bekannten Literatur
finden wir immer nur zwei diese Begriffe miteinander verbunden vor: entweder Bewegung und Sein[5] oder Leben und Bewegung[6]. Der den stoischen Aussagen gemeinsame Gedanke ist der: die Welt ist voll von der Gottheit, die als die Vernunft und
35 die Seele der Welt diese überall durchdringt. Sie erhält die Welt mit der Kraft göttlichen Lebens und göttlicher Bewegung[7].
     Die Anschauungen der Stoa gehen wohl auf P l a t o zurück. Plato sagt Tim 37 c
von der Weltseele: ὡς δὲ κινηθὲν αὐτὸ καὶ ζῶν ἐνόησεν τῶν ἀϊδίων θεῶν γεγονὸς ἄγαλμα ὁ
γεννήσας πατήρ. Alle Bewegung setzt ein erstes sich selbst Bewegendes voraus. Das
40 ist die Seele, die seit Anbeginn der Welt besteht und die Plato Phaedr 245 c ἀρχὴ
κινήσεως nennt. Von ihr stammt also alle Bewegung. Leg X 896 ff hat Plato den Be-

---

[2] Belegstellen bei Moult-Mill und Preisigke
Wört sv.
[3] Dieser Gedanke ist gut durchgeführt bei
DAFrøvig, Das Aratoszitat der Areopagrede
des Paulus, Symb Osl 15/16 (1936), 44 ff;
bes 51 ff. 53 heißt es: „Wenn dennoch diese
Aussagen in die Areopagrede mit aufgenommen sind, muß es aus Akkommodation an
den Stoizismus geschehen sein, indem Paulus
hier als der einsichtsvolle Missionar geschildert wird, der die geistigen Voraussetzungen
seiner Zuhörer kennt und an diese anknüpft."
[4] Vgl zu dem Ganzen ENorden, Agnostos
Theos (1913) 19 ff. Norden meint (20), daß
durch die Nebeneinanderstellung von ζῆν,

κινεῖσθαι, εἶναι „die Stufenfolge des organischen Lebens" ausgedrückt ist.
[5] Stob Ecl I 106, 8: (Chrysipp:) καὶ κατὰ
μὲν τὸν χρόνον κινεῖσθαί τε ἕκαστα καὶ εἶναι.
[6] Plut Tranq An 20 (II 477 d): οἷα νοῦς
θεῖος αἰσθητὰ νοητῶν μιμήματα, φησὶν ὁ Πλάτων, ἔμφυτον ἀρχὴν ζωῆς ἔχοντα καὶ κινήσεως
ἔφηνεν ... — Corp Herm XI 17 c: τοῦτο γὰρ
ὥσπερ ζωὴ καὶ ὥσπερ κίνησίς ἐστι τοῦ θεοῦ,
κινεῖν τὰ πάντα καὶ ζωοποιεῖν.
[7] Vgl dazu Sext Emp Math IX 75 f, der
unter den stoischen Beweisen für das Dasein
Gottes anführt: Gott, der als δύναμις αὐτο-
κίνητος (76) zu bezeichnen ist, durchdringt die
Welt und gestaltet durch die Bewegung das
All.

griff der Weltseele genauer entwickelt. Es gibt zwei Weltseelen, die im Kosmos einander entgegenwirken. Der regelmäßige Gang aller Bewegungen im Himmel und auf Erden, im gesamten Weltumlauf hat seinen Grund in der ἀρίστη ψυχή. In dem Weltbilde Platos, wie es uns in den „Gesetzen" entgegentritt, verfließt schließlich „der Begriff der Weltseele mit den Seelen der Gestirne zu einer mystischen Einheit" [8]. 5 Die Definition der Weltseele, die Plato in den „Gesetzen" gibt, lautet Leg X 896 a: ψυχὴν ταὐτὸν ὂν καὶ τὴν πρώτην γένεσιν καὶ κίνησιν τῶν τε ὄντων καὶ γεγονότων καὶ ἐσομένων καὶ πάντων αὖ τῶν ἐναντίων τούτοις, ἐπειδή γε ἀνεφάνη μεταβολῆς τε καὶ κινήσεως ἁπάσης αἰτία ἅπασιν [9].

Philo, der in seiner Anschauung über κίνησις stoischen Ideen folgt, vertritt den Satz, 10 daß Gott, der selber unbewegt ist [10], der Meister ist, von dem alles in Bewegung gesetzt wird (Cher 128: τεχνίτης, . . . ὑφ' οὗ πάντα κινεῖται) [11]. Es ist eigenartig, daß sich bei Philo mit der transzendenten Gottesvorstellung auch ein pantheistischer Zug verbindet. Ein Beispiel dafür ist Sacr AC 68, wo es von Gott heißt, er sei τονικῇ (zur Spannung gehörig) χρώμενος τῇ κινήσει. Hier schwebt Philo offenbar die stoische 15 Vorstellung vor, daß Gott wie ein Pneuma ist, das sich durch alle Dinge ausdehnt und alle Körper mit verschiedener Spannung (τόνος) durchdringt [12].

† μετακινέω

Ein nicht allzu häufiges Wort. *a. von der Stelle rücken, umstellen, versetzen, entfernen* (Hdt IX 74). Med *von einem Platz zum anderen gehen* (Hdt IX 51). 20 Pass *von der Stelle gerückt werden*: Hdt I 51; Plat Leg X 894 a: μεταβάλλον . . . καὶ μετακινούμενον γίγνεται πᾶν, Aristot Gen Corr I 2 p 315 b 14. — *b.* übertr *verändern* zB τὴν πολιτείαν Aristot Eth Nic VII 11 p 1152 a 30: ῥᾷον γὰρ ἔθος μετακινῆσαι φύσεως; Theophr Hist Plant 4, 11, 5: ἡ τομὴ μετεκινήθη. Öfters auf Inschr. Vgl neben IG V 1 1390, 186 (Andania): μὴ μετακινούντες ἐπὶ καταλ[ύ]σει τῶν μυστηρίων μ[η]θὲν τῶν κατὰ τὸ διάγραμμα Ditt Syll [8] 736, 186; 1238, 4; 1239, 12/13. 25.

LXX: *die Grenzsteine verrücken* (ὅρια μετακινεῖν) Dt 19, 14; Prv 23, 10 Σ; *in die Flucht schlagen* Dt 32, 30; Pass *in die Flucht geschlagen werden* Js 22, 3 Θ (μετεκινήθησαν, LXX: πεφεύγασιν); Js 54, 10 von *Hügeln, die versetzt werden* (οὐδὲ οἱ βουνοί σου μετακινηθήσονται). 30

Im Neuen Testament nur in übertragener Bedeutung Kol 1, 23: μὴ μετακινούμενοι ἀπὸ τῆς ἐλπίδος [1] τοῦ εὐαγγελίου. Die Kolosser werden ermahnt, unerschütterlich im Glauben zu verharren und sich nicht von der Hoffnung abbringen zu lassen, die sie der Heilsbotschaft verdanken [2].

JohSchneider 35

† κλάδος

Der Schößling, Sproß, Zweig an Baum oder Pflanze. So im NT: Mt 13, 32; 24, 32; Mk 13, 28; Lk 13, 19; κλάδους ποιεῖν *Zweige treiben* Mk 4, 32; κλάδους κόπτειν *Zweige abhauen* Mt 21, 8 [1]. — *Zweige des Ölbaums:* Hdt VII 19 (τῆς ἐλαίης τοὺς κλάδους); Aesch Eum 43 (ἔχοντ' ἐλαίας θ' ὑψιγέννητον κλάδον) [2]. — In übertr Be- 40 deutung von den *Armen,* die von den Schultern (wie Zweige) herabhängen (Emped fr 29, 1 [I 238, 1 Diels]: οὐ γὰρ ἀπὸ νώτοιο δύο κλάδοι ἀΐσσονται [schwingen, hängen]). — In Pap außerdem *die Holzplatte, das Brett* (POxy XIV 1738, 4 uö).

---

[8] So JStenzel, Über zwei Begriffe der platonischen Mystik: ζῷον und κίνησις (Beilage z Jahresbericht d Joh-Gymn zu Breslau 1914) 17.

[9] S zu dem ganzen Abschnitt: FÜberweg, Philosophie d Altertums I [12] (1926) 321 f und UvWilamowitz-Moellendorf, Plato II (1920) 317 ff.

[10] Vgl Poster C 29.

[11] S auch Leg All I 6: was durch Gottes Weisheit geschaffen wird, bewegt sich immer wieder.

[12] S hierzu LCohn, Die Werke Philos III (1919) 242 A 2.

μετακινέω. [1] Das Hoffen enthält das Moment des geduldigen Wartens. Vgl zSt → ἐλπίς II 530, 8 f.

[2] So auch → εὐαγγέλιον II 730, 13 f: „Die Hoffnung wird den Christen schon jetzt durch die Botschaft von ihr zuteil."

κλάδος. [1] So auch Herm s 8, 1, 2.

[2] Vgl auch Aesch Suppl 23; Soph Oed Tyr 143.

κλάδος bildlich auf Menschen bezogen begegnet uns mehrfach³. Ein rührendes Zeugnis pietätvollen Gedenkens auf dem Grabmal eines jungen Mädchens Epigr Graec 368, 7 lautet: Θεοδώρα, κλάδος ἐλέας, τάχυ πῶς ἐμαράνθης; Sir 23, 25 werden die Kinder der Ehebrecherin κλάδοι αὐτῆς genannt, und Sir 40, 15 heißt es von den Nach-
5 kommen der Gottlosen, daß sie nicht viele κλάδοι, dh Kinder haben werden.

Paulus redet R 11, 16—21 bildlich von Wurzel und Zweigen des Ölbaums⁴. Die Wurzel ist das Volk der Verheißung, Israel. Die Zweige, die aus dem wilden Ölbaum (den heidnischen Völkern) in den echten Ölbaum (die Heilsgemeinde Gottes) eingepfropft werden, sind die Heidenchristen. Paulus betont
10 also den engen organischen Zusammenhang, der zwischen der at.lichen und der nt.lichen Heilsgemeinde besteht⁵.

Für das jüdische Denken stand die Idee der Heilsgemeinde in engster Verbindung mit der Tatsache des blutmäßigen Zusammenhanges der leiblichen Nachkommen Abrahams. Es bestand ganz selbstverständlich die Gleichung
15 Heilsvolk = Volk Israel. Paulus hat diese Gleichung dadurch zerstört, daß er den Satz aufstellte: die Verheißung, die Abraham auf Grund seines Glaubens empfangen hat, gilt „dem Samen" (Gl 3, 16), dh Christus. Damit sind die Glaubensmenschen, die zu Christus gehören und in ihm „einer" sind (Gl 3, 28), die Erben der Abrahamsverheißung. Die Gleichung heißt also bei Paulus nicht
20 mehr Heilsgemeinde = Ἰσραὴλ κατὰ σάρκα, sondern Heilsgemeinde = Ἰσραὴλ κατὰ πνεῦμα. Paulus wahrt durchaus die Kontinuität der Heilsgemeinde, aber die Struktur derselben ist bei ihm eine ganz andere geworden. Es gehören jetzt nur noch diejenigen Juden zur Heilsgemeinde Gottes, die wie Abraham glauben⁶. Glauben heißt aber in der Christussituation: Jesus als den Messias
25 anerkennen und sein Opfer als vollgültige Heilstat Gottes für die Menschen bejahen. Wer das nicht tut, hat kein Recht mehr in der Heilsgemeinde Gottes. Weil es nun aber, nachdem Christus die Gesetzeszeit beendet und die Abrahamsverheißung in Kraft gesetzt hat, für die Zugehörigkeit zu der Heilsgemeinde Gottes nur noch ein Merkmal gibt: den Glauben an Christus und das Heils-
30 werk Gottes in Christus, werden die an Christus gläubigen Heiden dem Heilsvolke Gottes als gleichberechtigte Glieder einverleibt. Die blutmäßige Bindung wird durch die glaubensmäßige Bindung ersetzt. Im Bilde gesprochen: der Ölbaum bleibt erhalten, aber Gott reißt die Zweige, die — in der durch Christus gegebenen Situation — nicht mehr in ihn hineingehören, aus dem Baum
35 heraus und setzt neue Zweige ein, die ursprünglich in einem ganz anderen

---

³ Vgl im einzelnen Liddell-Scott 955 sv κλάδος (5).

⁴ Zu der Vorstellung von Wurzel und Zweigen vgl auch Menand fr 716 (CAF): ὁ μὴ τρέφων τεκοῦσαν ἐκ τέχνης νέος, ἄκαρπος οὗτός ἐστιν ἀπὸ ῥίζης κλάδος.

⁵ Das Bild von der Wurzel und den Zweigen (R 11, 16ff) beruht vielleicht auf einem ursprünglich rein jüdischen Bilde: der organisch gewachsene Baum stellt die blutmäßig gewachsene völkische Einheit des Judentums dar, die als solche zugleich das Israel der Heilsgemeinde Gottes ist. Die aufgepfropften Zweige sind die Proselyten aus den Heidenvölkern, die mit der Beschneidung in die Heilsgemeinde Gottes eintreten, die aber dann in der Weiterfolge der Generationen auch in den blutmäßigen Zusammenhang der Heilsgemeinde Israels hineinwachsen. Bei Paulus ist dann das Bild abgewandelt worden: an die Stelle der Proselyten sind die Heidenchristen als „Pfropfreißer" getreten. [KGKuhn.]

⁶ Vgl hierzu Ltzm z R 11, 16b: die Zweige sind die Gesamtheit Israels; unter der Wurzel sind die Ahnherrn des Volkes, die Patriarchen zu verstehen; die gläubigen Juden sind im Gegensatz zu den „herausgebrochenen" die stehengebliebenen Zweige.

organischen Zusammenhang standen. Also: Paulus hält an der Idee und Wirklichkeit der Heilsgemeinde Gottes fest, erklärt aber, daß ihr Charakter und ihre Struktur durch Christus eine völlig andere geworden ist[7].

Ignatius bezeichnet Tr 11, 2 die Christen als κλάδοι τοῦ σταυροῦ. Er bringt damit die innige Verbundenheit der Christen mit dem gekreuzigten (und auferstandenen) 5 Christus zum Ausdruck[8]. — Das ist eine Anschauung, die ein wertvolles Motiv der altchristlichen und der mittelalterlichen Kunst geworden ist[9].

Es ist in diesem Zusammenhang an die Allegorie vom Weidenbaum bei Herm s 8, 1 ff zu erinnern. Von dem Baum, der das Gesetz Gottes, dh den Sohn Gottes (8, 3, 2) symbolisiert, werden Zweige abgehauen und dem Gottesvolk gegeben, das im 10 Schatten der Weide versammelt ist. Die Stäbe werden dann zurückgefordert und eingepflanzt. Die Hauptsache an der Allegorie ist die Prüfung der eingepflanzten Stäbe; ohne Bild: die Prüfung der christlichen Sünder[10].

Schließlich ist auf eine Parallele bei Justin hinzuweisen. Justin hat Dial 110, 4 das Gleichnis vom Weinstock und den immer nachsprossenden Zweigen. 15

JohSchneider

κλαίω, κλαυϑμός

κλαίω

Seit Homer sowohl intr als *weinen* (Hom Il 18, 340) als auch trans als *beweinen* (Hom Od 1, 363) gebräuchlich, so auch in LXX (hier meist für בכה [1]) 20 und bei Josephus. Im Neuen Testament öfter und in verschiedener Zuspitzung: als Ausdruck des Abschiedsschmerzes (Ag 21, 13; vgl etwa Tωβ 5, 18. 23), als Ausdruck schwerer innerer Erschütterung (Phil 3, 18; vgl etwa 1 S 1, 7), besonders bei Scham und Reue (Lk 7, 38; Mt 26, 75 par; vgl etwa Thr 1, 15), endlich als Ausdruck für die Beweinung Verstorbener (Mk 5, 38 f par; Lk 7, 25 13. 32; J 11, 31. 33; 20, 11. 13. 15; Ag 9, 39; vgl etwa Gn 50, 1; Dt 21, 13; 2 S 3, 32). Dagegen begegnet Weinen als Zeichen lebhafter und überwältigender Freude (vgl etwa Gn 46, 29; 2 Εσδρ 3, 12) im Neuen Testament nicht.

Theologische Bedeutung hat das Wort im Neuen Testament nur an einigen Stellen, die sachlich unter sich zusammengehören: Lk 6, 21. 25; 30 23, 28; J 16, 20; Jk 4, 9; 5, 1; Apk 18, 9 ff. In ihnen allen dient es dazu, im Blick auf die Gegenwart ein typisches Verhalten der Gottesmenschen zu beschreiben, während es da, wo es von der Zukunft gebraucht wird, feststellt, was den Gottlosen bevorsteht, wenn Gott sein Recht und seine Herrschaft vor aller Welt offenbart. So gilt Jesu Seligpreisung den κλαίοντες νῦν und verheißt 35 ihnen: γελάσετε, während umgekehrt den γελῶντες νῦν in Aussicht gestellt wird:

---

[7] Das Gleichnis stimmt nicht mit der Naturgeschichte überein; denn das edle Reis wird auf den Wildling gepfropft, nicht umgekehrt. Vgl Ltzm R z 11, 16 b. Es gibt allerdings eine auch gegenwärtig noch gebräuchliche Methode, alternde Ölbäume durch Einpfropfen junger Wildlinge zu verjüngen (beschrieben von Columella, De re rustica V 9, 16 [Ress]; WMRamsay, Exp VI 11 [1905] 16 ff, 152 ff; SLinder, Paläst Jbch 26 [1930] 40 ff). Es ist aber fraglich, ob Paulus diese Art der Behandlung gekannt hat. Deißmann LO 235 meint, Paulus wolle in dem Bilde hier gerade etwas Unnatürliches demonstrieren.

[8] S dazu JSchneider, Die Passionsmystik

des Paulus (1929) 128 f. Vgl auch LvSybel, Zu Ξύλον ζωῆς, ZNW 20 (1921) 93 ff; außerdem ADeißmann, Paulus [2] (1925) 157 f.

[9] Vgl Deißmann aaO.

[10] S hierzu Dib Herm 586 ff.

κλαίω. [1] Ri 9, 7 B (A: καλέω); 15, 18 B; 16, 28 B (A: beide Male: βοάω) für קרא (dazu noch → 722, 40 ff). 'Ιερ 41 (34), 5 steht κλαίομαι für שׂרף; man wird darin die bewußte Verdrängung eines alten, später als heidnisch empfundenen und aus der Übung gekommenen Bestattungsbrauches, des Verbrennens wohlriechender Kräuter (vgl 2 Chr 16, 14; 21, 19), aus dem Text zu sehen haben.

πενθήσετε καὶ κλαύσετε (Lk 6, 21. 25; vgl bes Jk 4, 9; 5, 1). Für die griechische Bibel nicht anders als für das Rabbinat ist ebenso wie für das Neue
Testament[2] das Lachen als Haltung Ausdruck menschlicher Sicherheit gegenüber Gott[3], ja geradezu term techn für die Bejahung des Menschen als auto
5 nomen Wesens gegenüber dem Schöpfer und Herrn aller Dinge[4]. Ihm entgegengesetzt ist das κλαίειν als Ausdruck der Gewißheit, eben nicht autonom, sondern auf Gedeih und Verderb von Gott abhängig zu sein
und alles von ihm erwarten zu müssen, aber auch zu dürfen. Es kommt da
zum „Weinen", wo der Mensch im Angesichte Gottes seine eigene Unzuläng
10 lichkeit in jeder Hinsicht erkennt und dabei sieht, daß er sich ihr nicht entziehen kann, einerlei ob es sich um sein Leben und dessen Dauer, um seine
menschlichen Mittel und Fähigkeiten oder auch um seinen Gottesdienst mit
Einschluß des sittlichen Lebens handelt. So wird im „Weinen" Gott als Gott anerkannt und ihm grundsätzlich recht gegeben (vgl Lk 7, 29 neben 17, 15; 18, 11).
15 Das sichert den κλαίοντες für die Zukunft, in der Gott sich als Gott erweisen
wird, seine Huld und seine Gemeinschaft, während umgekehrt Gottes Selbstoffenbarung allen denen, die sich jetzt über seinen Anspruch hinwegsetzen, dann
die Erkenntnis ihrer Verlorenheit vor ihm und damit das κλαίειν bringen wird,
und das um so mehr, je sicherer sie sich hier gefühlt haben (vgl bes Jk 5, 1 ff;
20 Lk 16, 19 ff; 18, 14). Die völlige Umwertung aller Werte, die so gewiß
kommt, wie Gott da ist und seinen Tag heraufführt (vgl Lk 1, 51 ff[5]), wird
eben keinen Zweifel darüber lassen, wo falsche und wo echte Sicherheit ist.

Dieser Sprachgebrauch von κλαίειν ist schon dem Alten Testament geläufig[6]. Als
Hiskia durch Jesaja auf dem Krankenlager die Ankündigung seines nahen Todes
25 empfängt, ἔκλαυσεν κλαυθμῷ μεγάλῳ = בְּכִי גָדוֹל וַיֵּבְךְּ (2 Kö 20, 3; Js 38, 3), und das
wird Gott zum Anlaß, ihm sein Leben doch noch weiter zu gewähren (2 Kö 20, 5 f;
Js 38, 5). Mögen hier die Tränen durch die Todesangst des Königs hervorgerufen
sein, so stellt die Erzählung doch fest, daß es eben sein κλαίειν war, was Gott seinen
Entschluß ändern ließ. Man beachte dabei, daß Hiskia nicht um Verlängerung seines
30 Lebens bittet, sondern gewissermaßen lediglich Gottes Gerechtigkeit anruft und sich
im übrigen in seinen Willen ergibt und deshalb weint. Das ist das genaue Gegenteil
der Haltung, in der der Mensch Gott als Verhandlungspartner gegenübertritt. Ähnlich liegen die Dinge 2 Kö 22, 19 f. Hier wird dem König Josia im Zusammenhang
mit einer Unheilsweissagung für Volk, Stadt und Tempel wegen ihres Abfalls von
35 Gott im Ungehorsam gegen seinen Willen für die eigene Person ein Heimgang in
Frieden zugesagt, weil er nach der Verlesung des wiedergefundenen Gesetzbuches
Gottes (2 Kö 22, 8 ff) vor Gott „geweint" hat (ἔκλαυσας ἐνώπιον ἐμοῦ, v 19) und das
als Zeichen seiner Demütigung vor ihm angenommen ist. Dabei war in v 11, auf den
hier zurückgegriffen wird, nur von einem Zerreißen der Kleider als Zeichen der
40 Trauer, nicht aber von Tränen die Rede (vgl auch 2 Εσδρ 18, 9 ff; Tob 3, 1). Vor
allem ist aber an die drei in → A 1 genannten Stellen zu erinnern, wo κλαίειν bei B
dreimal für קרא steht. Wenn Ri 9, 7 B das κλαίειν ausgesagt wird, so ist das aus
Jothams Lage heraus menschlich noch verständlich, obwohl ihm Tränen des Zornes
näher liegen als Tränen der Klage. Ri 15, 18; 16, 28 B umschreibt es dagegen lediglich

---

[2] → I 656, 27 ff.

[3] Dahin gehört ua auch — was zu γελάω
nachzutragen ist —, wenn eine tannaitische
Regel feststellt: Stirbt jemand lachend (מתוך
השחוק), so ist es ein gutes Zeichen (סימן יפה)
für ihn, weinend (מתוך הבכי), so ist es ein
schlimmes Zeichen (סימן רע) für ihn (bKet
103 b Bar). Das Lachen des Sterbenden zeigt
eben, daß er nichts getan oder auch unter

lassen hat, dessentwegen er Anlaß zur Furcht
vor dem göttlichen Gericht haben müßte.
Wirkt hier eine griechische Vorstellung (→ I
658, 23 ff neben 659, 35 ff) ein?

[4] Etwa im Sinne von Plutarchs, sprachlich
allerdings ganz unbiblischem: γέλως ἑταῖρος
ὕβρεως Quaest Conv I 4 (II 622 b).

[5] Vgl KHRengstorf, in: NT Deutsch zSt.

[6] Dort hat auch die nt.liche Antithese κλαί
ειν/γελᾶν ihren Ursprung (Qoh 3, 4).

den zu Gott gesandten Ruf um Hilfe in einer Lage, in der nur noch Gott helfen kann (A hat sinngemäß beide Male ἐβόησεν). Noch deutlicher ist Hos 12, 5; denn hier wird die schließliche Überlegenheit Jakobs über den Engel in seinem nächtlichen Kampf mit ihm (Gn 32, 22 ff) darin begründet, daß er weinte (בכה, κλαίειν) und um Erbarmen flehte (התחנן, δεῖσθαι)[7]. Da im ganzen Zusammenhange nicht von Tränen Jakobs gesprochen wird, so kann bei κλαίειν hier nur an die Haltung Jakobs gedacht sein, wie sie in seinen Worten v 11 ff und v 27 zutage tritt. Auch das Weinen (בכה, κλαίειν) von Ps 126, 5 f wird in diesen Zusammenhang gehören, vor allem dann, wenn es richtig ist, daß wir in dem Weinen bei der Aussaat einen weit verbreiteten kultischen Ritus[8] zu sehen[9] haben[10].

Hier ist auch der Punkt, wo sich κλαίειν als Ausdruck der Scham und Reue (→ 721, 24) dem bisherigen Bilde ohne weiteres einordnet, da ja in ihnen Gott recht gegeben wird, und wo sich der biblische Sprachgebrauch deshalb auch notwendig von dem außerbiblischen scheidet. Der Begriff der gezeigten Reue, wie er gelegentlich im biblischen κλαίειν vorliegt, ist dem Griechentum fremd, weil ihm die Verschuldung gegen Gott als Schuld schlechthin fremd ist (→ I 299, 5 ff). Die Tränen etwa, die der geblendete Ödipus weint, gelten dem Schicksal der in Blutschande von ihm gezeugten Töchter, nicht aber seiner Tat; denn diese entsprang nicht frevelhaftem Willen, sondern wurde lediglich durch mangelnden Einblick in seine Verhältnisse möglich und sogar unvermeidbar (→ I 300, 34 ff). So ist nur sein eigener maßloser Schmerz Gegenstand seines Jammers[11]. Es ist eben furchtbar für den Menschen, in der Hand der Götter zu sein und nicht über sich selbst oder auch die Verhältnisse bestimmen zu können[12]. κλαίειν erscheint in der Beschreibung seiner Lage durch ihn selbst ebenso wenig wie zB Eur Alc 100 ff, wo von der Trauer um eine Tote (Alcestis) die Rede ist. Hier dient πένθος als umfassende Beschreibung für das Leid der Hinterbliebenen. κλαίω scheint überhaupt mehr den nach außen gerichteten Schmerz als den Schmerz im allgemeinen zu bezeichnen, scheint also den versichtbaren Schmerz körperlicher wie seelischer Art zu meinen. Deshalb erscheint κλαίειν zwar häufig mit Tränen verbunden[13]; es muß aber nicht so sein[14]. κλαίειν stellt, wenn es jemand angedroht wird, lediglich schmerzhafte Strafe oder Beschwerde in Aussicht. So kann κλαύσει (= κλαύσῃ) so viel heißen wie unser *es wird dir schlecht bekommen*[15] und κλαίειν τινὰ λέγειν zu der Bedeutung kommen *jemand etwas Böses wünschen*[16]. Die Trennung von außerbiblischem und biblischem Sprachgebrauch von κλαίειν zeigt sich also vollends dann, wenn man auch den übertragenen Gebrauch hier und dort ins Auge faßt und hier in ihm das Zugeben und Bejahen der Abhängigkeit von Gott, dort dagegen nur eine kräftige Umschreibung für das Ertragenmüssen einer peinlichen Lage erkennt, in die man sich vielleicht sogar selbst gebracht hat. Sie hat ihren Grund darin, daß die außerbiblischen κλαίοντες in ihrem Jammer und mit ihm kein Verhältnis zu einem Gott haben, der die Geschicke der Menschen nach einem ewigen Plane ihnen zum Heile lenkt.

---

[7] LXX haben den Plural, sehen also wohl in Jakob lediglich den Vertreter seines Volkes, wie es auch durch den Zusammenhang nahegelegt ist.

[8] Vor allem im Zusammenhang mit der Verehrung des Osiris in Ägypten, aber auch sonst; Belege bei HGunkel, Die Psalmen[4] (1926) 552.

[9] Vgl HGunkel aaO; AWeiser, Die Psalmen (1935) zSt.

[10] Vgl noch ψ 83, 7 f zu Lk 6, 21. 23; ferner ψ 94, 6, wo σκληρύνειν τὰς καρδίας (v 8) den Gegensatz bildet, und bes ψ 68, 11 (LXX: καὶ συνέκαμψα..., Ἀ: καὶ ἔκλαυσα ἐν νηστείᾳ ψυχήν μου, καὶ ἐγενήθη εἰς ὀνειδισμὸν ἐμοί; ähnlich Σ). Die fromme Haltung des κλαίειν hat also die Schmach zur Folge (vgl v 10. 20 f). [Bertram.]

[11] Soph Oed Tyr 1486 f:
καὶ σφὼ δακρύω . . .
νοούμενος τὰ λοιπὰ τοῦ πικροῦ βίου,
οἷον βιῶναι σφὼ πρὸς ἀνθρώπων χρεών.

[12] Vgl auch Soph fr 513, 1 (TGF): εἰ μὲν ἦν

κλαίουσιν ἰᾶσθαι κακά — ὁ χρυσὸς ἥσσον κτῆμα τοῦ κλαίειν ἂν ἦν. [Kleinknecht.]

[13] Gelegentlich ist κεκλαυμένος so viel wie „tränenüberströmt" (= δεδακρυμένος): Aesch Choeph 457. 731.

[14] κλαίειν ist daneben, schon bei Homer, häufiger Ausdruck der Freude und der Rührung. Der Sprachgebrauch erwächst auch hier aus derselben Wurzel. Das Walten des Schicksals wird hingenommen, nur daß es sich in diesen Fällen nicht niederschmetternd, sondern erfreulich oder überraschend auswirkt.

[15] Vgl Eur Cyc 554: Polyphem zu Silen, der sich von Dionysos hat küssen lassen, da er heimlich vom Wein des Odysseus getrunken hat: κλαύσει φιλῶν τὸν οἶνον οὐ φιλοῦντά σε. Das κλαύσει stellt geradezu Schläge in Aussicht.

[16] Vgl Hdt IV 127: σοὶ δὲ ἀντὶ μὲν δώρων γῆς τε καὶ ὕδατος δῶρα πέμψω τοιαῦτα οἷά σοι πρέπει ἐλθεῖν, ἀντὶ δὲ τοῦ ὅτι δεσπότης ἔφησας εἶναι ἐμός, κλαίειν λέγω.

Vom neutestamentlichen Sprachgebrauch aus eignet somit dem Vorkommen von κλαίειν in den Unheilsankündigungen für die Weltmenschen theologisches Gewicht in dem Sinne, daß es das Erwachen der Erkenntnis Gottes und des Einblicks in die Folgen der bisherigen Gottlosigkeit in ihnen für
5 die Zukunft ankündigt, in der sie für immer von Gott getrennt sein werden. Dem entspricht es, daß κλαίειν in derartigen Zusammenhängen immer ein weiteres Wort neben sich hat, das die Trauer im eigentlichen Sinne zum Ausdruck bringt, vor allem πενθεῖν (Lk 6, 25; Jk 4, 9; Apk 18, 11. 15. 19)[17], weiter θρηνεῖν (J 16, 20)[18], ταλαιπωρεῖν (Jk 4, 9)[19], ὀλολύζειν (Jk 5, 1), κόπτεσθαι (Apk
10 18, 9)[20], λυπεῖσθαι (J 16, 20)[21]. Erst ihr Miteinander ergibt jeweils die ganze Schärfe, auf die es in den betreffenden Worten ankommt. Für die Menschen, denen sie gelten, wird die Enthüllung Gottes vor ihnen[22] wohl die Unterwerfung unter ihn in seiner Anerkennung zur Folge haben, ihnen aber lediglich Leid eintragen, da sie nun erkennen werden, was sie taten, als sie sich seinem
15 Willen entzogen und seine ihnen angebotene Gemeinschaft ausschlugen (vgl Lk 13, 23 ff; bes v 28).

Auch Jesu Wort an die um ihn klagenden Frauen von Jerusalem in der Sonderüberlieferung des 3. Evangeliums (Lk 23, 28) gewinnt erst im Lichte des so erschlossenen Gebrauchs von κλαίειν sein volles Gewicht. Wenn
20 es von den Frauen heißt: ἐκόπτοντο καὶ ἐθρήνουν (23, 27), so liegt darin die Größe des Schmerzes beschlossen, der sie erfüllte, und mit ihm die Einsicht in die Unabänderlichkeit des Todesganges Jesu (→ A 20 zu κόπτεσθαι). Sie weinen, weil sie nicht verstehen, wie Gott zulassen kann, was sie nun an Jesus sehen. Aber Jesus lehnt es ab, daß sie über ihn um seines Schicksals willen
25 weinen. Wenn überhaupt jemand der Anlaß zum κλαίειν ist, dann ist es nicht er; dann sind es vielmehr die Weinenden selbst mit ihren Nachkommen. In seinem Wege zum Kreuz erfüllt sich Gottes Plan[23], und ihn gilt es zu ehren[24]. Weinen Jerusalems Frauen doch über ihn, so bekennen sie darin lediglich die Schuld ihres Volkes an seiner Hinrichtung am Kreuz; denn sie bezeugen durch
30 ihre Tränen um ihn, daß sie letzten Endes eben nicht begreifen, was hier vor sich geht[25]. Da ihre Kinder die Folgen davon zu tragen haben werden, ruft Jesus sie auf, um sie zu weinen. So erhebt er noch einmal den Bußruf, nicht anders als er ihn erhoben hat, als er beim königlichen Einzug in Jerusalem im Anblick

---

[17] Zu Apk 18, 11 ff vgl Ez 27, 30 ff. πενθεῖν neben κλαίειν auch 2 Εσδρ 18, 9.
[18] Vgl Tob 10, 4. 7 ℵ. Über J 16, 20 → A 24; die Stelle gehört nur bedingt hierher.
[19] Vgl aber auch Jk 5, 1, wo ταλαιπωρία vorkommt.
[20] Vgl 'Ιερ 41, 5. Lk 8, 52 stehen beide Worte ebenfalls nebeneinander (so auch Jos Ant 13, 399; Schl Lk 90), hier allerdings κλαίειν für das Beweinen einer Toten, wie denn κόπτεσθαι auf die übliche Totenklage geht.
[21] Vgl Tob 7, 6.
[22] Lk 6, 25 steht die βασιλεία τοῦ θεοῦ, Jk liegen die ἔσχαται ἡμέραι (5, 3) im Blickfelde, Apk 18, 1 ff der Gerichtstag Gottes.

[23] Vgl dazu Lk 17, 1 f.
[24] Zu dieser Erkenntnis soll J 16, 20 die Jünger führen: Gott wird ihre Klage um des Todes Jesu willen ebenso ins Unrecht setzen wie die Freude des κόσμος über ihn; denn beide, die Jünger und der κόσμος, übersehen, daß Gott für Jesus der → πατήρ ist, und kommen darum zu einer völlig falschen Beurteilung der durch sein Sterben geschaffenen Lage. Sein Tod ist weder eine Sinnlosigkeit noch ein gerechtes Gericht, sondern ein in Gottes Plan mit Jesus notwendiges Stück seines Weges zu seiner öffentlichen Erweisung als der Sohn (vgl J 17, 1 f).
[25] Vgl die Sachparallele Jer 22, 10.

der Stadt selbst in Tränen um sie ausbrach, weil sie in ihm ihren Feind sah, während er doch der Einzige war, der ihr dauernden Frieden bringen konnte (Lk 19, 41 f).

† κλαυθμός

Wie κλαίειν seit Homer (Od 4, 212 uö) gebräuchlich als Bezeich- 5 nung für *das Weinen*, zumal für die *Klage um die Toten* (vgl den Zusammenhang Hom Od 4, 168 ff). In LXX in der Regel für בְּכִי und daher im eigentlichen Sinne neben θρῆνος 'Ιερ 38, 15 f (vgl Jos Ant 20, 112), πένθος (Bar 4, 11. 23), κραυγή (Js 65, 19), κοπετός[1], εὕρησις und ζῶσις σάκκων (Js 22, 12). Neben dem eigentlichen steht wie bei κλαίειν ein betont religiöser Gebrauch des Wortes. Jer 3, 21 steht im 10 Bußruf des Propheten: φωνὴ ἐκ χειλέων ἠκούσθη κλαυθμοῦ καὶ δεήσεως υἱῶν 'Ισραήλ, ὅτι ἠδίκησαν ἐν ταῖς ὁδοῖς αὐτῶν. Wird hier im κλαυθμός der Anfang der Umkehr sichtbar, so erfährt 'Ιερ 38, 9 der κλαυθμός in der παράκλησις durch Gott seine Antwort und seine Erfüllung. 2 Makk 13, 12 wird die Haltung des Gott um Beistand und Hilfe anflehenden Volkes dahingehend beschrieben, daß es μετὰ κλαυθμοῦ καὶ 15 νηστειῶν καὶ προπτώσεως drei Tage gebetet habe. In diesen und in weiteren Fällen[2] liegt in κλαυθμός die Bereitschaft zur Ergebung in Gottes Willen in der Gewißheit, daß er nur das will, was den Seinen zum Heile dient.

Im Neuen Testament kommt κλαυθμός außer Mt 2, 18 (Zitat; Jer 31, 15) und Ag 20, 37, wo das Wort eigentlich gebraucht ist, nur in der Wendung 20 ἐκεῖ ἔσται ὁ κλαυθμὸς καὶ ὁ βρυγμὸς τῶν ὀδόντων vor (Mt 8, 12; 13, 42. 50; 22, 13; 24, 51; 25, 30; Lk 13, 28). Die Formel beschreibt überall das Schicksal von Menschen, welche die Berufung zur Freude des Gottesreiches empfangen, ihrer aber doch nicht teilhaftig werden[3]. Der doppelte Artikel verbietet es dabei, lediglich an einen ungehemmten Ausdruck der schmerzlichen, bitteren oder auch 25 erbitterten Gefühle der Ausgeschlossenen zu denken. Das Erscheinen von κλαίειν in einem ganz bestimmten Sinne (→ 721, 29 ff) in ähnlichen Zusammenhängen gibt dem determinierten κλαυθμός hier den Inhalt. In ihm liegt das tödliche Erschrecken beschlossen, das Gottes volle Selbstoffenbarung für alle zur Folge hat, die sich sein Bild bis dahin mehr oder weniger nach dem eigenen Bilde gemacht 30 haben, und zwar hier im Blick auf die leichtfertig ausgeschlagene Güte Gottes, die nun unwiederbringlich verloren ist. Darum steht sinngemäß neben dem κλαυθμός der Ausgeschlossenen im βρυγμὸς τῶν ὀδόντων[4] die verzweiflungsvolle Reue, die den ganzen Körper erschüttert.

Der Satz ἐκεῖ ἔσται ὁ κλαυθμὸς καὶ ὁ βρυγμὸς τῶν ὀδόντων wird von Manchen[5] für 35 einen Zusatz des Matthäus zu älterer Wortüberlieferung gehalten[6]. Doch läßt sich das nicht beweisen. Jedenfalls ist die Vorstellung, daß die Gottlosen dereinst Klagelieder (קִינִים!) anstimmen werden, auch dem rabb Judentum geläufig[7].

Rengstorf

κλαυθμός. [1] Vgl auch 'Ιερ 9, 9 'Α, wo κλαυθμός statt κοπετός in LXX.

[2] Vgl zB Mal 2, 13; Js 38, 3 (→ zu dieser Stelle 722, 23 ff). Wichtig ist auch Hi 30, 31: ὁ δὲ ψαλμός μου εἰς κλαυθμὸν ἐμοί: „Aus meinem Lobpreis ist die klagende Anrufung Gottes geworden."

[3] Vgl Schl Mt 280 z 8, 12.

[4] → I 639, 38 ff.

[5] Vgl zB Bultmann Trad 352.

[6] Lk 13, 28 macht als Parallele zu Mt 8, 12 keine Schwierigkeiten.

[7] SNu § 103 z 12, 8 (ed KGKuhn [1934] 271 f). → noch A 2 mit Hi 30, 31, wo im Zusammenhang der κλαυθμός der Ausdruck der inneren Not Hiobs darüber ist, daß er sich wie ein Gottloser von Gott verworfen sieht.

---

† κλάω, † κλάσις, † κλάσμα

Inhalt: A. Allgemeiner Sprachgebrauch. — B. Brotbrechen als Bezeichnung für das Abendmahl. — C. Das Abendmahl im Urchristentum: 1. Quellen: *a.* Übersicht; *b.* Kritik; 2. Das letzte Mahl Jesu mit seinen Jüngern: *a.* Der Passahrahmen; *b.* Das jüdische Passahmahl des Zeitalters; *c.* Die Passahzüge in der Abendmahlsüberlieferung; 3. Der Sinn der Abendmahlsworte Jesu: *a.* Die Wort-Gruppen der

κλάω κτλ. Zu A: Pass sv; Liddell-Scott sv; Cr-Kö sv; Pr-Bauer³ sv; Moult-Mill sv; JoachJeremias, Die Abendmahlsworte Jesu (1935) 66 f (dort 10 ff ausführliches Lit-Verzeichnis). — Zu B: ThSchermann, Das „Brotbrechen" im Urchristentum BZ 8 (1910) 33 ff, 162 ff; Wdt Ag z 2, 42; Zn Ag z 2, 42 ff u 20, 7; FCabrol, Artk Fractio panis, in: Dictionnaire d' archéologie chrétienne V 2103 ff; KVölker, Mysterium und Agape (1927) 28 ff; Jackson-Lake I 4 (1933) 28 f. — Zu C: allgemein: FLoofs, Artk Abendmahl II, RE³ I 38 ff, XXIII 2 ff; PDrews, Artk Eucharistie, ebd V 560 ff, XXIII 432 ff; FKattenbusch, Artk Messe, ebd XII 669 ff; KLSchmidt, Artk Abendmahl im NT, RGG² I 6 ff; HLietzmann, Artk Abendmahl, liturgiegeschichtlich, ebd I 31 ff; RAFalconer-DStone, Artk Lord's Supper, DCG II 63 ff; GHClayton, Artk Eucharist u Love-feast, DAC I 373 ff, 717 f. Nt.liche Theologien: HJHoltzmann² (1911) bes I 364 ff, II 200 ff, 558 ff (ältere Literatur); HWeinel⁴ (1928) bes 64 ff, 157 f, 203 ff, 246 ff, 468; PFeine⁶ (1934) bes 117 ff, 315 ff, 385 ff (neuere Literatur); Schl Gesch d Chr 485 ff; Schl Theol d Ap 39 ff, 519 ff, 558; ThZahn, Grundriß der nt.lichen Theologie (1928) 53 ff; FBüchsel (1935) 56 ff, 132 f. Aus der überreichen Spezialliteratur bes AJülicher, Zur Geschichte der Abendmahlsfeier in der ältesten Kirche, in: Theol Abh CvWeizsäcker gewidmet (1892) 217 ff; AMerx, Die vier kanonischen Ev nach ihrem ältesten bekannten Texte II 1 (1902) 371 ff, II 2 (1905) 416 ff; KGGoetz, Die heutige Abendmahlsfrage in ihrer geschichtlichen Entwicklung² (1907); Ders, Das Abendmahl eine Diatheke Jesu oder sein letztes Gleichnis? (1920); Ders, Der Ursprung des kirchlichen Abendmahls (Rektoratsprogramm Basel 1929); Ders, Der Einfluß des kirchlichen Brauches auf die Abendmahlstexte des NT, in: Vom Wesen und Wandel der Kirche (Zum 70. Geburtstag von EVischer) (1935) 21 ff; RSeeberg, Das Abendmahl im NT (¹ 1905, ² 1907 = Biblische Zeit- u Streitfragen I 2, ³ in: RSeeberg, Aus Religion u Geschichte II (1909) 293 ff [³ im folgenden: RSeeberg, Abendmahl]); Ders, Lehrbuch der Dogmengeschichte I³ (1922) 164 ff; Ders, Christl Dogmatik II (1925) 443 ff; Wellh Mk² 108 ff; JWellhausen, Einleitung in die drei ersten Ev² (1911) 130 ff; WHeitmüller, Taufe und Abendmahl im Urchristentum, Religionsgeschichtliche Volksbücher I 22/23 (1911) 39 ff; GLoeschcke, Zur Frage nach der Einsetzung und Herkunft der Eucharistie, ZwTh 54 (1912) 193 ff; GBeer, Pesachim (1912) 92 ff; ASeeberg, Das Abendmahl, in: RSeeberg, D. Alfred Seeberg... Arbeiten aus seinem Nachlaß (1916) 91 ff; JWeiß, Urchr (1917) 41 ff, 502 ff; BFrischkopf, Die neuesten Erörterungen über die Abendmahlsfrage, Nt.liche Abh IX 4/5 (1921); EdMeyer, Ursprung u Anfänge des Christentums I (1921) 173 ff, III (1923) 229 ff; GDalman, Jesus-Jeschua (1922) 80 ff, 98 ff (im Folgenden = Dalman I); Ders, Ergänzungen u Verbesserungen zu Jesus-Jeschua (1929) (im Folgenden = Dalman II) 8 ff; Clemen 174 ff; HLietzmann, Messe und Herrenmahl (1926) 211 ff, 249 ff; AOepke, Ursprung u ursprünglicher Sinn des Abendmahls im Lichte der neuesten Forschung, AELKZ 59 (1926) 12 ff, 37 ff, 54 ff, 79 ff; CAAnderson Scott, Christianity according to St Paul (1927) 181 ff; KVölker, Mysterium u Agape (1927); Str-B IV 41 ff: Das Passahmahl; FHamm, Die liturgischen Einsetzungsberichte, im Sinne vergleichender Liturgieforschung untersucht = Liturgiegeschichtl Quellen u Forschungen 23 (1928); ALoisy, Les origines de la cène eucharistique, in: Congrès d'Histoire du Christianisme I (1928) 77 ff; HHuber, Das Herrnmahl (Diss Bern) (1929); GHCMacgregor, Eucharistic origins (1929); ASchweitzer, Das Abendmahl im Zusammenhang mit dem Leben Jesu ... Heft 1² (1929) (= ¹ [1901]); Ders, Die Mystik des Ap Pls (1930) 222 ff uö; CNMoody, The Purpose of Jesus in the First Three Gospels (= Bruce Lectures 1929) 114 ff uö; HvSoden, Sakrament u Ethik bei Paulus, in: Marburger Theol Studien 1 (= ROtto-Festgruß) (1931) 1 ff; HDWendland, Die Eschatologie des Reiches Gottes bei Jesus (1931) 187 ff; WGoossens, Les origines de l'eucharistie (1931); G van der Leeuw, Phänomenologie der Religion (1933) 341 ff; ROtto, Reich Gottes und Menschensohn (1934) 223 ff; OGauß, Die nt.liche Grundlegung der Lehre vom Heiligen Abendmahl, in: Monatsschrift für Pastoraltheologie 30 (1934) 176—185, 201—212, 256—264; Joach Jeremias, Das Brotbrechen beim Passahmahl u Mk 14, 22 par, ZNW 33 (1934) 203 f; Ders, Die Abendmahlsworte Jesu (1935) (im Folgenden: Jeremias Abendmahlsworte); MGoguel, Das Leben Jesu (1934) 295 ff; RHupfeld, Die Abendmahlsfeier (1935) 46 ff; LFendt, Die Abendmahlsnot des Gegenwartsmenschen (1936) 17 ff; WNiesel, Das Abendmahl u die Opfer des alten Bundes, in: Theol Aufsätze KBarth zum 50. Geburtstag (1936) 178 ff; JLeipoldt, Der Gottesdienst der ältesten Kirche jüdisch? griechisch? christlich? (1937).

ältesten Texte; *b.* Die Passahworte; *c.* Die Deuteworte zu Brot und Wein; *d.* Änderungen und Zusätze bei Paulus und den Synoptikern; *e.* Maranatha; 4. Das Abendmahl bei Paulus: *a.* Verhältnis zum Abendmahl der Urgemeinde; *b.* Das Herrnmahl nach 1 K 11 u 10; *c.* Die paulinischen Abendmahlsgedanken; 5. Das Abendmahl bei Johannes: *a.* Die Rede J 6; *b.* Das Abendmahlsverständnis des Johannes; 6. Das Abendmahl im nachapostolischen Zeit- 5 alter: *a.* Didache; *b.* Ignatius; *c.* Apokryphe Apostelgeschichten.

A. Allgemeiner Sprachgebrauch.

1. κλάω *brechen, abbrechen* zB Schößlinge oder Zweige von Bäumen Hom Od 6, 128: ἐκ πυκινῆς δ' ὕλης πτόρθον (Zweig) κλάσε, R 11, 19 f vl; Ez 17, 4 Ά: τὰ ἄκρα τῆς ἁπαλότητος ἔκλασεν, bes die überschüssigen Ranken des Weinstockes Longus 10 3, 29 (Erotici Scriptores Graeci ed RHercher I [1858] 301): ἐγὼ ... οἶδα καλῶς ... κλᾶν ἄμπελον, Gal De Sanitate Tuenda 2 (ed Kühn VI [1823] 134): κλᾶν ἀμπέλους. Theophr De Causis Plantarum I 15, 1 uö; s noch Epigr Graec 538, 5 f: ματέρι πένθος ἔφυς, λύπα πατρί· [οἶ]α δὲ δένδρου | κλῶν [νῦ]ν ἐκλάσθης ἔ[κτ]ομος εἰς Ἀίδαν. In LXX κλᾶν ἄρτον für פָּרַם לָהֶם, Jer 16, 7: οὐ μὴ κλασθῇ ἄρτος, Thr 4, 4 A: νήπια ᾔτησαν 15 ἄρτον, καὶ ὁ κλῶν (διακλῶν B א) οὐκ ἔστιν αὐτοῖς[1] (die Wendung fehlt wie in der Profangräzität[2] so auch bei Philo und Josephus[3]). *brechen, zerbrechen, zerschmettern* Ἰερ 27, 23 B; Ri 9, 53 B; 4 Makk 9, 14; Jos Bell 5, 407: (Gott) τοὺς ... Ἀσσυρίους ... ἔκλασεν, ebd 2, 327: πνιγόμενοι ... καὶ κλώμενοι πλήθει τῶν ἐπιβαινόντων ἠφανίζοντο (vgl 152). PLips I 39, 12 f: τύψας με [ἀν]ελεῶς κλά[σας] καὶ χεῖρά) μου. Übertr ψ 146, 3 Σ: 20 ὁ ἰώμενος τοὺς κεκλασμένους τὴν καρδίαν, Philo Gig 43: αὐτομολῆσαι (weglaufen) πρὸς τὴν ἄνανδρον καὶ κεκλασμένην ἡδονήν, Philo Sacr AC 21: κεκλασμένῳ τῷ βαδίσματι (Gang) ὑπὸ τρυφῆς τῆς ἄγαν καὶ χλιδῆς (Üppigkeit), Jos Bell 3, 187: κλάσαι τὴν ἐλπίδα ταύτην αὐτῷ προαιρούμενος, Jos Vit 212: ἐκλάσθην πρὸς ἔλεον.

κλάσις *das Zerbrechen, Brechen* Plat Tim 43 d: πάσας ... κλάσεις *(Zerstörungen)* καὶ 25 διαφορὰς τῶν κύκλων ἐμποιεῖν, bes (→ Z 10 ff) vom Abbrechen der geilen Schößlinge und Ranken des Weinstocks Theophr De Causis Plantarum II 14, 4: αἱ ... κλάσεις τῶν ἀμπέλων, vgl III 14, 1 uö. In LXX kommt das Wort nicht vor, überhaupt in jüdischgriechischer Literatur nicht zu substantivischer Umschreibung der Wendung κλᾶν ἄρτον (→ Z 14 ff). Bei Philo ist κλάσις φωνῆς musikalischer term techn für *Modulation der* 30 *Stimme* Deus Imm 25; Poster C 106; Sacr AC 23[4].

κλάσμα *Bruchstück, Brocken* zB Tempelinventar von Delos (CMichel, Recueil d'Inscriptions Grecques [1900] 833, 39 ff): στεφάνων κλάσματα χρυσᾶ ... στλεγγίδων (Schmuckkamm) κλάσματα καὶ ἄλλα παντοδαπὰ χρυσία κτλ, Pseud-Xenoph Cyn 10, 5: ἔσται δὲ καὶ τοῖς κυνηγέταις πολλὰ δῆλα αὐτοῦ, ἐν μὲν τοῖς μαλακοῖς τῶν χωρίων ἡ ἴχνη, ἐν δὲ τοῖς λασίοις 35 (Dickicht) τῆς ὕλης κλάσματα, Ri 9, 53 A: κλάσμα μύλου vgl 2 Βασ 11, 21 f; Diod S XVII 13, 4: οἱ δὲ κλάσματι δόρατος ἐρειδόμενοι συνήντων τοῖς ἐπιφερομένοις, vgl Plut Tib Gracch 19 (I 833 b); Vett Val II 36 (p 110, 31); Test Sal 5, 13: μετὰ κλάσματος στύρακος (Lanze). Bes *Bissen, Stück* von Brot Ri 19, 5 A; Ez 13, 19, Kuchen 1 Βασ 30, 12, Speiseopfer Lv 2, 6; 6, 14 (hbr פַּת oder פְּתוֹת), vgl Anth Pal VI 304 (Phanias): αἴσιον 40 αὐδάσεις (sprechen) με τὸν οὐ κρέας, ἀλλὰ θάλασσαν | τιμῶντα ψαφαροῦ (hart, herb) κλάσματος εἰς ἀπάταν, ebd 11, 153 (Lucillius): ἂν δὲ παραρπάζῃς ἄρτους καὶ κλάσματ' ἀναιδῶς ...

2. Die Wortgruppe wird im NT nur vom *Brechen des Brotes* bzw von dem *in Stücke gebrochenen Brot* gebraucht. In Palästina herrschte 45 seit alters (s Jer 16, 7; Thr 4, 4) der Brauch, das Brot nicht mit dem Messer zu schneiden, sondern mit der Hand in Stücke zu brechen. Bei der Mahlzeit — sei es der täglichen Mahlzeit der Familie, sei es dem Gastmahl mit gela-

---

[1] Js 58, 7 gibt LXX פָּרַם לָהֶם mit διαθρύπτειν τὸν ἄρτον wieder.

[2] Vgl Schermann aaO 39 f; Jeremias Abendmahlsworte 66 A 6. Die Ausnahme im gr Pariser Zauberpapyrus (Preis Zaub IV 1392 ff [p 118]): καταλιπὼν ἀπὸ τοῦ ἄρτου, οὗ ἐσθίεις, ὀλίγον καὶ κλάσας ποίησον εἰς ἑπτὰ ψωμούς fällt nicht ins Gewicht, weil die Sprache des Zauberpapyrus stark unter jüd-hell und christl Einfluß steht.

[3] In anderem Sinne κλᾶν „brechen", um zu verteilen, Jos Ant 10, 244: φαρές· καὶ τοῦτο κλάσμα δηλοῖ καθ' Ἑλλάδα γλῶτταν· κλάσει τοιγαροῦν σου τὴν βασιλείαν καὶ Μήδοις αὐτὴν καὶ Πέρσαις διανεμεῖ (vgl Da 5, 28). S dazu Schl Mt 465.

[4] Vgl dazu LCohn-IHeinemann, Schriften der jüd-hell Lit 4 (1923) 30 A 3.

denen Gästen, sei es den festlichen Mahlen mit ritueller Ordnung am Passah-
abend, zu Eingang des Sabbats usw — bricht der Hausherr nach einem Dank-
gebet [5] das Brot und reicht die Stücke den Tischgenossen (→ I 475, 38 f) [6]. Das
Brechen des Brotes ist nichts weiter als ein übliches, notwendiges Stück der
5 Vorbereitung gemeinsamen Essens, der Beginn der Austeilung des Hauptbe-
standteils jeder Mahlzeit [7]. So waltet Jesus der Sitte getreu als der Hausvater
und Gastgeber bei der Tischgemeinschaft, wenn er der Menge, die er wunderbar speist, Mk 6, 41 par [8]; 8, 6 par (vgl v 19), den Jüngern am letzten Abend
1 K 11, 24; Mk 14, 22 par oder den Wandergefährten in Emmaus Lk 24, 30. 35
10 das Brot bricht. Nicht anders Paulus Ag 20, 11; 27, 35 [9] vgl 1 K 10, 16. Und
von dem *Brotbrechen*, mit dem man im palästinischen Judentum jede gemeinsame
Mahlzeit begann [10], erhält das gemeinsame Mahl, das die Glieder der Urgemeinde
von Jerusalem miteinander halten, seinen Namen: Ag 2, 42 ἡ κλάσις τοῦ ἄρτου
und v 46 κλᾶν ἄρτον, ebenso 20, 7 das abendliche Mahl des Paulus und seiner
15 Begleiter mit den Christen in Troas. κλάσματα heißen Mk 6, 43 par; 8, 8 par
(vgl v 19 f); J 6, 12 f die übrigen Stücke des gebrochenen Brotes, die Jesus dem
Brauche gemäß [11] nach der Speisung sammeln läßt.

B. Brotbrechen als Bezeichnung für das Abendmahl.

Das Brotbrechen zu Beginn einer Mahlzeit ist im NT,
20 wie im zeitgenössischen Judentum, von Hause aus kein kultischer Akt, auch
nicht durch seine Verbindung mit Danksagung oder Lobspruch (בְּרָכָה), dem häuslichen Tischgebet des Frommen (→ II 758, 9 ff; 760, 4 ff). Das gilt für Mk
6, 41 par; 8, 6 par so gut wie für Lk 24, 30. 35 [12]; Ag 27, 35 [13]. Aber auch
in den Berichten von der Stiftung des Abendmahles 1 K 11, 24; Mk 14, 22 par
25 und von Gemeinschaftsmahlen der urchristlichen Gemeinden Ag 2, 42. 46; 20,
7. 11; 1 K 10, 16 ist das Brotbrechen kein Einzelakt von selbständiger Bedeu-

---

[5] Vgl bBer 39 a b, 47 a.

[6] Vgl Str-B I 687, II 619 f, IV 70, 621 ff;
GBeer (→ Lit-A) 96; EDGoldschmidt, Die
Pessach-Haggada (1936) 27, 70.

[7] S Zn Mt z 26, 26; Dalman I 125 f. Terminologisch kann *Brotbrechen* auch die Zerteilung des Brotes einschließlich des unmittelbar vorhergehenden Dankgebetes bezeichnen, vgl bBer 46 a, 47 a; jBer 10 a, 12 a.
Aber daraus zu folgern, daß κλᾶν bei Pls die
Bedeutung der Opferweihe gewinne: „seg-
nend opfern, weihen" (KGGoetz, Die heutige
Abendmahlsfrage . . . [→ Lit-A] 186 ff; Ders,
Das Abendmahl eine Diatheke Jesu . . .?
[→ Lit-A] 14), geht weit über den Sprachgebrauch von פָּרַם hinaus.

[8] Mk 6, 41 u Lk 9, 16 κατακλᾶν synon mit
κλᾶν, vgl Ez 19, 12; Hi 5, 4 Σ.

[9] S dazu Theophylact z Ag 27, 35 (MPG
125, 836 d): κλῶμεν τὸν ἄρτον ἐπὶ τὸ μετασχεῖν
τροφῆς und Jeremias Abendmahlsworte 47 A 5.

[10] S auch SKrauß, Talmudische Archäologie
I (1910) 104 f, III (1912) 51. Unrichtig ROtto
(→ Lit-A) 264.

[11] Vgl Str-B I 687, IV 625 ff.

[12] Zu ἐγνώσθη αὐτοῖς ἐν τῇ κλάσει τοῦ ἄρτου
vgl sprachlich Bl-Debr § 220, 2 u J 13, 35,
sachlich → A 7; → II 760, 18 ff; Str-B IV 74;
ASeeberg, Das Abendmahl (→ Lit-A) 107.
Anders, aber nicht sicher genug begründet,
JoachJeremias, Jesus als Weltvollender (1930)
78 u Abendmahlsworte 47 A 4.

[13] Ebenso für die Erzählung des Hebräerev
von der Erscheinung des Auferstandenen vor
Jakobus, der geschworen hatte, von dem letzten Mahle mit Jesus bis zur Auferstehung
kein Brot zu essen: tulit panem et benedixit,
ac fregit et dedit Jacobo iusto et dixit ei:
frater mi, comede panem tuum, quia resur-
rexit filius hominis a dormientibus (Hieronymus, De viris illustribus 2) und für die παράδοσις von einem Mahle Jesu mit den Jüngern
im Gefängnis bei Epiphanius (Brief-Fragment,
hsgg KHoll, Gesammelte Aufsätze zur Kirchengeschichte 2 [1928] 206 Z 19 ff): ἔκλασεν
ἄρτον ψιλὸν καὶ συνεγεύσατο μετ' αὐτῶν ἐν τῇ
φυλακῇ.

tung[14], sondern ein traditionelles Stück des Herganges bei diesen Mahlen wie bei anderen. Der technische Gebrauch von κλᾶν ἄρτον und κλάσις τοῦ ἄρτου für urchristliche Gemeinschaftsmahle erklärt sich aus der Bezeichnung einer gemeinsamen Mahlzeit nach dem Eröffnungsakt, dem *Brotbrechen* (→ 727, 47 ff). So heißt die täglich in den Häusern gehaltene Tischgemeinschaft von Gliedern der Ur- 5 gemeinde Ag 2, 42. 46, ebenso aber auch die Mahlfeier heidenchristlicher Gemeinden Ag 20, 7 vgl 1 K 10, 16 *Brotbrechen.* Dort ist die tägliche Tischgenossenschaft eine der Formen, in denen sich das Gemeinschaftsbewußtsein der ersten Christengemeinde ausdrückt, ohne eigentlich gottesdienstlichen Charakter, aber durch die Erinnerung an die Tischgemeinschaft Jesu mit den Seinen während 10 seiner Erdentage mit religiösem Inhalt erfüllt (Ag 2, 46: μετελάμβανον τροφῆς ἐν ἀγαλλιάσει καὶ ἀφελότητι καρδίας). Hier, im Bereich der paulinischen Mission[15], ist das *Brotbrechen* — am Sonntag Ag 20, 7! — kultisches Gemeindemahl, dasselbe, was bei Paulus 1 K 11, 20 → κυριακὸν δεῖπνον (→ II 34, 2 ff) heißt (vgl Ag 20, 7: συνηγμένων ἡμῶν κλάσαι ἄρτον mit 1 K 11, 33: συνερχόμενοι εἰς τὸ 15 φαγεῖν = v 20: συνερχομένων ὑμῶν . . . κυριακὸν δεῖπνον φαγεῖν). Wie auch Did 14, 1: κατὰ κυριακὴν δὲ κυρίου συναχθέντες κλάσατε ἄρτον (vgl 9, 3 f die Bezeichnung des Abendmahlsbrotes als κλάσμα) und Ign Eph 20, 2: συνέρχεσθε . . . ἕνα ἄρτον κλῶντες bezeugen, ist der alte palästinische Ausdruck *Brotbrechen* ein, ja wahrscheinlich der älteste Name für das neue gottesdienstliche Gemeinschafts- 20 mahl der Urchristenheit, das Abendmahl, geworden[16].

Brauch und Name leben in der alten Kirche fort. S zB PsClem Hom 14, 1: τὸν ἄρτον ἐπ᾽ εὐχαριστίᾳ κλάσας, vgl 11, 36; Act Pt (TU II 9, 1 [1903]) 10; Act Pl et Thecl 5; Act Joh 106: τὴν κλάσιν τοῦ ἄρτου (p 203, 17 Bonnet); 109: κλῶντες τὸν ἄρτον τοῦτον, 110. 72. 85[17]; Act Thom 27. 29. 50. 121. 133. 158[18]; Epiph Haer 37, 5; 7 (Ophiten)[19]. 25 Aber der bevorzugte Name für die Abendmahlsfeier wird früh → εὐχαριστία (vgl Did 9, 1; Ign Eph 13, 1, Phld 4, Sm 8, 1; Just Apol 66, 1 usw), der spätere term techn der griechischen Kirche. In den Liturgien ist später das Brotbrechen zu einem selbständigen, von Gebeten begleiteten Ritus ausgestaltet worden, der dann auch als Symbol des gewaltsamen Todes Jesu gilt[20]. 30

---

[14] Der oft wiederholte Gedanke, daß das Brechen des Brotes im Abendmahl ein Symbol der Tötung des Leibes Jesu sei, ist ein dem NT völlig fremdes Theologumenon, das erstmalig in dem unmöglichen Zusatz κλώμενον zu τὸ σῶμα τὸ ὑπὲρ ὑμῶν 1 K 11, 24 ℜGd ausgesprochen wird (τὸ ὑπὲρ ὑμῶν κλώμενον auf τοῦτο [sc: das Brot] zurückzubeziehen, wie Goetz, Die heutige Abendmahlsfrage . . . [→ Lit-A] 155 f, 187 f u Das Abendmahl eine Diatheke Jesu . . .? [→ Lit-A] 16 ff will, um so die Echtheit von κλώμενον zu erweisen, ist ein Gewaltakt gegen Sprache und Textüberlieferung).
[15] Das Wir-Stück Ag 20, 5 ff hat denselben Sitz im Leben wie 1 K.
[16] Jeremias Abendmahlsworte 47 f hält *Brotbrechen* bei Lk für einen Decknamen, der das Arcanum des christlichen Kultmahles vor Nichtchristen verhüllen soll. Dagegen spricht aber der nichtkultische Sinn von κλᾶν ἄρτον bzw κλάσις τοῦ ἄρτου Lk 24, 30. 35; Ag 27, 35 und die Unwahrscheinlichkeit, daß der Heidenchrist Lk den jüdisch-palästinischen Ausdruck aufgegriffen haben sollte.
[17] Daß das Brotbrechen hier bei Toten-

mahlen stattfindet, hat eine Analogie an der Darstellung der fractio panis in der Priscilla-Katakombe in Rom, vgl gegenüber JWilpert, Fractio panis (1895) u Die Malereien der Katakomben Roms (1903) 285 ff die Erklärung bei Schermann (→ Lit-A) 178 u bei HLeclercq, Artk Agape, in: Dictionnaire d'archéologie chrétienne I 797 f. Aber die Totenmahle (nach dem Vorbild der römischen Parentalia?) vollziehen sich in der Form von Abendmahlsfeiern, vgl Drews RE[3] V 571 f. Auf einen ursprünglichen Zusammenhang zwischen dem Abendmahl und vorchristlichen Totenmahlen läßt sich von hier aus in keiner Weise schließen, vgl gegen Leclercq aaO 775 ff KVölker (→ Lit-A) 48 f.
[18] S hierzu RALipsius, Die apokryphen Apostelgeschichten I (1883) 338 ff.
[19] Vgl auch FJDölger, ΙΧΘΥΣ II (1922) 536 ff u Regist sv κλάσαι τὸν ἄρτον; Ders, Antike und Christentum 1 (1929) 29 f.
[20] Vgl das Material bei Schermann (→ Lit-A) 182 f vgl 33 ff u Cabrol (→ Lit-A) 2105 ff, dazu auch BStephanides, Ein Überrest der alten Agapen in der griechischen Kirche ZKG 3, Folge 3 (1933) 610 ff.

C. Das Abendmahl im Urchristentum.

1. Quellen.

a. Neben dem vierfach überlieferten Abendmahlsbericht
(1 K 11, 23—25; Mk 14, 22—25; Mt 26, 26—29; Lk 22, 15—20) kommen aus
dem NT 1 K 10. 11; 16, 20 b. 22 b; Ag 20, 7. 11; J 6, bes v 51 ff in Betracht
(→ 737—742)[21], dazu einige Abschnitte in der Didache, bei Ignatius und Justin
(über diese → 742 f). Ag 2, 42. 46, wo von der täglichen Tischgemeinschaft
der ersten Christen in Jerusalem die Rede ist (→ 729, 5 ff), hat mit der gottesdienstlichen Feier des Abendmahls nichts zu tun, zumal dann nicht, wenn die
Urgemeinde das Abendmahl als christliche Passahfeier alljährlich am Abend des
14. Nisan gefeiert hat[22].

b. In der Überlieferung der Abendmahlsberichte[23] zeigen sich d r e i T y p e n :
P a u l u s , M a r k u s (Matthäus), L u k a s . Der P a u l u s - T e x t ist der älteste und
wird 1 K 11, 23 ausdrücklich als formuliertes Traditionsgut bezeichnet, das
mittelbar auf Jesus zurückgeht[24]. Er läßt, ebenso wie der M a r k u s - T e x t , der
mit ihm in den Grundzügen übereinstimmt, auf eine a r a m ä i s c h e U r f o r m
von höchstem Alter zurückschließen, die aus der Überlieferung der Urgemeinde
über die Leidensgeschichte stammt[25]. D i e s e r U r f o r m g e h ö r t a n , w a s
P a u l u s u n d M a r k u s g e m e i n s a m h a b e n : *1.* der erzählende Rahmen: Jesus
nahm ein Brot, betete, brach es und sprach ein deutendes Wort dazu; und er
nahm einen Becher, betete und sprach ein Deutewort, *2.* formulierte Deuteworte
zu Brot und Becher, und wahrscheinlich *3.* ein Wort eschatologischen Inhalts,
auf das Mk 14, 25 und 1 K 11, 26 aE führen. Während das Deutewort zum
Brot in übereinstimmendem Wortlaut vorliegt: *dies ist mein Leib*, weicht die
Fassung des Deutewortes zum Becher bei Mk: *dies ist mein Blut der (Gottes-)
Ordnung* von der Form bei Paulus: *dieser Becher ist die neue (Gottes-) Ordnung
kraft meines Blutes*[26] stark ab. Für die U r s p r ü n g l i c h k e i t d e r P a u l u s -
F o r m [27] entscheidet die unerfindliche Selbständigkeit, in der hier das Kelchwort
sich vom Brotwort abhebt, während die Markus-Form[28] die Absicht symmetri-
scher Gestaltung beider Worte, unter Angleichung des Kelchwortes an Ex 24, 8,

---

[21] Von Stellen wie 1 K 12, 13; 1 Pt 2, 3
(→ I 675, 24 ff); Hb 13, 10 (→ III 182, 39 ff);
Apk 3, 20 (→ II 34, 19 ff); J 15, 1 ff (→ I 346, 6 ff);
21, 9 ff; 1 J 5, 6 (→ I 174, 13), die zu Unrecht
oder mit zweifelhaftem Recht mit dem Abendmahl in Zusammenhang gebracht worden sind,
wird hier abgesehen.
[22] Vgl ThZahn, Forschungen zur Geschichte
des nt.lichen Kanons 4 (1891) 283 ff; Ders, Einleitung in das NT[3] II (1907) 463 f. 473. 518 ff.
532; Ders, Grundriß der nt.lichen Theologie
(1928) 54; Zn Ag z 2, 42. 46. — So noch bei
Afrahat, vgl PSchwen, Afrahat, seine Person
und sein Verständnis des Christentums (1907)
106.
[23] Zu ihrer Beurteilung s vor allem Kl Mk,
Mt u Lk z St; Lietzmann (→ Lit-A) 213 ff; MDibelius, Die Formgeschichte des Evangeliums[2]
(1933) 207 ff; Otto (→ LitA) 223 ff; Jeremias
Abendmahlsworte 42 ff.

[24] → II 173, 31 ff; 175, 1 ff, 15 ff; dazu Jeremias Abendmahlsworte 72 ff.
[25] Daß der Abendmahlsbericht keine ätiologische Kultlegende wiedergibt, sondern dem
Zusammenhang der Leidensgeschichte entnommen ist, zeigt ua auch die Zeitangabe
1 K 11, 23. 25, vgl JFinegan, Die Überlieferung
der Leidens- und Auferstehungsgeschichte
Jesu (1934) 67 f.
[26] → I 173, 34 ff; II 136, 20 ff.
[27] So auch Kattenbusch RE[3] XII 670;
MDibelius (→ A 23) 208; Huber (→ Lit-A) 49 f;
vgl JBehm, Der Begriff διαθήκη im NT (1912)
60 u die dort A 2 angegebene Literatur. Der
Mk-Form, die durchweg ohne stichhaltige
Begründung als die ältere angesehen wird,
gibt auch Jeremias Abendmahlsworte 59 f, 64
wieder den Vorzug.
[28] Noch stärker die Kurzform bei Just Apol
66, 3: τοῦτό ἐστι τὸ αἷμά μου.

erkennen läßt. Die kleineren oder größeren Zusätze zu dem Urbericht, die sich bei Paulus, Markus und Matthäus finden[29], trüben die Tradition nicht; sie sind zT wichtige Zeugnisse für Gedanken und Gebräuche, die sich schon in früher apostolischer Zeit mit dem Abendmahl verbunden haben, müssen aber einzeln daraufhin geprüft werden, ob sie die Stiftung Jesu authentisch interpre- 5 tieren. — Der echte Lukas-Text Lk 22, 15—19a D it[30] unterscheidet sich von dem durch Paulus und Markus bezeugten Urbericht auffallend durch eine Kürzung und eine Erweiterung: er bricht die Erzählung vom Abendmahl mit den Worten: *dies ist mein Leib* ab, fügt aber vor dem Brotakt einen Abschnitt ein, der von dem letzten Passah Jesu mit seinen Jüngern (v 15. 17) in escha- 10 tologischem Ausblick auf die Erfüllung im Reiche Gottes (v 16. 18) handelt. In beiden Fällen weicht Lukas von seiner Markus-Vorlage mit Überlegung ab. Den Hergang bei der Stiftung des Abendmahls deutet er nur so weit an, daß jeder Wissende erkennt, um was es sich handelt, heidnische Leser seines Evangeliums aber nicht in dies innerste Heiligtum des Evangeliums Einblick erhal- 15 ten[31]. Auf der anderen Seite führt er die bei Markus nur angedeutete Passahfeier mit konkreten Zügen aus. Lukas bietet v 15—18, wie öfter in seinem Geschichtswerk, alte selbständige Tradition[32] aus palästinisch-judenchristlicher Quelle, die den Markus-Bericht ergänzen soll. Die glaubwürdige Tradition bestätigt, daß Jesus das eschatologische Wort Mk 14, 25 beim letzten Mahl ge- 20 sprochen hat und zwar vor den eigentlichen Abendmahlsworten[33], und sie gibt ein anschaulicheres Bild von dem Hergang bei dieser letzten bedeutsamen Feier, die Jesus mit seinem engsten Jüngerkreis gehalten hat.

2. Das letzte Mahl Jesu mit seinen Jüngern.

a. Aller geschichtlichen Wahrscheinlichkeit nach ist 25 das letzte Mahl Jesu ein Passahmahl gewesen. Entscheidende Züge der ältesten Darstellung finden ihre bündige Erklärung erst unter der Voraussetzung, daß bei dem Mahle die äußeren Formen der Passahmahlzeit beobachtet worden sind. Und das Gewicht der dagegen erhobenen Einwände ist zu schwach, um den Passah-Hintergrund der Mahlgemeinschaft Jesu mit den Seinen zweifelhaft 30 machen zu können[34].

---

[29] Mk (Mt): Situationsangabe durch ἐσθιόντων αὐτῶν; Austeilung von Brot und Kelch an die Jünger: λάβετε (φάγετε); alle (sollen) trinken aus dem Kelch; Erweiterung des Kelchwortes durch τὸ ἐκχυννόμενον ὑπὲρ πολλῶν (τὸ περὶ πολλῶν ἐκχυννόμενον εἰς ἄφεσιν ἁμαρτιῶν). Pls: Zusatz zum Brotwort: τὸ ὑπὲρ ὑμῶν; zweimaliger Wiederholungsbefehl: τοῦτο ποιεῖτε (+ ὁσάκις ἐὰν πίνητε beim Kelchwort) εἰς τὴν ἐμὴν ἀνάμνησιν.
[30] Zu dem textkritischen Problem vgl die Literatur A 23. V 17 und 19a als nicht ursprünglich auszuscheiden (so zB KLSchmidt RGG² I 8), sehe ich keinen Anlaß.
[31] Vgl Zn Lk zSt; Schl Theol d Ap 520; Jeremias Abendmahlsworte 45 ff.
[32] Vgl Bultmann Trad 286. 300. 302; Schl Lk 420 f vgl 137; Jeremias Abendmahlsworte

61 ff; auch WBußmann, Synoptische Studien I (1925) 191 f.
[33] Nach dem einleuchtenden Nachweis von Jeremias Abendmahlsworte 62 f.
[34] Den Beweis, der hier nicht zu wiederholen ist, haben bes die Untersuchungen von Merx (→ Lit-A) II 2, 416 ff; DChwolson, Das letzte Passahmahl Christi (1908); Dalman I 80 ff, 98 ff, II 8 ff; Str-B IV 41 ff, II 812 ff; Jeremias Abendmahlsworte 5 ff erbracht. Für die durch diese Arbeiten entkräfteten Gegenargumente vgl Wellh Mk 108 ff; Ders, Einleitung (→ Lit-A) 180 ff; Beer (→ Lit-A) 92 ff; Lietzmann (→ Lit-A) 211 f; Huber (→ Lit-A) 49. 71. 79 ff; Hupfeld (→ Lit-A) 54 ff. Daß das letzte Mahl Jesu ein Sabbath-Kiddusch-Mahl gewesen sei (so nach FSpitta, Zur Geschichte u Literatur des Urchristentums I [1893] 247; Drews RE³

b. Der **Gang der Passahmahlzeit zur Zeit Jesu** war nach den rabbinischen Quellen, in erster Linie Pes 10, und den durch das NT bestätigten Zügen des jüdischen Ritus in der Hauptsache folgender[35]. Nachdem das Mahl, das am Abend des 14. Nisan in Jerusalem stattzufinden hat, für eine Tischge-
5 nossenschaft von wenigstens 10 Personen ordnungsmäßig vorbereitet und zugerüstet ist, legt man sich zu Tische[36]. Der Hausvater eröffnet die Feier mit zwei Lobsprüchen, dem Lobspruch über den Festtag[37] und dem Lobspruch über den Wein: „Gepriesen seist du, Jahwe unser Gott, König der Welt, der die Frucht des Weinstocks geschaffen!"[38]. Darauf wird der erste Becher getrunken.
10 Nachdem die Speisen (ungesäuertes Brot, Bitterkraut, Fruchtmus und das gebratene Passahlamm) hereingetragen sind[39], fragt der Sohn, wodurch sich diese Nacht mit ihren besonderen Tischgebräuchen und Speisen von allen anderen Nächten unterscheide[40]. Der Vater antwortet mit einer Belehrung über die Erlösung aus Ägypten. Dabei wird namentlich mit deutenden Worten gedacht
15 des Passah („weil Gott an den Häusern unserer Väter in Ägypten vorübergegangen ist"), des ungesäuerten Brotes („weil sie erlöst worden sind", so schnell, daß ihr Brotteig nicht Zeit hatte, sauer zu werden, vgl Dt 16, 3)[41] und des Bitterkrautes („weil die Ägypter das Leben unserer Väter in Ägypten bitter gemacht haben"). Die Wunder der göttlichen Führung aus Knechtschaft zur
20 Freiheit sollen der Passah feiernden Tischgesellschaft vor Augen stehen. „In jedem Zeitalter ist der Mensch verpflichtet, sich selbst so anzusehen, wie wenn er aus Ägypten ausgezogen wäre." „Darum sind wir verpflichtet, zu danken, zu preisen, zu loben, zu verherrlichen, zu erheben, zu erhöhen den, . . . der uns erlöst hat und unsere Väter aus Ägypten erlöst hat und uns diese Nacht
25 hat erreichen lassen." Und über die Heilserfahrung in Geschichte und Gegenwart erhebt sich der Blick voll eschatologischer Sehnsucht in die Heilszukunft: „So lasse uns Jahwe, unser Gott und der Gott unserer Väter, die Feste erleben, die uns in Frieden entgegenkommen, froh über den Aufbau deiner Stadt und jubelnd über deinen Dienst . . ., und wir werden dir danken mit einem neuen Lied für

V 563; GHBox, The Jewish Antecedents of the Eucharist, JThSt 3 [1902] 357 ff, neuerdings bes Lietzmann aaO 202 ff, vgl auch Otto [→ Lit-A] 240 f u Büchsel [→ Lit-A] 56), ist ebenso unmöglich wie die Annahme einer Chabura-Mahlzeit (so auch Lietzmann aaO 228; Otto aaO 235 ff). Vgl den Nachweis bei Jeremias Abendmahlsworte 18 ff. Auch mit den gemeinsamen Mahlzeiten der Essener (vgl namentlich Jos Bell 2, 129—133; dazu Bousset-Greßm 460 f; WBauer, Artk Essener, Pauly-W Suppl IV [1924] 424 uö) hat das letzte Mahl Jesu keinerlei Zusammenhang.
[35] Vgl Merx (→ Lit-A) II 2, 416 ff; Beer (→ Lit-A) 60 ff; Str-B IV 56 ff; Jeremias Abendmahlsworte 40. Zu den Gebeten s auch EFreiherr v d Goltz, Tischgebete u Abendmahlsgebete, TU II 14, 2 b (1905) 5 ff.
[36] Pes 10, 1.
[37] Der Wortlaut für Passah ist nicht genau überliefert. Eine für alle Festtage gültige Fassung gibt Str-B IV 62 nach bBer 49 a wieder.

[38] Pes 10, 2. Zum Wortlaut des Lobspruches vgl Ber 6, 1; bPes 103 a. 106 a. Die Reihenfolge der Lobsprüche war ein Differenzpunkt zwischen den Schulen Schammais und Hillels, vgl Pes 10, 2 (dazu Str-B IV 61). Die Schammaiten stellten den Lobspruch über den Festtag voran (s o).
[39] Pes 10, 3.
[40] Pes 10, 4.
[41] Eine andere alte Deutung, die an den Ausdruck „Brot des Elends" Dt 16, 3 anknüpft, bei Jos Ant II 316 f. Vgl SDt 130 z 16, 3 (s Jeremias Abendmahlsworte 23 A 5) und die Formel aus dem jemenischen Siddur: „Siehe da, das elende Brot, das unsere Väter aßen, die aus Ägyptenland auszogen. Jeder, der hungrig ist, komme und esse; und jeder, der die Pflicht hat, Passah zu halten, komme und übe sie!" (s Dalman I 127 f). Über die Deutung der Elemente der Mahlzeit als festes Stück des Passahrituals vgl Jeremias Abendmahlsworte 22 ff.

unsere Erlösung"[42]. Nach dem Gesang des 1. Teiles des Hallel, das Ps 113—118 umfaßt, wird der 2. Becher getrunken. Nun nimmt der Hausvater Brot (Mazze), spricht darüber den Lobspruch: „Gepriesen seist du, Jahwe unser Gott, König der Welt, der Brot aus der Erde hervorgehen läßt!"[43], bricht das Brot in Stücke und reicht sie den Tischgenossen zu, die sie mit Bitterkraut und Fruchtmus 5 verzehren. Erst jetzt beginnt die eigentliche Mahlzeit, das Essen des Passahlammes, das nicht über Mitternacht hinaus dauern soll[44]. Nach beendeter Mahlzeit spricht der Hausvater den Lobspruch über den 3. Becher, das Tischdankgebet[45] — daher für diesen Becher der Name כּוֹס שֶׁל בְּרָכָה *Becher des Lobpreises*[46]. Es folgt der 2. Teil des Hallel und der 4. Becher[47]. 10

c. In den ältesten Stücken der Abendmahlsüberlieferung (→ 730, 18 ff) weisen auf den Passahcharakter des Mahles hin: *1.* das der täglichen Tischgemeinschaft Jesu mit seinen Jüngern, auf die Mt 11, 19 sich kaum bezieht, fremde Trinken von Wein 1 K 11, 25; Mk 14, 23. 25; Lk 22, 17, das die Ordnung des Passah selbst dem Armen vorschreibt[48], *2.* die Anknüpfung deutender Worte heilsgeschichtlichen Inhalts an 15 die Elemente der Mahlzeit 1 K 11, 24 f; Mk 14, 22 ff[49], *3.* der eschatologische Ausblick vom Mahl auf das Reich Gottes Mk 14, 25; Lk 22, 16. 18, *4.* die ausdrückliche Bezeichnung des Mahles als Passahmahl Lk 22, 15, nach der der Ritus von v 17 sich als Passahritus darstellt. Zur Bestätigung dienen in den ausgeführten nt.lichen Berichten und dem festen Erzählungsrahmen, der sie um- 20 gibt, folgende Züge: *1.* Das letzte Mahl Jesu findet in der Nacht statt 1 K 11, 23; Mk 14, 17 par, entgegen der gewöhnlichen Tischsitte, aber im Einklang mit dem Passahbrauch[50], *2.* Zu dem Mahle bleibt Jesus in dem von Festpilgern überfüllten Jerusalem Mk 14, 13 par, während er an den Abenden vorher die Stadt stets verlassen hat; das Passahlamm darf nur in Jerusalem gegessen werden[51], 25 *3.* Jesus läßt das Mahl durch 2 Jünger sorgfältig vorbereiten Mk 14, 12 ff, *4.* Das Liegen bei dem Mahle wird hervorgehoben Mk 14, 18 par; J 13, 23; das entspricht nicht der Alltagssitte Jesu und seiner Umgebung, wohl aber der Passahordnung auch für den „Armen in Israel"[52], *5.* Zwei Becher bei der Feier kennt Lk, den von 22, 17 und den nach v 19 stillschweigend vorausgesetzten; 30 beide gehören zum Passahritual, *6.* Jesus dankt über den Abendmahlsbecher und läßt ihn herumgehen μετὰ τὸ δειπνῆσαι 1 K 11, 25; vgl den dritten Becher beim Passahmahl (s auch den Ausdruck τὸ ποτήριον τῆς εὐλογίας 1 K 10, 16; → II 760, 32), *7.* Die Erinnerung an Jesus (ἀνάμνησις → I 351, 34 ff), die nach 1 K 11, 24 f in der christlichen Abendmahlsfeier vollzogen werden soll, entspricht der Erin- 35

---

[42] Pes 10, 4—6. Über eschatologische Gedanken beim Passah s auch Dalman II 9 f. Als Ausdruck der Erlösungshoffnung, in der Passah gefeiert wird, vgl noch die alten Worte der jüdischen Passahliturgie: „Dieses Jahr hier, das kommende Jahr im Lande Israels; dieses Jahr als Knechte, nächstes Jahr als Freie" (Dalman I 166 nach Seder Rab Amram Gaon I 38).
[43] Vgl Ber 6, 1.
[44] Pes 10, 9.
[45] Pes 10, 7.
[46] Den Namen trägt aber nicht nur der 3. Passah-Becher, sondern überhaupt der Becher,

über den nach einem festlichen Mahl das lange Tischdankgebet gesprochen wird. Vgl Dalman I 138; Str-B IV 628.
[47] Pes 10, 7. Ob es diesen 4. Becher schon zur Zeit Jesu gab, ist unsicher.
[48] Pes 10, 1. Vgl dazu Jeremias Abendmahlsworte 21 f.
[49] Vgl Jeremias Abendmahlsworte 22 f.
[50] Jub 49, 12 usw. Vgl Oepke (→ Lit-A) 58; Jeremias Abendmahlsworte 16 f.
[51] Vgl Dalman I 99; Jeremias Abendmahlsworte 14 f.
[52] Pes 10, 1. Vgl Jeremias Abendmahlsworte 17 ff. → ἀνάκειμαι 655, 7 ff.

nerung, die in der jüdischen Passahfeier der Hausvater mit der Wiedergabe
der Passah-Haggada vollzog, 8. Mk 14, 26 par schließt die Feier mit Gesang;
das erinnert an das Hallel am Schluß der Passahfeier[53]. Selbst wenn einzelne
dieser Züge Zutaten der Gemeindetradition sein sollten, so ruhen sie auf der
5 richtigen geschichtlichen Voraussetzung, daß das letzte Mahl Jesu ein Passahmahl war.

In der urchristlichen Abendmahlsüberlieferung fehlt jede Bezugnahme auf das
Passahlamm, die Hauptsache bei der Passahmahlzeit. Daß dadurch die Erkenntnis vom Passahcharakter des letzten Mahles Jesu ihren Wert nicht verliert, lehrt
10 die Betrachtung der neuen Worte, die Jesus im Verlauf des Passahabends gesprochen hat.

3. Der Sinn der Abendmahlsworte Jesu[54].

a. Die durch die ältesten Texte (→ 730, 12 ff) gesicherten
Worte zerfallen in 2 Gruppen: Worte über das Passah jetzt und einst (Lk 22, 15 ff;
15 Mk 14, 25) und Deuteworte über Brot und Becher (1 K 11, 24 f; Mk 14, 22 ff
[Mt 26, 26 ff]; Lk 22, 19 a). Im Rahmen des Passahrituals schließen sich die
Worte über das Passah an die Eingangslobsprüche über den Festtag und den
ersten Becher (→ 732, 6 ff) an[55]. Die Deuteworte sind vor und nach der Mahlzeit gesprochen, auch im Anschluß an übliche Lobsprüche, das Brotwort zu
20 Anfang bei der Austeilung des gebrochenen Brotes, das Kelchwort am Ende
bei der Austeilung des 3. Bechers[56].

b. Gleich das erste Passahwort (Lk 22, 15 f) schlägt den Doppelton an,
der die Feier Jesu mit den Jüngern durchklingt: Freude über die Gemeinschaft
der Feier des großen weihevollen Festtages und Todesahnung, Abschiedsernst
25 und frohe Gewißheit der kommenden Vollendung. Es ist das letzte Passahmahl,
das Jesus zum Gedächtnis der Heilstaten Gottes in der Geschichte mitbegeht;
erst in dem Gottesmahl der Endzeit, die die Heilsvollendung bringt (→ II 34, 11 ff;
692, 26 ff), wird es sich für ihn erneuern in vollkommener Gestalt. Wie stark
dieser eschatologische Gedanke Jesus erfüllt, zeigt seine Wiederholung in dem
30 v 16 parallelen zweiten Passahwort Lk 22, 18 par, das an den Wein im Becher
anknüpft und noch einmal die Scheidelinie bezeichnet, die Jesus für sich zwischen Jetzt und Einst, der Feier der Erlösung hier und dort gezogen sieht.
Er wird nicht mehr trinken von dem Festwein, kein Passahmahl mehr genießen;
darin liegt zugleich: die Jünger werden es weiter tun. Jesus will und weiß,
35 daß sie diese Mahlgemeinschaft auch in Zukunft halten. Daß sie sie wiederholen — ohne ihn —, ist ebenso selbstverständlich in den Passahworten Jesu
vorausgesetzt, wie daß sie beim Vollendungsmahl mit ihm wieder vereinigt sein
sollen[57].

---

[53] Vgl Dalman I 120 ff; Str-B IV 75 f; Jeremias Abendmahlsworte 22.
[54] Vgl bes RSeeberg, Abendmahl (→ Lit-A)
304 ff; Ders, Dogmengeschichte (→ Lit-A)
165 ff; Ders, Dogmatik (→ Lit-A) 444 ff.
[55] Nach der Reihenfolge des Brauches der
Schule Schammais (→ A 38), s Jeremias Abendmahlsworte 62 vgl 40.

[56] Vgl Dalman I 128 ff. 141 ff; Str-B IV 75;
Jeremias Abendmahlsworte 39 ff.
[57] So auch MDibelius (→ A 23) 209, vgl Hck
Lk z 22, 19, auch FBüchsel (→ Lit-A) 56. Lk
22, 18 par klingt wider in der koptischen
Epistula Apostolorum VIII 12 ff (TU III 13
[1919] 55. 57), wo die Jünger fragen: „Ist
denn wiederum eine Notwendigkeit, daß wir

c. Auf ihn, den scheidenden Meister, den die Jünger fortan entbehren müssen, wenn sie miteinander das Passahmahl halten, weisen die Deutungsworte hin, die Jesus zum Brot und zum Wein im dritten Becher spricht: *dies ist mein Leib* und *dieser Becher ist die neue Gottesordnung kraft meines Blutes.* Es sind Bildworte nach Art der Gleichnisse Jesu[58]. Aber von ihnen unterscheiden 5 sie sich dadurch, daß sie ein Handeln Jesu begleiten, die Austeilung von Brot und Wein an die Jünger. Und die Jünger hören nicht nur die Worte oder sehen einer Gleichnishandlung Jesu zu, sondern genießen das Brot und den Wein, die Jesus ihnen deutend darreicht[59]. Die Worte und das Tun Jesu und der Jünger sind eng aufeinander bezogen und bilden ein untrennbares Ganzes. 10 Im Verlauf des Passahabends sind die Worte über Brot und Becher nicht nahe hintereinander gesprochen — zwischen ihnen liegt die ganze ausgedehnte Mahlzeit. Sie sind auch in der Form ursprünglich verschieden und selbständig, wollen daher jedes für sich genommen und verstanden sein.

Hat das Brotwort im Munde Jesu etwa גּוּפִי [הוּא] דֵּין gelautet[60], so ist wesent- 15 licher als das Fehlen der Kopula (nach aramäischem Sprachgebrauch) das Wort für *Leib,* das Jesus wahrscheinlich gebraucht hat, גּוּף, das nicht nur *Leib* bedeutet, sondern auch *selbst, Person*[61] (→ σῶμα). Schwerlich hat Jesus in dem Bildwort von seinem Leibe gesprochen; für eine Gleichsetzung von Brot und Leib Jesu fehlt der greifbare Vergleichungspunkt[62]. Anders steht es, wenn Jesus 20 gesagt hat: *dies* (das Brot) *bin ich selbst*[63]. Wenn die Jünger ohne ihn das Mahl wiederholen, wird er doch bei ihnen sein, leibhaftig da sein: das Brot ist das Unterpfand seiner persönlichen Gegenwart in ihrer Gemeinschaft; so gewiß sie das Brot essen, das Jesus ihnen reicht, so gewiß wird er bei ihrem Mahle wirklich zugegen sein. Auch in der Zwischenzeit zwischen dem Mahle 25 jetzt und dem Mahle einst — das ist sein Trost für die Jünger angesichts der Trennung — soll ihre Mahlgemeinschaft mit ihm nicht aufhören; das Brot leistet Gewähr dafür, daß er in Person gegenwärtig ist.

Das später zum dritten Passahbecher gesprochene Wort[64] setzt den Becher (mit rotem Wein) in Beziehung zur neuen διαθήκη. Er stellt die neue Gottes- 30

---

den Kelch nehmen und trinken?" und Jesus antwortet: „Ja, eine Notwendigkeit ist es, nämlich bis zu dem Tage, wo ich kommen werde mit denen, die um meinetwillen getötet sind", und bei Just Dial 51, 2.

[58] Daher das parabolische Verständnis des Abendmahls bei Jülicher (→ Lit-A) 234 ff, 239 ff; Schweitzer, Das Abendmahl (→ Lit-A) 41 ff; Goetz, Die heutige Abendmahlsfrage ... (→ Lit-A) 248 ff u Das Abendmahl eine Diatheke Jesu ...? (→ Lit-A) 53 ff ua.

[59] Vgl Otto (→ Lit-A) 255 ff; Jeremias Abendmahlsworte 86 ff.

[60] Vgl Dalman I 129 ff.

[61] Vgl Dalman I 129 ff; Levy Chald Wört, Levy Wört, Dalman Wört sv גּוּף; auch Str-B III 366 f; I 827 z Mt 19, 23 Nr 2.

[62] Die übliche Deutung des gebrochenen Brotes auf den gewaltsamen Tod Jesu entspricht nicht der Situation. Denn das Wort ist nicht zu dem Akt des Brotbrechens, son-

dern zur Darreichung des Brotes zum Essen gesprochen, der Zustand des Gebrochenseins ist nichts diesem Brot Eigentümliches, und als Ergebnis der untergeordneten alltäglichen Handlung des Brotbrechens (→ 727, 47 ff) eignet er sich denkbar schlecht zur Verdeutlichung eines wichtigen neuen Gedankens.

[63] So FKattenbusch RE[8] XII 670; Ders, Der Quellort der Kirchenidee, in: Festgabe für AvHarnack (1921) 169 f; Ders, Die Vorzugsstellung des Petrus und der Charakter der Urgemeinde, in: Festgabe für KMüller (1922) 347; RSeeberg, Abendmahl (→ Lit-A) 306; TrSchmidt, Der Leib Christi (1919) 38; JSchniewind, Das Evangelium nach Markus, NT Deutsch 1[2] (1935) z 14, 22; vgl auch Büchsel (→ Lit-A) 57; HSeesemann, Der Begriff κοινωνία im NT (1933) 38.

[64] Versuch einer Rückübertragung ins Aramäische bei Dalman I 147. Vgl Peschitta: הָנָא כָסָא אִיתוֹהִי דִּיתִיקָא חֲדַתָּא בְּדַמִי (1 K 11, 25).

ordnung dar auf Grund des Blutes Jesu. Dh sein Blut, das vergossen werden
wird, sein gewaltsamer Tod (→ I 172, 34 ff; 173, 34 ff) macht den Becher zum
Träger der neuen Gottesordnung. So gewiß die Jünger den Kelch trinken,
dessen Wein Jesu Blut darstellt, so gewiß haben sie Anteil an der neuen Got-
5 tesordnung, die der Tod Jesu ins Leben ruft. Der Kelch mit dem Wein bürgt
ihnen dafür, daß ihr in den Tod gehender Meister gegenwärtig ist mit der Fülle
des Heils, das er sterbend erwirkt (→ II 136, 24 ff).

Unabhängig voneinander geben die beiden Deuteworte der Feier des Gedächt-
nisses der Heilstaten Gottes denselben neuen Inhalt, indem sie den Blick von
10 der Vergangenheit weg auf den Vollender des göttlichen Heilswillens, Jesus,
richten. Sie knüpfen an verschiedene Elemente der Mahlzeit an, begegnen sich
aber in dem Grundgedanken der Gegenwart Jesu bei der Tischgemeinschaft
der Jünger. Die Verheißung des Brotwortes ist, daß er da sein wird, die Verheißung des Kelchwortes, daß er als der Heiland da sein wird, der die neue
15 διαθήκη durch seinen Tod begründet. Schon das Brotwort offenbart in vollem
Umfang die Heilsgabe, die Jesus den Seinen im Abendmahl schenkt: seine persönliche Gegenwart. Das Kelchwort fügt nichts Neues hinzu, aber es hebt die
einzigartige Bedeutung der Gabe hervor[65]: gegenwärtig ist der, der sein Leben
hingibt, damit der Heilswille Gottes verwirklicht wird in einem neuen Verhält-
20 nis zwischen ihm und den Menschen. Die Stiftung Jesu — eine solche ist damit
gegeben, daß er in bestimmte Stücke des Mahlbrauches, den die Jünger weiter
pflegen, einen neuen Sinn gelegt hat — besteht darin, daß er Brot und Wein
des Gemeinschaftsmahles für die Seinen zu Zeichen seiner Gegenwart gemacht
hat für die Zeit bis zur Aufrichtung vollendeter Gemeinschaft mit ihm im escha-
25 tologischen Freudenmahl.

d. Der ursprüngliche Sinn der Stiftung Jesu scheint auch durch die Änderungen
und Zusätze zu den Abendmahlsworten bei Pls und den Synoptikern (→ 731, 1 ff u A 29)
noch hindurch. Das Kelchwort bei Mk sagt in seinem ersten Teil mit anderen Worten
dasselbe wie die Urform: Jesu im Tode vergossenes Blut, das die διαθήκη begründet,
30 ist in dem Wein dargestellt. Der 2. Teil deutet den Tod Jesu nach Js 53, 12[66]; die
Erweiterung bei Mt verknüpft damit einen Hauptgedanken aus der Weissagung von
der neuen Gottesordnung (Jer 31, 34). τὸ ὑπὲρ ὑμῶν 1 K 11, 24 unterstreicht den
Gedanken der Heilsgegenwart. Die Spendeformeln bei Mk u Mt heben die Darreichung der Elemente zu tatsächlichem Genuß hervor. Der Wiederholungsbefehl bei
35 Pls bringt zum Ausdruck, was die unausgesprochene Voraussetzung der Worte und
Handlungen Jesu beim letzten Mahle war (→ 734, 33 ff). Die Gedächtnisfeier 1 K 11, 24 f
hat ihre Wurzeln im Passah, das auch Jesus, in der Passah-Haggada, als heilsgeschichtliche Gedächtnisfeier begangen haben wird (doch → 739, 9 ff).

e. Daß auch der ältesten Christenheit die Gegenwart Jesu die Gabe
40 des Abendmahls war, zeigt noch das → μαραναθά = מָרָנָא תָּא unser Herr,
komm 1 K 16, 22; Did 10, 6 (vgl Apk 22, 20), an sich ein Ruf der Sehnsucht
nach dem Herrn der Parusie, in dem Zusammenhang von 1 K und Did aber
Abendmahlsbitte, ein Bruchstück der Abendmahlsliturgie[67]. Man erwartet und

[65] „Nicht um zwei koordinierte Faktoren
in einer Handlung hat es sich gehandelt, sondern das Verhältnis ist dies, daß zu der eigentlichen umfassenden Einsetzung eine er-
läuternde Näherbestimmung hinzutritt" (RSeeberg, Abendmahl [→ Lit-A] 306).
[66] Vgl dazu GKittel, Jesu Worte über sein
Sterben DTh 3 (1936) 184 ff.

[67] Vgl RSeeberg, Abendmahl (→Lit-A) 311 ff;
Ders, Kuß und Kanon, in: Aus Religion und
Geschichte I (1906) 120 ff; Ders, Dogmengeschichte (→ Lit-A) 166; TrSchmidt (→ A 63)
38 f; FJDölger, Sol salutis, in: Liturgiegeschichtliche Forschungen 4/5 ² (1925) 198 ff;
HLietzmann RGG ² I 32. Noch Act Thom 50
ergeht die Abendmahlsbitte an Jesus: ἐλθὲ
καὶ κοινώνησον ἡμῖν.

erbittet im Abendmahl das Kommen des Herrn. Da erfährt man seine wirksame Gegenwart, hat ein Unterpfand der Gemeinschaft mit ihm trotz der Trennung und einen Vorschmack der endlichen Vereinigung mit ihm in Herrlichkeit. Der Sinn der Stiftung Jesu ist hier in ursprünglicher Kraft lebendig.

4. Das Abendmahl bei Paulus [68].

a. Über das Abendmahl in der Urgemeinde und überhaupt im Urchristentum vor Paulus haben wir keine unmittelbare Kunde. Die tägliche Tischgemeinschaft der Christen von Jerusalem Ag 2, 42. 46 steht mit der Stiftung Jesu in keinem Zusammenhang (→ 729, 7 ff). Aus der Art der Überlieferung des Berichtes vom letzten Mahle Jesu durch Pls und die Synoptiker geht aber hervor, daß die ersten Christen von jeher das Mahl der Stiftung Jesu gemäß gehalten haben. Weder der Name *Brotbrechen* (→ 728, 10 ff; 729, 2 ff), der die gemeinsame Mahlzeit bezeichnet ohne Rücksicht darauf, ob dabei nur gegessen oder auch getrunken wurde, noch die vom 1. Jhdt an gelegentlich auftauchenden Spuren von Abendmahlsfeiern ohne Wein [69] führen auf die Brotkommunion als Urform des urchristlichen Abendmahls [70]. Die Freiheit gegenüber dem stiftungsgemäßen Gebrauch von Brot und Wein, die man sich hier erlaubt hat, zeugt von falscher Anwendung der richtigen Erkenntnis, daß der Sinn der Feier sich eigentlich im Genuß des Brotes schon ganz erfüllt.

b. Die abendliche [71] Mahlfeier des → κυριακὸν δεῖπνον (→ II 34, 2 ff) 1 K 11, 20 (vgl das *Brotbrechen* Ag 20, 7) am Sonntag, dem neuen christlichen Wochenfeiertag, Ag 20, 7; 1 K 16, 2; 11, 20 ff weist keinen Zusammenhang mit dem Passah mehr auf. Die Lösung der Stiftung Jesu aus dem Passahrahmen wird sich schon vor Paulus auf heidenchristlichem Gebiet (Antiochien?) vollzogen haben; sie konnte um so leichter geschehen, als Jesus seine Stiftung nicht an das der Passahmahlzeit eigentümliche Hauptstück, das Essen des Passahlammes, sondern an Brot und Wein angeschlossen hatte, die Elemente jeder festlichen Mahlzeit im Orient. 1 K 11, 20 ff erscheint das Herrnmahl verbunden mit einem gemeinsamen Abendessen der Gemeindeglieder; im Rahmen der Agape — nach späterer Terminologie (→ I 55, 11 ff) — wird die Abendmahlsfeier gehalten.

[68] Vgl neben Kommentaren z 1 K 10 u 11, nt.lichen Theologien und Darstellungen der Geschichte des Urchristentums RSeeberg, Abendmahl (→ Lit-A) 313 ff; EvDobschütz, Sakrament und Symbol im Urchristentum, ThStKr 78 (1905) 9 ff; GPWetter, Altchristliche Liturgien: Das christliche Mysterium (1921) 146 ff; Clemen 180 ff; Lietzmann, Messe u Herrenmahl 222 ff, 251 ff; Völker (→ Lit-A) 75 ff; KLSchmidt RGG² I 12 ff; Huber (→ Lit-A) 26 ff; HEWeber, „Eschatologie" u „Mystik" im NT (1930) 156 ff; Schweitzer, Mystik (→ Lit-A) 246 ff; vSoden (→ Lit-A) 26 ff uö; EKäsemann, Leib und Leib Christi (1933) 174 ff; HDWendland, Die Briefe an die Korinther, NT Deutsch 7 z 1 K 11 aE.

[69] Dahin gehören wohl schon 1 K 11, 25: ὁσάκις ἐὰν πίνητε (vgl Schl K 324 f; Schl Lk 422) und der Hinweis auf das Trinken aller Mk 14, 23; Mt 26, 27 (vgl Kl Mk und Hck Mk zSt).

Abendmahlsfeier mit Brot und Wasser statt Wein zB Act Pt Verc 2; Act Thom 121; Cyprian ep 63 (CSEL III 2 [1871]); Epiph Haer 30, 16, 1; 47, 1, 7, vgl AHarnack, Brod und Wasser: Die euchar Elemente bei Justin TU I 7, 2 (1891) 117 ff; ThZahn, Brot und Wein im Abendmahl der alten Kirche (1892); Jülicher (→ Lit-A) 217 ff; Lietzmann, Messe u Herrenmahl 246 ff; LFendt, Gnostische Mysterien (1922) 29 ff.

[70] So ua Heitmüller (→ Lit-A) 51 ff; JWeiß, Urchr (→ Lit-A) 42 f. 502 f; ASeeberg (→ Lit-A) 101 ff u bes Lietzmann aaO 239 ff. 249 ff. Dagegen zB Clemen 175 ff; Huber (→ Lit-A) 72 ff; Jeremias Abendmahlsworte 45; Hupfeld (→ Lit-A) 63. 67 ff.

[71] Die Behauptung von Schweitzer, Mystik (→ Lit-A) 248 f, die Feier sei morgens begangen worden, schwebt in der Luft.

Schwere Mißstände, die sich bei dieser Verbindung in Korinth ergeben haben (Ausartung des Abendessens in lustige Schlemmerei der Reichen vor den Augen darbender Armer usw), sind für Paulus der Anlaß, von dem heiligen Ernst des Herrnmahles zu sprechen 1 K 11, 23 ff. Die Feier gilt gemäß ihrer Einsetzung
5 (v 23—25) dem Gedächtnis des Todes Christi (v 26), fordert also eine dem angemessene Haltung der Teilnehmer (v 27). Das Abendmahlsbrot ist keine gewöhnliche Speise, sondern der Leib des Herrn. Wer darüber achtlos hinweggeht und die Feier profaniert, verfällt dem Gericht Gottes — das zeigen die Krankheits- und Todesfälle in der Gemeinde (v 28 ff). Mit der gleichen Schärfe
10 weist Paulus bei der Erörterung der Frage des Götzenopferfleisch-Essens hin auf den ausschließenden Gegensatz zwischen dem Herrnmahl und heidnischen Opfermahlen 1 K 10, 14 ff. Die → κοινωνία τοῦ αἵματος und τοῦ σώματος τοῦ Χριστοῦ, die der Christ im Herrnmahl erfährt (v 16), duldet neben sich keine Kultgemeinschaft mit den Dämonen → II 17, 21 ff (v 20 f). Die Ausführungen
15 über das Abendmahl 1 K 10 u 11 tragen Gelegenheitscharakter, lassen aber die Grundzüge der paulinischen Abendmahlsgedanken erkennen.

    c. Auch für Paulus ist der Sinn des Abendmahls die **persönliche Gegenwart Christi**[72]. Das zeigt neben 1 K 16, 22 (→ 736, 40 f); 1 K 10, 3 f: die Wundergaben des Manna und des Wassers aus dem Felsen, die Israel in der
20 Wüste empfing, stellen das Abendmahl typisch dar; und der mitwandernde Fels ist der gegenwärtige Christus. Mit dem gegenwärtigen Christus ist die Gemeinde, die den Segensbecher segnet und das Brot bricht, aufs Innigste verbunden 1 K 10, 16[73]. Aber auch Gemeinschaft der Essenden untereinander stiftet der Genuß des einen Brotes v 17; er schließt sie zusammen zu einem
25 Leib, dem → σῶμα Χριστοῦ, der Kirche — der Gedanke der Mahlgemeinschaft aus der Stiftung Jesu klingt wieder an. Wenn Paulus den **Tod Christi** als den zentralen Inhalt der Abendmahlsworte betrachtet 1 K 11, 26 — die Gemeinde **verkündet** ihn, proklamiert ihn als geschehen[74], durch Wiedergabe des Einsetzungswortes zum Kelch —, so nimmt er den Gedanken der neuen,
30 durch Christi Tod verwirklichten διαθήκη auf, mit dem Jesus selbst den Sinn seiner Gegenwart im Abendmahl gedeutet hat. Und daß die **Feier „zwischen den Zeiten"** steht, den Rückblick auf das Erdenwirken des Herrn (v 24 b. 25 b) und den Ausblick auf seine Parusie (v 26: ἄχρι οὗ ἔλθῃ) miteinander vereint, ist Ausdruck der gleichen Spannung bei Paulus, wie sie Jesus am Einsetzungs-
35 abend den Jüngern vor Augen gestellt hat. Paulus hat das ursprüngliche Wesen der Stiftung Jesu treu gewahrt. Aber er hat, dem veränderten Charakter der Feier entsprechend, auch neue Gedanken mit ihr verbunden. *1.* Aus dem Rahmen der Passahmahlzeit gelöst, rückten die zwei verschiedenen, aber aufeinander bezogenen Akte der Stiftung Jesu von selbst zu **einer** Handlung zusammen:
40 Brot und Wein, die zwei Elemente des Mahles, wurden unmittelbar nacheinander genossen. Handelte es sich im Abendmahl um die Gegenwart der Person Christi, so lag es jetzt nahe, die **Elemente des Mahles** als **Darstellung**

---

[72] Vgl R Seeberg, Abendmahl (→ Lit-A) 313 ff.
[73] Vgl H Seesemann, Der Begriff κοινωνία im NT (1933) 34 ff.

[74] Zu καταγγέλλειν → I 70, 22 ff; Käsemann (→ A 68) 178.

der Elemente der Person zu fassen, an die die Begriffe *Leib* und *Blut* in den Stiftungsworten erinnern[75]: das Brot, als Bild des Leibes, und der Wein, als Bild des Blutes Christi, sind die konstituierenden Faktoren, die je zu einem Teile die Präsenz des ganzen Christus darstellen. Von dieser durch anthropologische Vorstellungen bedingten Sinnverschiebung in der Abendmahlsterminologie zeugen bei Paulus 1 K 10, 16f; 11, 27. Sie bedeutet bei ihm keine Veränderung der Grundidee des Abendmahls, hat aber in der Folge dazu beigetragen, daß die Abendmahlselemente in die Mitte der Betrachtung rückten und der ursprüngliche Sinn der Stiftung Jesu verdunkelt wurde. *2.* Das Abendmahl ist für Paulus eine Feier der Erinnerung 1 K 11, 24f, aber nicht im Sinne antiker Totengedächtnismahle[76], um das Andenken eines teuren Toten wach zu erhalten (→ I 352, 8ff), sondern in dem Sinne der jüdischen Passahfeier (→ 732, 13ff), um das heilsgeschichtliche Geschehen, auf das sich der Glaube der Feiernden gründet, als gegenwärtige Wirklichkeit zu proklamieren (→ 738, 27f). Der Tod des Herrn wird vergegenwärtigt (s v 26) als das Ereignis der gottgewirkten Geschichte, das die neue Ordnung des Verhältnisses von Gott und Mensch geschaffen und besiegelt hat. Durch diese Verankerung in einer Theologie der Geschichte und durch die strenge Bezogenheit auf den geschichtlichen Jesus und das einmalige geschichtliche Ereignis seines Todes unterscheidet sich die Abendmahlsanschauung des Paulus grundsätzlich von den naturmythologischen Gedanken, die man im hellenistischen Synkretismus mit heiligen Mahlen verband[77]. Aus der Heilsgeschichte heraus ersteht für Paulus das christliche Sakrament — ebenso wie sein at.licher Typus bietet es → πνευματικὸν βρῶμα (→ I 641, 18ff) und πνευματικὸν → πόμα 1 K 10, 3f —, der Mutterboden der synkretistischen Sakramente dagegen ist der geschichtslose Mythus. *3.* Das Abendmahl ist eine feierliche Kultushandlung der Gemeinde, in äußerem Zusammenhang mit einer Mahlzeit, aber dem Wesen nach von ihr geschieden 1 K 11, 20ff, bes 26ff. Die Trennung der Eucharistie von der Agape kündigt sich an. Das Kultmahl der Christen steht den heidnischen Kultmahlen gegenüber 1 K 10, 20f: Mahlgenossenschaft mit den Dämonen dort, Mahlgenossenschaft mit dem Herrn hier. Das heißt aber für Paulus nicht religionsgeschichtliche Analogie, sondern ausschließender Gegensatz von Götzendienst und Gottesdienst: die Heiden *opfern Dämonen und nicht Gott.* Das Herrnmahl hat mit Opfermahlzeiten nichts zu schaffen; die Abwesenheit jeglichen Opferbrauches und jeglicher Opferidee in den Ausführungen des Paulus über das Abendmahl (→ 184, 25ff) ist ein Zeichen für den Wesensunterschied zwischen der christlichen Feier und ihren vermeintlichen Analogien. Und der kraß sinnliche Gedanke der Communio in der hellenistischen Kultmahl-Mystik, wo im Opfertier die Gottheit selbst genos-

---

[75] → I 172, 1ff, → σάρξ, → σῶμα. An eine urchristliche „Formel" zu denken, analog der jüdischen Formel „Fleisch und Blut", die Pls modifiziert habe durch Vertauschung des nach seiner Anthropologie unverwendbaren Begriffes „Fleisch" mit dem Begriffe „Leib" (Käsemann aaO 176, vgl Goetz, Abendmahlsfrage . . . [→ Lit-A] 265ff ua), ist nicht einmal nötig.

[76] So zB Ltzm K zSt. → dagegen auch A 17.

[77] Das religionsgeschichtliche Material mit Angabe erklärender Literatur → II 34, 28ff; 688, 11ff; I 175, 18ff; 642, 36ff; 645, 12ff; III 12, 20ff, dazu FPfister, Artk Kultus Pauly-W XI (1922) 2171ff. Weiter → κοινωνία, → οἶνος, → πίνω, πόμα, πόσις, ποτήριον, → τράπεζα, → τρώγω usw.

sen wird, wo die Mysten sich den Gott essend einverleiben, um selbst Götter zu werden[78], liegt in einer völlig anderen Ebene als die paulinischen Vorstellungen vom *Teilhaben am Tische des Herrn* (v 21) und von der → κοινωνία τοῦ αἵματος bzw τοῦ σώματος τοῦ Χριστοῦ (v 16). Paulus spricht niemals von einem Essen des Leibes oder einem Trinken des Blutes Christi; er knüpft die Gegenwart des Herrn im Abendmahl nicht an die stofflichen Elemente, sondern an die ganze Handlung als Wiederholung des Herganges beim letzten Mahle Jesu nach seinem Befehl. Daß die Christen im Abendmahl mit ihrem Herrn eins werden in vertrauter Mahlgemeinschaft, teilhaben an seinem Leben und Sterben, ist eine **geistige Wirklichkeit** persönlichen Verbundenseins (vgl 10, 3 f), in der der Ertrag des geschichtlichen Heilswerkes Jesu sich ihnen nach seiner Verheißung lebendig-gegenwärtig darbietet. Der mechanisch-magischen Wirkung des opus operatum in den Speisesakramenten des religiösen Synkretismus der Spätantike steht bei Paulus das wirksame persönliche Handeln Christi im Abendmahl gegenüber, der durch Wort und Tat seiner Stiftung die Heilsgaben seines in der jüngsten Geschichte gelebten, durch das Kreuz gekrönten Heilandslebens verbürgt. Das durchaus realistische, aber geistig-geschichtliche Verständnis des Abendmahls, das Paulus vertritt, grenzt sich ebenso bestimmt ab von einem Spiritualismus, der das Sakrament zum Symbol verflüchtigt, wie von einem Materialismus, der Dinge heiligspricht und Natur vergöttert. *4.* Das Abendmahl als eines der beiden urchristlichen Sakramente (s 1 K 10, 1 ff), als gottesdienstliche Feier, in der der Herr selbst gegenwärtig ist, fordert von den Teilnehmern eine entsprechende Haltung, die durch Selbstprüfung zu erproben ist; unangemessene Verfassung ist Schuld, die Gott straft 1 K 11, 27 ff[79]. Die gegen die korinthische Zuchtlosigkeit (s v 20 ff) gerichtete Paränese stellt das Herrnmahl nicht als mysterium tremendum hin, bei dem die Seligkeit verscherzt werden kann, erst gar nicht als magisches Sakrament, dessen heilige Speise unter Umständen wie ein tödliches Gift wirkt[80]. Das → κρίμα, das Paulus in den Krankheits- und Todesfällen sieht, die die Gemeinde erlebt hat, ist ein göttliches Zuchtmittel, das die Leichtfertigen aufrütteln und vor der Verdammung im Endgericht bewahren soll (v 31 f). Was Paulus will, ist einfach dies: Christen müssen, ehe sie dem Herrn in seinem Mahle begegnen, sich die ernste Frage stellen, ob sie so sind, wie sie sein sollen, nicht nach irgendeinem Sittengesetz, sondern nach dem Evangelium, das Indikativ und Imperativ zugleich ist (→ II 732, 36). Hier liegt der Ansatzpunkt für das Institut der Beichte vor der Abendmahlsfeier.

5. Das Abendmahl bei Johannes[81].

a. Statt eines Berichtes über die Einsetzung des Abendmahls in Kp 13, wo vielmehr der Liebeserweis Jesu in der Fußwaschung den

---

[78] → I 175, 18 ff; II 34, 28 ff; 688, 11 ff uö, dazu aber EReuterskiöld, Die Entstehung der Speisesakramente (1912) 126 ff.

[79] → I 379, 29 ff; 491, 19; II 263, 20 ff; 828, 25 f.

[80] Vgl WHeitmüller, Taufe u Abendmahl bei Paulus (1903) 50 f; WBousset (Die Schriften des NT 2³ [1917]) zSt; HWindisch, Paulus u Christus (1934) 225 ua. Dagegen zuletzt Schl K 328 f.

[81] Vgl außer Kommentaren u nt.lichen Theologien RSeeberg, Abendmahl (→ Lit-A) 319 ff; Ders, Dogmengeschichte (→ Lit-A) 168 f; Ders, Dogmatik (→ Lit-A) 451 f; Heitmüller (→ Lit-A) 77 ff; Wetter (→ A 68) 145 ff; Völker (→ Lit-A) 84 ff; FBüchsel, Johannes u der hellenistische Synkretismus (1928) 49 ff; Huber (→ Lit-A) 92 ff; Schweitzer, Mystik (→ Lit-A) 352 ff.

Geist urchristlicher Agapenfeier urbildlich darstellt, bietet das Johannesevangelium Gedanken über das Abendmahl im Anschluß an die Speisungsgeschichte in Kp 6[82]. Die Rede vom Brot des Lebens, das Jesus dem Glaubenden gibt (v 32—58), gipfelt in der paradoxen These, daß das Brot, das er geben wird, sein Fleisch ist für das Leben der Welt (v 51). Das Essen seines Fleisches 5 und das Trinken seines Blutes vermittelt ewiges Leben. Sein Fleisch ist in Wahrheit Speise und sein Blut in Wahrheit Trank. Wer sein Fleisch ißt und sein Blut trinkt, hat bleibende Gemeinschaft mit ihm. Wer ihn ißt, verdankt ihm gleiches göttliches Leben, wie er es dem Vater verdankt (v 53—58). Aber die Paradoxie wird aufgehoben durch die Antithese: *der Geist ist es, der Leben* 10 *schafft; das Fleisch nützt gar nichts* (v 63). Trotz der polemisch überspitzten „kapernaitischen" Sätze[83] von einem wirklichen Essen (→ τρώγω) und Trinken des Fleisches und Blutes Christi, das den Vorwurf der Anthropophagie geradezu herausfordert, ist nicht zweifelhaft, wie Johannes über das Abendmahl denkt.

b. Im Abendmahl, wenn Brot und Wein genossen wird, ist Christus persön- 15 lich gegenwärtig. Die menschliche Person setzt sich in ihrer Erscheinung nach jüdischer und urchristlicher Ansicht (→ I 171, 23 ff) zusammen aus → σάρξ und αἷμα. Konstituieren *Fleisch* und *Blut* auch bei Christus die Person, so kann von Gegenwart seines Fleisches und Blutes im Abendmahl gesprochen werden. Und diese Elemente der Person Christi stellen sich in den Abendmahlselementen Brot 20 und Wein dar. Johannes berührt sich mit Paulus (→ 738, 41 ff), folgt wohl wie er einer früh aufgekommenen anthropologisierenden Umdeutung der Einsetzungsworte; aber Johannes geht über Paulus hinaus, indem er den Begriff σάρξ statt → σῶμα in die Abendmahlsterminologie einführt.

Die Gabe des Abendmahls ist → ζωή. Fleisch und Blut Christi vermitteln 25 ewiges Leben. Sie sind wirklich Speise und Trank, sie müssen genossen werden — Christus selbst will gegessen sein (v 57: ὁ τρώγων με). Wer sein Fleisch ißt und sein Blut trinkt, tritt in engste Gemeinschaft mit ihm und gewinnt Anteil an dem göttlichen Leben, das er in sich hat. Aber das heißt doch nicht, daß der sinnliche Genuß die Vereinigung mit Christus und die Erfüllung mit 30 Leben bewirkt — ἡ σάρξ οὐκ ὠφελεῖ οὐδέν (v 63a). Die Wirkung, die Leben schafft, ist g e i s t i g e r A r t: der lebendige pneumatische Christus teilt sich im Abendmahl mit und schenkt durch seine Gemeinschaft Leben, Heil. Der erhöhte Christus, der derselbe ist wie der Mensch von Fleisch und Blut Jesus, ist geistig gegenwärtig und wirksam. Für alles Wirken des johanneischen Christus, 35 seien es die Worte des Fleischgewordenen (v 63b), sei es die Selbstmitteilung des Erhöhten im Brot und Wein des Abendmahls, gilt: τὸ → πνεῦμά ἐστιν τὸ

---

[82] J 21, 12 f (2, 1 ff) ist, wie Lk 24, 30 und in den synoptischen Speisungsgeschichten, die keine „Prolepsen der späteren Gemeinde-Abendmahle" sind (Hupfeld [→ Lit-A] 58 ua), eine Verbindungslinie zum Abendmahl nicht gezogen. Daß J 6 auf das Abendmahl Bezug nimmt, wird neuerdings kaum noch bestritten, doch vgl HOdeberg, The fourth gospel (1929) 259 ff; zur Geschichte der Auslegung s

VSchmitt, Die Verheißung der Eucharistie (J 6) bei den Vätern I (1900); Zn J [5/6] 350 A 57; Bau J[3], Exkurs nach 6, 59.
[83] Ob sie gegen den Vorwurf thyesteischer Mahle (→ II 35, 11 f; Feine [→ Lit-A] 386 A 1) oder gegen doketische Gnosis (vgl JBehm, Die joh Christologie als Abschluß der Christologie des NT, NkZ 41 [1930] 583 f. 597 ff) gerichtet sind, mag dahingestellt sein.

ζωοποιοῦν (v 63 a)[84]. Im Abendmahl erneuert sich fort und fort die Grundwahrheit johanneischer Heilserkenntnis: ὁ → λόγος σὰρξ ἐγένετο 1, 14.

Johannes steht mit dem Gedanken der geistigen Gegenwart des lebendigen Christus, auf den die harte Rede vom Essen und Trinken des Fleisches und
5 Blutes Christi hinausführt, durchaus auf der Linie der Abendmahlsgedanken Jesu. Der Anschluß der Worte vom Sinn des Abendmahls an das große Brotwunder und das Thema von J 6 „Jesus das Brot des Lebens" beruht offenbar auf Meditation über die Stiftung Jesu, die die grundlegende Verheißung seiner Gegenwart mit dem Brot verband. Daß das Abendmahl auch auf den Heilstod
10 Jesu Bezug hat, klingt durch 6, 51 c hindurch. Der Gedanke der Gemeinschaft mit Christus 6, 56 knüpft an ältestes Gedankengut der Einsetzungsfeier an. Und der Realismus der johanneischen Auffassung des Abendmahls, dem rein symbolisches und magisch-sakramentales Verständnis der Feier gleich fern liegen, ist echt urchristlich: nicht das Essen und Trinken der Mahlgenossen, sondern
15 die wirksame Gegenwart des pneumatischen Christus verschafft die Heilsgabe. Aber, stärker als bei Paulus, droht bei Johannes die Gefahr, daß die Einheit der geschichtlich-übergeschichtlichen Person Christi in die Zweiheit der Elemente Fleisch und Blut, die in der Gestalt von Brot und Wein zu genießen sind, zerspalten wird und jedes von ihnen für sich als stoffliches Element Heils-
20 bedeutung erlangt. Das anthropologische Mißverständnis der Abendmahlsbegriffe, wie Johannes es ausgedrückt hat, ohne selbst seinen verhängnisvollen Folgen zu verfallen, ist die Ursache schwerer Irrtümer in der Geschichte des Abendmahls geworden.

6. Das Abendmahl im nachapostolischen Zeitalter [85].

25   a. Die Gebete und Anordnungen der Didache [86] für die Feier der Eucharistie (9, 1. 5), die am Sonntag (14, 1) im Rahmen einer Gemeindemahlzeit (10, 1) stattfindet, enthalten ältestes christliches Gedankengut. In eschatologischer Hochspannung begeht man die Feier (10, 6 vgl 9, 4; 10, 5), in der der Herr zu den Seinen kommt, mit dem Maranatha (→ 736, 40) angerufen und mit dem Hosianna be-
30 grüßt (10, 6). Im Lobspruch über den Becher wird gedankt ὑπὲρ τῆς ἁγίας → ἀμπέλου Δαβὶδ τοῦ παιδός σου, ἧς ἐγνώρισας ἡμῖν διὰ Ἰησοῦ τοῦ παιδός σου (9, 2). Im Lobspruch über das Brot wird der Gemeinschaftsgedanke eschatologisch gewandt und ausgeweitet in der Bitte um Sammlung der zerstreuten Kirche von den Enden der Erde in das Reich Gottes (9, 4 vgl 10, 5). Johanneisch klingt die Bezeichnung der durch
35 Christus geschenkten göttlichen Gaben des Abendmahls als πνευματικὴ τροφὴ καὶ ποτὸς καὶ ζωὴ αἰώνιος (10, 3). Daß Did von den Einsetzungsworten und der Beziehung des Abendmahls auf den Tod Christi schweigt, kann daher rühren, daß sie nur Teilanweisungen, keine Beschreibung der ganzen Feier gibt. Aber es mischen sich in Did doch auch fremde Töne unter die echt urchristlichen. Zu den Gaben der Offenbarung
40 Gottes in Christus, für die die Gebete danken, gehören neben ζωή und πίστις auch ἀθανασία und γνῶσις (9, 3; 10, 2). Der Begriff Opfer taucht in der Abendmahlsterminologie auf (14, 1 ff), freilich zunächst nur auf das eucharistische Gebet bezogen (→ 189, 47 ff). Bedingungen für die Teilnahme an der Eucharistie werden gestellt: nur Getaufte, Heilige dürfen sie genießen (9, 5; 10, 6); Sündenbekenntnis und Bei-
45 legung von Streit vor der Feier sollen bürgen für die Reinheit des Opfers (14, 1 ff).

---

[84] Weil Wort und Sakrament wesensverwandte Mittel der Wirksamkeit Christi sind, gilt Joh auch die Teilnahme am Abendmahl als heilsnotwendig (v 53).
[85] Vgl die Dogmengeschichten (Harnack I [4] [1909] 231 ff. 291. 462 ff; Seeberg I [3] (1922) 169 ff. 305 ff. 354 uö; Loofs [4] [1906] 101. 145 f. 212 f); dazu Goetz, Abendmahlsfrage . . . (→ Lit-A)

149 ff. 158 ff. 197 ff. 225 ff. 287 ff uö; Heitmüller (→ Lit-A) 76 ff; Kn Did u Bau Ign zu den einschlägigen Stellen; Lietzmann, Messe u Herrenmahl 230 ff. 256 ff; Völker (→ Lit-A) 99 ff.
[86] Für die liturgiegeschichtlichen Probleme vgl Lietzmann aaO 230 ff, Völker aaO 99 ff; Hupfeld (→ Lit-A) 73 ff.

b. Ignatius [87] erinnert in den knappen, oft dunklen Andeutungen, mit denen er das Abendmahl (εὐχαριστία Eph 13, 1; Phld 4; Sm 7, 1; 8, 1 — ἀγάπη R 7, 3; Sm 8, 2 vgl 7, 1) berührt, an Johannes, aber auch an Paulus. Die Häretiker, die nicht bekennen, τὴν εὐχαριστίαν σάρκα εἶναι τοῦ σωτῆρος ἡμῶν Ἰησοῦ Χριστοῦ τὴν ὑπὲρ τῶν ἁμαρτιῶν ἡμῶν παθοῦσαν, ἣν τῇ χρηστότητι ὁ πατὴρ ἤγειρεν, und damit der Gabe Gottes 5 widersprechen, verfallen dem Tode; sie erlangen die Auferstehung, das unvergängliche Leben nicht (Sm 7, 1). Das Brot der Eucharistie ist φάρμακον ἀθανασίας (→ 24, 6), ἀντίδοτος τοῦ μὴ ἀποθανεῖν, ἀλλὰ ζῆν ἐν Ἰησοῦ Χριστῷ διὰ παντός (Eph 20, 2). Die Seligkeit des Märtyrers stellt sich Ignatius unter dem Bilde der Eucharistie dar: οὐχ ἥδομαι τροφῇ φθορᾶς οὐδὲ ἡδοναῖς τοῦ βίου τούτου. ἄρτον θεοῦ θέλω, ὅ ἐστιν σὰρξ Ἰησοῦ Χριστοῦ, 10 τοῦ ἐκ σπέρματος Δαβίδ, καὶ πόμα θέλω τὸ αἷμα αὐτοῦ, ὅ ἐστιν ἀγάπη ἄφθαρτος (R 7, 3). Wie Joh denkt Ign den auferstandenen Christus im Abendmahl wirksam gegenwärtig, und die Gabe des Sakraments ist auch ihm das immerwährende Leben in der Gemeinschaft mit Christus. Aber die Elemente des Mahles rücken noch fester mit den Elementen der Person zusammen, der Begriff des Lebens wird hellenisiert, und die Vor- 15 stellung von der *Arznei der Unsterblichkeit*, dem *Gegengift wider den Tod* deutet auf naturhafte Wirkungen, die von dem Brot der Eucharistie ausgehen [88]. Auch wenn diese Ausdrücke liturgische Formeln wiedergeben und nicht von Ign geprägt sind [89], für dessen pneumatisches Verständnis von Fleisch und Blut Christi man sich auf Tr 8, 1 berufen kann (Glaube = σάρξ τοῦ κυρίου, Liebe = αἷμα Ἰησοῦ Χριστοῦ), bezeich- 20 nen sie die Bahn einer fortschreitenden Materialisierung der Abendmahlsidee, deren nächste Stufe Just Apol 66, 2 ist (Fleisch und Blut Jesu sind die εὐχαριστηθεῖσα τροφή, ἐξ ἧς αἷμα καὶ σάρκες κατὰ μεταβολὴν τρέφονται ἡμῶν) [90]. Von der einigenden Kraft der Eucharistie für die Teilnehmer (vgl 1 K 10, 17) spricht Ign Phld 4: μία . . . σὰρξ τοῦ κυρίου ἡμῶν Ἰησοῦ Χριστοῦ καὶ ἓν ποτήριον εἰς ἕνωσιν τοῦ αἵματος αὐτοῦ (= durch 25 sein Blut), ἓν θυσιαστήριον (vgl Eph 5, 2; Tr 7, 2; Mg 7, 2 → 189 A 41). Die Einheit der Kirche stellt sich dar in der Kultusfeier, die wie in Did als Opfer, Gebetsopfer (vgl Sm 7, 1; Eph 13, 1 → 189, 45 ff), gedacht ist, deren Leitung dem Kirchenbegriff des Ign gemäß dem Bischof zukommt (Sm 8, 1 f).

c. Die Grenze gegen magischen Sakramentsglauben und hellenistische Kultmystik, 30 die Did und Ign in ihren Gedanken über das Abendmahl noch wahren [91], ist in den apokryphen Apostelgeschichten überschritten: sie machen die Eucharistie zum gnostischen Mysterium. Vgl Act Joh 109; Act Thom 27. 49 f. 121. 133. 158 [92].

Behm

κλαυϑμός → 725, 4 ff. 35

---

† **κλείς** (→ θύρα, πύλη)

Inhalt: A. Die verschiedenen Wendungen des Schlüsselbildes im NT: 1. Die Himmelsschlüssel; 2. Die Schlüssel der Unterwelt; 3. Der Schlüssel der (zur)

[87] Vgl noch EFreiherrvdGoltz, Ignatius von Antiochien als Christ und Theologe, TU I 12, 3 (1894) 71 ff. 121 f; Schweitzer, Mystik (→ Lit-A) 264 ff; Weber (→ A 68) 189 ff; CCRichardson, The Christianity of Ignatius of Antioch (1935) 20. 55 ff. 72.
[88] S Bau Ign 219; Reitzenstein Hell Myst 83. 393. 400; Richardson aaO 102 f A 101.
[89] Lietzmann aaO 257 sieht sie als Zitat aus der antiochenischen Liturgie an.
[90] Zur Erklärung der Stelle vgl außer den Dogmengeschichten Goetz, Abendmahlsfrage . . . (→ Lit-A) 295 f; Völker aaO 141 ff.
[91] Dasselbe gilt für Mart Pol 14, 2. Vgl hiezu Lietzmann aaO 257.
[92] Dazu LFendt (→ A 69) 44 ff. 50 ff. 59 ff.

κλείς. HLAhrens, Das Amt der Schlüssel (1864); GESteitz, Der nt.liche Begriff der Schlüsselgewalt, ThStKr 39 (1866) 435—483; Dalman WJ I 176 f; HGunkel, Zum religionsgeschichtl Verständnis des NT ² (1910) 73; JGrill, Der Primat des Petrus (1904); ASulzbach, Die Schlüssel des Himmelreichs, ZNW 4 (1903) 190—192; WKöhler, Die Schlüssel des Petrus, ARW 8 (1905) 214—243; ADell, Matthäus 16, 17—19, ZNW 15 (1914) 1—49, bes 27—38; KAdam, Zum außerkanonischen und kanonischen Sprachgebrauch von Binden und Lösen, Theol Quart 96 (1914) 49—64. 161—197 (wieder abgedruckt in: KAdam, Gesammelte Aufsätze zur Dogmengeschichte u Theologie der Gegenwart [1936] 17—52); Str-B I 33. 151. 437. 523. 736 f. 741; III 3 f. 790. 795; IV 1087. 1089 f; JoachJeremias, Golgotha (1926) 71 f; KBornhäuser, Zum Verständnis von Mt 16, 18 u 19, NkZ 40 (1929) 221—237; Ders, Anathema esto!, in: Die

Erkenntnis; 4. Der eschatologische Gebrauch des Schlüsselbildes: *a.* der Schlüssel Davids;
b. die Schlüssel der Königsherrschaft Gottes. — B. Die Schlüsselgewalt: 1. Mt 16, 19;
2. Die Ausdehnung der Binde- und Lösegewalt auf die Apostel; 3. Die Übung der Bindegewalt in der ältesten Christenheit; 4. Die Lösegewalt.

5   Im NT ist von *Schlüsseln* nie in alltäglicher[1], sondern
stets in übersinnlicher bzw übertragener Bedeutung die Rede.

A. Die verschiedenen Wendungen des Schlüsselbildes im NT.

1. Die Himmelsschlüssel.

10   Nach allgemein verbreiteter Ansicht der alten Welt ist der Himmel durch Türen verschlossen → θύρα III 176, 22 ff; bestimmte Gottheiten oder Engelwesen haben die Verfügungsgewalt über die himmlischen Schlüssel. In Babylonien hält
Schamasch den Himmelsschlüssel in seiner Linken[2]; in Griechenland läßt sich die
Vorstellung bis ins 7. Jhdt v Chr zurückverfolgen[3], daß Dike den Himmelsschlüssel
15   verwahrt[4]; in Italien hat Janus das Attribut des Himmelsschlüssels[5], in der Mithrasreligion Aion-Kronos[6]; ein neuplatonischer Autor schreibt es Helios zu[7].
     Im Spätjudentum begegnet der Himmelsschlüssel als Würdeabzeichen nur ver-
einzelt: gr Bar 11 heißt der Engelfürst Michael ὁ κλειδοῦχος (Schlüsselbewahrer) τῆς
βασιλείας τῶν οὐρανῶν[8]; hb Hen 18, 18 heißt der Engelfürst 'Anaphiel Jahwe „Be-
20   wahrer der Schlüssel zu den Palästen des 7. Himmels"; 48 C 3 wird von Henoch-
Metaṭron gesagt, daß Gott ihm die Schlüssel zu allen himmlischen Schatzkammern
überliefert habe. Gott selbst hat nach Pirqe RELi'ezer 34 „den Schlüssel zu den Seelen-
kammern[9] in der Hand". Ebenfalls um himmlische Türen, aber um solche der unteren
Himmel, handelt es sich, wenn von Gott gesagt wird, daß er den Schlüssel des
Regens sich selbst vorbehalten[10] und ihn nur zeitweise Elia überlassen habe[11].

25   An den zuletzt genannten himmlischen Regenschlüssel ist gedacht, wenn Lk
4, 25 gesagt wird, daß „in den Tagen des Elia der Himmel zugeschlossen
wurde". Wie so oft in den Ev ist hier das Passiv Umschreibung des Gottesnamens, so daß sinngemäß zu übersetzen ist: „Gott schloß den Himmel zu."
Er hat den himmlischen Schlüssel in Händen: es ist seine Güte, wenn er der
30   Welt die Gabe des Regens spendet, sein Gericht, wenn er sie ihr versagt. Doch
kann Gott den Regenschlüssel an seine Boten abtreten: die beiden Zeugen der

---

Reformation 26 (1932) 82 f; JKroll, Gott und
Hölle. Der Mythos vom Descensuskampfe
(Studien der Bibliothek Warburg 20 [1932])
10. 89 f. 121. 476 f; VBurch, The 'Stone' and
the 'Keys' (Mt. 16, 18 ff), JBL 52 (1933)
147—152; Pr-Bauer[3] 720 f; FHeiler, Urkirche
und Ostkirche (1937) 48—61; HvCampen-
hausen, Die Schlüsselgewalt der Kirche,
Evangelische Theologie 4 (1937) 143—169. —
Zur Deklination von κλείς s Lit-A bei
Pr-Bauer[3] 720.
     [1] Zum Technischen des Schlüssels der
alten Zeit vgl HDiels, Parmenides (1897)
117—151; SKrauß, Talmudische Archäologie
I (1910) 41; IBenzinger, Hb Archäologie[3]
(1927) 103 f.
     [2] HGreßmann, Altorientalische Texte zum
AT[2] (1926) 243; Ders, Altorientalische Bilder
zum AT[2] (1927) 91; AJeremias, Handbuch d
altorientalischen Geisteskultur[2] (1929) 367.
     [3] Diels (→ A 1) 153.
     [4] Diels 28 f. 51 (z Parm 1, 14); Köhler
(→ Lit-A) 226 f; HFränkel, NGG (1930) 153 ff.
     [5] Ovid Fast I 99. 125. 139.

     [6] FCumont, Textes et monuments figurés
relatifs aux mystères de Mithra I (1899) 74 ff;
Mithr Liturg p 8, 18 u p 66 f; ADieterich,
Abraxas (1891) 48; Köhler aaO 227 f; Reitzenstein Ir Erl p XII u 238 f.
     [7] Procl Hymni (Orph [Abel] 276 f) 1, 2 f:
πηγῆς (aus der „der reiche Strom der Harmonie von oben" fließt 1, 4) αὐτὸς ἔχων
κληῖδα.
     [8] → 748, 22 ff.
     [9] Es handelt sich um die Seelen der Ver-
storbenen; die Kammern („Schatzhäuser"), in
denen die Seelen der verstorbenen Gerechten
aufbewahrt werden, befinden sich nach Qoh
r 3, 21 in dem himmlischen Welt und zwar
nach bChag 12 b im 7. Himmel.
     [10] bTaan 2a (Par bei Str-B I 437. 523. 737;
III 3 f).
     [11] bSanh 113 a. — Nach slav Hen sind es
himmlische Wesen, die den Schlüssel der
Donner u Blitze (40, 9), die Schlüssel der
Schatzhäuser des Schnees u der Behältnisse
des Eises u der frostigen Winde (v 10) u die
Schlüssel der Winde (v 11) verwalten.

Endzeit (→ II 941, 27 ff) „haben die Vollmacht, den Himmel zuzuschließen, damit kein Regen falle in den Tagen ihrer Profetie" (Apk 11, 6).

2. Die Schlüssel der Unterwelt.

Wie der Himmel, so ist auch die Unterwelt nach allgemeiner Anschauung der alten Zeit durch Tore verschlossen gedacht (→ πύλη)[12]; wer die Schlüssel zu diesen Toren besitzt, hat die Macht über die Unterwelt.

Für die Babylonier ist Nedu der „Oberwächter der Unterwelt", der den Riegel ihres Türverschlusses bewacht[13]. In Griechenland sind Pluto[14], Aiakos[15], Persephone[16] und Selene-Hekate[17] Inhaber der Hadesschlüssel; in der Mithrasreligion ist es Kronos[18]. Namentlich in der Zauberliteratur spielt die Beschwörung der den Hadesschlüssel besitzenden Gottheiten, unter denen noch Anubis erscheint[19], eine große Rolle[20]. Die Isis-Osiris-Mysterien verehren in Isis die Herrin der inferum claustra[21]. Im Spätjudentum ist nur vereinzelt von den Schlüsseln der Unterwelt die Rede, so slav Hen 42 Rec B: „Und ich sah die Wächter[22] des Schlüssels (Sing!) des Hades stehend gegenüber den Toren[23] wie große Schlangen." Ob die öfter zitierte rabb Tradition, daß Gott selbst den „Schlüssel der Totenbelebung" in Händen hält[24], an den Schlüssel zur Totenwelt denkt, ist nicht sicher, aber wahrscheinlich[25]. Sicher ist, daß die spätere Überlieferung gelehrt hat, daß die Schlüssel zu den 40000 Toren der endzeitlichen Hölle sich in Gottes Hand befinden[26].

Die Apk erwähnt den Schlüssel zum Brunnen des (→ I 9) Abyssos, dh zu dem als brunnenartiger Schacht vorgestellten Geistergefängnis (Apk 9, 1; 20, 1). Er ist in Gottes-[27] bzw Engelhand[28]. Gott wird vor dem Ende den Abyssos aufschließen lassen und dämonische Heuschrecken als furchtbare Plage auf der Erde wüten lassen (9, 1 ff). Abermals wird Gott nach der Parusie den Abyssos öffnen lassen und den durch einen Engel gefesselten Satan für die Zeit des tausendjährigen Reiches in ihm einschließen lassen (20, 1—3).

Von diesem Schlüssel zum Geistergefängnis zu unterscheiden sind die Schlüssel des Todes und des Hades, die der erhöhte Christus in der Hand hält

---

[12] Köhler aaO 222 ff; Dell (→ Lit-A) 27 ff.
[13] ASchollmeyer, Sumerisch-babylonische Hymnen und Gebete an Šamaš, in: Studien z Geschichte u Kultur des Altertums hsgg EDrerup-HGrimme-JPKirsch, 1. Erg-Bd (1912) 130 f; Dell 28.
[14] Hom Il 8, 367; Plut Is et Os (II 364 f) 35; Paus V 20, 3.
[15] Köhler 223.
[16] Ebd.
[17] Ebd; Kroll (→ Lit-A) 476 f.
[18] FCumont (→ A 6) I 84.
[19] Köhler 223.
[20] Im Pariser Zauberpap (Preis Zaub IV 2290 ff) zB sagt der Zauberer drohend zu Selene-Hekate:
ἄκουσον . . .
τὸ σάνδαλόν σου ἔκρυψα καὶ κλεῖδα κρατῶ ἤνοιξα ταρταρούχου κλεῖθρα (die Schlösser)
[Κερβέρου.
[21] Apul Met XI 21.
[22] Vgl dazu: LXX Hi 38, 17: πυλωροὶ ᾅδου (שַׁעֲרֵי des hbr Textes ist von LXX als שֹׁעֲרֵי gelesen); bChag 15 b „der Türhüter des (zwischenzeitlichen) gēhinnōm" dh der Totenwelt.
[23] Die gewaltigen Tore und Schlösser der Hadespforten schildert Sib 2, 227 f; ferner

eine von GSteindorff herausgegebene anonyme Apk (TU NF 2, 3 a [1899]) 6, 18—20.
[24] bTaan 2 a Par.
[25] Dafür spricht die von Tanch וירא 35 (ed SBuber p 106) und Midr Ps 78 § 5 gebotene vl „Schlüssel zu den Gräbern"; vgl Tg Qoh 9, 10, wo בית קבורתא für שְׁאוֹל des Textes steht.
[26] Alphabeth-Midr des R'Aqiba: „In jener Stunde nimmt der Heilige, gepriesen sei er, die Schlüssel des gēhinnōm und gibt sie Michael und Gabriel vor den Augen aller Gerechten und sagt zu ihnen: Geht und öffnet die Tore des gēhinnōm! . . . Alsbald gehen Michael und Gabriel und öffnen die 40000 Tore des gēhinnōm" (AJellinek, Beth ha-midraš 3 [1855] 28, 9); par Neue Pesiqta (ebd 6 [1877] 63, 23).
[27] Apk 9, 1: ἐδόθη, falls das Passiv den Gottesnamen umschreibt (→ 744, 27 f). ⌐ Vgl Gebet Man X, wo es von Gott heißt: ὁ κλείσας τὴν ἄβυσσον.
[28] Apk 20, 1. Vgl 9, 1: der Stern ist an dieser Stelle personifiziert gedacht (nach EBAllo, St Jean. L'apocalypse[8] [1933] zSt wäre mit dem Stern von Apk 9, 1 Abaddon [→ I 4] gemeint).

(Apk 1, 18). Die Wendung τὰς κλεῖς τοῦ θανάτου καὶ τοῦ ᾅδου ist nicht als Gen obj („Schlüssel zu Tod und Totenwelt")[29], sondern als Gen poss („Schlüssel des — personifizierten! — Todes und Hades")[30] zu verstehen; denn die räumliche Fassung von θάνατος (= Totenreich) ist dem NT fremd, und θάνατος und
5 ᾅδης sind, wo sie zusammen auftreten, immer[31] als Persönlichkeiten gefaßt[32]. Apk 1, 18 redet also von den Schlüsseln, die Tod und Hades als Herrscher der Totenwelt in Händen haben. Sind aber Tod und Hades personifiziert gedacht, dann ist besonders deutlich, daß der Besitz ihrer Schlüssel einen vorangegangenen Kampf Christi mit ihnen voraussetzt: beim Descensus ad inferos
10 hat er, wie seine Auferstehung beweist (1, 18a), Tod und Hades überwunden[33]. Damit hat der Tod für seine Gemeinde den Schrecken verloren, weil Christus als Inhaber der Schlüssel[34] des Todes und Hades die Macht hat, die Pforten der Totenwelt zu öffnen und die Toten zur Auferstehung zu rufen.

Die ältere Descensus-Lehre, die lediglich die Frage nach dem Schicksal Christi in
15 der Zwischenzeit zwischen Tod und Auferstehung im Anschluß an die Schrift (Ps 16, 8—11 = Ag 2, 25—28 vgl 13, 35) beantwortete[35], ist genuin urchristlich. Erstmalig die 1 Pt 3, 19 f; 4, 6 gegebene Erklärung über den Zweck der Hadesfahrt (Verkündigung im Geistergefängnis 3, 19) läßt Einflüsse des Descensusmythos[36] erkennen[37], die dann in der Apk 1, 18 vorliegenden neuen Deutung der Hadesfahrt (Überwindung
20 der Herrscher der Totenwelt im Kampf) erneut hervortreten.

Angesichts der spätjüdischen Lehre[38], daß der Schlüssel der Totenbelebung einer der drei Schlüssel ist, die in der Hand Gottes liegen und die er keinem Bevollmächtigten anvertraut, ist es ein göttliches Prädikat, wenn der Auferstandene als der Herr der Totenwelt bezeichnet wird.

25   **3.** Der Schlüssel der (zur) Erkenntnis.

Lk überliefert den Weheruf Jesu gegen die Schriftgelehrten: οὐαὶ ὑμῖν τοῖς νομικοῖς, ὅτι ἤρατε τὴν κλεῖδα τῆς γνώσεως · αὐτοὶ οὐκ εἰσήλθατε καὶ τοὺς εἰσερχομένους ἐκωλύσατε (11, 52)[39].

In der Wendung τὴν κλεῖδα τῆς γνώσεως ist τῆς γνώσεως entweder Gen appos oder
30 Gen obj. *a.* Versteht man den Gen als **Gen appos** („den Schlüssel [zum Gottesreich], nämlich die Erkenntnis, habt ihr fortgenommen")[40], dann liegt das Bild von

---

[29] So Had Apk; Allo (→ A 28); JBehm in NT Deutsch zSt.
[30] WBousset, Die Offenbarung des Joh[6] (1906) zSt; Ders, Kyrios Christos[2] (1921) 30; Kroll (→ Lit-A) 10. 477.
[31] Kroll 10.
[32] Nt.liche Belege: Apk 6, 8; 20, 13 f; 1 K 15, 55 vl. Zur Personifikation des θάνατος vgl Pr-Bauer[3] 585 f, des ᾅδης ebd 27.
[33] Bousset, Kroll (→ A 30); Loh Apk zSt; WStaerk, Soter I (1933) 128. — Von den Riegeln der Erde (im Sinne von Unterwelt) ist auch Jona 2, 7 die Rede: κατέβην εἰς γῆν, ἧς οἱ μοχλοὶ αὐτῆς κάτοχοι αἰώνιοι. Auch Js 45, 2 nimmt das Bild jedenfalls von dem Hadeskampf Gottes, und die messianische Auslegung muß die Stelle entsprechend verstehen: μοχλοὺς σιδηροῦς συγκλάσω. Diese Vorstellung liegt auch Hi 26, 13 LXX vor, obwohl dort von der Himmelspforte die Rede ist: κλεῖθρα δὲ οὐρανοῦ δεδοίκασιν αὐτόν. Jedenfalls ist hier von den widergöttlichen Mächten die Rede. Vgl v 6: γυμνὸς ὁ ᾅδης

ἐνώπιον αὐτοῦ, καὶ οὐκ ἔστιν περιβόλαιον τῇ ἀπωλείᾳ [Bertram].
[34] Plur, weil die Unterwelt viele Tore hat. Vgl Mt 16, 18 → πύλη, auch → A 26.
[35] Auch R 10, 7 gehört hierher.
[36] Ueber diesen vgl bes Kroll, weitere Lit bei Wnd Pt z 1 Pt 3, 20 u Pr-Bauer[3] 1126.
[37] Zuletzt FHauck (NT Deutsch) z 1 Pt 3, 19.
[38] bTaan 2 a Par.
[39] Vgl das apokryphe Ev-Fr POxy IV 655, 41: [την κλειδα] της [γνωσεως ε]κρυψ[ατε · αυτοι ουκ] εισηλ[θατε και τοις] εισερ[χομενοις ου]κ αν[εωξατε].
[40] So Ps Clem Hom 3, 18: τὴν κλεῖδα τῆς βασιλείας . . . ἥτις ἐστιν γνῶσις, ἣ μόνη τὴν πύλην τῆς ζωῆς ἀνοῖξαι δύναται. 18, 15: παρ' αὐτοῖς (sc den σοφοῖς) γὰρ ἡ κλεὶς τῆς βασιλείας τῶν οὐρανῶν ἀπέκειτο, τουτέστιν ἡ γνῶσις τῶν ἀπορρήτων. Ps Clem Recg 2, 30 (MPG 1): Jesus bekämpft die Schriftgelehrten und Pharisäer, quod clavem scientiae quam a Moyse traditam susceperunt, occultarent. per quam possit ianua regni coelestis aperiri; 2, 46.

der Tür zum Gottesreich vor. Das Gottesreich ist das höchste Gut, während die Erkenntnis lediglich der Schlüssel ist, der den Zugang zu ihm öffnet. Da das „Eingehen in die Königsherrschaft Gottes" ein spezifisch palästinisches Bild ist[41], muß bei dieser Deutung auch die „Erkenntnis" dem palästinischen Verständnis entsprechend gedeutet werden: als die gehorsame Erkenntnis der Schrift → I 705, 39 ff. In der Tat 5 ist der Vergleich der Schriftkenntnis mit dem Schlüssel rabb bezeugt[42]. *b.* Versteht man dagegen τῆς γνώσεως als Gen obj („den Schlüssel zur Erkenntnis habt ihr fortgenommen"), dann ist das Bild ein anderes. Es ist dann von der Tür zur Erkenntnis die Rede[43], und die Erkenntnis erscheint als das höchste Gut, was auf das hellenistische Verständnis von γνῶσις als der schauenden Erkenntnis Gottes (→ I 10 692, 11 ff; 706, 10 f) führt.

Das Ursprüngliche wird der Gen appos sein. Das geht aus der zweiten Hälfte des Verses Lk 11, 52 hervor: αὐτοὶ οὐκ εἰσήλθατε καὶ τοὺς εἰσερχομένους ἐκωλύσατε. Denn der synoptische Sprachgebrauch von εἰσέρχεσθαι (→ II 674, 41 ff; III 177, 33 ff) zeigt, daß ursprünglich in 11, 52 b vom Eingehen in die Königsherrschaft Gottes und dementsprechend in 11, 52 a vom Schlüssel zur Königsherrschaft Gottes die 15 Rede gewesen sein muß[44]. In der Tat heißt es bei Mt in der Par zu unserer Stelle (23, 13): οὐαὶ δὲ ὑμῖν, γραμματεῖς καὶ Φαρισαῖοι ὑποκριταί, ὅτι κλείετε τὴν βασιλείαν τῶν οὐρανῶν ἔμπροσθεν τῶν ἀνθρώπων. Auf hellenistischem Gebiet dagegen wird die Auffassung des Gen als Gen obj als die näherliegende empfunden worden sein: den 20 Schlüssel zur Erkenntnis habt ihr fortgenommen.

In beiden Fällen ist es das theologische Wissen der Schriftgelehrten, das als Schlüssel — entweder zum Gottesreich oder zur Gotteserkenntnis — bezeichnet wird. Jesus nimmt Bezug auf den Anspruch der Theologen seiner Zeit, auf Grund der Kenntnis der Schrift Schlüsselvollmacht zu besitzen[45]. Er 25 nimmt zu ihrem Anspruch selbst nicht Stellung. Wohl aber erhebt er den Vorwurf gegen sie, daß sie, anstatt den Menschen die Tür zum Heil zu öffnen, den Schlüssel „versteckt"[46], dh durch Geheimhaltung ihres Wissens und durch Vorenthalten des wahren Gotteswillens[47] der Menge den Weg zum Heil versperrt haben. 30

4. Der eschatologische Gebrauch des Schlüsselbildes.

a. Der Schlüssel Davids.

Apk 3, 7 wird der erhöhte Christus genannt ὁ ἔχων τὴν κλεῖν Δαυίδ, ὁ ἀνοίγων καὶ οὐδεὶς κλείσει, καὶ κλείων καὶ οὐδεὶς ἀνοίγει. Dieser

---

[41] → II 674, 41 ff; III 177, 33 ff.

[42] bSchab 31 a b: „Rabbah bar Huna (um 300) hat gesagt: Wer Torakenntnis besitzt, aber keine Gottesfurcht, der gleicht dem Schatzmeister, dem man die Schlüssel zu den inneren (Räumen) übergab, ohne ihm die Schlüssel zu den äußeren (Räumen) zu übergeben. Wie soll er hineinkommen?" Torakenntnis ist also Schlüsselbesitz! Ähnlich SDt § 321 z 32, 25 von den Lehrentscheidungen des Schriftgelehrten: „Nachdem er geöffnet hat, schließt niemand zu" (dh seine Entscheidungen haben absolute Gültigkeit). Das Lehren der Schriftgelehrten ist also Ausübung der Schlüsselgewalt! Vgl Lk 24, 32. 45 διανοίγειν τὰς γραφάς, Ag 17, 3 ohne Obj.

[43] Dieses Bild liegt vor Corp Herm VII 2 a: Ζητήσατε χειραγωγόν, τὸν ὁδηγήσοντα ὑμᾶς ἐπὶ τὰς τῆς γνώσεως θύρας, ὅπου ἐστὶ τὸ λαμπρὸν φῶς. Interpol Ign Phld 9, 1 von Christus: ἡ θύρα τῆς γνώσεως, ianua scientiae et agnitionis.

[44] So schon die Ps Clem Hom und Recg → A 40.

[45] → A 42.

[46] Die LA ἐκρύψατε D (Θ) 157 it sy[sc] arm Tat POxy (→ A 39) statt ἤρατε ist eine sachlich zutreffende Erklärung, die auch die Ps Clem Hom (→ A 47) u Recg (→ A 40 u 47) vertreten.

[47] Ps Clem Hom 18, 15 (→ A 40): die Weisen besaßen die γνῶσις τῶν ἀπορρήτων, aber 18, 16: ἀπέκρυβαν τὴν γνῶσιν τῆς βασιλείας...· ... ὡς ἀπέκρυψαν αὐτοὶ τὰς ὁδοὺς ἀπὸ τῶν θελόντων, οὕτω καὶ ἀπ' αὐτῶν ἀπεκρύβη τὰ ἀπόρρητα (sc zur Strafe vgl Mt 11, 25). Ps Clem Recg 1, 54 von den Schriftgelehrten und Pharisäern: velut clavem regni coelorum verbum veritatis tenentes ex Moysis traditione susceptum, occultarunt auribus populi. — Über die Esoterik bei den Rabb → I 741, 16 ff, ferner JoachJeremias, Jerusalem zur Zeit Jesu II B (1929) 106 ff; Ders, Die Abendmahlsworte Jesu (1935) 51 f.

Christus-Prädikation liegt Js 22, 22 zugrunde, wo die Einsetzung Eljaqims zum königlichen Haushofmeister mit den Worten angekündigt wird: „Und ich will ihm den Schlüssel des Hauses Davids auf die Schulter legen; wenn er öffnet, kann niemand zuschließen; wenn er zuschließt, kann niemand öffnen." Die
5 messianische Deutung dieser Stelle ist dem Judentum unbekannt[48]. Sie wurde veranlaßt durch die Worte „Schlüssel des Hauses Davids": während Js 22, 22 mit „Haus Davids" den königlichen Palast in Jerusalem meinte[49], verstand der Apokalyptiker unter „Haus Davids" das davidische Königsgeschlecht[50], dessen Repräsentant (Apk 22, 16) Christus ist. Der „Schlüssel Davids" (Apk 3, 7)
10 ist also jetzt der Schlüssel, den Christus als der verheißene Davidssproß in Händen hat. Es ist der Schlüssel zum endzeitlichen Palaste Gottes[51].

Der Sinn der Christusprädikation ist: Christus hat unbegrenztes Herrenrecht über die künftige Welt. Er allein verwaltet Gnade und Gericht und entscheidet unwiderruflich darüber, ob jemand Zugang erhält zum Heil der
15 Endzeit oder von ihm ausgeschlossen bleibt.

b. Die Schlüssel der Königsherrschaft Gottes.

Mt 16, 19 sagt Jesus zu Petrus: Δώσω σοι τὰς κλεῖδας τῆς βασιλείας τῶν οὐρανῶν. Die Wendung „Schlüssel der Königsherrschaft Gottes" ist außerchristlich nicht belegt[52]. Der Gegensatz zu den Hadespforten
20 (16, 18) könnte auf den Gedanken führen, daß mit den κλεῖδες τῆς βασιλείας τῶν οὐρανῶν die Schlüssel zur Himmelstür (→ 744, 8 ff) gemeint seien[53], zumal wenn man die Bezeichnung des Erzengels Michael als ὁ κλειδοῦχος (Schlüsselbewahrer) τῆς βασιλείας τῶν οὐρανῶν (gr Bar 11) vergleicht, die die Vollmacht Michaels in der himmlischen Welt umschreibt. Aber gegen diese Auffassung
25 erhebt sich das schwere Bedenken, daß sie — ebenso wie die wahrscheinlich in der Formulierung christlich beeinflußte[54] und daher für die Erklärung von Mt 16, 19 nicht verwertbare Wendung aus gr Bar 11 — die βασιλεία τῶν οὐρανῶν mit der himmlischen Welt gleichsetzt und damit in Gegensatz zum sonstigen Sprachgebrauch der Ev tritt. Hält man an Letzterem fest, so ist der Gedanke
30 danke an die Himmelstür fernzuhalten und unter der βασιλεία τῶν οὐρανῶν, deren Schlüssel Petrus erhält, die endzeitliche Königsherrschaft Got-

---

[48] Gegen WBousset (→ A 30) u Had z Apk 3, 7 sowie WStaerk, Soter I (1933) 118. Js 22, 22 wird in der rabb Lit nur ganz selten zitiert. Tg zSt gibt „Schlüssel zum Hause Davids" wieder mit: „der Schlüssel zum Heiligtum und die Herrschaft über das Haus Davids"; SDt § 321 z 32, 25 wendet Js 22, 22 auf die Lehrentscheidungen der Schriftgelehrten an → A 42; bSanh 44 b sagt von Gabriel in Anlehnung an Js 22, 22, er heiße Siggaron, „weil, wenn er (die Gnadenpforte) zuschließt סוגר, (sie) niemand öffnen kann".
[49] So auch Tg Js 22, 22 → A 48.
[50] Vgl Lk 1, 69: ἐν οἴκῳ Δαυίδ.
[51] → 178, 9 ff u ebd A 70.
[52] Über gr Bar 11 → Z 25—27 u 744, 17 u A 54. Doch ist wichtig, daß durch Mt 23, 13 die Wen-

dung κλείειν τὴν βασιλείαν τῶν οὐρανῶν belegt ist.
[53] Köhler (→ Lit-A) 214 ff; Dell (→ Lit-A) 37 f.
[54] WLueken, Michael (1898) 125. Der Herausgeber der gr Bar-Apk, MRJames (in TSt 5, 1 [1897]), hielt gr Bar sogar für eine christl Apk des 2. Jhdts (p LXXI). Das ist in dieser Form schwerlich zutreffend, gr Bar wird aus einer jüdischen Grundschrift erwachsen sein; jedoch ist der Stoff christl überarbeitet worden. — Die Feststellung von Köhler (→ Lit-A), daß der Begriff „Schlüssel des Himmelreichs" aus der jüdischen Lit noch nicht belegt sei (218), besteht insofern noch jetzt zu Recht.

tes zu verstehen[55]. Die „Schlüssel der Königsherrschaft Gottes" sind mithin sachlich nicht verschieden von dem „Schlüssel Davids" → 747, 32 ff, was sich dadurch bestätigt, daß wie Mt 16, 19 so auch Apk 3, 7 Jesus der ist, der über sie verfügt. Welches aber ist dann die dem Petrus übertragene Schlüsselgewalt?

B. Die Schlüsselgewalt. 5

1. Mt 16, 19.

Für die Beantwortung der Frage, welches die Petrus mit der Übergabe der „Schlüssel der Königsherrschaft Gottes" übertragene Vollmacht ist, ist ein Vierfaches zu beachten.

a. Zunächst ist in sprachlicher Beziehung festzustellen, daß Mt 16, 17—19 10 sowohl hinsichtlich des Wortschatzes[56] wie hinsichtlich des Stils (drei Dreizeiler, deren jeder nach dem Schema: Thema [1. Zeile] u antithetischer Parallelismus [2./3. Zeile] aufgebaut ist)[57] und des Rhythmus (3×3 Vierheber bei Rückübersetzung ins Aramäische)[58] ausgesprochen semitischen Sprachcharakter aufweist. Diese Feststellung ist wichtig für die Echtheitsfrage (für die im übrigen auf 15 → 522 ff verwiesen sei) wie für die Einzelexegese. Dementsprechend darf zB nicht übersehen werden, daß dem gr δώσω (Mt 16, 19) ein aram Impf אִיהַב bzw אֶתֵּן zugrunde liegt[59], das hier voluntative Bedeutung hat („ich will geben")[60]. Die Schlüsselübergabe ist dabei nicht erst für die Zukunft in Aussicht gestellt, sondern als gegenwärtig erfolgend gedacht. 20

b. Sodann ist festzustellen, daß im Sprachgebrauch der Bibel und des Spätjudentums die Schlüsselübergabe nicht die Einsetzung zum Pförtner[61] bedeutet.

Durch zahlreiche Belege ist gesichert, daß die Schlüsselübergabe im biblischen und spätjüdischen Sprachgebrauch Bevollmächtigung, der Schlüsselbesitz Vollmacht bedeutet[62]. So wird Eljaqim durch die Übergabe des Schlüssels des Palastes zum 25 königlichen Haushofmeister eingesetzt (Js 22, 22 vgl 15). Wenn Jesus der Inhaber der Schlüssel des Todes und Hades (Apk 1, 18) und des Schlüssels Davids (3, 7) heißt, so wird er damit nicht als Türhüter, sondern als Herr über die Totenwelt und über Gottes Palast bezeichnet. Im gleichen Sinn redet man von den drei in Gottes Hand befindlichen Schlüsseln des Regens, der Gebärenden (= Schlüssel, der den verschlos- 30 senen Mutterleib öffnet[63]) und der Totenbelebung[64], zu denen man in Palästina als

---

[55] Wenn hinter der Wendung τὰς κλεῖδας τῆς βασιλείας τῶν οὐρανῶν ein konkretes Bild steht, so ist etwa an die Türen zur künftigen Gottesstadt zu denken.

[56] JoachJeremias, Golgotha 69 A 5. Speziell zu Vers 19 vgl: ἡ βασιλεία τῶν οὐρανῶν (semitisch ist sowohl die Umschreibung des Gottesnamens wie der Plur οἱ οὐρανοί); ἐν τοῖς οὐρανοῖς (Plur); δεῖν u λύειν → II 59, 29 ff u unt.

[57] JLeipoldt, Vom Jesusbilde der Gegenwart² (1925) 11.

[58] CFBurney, The Poetry of our Lord (1925) 117.

[59] Vgl die syr Übersetzungen (syᶜ p pal: 'ättäl).

[60] Das aram Impf hat nur ganz begrenzt futurische Bedeutung (WBStevenson, Grammar of Palestinian Jewish Aramaic [1924] § 18, 8).

[61] So zB Köhler aaO 236 (heidnischen und gnostischen Spekulationen „stellte die Kirche

ihren Himmelreichspförtner" gegenüber); Reitzenstein Ir Erl XII (nur „die Vorstellung vom Aion als Diener und als Türhüter" kann Mt 16, 18 f erklären); FKattenbusch, Der Quellort der Kirchenidee, Festgabe für AvHarnack (1921) 167 A 1 („Türhüter, Wächter des ‚Hauses' ").

[62] Ahrens (→ Lit-A) 7 ff; Steitz (→ Lit-A) 437 ff; AWünsche, Neue Beiträge zur Erläuterung der Ev (1878) 195. 447; Wellh Mt 85; Str-B I 736 f; Jeremias (→ Lit-A) 71 f; Dalman (→ Lit-A) 176 f; Schl Mt 510.

[63] So die vl, die Tanch וירא 35 (ed SBuber p 106) bietet; Dt r 7 z 28, 12: „Schlüssel der Unfruchtbaren"; Midr z Ps 78, 25 ff: „Schlüssel des Mutterschoßes."

[64] bTaan 2 a uö (Par bei Str-B I 437. 523. 737; III 3 f). Der Sinn ist: nur Gott kann diese Wunder tun.

vierten den Schlüssel der Ernährung[65] bzw der Fruchternte[66] hinzufügte; ferner von dem Regenschlüssel, den der kommende Elias besitzen werde (Apk 11, 6); von den Schlüsseln eines Königs[67], eines Schatzmeisters[68] und von den Schlüsseln, die die Priester als Verwalter des Heiligtums in Händen haben[69]. Gr Bar 11 heißt Michael
5 der „Schlüsselbewahrer des Himmelreichs" (→ 748, 22 f), nicht als Pförtner, sondern als Engelfürst.

Übergabe der Schlüssel ist demnach Einsetzung zum Bevollmächtigten. Der Schlüsselinhaber besitzt einerseits Verfügungsgewalt (zB über Vorrats- und Schatzkammern, vgl Mt 13, 52), anderseits hat er die Vollmacht,
10 den Zutritt zu erlauben und zu verwehren (vgl Apk 3, 7).

c. Einen Schritt weiter führt Mt 23, 13. Diese Stelle ist für das Verständnis von Mt 16, 19 deshalb bes wichtig, weil sie die einzige im NT ist, die das sonst nicht belegte Bild der „Schlüssel der Königsherrschaft Gottes" voraussetzt (→ A 52). Mt 23, 13 läßt erkennen, daß die Schriftgelehrten der Zeit
15 Jesu den Anspruch erhoben, Schlüsselgewalt über die Königsherrschaft Gottes zu besitzen (→ noch A 42). Sie üben sie aus, indem sie den in der Schrift niedergelegten Gotteswillen predigend, lehrend und richtend verkündigen und dadurch der Gemeinde den Zugang zur Gottesherrschaft öffnen (→ 746, 25 ff), dh indem sie die geistliche Leitung der Gemeinde ausüben. Jesus wirft ihnen vor, daß sie
20 ihre Aufgabe nicht erfüllen und den Menschen den Zugang zur Gottesherrschaft verschließen, statt ihn zu öffnen. Als Herr der messianischen Heilsgemeinde überträgt er daher die Schlüssel der Königsherrschaft Gottes, dh die Vollmacht der Verkündigung, auf Petrus.

Mt 16, 19 hat also einen polemischen Beiklang. Von dieser Beobachtung aus
25 erklärt sich das zunächst überraschende Ergebnis, daß eine in der Gegenwart ausgeübte Funktion des Petrus „als Schlüsselgewalt über die Königsherrschaft Gottes" bezeichnet wird: Jesus knüpft offenbar an eine feste Wendung an[70].

d. Schließlich ist daran zu erinnern, daß die drei Verse Mt 16, 17—19 so aufgebaut sind, daß jeweils ein Thema durch einen antithetischen Parallelismus
30 erläutert wird. v 19 a wird also durch 19 b c erläutert und zwar in einem neuen Bild: die Schlüsselgewalt besteht in der Vollmacht zu binden und zu lösen.

In sprachlicher Hinsicht ist zu Mt 16, 19 b c (ὃ ἐὰν δήσῃς ἐπὶ τῆς γῆς ἔσται δεδεμένον ἐν τοῖς οὐρανοῖς, καὶ ὃ ἐὰν λύσῃς ἐπὶ τῆς γῆς ἔσται λελυμένον ἐν τοῖς οὐρανοῖς) zu beachten: 1. daß eine doppelte Umschreibung des Gottesnamens — durch das Passiv
35 und durch schemajjā[71] — vorliegt und 2. daß jehē 'asīr und jehē scherē Futura exacta sind. Es ist also zu übersetzen: „Was du auf Erden bindest, wird Gott (beim jüngsten Gericht) als gebunden anerkennen, und was du auf Erden lösest, wird Gott (beim jüngsten Gericht) als gelöst anerkennen."

In der rabb Lit wird das „Binden" und „Lösen" fast ausschließlich auf die halakhi-
40 schen Lehrentscheidungen bezogen (→ II 60, 5 ff): der Schriftgelehrte bindet (erklärt für verboten) und löst (erklärt für erlaubt). Aber diese in dem juristischen Charakter

---

[65] bTaan 2 b.
[66] Tanch וירא 35 (ed SBuber p 106).
[67] Pesikt 5 (ed SBuber [1868] 53 b) u Par.
[68] bSchab 31 a b.
[69] s Bar 10, 18; Paral Jerem 4, 3 f; AbRNat 4 (Str-B I 737; Par 33. 151).
[70] Es darf also nicht der Schluß gezogen werden, daß Mt 16, 18 f ἐκκλησία und βασιλεία τῶν οὐρανῶν gleichgesetzt seien (gegen HJ Holtzmann, Handkomm z NT, Die Synopt³ [1901] 259; Wellh Mt 85; Meyer Ursprung I 112 A 1; Kl Mt zSt; auch Jeremias [→ Lit-A]

72 f ist hier zu berichten), → 525, 24 ff. Richtig ist jedoch, daß Mt 16, 18 f den engen Zusammenhang zwischen ἐκκλησία und βασιλεία τῶν οὐρανῶν erkennen läßt, der darauf beruht, daß die ἐκκλησία die Vorstufe der βασιλεία ist (Bultmann Trad 147 A 1), weil ihre Glieder die Verheißung haben, daß sie, wenn sie bis ans Ende beharren (Mk 13, 13), teilhaben sollen an Gottes Königsherrschaft (HWindisch, ZNW 27 [1928] 186).
[71] Vgl Str-B I 741.

der rabb Lit begründete spezielle Anwendung des Gegensatzpaares darf nicht dazu führen, daß man übersieht, daß es ursprünglich [72] von der Vollmacht des Richters gebraucht wird: gefangen nehmen und freilassen [73]; den Bann verhängen und aufheben [74]; dann übertragen: das Gottesgericht vollstrecken und (durch Fürbitte) aufheben [75]. Daß die Einengung auf die Lehrgewalt den Sinn von Mt 16, 19 schwerlich trifft, zeigt schon das Verständnis des Bindens und Lösens in der ältesten Christenheit → 752, 1 ff; stärker noch fallen gegen die einengende Deutung ins Gewicht die Nachrichten über die Vollmacht, die Jesus seinen Bevollmächtigten sonst übergibt, zB Mt 10, 13 ff: **sie bringen denen, die sie aufnehmen, den Frieden und hinterlassen denen, die sie abweisen, das Gottesgericht.**

So wird auch Mt 16, 19 die Vollmacht zu binden und zu lösen als **richterliche** zu fassen sein [76]: als die Vollmacht, über die Ungläubigen **das Gericht zu verhängen** und den Glaubenden **die Vergebung zuzusprechen.**

Zusammenfassend ist zu sagen: die Schlüsselgewalt ist die Vollmacht der Verwaltung des Gerichts- und Gnadenwortes.

2. Die Ausdehnung der Binde- und Lösegewalt auf die Apostel.

Sicher wird Mt 18, 18 auf Mt 16, 19 Bezug genommen, wahrscheinlich auch in dem analog aufgebauten [77] antithetischen Doppelspruch J 20, 23. Die beiden Stellen zeigen, daß man im apostolischen Zeitalter die Vollmacht des Bindens und Lösens nicht als ein Sondervorrecht des Petrus betrachtet hat [78]. Vielmehr ist sie J 20, 23 auf die elf Apostel ausgedehnt. Schwieriger ist zu sagen, wer Mt 18, 18 im jetzigen Zshg als Träger der Binde- und Lösegewalt gedacht ist.

Der unmittelbar vorhergehende v 17 scheint die Annahme zu empfehlen, daß die Gemeinde als Trägerin der Binde- und Lösegewalt gedacht sei. Doch ist das schwerlich die Meinung des Evangelisten. Denn 1. läßt er die ganze Rede Mt 18 an die μαθηταί gerichtet sein (18, 1), unter denen er im allgemeinen die Zwölf versteht [79]; 2. gibt er Mt 18, 12 ff Weisungen Jesu für die μαθηταί in ihrer Eigenschaft als Hirten der Herde Jesu, u v 15—18 scheint als direkte Fortsetzung dazu gedacht zu sein: neben der nachgehenden Liebe gehört auch die Übung der Zucht zum Amt der Leitung. Es kommt hinzu 3., daß Tt 3, 10 (wo ein analoges Zuchtverfahren wie Mt 18, 15—17 vorgeschrieben wird → 752, 9 ff) es der bevollmächtigte Vertreter des Apostels ist — nicht die Gemeinde —, der den Ausschluß vollzieht.

Danach dürfte anzunehmen sein, daß auch Mt 18, 18 — wie J 20, 23 — die Apostel als die Inhaber der Binde- und Lösegewalt gedacht sind.

---

[72] Schl Mt 511.
[73] Belege bei Schl Mt 510 f.
[74] bMQ 16 a u dazu aus späterer Zeit Tosafoth z Men 34 b (Str-B I 739).
[75] Dt r 2 z 3, 23 („Auch flehte ich zu jener Zeit zu Jahwe"): „Womit läßt sich das vergleichen? Mit einem Eparchos, der in seinem Regierungsbezirk war und über den König (hinweg) Anordnungen traf, die dieser ausführte (dh: anerkannte). Er ließ los פּוֹדֶה, wen er wollte, und er fesselte חוֹבֵשׁ, wen er wollte. . . . So auch Mose. Solange er in seinem Regierungsbezirk war, fesselte er, wen er wollte, denn es steht geschrieben (Nu 16, 33): ,Sie (Korah und seine Anhänger) fuhren mit allem, was sie besaßen, lebendig hinab.' Und er löste, wen er wollte, denn es steht geschrieben (Dt 33, 6): ,Ruben möge leben und nicht sterben.' " (Auf diese Stelle

verwies Schl Mt 511.) — Vgl noch Damask 13, 9 f (vom Lagerleiter → II 614, 45 f): „Und er soll sich über sie erbarmen wie ein Vater über seine Kinder. Und er soll . . . . allen ihren . . . . Verschuldungen. Wie ein Hirt seiner Herde soll er (ihnen) alle Bande ihrer **Fesselung lösen.**"
[76] → II 60, 13 ff, wo jedoch die Deutung der Binde- und Lösegewalt auf den Bann zu eng ist.
[77] Nur mit Umstellung. Mt stellt die Bindegewalt voran (δεῖν—λύειν), J die Vergebungsvollmacht (ἀφιέναι—κρατεῖν).
[78] Es ist kaum von sachlicher Bedeutung, daß nur von der Übertragung der Binde- und Lösegewalt (nicht der Schlüsselgewalt) auf den weiteren Kreis geredet wird.
[79] Bultmann Trad 369. 381.

3. Die Übung der Bindegewalt in der ältesten Christenheit.

Nach dem jetzigen Zusammenhang von Mt 18, 18 ist die Bindegewalt in den palästinisch-syrischen Gemeinden als die Vollmacht, aus der
5 Gemeinde auszuschließen, verstanden worden. Dem Ausschluß ging ein Zuchtverfahren in drei Instanzen voraus, für das die Synagoge keine genaue Analogie besitzt[80]: Zurechtweisung (→ II 471, 16 ff) unter vier Augen, in Zeugengegenwart und vor der Gemeinde; erst, wenn auch die öffentliche Zurechtweisung vergeblich war, erfolgte der Ausschluß (Mt 18, 15—17). Ein ver-
10 wandtes Verfahren wird Tt 3, 10 vorgeschrieben: „Einen Häretiker stoße (→ παραιτέομαι I 195, 14 ff) nach einer ersten und zweiten Verwarnung aus"[81], wobei die Ausstoßung nach Mt 18, 17 als in einer Gemeindeversammlung erfolgend zu denken sein wird. Dieses Verfahren sollte nicht nur überstürzten Entscheidungen einen Riegel vorschieben, sondern vor allem die Gewähr dafür
15 bieten, daß kein Mittel unversucht geblieben sei, um den verirrten Bruder auf den rechten Weg zu bringen[82].

Der Ausschluß selbst hat sich in den verschiedensten Formen vollzogen: Aufsagen der Gemeinschaft unter Verwünschung (Ag 8, 20 f), unter Verfluchung (Gl 1, 8—9; 1 K 16, 22)[83], unter Übergabe an den Satan (1 K 5, 3—5; 1 Tm 1, 20 → II 172, 13 ff).
20 Er fand statt, wenn schwere sittliche Verfehlungen vorlagen (1 K 5, 1 ff; Mt 18, 15; Ag 8, 18 ff) oder wenn das Evangelium verfälscht wurde (Gl 1, 8—9; Tt 3, 9 f)[84].

J 20, 23b scheint bei der Bindegewalt („wenn ihr irgendwelchen [die Sünden] zurückhaltet[85], hat Gott[86] sie [ihnen] zurückgehalten [sc: fürs jüngste Gericht]")
25 — man vergleiche die Worte des Auferstandenen Lk 24, 47 und im unechten Mk-Schluß 16, 16 b — an die Ankündigung des Gerichtes an die ungläubige Welt gedacht zu sein.

4. Die Lösegewalt.

Die Lösegewalt ist Mt 18, 18 (im jetzigen Zshg) als
30 Vollmacht des Zuspruchs der Vergebung verstanden. Dasselbe Verständnis liegt vor in dem (vorjoh Tradition entstammenden)[87] Wort des Auferstandenen

---

[80] Str-B I 787.
[81] Man beachte, daß Titus als der bevollmächtigte Vertreter des Apostels das entscheidende Wort spricht.
[82] Es ist wichtig, daß gerade die Past, die so energisch wie keine andere Schrift des NT die Übung der Lehrzucht (in Gestalt von Zurechtweisung, Lehrverbot und notfalls Ausschlußverfahren) einschärfen, 2 Tm 2, 24—26 betonen, daß ein rechter Knecht des Herrn nichts unversucht lassen darf, um durch Liebe und Geduld dazu zu helfen, daß Gott die Verirrten aus der Schlinge des Satans befreie und zur Buße führe.
[83] Daß der Sinn des Anathema der Ausschluß aus der Gemeinschaft und der Gemeinde ist, betont mit Recht Schl K 459 f. — Etwas anders KBornhäuser, Die Reformation 26 (1932) 82 f, der das Anathema auf die Verhängung des verschärften Bannes deutet (über diesen Str-B IV 327—329); mit dem

verschärften Bann war der Ausschluß aus der Synagoge nicht verbunden (Str-B IV 330).
[84] Vom Ausschluß aus der Gemeinde ist das Versagen des Verkehrs (μὴ συναναμίγνυσθαι 2 Th 3, 14; 1 K 5, 9. 11), insbesondere der Tischgemeinschaft (1 K 5, 11), zu unterscheiden. Dieses Zuchtmittel wurde von der Gemeinde verhängt und zwar über unbotmäßige Gemeindeglieder (2 Th 3, 14) oder solche, die einen unsauberen Lebenswandel führten (1 K 5, 9—13). Es bedeutete nicht den völligen Bruch, sondern den Versuch, die Schuldigen auf brüderliche Weise (2 Th 3, 15) wieder auf die rechte Bahn zu bringen.
[85] κρατεῖν τὰς ἁμαρτίας ist Semitismus. Belege bei Str-B II 585 f.
[86] Es liegt Umschreibung des Gottesnamens durch das Passiv vor.
[87] J 20, 23 ist die einzige Stelle im 4. Ev, die von ἀφιέναι τὰς ἁμαρτίας redet.

J 20, 23 a: ἄν τινων ἀφῆτε τὰς ἁμαρτίας, ἀφίονται[88] αὐτοῖς („wenn ihr irgendwelchen die Sünden vergebt, wird[89] Gott[90] sie ihnen vergeben", dh wird Gott die zugesprochene Vergebung beim jüngsten Gericht bestätigen). Die entsprechenden Worte des Auferstandenen bei Mt (28, 16 ff), Lk (24, 47) und im unechten Mk-Schluß (16, 16 a) machen es wahrscheinlich, daß J 20, 23 a in erster Linie an 5 die bei der Taufe übermittelte Vergebung gedacht ist. Von Wichtigkeit ist, daß die Vollmacht zur Vergebung nach J 20, 22 auf dem Empfang des Geistes beruht und zwar (da Joh zwischen der zu Ostern erfolgten Geistmitteilung an die Apostel [20, 22] und der zu Pfingsten erfolgten an die Menge der Gläubigen [7, 39] unterscheidet) auf dem Empfang des den Aposteln bei der Sendung (20, 21) 10 verliehenen und sie für ihren Auftrag ausrüstenden Geistes[91]. Durch den Geist, den er seinen bevollmächtigten Boten schenkt, wirkt Christus unmittelbar als der Vergebende.

JoachJeremias

---

† κλέπτω, † κλέπτης 15

κλέπτω: a. *stehlen, heimlich und listig entwenden und sich aneignen*: Hom Il 5, 268; 24, 24. An beiden Stellen noch κλέπτειν ohne tadelnden Sinn, ja sogar anerkennend wegen der dabei zu beweisenden Schlauheit und Geschicklichkeit; daher stehlen ebenso Götter wie Halbgötter und Helden (Epictet [Diss III 7, 13] folgert noch aus epikureischer Moral, daß Stehlen für solche Philosophie erlaubt sein müßte, wenn 20 es nur κομψῶς καὶ περιεσταλμένως „listig und geheim" geschehe). Späterhin wird es als widerrechtliches Handeln verurteilt wie Rauben, Morden und andere schwere Verbrechen. Dabei drückt κλέπτω das heimliche und listige Vorgehen aus gegenüber ἁρπάζω, das durch Gewalttätigkeit (βίᾳ) gekennzeichnet ist Soph Phil 644; Aristoph Pl 372; Xenoph Oec 20, 15 (κλέπτων ἢ ἁρπάζων ἢ προσαιτῶν διανοεῖται βιοτεύειν). Das 25 Objekt können Wertsachen sein Aesch Prom 8 (τὸ πῦρ); Eur Rhes 502 (ἄγαλμα); Hdt V 84; Xenoph An VII 6, 41 (χρήματα; hier = unterschlagen), Tiere POxy I 139, 19 oder Menschen; dann ist es am besten mit „entführen" wiederzugeben: Pind Pyth 4, 445 (Μήδειαν). Als Objekt kommen noch in Frage: Orte Xenoph An IV 6, 11 (= mit List, unbemerkt einnehmen) oder Zustände Aristot Rhetorica ad 30 Alexandrum 36 p 1440 b 21 (= sich erschleichend verschaffen). — b. allgemeiner bedeutet es dann: *betrügen, hintergehen*, (durch Schmeichelei) *betören*: Hom Il 1, 132 (νόῳ); Hes Theog 613; Aesch Choeph 854 (οὗτοι φρέν' ἂν κλέψειεν ...); Soph Ant 681; 1218; Aeschin Or 3, 35 (κλέπτοντες τὴν ἀκρόασιν = das Ohr bestechen); Sext Emp Math ed Bekker 39 (τὰς τῶν θαυμένων ὄψεις von Taschenspielern). — c. *heimlich halten, auf- 35 heben, verhehlen, verstecken*: Pind Olymp 6, 60 (θεοῖο γόνον); Aeschin Or 3, 142 (τοῖς ὀνόμασιν κλέπτων καὶ μεταφέρων τὰ πράγματα). — d. *etwas heimlich, verstohlen tun*: Soph Ai 189 (ὑποβαλλόμενοι κλέπτουσι μύθους); Plato stellt dies heimliche Handeln dem βιάζεσθαι entgegen: Leg XI 933 e (κλέπτων ἢ βιαζόμενος); Resp III 413 b.

Dementsprechend ist κλέπτης: a. *der Dieb*: Aesch Prom 946 (τὸν πυρὸς κλέπτην); 40 Eur Iph Taur 1026; PGreci e Latini 393, 18 (3. Jhdt n Chr); Plat Resp I 344 b, wobei das ἀδικεῖν betont ist; 351 c auch mit λῃσταί zusammen; Epict Diss I 9, 15. — b. *der hinterlistig, heimlich Handelnde* Soph Ai 1135: κλέπτης γὰρ αὐτοῦ ψηφοποιὸς ηὑρέθης du wirst erfunden als einer, der heimlich die sonst auf ihn fallenden Stimmen stahl (= ein trügerischer Richter). 45

In Septuaginta ist κλέπτειν eine der Hauptsünden neben Totschlagen, Ehebrechen, Falsch-Zeugnis-Ablegen Jer 7, 9. Darum gilt unbedingt das Gebot οὐ κλέψεις Ex 20, 14; Dt 5, 19; vgl Lv 19, 11 (hier Plur); Js 1, 23; vgl Philo Decal 135; 138; 171. Das gestohlene Gut können Wertsachen wie Silber oder Gold Gn 44, 5. 8; Ex 22, 6 f;

---

[88] So B, ἀφίενται ℜ Θ pm. Das Perf ἀφέωνται (ADal) wird Angleichung an κεκράτηνται (J 20, 23 b) sein.

[89] Zur futurischen Bdtg des Präsens an unserer Stelle vgl PJoüon, L'Évangile de Notre-

Seigneur Jésus-Christ (Verbum Salutis V) (1930) 593.

[90] → A 86.

[91] „Die Ordination der Jünger" JWellhausen, Das Ev Johannis (1908) 94.

Tiere Gn 30, 33; Ex 21, 37; vgl Philo Spec Leg IV 12; Menschen Gn 40, 15;
Ex 21, 17; Dt 24, 7 uo; vgl Philo Spec Leg IV 13; Gott geweihtes Banngut
Jos 7, 11; Gottesbilder Gn 31, 19. 30. 32 oder echte Gottesworte (durch falsche Propheten gestohlen) Jer 23, 30 sein. κλέπτειν ist Frevel, der entsprechende Strafe findet
5   Ex 22, 2 (21, 37) ff; Dt 24, 7; vgl Sir 5, 14; 20, 25; Sach 5, 3 f[1], Sünde gegen Gott
Ex 20, 14; Dt 5, 19. Auch wo es aus Not und Armut geschieht, bedeutet es Gott
verunehren Prv 30, 9 (24, 32); vgl 6, 30. Philo Leg All III 32 f nennt Diebstahl
auch, wenn jemand dem Menschengeist etwas zuschreibt, was Gottes Werk ist. Weiterhin rechnet er auch gewalttätige Tyrannen unter die Diebe Decal 136. — Tob 1, 18
10   bedeutet κλέπτειν *heimlich etwas tun.* — Während in LXX wie sonst κλέπτων oder
κλέψας auf einen konkreten Fall des Diebstahls oder die Handlung des Stehlens geht
Prv 6, 30; Ex 22, 7 (8); vgl Plat Leg XI 933 e; Xenoph Oec 20, 15; Eur Rhes 502,
steht sonst κλέπτης zur Kennzeichnung dieser Gattung Menschen Dt 24, 7; Hi 24, 14;
Hos 7, 1; Jl 2, 9 uo. Nie wird Gottes Handeln in Vergleich mit Diebesgebaren
15   gestellt. Nur einmal Ob 1, 5 steht κλέπτης zwar nicht als Gleichnis, aber in einem
Vergleich, der besagt, daß Jahwes Vernichtungsgericht alles noch gründlicher beseitigt,
als wenn Diebe gehaust hätten. Jl 2, 9 werden die als Strafe einfallenden Heuschreckenschwärme mit Dieben verglichen, die durch Fenster einsteigen. Das Treiben
der Diebe ist durch folgende Momente gekennzeichnet: Ausnutzen der Nacht Hi 24, 14;
20   Ιερ 30, 3 (49, 9); Philo Spec Leg IV 10; gewaltsames Eindringen Hi 24, 16; Benutzen
unerlaubter Eingänge (Fenster) Jl 2, 9; vgl Hos 7, 1; rücksichtslose Selbstsucht Ιερ 30, 3
(49, 9). Wesentlich ist also Heimlichkeit (vgl Philo Spec Leg I 127) und Gewalttätigkeit.

Das Neue Testament weiß um das neue Sein des Christen im Geist, das
in der Liebe sich auswirkt. Dies neue Wesen umfaßt den ganzen Menschen
25 mit seinem ganzen Sollen und Können, wie mit den alltäglichen Pflichten und
selbstverständlichsten sittlichen Forderungen. So ist in der Liebe die Zusammenfassung und Erfüllung aller Gebote gegeben. Bei diesem unbedingten Ernstmachen mit den Forderungen des Dekalogs ist auch die Gültigkeit des οὐ κλέψεις als Wille Gottes gesetzt[2] Mk 10, 19; Mt 19, 18; Lk 18, 20; R 13, 9;
30 vgl R 2, 21. Was die Verkündigung des Gesetzes nicht vermocht hat, die un-
ehrliche Begehrlichkeit zu überwinden, das soll jetzt für den Gläubigen aus
seinem Geistbesitz heraus selbstverständlich sein. Darum soll der Dieb künftig
nicht nur nicht mehr stehlen, sondern durch eigener Hände Arbeit sich in die
Lage bringen, den Bedürftigen geben und helfen zu können Eph 4, 28. So ist
35 κλέπτειν verurteilt als selbstsüchtiges, liebloses Sprengen der Gemeinschaft und
soll durch Arbeit und Dienst in der neuen Liebesgesinnung ersetzt werden[3].
Den κλέπτης als Verräter an der Gemeinschaft kennzeichnet auch J 12, 6. Darum nennt ihn 1 Pt 4, 15 neben Mördern, Hehlern und Verbrechern, und ähnlich ist es 1 K 6, 10. In Mt 27, 64 fürchten die Juden, daß ein κλέπτειν des
40 Leichnams Jesu durch seine Jünger möglich sei, und behaupten 28, 13 dies dann
auch als Tatsache.

Oft wird im NT κλέπτης (κλέπτειν) im Gleichnis oder in gleichnisartigen Redewendungen für das Hereinbrechen der. messianischen Zeit gebraucht.

κλέπτω κτλ. [1] Vgl AJirku, Das weltliche
Recht im AT (1927); HSchmökel, Das angewandte Recht im AT (Diss Breslau 1930).
Am schwersten, dh mit dem Tode wird natürlich bestraft, wer einen Volksgenossen ent-
führt Dt 24, 7, und wer Diebstahl an Gott geweihtem Gut begeht Jos 7, 1. 25.
[2] → II 544 ff; HPreisker, Geist und Leben,
Das Telos-Ethos des Urchristentums (1933)
51 ff.
[3] Lv r 3 z 2, 1; Midr Qoh z 4, 6: „Bes-

ser ist der, welcher hingeht und arbeitet und
Almosen von dem Seinigen gibt, als der, welcher hingeht und raubt und erpreßt und Almosen von dem gibt, was andern gehört."
Anders Eph 4, 28; da werden nicht zwei
Menschen miteinander verglichen, einer der
vom ehrlich Erworbenen und einer, der von
Diebesgut Almosen gibt, sondern selbst vom
einstigen Dieb wird die große Wandlung verlangt, die aus dem zersetzenden ein positiv
nützliches Glied der Gemeinschaft macht.

Wie der Hausherr durch sein Wachen das Einbrechen des Diebes verhindert, so sollen die Jünger durch Wachen auf das Kommen des Herrn sich rüsten Mt 24, 43 = Lk 12, 39. Der einzige Vergleichspunkt in diesem „reinen Gleichnis" ist das Plötzliche, Unvermutete, das dem Kommen des Messias wie dem des Diebes gemeinsam ist. Neben dem Moment des Unerwarteten, Heimlichen 5 wird hier das Auftreten des Diebes auch noch durch das Gewaltsame (διορύσσω)[4] charakterisiert wie auch Mt 6, 19 f par bei der Warnung vor irdischen Schätzen, die den Dieben zu leicht anheimfallen können. Mit demselben Vergleich gibt 1 Th 5, 2—4 Paulus seiner Gemeinde auf die Frage nach dem Zeitpunkt des „Tages des Herrn" in Anlehnung an das vorhin besprochene Jesuswort die 10 Antwort, daß der Tag des Messias kommt wie ein Dieb zu ganz unvermuteter Stunde. Wenn davon auch die Ungläubigen plötzlich wie von einem Dieb überrascht werden, so darf es bei den Gemeindegliedern nicht so sein. Denn einmal wissen sie um den bevorstehenden Einbruch des messianischen Tages, zum andern leben sie doch schon jetzt im hellen Lichtglanz der neuen Heilszeit, 15 gleichen also nicht Leuten in unsicherer Nachtzeit. So können sie von der Parusie nicht unvermutet überfallen werden[5]. Das Unerwartet-Überraschende am Tag des Herrn wird im gleichen Bild 2 Pt 3, 10 veranschaulicht. Allegorisierend ist das Gleichnis auf den „Herrn" selbst gewandt Apk 3, 3; 16, 15[6]: der Herr kommt unerwartet wie ein Dieb in der Nacht, was die Gemeinde zur 20 Wachsamkeit aufrütteln soll[7].

Bei Johannes werden in der Bilderrede vom guten Hirten 10, 8. 10 alle die, die vor Jesus Herrschaftsanspruch an die Gemeinden stellten — ist an Herodianer, Rabbinen, Parteihäupter[8] gedacht, oder ist an äth Hen 89 ff angeknüpft? —, die mit Selbstsucht auftraten und zerstörend wirkten, an dem 25 Beispiel des Diebes verurteilt. Dementsprechend dürfen die Gemeinden nur von solchen Hirten gelenkt werden, die vom κύριος Dienst und Vollmacht haben; alle andern werden in ihrem eigenwilligen Machtstreben „Dieben und Räubern" gleichgestellt (10, 1)[9]. Hier ist der Gedanke der selbstsüchtigen Gewaltsamkeit der Vergleichspunkt. 30

Die häufige Verwendung des Diebesgleichnisses für die Plötzlichkeit des Kommens des messianischen Tages oder des Messias oder gegen eine falsche Auffassung des Hirtenamtes in der Gemeinde zeigt a., daß es für die Gleichnis-

---

[4] διορύσσω wie Hi 24, 16: חָתַר‎; מַחְתֶּרֶת‎ Ex 22, 1.

[5] So ist der Gedankengang der gleichnisartigen Rede einheitlich. Die von A B bo gebotene Lesart ὡς κλέπτας biegt in den völlig abseits liegenden Gedanken ein: wie den vom Tageslicht überraschten Dieben geht es denen, die noch ungläubig gleichsam auf der Nachtseite des Lebens stehen; der Tag des Herrn überrascht sie wie das Tageslicht die Diebe (GFoerster ZNW 17 [1916] 169 ff). Aber die entscheidenden Gedanken haben es nicht mit den Ungläubigen zu tun, sondern mit den Christusgläubigen; daher kann in v 4 nur die Lesart ὡς κλέπτης (א DFG) gelten. Sonst würde auch „die Harmonie mit v 2 gänzlich zerstört" (ASteinmann, Th-Briefe[2] [1921]).

Dib Th zSt weist noch auf die Geschichte des Bildes hin, die für obige Auslegung spricht.

[6] 16, 15 ist nach 3, 3 a einzuordnen Loh Apk zSt.

[7] In 3, 3 ist das ἐπὶ σέ (א ℜ vg[cl]) nicht zu lesen. Daher liegt auch der Gedanke der vernichtenden Gewalt nicht im Gleichnis. — In 16, 15 ist das Bild vom „nackend Wandeln" ein so fester technischer Ausdruck und gleichbedeutend mit „im Gericht verurteilt werden", daß daraus unmöglich, wie Foerster aaO will, die Folgerung auf den Gedanken des Gewaltsamen in diesem Bilde zu ziehen ist.

[8] Schl J zSt.

[9] Vgl Ep Jer 57: κλεπτῶν . . . λῃστῶν; 1 Esr 4, 23: λῃστεύειν καὶ κλέπτειν; 1 Esr 4, 24: κλέπτειν καὶ ἁρπάζειν.

48*

rede auf die sonstige sittliche Art des Vergleichsgegenstandes nicht ankommt, sondern immer nur ein Vergleichspunkt entscheidend ist; sie zeigt *b.* die Größe, Überlegenheit und Freiheit im urchristlichen Glauben an den κύριος, die auch solche Vergleiche nicht zu scheuen braucht im Gegensatz zur Ängstlichkeit und Un-
5 sicherheit jüdischen Glaubens, der für den Gedanken an das unvermutete Herein-brechen des „Tages Jahwes" dies Bild nicht zu verwenden wagt, sondern an-dere Vergleiche anwendet[10]. Auch an solchen Kleinigkeiten spürt man die „Freiheit der Kinder Gottes" mit dem kühnen Standpunkt: „alles gehört euch" (1 K 3, 21).

10   *Preisker*

---

† κλῆμα [1]

Reis, junger Zweig, der abgebrochen wird, um verpflanzt zu werden, *Setzling* Xenoph Oec 19, 8: ὁ βλαστὸς τοῦ κλήματος (vgl 9), überhaupt *Zweig* Aristot Hist An V 18 p 550 b 8 f; Ez 15, 2; 17, 23; Mal 3, 19; Jl 1, 7, namentlich *Ranke des*
15 *Weinstocks, Rebe* zB Plat Resp I 353 a: ἀμπέλου κλῆμα, Theophr Historia Plantarum 2, 5, 5; Ders, De Causis Plantarum 3, 14, 6; Nu 13. 23; ᾿Ιερ 31, 32; Ez 17, 6 f; 19, 11; ψ 79, 12; Polyb 29, 27, 5; Jos Ant 2, 64. 67; ebd 12, 75; PFlor 148, 9: συλλέξατε δὲ κλήματα Θηβαϊκὰ καὶ λευκά (vgl 14)[2]; J 15, 2. 4. 5. 6[3], s noch Poll Onom 1, 237: ἰδίως δὲ καλεῖται ὁ τῆς ἀμπέλου (sc: κλάδος) κλῆμα. Übertr Aeschin 3, 166: ἀμπελουργοῦσί
20 τινες τὴν πόλιν, . . . τὰ κλήματα τὰ τοῦ δήμου ὑποτέτμηται.

κλῆμα in LXX entsprechen in Mas זְמוֹרָה Nu 13, 23; Ez 15, 2, דָּלִית Ez 17, 6 f. 23; 19, 11, קָצִיר Ps 80, 12, שָׂרִיג Jl 1, 7, עָנָף Mal 3, 19, נְטִישָׁה Jer 48, 32. Diese hbr Vo-kabeln bedeuten ebenfalls Zweig oder Ranke und sind von LXX an den wenigen Stellen, wo sie überhaupt vorkommen, ziemlich einheitlich mit κλῆμα übersetzt. Nur
25 bei עָנָף (עֲנָף, עָנָף) ist größere Verschiedenheit der Wiedergabe, die sich aber zT durch das Nebeneinander synonymer Vokabeln erklärt. κλάδος steht neben κλῆμα namentlich für דָּלִית. κλῆμα steht auch im AT meist im Sinn von Weinranke, Weinrebe und zwar im Zshg des Bildes vom Weinstock, so mit Bezug auf das Volk Israel Jl 1, 7; Nah 2, 3; Ez 17, 6 ff, von fremden Völkern Mal 3, 19[4].

30   J 15, 1 ff (→ I 345, 34 ff) dient die Lebensbeziehung, die in der Natur zwi-schen Weinstock und Reben besteht, als Anschauungsbild für die durch Jesus bestimmte lebendige innere Verbundenheit seiner Jünger mit ihm. Wie Reben, wenn sie ihren Daseinszweck, Frucht zu tragen, erfüllen sollen, an dem Stock bleiben müssen, der ihnen den Saft zuführt, so ist für die Jünger das Bleiben
35 in der Gemeinschaft mit Jesus, der ihnen die Lebenskraft gibt, unbedingtes Erfordernis für die Lebensleistung, die ihnen aufgegeben ist (v 4 f). Und wie Reben, je nach ihrem Ertrag, vom Winzer gereinigt oder fortgenommen wer-

---

[10] bSanh 97 a: Wenn RZeʿira (um 300) die Rabb damit (= Frage nach dem Kommen des Messias) beschäftigt fand, sprach er zu ihnen: ich bitte euch, schiebt es nicht hinaus in die Ferne; denn ich habe gelernt: drei kommen unerwartet, nämlich der Messias, ein Fund und ein Skorpion.

κλῆμα. Liddell-Scott, Cr-Kö, Pr-Bauer[3] sv; Zn J, Bau J und FBüchsel, Das Ev nach Joh (NT Deutsch 4[3] [1937]) z J 15, 1 ff.

[1] Wie κλάδος (Mk 4, 32 par; Mt 21, 8; Mk 13. 28 par usw) abzuleiten von κλάω (→ 727, 8 ff), s Walde-Pok I 437.
[2] Dazu MSchnebel, Die Landwirtschaft im hellenistischen Ägypten I, Münchener Bei-träge zur Papyrusforschung usw 7 (1925) 248.
[3] Auch in dem durch Papias bezeugten Agraphon von der wunderbaren Fruchtbarkeit der Weinstöcke im Reiche Gottes (lateinisch erhalten bei Iren Haer V 33, 3 f) wird von κλήματα die Rede gewesen sein (lat: palmites).
[4] Z 21—29 von Bertram.

den[5], so unterstehen die Jünger, je nachdem sie die Lebendigkeit ihrer Gemeinschaft mit Jesus dartun (s v 12 f), der ernsten Zucht oder dem vernichtenden Gericht Gottes, der über allem waltet (v 2. 6). Die Ausdeutung des organischen Zusammenhanges zwischen Weinstock und Reben, der als engste gliedhafte Verbundenheit dieser mit jenem verstanden wird, ist in der Weinstock-Allegorie des Johannesevangeliums neu und eigentümlich gegenüber ihren mannigfachen orientalischen Parallelen (→ I 346, 9 ff).

Behm

κλῆρος, κληρόω, προσκληρόω, ὁλόκληρος, ὁλοκληρία, κληρονόμος, συγκληρονόμος, κληρονομέω, κατακληρονομέω, κληρονομία

---

† *κλῆρος*

1. Der griechische Sprachgebrauch.

κλῆρος, mit der Grundbedeutung *das Los*, entfaltet sich schon in homerischer Zeit in die beiden Hauptbedeutungsgruppen das Los (zum Losen) und das (Land-)Los. Diese Doppelheit der Bedeutungen, die sich auch im Deutschen und im Hebräischen zeigt, hängt wohl mit alter gemeinwirtschaftlicher Siedlungsweise zusammen.

Des Näheren bezeichnet κλῆρος[1] einerseits *das Los, mit dem gelost wird*[2] (κλήρῳ λαγχάνειν, Hdt III 83) und *die Tätigkeit des Losens* (Plut Cons ad Apoll 4 [II 102 e]: ἐν δημοκρατίᾳ κλῆρός ἐστι τῶν ἀρχῶν), anderseits *das durchs Los verteilte Stück Land*[3] (Hdt II 109: κλῆρον ἴσον ἑκάστῳ τετράγωνον διδόντα), dann überhaupt *das Stück Land, das Grundstück* (Ditt Syll[3] 169, 59 ff: κλῆρον ἐπρίατο). Das väterliche Grundstück spielt bei der Erbschaft eine Rolle; so bestimmt Plat Leg XI 923 d, daß der Vater dem in eine Kolonie gehenden Sohn mitgeben darf, was er will, πλὴν τοῦ πατρῴου κλήρου καὶ τῆς περὶ τὸν κλῆρον κατασκευῆς πάσης. Dann gewinnt κλῆρος auch geradezu die Bedeutung *das Erbe* (Demosth Or 43, 3: ἐπεδικάσατο τοῦ κλήρου, kam vor Gericht um die Erbschaft ein). Das Auslosen von Land führt ferner in den ägyptischen Papyri zur Bedeutung *Lehensland*[4], dh κλῆρος bezeichnet dort ein Stück Land, das rechtlich bis zum Beginn der römischen Zeit der Krone gehörte und Soldaten zur Bewirtschaftung überwiesen wurde. Zunächst war es nicht erblich, sondern konnte nur auf einen militärtauglichen Sohn übergeschrieben werden, später (ab 2. Jhdt v Chr) war es praktisch (nicht juristisch) erblich. Leicht erklärt sich dann die Erweiterung der Bedeutung zum *zugewiesenen Bezirk* (Ael Arist Or 43, 14 [Keil]: Zeus ἅμα δὲ τῇ ποιήσει ... διῄρει ... ἕκαστα καὶ κλήρους ἀπένεμεν, ποιῶν μὲν ζῷα τὰ πρέποντα ἑκάστοις τόποις τάς τε γιγνομένας οἰκήσεις τε καὶ λήξεις τοῖς γεννηθεῖσιν ἀποδιδούς, wo auch λῆξις zeigt, wie leicht der Übergang von „Los" zum „zugelosten Anteil" und von da zum „zugewie-

---

[5] Hierzu vgl GDalman, Arbeit u Sitte in Palästina IV (1935) 330 ff.

κλῆρος. Zur allgemeinen Orientierung als Neuestes: ThLenschau in Pauly-W XI (1922) 810—813 sv κλῆρος; VEhrenberg, ebd XIII (1927) 1451—1504 sv Losung; ferner Str-B II

596 f und die Komm, bes z Kol 1, 12 u 1 Pt 5, 3; Cr-Kö 603 f.
[1] Die folgenden sprachlichen Erläuterungen großenteils nach Liddell-Scott sv.
[2] Ehrenberg aaO, dort weitere Literatur.
[3] Lenschau aaO und Ehrenberg aaO.
[4] HKreller, Erbrechtliche Untersuchungen (1919) 6 ff.

senen Teil" überhaupt ist. Stets bleibt aber in der Profangräzität in
diesen Zusammenhängen die räumliche Vorstellung bei κλῆρος
gewahrt[5].

2. κλῆρος und sein Verhältnis zu κληρονομία in LXX.

In der LXX bezeichnet — als Übersetzung von גּוֹרָל — κλῆρος
das Los, zB Jon 1, 7: βάλωμεν κλήρους. Die Wendungen für Loswerfen sind: meist
βάλλειν, ferner ἐμβάλλειν (Jos 18, 10), ἐκφέρειν (Jos 18, 6. 8) und für die Losentscheidung: ἐξῆλθεν ὁ κλῆρος (Jos 18, 11) oder ἔπεσεν ὁ κλῆρος ἐπί τινα (Jon 1, 7). Im Besonderen ist das Werfen des Loses Sache des Siegers bei der Verteilung der Beute
(Jl 4, 3; Ob 1, 11; Na 3, 10; Sir 37, 8 und ψ 21, 19: διεμερίσαντο τὰ ἱμάτιά μου ἑαυτοῖς καὶ ἐπὶ τὸν ἱματισμόν μου ἔβαλον κλῆρον). κλῆρος bezeichnet auch das Los, mit dem
in Israel Gottes Wille walten gelassen wurde, sowohl bei der Verteilung des Landes
Kanaan[6] Nu 26, 52 ff; 33, 53 ff; Jos 18, 1 ff; Ez 47, 22; 48, 29 usw wie auch bei der
Verteilung von Dienstleistungen im Tempel: 1 Ch 25, 8 f; 26, 13 f; 2 'Εσδρ 20, 35 vgl
21, 1; ferner auch bei der Bestimmung der beiden Böcke, Lv 16, 8—10. Auch die
Schicksalsbestimmung durch Gott wurde gelegentlich unter dem Bild des Loswerfens
dargestellt: Js 34, 17; 'Εσθ 10, 3 g. h.

κλῆρος bezeichnet dann, wie gut griechisch, *das Ackerlos*, 1 'Εσδρ 4, 56: der König
πᾶσι τοῖς φρουροῦσι τὴν πόλιν, ἔγραψε δοῦναι αὐτοῖς κλήρους καὶ ὀψώνια, Nu 16, 14:
ἔδωκας ἡμῖν κλῆρον ἀγροῦ καὶ ἀμπελώνας.

κλῆρος begegnet 129 mal in der LXX, 62 mal steht es dabei für גּוֹרָל, 49 mal für נַחֲלָה
und 11 mal für Wörter des Stammes יָרַשׁ, zweimal für das mit גּוֹרָל gleichbedeutende
פּוּר, ebensooft für Ableitungen des Stammes חלק, und je einmal für חֶבֶל und קָרְבָּן.
Umgekehrt ist גּוֹרָל außer mit κλῆρος zweimal mit κληρονομία übersetzt (ψ 15, 5; Js
17, 14) und viermal in Jos mit ὅριον, wo es sich um das „Los", den Gebietsteil der
Stämme, handelt.

Zur Klärung des Begriffs κλῆρος in der LXX ist es notwendig, die Tatsache, daß
es für נַחֲלָה eintreten kann, und das Verhältnis von κλῆρος zu κληρονομία zu klären.
Von verschiedenen Ausgangsbedeutungen — κληρονομία bedeutet das Erbe — treffen
in der LXX κλῆρος und κληρονομία da zusammen, wo die Form, in der die Israeliten
das Land Kanaan in Besitz nahmen, und dies Land selbst als ihr spezieller von Gott
gegebener Besitz beschrieben wird. So Jos 17, 4: ὁ θεὸς ἐνετείλατο . . . δοῦναι
ἡμῖν κληρονομίαν ἐν μέσῳ τῶν ἀδελφῶν ἡμῶν. καὶ ἐδόθη αὐταῖς . . . κλῆρος ἐν τοῖς ἀδελφοῖς τοῦ πατρὸς αὐτῶν (beide Male נָתַן נַחֲלָה). So wechselt in einer Reihe sonst gleich-
lautender Wendungen κλῆρος mit κληρονομία: Das Land wird den Israeliten gegeben
werden ἐν κλήρῳ, Ex 6, 8 (מוֹרָשָׁה) und den Israeliten ist gesagt: ὑμῖν . . . δέδωκα τὴν
γῆν αὐτῶν ἐν κλήρῳ. καὶ κατακληρονομήσετε τὴν γῆν αὐτῶν ἐν κλήρῳ (Nu 33, 53 f), Jos
12, 6 aber heißt es: καὶ ἔδωκεν αὐτὴν Μωϋσῆ ἐν κληρονομίᾳ Ρουβην, vgl Dt 2, 9 mit
Jos 24, 4 A; Mal 1, 3. κληρονομεῖν κλῆρον heißt es Nu 18, 24; κληρονομεῖν κληρονομίαν
aber einen Vers vorher, in gleichem Zusammenhang[7]. κλῆρος wie κληρονομία bezeichnen dabei beide das konkrete Gebiet, das Israel, einem Stamm, einer Familie oder
einem Einzelnen gegeben ist: Josua wird begraben πρὸς τοῖς ὁρίοις τοῦ κλήρου αὐτοῦ,
Ιησ 24, 31 (MT [Jos 24, 30] נַחֲלָה) und die 3¹/₂ Stämme wollen nicht eher nach Hause
kehren, ἕως ἂν καταμερισθῶσιν οἱ υἱοὶ Ισραηλ ἕκαστος εἰς τὴν κληρονομίαν αὐτοῦ, Nu
32, 18. Der Herr ist der κλῆρος des Leviten, Dt 10, 9; 18, 2 ebenso wie ihre κληρονομία, Nu 18, 20; anderseits sind die καρπώματα κυρίου der κλῆρος der Leviten Dt 18, 1
oder ihre κληρονομία, Sir 45, 20. Eine stehende Redensart lautet Dt 18, 1: οὐ . . .
μερὶς οὐδὲ κλῆρος, dagegen Gn 31, 14; 3 Βασ 12, 16. 24 t und 2 Ch 10, 16 μερὶς καὶ κληρονομία, der HT hat stets חֵלֶק und נַחֲלָה. Es finden sich sogar Spuren, daß κληρονομία
auch ihm ursprünglich fremde Bedeutungen von κλῆρος angenommen hat (→ 776, 52 ff).
Darum ist es nicht leicht, zu erkennen, welche besonderen Vorstellungen Übersetzer
und Leser mit κλῆρος und κληρονομία in den genannten Zusammenhängen verbunden

---

[5] In ähnlich räumlicher Auffassung begegnet κλῆρος auch bei dem Astrologen Vett
Val, s Index bei Kroll. — Immerhin ist doch
bei Cornut, Theol Graec 15 (p 19, 3 ff Nock)
ein Überschreiten der räumlichen Bindung
festzustellen: die Chariten sollen nach einigen von Eurynome abstammen; das be-

weise ὅτι χαριστικώτεροί πώς εἰσιν ἢ ὀφείλουσιν εἶναι οἱ μεγάλους κλήρους νεμόμενοι.
[6] διὰ κλήρων Nu 26, 55; ἐκ τοῦ κλήρου Nu
26, 56; ἐν κλήρῳ Nu 33, 54; κατὰ κλήρους
Jos 14, 2; μετὰ κλήρου Nu 34, 13; κληρωτί
Jos 21, 8.
[7] Und wohl auch von demselben Übersetzer!

haben. Aber ein Umstand führt weiter: beide Wörter werden doch nicht ganz gleichbedeutend gebraucht: Es kann wohl gesagt werden, das ganze Land Kanaan ἔσται ὑμῖν εἰς κληρονομίαν, Nu 34, 2, eine solche Wendung mit κλῆρος aber sucht man vergebens; anderseits wird wohl von κλῆροι im Plur gesprochen, Nu 32, 19; 34, 14 f (HT נְחַלְתָּם Sing!); Hos 5, 7 (חֵלֶק); Jer 12, 13; Gn 48, 6; Jos 19, 1 B, aber nie von 5 κληρονομίαι im Plur. In diesen Zusammenhängen darf man an κλῆρος = Landlos denken, es bezeichnet κλῆρος dann also ein von Gott zugeteiltes Stück Land, während κληρονομία betont, daß dieses Teil als fester, bleibender „Erbbesitz" gegeben ist. So kann wohl Nu 36, 3 von einem κλῆρος τῆς κληρονομίας ἡμῶν geredet werden: der Erbbesitz besteht in einem κλῆρος, es ist ein „Erbbesitzteil", aber es findet sich nicht umge- 10 kehrt κληρονομία τοῦ κλήρου. Es begegnen wohl die Ausdrücke κλῆροι κατασχέσεως, Nu 35, 2 (Besitzteile der Stämme) und κατάσχεσις κληρονομίας, Nu 27, 7; vgl Ez 46, 16 (Erbbesitz), aber nicht κληρονομία κατασχέσεως („Besitzerbe" müßte man sagen). Schwieriger ist es zu sagen, was für eine Vorstellung Übersetzer und Leser mit der Wendung, daß das Land ἐν κλήρῳ gegeben ist, verbanden. Man kann an die besonders in Ägypten ver- 15 breitete Form des „Lehnslandes" = κλῆρος denken, aber die Vorstellung, daß das Land eigentlich Gottes Eigentum sei, tritt erst spät auf und würde auch nicht die parallele Wendung mit κληρονομία erklären. Wohl spielt der Gedanke des Erbbesitzes, weniger des geerbten, als des zu vererbenden, eine Rolle, und κλῆρος wie κληρονομία treffen in dieser Bedeutung in etwa zusammen, wenn auch dafür im Gemeingriechi- 20 schen κλῆρος der gewiesene Ausdruck wäre. Ferner ist die Anschauung wichtig, daß jedem Volk sein Land zugewiesen ist. Dafür wird in den Zusammenhängen, in denen dieser Idee Ausdruck gegeben ist, freilich κληρονομία gebraucht, Jos 24, 4 A; Mal 1, 3 und κληρονομεῖν Dt 2, 9; Jos 24, 4; Ri 11, 24; aber soll nicht auch das δέδωκα τὴν γῆν ἐν κλήρῳ an den Anteil des Volkes Israel an der Erde denken lassen? Auch blickt 25 διδόναι ἐν κλήρῳ auf die Verteilung des Landes in einzelne κλῆροι, Nu 36, 2: ἀποδοῦναι τὴν γῆν τῆς κληρονομίας ἐν κλήρῳ τοῖς υἱοῖς Ἰσραηλ, vgl Jos 11, 23: καὶ ἔδωκεν αὐτούς (die Enakiter bzw ihr Land) Ἰησοῦς ἐν κληρονομίᾳ Ἰσραηλ ἐν μερισμῷ κατὰ φυλὰς αὐτῶν. Daß das Land Israel zugewiesen ist, gibt die Zuversicht zur Rechtmäßigkeit des Besitzes. 30

Beide Ausdrücke, κλῆρος und κληρονομία, sagen aus, daß das Land Kanaan nicht durch irgend eine Leistung Israels von diesem „erworben" ist und nicht von ihm durch eigengewollte Eroberung erbeutet ist, sondern daß es Gottes ursachlose Bestimmung ihm zum Besitz zugeteilt hat und daß es daraufhin 35 von Israel als sein rechtmäßiger ihm gewordener Anteil tatsächlich erobert und in Besitz genommen ist. κλῆρος hebt an diesem einen Tatbestand das Zugeteiltsein, κληρονομία die Dauer und Sicherheit des Besitzes hervor. Dabei ist nach gleichen Gesichtspunkten das ganze Land an das Volk und die einzelnen κλῆροι an die Stämme, 40 Geschlechter und Familien verteilt: was dem ganzen Land gegenüber Gottes Verheißung, ist den einzelnen κλῆροι gegenüber das Los: Ausdruck des Willens Gottes.

Nach dem Gesagten ist es nicht verwunderlich, daß sich von beiden Wörtern, κλῆρος wie κληρονομία, aus der erörterten Anschauung ein übertragener Gebrauch herausge- 45 bildet hat, in dem beide Wörter auseinander gehen. Und konnte bis hierher der Gebrauch von κλῆρος, da es immer einen räumlichen Bezirk bezeichnete, in enger Fühlung mit dem Griechischen bleiben, so entfernt er sich bei der Verwendung in übertragenem Sinn merklich von ihm. Die Vorstellung des Räumlichen verschwindet und es bleibt bei κλῆρος in übertragener Verwendung nur die Idee des Zugeteilten, 50 parallel mit μερίς. Nur zweimal wird gesagt, daß Israel Gottes κλῆρος ist: Dt 9, 29 und Est 4, 17 h, den Sinn verdeutlicht Dt 32, 8 f: ὅτε διεμέριζεν ὁ ὕψιστος ἔθνη . . . ἐγενήθη μερὶς κυρίου λαὸς αὐτοῦ Ἰακωβ, σχοίνισμα κληρονομίας αὐτοῦ Ἰσραηλ: die Völker sind ein „Teil" der ἄγγελοι θεοῦ (v 8), Israel ist Gottes „Teil" — aber deutlich anderen Sinn hat es, wenn Israel als' Gottes κληρονομία bezeichnet wird → 779, 16 ff. Als 55 „zugeteilt" wird in Israel das Schicksal empfunden, und auch hier gehen die beiden Wörter deutlich auseinander: nur im Wortspiel begegnet dafür κληρονομία Js 17, 14: αὕτη ἡ μερὶς τῶν ὑμᾶς προνομευσάντων καὶ κληρονομία (= גּוֹרָל!) τοῖς ὑμᾶς κληρονομήσασιν (= erobern, → 776, 23 ff), außerdem ist nur noch Hi 31, 2 und ψ 15, 5 f zu nennen[8], dagegen gewinnt in dieser Bedeutung κλῆρος in den nicht-geschichtlichen Büchern des AT eine feste Stelle als Übersetzung von גּוֹרָל. Aus der Parallele mit μερίς wird der Sinn deutlich: *das Zugeteilte*: Js 57, 6: ἐκείνη σου ἡ μερίς, οὗτός σου ὁ κλῆρος, ähnlich Jer 13, 25: οὗτος ὁ κλῆρός σου καὶ μερίς. So kommt es in den jüngeren 5 Büchern des AT zum Gedanken eines jedem einzelnen Menschen zugeteilten κλῆρος: τὸν . . . σὸν κλῆρον βάλε ἐν ἡμῖν: (teile dein Leben mit uns, mache gemeinsame Sache mit uns) fordern die Gottlosen Prv 1, 14 die Frommen auf und Sap 2, 9 läßt die Gottlosen sagen, die Fröhlichkeit sei ihre μερὶς καὶ κλῆρος. Von dem Frommen gilt: ἐν ἁγίοις ὁ κλῆρος αὐτοῦ ἐστιν, Sap 5, 5; Sir 25, 19 wünscht, der 10 κλῆρον ἁμαρτωλοῦ möge über die Frau fallen. Übergänge zu diesem Sprachgebrauch bilden die Stellen 2 Ἐσδρ 20, 35: es wurde gelost περὶ κλήρου ξυλοφορίας (über den dem Einzelnen zufallenden Anteil an der Holzlieferung); Sap 3, 14: dem treuen Eunuchen wird gegeben κλῆρος ἐν ναῷ κυρίου θυμηρέστερος sowie 1 Makk 2, 54 S*: Pinehas bekam κλῆρον διαθήκης ἱερωσύνης, wo κλῆρος nicht mehr ein Stück einer konkreten 15 Sache bedeutet. Vgl noch ψ 124, 3: οὐκ ἀφήσει τὴν ῥάβδον τῶν ἁμαρτωλῶν ἐπὶ τὸν κλῆρον τῶν δικαίων und die handschriftliche Überlieferung zu ψ 30, 16. Von besonderer Wichtigkeit ist dann, daß mit dem Durchdringen der Auferstehungshoffnung גּוֹרָל und κλῆρος auch auf das dem Menschen nach dem Tode gegebene „Teil" angewandt wird: Da 12, 13: וְתַעֲמֹד לְגֹרָלְךָ לְקֵץ 20 הַיָּמִין, Θ: καὶ ἀναστήσῃ εἰς τὸν κλῆρόν σου (LXX: ἐπὶ τὴν δόξαν σου) εἰς συντέλειαν ἡμερῶν. Letztlich wurzelt dieser Gebrauch von κλῆρος in der at.lichen Erfahrung eines die Geschichte konkret lenkenden Gottes, der das Volk ins Land Kanaan führte und ihm so sein „Teil" gab. Daran lernte das Volk Israel, daß Gott es ist, 25 von dem der Mensch überhaupt sein „Teil" zugemessen bekommt.

3. κλῆρος im Spätjudentum.

In der spätjüdischen Literatur wie im NT und bei den Apost Vätern kommt κλῆρος nur mehr nach zwei Seiten hin in Betracht: einmal als Los, mit dem gelost wird, zum anderen als vorzugsweise eschatologisch ge- 30 wandter Ausdruck für das dem Menschen bestimmte individuelle „Teil".

Das Los hat im Tempelkult in nt.licher Zeit seine sakrale Stelle, nach wie vor wird über den beiden Böcken das Los geworfen und werden die einzelnen Verrichtungen des priesterlichen Dienstes durchs Los verteilt[9], und die Zeloten erlosen 67 n Chr einen neuen Hohenpriester unter Berufung auf alte (Gesetzes-)Tradition, Jos Bell 4, 35 153—155. So kennen auch Jos wie Philo diese Verwendung des Loses, doch steht Philo auf Grund seiner die Geschichte in ihrer aktuellen Einmaligkeit auflösenden Frömmigkeit der Verwendung des Loses innerlich fremd und skeptisch gegenüber[10]. Nach der anderen Richtung ergänzt Jub den biblischen Bericht, indem es durch Noah die ganze Erde unter seine Söhne verlosen läßt, 8, 11 ff; 10, 28. 31, welche es weiter 40 verlosen, wobei das Land Kanaan nicht für Kanaan, sondern für Sem durchs Los bestimmt wird. Das Ziel dieser Umgestaltung des at.lichen Berichtes ist deutlich: plastisch vor Augen zu stellen, daß Kanaan Israel von Gott rechtmäßig zum Besitz gegeben worden ist, denn durch das Los redet Gott. Der Nachdruck liegt freilich auf dem Negativen: Palästina gehört dem Hamiten Kanaan nicht, aber durch diesen 45 Midrasch gerät doch die Einzigartigkeit der „Landnahme" der Israeliten in Gefahr, nur Spezialfall der allgemeinen Geschichte der Völker zu sein. Die durch die LXX geprägte Bedeutung von κλῆρος als „Teil" zeigt auch Jos, wenn er Philippus nach Rom fahren läßt, um κλήρου τινὸς ἀξιωθῆναι = einen Anteil (an der Erbschaft) zu bekommen, Bell 2, 83. 50 Von den Pseudepigraphen bietet Test XII κλῆρος zunächst ganz allgemein in der Bedeutung „Teil" L 8, 12a: Levis Nachkommen werden in drei ἀρχαί geteilt werden καὶ ὁ πρῶτος κλῆρος ἔσται μέγας: der erste Teil; Seb 1, 3: ὅτε ἐν ταῖς ποικίλαις ῥάβδοις εἶχεν (εἶχον) τὸν κλῆρον: als er sein Teil durch die bunten Ruten bekam. D 7, 3: einst werden die Daniten ἀλλοτριωθήσονται γῆς κλήρου αὐτῶν (Land ihres Teils). Wichtig

---

[8] An diesen Stellen zeigt sich, wie die Bedeutungen der beiden Wörter nicht mehr scharf geschieden werden.

[9] Belege bei Str-B II 596 f z Ag 1, 26.

[10] Jos Ant 6, 61 κλήρους βάλετε, bei der erweiternden Nacherzählung von 1 Βασ 10, 20 f. — Philo Spec Leg IV 151: εὐτυχίαν . . . ἀλλ' οὐκ ἀρετὴν ὁ κλῆρος ἐμφαίνει. Rer Div Her 179: das Los ἄδηλος καὶ ἀτέκμαρτος τομεύς.

ist Ass Mos 2, 2 (Mose zu Josua): stabilibis eis (den Israeliten) sortem in me: der Israelit hat Anteil (sors = κλῆρος = חֵלֶק) an Mose dadurch, daß er Glied des Volkes und seiner Geschichte ist und dies durch seine Treue zur Tora bejaht. Teil an Mose haben bedeutet Teil an allen mit ihm zusammenhängenden Segnungen haben. In den übrigen Pseudepigraphen ist der Tatbestand durch die sprachlichen Verhältnisse nicht 5 so sicher zu erkennen. Aber äth Hen verwendet den κλῆρος wohl entsprechenden Ausdruck „Los" verschiedentlich in eschatologischem Sinn, in Fortsetzung der mit Da 12, 13 Θ begonnenen Linie. Dabei zeigt 48, 7: („der Menschensohn bewahrt das Los der Gerechten"), daß es sich bei diesem „Los" um ein positives Gut handelt, um das „Teil" der Gerechten. Dieses Teil besteht im ewigen Leben, 37, 4; ähnlich 58, 5: die Hei- 10 ligen sollen im Himmel die Geheimnisse der Gerechtigkeit, das „Los des Glaubens" suchen. Hierbei kann leicht eine räumliche Vorstellung hinzukommen, so wohl 39, 8: hier wünschte ich zu wohnen . . . hier ist mein Erbteil schon früher gewesen [11].

Die pseudepigraphen Stellen müssen zugleich die fehlenden rabbinischen Belege ersetzen, sie belegen mit dem NT für die Zeitenwende einen Gebrauch von κλῆρος, 15 für den in der uns erhaltenen rabbinischen Literatur weder bei גּוֹרל noch bei פּוּר eine rechte Parallele zu finden ist [12]. Vielmehr ist im Rabb sprachlicher Ausdruck dafür, daß jedem Menschen sein „Teil", sein „Los" zugeteilt ist, חֵלֶק → μερίς, μέρος. bSchab 118b sind eine Reihe von Aussprüchen von RJose (Anfang des 2. Jhdts n Chr) tradiert, die alle beginnen mit יהא חלקי מן. Diese Aussprüche beziehen sich auf 20 die jenseitige Vergeltung, wie zwei der Sprüche deutlich zeigen [13]. Zugrunde liegt der Gedanke, daß, wie jeder Mensch sein individuelles „Teil" erhält, so das Teil gleichhandelnder Menschen als gleich aufgefaßt werden kann, darum wünscht sich RJose, daß sein Teil eins von den Teilen verschiedenartiger Frommer sei. Ähnlich 18-Bitten-Gebet, babyl Rez, 13. Bitte: שים חלקנו עמהם. Eine Himmelsstimme sagt 25 von Leuten wie RAkiba: חלקם בחיים (bBer 61b gg E) und REleazar bittet (ebd 16b): תשים חלקנו בגן עדן unser Teil mögest du festlegen im Paradies. Daß räumliche Vorstellungen nicht fern liegen, zeigt die Verwendung von מחיצה, Str-B II 266 C.

4. κλῆρος bei Philo.

Philo ist bedeutungsvoll, denn obschon er sachlich-in- 30 haltlich von der at.lichen Linie, die zum NT führt, deutlich abweicht, steht er sprachlich auf dem durch das AT geschaffenen Boden.

Die Bedeutungen „Los" (Mut Nom 151), Erbteil (Leg Gaj 143) und Landlos (Spec Leg II 168) sowie Erbbesitz (Vit Mos I 304) bieten nichts Besonderes, nur ist zu bemerken, daß Philo, im Gegensatz zum AT und NT, dem Los skeptisch gegenübersteht, 35 er nennt es πρᾶγμα ἀβέβαιον (Mut Nom 151, ähnlich öfter → A 10). Die Verbindung mit dem at.lichen Sprachgebrauch „Teil, das zugeteilt ist" zeigt Op Mund 64: ὕδατος καὶ ἀέρος τὰ προσήκοντα τῶν ζῴων γένη καθάπερ τινὰ κλῆρον οἰκεῖον ἀπειληφότων, die Übertragung: κλῆρος = Lebenslos Conf Ling 177: die körperlosen Seelen τὸν ἀκήρατον καὶ εὐδαίμονα κλῆρον ἐξ ἀρχῆς λαχοῦσαι [14], gelegentlich ist sogar κλῆρος fast = Gabe 40 (Decal 112; Congr 108). Auf dieser Grundlage baut sich ein dem Philo eigentümlicher religiöser Sprachgebrauch auf, nach dem der Fromme Gottes und umgekehrt Gott der κλῆρος des Frommen ist. Das ist besonders gut in Plant 47—72 zu beobachten, wo Philo Ex 15, 17: ὄρος κληρονομίας σου erläutert, wobei κληρονομία = κλῆρος Plant 48 und 50 parallel mit κτῆμα und οἶκος steht. Das ebd 55ff gegebene 45 Gleichnis vom König, dem auch aller Besitz seiner Untertanen gehört und der doch Besitz hat, der in besonderer Weise „der königliche" genannt wird, macht deutlich, daß Philo κλῆρος auch hier als „das zugeteilte Teil", den Besitz auffaßt. Für Gott ist das Teil, das er κληρονομεῖ (besitzt), neben der Welt der θίασος der Frommen. Im weiteren Verlauf macht Philo dann darauf aufmerksam, daß umgekehrt auch Gott 50 der κλῆρος der Leviten genannt wird. Er erläutert diesen von ihm allegorisch gedeu-

---

[11] Ähnlich äth Hen 71, 16 (neben „Wohnung"); 99, 14 (neben „Maß"); slav Hen 9; 55, 2; doch ist zT wohl auch an κληρονομία zu denken → 780, 37ff, ohne räumliche Vorstellung Pseud-Philo Antiquitates 23, 13 (PRießler, Altjüd Schrifttum außerh der Bibel [1928] 783).

[12] Entfernt verwandt ist vielleicht jBer 7d 65 = bBer 16b: RJochanan (oder Elea-

zar) betete, dein Wille sei es, Gott, daß du in unser „Los" kommen lassest Liebe, Freundschaft, Friede . . . שתשכן בפוריינו אהבה.

[13] Er wünscht sich ua auch ein Teil bei denen, die unter gewissen Umständen sterben. Übersetzung bei Str-B III 625 z Kol 1, 12.

[14] Ähnlich öfter. — Die Verbindung von κλῆρος mit λαγχάνειν ist häufiger: Cher 51; Det Pot Ins 140.

teten Begriff durch den Hinweis darauf, daß die Kunst der κλῆρος des Künstlers genannt werde (71), um etwas Ähnliches handele es sich hier, nicht um ein γήϊνον κτῆμα, sondern um ein ὀλύμπιον ἀγώνισμα, das ὠφελεῖ τοὺς ἔχοντας. „Das Seiende" sei κλῆρος

5 ὡς ὠφελιμώτατον καὶ μεγίστων τοῖς θεραπεύειν ἀξιοῦσιν ἀγαθῶν αἴτιον (72). Wenn nun Philo Leg All II 52 nebeneinanderstellen kann: γίνεται δὴ τοῦ μὲν φιλοπαθοῦς κλῆρος τὸ πάθος, τοῦ δὲ ⟨φιλοθέου⟩ τοῦ Λευὶ κλῆρος ὁ θεός, wenn er Som I 159 sagen kann: ἵνα τὸν αὐτὸν ὅ τε κόσμος ἅπας καὶ ὁ φιλάρετος ἔχῃ κλῆρον, und wenn wir endlich sehen, daß Philo auch etwa den Adel als κλῆρος der Seele bezeichnet (Virt 189; Det

10 Pot Ins 140), dann wird klar, daß es sich hier um ein geistiges „Anteilhaben" handelt, das einer naturhaften Grundlage nicht entbehrt, wie auch bei → κληρόω beides ineinander übergeht.

5. κλῆρος im NT.

Im NT bedeutet κλῆρος zum ersten *das Los*, einmal in der Leidensgeschichte Mk 15, 24 Par: was in der dichterischen Sprache des

15 AT Ausdruck völligen Besiegtseins und Ohnmächtigseins ist (→ 758, 9 ff), wird hier Zeichen und Teil der Machtlosigkeit Christi in seiner Erniedrigung, während zum andern dasselbe Losen kurz darauf feierlicher Ausdruck der Erforschung des Willens Gottes ist: das durch den Tempelkult geheiligte Mittel der Losentscheidung benutzt die Urgemeinde Ag 1, 26 zur Wahl des Nachfolgers

20 des Judas; von philonischer Skepsis dem Los gegenüber ist hier auf palästinischem Boden nichts zu merken.

Sprachlich entspricht κλῆρον βάλλειν Mk 15, 24 griechischer und hebräischer Ausdrucksweise, ἔπεσεν ὁ κλῆρος ἐπὶ Μαθθίαν Ag 1, 26 entspricht Jon 1, 7.

Besonders aber bezeichnet κλῆρος im NT den *Anteil, der jemand zugeteilt wird*;

25 es handelt sich also, wie im AT, nicht um etwas Erworbenes, sondern um etwas Gegebenes, und zwar von Gott Gegebenes. Ag 1, 17: Judas ἔλαχεν τὸν κλῆρον τῆς διακονίας ταύτης: dieser Dienst ist etwas, das zugeteilt wurde, κλῆρος und λαγχάνειν betonen beide die Ursachlosigkeit des göttlichen Waltens.

War es für die Juden die entscheidende Frage, ob sie „Anteil an Mose" hatten

30 (Ass Mos 2, 2 → 761, 1 ff), so ist es im NT die entscheidende Frage, ob einer „Anteil" an dem „Wort" oder an der Gabe Gottes hat: Ag 8, 21: οὐκ ἔστιν σοι μερὶς οὐδὲ κλῆρος ἐν τῷ λόγῳ τούτῳ [15]. Wie im Rabbinischen חֵלֶק, so ist an zwei Stellen im NT und an mehreren in den Apost Vätern κλῆρος Bezeichnung des dem Menschen zugeteilten eschatologischen „Teils": Ag 26, 18: (ἀποστέλλω σε) ἀνοῖ-

35 ξαι ὀφθαλμοὺς αὐτῶν ... τοῦ λαβεῖν αὐτοὺς ... κλῆρον ἐν τοῖς ἡγιασμένοις πίστει τῇ εἰς ἐμέ und Kol 1, 12: εὐχαριστοῦντες τῷ πατρὶ τῷ ἱκανώσαντι ὑμᾶς εἰς τὴν μερίδα τοῦ κλήρου τῶν ἁγίων ἐν τῷ φωτί [16]. Beide Male sind es die Heiligen „unter denen" den Glaubenden „Teil" gegeben ist. Was für die Rabbinen Wunsch und Bittgebet ist, davon spricht das NT mit starker Gewißheit. Igna-

40 tius und Polykarp ergänzen die nt.lichen Stellen und verdeutlichen ihren Sinn. Letzterer (Pol 12, 2) schreibt: deus ... det vobis sortem et partem inter sanctos suos, schließt sich also eng an die nt.lichen Stellen an. Ign spricht an vier Stellen vom κλῆρος. Davon ist Eph 11, 2 am deutlichsten: Ign wünscht an dieser Stelle, des Gebetes der Epheser teilhaft zu werden, ἵνα ἐν κλήρῳ Ἐφε-

---

[15] Da das Wort semitisch stilisiert ist, muß κλῆρος neben μερίς (= חֵלֶק) גּוֹרָל oder פּוּר entsprechen.

[16] Diese Stelle ist bezeichnend für den überladenen Stil von Kol, denn μερίς und

κλῆρος sind gleichbedeutend (Loh Kol zSt), gleichbedeutend freilich nicht in der Bedeutung „Erbe" (so Loh Kol zSt und Pr Ag z 26, 18), sondern in der von „Anteil", so Abbott im ICC zSt.

σίων εὑρεθῶ τῶν Χριστιανῶν, οἳ καὶ τοῖς ἀποστόλοις πάντοτε συνῆσαν ἐν δυνάμει Ἰησοῦ Χριστοῦ. Das ewige Los der den Aposteln treuen Epheser möchte er teilen. An den drei anderen Stellen spricht er von seinem κλῆρος. Tr 12, 3: ich bedarf eurer Liebe, εἰς τὸ καταξιωθῆναί με τοῦ κλήρου, οὗ περίκειμαι ἐπιτυχεῖν, ἵνα μὴ ἀδόκιμος εὑρεθῶ, R 1, 2: ἡ μὲν γὰρ ἀρχὴ εὐοικονόμητός ἐστιν, ἐάνπερ χάριτος 5 ἐπιτύχω εἰς τὸ τὸν κλῆρόν μου ἀνεμποδίστως (ungehindert) ἀπολαβεῖν, Phld 5, 1: ἡ προσευχὴ ὑμῶν εἰς θεόν με ἀπαρτίσει, ἵνα ἐν ᾧ κλήρῳ ἠλεήθην ἐπιτύχω. Man kann hier κλῆρος mit „Los" übersetzen und Ign damit an sein Martyrium denken lassen[17], die Tr-Stelle könnte dafür sprechen: das Märtyrertum soll seine δοκιμότης erweisen. Aber was Ign „erreichen" will, ist immer Gott, darum der κλῆρος, den 10 er „erreichen" will, Phld 5, 1, nicht das Martyrium, sondern das ihm danach bereitete Teil. Dies Teil will er ungehindert erreichen, denn jetzt ist eine einzigartige Gelegenheit θεοῦ ἐπιτυχεῖν R 2, 1. Auch Tr 12, 3 fügt sich dieser Deutung.

κλῆρος bezeichnet an den genannten Stellen die himmlische Gabe, die Gott 15 jedem einzelnen berufenen Gläubigen in Gemeinschaft mit allen „Geheiligten" zugeteilt hat, uz diese Gabe weniger als „Los", denn als vorhandenes Gut, das Gott jedem einzelnen zuteilt und ihm dadurch Anteil, seinen Anteil gibt an dem, was der Gemeinde bereitet ist.

Umstritten ist 1 Pt 5, 2 f: ποιμάνατε τὸ ἐν ὑμῖν ποίμνιον τοῦ θεοῦ, μὴ ἀναγκαστῶς, 20 ἀλλὰ ἑκουσίως . . . μηδ' ὡς κατακυριεύοντες τῶν κλήρων ἀλλὰ τύποι γινόμενοι τοῦ ποιμνίου. Auf Abwege führt es, mit Wohlenberg zSt an Abgaben und Spenden für die Gemeinde und für die Ältesten zu denken, denn die Abgaben an die Leviten heißen nirgends κλῆρος oder gar κλῆροι, sondern sind ihr κλῆρος, ihr „Anteil" am Land Kanaan. Ebensowenig liegt es nahe, κλῆρος als Eigenbesitz, mit dem man machen 25 kann, was man will, als Gegensatz zur anvertrauten Herde, zu fassen[18]. κλῆρος wird auch hier das dem einzelnen Ältesten zugeteilte „Teil" sein[19].

† κληρόω

jem durchs Los bestimmen: Aristot Pol 4, 9 p 1294 b 7 ff: δοκεῖ δημοκρατικὸν μὲν εἶναι τὸ κληρωτὰς εἶναι τὰς ἀρχάς, τὸ δ' αἱρετὰς ὀλιγαρχικόν, auch 30 vom Lose: Eur Ion 416: οὓς ἐκλήρωσεν πάλος (Los), im Med das Los ziehen: Lys 6, 4: ἐὰν . . . ἔλθῃ κληρωσόμενος τῶν ἐννέα ἀρχόντων καὶ λάχῃ βασιλεύς. Im Pass durchs Los bestimmt werden, im Act und Med losen, das Los werfen: Aesch Sept c Theb 55: κληρουμένους ἔλειπον: ließ als Losende zurück, im Med auch durchs Los erhalten: Eur Tro 29: αἰχμαλωτίδων . . . δεσπότας κληρουμένων, dann auch ohne eigentliche Verlosung: 35 etwas bekommen: Ael Nat An 5, 31: die Schlange τὴν καρδίαν κεκλήρωται ἐπὶ τῇ φάρυγγι (Kehle), wobei im Folgenden dem κεκλήρωται ein ἔχει entspricht. Endlich heißt κληρόω auch bestimmen, zuteilen: Thuc VI 42: τρία μέρη νείμαντες ἐν ἑκάστῳ ἐκλήρωσαν; auch im Pass: Eur Hec 100: ἐκληρώθην καὶ προσετάχθην.

LXX hat κληρόω deutlich nur 1 Βασ 14, 41: κληροῦται Ιωναθαν καὶ Σαουλ = Pass, 40 vom Los getroffen werden = נִלְכַּד, in unsicherem hbr und griech Zusammenhang Js 17, 11[1].

---

[17] So Bau Ign z Phld 5, 1. Bau hat die folgende part Bestimmung προσφυγῶν κτλ zu ἠλεήθην gezogen u dadurch seine Auffassung erleichtert.

[18] Cr-Kö 603 f.

[19] Damit ist κλῆρος hier anders gedeutet als von Procksch → I 108 f. Der Unterschied liegt darin begründet, daß Pr die weitere Entwicklung von κλῆρος auf die Gleichung κλῆρος = נַחֲלָה zurückführt, während die

759, 44 ff besprochene Erweiterung des κλῆρος-Begriffs, die die Grundlage des nt.lichen Sprachgebrauchs geworden ist, an גּוֹרָל anschließt.

κληρόω. Cr-Kö 604 f.
[1] Das Kompos κατακληρόω begegnet als Pass in der Bdtg durchs Los getroffen werden = נִלְכַּד 1 Βασ 10, 20 f; 14, 42 b; in act Bdtg in med Form 1 Βασ 14, 42 a

An die genannte Aelian-Stelle schließt sich sprachlich Philos Gebrauch an: κληρόω
bezieht sich bei ihm stets auf die verteilende Ordnung der Natur und der sittlichen
Welt: Op Mund 57: die Sonne κεκλήρωται τὴν ἡμέραν, Sacr AC 104 spricht von dem ἄλογον,
ὅπερ αἱ αἰσθήσεις κεκλήρωνται, Fug 126 von der ἀμείνων γενεά, ἣν ἀρεταὶ κεκλήρωνται,
5   Det Pot Ins 145 von der ἐπιστασία und ἀρχὴ φυσική, die die Eltern über ihre Kinder
„zugeteilt" bekommen haben (κεκλήρωνται), Deus Imm 34 sogar von dem Schöpfer,
dem ἔννοιαν καὶ διανόησιν . . . κληρωσάμενος καὶ χρώμενος.

In den Apost Vätern begegnet κληρόω zweimal: Mart Pol 6, 2 wird der Eirenarch
Herodes erwähnt, ὁ κεκληρωμένος τὸ αὐτὸ ὄνομα Ἡρώδη, und Dg 5, 4: die Chri-
10   sten bewohnen griechische und barbarische Städte, ὡς ἕκαστος ἐκληρώθη. Wieweit an diesen Stellen bewußt an den Urheber des κληροῦν gedacht ist, ist nicht
sicher zu sagen, aber mindestens implicite ist der Gedanke doch im Ausdruck enthalten. Ganz deutlich tritt er in den apkr Apostelgeschichten hervor: Act Phil 94
wird den Aposteln ihr Arbeitsgebiet „bestimmt", zugeteilt, ebd 142 wird vom Sterben
15   der Mariamne gesagt ἐκληρώθη (Lipsius-Bonnet II 2 p 78, 5), und mit pers Passiv heißt
es Act Thom 24: (das Gebet geht dahin) ἵνα . . . κληρωθῶ ἄξιος γενέσθαι τῶν ὀφθέν-
των μοι — alles das natürlich neben den Bedeutungen, die sich auf die Anwendung
des Loses beziehen (Jos Ant 6, 62; Mart Andr I 2 [Lipsius-Bonnet II 1 p 46, 18]). Vgl
Ps Clem Recg 9, 35: uxorem . . . sortitus est.

20   Im Neuen Testament nur einmal κληρόω: Eph 1, 11: ἐν αὐτῷ, ἐν ᾧ καὶ
ἐκληρώθημεν προορισθέντες κατὰ πρόθεσιν τοῦ τὰ πάντα ἐνεργοῦντος κατὰ τὴν βουλὴν
τοῦ θελήματος αὐτοῦ, εἰς τὸ εἶναι ἡμᾶς εἰς ἔπαινον δόξης αὐτοῦ[2]. Mit Cr-Kö ist
εἰς τὸ εἶναι κτλ als Ergänzung des Hauptverbums zu fassen. κληρόω bezeichnet
nicht einen vorzeitlichen Akt, sondern es ist die die Menschen in ihrem Dasein
25   treffende „Bestimmung" und gleichzeitig das Ziel, das ihnen „zugeteilt" wurde
in ihrer Berufung, darum sachlich verwandt mit ἐκλήθημεν, doch mit der in
κλῆρος liegenden Näherbestimmung, daß der „Ruf" den Gerufenen etwas zuteilt,
nämlich hier ein Lebensziel.

† προσκληρόω

30   Durchs Los zuteilen, dann auch einfach zuteilen: Jos Bell 2, 567:
προσεκεκλήρωτο δ᾽ αὐτῷ Λύδδα κία Ἰόππη καὶ Ἀμμαοῦς. Gerne von Dingen, die das Schicksal so geordnet hat oder die nun einmal so sind: Luc Amores 3: τούτῳ τῷ βίῳ ἡ
τύχη προσεκλήρωσέ σε, Plut Quaest Conv IX 3 (II 738 d): ἡ . . . ἐννεὰς δήπου ταῖς Μού-
σαις . . . προσκεκλήρωται, Philo Leg Gaj 279 (Herodes Agrippa I. von sich): ἔθνει δὴ
35   τοιούτῳ προσκεκληρωμένος καὶ πατρίδι καὶ ἱερῷ. Auch von der Bildung, die einer „erhalten" hat: PPar 63 VIII 18 (164 v Chr): παιδήᾳ (!) προσκεκληρωμένον. Als Med/Pass
sich anschließen: Ditt Or 257, 5 (109 v Chr): Σελευκεῖς . . . τῷ πατρὶ ἡμῶν προσκληρω-
θέντας, Philo Leg Gaj 68: τῶν μὲν τούτῳ τῶν δὲ ἐκείνῳ προσκληρουμένων, ἐξ ὧν τara-
χαὶ ἐμφύλιοί τε καὶ ξενικοὶ πόλεμοι συνίστανται. Oft bei Philo, um die „naturhafte"
40   Zuordnung von Seelenkräften, Tugenden, Menschen, Festen usw zu Gott oder dem
Geschaffenen, zur Tugend oder zum Laster. und die dementsprechende Selbstzuord-
nung der Frommen und der Gottlosen auszudrücken: act: Conf Ling 111: διέλωμεν . . .
ἑκάστας τῶν ἐν ψυχῇ δυνάμεων προσκληρώσαντες τὰς μὲν λογικῇ, τὰς δὲ ἀλόγῳ μερίδι,
Cher 85: ἑαυτῷ γὰρ τὰς ἑορτὰς προσκεκλήρωκε (sc: θεός), Perf Pass (als Ausdruck des
45   Zugeordnetseins): Op Mund 65: ψυχῆς γὰρ ἡ μὲν ἀργοτάτη . . . τῷ γένει τῶν ἰχθύων
προσκεκλήρωται, ἡ δ᾽ . . . ἀρίστη τῷ τῶν ἀνθρώπων, Leg All I 24: τὸ αἰσθητὸν τῷ ἀλόγῳ
μέρει ψυχῆς προσκεκλήρωται, Poster C 92: ὁ γὰρ ὁρῶν τὸν θεὸν . . . τῷ ὁρωμένῳ προσ-
κεκλήρωταί τε καὶ μεμέρισται[1]; von dem bewußten „Sich-Anschließen" προσκληροῦν
ἑαυτόν: Mut Nom 127: τὸ δέ γε εὔχεσθαι καὶ εὐλογεῖν οὐκ ἔστι τοῦ τυχόντος, ἀλλ᾽ ἀνθρώ-
50   που τὴν πρὸς γένεσιν μὴ ἑωρακότος συγγένειαν, προσκεκληρωκότος δὲ ἑαυτὸν τῷ πάντων
ἡγεμόνι καὶ πατρί.

= jem erlosen, durchs Los bestimmen (von
Gott); außerdem findet es sich 1 Βασ 14, 47:
Σαουλ κατακληροῦται ἔργον ἐπὶ Ισραηλ, also
las LXX statt מְלוּכָה wohl מְלָאכָה. Sinn:
bekommen.

[2] Cod ADG it ἐκλήθημεν ist sicher lectio
facilior.

προσκληρόω. [1] = חֵלֶק? Vgl jBer 7 d [Schl
K 227 A 1], wo von Gott gesagt wird, daß
er dem Menschen Wissen und gute Werke
zuerteilt: חלק לי דיעה ומעשה טוב).

Im Neuen Testament nur Ag 17, 4: καί τινες ἐξ αὐτῶν ἐπείσθησαν καὶ προσεκληρώθησαν τῷ Παύλῳ καὶ τῷ Σιλᾷ. Entweder: sie schlossen sich an[2], oder: sie wurden (von Gott) zugeteilt[3]. Wenngleich Lk den Anschluß an die Gemeinde oft ausdrücklich auf Gottes Wirken zurückführt (2, 41; 5, 14; 11, 24; 13, 48; 14, 27; 16, 14), so zeigt doch 17, 34: τινὲς δὲ ἄνδρες κολληθέντες αὐτῷ 5 ἐπίστευσαν, daß das kein Schema ist, und das 17, 4 vorangehende ἐπείσθησαν (vgl auch 28, 24: οἱ μὲν ἐπείθοντο — οἱ δὲ ἠπίστουν) schließt die pass Fassung von προσεκληρώθησαν aus. Zu übersetzen ist also: *sie schlossen sich an*.

† *ὁλόκληρος* → ὑγιής

ὁλόκληρος bezeichnet ein Ding seinem Umfange nach 10 als *vollständig*, ist also ein Quantitäts-, nicht ein Qualitätsbegriff.

Ganz, von Gefäßen: Epict Diss III 26, 25: σκεῦος . . . ὁλόκληρον καὶ χρήσιμον ἔξω ἐρριμμένον πᾶς τις εὑρὼν ἀναιρήσεται καὶ κέρδος ἡγήσεται, vom Haus PLond 935, 7: ὁλόκληρος οἰκία, in LXX von „ganzen", dh unbehauenen Steinen Dt 27, 6; Jos 9, 2b; 1 Makk 4, 47; vom Weinstock Ez 15, 5. Von der Zeit: ἔτεσιν δύο οὐχ ὁλοκλήροις IG 15 14, 1386, in nicht ganz zwei Jahren, so auch LXX: Lv 23, 15; Dt 16, 9. Während zum Qualitätsbegriff ὑγιής ἀσθενής bzw νοσῶν die Verneinung bildet, bezeichnet ὁλό- κληρος, auf den Menschen angewandt, den unverstümmelten Zustand, dessen Gegen- satz Plut Quaest Conv II 3 (II 636 f) πεπηρωμένος bildet, vgl Epict Diss III 26, 7: σὺ δ᾽ ὁλόκληρος ἄνθρωπος χεῖρας ἔχων καὶ πόδας. Es ist also deutlich von dem sonst ver- 20 wandten ὑγιής geschieden, und es ist auch verständlich, daß sich ὑγιής leichter auf die Seele, ὁλόκληρος dagegen auf den Leib anwenden ließ: Luc Macrobii 2: εἰς μακρὸν γῆρας ἀφικέσθαι ἐν ὑγιαινούσῃ τῇ ψυχῇ καὶ ὁλοκλήρῳ τῷ σώματι, Mithr Liturg 14, 4 f: (ἀφιέν- τες) ἐμοί . . ὑγίειαν καὶ σώματος ὁλοκληρίαν ἀκοῆς τε καὶ ὁράσεως εὐτονίαν (Schärfe), vgl Plut Stoic Rep 30 (II 1047 e): μαίνεσθαι τοὺς τὸν πλοῦτον καὶ τὴν ὑγίειαν καὶ τὴν ἀπο- 25 νίαν καὶ τὴν ὁλοκληρίαν τοῦ σώματος ἐν μηδενὶ ποιουμένους (Chrysipp). Von Tieren LXX: Sach 11, 16 als Gegensatz zu συντετριμμένος. Im Sinne des Fehlens einer kör- perlichen Schädigung (nicht einer „Krankheit") ist das ὁλόκληρος-Sein Vorbedingung zur Übernahme eines Priesteramtes: Ditt Syll³ 1009, 10; 1012, 9; Jos Ant 14, 366, ebenso Vorbedingung für das Opfertier, Jos Ant 8, 118. (So nicht in LXX.) Im Sinne 30 des unversehrten Zustandes der Seele vor ihrer Herabkunft in die Welt gebraucht Plat Phaedr (250 c) ὁλόκληρος. Dieses Wort bezeichnet dann ferner die Anwesenheit aller Momente, die einen Begriff konstituieren: Ditt Or 519, 14: δῆμος ὁλόκληρος, ein Volk im eigentlichen Sinn, ein „richtiges" Volk; so auch ὁλόκληρος πήρωσις (Läh- mung), Democr fr 296 (II 121, 8 Diels). So auch in weiterer Anwendung in LXX: 35 Sap 15, 3: τὸ γὰρ ἐπίστασθαί σε ὁλόκληρος δικαιοσύνη, ist ganze, rechte Gerechtigkeit, ebenso 4 Makk 15, 17: ὦ μόνη γύναι τὴν εὐσέβειαν ὁλόκληρον ἀποκυήσασα. Auch hier zielt, wie immer, ὁλόκληρος darauf ab, daß etwas seinem Umfang nach vollständig ist.

Bei Philo steht ὁλόκληρος oft neben παντελής; Gott, die Tugend, das Gute, ebenso die Welt, sind beides. Doch ist der häufige Gebrauch von ὁλόκληρος nicht zufällig; 40 es bezeichnet die Welt Gottes in ihrer absoluten Unvermischtheit mit dem Bösen der Sinnenwelt. ὁλόκληρος ist der Mensch, der die Vollkommenheit von Anfang an „natur- haft" hat und betätigt; so definiert er Abr 47 den τέλειος, den μετατεθειμένος und den ἐλπίζων: ὁ μὲν γὰρ τέλειος ὁλόκληρος ἐξ ἀρχῆς, ὁ δὲ μετατεθειμένος ἡμίεργος, τοῦ βίου τὸν μὲν πρότερον χρόνον ἀναθεὶς κακίᾳ, τὸν δ᾽ ὕστερον ἀρετῇ . . . ὁ δὲ ἐλπίζων . . . ἐλλι- 45 πής (ungenügend), ἐφιέμενος μὲν ἀεὶ τοῦ καλοῦ, μήπω δ᾽ ἐφικέσθαι τούτου δεδυνημένος.

Im Neuen Testament nur an zwei Stellen. 1 Th 5, 23: ὁλόκληρον ὑμῶν τὸ πνεῦμα καὶ ἡ ψυχὴ καὶ τὸ σῶμα ἀμέμπτως ἐν τῇ παρουσίᾳ τοῦ κυρίου ἡμῶν ᾽Ιησοῦ Χριστοῦ τηρηθείη. In dem τηρηθείη ἐν . . . verbindet sich, wie oft im Griechi- schen, die Bewegung zum Ziel mit dem Sein am Ziel (im Deutschen etwa: 50 möge bewahrt sein). Das prädikativ gestellte, alle drei Substantive umfassende ὁλόκληρον zielt darauf ab, daß die Thessalonicher, jeder als eine Ganzheit, in

---

[2] Pr-Bauer u Cr-Kö sv. | *ὁλόκληρος.* Trench sv.
[3] Wdt Ag zSt.

jeder Richtung vom Bösen unversehrt bewahrt bleiben mögen. Wenn σῶμα mitgenannt ist, so darf wohl der Gedanke nicht ausgeschlossen werden, daß die Thessalonicher die nahe Parusie (1 Th 4, 15: ἡμεῖς οἱ ζῶντες οἱ περιλειπόμενοι) unversehrt, zum mindesten vom leiblichen Tode, erleben möchten, es wird aber
5 auch daran zu denken sein, daß auch seinem Leib gegenüber der Mensch ein Werk zu tun hat, das am Gerichtstag bestehen oder nicht bestehen kann, wie es 1 K 5, 5 in einem einzelnen Fall sichtbar wird. Die Erfüllung des Wunsches erwartet Paulus v 23 von dem θεὸς τῆς εἰρήνης, wobei εἰρήνη das nur von Gott kommende, geist-leibliche „Heilsein" umfaßt (→ II 412 f). Vor
10 diesem Gott ist kein Mensch auch nur ἡμιτελής, aber Gott kann auch einen nach Leib und Seele zerbrochenen Menschen zu einem „ganzen", neuen schaffen und als solchen bewahren.

Jk 1, 4: ἡ δὲ ὑπομονὴ ἔργον τέλειον ἐχέτω, ἵνα ἦτε τέλειοι καὶ ὁλόκληροι, ἐν μηδενὶ λειπόμενοι. ὁλόκληρος verleugnet auch hier nicht seine Richtung auf den
15 Umfang; Jk 3, 1 ff ist eine Erläuterung dazu, warum Jk diesen seltenen Begriff hier gebraucht: ganze Menschen zu werden, die auch das schwerste Stück, die Bändigung der Zunge, vollbringen, ist das Ziel der „mannigfachen Versuchungen", das Ziel der Führung Gottes mit den Lesern.

† ὁλοκληρία

20   *Vollständigkeit, Unversehrtheit,* Plut Stoic Rep 17 (II 1041 f): der Stoiker trennt uns τοῦ ζῆν καὶ τῆς ὑγιείας καὶ τῆς ἀπονίας καὶ τῆς τῶν αἰσθητηρίων ὁλοκληρίας vgl ebd 30 (1047 e); Comm Not 11 (II 1063 f). In LXX nur nach Cod LC und Ἀ Js 1, 6.

Im Neuen Testament Ag 3, 16 zur Kennzeichnung der geschenkten leib-
25 lichen *Unversehrtheit* des geheilten Gelähmten.

† κληρονόμος, † συγκληρονόμος, † κληρονομέω, † κατακληρονομέω, † κληρονομία

Inhalt: A. Der griechische Sprachgebrauch der Wortgruppe κληρονόμος. — B. נַחֲלָה und נָחַל im AT. — C. Die Wortgruppe κληρο-
30 νόμος in LXX: 1. Sprachlich; 2. Sachlich. — D. Die Wortgruppe κληρο-

κληρονόμος κτλ. Vorbemerkung. Die einzelnen Stichworte, κληρονόμος, συγκληρονόμος, κληρονομέω, κατακληρονομέω, κληρονομία sind aus sachlichen Gründen in einem Artikel zusammengefaßt; die sprachlichen Erläuterungen sind in den einzelnen Abschnitten, nach den Stichworten geordnet, an den Anfang gestellt. — BFWestcott, The Epistle to the Hebrews (1889) 167—169; JBMayor, The Epistle of St James (1892) 80; ELohmeyer, Diatheke (1913) 140—142; Cr-Kö 606—609; EdeWittBurton, The Epistle to the Galatians (ICC [1921]) 185 f; 224—227; 503; Str-B III 545—553; Dalman WJ I 102—104; Volz Esch 341; AHalmel, Über römisches Recht im Galaterbrief (1895); FSieffert, Das Recht im NT (1900) 17 f; MConrat, ZNW 5 (1904) 204—227; FvWoeß, Das römische Erb- recht u die Erbanwärter (1911) 77; 266 ff; OEger, Rechtswörter u Rechtsbilder in den paul Briefen, ZNW 18 (1917/18) 84—108; Ders, Rechtsgeschichtliches zum NT, Rektorats- programm Basel (1918/19) 31—37; HKreller, Erbrechtliche Untersuchungen (1919); WMCal- der, Adoption and Inheritance in Galatia, in: JThSt 31 (1930) 372—374. — Zu B: HBreit, Die Predigt des Deuteronomisten (1933); KGal- ling, Die Erwählungstraditionen Israels (1928); JHerrmann, Das zehnte Gebot (Sellin-Fest- schrift (1927) 69—82; FHorst, Das Privileg- recht Jahwes (1930); GvRad, Das Gottesvolk im Dt (1929); GWestphal, Jahwes Wohn- stätten nach den Anschauungen der alten Hebräer (1908) 91 ff; LRost, Die Bezeichnun- gen für Land und Volk im AT, in: Festschr für OProcksch (1934) 125—148.

νόμος im Spätjudentum: 1. Sprachlich; 2. Sachlich. — E. Die Wortgruppe κληρονόμος im NT: 1. Der Sprachgebrauch; 2. Der theologische Gebrauch.

A. Der griechische Sprachgebrauch der Wortgruppe *κληρονόμος*.

Die Wortgruppe um κληρονόμος kreist im Griechischen um den Begriff des *Erbens* und entfernt sich nie allzuweit davon. 5

κληρονόμος *der Erbe*, und zwar der natürliche und der durch das Testament oder durch gesetzliche Bestimmungen ernannte, Ditt Syll³ 884, 52 ff (Anfang 3. Jhdt n Chr): εἰ δ[έ τις μὴ καταλιπὼν δια]θήκας τελευτήσαι, ᾧ μή εἰσιν νόμιμοι κληρονόμοι, [ὑ]π[αρχέτω κατ᾽ ἀμφ]ότερα κληρονόμος τοῦ ἑαυτῆς κτήμ[ατ]ος ἡ πόλις. Auch vom Erben ideeller Güter, Isoc 5, 136: τῆς δ᾽ εὐνοίας τῆς παρὰ τῶν πολλῶν . . . μηδένας ἄλλους 10 καταλείπεσθαι κληρονόμους πλὴν τοὺς ἐξ ἡμῶν γεγονότας. Ganz übertragen Demosth Or 21, 20, um die zu bezeichnen, die die Auswirkungen ihrer Taten tragen müssen: τῆς δ᾽ ὑπὲρ τῶν νόμων (sc: δίκης), οὓς παραβὰς οὗτος κἀκείνους ἠδίκει καὶ νῦν ἐμὲ καὶ πάντας τοὺς ἄλλους, ὑμεῖς ἐστε κληρονόμοι. κληρονόμος soll dabei andeuten, daß die Athener das Ergebnis ihrer Taten werden hinnehmen müssen, ohne dies Ergebnis als Ziel 15 ihres Handelns gewollt zu haben; ihre Taten hinterlassen ihnen gleichsam ein „Erbe", an das sie nicht gedacht haben. Den tatsächlichen *Besitzer, Verwalter* anvertrauter Güter bezeichnet κληρονόμος Plut Cicero 41, 3 (I 881f): τὴν οὐσίαν αὐτῆς ὁ Κικέρων ἐν πίστει κληρονόμος ἀπολειφθεὶς διεφύλαττεν.

συγκληρονόμος *der Miterbe*, stets im eigentlichen Sinn. Außer den bei Deiß- 20 mann LO 71 f gebrachten beiden Belegen sei hier eine Inschrift aus dem alten Capitolias genannt, auf der ein Μ. Ἄρριος Σαβεῖνος ἀδελφὸς καὶ συγκληρονόμος ein οἶκος und ein ἄγαλμα errichtet hat ἐκ διαθήκης Ἀντωνείνου Οὐάλεντος Ἀρδαίου (Zeit: Commodus)[1].

κληρονομέω *Erbe sein, etwas* (Gen oder Acc) *erben, jemanden beerben* (Gen und öfter Acc); auch von ideellen Dingen gebraucht, Isoc 1, 2: πρέπει γὰρ τοὺς παῖδας 25 ὥσπερ τῆς οὐσίας οὕτω καὶ τῆς φιλίας τῆς πατρικῆς κληρονομεῖν. Es braucht kein Verwandtschaftsverhältnis vorzuliegen: Dio C 45, 47: τῶν μὲν ἐκείνου (seines Vaters) χρημάτων οὐκ ἐκληρονόμησεν, ἄλλων δὲ δὴ καὶ πάνυ πολλούς, τοὺς μὲν . . ., τοὺς δὲ καὶ νῦν ἔτι ζῶντας; ebensowenig ein Testament: Luc Dialogi Mortuorum 11, 3: ich habe im Leben niemals gebetet, er solle sterben, ὡς κληρονομήσαιμι τῆς βακτηρίας αὐτοῦ; 30 sogar noch nicht einmal der Tod, wie die Dio C-Stelle zeigt; entscheidend ist der tatsächliche Übergang des Besitzes an einen anderen. Aber auch übertragen kann es gebraucht werden: Polyb 15, 22, 3; 18, 55, 8: τὴν ἐπ᾽ ἀσεβείᾳ δόξαν oder φήμην κληρονομεῖν. Was diesen Sprachgebrauch mit dem eigentlichen Erben ver- bindet, ist, daß wohl ein entsprechendes Handeln Grund und Anlaß wird, δόξα zu 35 bekommen, daß es aber ein unfreiwilliges Bekommen ist, das ebensowenig als das direkte und gewollte Ergebnis und Ziel des Handelns bezeichnet werden kann, wie das eigentliche Erben.

κατακληρονομέω: → *C.*

κληρονομία *das* zu vererbende oder das geerbte *Erbteil, das Erbe.* Darüber hinaus 40 auch einfach *der Besitz*: Aristot Eth Nic VIII 14 p 1153 b 33: die ἡδοναί sind nicht für alle dieselben, aber εἰλήφασιν τὴν τοῦ ὀνόματος κληρονομίαν αἱ σωματικαὶ ἡδοναί.

Ganz allgemein ist noch wichtig, daß das römische Recht volle Testierfrei- heit kannte, daß dort also der Sohn durchaus nicht ohne weiteres der Erbe zu sein braucht, während im griechischen, ägyptischen und hellenistischen[2] wie 45 im jüdischen[3] Recht der Sohn, bzw die Söhne oder die Kinder eo ipso Erben waren. Zu erwähnen ist ferner, daß der Begriff κληρονόμος in den Papyri be- sonders den Erben der Liegenschaften, den Gutserben bezeichnet, während eine Person, die nur Fahrnis erhält, dort nie so genannt wird[4], dh der Begriff κληρο- νόμος haftet am wesentlichen Besitz. 50

Foerster

---

[1] Bulletin of the American Schools of Orien- tal Research 46 (April 1932) 13 f.
[2] Kreller aaO passim. Mitteis-Wilcken II 363, 21 f: ... εἶναι δ᾽ αὐτὸν καὶ τῶν ἐμῶν πραγ- μάτων κληρονόμον, υἱοθετηθέντα μοι ὡς προεί-

ρηται: die υἱοθεσία begründet die Stellung als κληρονόμος (381 n Chr), vgl ZNW 18 (1917/ 18) 95.
[3] Str-B aaO.
[4] Kreller 58.

B. נַחֲלָה und נָחַל im AT.

1. Überblick über die hbr Entsprechungen der Wortgruppe κλῆρος usw. Untersuchen wir das Vorkommen der Wortgruppe κλῆρος usw in LXX, so ergibt sich, daß zwei bzw drei hebräische
5 Stämme beherrschend hervortreten.

κλῆρος wird bei 129 maligem Vorkommen 62 mal für גּוֹרָל gesetzt, 49 mal für נַחֲלָה, 11 mal für Wörter des Stammes ירש (יָרַשׁ, יְרֵשָׁה, מוֹרָשָׁה). κληρόω wird nur 3 mal verwendet, darunter 1 mal für נַחֲלָה. προσκληρόω kommt nicht vor. κληρονόμος wird 4 mal verwendet, stets für ירש. κληρονομία wird von 163 Fällen 143 mal für נַחֲלָה gesetzt, 16 mal für
10 Wörter des Stammes ירש (יָרַשׁ, יְרֵשָׁה, יְרֵשָׁה, מוֹרָשָׁה, מוֹרֶשֶׁת), 2 mal für גּוֹרָל. κληρονομέω verwendet LXX von 163 Stellen 111 mal für ירש (103 mal q, 8 mal hi), 27 mal für נחל (19 mal) und נַחֲלָה (8 mal). κατακληρονομέω wird von 59 Fällen 28 mal für ירש (27 mal) und מוֹרָשׁ (1 mal), 25 mal für נחל (24 mal) und נַחֲלָה (1 mal) verwendet. συγκληρονόμος kommt nicht vor, aber συγκληρονομέω 1 mal (Sir 22, 23, ohne hbr Ent-
15 sprechung). Ferner kommt in LXX κατακληρόω vor (Pass für לכד ni 4 mal, q 1 mal, ohne Entsprechung 1 mal). Als mit κλῆρος gebildete Worte seien auch noch erwähnt κληροδοτέω (2 Εσδρ 9, 12 für ירש hi, ψ 77, 55 für נפל hi) und κληροδοσία (ψ 77, 55 und Qoh 7, 11 in AS für נַחֲלָה, Da 11, 21. 34 mit zweifelhafter Entsprechung).

Die Wörter der griechischen Wortgruppe werden demnach am häufigsten zur
20 Wiedergabe von נַחֲלָה und נחל verwendet; in zweiter Linie steht ירש (mit Derivaten), und in noch weiterem Abstand folgt גּוֹרָל. Stellt man noch die sonstige Wiedergabe von נַחֲלָה und נחל einerseits, ירש anderseits in Rechnung, so tritt ersteres noch weit mehr in den Vordergrund. Sowohl ירש wie גּוֹרָל stehen in starker sachlicher Beziehung zu נַחֲלָה und נחל. Auch theologisch steht für die
25 Untersuchung des zu der ganzen Wortgruppe gehörenden Bezirkes נַחֲלָה und נחל im Mittelpunkt des Interesses.

2. Die Verheißung des Besitzes Kanaans an die Patriarchen. Die Patriarchengeschichten beginnen (Gn 12, 1) mit dem Befehl Jahwes an Abraham, in das Land zu ziehen, das ihm Gott zeigen werde.
30 Dort will ihn Gott zum großen Volke machen (12, 2). Als er in Kanaan angekommen ist, ohne zu wissen, daß dieses das von Jahwe gemeinte Land sei, ist das erste, was ihm Gott sagt: „Deinen Nachkommen will ich dies Land geben" (12, 7). Auf diese Verheißung wird in Gn und weiterhin in der Bibel immer wieder zurückgegriffen. Ihr entnimmt der Glaube Israels, daß der Be-
35 sitz Palästinas für Israel auf der Verheißung an Abraham[5], also auf göttlicher Setzung beruht. So in Gn bei J und E weiter 13, 14—17; 15, 18; 24, 7; 26, 3—5. Das Land heißt darum schon für Jakob „Das Land deiner Väter" 31, 3 J, ebenso für Joseph und seine Brüder „Das Land eurer Väter" 48, 21 E, und Joseph nennt es, zu seinen Brüdern ge-
40 wandt, da die dem Abraham gegebene Verheißung ja dem Isaak und dem Jakob wiederholt worden ist, „Das Land, das Gott dem Abraham, Isaak und Jakob zugeschworen hat" 50, 24 E. Ganz entsprechend sind die Äußerungen der Priesterschrift (mit für unsern Zweck nicht wesentlichen Verschiedenheiten) 17, 8; 28, 4; 35, 12; 48, 4. In all diesen Stellen wird נַחֲלָה und נחל nicht gebraucht[6].

---

[5] Daß Gn 28, 13 einmal auf 12, 7 nicht zurückzugreifen scheint, kann für die vorliegende Untersuchung außer Betracht bleiben.

[6] Gn 48, 6 kommt es bei P vor, aber vorausnehmend vom Erbbesitz der 12 Stämme. Gn 31, 14 verwendet es E für den Vatererbanteil der Töchter.

3. Die Verheißung des Besitzes Kanaans in den Mosegeschichten. Jahwe spricht zu Mose in seiner Berufungsvision: „Ich habe die Not meines Volkes gesehen. Daher kam ich herab, um es … aus diesem Lande wegzuführen in ein Land, das von Milch und Honig fließt" (Ex 3, 8 J und gleich nochmals Ex 3, 17 J). So steht auch in den Überlieferungen 5 über Jahwes Handeln mit Mose und dem Volk seiner Zeit am Anfang die Verheißung des Besitzes von Palästina für Israel. Wenn von der Verheißung an Abraham und die Väter nach ihm an diesem Ort nicht die Rede ist, so liegt hier gewiß die Spur des ursprünglich selbständigen Anfangs der Mosetraditionen vor, wie auch zB noch in der jetzigen Schlußrede zum Bundesbuch (Ex 23, 20 10 bis 33 J E), ferner wohl in Ex 12, 25 und vielleicht in Ex 20, 12. Im übrigen sind ja in der uns vorliegenden Gestaltung der vorpalästinischen Geschichte Israels die beiden Überlieferungsströme der Väter- und der Mosegeschichten bereits durch die Josephgeschichten und weiterhin miteinander verbunden, so daß in Ex die Erwähnung der den Vätern gegebenen Zusage durchaus neben 15 die neue dem Mose für sein Volk gewordene Verheißung tritt und die letztere sogar zurückdrängt, wie zB Ex 13, 5 (JE[s]); Ex 32, 13 (JE[s]); Ex 6, 8 (P). Es ist das Land, das Jahwe „ihren Vätern zugeschworen hat", es diesen ihren Nachkommen zum Erbbesitz (נחל, Ex 32, 13), zum Besitz (מוֹרָשָׁה Ex 6, 8) zu geben, das aber die Generation der Mosezeit wegen ihres Unglaubens nicht zu 20 sehen bekommen soll (Nu 14, 23 JE), und das letzte Wort Gottes an Mose im Pentateuch ist, als er ihm vor seinem Tode vom Berg Nebo aus „das ganze Land" zeigt: „Dies ist das Land, das ich dem Abraham, Isaak und Jakob zugeschworen habe mit den Worten: deinen Nachkommen will ich es geben. Ich habe es dich mit deinen Augen sehen lassen, aber hinüber sollst du nicht ge- 25 langen" (Dt 34, 4 J E).

4. Kanaan als Israels Nachala in Ex bis Nu. Wenn das nachmosaische Israel Kanaan erhalten hat, so spricht man jedenfalls von dem Lande, das Jahwe ihren Vätern, sei es den Patriarchen, sei es der Generation der Mosezeit zu geben verheißen hatte. So mit Verwendung von נחל 30 Ex 32, 13 (J E[s]); es ist ihre נַחֲלָה Nu 16, 14 (J E); 34, 2 (P). So verhältnismäßig häufig aber in Ex bis Nu, besonders auch in P-Texten, darauf hingewiesen wird, daß Israel Palästina zum Besitz erhält, daß Jahwe ihnen das Land gibt, so spärlich wird dafür נחל und נַחֲלָה verwendet. Das kommt daher, weil נחל nicht den Erbbesitz schlechthin, sondern den Erbanteil zu bezeichnen 35 scheint, den dauernden Besitz, den man durch Zuteilung und Verteilung erhält. Darum wird נחל und נַחֲלָה erst da häufig, wo es sich nicht sowohl um den Besitz von ganz Kanaan für ganz Israel, als vielmehr um den Besitz des Anteils der einzelnen Stämme und innerhalb derselben der einzelnen Geschlechter, ja sogar der einzelnen Personen handelt. Denn so, wie das Volk als solches das 40 Land erhält, so erhalten die Teile des Volkes die Teile des Landes durch göttliche Setzung. Sobald also von dem Landbesitz der Stämme die Rede ist, pflegt נחל und נַחֲלָה zu begegnen; so bei P schon Gn 48, 6, und weiterhin besonders im Buch Numeri (26, 52—56; 33, 50—54; 32, 18 f; 34, 14—18; 36, 2—12; 34, 29; 18, 20 ff; 26, 62; 27, 1 ff). 45

5. Kanaan als Israels Nachala in Dt. Wenn der Einzug in das „gelobte" (verheißene) Land in Ex bis Dt als das Ziel des von Mose aus Ägypten ausgeführten Volkes erscheint, so ist es nicht verwunderlich, daß der Hinweis darauf wie auf die seit Abraham dahin zielenden Verheißun-

5 gen im Deuteronomium auf Schritt und Tritt begegnet; gibt sich doch das dt.ische Gesetz mit seinen Vor- und Nachreden als letzte Reden Moses an das Volk, das sich schon in den „Gefilden Moabs", also vor den Pforten Kanaans befindet. Das Volk soll gemäß göttlichem Befehl Kanaan in Besitz nehmen als das Land, das Jahwe, der Gott ihrer Väter (Dt 1, 21), dem Abraham, Isaak

10 und Jakob geschworen hat schon vom Horeb aus, ihnen und ihren Nachkommen zu geben. Vgl Dt 1, 7. 8. 21. 35. 38; 2, 12. 29; 3, 18. 20. 28; 4, 1. 5. 14. 21. 26. 38. 40; 6, 1. 10. 23; 7, 1. 13; 8, 1. 10; 9, 4. 5; 10, 11; 11, 9. 21. 25. 29. 31; 12, 1. 9. 10; 15, 4; 17, 2. 14; 18, 9; 19, 1. 2. 3. 8. 10. 14; 20, 16; 21, 1. 23; 24, 4; 25, 19; 26, 1. 3. 9. 10. 15; 27, 2. 3; 28, 8. 21. 63; 30, 5.

15 16. 20; 31, 7. 20. 21. Wenn dabei נַחֲלָה gebraucht wird, so nicht nur vom gan-zen Land, sondern auch vom Anteil der einzelnen Stämme, ja sogar vom Anteil des einzelnen Volksgenossen, wie zB 19, 14 deutlich zeigt. Es wird die Auf-gabe des Josua sein, Israel das Land zur נַחֲלָה nehmen zu lassen (נחל hi, was Dt 21, 16 für die Verteilung des väterlichen Erbes an die Söhne gebraucht wird!)

20 Dt 1, 38; 3, 28; 31, 7; Jos 1, 6 (Dt), und wenn die Israeliten das Land erobern und in Besitz nehmen (ירש), so geschieht das nur, weil ihnen Jahwe das Land gegeben hat (zB 3, 20) als נַחֲלָה, und es gelingt nur, soweit Jahwe zur Erfüllung seiner den Vätern gegebenen eidlichen Zusage die gottlosen Kanaaniter vor ihnen ver-treibt (9, 4. 5) und in Schrecken vor ihnen setzt (11, 25).

25   **6.** Kanaan als Israels Nachala in Jos. Das Buch Josua beginnt mit dem Befehl Gottes an Josua: „Geh hinüber in das Land, das ich den Israeliten geben will" (Jos 1, 2 JE). Josua gibt den Befehl an die Amtleute weiter (1, 10. 11), die ihn an das Volk weitergeben (3, 2. 3), und der erste Teil des Buches will nun darstellen, wie das Volk mit Gottes Beistand

30 unter Führung Josuas Palästina erobernd in Besitz nimmt (3—12). Der alte Josua aber soll sein Lebenswerk damit abschließen, daß er (13, 1. 7) das Land als נַחֲלָה an die Stämme verteilt (חלק pi). Die Verteilung erfolgt durchs Los (גּוֹרָל), dh durch die Entscheidung der Gottheit selbst; denn Josua wirft das Los (ירה, Jos 18, 6) „vor Jahwe". Daß die Stämme Israels auf diese Weise

35 in den Besitz ihrer נַחֲלָה gekommen sind, ist die Meinung sowohl von J E, wie auch von P (siehe auch Nu 26, 52 ff; 33, 54; 34, 13), dem die Angaben über die Ver-teilung in Jos 13—21 zum großen Teil zugehören, wie auch von Dt (Jos 23, 4, Dt). Sofern die נַחֲלָה durchs Los bestimmt wird, heißt mehrfach auch der Land-anteil selbst גּוֹרָל (zB Jos 14, 2; 15, 1; 16, 1). Dabei ist נַחֲלָה auch in Jos nicht

40 bloß der Anteil der Stämme, sondern auch der einzelnen Geschlechter und Volks-genossen (24, 28, s auch 24, 32 J E!), auch der des Josua selbst (19, 49; 24, 30; Ri 2, 9). Welche bleibende Bedeutung diese ganze Auffassung von der durch Mose und Josua in göttlichem Auftrag vorgenommenen Verteilung des gelobten Landes gehabt hat, kommt in einer späten kasuistischen P-Stelle, Nu 36

45 (Nachtrag zum Erbtöchtergesetz Nu 27), dahin zum Ausdruck, daß die נַחֲלָה der

einzelnen Stämme grundsätzlich nicht verändert werden darf, und es muß verhütet werden, daß die נַחֲלָה auch nur eines Geschlechtes nicht beim Stamme bleibt.

7. **Kanaan als Israels Nachala in Ri, S, Kö, Esr, Neh, Ch.** In alledem hat sich gezeigt (obwohl nur ein Teil des Materials 5 erwähnt werden konnte), wie mannigfach und bedeutsam im ganzen Hexateuch der Glaube und die geschichtliche Anschauung hervortritt, daß die Besitznahme Palästinas dem Abraham, Isaak und Jakob für ihre Nachkommen verheißen, der Generation der Mosezeit zugesagt, schließlich dem Josua und seiner Generation aufgegeben und mit Jahwes Hilfe verwirklicht worden ist. In den im 10 Kanon folgenden historischen Büchern ist das Material sehr viel geringer. Im **Richterbuch** kommt an der sehr alten Stelle Ri 1, 3 die abweichende Anschauung vor, daß dem einzelnen Stamme sein „Los" zugewiesen sei, bevor er es erobert hat, und mit der Aufgabe, es zu erobern. Dagegen nimmt der deuteronomische Redaktor des Richter-Buches Jos 24, 28 mit Ri 2, 6 wieder auf. Auch 15 nach der altertümlichen Geschichte von dem Danitenzug Ri 17—18 erhält jeder Stamm seine נַחֲלָה zugewiesen, wenn auch 18, 1 der Darstellung von Jos 19, 40 ff zu widersprechen scheint. In der anderen dem Richterbuch angehängten Geschichte Ri 19—21 wird gelegentlich das Gesamtgebiet der Stämme als „das ganze Gefilde der נַחֲלָה Israels" (20, 6) bezeichnet. In den **Samuelisbüchern** 20 wird 1 S 12, 8 an die Herausführung aus Ägypten und die Einführung des Volkes in Palästina erinnert. In den **Königsbüchern** spricht Salomo in dem deuteronomischen Tempelweihgebet von Kanaan als dem Lande, das Jahwe seinem Volke als נַחֲלָה gegeben hat (1 Kö 8, 36 vgl 34. 48), vgl auch 1 Kö 9, 7; 14, 15; 2 Kö 21, 8 (keine Stelle vordeuteronomisch). Ebenso lebt das große 25 Festgebet des Esra **Neh** 9 in den gleichen Glaubensgedanken (Neh 9, 8. 15. 23. 35. 36). Ihnen entsprechend ermahnt der David des **Chronisten** das Volk, die Gebote Jahwes zu bewahren, damit sie im Besitz des Landes bleiben und es ihren Söhnen für immer vererben dürfen (נחל hi 1 Ch 28, 8).

8. **Das Land Kanaan und das Volk Israel die** 30 נַחֲלָה **Jahwes.** In einem Gebet 2 Ch 20, 11 spricht König Josaphat von Kanaan als von „deinem Besitztum (יְרֻשָּׁה), das du uns zu Besitz gegeben hast". Ähnlich wird in einer späten Stelle des Buches Josua (Jos 22, 19 P[s]) das Westjordanland „das Land, die אֲחֻזָּה Jahwes" genannt. Schon in alter Zeit heißt das Land gelegentlich „die נַחֲלָה Jahwes", so in den Samuelisbüchern sowohl 35 in alter (2 S 21, 3) wie auch in jüngerer Quelle (1 S 26, 19). 1 Kö 8, 36 heißt es „dein Land, das du deinem Volk zur נַחֲלָה gegeben hast". In dem Hymnus Ex 15 heißt das palästinische Bergland „der Berg deiner נַחֲלָה" (Ex 15, 17).

Häufiger als das Land Israel wird das **Volk Israel** als Eigentum, Anteil, נַחֲלָה Jahwes bezeichnet. Nach Ex 19, 5 (J E[s]) soll Israel dem Jahwe, dem die 40 ganze Erde gehört, sein Eigentum (סְגֻלָּה) sein aus allen Völkern. Auf diese Stelle greift das Dt mit der Verheißung zurück, daß Israel dem Jahwe zum „עַם סְגֻלָּה aus allen Völkern auf der Oberfläche des Erdbodens werden soll" Dt 7, 6; 14, 2; 26, 18; vgl auch Dt 4, 20 (עַם נַחֲלָה); 9, 26. 29 („dein Volk und deine נַחֲלָה"); 1 Kö 8, 51. 53; 2 Kö 21, 14 (dt!). In den Samuelisbüchern wird 45

Israel als die נַחֲלָה Jahwes oder Gottes wie in jüngerer (2 S 14, 16), so schon
in alter (1 S 10, 1) und ältester (2 S 20, 19) Quelle bezeichnet. In dem sog
Lied des Mose Dt 32 wird die Bestimmung Jahwes, daß Israel seine נַחֲלָה sein
solle, sogar in die ferne Vorzeit zurückverlegt, da Gott die Grenzen der Völ-
5 ker bestimmte und einem jeden seine נַחֲלָה verlieh (Dt 32, 8. 9).

9. נַחֲלָה **und** נחל **in den Prophetenschriften.** Die
Propheten des 8. Jhdts liefern ganz wenig Material. Jesaja und Hosea fallen ganz aus. Amos erinnert einmal daran, daß Jahwe die Amoriter vor den
Israeliten vernichtet und diese aus Ägypten heraufgeführt und 40 Jahre in der
10 Wüste hat wandern lassen, damit sie das Land der Amoriter in Besitz nehmen
sollen (Am 2, 9. 10)[7]. Bei Micha bezeichnet Jahwe das Land Israels als חֵלֶק עַמִּי
(„der Anteil meines Volkes" 2, 4). Das ist alles. Ganz anders bei Jeremia, dem
Zeitgenossen der deuteronomischen Reform. Ein liebliches Land, die köstlichste
נַחֲלָה unter den Völkern wollte Jahwe Israel geben (3, 19). Den Leuten der
15 Mosezeit befahl Jahwe, nachdem er sie aus Ägypten geführt, den Worten des
Bundes zu gehorchen, damit er den Eid, den er ihren Vätern geschworen, aufrecht erhalten und ihnen „das Land, das von Milch und Honig fließt", geben
könne, wie sie es bis auf diesen Tag noch besitzen (11, 4. 5) und auch, wenn
sie Jahwes Willen tun, von Ewigkeit zu Ewigkeit besitzen sollen (7, 7 vgl 25, 5).
20 Aber sie haben „sein Land" und „seine נַחֲלָה" zum Greuel gemacht (2, 7), und
so hat Jahwe sein Haus verlassen, seine נַחֲלָה verstoßen, den Liebling seiner
Seele preisgegeben in die Hand seiner Feinde, daß viele Hirten seinen Weinberg verwüstet haben (12, 7—10)[8].

Auch für Ezechiel ist Kanaan, das Land, das schon Abraham in Besitz ge-
25 nommen hatte (Ez 33, 24), die נַחֲלָה des Hauses Israel (35, 15). Jahwe, der es
auch „mein Land" nennt (38, 16), hat es den Vätern Israels eidlich versprochen
(20, 5. 6. 42), seinem Knecht Jakob gegeben (37, 25; 28, 25; vgl auch 20, 15.
28. 42). Das aus dem Exil zurückgeführte Volk soll es neu besiedeln und als
נַחֲלָה für immer besitzen und bewohnen (36, 12; 37, 25). Auf diese nachexi-
30 lische Zukunft des Volkes blickt Ez 40—48. Wie voreinst in der Josuazeit sollen
sich die 12 Stämme wiederum in das Land teilen (נחל hitp), so daß jeder durchs
Los seine נַחֲלָה bekommt (47, 13. 14; 48, 29; 45, 1). An dieser Verteilung darf
niemals etwas geändert werden, was aus Ez 46, 16—18 besonders deutlich wird,
wonach der Fürst weder etwas von der נַחֲלָה des Volkes wegnehmen, noch auch
35 etwas von seiner eigenen נַחֲלָה für immer weggeben darf[9]. Auch nach Deuterojesaja wird Jahwe am Tage des Heils das Land wieder aufrichten, ver-
wüstete נְחָלוֹת erneut als נַחֲלָה austeilen (נחל hi Js 49, 8); auch bei ihm nennt
Jahwe Kanaan seine נַחֲלָה (Js 47, 6). Bei Tritojesaja wird (Js 63, 17) das Land
oder das Volk als Jahwes נַחֲלָה bezeichnet. Das aus lauter Gerechten bestehende
40 zukünftige Volk Jerusalems wird für immer das Land besitzen (60, 21)[10]. Nach

---

[7] Am 9, 15 ist als auf Amos zurückgehend
in seiner Echtheit zum mindesten sehr umstritten.
[8] Vgl auch Jer 17, 4. Weiteres Material
in sekundären Stellen: 3, 18; 10, 16 = 51, 19;
12, 14. 15; 16, 14. 15. 18; 32, 21. 22; 35, 15; 50, 11.

[9] In wieweit diese Bestimmungen von Ez
selbst stammen, kann hier auf sich beruhen;
jedenfalls sind sie exilisch u zeigen bedeutsam das Fortleben der älteren Anschauungen.
[10] 58, 14 und 57, 13 sind spätere Zusätze.

Sacharja wird Jahwe Juda als sein חֵלֶק zur נַחֲלָה nehmen (2, 16) und den Überrest seines Volkes ganz Judäa erben lassen (נחל hi 8, 12). Nach einer Glosse bei Zephanja (2, 9) soll der Rest Israels auch Moab und Ammon als נַחֲלָה nehmen. Joel nennt Israel Jahwes Volk und Jahwes נַחֲלָה und Palästina Jahwes Land (1, 6; 2, 17. 18. 26. 27; 4, 3. 16). Auch in einer spät nachexilischen 5 Stelle im Jesajabuch nennt Jahwe Israel „meine נַחֲלָה" (Js 19, 25).

So ziehen sich die mit נַחֲלָה zusammenhängenden Gedanken, wenn auch bei den Propheten des 8. Jhdts nur selten erwähnt, durch die ganze Zeit und den ganzen Raum des prophetischen Schrifttums. Am meisten sind sie bei Jeremia und Ezechiel lebendig. 10

10. נַחֲלָה und נחל im Psalter. Im Psalter finden wir נַחֲלָה nicht selten an Stellen, wo der Psalmist an die Überlieferungen über die Patriarchen-, Mose- und Josuazeit erinnert. Gern erbaut man sich an dem dankbaren Rückblick auf die großen Gottestaten jener Tage. Jahwe, dessen ist man getrost, gedenkt ewig an seinen Bund, den er mit Abraham, Isaak und 15 Jakob geschlossen, indem er sprach: Dir will ich das Land Kanaan geben als eure zugemessene נַחֲלָה (Ps 105, 9—11). Glücklich ist das Volk, das von Jahwe zur נַחֲלָה (33, 12), zur סְגֻלָּה (135, 4) erwählt worden ist. Man darf Gott bitten, seiner Gemeinde zu gedenken, die er in der Mosezeit erworben (קנה), als Stamm seiner נַחֲלָה erlöst (גאל) hat (74, 2). Damals wurde Juda sein Heiligtum, Israel sein 20 Herrschaftsgebiet (114, 1. 2). Mit eigener Hand hat Jahwe die Heiden aus Palästina vertrieben und die Väter Israels das Land einnehmen lassen (44, 2—4). Das Land der kanaanitischen Könige, „die נַחֲלָה der Heiden" (111, 6) hat er seinem Volk als נַחֲלָה ausgewählt (47, 5) und gegeben (135, 12; 136, 21. 22), als zugemessene נַחֲלָה (78, 55). Als sie dort treulos wurden, gab er sie in Fein- 25 deshand und entbrannte im Zorn wider seine נַחֲלָה (78, 62; gemeint sind die Ereignisse von 1 S 4); hernach aber erwählte er seinen Knecht David und holte ihn hinter der Herde weg, um Israel, seine נַחֲלָה, zu weiden (78, 70. 71).

Wie schon aus diesen Stellen hervorgeht, wird das Volk im Psalter häufig als die נַחֲלָה Jahwes bezeichnet (so noch 28, 9; 94, 5. 14; 106, 5. 40); 30 doch weiß man auch, daß eigentlich alle Nationen Jahwe als נַחֲלָה zugehören und begründet damit gelegentlich die Bitte an Jahwe, sich zum Gericht über die Erde zu erheben (82, 8). Das Land wird als die נַחֲלָה Jahwes nur einmal (79, 1) bezeichnet; es ist die נַחֲלָה Israels (37, 18; 47, 5; 69, 37; 105, 11; 135, 12; 136, 21. 22) wie für die Vergangenheit seit den Tagen der Vorzeit, 35 so auch für die Endzeit (37, 18; 69, 37) als Gegenstand eschatologischer Hoffnung. In vergeistigter Frömmigkeit bezeichnet ein Psalmdichter Jahwe selbst als seine ihm nach dem Los mit der Meßschnur zugeteilte נַחֲלָה (16, 5. 6), ein anderer später Dichter die Selbstbezeugungen Jahwes in seinen Geboten (119, 111). Sogar in solchen Verwendungen zeigt sich die Lebendigkeit des alten נַחֲלָה-Ge- 40 dankens.

11. Zusammenfassung. In der voraufgehenden Darstellung ist נַחֲלָה vorläufig meist unübersetzt gelassen und נחל durch deutsche Verba in Verbindung mit נַחֲלָה wiedergegeben worden, um der in der Tat schwierigen Begriffsbestimmung nicht vorzugreifen. Aus der Vergleichung mit Ent- 45

sprechungen in anderen semitischen Sprachen erfließt nicht viel. Bei Ges-Buhl
sv wird auf neuhbr „besitzen", arabisch „schenken, als Eigentum zuteilen",
südarabisch „belehnen" zu נחל hingewiesen. Aus dem at.lichen Material sind
jedenfalls zusammenfassend folgende Züge zu entnehmen:

5   *a.* Mit נַחֲלָה und נחל wird bezeichnet, daß man etwas zugeteilt erhält und
nur auf Grund dieser Zuteilung in Besitz nimmt. Damit eignen sich die Worte
zum Ausdruck des in der at.lichen Religion tief verwurzelten Glaubensgedan-
kens, daß Israel Palästina durch seinen Gott zugeteilt erhalten hat und die
Landnahme nur auf Grund dieser Zuteilung erfolgen konnte. Israel besitzt sein
10 Land also, und zwar ausschließlich, durch göttliche Setzung.

      b. In נַחֲלָה und נחל liegt weithin der Begriff des Verteilens. Damit eignen
sich die Worte auch zum Ausdruck dafür, daß bei der Landnahme das Land
durchs heilige Los an die Stämme verteilt worden ist, und daß weiterhin in
gleicher Weise die Geschlechter bis zu den einzelnen Familien herab zu ihrem
15 Landbesitz gelangt sind. Nach dieser Anschauung ist also auch der Boden-
anteil der Stämme, Geschlechter und Familien durch göttliche Setzung bestimmt.

      c. Unverkennbar handelt es sich bei נַחֲלָה ursprünglich und fast ausschließ-
lich um Landbesitz, Boden. Dieser durch göttliche Setzung bestimmte Besitz
soll dauernder, immerwährender Besitz der Familie usw bleiben. Wie außer-
20 ordentlich in Israel das Interesse daran gewesen ist, daß der Grundbesitz der
Familie unverletzt erhalten blieb, findet wohl — abgesehen von schon oben
verwertetem Material — besonders eindrucksvoll darin seinen Ausdruck, daß
selbst eins der **Zehn Gebote** von Ex 20, das zehnte, seiner Sicherung gewidmet ist [11]. Die Bemühung um die ewige Sicherung des Bodens in der Hand
25 seines Besitzers hat weiterhin jenes merkwürdigste der sozialen Gesetze Israels
erzeugt, das Jobeljahrgesetz von Lv 25. Und ein Jesaja ruft sein Wehe über
die Reichen, die die Bauern nun von ihrem Bodenbesitz drängen (Js 5, 8) [12], und
sein Zeitgenosse Micha über die, welche „Felder begehren und sie rauben, und
Häuser und sie wegnehmen, und vergewaltigen den Mann und sein Haus, den
30 Mann und seine נַחֲלָה" (Mi 2, 2) [13].

      d. Von da aus wird deutlich, daß sich נַחֲלָה und נחל insbesondere auch zur
Bezeichnung des Bodenbesitzes eignen, sofern man ihn von den Vätern erhält,
zur Bezeichnung des **Erbbesitzes.** Man mag hinsichtlich der oben unter *a*
und *b* zusammengefaßten Glaubensgedanken insofern mit dem Ausdruck „Erb-
35 besitz" zögern, als der Landbesitz Israels zunächst einmal nicht damit begründet wird, daß das Land von den Patriarchen (oder von der Mosegeneration)
ererbt worden sei; denn sie haben es noch nicht besessen, aber es ist ihnen
für ihre Nachkommen verheißen worden, die es nun allerdings nicht kraft
eines bürgerlichen Erbrechts bekommen, sondern kraft der Treue Gottes zu der
40 gegebenen Verheißung (so zB Ex 32, 13 J E^s). Nachdem sie das Land aber,
kraft jener Verheißungen an die Väter, einmal bekommen haben, soll es ihr
Erbbesitz für alle Geschlechter sein, und sofern der Inhalt göttlicher Verheißung

---

[11] JHerrmann (→ Lit-A) 69—82.   [13] Herrmann aaO 73.
[12] Näheres bei OProcksch, Jesaja I (1930)
92; Herrmann aaO 78.

eigentlich Wirklichkeit ist, sobald sie ausgesprochen ist, so kann das Land zu der Zeit, wo sie es erhalten, auch rückwärts geschaut schon als נַחֲלָה im Sinne von Erbe gelten. Dafür, daß auch sonst נַחֲלָה den ererbten Bodenbesitz und von da aus schließlich den Erbbesitz überhaupt bezeichnet, sei noch auf einige Stellen verwiesen. In der alten Erzählung 1 Kö 21 lehnt Nabot die Abtretung seines Weinbergs an 5 den König mit den Worten ab: „Fern sei es mir von Jahwe aus, daß ich dir die נַחֲלָה meiner Väter gebe" (1 Kö 21, 3). נחל q heißt in der nicht minder alten Stelle Ri 11, 2 „erben", נחל hi im deuteronomischen Gesetz (Dt 21, 16) „(seinen Söhnen) die Erbteile bestimmen", wobei hier nicht bloß der Landbesitz gemeint ist, sondern alles, was dem Erblasser gehört; ebenso Prv 13, 22; נחל hitp wird Lv 25, 46 10 auch verwendet, wo es sich überhaupt nicht um Landbesitz handelt. נַחֲלָה ist der Erbanteil der Söhne (Prv 17, 2), auch der Töchter (Hi 42, 15), kann Haus und Habe umfassen (Prv 19, 14), bezeichnet aber vor allem den Landbesitz, den die Söhne erhalten (und in besonderen Fällen die Erbtöchter, Nu 27, 1—11; 36, 2 ff, vgl auch Rt 4, 5 ff). Wie sich der Gedanke des Erbes mit dem Besitz 15 Palästinas für Israel verbindet, mag für נַחֲלָה in Jer 3, 19, für נחל hi in 1 Ch 28, 8 deutlich erscheinen; sorgsame exegetische Überlegung wird aber feststellen müssen, daß auch an diesen beiden Stellen die Übersetzung mit „Erbe" und „erben lassen" keineswegs notwendig ist. Es scheint, daß der eigentliche Begriff des Erbens hinter den andern mit נחל und נַחֲלָה in dem uns angehenden 20 Bereich verbundenen Gedanken unverkennbar zurücktritt.

e. Von dem unter a—c Dargelegten aus erklärt sich auch, wenn Palästina als Jahwes נַחֲלָה, und wenn auch Israel als Jahwes נַחֲלָה bezeichnet wird; נַחֲלָה ist der Anteil, den sich Jahwe selbst zuteilt, und der ihm dauernd zu gehören bestimmt ist, und es konnte sich für den frommen Israeliten, der sein Volk und 25 sein Land als Jahwes eigene נַחֲלָה im Glauben betrachten durfte, hiermit die Fülle dessen verbinden, was sich an Gefühlen der Liebe, Treue und Fürsorglichkeit mit der „נַחֲלָה der Väter" auch sonst verbindet.

f. Schließlich bezeichnet נַחֲלָה wie חֵלֶק und גּוֹרָל das dem Menschen von Gott zugeteilte „Los" (auch unser deutsches „Los" hat ja den mehrfachen Sinn!) im 30 Sinn von „Geschick", „Schicksal" (Hi 20, 29; 27, 13; 31, 2).

Besonders lebendig und beziehungsreich sind die religiösen Gedanken, die sich mit נַחֲלָה verbinden, in einer Stelle wie Ps 16, 5. 6 entfaltet: in der Seligkeit seiner Glaubensgewißheit wagt der Fromme zu sagen, daß der Gott, der sein גּוֹרָל hält, das ist, was ihm als חֵלֶק zugeteilt ist; damit ist ihm die Meß- 35 schnur auf Liebliches gefallen, diese נַחֲלָה gefällt ihm wohl[14].

Es dürfte ersichtlich geworden sein, welche Bedeutung die mit נַחֲלָה verbundenen Glaubensgedanken für die Religion des at.lichen Frommen gehabt haben; wer sie ermißt, wird ihre unvergängliche Nachwirkung im Judentum, aber auch im Christentum begreifen können. 40

J Herrmann

---

[14] Hier mag auch die Argumentation erwähnt werden, daß die Leviten deshalb nicht Bodenbesitz wie die anderen Stämme erhalten sollen (נחל), weil Jahwe ihre נַחֲלָה sei (Nu 18, 20. 21. 24. 26; 26, 62; Dt 10, 9; 18, 2; Jos 13, 14. 33), wenn gleich diese Formel ihren durchaus realen Hintergrund hatte, wie Jos 18, 7 u noch deutlicher Dt 18, 1 zeigt.

C. Die Wortgruppe *κληρονόμος* in LXX.

Die → 767 genannte griechische Wortgruppe hat nun im biblischen Sprachgebrauch Erweiterungen erfahren, deren Grundlage zunächst nur der andere Bedeutungsumfang der hbr Äquivalente ist, die aber ihre eigentliche Trag-
5 weite dadurch bekommen haben, daß die Wortgruppe zum Träger einer besonderen religiösen Gedankenreihe wurde.

1. Sprachlich.

Daß durch den Bedeutungsumfang des hbr Äquivalents das griechische Wort beeinflußt wurde, zeigt sich an κ λ η ρ ο ν ό μ ο ς. Das Wort spielt,
10 wie besonders betont werden muß, in den nachher zu besprechenden religiösen Gedankengängen keine Rolle in der LXX. *Erbe* bedeutet es 2 Βασ 14, 7; Sir 23, 22; dagegen Ri 18, 7 B und Mi 1, 15 [15] stets = hbr יוֹרֵשׁ *der Besitzer*.

σ υ γ κ λ η ρ ο ν ό μ ο ς fehlt in LXX.

κ λ η ρ ο ν ο μ έ ω bedeutet: *etwas erben*, Tob 14, 13: ἐκληρονόμησεν τὴν οὐσίαν αὐτῶν,
15 ein Spiel mit der Bedeutung „erben" liegt wohl Sir 10, 11 vor: ein Mensch beim Sterben κληρονομήσει ἑρπετά... καὶ σκώληκας. Das Obj [16] steht im Gen (Js 63, 18) oder Acc *jem beerben* oder *etwas erben* Gn 15, 3 f; Nu 27, 11; Tob 3, 15; 6, 12 S; 14, 13. Abs *Erbe sein*: Ri 11, 2. Kausativ *zum Besitz geben*, mit Dat Nu 34, 17; 2 Εσδρ 9, 12 A, V; mit doppeltem Acc, *jem etwas in Besitz nehmen lassen* Jos 17, 14 (נָתַן נַחֲלָה); Ri 11, 24 B; Prv
20 13, 22; Sir 46, 1 B. *In Besitz halten* Ez 33, 25 A; 1 Ch 28, 8. An den klass Gebrauch, einen Ruf etc erben, schließt sich die Weisheitsliteratur an, indem sie von dem spricht, was der Weise oder Gottlose „erben" wird: δόξαν σοφοὶ κληρονομήσουσιν (נָחַל) Prv 3, 35; ähnlich 11, 29; Sir 4, 13 uö.

Den griechischen Bedeutungsumfang überschreitet κληρονομεῖν 3 Βασ 20, 15—19
25 (יָרַשׁ), wo es von Ahab gebraucht wird, als er Nabots Weinberg nach dessen Tod *sich aneignet*; Js 34, 17 wird es von wilden Tieren gebraucht (יָרַשׁ), die Edom *in Besitz nehmen*; vom Heiraten steht es Tob 3, 17; 6, 12 S, vgl auch Hos 9, 6; 1 Makk 2, 57. Vom *gewaltsamen In-Besitz-Nehmen* ist das Wort auch sonst gebraucht: Gn 24, 60 im Segen der Verwandten wird der scheidenden Rebekka gewünscht: dein Same
30 κληρονομάτω τὰς πόλεις τῶν ὑπεναντίων, ähnlich Gn 22, 17; Ri 3, 13; 4 Βασ 17, 24; Js 14, 21; 17, 14 (dort Übersetzung von בּוֹז !); Ez 7, 24 B; 35, 10; 1 Makk 1, 32; 2, 10. Vom *dauernden Besitz*: *behalten, haben* Ri 11, 24: οὐχὶ ὅσα κατεκληρονόμησέν σοι Χαμως ὁ θεός σου, αὐτὰ κληρονομήσεις; (A), so auch vielleicht ψ 118, 111, Ez 33, 25 f A und 1 Ch 28, 8, wo David mahnt: „Bewahrt Gottes Gebote, ἵνα κληρονομήσητε τὴν γῆν τὴν
35 ἀγαθήν."

κ α τ α κ λ η ρ ο ν ο μ έ ω. Verhältnismäßig häufig in LXX, oft mit κληρονομέω und κατακληροδοτέω als vl. In der Bedeutung steht es dem Simplex nahe, doch ist die kausative Bedeutung beim Kompositum häufiger. *In Besitz nehmen*, von der Landnahme der Israeliten wie von jeder gewaltsamen Eroberung der Völker (Hab 1, 6),
40 Obj auch Völker und Götter (Dt 12, 2. 29); von der Weisheit, die der Mensch erwirbt Sir 4, 16; von einem ewigen Namen Sir 15, 6; mit Gott als Subj ψ 81, 8. Bes häufig kausativ *das Erbe verteilen, jem erben lassen*, Dt 21, 16; 1 Ch 28, 8; vom Erbbesitz des Landes Ez 46, 18; *jem etwas in Besitz nehmen lassen*, mit dopp oder einf Acc: Sach 2, 16; Sir 36, 10; 46, 1; *jem etwas zum Besitz geben*, Dat und Acc, Dt 3, 28;
45 vom Thron der Herrlichkeit, den Gott dem Armen gibt 1 Βασ 2, 8. — Im pers Pass: *mir wird etwas zum Besitz gegeben*: Dt 19, 14; Sir 24, 8.

Auch bei κ λ η ρ ο ν ο μ ί α macht sich die Überschreitung des gemeingriechischen Bedeutungsumfanges bemerkbar [17]. Es bedeutet, abgesehen von den weiter unten zu besprechenden Gedankengängen neben *Erbe* (Gn 31, 14; Hi 42, 15) *Besitz*, zB Mi 2, 2: διήρ-
50 παζον ἄνδρα καὶ τὸν οἶκον αὐτοῦ, ἄνδρα καὶ τὴν κληρονομίαν αὐτοῦ, Thr 5, 2: κληρονομία ἡμῶν μετεστράφη ἀλλοτρίοις, οἱ οἶκοι ἡμῶν ξένοις, Qoh 7, 11 B: ἀγαθὴ σοφία μετὰ κληρονομίας, dann bes in Sir: 9, 6; 22, 23; 33, 24. Vom „Besitz" der Frau Tob 6, 13; von Kindern ψ 126, 3; vom Besitz der Weisheit Sir 24, 20. Die oben (→ 758, 50 f) angedeutete Bedeutungsvermischung mit κλῆρος zeigt sich darin, daß κληρονομία auch

---

[15] Wenn auch die letzte Stelle in der Auffassung des Übersetzers nicht recht deutlich wird. — Jer 13, 25 liest א κληρονόμος, was aber keinen Sinn gibt.

[16] Zur Konstruktion ausführlich Helbing Kasussyntax 138—141.

[17] Liddell-Scott sv zitiert zur Bdtg *property, possession* nur LXX-Belege.

Anteil, Teil bezeichnen kann: Js 17, 14 (par μερίς) als Übersetzung von גּוֹרָל;
ψ 15, 5 b f (par σχοινίον) = נַחֲלָה und גּוֹרָל. Auch Sir 24, 7 würde man eher κλῆρος
erwarten. PsSal 14. 5 (par μερίς).

2. Sachlich.

     Dem Versuch einer genauen Erfassung des Sinnes, den die Wort- 5
gruppe κληρονόμος in der LXX hat, muß eine vollständige Konkordanz der hauptsäch-
lichsten Begriffe κληρονομέω und κληρονομία sowie ihrer Hauptentsprechungen יָרַשׁ,
נַחַל und נַחֲלָה vorangehen. κληρονομέω steht unter 163 Stellen 111 mal für יָרַשׁ, 27 mal
für נַחַל und נַחֲלָה, 2 mal für אָחַז (Gn 47, 27; Jos 22, 9), 1 mal für יָדַע (Nu 14, 31),
1 mal für לָכַד (Ri 1, 18), בּזז Js 17, 14 (?) und חָלַק Js 53, 12. Umgekehrt wird 10
יָרַשׁ (q, ni, hi) außer mit κληρονομεῖν und κατακληρονομεῖν übersetzt 8 mal mit ἀπολλύναι, 4 mal mit ἐκβάλλειν, 13 mal mit ἐξαίρειν, je 3 mal mit ἐκτρίβειν, παραλαμβάνειν,
ἐξολεθρεύειν, je 2 mal mit κατασχεῖν, κυριεύειν, πτωχεύειν, je 1 mal mit ἀγχιστεύειν, διδόναι, ἐκβιάζειν, ἐκζητεῖν, κατακυριεύειν, κατοικεῖν, κτῆσις, λαμβάνειν, προνομεύειν, πτω-
χίζειν, περιτιθέναι, ὀλεθρεύειν, ἐξέλκειν, ἐξαναλίσκειν. נַחַל wird in ähnlicher Weise wie- 15
dergegeben je 4 mal mit μερίζειν und καταμερίζειν, je 2 mal mit κληροδοτεῖν, κατέχειν,
κτᾶσθαι, je 1 mal mit διέρχεσθαι, ἐμβατεύειν, ἐξολεθρεύειν, διαμερίζειν (außer Jos 1, 6).
κληρονομία wird unter 163 Fällen 143 mal für נַחֲלָה gesetzt, 16 mal für Wörter des
Stammes יָרַשׁ, je 2 mal für גּוֹרָל, גְּבוּל und אֲחֻזָּה, einmal für חֵלֶק. Umgekehrt wird 20
נַחֲלָה außer mit der Wortgruppe κληρονομία wiedergegeben mit κατάσχεσις 5 mal, κατακληρονομέω 1—2 mal, κληροδοσία 2 mal, κτῆμα 2 mal, μερίς 3—4 mal, je 1 mal mit διαίρεσις,
ἔγκληρος (εὔκληρος), κληρουχία, μερίζειν, οἶκος, τόπος.

Welchen Sinn die LXX in den unter B erörterten Zusammenhängen mit
κληρονομέω und κληρονομία verband, ist weder aus der gewöhnlichen Bedeutung
des griechischen Wortes zu ersehen — wir sahen ja, wie der Sprachgebrauch 25
der LXX den profangriechischen überschreitet — noch aus den at.lichen Zusammenhängen ohne weiteres ersichtlich. Der Begriff des Erbens, der für das
Griechische grundlegend ist, ist, wie auch bei נַחֲלָה, nicht der entscheidende
Punkt. Das nicht nur deshalb, weil der Gesichtspunkt des Erbens im AT nur
da auftritt, wo es sich um den Stammes- bzw Familienbesitz nach der Land- 30
nahme handelt, sondern auch darum, weil LXX schon in den Erzvätergeschichten
reichlich κληρονομεῖν — meist als Übersetzung von יָרַשׁ — gebraucht, zB Gn 15, 7:
ἐγὼ ὁ θεὸς ὁ ἐξαγαγών σε ἐκ χώρας Χαλδαίων ὥστε δοῦναί σοι τὴν γῆν ταύτην
κληρονομῆσαι (יָרַשׁ); Dt 30, 5: εἰσάξει σε κύριος ὁ θεός σου εἰς τὴν γῆν, ἣν ἐκληρονόμησαν οἱ πατέρες σου, καὶ κληρονομήσεις αὐτήν. Die Einnahme des Landes ist 35
das κληρονομεῖν, vgl Gn 28, 4; Dt 1, 8; 10, 11. Wenn es Nu 34, 2 heißt: ὑμεῖς
εἰσπορεύεσθε εἰς τὴν γῆν Χανααν · αὕτη ἔσται ὑμῖν εἰς κληρονομίαν, so besagt das
Futurum ἔσται, daß κληρονομία nicht den Gedanken nahelegen soll, daß Israel,
schon vor der tatsächlichen Inbesitznahme des Landes, durch Gottes Verheißung
ein Recht auf das Land hat, wie der Erbe schon vor dem Antritt seines Erbes 40
— so richtig dieser Gedanke an sich auch sein mag. Was vielmehr der gemeinsame Zug bei dem Verb κληρονομεῖν sowohl wie bei dem Subst κληρονομία ist
und was die Verwendung dieser Wörter in dem zur Rede stehenden theologischen Zusammenhang und außerhalb desselben kennzeichnet, ist das Moment
des dauernden Besitzes. Das zeigt für das Verbum klar Josuas Frage 45
Jos 18, 3: ἕως τίνος ἐκλυθήσεσθε κληρονομῆσαι τὴν γῆν, ἣν ἔδωκεν κύριος ὁ θεὸς
ἡμῶν; vgl auch zB Ex 23, 30; Nu 14, 24: κληρονομεῖν bezeichnet das tatsächliche In-Besitz-Nehmen des Landes. Ebenso deutlich ist der Gebrauch des Verbums von gewaltsamem In-Besitz-Nehmen in Zusammenhängen, wo von der

Landnahme nicht die Rede ist (→ 776, 23 ff, bes 3 Βασ 20, 15—19), besonders,
wo weder יָרַשׁ noch נָחַל die Wahl von κληρονομέω nahegelegt haben kann: Gn
47, 27 vom Aufenthalt Israels in Gosen: ἐκληρονόμησαν ἐπ' αὐτῆς (= אָחַז ni);
vgl auch Ri 1, 18 (לָכַד) und 2 ’Εσδρ 19, 25; Sach 9, 4 wird κληρονομεῖν von
5 Gott ausgesagt. Auch die Fülle von anderen griechischen Verben neben κληρονομεῖν, die יָרַשׁ und נָחַל übersetzen und die die gewaltsame Eroberung, Austreibung und Ausrottung bezeichnen, zeigt, daß das parallel damit gebrauchte
κληρονομεῖν die Inbesitznahme an sich bezeichnen soll; denn die wahlweise neben
diesem Verb gebrauchten Verben stehen auch in den Zusammenhängen der
10 Landnahme der Israeliten, zB Nu 32, 39; 33, 52. 53; Jos 15, 63; 16, 10; 23, 5
(ἀπολλύναι); Nu 21, 32 (ἐκβάλλειν); Jos 1, 11 (κατασχεῖν); Ri 1, 21 ff (ἐξαίρειν).
Damit ist zu vergleichen κληρονομεῖν mit persönlichem Obj, etwa Dt 9, 1; 11, 23;
Ri 1, 19 b A. נָתַן לָרֶשֶׁת ist zB Dt 21, 1 mit διδόναι κληρονομῆσαι, Lv 20, 24 aber
mit διδόναι ἐν κτήσει übersetzt. Für das Subst wies schon die Vergleichung
15 seines Gebrauchs mit dem von κλῆρος, → 758 f, auf das Moment des dauernden Besitzes als das Entscheidende hin. Daß κληρονομία das Erbe, den Erbbesitz, bezeichnen kann und daß dieser Gedanke auch im AT verwandt wird,
zeigt die Geschichte der Töchter Zelophads, Nu 27, 8; es ist auch unter B dargelegt worden. Aber das ist nicht die hervortretende Bedeutung. Das zeigt
20 auch hier wieder der Umstand, daß auch das Subst vom Besitz fremder Völker
gebraucht wird, Ez 25, 4: παραδίδωμι ὑμᾶς τοῖς υἱοῖς Κεδεμ εἰς κληρονομίαν (מוֹרָשָׁה),
vgl ebd v 10 und Mi 1, 14. Auch als von einer Erbfolge dem größten Teil
des Landes Kanaan gegenüber nicht mehr die Rede sein konnte, blieb es doch
κληρονομία Ισραηλ, und das religiös-politische Ziel der Makkabäer war, das
25 Land in dem Umfange wiederzugewinnen, in dem es von Gott Israel zu dauern-
dem Besitz gegeben war; so sagt Simon zu Athenobios, 1 Makk 15, 33 f: οὔτε
γῆν ἀλλοτρίαν εἰλήφαμεν οὔτε ἀλλοτρίων κεκρατήκαμεν, ἀλλὰ τῆς κληρονομίας τῶν
πατέρων ἡμῶν, ὑπὸ δὲ ἐχθρῶν ἡμῶν ἀκρίτως ἔν τινι καιρῷ κατεκρατήθη · ἡμεῖς δὲ
καιρὸν ἔχοντες ἀντεχόμεθα τῆς κληρονομίας τῶν πατέρων ἡμῶν. Auch daß in den
30 zur Frage stehenden Zusammenhängen ua 5 mal κατάσχεσις auftaucht (Nu 32, 32;
33, 54 [2 mal]; 36, 3; Ez 36, 12), zeigt in dieselbe Richtung.

Das Gesagte läßt es zunächst unklar, warum überhaupt diese Wortgruppe
gewählt ist, wenn das für das Griechische wesentliche Moment des Erbens in
dem Maße zurücktritt, wie es der Fall ist. Der Grund mag einmal im Anschluß
35 an das Hebräische liegen, denn in יָרַשׁ und נָחַל liegt, wenn auch in ersterem
weniger, das Moment des Erbens. Doch wird noch ein anderer Gesichtspunkt
herausgehoben werden müssen, der freilich auch für das Hebräische gilt: von
der Landnahme der Israeliten wird im MT nie mit קנה gesprochen; dem entspricht,
daß LXX das Land nicht als κτῆσις bezeichnet und nicht vom κτᾶσθαι desselben
40 spricht. קנה bzw κτᾶσθαι bezeichnet einen Vorgang, durch den ein Gut gegen
einen entsprechenden Gegenwert seinen Besitzer wechselt, darum kann dieser
Vorgang beliebig umgekehrt werden. κτᾶσθαι schafft wohl Besitz, aber keinen
solchen, der seiner Art nach ein dauernder ist. Bei den Vorgängen in der
Geschichte Israels und anderer Völker, die LXX mit κληρονομεῖν bezeich-
45 net, handelt es sich nicht um beliebig umkehrbare Vorgänge. Nur mit Gewalt

kann ein Volk aus dem Gebiet, das es ἐκληρονόμησεν, wieder entfernt werden. Diese Art des Erwerbes schafft dauerndes Besitzrecht. Und dieser Tatbestand ist es, der in der Durchführung dieses Rechtes bis auf die Stämme und Familien und in der Jobeljahrgesetzgebung zum Ausdruck kommt. „Erben" ist mit dieser Art des Besitzerwerbes verwandt, insofern es ebenfalls keinen beliebig 5 auch in umgekehrter Richtung vollziehbaren Vorgang bezeichnet.

Ist dies das Entscheidende an den LXX-Begriffen κληρονομεῖν und κληρονομία, so ist deutlich, daß LXX damit ein wesentliches Moment des hbr Begriffes נַחֲלָה gewahrt hat. Wieweit sich LXX dabei an einen nicht mehr belegbaren, vielleicht ägyptischen Sondersprachgebrauch angeschlossen hat, ist nicht mehr fest- 10 zustellen; eine gewisse Seite des griechischen Sprachgebrauchs mag dem entgegengekommen sein, → 767, 17 ff.

Von der nunmehr gewonnenen Begriffsbestimmung der in Frage stehenden Wörter aus wird es nun ohne weiteres verständlich, daß sich κληρονομεῖν und κληρονομία auch in die Weiterbildung des religiösen at.lichen Sprachgebrauchs 15 einfügen konnten. Sowohl Israel und Kanaan als Gottes κληρονομία zu bezeichnen, wie auch, dies Wort in eschatologischen Zusammenhängen zu verwenden, ist sinnvoll und möglich, weil es sich um einen dauernden Besitz handelt, der nicht auf der Grundlage eines stets umkehrbaren Geschäftes ruht, sondern auf Gottes Geben. 20

D. Die Wortgruppe κληρονόμος im Spätjudentum.

1. **Sprachlich.** In der Mischna bezeichnet נחל und ירש den juristischen Interessen der Mischna entsprechend häufig erben und beerben. Der religiöse Sprachgebrauch des AT wirkt nach, den entwickelteren Anschauungen entsprechend stärker ins Transzendente gewandt. Die Pseudepigraphen können mit dem 25 rabb Judentum zusammen behandelt werden. Dort ist κληρονομεῖν wie in LXX auch für gewaltsame Eroberung gebraucht, Test XII N 5, 8; in Besitz nehmen bezeichnet es Test Hiob 18 (ed MRJames, TSt V 1 [1897] 104 ff) im Gleichnis, vgl auch 4 Esr 7, 6 ff.

2. **Sachlich** gesehen wird auch im Spätjudentum von der Landnahme der Israeliten κληρονομεῖν, vom gelobten Land κληρονομία (נחלה) gebraucht, 30 aber so, daß der Ausdruck über die einmalige Landnahme hinausweist und, wie in ψ 36, 9, einen eschatologischen Bezug bekommt. Die in eschatologischer Erwartung lebende Gemeinde des neuen Bundes in Damaskus blickt auf ihre Anfänge zurück mit den Worten ויצמח מישראל ומאהרן שרש מטעת לירוש את ארצו Damask 1, 7 f vgl äth Hen 5, 7: die Auserwählten . . . werden das Land erben. Besonders aber ist 35 Jub zu nennen, das als Midrasch zu Gn die Väterverheißungen paraphrasiert: 22, 14 geht Abrahams Segen an Jakob dahin, dieser möge die ganze Erde erben, wie schon Abraham Kanaan „für immer" geerbt hat (22, 27; 17, 3 die Erde). Der Segen Abrahams an Jakob wird ideell im Gesicht bestätigt, 32, 19: ich werde deinem Samen die ganze Erde, die unter dem Himmel (ist), geben, und sie werden über alle Völker 40 herrschen, wie sie wollen, und danach werden sie die ganze Erde besitzen und sie erben in Ewigkeit (vgl 25, 17); ähnlich Ps Sal 12, 6: ὅσιοι κυρίου κληρονομήσαισαν ἐπαγγελίας κυρίου. Apk Sedrach 6 (ed MRJames, TSt II 3 [1893]) ist Adam κληρονόμος οὐρανοῦ καὶ γῆς. Mit dieser Erwartung der Erfüllung der erweiterten Abrahamsverheißungen stimmen die rabbinischen Zeugnisse überein, von denen Leqach Tob 1, 72 a z Gn 28, 14 [18] ausdrücklich be- 45 merkt, daß sich Gn 28, 14 in den Tagen des Messias erfüllt [19]. Die Väterverheißungen vom Erben des Landes bleiben auch in ihrer eschatologischen Ausweitung und Ausdehnung auf die ganze Welt auf diese Erde bezogen und damit überhaupt die Wendung נחל ארץ (Qid 1, 10); ירש ארץ (Sanh 11, 1 [= Js 60, 21], vgl Nu r 11 z Nu 6, 26 b, wo das Heil [שלום]

---

[18] Str-B III 209 u.
[19] Nähere Belege Str-B III 209. Die dort beigebrachten Stellen aus Nu r 12 u 14 haben

für Abrahams „Erwerben" von Himmel und Erde קנה, vgl 4 Esr 5, 27: adquisisti.

mit Ps 37, 11 umschrieben wird). Die Landnahme der Israeliten selbst ist als Heils-
ereignis bedroht durch den Midrasch im Jub, nach dem Kanaan den Israeliten durch
das Los zugeteilt ist, 8, 10 ff; 9, 1 ff; 10, 28 ff. Dasselbe zeigt sich in dem theologisch
sehr aufschlußreichen Abschnitt 4 Esr 6, 55 ff; dort fragt „Esra": die erste Welt ist
5   um Israels willen geschaffen, während die Völker für nichts geachtet sind: warum
zertreten aber die Völker Israel und hat Israel diese Welt nicht zum Besitz bekommen? (lat: haereditatem possidere = κληρονομεῖν). Diese Frage zeigt zwar ebenfalls die Ausweitung der Väterverheißungen auf die ganze Welt, bedroht aber auch
ihrerseits die spezifisch at.liche Fassung von κληρονομεῖν: ist die Welt um Israels
10 willen geschaffen, so ist sie von vornherein Israels Besitz, ist κτῆμα, nicht κληρονομία.
Die Antwort wird in einem doppelten Gleichnis gegeben, im zweiten ist κληρονομία
gebraucht: Israel ist einem Menschen vergleichbar, dem eine Stadt zum „Erbteil" gegeben ist, der aber zu seinem „Erbe" nur auf einem schmalen Pfad zwischen Feuer
und Wasser gelangen kann: der schmale Pfad ist dieser Aeon, der um Israels willen
15 geschaffen, aber durch Adams Fall gerichtet wurde (7, 11 f). Damit hat 4 Esr die
Erfüllung der Verheißung, die Erde zu erben, ganz aus diesem Aeon herausgenommen;
unverbunden steht daneben eine, nach 9, 8 räumlich auf Palästina, zeitlich auf 400 Jahre
(7, 28) beschränkte Erfüllung der Verheißungen, die nur die erlangen, die das Kommen
dieser Zeit erleben werden.

20   So tritt neben das „Erben dieser Erde" das Erben des ewigen Lebens, das zu einem
festen Sprachgebrauch geworden ist, PsSal 14, 10; äth Hen 40, 9; Sib fr 3 [20]; Test
Hiob 18 (→ 779, 28), daneben: den kommenden Aeon (4 Esr 7, 96 [21], s Bar 44, 13;
slav Hen 50, 2; 66, 6) oder Gottes Herrlichkeit [22] erben. Rabbinisch ist ohne erkennbaren Unterschied ירש und נחל (aram ירת und חסן) belegt, als Objekte sowohl העולם
25 הבא bzw העולם הבא חיי, גן עדן als auch גיהנום (Ab 1, 5; Test Hiob 43) [23]. Nirgends
findet sich bei den Rabbinen eine Beziehung zum Vaternamen Gottes, auch nicht zu
Israel als dem „Sohn", auch sonst keine Äußerung, die das Moment des „Erbens" verwendet: 4 Esr hat wohl im Abschnitt 6, 55 ff v 58 das Volk Israel den erstgeborenen
Sohn Gottes genannt und im Zusammenhang damit das Gleichnis von dem Erben
30 gebraucht, 7, 9; aber sollte man nicht, wenn für 4 Esr die Verbindung von Sohnschaft
und Erbschaft wirklich lebendig gewesen wäre, eine Einleitung des Gleichnisses erwarten, daß ein König seinem Sohn eine Stadt zum Erbteil ausgesetzt hätte, eine
Einleitung, die an die Einleitung vieler rabbinischer Gleichnisse erinnern würde?

κληρονομία bzw נחלה = die Erbschaft. Ab 2, 12 ist ירשׁה die Erbschaft, die einem
35 ohne Zutun in den Schoß fällt, mit der zu erwerbenden Torakenntnis in Gegensatz
gestellt. Sonst ist rabbinisch נחלה und ירשה juristisch häufig als das Erbe, vgl auch
PsSal 15, 11. Belege für das Subst als Bezeichnung des himmlischen Erbes sind aus
den Pseudepigraphen zu holen: 4 Esr 7, 9. 17; äth Hen 39, 8; 71, 16; 99, 14; slav
Hen 9; 55, 2; PsSal 14, 9 f. Freilich ist kaum auszumachen, welches Wort dabei „Erb-
40 teil" entsprechen würde, ob κλῆρος oder κληρονομία. In den beiden ersten Stellen aus
äth Hen steht „Erbteil" parallel mit „Wohnung", dh man könnte an Transzendentalisierung der Verheißung, die Erde zu erben, und damit an κληρονομία denken, in äth
Hen 99, 14 aber steht es neben „Maß", so daß hier eher an κλῆρος zu denken ist.
Wie ירש auch die Gehenna als Objekt hat, so heißt es slav Hen 10, 6, daß der Ort
45 der Hölle den Gottlosen zum ewigen Erbteil bereitet ist, vgl PsSal 14, 9; 15, 10.
Dabei läßt die pseudepigraphe Literatur deutlich erkennen — schon die ganze Form
der Himmelsreisen zeigt dies —, daß das Erbe räumlich vorgestellt wird; dem entspricht auch die gegenständliche Ausmalung der Höllenqualen und der Seligkeiten.

Daß Israel Gottes Besitz ist, ist dem Spätjudentum ein unentbehrlicher Gedanke.
50 Doch tritt ein κληρονομία entsprechender Ausdruck im rabb Judentum nicht hervor.
In der 18. Bitte der palästinischen Rezension des 18-Bittengebetes שים שלומך על
ישראל עמך ועל עירך ועל נחלתך ist נחלה neben Volk und Stadt doch wohl das Land
Kanaan, wie PsSal 7, 2; 9, 1; 17, 23; und Test B 9, 2 A meint mit κληρονομία
den Tempel. Wohl aber tritt dieser Ausdruck in Jub 1, 19. 21; 16, 18; 22, 9 f. 15. 29;
55 33, 20; 4 Esr 8, 16; Apk Abr 20 auf und zwar, wie im AT, als Trost und als Ver-

[20] S 232, 47 Geffcken.
[21] Vgl dazu die Bemerkung Gunkels bei
Kautzsch Pseudepigr zSt. Vgl auch, daß
it u Vg κληρονομεῖν vielfach mit possidere und ähnlichen Wendungen übersetzen
(WMatzkow, De vocabulis quibusdam Italae
et Vulgatae christianis quaestiones lexico-
graphae [1933] 45 f).

[22] Apk Elias bei Cl Al Prot X 94, 4.
[23] Bequeme Übersicht über die Belege bei
Volz Esch 341. — In diesen Zusammenhängen
behält κληρονομεῖν ein räumliches Element,
was den Weitergebrauch des Wortes im Spätjudentum erleichtert hat. — „Beide Welten
erben" zB bBer 51 a gg E.

pflichtung. So betet Abraham für Jakob Jub 22, 29: daß du ihn heiligst zum Volk deines Erbes; PsSal 14, 5: ἡ μερὶς καὶ κληρονομία τοῦ θεοῦ ἐστιν Ἰσραηλ. Da κληϸονομία als der in einem bestimmten Moment bekommene Besitz Ausdruck des Erwählungs- gedankens sein kann, dieser aber im rabb Judentum vor dem Verdienstgedanken zurücktritt bzw von ihm seine nähere Färbung bekommt, ist es nicht verwunderlich, 5 daß נחלה in diesem Sinne sich bei den Rabbinen nicht findet.

Als kostbarsten Besitz hat Israel die Tora bekommen, sie heißt darum Damask 1, 16 נחלה und Asc Js 1, 13 stellt sich Js als haereditatis Dilecti haeres vor, dh er ist (wie die Propheten nach Ab 1, 1 überhaupt) ein Glied der lückenlosen Kette, in der die Tora von Mose bis zu den Schriftgelehrten weitergegeben wurde[24]. 10

E. Die Wortgruppe κληρονόμος im Neuen Testament.

1. Der Sprachgebrauch.

κληρονόμος *der (Sohn und) Erbe,* Mk 12, 7 par; Gl 4, 1; in religiösem Sinn: R 8, 17; Gl 3, 29; 4, 7; Hb 1, 2; von den Empfängern der Verheißungen Gottes und Anwärtern auf das Verheißene dh ohne Betonung einer Verbindung 15 von Sohnschaft und Erbschaft R 4, 13 f; Tt 3, 7; Hb 6, 17; 11, 7; Jk 2, 5.

συγκληρονόμος *der mit jem anderem zusammen etwas erhält oder erhalten soll;* R 8, 17; Eph 3, 6 (Adj); Hb 11, 9; 1 Pt 3, 7.

κληρονομέω *erben,* in eigentlichem Sinn, von Kindern, Gl 4, 30; von Christus Hb 1, 4. Vom Empfangen der Verheißungen und Gaben Gottes Mt 5, 5 (τὴν γῆν); Mk 10, 17, vgl 20 Lk 18, 18[25]; Mt 19, 29; Lk 10, 25 (ζωὴν αἰώνιον); Mt 25, 34; 1 K 6, 9 f; 1 K 15, 50 a; Gl 5, 21 (τὴν βασιλείαν τοῦ θεοῦ); Mk 16, 14 Cod W (δόξαν); Hb 1, 14 (σωτηρίαν); Hb 12, 17; 1 Pt 3, 9 (εὐλογίαν); 1 K 15, 50 b (τὴν ἀφθαρσίαν); Apk 21, 7 (ταῦτα); Hb 6, 12 (τὰς ἐπαγγελίας).

κατακληρονομέω Ag 13, 19 *zum Besitz geben* von der Landnahme, at.lich. 25

κληρονομία *das Erbe* Mk 12, 7 par; Lk 12, 13, in religiösem Sinn Gl 3, 18[26]; (Land-) *Besitz* Ag 7, 5; 13, 33 D (par κατάσχεσις = ψ 2, 8); Hb 11, 8, alle drei Stellen mit Bezug auf die at.lichen Verheißungen an die Väter; *das ewige Erbe* Ag 20, 32; Eph 1, 18; 5, 5[27]; Eph 1, 14; Kol 3, 24; Hb 9, 15; 1 Pt 1, 4.

2. Der theologische Gebrauch. 30

Der besondere Inhalt, den die Wortgruppe κληρονόμος im NT erhalten hat, liegt fast ganz im Gleichnis von den ungerechten Winzern beschlossen, Mk 12, 1—12 par. Der „Erbe" ist der Sohn, und das Erbe ist das Reich Gottes. Mit dem ersten ist eine feste Verbindung zwischen Sohn- schaft und Erbschaft geschaffen, die im AT und im Spätjudentum im theolo- 35 gischen Gebrauch des Wortes fast ganz fehlte, die sich nun aber durch das ganze NT hindurchzieht: Pls nennt Christus zwar nirgends κληρονόμος, aber die Christen συγκληρονόμοι Χριστοῦ, R 8, 17, auch hat er das Erben der Christen ausdrücklich auf ihre υἱοθεσία zurückgeführt: R 8, 17: εἰ δὲ τέκνα, καὶ κληρο- νόμοι · κληρονόμοι μὲν θεοῦ, συγκληρονόμοι δὲ Χριστοῦ; Gl 3, 29; 4, 7: ὥστε οὐκ- 40 ἔτι εἶ δοῦλος ἀλλὰ υἱός · εἰ δὲ υἱός, καὶ κληρονόμος διὰ θεοῦ. Hb hat im sorg- fältig abgewogenen Eingang seines Briefes als erstes vom Sohn ausgesagt ὃν ἔθηκεν (sc: θεός) κληρονόμον πάντων[28]. Sohnschaft begründet Erbe-Sein, nach der allgemein griechischen wie hellenistisch-orientalischen Auffassung (→ 767, 43 ff). Erbe sein heißt im Gleichnis von den bösen Winzern nicht, das Erbe schon 45 angetreten haben, sondern die Anwartschaft auf das Erbe haben; der Sohn

---

[24] Genannt sei hier noch Apk Sedrach (ed MRJames, TSt II 3 [1893] 130 ff) 6, wonach Adam zum κληρονόμος von Himmel und Erde geschaffen wurde.
[25] Mt hat in der Parallelstelle statt ἵνα κληρονομήσω: ἵνα σχῶ.

[26] Nicht das Erben, wie Zn Gl zSt will, denn im folgenden ist es Obj zu κεχάρισται.
[27] An den drei letztgenannten Stellen nähert sich die Verwendung von κληρονομία der von κλῆρος, vgl Ag 26, 18 und Kol 1, 12, → 762, 34 ff.
[28] Mit Wnd Hb u Rgg Hb zSt ist an die Erhöhung zu denken.

kommt noch nicht als Herr des Weinberges, mit der Vollmacht des, der seinen
Besitz schon angetreten hat; die Winzer können, wenn auch törichterweise, noch
meinen, ungestraft den Sohn umbringen zu können. Erst der Auferstandene
hat das Erbe „angetreten", Mt 28, 18: ἐδόθη μοι πᾶσα ἐξουσία ἐν οὐρανῷ καὶ ἐπὶ
5 γῆς. Man könnte das Gleichnis von Pls Gl 4, 1 f in Bezug auf Jesu irdische
Wirksamkeit anwenden: ὁ κληρονόμος . . . οὐδὲν διαφέρει δούλου κύριος πάντων
ὤν, vgl Phil _, 7: μορφὴν δούλου λαβών. Joh hat das κύριος πάντων ὤν stark
betont und darum κληρονόμος nicht gebraucht, wie das ganze joh Schrifttum
(außer Apk 21, 7) die ganze Wortgruppe überhaupt meidet, da es das irdische
10 Leben Jesu wie der Seinen in das Licht überzeitlicher Erfüllung getaucht hat.
Erbe sein schließt nun nicht ein juristisch einklagbares Recht ein, und zwar darum
nicht, weil die Sohnschaft sich nicht in dem Gewordensein aus dem Vater erschöpft, sondern sich darin vollendet, daß der Sohn tut, was er sieht den Vater
tun [29]. Nach dem Gesagten ist also κληρονόμος ein eschatologischer Begriff.
15   Das führt zum zweiten: das Erbe ist das Reich Gottes. Das hat im Gleichnis von den bösen Winzern zwar nur Mt ausdrücklich formuliert (21, 43) und
damit das Reich Gottes in der ganzen Geschichte Israels wirksam gesehen, er
hat aber damit den Sinn des Gleichnisses getroffen. Während das Judentum
nicht vom Erben des Reiches Gottes sprach, auch der reiche Jüngling nur, wie
20 die Rabbinen, fragte: τί ποιήσω, ἵνα ζωὴν αἰώνιον κληρονομήσω; (Mk 10, 17), ist im NT
die Verbindung κληρονομεῖν τὴν βασιλείαν θεοῦ fest geworden → 781, 21 ff. Indem
Jesus in seiner irdischen Niedrigkeit sich als υἱὸς καὶ κληρονόμος bezeichnete,
wird der Begriff des Reiches Gottes und des Erbes von allen irdischen Begren-
zungen und Gebundenheiten frei: Das Reich, das Erbe ist die neue Welt, in
25 der Gott allein und ganz herrscht.
   Ist Christus als Sohn der Erbe, so sind die Seinen als in die Sohnschaft versetzt συγκληρονόμοι. Während also im Spätjudentum, unter Benutzung des Bedeutungsumfanges von נָחַל und יָרַשׁ das Moment des „Erbens" ausgeschaltet
blieb, kommt im NT dieses Moment zur vollen Geltung. Freilich in einer be-
30 deutsamen Nuance: Erben sind die „Kinder", aber diese Kindschaft gründet
sich nicht auf die leibliche Abstammung, weder auf den Ursprung alles natürlichen Lebens in Gottes Schöpfermacht, noch auf die Abstammung von Abraham,
sondern auf Gottes Ruf und Einsetzung: die „Söhne des Reiches" werden ausgeschlossen und viele von Ost und West geladen, Mt 8, 11 f. Damit fällt die
35 Bezeichnung Israels, Palästinas, des Tempels, der Thora als κληρονομία θεοῦ. Es
heißt: σὰρξ καὶ αἷμα βασιλείαν θεοῦ κληρονομῆσαι οὐ δύναται, 1 K 15, 50; das
Sohn- und Erbesein ist in einer neuen Schöpfung begründet, oder, in einem
anderen Bild, in der υἱοθεσία. Wie Pls diese als zukünftig ansehen kann, R
8, 23, so, nur ausschließlicher, ist die κληρονομία der Christen ein Hoffnungs-
40 gut [30]. Die mit κληρονομεῖν verbundenen Objekte zeigen wie die von κληρο-

---

[29] Von FBüchsel, Theologie des NT (1935)
61 ff stark hervorgehoben.
[30] FJAHort, The first Epistle of St Peter
(1898) z 1, 4 bezweifelt, ob in κληρονομία
überhaupt ein eschatologischer Klang liegt,

ähnlich EdeWittBurton Gl (ICC) z 3, 29; Zn
Gl z 3, 29 (² [1907] 190 ob) u Ew Gefbr z
Eph 5, 5. Den Gl-Briefstellen gegenüber liegt
eine gewisse Berechtigung in diesem Urteil,
das aber als allgemeines nicht zu halten ist.

νομία abhängigen Genitive den Inhalt des Erbes an: σωτηρία Hb 1, 14; δόξα R 8, 17 (dh nach dem folgenden ἀπολύτρωσις τοῦ σώματος ἡμῶν); Eph 1, 18; Mk 16, 14 Cod W; χάρις 1 Pt 3, 7; εὐλογία 1 Pt 3, 9; zusammengefaßt ewiges Leben Tt 3, 7[31]. Das bedeutet, daß auch hier die räumlichen Vorstellungen zurücktreten. Wenn es auch Mt 5, 5 heißt: μακάριοι οἱ πραεῖς, ὅτι αὐτοὶ 5 κληρονομήσουσιν τὴν γῆν, so ist doch dabei nicht die Erde der Inbegriff des Erbes[32], auch nicht ein Teil und Bezirk in den himmlischen Regionen ist das Erbe, es ist Gottes Herrschaft, die den Menschen den unvorstellbaren Reichtum seines Lebens schenkt, darum aber eben durchaus keine abstrakte Größe, sondern schließt in sich, wie Leben aus Gott stets, Beauftragung, Dienst, Herr- 10 schaft, vgl Mt 25, 21; Lk 19, 17. Pls und die Apk wissen von einem Herrschen zu reden: R 5, 17: ἐν ζωῇ βασιλεύσουσιν, vgl 1 K 4, 8: χωρὶς ἡμῶν ἐβασιλεύσατε · καὶ ὄφελόν γε ἐβασιλεύσατε, ἵνα καὶ ἡμεῖς ὑμῖν συμβασιλεύσωμεν, ebenso Apk 5, 10; 20, 4; 22, 5, vgl 1, 9: συγκοινωνὸς ἐν τῇ . . . βασιλείᾳ. In Apk 21, 2 ff schaut der Seher das neue Jerusalem vom Himmel herabkommen, entfaltet als 15 ἡ σκηνὴ τοῦ θεοῦ μετὰ τῶν ἀνθρώπων (v 3), entfaltet dahin, daß die Menschen Gottes Völker sein werden und Gott mit ihnen sein wird. Tod und Leid sind nicht mehr, es ist alles neu geworden. Danach heißt es: ὁ νικῶν κληρονομήσει ταῦτα καὶ ἔσομαι αὐτῷ θεὸς καὶ αὐτὸς ἔσται μοι υἱός (v 7): darin ist entfaltet, was βασιλεία τοῦ θεοῦ, was ζωή, was σωτηρία und εὐλογία heißt, kurz, was das 20 „Erbe" in sich schließt. Im Licht dieser Apk-Stelle wird auch die scheinbar gegenständliche Stelle 1 Pt 1, 3 f deutlich: θεὸς . . . ἀναγεννήσας ἡμᾶς εἰς ἐλπίδα ζῶσαν . . . εἰς κληρονομίαν ἄφθαρτον . . . τετηρημένην ἐν οὐρανοῖς εἰς ὑμᾶς. Durch diese Stelle und die der Apk kann der Schein einer räumlichen Vorstellung des Erbes entstehen und verstärkt werden durch die Stellen, an denen κληρονομία 25 ähnlich wie κλῆρος gebraucht wird → 780, 37 ff, doch ist gerade das das Entscheidende, daß die Vorstellung von räumlich differenzierten Teilen des Himmels fehlt[33]. Endlich ist noch darauf hinzuweisen, daß nicht zufälligerweise der bei den Rabbinen gebräuchliche Ausdruck die Gehenna „erben" fehlt: (יָרַשׁ) נָחַל ist bei den Rabbinen = bekommen, im NT aber ein Erben auf Grund des Kind- 30 schaftsverhältnisses zu Gott.

Von der beschriebenen nt.lichen Auffassung fällt nun Licht zurück auf das AT und zwar bei Pls und Hb.

Pls sah sich in Gl (und R 4 bezieht sich auf dieselbe Fragestellung) einer judenchristlichen These gegenüber, die folgendermaßen zu rekonstruieren ist: 35

---

[31] Es bleibt an dieser Stelle sachlich gleich, wie ζωῆς bezogen wird; auch wenn man es mit κατ' ἐλπίδα verbinden würde, würde es nur das κληρονόμοι γενηθῶμεν entfalten.

[32] Dalman WJ I 103 möchte diese Stelle bildlich auffassen, denn Sanh 10 (11), 1 werde die Aussage, daß ganz Israel an der zukünftigen Welt Anteil hat, mit Js 60, 21 (für immer werden sie das Land in Besitz nehmen) bewiesen; auch Qid 1, 10 sei „das Land erben" eschatologischer Ausdruck. Aber die Frage ist eben, ob der עוֹלָם הַבָּא von den Rabbinen so transzendent gedacht wurde, daß Js 60, 21 notwendig bildlich aufgefaßt wer-

den muß, vgl Str-B IV 817. Cr-Kö 607, Zn Mt u Schl Mt z 5, 5 bestreiten die bildliche Auffassung.

[33] JWeiß, Die Offenbarung des Johannes (1904) 102 unterscheidet zwei Seiten an der Idee der Gottesherrschaft, je nachdem die Vorstellung mehr lokal oder mehr abstrakt verstanden werde. Im ersten Falle liege der Typus des Eingehens ins gelobte Land vor, oder das Bild des Landbesitzes (κληρονομεῖν τὴν γῆν) nahe, im anderen Fall wirke die danielische Idee der Weltherrschaft. In Wirklichkeit aber verbindet sich gerade mit κληρονομεῖν die βασιλεία.

Abraham und seinem σπέρμα sind Verheißungen gegeben (zB Gn 13, 15: πᾶσαν τὴν γῆν, ἣν σὺ ὁρᾷς, σοὶ δώσω αὐτὴν καὶ τῷ σπέρματί σου ἕως τοῦ αἰῶνος). Diese Verheißungen sollen sich in der messianischen Zeit verwirklichen. Wer darf sie auf sich beziehen? Dh wer ist dieses σπέρμα Ἀβραάμ? Oder mit den Wor-
5 ten, die Pls in dem Zshg gebraucht: wer sind die υἱοὶ Ἀβραάμ oder die κληρο-νόμοι der Verheißung[34]? Die Antwort der Judaisten lautet: es sind die leib-lichen Nachkommen Abrahams, soweit sie das Gesetz des Mose halten, und diejenigen Menschen aus allen Völkern, die durch die Übernahme des Gesetzes sich in die Abrahamskindschaft haben eingliedern lassen[35]. Auf diese Weise
10 kommt dann auch die Verheißung an Abraham ἐνευλογηθήσονται ἐν σοὶ πᾶσαι αἱ φυλαὶ τῆς γῆς, Gn 12, 3, zur Erfüllung. So ergibt sich die These, die Pls Gl 3, 18 nennt: ἡ κληρονομία ἐκ νόμου, wobei κληρονομία das dem Abraham und seinem Samen ausgetane „Erbteil", die Erfüllung der Verheißung in der mes-sianischen Zeit, ist. Paulus begegnet dieser These mit mehreren Argumenten:
15 1. Die wie ein Testament dem Abraham und seinem Samen gegebene Verhei-ßung ist in Kraft, lange bevor das Gesetz gegeben wurde; in Kraft ist sie da-durch, daß Gott sie ausgesprochen hat. Dazu fügt Gott nichts hinzu, ebenso-wenig wie ein Mensch einem einmal rechtskräftig gewordenen Testament etwas hinzufügt[36]. Das dem Abraham und seinem Samen ausgetane Erbteil ist aber
20 nicht als ἐκ νόμου zu erwerben, sondern ἐξ ἐπαγγελίας gegeben, also kann die Eigenschaft als „Erbe" nicht durch Gesetzeserfüllung erworben werden. 2. Was Abraham zum Empfänger der Verheißung machte, war die πίστις, folglich sind οἱ ἐκ πίστεως auch υἱοὶ Ἀβραάμ (Gl 3, 7). 3. Wer zum Messias gehört, gehört da-mit zum σπέρμα Ἀβραάμ, denn das σπέρμα, dem die Verheißung gegeben ist,
25 war, wie der Sing andeutet, nicht eine Vielzahl von Erfüllern des Gesetzes, sondern der eine Christus selbst (Gl 3, 16. 19). 4. kommt hier der in der Aus-legung umstrittene Vergleich Gl 4, 1—7 in Betracht. Das Gleichnis spricht von einem Vater, der testamentarisch seinen unmündigen Sohn unter einen Vor-mund und Vermögensverwalter gestellt hat bis zu einem von ihm, dem Vater,
30 festgesetzten Termin[37]. Der unmündige Erbe ist in doppelter Hinsicht δοῦλος:

---

[34] Vgl Philo Rer Div Her Überschrift: Περὶ τοῦ τίς ὁ τῶν θείων ἐστὶν κληρονόμος;
[35] Das Gewicht, das für die Judaisten die Frage nach der Abrahamskindschaft hatte, bedeutete gegenüber dem Judentum immer-hin eine Akzentverschiebung. Für die Rab-binen wird der Proselyt gerade nicht in die Abrahamskindschaft eingegliedert, sein Ver-hältnis zu Gott bestimmt sich allein durch das Gesetz; er kann eben nicht sagen „un-sere Väter", Bik 1, 4 (Str-B I 119 Nr 4; vgl auch die spätere Stelle aus Nu r 8 bei Str-B ebd). Die Judaisten waren bereit, die Pros-elyten als in die Abrahamskindschaft voll eingegliedert anzusehen, aber nur unter der Bedingung der Gesetzeserfüllung. ·
[36] Das hellenistische Recht kannte keinen einheitlichen Termin der Mündigkeit, darum finden sich in den Papyri öfters Klauseln über den Termin der Mündigkeit, OEger, ZNW 18 (1917/18) 107 f. Daran, daß in den

Papyri sich das Verbot einer Hinzufügung zum Testament findet, kann Pls nicht denken, weil es nicht allgemeiner Brauch war. Die Unmöglichkeit einer Hinzufügung ergibt sich aus der Rechtskraft, die das Testament in dem von Pls angenommenen Fall hat. Ohne Bild meint Pls damit, daß das, was Gott aus-gesprochen hat, damit „gültig" geworden ist. Darum braucht doch nicht, wie Halmel (→ Lit-A) will, v 16 ἐρρέθησαν römischer Juristen-ausdruck (dicere = zusagen im Unterschied von promittere) zu sein.
[37] Das römische Recht mit seinem Unter-schied von tutor u curator ist hier nicht heranzuziehen, da es nur für römische Bür-ger, nicht für die Galater, galt. Pls bezieht sich auf eine Art ungeschriebenes Koinerecht (Eger [→ A 36] 4 f; Kreller [→ Lit-A] 201 f [graeco-ägyptisches Mischrecht]). Der Unter-schied von ἐπίτροπος und οἰκονόμος ist aus den Papyri nicht recht zu belegen, Burton

er ist nicht Herr über sich (das ist der ἐπίτροπος) und nicht Herr über sein Vermögen, über das Erbe (das ist der οἰκονόμος), ob er wohl potentiell κύριος πάντων ist. Damit vergleicht Pls die Lage der Abrahamserben, dh aller, denen der Segen Abrahams gilt, aus Juden und Heiden; denn beide sind durch die Verheißung von Gn 12, 3 zu Erben bestimmt; beide sind bis zum πλήρωμα τοῦ 5 χρόνου: δοῦλοι (Gl 4, 3. 8), beide haben durch Christus die Kindschaft empfangen. Ausgangs- wie Zielpunkt der Darlegungen des Pls ist ein neues Verständnis der Stellung Abrahams und der ihm gewordenen Verheißungen in der Heilsgeschichte. Im Lichte Christi leuchten die im Judentum vom Gesetz überschatteten Verheißungen in selbständigem, dh vom Gesetz gelöstem Glanz 10 auf. κληρονόμος wird nun zu einem heilsgeschichtlichen Wort, denn es stellt die Frage, wer in die Heilsgeschichte, die mit Abraham begann, eingegliedert ist. Das Fehlen der entsprechenden rabbinischen Terminologie zeigt die neue Blickrichtung. κληρονόμος behält auch hier, wo es auf die at.liche Geschichte zurückblickt, seinen eschatologischen Inhalt, doch tritt stärker als sonst bei 15 κληρονομία der Anfang der Erfüllung hervor: in Christus ist der „Segen Abrahams" schon auf die Heiden gekommen. — In den beschriebenen Gedankenkreis gehört auch R 4, 13 f: οὐ γὰρ διὰ νόμου ἡ ἐπαγγελία τῷ Ἀβραὰμ ἢ τῷ σπέρματι αὐτοῦ, τὸ κληρονόμον αὐτὸν εἶναι κόσμου[38], ἀλλὰ διὰ δικαιοσύνης πίστεως. εἰ γὰρ οἱ ἐκ νόμου κληρονόμοι, κεκένωται ἡ πίστις und Eph 3, 6: εἶναι τὰ ἔθνη συγκληρο- 20 νόμα καὶ σύσσωμα καὶ συμμέτοχα τῆς ἐπαγγελίας ἐν Χριστῷ Ἰησοῦ διὰ τοῦ εὐαγγελίου.

Im Hb ist κληρονομία der Inhalt der at.lichen Verheißung: 9, 15: διὰ τοῦτο διαθήκης καινῆς μεσίτης ἐστίν, ὅπως ... τὴν ἐπαγγελίαν λάβωσιν οἱ κεκλημένοι τῆς αἰωνίου κληρονομίας[39]. Hb 6, 17 sind die κληρονόμοι τῆς ἐπαγγελίας, die Christen, Erben in dem doppelten Sinn, daß sie die Verheißungen bekommen haben und 25 daß sie das Verheißene bekommen werden[40]. Aber im übrigen nähert sich in Hb κληρονομεῖν stark dem einfachen „bekommen", entsprechend dem hbr נָחַל und יָרַשׁ bei den Rabbinen: Noah wird durch sein gläubiges Verhalten τῆς κατὰ πίστιν δικαιοσύνης κληρονόμος (11, 7)[41], und im Blick auf die Väter wird den Lesern gesagt, sie sollten werden μιμηταὶ ... τῶν διὰ πίστεως καὶ μακροθυμίας 30 κληρονομούντων τὰς ἐπαγγελίας (6, 12). Das kann nach dem Zusammenhang nicht heißen: sie bekommen die Verheißung[42], denn das Ziel des Verfassers ist es ja, die Leser zur πληροφορία τῆς ἐλπίδος ἄχρι τέλους (6, 11) anzuspornen, und dazu wird ihnen die eidesstattliche Versicherung Gottes vorgehalten. So hat auch bei den Vätern, besonders bei Abraham, Gott mit der eidesstattlichen Versiche- 35 rung angefangen, und durch πίστις und μακροθυμία hat Abraham das Verheißene erlangt; zu denken ist an die Geburt des Isaak; so wird den Lesern die Verheißung vorgehalten, damit sie durch Langmut und Geduld das Verheißene „in Empfang nehmen". Die weitere Entwicklung des Vätervorbildes in Kp 11 ver-

---

(→ Lit-A) 214 z Gl 4, 2 verweist auf die doppelte Beauftragung des Lysias im 1 und 2 Makk, er solle den jungen Antiochus aufziehen (τρέφειν) als ἐπίτροπος und solle sein ἐπὶ τῶν πραγμάτων; 1 Makk 3, 32 f; 2 Makk 10, 11; 11, 1; 13, 2; 14, 2.
[38] Die Ausdehnung des Erbes auf die Welt ist rabbinisch → 779, 29 ff und Str-B zSt.

[39] τῆς ... κληρονομίας ist zu ἐπαγγελίαν zu ziehen.
[40] Das Verheißungsgut ist 6, 18 Hoffnungsgut.
[41] Noah ist als erster in der Schrift δίκαιος genannt, vgl bes RggHb zSt.
[42] Siehe die Komm.

schiebt dann den Gedanken: 11, 8: Abraham hat das Verheißene gerade nicht bekommen und ist dadurch in seinem ganzen Leben bis zum Tode hin Vorbild für die Leser, Abraham soll das Land zur κληρονομία, zum festen Besitz [43] bekommen, und diese Verheißung gilt auch Isaak und Jakob, den συγκληρονόμοι
5 τῆς ἐπαγγελίας τῆς αὐτῆς, den Mitempfängern derselben Verheißung (v 9). Das Verheißene, τὰς ἐπαγγελίας (v 13) [44] haben sie nicht erlangt. So wird im Hb die Spannung, in die das „noch nicht" des Erbes, seine eschatologische Bestimmtheit, versetzt, an Hand der at.lichen Geschichte nachdrücklich zur Anschauung gebracht.
10   Das Vater-Sohn-Verhältnis spricht deutlich mit Hb 12, 17: Esau θέλων κληρονομῆσαι τὴν εὐλογίαν ἀπεδοκιμάσθη.

Foerster

κλῆσις, κλητός → 492—497.

---

† *κοιλία*

15   **A. *κοιλία* außerhalb des NT.**

1. eigtl *Höhlung*, vorwiegend in Bezug auf den menschlichen (oder tierischen) Körper gebraucht, *a. Leibeshöhle* überhaupt Hippocr De Articulis 46 (IV 196 ff Littré); Pariser Zauberpap (Preis Zaub IV 3141 ff): βάλε δὲ ἐν τῇ κοιλίᾳ αὐτοῦ (sc: des Zauberbildes) καρδίαν μαγνητίνην (aus Magnetstein). καὶ εἰς πιττάκιον
20 ἱερατικὸν (hieratisches Täfelchen) γράφε τὰ ὀνόματα ταῦτα καὶ ἔνθες αὐτοῦ εἰς τὴν κοιλίαν. Innerhalb der Leibeshöhle wird zuweilen noch zwischen der ἄνω κοιλία = *Brust* und der κάτω κοιλία = *Bauch* unterschieden, Gal Comm in Hippocr Acut IV 94 (XV 896 Kühn). — bes *b. Bauch(höhle), (Unter-)Leib* Hdt II 87: τοῦ νεκροῦ τὴν κοιλίην, vgl 40. 86. 92; Hippocr Aphorismi VI 14 (IV 566 Littré); Wilcken Ptol I 81
25 II 16: πεσόντα ἐπὶ κοιλίαν, PMagd 33, 4; PPar 18 b 13; *Eingeweide*, namentlich *Magen* Aristot Hist An I 2 p 489 a 2 und *Därme* Aristoph Eq 280: κενῇ τῇ κοιλίᾳ, Vesp 794: ἀλεκτρυόνος (Hahn) μ' ἔφασκε κοιλίαν ἔχειν, Thuc II 49, 6: ἐπικατιόντος τοῦ νοσήματος ἐς τὴν κοιλίαν, wohl auch noch unterschieden als ἡ ἄνω κοιλία Plat Tim 85 e; Aristot Part An II 3 p 650 a 13 f und ἡ κάτω κοιλία Hippocr De Ulceribus 3 (VI 404 Littré);
30 Plat Tim 73 a, 85 e; Aristot Part An aaO; Plut Quaest Conv VII 1 (II 698 b) uö; Gal (→ Z 22). Antike Werturteile über die κοιλία zB Plut Carn Es II 1 (II 996 e): Αἰγύπτιοι τῶν νεκρῶν τὴν κοιλίαν ἐξελόντες, καὶ πρὸς τὸν ἥλιον ἀνασχίζοντες ἐκβάλλουσιν, ὡς αἰτίαν ἁπάντων ὧν ὁ ἄνθρωπος ἥμαρτεν (vgl die anschließende Erörterung), auch Plut Sept Sap Conv 16 (II 159 c); Diog L VI 69 (von Diogenes): „εἴθε ἦν", ἔλεγε,
35 „καὶ τὴν κοιλίαν παρατριψάμενον τοῦ λιμοῦ παύσασθαι". — selten *c.* der Bauch als Sitz der Geschlechtsorgane, namentlich *Mutterleib* Hippocr Mul I 38 (VIII 94 Littré) uö; Epict Diss III 22, 74: ἐκ τῆς κοιλίας ἐξελθόντα, II 16, 44: ἐν βοὸς κοιλίᾳ. — *d.* von anderen Höhlen im menschlichen Körper wie Gehirnhöhle, Herzkammern ua Plut De Placitis Philosophorum IV 5 (II 899 a): der Sitz des ἡγεμονικόν ist nach Hero-
40 philus ἐν τῇ τοῦ ἐγκεφάλου κοιλίᾳ, nach Diogenes ἐν τῇ ἀρτηριακῇ κοιλίᾳ τῆς καρδίας, ἥτις ἐστὶ πνευματική. — *e.* von Höhlungen in der Erde Aristot Meteor I 13 p 350 b 22 ff: οὐ δεῖ νομίζειν οὕτω γίνεσθαι τὰς ἀρχὰς τῶν ποταμῶν ὡς ἐξ ἀφωρισμένων κοιλιῶν uö, Löchern in den Wolken ebd II 9 p 369 b 1 f: παντοδαποὶ δ' οἱ ψόφοι (Schall des Donners) . . . γίνονται . . . διὰ τὰς μεταξὺ (sc: den Wolken) κοιλίας usw.

45   **2.** In der LXX Äquivalent von בֶּטֶן (Nu, Dt, Ri; meist auch Prv, Js) [1] oder מֵעַיִם, seltener קֶרֶב (nur Gn, Ex, Lv), רֶחֶם (nur Hi) oder כָּרֵשׂ (nur Jer 51, 34), kommt κοιλία vor in den unter *1.* aufgeführten Bdtgen *b* (zB Gn 41, 21; Jon 2, 1 f;

---

[43] Nicht der zugesagte Besitz, denn Abraham soll das Land ja nicht zum zugesagten, sondern zum festen Besitz bekommen, 11, 8.
[44] Über ἐπαγγελία als die Verheißung und das Verheißene → II 580 A 59.

κοιλία. Pass I 1766; Pr-Bauer³ 726; Liddell-Scott 966 f; Moult-Mill 349.
[1] In Ps, Hi, Qoh steht für בֶּטֶן durchweg γαστήρ [GBertram].

Ιερ 28, 34; Ez 3, 3; 2 Παρ 21, 15) und *c* (oft! *Mutterleib* Gn 25, 24; Dt 28, 4. 11; Hi 1, 21; 3, 11; Rt 1, 11 usw; vom männlichen Geschlechtsorgan zB ψ 131, 11: ἐκ καρποῦ τῆς κοιλίας σου, 2 Βασ 7, 12; 16, 11; Sir 23, 6: κοιλίας ὄρεξις), außerdem in übertr Sinne *das Innerste* (der Unterwelt Jon 2, 3, s v 4: βάθη καρδίας θαλάσσης → 611, 20; 616, 5), vor allem *das verborgene Innere des Menschen*, die Stätte seiner Gedanken und Empfin- 5 dungen, vgl Hi 15, 35; Prv 20, 30. 27; 18, 20; Hi 30, 27; Thr 1, 20; Js 16, 11; ψ 39, 9²; Sir 19, 12; 51, 21, Synonymum und Wechselbegriff von καρδία → 612, 52 ff (vgl Thr 1, 20 und die Textvarianten in ψ 39, 9 und Hab 3, 16 [Mas בֶּטֶן], sowie die Über- setzung von בֶּטֶן mit καρδία in Prv 22, 18).

Philo versteht unter der κοιλία, die eines der sieben μέλη σώματος bildet (Leg All 10 I 12), immer den Verdauungsapparat (vgl Spec Leg I 217; IV 107). Er folgt den grie- chischen Philosophen, namentlich Plato und Posidonius, in dem Urteil, daß der begeh- rende Teil der Seele seinen Sitz περὶ τὸ ἧτρον (Unterleib) καὶ τὴν κοιλίαν habe (Leg All III 115; vgl Spec Leg I 148 das platonische Bild von der Krippe des Tieres [s Plat Tim 70 e]: κοιλίαν δὲ φάτνην ἀλόγου θρέμματος (unverständiges Tier), ἐπιθυμίας, εἶναι 15 συμβέβηκεν, Migr Abr 66: τὸ δὲ ἐπιθυμίας εἶδος ἐν κοιλίᾳ; Quaest in Gn IV 191: *terrenis nimirum cupiditatibus, quae circa ventrem voluptates sunt*) und deutet in Gn 3, 14; Lv 11, 42; 9, 14; 1, 9 usw griechische Gedanken von der Niedrigkeit und sittlichen Minderwertig- keit des Leibes ein (Leg All III 138—159; Migr Abr 65 f; Spec Leg I 206).

Josephus³ gebraucht κοιλία nur zur Bezeichnung des erkrankten Unterleibes Ant 20 19, 346: ἄθρουν δ' αὐτῷ (Agrippa) τῆς κοιλίας προσέφυσεν ἄλγημα, 3, 273: τὴν κοιλίαν ὑδέρου (Wassersucht) καταλαβόντος (vgl Nu 5, 27).

3. In der rabbinischen Literatur⁴ behalten die hbr und aram Äquivalente die Dreizahl ihrer at.lichen Bdtgen: *a. Bauch*, bes von den Ver- dauungsorganen, zB SDt 40 zu 11, 12 (S 88 Kittel) von der Speise: ירד בתוך מעין; 25 bChul 93 a: ריש מעיא der *Anfang der Därme*, TMaas 2, 6: אני אמלא כריסי *ich esse mich satt* (ohne despektierlichen Sinn), Tanch B מסעי § 5 (82 b): *wir haben den Wunsch, un- seren Bauch zu füllen* (uns satt zu trinken) *von den Wassern des Landes Israel*, vgl noch⁵ SNu 88 aA zu 11, 6 (S 236 f Kuhn): nach RSchim'ons Meinung war das Manna eine Speise, die völlig vom Körper absorbiert wurde, so daß keine Exkremente abgesondert wurden; 30 daher befürchteten die Israeliten: *das Manna wird sich in unserem Bauch* (בתוך כריסינו) *so . blähen, daß wir davon sterben.* — *b. Mutterleib* zB SDt 147 zu 17, 1: ממעי אמו uo (wie AT: Js 49, 1; Ps 71, 6 usw, vgl בֶּטֶן אֵם Ps 22, 11; Hi 1, 21; Ri 16, 17 uö); Pesikt 22 (p 149 a Buber): אשרי הבטן שיצא ממנו (sc: der Messias), — *c. übertr* Gn r 68 zu 28, 12: *zähle 20 Balken* דביתך בכרסא dh *in dem Gebälk* oder *Gewölbe deines Hauses.* 35

B. κοιλία im NT.

1. In denselben Verwendungen kehrt κοιλία im Neuen Testa- ment wieder: *a. Bauch* als der der Ernährung dienende, die Speisen verarbeitende Körperteil Mk 7, 19 par; Mt 12, 40 (Jon 2, 1 f); Lk 15, 16: ἐπεθύμει γεμίσαι τὴν κοι- λίαν ἐκ . . ., volkstümlich derb für *sich satt essen an* (→ Z 26 ff); 1 K 6, 13; Apk 40 10, 9 f⁶ (Ez 3, 3), — *b. Mutterleib* Mt 19, 12⁷; Lk 1, 15. 41. 42 (vgl Mi 6, 7; Thr 2, 20). 44⁸; 2, 21; 11, 27; 23, 29; J 3, 4; Ag 3, 2; 14, 8; Gl 1, 15⁹, — *c. das Innere* J 7, 38.

2. Mk 7, 14 ff par erklärt Jesus an dem Unterschied zwischen κοιλία und καρδία, zwischen dem vergleichsweise niedrigen und unter-

---

² An den ersten 4 Stellen steht im hbr Grundtext בֶּטֶן, von LXX in Prv 26, 22 wieder- gegeben durch σπλάγχνα (Prv 18, 8 differieren LXX u Mas). An den zweiten 4 Stellen steht in der Vorlage מֵעִים. Zu בֶּטֶן = κοιλία s noch WBrandt, ZNW 14 (1913) 105 A 1.

³ S Schl Lk 162; Schl J 88.

⁴ Vgl Levy Wört I 212 ff, II 410 ff, III 184 f; Levy Chald Wört I 389 f, II 56 f; Schl Mt 485 f. 573; Schl Lk 302. 359.

⁵ [KGKuhn]. S auch ASchlatter, Sprache u Heimat des vierten Evangelisten (1902) 91 unt.

⁶ vl zu κοιλίαν v 9: καρδίαν A 1678 (Gre- gory). Vgl Andreas von Caesarea zSt (MPG 106, p 308): πικραίνει δέ σου ὅμως τὴν κοιλίαν, δηλαδὴ τὴν καρδίαν τὴν τῶν λογικῶν τροφῶν χωρητικήν.

⁷ Zu dem Semitismus ἐκ κοιλίας μητρός → 786, 36 f; 787, 1; Bl-Debr § 259, 1.

⁸ Zu Lk 1, 41. 44 bieten jJoma 45 a unt u bJoma 82 b lehrreiche Parallelen, → σκιρτάω, → τέκνον, → πνεῦμα.

⁹ Ag 2, 30 vl: ἐκ καρποῦ τῆς κοιλίας αὐτοῦ entspricht ψ 131, 11 → Z 2 f.

geordneten Bereich des körperlichen Lebens, dessen Aufgabe die Verdauung der Speisen ist (v 19), und dem Zentralorgan des geistigen Lebens, das die religiös-sittliche Haltung des Menschen bestimmt (v 20 ff → 615, 28 ff), das Wesen der Sünde. Was das Verhältnis des Menschen zu Gott stört, liegt nicht,
5 wie die oberflächliche Betrachtung jüdischer Reinheitskasuistik sich einbildet, auf dem Gebiet äußerlich-körperlichen Geschehens; das Böse wurzelt im Inneren des Menschen: sein böses Herz, sein gottloses Wesen ist die Ursache alles Sündigens in Gedanken, Wort und Tat. — Auch 1 K 6, 13 [10] enthält ein geringschätziges Urteil über die κοιλία, den Verdauungsapparat, aber mit anderer Spitze
10 als das Herrnwort Mk 7, 19. Paulus nimmt ein zur Rechtfertigung schrankenloser geschlechtlicher Freiheit geprägtes Schlagwort korinthischer Libertinisten von der sittlichen Gleichgültigkeit des Leibes und seiner Funktionen auf, um es zu zerschlagen. Der Bauch als kreatürliches Organ zur Erhaltung des irdischen Lebens ist vergänglich, seiner bedarf der Verklärte nach dem Wegfall
15 der irdischen Existenzbedingungen nicht mehr (s 1 K 15, 50 vgl 35 ff; 2 K 5, 1; R 8, 21 ff; 14, 17). Aber *Bauch* und *Leib* ist nicht dasselbe. Der Leib (→ σῶμα) gehört dem auferstandenen und lebendigen Herrn, darum darf er nicht der Unzucht preisgegeben werden (v 13 b f). Das Urteil über die κοιλία gründet sich bei Paulus nicht wie im Griechentum darauf, daß sie der Herd der Sinnlichkeit (→ 787, 11 ff,
20 vgl → 786, 31 ff), sondern darauf, daß sie ein Stück der untergehenden kreatürlichen Welt ist (vgl Mt 22, 30), nur um dieses Zusammenhangs willen dem Untergang verfallen, nicht aber, weil sie an sich sündig wäre. — Kaum zu entscheiden ist, worauf die polemisch-sarkastischen Wendungen R 16, 18: οἱ γὰρ τοιοῦτοι τῷ κυρίῳ ἡμῶν Χριστῷ οὐ δουλεύουσιν ἀλλὰ τῇ ἑαυτῶν κοιλίᾳ und Phil 3, 19:
25 ὧν ὁ θεὸς ἡ κοιλία sich beziehen. Gebraucht Paulus hier, im Gegensatz zu 1 K 6, 13, κοιλία nach verbreiteter griechischer Weise [11], so handelt es sich um entfesselte Sinnlichkeit, sei es Schlemmerei, sei es geschlechtliche Ausschweifung [12]. Aber der Zusammenhang führt an beiden Stellen eher auf Judaisten als auf Libertinisten [13]; darum behält die alte Ansicht, Pls spiele auf die Beobachtung
30 der Speisegesetze an und verhöhne derb die Judaisten mit ihrem *Gotte Bauch* [14], die größere Wahrscheinlichkeit [15].

3. In dem der LXX eigentümlichen tieferen Verständnis *das Innere* = *Herz* [16] → 787, 5 ff und frei von jedem ungünstigen Nebensinn steht das Wort J 7, 38: ὁ πιστεύων εἰς ἐμέ, καθὼς εἶπεν ἡ γραφή, ποταμοὶ ἐκ τῆς

---

[10] Vgl Joh W 1 K; Bchm 1 K; Schl K zSt.
[11] Vgl die Wörter κοιλιοδαίμων (Eupolis fr 172 [CAF I p 306]; Ael fr 109; Athen III 52 [p 97 c]: κοιλιόδαιμον ἄνθρωπε), κοιλιόδουλος und κοιλιολάτρης (die letzten beiden nur bei späteren Kirchenschriftstellern), dazu die Sinnparallelen bei Wettstein und Loh Phil zu Phil 3, 19.
[12] Vgl Dib Gefbr z Phil 3, 19; Khl R u Schl R z 16, 18.
[13] S Ew Phil zSt; PFeine, Die Abfassung des Phil in Ephesus, BFTh 20, 4 (1916) 26 ff; KBarth, Erklärung des Phil² (1933) zSt. Umgekehrt wieder Dib Gefbr u Mich Ph zu Phil 3, 19.

[14] Theod Mops (MPG 66 p 875 und 926), Ambrosiaster (MPL 17 p 417 vgl 118), Pelagius (p 124. 409 f ASouter [in TSt IX 1/2, 1922/26]).
[15] Ganz aus dem Rahmen der Geschichte des Wortes κοιλία heraus fällt die Erklärung von Loh Phil zu 3, 19: denen, die das Martyrium verschmähen, sei nicht Gottes Sache, sondern ihres Leibes Leben der höchste Gesichtspunkt ihres Handelns.
[16] So seit Chrys zSt (MPG 59 p 283): κοιλίαν ἐνταῦθα τὴν καρδίαν φησί (mit Verweis auf ψ 39, 9) die Meisten. Die Deutung von Zn J zSt: „Fleischesleib“, „Leib in seiner dermaligen und diesseitigen Beschaffenheit“ beruht auf unrichtigem Verständnis der ent-

κοιλίας αὐτοῦ ῥεύσουσιν → ὕδατος ζῶντος (→ II 874, 32 ff). Dem Glaubenden, dessen Durst Jesus gestillt hat, wird verheißen, daß sein erquicktes Innere zu einer Quelle weiterwirkender Erquickungen werden, und das, was er selbst von Jesus empfangen hat, sich in überschwänglicher Fülle anderen Menschen mitteilen soll [17]. Welche at.liche (oder apokryphe?) Stelle dem Evangelisten auch [5] vorschweben mag (Js 58, 11; Sach 14, 8; Ez 47, 1 ff; Sir 24, 30 ff usw) — der Nerv des Gedankens ist jedenfalls der, daß, wer in dem verborgensten Inneren seines Personlebens entscheidend von Jesus berührt worden ist, eben von da aus Heilskräfte in überreichem Maße ausströmen wird (vgl v 39, dazu Mt 5, 13 ff uä) [18].

Behm [10]

κοιμάομαι → 13 A 60.

**κοινός, κοινωνός, κοινωνέω,
κόινωνία, σύγκοινωνός, σύγκοινωνέω,
κοινωνικός, κοινόω**

---

† **κοινός** [15]

Inhalt: A. κοινός im Profangriechischen. — B. κοινός im AT und im Judentum. — C. Der Einzelne und die Gemeinschaft. Gemeinschaftstheorien und -formen. — D. κοινός im NT.

scheidenden LXX-Stellen. Da der Satz Zitat ist, hat die Umgehung des dem Joh geläufigen Wortes καρδία nichts Auffälliges. Der at.liche Ursprung der hier vorliegenden Bdtg von κοιλία macht Versuche überflüssig, das Wort als — richtige oder falsche — Übersetzung aus dem Aramäischen zu erklären, wie die von Str-B II 492; CFBurney, The Aramaic Origin of the Fourth Gospel (1922) 109 ff, vgl Ders, The Aramaic Equivalent of ἐκ τῆς κοιλίας in J 7, 38, in: JThSt 24 (1923) 79 f.

[17] Die These, daß αὐτοῦ auf Jesus zu beziehen und die Aussage von den Heilswirkungen zu verstehen sei, die von dem Leibe des Erlösers ausgehen (so mit Pseud-Cyprian, De Rebaptismate 14 u De Montibus Sina et Sion 9 CSEL 3, 3 [1871] p 87 u 115: JGrill, Untersuchungen über die Entstehung des 4. Ev [1902] 16; JoachJeremias, Golgotha und der heilige Felsen, in: Angelos 2 [1926] 121 f; HBornhäuser, Sukka [1935] 35 ff; Bau J zSt [unter Heranziehung religionsgeschichtlicher Parallelen], vgl auch EHirsch, Studien zum vierten Ev [1936] 70), hat den vorliegenden Text entschieden gegen sich, führt aber auf den joh Gedanken von der Gleichheit der Wirkungen bei Jesus und den Seinen, vgl 14, 12.

[18] S Schl J zSt und HOdeberg, The Fourth Gospel I (1929) 284 f, die mit Recht auf Akibas Erklärung von Prv 5, 15 f verweisen, SDt 48 zu 11, 22 (S 124 Kittel): „Siehe, es heißt: ‚Trinke Wasser aus deiner Zisterne‘:

am Anfang kann die Zisterne keinen Tropfen Wasser aus sich selbst hervorbringen, sondern nur, was in ihr ist. So auch der Gelehrtenjünger, der am Anfang nichts gelernt hat; so ist nichts in ihm, als was er gelernt hat. ‚Und was aus deinem Brunnen fließt‘: er gleicht dem Brunnen. Was ist mit dem Brunnen? Er läßt lebendiges Wasser nach allen Seiten fließen; so kommen Schüler und Jüngerschüler von ihm. Und ebenso heißt es: ‚Draußen breiten sich aus deine Quellen, deine Wasserbäche auf die Plätze.‘ " Vgl auch Str-B II 493.

κοινός. JHSchmidt, Synonymik III (1879) 467; Preisigke Wört I 812 ff; Pauly-W Suppl IV (1924) 914—941; XI (1922) 1053 ff; Hastings DB I 460 ff; ACarr, The Fellowship (κοινωνία) of Acts 2, 42 ... (Exp 8th Ser Vol V [1913] 458 ff); CAScott, Exp T 35 (1923 1924) 567; WSWood, Fellowship (κοινωνία) (Exp 8th Ser Vol I [1921] 31 ff). EPGroenewald, KOINΩNIA (Gemeenschap) bij Paulus (Delft 1932); JYCampbell, κοινωνία and its cognates in the NT, JBL 51 [1932] 352—380; HSeesemann, Der Begriff κοινωνία im NT (1933); SKrauß, Griech u lat Lehnwörter im Talmud (1899) 532 über κοινωνία; Helbing Kasussyntax 136. 252; ABonhöffer, Epictet und das NT = RVV 10 (1911) 51 ff. 3 6 f; PJTEndenburg, Koinoonia en Gemeenschap van Zaken bij Grieken in de klassieken Tijd (1937). Weitere Lit s im Artikel.

A. κοινός im Profangriechischen.

gemeinsam [1]. **1.** von **D i n g e n** : *a. gemein, gemeinsam*, Gegensatz ἴδιος, bes zum Ausdruck eines Rechtsverhältnisses zB von gemeinsamem Besitz Hes Op 723 ἐκ κοινοῦ; PEleph 2, 10 τὰ ὑπάρχοντα ἔστω κοινὰ πάντων τῶν υἱῶν; vom gemeinsamen Besitz der Eheleute, PAmh 78, 11 κοινὰ ὑπάρχοντα; vom Gemeinschaftsbesitz zu gleichen Teilen, PStraßb 29, 37 κοινῶς ἐξ ἴσου [2]. Die Philosophie redet von Vorstellungen und Erscheinungen, die allen Menschen gemeinsam sind (κοιναὶ ἔννοιαι, κοινὸς λόγος uä) [3]. Während das geläufige Sprichwort κοινὰ τὰ φίλων [4] keine Theorie und kein Gesetz enthält, sondern nur einen Leitsatz für das Denken und Verhalten rechter Freunde angibt, gewinnt die Gütergemeinschaft in der Staatsordnung und Philosophie als Frage nach der rechten Sozialordnung höchste Bedeutung (→ 791, 33 ff). — *b. das alle Betreffende, Gemeinsame*; τὸ κοινόν vom Staat Thuc I 90, 5; οἵ εἰσιν ἐν τῷ κοινῷ τῶν ʽΡωμαίων Polyb 7, 9, 14; von Vereinen zB Kultvereinen, Σωτηριαστᾶν Ἀσκλαπιαστᾶν ... ʽΕρμαιστᾶν Ματρὸς Θεῶν κοινόν (in Rhodos) Ditt Syll [3] 1114, 5 f, oder Zünften, τὸ κοινὸν τῶν σιδηροχαλκέων (vgl Ag 19, 24. 38) [5]; τὰ κοινὰ χρήματα von öffentlichen Geldern Xenoph Hist Graec VI 5, 34; κοινὸν δόγμα von einem öffentlichen Beschluß Polyb 25, 8, 4. — *c. das allgemeine, geringwertige*, χρυσόν POxy X 1273, 6; καλὸν γὰρ ἡ φιλία καὶ ἀστεῖον, ἡ δὲ ἡδονὴ κοινὸν καὶ ἀνελεύθερον Plut Amat 4 (II 751 b).

2. von **M e n s c h e n** : *Teilnehmer, Genosse* Soph Oed Tyr 240, von der Sinnesart *leutselig* Plut Anton 33 (I 930 d); κοινῶς καὶ φιλικῶς ... ἔπραττον Isoc 4, 151.

B. κοινός im Alten Testament und im Judentum.

1. *gemein, gemeinsam.* κοινός kommt in LXX nur einigemale in Prv vor, so 1, 14 von der gemeinsamen (Mas אֶחָד) Kasse einer Schar (vgl J 12, 6 die gemeinsame Kasse der Jüngerschaft Jesu), 15, 23 (ohne Mas) im Sinne von *(politischer) Gemeinschaft, Öffentlichkeit,* 21, 9 und 25, 24 vom gemeinsamen Hause (ἐν οἴκῳ κοινῷ bzw οἰκία κοινῇ), beide Male für: בֵּית חָבֶר. In den Apkr mehrfach, so Sap 7, 3 (ἀήρ), 2 Makk 8, 29 (κοινὴν ἱκετείαν ποιησάμενοι), 9, 21 (τῆς κοινῆς πάντων ἀσφαλείας), Tob 9, 6 (ὤρθρευσαν κοινῶς) uö; bei Jos zB Ap 2, 196 (σωτηρία κοινή); Ant 4, 137: τὰς τροφὰς ὑμῖν ἰδιοτρόπους εἶναι καὶ τὰ ποτὰ μὴ κοινὰ τοῖς ἄλλοις. Das Ideal der Gütergemeinschaft preist auf jüdischem Boden Josephus an den Essenern, Philo an diesen und den Therapeuten (→ 796, 16 ff). Die jüdische Gemeinde heißt in LXX συναγωγή oder ἐκκλησία. Jos faßt in griechischer Weise Behörde und Volk unter dem Namen τὸ κοινόν (τῶν ʽΙεροσολυμιτῶν) zusammen [6]. Das entspricht dem auf Münzen vorkommenden חבר היהודים, was wohl als חֶבֶר zu lesen und auf die gesamte Volksgemeinde zu deuten ist [7].

Analog dem profangriechischen Gebrauch von τὸ κοινόν für Vereine oder Zünfte (→ Z 13 ff) wird auch חֶבֶר (in synonymem Wechsel mit חֲבוּרָה) in der rabb Lit verwendet: חֶבֶר עִיר ist in einer Stadt der Verein, der die Ausübung der „Liebeswerke" organisiert. So ist einmal eine gleichmäßige Verteilung der Lasten für diese

---

[1] Seit Hesiod belegt; etymolog mit σύν, ξύν, cum zusammenhängend; Walde-Pok I 458.

[2] Weiteres Preisigke Wört sv; Pauly-W XI (1922) 1078 ff; Suppl IV (1924) 914 ff.

[3] zB Epict Diss III 6, 8 (νοῦς); FUeberweg-KPraechter, Die Philosophie d Altertums [12] (1920) 418.

[4] zB Gregorius Cyprius II 54; Apostolius IX 88 (bei Leutsch-Schneidewin, Corpus Paroemiographorum Graecorum II [1851] 76. 481).

[5] POxy I 84, 3 f; τῶν χαλκοκολλητῶν 85 col 2, 3 f; Synonym ἡ σύνοδος. Belege MSan Nicolò, Ägyptisches Vereinswesen (1913) I 48. 50; FPoland, Geschichte des griech Vereinswesens (1909) 163 ff.

[6] Vit 65. 72. 190. 254 uö; Schürer II [3·4] 246.

[7] Schürer I [3·4] 269 A 25; ferner die Inschrift von Leontopolis bei SKrauß, Synagogale Altertümer (1922) 112 über die dortige jüdische Gemeinde als κοινὸν τῶν ἐν τῷ τεμένει (sc: von Leontopolis) κατοικούντων ʽΙουδαίων.

Liebeswerke geschaffen, die sie für den Einzelnen tragbar machen, zum andern auch ihre gleichmäßige und gerechte Ausübung gegenüber allen gewährleistet (die Belegstellen siehe bei Str-B IV 607 ff).

2. *profan, allen zugänglich und erlaubt.* In dieser Bedeutung entspricht κοινός dem hbr חֹל = *dem allgemeinen Gebrauch freigegeben* 5 von der Wurzel חלל pi freistellen, dem gewöhnlichen Gebrauch übergeben. Gegensatz dazu ist das Heilige, Geweihte und damit dem allgemeinen Gebrauch Entzogene (→ ἅγιος). Die LXX des AT gebraucht jedoch für חֹל stets βέβηλος (→ I 604, 11 ff) zB Lv 10, 10.

Auch in der rabbinischen Literatur bezeichnet חֹל das *Profane* im Ge- 10 gensatz zu heiligen, Gott geweihten Dingen; so begegnet oft חֹל für den *Werktag* im Gegensatz zum Sabbath; auch חֹל מֹועֵד für die Werktage zwischen dem 1. Feiertag eines Festes und dem Schlußfeiertag (eine Woche später). So ist חֹל auch das *profane Gebiet* im Gegensatz zum Tempelgebäude. Oder auch *profanes Geld* im Gegensatz zu Geld vom zweiten Zehnt, das als solches nur zu 15 ganz bestimmten (heiligen) Zwecken verwendet werden darf. Insbesondere bezeichnet חֹל, pl חֻלִּין *profane Speisen*, die als solche jedermann zu essen erlaubt sind, im Gegensatz zu Speisen aus solchem Getreide und Früchten, die als Abgaben an die Priester (Priesterhebe, Teighebe usw) „heilig" und so nur den Priestern und ihren Angehörigen zu essen erlaubt sind[8]. Als term techn bezeichnet end- 20 lich חֻלִּין die zum profanen Essen geschlachteten Tiere im Gegensatz zu Opfertieren. Einzelanweisungen über das Schlachten solcher חֻלִּין gibt der Traktat Chullin. — Von Menschen wird demgegenüber חֹל nie gesagt[9].

Erst in den Apkr taucht statt βέβηλος für חֹל κοινός in der Bedeutung *profan* auf zB 1 Makk 1, 47: θύειν ὕεια καὶ κτήνη κοινά; 1, 62: φαγεῖν κοινά. Ähnlich 25 bei Jos Ant 11, 346: αἰτία κοινοφαγίας (vgl Gl 2, 12 ff); 3, 181: βέβηλον καὶ κοινόν τινα τόπον; 12, 320 (Tempelentweihung); 13, 4: κοινὸς βίος (von abtrünnigen Juden). Während κοινός wie חֹל im allgemeinen nur von diesen Dingen gesagt wird, wendet ep Ar 315 das Wort auch auf Menschen an: τὰ θεῖα ... εἰς ἀνθρώπους κοινοὺς (Nicht-Juden) ἐκφέρειν. Philo hat κοινός in der Bedeutung *profan* nicht. 30 Dieselbe scheint auf jüdischem Boden entstanden zu sein. Sie ist wenigstens im außerjüdischen Profangriechisch nicht nachweisbar.

C. Der Einzelne und die Gemeinschaft. Gemeinschaftstheorien und -formen[10].

1. Die Griechen, welche im Gegensatz zum Orient das 35 Individuum (ἴδιος), sein Eigenleben und Eigenrecht entdeckt haben, haben gerade die Verpflichtung des Einzelnen für die Gemeinschaft ganz stark empfunden. Der Einzelne lebt aus der Gemeinschaft und für die Gemeinschaft. Lösung des Einzelnen aus der Gemeinschaft stört das Gesamtleben. Diese Gesetzmäßigkeit geht durch die ganze Wirklichkeit, sie gilt im κόσμος und in der Natur, im 40

---

[8] Belege s bei Levy Wört sv; s auch Strack Einl 56.
[9] A Merx, Die 4 kanonischen Evv II 2 (1905) 67.
[10] Vgl W Nestle-E Zeller, Grundriß der Geschichte d gr Philosophie[7] (1923) I 402; R Pöhl- mann, Geschichte d antiken Kommunismus u Sozialismus I (1893), II (1901); Handwörterbuch d Staatswiss von Conrad-Lexis-Elster-Loening VII[8] (1911) 604 ff; F Hauck, Die Stellung des Urchr zu Arbeit und Geld (1921) 38 ff.

Verhältnis der Menschen und Götter, im Verhältnis zum Staate. Soll das Individuum nicht untergehen, so muß es dem κοινόν fest verbunden bleiben. Kommt
es dabei zu Gemeinschaftstheorien und -formen, die in gewissem Maße kommunistisch sind, so unterscheiden sich diese doch im Wesen vom heutigen
5 Kommunismus, der vom Wirtschaftsdenken her bestimmt ist.

Am Anfang der Entwicklung steht wohl bei den G r i e c h e n wie bei den
meisten Kulturvölkern Grund und Boden im Gemeineigentum des Stammes. Die
Einzelnen haben an demselben Nutzungsrechte. Allmählich kommt es zum vollen
Privateigentum, das bessere Bewirtschaftung gewährleistete. Diese Stufe ist bei
10 den G r i e c h e n schon in der homerischen Zeit erreicht. Die Familienhäupter haben
ihren Anteil (→ κλῆρος) am Bodenbesitz, den sie gemeinschaftlich mit den Familien-
gliedern bewirtschaften[11]. Sie können dabei als Eigentümer über den Bodenbesitz
verfügen, ihn zB beliebig teilen[12]. So ist der Unterschied zwischen Reichen und Armen
bereits ausgebildet (πολύκληροι, ἄκληροι). Eine verfassungsmäßige Gemeinwirtschaft
15 herrschte auch später auf den l i p a r i s c h e n Inseln, wo ein Teil der Bewohner
die gemeinschaftliche Bebauung des Landes zu besorgen hatte, während der andere
Teil der Abwehr der Seeräuber lebte. Diese im Griechentum vereinzelte Einrichtung entstammte jedoch deutlich dem Zwang der Landesverteidigung[13].
Eine gewisse Gemeinwirtschaft war in S p a r t a und K r e t a eingeführt. In beiden
20 Staaten wird die Bürgerschaft in συσσίτια auf Kosten der Allgemeinheit ernährt.
Aber auch hier bildet dieser Staatssozialismus einen organischen Teil der Wehr-
verfassung[14]. Die unveräußerliche Zuteilung der κλῆροι an die Familienhäupter
sollte den Zerfall des Volkes in Reiche und Arme verhüten. Späteren erschien
die spartanische ἰσότης und κοινότης als Idealordnung und Lykurg als der soziale
25 Heiland, welcher Sparta zum Wohnsitz der Gerechtigkeit gemacht und die πλεονεξία mit der Wurzel ausgerottet habe[15]. Die wirtschaftliche Entwicklung führt
sodann zum Aufblühen der griechischen Stadtstaaten, damit zugleich jedoch zu
den scharfen Gegensätzen zwischen arm und reich. Die Eigentumsordnung wird
darüber zum Problem. Das Denken wendet sich kritisch und grübelnd der Frage
30 nach der rechten Gesellschaftsordnung zu. Dabei kommt es zu Gemeinschaftstheorien, welche die Lösung des Problems im Gemeinbesitz sehen. So stellt
nach der Pythagoraslegende P y t h a g o r a s die Weltordnung als Vorbild
der menschlichen Lebensordnung auf. Der Urzustand, in dem es noch kein
Eigentum gab, sondern alles allen gemein war, stellt den Idealzustand dar[16].

---

[11] Hom Il 6, 243 ff; Od 3, 412 ff.
[12] Od 14, 208 ff.
[13] Diod S V 9, 4 f: οἱ μὲν ἐγεώργουν τὰς νή-
σους κοινὰς ποιήσαντες, οἱ δὲ πρὸς τοὺς λῃστὰς
ἀνετάττοντο · καὶ τὰς οὐσίας δὲ κοινὰς ποιησάμενοι καὶ ζῶντες κατὰ συσσίτια, διετέλεσαν ἐπί
τινας χρόνους κοινωνικῶς βιοῦντες. Pöhlmann
aaO I 46 ff.
[14] Pöhlmann aaO I 58 ff. Plat Leg I 633 a.
[15] Polyb 6, 45. 48; Pöhlmann I 126 f.
[16] Jambl, Vit Pyth (ed MThKießling I
[1815]) 5, 29; 6, 30. 32; 16, 69; der Urzustand: κοινὰ γὰρ πᾶσι πάντα καὶ ταὐτὰ ἦν,
ἴδιον δὲ οὐδεὶς οὐδὲν ἐκέκτητο. καὶ εἰ μὲν ἠρέ-
σκετο τῇ κοινωνίᾳ, ἐχρῆτο τοῖς κοινοῖς κατὰ τὸ

δικαιότατον, εἰ δὲ μή, ἀπολαβὼν ἂν τὴν ἑαυτοῦ
οὐσίαν καὶ πλείονα, ἧς εἰσενηνόχει εἰς τὸ κοινόν, ἀπηλλάττετο 168. Älteste Zeugen über
Pyth sind Epicur (bei Diog L X 6 [11]) u Timaeus von Tauromenium (ebd VIII 8 [10]). FWAMul-
lach, Fragmenta Philosophorum Graecorum I
(1860) 408 ff. Die Angaben des Jamblich,
Philostrat u Porphyrius gehen — soweit sie
nicht spätere Ausmalung sind — auf Timaeus zurück, vgl ERohde, Rheinisches Museum
26 (1871) 554 ff; 27 (1872) 33 ff; WBertermann,
De Jamblichi vitae Pyth fontibus, Diss Kö-
nigsbg (1913) 75 ff; JsLevy, La Légende de
Pyth (1927) 30 ff.

Dementsprechend habe Pythagoras dem engeren Kreis seiner Schüler eine Lebensordnung völliger Gemeinschaft gegeben. Diese trennen sich von ihren Angehörigen, stellen ihren Besitz, auf den sie persönlich verzichten, der Gemeinschaft zur Verfügung (οὐσίας κοινάς) und verwirklichen so im Gemeinschaftsleben ihres Ordens (κοινοβίους) das gottgewollte Gesellschaftsideal [17]. Heraklit verbindet 5 den Einzelnen aufs engste der Gemeinschaft durch die Mahnung ἕπεσθαι τῷ κοινῷ fr 2 (I 77, 12 Diels; vgl fr 89 [I 95, 10 Diels]), und der delphische Gott gebietet κοινὸς γίνου (Ditt Syll ³ 1268 I 19). In Athen müht sich die ethische Reformbewegung seit Sokrates um das Ziel, die rechte Theorie für ein glückliches Gemeinschafts- und Staatsleben zu finden. Plato (→ 799, 19; 800, 12), der 10 von dem Pythagoreer Timaeus beeinflußt ist, entwirft in der πολιτεία Muster und Vorbild des besten Staates. Es bewegt ihn dabei stark das ethische Interesse, bei den für den Staat Verantwortlichen den natürlichen Egoismus zu überwinden und sie zu völlig bereiten Dienern am Gemeinwohl zu bilden. Als Quelle alles Übels beurteilt Plato das Privateigentum, das unvermeidlich zum selbst- 15 süchtigen und darum gemeinschaftsstörenden Gewinnstreben führt (πλεονεξία). Die beiden obersten Stände im Staat, die Wächter (φύλακες) und Soldaten, sollen deshalb auf Privateigentum verzichten, um von Erwerbszielen und -sorgen völlig gelöst zu sein. Sie werden in gemeinsamen Mahlzeiten aus den staatlichen Magazinen auf öffentliche Kosten ernährt [18]. Durch Einführung der Frauen- und 20 Kindergemeinschaft sollen die Wächter, von Privatehe und Privathaushalt gelöst, umso mehr an die große Staatsgemeinschaft gebunden sein [19]. An Stelle der Asozialen (δυσκοινώνητοι) sollen so im Staate die wahrhaft Sozialen (φιλοπόλιδες Resp VI 503 a vgl 486 b) herrschen. Die Jugend ist von Anfang an im Gemeinschaftsgedanken zu erziehen. Von Dionys zum Ratgeber und Gesetzgeber nach 25 Syrakus berufen, erlebt Plato eine schwere Enttäuschung. Er erfährt, daß ein völliger Ausgleich zwischen Sozial- und Individualprinzip in der Wirklichkeit des Lebens kaum möglich ist. Nur „Götter und Göttersöhne" würden die volle Güter-, Frauen- und Kindergemeinschaft des besten Staates vertragen können (Leg V 739 d). So entwirft Plato in den Leges die Ordnung des zweitbesten 30 Staates. Das Sozialprinzip wird hier durch die Rücksicht auf das praktisch Mögliche eingeschränkt. Es scheint ratsam, die Verwaltung des Staates in die Hand solcher zu legen, die durch ihre Anrechte am Besitz an den Wirtschaftsinteressen der Gesamtheit interessiert sind. So soll der Landbau die Grundlage des Staates sein. Aller Grund und Boden ist als Gemeingut des 35 Staates zu betrachten. Die einzelnen erhalten durchs Los unverkäufliche, gleiche Anteile, an denen ihnen das Nutzungsrecht zusteht [20]. Es soll keine landlosen

---

[17] Jambl Vit Pyth 5, 29; 19, 92. Von Pyth stammt nach Timaeus der Satz: κοινὰ τὰ φίλων εἶναι καὶ φιλίαν ἰσότητα Diog L VIII 8 [10].
[18] Plato Resp III 416 d: οὐσίαν κεκτημένον μηδεμίαν μηδένα ἰδίαν, ἂν μὴ πᾶσα ἀνάγκη· ἔπειτα οἴκησιν καὶ ταμιεῖον μηδενὶ εἶναι μηδὲν τοιοῦτον … 416 e: … κοινῇ ζῆν. Pöhlmann aaO I 184 ff. 269 ff; ESalin, Platon u die griech Utopie (1921) 14 ff.
[19] Plat Resp IV 421. 424 a. 451. 452. 464. 464 a d:

Rechtshändel werden verschwinden διὰ τὸ μηδὲν (sc: αὐτούς) ἴδιον ἐκτῆσθαι πλὴν τὸ σῶμα, τὰ δ' ἄλλα κοινά. 457 c: τὰς γυναῖκας ταύτας τῶν ἀνδρῶν τούτων πάντων πάσας εἶναι κοινάς, ἰδίᾳ δὲ μηδενὶ μηδεμίαν συνοικεῖν καὶ τοὺς παῖδας αὖ κοινούς.
[20] Leg V 740 a: δεῖ τὸν λαχόντα τὴν λῆξιν ταύτην νομίζειν μὲν κοινὴν αὐτὴν τῆς πόλεως συμπάσης κτλ. 741 b; Praechter (→ A 3) 318 f.

Proletarier, aber auch keinen Großgrundbesitz geben. Die Bauern haben gegen Entgelt festbestimmte Lieferungen an die gewerbliche Bevölkerung zu leisten (VIII 849 b). Auch über den beweglichen Besitz hat der einzelne nur beschränktes Verfügungsrecht (XI 923 a). Durch Überwachung des Handels soll die private Gewinnsucht möglichst eingeschränkt werden (849 b).

Gegenüber Plato ist Aristoteles der weit realistischere und individualistischere Denker. In seinem Entwurf eines Staatsideales im 2. Buch der Politik erstrebt er den rechten Ausgleich zwischen dem Einzel- und Gemeinschaftsinteresse[21]. Ein Teil des staatlichen Grundes und Bodens soll Gemeingut sein, um die Syssitien daraus zu erhalten (II 9 p 1271 a 28 ff). Sonst soll unter den Bürgern möglichst Gütergleichheit herrschen. Kein Bürger soll das Existenzminimum entbehren[22]. Aber die soziale Harmonie (συμφωνία) im Staat verwehrt ein Streben nach allzugroßer Einheit (II 5 p 1263 b 35). Gegen Plato urteilt er, daß die Frauen- und Gütergemeinschaft zu einer starken Verkürzung der einzelnen führt. Ihre Nachteile überwiegen weit etwaige Vorteile derselben (II 2 p 1261 a 10 ff). Gemeinbesitz führt erfahrungsgemäß zu Vernachlässigung und allerlei Mißhelligkeiten (II 5 p 1263 a 21 f). Das Privateigentum ist deshalb festzuhalten. Aber es muß zu einer sittlichen Erweichung des Eigentumsbegriffes kommen. Das Eigentum ist durch allgemeinen Nießbrauch zu Gemeingut zu machen[23]. So muß es um der Tugend willen unter Mitbürgern zur Verwirklichung des Sprichworts κοινὰ τὰ φίλων kommen (II 5 p 1263 a 29 f). Gemeinschaft und Einheit ist im Staat nicht verfassungsmäßig zu erzwingen, sondern durch Erziehung anzubahnen[24].

Auch die Dichtung bemächtigte sich der Frage. Schon Hesiod (Op 109 ff) malt die Herrlichkeit des Goldenen Zeitalters, in dem unter der Herrschaft des Kronos die Erde noch freiwillig ihren Kindern unerschöpfliche Reichtümer spendete und allgemeine Gleichheit und Bruderliebe bestand. Romantisch wird hier die ersehnte Verwirklichung des Gemeinschaftslebens in die Urzeit zurückgetragen. Im Critias gibt Plato selbst eine romanhafte Schilderung der Verwirklichung seines Staatsideales. Im angeblichen Urathen gibt es kein Privateigentum, kein Gold und Silber. In vollkommener Gütergemeinschaft lebt das Volk zufrieden mit dem Arbeitsertrag aller. Gegenbild dazu ist der Staatskoloß Atlantis, in dem alles auf Vermehrung des Reichtums und Genusses angelegt ist. Hier zerstört die schlimme πλεονεξία allen Gemeinsinn (φιλία κοινή Critias 121 a) und verdirbt damit alles. Aristophanes gibt in den Vögeln und den Ecclesiazusen das kommunistische Ideal, bes auch den Gedanken der Frauengemeinschaft, der Lächerlichkeit preis (Eccl 589 ff; 608 ff; 690 ff). Theopomp verlegt die Verwirklichung des vollendeten Gemeinschaftslebens in das ferne meropische Land[25], Hekatäus in die kimmerische Stadt[26], Iambulos in den fernen, in reicher Natur gelegenen Sonnenstaat[27], Euhemeros schil-

---

[21] Aristot Pol II 2 p 1260 b 37 ff; Pöhlmann 581 ff; Salin (→ A 18) 163 ff.

[22] II 9 p 1271 a 26 ff; IV 9 p 1295 a 25 ff. 1295 b 27 ff; II 2 p 1263 b 22 ff.

[23] II 5 p 1263 a 26 f: δεῖ γάρ πως μὲν εἶναι κοινάς, ὅλως δ' ἰδίας . . ., 38 f: βέλτιον εἶναι μὲν ἰδίας τὰς κτήσεις, τῇ δὲ χρήσει ποιεῖν κοινάς. 5 p 1263 b.

[24] II 2 p 1263 b 36 f: διὰ τὴν παιδείαν κοινὴν καὶ μίαν ποιεῖν.

[25] Philippica VIII fr 76 (FHG I p 289 f); Pöhlmann aaO II 47 ff.

[26] Bei Diod S II 47. Pöhlmann II 53 ff. Pauly-W VII (1912) 2752. 2755 f.

[27] Bei Diod S II 55—60. Pöhlmann II 70 ff.

dert in der heiligen Chronik die ideale Sozialordnung auf der Insel Panchäa. Außer Haus und Garten ist dort alles Gemeingut. Die einzelnen produzieren für die Gemeinschaft, die Früchte müssen an priesterliche Staatsbeamte abgeliefert werden, die die Verteilung regeln. Zwischenhandel und Geld ist überflüssig[28].

Die Theorie des Gemeinbesitzes als der rechten Sozialordnung lebt sodann in verschiedener Abstufung in der kynischen, stoischen und neupythagoreischen Schule wieder auf. Aber während Plato diesen vom Gesichtspunkt der besten Staatsordnung aus befürwortet hatte, wird er nun von der Natur her begründet. So zunächst bei den Kynikern[29], welche scharfe Gesellschaftskritik treiben. Die göttliche φύσις steht dem menschlichen νόμος gegenüber[30]. Die Gerechtigkeit Gottes hat alles für alle geschaffen und damit den gemeinsamen Gebrauch der Naturgaben gewollt. Der Kyniker, der ein „Freund Gottes" ist, zieht daraus die Folgerung: zwischen Freunden ist alles gemein (Crates, p 208, 2). Land und Meer ist der Sack, aus dem sich der Kyniker nährt (Diog, p 241, 26). Dieser bittet deshalb als Bettler nicht, sondern er fordert zurück (Diog, p 238, 10), denn die menschliche Eigentumsordnung besteht zu Unrecht. Eigentum ist Diebstahl an der Gemeinschaft. Von den Kynikern werden hier die Grundlagen des Naturrechtes ausgebildet. Auch die Ehe ist aufzuheben. Frauen und Kinder sollen gemeinsam sein[31]. Der spätere Kynismus nimmt diese extreme abstrakten Forderungen zurück und entwirft an ihrer Statt ein positives soziales Programm, das dem ärmeren Teil der städtischen Bevölkerung durch Teilgabe an Ödland bessere Daseinsbedingungen geben soll[32].

Die Stoa, deren Gründer Zeno vom Kynismus abhängig war, geht von der Kritik zu einer positiven Einheitsschau über. Das wohlgefügte Universum ist Vorbild für den Idealstaat und das bürgerliche Leben. Die Welt ist der gemeinsame Staat der Menschen[33]. Der ursprüngliche Naturzustand, in dem zwischen den Menschen ein consortium war, ist der ideale[34]. Damals lagen alle Naturgaben zu gemeinsamem Genuß bereit (Sen ep 90, 36). Erst die Habsucht der Menschen machte alles zu Eigentum und damit zu Fremdem (Sen ep 90, 38). Als Kinder desselben Gottes sind alle Menschen Brüder (Epict Diss I 13, 2 ff) und haben darum in Brüderlichkeit gegeneinander zu handeln, um dadurch das für immer verlorene „Goldene Zeitalter" möglichst zu verwirklichen (Sen

---

[28] Bei Diod S V 45. Pöhlmann II 55 ff.

[29] Praechter (→ A 3) 159 ff. 432 ff. Mullach (→ A 16) II 259—395; Crates (Epistolographi Graeci ed RHercher [1873]) p 208 ff; Diog ebd p 235 ff; diese pseudepigraphe Briefliteratur stammt aus dem 1. Jhdt n Chr, gibt aber im wesentlichen die Anschauungen des alten Kynismus, Praechter aaO 528. Pauly-W sv Antisthenes 10 (I [1894] 2538 ff); ebd sv Diogenes 44 (V [1905] 765 ff).

[30] Diog bei Diog L VI 4 (29). 6 (38). 6 (72). 11 (79). 6 (33).

[31] Diog L VI 6 (72): γάμον μηδένα νομίζων (so zu lesen nach Praechter 168 statt μηδὲν ὀνομάζων).

[32] Dio Chrys Or 7; ähnlich Demonax, der die Frauen- und Kindergemeinschaft preisgibt; Praechter 510 f.

[33] MAnt IV 4 τὸ νοερὸν ἡμῖν κοινόν, καὶ ὁ λόγος ... κοινός· ... ὁ νόμος κοινός· εἰ τοῦτο, πολῖταί ἐσμεν· εἰ τοῦτο, πολιτεύματός τινος (Phil 3, 20) μετέχομεν· εἰ τοῦτο, ὁ κόσμος ὡσανεὶ πόλις ἐστίν. τίνος γὰρ ἄλλου φήσει τις τὸ τῶν ἀνθρώπων πᾶν γένος κοινοῦ πολιτεύματος μετέχειν; Plut Stoic Rep 34 (II 1050 b): ἡ κοινὴ φύσις; vArnim III p 4, 8 f; III p 80, 35: kein andres Prinzip der Gerechtigkeit ἢ τὴν ἐκ τοῦ Διὸς καὶ τὴν ἐκ τῆς κοινῆς φύσεως. Über das Naturrecht bei der Stoa vgl PBarth, Die Stoa[3,4] (1922) 136 ff.

[34] Sen ep 90, 3. Luc Saturnalia; das Saturnalienfest erneuert jährlich die ursprüngliche Gleichheit und Gütergemeinschaft.

ep 90, 39). Die Stoa, die sich mit der bestehenden Wirklichkeit abfindet, lehrt deshalb für die Gegenwart auch keine Gütergemeinschaft, sondern fordert nur brüderlichen Gemeinsinn. So verwirft sie auch nicht wie der Kynismus den Geldbesitz, sondern gestattet dessen Verwendung. Allen zu nützen ist Natur-
5 gesetz[35].

In der neupythagoreischen Schule, die im 1. Jhdt v Chr aufkommt[36], erneuert Philostrat in der romanhaften Vita des Apollonius von Tyana das pythagoreische Ideal einer Lebensordnung vollendeter Gemeinschaft. Auch hier wird die Gütergemeinschaft durchaus von der Natur her begründet. In dieser
10 herrscht der gemeinsame Genuß aller Naturgaben. Die Erde ist die gemein-same Mutter aller (I 15), die Tiere Lehrmeister der Menschen (IV 3). Nur durch das Unrecht der Menschen kommt es zur Eigentumsordnung. Die Gütergemein-schaft ist das wahre Naturrecht. In der inneren Freiheit vom Besitz, die der Pythagoreer sich erringt, ist er nichts besitzend Besitzer aller Güter (III 15
15 vgl 2 K 6, 10).

2. Während im Griechentum, abgesehen von den Gemein-schaften der Pythagoreer, die Frage des Gemeinbesitzes eine Sache der Theorie bleibt, kommt es auf jüdischem Boden, wenn auch nur in beschränkten Kreisen, zu kommunistischen Vereinigungen. Josephus und Philo schildern begeistert die
20 Verwirklichung der Gütergemeinschaft im Orden der Essener[37]. Der aske-tische Verzicht auf den irdischen Besitz, der hier gefordert wurde, führte zur Gründung frommer Genossenschaften der Gleichgesinnten. Der einzelne stellt seinen Privatbesitz beim Eintritt der Gemeinschaft zur Verfügung, ebenso das, was er durch seiner Hände Arbeit (Landbau, Handwerk) als Glied des Ordens
25 hervorbringt. Die Ordensmitglieder halten gemeinsame, einfache Mahlzeiten aus den gemeinsamen Vorratsräumen. Jeder Reichtum ist bei ihnen verachtet. Der Orden, der somit eine volle Gemeinschaft des Verzehrs und der Erzeugung übte, bestand mindestens zwei Jahrhunderte. Es ist möglich, daß seine eigen-artigen Anschauungen und Ordnungen auch vom Pythagoreismus beeinflußt
30 sind[38].

Die von Philo geschilderte kommunistisch lebende Gemeinschaft der Thera-peuten pflegte die mönchische Absonderung besonders zum Zweck frommer Schriftbetrachtung[39].

D. κοινός im Neuen Testament.

35   1. *gemeinsam*, Tt 1, 4 πίστις, Jd 3 σωτηρία, insbesondere Ag 2, 44 (εἶχον ἅπαντα κοινά), 4, 32 (οὐδὲ εἷς τι τῶν ὑπαρχόντων αὐτῷ ἔλεγεν ἴδιον εἶναι, ἀλλ' ἦν αὐτοῖς πάντα κοινά) vom „religiösen Liebeskommunismus" (Tröltsch)

---

[35] Sen Ad Gallionem De Vita Beata 22 ff. Hauck (→ A 10) 50 ff.
[36] Praechter aaO 513 ff; Mullach (→ A 16) I 388 ff; Hauck (→ A 10) 41 ff.
[37] Jos Bell II 122 f: καταφρονηταὶ δὲ πλού-του καὶ θαυμάσιον αὐτοῖς τὸ κοινωνικόν, ... τῶν δ ἑκάστ. κτημάτων ἀναμεμιγμένων μίαν ὥσπερ ἀδελ οἷς ἅπασιν οὐσίαν εἶναι. 139: πρὶν

δὲ τῆς κοινῆς ἅψασθαι τροφῆς ... Ant 18, 20: τὰ χρήματά τε κοινὰ ἐστιν αὐτοῖς, ἀπολαύει δὲ οὐδὲν ὁ πλούσιος τῶν οἰκείων μειζόνως ἢ ὁ μηδ' ὁτιοῦν κεκτημένος. Philo Omn Prob Lib 75—91 (→ 803 A 46). Pauly-W, Suppl IV (1924) 386 ff.
[38] Schürer II⁴ 659 f. Levy (→ A 16) 264 ff.
[39] Vit Cont 32. 40.

der Urgemeinde. Derselbe ist einesteils Fortsetzung des Gemeinschaftslebens, das Jesus und seine Jünger geübt hatten (Lk 8, 1—3; J 12, 4 ff; 13, 29), anderenteils Darstellung des endzeitlichen Verheißungszustandes (Dt 15, 4). Diese subjektive Gemeinschaftshaltung („ἔλεγεν" Ag 4, 32) ist spontaner Ausdruck der durch Christus und den Geist gewirkten Liebesgesinnung. Wie der ökono- 5 mische Gedanke gemeinsamer Güterbewirtschaftung fehlt, so auch der juristische einer verfassungsmäßigen Sozialisierung der Güter (Essener; dgg Ag 5, 4; 4, 36 f Einzeltat, Freiwilligkeit) oder der philosophische einer Nachbildung der Naturordnung (Kyniker ua). Die Bruderliebe erweicht den Rechtsanspruch auf das Eigentum (4, 32: ἴδιον εἶναι). Alles egoistische Gewinnstreben (πλεονεξία) geht 10 unter in der Bereitwilligkeit, in Gehorsam gegen Jesu Wort auf irdisches Gut zu verzichten (Lk 12, 33; 14, 33; Mt 6, 19 ff)[40], um dem Bruder nach seiner Bedürftigkeit zu helfen (Ag 2, 45; 4, 35: καθότι κτλ). Die Formel πάντα κοινὰ εἶχον, mit der Lk idealisierend (2, 44: πάντες; 4, 34: ὅσοι; doch 4, 36; 5, 1. 4) das völlige Gemeinschaftsleben in der Erstzeit der Urgemeinde schildert, ist helle- 15 nistisch, nicht biblisch. Sie tritt weder im AT, noch in den Evv, noch sonst im NT als Forderung oder Zustandsschilderung auf[41]. Der Hellenist Lk drückt mit ihr in Anlehnung an griechische Ideale (→ 791, 35 ff) aus, daß im Leben der Urgemeinde verwirklicht war, was bei den Griechen als ersehntes Ideal galt[42].

2. *profan* (→ 791, 4 ff), als Gegensatz zu ἅγιος. Die hl 20 Stadt wird frei von allem Profanen sein, Apk 21, 27[43]. Das hl Bundesblut darf nicht profaniert werden, Hb 10, 29 (κοινὸν ἡγεῖσθαι, opp: ἁγιάζειν)[44]. In Mk 7, 2 entspricht κοιναῖς χερσίν, *mit kultisch unreinen Händen*, was durch ἀνίπτοις verdeutlicht wird, hebräischem טָמֵא und müßte in genauerer Formulierung mit ἀκαθάρτοις wiedergegeben werden[45]. 25

Der dingliche Reinheitsbegriff wird im NT überwunden. Es kommt hier zur Erkenntnis der allgemeinen religiösen Reinheit des Gottgeschaffenen, Ag 10, 15; 11, 9 (→ καθαρός). Für das Urteil der Gemeinde fällt dadurch Recht und Pflicht weg, Tiere oder Menschen für κοινός zu erklären und sie als verunreinigend zu meiden, Ag 10, 28. Es gibt keine objektive dingliche 30 Profanität mehr, R 14, 14. Nur das subjektiv zurückgebliebene Urteil des

---

[40] Die Worte Jesu sind bei Lk wesentlich schärfer als bei Mt formuliert. Vermutlich zeigen sich bei Mt schon jüngere Milderungen. Anderseits haben die Worte bei Lk, dessen Überlieferungen wohl den Kreisen der armen palästinischen Judenchristen entstammen, vielleicht eine Verschärfung erfahren. Auch scheint bei dem Hellenisten Lk ein gewisses besitzverneinendes Ideal wirksam zu sein, vgl Hck Lk 205 f.
[41] Die fast zögernde Aufforderung zur Kollekte (1 K 16, 1 ff; 2 K 8, 9; R 15, 26 κοινωνίαν τινὰ ποιήσασθαι) und die Einzelanweisung über ihre Durchführung (1 K 16, 2) zeigt, wie sehr in den paul Gemeinden die Aufrechterhaltung des Eigentums selbstverständlich war.
[42] JWeiß, Urchristentum (1917) 49 ff; JBehm,

Kommunismus u Urchr NkZ 31 (1920) 275 ff; ETröltsch, Die Soziallehren der chr Kirchen u Gruppen (1912) (= GesSchr I) 49 f; EvDobschütz, Probleme d apost Zeitalters (1904) 39 ff; FMeffert, Der „Kommunismus" Jesu u der Kirchenväter (1922); OSchilling, Naturrecht und Staat nach d Lehre d alten Kirche (1914); KKautsky, Ursprung des Christentums [12] (1922) 347 ff; EB I 877; RE [3] X 657 ff. RGG [2] III 1159 f.
[43] Die Grundstelle Js 52, 1 hat hier ἀπερίτμητος.
[44] Vulgata: pollutum, d syᵖ: communem, r z: immundum.
[45] Vgl AMerx, Die 4 kanonischen Ev nach ihrem ältesten bekannten Text II 2 (1905) 66 f; doch → 791, 29 ep Ar 315.

einzelnen kann von sich aus die alte Schätzung noch festhalten R 14, 14b.
Jedoch sind diejenigen, welche sich durch ihr Festhalten am alten Urteil noch
Bedenken über Speisen machen, in der Gemeinde bald in Verteidigungsstellung
gedrängt. Sie gelten als „Schwache", R 14, 2.

5 † *κοινωνός,* † *κοινωνέω,* † *κοινωνία,* † *σνγκοινωνός,* † *σνγκοινωνέω*

Inhalt: A. Wortbedeutung und -konstruktion. — B. κοινων- im Profangriechischen: 1. im menschlichen Leben; 2. in der sakralen Sprache. — C. κοινων- im
israelitisch-jüdischen Gebiet: 1. im AT: Menschen; 2. im AT: Gott; 3. in der
rabbinischen Literatur; 4. Philo. — D. κοινων- im NT.

10   A. Wortbedeutung und -konstruktion.

κοινωνός bezeichnet *Genosse, Teilhaber.* Das Wort drückt die
Gemeinschaft, das Teilhaben mit jemand oder an etwas aus. Es wird dementsprechend
konstruiert: *a.* häufig absolut, Plat Tim 20 d: ταῦτα χρὴ δρᾶν, εἰ καὶ τῷ τρίτῳ κοινωνῷ
Τιμαίῳ συνδοκεῖ[1]. — *b.* häufig mit Gen der Sache Plat Resp V 450 a: κοινωνὸς τῆς
15   ψήφου ταύτης. — *c.* weit seltener — im Anschluß an die Konstruktion von κοινωνέω
— mit Dat der Pers und Gen der Sache: Plat Resp II 370 d: τέκτονες δὴ καὶ χαλ-
κῆς καὶ τοιοῦτοί τινες πολλοὶ δημιουργοί, κοινωνοὶ ἡμῖν τοῦ πολιχνίου (Städtchen) γιγνό-
μενοι, συχνὸν (häufig) αὐτὸ ποιοῦσιν. — *d.* mit Präp zB εἰς (Plat Resp I 333 b), περί
(Plat Leg VII 810 c), ἐπί (Plat Leg XII 969 c).
20   Gelegentlich ist κοινωνός mit einem zweiten Subst verbunden, das die Art der Teilhaberschaft andeutet, Xenoph Cyrop IV 2, 21: συμμάχους καὶ κοινωνούς, Plat Resp II
369 c: κοινωνούς τε καὶ βοηθούς, vgl 2 K 8, 23. Dem Wortstamm (κοινω) nach ist das
Teilhaben bei κοινωνός anders orientiert als zB bei φίλος (Verbundenheit in Verwandtschaft bzw Liebe), ἑταῖρος (Gefährte an einem gemeinschaftlichen Unternehmen), συν-
25   εργός (Mitarbeiter an einem Werk) oder dem blassen μέτοχος (Teilhaber). In κοινωνός
liegt bes das Moment der Gemeinschaft, das Wort ist deshalb fähig, vor allem auch
innige Verbundenheit auszudrücken.
                κοινωνέω, aus κοινωνός abgeleitet, bedeutet: *1. mit jemand
Anteil haben* (κοινωνός sein) *an etwas, was er hat = Anteil nehmen;* — *2.* weit seltener:
30   *mit jemand Anteil haben* (Genosse sein) *an etwas, was er vorher nicht hatte = Anteil
geben, mitteilen* Demosth 25, 61: μὴ πυρός, μὴ λύχνου, μὴ ποτοῦ, μὴ βρωτοῦ μηδενὸς
μηδένα τούτῳ κοινωνεῖν, Philo Spec Leg II 107 neben μεταδιδόναι. Die Seltenheit
dieser Gebrauchsweise erklärt sich wohl daher, daß hierfür das geläufige μεταδιδόναι
zur Verfügung steht. Doch fehlt diesem zB der Gedanke *zum Genossen machen* vgl
35   Sextus Pythagoreus Sententiarum 266 (ed AElter, Index Lect Hib 1891/92): τροφῆς παντὶ
κοινώνει.
                Konstruiert wird κοινωνέω: *a′.* absolut Aristot Pol I 2 p 1253 a 27 f: ὁ δὲ μὴ
δυνάμενος κοινωνεῖν. — *b′.* mit Gen der Sache Isoc 7, 31: πατρίδος. — *c′.* mit Dat
der Person Eur Heracl 299 f: ὃς δὲ νικηθεὶς πόθῳ κακοῖς ἐκοινώνησεν *(sich in Gemein-*
40   *schaft einließ),* oder der Sache Epict Diss IV 6, 30: ἔργον ἔργῳ οὐ κοινωνεῖ. — *d′.* mit
Dat der Person und Gen der Sache Polyb 3, 2, 3: κοινωνεῖν Καρχηδονίοις τῶν
αὐτῶν ἐλπίδων. — *e′.* mit Präp εἰς, πρός, ἐν[2].
                κοινωνία, Abstraktbildung zu κοινωνός und κοινωνέω, bezeich-
net die *Teilhabe, Gemeinschaft,* bes im Sinn der engen Verbindung. κοινωνία drückt ein
45   beidseitiges Verhältnis aus (κοινωνία πρὸς ἀλλήλους Epict Diss II 20, 6; Plat Resp V
462 b: οὐκοῦν ἡ μὲν ἡδονῆς τε καὶ λύπης κοινωνία συνδεῖ). Wie bei κοινωνέω kann
dabei entweder mehr die gewährende oder die empfangende Seite der Gemeinschaft
im Vordergrund stehen, κοινωνία ist *1. Anteilhaben, 2. Anteilgeben* und *3. Gemeinschaft.*
                κοινωνίᾳ wird konstruiert: *a″.* absolut *Gemeinschaft* Jambl Vit Pyth 30, 168 (→ κοινός
50   A 16), rechtlich *Gesellschaftsvertrag* BGU 586, 11, *Besitzgemeinschaft, Gemeinschaftsbesitz*
PLond 311, 12: τ[ρεφόμενα κοι]νων[ία] (vgl Preisigke κοι νωνία). — *b″.* mit Gen
obj der Sache, an der teilgenommen wird, Plat Soph 250 b: ἡ τῆς οὐσίας κοινωνία,
Tim 87 e: τῶν πόνων. — *c″.* mit Gen subj der teilgebenden Person oder Sache, wäh-

---

κοινωνός κτλ. [1] Nur im jüd u christl
Sprachgebrauch scheint die Verbindung mit
dem Gen der Person nachweisbar, zB Prv

28, 24; Js 1, 23; HSeesemann, Der Begriff
κοινωνία im NT (1933) 19 (zitiert: Seesem).
[2] Belege bei Seesem 10 f.

rend der Anteilempfänger im Dat steht oder durch Präp (εἰς, μετά, πρός [3]) ausgedrückt wird, Aristoph Thes 140: τίς . . . κατόπτρου (Frauentoilette) καὶ ξίφους (Männerwaffe) κοινωνία (vgl 2 K 6, 14). — d". mit Gen obj der Person, an der Anteil genommen wird, Plat Soph 264e: τῆς τοῦ σοφιστοῦ κοινωνίας (nicht Gen subj,* gegen Cr-Kö). In Plat Resp V 466c heißt ἡ τῶν γυναικῶν κοινωνία τοῖς ἀνδράσιν *die für die Männer beste-* 5 *hende gemeinsame Anteilhabe an den Frauen* (vgl die Konstruktion von κοινωνέω).

B. *κοινων-* im Profangriechischen.

1. Die Gruppe κοινων- wird auf die verschiedensten Gemeinschaftsverhältnisse angewendet. So vom gemeinsamen Anteil an einer Sache zB πᾶσιν ὅσοι φύσεως κοινωνοῦντες ἀνθρω[πί]νης [4], von gemeinsamen Unternehmungen [5], 10 insbes von Rechtsverhältnissen. κοινωνός ist term techn für *Geschäftsteilhaber, Gesellschafter* [6]. Besonders wird κοινωνία von *enger Lebensgemeinschaft* verwendet. So ist die Ehe als völlige Lebensgemeinschaft (κοινωνία παντὸς τοῦ βίου) enger und umfassender (οἰκειοτέρα, μείζων) als alle andern Gemeinschaftsverhältnisse [7].

Anderseits wird im Griechentum gern die Freundschaft als Höchstausdruck der Ge- 15 meinschaft angesehen. Nach griechischen Begriffen ist dabei eine weitgehende Bereitschaft zur Teilgabe auch am materiellen Besitz eingeschlossen [8]. Die Teilnahme an demselben Staat begründet die Gemeinschaft gleicher Bürgerschaft (Aristot Eth M I 34 p 1194b 9). Im Platonismus (→ 793, 10ff) bekommt die κοινωνία die größte systematische Bedeutung. In der κοινωνία ist die → σωτηρία, die Bestanderhaltung 20 nicht nur des einzelnen, sondern auch des ganzen κόσμος, der Menschen und Götter umschließt, begründet [9]. Die Gedanken Platos über Gemeingut und Frauengemeinschaft (→ 793, 20ff) in seinem Staatsentwurf sind unter diesem Gesichtspunkt gefaßt [10]. Der Stoa (→ 795, 6ff) wird der enge Stadtstaat fremd, aber der Gemeinschaftsgedanke bleibt auch in ihr beherrschend. Die Welt ist das Staatswesen des Stoikers [11]. 25 So wird die vorbildliche Eintracht und Gemeinschaftshaltung gepriesen, die im Weltall besteht und den ganzen Weltbestand erhält [12]. Ganz griechisch wird dabei das Gemeinschaftsverhältnis zwischen Gott und Mensch als ein völlig ungebrochenes empfunden [13].

2. Wichtig wird die Gruppe κοινων- in der sakralen 30 Sprache. Nach primitiver Vorstellung kommt es beim Essen und Trinken zu einer innerlichen Aufnahme der geheimnisvollen göttlichen Kraft (mânâ) [14]. Dieser Gedanke einer unmittelbaren Vereinigung mit der Gottheit geht wenig-

---

[8] Belege bei Seesem 16f.

[4] Inschrift, 1. Jhdt v Chr, KHumann u OPuchstein, Reisen in Kleinasien und Nordsyrien Textbd (1890) 371, 46.

[5] Polyb 1, 6, 7: κοινωνήσαντας Πύρρῳ τῶν πραγμάτων; POxy XII 1408, 25 (3. Jhdt nChr): οἱ . . . κοινωνοῦντες τῶν ἀδικημάτων.

[6] PFlor 370, 2f (2. Jhdt nChr): ὁμολογῶ ἔσεσθαί σοι κοινωνός . . . γεωργίας; PAmh 100, 4: προσελάβετο τὸν Κορνήλιον κοινωνὸν τῆς αὐτῆς λίμνης κατὰ τὸ ἕκτον μέρος ἐπὶ φόρῳ.

[7] Isoc 3, 40; Plat Leg IV 721a: ἡ τῶν γάμων σύμμειξις καὶ κοινωνία; Resp V 466c; BGU IV 1051, 8 (1. Jhdt): συνεληλυθέναι ἀλλ[ήλοις] πρὸς βίου κοινωνίαν.

[8] vArnim III p 27, 3: φιλίαν δ' εἶναι κοινωνίαν βίου (Stob Ecl II 74, 4). Aristot Eth Nic VIII 11 p 1159b 31: ἡ παροιμία »κοινὰ τὰ φίλων« ὀρθῶς· ἐν κοινωνίᾳ γὰρ ἡ φιλία. Pol IV 11 p 1295b 24: ἡ γὰρ κοινωνία φιλικόν. Jambl Vit Pyth 5, 29; 6, 32; 16, 69; 30, 168 (→ A 16 κοινός).

[9] Plat Gorg 507 e. 508 a: Der nach der ἐπιθυμία, nach Räuberart lebende Mensch ist weder Menschen noch Gott lieb, κοινωνεῖν γὰρ ἀδύνατος· ὅτῳ δὲ μὴ ἔνι κοινωνία, φιλία οὐκ ἂν εἴη. φασὶ δ' οἱ σοφοί . . . καὶ οὐρανὸν καὶ γῆν καὶ θεοὺς καὶ ἀνθρώπους τὴν κοινωνίαν συνέχειν καὶ φιλίαν καὶ κοσμιότητα καὶ σωφροσύνην καὶ

δικαιοσύνην. Darum heißt das All κόσμος und nicht ἀκοσμία und ἀκολασία. LSchmidt, Die Ethik d alten Griechen II (1882) 275 ff; ESalin, Platon u die griech Utopie (1921) 20 ff.

[10] → κοινός A 18. 19.

[11] → κοινός A 33.

[12] Dio Chrys Or 40, 35f von der ἁρμονία der στοιχεῖα: αὐτά τε σῳζόμενα καὶ σῴζοντα τὸν ἅπαντα κόσμον. 36 dagegen ταύτης δὲ τῆς κοινωνίας διαλυθείσης wurde ihre eigene Unvergänglichkeit zerstört; 40, 39: καὶ ταῦτα μὲν οὕτως ἰσχύρά καὶ μεγάλα τὴν πρὸς ἄλληλα κοινωνίαν ἀνέχεται καὶ διατελεῖ χωρὶς ἔχθρας. Ael Arist Or 45, 33 (Keil): Sarapis ist das κοινὸν ἅπασιν ἀνθρώποις φῶς. Ähnlich stoisch wird die weltumfassende κοινωνία empfunden bei Bas Hom in Hexaemeron 2, 2 (MPG 29 p 33a): ὅλον δὲ τὸν κόσμον . . . ἁρρήκτῳ τινὶ φιλίας δεσμῷ εἰς μίαν κοινωνίαν καὶ ἁρμονίαν συνέδησεν; vgl WWJaeger, Nemesios von Emesa (1914) 113. — Ähnlich stoisch auch Philo Migr Abr 178.

[18] Plat Symp 188b; Ael Arist Or 45, 27 (Keil); vArnim III p 83, 5. 8.

[14] Pauly-W XI (1922) 2171f Artk Kultus; PStengel, Opferbräuche der Griechen (1910) 73f; ÖGruppe, Griech Mythologie u RelGesch (1906) 730ff; EReuterskiöld, Die Entstehung der Speisesakramente (1912).

stens als treibender Grundgedanke auch durch spätere Kulte weiter (Dionysos
uä)[15]. Auf der Stufe der polytheistischen Volksreligion wird dann das Speiseopfer zu einer Kommunion der Gottheit mit den Menschen. Die Opfer sind
bei Homer heitere Mahlzeiten, an denen die Götter teilnehmen[16]. Mensch und
5 Gott werden zu *Mahl-* und *Tischgenossen*[17]. Das gilt keineswegs nur für die
naive alte Zeit. Auch in der hellenistischen Zeit gelten die Götter als die
Veranstalter und Leiter der Opfermahle. Zum Tisch der Götter sind die Menschen als ihre Mahlgenossen (κοινωνός) eingeladen[18]. Bei den θεοξένια, den
lectisternia der Römer, nehmen die Götter leibhaftig in ihren Bildern am ge-
10 meinsamen Gelage teil[19]. Neben der Vereinigung durch Essen und Trinken in
der heiligen Mahlzeit steht die geschlechtliche Vereinigung mit der Gottheit[20].
Die griechische Philosophie (Plato) erhebt den Gedanken der Gottesgemeinschaft über das kultische Erlebnis hinaus und preist dieselbe als die beglük-
kendste und höchste Gemeinschaft[21]. Das stoische Denken sieht das Welt-
15 all als ein lebendig gegliedertes Ganzes und kommt von da aus zu dem Gedanken der κοινωνία zwischen den Menschen untereinander und gegenüber Gott[22].
κοινωνός ist Epictet geläufig für *Mitmensch*[23]. Die hellenistische Mystik
weiß von einer allgemeinen κοινωνία ψυχῶν zwischen Göttern, Menschen und
unvernünftigen Wesen[24], erstrebt ihrer Art nach aber mehr die unio als die
20 communio mit der Gottheit.

C. κοινων- im israelitisch-jüdischen Gebiet.

1. Im Alten Testament tritt die Gruppe κοινων- stark zu-
rück[25]. LXX geben mit ihr vorzugsweise die hbr Gruppe חבר wieder. Doch setzt

---

[15] Reuterskiöld (→ A 14) 126 ff; ERE III
(1910) 764 ff (Communion with Deity); Rohde
II [9. 10] 11 ff.
[16] Hom Od 3, 51 ff. 436; 8, 76; Il 1, 67.
423 ff; 9, 535; Paus IV 27, 1 f; PStengel,
Griech Kultusaltertümer [3] (1920) 97.
[17] Demosth Or 19, 280: κρατήρων κοινωνοὺς
πεποίησθε (sc: τοὺς ἥρωας); Eur El 637: ὅθεν
γ᾽ ἰδών σε δαιτὶ κοινωνὸν καλεῖ. Die Stelle
zeigt, daß κοινωνός seit alters Bezeichnung
für den Genossen beim Opfermahl ist. Ditt
Syll [3] 1106, 6 f: ἐπι[μ]ελέσθων [δ]ὲ αὐτῶν τ[οὶ
τῶ]ν ἱερῶν κοινωνεῦντες. Plat Symp 188 b:
ἔτι τοίνυν καὶ αἱ θυσίαι πᾶσαι καὶ οἷς μαντικὴ
ἐπιστατεῖ – ταῦτα δ᾽ ἐστὶν ἡ περὶ θεούς τε καὶ
ἀνθρώπους πρὸς ἀλλήλους κοινωνία . . .
[18] POxy I 110 (2. Jhdt nChr): Ἐρωτᾷ σε
Χαιρήμων δειπνῆσαι εἰς κλείνην τοῦ κυρίου
Σαράπιδος ἐν τῷ Σαραπείῳ αὔριον; POxy III
523; Ael Arist Or 8 (I 93 f Dindorf): καὶ
θυσιῶν μόνῳ τούτῳ θεῷ διαφερόντως κοινω-
νοῦσιν ἄνθρωποι τὴν ἀκριβῆ κοινωνίαν, καλοῦν-
τές τε ἐφ᾽ ἑστίαν καὶ προϊστάμενοι δαιτυμόνα
(Tischgast) αὐτὸν καὶ ἑστιάτορα (Gastgeber)
. . . . παραπλήσια δὲ καὶ ἡ κατὰ τὰ ἄλλα πρὸς
αὐτὸν κοινωνία ὁμότιμος. GAnrich, Das antike
Mysterienwesen (1894) 37; ERE III 766 f;
Seesem 54; Ltzm Exk z 1 K 10, 20; GPWetter,
ZNW 14 (1913) 202 ff.
[19] PStengel (→ A 16) 124; EHuber, Das
Trankopfer im Kulte der Völker (1929) 228 ff.

[20] Vgl ERE III 763 f (Communion with
Deity); FJDölger, Ichthys II (1922) 378 A 6:
Servius Grammaticus Commentarius in Verg
Aen I 79 (ed GThilo-HHagen I [1881]): „Tu
das epulis accumbere divum" hoc est, tu me
deum facis. Duplici enim ratione divinos hono-
res meremur: dearum conjugio et convivio
deorum. Unde et in bucolicis: „nec deus hunc
mensa, dea nec dignata cubili est". [Bertram.]
[21] Plat Symp 188 b → A 17. Dagegen
leugnet die Philosophie Epikurs jede Gottesgemeinschaft.
[22] Epict Diss I 9, 5: κοινωνεῖν τῷ θεῷ von
den Menschen als vernünftigen Wesen.
II 19, 27: τῆς πρὸς τὸν Δία κοινωνίας. M Ant
XI 8, 4: κοινωνία Διός. Cic Leg I 7, 23: Lege quoque consociati homines cum diis putandi sumus. . . . Universus hic mundus una civitas
communis deorum atque hominum existi-
manda ⟨sit⟩. Nat Deor II 62; Dio Chrys Or
36, 23; vArnim III 82, 8.
[23] Epict Diss I 1, 9: κοινωνοῖς τοιούτοις.
I 12, 16; 22, 10. 13; II 14, 8; III 1, 21 in Anrede an Sokrates: κοινωνός μου ὢν καὶ συγ-
γενής. ABonhöffer, Epict u d NT (1911) 51 ff.
[24] Corp Herm X 22 b (Stob Ecl I 303, 15).
Anrich (→ A 18) 37; Reitzenstein Hell Myst
245 ff Liebesvereinigung mit Gott; ἱερὸς γάμος.
[25] κοινωνικός 3 mal AT, 3 mal Apkr; κοινωνέω
5 mal AT, 7 mal Apkr; κοινωνία 1 mal AT,
1 mal Apkr.

sich diese Wiedergabe bei dem ja weit häufiger auftretenden חבר nicht einheitlich durch, wohl weil κοινωνός in sich anders orientiert ist (cum). In Lv 5, 21, der einzigen Stelle im Pentateuch, an der sich κοινωνία findet, ist es Wiedergabe für תְּשׂוּמֶת יָד, *das Hinterlegte*. Das ist zwar nicht wörtliche Übersetzung, entspricht aber völlig der Wiedergabe der Targume mit שׁוּתְּפוּת יְדָא = in Gemeinschaftlichkeit der Hand, dh ein 5 Gut, welches einige Teilnehmer gemeinschaftlich zu verwalten haben[26]. Das Verbum II חבר heißt *binden, verbinden* (assyr: ebru *Genosse*). So von Sachen Ex 26, 6 (LXX συνάπτω); 28, 7; 26, 4. 10: חֹבֶרֶת *Verbindung, Heftung* zweier Stücke (LXX συμβολή); von Völkern, die *sich verbünden* Gn 14, 3 (LXX συνεφώνησαν); von allerlei *rechtlichen und halbrechtlichen Verbindungen* Prv 21, 9; vom gemeinsamen Haus (LXX: οἴκῳ κοινῷ), 10 Prv 25, 24 von Verbindung zu gemeinsamem Werk, so Hi 40, 30 von den zum Fischfang verbundenen Fischern (חַבָּר[27], vgl Lk 5, 7: μέτοχος). Das Qere יְחְבָּר Qoh 9, 4 (statt יבחר) spricht einfach von *Zugesellung* (πρὸς ... τοὺς ζῶντας). Vor allem ist חָבֵר der *Genosse, Gefährte*, teils im Sinn der Verbundenheit in gemeinsamem Leben oder gemeinsamem Unternehmen (Qoh 4, 10 vom helfenden *Kameraden* [LXX: μέτοχος], 2 Ch 15 20, 35 f: Vereinigung zu gemeinsamem Schiffbau), teils mehr von rechtlicher, gesellschaftlicher oder beruflicher Verbundenheit (Cant 1, 7; 8, 13 von Mithirten, LXX ἑταῖρος). In Mal 2, 14 wird die Gattin חֲבֶרֶת, *Lebensgefährtin* genannt (κοινωνός σου καὶ γυνὴ διαθήκης σου). Lebens- und Rechtsverbundenheit (→ διαθήκη בְּרִית) liegen hier ineinander. Der Fromme weiß sich eng verbunden mit den übrigen frommen Ver- 20 ehrern Gottes Ps 119, 63 (= ψ 118, 63: μέτοχος πάντων τῶν φοβουμένων σε). Besonders wird חָבֵר von der unedlen, aber engen Verbundenheit von *Spießgesellen* zu ihrem gemeinsamen schlimmen Werk gebraucht, Js 1, 23 (κοινωνοὶ κλεπτῶν), Prv 28, 24 (κοινωνὸς ἀνδρὸς ἀσεβοῦς). So auch das Abstraktum חֶבֶר Hos 6, 9 (LXX anders) und חֶבְרָה Hi 34, 8 (LXX: ὁδοῦ κοινωνήσας μετὰ ποιούντων τὰ ἄνομα) von schlechter *Kameradschaft*. 25

In allen diesen Fällen wird חָבֵר auf das Verhältnis von Mensch zu Mensch angewendet; darüber hinaus gelegentlich für die Verbindung mit Götzen, n i e aber für die mit G o t t. Hos 4, 17 spricht mit schärfstem Tadel von solchen, die sich unter Ehebruch gegenüber dem Heilsgott durch Fremdkult mit Götzen versippen (חבר, LXX: μέτοχος εἰδώλων), und Js 44, 11 wird geringschätzig von 30 den Anbetern der Götzenbilder als ihren Genossen[28] geredet (LXX; Θ: πάντες οἱ κοινωνοῦντες αὐτῷ). Für Glieder des Heilsvolkes entsteht hier eine religiös anstößige, ja unmögliche enge Verbundenheit (vgl 1 K 10, 18. 20).

Die A p o k r y p h e n haben κ ο ι ν ω ν ό ς mehrfach von *enger Gemeinschaft*, so von der *Tischgemeinschaft* Sir 6, 10 (φίλος κοινωνὸς τραπεζῶν), vom gemeinsamen Teilhaben und 35 Mitmachen bei unrechter Tat Sir 41, 19, auch absolut κοινωνός als *Gefährte, Kamerad* (Sir 42, 3: חוֹבֵר)[29].

κ ο ι ν ω ν έ ω von *enger Anteilschaft, Kameradschaft* mit Unfrommen bzw Reichen (Sir 13, 1: ὑπερηφάνῳ; 13, 2: πλουσιωτέρῳ); in sprichwörtlicher Redeweise von *unmöglicher Gemeinschaft* zwischen Gegensätzlichem (13, 2. 17 → 799, 1)[30]. 40

κ ο ι ν ω ν ί α von *sachlichem Anteilhaben*, Sap 8, 18 mit Gen der Sache (λόγων αὐτῆς sc σοφίας), 3 Makk 4, 6 (πρὸς βίου κοινωνίαν γαμικόν) und Sap 6, 23 mit Dat der Sache (σοφίᾳ).

2. An dem at.lichen Befund ist theologisch dies das Bedeutsamste, daß weder חבר, noch κοινων- auf das Verhältnis zu Gott angewen- 45 det wird, wie es dem Griechentum geläufig ist. Darin kommt jedenfalls das

---

[26] Levy Chald Wört sv; Seesem 29 f. Dem Juden ist zB keine Teilhaberschaft (שׁוּתְּפוּת, κοινωνία) an einem heidnischen Unternehmen gestattet bSanh 63 b par אסור לאדם שיעשה שותפות עם העכו״ם (Sterndiener).

[27] LXX ἐνσιτοῦνται ἐν αὐτῷ leitet das hbr

יכרו von III כרה „ein Mahl geben" statt von II כרה „handeln, verhandeln" ab.

[28] חֲבֵרָיו Kittel: 1 frt חֹבְרֵי Ps 58, 6; Dt 18, 11 (Bdtg: bannen) Zauberer.

[29] Kautzsch Apkr 439 zSt.

[30] Sprichwörtlich vgl **Macarius** VIII 34, Apostolius XVI 60 a (Leutsch-Schneidewin, Corpus Paroemiographorum Graecorum II [1851] 219. 677) vgl 2 K 6, 14.

Abstandsverhältnis zum Ausdruck, das der israelitische Fromme — gerade im Unterschied zum Griechen — gegenüber Gott empfindet. Der at.liche Fromme weiß sich als עֶבֶד in einem Abhängigkeits- und Hörigkeitsverhältnis gegenüber Gott — das sich allerdings zum Vertrauensverhältnis (vgl עֶבֶד יהוה) vertiefen
5 kann —, aber eben nicht und nie als חָבֵר Gottes. Diese Aussage wird nicht gewagt. Dementsprechend fehlt auch in LXX, obwohl diese weithin vom griechischen Sprachgebrauch und selbst vom hellenistischen Denken beeinflußt ist, κοινωνία für das Verhältnis zwischen Gott und Mensch (anders bei Philo → 803, 34). An sich ist dieser Tatbestand auffallend. Denn es ist ja kein Zweifel,
10 daß das alte Israel das Opfer bzw die Opfermahlzeit weithin als sakrale Gemeinschaft zwischen Gott und Mensch gedacht hat[31]. Israel teilt hier durchaus die altsemitischen Vorstellungen, die sich anderweit feststellen lassen[32]. Auch in Israel entsteht über der gemeinsamen Mahlzeit ein engstes Gemeinschaftsverhältnis, das die an ihr Beteiligten gegenseitig verpflichtet. Das gilt nicht
15 nur für die menschlichen Teilnehmer eines Mahles, sondern ebenso für die gedachte Teilnahme der Gottheit. Der öffentliche Kult ist Ausdruck und Darstellung dieser Gemeinschaft, die einen beide Teile verpflichtenden Charakter hat. Der Eintritt der Gottheit in die sakrale Gemeinschaft kommt dabei durch die Sprengung des Blutes an den Altar zum Ausdruck. Nur mit schwerem
20 Nachteil für den Täter kann die hier entstandene Gemeinschaft zerbrochen werden[33]. Gleichwohl wird für das im Opfermahl verwirklichte enge Anteil- und Gemeinschaftsverhältnis die Wortgruppe חבר κοινων- vermieden. Das theologische Bewußtsein scheut davor zurück, begriffsmäßig zu behaupten, was empfindungsmäßig bei den Festteilnehmern vorhanden ist. Auch Dt 12, das hell
25 die Freude bei diesen verbindenden Opfermählern schildert, redet nicht mit dem cum (κοινων-) der Gemeinschaft, sondern dem לִפְנֵי des Abstandes (v 7. 12. 18). Und nicht von einer חֲבוּרָה mit Gott wird geredet, sondern von einer בְּרִית, einer Rechtsordnung, die durch das Bundesopfer entsteht (Ex 24, 1 ff)[34]. Und wo die Schilderung auf die Aussage der engsten und realsten Gottesgemeinschaft
30 im kultischen Mahl zusteuert (Ex 24, 9 ff), da bricht sie plötzlich mit dem beziehungslos gelassenen „und sie aßen und tranken" ab (24, 11; → διαθήκη II 124, 6 ff). Auch an dieser höchsten Stelle kommt es nicht zu einer ausdrücklichen Aussage einer Gemeinschaft mit Gott im Kultmahl.

3. Im Rabbinischen hat חָבֵר a. die Grundbedeutung *Genosse,*
35 *Freund, Teilhaber,* zB Ab 2, 9 ein guter bzw böser *Genosse.* Ebenso aram חַבְרָא zB bBB 28 b[35]. Auch von der Ehefrau[36]. חֲבֵרִים zB auch SNu 181 z 25, 1[37] von aufrührerischen Städten. — b. Von da aus dann bes in der Rechtssprache häufig חָבֵר in der allgemeinen Bedeutung *der zu einem andern in irgendeinem Verhältnis steht.* So heißt zB der Schuldner gegenüber seinem Gläubiger חָבֵר (SNu 3 aE z 5, 7) oder der
40 Verführer gegenüber der Verführten (Ehebrecherin, SNu 15 z 5, 21 aE) oder auch der Unreine gegenüber einem andern Unreine[38]. So auch in der goldenen Regel Hillels, bSchab 31 a, „was dir unangenehm ist, tue auch nicht *einem andern*" (לחברך)[39]). — c. חָבֵר

---

[31] WEichrodt, Theol d AT I (1933) 72.
[32] WRSmith, übers RStübe, Die Religion der Semiten (1899) 162 ff; 196 f; 203 ff.
[33] Eichrodt aaO I 72.
[34] Etymologisch ist בְּרִית allenfalls von ברה essen abhängig, doch vgl → διαθήκη II 107, 14 ff.

[35] Bei Levy Wört sv.
[36] Belege Levy Wört sub verbis.
[37] KGKuhn, SNu übers (1933 ff) 507.
[38] SNu 130 z 19, 22 (Kuhn aaO 501).
[39] Str-B I 460 unter a.

mindestens seit dem 1. vorchristl Jhdt als term techn für die Mitglieder des pharisäischen Chaberbundes (→ Φαρισαῖος), die sich persönlich zur genauen Verzehntung
ihrer Früchte und zur genauen Beobachtung der Reinheitsvorschriften, überhaupt zur
strengsten Einhaltung des jüdischen Gesetzes verpflichteten [40]. Die Unsicherheit über
die Gesetzestreue der übrigen Volksgenossen brachte die Gesetzesstrengen fortwährend 5
in Gefahr, sich an ihnen zu verunreinigen und dadurch zu versündigen. So sehen
sich die חֲבֵרִים zu scharfer Absonderung von den עַמֵּי הָאָרֶץ gezwungen (J 7, 49). Aus
der gesetzestreuen Bewegung der makkabäischen Zeit wird die streng abgegrenzte
αἵρεσις der Pharisäer. In nuce ist dieser technische Gebrauch von חָבֵר angelegt in
Ps 119, 63: der Fromme ist חָבֵר derer, die gottesfürchtig leben und Gottes Gebote 10
genau innehalten, dh gegenüber den andern Volksgenossen, den „Gottlosen" in Israel,
ist er n i c h t חָבֵר.

d. Mit der Konsolidierung des Standes der Rabbinen (→ ῥαββί) kommt es frühestens
seit der 2. Hälfte des 1. Jhdts (2. Jhdts?) zu dem von c. völlig unabhängigen weiteren
technischen Gebrauch, daß sich die Rabbinen untereinander als חֲבֵרִים wußten und 15
bezeichneten. Mit dem Ausbau der Organisation des Rabbinenstandes kommt es dann
zu einer Stufenleiter verschiedener „akademischer Grade". Die תַּלְמִידִים sind die Anwärter auf das Amt. Die Geeignetsten aus ihren Reihen werden durch Ordination
in Amt und Würde eines Rabbi eingesetzt (חָכָם). Für diejenigen תַּלְמִידִים, die an sich
nach Alter und Ausbildung חכמים sein konnten, die Ordination aber aus irgendwelchen 20
Gründen nicht erreicht hatten, bürgerte sich als spezieller fester Titel חָבֵר „Kollege"
in engerem Sinne ein [41].

Auch חֲבוּרָה Genossenschaft, Verband ist zunächst ein ganz allgemeiner Begriff (s o
חָבֵר a). Derselbe gewinnt jedoch vielfach halbreligiösen und religiösen Inhalt. Eine
חֲבוּרָה entsteht bes durch Tischgemeinschaft. Die Mahlgenossen, die sich zum gemein- 25
samen Verzehren des Passahmahles zusammentun — es sollen nach Ex 12, 4 mindestens 10 Personen sein —, heißen בְּנֵי חֲבוּרָה (bPes 89 a b). In der nachexilischen Zeit
kommt die Sitte auf, am Freitag Nachmittag mit Freunden im Haus (vgl Ag 2, 46
κατ' οἶκον) ein gemeinsames Festmahl zur Einleitung des Sabbats zu begehen (Sederabend, Sabbatqiddusch) [42]. Auch diese Tischgemeinschaften heißen חֲבוּרָה. Hier liegen 30
gewisse Vorstufen der christlichen halbkultischen Mahlfeiern (Herrenmahl, Agape), in
denen die Urgemeinde κλῶντες κατ' οἶκον ἄρτον (Ag 2, 46) ihre Glaubensgemeinschaft
erlebte und feierte [43].

4. Ganz bezeichnend ist der Sprachgebrauch bei dem hellenistischen Juden P h i l o. Entgegen dem Sprachgebrauch der LXX übernimmt er κοινωνία, 35
κοινωνέω, κοινωνός für die religiöse Anteilschaft und Genossenschaft, die zwischen dem
Frommen und Gott entsteht [44]. Das in der israelitischen Theologie gewahrte Abstandsverhältnis gegenüber Gott geht bei ihm in das dem Griechentum geläufige Nahverhältnis über. So spricht Philo von der engen Genossenschaft, die zwischen den Frommen
und Gott im Kult, bes über dem Opfermahl entsteht [45]. Sicher sind diese der at.lichen 40
Redeweise widersprechenden Aussagen Philos durch die entsprechenden im Hellenismus verursacht. Auch das ideale Gemeinschaftsleben der Essener (→ 796, 20), das
vollkommene Gütergemeinschaft verwirklichte, schildert Philo als κοινωνία [46]. Jos ge-

---

[40] Demai 2, 3: Wer es auf sich nimmt, ein
Chaber zu sein, darf an einen 'Am ha'areç
keine frischen und trockenen Früchte verkaufen, auch kauft er von ihm keine frischen
Früchte, auch weilt er bei einem 'Am ha'areç
nicht als Gast, noch nimmt er einen solchen
in seinem Gewande bei sich als Gast auf.
Weiteres Kuhn aaO 423 A 23; Schl Gesch Isr
138; Str-B II 500 ff; Schürer [4] 452. 454 (Identität von „Pharisäer" und חָבֵר).

[41] Schürer II [4] 468 ff; Jew Enc VI 121 ff;
EJ V 121 ff.

[42] WOEOesterley, The Jewish Background
of the Christian Liturgy (1925) 167 ff; IElbogen, Der jüdische Gottesdienst [3] (1931) 107.

[43] Daß die Urgemeinde direkt חֲבוּרַת יֵשׁוּ,
κοινωνία Ἰησοῦ geheißen habe, wie CAScott

(Exp T 35 [1923/24] 567) annimmt, läßt sich
jedoch nicht erweisen. Seesem 90.

[44] Vit Mos I 158: οὐχὶ καὶ μείζονος τῆς πρὸς
τὸν πατέρα τῶν ὅλων καὶ ποιητὴν κοινωνίας
ἀπέλαυσε προσρήσεως τῆς αὐτῆς ἀξιωθείς;

[45] Spec Leg I 221: ὅς(sc: Gott) εὐεργέτης
καὶ φιλόδωρος ὢν κοινωνὸν ἀπέφηνε τοῦ βωμοῦ
καὶ ὁμοτράπεζον τὸ συμπόσιον τῶν τὴν θυσίαν
ἐπιτελούντων. I 131 von den Priestern: κοι
νωνοὶ τῶν κατ' εὐχαριστίαν ἀπονεμομένων γί
νονται θεῷ.

[46] Omn Prob Lib 84: τοῦ δὲ φιλανθρώπου
(δείγματα παρέχονται) εὔνοιαν, ἰσότητα, τὴν
παντὸς λόγου κρείττονα κοινωνίαν ... 85: οὐ
δενὸς οἰκία τίς ἐστιν ἰδία, ἣν οὐχὶ πάντων εἶναι
κοινὴν συμβέβηκεν ... 86: ταμεῖον ἓν πάντων
καὶ δαπάναι ⟨κοιναί⟩, καὶ κοιναὶ μὲν ἐσθῆτες,
κοιναὶ δὲ τροφαὶ συσσίτια πεποιημένων. ... οὐκ

braucht κοινωνία von der dem Juden so wichtigen Lebens- und Verkehrsgemeinschaft mit dem Mitmenschen [47] (vgl Gl 2, 11—14).

Bei Philo findet sich κοινωνέω und κοινωνία auch in der im Profangriechisch seltenen Bedeutung des *Anteilgebens* und *Mitteilens* [48].

D. κοινων- im Neuen Testament.

1. κοινων- = *mit jemand Anteil haben an etwas.*

a. Lk 5, 10 steht κοινωνοί τῷ Σίμωνι von der Genossenschaft am Werk (*Arbeitsgenosse*), die inhaltlich vielleicht zugleich als rechtliche Genossenschaft (*Geschäftsteilhaber*) gedacht werden kann [49]. Dann vom Teilhaben an einer gemeinsam erhaltenen oder zu gewinnenden Natur oder Art. So Hb 2, 14 vom Teilhaben menschlicher Kinder an der gemeinsamen sterblichen Menschennatur (τὰ παιδία κεκοινώνηκεν αἵματος καὶ σαρκός). Indem auch Christus an ihr Anteil gewann (hier μετέσχεν, synonym zu κοινωνέω), trat er völlig in die menschliche Fleisch- und Blutgemeinschaft ein, um gerade so den Tod zu überwinden. In dieser Richtung wird 2 Pt 1, 4 die Erlösung gefaßt als Befreiung von der irdisch-natürlichen Vergänglichkeit zur Anteilschaft an der göttlichen Natur (θείας κοινωνοὶ φύσεως) [50]. In R 11, 17 ist mit συγκοινωνός (τῆς ῥίζης τῆς πιότητος τῆς ἐλαίας) die enge Teilhabe des eingepfropften Zweiges an dem ganzen Lebenszusammenhang des veredelten Ölbaums ausgedrückt. Teilnahme an fremden Sünden ist streng zu meiden (1 Tm 5, 22; 2 J 11 → 801, 23; Prv 28, 24; Js 1, 23), da sie in verhängnisvolle Schuld- und Gerichtsgemeinschaft mit den Tätern verstrickt (Mt 23, 30 vgl 27, 25). Die Teilnahme der Frommen am Heiligen hat exklusiven Charakter (2 K 6, 14: τίς κοινωνία φωτὶ πρὸς σκότος;). Sie zwingt zur Scheidung. Als Kinder des Lichtes dürfen die Christen unmöglich teilhaben an der Sünde (Eph 5, 11: μὴ συγκοινωνεῖτε τοῖς ἔργοις τοῖς ἀκάρποις τοῦ σκότους). So muß das Gottesvolk „Babel" verlassen, um nicht an ihren Sünden und infolgedessen auch an dem Gericht über sie teilzuhaben (Apk 18, 4).

b. Am häufigsten kommt die Gruppe κοινων- im NT bei Paulus vor, bei dem sie auch unmittelbar religiösen Inhalt gewinnt. Paulus verwendet κοινωνία für die religiöse Gemeinschaft (Anteilschaft) des Gläubigen an Christus und den christlichen Gütern und für die Gemeinschaft der Gläubigen untereinander [51]. Die Christen sind nach 1 K 1, 9 berufen zur Gemeinschaft (Anteilschaft) mit dem Sohne (ἐκλήθητε εἰς κοινωνίαν τοῦ υἱοῦ, Konstr *d"* → 799, 2). Sie werden zu *Genossen* Christi erhoben. Sie treten in eine my-

---

ἴδια φυλάττουσιν, ἀλλ' εἰς μέσον προτιθέντες κοινὴν τοῖς ἐθέλουσι χρῆσθαι . . . παρασκευάζουσιν ὠφέλειαν.

[47] Ap I 35: τὴν πρὸς ἀλλόφυλον κοινωνίαν ὑφορώμενοι. Bell 7, 264: τὴν πρὸς ἀνθρώπους ἡμερότητα καὶ κοινωνίαν οὐκ ἐτήρησεν.

[48] Spec Leg II 107 neben μεταδιδόναι; Virt 84 κοινωνία neben χρηστότης, 80 neben φιλανθρωπία → κοινωνικός.

[49] Vgl v 7 μέτοχος. Die Hochseefischerei wurde in Zusammenarbeit mehrerer Genossen betrieben, die von verschiedenen Kähnen aus

einander beim Fang unterstützten GDalman, Orte u Wege Jesu [3] (1924) 145; FMWillam, Das Leben Jesu im Land u Volk Israel [3] (1934) 154 f.

[50] Vgl Philo Decal 104: τῶν . . . θείας καὶ μακαρίας καὶ εὐδαίμονος φύσεως μετεσχηκότων, Leg All I 38: ἀντιλαβέσθαι θεοῦ φύσεως, vgl Abr 107.

[51] Von einer unmittelbaren κοινωνία θεοῦ wagt Pls nicht zu reden. Diese ist im NT durch Christus vermittelt, im AT zB durch den Altar 1 K 10, 18.

stische Gemeinschaft mit dem Erhöhten. Diese Beschreibung des Christusver-
hältnisses hebt sich sowohl von dem für Paulus so kennzeichnenden ἐν Χριστῷ
(→ II 538, 8 ff) als auch von dem ihm geläufigen Bilde der Gläubigen als Glieder am
Leibe Christi (1 K 12, 12 ff) etwas ab. Die dem Paulus eigentümlichen Verba mit
σύν (vgl R 8, 17: συμπάσχειν—συνδοξασθῆναι) entfalten den Inhalt dieser Ge- 5
nossenschaft mit Christus nach Gegenwart und Zukunft (→ 806, 20 ff). Aber
weil es sich dabei nicht um ein mystisches Aufgehen in Christus handelt, kommt
diese Anteilschaft und Gemeinschaft mit Christus zustande durch den Glauben,
der den Lebenszusammenschluß mit ihm bedeutet. Solches Teilhaben am Sohne
ist der Natur der Sache nach gegenwärtiger Heilsbesitz des Christen, erwartet 10
aber von der Zukunft Vollverwirklichung (1 Th 4, 17: σὺν κυρίῳ). Wie Paulus
persönlich von der Anteilschaft an Christus redet, so auch sachlich von der am
Evangelium (1 K 9, 23)[52] oder am Glauben. Da Paulus in den Briefeingängen
gewöhnlich für den guten Glaubensstand der Leser dankt, bezieht sich der Dank
ἐπὶ τῇ κοινωνίᾳ ὑμῶν εἰς τὸ εὐαγγέλιον ἀπὸ τῆς πρώτης ἡμέρας ἄχρι τοῦ νῦν (Phil 15
1, 5, Konstr c" → 798, 52 ff) wohl auf das innige, nie gestörte (ἀπό—νῦν) Teilhaben
der Philipper an der Heilsbotschaft von Christus (→ II 730, 17)[53]. Und Phlm 6 will ἡ
κοινωνία τῆς πίστεώς σου (dein enges Verbundensein mit dem Glauben, Konstr b"
→ 798, 51)[54] wohl ähnlich die Lebendigkeit von Philemons Glauben hervorheben,
die sich dann weiter in Erkenntnis auswirken soll. 20

c. Paulus verwendet sodann höchst bedeutsam κοινωνία für
die im Abendmahl (→ III 730 ff) entstehende Gemeinschaft. Das Teilhaben an Christus,
das grundsätzlich und vollständig im Glauben erlebt wird, wird in gesteigerter
Form — ohne daß eine dogmatische Abgleichung erfolgt — im Sakrament verwirklicht und erlebt, 1 K 10, 16 ff[55]. Paulus stellt das Abendmahl zunächst in 25
eine Linie mit den jüdischen und heidnischen Opfermahlzeiten. Nach dem in
der Antike allgemeinen Glauben ist es ihm dabei eine Selbstverständlichkeit,
daß die Teilnehmer der Kultmahlzeit Genossen des Gottes werden[56]. So werden die Teilnehmer an den jüdischen Opfermahlen κοινωνοὶ τοῦ θυσιαστηρίου
(v 18), wobei θυσιαστήριον Deckwort für Gott ist. Der Altar stellt die Gegen- 30
wart Gottes dar und verbürgt sie[57]. Ebenso selbstverständlich werden ihm die
Teilnehmer der heidnischen Kultmahle κοινωνοὶ τῶν δαιμονίων (v 20). Analog
werden beim Abendmahl die Teilnehmer *Genossen* Christi. Die hier ganz real
entstehende Verbindung ergibt für den Christen die naturgemäße religiöse Fol-

---

[52] Pls hofft hier durch treueste Arbeit am
Evangelium Teilhaber an den Heilsgütern zu
werden, die das Evangelium verheißt (so wohl
ἵνα συγκοινωνὸς αὐτοῦ [sc: τοῦ εὐαγγελίου] γένωμαι). Joh W 1 K 246; Ltzm K 44; Seesem
79 A 4.
[53] Seesem 73 ff; dagegen versteht Zahn
(Zschr f kirchl Wiss u kirchl Leben 6 [1885]
185 ff; Ders, Einl in das NT I ³ [1906] 380)
κοινωνία auch hier von der Mitteilsamkeit
der Philipper, die sie durch die Gabe an Pls
bewiesen. Ähnlich Dib Phil 53.
[54] Seesem 79 ff. Dagegen will Loh Phlm
πίστεως als Gen auct fassen von der Gemein-

samkeit, die dem Philemon durch Glauben
mit allen Gläubigen zuteil geworden ist.
[55] HLietzmann, Messe u Herrenmahl (1926)
223 ff; WHeitmüller, Taufe und Abendmahl bei
Pls (1903) 27; KGGoetz, Das Abendmahl eine
Diatheke Jesu oder sein letztes Gleichnis?
(1920); ASchweitzer, Die Mystik des Ap Pls
(1930) 260 ff; KLSchmidt, Artk Abendmahl
RGG ² I 12 ff.
[56] → A 14. 45.
[57] Belege bei HGreßmann, 'Η κοινωνία τῶν
δαιμονίων, ZNW 20 (1921) 224 ff; Bousset-
Greßm 308 ff; WReichel, Über vorhelle-
nische Götterkulte (1897) 40 ff.

gerung, Kultmahle fremder Gottheiten zu meiden (v 21). Der Art des Abendmahles entsprechend wird von Paulus die Gemeinschaft mit der Person Christi
in die Doppelaussage einer κοινωνία mit Leib und Blut Christi auseinandergelegt (v 16, Konstr b" → 798, 51). Brot und Wein sind dem Paulus Träger der
5 Gegenwart Christi, so wie der jüdische Altar die Gegenwart Gottes verbürgt.
Das Genießen von Brot und Wein ist Zusammenschluß (Anteilschaft) mit dem
himmlischen Christus. Der erhöhte Christus ist dem Paulus mit dem irdisch-
historischen, der Leib und Blut besaß, identisch [58]. κοινωνία drückt dabei eine
innige Verbindung aus. Gerade das ist dem Paulus an der Feier wichtig. Selbst-
10 verständlich schließt für Paulus die reale Verbindung mit dem Erhöhten auch
das in seinem Tod gewonnene Gut der Sündenvergebung ein. Wie diese Vereinigung im Kultmahl zustande kommt, ist von Paulus weder für die Seite der
dämonischen noch der Christusgemeinschaft gesagt. Es kommt dem Paulus
nicht auf die Art, sondern auf die Tatsache der engen Verbindung an [59]. In
15 dem zwischeneingefügten Satz v 17 spricht Paulus noch aus, daß es — ganz
wie bei den Opfermahlen — auch beim Abendmahl zu einer Verbindung der
Mahlgenossen untereinander kommt. Auch diese kommt nicht abseits von Christus, sondern in gleichzeitiger Verbundenheit mit ihm zustande, wie Christus ja
in dem einen Brot dargestellt ist.

20   d. Die Gemeinschaft mit Christus beteiligt den Christen
nach Paulus auch an den einzelnen Phasen des Christuslebens. Es kommt zu
einem συζῆν (R 6, 8; 2 K 7, 3), συμπάσχειν (R 8, 17), συσταυροῦσθαι (R 6, 6;
Gl 2, 19), συναποθανεῖν (2 K 7, 3), συνθάπτειν (R 6, 4; Kol 2, 12), συνεγείρειν
(Kol 2, 12; 3, 1; Eph 2, 6), συζωοποιεῖν (Kol 2, 13; Eph 2, 5), συνδοξάζειν (R
25 8, 17), συγκληρονομεῖν (R 8, 17), συμβασιλεύειν (2 Tm 2, 12). Die Aussagen
werden dabei oft paarweise gegensätzlich einander zugeordnet (R 6, 4ff; 8, 17).
Die Gemeinschaft an Christus wirkt sich eben dahin aus, daß die gegenwärtig
erlebte Teilnahme an der einen Phase, bes der Niedrigkeits- und Leidensphase,
die Gewißheit gibt, auch zur Teilnahme an der andern, der Herrlichkeitsphase,
30 durchzudringen [60]. Der mystische Lebenszusammenhang mit Christus, in dem
Paulus durch sein ganzes Leben und Wirken steht, wird von ihm dabei bes als
mystische Leidensgemeinschaft mit Christus erlebt (Phil 3, 10: κοινωνίαν παθημάτων αὐτοῦ) [61]. Diese ist nicht nur ein Nacherleben von Christi Leiden, auch

[58] Die Frage, ob dabei an den Leib des
irdischen oder des erhöhten Herrn zu denken
sei, löst sich für Pls, da er beide
identisch denkt, Seesem 35 ff; TSchmidt,
Der Leib Christi (1919) 20 ff; 106 ff. Sowohl
das griech σῶμα wie das entsprechende aram
בשׂר heißen nicht nur Leib, sondern Person, vgl
GDalman, Jesus-Jeschua (1922) 130 f. Pls nennt
das Blut neben dem σῶμα wohl deshalb, weil es
ihm durch die überlieferten Abendmahlsworte
dargeboten wurde. EvDobschütz, ThStKr 78
(1905) 11 ff will κοινωνία τοῦ σώματος καὶ αἵματος Χριστοῦ fassen als die „Leib- u Blut-
Christi-Genossenschaft", die durch das gemeinsame Essen und Trinken zustande komme.
v 17 wäre dann jedoch eine Wiederholung.

[59] Dieselbe ist auf heidnischer Seite vielfach sehr realistisch als Eingehen der Gottheit beim Essen des Opfers in den Feiernden
gedacht (zB Porphyrius bei Eus Praep Ev IV
23). Ob Pls ebenso realistisch dachte, muß
doch recht zweifelhaft bleiben.
[60] Daß Pls hier durch ähnliche Vorstellungen und Aussagen gleichzeitiger hellenistischer Kulte (zB Osiriskult) in gewissem Maß
beeinflußt ist, ist wohl anzunehmen; vgl zB
JLeipoldt, Sterbende u auferstehende Götter
(1923); JSchneider, Die Passionsmystik des
Pls (1929) 75 ff.
[61] Schneider aaO 31 ff; 48 ff.

nicht bloß eine persönliche Gleichmäßigkeit, noch viel weniger bloß rück-wärtsschauende Passionsdogmatik über Christus, sondern durch die mystische Teilnahme an Christus sind die Leiden des Apostels ein wirklicher Teil an dem Gesamtleiden, das Christus auferlegt ist (Kol 1, 24). Durch die wirkliche An-teilschaft am Leiden Christi erhofft Paulus gerade die analoge Anteilschaft an 5 seiner Herrlichkeit (Phil 3, 10: συμμορφιζόμενος τῷ θανάτῳ αὐτοῦ, εἴ πως καταν-τήσω κτλ; R 8, 17: εἴπερ συμπάσχομεν, ἵνα καὶ συνδοξασθῶμεν). Derselbe Ge-danke wird vom Verfasser des 1. Pt aufgenommen (4, 13: καθὸ κοινωνεῖτε τοῖς τοῦ Χριστοῦ παθήμασιν χαίρετε, ἵνα καὶ κτλ). Er liegt wohl auch 1 Pt 5, 1 mindestens im Hintergrund. Der Apostel, der durch sein ganzes Leben und Wirken — 10 selbst leidend — die Leiden Christi bezeugt (μάρτυς τῶν τοῦ Χριστοῦ παθημάτων), hat dadurch bereits gegenwärtige Gewißheit, Teilhaber der bevorstehenden Herr-lichkeit zu sein (ὁ καὶ τῆς μελλούσης ἀποκαλύπτεσθαι δόξης κοινωνός)[62]. Die Leidensgemeinschaft mit Christus bleibt nach Paulus nicht auf den einzelnen Gläubigen beschränkt, sondern erweitert sich zu einer mystischen Leidensge- 15 meinschaft der ganzen Gemeinde untereinander und mit Christus. Die Gemeinde als der Leib Christi hat ein bestimmtes Maß von Christusleiden zu erdulden. Paulus sieht die Leiden, die er als einzelner zu dulden hatte, als eine er-wünschte Abtragung von der Leidensmenge an, die der Gesamtheit obliegt (Kol 1, 24). Ähnlich folgert Paulus 2 K 1, 5. 7 aus der Beteiligung der Korinther 20 an seinen Christusleiden, daß sie analog auch Genossen des ihm zuteil gewor-denen göttlichen Trostes werden sollen (ὅτι ὡς κοινωνοί ἐστε τῶν παθημάτων οὕτως καὶ τῆς παρακλήσεως). Auch hier erwartet er Erfüllung des Gesetzes der Gemeinschaft.

e. Den Christen kennzeichnet weiter das Teilhaben am 25 Geiste. In der triadischen Formel 2 K 13, 13 ἡ χάρις τοῦ κυρίου Ἰησοῦ Χρι-στοῦ καὶ ἡ ἀγάπη τοῦ θεοῦ καὶ ἡ κοινωνία τοῦ ἁγίου πνεύματος ist jedoch das dritte Glied den beiden ersten nicht ganz parallel, indem der Geist nicht als eine völlig gleichartige Größe neben Gott und Christus steht; vielmehr kommt im Geiste Christus in die Gläubigen. In κοινωνία τοῦ ἁγίου πνεύματος wird nicht 30 wie in den beiden ersten Gliedern von einer Person und ihrer Gabe geredet, sondern es liegt offenbar Gen obj der Sache vor (Konstr b″ → 798, 51): Teilnahme am Geist[63]. Ebenso will Paulus in Phil 2, 1 mit κοινωνία πνεύματος neben σπλάγχνα καὶ οἰκτιρμοί etwas im Menschen Vorhandenes (Gemeinschaft am Geiste, Konstr b″ → 798, 51) nennen[64] und nicht eine Gemeinschaft, die der Geist etwa 35 wirkt (Gen auct, subj)[65].

f. Die Christusgemeinschaft führt notwendig über in die Christengemeinschaft, die Gemeinschaft der Glieder untereinander. Auch

---

[62] Ähnl Wbg Pt 144. Die Deutung der Stelle ist schon durch die Unklarheit über die Abfassungsverhältnisse unsicher. An bloße Augenzeugenschaft der Leiden Jesu (dagegen spricht der Würdename τοῦ Χριστοῦ) zu den-ken, ist wohl zu wenig; in den Worten ein Zeugnis über Petrus als confessor (μάρτυς) zu sehen, der schon jetzt an der Herrlichkeit teil-hat (κοινωνός), geht wohl zu weit (so AvHar-nack, Die Chronologie der altchristl Lit I [1897] 451 f).

[63] Seesem 56 ff. HWindisch, 2 K, Exk z 13, 13; OSchmitz, Die Christusgemeinschaft des Pls im Lichte seines Gen-Gebrauchs (1924) 209; EvDobschütz, Zwei- und dreigliedrige Formeln im NT, in: IBL 50 (1931) 117 ff; 141 ff.

[64] Seesem 58 ff. 61.

[65] Ew Phil[3] 105 f; Loh Phil 138 f.

hierfür gebraucht Paulus in mehrfachen Beziehungen κοινωνέω, wobei das *teil-haben* an den Brüdern dem Wortsinn von κοινωνέω entsprechend mehrfach in das *teilgeben* übergeht. Paulus appelliert Phlm 17 an die enge Verbundenheit des Philemon mit ihm und mutet ihm von da aus Erbarmen mit dem fehlsamen
5 Sklaven, dem nun neugewonnenen Glaubensbruder zu. Schwerlich denkt κοινω-νός hier nur an freundschaftliche Verbundenheit, sondern schließt die geistliche Verbundenheit im gleichen Glauben mindestens ein[66]. Ähnlich hat Titus, der 2 K 8, 23 mit κοινωνὸς ἐμός wohl hauptsächlich als Arbeitsgenosse des Paulus am Werk Christi bes in Richtung auf die Korinther (καὶ εἰς ὑμᾶς συνεργός) be-
10 zeichnet wird, Anspruch auf ehrendes Entgegenkommen der Gemeinde. Zwischen Juden- und Heidenchristen besteht nach Paulus ein eng verpflichtendes Ver-bundenheitsverhältnis, indem die Heidenchristen teilgewannen an den geistlichen Gütern der Urgemeinde (R 15, 27: τοῖς πνευματικοῖς αὐτῶν ἐκοινώνησαν) und so wiederum verpflichtet sind, dieser mit materiellen Gütern auszuhelfen (15, 26
15 → 809, 15). Besonders in R 12, 13 geht das lebendige Anteilnehmen an den Nöten der Heiligen (ταῖς χρείαις τῶν ἁγίων κοινωνοῦντες) schon über in den Gedanken der tätigen Hilfeleistung[67]. Gerade unter dem Druck von Leiden und Verfol-gungen von draußen her wird die Gemeinschaft und Verbundenheit der Christen erlebt und geübt. Als Leidensgenossen des Paulus werden ihm die Philipper
20 zu Genossen seiner Gnade (Phil 1, 7), dh wohl der ihm von Gott zum Heil aufgelegten Leidensnot. Und Paulus dankt ihnen für die ihm in seiner Trübsal gewährte Teilnahme (4, 14: συγκοινωνήσαντές μου τῇ θλίψει). Auch hier geht das fühlende Teilnehmen in das tätig hilfreiche Anteilgeben über, wie Paulus an der Stelle ja den Dank für die empfangene Gabe ausspricht. Auch in Hb
25 10, 33, wo der Verfasser die Leser in solche einteilt, die (unmittelbar) die Verfolgung erlitten, und solche, die (mittelbar) zu Genossen der Dulder wurden, ist wohl an teilnehmende Gesinnung und hilfreiche Tat (Anteilgeben) gegenüber den Duldern gedacht[68].

g. Im 1 J ist κοινωνία Lieblingsausdruck zur Schilderung
30 der religiösen Lebensverbindung, in der der Christ steht. Das Wort hat auch hier den Ton innigster, religiös begründeter *Gemeinschaft*[69]. Christ sein heißt Gottesgemeinschaft haben. Diese ist Gemeinschaft mit dem Vater und dem Sohne 1, 3. 6[70] und wirkt sich aus in der Brüdergemeinschaft der Gläubigen 1, 3. 7. Die Gottes-(Christus-)Gemeinschaft des Gläubigen besteht in einem ge-
35 genseitigen Bleiben ineinander (→ μένειν 3, 24; 4, 13), das im Diesseits anhebt und ins Jenseits hinüberreicht, um dort zur höchsten Vollendung zu kommen 3, 2.

2. κ ο ι ν ω ν - = *jemand Anteil geben an etwas.*

Die im Profangriechischen weit seltenere Bedeutung *Anteil geben* findet sich im NT mehrmals, bes wieder bei Paulus. Ganz deut-
40 lich liegt die zweiseitige Beziehung von κοινωνέω in Phil 4, 15 vor, wo Pls

---

[66] Dib Gefbr 81 f.
[67] So die meisten; Zn R 551 f bevorzugt die LA ταῖς μνείαις (D*G lat Ambst Or) u denkt an Beteiligung an der Kollekte.
[68] Rgg Hb 332.

[69] Das Joh-Ev hat κοινωνία, κοινωνέω u κοι-νωνός nicht. Es verwendet dafür verbale Wen-dungen wie μένειν ἐν, εἶναι ἐν zB 14, 20. 23; 15, 4 ff; 17, 21; Seesem 94 f.
[70] Pls hat nur die zweite Aussage, → o.

die Gemeinde lobt, daß sie εἰς λόγον δόσεως καὶ λήμψεως[71] ihre Gemeinschaft mit ihm bewährte (ἐκοινώνησέ μοι). Zwischen Apostel und Gemeinde besteht ein Gegenseitigkeitsverhältnis. Die Gemeinde nimmt teil an den geistlichen Gaben des Apostels und sie gewährt dem Apostel teil an ihren eigenen materiellen Gütern. Dieselbe Gegenseitigkeit fordert Paulus Gl 6, 6. Der Lernende, 5 welcher im Unterricht die wertvollen geistlichen Güter hinnimmt, soll dem Lehrenden *Anteil geben* an den ihm eignenden materiellen Gütern (vgl 1 K 9, 11)[72]. Sodann gebraucht Paulus κοινωνία bes im Zusammenhang der Kollekte. Diese ist ihm ja keineswegs bloß eine Geldangelegenheit geschäftlicher Art (vgl Ausdruck λογεία 1 K 16, 1. 2), sondern tiefster Ausdruck der zwischen der juden- 10 christlichen Urgemeinde und den heidenchristlichen Missionsgemeinden bestehenden Gemeinschaft. So gewinnt ihm die Kollekte religiösen Sinn. Die zwischen den beiden Teilen der Christenheit ἐν Χριστῷ bestehende Gemeinschaft (Gl 2, 9) gewinnt durch die Geldsammlung für die Muttergemeinde Gestalt. Das Abstraktum κοινωνία wird dem Paulus darüber R 15, 26 unmittelbar zum 15 Konkretum *Kollekte*[73]. Dagegen hat in 2 K 9, 13 ἁπλότητι τῆς κοινωνίας εἰς αὐτοὺς καὶ εἰς πάντας wohl den aktiven und abstrakten Sinn: aufrichtiges und bereitwilliges *Anteilgeben* (Konstr *c"* → 798, 52)[74]. Auch an der weiteren Korintherstelle 2 K 8, 4 steht κοινωνία im Zusammenhang der Kollektensache. Neben dem hohen Wort χάρις („sie erbaten von uns die Gnade") hat κοινωνία 20 schwerlich nur den blassen Sinn „Beteiligung", sondern auch hier den religiösen der *Gemeinschaft und Verbundenheit* am Dienst gegenüber den Heiligen[75]. Auch hier ist dem Apostel nicht die Geldleistung die Hauptsache, sondern die durch die Kollekte ausgedrückte Gemeinschaft der Christenheit. Auch in Hb 13, 16 ist κοινωνία neben εὐποιΐα deutlich aktiv *Teilgeben, Mitteilsamkeit.* 25

3. κοινωνία absolut = *Gemeinschaft.*

In Gl 2, 9 (ἔδωκαν δεξιὰς κοινωνίας) ist der Handschlag Ausdruck der vollen, durch den gemeinsamen Glauben an Christus entstandenen *Gemeinschaft.* Paulus wird dadurch als echter κοινωνός Christi und damit auch der bisherigen Gläubigen, die durch die Urapostel vertreten sind, anerkannt[76]. 30 In Ag 2, 42 bedeutet κοινωνία wohl nicht konkret die „Gemeinde", die Genossenschaft der Christen[77], die sich zwar noch nicht rechtlich und kultisch von der jüdischen Gemeinde getrennt hat, aber doch schon einen Kreis eigenster Lebensgemeinschaft darstellt, schwerlich auch die „Gütergemeinschaft" (vgl v 44: εἶχον

---

[71] Geschäftsausdruck „auf Konto von Ausgabe u Einnahme", Belege Moult-Mill sv, Loh Phil 185 A 2.

[72] Vgl Barn 19, 8 (κοινωνήσεις ἐν πᾶσιν τῷ πλησίον σου καὶ οὐκ ἐρεῖς ἴδια εἶναι); Did 4, 8 (οὐκ ἀποστραφήσῃ τὸν ἐνδεόμενον, συγκοινωνήσεις δὲ πάντα τῷ ἀδελφῷ σου καὶ οὐκ ἐρεῖς ἴδια εἶναι). Just Apol I 15, 10; Seesem 25 f.

[73] Die Verbindung κοινωνίαν ποιήσασθαι nötigt zu konkreter Fassung des Subst. Das beigefügte τινὰ deutet die uneigentliche Verwendung des Subst an. Gegen die Ableitung

von κοινωνία *Kollekte* von תְּשׂוּמֶת יָד (Lv 6, 2 [hbr 5, 21]; Str-B III 316) vgl Seesem 29 f.

[74] Seesem 26 ff: *mitteilsame Güte*; Epict Gnom Stob 43: χρηστότητι κοινωνίας λαμπρύνειν φιλοκάλου ἅμα καὶ φιλανθρώπου (Stob Ecl III 110, 3).

[75] χάρις neben κοινωνία entweder Hendiadyoin „Huld der Teilnehmung" oder καὶ fügt κοινωνία als nähere Bestimmung („nämlich") bei, vgl Ag 1, 25.

[76] Ltzm Gl 13.

[77] CAScott, Exp T 35 (1923/1924) 567; dazu Seesem 90 f.

ἅπαντα κοινά), sondern mehr abstrakt, geistig die *Gemeinschaft* des brüderlichen Zusammenhaltens, das sich im Gemeindeleben bewährt und auswirkt[78].

† κοινωνικός

a. Zur Gemeinschaft gehörig oder bestimmt, Aristot Eth Eud VII 10 p 1242 a 25: κοινωνικὸν ἄνθρωπος ζῷον, Pol III 13 p 1283 a 38: κοινωνικὴν . . . ἀρετὴν εἶναι . . . τὴν δικαιοσύνην, Epict Diss III 13, 5 (neben φιλάλληλος), Philo Det Pot Ins 72 (δικαιοσύνη). — *b. der, welcher gern andern Anteil gibt* (→ κοινωνέω 798, 29 f, → κοινωνία 798, 48). Polyb 2, 44, 1: κοινωνικὴ ἡ φιλικὴ διάθεσις; 18, 48, 7: κοινωνικῶς χρῆσθαι τοῖς εὐτυχήμασιν; Luc Tim 56: ἀνὴρ τῶν ὄντων κοινωνικός. Solcher Gemeinsinn ist Voraussetzung von Mildtätigkeit. Philo Omn Prob Lib 13: φθόνος ἔξω θείου χοροῦ ἵσταται, θειότατον δὲ καὶ κοινωνικώτατον σοφία; Jos Bell 2, 122 vom Gemeinschaftsleben der Essener: καταφρονηταὶ δὲ πλούτου καὶ θαυμάσιον αὐτοῖς τὸ κοινωνικόν. Philo Congr 71.

Die LXX hat κοινωνικός nicht.

Im NT nur 1 Tm 6, 18 (neben εὐμετάδοτος), wie *b. mitteilsam*.

† κοινόω

gemeinschaftlich machen, mitteilen, seit Aesch belegt, Aristot Pol II 5 p 1263 b 40 ff: τὰ περὶ τὰς κτήσεις ἐν Λακεδαίμονι καὶ Κρήτῃ τοῖς συσσιτίοις ὁ νομοθέτης ἐκοίνωσεν.

Nicht in LXX, die für *profanieren* → βεβηλοῦν gebraucht, in den Apkr nur 4 Makk 7, 6 א: οὐδὲ τὴν θεοσέβειαν καὶ καθαρισμὸν χωρήσασαν γαστέρα ἐκοίνωσας μιαροφαγία = kultisch *profanieren*, der Fähigkeit zur Gottesgemeinschaft berauben (→ κοινός 791, 4 ff).

Ebenso im Neuen Testament:

1. im at.lichen Sinn der dinglichen Heiligkeitsvorstellung Ag 21, 28: durch Einführung Unbeschnittener in den Tempel diesen *profanieren*. Hb 9, 13 von rituell Verunreinigten (vgl 4 Makk 7, 6), die durch die at.lichen Lustrationsmittel kultfähig gemacht werden. In beiden Fällen ist → ἅγιος der Gegensatz.

2. im nt.lichen Sinn der geistig persönlichen Heiligkeitsvorstellung Mt 15, 11. 18. 20 par: nicht dingliche Unreinheit (Speise, Hände) *hebt die Fähigkeit zur Gottesgemeinschaft auf*, sondern nur die persönliche Sünde.

3. *für unrein, profan erklären* Ag 10, 15; 11, 9. Auch das entgegengesetzte → καθαρίζειν kann diesen deklarativen Sinn haben.

Hauck

κόκκος, κόκκινος

† κόκκος

Im Griech seit den Hom Hymn, auch bei Hdt und Ditt Syll[3] 1173, 12, in LXX = הַרִבְעֹל Sir 45, 10; Thr 4, 5 (A: κόλπων). κόκκος *Samenkorn einer Frucht*.

1. Im NT zunächst κόκκος σινάπεως im Bildwort und Gleichnis Jesu (Mt 13, 31; 17, 20; Mk 4, 31; Lk 13, 19; 17, 6) *das Senfkorn*.

---

[78] Vgl ähnlich vom pythagoreischen Gemeinschaftsleben Jambl Vit Pyth 30, 167 f. → κοινός A 16. | *κοινωνικός.* → κοινός.

Nach sprichwörtlicher Redensart ist das Senfkorn das kleinste unter allen Samen-
körnern; es begegnet mehrfach in den rabb Reinigungsvorschriften als חַרְדָּל („so groß
wie ein Senfkorn", „so wenig wie ein Senfkorn")[1].

Das Gleichnis (מָשָׁל) vom Senfkorn (Mt 13, 31—32; Lk 13, 19; Mk 4,
31—32) gehört bei Mt und Lk mit dem vom Sauerteig, bei Mk mit dem von 5
der selbstwachsenden Saat zusammen; es stellt das kleine Samenkorn der Verkündigung Jesu der weltumfassenden Bedeutung des Gottesreiches gegenüber.
Mit dem Samenkorn des Wortes Gottes ist die Himmelsherrschaft selbst gegeben, die alle Völker und Menschen umfaßt; das unscheinbare, unbedeutende Ereignis der Predigt Jesu trägt das Geheimnis des umfassenden und die Welt 10
umschließenden Handelns Gottes in sich. Der Mann, der die Saat ausstreut,
der Acker, der sie aufnimmt (Mt ἀγρός, Lk κῆπος), sind fester Gleichnisstoff;
in ihnen verbirgt sich der geheimnisvolle Hinweis auf Jesus selbst und seine
Verkündigung in der Welt. Das Bild vom Baum, unter dem alle Vögel des
Himmels ihre Nester bauen, ist at.lich-prophetisch (Ez 17, 22 f; 31, 6; Da 4, 9. 18) 15
und weist auf ein völkerumfassendes Reich hin. In Lk 17, 6 tritt nach einem
paradoxen Bildwort Jesu das Senfkorn dem Maulbeerfeigenbaum (συκάμινος) gegenüber: das Senfkorn ist klein, unansehnlich, von außen gesehen schwach —
der Maulbeerfeigenbaum (שִׁקְמָה) dagegen fest verwurzelt und mit dem Erdboden verwachsen[2]. Verwandt ist das Wort vom Glauben, der Berge versetzt 20
(Mt 17, 20; 21, 21; Mk 11, 23; 1 K 13, 2). „Berge entwurzeln" oder „ausreißen" ist ebenfalls eine sprichwörtliche Wendung, die soviel bedeutet, wie
„unmöglich Scheinendes möglich machen" (Str-B I 759). Klein und schwach
ist der Glaube angesichts der Verheißung, die Jesus dem Glauben gibt. Zunächst klingt Jesu Wort so, als erkenne er auch den geringsten und schwäch- 25
sten Glauben an, aber in Wahrheit nimmt er ihm die Reflexion über sich selbst

κόκκος. [1] חַרְדָּל gilt als unterste Grenze
geschlechtlicher Verunreinigung; so bBer 31 a:
„RSeʿera hat gesagt: die Jüdinnen haben es
sich schwer gemacht, denn selbst wenn sie
einen Blutstropfen von Senfkorngröße sehen,
sitzen sie darauf die sieben Reinigungstage"
(dgg ursprünglich Lv 15, 28). Ferner jBer
8 d: „Wenn eine Frau einen Tropfen (Blut)
wahrnimmt so groß wie ein Senfkorn, sitzt
sie und wartet die sieben Tage der Reinigung ab." Vom Ausfluß beim Mann wird die
Maßbestimmung Nidda 5, 2 gebraucht: „(Geschlechtliche Ausflüsse) verunreinigen, so gering sie auch sein mögen, selbst bei so wenig
wie ein Senfkorn, und noch weniger als das."
Schwierigkeiten bereitet Lv r 31 z 24,
2 gg E: „RHoschaja bSchimlai aus
Caesarea hat im Namen des Jizchak bSeʿera
gesagt: niemals geht das Sonnenrad unter,
ohne wie ein Tropfen Blut von Senfkorngröße geworden zu sein." Die übliche
Deutung des Ausspruches ist, daß die Sonne
vor ihrem Untergang wie ein senfkorngroßer
Tropfen Blut erscheint; so Levy Wört II 107;
Bacher Pal Am III 722; Str-B I 669. Doch
scheint der Schriftbeweis von Ps 19, 6 und
Gn 18, 11 darauf hinzuweisen, daß das tertium comparationis nicht die Kleinheit, sondern die Unreinheit des senfkornartigen Trop-
fens Blut ist. Vgl auch Midr Ps 19, 6 (§ 12)
= Jalkut Schimʿoni II § 673: „Wie der Bräutigam rein (in das Brautgemach) hineingeht
und unrein (wieder) herauskommt, so geht die
Sonne rein auf und unrein (wieder) unter."
Der Grund hierfür besteht darin, daß sie
durch den Anblick der bösen menschlichen
Werke befleckt worden ist.
[2] Vgl Str-B II 234: „Das Wurzelvermögen
der Sykomore (Maulbeerfeigenbaum שִׁקְמָה)
galt als besonders stark; man nahm an, daß
der Baum 600 Jahre in der Erde stehen könne. —
Das Entwurzeln einer Zeder vom Pferde aus
machte Barkochba auf den Rat der Schriftgelehrten zum Kennzeichen der Kriegstüch-
tigkeit seiner Mannschaft." Vgl j Ber 14 a Z
27: „RChanina bJaqqa hat im Namen des
RJehuda († 299) gesagt: die Wurzeln des
Weizens dringen 50 Ellen tief in die Erde
ein, die Wurzeln des Feigenbaumes, die zart
(weich) sind, dringen in einen Felsen ein."
In Gn r 13 z 2, 5 aE findet sich der Satz, daß
die Wurzeln der Sykomore und des Johannis-
brotbaumes bis zur Urtiefe hinabreichten.
Weitere Belege bei Str-B II 234.

und verweist auf den Reichtum Gottes, zu dem der Glaube der Jünger in keinem Verhältnis steht. Das Unmögliche wird möglich, wenn der Glaube von sich selbst absieht[3].

2. Pls und Joh verwenden ein Gleichnis vom Wei-
zenkorn (κόκκος σίτου 1 K 15, 37; J 12, 24), um eine Regel göttlichen Handelns und Schaffens zu beschreiben. Das Weizenkorn wird in die Erde gelegt, stirbt, wird wieder lebendig und bringt viele Frucht. Pls will die Auferweckung und den Zusammenhang zwischen alter und neuer Leiblichkeit, Joh die Notwendigkeit des Leidens und Sterbens Jesu erläutern. Das Bild vom Samenkorn, das „nackt" in die Erde fällt und begraben wird, dann aber mit einem neuen Kleid oder Leib an das Tageslicht kommt, scheint in der Lehre von der Auferstehung eine bestimmte Tradition zu verraten (vgl bSanh 90b). Es offenbart den Reichtum und das Geheimnis des göttlichen Schaffens, dem sich auch der Glaube anvertrauen darf, nicht aber einen modernen Entwicklungsgedanken[4]. In J 12, 24 tritt das Bildwort vom Samenkorn, das sterben muß, um Frucht zu bringen, zu den Nachfolgesprüchen und beschreibt „verhüllend" die Notwendigkeit des Kreuzes Jesu wie auch das göttliche Gesetz, das den Meister mit dem Jünger verbindet. Gott schafft nur durch den Tod und das Sterben hindurch; erst das Nein zum eigenen Leben gewinnt die Verheißung. Das sonst eschatologische Bildwort gewinnt bei Joh christologische Gegenwart und Grundsätzlichkeit.

3. Außerhalb des NT heißt κόκκος auch: Scharlachbeere, Scharlachfarbe (Dromo bei Athen 6, 38 [p 240d]; Sir 45, 10); 1 Cl 8, 3 zitiert das Schriftwort: „Wenn eure Sünden von der Erde bis zum Himmel reichen und wenn sie röter denn Scharlach (πυρρότεραι κόκκου) und schwärzer denn Sacktuch sind, und ihr euch zu mir wendet aus voller Seele und sprechet: »Vater«, so will ich euch erhören wie ein heiliges Volk." Dieses apokryphe Zitat ist der Form nach ein prophetischer Bußruf (μετανοήσατε, οἶκος Ἰσραήλ) und verwendet ein auch sonst geläufiges Bild (ὡς φοινικοῦν, ... ὡς κόκκινον Js 1, 18 = 1 Cl 8, 4). Auch hier hängt wohl das Motiv, daß die Sünde so rot wie (röter als) Scharlach ist, mit der religionsgeschichtlichen und kultischen Bedeutung dieser Farbe zusammen[5]. → κόκκινος.

† κόκκινος

scharlachfarben (→ κόκκος 3: Scharlachbeere, Scharlachfarbe). Im Hellenismus häufig bezeugt, so Herond 6, 19; Mart 2, 39; Plut Fab Max 15 (I 182 e); Epict

---

[3] Vgl JSchniewind NT Deutsch I 141 z Mk 11, 23: „Der Spruch trägt Gleichnis-Art: Lasten wie Berge vermag der Glaube zu heben; denn Glaube ist die »getroste Verzweiflung« (Luther) an allem Menschlichen und das Geworfensein auf den Gott, der die Berge schuf (Ps 65, 7; 90, 2) und der, ehe die Berge wurden, von Ewigkeit zu Ewigkeit ist."
[4] Vgl bSanh 90b (Str-B II 551): „Die Königin Kleopatra (Konjektur Bacher Tannaiten II 68 A 2: ‚Der Patriarch der Samaritaner') fragte den RMeïr (um 150) und sprach: Ich weiß, daß die Entschlafenen wieder aufleben werden, denn es heißt Ps 72, 16: »Sie werden hervorblühen aus der Stadt wie das Gras der Erde.« Aber wenn sie auferstehen, werden sie nackt auferstehen oder in ihren Kleidern? Er antwortet ihr: das ergibt die Schlußfolgerung aus dem Leichteren auf das Schwe-

rere vom Weizenkorn. Wenn das Weizenkorn (חִטָּה), das nackt in die Erde kommt (wörtlich: begraben wird), in wer weiß wie vielen Bekleidungen wieder hervorwächst, um wieviel mehr gilt von den Gerechten, die in ihren Kleidern begraben werden, daß sie auch in ihren Kleidern wieder auferstehen werden." Das Gleichnis vom Weizenkorn, das in die Erde fällt, ist also ein bestimmter Traditionsstoff in der Behandlung der Auferstehung von den Toten.
[5] Vgl zu Js 1, 18 und Ps 51, 9 die alten kultischen Sühnbräuche, auf die zB R.Preß, Das Ordal im alten Israel II, ZAW NF 10 (1933) 227—255 hinweist. Das Rotbleiben und das Weißwerden der Karmesinfäden hat offenbar in der Sühnfrage eine besondere Rolle gespielt (bJoma 67a; Joma 6, 6 und 8).

Diss III 22, 10 (ἐν κοκκίνοις περιπατεῖν); IV 11, 34 (φορεῖν κόκκινα); PHamb 10, 24; PLond 191, 5; 193, 22; auch oft in LXX für כַּרְמִיל, שָׁנִי, תּוֹלָע und תּוֹלֵעָה [1].

Im AT findet man bei der Ausstattung des Heiligtums ähnliche Aufzählungen wie die von Ex 25, 4: καὶ ὑάκινθον καὶ πορφύραν καὶ κόκκινον διπλοῦν καὶ βύσσον κεκλωσμένην καὶ τρίχας αἰγείας (Ex 26, 1. 31. 36; 27, 16; 28, 5. 8. 15. 33; 31, 4; 5 35, 6. 25. 35; 36, 9. 10. 12. 31; 37, 3). Unter den Sühnmitteln gibt Lv 14, 4. 6. 49. 51. 52 κεκλωσμένον κόκκινον an (auch Nu 19, 6). Gewöhnlich ist κόκκινον eine Bezeichnung für ein rotes Gewebe oder Tuch. Purpur und Scharlach treten nebeneinander auf. Von Saul sagt Davids Klagelied: 2 Βασ 1, 24: τὸν ἐνδιδύσκοντα ὑμᾶς κόκκινα μετὰ κόσμου ὑμῶν. 10

In der prophetischen Literatur erscheint die Scharlachfarbe oft in der Verbindung mit gottfremdem und sündhaftem Verhalten. Gegensatz zur Scharlachfarbe ist — wohl mit einem bestimmten kultischen Hintergrund — die weiße Wolle: ἐὰν δὲ ὦσιν (sc: αἱ ἁμαρτίαι ὑμῶν) ὡς κόκκινον, ὡς ἔριον λευκανῶ (Js 1, 18). Zum Bußruf tritt die göttliche Verheißung, daß Gott sein Volk erhören will, auch wenn seine Sünden „röter 15 denn Scharlach und schwärzer denn Sacktuch" sind (1 Cl 8, 3—4). Verwandt ist auch die Bitte Ps 51, 9: „wasche mich, daß ich weißer als Schnee bin", die vielleicht auf den gleichen kultischen Bildkreis wie Js 1, 18 zurückweist. Daneben erscheint gerade das scharlachfarbene Tuch als Zeichen gottfremder und weltlicher Üppigkeit. So beschreibt die Bußpredigt des Js den Schmuck der Töchter Zions: καὶ τὰ βύσσινα καὶ τὰ ὑάκιν- 20 θινα καὶ τὰ κόκκινα καὶ τὴν βύσσον σὺν χρυσίῳ καὶ ὑακίνθῳ συγκαθυφασμένα καὶ θέριστρα κατάκλιτα . . . . (3, 23); und Jer 4, 30 wirft Jerusalem vor: καὶ σὺ τί ποιήσεις, ἐὰν περιβάλῃ κόκκινον καὶ κοσμήσῃ κόσμῳ χρυσῷ καὶ ἐὰν ἐγχρίσῃ στίβι τοὺς ὀφθαλμούς σου. Scharlach und Purpur sind offenbar die Farben ganz besonders wertvoller Gewänder und erscheinen in der prophetischen Predigt als Zeichen gottfremder 25 Üppigkeit und weltlicher Lust.

Über den kultischen Hintergrund der roten Farbe kann Joma 6, 6 und 6, 8 Auskunft geben. Bei der Ausstoßung des Azazelbockes wird ein karmesinroter Streifen zertrennt, ein Teil am Felsen, ein anderer Teil dagegen zwischen den Hörnern des Bockes festgebunden. Sobald nun der Bock die Wüste erreicht hatte, ward dieser 30 Streifen weiß, genau nach dem Wort: „wenn eure Sünden rot sind wie Karmesin, sie sollen doch weiß werden wie der Schnee" (Js 1, 18) [2].

Im Neuen Testament knüpft κόκκινος **1.** in der Leidensgeschichte Jesu zunächst an die römische Sitte und Tracht an. Rot ist die Farbe des Krieges. Der rote Mantel (paludamentum, χλαμύς) ist das Zeichen des Feldherrn 35 und Kaisers außerhalb Italiens [3]. Es handelt sich um einen auf der linken Schulter befestigten Umhang, der den Krieger kennzeichnet. Nach Mk 15, 17 legt man Jesus ein Purpurgewand an (ἐνδιδύσκουσιν πορφύραν), um seinen Messiasanspruch zu verhöhnen, nach Mt 27, 28 einen Scharlachmantel (χλαμύδα κοκκίνην περιέθηκαν αὐτῷ) [4]. Es handelt sich bei Mt offenbar um einen Soldaten- 40 mantel als Ersatz der wirklichen Königs- oder Imperatorentracht. Der König

κόκκινος. [1] -ινος bildet Stoffadjektiva (Debr Griech Wortb § 319), bes gern in hell Zeit (EdSchwyzer, Zschr f vergl Sprachforschung 63 [1936] 64); κόκκινος = „aus der Scharlachbeere gemacht" wird zu „scharlachfarben", vgl πράσινος „lauchgrün", κίτρινος „zitronengelb", λευκόϊνος (Pap) „levkojenfarbig".

[2] Nach Joma 6, 8 band man früher ein Karmesinband an der Tempeltür an, eine Tradition, die die kultische Herkunft dieses Sühnbrauches noch unterstreicht. Während der Amtsführung Simeons des Gerechten verlor der Bock zu gleicher Zeit sein Leben und das Band seine Farbe. Später geschah dies nicht regelmäßig, und das Volk wurde deshalb beunruhigt. Darum zerschnitt man das Band in zwei Teile und befestigte den einen

Teil am Felsen, den andern am Gehörn des Bockes. 40 Jahre vor der zweiten Zerstörung Jerusalems soll der rote Streifen nicht mehr weiß geworden, das Los für den Bock ליהוה nicht mehr in die rechte Hand des Hohenpriesters gekommen sein, was als böses Vorzeichen galt. JMeinhold, Traktat Joma (Gießener Mischna II 5 [1913] 64—65. Zur ganzen Frage des kultischen Hintergrundes des prophetischen Bildes RPreß, ZAW NF 10 (1933) 227—255. Zur Auslegung von Dt 21, 6—9; Lv 14, 6; Nu 19, 6.

[3] EWunderlich, Die Bedeutung der roten Farbe im Kultus der Griechen und Römer = RVV 20 (1925/26) 74 ff.

[4] Von der Lesart ἱμάτιον πορφυροῦν καὶ χλαμύδα κοκκίνην (cod D it sy^s Orig) dürfen wir wohl absehen (Mt 27, 28).

der Sanftmut und des Friedens (Mt 21, 5) wird in die Kriegstracht des römischen Soldaten gekleidet, weil man seinen Anspruch mißverstanden und verkannt hat. „Nach der Meinung der Soldaten muß Jesus, um König der Juden zu werden, seine Scharen gegen die römischen Kohorten führen" (Schl Mt 778).

5   **2.** In der Schilderung des Blutopfers bei der at.lichen Bundschließung fügt Hb andere kultische Sühnmittel aus einem anderen biblischen Zusammenhang hinzu: Wasser, scharlachfarbene Wolle und Ysop (Hb 9, 19 vgl Lv 14, 4. 6. 49. 51. 52; Nu 19, 6). Das Vielerlei at.licher Satzung und vorchristlicher Sühnbräuche wird durch diese Aufzählung von Hb 9, 19 verdeutlicht.

10   Nach Chrys dient die rote Wolle dazu, die Flüssigkeit festzuhalten, doch kann sie auch bei der Frage der Sühnung eine eigene Bedeutung gehabt haben (→ A 2)[5]. Barn sieht in der Ausstoßung des Sündenbockes (Lv 16, 7—10) folgerichtig den Hinweis auf Jesus Christus: wie der Bock scharlachrote Wolle um das Haupt trägt, so trägt Christus den Scharlachmantel (τὸν ποδήρη τὸν κόκκινον 7, 9); wie die Wolle zwischen
15   die Dornen gelegt wird (7, 8. 11), so muß die Gemeinde Mühseligkeiten und Ungemach auf sich nehmen (7, 11). In dem verfluchten Bocke ist der leidende Jesus vorgebildet[6].

            3. Purpur und Scharlach deuten auf die weltliche Pracht der dämonischen Macht Βαβυλών in der Apk. Das Weib sitzt auf einem scharlachfarbenen Tier (θηρίον κόκκινον 17, 3) und ist selbst mit Purpur und Schar-
20 lach bekleidet (περιβεβλημένη πορφυροῦν καὶ κόκκινον 17, 4)[7]. Auf die Übereinstimmung von Tier und Weib in der Farbe legt der Apokalyptiker Gewicht; offenbar unterscheidet er auch zwischen feuerrot (πυρρός 6, 4; 12, 3) und scharlachrot (κόκκινος 17, 3. 4; 18, 12. 16), während Scharlach und Purpur zusammenhängen (πορφυροῦς J 19, 2. 5; Apk 17, 4; 18, 16; πορφύρα Apk 18, 12). Pur-
25 pur und Scharlach passen allein zu den Taten dieses Weibes: Unzucht, Verführung durch den Wein der Unzucht, Lästerungen, Greuelbilder, Mord an den Heiligen und Zeugen Jesu (17, 1—6). Hier ist die rote Farbe Inbegriff der dämonischen Greuel schlechthin, sowohl der gottfremden Üppigkeit wie auch der gottfeindlichen Macht überhaupt. Das
30 Heer des Messias trägt weiße Leinwand und reitet auf weißen Pferden (19, 11 bis 14). Auch der Messias ist mit Blut besprengt („getaucht in Blut" 19, 13 vgl Js 63, 1), aber Joh wird mit diesen Worten auf das reinigende und sühnende Blut des Lammes (7, 14; 1, 5) zurückweisen. Das Zeichen des Glaubens ist das Waschen, das Weißwerden im Blut des Lammes (7, 14). Zu den roten
35 Decken und Kleidern von Tier und Weib bildet die weiße Farbe des himmlischen Reiters und der himmlischen Gemeinde einen wirkungsvollen Gegensatz; noch einmal schimmert der kultische Gedanke durch die apokalyptischen Bilder durch. Daß der Apokalyptiker in der Erwähnung des dämonischen Scharlachs die alte prophetische Bußpredigt gegen die gottfremde Üppigkeit wieder auf-

---

[5] Rgg Hb [2. 3] 278 A 57.

[6] Nach Barn 7, 8 nimmt derjenige, der den Bock wegzuschaffen hat, ihm die Wolle ab und legt sie auf einen Strauch, den man Brombeerdorn nennt, wovon wir die Früchte zu essen gewöhnt sind, wenn wir sie auf dem Felde finden; denn nur von dem Brombeerdorn sind die Beeren so süß.

[7] Loh Apk 138: „Die scharlachrote Farbe bezieht sich wohl nicht auf die Haut, sondern auf die Schabracke des Tieres; sie ist Zeichen des Luxus und der Vornehmheit, auch die Farbe römischer Triumphatoren, der Fahnen römischer Reiter, aber ebenso die Farbe der Kämpfer und Helden überhaupt." Die weiße Farbe ist demgegenüber auf die Art und den Glanz (δόξα) des Himmels, auf den Sieg und die Überwindung des Bösen zu deuten.

nimmt, geht aus 17, 4; 18, 12. 16 hervor: „Wehe, wehe, du große Stadt, gehüllt in Leinen und in Purpur und in Scharlach, geschmückt mit goldenem Schmuck und Edelstein und Perlen" (18, 16). Alle Üppigkeit verfällt dem Antichristentum und geht in Gottes endzeitlichem Gericht unter.

Michel 5

κολάζω, κόλασις

† κολάζω

(von κόλος [Hom] *verstümmelt*) *verstümmeln, stutzen.* In übertr Bdtg: *a. hindern, in Schranken halten*; *b. strafen, züchtigen* (so von den Tragikern an; s bes Ditt Syll³ 108, 42; 305, 80; 454, 18; 1199, 10; Ditt Or 90, 28; PGreci e Latini 10 446, 14 uö). Das Wort hängt vermutlich zusammen mit κολούω *verstümmeln, abschneiden.* Zu der Bedeutung *strafen* käme κολάζω dann über die Bedeutung *zurechtstutzen, das Überflüssige wegschneiden.* Die Strafe hat das Abschneiden des Bösen, Unrechtmäßigen im Sinn. Aber vielleicht sind Begriff und Vorstellung des Strafens ursprünglich überhaupt identisch mit dem Verstümmeln. — Häufig von der Bestrafung der Sklaven 15 (Beispiel: Herm s 9, 28, 8: εἰ τὰ ἔθνη τοὺς δούλους αὐτῶν κολάζουσιν).

Das Pass zB BGU I 341, 14: π]αρεστάθησαν καὶ ἐκολάσθησα[ν. PRyl II 62, 9: ἀγρυπνεῖται καὶ κολάζεται [καὶ τι]μωρεῖται καὶ παρηγορεῖται. In übertr Sinn bedeutet das Wort dann *durch Abschneiden beraubt werden*; allg: *von etwas abgeschnitten werden; Mangel leiden,* so BGU I 249, 4: λείαν [= λίαν] ἐκολάσθημεν [αὐτῶν] (sc: ἀρταβῶν σειταρίου) *wir leiden* 20 *starken Mangel* (*an Brotgetreide*) oder *wir haben großen Bedarf daran.* Ähnlich ist der Gebrauch des Wortes PFay 120, 5: ἐπὶ (l: ἐπεὶ) κ[ο]λάζωμαι (l: -ομαι) αὐτῶν *da ich Mangel an ihnen* (*den Gegenständen des wirtschaftlichen Bedarfs*) *habe,* und PFay 115, 19: κολάζεται ὦ ζευγηλάτης (*der Kutscher*) *hat Bedarf an einem Jochriemen*[1].

In LXX kommt κολάζω, ebenso wie κόλασις, am häufigsten in Sap vor und bezieht 25 sich dort auf die Bestrafung der Gottlosen, der Götzendiener und vor allem der Ägypter. — Das Subst findet sich nur bei Ez öfter (meist κόλασις ἀδικίας [ἀδικιῶν]). Sonst fehlen Verb und Subst fast ganz in den Büchern, die eine masoretische Grundlage haben. — In den anderen griech Übersetzungen des AT findet sich κολάζω und κόλασις nur vereinzelt: *a.* κολάζω: Ἀ 2 Βασ 8, 1 (= כנו hi *unterwerfen*); Σ Prv 22, 23 30 (= קבע *berauben*); *b.* κόλασις: Ἀ Jer 11, 20; 20, 10 (LXX: ἐκδίκησις; hbr: נקמה *Rache*); Θ Ez 7, 19 (LXX: βάσανος; ᾽ΑΣ: σκάνδαλον; hbr: מכשול *Anstoß* [so auch 4 mal LXX]).

Die Vorstellung von göttlichen Strafen und Züchtigungen ist in der antiken Welt weit verbreitet. Aus heidnischen Sühneinschriften geht hervor, daß κολάζειν und κόλασις feststehende Termini der sakralen Rechtspflege waren[2]. 35

Sehr aufschlußreich sind die von Steinleitner[3] herausgegebenen Sühneinschriften auf phrygischen und lydischen Denkmälern der römischen Kaiserzeit. Charakteristische Beispiele: Nr 3, 9: ὁ θεὸς ... ἐκόλασεν τὸν Ἑρμογένην καὶ ζημίας αὐτῷ ἐποίησεν; 6, 11: κολ[α]σθέντος οὖν τοῦ Σκόλλου ὑπὸ τῶν θεῶν ἰς θανάτου λόγον; 9, 15: ἐκολάσθη καὶ διέφθειρε τοὺς ἐπιβουλεύσαντας αὐτοῖς ὁ θεός; 12, 1: ἐκολάσθη Ἀμμιάς οἶπο Μητρὸς Φιλεῖδος 40 ἰς τοὺς μαστοὺς δι' ἁμαρτίαν λόγον λαλήσασα; 22, 5: κολαθέσα ἐπὸ τοῦ θεοῦ; 23, 4: κολασθεὶς ὑπὸ τοῦ θεοῦ; 26, 4: κολαθὶν ἐπὸ τὸ θεοῦ; 27, 2: [Ἀσκλ]ηπιάδης Ἀττά[λου ἱ]ερὸς κολασ[θεὶς ὑ]πὸ τοῦ ἐπιφ[ανεστ]άτου θεοῦ [Ἀπόλ]λωνος Λαρ[μηνοῦ[4].

Bei den Sünden, die von der Gottheit bestraft werden, handelt es sich in diesen Inschriften um Vergehen gegen die Gottheit selbst, also um eine Ver- 45 letzung der heiligen Kultgesetze[5]. Die Gottheit schlägt den Sünder mit Krankheit und Siechtum oder sie straft ihn und die Seinigen gar mit dem Tode. Der

---

κολάζω. [1] S hierzu auch BOlsson, Papyrusbriefe aus der frühesten Römerzeit (1925) 42, 4; 57, 19; 62, 5.
[2] Vgl hierzu BCH 25 (1901) 422 A 1.
[3] Steinleitner 10 ff.
[4] Außerdem 10, 7: ὁ θεὸς ἐκολάσετο; 14, 6: κολασθείς; 15, 6: κ[ολά]σεσθε; 19, 2: κολασθεῖσα; 29, 4: ἐκολάσθην; 31, 6: κολαθίς; 33, 2 bittet der Sünder ὑπὲρ τοῦ κολ[ασθ]έντος βοός (er war an seinem Eigentum bestraft worden).
[5] Vgl Steinleitner 92.

Sünder kann die Gnade der Gottheit nur durch ein offenes Bekenntnis seiner Schuld wiedergewinnen. Dadurch allein wird er frei von Krankheit und Unglück. Die Frage nach dem Recht der göttlichen Strafe taucht im Rahmen des Theodizee-Problems auf.

5   Chrysipp erklärt in seiner Schrift Περὶ θεῶν (bei Plut Stoic Rep 35 [II 1050 e]) zu der Frage, wie sich das Böse und Schlechte in der Welt mit dem Gottesglauben vereinbaren läßt: das Unglück in der Welt ist als göttliche Strafe und Vergeltung zu begreifen. Plutarch selbst hat in den beiden Kapiteln 9 und 11 seiner Schrift Ser Num Pun (II 553 f; 555 d) zu diesem Problem Stellung genommen.

10   Philo hat einen wertvollen Beitrag zu dem Theodizee-Problem in diesem Punkt dadurch gegeben, daß er erklärt: die strafende Kraft Gottes gehört zu den ersten Kräften des Seins. Er unterscheidet Rer Div Her 166 zwei Kräfte des Seienden: die wohltätige Kraft (χαριστικὴ δύναμις), mit der Gott die Welt geschaffen hat und die „Gott" genannt wird, und die strafende Kraft (κολαστικὴ δύναμις), vermöge deren Gott
15   über das Geschaffene herrscht und waltet; diese Kraft wird „Herr" genannt. Ähnlich auch Spec Leg I 307; Abr 129; Leg Gaj 6[6]. Es ist auch Sacr AC 131 zu vergleichen, wo Philo von der gesetzgebenden Kraft, der νομοθετικὴ δύναμις, spricht. Diese Kraft Gottes ist zwiefach geteilt: sie dient teils zur Belohnung der Gerechten, teils zur Bestrafung der Sünder[7]. Es gehört nun aber zu der Gottesanschauung Philos die Er-
20   kenntnis, daß bei Gott älter als die Strafe das Erbarmen ist (Deus Imm 76) und daß Gott lieber Vergebung eintreten läßt als Strafe (Spec Leg II 196: τοῦ συγγνώμην πρὸ κολάσεως ὁρίζοντος). Die Strafe gilt denen, die der Vernunft nicht zugänglich sind (Agric 40). So ist die Strafe, die als das schlimmste Unglück erscheinen mag, als die größte Wohltat für die Toren zu bewerten (Agric 40). Das ist ganz stoisch gedacht.

25   Aber schon Plato hat Gorg 476 a ff die Anschauung vertreten, daß wie der recht Strafende Gutes tut, so auch der Bestrafte Gutes erfährt: er wird von der schlechten Verfassung seiner Seele befreit. — Am Schluß des Gorg schildert Plato in einem Mythus, in dem er in freier Weise orphische Gerichtsvorstellungen verwendet, das Gericht im Hades. Dort erfolgt die Bestrafung der Bösen (ἐὰν δέ τις κατά τι κακὸς
30   γίγνηται, κολαστέος ἐστί [527 b]).

Das Neue Testament hat das Verb κολάζειν an 2 Stellen: Ag 4, 21[8] und 2 Pt 2, 9. Von theologischer Bedeutung ist nur 2 Pt 2, 9, wo von göttlichem Strafen die Rede ist: οἶδεν κύριος ... ἀδίκους δὲ εἰς ἡμέραν κρίσεως κολαζομένους τηρεῖν *der Herr weiß die Ungerechten unter Züchtigungen auf den Tag des Gerichts*
35   *aufzubewahren.* Bei dem Ausdruck εἰς ἡμέραν κρίσεως ist an die Zeit zwischen dem Tode und dem Endgericht gedacht. Diese Zeit ist für die Gottlosen ausgefüllt mit Strafen. In dieser furchtbaren Lage bleiben sie bis zu dem Tage, an dem endgültig über ihr Schicksal entschieden wird.

In einem ähnlichen Vorstellungskreis bewegen sich die Aussagen der Apk Pt (→ 817, 12 f).
40   In der Hölle sind Engel, die das Strafgericht ausüben (οἱ κολάζοντες ἄγγελοι 21 b), und Menschen, die für ihre Taten auf Erden bestraft werden (οἱ κολαζόμενοι ἐκεῖ 21 a). Von der Bestrafung im Endgericht ist 2 Cl 17, 7 die Rede (κολάζονται δειναῖς βασάνοις πυρὶ ἀσβέστῳ); von der Bestrafung der Christen durch die Heiden bzw die heidnische Obrigkeit Dg 2, 8; 5, 16 (κολαζόμενοι χαίρουσιν ὡς ζωοποιούμενοι); 6, 9; 7, 8; 10, 7;
45   Mart Pol 2, 4 (ἄλλαις ποικίλων βασάνων ἰδέαις κολαζόμενοι).

† *κόλασις*

Züchtigung, Strafe. Seit Hippocr u Plat; öfter bei Diod S (I 77, 9; IV 44, 3); Plut (Ser Num Pun 9. 11 [II 553 f; 555 d]); Ael (Var Hist VII 15); Philo

---

[6] Vgl hierzu LCohn, Die Werke Philos I (1909) 19, wo auf die beiden höchsten Eigenschaften Gottes, seine Güte und seine Macht hingewiesen wird.
[7] Vgl hierzu Fug 65: κόλασις ἁμαρτημάτων; Spec Leg I 55: κολάσει ἀσεβῶν; Leg Gaj 7; Praem Poen 67: ... τὰς προτεθείσας τοῖς

πονηροῖς κολάσεις. — Auch zur Aufgabe des Herrschers gehört die gesetzmäßige Züchtigung der Sünder (Vit Mos I 154: κολάσει ἁμαρτανόντων).
[8] Ag 4, 21 steht das Med (πῶς κολάσωνται αὐτούς). Das Med auch bei Aristoph Vesp 406; Plat Prot 324 c; 3 Makk 7, 3.

(Leg Gaj 7; Vit Mos 1, 96 uö). — In LXX vor allem bei Ez u in Sap[1]; von der göttlichen Strafe außerdem 2 Makk 4, 38 (κυρίου τὴν ἀξίαν αὐτῷ κόλασιν ἀποδόντος *der Herr hat ihm [Andronikus] mit der verdienten Strafe vergolten*). S auch 4 Makk 8, 9: δειναὶ κολάσεις (*schwere Strafen, die der Hinrichtung vorausgehen*). — δειναὶ κολάσεις Mart Pol 2, 4 von den Strafen und Qualen, die die Märtyrer zu erdulden hatten (οἱ εἰς 5 τὰ θηρία κριθέντες ὑπέμειναν δεινὰς κολάσεις). — Jos gebraucht das Wort oft, zB von der Strafe Kains, Ant 1, 60.

Im Neuen Testament nur 2mal. In der für die Jünger bestimmten Rede Jesu vom letzten Gericht (Mt 25, 31—46) wird v 46 über diejenigen, die ihre praktisch-ethische Lebensaufgabe versäumt haben, das Urteil gesprochen: ἀπε- 10 λεύσονται εἰς κόλασιν αἰώνιον[2].

κόλασις αἰώνιος schon in Test XII (Test R 5, 5). Apk Pt 21 heißt die Hölle τόπος κολάσεως. Im Neugriechischen ist κόλασις schlechthin Bezeichnung für die Hölle[3].

αἰώνιος κόλασις ferner Mart Pol 2, 3 (τὴν αἰώνιον κόλασιν ἐξαγοράζεσθαι); 2 Cl 6, 7: *es gibt keine Rettung von der ewigen Strafe, wenn wir den Geboten Christi ungehorsam* 15 *sind*. — Ähnliche Aussagen: 1 Cl 11, 1: *Gott stürzt die Widerspenstigen in Strafe und* *Qual* (εἰς κόλασιν καὶ αἰκισμόν); Dg 9, 2: *Strafe und Tod sind Lohn der Ungerechtig- keit*. Herm s 9, 18, 1: *wer Gott nicht kennt und böse handelt, der empfängt eine Strafe* *für seine Bosheit* (ἔχει κόλασίν τινα τῆς πονηρίας αὐτοῦ)[4]. — Ep Ar 208 enthält die all- gemeine Wahrheit: *das menschliche Leben besteht in Schmerzen und Strafen*. 20

Ignatius erwähnt R 5, 3 neben anderen Martern die κακαὶ κολάσεις τοῦ διαβόλου, die über ihn kommen mögen, wenn er nur zu Christus gelangt.

Von größerer theologischer Bedeutung ist 1 J 4, 18: ὁ φόβος κόλασιν ἔχει *die Furcht enthält Strafe in sich*[5]; dh: ein Mensch, der in Furcht (vor Gott) lebt, ist schon durch diese Furcht gestraft. Seine Furcht vor Gott ist seine 25 Strafe. Das ist ein Gedanke, der sich mit dem J 3, 18 ausgesprochenen Ge- danken berührt, daß der nicht Glaubende schon gerichtet ist. Das Gegenteil der Furcht ist die Liebe. Die vollkommene Liebe ist frei von jeder Furcht, weil die völlige Liebe (zu Gott) die Furcht (vor ihm) austreibt[6].

JohSchneider 30

κόλασις. [1] Vgl hierzu auch → 815, 25.

[2] Vgl Jos Bell 2, 163, wo Josephus als pharisäische Lehre feststellt: τὰς δὲ (ψυχὰς) τῶν φαύλων ἀϊδίῳ τιμωρίᾳ κολάζεσθαι (zitiert bei Schl Mt 728). — Eine interessante Par zu Mt 25, 46 bietet POxy V 840, 6 (Fragment eines unkanonischen Ev): οἱ κακοῦργοι τῶν ἀν(θρώπ)ων . . . κόλασιν ὑπομένουσιν καὶ πολ- [λ]ὴν βάσανον.

[3] Bereits im Sprachgebrauch der byzant Zeit ist κόλασις = γέεννα. S Sophocles Lex sv κόλασις (Apophthegmata Zenon 6; Isidor 6; Macarius 38).

[4] Ironisch ist das Wort Dg 2, 8 f gemeint: das Riechen des Geruchs vom Opferdampf ist eine Strafe für die Heiden.

[5] Die meisten Ausleger denken bei der Strafe an das zukünftige Gericht und die zu- künftige Verdammnis. So zB HJHoltzmann, Handkomm z NT IV² (1893) 259 f; Schl Erl zSt („Der Blick auf den Tag des Gerichts erweckt die Furcht"); FHauck, NT Deutsch zSt („Die Furcht steht unter dem fort- während Gedanken an die drohende Strafe"). Ähnlich, wenn auch nicht so deutlich,

WMichaelis, Das NT II (1935) 442 („Die Furcht hat die Strafe [immer vor Augen]"). Eine Mittelstellung nimmt De Wette ein, Erkl d Ev u die Ep Joh⁵ (1863) 397: „So hat die Furcht schon Strafe, wie dieselbe am Tage des Gerichts offenbar werden wird." Dieser Auffassung kommt auch FBüchsel, Die Johan- nesbriefe (1933) 75 nahe: „Die Strafe mit ihrer Pein ist nicht nur zukünftig, sondern wird schon verspürt eben in der Furcht." — Zu dem Ausdruck κόλασιν ἔχειν s Herm s 9, 18, 1 (→ 817, 18f). — Über den Zusammenhang von κόλασις bzw κολάζειν und φόβος sind lehrreich die Kapitel 9 u 11 bei Plut Ser Num Pun (II 553 f; II 555 d). Auch bei Philo tritt die Beziehung von κόλασις und φόβος öfter hervor. Dafür zwei Beispiele: a. die Furcht führt den Menschen dazu, sich die herrschende und gebietende Macht Gottes günstig zu stimmen, um die Strafe abzuwenden (Abr 129; ähnlich Agric 40); b. die Strafe flößt Furcht ein (δέος γὰρ ἐμποιοῦσιν αἱ κολάσεις) Spec Leg IV 6.

[6] Rabb Material vgl RSander, Furcht und Liebe im rabb Judentum = BWANT IV 16 (1935) Register sv „Züchtigung".

```
(κολακεύω) † κολακία
```

κ ο λ α κ ε ύ ω (von κόλαξ) *schmeicheln*; seit Aristoph[1]. In LXX nur
3 mal: 1 Εσδρ 4, 31; Hi 19, 17[2]; Sap 14, 17. Philo hat das Verb verhältnismäßig oft
(zB Leg Gaj 116; Det Pot Ins 21; Spec Leg I 60). Migr Abr 111 schildert Philo das
5   Wesen des Schmeichlers: die Schmeichler quälen die Menschen, denen sie schmeicheln
wollen, Tag und Nacht; sie reden ihnen die Ohren weich; nicken zu allem, was diese
sagen; „halten selbst lange Reden, singen Loblieder, wünschen mit dem Munde Glück
und verwünschen doch im Innern die, denen sie schmeicheln". Der Schmeichler ist
also ein Heuchler[3].

10   Im NT fehlt das Wort ganz. — In nachapostolischer Zeit steht es bei Ign (R 4, 2;
5, 2; Pol 2, 2) im Sinne von *gut zureden, durch Schmeicheln anlocken*. Außerdem bei
den Apologeten: Just Apol 2, 3; Tat Or Graec 2, 1.

Aus κολακεύω: κ ο λ α κ ε ί α[4] die *Schmeichelei*; seit Democr. In
Pap auch die *Übervorteilung durch Schmeichelworte* (PLond V 1727, 24 uö)[5]. LXX hat
15   das Wort nicht. Dagegen findet es sich mehrfach bei Philo (zB Sobr 57; Leg All III
182: νόσος γὰρ φιλίας ἡ κολακεία = die Schmeichelei ist eine Entartung der Freundschaft);
Sacr AC 22 erscheint in einem Lasterkatalog, in dem die „Freundinnen der Lust" aufgezählt werden, auch die Schmeichelei. Abr 126 erklärt Philo: die Menschen fürchten
die geheuchelte Schmeichelei (τὴν προσποίητον κολακείαν) und Freundlichkeit als etwas
20   sehr Schädliches.
S auch Jos Bell 4, 231: πρὸς ὀλίγην τε κολακείαν τῶν δεομένων. Ditt Syll[3] 889, 29 ff
ein Satz tiefer Lebenserfahrung und Lebensweisheit: es gibt kein Mittel, durch das
der Mensch die ihm vom Schicksal gesetzte Grenze überschreiten könnte: εἰδότας ὅτι
οὔτε χρημάτων οὔτε κολακείᾳ οὔτε ἱκετείᾳ οὔτε δάκρυ[σιν] ἄνθρωπ[ος τ]ῆς εἱμαρμένης ὅρον
25   ὑπερβῆναι δυνηθήσεταί ποτε.

Im Neuen Testament kommt das Wort nur 1 mal vor: 1 Th 2, 5 (λόγος κολα-
κ[ε]ίας). Paulus kann mit Stolz von sich behaupten, daß er sich in seiner Verkündigung niemals niedriger Mittel, so auch nicht der Schmeichelrede bedient
hat. Damit tritt die Verkündigung des Paulus in einen klaren und entschie-
30 denen Gegensatz zu der Praxis mancher hellenistischer Rhetoren[6].

JohSchneider

```
† κολαφίζω
```

Ein verhältnismäßig seltenes Wort, das nur einige Male im NT
und außerdem bei altchristlichen Schriftstellern, aber sonst kaum vorkommt. In einem
35   heidnischen Brief aus römischer Zeit heißt es: εἰ δέ τις... ἀντιλέγει, σὺ ὀφείλεις αὐτοὺς
κολαφίζει[ν] (Preisigke Sammelbuch III 6263, 22—24). Ähnlich Test Jos 7, 5 vl: κολαφίσει
τὰ τέκνα σου. Die LXX hat keinen Beleg. Dagegen findet sich etwas öfter das Substantivum κόλαφος *Ohrfeige, Backenstreich*, von dem κολαφίζω ordnungsgemäß abgeleitet

---

κολακεία. [1] Die Belegstellen für den Gebrauch des Wortes im klass Griech bei Lid-
del-Scott 971 sv.
[2] Hi 19, 17 stimmt der von LXX dargebo-
tene Text nicht mit dem mas Text überein.
Der hbr Text lautet: וְחַנֹּתִי לִבְנֵי בִטְנִי ich
bin eklig meinen leiblichen Brüdern. LXX
hat προσεκαλούμην δὲ κολακεύων υἱοὺς παλλα-
κίδων μου ich rief die Söhne meiner Kebs-
weiber herbei und redete ihnen schmeichelnd
zu.
[3] Vgl auch PGreci e Latini 586, 4.
[4] Zur Schreibung des Wortes s Bl-Debr
§ 23. ει und ι werden in frühhellenistischer

Zeit häufig vermischt. Vgl auch Mayser I
87 f.
[5] Weitere Einzelbelege bei Preisigke Wört
sv.
[6] Vgl hierzu die schönen Ausführungen bei
Moult-Mill sv über das Wesen der Schmeichelei in der antiken Rhetorik. Zu dem Werk
des Epikureers Philodemus Περὶ κολακείας s
die kurze Notiz von WCrönert, Neues über
Epikur und einige Herkulanensische Rollen,
Rhein Museum NF 56 (1901) 623. — κολακεία
erscheint auch als Stück antiker Lasterkata-
loge. S AVögtle, Die Tugend- und Laster-
kataloge im NT (1936) 201.

ist, also *ohrfeigen, einen Backenstreich geben* [1]. Trotz des verhältnismäßig seltenen Vorkommens müssen die Wörter κόλαφος und κολαφίζω sehr gebräuchlich gewesen sein, da das Substantivum sehr früh und später auch das Verbum ins Lateinische und von da in einige romanische Sprachen übergegangen ist. Das Wort κόλαφος gehörte wohl der derben Sprache an [2]. Im einzelnen läßt sich nicht mit Bestimmtheit ausmachen, ob das Verbum im eigentlichen oder im übertragenen Sinne gebraucht ist, ob es sich auf körperliche oder auf seelische Vorgänge bezieht. Jedenfalls bietet sich öfters die Bedeutung *mißhandeln, beschimpfen* an.

In der Leidensgeschichte Jesu Christi Mt 26, 67 [3] = Mk 14, 65 [4] dürfte es sich im Zusammenhang einer Mißhandlungsszene um den eigentlichen Wortsinn handeln [5]. Gerade bei einem Martyrium ist aber der körperliche Schmerz zugleich auch ein seelischer Schmerz. Das liegt auch dann vor, wenn Paulus 1 K 4, 11 bei der Aufzählung seiner Leiden sagt: κολαφιζόμεθα [6] καὶ ἀστατοῦμεν, und wenn 1 Pt 2, 20 [7] die Christen ermahnt werden, nicht für Verfehlungen, sondern ohne Verfehlungen Mißhandlungen zu erdulden: κολαφιζόμενοι ὑπομενεῖτε [8]. Vielleicht ist an der letztgenannten Stelle mitgedacht an den Ἰησοῦς Χριστὸς κολαφιζόμενος, von dessen unschuldigem Leiden gleich danach 1 Pt 2, 21 ff gesprochen ist. Von den Fäusten böser und verblendeter Menschen

---

κολαφίζω. [1] Thes Steph sv teilt aus Theophylact z Mt 26, 67 folgende pedantische Definition mit: „κολαφίζειν ἐστὶ τὸ διὰ χειρῶν πλήττειν συγκαμπτομένων τῶν δακτύλων, καὶ ἵνα ἀφελέστερον εἴπω, διὰ τοῦ γρόνθου (ὁ γρόνθος = ὁ κόνδυλος, die geballte Faust) κονδυλίζειν." Pape u Pass verzeichnen neben κόλαφος u κολαφίζω noch κολάφισμα, κολαφισμός, κολαφιστικός, haben aber nur die vage Angabe: NT u KS (= Kirchenschriftsteller). Ein wenig weiter führen Liddell-Scott. Mancherlei kirchl Stellen im Thes Steph. Weniges bei EASophocles, Greek Lexicon of the Roman and Byzantine Periods (1888), nichts bei CduCange, Glossarium ad Scriptores Mediae et Infimae Graecitatis I (1688). [2] S Thes Ling Lat sv. Vgl auch Itala und Vulgata zu den noch zu nennenden nt.lichen Stellen. Im Portugiesischen bedeutet colaphizár öffentlich *ohrfeigen*, übertr *quälen, reizen*, ist aber offenbar ein seltenes Wort geworden. Das kaum gebrauchte italienische colafizzare fehlt in den landläufigen, modernen Wörterbüchern. In den anderen romanischen Sprachen ist nichts Entsprechendes zu finden. Dagegen vgl zum Französischen: FGodefroy, Dictionnaire de l'ancienne langue française II (1883) sv colaphiser; KSachs-CVillatte, Supplément (1894) sv colaphisation. WMeyer-Lübke, Romanisches etym Wörterbuch [3] (1935), sv colaphus macht auf die Abfolge κόλαφος, *colaphus, colpus, coup* aufmerksam. Italienisch colpo, spanisch golpe usw. Was den Wortgebrauch im Lateinischen und in den romanischen Sprachen anlangt, so ergibt sich aus den Wörterbüchern, daß man es in der Hauptsache mit einem biblischen, bzw kirchlichen Ausdruck zu tun hat. Nun bietet aber HGeorges, Ausführl lat-deutsch Handwörterbuch I [8] (1913) zu colaphizare einen Beleg aus Terenz (ebs Wilke-Grimm z κολαφίζω) u zu colaphus solche aus Plautus, bei dem einmal ein Sklave diesen Spottnamen führt.

Man wird also in den Bereich der antiken Komödie mit ihrem derben Sprachgebrauch geführt. In derselben Weise sind Parallelen zwischen den nt.lichen Lastertafeln u Plautus festzustellen (vgl Deißmann LO 269). Es entspricht der Vokstümlichkeit dieser Kraftausdrücke, daß mit ihnen in durchaus nicht puristischer Weise allerlei Fremdwörtergut weitergetragen wird. Wie colaphus aus dem Griech stammt, so ist κόλαφος vielleicht aus dem Semitischen abzuleiten (so jedenfalls JMStobwasser, Lat-deutsch Schulwörterbuch [2] [1900]). [3] It Cod δ: colophitzaverunt eum; Vulg: colaphis eum ceciderunt. [4] Vulg: colaphis eum caedere. [5] Daß nach Str-B z Mt 26, 67 „das Schlagen mit der Faust תָּקַע … als Beschimpfung galt", betrifft eine Selbstverständlichkeit. Zum Schlag auf die Backe vgl 1 Kö 22, 24: הִכָּה עַל־הַלֶּחִי = πατάσσειν ἐπὶ τὴν σιαγόνα (LXX), ferner Mi 4, 14: ebs. Auf die zweite Stelle verweist DFStrauß, Das Leben Jesu II (1836) 488 und außerdem auf Js 50, 6 f u 53, 7. Hierher gehört, daß beim babylonischen Neujahrsfest der König in einem Bußzeremoniell vom Priester auf die Backe geschlagen wird und noch anderen entehrenden Riten sich unterziehen muß [vRad]. Daß hier Zusammenhänge mit der עֶבֶד-Vorstellung des Dtjs bestehen, hat bes LDürr, Ursprung und Ausbau der isr-jüd Heilandserwartung (1925) 133 ff wahrscheinlich gemacht. [6] It Codd d g Ambst: colaphizamur; Vulg: colaphis caedimur. [7] Vulg: colaphizati. [8] Die LA κολαζόμενοι (zB P it syp) zieht zur Erleichterung ein häufigeres Wort vor, wenn es sich nicht einfach um eine Verschreibung handelt. Umgekehrt ist Mart Pol 2, 4 das textkritisch gesicherte κολαφιζόμενοι in einigen wenigen Hdschr durch κολαζόμενοι ersetzt.

werden Christus und die Seinen geschlagen. Der Böse selbst, der Satan schlägt ebenso. In seinem umfassenden Leidenskatalog versteht Pls 2 K 12, 7 seine Krankheit als das Handeln des ἄγγελος σατανᾶ, ἵνα με κολαφίζῃ [9].

Läßt sich von diesem Sprachgebrauch vielleicht etwas zur Diagnostizierung der Krankheit des Paulus [10] sagen? Ältere Auslegungen, die zu v 7 die Erläuterung in v 10 fanden und demgemäß an Verfolgungen dachten, wobei der ἄγγελος σατανᾶ als ein menschlicher Gegner angesehen wurde, ebenso die traditionelle katholische Auslegung, daß an Reizungen zur Unzucht zu denken sei, scheitern an der hier deutlich vorliegenden Anschauung, daß die bösen Dämonen, insbesondere ihr Oberster, gerade die schwer zu diagnostizierenden Krankheiten verursachen. Das Ganze bekommt noch dadurch eine besondere Farbe, daß die Krankheit des Paulus mit seinen visionären Zuständen zusammenhängen kann, aus deren Bereich er einen sehr eigentümlichen gerade vorher v 1 ff beschrieben hat. Aus der Geschichte der Religion wie auch der Medizin ist bekannt, daß Visionen und ekstatische Erlebnisse überhaupt von Schmerz, Schwäche, Krankheit begleitet sein können. Dafür spricht der Bericht über die Bekehrung des Paulus Ag 9, 9. 18, wo er drei Tage lang nicht sehen konnte, die Nahrungsaufnahme verweigerte und sich erst allmählich von diesem Zustand erholte. „Hierin kann auch die Geschichte von Jakobs Kampf mit Jahwe und seine Lähmung durch den Gott Gn 32 gerechnet werden, wie schon die den Gedanken des Pls so nahe kommende Deutung Philos nahelegt — da ist es freilich der Gott selbst, der dem Gottseher einen körperlichen Schaden zufügt; aber die Meinung, daß Gott dem Satansengel Macht über einen Visionär gebe, wäre im Rahmen jüdisch-urchristlicher Vorstellung durchaus möglich: wenn nach bChag 15 b Dienstengel bereit waren, den Akiba herunterzustoßen, so kann im Falle des Pls sehr gut einem Satansengel Erlaubnis gegeben worden sein, den Visionär zu schlagen: die Visionen können mit Zuständen heftigen Schmerzes verbunden gewesen sein, die Pls als Satansschläge fühlte ... Ganz ausgeschlossen ist es ... nicht, daß er tatsächlich diese seine Gesichte und Offenbarungen mit immer neuen Ausbrüchen seiner Krankheit bezahlen mußte [11]." Die wenigen Andeutungen, die Paulus Gl 4, 13—15 über seine Krankheit macht, passen insofern gut dazu, als die Versuchung der Galater, vor Paulus auszuspucken, gut als der Versuch einer apotropäischen Handlung gegenüber dämonischen Einflüssen verstanden werden kann. Die Diagnose verwickelt sich allerdings, wenn man auf Grund der Gl-Stelle an eine Augenkrankheit denken zu müssen meint, so daß die Schläge des Satansengels ins Auge getroffen haben müßten. Nun ist aber die Diagnose gerade auf ein Augenleiden keineswegs sicher. Denn daß die Galater sich am liebsten ihre Augen ausgerissen hätten, um sie Paulus zu geben, braucht nur zu bedeuten, daß sie jedenfalls ihr Kostbarstes für den verehrten schwerkranken Apostel dahingeben wollten. Wichtiger und ergiebiger ist, daß 2 K 12, 7 neben den Faustschlägen des Satansengels noch dies gesagt ist: ἐδόθη μοι σκόλοψ τῇ σαρκί. Nun könnte ja wohl → σκόλοψ, *Pfahl, Dorn*, eine ganz allgemeine Bezeichnung für irgendein quälendes Leiden sein. Wahrscheinlicher ist aber eine prägnante Bedeutung: es handelt sich um ein Leiden mit stechenden, schlagartigen Schmerzen. Und das ist eine chronische Krankheit insofern, als Paulus immer wieder solche Anfälle zu erdulden hatte. Am besten paßt die Vorstellung von den stechenden Schmerzen und dem schlagenden Satansengel zur Epilepsie [12]. Die These von einer Augenkrankheit könnte in der Weise damit verbunden werden, daß epileptische Anfälle eine vorübergehende Erblindung oder Augenschwäche im Gefolge haben, was dann eher zu Ag 9, 9. 18 als zu Gl 4, 13—15 passen würde. Die Mediziner aller Zeiten bezeugen, daß auch ein Mensch von der großen Leistungsfähigkeit und Geistesklarheit eines Paulus Epileptiker sein kann. Wenn auf große Männer der Geschichte (Friedrich der Große, Napoleon I.) in diesem Zusammenhang hingewiesen wird, so ist es allerdings fraglich, ob und inwieweit diese wirklich Epileptiker gewesen sind. Größer noch ist die Schwierigkeit, daß Paulus in seiner Krankheitsbeschreibung auf eine häufige Folge seiner Anfälle anzuspielen scheint, womit sich

---

[9] Vulg: colaphizet.

[10] Vgl die Exkurse z 2 K 12, 7 ff in den Komm, vor allem Wnd 2 K und Ltzm K, ferner → II 455, 24 ff; dazu die Liste von theologischer und medizinischer Seite bei Pr-Bauer [3] sv und vor allem FFenner [Pfarrer am Charité-Krankenhaus der Universität Berlin], Die Krankheit im NT, UNT 18 (1930) 30—40, wo κολαφίζειν als populärer Ausdruck für → πυκτεύειν, → ὑπωπιάζειν angesehen und Pls als visionärer Hysteriker aus der Reihe der „Stigmatisierten"

(Gl 6, 17, → στίγμα) beurteilt wird, der durch autosuggestive Reaktion das Todesleiden Jesu am eigenen Körper durchgemacht habe (2 K 4, 10, → νέκρωσις).

[11] Wnd 2 K 386.

[12] Vgl MDibelius, Die Geisterwelt im Glauben des Pls (1909) 46: „Diese Einzelfälle sind der Wirkung von Schlägen gleich. Daß die Alten die Epilepsie so ansahen, beweisen die von Krenkel gesammelten Belege aus den Schriften antiker Ärzte."

dann das Gesamtbild seines Lebens und Arbeitens schwerlich vertragen würde. Von
hier aus neigen manche Mediziner[13] dazu, an ein Leiden zu denken, das in seinen
Äußerungen mit der Epilepsie nur verwandt ist, aber bei genauer Diagnose sich als
Hysterie in einer vielleicht besonders schweren Form erweist. Dafür spricht bei
Paulus einmal seine nicht zu leugnende Leistungsfähigkeit einerseits und dann ihr 5
gegenüber seine ebenso offenkundige Depression anderseits, wie sie gerade der Hysterie
(oder auch Neurasthenie) eignet. Schmerzen, Müdigkeit, Zerschlagenheit stellen sich
ein, dazu schreckhafte Visionen und Auditionen, im Zusammenhang damit Gespräche
mit halluzinierten Personen, ohne daß eine intellektuelle Schädigung eintritt. Paulus
hätte dann im Verlauf eines solchen Anfalles den Satansengel wahrhaftig geschaut, 10
ohne bei alledem so mitgenommen zu werden, wie es bei echter Epilepsie der
Fall ist. Immerhin ist auch die Hysterie (wie die Epilepsie) von körperlichen
und seelischen Änderungen begleitet, von Muskelkrämpfen und vorübergehender Trübung des Bewußtseins, so daß ein Hysteriker (wie ein Epileptiker) den Eindruck eines
vom Teufel besessenen Menschen macht[14]. Neben solcher Hysterie mit ihren epilep- 15
toiden Erscheinungen kommen noch andere Krankheiten mit ähnlichen Erscheinungen
in Betracht, etwa ein gewisses Alpdrücken[15] oder über vorübergehende Augen-
störungen hinaus eine besondere Form des Kopfschmerzes als eine schwere
Augenmigräne[16], schließlich noch andere Krankheiten wie periodische Depressionen, Malaria, schwere Ischias, hochgradiger Rheumatismus, Schwer- 20
hörigkeit mit bösen Folgeerscheinungen, ja sogar Aussatz ist genannt worden[17].
Schließlich hat man sogar an eine Sprachstörung wie Stottern gedacht[18].

Bedeutsamer und sicherer als die nicht ganz sichere und schließlich nicht allzu
wichtige Diagnose[19] im einzelnen ist, daß Paulus sich als einen κολαφιζόμενος
ὑπὸ τοῦ ἀγγέλου σατανᾶ betrachtet und im Gebet den tiefen Sinn dieses seines 25
Zustandes versteht: Christus, der ja auch ein κολαφιζόμενος war (seine κολαφί-
ζοντες waren die Juden, aber letztlich auch der Satan mit seinen Trabanten),
und zwar nur Christus in seinem Apostel kann und wird Teufel und Teufels-
werk niederhalten.

KLSchmidt   30

---

[13] So bei Ltzm K zSt der Psychiater OBins-
wanger, der in seinem Lehrbuch der Epilepsie
(1899) 314 den Pls noch „vielleicht" als einen
Epileptiker ansah, in seinem Lehrbuch der
Psychiatrie ² (1907) jedoch zurückhaltender
ist, und der Psychiater KBonhöffer, der sich
brieflich gegenüber HLietzmann geäußert hat.
[14] Wenn nach Wnd 2 K zSt „radikale" Pls-
Forscher das Motiv eines Paulus-Saulus epi-
lepticus aus dem AT ableiten, wo der König
Saul (auch Pls heißt Saul!) als Epileptiker
vorkommen soll, so spricht einmal dagegen,
daß damit ein x durch ein anderes x erklärt
wurde; und dann spricht gegen die „Motiv"-
Hypothese die Gegenständlichkeit der paulinischen Aussagen. Zu welchen Spielereien
eine solche Methode führen kann, macht Wnd
2 K z 5, 13 (179 A 1) humorvoll klar: „Die radikalen Pls-Forscher seien hier aufmerksam gemacht auf ψ 67, 28: ἐκεῖ Βενιαμεὶν νεώτερος ἐν
ἐκστάσει: der jüngere Benjamin könnte der
»Benjaminide« Pls, also ψ 67, 28 die Quelle für
das Motiv des Paulus ecstaticus sein!"
[15] Dieses nimmt Ltzm K zSt in Anspruch
für einen Mann, der sich nach Eus Hist Eccl
V 28, 12 zum Anschluß an eine häretische
Gemeinschaft hat verführen lassen und sich
dann in der Nacht durch Engel geprügelt
fühlte, und für Hieronymus, der in seinen
Briefen 22, 30 (CSEL 54 [1910]) dasselbe erlebt
zu haben berichtet, als er Cicero und andere
heidnische Schriftsteller eifrig las.

[16] Darüber hat nach Wnd 2 K zSt Pfarrer
Uhle-Wettler in einem Aufsatz: „Der Pfahl
im Fleisch und die Fausthiebe Satans bei
Paulus" (Evang Kirchenzeitung [1913] Nr 9 u
10) auf Grund eigener Erfahrung sehr anschaulich berichtet.
[17] Dazu vgl das Referat bei Wnd 2 K zSt
u FFenner aaO.
[18] S WKLClarke, Exp T 39 (1927/1928) 458
bis 460.
[19] Die früher beliebten Deutungen auf geistliche Anfechtungen, auch durch Gegner, Ge-
wissensbisse u andere seelische Zustände (vgl
Pr-Bauer ³ sv) dürften bei alledem nicht in
Betracht kommen. Vgl auch AForcellini, Totius Latinitatis Lexicon II ³ (1861) sv: „Dicunt
quidam Apostolum saepe dolore capitis esse
vexatum. Melius autem puto ita accipi, ut
colaphizatus in illis passionibus intelligatur,
quas enumeravit ipse dicens: ter virgis caesus
sum, semel lapidatus sum, etc (2 K 11, 25).
Stimulum ergo carnis appellat tribulationem
carnis; et angelum Satanae illum, quo, quasi
immissore, tanta illa pateretur, ostendit.
Weidenauer in Lex Bibl ad h l habet: ,Ingeniose autem et verecunde Apostolus haec
libidinis irritamenta colaphos appellavit, qui
detrimenti nihil, doloris non parum, pudoris
vero plurimum sibi afferrent.' "

κολλάω, προσκολλάω

† κολλάω

Im NT kommt nur das Medium, bzw Passivum vor. Das Aktivum
des Verbums, das in älteren und jüngeren griechischen Texten zu finden ist, heißt
5 *zusammenleimen, zusammenfügen, verbinden.* κολλᾶσθαι bedeutet *haften an.*

1. Lk 10, 11: τὸν κονιορτὸν τὸν κολληθέντα ἡμῖν. Bild-
lich ist dieses Haften dasselbe wie *berühren,* so Apk 18, 5: ἐκολλήθησαν (vl:
ἠκολούθησαν) αὐτῆς (sc: Βαβυλῶνος τῆς μεγάλης) αἱ ἁμαρτίαι ἄχρι τοῦ οὐρανοῦ,
vgl Ιερ 28, 9: ἤγγισεν εἰς οὐρανὸν τὸ κρίμα αὐτῆς[1]. In der Bedeutung *sich eng*
10 *anschließen an* wird κολλάομαι mit dem Dativ der Sache und öfters der Person
verbunden[2]. Ag 8, 29 schließt sich Philippus eng an den Wagen des äthiopischen Eunuchen an. R 12, 9 werden die Christen gemahnt, sich fest an das
Gute zu hängen. Lk 15, 15 drängt sich der verlorene Sohn an einen anderen
heran. Ag 5, 13; 9, 26; 10, 28 empfiehlt sich die Übersetzung *engeren Verkehr*
15 *suchen* mit jemandem. Ag 17, 34 besagt dieser Vorgang den Anschluß in der
Form der Jüngerschaft. Vgl dazu 2 Βασ 20, 2; 1 Makk 3, 2; 6, 21[3].

2. Von hier aus ist es begreiflich, daß κολλᾶσθαι auch
für den **intimen Verkehr** im Sinne des **Geschlechtsverkehrs** gebraucht
wird. So Mt 19, 5: κολληθήσεται τῇ γυναικὶ αὐτοῦ. Es liegt hier ein Zitat von
20 Gn 2, 24 vor, nur daß dort in LXX προσκολληθήσεται steht, was Eph 5, 31 nach
den besten Zeugen wörtlich zitiert ist, während anderseits Mt 19, 5 textus
receptus wie LXX προσκολληθήσεται hat (→ προσκολλάω). Im Sinne des *Sich-*
verheiratens hat PLond 1731, 16 (6. Jhdt n Chr) κολλᾶσθαι ἑτέρῳ ἀνδρί[4]. Hierher gehört auch 1 K 6, 16: ὁ κολλώμενος τῇ πόρνῃ ἓν σῶμά ἐστιν. Von Haus
25 aus hat dieses κολλᾶσθαι ebenso wie das entsprechende דבק[5], das Gn 2, 24; 34, 3
(וַתִּדְבַּק נַפְשׁוֹ בְּדִינָה = καὶ προσέσχεν τῇ ψυχῇ Δινας); 1 Κö 11, 2 (דָּבַק שְׁלֹמֹה לְאַהֲבָה
= ἐκολλήθη Σαλωμων τοῦ ἀγαπῆσαι) vorkommt, nicht den sensus sexualis, hat diesen
aber dann angenommen, wie etwa das Wort Kopulieren besonders für die Eheschließung gebraucht wird.

30   Eine umfassende eigentümliche Nachwirkung hat Gn 2, 24 in der H a l a c h a (bSanh
58 b): „Wenn ein Noachide seiner Frau auf unnatürliche Weise beiwohnt, ist er straffällig, weil es heißt Gn 2, 24: »Er wird sich anschließen«, aber nicht auf unnatürliche
Weise. Raba († 352) hat gesagt: Gibt es denn etwas, wofür ein Israelit nicht straffällig, während der Nichtisraelit dafür straffällig wäre (wie RChanina meint)? Viel-
35 mehr hat Raba gesagt: Wenn ein Noachide dem Weibe eines anderen auf unnatürliche Weise beiwohnt, bleibt er straffrei. Weshalb? Es heißt: An »seinem« Weibe
(soll er hangen), aber nicht am Weibe eines andren; »er soll hangen«, nicht aber auf
unnatürliche Weise[6]."

Im Gegensatz zum κολλᾶσθαι τῇ πόρνῃ steht 1 K 6, 17: ὁ δὲ κολλώμενος τῷ
40 κυρίῳ ἓν πνεῦμά ἐστιν[7].

κολλάω. [1] Loh Apk zSt: Es „liegt eine
deutliche Reminiszenz an Jer 28, 9" vor; „daher ist κολλᾶσθαι einfach = »reichen bis«."
  [2] Vgl Bl-Debr § 193, 3.
  [3] Pr-Bauer[3] sv.
  [4] Preisigke Wört sv.
  [5] Ges-Buhl sv.

[6] Str-B I 803 z Mt 19, 5.
[7] Z 1 K 6, 17 vgl 4 Βασ 18, 6: ἐκολλήθη τῷ
κυρίῳ, was so kommentiert ist: οὐκ ἀπέστη
ὄπισθεν αὐτοῦ, καὶ ἐφύλαξεν τὰς ἐντολὰς αὐτοῦ;
ebenso Sir 2, 3: κολλήθητι αὐτῷ καὶ μὴ ἀπο-
στῇς; vgl auch ψ 62, 9.

† προσκολλάω

1. Ag 5, 36 findet sich anstatt der am besten bezeugten LA προσε-κλίθη (Θευδᾶς ... ᾧ προσεκλίθη ἀνδρῶν ἀριθμὸς ὡς τετρακοσίων = ... dem eine Zahl von etwa 400 Männern *anhing*), weniger gut bezeugt neben προσεκλήθη, προσεκλήθησαν, προσε-τέθη auch προσεκολλήθη, προσεκολλήθησαν. Diese Parallelität macht vollends deutlich, daß dieses προσκολλάομαι dieselbe Bedeutung hat wie κολλάομαι *1*, wobei die Präpo-sition πρός den Grad des *Anhänglichseins* verstärken mag, was allerdings bei der Vor-liebe der Koine für Komposita an Stelle von Simplicia nicht ganz sicher ist.

2. Mt 19, 5 text rec und Eph 5, 31[1] entspricht dem κολ-λάομαι *2* im Sinne des **Geschlechtsverkehrs** zwischen Mann und Frau, wobei an der zweiten Stelle dieser Vorgang das enge Verhältnis zwischen dem Χριστός und seiner → ἐκκλησία verdeutlichen soll. Mk 10, 7 text rec ergänzt aus der Parallelstelle Mt 19, 5, bzw Gn 2, 24 LXX das unvollständige Zitat κατα-λείψει ἄνθρωπος τὸν πατέρα αὐτοῦ καὶ τὴν μητέρα αὐτοῦ durch die Hinzufügung von (καὶ) προσκολληθήσεται πρὸς τὴν γυναῖκα (vl: τῇ γυναικὶ) αὐτοῦ.

Derselbe Sprachgebrauch ist POxy XVI 1901, 26. 41. 43. 63 belegt.

KLSchmidt

† κολοβόω

verstümmeln (seit dem Komiker Araros [Anfang 4. Jhdt v Chr] fr 3 CAF II p 216; dann Aristot usw[1]), meist Gliedmaßen, mit Acc des verstümmelten Teils oder seines Trägers. In LXX nur 2 Βασ 4, 12: κολοβοῦσι τὰς χεῖρας αὐτῶν[2].

Im **Neuen Testament**[3] nur in der Mk-Mt-Apk. Gott hat bereits[4] (Mk 13, 20; die Fassung in Mt 24, 22 betont weniger, daß die Verkürzung bei Gott schon feststeht) die Dauer der Notzeit in Judäa *verstümmelt* (also *kürzer gemacht*, als sie natürlicher, sachlicher Weise, dh nach der Absicht und dem Umfang der Machtmittel der Bedränger wäre)[5], weil sonst auch die, die sich durch ihre Treue als die Auserwählten bewähren und von Gott bis dahin wunderbar erhal-ten werden, leiblich zugrunde gingen.

Für diese Deutung spricht nicht nur das πᾶσα σάρξ (Mk 13, 20 par), sondern vor allem auch die ganze Mk-Mt-Apk. Schon in dem Mk 13, 20 par vorangehenden Text ist nur von leiblichen Bedrängnissen die Rede, denen die Christen sich möglichst ent-ziehen sollen. Zwar beabsichtigen die falschen Messiasse, sie zu verwirren (Mk 13, 22 par), aber ein Erfolg soll ihnen offenbar nicht beschieden sein (bes Mt 24, 24) gegen-über den ἐκλεκτοί; diese bleiben vielmehr (vielleicht unter dem Beistand des πνεῦμα, Mk 13, 11 par, und im Gegensatz zu den πολλοί Mt 24, 12) bis zur Parusie standhaft und deshalb am Leben (Mk 13, 13 par) bis zu ihrer endgültigen Sammlung (Mk 13, 27; auch der nach Mk 13, 14 par Geflohenen!). Die → I 626 A 12 vertretene Erklärung ließe sich vielleicht damit verbinden.

Delling

προσκολλάω. [1] S HSchlier, Christus und die Kirche im Epheserbrief (1930) 60—75: Die himmlische Syzygie.

κολοβόω. [1] [Debrunner].
[2] Bei den anderen Übersetzern mehrfach Wiedergabe von קצר (zu) kurz sein: so vom Lager Js 28, 20 (Σ Θ), von der Hand Gottes Js 59, 1 ('Α Σ); vor allem aber in übertrage-nem Sinne von der ψυχή oder dem πνεῦμα Ri 16, 16 ('Α); Job 21, 4 ('Α Σ); Sach 11, 8 ('Α): „kleinmütig sein" [Bertram].

[3] Vielleicht unter dem Einfluß des hbr Sprachgebrauchs, s Str-B und Schl Mt z 24, 22.
[4] Um einen bloßen „prophetischen Aorist" (BWeiß [[10] 1910] z Mt 24, 22) kann es sich nach den Tempora des Kontextes nicht handeln.
[5] Für die Erklärung trägt äth Hen 80, 2; sBar 20, 1 kaum etwas bei, zumal wenn Bar 20, 1 nach Hen 80, 2 auszulegen wäre; Barn 4, 3 ist später. Dagegen vgl gr Bar 9 (TSt V 1 [1899]): ursprünglich schien der Mond immer; zur Strafe aber verkürzte Gott die Zeit seines Leuchtens (ἐκολόβωσεν τὰς ἡμέρας αὐτῆς).

---

† κόλπος

a. Busen, Schoß: Hom Il 14, 219 *(Busen)*; Pind Olymp 6, 31; Callim Hymn 4, 214 *(Mutterschoß)*; auch medizinisch: Philo Spec Leg I 7. — Als Ausdruck mütterlichèr Liebe: Hom Il 6, 400, Epigr Graec 292, 1. — Beim Mahl der Platz des
5 Ehrengastes: Plin ep IV 22, 4; daher übertr als Ausdruck eines innigen Verhältnisses: Plut Cato Minor 33 (I 775 e). — Der κόλπος der Mutter Erde ist das Grab: Epigr Graec 56, 1; vom κόλπος des Meeres redet Hom Il 18, 140. 398 (κόλπος der Thetis); vom κόλπος der Unterwelt Epigr Graec 237, 3. — *b. Die als Tasche gebrauchte Busenfalte des Gewandes:* Hdt VI 125; sie dient zum Verbergen: Luc Hermot 37, daher übertr Theocr
10 Idyll 16, 16 vom Geizhals: ὑπὸ κόλπου (vl: -ῳ) χεῖρας ἔχων. — *c.* Allgemein *jede Wölbung* oder *Vertiefung*; so vom *Meerbusen* Pind Pyth 4, 49; Ditt Syll³ 92, 19; vom *Talgrund* Pind Olymp IX 131; auch medizinisch = *Fistel.*

In Septuaginta ist κόλπος vornehmlich Wiedergabe von חיק [1]: *a.* als Ausdruck ehelicher Gemeinschaft: Dt 13, 7; 28, 54; Sir 9, 1: von der Zugehörigkeit der Frau
15 zum Manne; von der Übergabe an den Mann: Gn 16, 5; 2 Βασ 12, 8 [2]; vom Mann als zur Frau gehörend: Dt 28, 56. — Als Ausdruck liebevoller Fürsorge für ein Kind: Nu 11, 12; 3 Βασ 3, 20; 17, 19; Rt 4, 16; Js 49, 22 (חֹצֶן); für ein Lamm: 2 Βασ 12, 3. — *b. Gewandbausch* Ex 4, 6 f; ψ 73, 11; 128, 7 (Ps 129, 7: חֹצֶן); Prv 16, 33; 17, 23; 6, 27. — Als Ort der Vergeltung: Js 65, 6 f; Ιερ 39, 18; ψ 78, 12. — *c.* allgemein: *Höhlung*
20 des Wagens: 3 Βασ 22, 35; *Vertiefung* des Altars: Ez 43, 13: κόλπωμα (anders v 14. 17). — *d.* κόλπος als Sitz der Nieren und damit der Empfindungen: Hi 19, 27; ψ 34, 13; 88, 51; Qoh 7, 9.

In der rabb Lit entspricht dem κόλπος: חיק, חב (Hi 31, 33), aram חיקא, חובא, עובא [3]. *a. Busen, Schoß:* bMQ 24 a: der im Alter von noch nicht 30 Tagen gestorbene
25 Säugling wird an der Brust der Mutter zu Grabe getragen. Das Heiligtum befand sich am Busen der Welt: בחיקו של עולם: Eka r z 3, 64 par [4]. Wer seine Heimat (Palästina) verläßt, verläßt den Schoß seiner Mutter j MQ 81 c Z 46 [5]. Auf den ehelichen Akt bezieht sich חיק in TJeb 9, 4. — *b. Gewandbausch:* Schab 10, 3; Joma 7, 1. — *c.* auch allgemein: bBQ 81 a (*Gezweig*); 119 b (*Band, Saum*); bErub 4 a (*Funda-*
30 *ment des Altars*, Ez 43, 13, = יסוד).

1. Im Neuen Testament begegnet κόλπος: *a.* als *Busen, Schoß*: J 13, 23: ἦν ἀνακείμενος εἷς ἐκ τῶν μαθητῶν αὐτοῦ ἐν τῷ κόλπῳ τοῦ Ἰησοῦ: er nahm beim Mahle den Ehrenplatz an Jesu Brust ein (→ ἀνάκειμαι 655, 1). Das gleiche Motiv, übertragen auf die Zugehörigkeit zur Gemeinde,
35 2 Cl 4, 5 in einem unbekannten Herrenwort: Ἐὰν ἦτε μετ᾽ ἐμοῦ συνηγμένοι ἐν τῷ κόλπῳ μου καὶ μὴ ποιῆτε τὰς ἐντολάς μου, ἀποβαλῶ ὑμᾶς. — Ohne die Vorstellung vom Mahl als Ausdruck engster Gemeinschaft J 1, 18: ὁ ὢν εἰς τὸν

κόλπος. Thes Steph, Pape, Pass(-Cr), Liddell-Scott, Moult-Mill, Pr-Bauer sv. — Zu 2: HGreßmann, Vom reichen Mann und armen Lazarus, AAB (1918) Nr 7; ESchwyzer, Der Götter Knie — Abrahams Schoß; in: GWackernagel-Festschr (1923) 283 ff; MMieses, OLZ 34 (1931) 1018 ff; BHeller ebd 36 (1933) 146 ff; Str-B II 225; Kl Lk zSt.

[1] Für צְלָחַת steht κόλπος Prv 19, 24; 26, 15; für חֵפֶן Prv 30, 4.

[2] Str-B II 160 falsch: „vergelten in gutem Sinne.“

[3] Zuweilen umschrieben in der Tg-Lit; zB Tg O Dt 13, 7: אֵשֶׁת חֵיקֵךְ = אִיתַּת קְיָמָךְ.

[4] Ebd von der Beschneidung: מילה שנתן[ה]נה בחיקו של אדם; ebenso Tanch Buber תצא § 10 (20 a). Pesikt r 12 (51 b): מילה שנתונה בחיק; vgl ebd 13 (53 b). Pesikt Buber 25 b: בחיקו של אדם הראשון; Bub (A 79) schlägt vor, nur אדם zu lesen; Cod Oxford (vgl Bub A 79) חיקו של אברהם. Aus dieser vereinzelten LA und aus Raschis Deutung zu bQid 72 b schließt Heller (→ Lit-A) 148: „urspr bedeutete < im Schoße Abrahams liegen > soviel als beschnitten werden.“ → A 10.

[5] אחיו של אותו האיש הגית חיק אמו וחיב חיק נכריה.

κόλπον τοῦ πατρός[6]. — *b.* als *Gewandbausch*: Lk 6, 38: μέτρον καλὸν ... δώσουσιν εἰς τὸν κόλπον ὑμῶν. — *c.* als *Bucht* Ag 27, 39: κόλπον . . . ἔχοντα αἰγιαλόν.

2. **Lk 16, 22f** ist religionsgeschichtlich bedeutsam: ἐγένετο δὲ ἀποθανεῖν τὸν πτωχὸν καὶ ἀπενεχθῆναι αὐτὸν ... εἰς τὸν κόλπον Ἀβραάμ · ἀπέθανεν δὲ καὶ ὁ πλούσιος καὶ ἐτάφη. καὶ ἐν τῷ ᾅδη ... ὁρᾷ Ἀβραὰμ ἀπὸ μακρό- 5 θεν καὶ Λάζαρον ἐν τοῖς κόλποις[7] αὐτοῦ. Man wird hierbei in erster Linie an das Mahl der Seligen, bei dem Lazarus den Ehrenplatz einnimmt, zu denken haben. Doch läßt sich auch der Gedanke, daß v 22f die liebevolle Gemein- schaft Abrahams mit Lazarus bezeichnet, ohne daß an das Mahl der Seligen gedacht ist, nicht ohne weiteres abweisen. Das rabbinische Judentum kennt 10 beide Vorstellungen[8].

Die Aufnahme in Abrahams Schoß begegnet in der Legende vom Martyrium der Mutter und ihrer 7 Söhne in Eka r (ed Buber [1899]) I p 43 a. Die Mutter spricht zu ihrem jüngsten Sohn: und du wirst in den Schoß unseres Vaters Abraham gebracht werden: ואתה נתן בתוך חיקו של אברהם אבינו[9]; Pesikt r 43 (180 b): willst du, daß alle 15 deine Brüder [ohne dich] in der künftigen Welt in Abrahams Schoß liegen sollen? מה אתה מבקש שיהיו כל אחיך נתונים בחיקו של אברהם לעתיד לבא. — bQid 72 a/b heißt es in einer Betrachtung, die sich als Vision des sterbenden Patriarchen Jehuda I. gibt, von einem verschiedenen Rabbi: heute sitzt er in Abrahams Schoß: היום יושב בחיקו של אברהם. Das κόλπος-Motiv gehört in einen größeren, wahrscheinlich vom 20 Judentum erst adoptierten Legendenkranz über Abrahams Wirken im Jenseits hinein. Außer dem Mahl-Motiv bzw dem Motiv vom Ruhen in Abrahams Schoß ist aus der Legende noch das Totenrichtermotiv — vgl Plat Resp X 614 b — bErub 19 a; Gn r 48 z 18, 1 b erhalten; freilich in einer Form, die keinen Zusammenhang mehr mit dem κόλπος-Motiv herzustellen erlaubt[10]. 25

Obwohl das κόλπος-Motiv als Grabinschrift geeignet ist, haben sich die Juden mit allgemeinen Formeln begnügt; zB Ἐνθάδε κῖτε Ἰακώβ. Μετὰ τῶν ὁσίων ἡ κ[ύ]μησις [α]ὐτ(ι)οῦ[11], dafür öfter: μετὰ τῶν δικέων. Auch die Christen begnügten sich in Toten- messen und auf Grabsteinen mit der allgemeinen Formel: μετὰ τῶν δικαίων ἀνάπαυσον τὸν δοῦλόν σου bzw τὴν δούλην σου[12]. Dagegen erscheinen in einem Totengebet der 30

---

[6] Hierzu die formale Par bJeb 77 a: Re- habeam saß im Schoße Davids: היה רחבעם יושב בחיקו של דוד (vgl Str-B II 363); eine ähnliche Vorstellung bei Cl Al Paed II 10, 105, 1, wo es von Lazarus heißt: ἀνέθαλλεν ἐν κόλποις τοῦ πατρός.

[7] Zum Plur Bl-Debr[6] § 141, 5.

[8] Zukunftsmahl zB Ex r 25 z 16, 4: Jahwe wird gleichsam oben an der Tafel liegen, die Erzväter u Gerechten zwischen seinen Füßen: כביכול מיסב למעלה מן האבות ואבות וכל הצדיקים בתוכו. Vgl Mt 8, 11. — Ohne Be- zugnahme auf das Mahl zB 4 Makk 13, 17: οὕτω γὰρ θανόντας ἡμᾶς (die 7 Märtyrerbrüder) Ἀβρααμ καὶ Ισαακ καὶ Ιακωβ ὑποδέξονται. Mieses (→ Lit-A) 1019 zitiert eine Jos-Ausgabe, die vor ὑποδέξονται liest: εἰς τοὺς κόλπους αὐτῶν (von A Rahlfs nicht notiert), was wahrscheinl christl Interpolation ist.

[9] Fehlt in den üblichen Ausgaben, auch bei Str-B; bGit 57 b (= Seder Elijahu r 28 [153]) sowie Eka r z 1, 16 setzen nur den Gedanken vom Empfange der Märtyrer, ohne das κόλπος- Motiv, durch Abraham voraus.

[10] Eine Rückführung des Liegens in Abra- hams Schoß auf einen Patenschaftsritus, den Abraham am Eingang des Hades vollzieht (Heller aaO), ist schwerlich haltbar und wohl nur eine geistreiche Vermutung. Die Deutung des κόλπος-Motivs auf den Patenschaftsritus ist erst in später Zeit belegbar. — Daß man auch Abrahams Pförtnerdienst mit der Be- schneidung in Zusammenhang bringt, ist ebenso haggadische Assimilation eines urspr fremden Motivs an jüd Denken wie dies auch bei der späten Deutung des κόλπος-Motives auf einen Patenschaftsakt der Fall ist.

[11] NMüller-NABees, Die Inschriften der jüd Katakombe am Monteverde zu Rom (1919) Nr 62.

[12] Ebd p 65. Zum Teil hat man schon um 200 das κόλπος-Motiv nicht mehr verstanden: Tertullian Marc IV 34 (CSEL 47 p 537): unde apparet sapienti cuique, qui aliquando Ely- sios audierit, esse aliquam localem determi- nationem, quae sinus dicta sit Abrahae, ad recipiendas animas filiorum eius, etiam ex nationibus. Dagegen heißt es bei Orig Comm in Lc 77 z 16, 23: ὅτε δυνατόν ἐστι μυρίους ἐν τῷ κόλπῳ ἅμα τοῦ Ἀβραὰμ ἀναπαύεσθαι .. — Eine humorvolle Darstellung vom Schoße Abrahams als dem Orte der Seligen am Bam- berger Dom, Fürstenportal, um 1240; zuletzt Atlantis 8 (1936) 753. [JLeipoldt.]

Const Ap VIII 41, 2 die Frommen, „die im Schoße Abrahams, Isaaks und Jakobs ruhen". Diese jüngere Formel, die wahrscheinlich unter Einfluß von Mt 8, 11 entstanden ist, hat eine Parallele in ihrer Unanschaulichkeit Semachoth VIII (p 7 b Z 26): mit zwei Schritten wirst du im Schoße der Gerechten liegen: בחיקם של צדיקים. Die Formel aus dem Totengebet in Const Ap VIII 41 ist auf saïdischen [13] sowie auf griechischen Grabsteinen Nubiens und Ägyptens in christlicher Zeit häufig: zB Preisigke Sammelbuch 2034: Ὁ θεός . . . ἀνάπαυσον τὴν ψυχὴν τοῖς δούλοις (!) σου πιστὰ (!) ἐν κόλποις Ἀβράμ καὶ Ἰσὰκ καὶ Ἰακώβ. Die Belege für die Inschriften reichen bis in das 12. Jhdt, ein Zeichen für die Beliebtheit dieses Motives. Der Grund für die nachhaltige Wirkung von Lk 16, 22 f in Ägypten liegt darin, daß Lk 16, 22 f dem alten ägyptischen Denken entgegenkam: Abrahams Schoß gilt als Ort der angenehmen Kühle; Lazarus steht frisches Wasser zur Verfügung v 24, während der Reiche in der Hitze des Hades schmachtet. Nun ist aber der Gedanke vom refrigerium, der Erquickung der Toten im Jenseits, seit alters in der ägyptischen Religion eingewurzelt [14], und zwar so fest, daß sogar in Rom Anhänger der ägyptischen Götter auf ihre Grabsteine setzen lassen: „Osiris gebe dir kühles Wasser" [15]. Wir werden also anzunehmen haben, daß das κόλπος-Motiv in Ägypten deswegen so weit verbreitet war, weil es den alten arteigenen Gedanken vom refrigerium im neuen christlichen Gewande darstellte.

Rudolf Meyer

† κονιάω

Aus κονία *Staub*; auch *Kalkstaub*. Das Wort findet sich in der Literatur seit Aristot[1]. *Mit Kalk bestreichen, übertünchen*. So öfter auf Tempelrechnungen (Beispiel: CMichel, Recueil d'Inscriptions Grecques [1900] 594, 95 ff [Delos]: τὴν θυμέλην [Opferherd] τοῦ βωμοῦ τοῦ ἐν τῆι νήσωι κονιάσαντι Φιλοκράτει). Vgl auch Ditt Syll [3] 695, 87 ff τοῖς... κατασκευάσασιν [κα]τὰ δύναμιν βωμοὺς πρὸ τῶν θυρῶν καὶ κονιάσασιν. — In LXX: Dt 27, 2. 4 (vom Weißen der Denksteine des Gesetzes) und Prv 21, 9 (ein Spruch der Volksweisheit: κρεῖσσον οἰκεῖν ἐπὶ γωνίας ὑπαίθρου [unter freiem Himmel] ἢ ἐν κεκονιαμένοις μετὰ ἀδικίας καὶ ἐν οἴκῳ κοινῷ) [2].

Ag 23, 3 nennt Paulus mit einem treffenden Bilde den Hohenpriester Ananias eine geweißte Wand (τοῖχε κεκονιαμένε), um das nur mühsam verdeckte schlechte Wesen des Hohenpriesters zu kennzeichnen. In gleicher Absicht hat Jesus Mt 23, 27 die Schriftgelehrten und Pharisäer um ihres heuchlerischen Wesens willen τάφοι κεκονιαμένοι [3] genannt. Das Bild, das Jesus gebraucht, ist überaus eindrucksvoll, wenn man bedenkt, daß in Palästina die Gräber aus kultischen Gründen im Frühjahr mit Kalk getüncht wurden und so den Pharisäern die Möglichkeit boten, sich von ihnen als Stätten der Unreinheit fernzuhalten. Die beißende Ironie des Wortes Jesu liegt nicht zuletzt darin, daß die Pharisäer das, was sie ängstlich meiden, selbst in ihrem Wesen darstellen [4]. So ist ein

---

[13] Hinweis auf die koptischen Grabinschriften von JLeipoldt.

[14] Es besteht daher die Annahme. daß äth Hen 22, 2. 9; ebenso jChag 77 d Z 55 ff uä unter ägyptischem Einfluß entstanden sind; vgl FCumont, Die oriental Religionen im röm Heidentum (1910) 276 A 90.

[15] Δοίη σοι ὁ Ὄσιρις τὸ ψυχρὸν ὕδωρ: Cumont ebd.

κονιάω. [1] S im einzelnen Liddell-Scott sv.

[2] Die 2. Hälfte des Satzes ist, ohne Grundlage im HT, von LXX selbständig gebildet.

[3] Das Pass hat in der außerbiblischen Gräzität eine Par in CIG I 1625, 16 ἐπισκε[υ]ασθῆναι καὶ κονι[α]θῆνα[ι].

[4] Vgl hierzu Str-B I 936 f. S auch KHRengstorf, z TJeb 3, 4 (Rabb Texte 34 f; bes A 24 u 25). TJeb 3, 4 stehen die Fragen: „Wie steht es mit dem Tünchen des Hauses?" und „Wie steht es mit dem Tünchen des Grabes?" Rengstorf weist (p 35 A 24) darauf hin, daß das Weißen der Häuser seit der Zerstörung Jerusalems vielfach aus Trauer über die Zerstörung des Heiligtums unterlassen wurde. — Über das Tünchen der Gräber, das nicht gesetzlich geboten war, aber einen wirksamen Schutz gegen die verunreinigende Berührung mit den Gräbern darstellte, s außer Rengstorf aaO (p 35 A 25) auch ELRapp z MQ 1, 2 (Gießener Mischna).

Doppeltes gesagt: *1.* die Pharisäer sind anders, als sie nach außen erscheinen; *2.* sie sind als unrein zu meiden; der Verkehr mit den „Reinen" macht unrein.

JohSchneider

---

† *κόπος,* † *κοπιάω* 5

κόπος bedeutet im Profangriechischen: *a.* der *Schlag*[1], die *Ermüdung*, in der man wie zerschlagen ist[2]; *b.* die diesen Zustand herbeiführende *Anstrengung* oder *Mühsal*[3]. Es ist in Prosa der eigentliche Ausdruck für die körperliche Ermüdung, die durch Arbeit, Anstrengung, Hitze uä hervorgerufen wird. κόπος, das die schwere Arbeit ausdrückt, ist Synonym zu πόνος, das mehr die angestrengte, angespannte Arbeit zB des Kämpfers im Kriege[4], die Anstrengung der Dienstboten u Handwerker[5] bedeutet. πόνος ist das ausdrückliche Wort für das angespannte Ringen des Heroen[6]. Wieder etwas anders als κόπος redet μόχθος von der Mühsal körperlicher oder seelischer Art, die eben das Los der Irdischen ist, ohne daß dabei ausdrücklich Arbeitsanstrengung der Grund sein müßte[7]. Das weitere Synonym κάματος 15 faßt mehr die Ermüdung an sich ins Auge, die mit anstrengender oder auch sorgfältiger Arbeit verbunden ist[8].

κοπιᾶν bedeutet entsprechend: *a. ermüden* Jos Bell 6, 142 οὔτ' εἶκον οὔτ' ἐκοπίων (im Kampf); *b. sich abmühen, abplagen,* von körperlicher und auch geistiger Anstrengung; zB als Grabinschrift von der ganzen mühevollen, schweren Lebensarbeit: 20 μετὰ τὸ πολλὰ κοπιᾶσαι[9], vergeistigt bei Philo, Mut Nom 254; Cher 41 (Rebekka κοπιῶσα ἐπὶ τῇ συνεχείᾳ τῆς ἀσκήσεως).

In Septuaginta steht κοπιᾶν bes in Wiedergabe von יגע; wie oben *a.* vom *Ermüden,* zB in der Kampfesarbeit 2 Βασ 23, 10, auch von dem leiblich-seelischen Ermüden des Angefochtenen unter Seufzen ψ 6, 7 u Schreien; wie oben *b.* vom *Sichabmühen* (ebenfalls 25 יגע), zB bei der Feldarbeit Jos 24, 13, Bauarbeit ψ 126, 1, Arbeit um Reichtum Hi 20, 18; Sir 31, 3, von der mühevollen Anstrengung des Gottesknechtes um sein Volk Js 49, 4. Das Subst κόπος ist in LXX meist Wiedergabe von עָמָל *Mühsal*[10]. Häufig steht es so neben πόνος ψ 9, 28; Jer 20, 18; Hab 1, 3. Das AT ist geneigt, das Leben pessimistisch zu betrachten. Es besteht zumeist aus drückender Arbeit und 30 Mühe ψ 89, 10. Der Mensch ist zu Mühsal geboren, so wie umgekehrt die Vögel zum Emporfliegen Hi 5, 7. So wird κόπος Terminus der at.lichen Leidensfrömmigkeit. Es

---

κόπος κτλ. AvHarnack, ZNW 27 (1928) 1 ff; Trench 352 f; Deißmann LO 265 f; HTKuist, Biblical Review 16 (1932) 245—249.

[1] Zu κόπος u κόπτω vgl etymologisch litauisch kapóti *kleinhacken,* altslav kopati *graben,* Boisacq 492; Walde-Pok I 559 ff. So scheint κόπος bes von harter Erdarbeit gebraucht.

[2] Hippocr Aphorismi 2, 5; Plat Resp VII 537 b (neben ὕπνοι); Jos Ant 1, 336; 2, 257; 3, 25; 8, 244. PMasp 32, 50 (neben σκυλμός [Schinderei, Reisemühe].

[3] Aesch Suppl 209; mit Wortspiel sprichwörtlich Makarius Paroimiographus V 22 (Leutsch-Schneidewin, Corpus Paroemiographorum Graecorum II [1851] p 180): κόπος κόπον λύει; Test Iss 3, 5: διὰ τοῦ κόπου ὁ ὕπνος μοι περιεγένετο; Hen 7, 3; 11, 1.

[4] πόνος μάχης Hom Il 16, 568; 6, 77; 17, 718; Synon zu πόλεμος 12, 348. 361.

[5] Pseud-Plat Ax 368 a/b vom βάναυσος: πονουμένων ἐκ νυκτὸς εἰς νύκτα.

[6] Bes des Herakles. πόνος ist dann Lieblingswort bei den Stoikern zB Epict Diss I 2, 15; II 1, 10. 13 f; wie bei Pls gern neben ἀγρυπνεῖν I 7, 30: οὐ πονήσομεν οὐδ' ἀγρυπ-

νοῦμεν ἐξεργαζόμενοι . . .; Harnack (→ Lit-A) 4 vermutet, daß Pls das profane πόνος deshalb vielleicht absichtlich vermieden hat. Im NT findet sich πόνος nur 4mal (Kol 4, 13; Apk 16, 10 f; 21, 4: im neuen Jerusalem οὔτε πένθος οὔτε κραυγὴ οὔτε πόνος). Entsprechend dem Profangriech gebraucht 1 Cl 5, 4 πόνος für die Mühen und Leiden der Apostel.

[7] Eur Phoen 784: πολύμοχθος Ἄρης, Hi 2, 9 ὠδῖνες καὶ πόνοι, οὓς εἰς τὸ κενὸν ἐκοπίασα μετὰ μόχθων. 20mal in Qoh (1, 3; 2, 10. 11. 18. 19. 20. 21 uö). Im NT 3mal, stets neben κόπος 2 K 11, 27; 1 Th 2, 9; 2 Th 3, 8.

[8] Theophr fr 7, 13: τῷ δὲ βραχίονι κοπιαρώτερον (ermüdend) διὰ κενῆς ῥίπτειν ἢ λίθον ἢ ἄλλο τι βάρος, διότι σπασματωδέστερον καὶ καματωδέστερον (anstrengend). Hom Od 9, 126 von der Arbeit der Schiffbauer.

[9] Bei Deißmann LO 265 A 1; ferner Grabinschrift CIG 9552, Rom: τείς [= ὅστις] μοι πολλὰ ἐκοπίασεν, vgl R 16, 6.

[10] In den kleinen Propheten für אָוֶן (Verkehrtheit, Unheil, Not) Mi 2, 1; Hab 3, 7; Sach 10, 2; von der Kampfesmühe Jakobs Hos 12, 4 (HT: אוֹן).

malt die *Lebens-* und *Leidensmühsal*, die dem Menschen, bes dem Frommen in der Welt zubestimmt ist und aus der Gott errettet (ψ 24, 18 neben ταπείνωσις; 87, 16; 106, 12; Hi 11, 16). Dementsprechend wird κοπ- auch wichtiger Gegensatzbegriff für die eschatologische Hoffnung. Mühsal der Gegenwart und erquickende Ruhe der Heilszeit (→ ἀνάπαυσις) treten einander gegenüber. In der Heilszeit wird es keine vergebliche Mühe mehr geben Js 65, 23. Wie Gott kein Ermatten kennt (Js 40, 28 ff), so wird der jetzt so vielgeplagte Mensch dann nicht mehr müde und schwach Js 33, 24 (חלה).

Im Neuen Testament steht κοπ- in der Bdtg:

1. *ermüden*, im eigentlichen Sinn J 4, 6 (ἐκ τῆς ὁδοιπορίας)[11], übertragen von der Bekennergemeinde, welche unter Anfechtung nicht müde geworden ist (Apk 2, 3, neben → ὑπομένω).

2. *sich abmühen, abplagen*, eigentlich Mt 6, 28 Par; Lk 5, 5; Eph 4, 28 (κοπιάτω ἐργαζόμενος ταῖς ἰδίαις χερσίν); 2 Tm 2, 6 (τὸν κοπιῶντα γεωργόν); übertragen und in eschatologischem Zusammenhang Mt 11, 28 f: Jesus, der Bringer der Heilszeit, wird denen, die sich bisher abmühten unter der Last der jüdischen Gesetzesforderungen, die erquickende Ruhe bringen[12]. κόπος hat in der Redensart κόπους παρέχειν[13] die allgemeine Bdtg *Mühe bereiten, belästigen* Mk 14, 6 Par; Lk 11, 7; 18, 5; Gl 6, 17. Im eschatologischen Zusammenhang der Leidensfrömmigkeit, welche für irdische *Mühsal* himmlische Erquickung erhofft, steht κόπος Apk 2, 2 (neben ὑπομονή und ἔργα) und 14, 13 (ἀναπαήσονται ἐκ τῶν κόπων αὐτῶν). Auch hier beendet die Verwirklichung des Heils die irdische Not und kehrt sie ins Gegenteil. Paulus, der als Apostel bevorzugter Diener Christi ist, hält es für normal und standesgemäß (Mt 5, 11 f), daß ihn zahlreiche *Lebensmühsale* treffen (2 K 6, 5: ἐν ἀκαταστασίαις, ἐν κόποις, ἐν ἀγρυπνίαις; 2 K 11, 27: κόπῳ καὶ μόχθῳ, ἐν ἀγρυπνίαις πολλάκις). Ja es hebt ihn in seinem apostolischen Selbstgefühl und seiner apostolischen Sicherheit, daß er mehr κόποι als die andern zu tragen hat (2 K 11, 23). In der Aufführung seiner ihn als Diener Christi ausweisenden Amtserfahrungen stehen die κόποι voran (2 K 11, 23). Passiver und aktiver Inhalt des Wortes (Mühsal, Mühe) gehen dabei ineinander über.

In letzterer Bedeutung ist dem NT eigentümlich die Verwendung von κοπ- für die *christliche Arbeit an der Gemeinde und für die Gemeinde*[14]. Der Gebrauch scheint von Paulus, bei dem er am ersten und häufigsten auftritt (19 mal), in die christliche Gemeindesprache eingeführt zu sein (Harnack). Er schildert damit zunächst seine eigene Arbeit (1 K 15, 10), für die als schwere Handarbeit κόπος ja das gegebene Wort war (1 K 4, 12; 2 Th 3, 8). Aber diese wie seine sonstige Gemeindearbeit gewinnt ihm den tieferen Sinn einer Mühe, die er für Christus auf sich nimmt (1 Th 2, 9). An sich war Paulus als Apostel von der Pflicht zur Handarbeit frei. Aber als früherer Verfolger der Gemeinde will er sich eine überpflichtmäßige Arbeit auflegen, für die er von Gott besonderen Lohn erhofft (1 K 9, 18, → μισθός), wie sie ihm persönlich einen „Ruhm" (→ καύχημα) bedeutet (9, 15). Mit κόπος schildert Paulus seine Arbeit für Christus als ermüdende, schwere

---

[11] Vgl Jos Ant 2, 321: ὑπὸ τῆς ὁδοιπορίας κεκοπωμένοι, von κοπόω (κοπόομαι = κοπιάω vgl Liddell-Scott); vgl Js 40, 31.

[12] JoachJeremias, Jesus als Weltvollender, BFTh 33, 4 (1930) 73.

[13] Deißmann B 262 ff; PTebt 21, 10.

[14] Harnack (→ Lit-A) 1 ff.

Mühe. Sie ist ihm Last, aber doch auch Stolz und Freude (2 K 11, 23; 1 K 15, 10). Das Arbeitsziel, um das sich Paulus ringend müht, besteht ihm darin, vollchristliche Menschen Christus darzustellen (Kol 1, 29: κοπιῶ ἀγωνιζόμενος). Wie der Lohnarbeiter, der für schlecht geleistete Arbeit keinen Lohn erhält, trägt er als begleitende Sorge (Gl 4, 11) und als stetigen Antrieb die Bangigkeit in 5 sich, daß seine Arbeit zuletzt keine Anerkennung finden könnte (1 K 3, 8) oder daß er durch widrige Umstände um den Lohn seiner Mühe gebracht werden könnte (1 Th 3, 5). Der Lohn ist dabei durchaus eschatologisch gedacht (Phil 2, 16).

Wie von der eigenen Arbeit gebraucht Paulus κοπ- auch von der *Missions-* und *Gemeindearbeit* der anderen (1 K 15, 58; 2 K 10, 15). Indem auch ihre 10 Arbeit ein Sichmühen im Herrn (R 16, 12) und für den Herrn und die Gemeinde ist (R 16, 6), ist sie erhöhter Anerkennung wert (1 K 16, 16; 1 Th 5, 12). Der Grundtrieb dieser mühevollen Arbeit ist die Liebe (1 Th 1, 3: κόπου τῆς ἀγάπης Liebesarbeit). In 1 Th 5, 12 ist bei τοὺς κοπιῶντας ἐν ὑμῖν (neben προϊστάμενοι) wohl schon an Gemeindebeamte gedacht, wenn auch freiwillige Kräfte 15 keineswegs ausgeschlossen scheinen[15].

Dieser eigentümlich paulinische Sprachgebrauch ist dann auch auf die Pastoralbriefe (1 Tm 4, 10; 5, 17), J (4, 38) und die Ag (20, 35) übergegangen. Dagegen tritt die Anwendung im 2. Jhdt wieder ganz zurück (Barn 19, 10). κοπιᾶν wurde vielleicht als Ausdruck für grobe Arbeit bei der gesteigerten Ehrung 20 der Gemeindebeamten nicht mehr als voll angemessen empfunden[16]. 1 Cl 5, 4 redet wieder von den πόνοι der christlichen Helden und Märtyrer.

Hauck

┌─────────────────────────────────────┐
│ *κοπετός, κόπτω, ἀποκόπτω,*   │
│ *ἐγκοπή, ἐγκόπτω, ἐκκόπτω*   │   25
└─────────────────────────────────────┘

† *κοπετός,* † *κόπτω*

Inhalt: A. Die allgemeine Sitte der Totenklage: 1. Das *Schlagen* bei der Trauer; 2. Die heftige Totenklage des Ostens; 3. Die Haltung beim κοπετός; 4. Der Ursprung der lauten Totenklage. — B. Die Totenklage in der griechisch-römischen Welt: I. Die volkstümliche Totenklage: 1. Alter und Herkunft der Sitte; 2. Angriffe von 30 seiten des Staats und der Philosophie; 3. Bedeutungswandel und Konstruktionen von κόπτομαι; 4. Die Beteiligung der Geschlechter am κοπετός. — II. Die Totenklage im

---

[15] DobTh 215 f.
[16] Harnack, aaO 7.

κοπετός κτλ. Pr-Bauer[3] 735 f; Trench 151 f; Buttmann § 131, 4. Zu A—B: Rohde[9.10] (1925) I 220 ff; CSittl, Die Gebärden d Griechen u Römer (1890) 65—78 (Kp IV: Totenklage); KFAmeis-CHentze, Anhang z Homers Ilias VIII[3] (1886) 136 ff (z Il 24, 677 ff; hier auch weitere Lit); Handbuch der klass Altertumswiss IV 1, 2: IvMüller-ABauer, Die griech Privat- u Kriegsaltertümer[2] (1893) 214; ebd IV 2, 2: HBlümner, Die röm Privatalter-

tümer[2] (1911) 486; JGFrazer, The Golden Bough IV: Adonis Attis Osiris I[3] (1914), II[3] (1927). — Zu C: RE[3] XX 83, 36—90, 50 (RZehnpfund, Trauer u Trauergebräuche bei d Hebräern); Hastings DB III 453 ff (TNicol, Mourning), in beiden Artk auch weitere Lit; KFKeil, Handbuch d bibl Archäologie II (1859) 101 ff; WNowack, Hbr Archäologie I (1894) 192 ff; JBenzinger, Hbr Archäologie[3] (1927) 133 ff; ABertholet, Kulturgeschichte Israels (1919) = A History of Hebrew Civilization (1926); HJElhorst, Die israelitischen Trauerriten, ZAW Beih 27 (1914) 115 ff; WBaumgartner, Die Klagegedichte des Jeremia, ZAW Beih 32 (1917); HJahnow, Das hbr Leichen-

A. Die allgemeine Sitte der Totenklage.

20   1. Es ist dem Griechischen mit einer Reihe anderer Sprachen des
Westens wie des Ostens gemeinsam, daß Verben mit der Grundbedeutung *schlagen* die
sekundäre Bedeutung *trauern* annehmen. Das hebräische ספד[1], das lateinische *plangor*[2],
das gotische *flōkan* zeigen Bedeutungsbilder, die dem des Med[3] von κόπτω ganz parallel sind. κόπτομαι, urspr *sich schlagen*, hat im NT[4] nur mehr die eine Bdtg *trauern,
wehklagen*, und das Subst κοπετός[5] hat durchweg die hiervon abgeleitete Bdtg *Trauer,
Totenklage*. Diese Sprachverhältnisse allein bezeugen, daß ein Schlagen irgendwelcher
Art ein, wenn nicht das charakteristische Stück der Totenklage war. In der Tat
sah man, wo immer der Tod in ein Haus eingekehrt ist, Frauen „schmerzvoll an die
Brüste schlagend, bleich mit aufgelöstem Haar", nicht nur wie hier (in Schillers
30 „Siegesfest") an der Grenze des Ostens und Westens, sondern hüben wie drüben, und
im Osten sieht man es noch heute überall.

Menschen schlagen sich selbst, in Reaktion vornehmlich auf zwei starke Gefühle,
Reue (→ A 128) und Schmerz. Schmerz zum Schmerze! Der Schmerz der Seele ist so
überwältigend, daß der Mensch des körperlichen Schmerzes nicht achtet; und durch
35 die Selbstverletzung bezeugt er — das tritt im Fall der Reue wie des Leides vielfach
als sekundäres Motiv hinzu — die Echtheit seines Schmerzes. Darum auch in zahlreichen Kulturen das Zerkratzen der Wangen[6] und der Brust[7], Einritzungen an verschiedenen Stellen des Körpers[8] und andere Selbstverwundungen. Es mag sein, daß
es dabei für manche Völker wesentlich war, daß Blut floß, wenngleich nicht in jedem
40 Fall anzunehmen ist, daß es sich um ein ursprüngliches Blutopfer handelt, das etwa
gar an die Stelle ursprünglicher Menschenopfer getreten wäre — Opfer, durch die

---

lied im Rahmen der Völkerdichtung, ZAW
Beih 36 (1923); PHeinisch, Die Totenklage im
AT (= Bibl Zeitfragen XIII 9/10 [1931]): im
Folgenden = Heinisch Totenklage; Ders, Die
Trauergebräuche bei den Israeliten (= Bibl
Zeitfragen XIII 7/8 [1931]): im Folgenden =
Heinisch Trauergebräuche. — Zu D: JHam-
burger, Realencyklopädie des Judt I u II
(1896) sv Trauer, Kaddisch; MGuttmann, מפתח
התלמוד Clavis Talmudis I (1906) sv אבל, II
(1907) sv אונן; SKrauß, Talmudische Archäologie II (1911) 54 ff; Str-B I 521 ff; IV 578 ff.
[1] Vgl zB Jer 22, 18 mit Js 32, 12 sowie u C.
[2] Vgl zB Aug Confessiones III 11, wo das
Verbum sich lediglich auf Weinen bezieht,
mit dem Wortspiel in dem *mortuos plango*
der Glocke.
[3] Nur einmal (Aesch Choeph 423) findet
sich in einer fig etym das Aktiv: κόπτειν
κομμόν. Sonst steht auch in fig etym das
Med, zB LXX Gn 50, 10; Sach 12, 10.

[4] Das Akt in der urspr Bdtg *(ab)schlagen*
findet sich nur an einer Stelle: Mk 11, 8 par.
[5] Gleichbedeutende Nebenformen sind κομμός (Bion, ed UvWilamowitz-Möllendorf in
Bucolici Graeci [1905] 1, 97; → auch A 3) und
κόπος (Aesch Suppl 209; Eur Tro 794: κόπος
στέρνων). κομμός entfernt sich bereits in der
klassischen Periode von der urspr konkreten
Bdtg und nimmt die Bdtg *Klagelied* an, wodurch es synonym mit → θρῆνος wird (vgl
Aristot Poët 12 p 1452 b 18. 24).
[6] Vgl Nonnus Dionys 24, 182 ua; vgl Sittl
(→ Lit-A) 68.
[7] Hom Il 19, 284 f; vgl zB AOB Nr 665
(Byblos); Statius Thebais (ed AKlotz [1908])
6, 178; Heinisch Trauergebräuche 58.
[8] Vgl Jer 16, 6; 41, 5 (LXX 48, 5: κοπτόμενοι → C I 1); 48, 37 (Moab; LXX 31, 37:
κόψονται, s ebd); 47, 5 (Philistaea; LXX 29, 5:
κόψεις in anderer Verbindung u Bdtg → A 56),
auch BMeißner, Babylonien u Assyrien I
(1920) 425.

entweder die um ein Sterbehaus besonders geschäftigen bösen Geister besänftigt oder
das Verlangen des Toten nach Blut gestillt oder der Tote selbst vor den Dämonen
geschützt werden sollte[9]. Es wird, zumal für spätere Zeiten, vielfach näher liegen,
die Erklärung in dem unmittelbaren Bedürfnis zu suchen, den Schmerz gewaltsam
zu äußern und ihn am eigenen Leibe sichtbar zu machen. Zumal das Schlagen 5
der Brust[10], der Wangen[11] oder des Kopfes[12] ist schwerlich aus solchen
Opfern herzuleiten, wenngleich auch hier der Gedanke an kultische Hintergründe
nicht völlig von der Hand zu weisen sein wird; denn auch hier mag der alte Glaube
verstärkend mitgewirkt haben, „daß der unsichtbar anwesenden Seele des Geschiedenen die heftigsten Äußerungen des Schmerzes um seinen Verlust die liebsten 10
seien"[13].

2. Was vom κοπετός im engeren Sinne gilt, gilt weithin auch
vom κοπετός im weiteren Sinne, von der *Totenklage* im allgemeinen.
Sie ist meist von stiller Trauer weit entfernt, zeigt vielmehr häufig mannigfache Züge
übertriebener Heftigkeit. Und zwar kann man wohl mit einer gewissen Verallge- 15
meinerung sagen: je weiter man nach Osten kommt, desto lauter werden die Klagerufe, desto unbeherrschter und anhaltender das Klagegeheul, desto länger die Klagegesänge[14]. Die antiken Völker des Ostens, zT auch ihre heutigen Nachfahren, zeigen,
was die Trauersitten anlangt, bemerkenswerte Gemeinsamkeiten. In Ägypten ist der
Todestag „der Tag des Wehgeschreis"[15], dessen Trägerinnen die Frauen der Familie 20
zusammen mit bezahlten Klagefrauen sind. Wildes, anhaltendes Jammern wechselte
mit Trauergesängen; aber zwischen den einzelnen Liedern und Strophen erschollen
wiederum laute Klagerufe wie „Wehe über das Unglück!", „O süßer Vater, mein
Herr!" udgl[16].

Ähnlich, vielfach offenbar noch pompöser war die Ausgestaltung der Totenklage in 25
Babylonien; denn wir erfahren von einem umfangreichen Personal gemieteter Klageleute, das bei Trauerfällen in Aktion trat[17], und auch die Sitten der zwischen Babylonien und Ägypten wohnenden Völker, der Syrer, Araber und Israeliten[18] entsprachen
in wesentlichen Zügen denen der beiden Herrschervölker.

3. Die allgemein übliche Haltung beim κοπετός im weiteren 30
wie im engeren Sinne war die charakteristische Haltung der Trauer: die Klagenden
saßen auf der Erde[19] — im Staube, von dem der Mensch genommen ist und zu dem
er zurückkehrt — und schlagen sich Brust und Wangen; nicht nur solange der Tote
im Hause war, sondern auch während der Pausen im Leichengefolge setzte man sich
nieder um zu klagen[20]. Daneben aber ist wenigstens für das heutige Palästina und 35
Syrien, besonders aber für das alte wie das moderne Ägypten, ein Totentanz der
trauernden Frauen bezeugt, bei dem sie sich (in Ägypten) zum Rhythmus des Tam-
burins die Wangen schlagen[21].

4. Die Antwort auf die Frage nach dem Ursprung der lauten
Totenklage wird auf ähnlichen Wegen gesucht werden müssen wie für den 40
κοπετός im engeren Sinn. „Die heftige Klage gehört bereits zum Cult der abge-
schiedenen Seele", sagt Rohde[22]. Damit mag es zusammenhängen, daß wir die
Gebärden der Trauer so häufig auf ägyptischen Tempelbildern dargestellt finden[23].
Aber bei manchen Völkern mag die laute Klage geradezu auch einen entgegen-

---

[9] Vgl Heinisch Trauergebräuche 60—66.
[10] zB Js 32, 12; Lk 23, 48; Luc De Luctu 12.
[11] zB LXX Ez 6, 9; 20, 43; vgl PKahle,
Die Totenklage im heutigen Ägypten, in
Eucharisterion f HGunkel I (1923) 346 ff.
[12] Vgl Il 22, 33 (→ A 25), vielleicht auch
Jer 2, 37; vgl Lk 23, 48 D; → A 105.
[13] Rohde[9.10] I 222 f.
[14] Von der Heftigkeit des orientalischen
und zwar des „indischen" κοπετός entwirft
Nonnus Dionys 24, 181 ff ein eindrucksvolles
Bild:
καὶ γόος ἄσπετος ἔσκε · φιλοθρήνων δὲ γυναικῶν
πενθαλέοις ὀνύχεσσι χαρασσομένων κύκλα προσώπου,
καὶ μεσάτου στέρνοιο διεσχίζοντο χιτῶνας
στήθεα γυμνώσασαι, ἀμοιβαίῃσι δὲ ῥιπαῖς
τυπτομένων παλάμῃσιν ἴτυς φοινίσσετο μαζῶν
αἱμοβαφής.
[15] Im sog Harfnerliede AOT I 29.

[16] Vgl AErman-HRanke, Ägypten u ägyptisches Leben im Altertum (1923) 364 f.
[17] Vgl Meißner (→ A 8) II (1925) 67. 95;
AOT 275 (Tafel 2 Z 41).
[18] → C I 3; D 3 a.
[19] Vgl Thr 2, 10; Hi 2, 13; Ez 8, 14; 26, 16
ua; dazu Heinisch Totenklage 19 f; Trauergebräuche 36 ff; Meißner (→ A 8) I 425; Er-
man-Ranke (→ A 16) 364.
[20] → D 3 a (vor A 86).
[21] Zum Tanz bei der Totenklage vgl ua:
AWiedemann, Das Alte Ägypten (1920) 368.
372 f; Blümner (→ Lit-A) 493; PKahle, in:
FRL 19, 1 (1923) 349; Heinisch Totenklage
19 f; Trauergebräuche 57 ff.
[22] Rohde[9.10] I 222 f; vgl auch die Literatur-
angaben OWeinreichs ebd p IX ff; zum AT:
Bertholet 96. 269.
[23] Vgl CJBall, Light from the East (1899) 119.

gesetzten Ursprung gehabt haben. Wie die verschiedenen Formen der Selbstverwundungen verfolgen vermutlich auch die lauten Rufe, verbunden mit Lärm von mancherlei
Art (vgl Mk 5, 38 f), der sich hier und da bei der Totenklage findet, die Absicht, die
bösen Geister, die ein Trauerhaus in besonderem Maße bedrohen, ja vielleicht den
5 Geist des eben Verstorbenen selbst zu verscheuchen [24]. Doch trifft diese Deutung
sicher dort nicht zu, wo die Klagerufe die Liebe der Trauernden unmittelbar spüren
lassen, wie zB jene ägyptischen Rufe (→ bei A 16) und namentlich die Totenklage in
Israel. Hier sind offenkundig der Schmerz der Zurückgebliebenen, die Ehre des Toten
und die Erweckung des Mitgefühls in den anwesenden Bekannten die Hauptmotive
10 der Totenklage (→ B I 4).

B. Die Totenklage in der griechisch-römischen Welt.

I. Die volkstümliche Totenklage.

1. Beide Formen des κοπετός — das Schlagen des Körpers wie
die laute Klage — sind bereits für die frühesten Zeiten des griechischen
15 Kulturkreises bezeugt. Homer schildert die Sitte des eigentlichen κοπετός nicht
nur bei den Troern (Il 22, 33 von Priamos: κεφαλὴν [25] δ' ὅ γε κόψατο χερσὶν ὑψόσ'
ἀνασχόμενος), sondern auch bei den Griechen (Il 19, 284 f: Briseïs [26] beim Anblick des
toten Patroklos χερσὶ δ'ἄμυσσεν στήθεα, zerkratzte sich mit den Händen die
Brust). Man mag vermuten, daß diese gewaltsamen Trauersitten, wie ähnliche Ge-
20 waltsamkeiten in gewissen Kulten, ihre Heimat im Orient haben, der in jeder
Hinsicht zu einer starken Äußerung seiner Gefühle neigt (→ oben bei A 14). Jedenfalls scheint der κοπετός am leidenschaftlichsten innerhalb des griechischen Kultur-
gebiets in den später hellenisierten Teilen des Ostens geübt worden zu sein, und es
ist bezeichnend, daß der Orient nach wie vor Vorbild für die vollkommenste Aus-
25 übung dieser Sitte blieb: Elektra (Aesch Choeph 418 ff) vergleicht ihren κομμός (→ A
3 u 5) mit der persischen Totenklage, um die Stärke ihres Schmerzes zu betonen (vgl
auch Aesch Pers 683).

2. Von hier aus versteht man es immerhin, daß Solon es für not-
wendig fand (→ 149,23), gegen die für griechisches Empfinden übertriebenen Auswüchse der
30 Trauersitten einzuschreiten (Plut Solon 21 [I 90 c]: ἀμυχὰς κοπτομένων ἀφεῖλεν, *er beseitigte
die Sitte des Zerkratzens bei der Totenklage* [27]). Seine gesetzgeberischen Bestimmungen fanden auch in anderen Landesgesetzen Nachahmung, ua sogar im römischen
Zwölftafelgesetz. Trotzdem blieb allenthalben das κόπτεσθαι ἐπὶ τεθνηκότι in Übung,
wie es namentlich durch zahlreiche Vasenbilder bewiesen wird, und zwar behauptete
35 es seinen Platz an zwei Stellen der Trauerfeierlichkeiten, bei der Ausstellung (πρόθεσις)
der Leiche im Hause und bei der Bestattung selbst [28]. In Rom fanden die Trauergebräuche trotz der Einschränkungsversuche des Zwölftafelgesetzes und Sullas immer
üppigere Ausgestaltung, und die Angehörigen aller Klassen legten Wert auf größt-
möglichen Pomp bei der Bestattung; um die hohen Ausgaben, nicht zuletzt für die
40 zahlreichen Klageleute (→ B I 4), aufbringen zu können, bildeten sich die bekannten Begräbnisvereine, die gegen Zahlung regelmäßiger Beiträge die Kosten der
Bestattung ihrer Mitglieder trugen [29]. Eine Schilderung des κοπετός aus römischer
Zeit mit allen wesentlichen Einzelzügen bietet Lucian in De Luctu 12: Οἰμωγαὶ δὲ
ἐπὶ τούτοις καὶ κωκυτὸς γυναικῶν καὶ παρὰ πάντων δάκρυα καὶ στέρνα τυπτόμενα καὶ
45 σπαραττομένη κόμη καὶ φοινισσόμεναι παρειαί, καί που καὶ ἐσθὴς καταρρήγνυται καὶ κόνις
ἐπὶ τῇ κεφαλῇ πάττεται.

Mehr als die Angriffe auf die Sitte des κοπετός von Staats wegen richteten auch
die von seiten der hellenistischen Popularphilosophie nicht aus, die offenbar

[24] Vgl Heinisch Trauergebräuche 95 ff.
[25] Männer, die den — gleichfalls zum Zeichen der Trauer geschorenen (vgl Sittl [→
Lit-A] 66; Heinisch Trauergebräuche 42 ff)
— Kopf schlagen, werden auch häufig auf
attischen Vasen usw abgebildet (vgl Rohde I
221 A 2 u Sittl aaO; OBenndorf, Griechische
u sicilische Vasenbilder [1868 ff] 6 [bei Rohde]).
[26] Es ist kaum anzunehmen, daß sich die
Trauer der Briseïs, wie Sittl (65 [6]) will, nur
auf ihr eigenes Mißgeschick bezieht. Ebensowenig entspricht wohl seine Geschichtskonstruktion, nach der er für eine für uns
greifbare erste griechische Periode die ge-

waltsamen Gesten ausschließen will, dem
historischen Tatbestand.
[27] Vgl auch ebd 12 (I 84 d): Solon milderte
bei den Leichenfeiern τὸ σκληρὸν καὶ τὸ
βαρβαρικὸν ᾧ συνείχοντο πρότερον αἱ πλεῖ-
σται γυναῖκες (vgl Rohde 225 A 3).
[28] Vgl Rohde 224 f; JMüller (→ Lit-A) 214;
Blümner (→ Lit-A) 486. — Allerdings war an
verschiedenen Orten, so in Delphi, Keos und
anderswo, das Wehklagen außerhalb des Hauses verboten; insbesondere hatte sich der
Trauerzug vom Hause zum Grabe in tiefem
Schweigen zu bewegen (Rohde 225).
[29] Vgl Blümner 488 f.

immer noch den orientalischen Charakter der Sitte empfand und den κοπετός mitsamt
den übertriebenen Leichengesängen und dem Klagegeschrei als abscheulich verwarf [30].
Der κοπετός im eigentlichen Sinn war längst für das Volksempfinden ein allzu wesentlicher Bestandteil der Trauersitten geworden, wie es der Bedeutungswandel von
κόπτομαι selber anzeigt, als daß er sich durch Gewalt oder Vernunft hätte entfernen 5
lassen.

3. Wie schon eingangs erwähnt (→ 830, 20 ff), war der κοπετός als
Hauptbestandteil der Totenklage auf dem Wege der Synekdoche schon in früher
Zeit zu einer Sammelbezeichnung für diese selbst wie für *Trauer* überhaupt geworden.
Vielleicht ist das Verb schon bei Aesch Pers 683: (πόλις στένει, κέκοπται) so allgemein 10
zu verstehen, desgleichen bei Plat Resp X 619 c: (κόπτεσθαί τε καὶ ὀδύρεσθαι τὴν αἵρεσιν);
Eupolis fr 347 = CAF I p 349: (ὅσος δ᾽ ὁ βρυγμὸς καὶ κοπετός ἐν τῇ στέγῃ); Anth Pal XI
135, 1: μηκέτι, μηκέτι, Μᾶρκε, τὸ παιδίον, ἀλλ᾽ ἐμὲ κόπτου υὄ. Ganz allgemein wird
κόπτομαι und κοπετός in der nt.lichen Zeit und später (vgl Plut Sol 21 [→ 832, 30];
Liban ed JJReiske IV [1797] p 149, 4 ff) in diesem Sinne gebraucht. Vgl auch Schol 15
z Aristoph Lys 397 (ed GDindorf [1823] II p 103): κόπτεσθαι δὲ κεφαλὴν χερσίν, ὅτι ἐντελῶς
λέγεται, κόπτεσθαι κατὰ μόνας ἀτελῶς. καὶ κόπτεσθαι τὸ πενθεῖν. ὅθεν κοπετός, τὸ πένθος,
ὁ θρῆνος. — Hesych: κοπετός· θρῆνος μετὰ ψόφου χειρῶν.

Diesem Bedeutungswandel entspricht ein **Wechsel der Konstruktion
des Verbums.** Ursprünglich, wie das parallel gebrauchte τύπτειν [31], mit dem Acc des 20
geschlagenen Körperteils verbunden (vgl Hom Il 22, 33; Schol z Aristoph Lys 397
(→ Z 16); auch Ev Pt 8, 28: κόπτεσθαι τὰ στήθη) [32], steht κόπτομαι bald absolut (Aesch
Pers 683, Plat Phaed 60a; Mt 11, 17; 24, 30) oder mit Angabe des Betrauerten im
Acc (Aristoph Lys 396; Anth Pal XI, 135, 1; Lk 8, 52 [33]; vgl auch Luc Syr Dea 6:
μνήμην sc des Adonis τύπτονται) bzw (in Anlehnung an das Hbr) mit ἐπί und Acc 25
(zB Apk 1, 7; → A 126) oder auch ἐπί und Dat (Sach 12, 10 vl; Apk 18, 9 vl).

4. Eine Frage bedarf noch gesonderter Behandlung, die nach
der **Beteiligung der Geschlechter** am κοπετός. Wie für andere im Orient
beheimatete religiöse Gebräuche (zB die thrakischen Mysterien) ist es auch für den
κοπετός bezeichnend, daß vor allem Frauen seine Träger waren, und zwar selbst schon 30
in alten Zeiten, wie es scheint, bezahlte Frauen (gelegentlich neben gemieteten
Klagemännern). In Ägypten begleiten Scharen von Klageweibern den Toten zum
Grabe und stimmen ihre Leichenlieder unterbrochen von einzelnen Klagerufen an [34].
In Babylonien ist die Klage der „Totenkläger" [35] sprichwörtlich geworden [36]; sogar in
der „Höllenfahrt der Ištar" erscheinen sie anläßlich der Totenklage um Tammuz [37]. 35
Ähnliche Sitten bestanden in Syrien, Palästina und anderswo [38]. Diese Frauen haben
überall die Aufgabe, 1. den Schmerz der Angehörigen vollkommener und vor allem
pomphafter zum Ausdruck zu bringen, als diese selbst es vermögen, 2. den Ruhm des
Toten in ihren Leichenliedern zu erhöhen [39], 3. in allen, die sie hören, außer Verehrung für den Toten, Mitgefühl mit den Hinterbliebenen und Teilnahme an der 40
Klage zu erwecken — darum der häufige Eingang „weint, klagt, trauert" udgl —,
endlich aber 4. den Schmerz der Angehörigen durch allerlei tröstliche Gedanken [40]
zu lindern.

In Griechenland treten klagende Frauen schon bei Homer in den Totenklagen um
Patroklos (Il 19, 284) und Hektor (24, 722: ἐπὶ δὲ στενάχοντο γυναῖκες) hervor. Den 45
gleichen frühen Bestand der Sitte bezeugen auch altgriechische Vasenbilder wie das
bei Rohde ([9. 10] 224) beschriebene, wo eine ganze Schar wehklagend das Haupt schlagender Weiber dem Leichenwagen und einem Trupp von Männern folgt. Ob es in so
früher Zeit bei den Griechen, neben einem Personal von Vorsängern (→ θρηνέω
149, 16 f), schon bezahlte Klageweiber gab, ist fraglich, immerhin mag man ein 50
Spiegelbild der Volkssitten in poetischen und künstlerischen Darstellungen finden,
wenn zB bei Hom (Od 24, 60 f) die neun Musen in der Eigenschaft von Klagefrauen

---

[30] Plut Consolatio ad Uxorem suam 4 (II
609 b): ἡ θρήνων ἄπληστος ἐπιθυμία καὶ πρὸς
ὀλοφύρσεις ἐξάγουσα καὶ κοπετοὺς *(die ebenso zu
lautem Klagegeschrei wie zu wildem Brüsteschlagen fortreißt)* αἰσχρὰ μὲν οὐχ ἧττον τῆς περὶ
τὰς ἡδονὰς ἀκρασίας.
[31] Vgl Luc De Luctu 12: στέρνα τυπτόμενα,
Lk 23, 48: τύπτοντες τὰ στήθη, auch 18, 13.
[32] Anders konstruiert die LXX Js 32, 12:
ἐπὶ τῶν μαστῶν κόπτεσθε.
[33] → A 99.
[34] Vgl AOB Abb 195 f uo (→ 831, 19 ff).

[35] Meißner (→ A 8) I 424. 427.
[36] AOT 275; Tafel 2, Z 39 ff.
[37] Vgl AOT 210; Meißner II 67 u 95; → auch
u 834, 27 ff.
[38] Für Syrien vgl AOB 665; zum Ganzen
Heinisch Totenklage 10 f; hier auch über
moderne Gebräuche in Arabien, Ägypten,
Korsika usw, in denen das uralte Zeremoniell
der Totenklage fortlebt.
[39] Vgl ebd 31 ff.
[40] Solche Trostgründe s ebd 36 ff.

und auf Grabreliefs in ähnlicher Weise Sirenengestalten erscheinen, „welche sich mit der einen Hand die Haare raufen, mit der andern die Brust schlagen"[41].

Solon (s o → 832, 28 ff) wollte das Recht zur Totenklage auf die Frauen der nächsten Verwandtschaft einschränken; immerhin scheint auch in Athen ein Gefolge gemieteter karischer Weiber und Männer, die ihre heimischen Trauerweisen anstimmten, gestattet gewesen zu sein — auch dies wieder ein Zeugnis dafür, daß der Orient als Vorbild im κοπετός empfunden wurde[42]. Wiederum bezeugt Platon (Resp X 605 d) auch für Epos und Tragödie die Existenz von κοπτόμενοι. Sokrates freilich wollte nicht einmal die Klage seiner eigenen Gattin hören; auf seinen Wunsch ἐκείνην ἀπῆγόν τινες τῶν τοῦ Κρίτωνος βοῶσάν τε καὶ κοπτομένην (Plat Phaed 60 a). Aber im ganzen halten sich nicht nur in der klassischen, sondern auch in der hellenistisch-römischen Zeit, wo ein neuer Zustrom orientalischer Einflüsse einsetzt, die Frauen bei der Totenklage durchaus im Vordergrund. Plut Fab Max 17 (I 184 d) spricht von κοπετοὶ γυναικεῖοι, Luc De Luctu 12 von κωκυτὸς γυναικῶν, Statius (Thebais 6, 178 → A 7) von Frauen, die 'Haar und Brust nicht schonend' wehklagen, und das bekannte Grabrelief der Haterier[43] zeigt auch vor allem Frauen mit aufgelösten Haaren sich die Brüste schlagend[44]. Aber hier und da, zB gerade in den hellenisierten Teilen des Orients, ist kein deutlicher Unterschied zwischen der Beteiligung der beiden Geschlechter an der Trauer feststellbar; beide schlagen sich die Brust, beide raufen sich das Haar, beide kratzen sich die Wangen blutig usf[45]. Vor allem ist auch für den Osten wie für den Westen ein bezahltes Klagepersonal beiderlei Geschlechts bezeugt.

II. Die Totenklage im Kultus (→ θρηνέω 149, 37 ff).

1. Außer in der privaten Totenklage mit ihren vielleicht ursprünglich kultischen Hintergründen findet sich der heftigste κ ο π ε τ ό ς in der östlichen wie in der griechischen Welt als eigentlich religiöse Zeremonie, nämlich i n jenen K u l t e n, in deren Mittelpunkt Tod und Wiederbelebung einer Gottheit standen.

Das AT erwähnt einmal (Ez 8, 14) die r i t u e l l e T o t e n k l a g e um eine jener o r i e n t a l i s c h e n G o t t h e i t e n, um den babylonischen Tammuz, dem eine große Anzahl von religiösen Klagegesängen gewidmet war[46]. Sein Kultus hatte neben zahlreichen Einzelzügen den entscheidenden Grundzug mit den Kulten des syrischen Adonis, des phrygischen Attis und auch des ägyptischen Osiris gemeinsam: Wie dort Ištar um Tammuz, so klagen hier Astarte um Adonis, Kybele um Attis[47], Isis um Osiris[48], und wie diese Göttinnen der uralten Kultlegenden um den göttlichen Geliebten wehklagen, so tun es ihnen ihre menschlichen Verehrer nach, an jenen Tagen der großen Jahresfeste, die dem Gedächtnis des sterbenden Gottes gewidmet sind, mit allen den ausdrucksvollen Handlungen, mit denen der Orient sich der Trauer hinzugeben pflegt[49].

2. Zweifellos vom Osten beeinflußt, zT unmittelbar von dort übernommen sind die entsprechenden Riten i n d e n g r i e c h i s c h e n M y s t e r i e n - r e l i g i o n e n, deren Mythus gleichfalls der der sterbenden und wiedererstehenden Gottheit ist. Zu den zentralen Stücken dieses Mythus gehören stets die laute Klage um den in schrecklicher Weise ums Leben gekommenen Kultgott — um Persephone und Dionysos wie um den hellenisierten Adonis und Osiris — und, in der Fortsetzung des Mythus nach der großen Wendung zum Leben, der Jubel ob der Rettung des Gottes. Dem Mythus entspricht der Ritus. Totenklage und Siegesjubel begleiten die Hauptakte in dem alljährlich wiederholten Kultdrama, wie es noch Hieronymus (in Ez 8, 14; MPL 25 p 83 a) andeutet: . . . interfectionem et resurrectionem Adonidis planctu et gaudio prosequens. Wenn sich hier am Ende der Jubel der Mysten in hemmungsloser Wildheit austobte, so war die Voraussetzung dafür eine gleich hem-

---

[41] Sittl 75.

[42] Vgl Plat Leg VII 800 e u die Schol dazu (bei Rohde 225 A 1); → 832, 24 ff.

[43] Vgl Blümner 486 A 4; Sittl 70.

[44] Vgl noch Dion Hal Ant Rom XI 31, 3 (hier handelt es sich allerdings nicht um die Klage um einen Toten) u → 837, 14 ff; 841, 40 ff; 845, 31 ff.

[45] Vgl Sittl 67.

[46] Vgl die Beispiele bei AUngnad, D Religion d Babylonier u Assyrer (1921) 231 ff u AOT 270 ff, hier besonders das 2. Lied, das offenbar Ištar in den Mund gelegt ist; s auch

Frazer (→ Lit-A) I 9 f u die ebd 10 A 1 angegebene Literatur.

[47] Vgl Frazer (→ Lit-A) I 272.

[48] Vgl zB „jene Klage, die das Vorbild aller Totenklagen geworden ist" bei AErman, Die Religion d Ägypter (1934) 73.

[49] Von einer eigentümlichen Sonderform offenbar spezifisch ägyptischen Kulttrauer erzählt Luc De Sacrificiis 15, nämlich von πένθος und κοπετός um Opfertiere: αἱ δὲ θυσίαι καὶ παρ' ἐκείνοις αἱ αὐταί, πλὴν ὅτι πενθοῦσι τὸ ἱερεῖον καὶ κόπτονται περιστάντες ἤδη πεφονευμένον, οἱ δὲ καὶ θάπτουσι μόνον ἀποσφάξαντες.

mungslose Wildheit, mit der sich dieselben Mysten zuvor an die Klage um den Gott hingegeben hatten [50]. Ekstatische Gesten, in denen sich die ganze Leidenschaftlichkeit des Orients entfaltete und austobte, begleiteten erst die θρῆνοι, dann die διθύραμβοι, von denen die beiden Hauptakte der Mysterien widerhallten: mit dem → θρῆνος korrespondierte vor allem der κοπετός im ursprünglichen Sinn, mit dem aufpeitschen- 5 den Jubel der Flöten der Tanz. Dieses Widerspiel der kultischen Handlungen spiegelt sich vielleicht noch in dem wahrscheinlich gnostischen Hymnus, der sich in das 95. Kp der ActJoh verirrt hat: αὐλῆσαι θέλω· ὀρχήσασθε πάντες . . . θρηνῆσαι θέλω· κόψασθε πάντες. Dieser zweigliedrige Prosavers ist zwar in offenkundiger Erinnerung an Jesu eigenes Wort in Mt 11, 17 par einem Abschiedshymnus Christi eingefügt; aber die 10 eigentliche Heimat dieser Responsorien ist wohl ganz anderswo, nämlich in den Attismysterien zu suchen mit ihrem lauten Klagen und Jubeln, die vielleicht beide von orgiastischem Tanz (→ 831, 35 ff) und Flötenspiel (→ A 96) begleitet waren. Der erste Akt dieses Dramas, „währenddessen man klagt, sich auf die Brust schlägt, sich selbst verwundet“ [51], wird gewöhnlich mit dem zusammenfassenden term techn κόπτο- 15 μαι (oder auch τύπτομαι) bezeichnet, wie zB bei Aristoph Lys 396 (κόπτεσθ' Ἄδωνιν) und Luc Syr Dea 6 (→ θρηνέω 149, 42 f), beidemale mit Bezug auf den Adoniskult [52].

Im weiteren Sinne gehört hierher auch die Totenklage um den Kultheros Achilleus, die nach dem Bericht des Pausanias (VI 23, 3) alljährlich in Elis an seinem Kenotaph aufgeführt wurde: αἱ γυναῖκες αἱ Ἠλεῖαι ἄλλα τε τοῦ Ἀχιλλέως δρῶσιν ἐς τιμὴν καὶ 20 κόπτεσθαι νομίζουσιν αὐτόν *(die Frauen von Elis pflegen, außer anderen Veranstaltungen zu Ehren des Achilleus, eine Trauerfeier für ihn zu halten).*

C. Die Totenklage im AT.

I. Die volkstümliche Totenklage.

1. S p r a c h l i c h e s. Die genaue Entsprechung des griech κόπτο- 25 μαι (im eigentlichen Sinn) ist das h b r ‏סָפַד‎, das noch im Syrischen die Bedeutung *schlagen* hat und auch im AT, wo es gewöhnlich schon in der übertragenen Bdtg *wehklagen, trauern* gebraucht ist, noch einmal (Js 32, 12) in der Wendung ‏סֹפְדִים עַל שָׁדַיִם‎ vorkommt [53]. — Dagegen entsprechen den Wörtern κόπτομαι und κοπετός [54] im erweiterten, allgemeinen Sinn die hbr termini für die Totenklage, vorzüglich die Verben 30 ‏אָבַל‎ (zB Js 3, 26; Jer 4, 28; Jl 1, 9, bes im hitp: Gn 37, 34; 2 S 13, 37; 19, 2; 2 Ch 35, 24; Js 66, 10), ‏אָנָה‎ (Js 3, 26) und ‏סָפַד‎ (im allgemeinen Sinn, zB Gn 23, 2; 1 S 25, 1; 2 S 11, 26; ↗ Kᵒ 14, 13. 18; Sach 12, 12) sowie die Nomina ‏אֵבֶל‎ (Gn 27, 41; 50, 11; 2 S 11, 27; Am 5, 16; Ez 24, 17), ‏בְּכִית‎ (Gn 50, 4) und ‏מִסְפֵּד‎ (zB Am 5, 16 f; Mi 1, 8; Gn 50, 10 findet sich die fig etym ‏מִסְפֵּד סָפַד‎). 35

In der L X X sind κόπτομαι und κοπετός meistens Wiedergaben von ‏סָפַד‎ und ‏מִסְפֵּד‎. In der Mehrzahl dieser Fälle sind die griech wie die hbr, einander genau entsprechenden Äquivalente allgemeine termini für die *Trauer*, besonders wo κόπτομαι in formelhaften Verbindungen oder im Parallelgliedverhältnis steht mit κλαίω (2 Βασ 1, 12; Ιερ 41, 5; Ez 24, 16. 23), ἀλαλάζω (Jer 4, 8; Ιερ 32, 34), πενθέω (Jer 16, 5; 1 Makk 9, 20); 40 θρηνέω (Mi 1, 8; Jl 1, 13), θάπτω (1 Βασ 25, 1; 3 Βασ 13, 29 f; Jer 8, 2; 16, 4) bzw κοπετός mit κλαυθμός (Js 22, 12; Jl 2, 12), πένθος (Am 5, 16; Mi 1, 8; Jer 6, 26; Est 4, 3), θρῆνος (Jer 9, 9) oder mit allen dreien (Sir 38, 16 f), mit γόοι (3 Makk 4, 3) udgl. Das gleiche gilt von den Fällen, in denen κοπετός im Gegensatz zu Ausdrücken

---

[50] Vgl WMRamsay in Hastings DB Extra Vol (1904) 124: The mourning over Attis in the Phrygian worship of Cybele was succeeded by the H i l a r i a, as the lamentation for Adonis or 'Thammuz yearly wounded' in Syria was followed by the rejoicing over his rejuvenation. — Vgl auch Wendland Hell Kult 130; Frazer I 224 f, bes 224 A 2.

[51] HSchlier, Religionsgeschichtliche Untersuchungen zu den Ignatiusbriefen (1929) 164 A 3.

[52] Manche — zuerst FHitzig — haben auch in Sach 12, 11 den κοπετός um Adonis (= Sonnengott von Hadad-Rimmon) finden wollen

(vgl den θρῆνος um Tammuz in Ez. 8, 14, → 834, 28); aber die Beziehung auf den Tod des Josia bei Megiddo ist wesentlich wahrscheinlicher (vgl die Komm zSt). Dagegen mag hinter der in ep Jer 30 f geschilderten Klage der Priester der κοπετός um Adonis stehen (vgl Heinisch Totenklage 6 f).

[53] Vgl Ges-Buhl sv ‏סָפַד‎; Bertholet 139 A 16.

[54] Ohne daß diese in den griech Bibelübersetzungen jeweils für die genannten hbr Vokabeln einträten (→ Z 36 ff): denn die LXX wählt κόπτομαι u κοπετός gewöhnlich als Äquivalente für die Ableitungen vom Stamm ‏סָפַד‎ (auch im weiteren Sinn); → Z 25.

53*

der Freude steht (zB ψ 29, 12), und von der fig etym κόπτομαι κοπετόν (Gn 50, 10; 1 Makk 2, 70; Sach 12, 10; → A 3).

Wie sehr das Verbum [55] einer der geläufigsten Ausdrücke für Klage und Trauer war, tritt darin zu Tage, daß es verschiedentlich auch für andere, nicht eigentlich synonyme hbr Verba eintritt, namentlich für solche, die den Übersetzern vielleicht weniger geläufige Trauergesten bezeichnen, so für גּדד hitpoel [56] *sich Einschnitte machen* (zum Zeichen der Trauer, Ιερ 48, 5 [41, 5]; → 830, 37 f) und das entsprechende Subst גְּדֻדָה (Ιερ 31, 37 [48, 37]), für פלשׁ hitp *sich im Staube wälzen* (Ιερ 32, 34 [25, 34]) und für אסף ni vom Einsammeln der Gebeine (Jer 8, 2). Auffallenderweise tritt gerade in solchen oä Fällen zuweilen noch die urspr Bedeutung von κόπτομαι zutage, so Ιερ 31, 37 (48, 37: καὶ πᾶσαι χεῖρες κόψονται); vgl auch Ez 6, 9 (κόψονται πρόσωπα αὐτῶν); 20, 43 (κόψεσθε τὰ πρόσωπα ὑμῶν), wo die Klagegeste als bildhafter Ausdruck des Abscheus vor sich selbst eingeführt wird. Desgleichen darf man wohl dort, wo neben κόπτομαι konkrete Trauerhandlungen wie das Scheren des Haupthaars (Js 22, 12; Jer 16, 6) bzw des Bartes (Ιερ 48, 5 [41, 5]), das Zerreißen der Kleider (ebd), das Anlegen des Sackgewandes (Js 22, 12; Ιερ 30, 19 [49, 3]; Jl 1, 13), das Sichritzen (Jer 16, 6) usw erwähnt werden, noch eine gewisse Anschauung des eigentlichen κοπετός vermuten.

Die termini technici für *eine Totenklage veranstalten* sind außer der fig etym κόπτομαι κοπετόν, der in Mas (Gn 50, 10; vgl Sach 12, 10) מספד ספד, später (bAZ 18a; bMQ 21 b) הספיד הספד entspricht, die Wendungen κοπετὸν ποιοῦμαι bzw ποιῶ (Jer 6, 26; Mi 1, 8; Ag 8, 2), κοπετὸν λαμβάνω (-νομαι) (Jer 9, 9; vgl θρῆνον λαμβάνω ebd; Am 5, 1; Js 14, 4; Jer 9, 17; Ez 26, 17; 27, 2. 32; 28, 12) und κοπετὸν κλαίω (nach Rahlfs Konjektur in Ez 27, 31 Orig-Rezension).

2. Aus diesem sprachlichen Befund wie aus Einzelaufzählungen der israelitischen Trauersitten zB in Jer 16, 6f; Ez 24, 16 f. 22 f ergibt sich, daß neben Barfußgehen und Kleiderablegen, Raufen oder Scheren des Haares und des Bartes, Selbstverwundungen und Aschestreuen, Trauerfasten und Leichenschmäusen, Klagerufen und Klagegesängen ua auch das S c h l a g e n d e r B r u s t (vgl Js 32, 12), d e s G e s i c h t s (Ez 6, 9; 20, 43) o d e r d e r H ü f t e (Ez 21, 17; vgl Ιεζ 24, 17; Jer 31, 19 Mas; → A 105) e i n f e s t e r B e s t a n d t e i l d e r T o t e n k l a g e w a r , d a ß a b e r d i e W ö r t e r κοπετός u n d κόπτομαι i n d e r L X X ü b e r w i e g e n d a l s G e - s a m t b e z e i c h n u n g e n d e r T o t e n k l a g e dienen. Es ergibt sich ferner, daß die Totenklage, wie im gesamten Orient, auch in Israel seit alten Zeiten geübt wurde; die Genesis berichtet von ihr bereits aus der Zeit der Erzväter (23, 2; 37, 34; 50, 3 f. 10).

Die Totenklage begann wie bei den Griechen sofort [57] oder bald nach dem Eintritt des Todes im Trauerhause (vgl Mt 9, 23 par) und wird auf dem Wege zum Grabe und beim Begräbnis selbst fortgesetzt. Aber auch am dritten Ort wird uU, auf die Trauernachricht hin, die Totenklage erhoben (vgl 2 S 1, 11 ff; 1 Makk 12, 52). An den Begräbnistag, der vielfach mit dem Todestag identisch war, schloß sich in Israel in der Regel eine siebentägige Trauerzeit, in der gefastet und täglich Klagelieder angestimmt wurden (vgl Gn 50, 10; 1 S 31, 13 = 1 Ch 10, 12; Jdt 16, 24; Sir 22, 12, aber vgl 38, 17). Bei großen Toten mag diese Periode noch länger ausgedehnt worden sein (vgl Gn 50, 3; Nu 20, 29; Dt 34, 8 [58]), und darüber hinaus wurde das Gedächtnis von manchen unter ihnen, wie das von Jephthas Tochter (Ri 11, 40) und von Josia (2 Ch 35, 25), durch alljährliche Trauerfestlichkeiten wach erhalten [59].

3. D i e T r ä g e r d e r T o t e n k l a g e waren, wie zunächst überall, natürlicherweise d i e n ä c h s t e n A n g e h ö r i g e n d e s T o t e n , der Gatte (Gn 23, 2), die Gattin (2 S 11, 26), die Braut (Jl 1, 8), der Vater (Gn 37, 34), der Freund (2 S 1, 17 ff) usw. Dieser ursprüngliche Brauch spiegelt sich auch noch in den stereotypen Klagerufen „o mein Bruder!" (1 Kö 13, 30; Jer 22, 18), „ach Schwester!" (Jer 22, 18 Mas), denen die formelhaften Rufe der Ištar „o meine gute Frau", „o mein guter

---

[55] Das Subst κοπετός steht einmal Jer 9, 9 für בְּכִי und נְהִי zugleich, sonst für מספד.

[56] Ιερ 29, 5 (47, 5) steht dafür d Akt κόπτω, wird aber mit μάχαιρα (v 6) verbunden, wodurch es einen anderen Sinn gewinnt. — Dagegen wird יתגדד in Jer 16, 6 korrekt mit ἐντομίδας ποιεῖν wiedergegeben, offenbar da unmittelbar daneben ספד steht,

das ebenso korrekt mit κόπτομαι übersetzt wird.

[57] Darauf mag Qoh 12, 5 hindeuten; vgl HMenge in seiner Bibelübersetzung zSt; Heinisch Totenklage 12.

[58] Vgl auch Jer 22, 10: μὴ κλαίετε τὸν τεθνηκότα μηδὲ θρηνεῖτε αὐτόν, sc Josia, der mehr als drei Monate zuvor gefallen war.

[59] Vgl das Jahresfest für Achilleus in Elis (Paus VI 23, 3; → 835, 18 ff).

Mann!" in ihrem Klagegesang auf Tammuz [60] genau entsprechen. Als Inbegriff des κοπετός für Vergleiche — wie etwa der Trost der Mutter (Js 66, 13) oder die sorgliche Liebe der Gluckhenne (Mt 23, 37) — galt die Totenklage um den erstgeborenen und zumal um den einzigen Sohn; vgl Am 8, 10; Jer 6, 26: [ὡς] πένθος ἀγαπητοῦ, Sach 12, 10 : κοπετὸν ὡς ἐπ' ἀγαπητὸν καὶ … ὀδύνην ὡς ἐπὶ πρωτοτόκῳ (→ 848, 16 ff; 849, 3 f). 5 Aber der Kreis der wehklagenden Verwandten erweitert sich häufig um Gruppen sonstwie zugehöriger Menschen (vgl zB 2 S 1, 12; 1 Kö 13, 30), und noch einen Schritt weiter treffen wir auf ein bezeichnendes Merkmal altisraelitischen Lebens, die Trauer des Volkes um bedeutende Verstorbene, besonders um seine Führer, von der das AT mehrfach berichtet: Dt 34, 8 (Mose), 1 S 25, 1 (Samuel), 2 S 3, 31 ff 10 (Abner), 1 Kö 14, 18. 13 (Abia, Sohn Jerobeams I.), 2 Ch 35, 24 f (Josia), 1 Makk 2, 70; 9, 20; 12, 52 (die Makkabäerführer); vgl auch Gn 50, 3 (Trauer der Ägypter um Jakob).

Wie in anderen Völkern treten auch in Israel die Frauen bei der Totenklage besonders hervor [61]; bald erscheinen richtige Frauenchöre, bald wird die ganze weib- 15 liche Bevölkerung einer Stadt, eines Landes zur Klage aufgeboten (vgl bes Ri 11, 40; 2 S 1, 24; Na 2, 8; Js 32, 12; Ιερ 30, 19 [49, 3]; Ez 32, 16; auch Sach 12, 12—14), ohne daß doch die Männer, auch in größeren Gruppen (vgl 2 S 1, 12; Sach 12, 12 ff), ganz ausgeschaltet wären.

Aber wie auch sonst im Osten und Westen wurde die Totenklage der „Laien" viel- 20 fach als ungenügend empfunden; darum mietete man berufsmäßige Klageleute [62], wiederum in erster Linie Frauen, vgl Jer 9, 16 (αἱ σοφαί sind hier prägnant *die des Wehgesangs Kundigen*, vgl v 19; zu den θρηνοῦσαι → 150, 31 ff); 2 Ch 35, 25: οἱ ἄρχοντες καὶ αἱ ἄρχουσαι *die Vorsänger und Vorsängerinnen (der Leichenlieder)*. Aber auch hier fehlten die Männer nicht, wie die letztgenannte Stelle lehrt und wie man 25 aus dem Mask in Am 5, 16 (εἰδότες θρῆνον) und Qoh 12, 5 (οἱ κοπτόμενοι, *die Klageleute, die auf der Straße* das Haus des Sterbenden *umringen*, um sofort nach Eintritt des Todes in Dienst genommen zu werden) schließen darf.

4. Der Hauptausdruck des spontanen wie des berufsmäßigen κοπετός waren wohl formlose Klagerufe, die jedoch die Vorläufer der ge- 30 formten θρῆνοι waren; vgl Am 5, 16: ἐν πάσαις ὁδοῖς ῥηθήσεται· οὐαί, οὐαί (הוֹ־הוֹ). Thr 1, 1; 2, 1; 4, 1: אֵיכָה. In den Weiterbildungen wurde an diese schlichten Rufe eine Apostrophe des Verstorbenen angefügt, wie in 3 Βασ 13, 30: καὶ ἐκόψαντο αὐτόν· οὐαὶ ἀδελφέ, 12, 24 m: καὶ τὸ παιδάριον κόψονται· οὐαὶ κύριε. Jer 22, 18 [63]: οὐ μὴ κόψωνται αὐτόν· ὦ ἀδελφέ, οὐδὲ μὴ κλαύσονται αὐτόν· οἴμμοι κύριε. Ιερ 41, 5 [34, 5]: 35 κλαύσονται καὶ σε καὶ 'ὦ αδων' (= οἴμμοι κύριε) κόψονταί σε [64]. Ähnliche Rufe waren auch im nach-nt.lichen Judt üblich [65], aber vor allem erschienen sie als Eingang des daraus gewachsenen θρῆνος und als die stereotypen Rufe — ὦ αδων [66], oh, oh!, Wehe über das Unglück! usw —, mit denen das Trauergefolge nach den einzelnen Strophen einfiel und zwar namentlich als Antwort auf jene Kehrreime, mit denen die Klage- 40 frauen das Mitgefühl der Umstehenden aufriefen [67]. Derselbe Ruf 'hō' ertönt noch heute in Palästina als Antwort des Chors auf die Worte des Vorsängers.

Die Aufgabe der Klageleute, deren Zunft in der Stadt wie auf dem Lande vertreten war (vgl Am 5, 16: πλατεῖαι — γεωργός), bestand aber nicht nur im formlosen Klagen, obwohl auch darin eine Unterstützung der Familienglieder als notwendig erachtet wurde, 45 sondern vor allem im Singen der → θρῆνοι, der *Leichenlieder*, wofür sie besonders ausgebildet waren. Ihre Gesänge waren gewiß großenteils handwerksmäßige Erzeugnisse; aber es fanden sich auch wirkliche Dichtungen darunter — wie das Lied, das Jeremia auf den im Kampf gefallenen Josia dichtete (2 Ch 35, 25; → θρηνέω 150, 35—39) —, die dann als Standardwerke und Muster für künftige Verfasser galten; 50 vgl die Worte, die an das Klagelied des Ezechiel (Kp 19) auf das judäische Königs-

---

[60] Vgl Ungnad (→ A 46) 236.

[61] Vgl Heinisch Totenklage 7 f; → θρηνέω 150, 40—47.

[62] Vgl Heinisch Totenklage 8 f; → θρηνέω 150, 28—35.

[63] Mas hat hier eine Zusammenstellung von vier besonders gebräuchlichen Klagerufen, während die LXX sie auf zwei vereinfacht.

[64] Diese Stellen zeigen einerseits, daß der κοπετός eben in diesen Rufen bestand, anderseits, wie formelhaft diese Rufe angewendet wurden, wenn hier ein Fremder (3 Βασ 13, 30) oder gar ein König (Jer 22, 18) ‚ach Bruder',

ein kleiner Knabe aber (3 Βασ 12, 24 m) ‚o Herr' tituliert werden; dieselbe stereotype Verwendung der Anreden *Bräutigam, Braut, Bruder, Vater* usw, uz als „Titel" von Altersstufen, findet sich auch im rabb Schrifttum; vgl Semachoth (→ 840, 38) 3, 7 f; ferner Kap 11.

[65] Vgl Str-B I 523, 1; IV 582 u 583 b.

[66] Vgl den Kehrreim auf Adonis αἰάζω τὸν Ἄδωνιν· ἀπώλετο καλὸς Ἄδωνις Ἄδωνιδος ἐπιτάφιος (Bucolici Graeci ed UvWilamowitz-Moellendorff [1905] 122 ff).

[67] Vgl Heinisch Totenklage 7.

haus angefügt sind (v 14): εἰς παραβολὴν θρήνου ἐστὶν καὶ ἔσται εἰς θρῆνον (vgl auch 32, 16). Diese Lieder wanderten (wie der Beruf der κοπτόμενοι) von Generation zu Generation weiter, wurden später aber auch in schriftlichen Sammlungen zusammengestellt, aus denen man in Todesfällen, je nach dem Familienstand des Verstorbenen und den Umständen seines Todes, passende Stücke auswählte. Vielfach wurden diese Lieder im Wechselgesang [68] von Vorsänger bzw Vorsängerin und Chor (vgl 2 Ch 35, 25) oder von zwei Chören (vgl Sach 12, 10—14) vorgetragen [69]. Der Verstorbene wird dabei häufig in der 2. Person angeredet (zB Ez 27, 3 ff; 19, 2. 10; 2 S 1, 26; 3, 34), wobei die Klageleute in der 1. Person der nächsten Hinterbliebenen sprechen (vgl Thr 1, 12—22; 2, 21 f, wo die Mutter Jerusalem um ihre Kinder klagt); aber zuweilen wird das Klagelied auch dem Verstorbenen in den Mund gelegt (ähnlich Jer 9, 18) [70], ja es findet sich (im heutigen Nordarabien [71]) auch beides in Liedern verbunden, in denen Tote und Verwandte im Wechsel die Klage anstimmen.

Aber auch in Israel bildeten sich bei der Totenklage ähnliche Unsitten [72] heraus wie bei Griechen und Römern (→ 832, 36 ff; A 30). Wie dort galten, mehr als die Schönheit der Trauergesänge, der Aufwand an Stimmkraft, aber vor allem der an Geld als Gradmesser für die Beliebtheit des Toten und für die Echtheit der Trauer um ihn (vgl Sir 38, 17: χάριν διαβολῆς); darum erwiesen sich mit der Zeit auch ähnliche Einschränkungen wie dort als notwendig (→ 842, 2 ff).

5. Ein besonderer Zug des AT aber ist der, daß die volle Ausübung des κοπετός als ein Zeichen normaler Zustände und zwar eines gesunden Gottesverhältnisses des Volkes oder einzelner gilt. Weicht der Gottesfrieden vom Lande, liegt ein Gottesbann auf ihm, dann hat der κοπετός zu verstummen und mit ihm die übrigen Trauergebräuche zu unterbleiben; die Toten werden zum Fraß der Vögel und zum Dünger des Feldes (vgl Jer 8, 2; 16, 4. 6 f; Ez 24, 22 f). Der Fluch des Nichtbestattet- und Betrauertwerdens wird von Jeremia (22, 18) auch dem ungehorsamen König Jojakim angesagt und von Hiob (27, 15) für die Kinder des Gottlosen angekündigt; Jeremia sagt auch, was dieses Dahingehen ohne Klage und Grab bedeutet: Es ist die Erniedrigung zum Tier; 22, 19: eines Esels Bestattung wird man an ihm vollziehen. Dieses Geschick soll auch allen Gliedern der Familie Jerobeams I. ihrer Gottlosigkeit wegen widerfahren; nur dem jungen Abia soll die Ehre des κοπετός zuteil werden, „weil sich in ihm noch etwas Gutes vor dem Herrn gefunden hat" (1 Kö 14, 13. 18); desgleichen auch dem Zedekia (Ιερ 41, 5 [34, 5]).

II. Die Totenklage der Propheten (→ θρηνέω 150, 48—151, 24).

1. In der at.lichen Welt findet sich wie in der griechisch-römischen eine spezifisch religiöse Form der Totenklage, aber von ganz anderer Art als dort der kultische κοπετός. Totenklage gehört zuweilen zu den Aufträgen der Propheten, die sie in öffentlichen Handlungen vollziehen und auch in schriftlicher Form für die Mit- und Nachwelt niederlegen.

Sie schließen sich dabei formal eng an die volkstümliche Totenklage an, benützen die Motive und Wendungen der dort üblichen Klagelieder und ahmen deren Rhythmus (qîna) und Monotonie nach (vgl zB Ez 32, 19—32). Zuweilen sind auch einfache volkstümliche Leichenlieder in die prophetische Totenklage eingestreut wie in Jer 9, 20 f und Ez 27, 32 b—34. Aber in Inhalt und Absicht ist der prophetische κοπετός etwas ganz anderes. Die Klageleute wollen trösten und beruhigen, die Propheten wollen aufrütteln. Jene wollen Mitleid erwecken, diese Reue. Jene wollen die Gefühle der Hörer um irgendeinen Toten

---

[68] Vgl Heinisch Totenklage 18.

[69] Auch der rituelle κοπετός nimmt zuweilen diese Form an, so der für Tammuz in Babylonien; vgl Ungnad (→ A 46) 236 f.

[70] Heinisch Totenklage 5. 25. 39 f. 51.

[71] Ebd 41.

[72] Wie in der heidnischen Antike gibt es auch die heuchlerische Totenklage (wie die des Herodes, Jos Ant 15, 60) und die rein konventionelle Totenklage (vgl auch Heinisch Trauergebräuche 92 zu 2 S 1, 11 f u 3, 31). Für die häufige innere Teilnahmslosigkeit der großen Masse der klagenden Bekannten und besonders der berufsmäßigen Klageleute bietet das NT selbst in Mt 9, 24 par ein bezeichnendes Beispiel (vgl auch J 11, 46 mit v 19 u 31); → 843, 30 ff.

zum Ausdruck bringen, diese das Urteil Gottes über die Hörer als über Tote. Der κοπετός der Propheten hat in der Tat an dem Doppelcharakter des Prophetischen Anteil: sie sprechen im Namen Gottes und sie künden die Zukunft. Die prophetische Totenklage handelt gewöhnlich nicht von einem schon eingetretenen Tod, sondern von einem zukünftigen[73]. Es ist der Untergang des Volks und 5 der Völker; aber im Grunde ist es nicht so sehr das äußere Unheil wie die Auflehnung gegen Gott, die sie bei Israel wie bei den Völkern als Todesgeschick beklagen. Eben darum ordnet sich der κοπετός in das τέλος des prophetischen Gesamtwerks ein, das nicht bei Tod und Verderben stehen bleibt, sondern das Volk am Leben erhalten oder wieder ins Leben zurückführen will 10 (vgl Am 5, 14); ja hinter dem prophetischen κοπετός steht die Gewißheit der einstigen Wiederherstellung[74], so wie die spätere christliche Totenklage vom Auferstehungsgedanken getragen ist.

2. Das Musterbeispiel für die Gattung der prophetischen Totenklage ist die Klage des Amos (5, 1f) um die Jungfrau 15 Israel. „Die Jungfrau": das soll den tiefsten Eindruck des Beklagenswerten bei den Hörern hervorrufen; denn das Volk pflegte eine Jungfrau mehr als selbst eine junge Mutter mit kleinen Kindern zu beklagen; eine Jungfrau hat den Sinn ihres Lebens noch nicht erfüllt — so stand es mit Israel! Amos spricht im prophetischen Perfekt (anders Am 8, 10), und seine Vorausschau ward Geschichte: 20 Jer 9, 9 uä. — Da ist ferner die Klage des Micha (1, 8 Mas[75]) um Samaria und des Jeremia (9, 18) um Jerusalem, die bilderreichen Klagegesänge des Hesekiel um das judäische Königshaus (Kp 19) und um Tyrus und seinen Fürsten (Kp 27 u 28, 11—19), jenes Klagelied desselben Propheten voll grausigen Hohnes auf den Pharao (Kp 32) und die ironische Totenklage um den König von Baby- 25 lon in Js 14. — Auch was Gott den Dichterpropheten des zweiten Jesaiabuchs predigen heißt (40, 6f), ist im Grunde ein Klagegesang, wie es auch von Johannes Brahms aufgefaßt und in kongenialer Größe vertont worden ist. — Manche dieser prophetischen Klagegesänge erweisen sich auch durch die Schönheit der verwendeten Bilder als wahre Dichtungen; mit welcher Plastik stellen sie vor 30 den Hörer den fruchtbaren Weinstock (Ez 19, 10—14) und die Frühlingsblumenwiese (Js 40, 6f), die Mutter Jerusalem (Thr 1f) und die Jungfrau Israel (Am 5, 2), die stolze Löwin mit ihren beiden Jungen (Ez 19, 1—9), das Krokodil im Nil (Ez 32, 2—10) und das prachtvolle Bild des Kauffahrteischiffes von Tyrus (Ez 27)! 35

3. Ein eigentümliches Seitenstück zu der Ausübung des prophetischen κοπετός bildet innerhalb des Pflichtenkreises der Propheten gelegentlich der Verzicht auf die volkstümliche Totenklage. Dem Hesekiel wird ausdrücklich der κοπετός um seine eigene Frau untersagt (24, 16), um damit den Fluch zu veranschaulichen, der über Jerusalem und das dortige Hei- 40

---

[73] Anders die Threni, die ein bereits geschehenes Totengeschick beklagen.
[74] Vgl die Hoffnung, die sich hinter Ez 19, 13 verbirgt; der Weinstock ist noch nicht abgestorben; man darf hoffen, daß er doch einmal noch in fruchtbares Erdreich gepflanzt wird.
[75] In der LXX ist hier Samaria selbst als eine über das eigene Geschick wehklagende Frau vorgestellt (→ θρηνέω 150, 46 f).

ligtum beschlossen ist (v 21); und zu der augenfälligen Entsagung, die dem Jeremia auferlegt wird, soll auch dies gehören, daß er an keiner Trauerfeier teilnimmt (Jer 16, 5).

Dieses symbolische Handeln soll auf jenen schrecklichen Zustand (→ 838, 20 ff) hinweisen, in dem die Totenklage im ganzen Lande unterbleibt, weil der Fluch Gottes darauf liegt, auf eine Zeit, in der der Tod entsetzliche Ernte hält und doch kein Toter betrauert und bestattet wird. Von diesem Strafgericht künden die Propheten auch mit Worten, die jenes sinnbildliche Tun begleiten und ergänzen (vgl Jer 16, 4 ff; 8, 2; Ez 24, 22 ff).

4. Aber zur Gerichtsankündigung der Propheten gehört auf der anderen Seite auch die mannigfaltige Ankündigung eines κοπετός, bzw die Aufforderung dazu, worin die prophetische Totenklage von der geschichtlichen Wirklichkeit bestätigt und wiederholt wird. Durch die Propheten ruft Gott zur Buße und Bekehrung auf, die begleitet sein soll und wird von der Wehklage über die eigene Sünde[76], insbesondere über den Götzendienst (Jl 2, 12; wohl auch Ez 6, 9; 20, 43 LXX). Durch die Propheten kündigt Gott furchtbare Strafgerichte an, und mit dieser Ankündigung fordert er selbst zur Wehklage auf über die Not Zions durch die von ihm gesandten Heere (Js 22, 12; Jer 4, 8; 6, 26), über das Verderben Moabs (Ιερ 31, 37 [48, 37 f]), über die Vorboten des Tages des Herrn (Jl 1, 15) und über den Tag selbst (Am 5, 16 f). Auch in dieser Form findet sich zuweilen eine grausige Verknüpfung der prophetischen Todeskündung mit Hohn und Ironie; unter dem komischen Bilde der wehklagenden Widder wird in Ιερ 32, 34 (25, 34) den Weltvölkern hohnlachend eine weltweite Katastrophe angekündigt, und noch deutlicher ist der grimme Spott, mit dem der Prophet in Ιερ 30, 19 (49, 3) die Ammoniter zur Wehklage über die Auswanderung des Gottes Milkom aufruft.

5. Aber zur Unheilskündung tritt auch hier die Heilsverheißung. Gott wird dereinst den κοπετός lösen und die Trauer in Wonne, das Brüsteschlagen in Freudenreigen verwandeln: ἔστρεψας τὸν κοπετόν μου εἰς χορὸν ἐμοί (ψ 29, 12; vgl J 16, 20)[77]. Doch kann auch zur Heilsverheißung der Propheten die Verkündigung der Totenklage in einer besonderen Form gehören, nämlich des κοπετός um den Messias (vgl Sach 12, 10 ff[78]); das aber ist eine Traurigkeit, die Leben wirkt (vgl 2 K 7, 10).

D. Die Totenklage im Judentum.

1. Quellen und Sprachgebrauch. Über die Trauersitten im Judt geben außer dem NT selbst (→ 843, 5 ff) zahlreiche Mischna-, Talmud- und Toseftatraktate, namentlich der Traktat Moed qatan, und dazu der zu den „kleinen Talmudtraktaten" gehörige Traktat Ebel rabbati oder Semachot (= Sem) Auskunft[79]. Der rabb

---

[76] Vgl Test R 1, 10: πενθῶν ἐπὶ τῇ ἁμαρτίᾳ μου.
[77] Vgl das Gegenstück in Am 8, 10: καὶ μεταστρέψω τὰς ἑορτὰς ὑμῶν εἰς πένθος καὶ πάσας τὰς ᾠδὰς ὑμῶν εἰς θρῆνον.
[78] Vgl → 848, 16 ff; zur rabb Deutung von Sach 12, 11 vgl bMQ 28 b (bei Str-B IV 605 mit A 1).

[79] Vgl Der Talmudtraktat Ebel Rabbati oder Semachot ed MKlotz (Diss Königsberg 1890); dazu Strack Einl 73; AMarmorstein, Artk Ebel Rabbati, in: EJ VI 147 bis 149, hier auch weitere Lit. — Das Folgende mit wesentlichen Beiträgen von RMeyer.

Terminus, der dem κόπτεσθαι im eigentlichen Sinne entspricht[80], ist טפח[81] pi und hitp (MQ 3, 8. 9; TMQ 2, 17); denn es bedeutet *mit den Händen auf die Brust schlagen, die Hände auf der Brust zusammenschlagen*[82]. Dagegen entsprechen dem κόπτεσθαι im weiteren Sinne (*trauern, die Totenklage veranstalten*) teils dieselben termini wie im AT, bes אבל (→ 835, 31 f. 33 f; dazu tritt אָבֵל *der Leidtragende*, zB Sem 6, 1), auch בכה[83] (zB   5 bMQ 5 b), teils solche, die zwar auch im at.lichen Hbr vorkommen, aber in der LXX nicht mit κόπτομαι (κοπετός) übersetzt sind, so אנן und ילל pi mit Ableitungen ua[84].

                       2. Gebräuche u Zeiten des κοπετός. *a.* Als Hauptteile der jüdischen Trauerfeierlichkeiten gelten das Totengeleite, das Hinaustragen der Leiche zur Begräbnisstätte, und die Totenklage (bKet 72 a Bar; Str-B IV 579 h, hier   10 auch weitere Par), zu deren Hauptzügen wiederum das Schlagen an die Brust gehörte (vgl MQ 3, 8. 9; Jos Ant 16, 216). — Die eigentliche Totenklage spielt sich in der Zeit vom Tode bis zum Begräbnis ab; sie begann bei der Aufbahrung der Leiche im Hause (vgl Mk 5, 38 par) und erreichte ihren Höhepunkt bei den Bestattungsfeierlichkeiten.   15

    b. Namentlich in späterer Zeit fand die Totenklage auch jenseits des Begräbnisses noch eine Fortsetzung in einem zweiten Abschnitt. Der erste Abschnitt, genannt אֲנִינָה (Eka r Einl § 7) oder אֲנִינוּת (bQid 80 b) — der Leidtragende dieser Periode heißt אוֹנֵן (bMQ 14 b) —, und gewöhnlich nur einen Tag dauernd (→ 836, 40; vgl Str-B I 1047 a z Mt 27, 57), wird nach der Bestattung abgelöst von der אֲבֵילָה   20 (Eka r Einl § 7) oder אֲבֵילוּת (MQ 20 b) oder אָבֵל (jMQ 82 b Z 30) — der Trauernde heißt in dieser Zeit אָבֵל (zB MQ 3, 7) —; dieser zweite Abschnitt wird seinerseits wiederum in Perioden eingeteilt, die sich durch die verschiedene Strenge der Trauer unterscheiden. Hier und da (zB bMQ 27 b; Str-B IV 596 g a A) werden die ersten drei Tage als die Zeit der strengsten Trauer bezeichnet; ganz allgemein aber ist 25 eine siebentägige Trauerzeit, wie sie ja bereits für das AT bezeugt ist (→ 836, 41 ff); die Rabbinen versuchten, diese אבלות שבעה genannte Sitte (zB bMQ 20 a) in verschiedenster Weise aus dem AT herzuleiten (vgl bMQ 20 a; bSchab 152 a; Gn r 100 zu 50, 10; jMQ 02 c usw; Str B IV 596 g). Darauf folgte dann vom 8.—30. Tag (nach dem Begräbnis) eine Trauerzeit von minderer Strenge, die sog „dreißig 30 Tage" (vgl schon Nu 20, 29; Dt 34, 8 sowie bMQ 27 b; j MQ 83 c Z 21; Str-B aaO). Beim Tode von Vater oder Mutter wurde ein ganzes Trauerjahr gehalten; vgl hierzu etwa bMQ 22 b; Sem 9.

    Außer diesen regelmäßigen Trauerzeiten kamen auch noch gelegentliche spätere Trauerfeiern, oft längere Zeit nach dem Tode, vor, „zu der im Lande herumreisende 35 Trauerredner anregen und die sie gegen Entgelt vor den Verwandten des Verstorbenen abhalten" (vgl bMQ 8 a und dazu Str-B IV 587 w). Diese Sitte erinnert an die Gedächtnisfeiern für Achilles (→ 835, 18 ff), Josia und Jephthas Tochter (→ 836, 45 f), entbehrt aber deren Regelmäßigkeit.

                       3. Träger des κοπετός. — *a.* Ausgeübt wurde der κοπετός 40 hauptsächlich von gedungenen Klagefrauen (מְקוֹנְנוֹת), die ihre Klagerufe und Leichenlieder teils mit dem Schlagen zweier Musikinstrumente[85], teils mit dem Schlagen der Brust begleiteten (vgl TMQ 2, 17; Str-B I 522 f; auch MQ 3, 8 f); als locus classicus in der Bibel wird dafür mehrfach Js 32, 12 angeführt (zB TMQ 2, 17). Die Klageweiber traten vor allem auf dem Wege vom Sterbehaus zur Begräbnisstätte 45 in Tätigkeit uz besonders beim Halten des Leichenzugs; denn dann konnten sie niedersitzen, dh die vorschriftsmäßige Haltung der Trauer einnehmen (→ 831, 30 ff); das kann

---

[80] Vom Stamm des at.lichen term techn ספד begegnet in der rabb Lit הֶסְפֵּד, entweder in der allg Bdtg *Klage* (vgl מִסְפֵּד im AT, → 835, 34 f) oder, mit Bedeutungsverschiebung, in der Sonderbedeutung *Leichenrede* (vgl Str-B IV 582 A 1, → θρηνέω 152, 6).

[81] Vgl syr *taphach* = *mit den Fäusten schlagen* (Ges-Buhl sv טפח I); vgl Bertholet 139 mit A 16.

[82] Die Übers bei Str-B (I 522 c e f) *in die Hände schlagen, die Hände vor der Brust*

zusammenschlagen ist nicht ganz zutreffend [KGKuhn].

[83] Vgl Gn 50, 4 Mas: בְּכִית, LXX: πένθος; Jer 9, 9 Mas: (ונהי) בְּכִי, LXX: κοπετός.

[84] In der spätjüdischen Schematisierung werden die Ableitungen von einigen dieser Wurzeln bestimmten Abschnitten der Totentrauer zugeteilt: אנן der Zeit bis zum Begräbnis, אבל der folgenden Trauerzeit; vgl Eka r Einl § 7; jHor 48 a Z 11 ff.

[85] Vgl Str-B I 522 g h; → θρηνέω 151, 45 ff.

aus der Vorschrift von Sem 11 und MQ 3, 8 (Str-B I 522 c)[86] wie auch aus TKelim
BB 2, 8 (Str-B I 522 g) geschlossen werden. Der Tätigkeit dieses Standes waren aber
bestimmte Grenzen gezogen (→ θρηνέω 151, 35—40): an den sog Zwischenfeiertagen
(dh an den Tagen zwischen den beiden ersten und letzten Feiertagen des Passah-
und des Laubhüttenfestes) ist der κοπετός (im eigentlichen Sinn) verboten und nur
das Wehklagen (ענוי) gestattet (MQ 3, 8); dagegen ist an den Neumondstagen, am
Tempelweih- und Purimfest ענוי und κοπετός erlaubt und nur der eigentliche Klagegesang (קינה) untersagt; aber nach der Bestattung hat an diesen Tagen auch der
κοπετός (im engeren und weiteren Sinne) zu unterbleiben (MQ 3, 9; Str-B I 522 e).

b. Aber Brüsteschlagen und Wehklagen blieb nicht nur auf die berufsmäßigen Klagefrauen beschränkt, auch damals noch beteiligten sich auch die Familienangehörigen nicht nur am Leichengefolge, sondern auch an der lauten Totenklage, uz
sowohl die Frauen[87] als auch die Männer (vgl jSanh 20 b Z 42; bSanh 20 a Bar; Str-B
IV 581 g). Die Männer traten sogar besonders hervor, sie begleiteten ihre Klagerufe
mit allerlei ausdrucksvollen Trauergesten: sie stampften mit den Füßen (bMQ 27 b;
Str-B I 522 f. — Gn r 100 zu 50, 10; Str-B IV 584 c), rangen die Hände (TMQ 2, 17)
und schlugen sich wohl auch auf die Brust, was aus Gn r 100 zu 50, 10 geschlossen
werden darf[88]. Ja es scheint auch noch im Judt eine Art von εἰδότες θρῆνον (Am
5, 16; → 837, 25 ff), ein männliches Gegenstück zu den Klageweibern, gegeben zu haben
(vgl bBer 62 a Bar; bMQ 25 b); ihr bedeutsamster Vertreter ist der Trauerredner,
dem die Aufgabe zufiel, in seiner Rede am Grabe das Gedächtnis des Toten zu
ehren[89].

c. Wie schon in der Zeit des AT (→ 837, 6 ff) erweiterte sich der Kreis der Trauernden über die Angehörigen und Klageleute hinaus zur Volkstrauer, wenn es führende Persönlichkeiten zu beklagen gab; vgl zB Jos Bell 3, 437, wonach das ganze
Volk den angeblich gefallenen Führer Josephus dreißig Tage lang betrauert haben
soll. In erster Linie galt dies für die Rabbinen (vgl Sem 9); so sagt bMQ 25 a Bar
(Str-B IV 599 r): „wenn ein Gelehrter stirbt, so sind (in Bezug auf die Trauer um
ihn) alle seine Verwandten“, und für die Zahl der Teilnehmer an den Leichen-
begängnissen von Rabbinen gibt es keine Grenze (bKet 17 b Bar, Str-B 581 a aE; vgl
Ned 9, 10 aE, Str-B 590 o).

Umgekehrt war für Hingerichtete überhaupt keine Klage in der Öffentlichkeit gestattet (Sanh 6, 6; bSanh 47 a; Str-B I 1049; II 686).

4. Bedeutung und Motive der Totenklage. — Der
Totenklage wurde im Judt aus verschiedenen Gründen große Bedeutung zugemessen.
Sie galt zunächst als eine Liebespflicht[90], die aus Ex 18, 20[91] und Mi 6, 8[92] abgeleitet
und sogar dem Torahstudium und dem Gottesdienst übergeordnet wurde[93]. Man maß
ferner der Totenklage und dem Begräbnis sühnende Kraft bei, was man mit 1 Kö
14, 13 und Jer 16, 4 begründete[94]. Endlich aber und vor allem war für die Heftigkeit
der Trauergesten und die Stärke der Klagerufe der Glaube maßgebend, daß der Tote
alles vernimmt (→ 831, 9 ff), bis der Stein vor das Grab gewälzt ist (bSchab 152 b;
Str-B IV 586 t); darum konnten die wehklagenden Hinterbliebenen als „die Tröster“
des Verstorbenen bezeichnet werden (bSchab 152 a, Str-B 608 u). — Ursprünglich mag
bei manchen Trauersitten noch die Furcht vor den gerade bei den Gräbern
besonders machtvollen und gefährlichen Dämonen (→ 832, 1 ff; vgl auch Mk 5, 5!) mit-
gesprochen haben (vgl bBB 100 b; Str-B IV 597 k ggE). Man wird überhaupt sagen
müssen, daß die Totenklage in Israel, die so vieles gemeinsam hat mit den Sitten

---

[86] Zu der hier gegebenen Vorschrift ist
die genau entsprechende, aber allg geltende
Bestimmung in der Leichenordnung der La-
byaden von Delphi (BCH 19 [1895] p 11, 31 ff)
zu vergleichen, derzufolge die Bahre auch
an den Straßenbiegungen keinesfalls niedergesetzt werden darf — offenbar hier wie dort
aus dem gleichen Grunde: man wollte keine
„Atempause“ gewähren, in der die laute Klage
ungehindert hätte hervorbrechen können.
[87] An weibliche Familienangehörige
ist wohl in TKelim BB 2, 8 (Str-B I 522 g)
gedacht; denn nur in Bezug auf sie, nicht
aber auf gemietete Klagefrauen kann wohl
von „ihren Toten“ geredet werden.
[88] Vgl Str-B IV 584 c.

[89] Vgl Str-B IV 583 β; 586 ff (r—x); → θρηνέω
152, 6 ff.
[90] Für das Begräbnis der Gattin wurde in
diesem Sinn die Anstellung von mindestens
zwei Flötenspielern und einer Klagefrau (Ket
4, 4; Str-B I 521 a), in manchen Gegenden
auch eines Trauerredners (TKet 4, 2; Str-B
IV 586 q) zur Pflicht gemacht.
[91] Vgl MEx z 18, 20; bBQ 99 b Bar; Str-B
IV 560 f a.
[92] Vgl bSukka 49 b; ebd.
[93] Vgl bMeg 3 b; Str-B IV 579 d; auch bBer
18 a Bar; Str-B I 1048 c; jChag 76 c Z 44;
Ab R Nat 4 (2 d) usw; Str-B IV 580 a.
[94] bSanh 46 b; vgl bKet 111 a; Str-B IV
591 c.

der umwohnenden Völker, nicht völlig durchsäuert war von dem Glauben an den, der Gott ist über Lebende und Tote, vor allem weil der Glaube an die Auferstehung und an ein anderes Leben nicht wirklich das ganze Glaubensleben durchdringt; erst im NT bereitet sich hierin ein entscheidender Wandel vor.

E. Die Totenklage im Neuen Testament.

I. Der volkstümliche κοπετός.

Wie sich die übrigen Lebensbedingungen und Sitten der Zeit im NT mannigfach widerspiegeln, so finden sich auch an verschiedenen Stellen Spuren der Trauersitten. In zwei Häusern — bei Jairus und bei Lazarus — läßt das NT die zeitgenössische jüdische Totenklage miterleben. Aus dem Gleichnis der Begräbnisspiele der Kinder läßt es auf das entsprechende ernste Tun der Erwachsenen schließen. Es zeigt Jesus selbst auf seinem Todesweg, von der Klage seines Volkes umklungen; und darüber hinaus erlaubt es den Schluß auf den Fortbestand mancher jüdischen Trauersitten in der jungen Kirche.

1. Dem wesentlichen Unterschiede zwischen den Totenerweckungsgeschichten bei den Synoptikern und bei Johannes entsprechend, treffen wir bei Jairus — wenn wir schon für diese Zeit die Terminologie der amoräischen Zeit (→ 841, 16 ff; → A 84) anwenden dürfen — auf den ersten Abschnitt der Totenklage, die אנינה, bei Lazarus auf den zweiten Abschnitt, die אבילה.

a. Als Jesus das Haus des Jairus betrat, war dessen Töchterchen zwar kaum eine Stunde zuvor verschieden, aber die Totenklage war bereits in vollem Gange (Mk 5, 38; Mt 9, 23; Lk 8, 52) — sie begann also unmittelbar nach Eintritt des Todes[95] — und zwar sind außer den Familienangehörigen offenbar auch schon die kondolierenden Bekannten in großer Zahl (ὄχλος θορυβούμενος Mt; vgl θόρυβος, τί θορυβεῖσθε; Mk), die Flötenspieler[96] und die Klageweiber da. Auf diese letzten bezieht sich wahrscheinlich das ἀλαλάζειν des Mk[97], aber wohl auch das κόπτομαι des Lk[98] (ἔκλαιον δὲ πάντες καὶ ἐκόπτοντο αὐτήν[99]), wenigstens in erster Linie. Aber zu den πάντες gehören jedenfalls auch die Kondolenten; wie äußerlich bei ihnen wie bei den bezahlten Frauen das Weinen und Klagen[100] war, zeigt die Leichtigkeit, mit der es in ein spöttisches

---

[95] Vgl im AT bes Qoh 12, 5 (→ A 57; → 837, 26 ff); Hck Lk 118 z 8, 52.

[96] Der Ton der Flöte entsprach, wie es scheint, nach dem Empfinden vieler Völker von allen Musikinstrumenten am meisten der wehmütigen Stimmung der Totentrauer. Schon bei den Babyloniern im Osten gab es „Flötenklagelieder", dh Klagegebete, die mit Flötenbegleitung vorgetragen wurden (vgl Heinisch Totenklage 19), und bei den Römern im Westen wurde bei Reich und Arm zur Klage bei der Ausstellung der Leiche die Flöte gespielt (vgl Blümner [→ Lit-A] 491). Daß auch in Israel die Flöte das Instrument der Trauer war, bezeugt Jeremias „Klage laut wie Flötenschall" (48, 36 [Ιερ 31, 36]), und auch in späteren Zeiten hat Flötenspiel die Trauergesänge eingeleitet (Jos Bell 3, 437; → θρηνέω 151, 42—45) und die ganze Totenklage bis zum Begräbnis und darüber hinaus begleitet (vgl die gelegentlichen rabb Bemerkungen in Ket 4, 4; Sem 14; Schab 23, 4; BM 6, 1 [Str-B I 521 a]; TMQ 2, 17 [Str-B II 522 d]). — Dieser Charakter der Flöte als Instrument der Trauer hinderte aber nicht, daß sie auch zur Begleitung der fröhlichen Musik bei Gelagen, Hochzeiten udgl (vgl 1 Kö 1, 40; Js 5, 12; Apk 18, 22; TMQ 2, 17) und im Tempelkult (vgl Sukka 5, 1; Str-B II 806) üblich war; auch → 835, 12 f.

[97] So zB Pr-Bauer sv; JFSchleusner, Novum Lexicon Graeco-Latinum in NT I[4] (1819) sv zSt: de praeficis, naenias cantantibus, usurpatur.

[98] Vgl Zn zSt.

[99] Zur Konstr mit Acc vgl — außer den → 833, 23 ff angeführten St — LXX Gn 23, 2; 50, 10; 1 Βασ 25, 1; 3 Βασ 13, 30 f; Mi 1, 11; Jer 16, 6 ua; wahrscheinlich auch Lk 23, 27; dazu Buttmann § 131, 4; Bl-Debr § 148, 2; Pr-Bauer sv. Vgl ferner die entsprechende Konstr von θρηνέω (zB Ez 32, 16; Lk 23, 27), κλαίω (zB 1 Makk 9, 20; Mt 2, 18) uä.

[100] κλαυθμός und κοπετός gehören, als sich gegenseitig ergänzend, zusammen; vgl außer den → 835, 39 f. 42 angeführten St noch Apk 18, 9 u Ev Pt 12, 52. 54, und als Parallele → θρηνέω 153, 1 ff; vgl ferner Lk 7, 32 mit Mt 11, 17.

Gelächter (Lk 8, 53 Par) überzugehen vermag; dieselbe konventionelle Leere der „Trauer" verrät auch der Stimmungsumschlag bei den Juden, die nach dem Tode des Lazarus bei seinen Schwestern weilten und weinten, in Hohn und Haß (vgl J 11, 37. 46!)[101].

5   *b.* In dem Hause der Maria und Martha handelt es sich um den zweiten Abschnitt der Totentrauer, der sich an das Begräbnis anschloß. Jesus traf vier Tage nach der Bestattung ein (J 11, 17. 39), dh nach den drei Tagen der strengsten Trauer (→ 841, 24 f), aber in der Mitte der offiziellen Kondolenzzeit; denn die ersten sieben Tage nach dem Begräbnis, der Hauptabschnitt der ganzen Trauerperiode (→ 836, 41 ff; 841, 25 ff), waren großenteils angefüllt von den Trostbesuchen, die „vom
10 altjüdischen Trauerzeremoniell auf die ersten sieben Trauertage beschränkt wurden"[102]. Von den „Tröstern" (→ παραμυθέομαι J 11, 19. 31), die Jesus dementsprechend in Bethanien antraf, wird allerdings der κοπετός nicht erwähnt, der eigentliche κοπετός gehörte auch ebensowenig wie der θρῆνος im engeren Sinne zu ihren Funktionen, wohl aber das Weinen (v 33).

15   2. Ein Spiegelbild der Bestattungsfeierlichkeiten selbst dürfen wir in dem Begräbnisspiel der Kinder finden, mit denen Jesus das verkehrte Geschlecht seiner Tage vergleicht (Mt 11, 16 f = Lk 7, 31 f; → 154, 17 ff). Ihr Spiel — oder vielmehr ihr mangelndes Zusammenspiel — macht den engen Zusammenhang von κοπετός und θρῆνος (→ 152, 27 ff. 32 ff)
20 in der jüdischen Totenklage anschaulich.

Das vorwurfsvolle Wort der einen Partei (Mt 11, 17 par) beruht auf der Voraussetzung, daß ein Vorsänger — im Spiel und in der Wirklichkeit[103] — den θρῆνος anstimmt und die andern mit dem κοπετός einfallen: ἐθρηνήσαμεν καὶ οὐκ ἐκόψασθε. Offenbar ist hier an den κοπετός im ursprünglichen Sinn zu denken[104], nämlich die Bewe-
25 gungen der Hand, die den θρῆνος rhythmisch begleitet haben mögen (ohne daß dieser — namentlich im Spiel der Kinder — ein eigentlicher Klagegesang gewesen sein müßte). Man darf wohl annehmen, daß beim κοπετός auch in nt.licher Zeit nicht nur die Brust, sondern auch die Stirn[105] geschlagen wurde, wie es der Zusatz des Cod D in Lk 23, 48 voraussetzt: τύπτοντες τὰ στήθη καὶ τὰ μέτωπα.

30   3. *a.* Was Jesus hier als Spiel beschrieb, erfuhr er selbst nur wenig später in der Wirklichkeit seines Todesweges. κοπετός und θρῆνος zusammen wurden bei den Juden (und nicht nur bei ihnen, → A 86) vornehmlich beim Geleite zur Begräbnisstätte geübt und zwar dann, wenn die Träger Halt machten und die Bahre auf den Boden niedersetzten, um die Ab-
35 lösung antreten zu lassen[106]. In einer eigentümlichen Prolepse wurde diese Art von Geleite Jesus schon auf dem Weg nach Golgatha von Seiten der jerusalemischen Frauen zuteil: (γυναῖκες) ἐκόπτοντο καὶ ἐθρήνουν αὐτόν (Lk 23, 27). Diese Stelle zusammen mit ihrem Gegenstück (v 48[107]), worin von dem κ ο π ε τ ό ς des-

---

[101] → A 72.
[102] Str-B IV 592; vgl die ebd 596 g angeführten St, bes j MQ 82 b Z 32 ff; bMQ 23 a Bar, sowie die übrigen Einzelvorschriften für die Tröstung der Trauernden, ebd 592 bis 607.
[103] Es gab solche bei den Griechen — vgl die θρήνων ἔξαρχοι der homerischen Welt (Il 24, 721) —, bei den Römern — vgl *praefica* (falls dies = *die [die Totenklage] Vormachende, Vorsingende*) —, bei den Israeliten — vgl οἱ ἄρχοντες καὶ αἱ ἄρχουσαι 2 Ch 35, 25 (→ 837, 23 f) —, und so auch noch in der Zeit des NT.
[104] Vgl Kl Mt zSt; → θρηνέω 152 A 28; ähnlich wohl auch in Qoh 3, 4, wo es gleichfalls ὀρχέομαι zum Gegenstück hat.
[105] Dieselbe Sitte bezeugt auch die LXX

mit ihrer Übersetzung von Ez 6, 9; 20, 43: κόπτεσθαι τὰ πρόσωπα. Etwas verschieden davon scheint die altgriechische Trauersitte gewesen zu sein, bei der sich Männer und Frauen mit der flachen Hand aufs Haupt schlugen; vgl Hom Il 22, 33 (→ A 12) u → A 25. — In Israel scheint in der Zeit vor und im Exil außer dem Schlagen der Brust (und der Stirn) auch noch das der Lenden und des Gesäßes als Trauergeste vorgekommen zu sein; vgl Jer 31, 19; Ez 21, 17 u dazu RE³ XX 85; Bertholet 139 (engl 191).
[106] Vgl Str-B I 521. 522 c; IV 582. 583 a; → 841, 45 f.
[107] Offenbar in Nachahmung dieser Stelle (τύπτοντες τὰ στήθη!) berichtet Ev Pt 8, 28: ὁ λαὸς ἅπας γογγύζει καὶ κόπτεται τὰ στήθη κτλ.

selben Volkes bei der Rückkehr von diesem „Totengeleite" berichtet wird, zeigt Jesus als Empfänger der Volkstrauer, wie sie ihm als Rabbi (→ 842, 27 ff) oder eher noch als König des Volkes (v 38!) gebührte — also gerade des Gegenteils dessen, was durch das an ihm vollzogene Urteil, den Tod des Verbrechers, bedingt gewesen wäre, nämlich der Versagung jeglicher öffent- 5 licher Totenklage (→ 842, 32 f). Der Evangelist will mit dieser doppelten Betonung der allgemeinen Trauer offenbar andeuten, daß die Juden dadurch unwillkürlich — wie auch Pilatus in seiner Weise (J 19, 19—22) — Jesus als Führer und Herrn anerkannten. Möglicherweise war es aber auch ein bewußtes und mutiges Bekenntnis dazu, daß Jesus kein Verbrecher war [108]. 10

    b. Von dem zweiten Abschnitte der Totenklage, der sich an die Bestattung anzuschließen pflegte, wird im Falle Jesu nichts berichtet; selbst die Frauen verharren in Schweigen (vgl Lk 23, 55 f), wahrscheinlich mit Rücksicht auf die Festzeit (→ 842, 2 ff). Dagegen läßt das Petrusevangelium (12, 50 ff) die Frauen am Ostermorgen zu dem Zweck zum Grabe kommen — nicht, wie Mt 28, 1, um das 15 Grab zu besehen, oder, wie Mk (16, 1) und Lk (24, 1), um den Leichnam nachträglich zu salben [109], sondern — um die ausgefallene Totenklage nachzuholen, und zwar sowohl am Grabe (bzw im Grabe) als auch (zum mindesten v 54) auf dem Rückweg vom Grabe bis zum Trauerhause. Aus ihrem Gespräch geht hervor, daß es eine unbedingte Pflicht (v 53: τὰ ὀφειλόμενα!) jüdischer Frauen war, nahe Angehörige auf 20 dem Sterbebette (v 50: ἐπὶ τοῖς ἀποθνῄσκουσι) wie auch nach der Beerdigung am Grabe zu beweinen und zu beklagen (v 52: κλαῦσαι καὶ κόψασθαι, → A 100).

    4. Daß die erste christliche Gemeinde wie vieles andere so auch die Sitte des κοπετός von der jüdischen übernahm, zeigt der erste Märtyrerbericht, der die einzige Stelle im NT enthält, in der das 25 Substantiv gebraucht ist: συνεκόμισαν δὲ τὸν Στέφανον ἄνδρες εὐλαβεῖς καὶ ἐποίησαν κοπετὸν μέγαν ἐπ' αὐτῷ (Ag 8, 2). Auch sonst ist die Stelle in mehrfacher Hinsicht interessant.

    a. Als Träger des κοπετός, der hier den an die Bestattung sich anschließenden zweiten Abschnitt der Totenklage darstellt, erscheinen ausschließlich Männer, während 30 wie sonst meistens (→ 833, 28 ff; 837, 14 ff; 841, 30 ff) so auch im NT die Frauen in der Trauer besonders hervortreten (vgl Lk 23, 27; Ag 9, 39; auch Mk 5, 38 [→ 843, 27 ff] und Ev Pt 12, 50 ff [→ Z 14 ff]). Aber auch sonst schließt das NT offenbar verschiedentlich Männer in die κοπτόμενοι ein (vgl πάντες in Lk 8, 52 [→ 843, 28 ff] und 23, 48 [→ 844, 38 ff] sowie J 11, 19), und aus dem zeitgenössischen Judentum wird ausdrück- 35 lich von der starken Beteiligung der Männer berichtet (→ 842, 13 ff).

    Männer in der Totenklage begegnen schon in frühesten Zeiten. Priamos (Hom Il 22, 33) auf der einen, Abraham (Gn 23, 2) und David (2 S 1, 12 ua) auf der andern Seite, θρήνων ἔξαρχοι hier (Il 24, 721), εἰδότες θρῆνον dort (Am 5, 16) beweisen die freiwillige und die bezahlte Beteiligung von Männern an der Totenklage für die 40 griechische wie für die israelitische Welt. Für Griechen und Römer sind weitere Zeugnisse besonders die bildlichen Darstellungen [110], für die Israeliten (→ 837, 18 ff) dagegen die merkwürdigen Spuren eines Wechselgesangs [111] zwischen Männern und Frauen bei der Totenklage (vgl 2 Ch 35, 25 [→ 837, 23 ff] und besonders Sach 12, 10—14 [112]: κόψεται ... φυλὴ καθ' ἑαυτὴν καὶ αἱ γυναῖκες αὐτῶν καθ' ἑαυτάς κτλ). Eine der biblischen Welt 45 eigentümliche Ausübung des κοπετός durch Männer findet sich bei den Propheten (→ 838, 34 ff), die ebenso in todernstem Spiel wie im Ernst der Todeswirklichkeit (zB 2 Ch 35, 25) selber die Totenklage angestimmt haben.

---

[108] Vgl Heinisch Totenklage 82.

[109] Diese Zwecksetzung ist zweifellos auffallend (vgl Kl Mk zSt), und eben dies mag den Verf des Ev Pt zu seiner abweichenden Angabe veranlaßt haben.

[110] ZB die griech Prothesisvasen (vgl Rohde 9,10 221 A 2; auch 224), das römische Haterier-

relief (vgl Blümner [→ Lit-A] 486 A 4) ua; weiterhin → 834, 5. 8. 17 ff.

[111] Als *Wechselgesang* wurde später die hbr קינָה gedeutet (→ θρηνέω 151, 31 f).

[112] Vgl OProcksch, Die kleinen prophetischen Schriften (Erläuterungen z AT 6 ² [1929]) 114; Heinisch Totenklage 18.

b. Zu Ag 8, 2 mag allerdings die Frage gestellt· werden, ob es sich bei den ἄνδρες
εὐλαβεῖς nicht überhaupt um Juden handelt [113]. Aber selbst dies einmal angenommen,
müssen es doch zum mindesten heimliche Gläubige [114] gewesen sein, die *die große
Klage*, dh aber eine öffentliche Trauerfeier [115], um den ersten Blutzeugen Christi ver-
anstalteten [116] und damit für ihn dasselbe taten, was die jerusalemitischen Frauen — bewußt oder unbewußt (→ 845, 2 ff) — für Jesus taten: durch ihren öffentlichen κοπετός nahmen sie Stellung gegen seine offizielle Verurteilung. Die Grenzen zwischen den beiden Gemeinden, die sich nur an dem Bekenntnis zu Jesus als dem Christus schieden,
waren ja damals ohnehin noch durchaus fließend, und selbst wenn es die Stelle nicht
bezeugen sollte, so kann es doch nicht in Zweifel gezogen werden, daß der κοπετός
mit vielen anderen Gebräuchen in die christliche Gemeinde überging; für das NT
genügt es, noch etwa auf Ag 9, 39 hinzuweisen.

5. An sich hatte der κοπετός, so wie er in dem vorchristlichen
Aeon geübt wurde, im Christusaeon mit seiner Auferstehungsgewißheit, seiner Ster-
bensfreudigkeit und seinem Siegesjubel über den Tod Sinn und Recht verloren; aber
das allenthalben zu beobachtende Zurückbleiben des Lebens der christlichen Gemeinde
hinter ihrem Glauben erweist sich auch in dem hartnäckigen **Fortbestehen der
vorchristlichen und im Grunde unchristlichen Trauersitten.**
Dazu tat zunächst auch der Einfluß der den jüdischen ähnlichen Trauersitten der
hellenistisch-römischen Welt das Seine; ja man muß sogar feststellen: die Totenklage
blieb besonders lange ein Sitz zähen Heidentums. Johannes Chrysostomus, der auch
den Fortbestand der Verbindung von θρῆνος und κοπετός bezeugt (Hom in Ag 21, 3
[MPG 60 p 168]; → θρηνέω 152, 40 ff), ging in seinen Predigten, wie gegen andere Un-
tugenden seiner Zeit, auch gegen die unchristlichen Auswüchse der Trauersitten an;
er sagt, das Haarraufen und der κοπετός der Frauen an der Totenbahre geschehe entweder aus Ehrgeiz oder aus Koketterie (Hom in J 62 [61], 4 [MPG 59 p 346]). Aber selbst
noch die venezianische Verwaltung des Mittelalters hatte in Griechenland gegen die
übertriebenen antiken Trauersitten einzuschreiten. „So spät gelang es Kirche und
Staat, das Heidentum bei den Nachkommen der Griechen und Römer in diesem Punkte
auszurotten." [117]

II. Die Totenklage im Leben, beim Tode und bei der Wiederkunft des Christus.

1. Was macht Jesus aus dem κοπετός, wann und
wo er ihm im Leben und im Tode begegnet? Er hebt ihn auf. Er lehnt ihn
ab — den κοπετός, den man ihm zumutet, ebenso wie den, den man seinetwegen
erhebt. Er gibt die Kraft zur Überwindung — auch des κοπετός. Denn er ist
der Sieger über den Tod und der Herr des Lebens, bei dem die Totenklage
keine Stätte mehr hat.

Die Berichte von der Totenklage in Mk 5 Par und J 11 dienen zunächst
als Bestätigung dafür, daß es wirklich der Tod war, dem Jesus gegenüberstand,
und daß er wirklich den Tod besiegte. Denn Jesus hebt die Trauer auf
und wandelt sie in das Erstaunen freudigen Schreckens (Mk 5, 42 Par; Lk 7, 16),
in dankbaren Glauben (J 11, 45; 12, 11) und fröhlichen Preis Gottes (Lk 7, 16;

---

[113] Dafür setzt sich ThZahn ein (Zn Ag 267 [81 A 5]). Es ist wohl zuzugeben, daß εὐλαβής von Lk mit Vorliebe von Juden verwandt wird (vgl Ag 2, 5; 22, 12; Lk 2, 25), während die Christen in der Regel μαθηταί heißen (Ag 6, 1f; 9, 1 uö). Aber die Stellung des Satzes zwischen v 1 und v 3 beweist nichts (vgl MDibelius, Th R 3 [1931] 234), und daß → εὐλαβής sich nicht notwendig auf Juden beziehen muß, zeigt der Gebrauch von εὐλάβεια in Hb 12, 28.
[114] So OZöckler zSt (Strack-Zöckler, Kurzgefaßter Komm B II [1886] 187).

[115] Die Wendung κοπετός μέγας findet sich schon in der LXX: Gn 50, 10; 1 Makk 2, 70; 9, 20; vgl auch Est 4, 3: κραυγὴ καὶ κοπετός καὶ πένθος μέγα, 1 Makk 12, 52: καὶ ἐπένθησεν πᾶς Ισραηλ πένθος μέγα; weiterhin das Äquivalent הספד גדול in bAZ 18a; bMQ 21b Bar; Str-B II 687 z Ag 8, 2. In allen diesen Fällen handelt es sich um öffentliche Trauerfeiern.
[116] Zu dieser Wendung: → 836, 19 ff.
[117] Sittl (→ Lit-A) 78.

J 12, 17). Die Trauergeister müssen weichen, wenn er, der Freudenmeister, hereintritt.

Darum ist es auch ein Widersinn, von ihm, der selbst das Leben ist, „Totenklage" zu erwarten, wie es die jüdischen Führer nach seinem Gleichniswort in Lk 7, 32 Par tun (→ θρηνέω 154, 17 ff, bes 33 ff). Was Jesus ihnen vorwirft, 5 ist nicht nur Launenhaftigkeit [118], auch nicht nur die allgemein zu beobachtende menschliche Haltung, die von den geistlichen Führern die Beobachtung einer besonders strengen Ausnahmeethik erwartet; ihr Grundfehler ist vielmehr der, daß sie ihr eigenes, menschlich und national bestimmtes Messiasbild haben, das sie gewissermaßen auch Gott aufzwingen wollen (→ 154, 36 ff), und daß sie so 10 *Gottes Willen als ungültig für sich selbst behandeln.* Diese Deutung seines Gleichnisses gibt Jesus in dem bei Lk (7, 30) unmittelbar vorausgehenden Wort selbst an die Hand: οἱ δὲ Φαρισαῖοι καὶ οἱ νομικοὶ τὴν βουλὴν τοῦ θεοῦ ἠθέτησαν εἰς ἑαυτούς. Nach ihrer Dogmatik soll der Messias Gottes etwas Hartes, Weltabgewandtes, Unheimliches an sich tragen: niemand darf wissen, woher er kommt 15 (J 7, 27), er muß als Richter erscheinen — diese Forderung ist vielleicht die Voraussetzung zu Jesu Worten über sein Richtertum bei J 3, 17 ff [119] — er muß das Sabbatgebot unerbittlich streng beobachten, am Sabbat lieber „töten" als heilen (Mk 3, 4 uo), er soll es im Fasten den Pharisäern mindestens gleichtun — hinter der die Jünger betreffenden Frage Mk 2, 18 Par verbirgt sich ein 20 Vorwurf gegen ihn selbst! —; gerade diese letzte Forderung mag Jesus im Sinn haben, wenn er in Mt 11, 17 Par in einem durchsichtigen Bilde sagt, daß die Menschen dieses Geschlechts (v 16) ein Trauergebaren, das ihrem eigenen entspricht, von ihm verlangen; denn Fasten war in Israel wie anderswo eine alte Trauersitte (vgl 1 S 31, 13 ein siebentägiges Fasten [→ 836, 39 ff]; 2 S 1, 12; 25 3, 35 ua). — Umgekehrt aber wollen die Pharisäer auch nichts von der entgegengesetzten Art des messianischen Vorläufers wissen; zum mindesten wollten sie nicht gerade das Gegenteil von einem ἄνθρωπος ἐν μαλακοῖς ἱματίοις ἠμφιεσμένος (Lk 7, 25 Par) sehen, was wie ein wandelnder Vorwurf gegen ihre eigene Lebensführung wirkte. Anstatt Johannes in den Ernst der Buße zu folgen und 30 *der Buße würdige Früchte zu bringen* (Lk 3, 8 Par), wollten sie lieber ἀγαλλιαθῆναι πρὸς ὥραν (J 5, 35). — Aber ebensowenig wie der Täufer tut ihnen Jesus den Gefallen, anders aufzutreten, als er's nach Gottes Willen tun soll. Er kam nicht als Richter, sondern als Retter (J 3, 17; 12, 47); er war nicht in wunderbarer Weise auf einmal da, sondern hatte einen ganz alltäglichen Anfang in 35 einem galiläischen Dorf; er half und heilte auch am Sabbat und feierte Freudenmahle harmlos mit (J 2, 1 ff; Mk 2, 15). Vielleicht kam gerade in diesem „Essen und Trinken" (Lk 7, 34 Par) am schärfsten die Tatsache zum Ausdruck, daß er gerade das Gegenteil von dem tat, was die θρηνοῦντες wollten, ebenso wie in seinen Vorschriften über das Fasten (Mt 6, 16—18), die dem stracks zuwider- 40 liefen, was jene von ihm verlangten.

---

[118] Zn Mt z 11, 16 ff.
[119] Vgl ESchwartz, Aporien im vierten Evangelium III (NGG 1908) 150 f u dazu GStählin, Zum Problem d joh Eschatologie (ZNW 34 [1934]) 238 A 7.

Die Antwort auf seine „Lebensfreude" ist ihr Todesanschlag, mit dem sie freilich eine *Totenklage* heraufbeschwören, die sie nicht gewollt haben (→ 849, 41 ff z Apk 1, 7; Sach 12, 10 ff). Denn zuletzt stehen doch natürlich sie als die Schuldigen da, die das „Leben" verwirkt haben, Gott aber und seine Boten
5 als die *Gerechtfertigten* (vgl Lk 7, 29. 35 Par).

2. Der κοπετός um den sterbenden Christus. Aber bevor es zu dieser Vertauschung der Klage und zu dieser Rechtfertigung kommt, muß Jesus selbst durch den κοπετός hindurch, denn wie seinen Siegen über den Tod im Leben anderer, so geht auch seinem entscheidenden Ostersieg
10 der κοπετός voraus (→ 844, 30 ff). Es ist die ergreifende Wehklage um den sterbenden Messias, die zwar in ihrer proleptischen Form (Lk 23, 27) wohl den meisten als solche unbewußt war, die aber nach Eintritt des Todes auf Grund des Bekenntnisses des Centurio — besonders wie es von Mk (15, 39) und Mt (27, 54) überliefert wird — von vielen sicher bewußter erhoben ward
15 (Lk 23, 48).

Vielleicht darf darin die Erfüllung einer Weissagung der jüngeren Prophetie gesehen werden, zu deren Messiasbild möglicherweise bereits die Wehklage um den toten Messias gehörte, nämlich des freilich sehr umstrittenen Wortes des Deuterosacharja (12, 10): *sie blicken hin auf mich (?),*
20 *den man durchbohrte, und klagen über ihn, wie man um den einzigen Sohn klagt* (LXX: καὶ κόψονται ἐπ᾽ αὐτὸν κοπετὸν ὡς ἐπ᾽ ἀγαπητόν), *und betrüben sich über ihn, wie man sich über den Erstgeborenen betrübt* (LXX: καὶ ὀδυνηθήσονται ὀδύνην ὡς ἐπὶ πρωτοτόκῳ).

25 In dieser vielleicht wichtigsten κοπετός-Stelle der Bibel geht die Klage um jene wunderbare Gestalt, die man ansprechend „den Märtyrer Gottes" genannt hat[120]. In ihrem dunklen Bilde mischt sich retrospektiv-prophetische Schau der Vergangenheit und eigene schmerzliche Erfahrung des Propheten mit uralten messianischen Hoffnungen und ahnender Vorausschau der geheimnisvollen Heilsveranstaltung Gottes, der alle Propheten nachgeforscht und nachgesonnen haben (1 Pt 1, 10).

30 Jene Gestalt wird zunächst (11, 4—14) von Deuterosacharja in prophetischem Handeln unter dem Bilde des guten Hirten voraus dargestellt — das Urbild dieses guten Hirten ist wahrscheinlich der König Josia (vgl 12, 11 Mas, wo vermutlich auf seinen Tod angespielt wird, → A 52) — ; dann aber wird verkündigt, daß er nach Jahwes eigenem Rat vom Schwerte getroffen wird (13, 7—9)[121]. Doch jetzt geschieht ein
35 Wunder: der vom Volke Gefällte (12, 8), Durchbohrte (v 10) ersteht wieder und wird gleich David wie ein Engel Gottes (v 8); merkwürdigerweise aber setzt zur gleichen Zeit ein κοπετός ein, von größter Heftigkeit (*wie um den einzigen Sohn*, v 10, → 837, 4 f; → Z 21) und so allgemein (alle Stämme des ganzen Landes sind beteiligt, v 12—14), wie um einen geliebten König (v 11, → 837, 9 ff). Warum dieser κοπετός? Zweierlei wirkt darin
40 offenbar zusammen: die Reue über die eigene Schuld am Tode des göttlichen Märtyrers und das Leid um das Unglück, das durch diesen Tod über das Volk Gottes selber kam (13, 7—9; vgl Mk 14, 27 Par). Aber entscheidend ist eins: Dieser κοπετός geschieht auf einem lichten Hintergrunde[122]. Eine solche Klage der Reue ist nur möglich als Folge des Empfangs göttlichen Gnadengeistes; und weiter: die Wieder-
45 erweckung des guten Hirten bedeutet offenbar die Erneuerung des davidischen Königtums, mit der die Wiederherstellung Judas und Jerusalems verbunden ist. So ist es ein gesegneter κοπετός, dessen gnädige Annahme durch Gott in der Entstehung einer reinigenden Quelle in Jerusalem bestätigt wird (13, 1).

---

[120] So überschreibt Procksch (→ A 112) 107 den Abschnitt 11, 4 — 13, 9.
[121] Diese Rückbeziehung von 13, 7—9 scheint mir wahrscheinlicher als die auf den schlechten Hirten (11, 15—17); vgl Procksch aaO 108.

[122] Vgl das ähnliche Verhältnis von θρῆνος und Heilsweissagung in Mt 2, 17 und J 16, 20 (→ θρηνέω 153, 4—23. 40—154, 16).

Dieser Sacharjatext hat mit zahlreichen seiner Einzelzüge eine mannigfache Bedeutung für den nt.lichen κοπετός um Christus: Jesus, der nach Gottes Rat von seinem Volk gefällte Davidssohn, der gute Hirte und König Israels, der zugleich in einzigartigem Sinn ἀγαπητός (LXX v 10)[123] und πρωτότοκος (ebd; vgl Hb 1, 6) ist, wird von den Bewohnern Jerusalems beklagt aus Reue für ihre 5 Schuld an Christi Schicksal und aus Sorge um das eigene Geschick, und dieser κοπετός geschieht in der Tat auf dem Hintergrunde des göttlichen Heils, das sich eben in dem Gegenstand der Klage vollendet.

Verwandt damit ist die Deutung, die der Barnabasbrief (7, 5) einer Haggada zum Großen Versöhnungstag gibt. Er findet in dem Tun τοῦ λαοῦ νηστεύοντος καὶ 10 κοπτομένου ἐπὶ σάκκου καὶ σποδοῦ[124] (während die Priester von dem Sündopfer essen) eine prototypische Darstellung des Opfertodes Christi und der Klage um ihn. — Endlich ist hier noch auf den gnostischen Hymnus in Act Joh 95 hinzuweisen, mit dem Jesus selbst eine Klage um sein Todesgeschick und die Aufforderung an seine Jünger, sie mit dem κοπετός zu begleiten, in den Mund gelegt wird (θρηνῆσαι θέλω · 15 κόψασθε πάντες, → 835, 6 ff) — eine Darstellung, die offenkundig im Widerspruch mit der Geschichte steht; denn der Jesus der Evangelien kündigt zwar gelegentlich seinen Jüngern den θρῆνος in den letzten Wehen an (J 16, 20, → θρηνέω 153, 40 ff), aber den κοπετός um sich selber weist er zurück (Lk 23, 28 ff; → 153, 31 ff). Nur in einem Ausnahmefall läßt er sich eine ähnliche Vorwegnahme seiner Bestattung (Mk 14, 3—9) 20 gefallen, die er selbst als solche (v 8) deutet.

Wenn Jesus im Sinne jener Weissagung des Deuterosacharja die Klagenden ermahnt, statt um ihn vielmehr um sich selbst und ihr bevorstehendes Geschick zu weinen, so nimmt er damit einerseits die prophetische Aufforderung zum κοπετός auf[125], anderseits bricht auch hier sein selbstvergessenes Erbar- 25 men (vgl Lk 23, 34), seine Liebe εἰς τέλος (J 13, 1) durch; denn der κοπετός um sich selbst kann ein Weg zur Buße und damit ein Rückweg aus dem Verderben werden.

3. Aber es gibt einen κοπετός, der nicht mehr zur Umkehr hilft, und von diesem eschatologischen κοπετός redet das 30 übrige NT.

a. Die junge Kirche deutete die Weissagung von Sach 12, 10 trotz der Erfüllung in Jesu Passion in einem andern Sinne. Sie hält das Wort als Weissagung fest und bezieht sie auf den großen κοπετός am Ende, womit sie die prophetische Ankündigung des allgemeinen κοπετός für den Tag Jahwes 35 geradlinig fortsetzt (→ 840, 20). In der sog synoptischen und in der Johannesapokalypse steht der eschatologische κοπετός an der gleichen Stelle, nämlich gerade beim Eintritt der Parusie. In Mt 24, 30 heißt es: Wenn das Zeichen des Menschensohns am Himmel erscheint (das sein unmittelbar bevorstehendes Kommen ankündigt), dann κόψονται πᾶσαι αἱ φυλαὶ τῆς γῆς, und ganz ähnlich 40 lautet Apk 1, 7 (wo Sach 12, 10 ff mit Da 7, 13 verbunden ist): ἰδοὺ ἔρχεται

---

[123] Vgl Mk 1, 11; 9, 7; 12, 6 usw; → ἀγαπάω I 48 f (48, 14—16: Der ἀγαπητὸς υἱός ist der einzigartige Märtyrer, der an der Wende der Zeiten steht, dessen Tod das Gericht heraufführt über die Welt und den Grund legt zur Neuordnung aller Dinge).
[124] Zu dieser etwas zeugmatischen Wendung, die auf der üblichen Verbindung des Tragens von Sackleinwand, des Streuens von Asche aufs Haupt, der Wehklage und des Fastens beruht, vgl 2 S 3, 31 f; Est 4, 3; Jer 6, 26; 49, 3 (30, 19 LXX); Ez 27, 31 ua, sowie Pr-Bauer sv.
[125] → 840, 10 ff; θρηνέω 151, 10 ff; 153, 34 ff. — Nach einer Textergänzung der altlat (*vae nobis!*) und altsyr Übers z Lk 23, 48 haben die Jerusalemer auch dieser Aufforderung Folge geleistet; vgl Ev Pt 7, 25; 8, 28.

μετὰ τῶν νεφελῶν . . . καὶ κόψονται ἐπ' αὐτὸν [126] πᾶσαι αἱ φυλαὶ τῆς γῆς. Sehen und Wehklagen sind eins, wie es in beiden Stellen der Reim (ὄψονται [127] — κόψονται) anschaulich versinnbildlicht.

Die Worte sind dieselben wie in Sach 12, 10 ff, aber der Sinn ist neu; ἡ γῆ
5 bedeutet dort (v 12) das Land Juda und πᾶσαι αἱ φυλαί (eingeschränkt durch αἱ ὑπολελειμμέναι, v 14) die Stämme Israels; im NT wird beides universal gedeutet, dem universalen Charakter der Parusie entsprechend, bei der erst wirklich allen unwidersprechlich und unleugbar aufgeht, wer Christus ist und was es bedeutet, ihn abgelehnt zu haben. Wie schon in der at.lichen Weissagung
10 (→ 848, 39 ff) ist der κοπετός hier einerseits ein Ausfluß der Reue, anderseits klingt aus der allzu späten Trauer der Mörder Christi noch viel stärker als dort die Klage um das eigene Geschick hervor, um das unmittelbar bevorstehende Gericht [128], über das jenes am Himmel erschienene Zeichen keinen Zweifel mehr zuläßt. Es ist ein tödliches Erkennen; denn jetzt ist es zu spät. Der helle
15 Lichtschein, der noch hinter dem κοπετός bei Deuterosacharja aufglänzte, ist jetzt erloschen. Der eschatologische κοπετός ist Totenklage im prägnantesten, ewig gültigen Sinn, die Totenklage der Welt um sich selbst in der letzten, hoffnungslosen Not.

b. Eine Sonderform der prophetischen Ankündigung des eschatologischen
20 κοπετός bietet Apk 18, 9, nämlich die ironische Voraussage der Totenklage um Babylon. Die Idee stammt aus Jesaja (14, 4 ff), die Worte aus Ezechiel (26, 16; 27, 30 ff): καὶ κλαύσουσιν καὶ κόψονται ἐπ' αὐτὴν οἱ βασιλεῖς τῆς γῆς. Wie für Jesaja der König von Babylon der Repräsentant der Gottesfeinde auf Erden war, so bleibt seine Stadt auch im NT das Sinnbild der Gottlosig-
25 keit, obwohl deren Hort und Herd sich nach Westen verschoben hat. „Babylon muß untergehen" — das ist ein τόπος at.licher wie nt.licher Eschatologie —, und seiner universalen Bedeutung entsprechend wird alle Welt die Totenklage um sie anstimmen. Nur die Welt —; denn das Gottesvolk sieht es mit Frohlocken (v 20).

30 Auch hier freilich (→ A 128) ist der κοπετός keine reine Totenklage. Denn in dem κόπτεσθαι der Könige und dem dreimal wiederholten κλαίειν καὶ πενθεῖν (v 11. 15. 19) der Kauf- und Seeleute klingt auch die Klage um sie selber mit, die von dem Tod ihrer guten Kundin und Patronin schwer betroffen werden.

4. Zusammenfassung.

35 Die Bibel ist gleichsam ein geschlossenes Zeugnis dafür, daß der Tod, der durch die Sünde auf die Erde kam, zur gottfeindlichen Welt gehört. Von ihren ersten bis zu den letzten Seiten bezeugt die Schrift, daß der Tod

---

[126] Zur Konstr mit ἐπί u Acc (→ 833, 25 f) vgl außer Sach 12, 10 u Apk 18, 9 noch 2 Βασ 11, 26 (Orig- u Lucian-Text); 1, 12; dazu Bl-Debr § 233, 2; ferner die par Wendungen κλαίω ἐπί (Acc) Lk 19, 41; 23, 28 usw; πενθέω ἐπί (Acc) Apk 18, 11; 2 Βασ 13, 37 uo; θρηνέω ἐπί (Acc) 2 Ch 35, 25; Thr 1, 1 usw.
[127] In Apk 1, 7 ist ὄψονται nur vl für ὄψεται.
[128] κόπτομαι dient hier also — namentlich in Mt 24, 30; Sach 12, 12, wo es absolut steht —, wie überhaupt häufig bei dem propheti-

schen κοπετός, auch Apk 18, 9, nicht ausschließlich zur Bezeichnung der Totenklage, sondern, zum mindesten als Unterton, klingt auch die Klage über das eigene Unrecht und Schicksal mit. Gerade das Schlagen an die Brust kann, wie zahlreiche andere Trauergebräuche (Sackgewand, Aschestreuen, Fasten usw), ausschließlich ein Ausdruck des Sündenbewußtseins sein; vgl κοπετός bei Jl 2, 12, κόπτομαι Barn 7, 5; τύπτω τὰ στήθη Lk 18, 13 ua.

dort nicht sein kann, wo Gott ist, die Quelle alles Lebens; wo sich aber der Tod findet, da ist irgendwie Gottesferne, ein Geschiedensein von dieser Quelle (Gn 3, 19; 4, 8 ff; Apk 21, 4). Um den Tod her ist darum von Natur eine Atmosphäre der Gottesferne, und Gottwidriges, „Heidnisches" im eigentlichen Sinn nistet sich hier besonders leicht und zähe ein. Die Geschichte der Trauer- 5 sitten, zumal in der biblischen Welt, ist dafür ein anschauliches Beispiel. Wenn Heiden diejenigen sind, die keine Hoffnung haben, so offenbart sich das naturgemäß am schärfsten angesichts des Todes, in der Hoffnungslosigkeit der Reaktion auf dieses elementarste Ereignis des Lebens, und es ist bezeichnend, wie dieser beinahe wesenhafte Zug des Menschentums in der Totenklage 10 ebenso der biblischen wie der außerbiblischen Welt zu Tage tritt. Aber es ist wiederum bezeichnend und bedeutsam, daß das Bewußtsein, daß hier etwas ist, was nicht sein sollte, ebenso in der außerbiblischen wie in der biblischen Welt sich meldet, wenngleich es den Kampf gegen das Heidnische in der Totenklage unter der Verkleidung verschiedenartiger Motive führt. Und endlich ist es 15 bezeichnend, daß dieser Kampf weder in der außerbiblischen noch in der biblischen Welt zum Ziele führt, bevor die Gottesferne des dem Tode verfallenen Menschen von innen her oder besser: von Gott her überwunden wird. Die griechischen Staaten und das römische Gesetz sind mit ihren Verboten nicht durchgedrungen, auch hellenistische Philosophen und jüdische Rabbinen haben sich mehr oder 20 weniger vergeblich um eine Eindämmung der Trauer und Klage bemüht, und bis tief in die christlichen Jahrhunderte hinein sind die Stimmen der vor- und unchristlichen Totenklage und die des Kampfes dagegen vernehmbar.

Es gibt nur eine Stelle, wo die Überwindung des κοπετός in Vollmacht geschieht, das Kreuz, weil eben hier die Gottesferne des Menschen in Nähe ver- 25 wandelt wird. Vom Kreuze her bahnt sich auch ein tiefgehender Wandel in den Trauersitten an. Das erst zaghafte und dann doch todesmutige Glauben, das aus der Osterwirklichkeit erwuchs, wird grundlegend für die Haltung der Christusjünger zum Tode überhaupt (1 K 15). Seitdem ist wirkliche christliche Trauer um die Entschlafenen etwas ganz anderes als der κοπετός. Der natür- 30 liche Schmerz ist zwar um nichts geringer als der, der sich im κοπετός Ausdruck verschafft. Aber er ist überglänzt von der Gewißheit um ein Leben, in dem alle Tränen getrocknet werden, in dem kein Leid und kein Geschrei mehr sein wird (Apk 21, 4). Darum ist christliche Trauer im Gegensatz zu allem heidnischen κοπετός s t i l l , und diese Stille ist selbst schon eine ahnende Vor- 35 wegnahme der „seligen Stille", in der alle Trauer und Klage für immer gewandelt ist in „Freude die Fülle".

† *ἀποκόπτω* (→ ἐκκόπτω, εὐνοῦχος, εὐνουχίζω II 763 ff)

ἀποκόπτω *abhauen.* *1.* in wörtl Sinn: *a. abhauen, abschlagen* zB Schiffsschnäbel Hom Il 9, 241; Baumstämme und -zweige Hom Od 23, 195; 9, 325; 40 Körperglieder Hdt VI 91. 114; Plut G Julius Caesar 16 (I 715 b); Dion Hal Ant Rom III 58; → 852, 14 ff. — *b. durchhauen, kappen* zB Stränge Hom Il 16, 474; Ankertaue Hom Od 10, 127; Xenoph Hist Graec I 6, 21; Ag 27, 32: ἀπέκοψαν . . . τὰ σχοινία τῆς

ἀποκόπτω. Nägeli 78 f; ABischoff, Exe- | 169 f; ZnGl ² 258 A 82; AOepke, Der Brief getische Randbemerkungen, ZNW 9 (1908) | des Pls an die Galater (1937) 95 f.

σκάφης. — *c. abbrechen* zB Brücken Plut Nicias 26 (I 540c). — *d. herunterhauen,
-treiben* bes Feinde Xenoph An III 4, 39. — *2.* in symbolischem Sinn: ἀποκόπτομαι =
→ κόπτομαι *betrauern* Eur Tro 627. — *3.* in übertragenem Sinn: *a. abschneiden, nehmen,
beseitigen* zB Hoffnung Apoll Rhod IV 1272 (ἐλπίδα); Plut Pyrrhus 2 (I 383 e) (τῆς
ἐλπίδος); Erbarmen ψ 76, 9; die Stimme Dion Hal Compos Verb 14, Plut Demosthenes 25 (I 857 d). — *b.* in rhetorischem Gebrauch vom *abrupten Abschluß* einer Periode
Aristot Rhet III 8 p 1409 a 19. — *c.* in grammatikalischem Gebrauch von der *Apokope*
(= Weglassung eines oder mehrerer Buchstaben, bes am Wortende) Aristot Poët
22 p 1458 b 2 [1].

Im NT findet sich das Verbum in zwei wichtigen Zusammenhängen, in denen
es sich beide Male um das *Abhauen* von Gliedern handelt.

1. Jesu Wort vom σκάνδαλον der Glieder: Mk 9, 43. 45.

Glieder des menschlichen Körpers [2] werden *abgeschlagen* bzw *abgeschnitten a.* im Kampf zB Hom Il 11, 146 (αὐχένα); 13, 203 (κεφαλὴν . . . ἀπὸ δειρῆς
κόψεν); 11, 261 (κάρη); vgl Aesch Suppl 841 (ἀποκοπὰ κρατός); hierher gehört auch
J 18, 10. 26: ἀπέκοψεν . . . τὸ ὠτάριον [ὠτίον] (10 τὸ δεξιόν).

b. bei *Amputationen* zB Archigenes bei Oribasius Medicinalia (ed Bussemaker-Daremberg IV [1862]) 47, 13, 2; vgl § 3 (ἀποκοπή).

c. als Strafe, zunächst in Fortsetzung der Grausamkeiten der Schlacht gegenüber
den Kriegsgefangenen, so Ri 1, 6 f (Daumen und große Zehen). Ähnlich klingt die
Ankündigung des Ez (23, 25) an Jerusalem: Nase und Ohren werden sie dir abschneiden;
aber hier spielt bereits der Gedanke mit: als Strafe für deinen „Ehebruch"
gegen Jahwe. Denn dem Ehebrecher werden Nase und Ohren abgeschnitten (vgl Diod
S I 78). Etwas anders verfährt Odysseus beim Strafgericht an dem ungetreuen Ziegen-
hirten Melanthios (Hom Od 22, 477): χεῖράς τ' ἠδὲ πόδας κόπτον („wobei noch ἀπό von
v 475 vorschwebt" [3]). Damit verwandt ist das Gebot in Dt 25, 11 f, daß der Frau, die
bei einem Raufhandel, um ihrem Mann zu helfen, dessen Gegner bei den Geschlechts-
teilen packt, die Hand abgehauen werden soll. Dillmann [4] bezeichnet dies als den
einzigen Fall, in dem das at.liche Gesetz die Verstümmelung einer Person als Strafe
vorschreibt. Aber es kann demgegenüber auf das at.liche ius talionis (vgl Mt 5, 38)
verwiesen werden, das sich fast gleichlautend in drei verschiedenen Zusammenhängen
findet: Ex 21, 23 f mit Bezug auf Verletzungen von schwangeren Frauen; Lv 24, 20
allgemein für verschiedenartige Körperverletzungen; Dt 19, 21 für falsche Zeugen,
die dasselbe erleiden sollen, was der durch ihr falsches Zeugnis Geschädigte erlitt.
Auch diese Bestimmungen setzen offenbar Verstümmelungsstrafen voraus. Wenigstens
nach erfolgter Hinrichtung noch wird eine solche nach 2 S 4, 12 an Mördern vollzogen. Aber auch Jesus scheint mit dem Ausdruck διχοτομεῖν in Mt 24, 51 und
Lk 12, 46 auf den Gesetzesbrauch anzuspielen, Verbrecher durch Abschneiden von
Leibesgliedern zu bestrafen [5]. Zum Problem solcher Strafen im rabb Schrifttum
→ ἐκκόπτω 859, 3 ff. Auch Josephus erwähnt einen derartigen Fall, Vit 147: τὴν
ἑτέραν τῶν χειρῶν ἀποκόψαι κελεύσας.

Die Forderung des Gliederabschneidens als Strafe liegt offenbar auch der
Weisung Jesu in Mk 9, 43. 45 zugrunde. Der Sinn dieser Weisung kann wohl
schwerlich der sein, daß man durch das Abhauen der Hand bzw des Fußes
weitere Versuchung und Verführung unmöglich machen solle — besonders am
Ausreißen des r e c h t e n Auges wird deutlich, daß dies nicht der Zweck der
Handlung sein kann —, vielmehr handelt es sich um eine Selbstbestrafung [6]
— und zwar an dem sündigenden Organ —, die zwar einerseits auch eine Ab-

---

[1] Zum weiteren Gebrauch in der Prof-Gräz
s bes bei Liddell-Scott sv.

[2] Vgl auch ἀποκόπτειν beim Opfer zB Hom
Od 3, 449 (die Sehnen des Nackens).

[3] Vgl KFAmeis-CHentze, Anhang z Hom
Od [3] (1879) zSt.

[4] ADillmann, Nu, Dt und Jos, in: Kurzgefaßtes exeget Hndbch z AT (1886) zSt.

[5] In Ägypten wurden zB Räubern die

Hände abgehauen usw; vgl Hastings DB I 525
sv mutilation (im Artk: Crimes and Punish-
ments).

[6] Von „alles preisgebender Tapferkeit, die
Jesus für diesen Kampf verlangt", spricht
Schl Mt 178 f; aber sein Einwand gegen den
Gedanken der Selbstbestrafung dürfte nicht
unbedingt stichhaltig sein.

schwächung der sündlichen Wirkung eben dieser Körperteile bewirken mag [7], aber vor allem die künftige Strafe vorwegnimmt und so einer ewigen Bestrafung vorbeugt (vgl das dreimalige ἢ . . . βληθῆναι εἰς τὴν γέενναν), → ἐκκόπτω 858, 47ff z Mt 5, 30; 18, 8.

2. Des Paulus Wort über seine Gegner: Gl 5, 12. 5

Ein Sonderfall des ἀποκόπτειν von Gliedern ist die **Ent-mannung** (→ εὐνουχίζω, εὐνοῦχος II 763, 6—767,5; vgl κατατομή Phil 3, 2), zB Philo Spec Leg I 325: ἀποκεκομμένοι τὰ γεννητικά, Leg All III 8: ἀποκεκομμένοι τὰ γεννητικὰ τῆς ψυχῆς, Dio C 79, 11: ἀποκόψαι αὐτό (sc τὸ αἰδοῖον). Auch absolut, ohne verdeutlichendes Objekt, wird ἀποκόπτω in diesem Sinne verwandt, bes das Pass (Luc Eun 8: 10 τοῦτον δὲ ἐξ ἀρχῆς εὐθὺς ἀποκεκόφθαι), dessen Partizipien (wie die des Med) die Bdtg *Entmannter, Eunuch* annehmen (οἱ ἀποκοπτόμενοι Epict Diss II 20, 19, ἀποκεκομμένος Dt 23, 2) gleich dem Verbaladjektiv ἀπόκοπος (Strab XIII 4, 14; Oecumenius [MPG 118] u Theophylact [MPG 124] zu Gl 5, 12).

Entmannte finden sich namentlich an zwei Stellen in der antiken Welt [8]: an den 15 orientalischen Höfen als *Kämmerer* (→ εὐνοῦχος) und in manchen orientalischen Kulten als Diener der Gottheit, zB die Galli der Kybele (vgl Pseud-Luc Syr Dea 51).

Das AT rechnet einerseits mit der ersten dieser Formen als mit einer gegebenen Tatsache und zwar nicht nur für Babylonien (vgl Js 39, 7), sondern auch für Israel selbst (vgl 1 S 8, 15; 3 Βασ 22, 9; 4 Βασ 8, 6; 9, 32; 24, 12. 15; ebenso Ιερ 36, 2 20 [29, 2]) [9], anderseits schließt es die ἀποκεκομμένοι grundsätzlich von der Gemeinde Jahwes aus: Dt 23, 2 οὐκ εἰσελεύσεται θλαδίας καὶ ἀποκεκομμένος εἰς ἐκκλησίαν κυρίου. Die Gründe für diesen Ausschluß sind wohl folgende: die Entmannung ist *a.* ein Verstoß gegen den Schöpferwillen Gottes: der Körper ist gottgegeben, darum ist es Sünde, ihn zu verstümmeln. Insbesondere ist es alleiniges Recht Gottes, der das 25 Leben und die Macht Leben zu zeugen gegeben hat, diese wieder zu nehmen, und nicht des Menschen. — *b.* die Entmannung ist ein Verstoß gegen den Monotheismus und den Gottesbund Israels: die Entmannung ist eine Nachahmung heidnischer Gebräuche und darum unwürdig eines Volkes, das so nahe mit Gott verbunden ist; sie ist art- und kultfremd, ebenso wie zB das Einschnittemachen und das Scheren des 30 Vorderkopfes bei der Trauer (Dt 14, 1; vgl Lv 19, 28; → κόπτομαι). — *c.* Endlich verstößt die Entmannung gegen den reinen Kult: für Gott ist nur das Tadellose gut genug, vgl die verwandten Bestimmungen gegen Priester mit Hodenbruch (Lv 21, 20) und gegen Opfertiere mit verletzten Hoden (Lv 22, 24) [10]. So gehört auch in die Kultgemeinde des Gottesvolkes nicht der, der einer der wichtigsten Potenzen ver- 35 lustig gegangen ist.

Aber das AT hält diese ablehnende Haltung [11] nicht bis zu Ende fest. Der siegreich durchbrechende Universalismus der Prophetie schließt auch die εὐνοῦχοι mit ein; im Jeremiabuch (Ιερ 48, 16 [41, 16]) wird berichtet, daß Johanan solche auch mit nach Ägypten genommen habe, also als einen Bestandteil der Volksgemeinde, und 40 nach Js 56, 3—5 hat der εὐνοῦχος, der dem Bunde treu ist, sogar einen Ehrenplatz in der Gemeinde — eine Verheißung, die man in Ag 8, 27 erfüllt finden mag.

Jesus selbst nimmt zu der Frage der Eunuchen in der Gemeinde nicht Stellung, auch nicht in Mt 19, 12; denn hier denkt er wahrscheinlich an den Verzicht auf das Geschlechtsleben (→ II 765, 41—766, 15); auch Paulus muß dieses 45 Wort (wie spätere, zB Cl Al Strom III 59, 4) so — wie er es auch selbst befolgte (1 K 7, 7) — verstanden haben; sonst hätte er Gl 5, 12 nicht mit solchem grimmigen Hohne schreiben können [12].

Paulus spricht hier (Gl 5, 12) offenbar eine scharfe Ablehnung der Entmannung aus: Ὄφελον καὶ ἀποκόψονται οἱ ἀναστατοῦντες ὑμᾶς. Was wünscht er damit 50

---

[7] Vgl GStählin, Skandalon (1930) 267. 269 (wo ich den zugrundeliegenden Gedanken der Selbstbestrafung noch nicht klar erkannt hatte).
[8] Vgl ADNock, Eunuchs in Ancient Religion, ARW 23 (1925) 25 ff.
[9] An einigen dieser Stellen ist es allerdings fraglich, ob es sich um wirkliche Eunuchen und nicht bloß um einen Titel handelt; vgl bes 2 Kö 25, 19 = Ιερ 52, 25.
[10] In dieser Stelle fand die rabb Auslegung auch Menschen eingeschlossen (vgl Str-B I 807).
[11] Vgl auch die Vermeidung des Wortes εὐνοῦχος in Ιερ 45, 7 (38, 7); 41, 19 (34, 19); → II 764, 36 ff.
[12] Vgl auch JRWillis in DCG sv Eunuch.

jenen Störenfrieden in den galatischen Gemeinden an? Man hat nachzuweisen
versucht, daß ἀποκόπτομαι hier in dem übertragenen Sinn *sich trennen* gebraucht
sei, wie es schon die Reformatoren und Erasmus aufgefaßt hatten; bei Paulus
sei diese schlimmste Brutalität und Ruchlosigkeit nicht einmal als Fluch denk-
5 bar [13]. Aber so gewiß man einräumen wird, daß der Apostel hier nicht wähle-
risch war in der Wahl seiner sprachlichen Mittel, daß ihm vielmehr in diesem
Augenblick gerade die stärksten Ausdrücke der Umgangssprache als die geeignetsten erschienen [14], so gewiß wird man auf der andern Seite zugeben müssen,
daß der durchschlagende Effekt der paulinischen Argumentation verloren geht,
10 wenn man den Sinn dieses drastischen Ausdrucks zur Bedeutung *segregari* verflüchtigt. Vor allem verliert dabei auch das καί seinen Sinn, das offenkundig
auf eine Steigerung gegenüber dem vorher Gesagten hinweist. Diese Steigerung aber beruht auf dem Gegensatz von περιτέμνεσθαι (v 2 ff; vgl v 11) und
ἀποκόπτεσθαι, wie schon Chrysostomus erkannte und deutete, wenn er dieses mit
15 περικοπτέσθωσαν als Gegenstück zu περιτεμνέσθωσαν umschreibt [15]. Ein ἀποκόπτειν wäre eine radikale Überbietung des περιτέμνειν, wobei eine solche Übersteigerung der gesetzlichen Haltung in Widergesetzlichkeit umschlüge; denn
damit fiele man unter das Verdikt von Dt 23, 2. Eben das aber will Paulus
zum Ausdruck bringen: seine Gegner befinden sich im Konflikt mit Gottes
20 Willen. Dabei mag freilich, gerade im Blick auf Dt 23, 2, der Gedanke an
Selbst-Exkommunikation mitspielen: mit der Selbstentmannung schlössen sie sich
wenigstens selbst aus der Kirche Gottes aus, wie sie in Wahrheit schon längst
draußen stehen. Ja, die Selbstentmannung wäre ein akuter Rückfall ins Heidentum, das gerade in dem in Galatien beheimateten Kybelekult die Selbstentman-
25 nung in den Mittelpunkt des Kultus stellte [16].

Man mag nur dies fragen, ob an eigentliche Selbstentmannung zu denken ist [17] oder
an eine Operation (ἀποκόπτομαι = *sich kastrieren lassen*) [18], wie sie vermutlich auch in
Dt 23, 2 vorausgesetzt ist; denn hier ist, wie es scheint, von zwei Operationen die
Rede — neben dem ἀποκεκομμένος steht der θλαδίας, der *Gequetschte* —, mit denen
30 die Entmannung vollzogen wurde. Aber jene Frage ist irrelevant; denn jener Ausruf
des Paulus ist mit schneidendem Hohn geladen und wollte wohl in der Tat niemals
ernst genommen werden [19]. Was Paulus sagen will, ist nur dies: jene Verderber
sollten doch durch den Vollzug der letzten Konsequenz ihrer Irrlehre offenkundig
machen [20], was ihm selbst unanzweifelbar feststeht: sie gehören nicht zur Gemeinde
35 Gottes.

Von Rabbinen wird gelegentlich solche Enthaltung berichtet, wie Jesus sie gemeint
(Mt 19, 12) und Paulus sie geübt hat, so von Ben Azzai (TJeb 8, 4; Str-B I 807).
Selbstentmannung wurde, wenn sie auf heidnischer Seite — vielleicht religiös begründet — vorkam (vgl bSchab 152 a, Midr Qoh z 10, 7), verspottet, weil die Kastrierung
40 unbedingt abgelehnt wird; vgl SLv 22, 24 (399 a) u bSchab 110 b Bar; Str-B I 807.

Auch außerhalb der Bibel und des Judentums herrscht die Verurteilung der Entmannung vor, so im römischen Sittenkodex, und für die Haltung der Popularphilosophie

---

[13] ABischoff (→ Lit-A) 169 f.
[14] Nägeli 78 f.
[15] Vgl den ähnlichen Gegensatz in Phil
3, 2: κατατομή — περιτομή.
[16] Vgl jetzt bes Oepke (→ Lit-A) 95; auch
GSDuncan, The Epistle of Paul to the Galatians (1934) (Moffatt NT Commentary) 161.
[17] So JCKvHofmann, Die hl. Schrift NT's
II 1: Der Brief Pauli an die Galater (1863)
zSt (ἑαυτὸν ἀποκόπτειν); CWeizsäcker, Das

NT übers (1922) *(sich verstümmeln)*; WLütgert
BFTh 22, 6 (1919) 31 ff; WMRamsay Exp 5th
Ser, Vol II (1905) 103 ff; Liddell-Scott sv;
Wilke-Grimm sv, ua.
[18] So Zn Gl zSt; vgl Bl-Debr § 317.
[19] Moulton 255 f; 318.
[20] Vgl Lütgert aaO 31 ff, 81, der aber an
eine vom Kybelekult beeinflußte mystisch-
pneumatische Irrlehre denkt.

ist das Wort Epiktets (Diss II 20, 19) bezeichnend: καὶ οἱ ἀποκοπτόμενοι τάς γε προθυμίας τὰς τῶν ἀνδρῶν ἀποκόψασθαι οὐ δύνανται[21].

† ἐγκοπή, † ἐγκόπτω (→ προσκοπή, πρόσκομμα)

Die Wortgruppe ἐγκοπή, ἐγκόπτω gewann ihre Hauptbedeutung[1] *Hemmung* (zB Vett Val I 1 [p 2, 7]: ἐγκοπαὶ τῶν πρασσομένων; Diog L IV 50: οἴησις προ- 5 κοπῆς ἐγκοπή *Eigendünkel ist ein Hindernis des Fortschritts*) bzw *hemmen, aufhalten*[2] (zB Polyb 23, 1, 12) von der militärischen Praxis, *Einschnitte* in die Straße zu machen, um den nachfolgenden Feind aufzuhalten; der Grundsinn ist also *den Weg versperren*[3]. Daraus ergibt sich, daß ἐγκοπή ursprünglich nur einen zeitweiligen Aufenthalt bezeichnete (im Unterschied von → πρόσκομμα), wie es auch noch im nt.lichen Gebrauch 10 erkennbar ist (vgl R 15, 22: ἐνεκοπτόμην τὰ πολλὰ ... νυνὶ δὲ ...). Aber später wurde dieser Unterschied verwischt (vgl MAnt XI 1: bei gewissen Dingen ἀτελὴς γίνεται ἡ ὅλη πρᾶξις ἐάν τι ἐγκόψῃ. Papyrus Ptolémaiques du Musée d'Alexandrie ed GBotti 4, 3 = Bulletin de la Société Archéologique d'Alexandrie 2 [1899] 65: ἡμῖν ἐγκόπτεις καλὰ καὶ ἐν τοῖς λοιποῖς πρός τὸ μὴ γίνεσθαι ... τὸ χρήσιμον), sodaß auch im 15 NT der Gedanke an ein definitives Hindernis vorherrscht[4], und zwar fügt sich der Begriff in das Bild vom Laufen in der Rennbahn ein (→ ἀγών I 134 ff, ἀθλέω I 166 f, βραβεῖον I 636 f; στέφανος, στάδιον, τρέχω); vgl bes Gl 5, 7: ἐτρέχετε καλῶς· τίς ὑμᾶς ἐνέκοψεν;[5] aber auch in 1 Th 2, 18; R 15, 22 steht dasselbe Bild im Hintergrund.

1. Der Gedanke der religiösen Hemmung 20 im NT. Die Hemmungen, die im NT mit ἐγκοπή, ἐγκόπτω bezeichnet werden, liegen durchweg (zu Ag 24, 4 → A 1) auf religiösem Gebiet (im Unterschied von κωλύω). Das wird schon deutlich, wenn die Vorfrage gestellt wird: Was wird gehindert? Der Lauf des Apostels durch die Welt (R 15, 22; 1 Th 2, 18), der Lauf des Evangeliums selbst (1 K 9, 12), der Wandel („Lauf") 25 der Christen im Glaubensgehorsam gegen die Wahrheit (Gl 5, 7)[6], der Aufstieg der Gebete zu Gott (1 Pt 3, 7).

2. Die Hauptfrage aber ist: Durch wen und wodurch werden diese Hemmungen zustande gebracht? Das NT hat zwei Antworten auf diese Frage: 30

a. Durch den Satan. 1 Th 2, 18: ἐνέκοψεν ἡμᾶς ὁ σατανᾶς. Er ist es, der nicht nur die Missionsarbeit, sondern auch die persönlichen Freuden des Apostels (in diesem Falle die des Wiedersehens mit seinen geistlichen Kindern) zu verhindern sucht[7]. Freilich muß für Paulus in diesem Fall

---

[21] Das klingt wie eine Entgegnung auf eine mögliche Weiterbildung von Mt 5, 29 f (vgl HWindisch ZNW 27 [1928] 170 A 1): εἰ δὲ τὸ μόριόν σου σκανδαλίζει σε, ἔκκοψον αὐτὸ καὶ βάλε ἀπὸ σοῦ.

ἐγκόπτω. Zur Konstr mit Inf u μή (Gl 5, 7?; → A 6) vgl Bl-Debr § 429; mit d Gen des Inf (R 15, 22) Bl-Debr § 400, 4; auch Kühner-Gerth II 215.
[1] In Ag 24, 4 mag man ἐγκόπτω mit *belästigen* (Zn zSt) od *ermüden* wiedergeben, so syr, PrAg zSt; Pr-Bauer sv mit Verweis auf die Wendung ἔγκοπον ποιέω *ermüden* (Hi 19, 2), *zur Last fallen* (Js 43, 23); vgl auch Qoh 1, 8 (wo die Bdtg von ἔγκοπος undeutlich ist).
[2] Hesych: ἐμποδίζω, διακωλύω. — Es gibt aber auch einen intr Gebrauch: Vett Val VI 9 (p 260, 24); vgl Moult-Mill sv ἐκκόπτω (ἐνκόπτω).

[3] Darum ist neben der Acc-Konstr auch die Dat-Konstr möglich; vgl PAlex 4, 3 (→ Z 13 ff).
[4] Formal können daher die drei Wendungen διδόναι ἐγκοπήν (1 K 9, 12), διδόναι προσκοπήν (2 K 6, 3) u τιθέναι πρόσκομμα (R 14, 13) denselben Sinn haben.
[5] Der text rec hat hier ἀνέκοψεν von ἀνακόπτω *im Lauf aufhalten*, den Kurs eines Schiffes stoppen (zB Theophr Char 25, 2 [vl: ἀνακύπτειν]).
[6] Die Verbindung der Wendung ἀληθείᾳ μὴ πείθεσθαι mit ἐνέκοψεν ist fraglich (vgl Zn Gl zSt; Bl-Debr § 488, 1 b; dgg AOepke, Der Brief des Pls an die Galater [1937] zSt). Tatsächlich bleibt das Bild nur dann erhalten, wenn man das Fragezeichen hinter ἐνέκοψεν setzen darf; anderseits sind solche (unvermittelten) Übergänge vom Bilde in die damit gemeinte Wirklichkeit nicht selten; vgl zB 1 Pt 2, 8 b; Mt 5, 16; 7, 6 a.
[7] Vgl Dib Th 12; Ders, Die Geisterwelt im Glauben des Pls (1909) 56.

ein besonderer Grund zu dieser Feststellung vorliegen, weil er sie nur hier macht
(Chrys Hom in 1 Th zSt [MPG 62]); vgl 2 K 1, 15 ff; R 1, 13 und besonders
Ag 16, 6 f: κωλυθέντες ὑπὸ τοῦ ἁγίου πνεύματος (!) . . . οὐκ εἴασεν αὐτοὺς τὸ πνεῦμα
Ἰησοῦ. Es darf bezweifelt werden, ob Pls Naturereignisse wie einen Sturm
5 auf der Seereise dem Teufel zuschreiben würde[8]; denn obwohl er ihn (2 K 4, 4)
θεὸς τοῦ αἰῶνος τούτου nennt, ist „die Herrschaft Satans über diese Welt zunächst
eine Herrschaft über die Menschen" (→ διάβολος II 79, 5 f), aber nicht über die
Schöpfung. Eher ließe sich an eine Krankheit denken (vgl 2 K 12, 7!) oder
aber — mit Ramsay[9] — an ein Verbot seitens der Behörden in Thessalonich,
10 in dem Pls eine fein ersonnene List Satans gesehen hätte. Satanas egit
per homines malos (Bengel z 1 Th 2, 18). Man könnte unter eben diesem
Leitsatz auch auf die Nachbarschaft von v 16 verweisen, in dem der Apostel
den Juden den Vorwurf macht, daß sie es seien, die ihn daran hindern (κωλυ-
όντων ἡμᾶς) τοῖς ἔθνεσιν λαλῆσαι ἵνα σωθῶσιν (vgl den ähnlichen Vorwurf Jesu
15 Lk 11, 52 Par). Die Juden sind oft Werkzeuge des Teufels (vgl zB noch 1 K
2, 8 b; J 13, 27; 8, 44).

Ohne daß er genannt wird, steht derselbe ἐγκόπτων auch hinter den judaisti-
schen Irrlehrern, welche die Galater in ihrem schönen Glaubenslauf aufhalten
(Gl 5, 7)[10]; denn er ist der Gegenspieler τοῦ καλοῦντος ὑμᾶς (v 8), er mischt
20 die verderbliche ζύμη (v 9; vgl 1 K 5, 6 mit v 5; → II 906, 3 ff; 908, 5 ff) in
das νέον φύραμα Gottes.

　　　　　　　　b. Entsprechend der paradoxen Spannung in der Beurteilung des Bösen, welches das NT bald auf den Teufel zurückführt, bald aus
dem Herzen der Menschen kommen sieht (→ πονηρός), können auch Menschen
25 allein als Urheber des ἐγκόπτειν gesehen werden, das, da es sich im NT durchweg gegen Gutes richtet (→ 855, 20 ff), nur ein Sonderfall des Bösen ist. Der
Apostel selbst könnte ein solcher ἐγκόπτων für seine Evangeliumsarbeit werden
(1 K 9, 12), wenn er seine apostolische ἐξουσία (v 4. 7 ff. 14) in einer Weise
ausnützte, die ihm sein Gewissen verbietet. Die ἐγκοπή würde dem Evan-
30 gelium Christi dadurch entstehen, daß 1. der Anschein erweckt würde, als
übe er seine missionarische Tätigkeit zum Brot- und Gelderwerb aus, daß 2. die
Befürchtung, einen materiellen Beitrag leisten zu müssen, namentlich Ärmere
vor dem Eintritt in die Gemeinde abschrecken könnte[11]. Es wäre also auf
beiden Seiten die Bindung an das Geld (Mt 6, 24!), die der προκοπή τοῦ εὐαγ-
35 γελίου (Phil 1, 12) zur ἐγκοπή würde. Aber darauf kommt Pls nun gerade alles
an ἵνα μή τινα ἐγκοπὴν[12] δῶμεν τῷ εὐαγγελίῳ τοῦ Χριστοῦ. Der Gedanke an die
→ προκοπὴ τοῦ εὐαγγελίου drängt alles Denken des Pls an seine Rechte, Wünsche
und Leiden in den Hintergrund.

Wie hier die Sünde das Werk Gottes in der Welt, so würde sie nach 1 Pt
40 3, 7 (εἰς τὸ μὴ ἐγκόπτεσθαι τὰς προσευχὰς ὑμῶν) die Gottesbeziehung der einzelnen Christen stören und hemmen. Es ist wohl nicht nur das so wichtige

---

[8] so Wbg Th zSt.
[9] Pls in der Ag (1898) 188 f.
[10] Vgl den ähnlichen Vorwurf gegen Dio-
trephes in 3 J 10: τοὺς βουλομένους κωλύει.

[11] Bchm 1 K zSt.
[12] Die LA ἐκκοπήν gibt keinen befriedigen-
den Sinn.

Gemeinsam-beten-können der Ehegatten, das der Apostel hier im Auge hat; freilich würde sicher auch dies durch ein Verhalten des Mannes unmöglich werden, welches das Weib nicht zugleich als das körperlich schwächere, aber geistlich gleichberechtigte Wesen ehrt. Es ist aber vielmehr so, daß Verkehrtheit in dieser wichtigsten und innigsten Beziehung zwischen Menschen auch 5 die Beziehung zwischen diesen Menschen und Gott störend beeinflußt [13] oder gar unterbricht, wie es auch oft umgekehrt der Fall ist. Die Not, daß die Sünde den Weg der Gebete zu Gott versperrt [14], ist eine Not, die seit den Tagen Kains über der Menschheit liegt und erst in Christus wirklich gelöst ist.

Der Lauf des Evangeliums und der Apostel, der Wandel der Christen und 10 der Aufstieg der Gebete, das alles sind Bewegungen, die der heilige Geist bewirkt; darum gehört ihre Hemmung zu den Dingen, die um keinen Preis geschehen dürfen (→ σκάνδαλον).

ἐκκόπτω

Das Radikale, das die Grundnote von → ἀποκόπτω im 15 NT ist, ist auch die von ἐκκόπτω. Der Gebrauch der beiden Verben berührt sich aufs nächste gerade da, wo es um radikale Entscheidungen im Sinne des NT geht (→ 857, 33 ff; 858, 34 ff).

A. Der allgemeine griechische Sprachgebrauch.

a. ἐκ- im buchstäblichen Sinn ergibt für ἐκκόπτω die Bdtg 20 *ausschlagen,* insbesondere: *Augen* [1], zB Aristoph Av 342: ἦν... τὼ ὀφθαλμὼ ἐκκοπῇς *wenn dir beide Augen ausgeschlagen sind;* im selben Sinn auch das Nomen ἐκκοπή, zB Philodem Philos De Ira fr 8 b col XIII (ed CWilke [1914] p 33); Zähne, zB Phryn Comicus fr 68 (CAF I p 387); von chirurgischen Eingriffen (→ ἀποκόπτω 852, 17 f): Luc Tyr 24; ebenso ἐκκοπή Heliodor bei Oribasius Medicinalia (ed Bussemaker-Daremberg III 25 [1858]) 44, 11 titulus; Zweige, die *ausgeschnitten werden* um entweder anderen, einzupfropfenden Platz zu machen R 11, 22 oder um selbst auf einem anderen Baume eingepfropft zu werden v 24; vgl PFay 114, 14. Hier, wo ἐκκόπτω (neben ἐκκλάω) Korrelat zu ἐγκεντρίζω ist, ist also das Ausschneiden insofern nicht radikal, als es nicht in jedem Fall endgültig ist; denn es gibt auch ein πάλιν ἐγκεντρίζειν (v 23), aber 30 → 858, 37 ff. — *b.* Von Bdtg *a.* aus entsteht weiter die Bdtg *aufbrechen,* nämlich durch *Herausschlagen* von Türen, Schlössern, Riegeln usw, zB Lys 3, 6 (θύρας), Polyb 4, 3, 10 (οἰκίας). — *c.* ἐκ- im weiteren Sinn als Präposition der radikalen Trennung ergibt die Bdtg *abhauen,* insbesondere Bäume zB Ditt Syll [3] 966, 34. 41 (ἐλάας); POxy VI 892, 10 (vgl Moult-Mill sv); Sach 12, 11; gr Hen 26, 1: τοῦ δένδρου ἐκκοπέντος *auch nach-* 35 *dem der Baum umgehauen ist* (sc bleiben und sprossen die Zweige fort); Jer 22, 7: καὶ ἐκκόψουσιν τὰς ἐκλεκτὰς κέδρους σου καὶ ἐμβαλοῦσιν εἰς τὸ πῦρ. Der Form nach klingen daran die gleichlautenden Worte des Täufers und Jesu stark an, Mt 3, 10 Par; 7, 19: πᾶν δένδρον μὴ ποιοῦν καρπὸν καλὸν ἐκκόπτεται καὶ εἰς πῦρ βάλλεται. Vgl dieselben Gedanken in J 15, 2. 6 und — ohne die Fortsetzung vom Feuer — Lk 13, 7. 9: 40 ἐκκόψεις αὐτήν (sc τὴν συκῆν). Ein Gegenstück zu dieser Stelle ist Dt 20, 19: αὐτὸ (sc einen fruchttragenden Baum) οὐκ ἐκκόψεις. — In derselben Verwendung auch das

---

[13] Die in 1 K 7, 5 und Test N 8, 8 angedeuteten Gedanken, auf die Wnd Kath Br zSt verweist, liegen ferner; doch ist auch für unseren Zusammenhang der in der erstgenannten Stelle von Pls ausgesprochene Gedanke wichtig, daß, wo die Gottesbeziehung des Menschen unterbrochen ist, der Teufel freies Spiel hat.

[14] Vgl demgegenüber die dem Frommen gegebene (aus Dt 7, 14 herausgelesene) Verheißung (bBek 44 b; Str-B I 455): Dein

Gebet soll nicht unfruchtbar (dh erfolglos) sein vor Gott. — Vgl auch die übrigen Str-B I 450 ff angeführten Stellen zur Frage der Gebetserhörung im Judentum.

ἐκκόπτω. KBornhäuser, Die Bergpredigt [2] (1927) 90 ff.

[1] In den Worten Jesu wird dafür ἐξαιρεῖν (Mt 5, 29; 18, 9) bzw ἐκβάλλειν (Mk 9, 47) gebraucht.

Nomen ἐκκοπή, zB Polyb 2, 65, 6. — Glieder des menschlichen Körpers (→ ἀποκόπτω 852, 13 ff), bisher nur im NT belegt[2]: Mt 5, 30; 18, 8 → Z 47 ff.

Für den weiteren, namentlich den übertragenen Gebrauch ergibt sich eine doppelte Linie, je nachdem der Gedanke der Trennung (d, e) oder der völligen Beseitigung, der Vernichtung (f) im Vordergrunde steht.

Vom Gedanken der Trennung aus entstehen die Bdtgn: d. vertreiben, zB Xenoph Hist Graec VII 4, 26, vgl 32; Plut Cicero et Demosthenes 4 (I 887 f) (τῆς πατρίδος), und e. sondern, ausschließen, verstoßen. In diesem Sinn verwendet Symmachus ἐκκόπτειν, um in ψ 30, 23; 87, 6 das Gefühl des Frommen, von Gott abgeschnitten zu sein, in ψ 36, 38 die tatsächliche Trennung des Gottlosen von Gott auszudrücken. Dem entspricht der altkirchliche Gebrauch von ἐκκόπτειν vom Ausschluß aus der Kirche, der Exkommunikation, zB Canones Apostolorum 29 (ed FLauchert [1896]): οὗτος παντάπασιν ἐκκοπτέσθω τῆς ἐκκλησίας, 30: ἐκκοπτέσθω τῆς κοινωνίας παντάπασιν. — f. Radikal beseitigen heißt ausrotten, vernichten: Menschen, zB Hdt IV 110; Demosth Or 7, 4 (λῃστάς); Ιερ 51, 7 (44, 7); vgl v 8: ἵνα ἐκκοπῆτε καὶ ἵνα γένησθε εἰς κατάραν. Barn 12, 9: ἐκκόψει ἐκ ῥιζῶν τὸν οἶκον πάντα τοῦ Ἀμαλὴκ ὁ υἱὸς τοῦ θεοῦ[3]. — Städte und Länder, zB Paus III 8, 6 (τὰς Ἀθήνας), Plut Pomp 24 (I 631 a). — In übertragener Verwendung im selben Sinn, wobei zuweilen noch das Bild des Herausschlagens (→ a.) oder des Abhauens (→ c.) mehr oder weniger deutlich durchschimmert, vgl zB Hi 19, 10: ἐξέκοψεν δὲ ὥσπερ δένδρον τὴν ἐλπίδα μου (→ ἀποκόπτω 852, 3 ff); wie hier auch sonst vorzugsweise von der Beseitigung von Gemütszuständen, Trieben udgl, zB Plat Charm 155 c (θρασύτης), Philodem Philos Περὶ παρρησίας fr 88 col XVI (ed AOlivieri [1914] p 56) (φαντασία), 4 Makk 3, 2 ff (ἐπιθυμία, θυμός, κακοήθεια, vgl v 5, → A 3), 1 Cl 63, 2 (τὴν ἀθέμιτον τοῦ ζήλους ὑμῶν ὀργήν), und von Übeln aller Art, zB Gal Utrum Medicinae sit an Gymnastices Hygieine 27 (V p 856 Kühn), De Methodo Medendi 10, 1 (X p 662 Kühn) (τὰς νόσους, τὴν αἰτίαν [τοῦ πυρετοῦ]), Preisigke Sammelbuch 4284, 8 (τὰ βίαια καὶ ἄνομα), Ditt Or 669, 64 (τὰ τοιαῦτα sc Mißbräuche), Vett Val VII 2 (p 268, 6) (τὰ πολλὰ τῶν φαύλων), Epict Diss II 22, 34 (ταῦτα τὰ δόγματα). In diese Reihe gehört auch 2 K 11, 12: ἵνα ἐκκόψω τὴν ἀφορμὴν τῶν θελόντων ἀφορμήν. Was die Gegner des Pls anstreben, ist ein Anlaß ihn zu verunglimpfen, ihm irgendwie Abbruch zu tun, und solche Anlässe will Pls, soviel an ihm liegt, — um seines apostolischen Auftrags willen — radikal ausschließen, unmöglich machen.

B. Das radikale ἐκκόπτειν in den Logien Jesu.

In zwei verschiedenen Zusammenhängen der Logien Jesu (und des Täufers) dient das Verbum als Ausdrucksmittel der Radikalität seiner Botschaft.

1. In dem mehrfach angewandten Gleichnis vom unfruchtbaren Fruchtbaum (Mt 7, 19; Lk 13, 7. 9 — Mt 3, 10 Par) ist das Abgehauenwerden ein Sinnbild der völligen Trennung des Menschen vom Leben (vgl bes auch J 15, 2 ff), der unwiderruflichen Überlieferung ins Verderben. In dem Gleichnis vom Feigenbaum (Lk 13) ist dabei offenbar an ein Strafgericht, eine Verwerfung innerhalb dieses Aeon (mit seinen Jahren!), in Mt 7, 19 und in der Parallelaussage des Täufers (3, 10) an die eschatologische Verdammnis gedacht. — Dem Gedanken von Lk 13, 7 entspricht auch die Drohung an die überheblichen Heidenchristen in R 11, 22: ἐπεὶ καὶ σὺ ἐκκοπήσῃ sonst wirst auch du ausgehauen werden (etwas anders v 24, → 857, 26 ff).

2. In dem zweimal in verschiedenen Zusammenhängen (Mt 5, 30; 18, 8) verwandten Logion vom Abhauen der Hand (und des

---

[2] Doch vgl die Bemerkung von ADeißmann zu 4 Makk 3, 3 (bei Kautzsch Pseudepigr 155 A i) über ἐκκόπτειν = amputieren im Gegensatz zu βοηθεῖν = kurieren.

[3] Hier ist bes ἐκ ῥιζῶν zu beachten, das den „radikalen" Charakter von ἐκκόπτω unterstreicht. Vgl auch in 4 Makk 3 nach dem dreimaligen οὐ δύναται ἐκκόψαι (vv 2—4) den zusammenfassenden Satz (v 5): οὐ γὰρ ἐκριζωτὴς τῶν παθῶν ὁ λογισμός ἐστιν, ἀλλὰ ἀνταγωνιστής, ferner die ergänzenden Adverbien zu ἐκκόπτω in Ditt Or 669, 64 (ὁλικῶς), Canones Apostolorum (→ Z 12) 29 (παντάπασιν) etc.

Fußes, nur 18, 8) versinnbildlicht ἐκκόπτω, das hier mit → ἀποκόπτω (→ 851, 39 ff)
synonym ist, den Ernst der Entscheidung, in die Jesus die Menschen stellt.

    a. Zu der at.lichen Grundstelle über das Abhauen der Hand als Strafe, Dt 25, 12,
vgl ἀποκόπτω → 852, 19 ff. Dasselbe Prinzip, daß die Strafe an eben dem Glied vollzogen werden soll, mit dem das Vergehen geschah, ist von den Rabbinen beibehalten 5
worden. bNidda 13 b [4]: RTarphon (Ende 1. Jhdt, Anf 2. Jhdt n Chr) hat gesagt: Die Hand,
die nach dem (eigenen) Schamgliede greift, soll in der Höhe des Nabels abgehauen
werden. bSchab 108 b [5]: RMuna (um 180 nChr; vgl Str-B I 303 A 1) sagt: die Hand,
(vor dem Waschen oder vor dem Morgengebet? [6]) ans Auge, . . . an die Nase, . . . an
Mund usw gelegt, soll abgehauen werden. Raschi kommentiert: es wäre ihm besser, 10
daß sie abgehauen würde; denn ein böser Geist ruht auf der des Morgens nicht ge-
waschenen Hand und er macht blind usw. (Oder aber: vor dem Morgengebet ist jedes
noch so geringfügige andere Tun sündhaft.) — bNidda 13 b und bSanh 58 b; Str-B
I 302: RHuna († 297; Strack Einl 139) hat gesagt: Hau die Hand ab (nämlich diejenige, die sich gegen den Nächsten erhebt), wie geschrieben steht: der erhobene 15
Arm soll gebrochen werden (Hi 38, 15). RHuna ließ (tatsächlich) die Hand abhauen
(bei einem, der gewohnt war andere Leute zu schlagen) [7]. — Ohne Beziehung auf die
Art des Vergehens, nämlich als Strafe für Majestätsbeleidigung, wird bPes 57 b das
Abhauen der Hand gefordert.

    b. In einer — äußerlich betrachtet — ähnlichen Weise 20
gebietet Jesus das Abhauen des Gliedes, das dem Menschen zum Fallstrick
wird (→ σκανδαλίζω), sei es, daß es sich um geschlechtliche Versuchung und
Verfehlung (Mt 5, 30), oder um die Gefährdung der gesamten religiösen Existenz handelt [8]. Gemeinsam mit den rabbinischen Äußerungen ist die enge Beziehung von Vergehen und Strafe. Aber während es sich bei den Rabbinen 25
um eine gerichtliche Strafe [9] oder aber nur um eine Verwünschung [10] handelt,
hat Jesus offenbar eine rigorose Selbstbestrafung im Auge (→ ἀποκόπτω 852, 12 ff
z Mk 9, 43. 45). Daß die Forderung ἔκκοψον αὐτὴν καὶ βάλε ἀπὸ σοῦ wörtlich
gemeint ist [11], wird wahrscheinlich, wenn man sich den Geist der theozentrisch
und gleichzeitig eschatologisch bestimmten Radikalität vergegenwärtigt, der 30
Jesu Worte, namentlich in der Bergpredigt, erfüllt [12]. Gerade in dem vorliegenden Logion ist auch der eschatologische Hintergrund deutlich: die radikale
Selbstbestrafung, durch die man seine Hand bzw den Fuß opfert, hat als letztes

---

[4] Vgl die Erklärung der St bei EBischoff,
Jesus und die Rabbinen (1905) 45.

[5] Bei Bischoff aaO 108 (unter: Nachträge).

[6] Zu den diesbezügl Regeln vgl Str-B IV
190 ff und bBer 14 b; Str-B IV 202 f (k).

[7] Der Übersetzer HFreedman (in: The Ba-
bylonian Talmud translated . . . ed JEpstein,
Sanhedrin I [1935] 399 A 4) bemerkt dazu: This
is not actually permitted in the Torah.
JHWeiß (Dor Dor Wedoreshaw II 14) holds
that RHuna was influenced by a Persian
practice in this.

[8] Zu beiden Stellen vgl GStählin, Skandalon
(1930) 265 ff.

[9] So versteht es bNidda 13 b, bes aber
bPes 57 b. Später ist wohl sicher die Befugnis der Rabbinen zu solchen Strafen ab-
handen gekommen (bereits 6 n Chr? vgl aber
Str-B I 1026 z Mt 27, 2, auch bBer 58 a,
Str-B II 571 f, wo bezeugt ist, daß der babylonische Exilarch zwar nicht das Recht zur
Todesstrafe, aber das zur Geißelung für sich
in Anspruch nahm). Auch die Bemerkung

Raschis zu bSchab 108 b (→ Z 10) spiegelt den
problematischen Charakter solcher Gesetze
in der Zeit der politischen Abhängigkeit des
Judt wider.

[10] Vgl Bischoff aaO 46 f, dazu die Ge-
schichte, wie eine solche Verwünschung in
Erfüllung ging, in bTaan 21 a; Str-B I 779 f.
Solche Stellen zeigen, daß man derartige
Äußerungen wie die oben angeführten
schwerlich nur als Anwendungen einer ge-
bräuchlichen Redensart auffassen darf (vgl
Bornhäuser aaO 91).

[11] Gg Bornhäuser aaO 92; vgl GDalman,
Arbeit u Sitte in Palästina I 2 (1928) 477 A 10.
Auch eine Als-Ob-Ethik („Lebe so, als be-
säßest du weder Auge noch Hand, wenn sie
dich zur Sünde veranlassen", HHuber, Die
Bergpredigt [1932] 91) wird der von Huber
selbst betonten Absolutheit der radikalen
Ethik Jesu kaum gerecht (das Als-Ob in 1 K 7,
29—31 ist etwas ganz anderes).

[12] Vgl HWindisch, Der Sinn der Bergpredigt (1929) 65 ff, 69 ff.

Ziel, die Gefahr der Geenna **von der Wurzel aus zu beseitigen.** Lieber
dieses Leben bzw lebenswichtige Glieder verlieren — wenn es nur so möglich
ist, das ewige Leben zu gewinnen (Mt 16, 26).

Stählin

5 **† κορβᾶν, † κορβανᾶς**

1. κορβᾶν ist das ins Griechische als Fremdwort übernommene
hbr קָרְבָּן (Lv 2, 1 ff; Nu 7, 12 ff; Ez 40, 43; Ned 1, 2; vgl schon assyrisch kurbânu),
κορβανᾶς das gräzisierte aramäische קָרְבָּנָא oder קוּרְבָּנָא (Tg O Gn 4, 4; bZeb 116 b uö).
Josephus hat das Wort in der Form κορβᾶν Ant 4, 73; Ap 1, 167 und in der Form
10 κορβανᾶς (-ωνᾶς) Bell 2, 175. Er scheint zwischen beiden Formen einen Unterschied zu
machen, der ihm nur durch den zeitgenössischen Sprachgebrauch gegeben sein kann.
Ant 4, 72 f wird von der Bedeutung gewisser Vorteile gesprochen, die auf Grund von
Gelübden den Priestern zukommen. Dabei heißt es 4, 73: καὶ οἱ κορβᾶν αὐτοὺς ὀνομάσαντες
τῷ θεῷ, δῶρον δὲ τοῦτο σημαίνει κατὰ Ἑλλήνων γλῶτταν, βουλομένους ἀφίεσθαι τῆς λει-
15 τουργίας τοῖς ἱερεῦσι καταβάλλειν ἀργύριον, γυναῖκα μὲν τριάκοντα σίκλους, ἄνδρα δὲ πεντήκοντα. Die Notiz nimmt deutlich auf Lv 27, 1 ff Bezug, wo über die Angelobung von
Menschen und ihre Wiederauslösung aus dem Eigentum Gottes die notwendigen Regeln aufgestellt sind. Hier handelt es sich um Menschen, die sich selbst Gott zueig-
neten, indem sie sich κορβᾶν nannten und dadurch gewissermaßen *Gott zum Geschenk*
20 machten. Die Verdeutlichung des fremden Wortes für die nichtjüdischen Leser der
Antiquitates durch Josephus mit Hilfe von δῶρον unterstreicht das noch. Wenn er
es für notwendig hält, κορβᾶν in seinen Text aufzunehmen, obwohl es seinen Lesern
unverständlich ist, so geht daraus **der technische Charakter des Wortes**
hervor, durch den es unter gewissen Umständen eben unentbehrlich war, wenn näm-
25 lich die Übereignung an Gott gültig sein sollte. Dem entspricht, was Josephus weiter
Ap 1, 166 f zum Thema κορβᾶν schreibt. Er beruft sich dort für die Richtigkeit
seiner Behauptung von der Bedeutung und Bekanntheit seines Volkes schon seit Alters
ua auf eine Angabe des Theophrast[1] in seinem nicht erhaltenen Werke Περὶ νόμων,
wonach es den Tyrern durch ihre Gesetze verboten gewesen sei, fremde Eides-
30 formeln zu gebrauchen, darunter auch die Formel κορβᾶν, die, aus dem Hebräischen
übersetzt, soviel wie δῶρον θεοῦ bedeute. Der technische Charakter des Wortes wird
durch seine Bezeichnung als ὅρκος noch unterstrichen. Sein Gebrauch stellt also die
Übereignung der Gott angelobten Dinge an ihn als über jeden Zweifel erhaben hin.
Dazu trägt bei, daß das Wort in der Form gebraucht wird, die es in der Tora, der
35 Grundlage alles jüdischen Gottesdienstes, besitzt. Demgegenüber bezeichnet κορβωνᾶς
Bell 2, 175[2] den *Tempelschatz* (ἱερὸς θησαυρός), in dem alles als κορβᾶν Dargebrachte
oder doch dessen Erlös gesammelt ist[3]. Ein entsprechender Gebrauch von קָרְבָּנָא hat
allerdings bisher nicht festgestellt werden können[4].

2. Korban im Alten Testament und im Spätjudentum.
40   *a.* **Im Alten Testament** bezeichnet קָרְבָּן (als Derivat
von הִקְרִיב/קרב *etwas darreichen*, besonders vom Opfer gebraucht [Lv 1, 13 uo])
das Dargereichte, zumal *das*, *was der Gottheit oder dem Heiligtum dargebracht*

κορβᾶν κτλ. Pr-Bauer[3] sv, Dalman Gr
174 A 3; HOort, De verbintenissen met „Korban": ThT 37 (1903) 289—314; JHAHart,
Korban: JQR 19 (1907) 615—650; HLaible,
Korban: AELKZ 54 (1921) 597—599. 613 f;
Str-B I 711 ff; CGMontefiore, The Synoptic
Gospels[2] I (1927) 148—152; Komm z d St.
Über Philo → ὅρκος und 863, 14 f.
[1] Theophrastos aus Eresos auf Lesbos (ca
372—287 v Chr), Schüler des Aristoteles.
[2] Μετὰ δὲ ταῦτα ταραχὴν ἑτέραν ἐκίνει (Pilatus) τὸν ἱερὸν θησαυρόν, καλεῖται δὲ κορβωνᾶς,
εἰς καταγωγὴν ὑδάτων ἐξαναλίσκων.

[3] KKohler läßt, wohl mit Rücksicht auf
Mt 27, 6, die weitere Möglichkeit offen,
daß κορβανᾶς zur Bezeichnung des Almosen-
stocks diente (Jew Enc I 436; VII 561). Belege
sind auch für diese Bedeutung nicht bekannt.
[4] Sehr selten begegnet קָרְבָּנָא als „Geschenk" (bChul 8 a; vielleicht auch bZeb 116 b;
ferner Tg Hos 12, 2 [für Mas: שֶׁמֶן, LXX:
ἔλαιον; wohl theologische Interpretation des
Grundtextes], das eine Tributleistung berichtet [→ dazu 861, 1 ff mit A 5]).

wird, das Opfer. Der allgemeine Sinn steht Nu 7, 3 ff noch in der Nähe; doch ist der Übergang des Wortes in die Opfersprache hier schon deutlich zu spüren. Vielleicht hatte es von Anfang an religiöses Gepräge; es enthielte dann eine Erinnerung an eine Zeit, in der sich der gesamte Verkehr zwischen Mensch und Mensch, sofern er nicht in kriegerischer Auseinandersetzung bestand, in 5 religiösen Formen vollzog (vgl הִקְרִיב von der Überreichung eines Geschenks als Zeichen der Untertänigkeit Ri 3, 17 f; von der Überreichung von Speise an einen vornehmen Gast Ri 5, 25). In jedem Falle bezeugt auch dies Wort[5] die Herkunft des peinlich bis ins Einzelne geordneten israelitischen Opferdienstes aus der Sitte der Darbringung freiwilliger Gaben verschiedenster Art für Gott, 10 die ihrerseits allerdings im Bewußtsein der Abhängigkeit von ihm und des Angewiesenseins auf ihn wurzelte. Im Unterschiede von den übrigen at.lichen Ausdrücken für Opfer ist קָרְבָּן nicht auf eine bestimmte Art des Opfers festgelegt worden, wie es ua auch bei מִנְחָה (→ A 5) geschehen ist. In diesem allgemeinen Charakter des Wortes und zugleich in dem Hinweis auf die Initiative des Opfern- 15 den, den es enthält, ist der eigenartige Gebrauch vorbereitet, zu dem es dann im Spätjudentum gekommen ist[6].

    b. Dem **r a b b i n i s c h e n J u d e n t u m** ist der allgemeine Gebrauch von קָרְבָּן = *Opfer* nicht fremd geworden. So wird gelegentlich (bMen 110 a Bar; Schim'on ben 'Azzai, † um 135 n Chr) von der פָּרָשַׁת קָרְבָּנוֹת, dem Abschnitt 20 der Schrift über die Opfer, gesprochen, und anderorts werden der קָרְבַּן יָחִיד, das Opfer des Einzelnen, und der קָרְבַּן צִבּוּר, das Opfer der Gemeinde, voneinander unterschieden (jJoma 39 d Z 76 ff). Allein schon in der Mischna steht eine große Zahl von Belegen für diesen Sprachgebrauch[7]. Die Besonderheit des Wortes im Spätjudentum gegenüber früher beruht aber darin, daß es zu einer 25 Gelöbnisformel geworden ist, die dann gebraucht wird, wenn Gott etwas angelobt werden soll, genauer: **e i n e r G e l ö b n i s f o r m e l , d i e d a n n g e b r a u c h t w i r d , w e n n e t w a s d e n C h a r a k t e r e i n e r G o t t d a r g e b r a c h t e n O p f e r - g a b e a n n e h m e n s o l l .** Dabei ist es allerdings nicht so, daß es dann auch in allen Fällen tatsächlich zur Darbringung eines Opfers kommen muß. **E s k o m m t** 30 **l e d i g l i c h d a r a u f a n , d a ß d a s , w o r ü b e r d i e F o r m e l a u s g e s p r o c h e n**

---

[5] Eine gute Parallele würde מִנְחָה ergeben, das das unter bestimmten Umständen unerläßliche Geschenk meint (vgl Gn 32, 14; 33, 10) und deshalb auch ebenso den Tribut an die herrschende politische Macht (Ri 3, 15; Hos 10, 6) wie das Opfer an die Gottheit bezeichnen kann (Gn 4, 3; 1 S 2, 17; 26, 19). Die priesterliche Sprache hat das Wort dann auf das unblutige Opfer beschränkt (Lv 2, 1 ff). Die griech Bibel unterscheidet je nach dem Zusammenhang die מִנְחָה als δῶρα (Gn 32, 14; 33, 10; Ri 3, 15) oder auch ξένια (Hos 10, 6), beide Male im Plural, und die מִנְחָה als θυσία (Gn 4, 3; 1 S 2, 17; 26, 19; Lv 2, 1 uo).

[6] Die Septuaginta, die für קָרְבָּן durchgängig δῶρον hat, läßt davon nichts mehr erkennen. — Die anderen Übersetzungen scheinen regelmäßig προσφορά gehabt zu haben:

Lv 1, 2; 2, 1; Nu 5, 15. Daneben ist auch θυσία bezeugt (Lv 2, 1). Das sind alle erhaltenen hexaplarischen Stellen. δῶρον, das in LXX in Lv und Nu für קָרְבָּן (und לֶחֶם) vorbehalten bleibt, wird von den anderen Übersetzungen auch für עֹלָה ('Α Σ Lv 1, 9) und מִנְחָה ('Α Θ Lv 6, 21 [Mas: 14]; 'Α Σ Nu 16, 15) verwendet. [Bertram.]

[7] Vgl Kassovsky II 1593 ff sv קָרְבָּן. Vgl zB die häufige Wendung קָרְבַּן טֻמְאָה (Nazir 1, 2; 3, 5 uo) für das Opfer, das der Nasiräer zu bringen hat, wenn die Zeit seines Gelübdes durch eine unvorhergesehene Verunreinigung vorzeitig abgebrochen ist (vgl Nu 6, 10). Die Wendung ist erst rabbinisch. קָרְבָּן in der gewöhnlichen Bedeutung neben der besonderen zB Ned 2, 5.

worden ist, seinem ursprünglich vorgesehenen Gebrauch entzogen ist. Von hier aus ist dann der Weg nicht mehr weit zu dem Gebrauch
des Wortes, in dem es zu einem ganz gewöhnlichen Beteuerungswort geworden
ist, mit dem sich religiöse Gedanken nicht mehr verbinden, obwohl es ursprünglich der religiösen Sprache angehört.

In der späteren Zeit war die übliche Formel nicht mehr קָרְבָּן, sondern קוֹנָם (aram
קוֹנָמָא[8], קִינוּמָא: bNed 10b), daneben auch קוֹנָח und קוֹנָס. Diese Nebenformen[9] sind
bewußt gebildete Entstellungen des Grundwortes, um dies, das durch seinen häufigen
Gebrauch in der Tora der heiligen Sprache angehört, nicht in den Mund nehmen zu
müssen, auch dann nicht, wenn man sich seiner bedienen will[10]. Der auf sie angewandte Grundsatz lautet: Alle Umschreibungen für Gelübde (נְדָרִים) sind wie Gelübde
(כִּנְדָרִים) (Ned 1, 1). Darum sind קָרְבָּן auch die Bezeichnungen der einzelnen Opferarten gleichgeachtet, wenn diese an seiner Stelle beim Gelöbnis gebraucht werden
(Ned 1, 4). Im übrigen werden קוֹנָם, קָרְבָּן usw als Gelübdeformeln (נְדָרִים) scharf von
den Schwurformeln (שְׁבוּעוֹת) unterschieden. Da, wo es sich um die Außerachtlassung
einer מִצְוָה, einer Anordnung der Tora, handelt, etwa um die Bestimmungen für die
Feier·des Laubhüttenfestes (Lv 23, 33ff), ist nur ein נֶדֶר von Folgen begleitet — und
ein solcher ist der Ausruf קָרְבָּן —, während eine שְׁבוּעָה keine Folgen hat, „weil man
nicht schwört, die Gebote zu übertreten" (שֶׁאֵין נִשְׁבָּעִין לַעֲבוֹר עַל הַמִּצְוֹת: Ned 2, 2;
vgl bNed 16b—17a)[11].

Die rabbinischen Texte lassen deutlich erkennen, daß es sich bei dem Gelübde
קָרְבָּן, קוֹנָם usw nicht um die tatsächliche Übereignung bestimmter Dinge an Gott
handelt, sondern lediglich darum, daß sie dem Verfügungsrecht gewisser Personen entzogen werden sollen. Das geht aus Ned 1, 3 mit aller wünschenswerten Klarheit hervor: „[Sagt jemand: Das und das sei] wie das Lamm[12], wie die Schuppen[13], wie das
Holz, wie das Feuer[14], wie der Altar, wie der Tempel, wie Jerusalem, [endlich:] wenn
er bei einem von all denen, die den Altar bedienen[15], gelobt hat[16], so ist das, auch wenn
er קָרְבָּן nicht erwähnt hat, ein Gelübde durch קָרְבָּן." Die entscheidende Voraussetzung
des Satzes ist, daß alle genannten Gegenstände und Personen קָדוֹשׁ/ἅγιος, also Gottes
Eigentum und als solches jeglichem anderen Dienst oder Gebrauch entzogen sind. Von
da aus bedeutet das Aussprechen von קָרְבָּן im Blick auf irgend etwas, daß
es wie alles, was קָדוֹשׁ/ἅγιος ist, von nun an jeglicher Möglichkeit profaner Nutzung entnommen sein soll. Im Zusammenhang mit der קָרְבָּן-For-
mel bleibt es nämlich bei dieser negativen Abgrenzung, die in קָדוֹשׁ beschlossen ist,
und kommt nicht auch dessen vor allem positive Zielsetzung (→ ἅγιος) zur Auswir-

---

[8] Das entsprechende Verb ist קָנַם „durch
קוֹנָם verboten machen" (b Ned 10b). In derselben Weise steht קָנַח neben קוֹנָח, קָנַם
neben קוֹנָם (ebd, allerdings nur hier und wohl
in der Form eines Wortspiels; קָנַח ist sonst
„abwischen", קָנַם — nach κῆνσος — „bestrafen").

[9] Vgl Ned 1, 2: Wenn jemand (zu seinem
Gefährten) sagt: קוֹנָם, קוֹנָח, קוֹנָם, so sind
das Umschreibungen für קָרְבָּן.

[10] In derselben Weise ist man mit den
sachlich in den gleichen Zusammenhang gehörigen Worten חֵרֶם, נָזִיר und שְׁבוּעָה verfahren (Ned 1, 2; Nazir 1, 1).

[11] Über die שְׁבוּעוֹת s Str-B I 321ff u → ὅρκος.
Es muß in diesem Zusammenhange beachtet
werden, daß der Schwur beim Namen Gottes
ausgesprochen wurde, während dessen Nennung beim Gelübde nicht nötig war. Gott
ist aber selbst der Geber der Tora, und da-

rum kann er nicht angerufen werden, wenn
man sich — einerlei, aus welchem Grunde
— ihrer Geltung entziehen will.

[12] Das tägliche Brandopfer, morgens und
abends je ein einjähriges Lamm (Ex 29, 38ff).

[13] Gemeint sind die Schuppen des Tempels,
in denen die Opfergeräte und das Brennholz
für die Opfer aufbewahrt wurden, ferner die
Zelle, in der die notwendigen Tiere für das
tägliche Opfer — nach Ar 2, 5 waren es vor-
sichtshalber nie weniger als sechs — bereit
gehalten wurden (vgl Tamid 3, 3f; Mid 1, 6;
bJoma 15bff und Schürer II[4] 324 mit A 25;
ABrody, Der Mišna-Traktat Tamid [1936] 118f).

[14] Das Opferfeuer auf dem Altar.

[15] Bei einem Priester (den Leviten war das
Betreten des Tempelhauses und der Zutritt
zum Altar bei Todesstrafe verboten, Nu 18, 3;
→ Λευίτης). Die Übersetzung dieser Worte
bei LGoldschmidt, Der babylonische Talmud
V (1931) 389, ist falsch.

[16] Vgl weitere derartige Umschreibungen
Ned 2, 4.

kung[17]. Schon rein äußerlich tritt das darin in Erscheinung, daß in der Regel auch gesagt wird, wem zum Nachteil oder zum Vorteil die negative Abgrenzung vorgenommen wird. In der Regel ist es so, daß die Abgelobung der eigenen Person gilt. Die geläufige Wendung ist: „קוֹנָם, daß ich keinen Nutzen von dem und dem haben will"[18]. Dabei kann an einen Menschen oder auch an eine Gruppe von Menschen (Ned 5 3, 6: Seeleute) oder an ein ganzes Volk (Ned 3, 10 f), aber auch an bestimmte Gegenstände (Ned 4, 7 ff), Speisen (Ned 6, 1 ff) uam gedacht sein. Das Ergebnis des Ausspruchs ist nur, daß dem Betreffenden selbst der Genuß unmöglich ist, nicht aber, daß die genannten Personen oder Gegenstände dem Tempel anheimfallen. Das wäre bei einem קוֹנָם-Gelübde wie dem, in dem laufenden Jahre keinen Wein zu trinken (zB 10 Ned 8, 5), auch gar nicht möglich. Dieser lediglich ausschließende Charakter der Wendung erfährt dann seine klarste Ausprägung darin, daß sie auch dazu dient, Anderen den Genuß von der eigenen Person oder dem eigenen Besitz unmöglich zu machen. Philo Spec Leg II 16 f zeigt im übrigen, daß derartige Abgelöbnisse auch der ägyptischen Judenschaft geläufig waren; jedenfalls muß Philo vor ihnen war- 15 nen. In den rabbinischen Quellen wird in einem solchen Falle gesagt: קוֹנָם שֶׁאַתָּה קוֹנָם = נֶהֱנֵיתָה לִי, daß du keinen Nutzen von mir hast (Ned 8, 7). Wie die Mischna (ebd) erkennen läßt, hat man dann so gesprochen, wenn man auf den Andern entweder einen Druck ausüben oder aber sich an ihm rächen oder aber ihm sonst einen Schaden oder Ärger bereiten wollte. **Die Auswirkungen eines solchen Gelübdes** 20 **reichen unter Umständen sehr weit und können bis zum völligen Abbruch aller gegenseitigen Beziehungen führen mit allem, was das einzuschließen pflegt.** In einer patriarchalischen Lebensordnung, wie sie das Spätjudentum darstellt, müssen die Auswirkungen noch besonders fühlbar werden, wenn das קוֹנָם zwischen Mann und Frau (vgl Ned 8, 7; 9, 4. 5) oder zwischen Eltern 25 und Kinder (vgl BQ 9, 10) oder Kinder und Eltern tritt (Ned 9, 1 und bes 5, 6)[19].

Da derartige Gelübde durch Gebrauch von קָרְבָּן / קוֹנָם nicht selten ohne vorherige Überlegung im Affekt ausgesprochen wurden[20], so haben die Rabbinen Wege gesucht und gefunden, sie entweder rückgängig zu machen oder aber doch ihre Auswirkungen nach Möglichkeit der schlimmsten Härte zu entkleiden[21]. 30 Daß das nicht in allen Fällen möglich war, geht allerdings auch aus den Quellen hervor (→ A 19). Dabei ist es eine häufig verhandelte Frage[22], seit wann das Rabbinat zu einer derartigen erleichternden Praxis übergegangen ist, ob die härtere Handhabung des Rechts in diesen Dingen etwa von Anfang an nur von einer der beiden bestehenden großen rabbinischen Schulen geübt wurde[23] oder 35 ob die heute in der rabbinischen Literatur verzeichneten Möglichkeiten der Erleichterung in gewissen Fällen überhaupt erst nach der Zeit Jesu aufgekommen sind[24]. Die rabbinischen Quellen reichen zur Entscheidung der Frage nicht aus. Die älteste in einem solchen Zusammenhang genannte Autorität dürfte

---

[17] Vgl dazu bNed 28 b und Ned 5, 6.

[18] Vgl etwa Ned 3, 11: קוֹנָם שֶׁאֵינִי נֶהֱנֶה לְבְנֵי נֹחַ. Statt לְבְנֵי könnte es auch מִבְּנֵי heißen; vgl zB 3, 11 weiter: [קוֹנָם] שֶׁאֵינִי נֶהֱנֶה מִיִשְׂרָאֵל. Hier ist übrigens, wie der Gebrauch von אֵין zeigt, קָרְבָּן zu einem reinen Beteuerungswort geworden.

[19] Diese wichtige Stelle mit dem Bericht über ein derartiges Geschehnis in Bet-Horon (unweit von Jerusalem) s vollständig bei Str-B I 716. Sie ist deshalb besonders lehrreich, weil aus ihr hervorgeht, daß es Fälle gab, in denen die Auswirkungen eines Vater und Sohn trennenden קָרְבָּן des Sohnes auch beim besten Willen von seiner Seite nicht wieder beseitigt werden konnten.

[20] Vgl nur die Ned 9, 1 f erwogenen Fälle und das 9, 4 berichtete Geschehnis über das

ohne vorherige Überlegung im Blick auf seine Frau getane (קָרְבָּן-) Gelübde eines Ehemannes.

[21] S die Stellen bei Str-B I 715. Vgl ferner Chag 1, 8.

[22] Vor allem zwischen jüdischen und christlichen Gelehrten.

[23] Den Schammaiten, die im Unterschiede von den Anhängern Hillels im allgemeinen erschwerend entschieden (vgl Hart 616). Die Richtung Hillels hat sich aber ihnen gegenüber fast in allen Stücken durchgesetzt. S auch Montefiore 149, der auf Dt 23, 22 ff und Nu 30, 2 f verweist.

[24] So Laible 613, der geradezu eine Nachwirkung der Predigt Jesu in der späteren Praxis zu sehen geneigt ist. Vgl bei aller Zurückhaltung auch Str-B I 715 A 1.

ein RSadok sein, der schon um 70 n Chr in hohem Ansehen stand (Ned 9, 1, falls an dieser Stelle wirklich er und nicht sein gleichnamiger Enkel gemeint ist). So wird man hierin doch Mt 15, 3 ff stärker berücksichtigen müssen, als es manchen Forschern richtig· erscheint.

Auch die Damaskusschrift scheint einen Abschnitt enthalten zu haben, der sich mit dem קָרְבָּן-Gelöbnis beschäftigt. Der Text ist leider sehr zerstört: עַל מִשְׁפַּט
ה[נדב]וֹת : אַל יִדּוֹר אִישׁ לַמִּזְבֵּחַ מֵאוֹם אָנוּס | וְגַם [הכ]הנִים אַל יִקְחוּ מֵאֵת יִשְׂרָאֵל
[......וְאַל] יַקְדֵּשׁ אִישׁ אֶת מַאֲכַל [פֵּע]לָ[נ]וּ כִּ[י הוּא אֲשֶׁר אָמַר אִישׁ אֶת עַ[ן]בֵ[ד]וֹ
[ויצוד]וּ חָרֶם [25]: „Und bezüglich der Rechtssetzung der Gelübde: nicht soll Jemand
für den Altar etwas geloben, das durch Gewalt in seinen Besitz gekommen ist,
und auch die Priester sollen von einem Israeliten nicht nehmen [mit Gewalt?[26],
und nicht] soll Jemand die Nahrung seines Arbeiters für heilig erklären; denn
das ist es, was (die Schrift) sagt (vgl Mi 7, 2): Der und jener fängt seinen Knecht
mit ḥerem." (Damask 16, 9 ff; ed LRost 28, Z 13—15)[27]. Hier begegnet zwar weder
קָרְבָּן noch ein entsprechendes Wort[28]. Das Vorhandensein der Sache ist jedoch durch
das לַמִּזְבֵּחַ . . . יִדּוֹר ebenso sicher gestellt wie durch das מַאֲכַל . . . יַקְדֵּשׁ. Hier wie
dort würde der spätere Rabbine vom קָרְבָּן-Gelöbnis gesprochen haben. Im Folgenden
ist noch am Anfang von Z 17 קדש, von Z 18 הנודר zu lesen, die auf denselben Gedankenkreis führen. In dem ersten der drei hier verbotenen Fälle scheint ebenso wie
in dem zweiten das Prinzip vertreten zu sein, daß lediglich freiwillig und freudig
Gegebenes der Würde des Altars Gottes entspricht. Dabei ist indes zu beachten, daß
die Gemeinschaft, die in Damask zu Wort kommt, die Trennung vom Tempel und seinem
Kultus vollzogen hat (vgl 4, 12 ff), ohne daß aber diese als prinzipiell anzusehen wäre
(vgl 11, 19 ff). Überhaupt besteht noch keine Einmütigkeit darüber, ob die auf den
Tempelkultus gehenden Stücke wirklich auf ihn zu beziehen sind oder ob sie als auf
die Synagoge und ihren Gottesdienst übertragen zu gelten haben, so daß die Schrift
nicht einmal mehr mit dem Bestande von Tempel und Tempeldienst rechnen würde[29].
Für die dritte der oben mitgeteilten Anweisungen heißt das, daß unklar bleibt, ob das
יַקְדֵּשׁ eine wirkliche Übereignung an das Heiligtum meint[30] oder ob das Ziel nur die
Betrügung der Arbeiter um ihren Lohn ist[31]. In dem einen Falle hätten wir in dem
verworfenen Verhalten noch eine Vorstufe des spätjüdischen קָרְבָּן-Gelübdes, im anderen
Falle dies Gelübde selbst. Eine begründete Entscheidung ist nicht möglich, bevor nicht
über die Entstehungszeit der Schrift Klarheit geschaffen ist. Aber die grundsätzliche
Zusammengehörigkeit der angeführten Sätze mit der קָרְבָּן-Sitte dürfte trotzdem fest-
stehen[32].

3. Korban im Neuen Testament.

a. Mt 27, 6 vertreten die ἀρχιερεῖς den Standpunkt, daß
die von ihnen dem Judas für seinen Verrat gegebenen Silberstücke (Mt 26, 15),
die dieser in den Tempel warf, bevor er sich erhängte (Mt 27, 5), für den κορβανᾶς nicht geeignet wären: οὐκ ἔξεστιν βαλεῖν αὐτὰ εἰς τὸν κορβανᾶν, ἐπεὶ τιμὴ
αἵματός ἐστιν. Hier ist mit κορβανᾶς *der Tempelschatz* gemeint wie Jos Bell 2, 175
(→ 860, 35 ff).

Die von den ἀρχιερεῖς erwogene Frage ist dadurch nahegelegt, daß das Geld in den
Tempel geworfen, also ihm übereignet ist. Vielleicht stammte es sogar aus dem Tem-

---

[25] Vgl Mi 7, 2 und dazu Dt 23, 25 f in der rabb Auslegung B M 7, 2 ff mit WStaerk, Die jüdische Gemeinde des Neuen Bundes in Damaskus, BFTh 27, 3 (1922) 84 (nach Ginsberg).

[26] So Segal, Staerk.

[27] Zu den Ergänzungen siehe den Apparat bei Rost.

[28] Aber חָרֶם scheint hier bewußt nicht als ‚Netz', sondern als Weih- bzw Fluchformel (→ ἀνάθεμα I 356, 20 ff) verstanden zu sein, also in dem praktischen Sinne, den auch קָרְבָּן als Gelöbnisformel besitzt.

[29] So GHölscher, Zur Frage nach Alter und Herkunft der sog Damaskusschrift, in: ZNW 28 (1929) 21 ff, bes 23 ff. — Eine Übersicht über die Datierungsversuche ebd 21 ff, ferner bei LRost, Kl T 167 (1933) 4.

[30] חָרֶם „Netz" in Mi 7, 2 wird in die Votivformel חָרֶם = Tabu umgedeutet; vgl Staerk 84 zSt. Dasselbe Wortspiel Ned 2, 5, nur umgekehrt.

[31] Vgl Jk 5, 4.

[32] Staerk und Rost verweisen denn auch zSt auf Mk 7, 9 ff.

pelschatz und lag es auch deshalb nahe, es ihm wieder einzuverleiben. Wenn die ἀρχιερεῖς diese Möglichkeit trotzdem verwarfen, so deshalb, weil an dem Gelde Blut klebte und solches Geld nicht als heilig und für den Tempel geeignet galt[33]. Rabbinische Parallelen zu diesem Gebrauch des Wortes sind nicht bekannt.

b. κορβᾶν begegnet nur Mk 7, 10ff in einem Streitgespräch Jesu mit Pharisäern und Schriftgelehrten: Μωϋσῆς γὰρ εἶπεν· τίμα τὸν πατέρα σου καὶ τὴν μητέρα σου, καί· ὁ κακολογῶν πατέρα ἢ μητέρα θανάτῳ τελευτάτω. ὑμεῖς δὲ λέγετε· ἐὰν εἴπῃ ἄνθρωπος τῷ πατρὶ ἢ τῇ μητρί· κορβᾶν, ὅ ἐστιν δῶρον, ὃ ἐὰν ἐξ ἐμοῦ ὠφεληθῇς, οὐκέτι ἀφίετε αὐτὸν οὐδὲν ποιῆσαι τῷ πατρὶ ἢ τῇ μητρί, ἀκυροῦντες τὸν λόγον τοῦ θεοῦ τῇ παραδόσει ὑμῶν ᾗ παρεδώκατε.

Markus verdeutlicht hier κορβᾶν seinen griechischen Lesern in derselben Weise wie Josephus (→ 860, 9ff). Matthäus (15, 3ff) hat das Fremdwort überhaupt vermieden und es gleich durch δῶρον[34] ersetzt, und zwar durchaus im Sinne von קָרְבָּן = *Opfer.* Der Gebrauch von δῶρον bei Matthäus ist einheitlich. Abgesehen von 2, 11 ist δῶρον stets soviel wie קָרְבָּן: 5, 23f; 8, 4; 23, 18f. Markus und Lukas haben das Wort in der Par zu Mt 8, 4 vermieden, wohl deshalb, weil δῶρον als „Opfer" ihren Lesern eben nicht geläufig war. Lukas hat nach τὰ δῶρα in 21, 1 (für קָרְבָּנוֹת, unabhängig von Markus) 21, 4 τὰ δῶρα (wieder unabhängig von seiner Vorlage) in einer Bedeutung, die es neben γαζοφυλακεῖον bzw neben das κορβανᾶς von Jos Bell 2, 175 und Mt 27, 6 stellt. Ebenfalls entspricht δῶρον im Hebräerbrief קָרְבָּן (5, 1; 8, 3f; 9, 9; 11, 4). Das Nebeneinander von δῶρα und θυσίαι, unblutigen und blutigen Opfern (→ schon A 5), das dreimal im Hb begegnet (5, 1; 8, 3; 9, 9), hat auch Josephus (Bell 2, 409). In ihm tritt also palästinische Ausdrucksweise in Erscheinung.

Jesu Worte setzen voraus, daß ein Fall wie der, auf welchen er anspielt, vor ein schriftgelehrtes Forum kommt und daß dieses dahingehend entscheidet, daß es bei dem einmal getanen Ausspruch um Gottes willen bleiben muß und daß die Beteiligten eben die Folgen zu tragen haben. Diese Lage wieder ist nur möglich, wenn den Sohn sein hartes Wort reut, und das weist noch wieder darauf zurück, daß es als ohne Überlegung, etwa im Zorn, gesprochen zu denken ist — ein Fall, der aus den rabbinischen Texten zur Genüge bekannt ist (→ 863, 32ff). Der Satz, der die Aufhebung aller Ansprüche, die ein Vater normalerweise an seinen Sohn stellen kann, bewirkt, hat in der rabbinischen Wendung קוֹנָם שֶׁאַתָּה נֶהֱנֵיתָה לִי (Ned 8, 7; → 863, 16ff) seine wörtliche und sachliche Entsprechung. Die Abgelobung jeglichen Nutzens schließt neben dem Fortfall des Lebensunterhalts auch den alles Übrigen ein, was der Sohn dem Vater zu leisten pflegt: Hilfe zur Erfüllung der religiösen Pflichten, Versorgung in Krankheit usw[35]. Selbst geschäftlicher Verkehr ist in einem solchen Falle verboten (vgl Ned 4, 6). Auf der Linie der Grundhaltung des Rabbinats, das Gottes Recht grundsätzlich dem Recht des Menschen überordnet und auch gar nicht anders kann, da es Gottes Verhältnis zu den Menschen in rechtliche Kategorien faßt[36], liegt es, wenn Gottes Anspruch auf Grund eines Gelübdes selbst dem Anspruch des Vaters gegenüber aufrecht erhalten bleibt. Nu 30, 2f bot dafür

---

[33] Vgl Schl Mt zSt. Vgl auch die oben (→ 864, 5ff) mitgeteilte Anweisung der Damaskusschrift über die Gelobung von Erpreßtem.

[34] δῶρον ist als דּוֹרוֹן für קָרְבָּן auch Fremdwort im Rabbinischen geworden, wird meist

allerdings für „Geschenk" gebraucht; vgl die Wörterbücher s v.

[35] Vgl die Stellen bei Str-B I 714.

[36] Vgl dazu und zu den sich daraus ergebenden Folgerungen theologischer Art RSander, Furcht und Liebe im palästinischen Judentum (1935) 67ff.

zudem eine Schriftstelle als unaufhebbare Grundlage[37]. Wenn bei Matthäus
Jesus an seine Abweisung des Verhaltens des Rabbinats in derartigen Fällen
den Hinweis auf Js 29, 13 anfügt — bei Markus geht das Zitat voraus, was
sachlich auf dasselbe herauskommt — und in dem Prophetenworte Gottes eigenes Urteil über den Gottesdienst des Rabbinats und der von ihm Angeleiteten
findet, so ist das nur verständlich, wenn קָרְבָּן hier noch die wirkliche Übereignung der väterlichen Ansprüche an Gott bzw den Tempel im Sinne eines
frommen Werkes bezeichnet[38]. Die Heranziehung des Schriftwortes zeigt aber
vor allem, daß Jesus sich hier weniger gegen eine bestimmte rabbinische Praxis
wendet und auch wenden will, als daß er zeigen möchte, wie wenig seine schriftgelehrten Gegner imstande sind, in ihrer Besorgnis um die Erfüllung des Buch-
stabens dem Gesetz Gottes gerecht zu werden. Sie vergessen, daß es von Gott
nicht seiner selbst wegen gegeben ist, sondern um der Menschen willen, weil sie
vergessen, daß in ihm Gerechtigkeit und Güte eins sind und daß nicht etwa nur
da seine Güte in Erscheinung tritt, wo seinem Rechtsanspruch Genüge getan
ist. Jesu Kampf richtet sich also in unserem Streitgespräch nicht gegen die
unverkürzte Geltung der ganzen Schrift, sondern ergeht für sie gegen eine Art
der Auslegung, die sich an den Buchstaben klammert und darum nicht zur Erfassung der Schrift als eines in sich geschlossenen Ganzen kommt, das aus
demselben heiligen Willen stammt und demselben Ziele der Heiligung dient,
das aber, weil sein Geber der Gute schlechthin ist (Mk 10, 18 par), eben in und
mit der Heiligung zur Güte führt. So angesehen, fügt sich das Streitwort Jesu
über das קָרְבָּן-Gelübde des Sohnes gegenüber seinem Vater, das den Schutz des
Rabbinats findet, ohne jede Schwierigkeit in seinen Kampf gegen das Schriftgelehrtentum seiner Zeit ein, sowohl was seine eigene Haltung, als auch was
die von ihm abgewiesene Haltung des Rabbinats betrifft[39].

4. Die alte Kirche hat das Wort nur in dem Sinne übernom-
men, der Lk 21, 4 (→ 865, 18 ff) vorausgesetzt ist, obwohl dort nicht κορβᾶν oder κορβανᾶς, sondern τὰ δῶρα steht; vgl etwa Const Ap II 36, 8: εἰς τὸν κορβανᾶν ὃ
δύνασαι βάλλων, κοινώνει τοῖς ξένοις ἐν ᾗ δύο ἢ πέντε λεπτά[40]. Als *Opferkasten, Armen-
stock* erscheint es dann latinisiert als *corban* noch bei Cyprian, De Opere et Eleemo-
synis 15 (CSEL 3, 1): Locuples et dives dominicum celebrare te credis, quae[41] corban
omnino non respicis. In diesem altkirchlichen, später verschwundenen Gebrauch des
Wortes[42] wird die Vorstellung von dem Almosen als einem Opfer, das Gott dargebracht wird, sichtbar, die die alte Kirche unter dem Einfluß des Judentums ausgebildet hat.

Rengstorf

---

[37] Vgl SNu 153 z 30, 3 und Montefiore 149.
M wendet gegen Mk 7, 12 ein, gerade die
Auflösung von Gelübden, nicht aber ihre
Aufrechterhaltung, sei das Werk der rabbi-
nischen Tradition, und findet daher in dem
Verse ein Wort gegen die Schrift, das er bei
Jesus nicht finden möchte („Let us hope
that 9—13 is not authentic!" 152.)

[38] Anders als im rabb Judentum, wie wir
es aus den tannaitischen Quellen kennen, wo
קָרְבָּן lediglich Ausschließungsformel geworden ist (→ 862, 30 ff), aber vielleicht in dem-

selben Sinne wie in der Damaskusschrift
(→ 864, 5 ff).

[39] Man vgl nur etwa die Auslegung des
Gesetzes Mt 5, 21 ff, aber auch und gerade
die Versuchungsgeschichte (Mt 4, 1 ff, bes
v 8 ff).

[40] Anspielung auf Mk 12, 42.

[41] Der Satz ist unter dem Einfluß von
Apk 3, 17 ff geformt.

[42] Er ist aus dem ursprünglichen unmittelbar nicht ableitbar (gg KKohler; → A 3).

**κοσμέω, κόσμος,
κόσμιος, κοσμικός**

† κοσμέω

Im klassischen Griechisch. Die Bedeutungen des seit Hom gebräuchlichen Verbums erwachsen aus den Grundbedeutungen von κόσμος, 5 **Ordnung** und **Schmuck.** Im Sinne von *ordnen, anordnen* wird κοσμέω als militärischer Fachausdruck für die Aufstellung eines Heeres oder die Anordnung von Kämpfenden benutzt: Hom Il 2, 554; 3, 1; 12, 87; 14, 379; vgl Od 9, 157 (von Jägern); Xenoph Cyrop II 1, 26. Die damit zusammenhängende Bedeutung *anordnen, befehlen, beherrschen*[1] kommt für den biblischen Sprachgebrauch nicht in Betracht, wohl aber die allgemeine 10 Verwendung von κοσμεῖν im Sinne von *ordnen, in Ordnung bringen, zurechtmachen* zB τράπεζαν Xenoph Cyrop VIII 2, 6; Ditt Syll[3] 1038, 11; δεῖπνον Pind Nem 1, 22; ἔργα Hes Op 306; στέφανον Eur Hipp 73 f. — Überaus häufig wird κοσμέω in der Bedeutung *schmücken* gebraucht, besonders im Sinne des weiblichen Schmuckes (Hom Hymn 6, 11; Hes Op 72). Vielfach wird das Mittel des Schmuckes angegeben, zB κοσμεῖν πανοπλίῃ 15 Hdt IV 180, wobei die Bedeutung von κοσμέω zu *ausstatten* verblassen kann, zB τριπόδεσσι κοσμεῖν δόμον Pind Isthm 1, 19. Im übertragenen Sinne *schmücken, zieren* heißt κοσμεῖν in Wendungen wie λόγους κοσμεῖν Eur Med 576; Plat Ap 17 c. Diese Bedeutung geht über in *zur Ehre gereichen,* wenn zB von Personen gesagt wird, daß sie ihr Vaterland *zieren* (zB Theogn 947). 20

In Septuaginta findet sich κοσμεῖν in der Bedeutung *ordnen* Sir 29, 26: κόσμησον τράπεζαν *decke den Tisch*; ferner 50, 14: κοσμῆσαι προσφορὰν ὑψίστου παντοκράτορος. Dagegen bedeutet κοσμεῖν in ἐκόσμησεν καιροὺς μέχρι συντελείας Sir 47, 10 ursprünglich wahrscheinlich *schmücken*[2]. In diesem Sinne wird κοσμεῖν in LXX häufig gebraucht, besonders von weiblichem Schmuck, zB Jer 4, 30 (κοσμεῖν κόσμῳ χρυσῷ); Ez 16, 11; 23, 40 (κοσμεῖν 25 κόσμῳ); Jdt 12, 15: ἐκοσμήθη τῷ ἱματισμῷ καὶ παντὶ τῷ κόσμῳ τῷ γυναικείῳ, dann auch vom Schmuck des Tempels uä, zB 2 Ch 3, 6: ἐκόσμησεν τὸν οἶκον λίθοις τιμίοις, 2 Makk 9, 16: ἅγιον . . . καλλίστοις ἀναθήμασι κοσμήσειν. Im übertragenen Sinne findet sich κοσμεῖν 3 Makk 3, 5: τῇ . . . τῶν δικαίων εὐπραξίᾳ κοσμοῦντες τὴν συναναστροφήν *indem sie ihren gemeinsamen Wandel mit der guten Führung der Gerechten zierten*; 6, 1: ἡλικίῃ 30 τῇ κατὰ τὸν βίον ἀρετῇ κεκοσμημένος *mit jeglicher Tugend des menschlichen Lebens geschmückt.*

Im Neuen Testament heißt κοσμεῖν *in Ordnung bringen* nur Mt 25, 7: ἐκόσμησαν τὰς λαμπάδας, während an den übrigen Stellen die Bedeutung *schmükken* vorliegt. Dem griechischen Sprachgebrauch entsprechend wird das Verbum vom **weiblichen Schmuck** gebraucht, auch im übertragenen Sinne: Apk 21, 2; 35 1 Tm 2, 9; 1 Pt 3, 5; vom Schmücken des **Hauses** Mt 12, 44 (par Lk 11, 25); des **Tempels** Lk 21, 5 (λίθοις καλοῖς καὶ ἀναθήμασιν κεκόσμηται vgl 2 Makk 9, 16 und den heidnisch-hellenistischen Sprachgebrauch Ditt Syll[3] 725, 2 f; 1100, 21 f; 1050, 6) vgl Apk 21, 19; der **Gräber** Mt 23, 29: κοσμεῖτε τὰ μνημεῖα τῶν δικαίων (vgl κοσμεῖν τάφον Soph Ant 396 und Xenoph Mem II 2, 13); im übertragenen 40 Sinne ferner Tt 2, 10: ἵνα τὴν διδασκαλίαν τὴν τοῦ σωτῆρος ἡμῶν θεοῦ κοσμῶσιν ἐν πᾶσιν *damit sie der Lehre . . . allenthalben zur Zierde gereichen*[3].

κόσμος

Inhalt: A. **Der außerbiblische Sprachgebrauch:** 1. κόσμος = *das kunstreich Hergestellte*; 2. κόσμος = *Ordnung zwischen den Menschen*; 3. κόσμος = *Ordnung all-* 45 *gemein*; 4. κόσμος = *„Schmuck"*; 5. κόσμος = *„Welt"* I: Entstehung und Sinn des grie-

---

κοσμέω. Liddell-Scott 984; Pr-Bauer[8] 737 f.
[1] Vgl κόσμος → 868, 21 ff und die Verwendung von διακοσμεῖν, διακόσμησις → 870, 13.
[2] S Ryssel bei Kautzsch Apkr zSt.
[3] Zum Sprachgebrauch der außerkanoni-

schen urchr Lit, der im wesentlichen dem der LXX und des NT entspricht, s Pr-Bauer.

κόσμος. Cr-Kö 619 ff; Pr-Bauer[8] 739; Liddell-Scott 985; WJaeger, Paideia I (1934) 219 ff; KReinhardt, Parmenides u die Ge-

chischen Kosmosbegriffs; 6. κόσμος = „Welt" II: Gott und der Kosmos bei den Griechen;
7. κόσμος als „Welt" im Sinne von Erde, Oekumene, Menschheit. — B. κόσμος in LXX.
Der Kosmosbegriff im Judentum. — C. κόσμος im NT: 1. Allgemeines. κόσμος
in der Bedeutung „Schmuck"; 2. κόσμος = „Welt" I: κόσμος als Weltall, Inbegriff des Geschaffenen; 3. κόσμος = „Welt" II: κόσμος als Wohnstätte der Menschen, Schauplatz der
Geschichte, Oekumene, Erde; 4. κόσμος = „Welt" III: κόσμος als Menschheit, gefallene
Schöpfung, Schauplatz der Heilsgeschichte.

A. Der außerbiblische Sprachgebrauch.

Die Etymologie des seit Homer einen festen Bestandteil
des griechischen Wortschatzes bildenden κόσμος ist ganz unsicher[1]. In seiner
ursprünglichen Bedeutung scheint sich der Begriff des *Einrichtens, Herstellens,
Aufbauens* (Hdt III 22 ist es mit zweimaligem ποίησις parallel) mit dem der
Ordnung (vgl Heracl fr 124 [I 102, 1f Diels]: ὥσπερ σάρμα εἰκῇ κεχυμένον ὁ
κάλλιστος [ὁ] κόσμος, *die schönste Weltordnung ist wie ein Haufen von aufs Gerate-
wohl Hingeschüttetem*) zu verbinden. Daraus erwachsen folgende Bedeutungen:

1. *Das aus einzelnen Bestandteilen kunstreich Hergestellte,
das Wohlgebaute.*

> ἵππου κόσμον *das Gebäude des Pferdes* vom trojanischen Pferd Hom Od 8, 492; κόσμον
> ἐμῶν ἐπέων *das Gebäude meiner Worte* Parm fr 8, 52 (I 158, 10 Diels) vgl Democr fr 21
> (II 67, 5 Diels); in Parallele zu ποίησις Hdt III 22.

2. Wenn das Objekt des Aufbauens einzelne Menschen
sind, die zu einem Ganzen zusammengeordnet werden, so wird κόσμος zur Bezeichnung einer *zwischen Menschen bestehenden Ordnung.*

> Hom Od 13, 76f von der Sitzordnung der Rudernden, Il 12, 225 von der *Schlacht-
> ordnung*. Aus einem militärischen ist κόσμος dann weiter zum politischen ter-
> minus technicus für die die Bürger der Polis verbindende *Lebensordnung* und *Staats-
> verfassung* geworden, zB bei Plato: τὸν κοινὸν τῆς πόλεως κόσμον σῴζων καὶ κτώμενος
> Leg VIII 846 d; ἵν' εἶεν πόλεων κόσμοι τε καὶ δεσμοὶ φιλίας συναγωγοί Prot 322 c; ferner
> Thuc III 77; VIII 48. 67. 72; Aristot Pol V 7 p 1307 b 6. Staatsrechtlicher
> Terminus ist κόσμος für den Staat der Spartaner Hdt I 65, sowie als Beamtentitel
> in Kreta Ditt Syll[8] 712, 57; 524, 1; Aristot Pol II 10 p 1272 a 6.

3. In der Bedeutung *Ordnung* im allgemeinen Sinne
kommt κόσμος besonders häufig vor.

> ZB die formelhafte Wendung κατὰ κόσμον *nach der rechten Ordnung, nach Gebühr, wie
> es sich gehört* (von den Glossatoren umschrieben mit κατὰ τάξιν, κατὰ τὸ δέον, κατὰ τὸ
> πρέπον) bei Hom Il 2, 214; 10, 472; Od 8, 179 uö; ähnliche Ausdrücke bei Dichtern
> (Pind, Aesch) und Prosaikern (zB Hdt II 52; VIII 86; IX 59). Oft wird κόσμος in
> der Bedeutung *Ordnung* neben und synonym mit τάξις gebraucht, zB Hdt IX 59; Aristot
> Metaph I 3 p 984 b 16f; Cael III 2 p 301 a 10; neben εὐταξία Pol VI 8 p 1321 b 7.

4. Der Begriff des Schönen, der, insofern er von dem
Begriff des Geordneten unabtrennbar ist, dem Worte κόσμος stets anhaftet,

---

schichte der griech Philosophie (1916) 174 f;
Ders, Kosmos und Sympathie (1926) 44 ff;
OGigon, Untersuchungen zu Heraklit (1935)
52 ff; OGilbert, Griech Religionsphilosophie
(1911) passim, bes 90 ff, 100 A 1, 116 A 1; 207, 358;
GKittel, Die Religionsgeschichte und das
Urchristentum (1932) 88 ff; CHDodd, The
Bible and the Greeks (1935), Register p 253;
RLöwe, Kosmos u Aion (1935); EvSchrenck,
Der Kosmosbegriff bei Johannes mit Berück-
sichtigung des vorjohanneischen Gebrauchs
von κόσμος = Mitteilungen und Nachrichten für

die evang Kirche in Rußland 51 (NF 28)
(1895) 1 ff; FBytomski, Die genetische Entwicklung des Begriffes ΚΟΣΜΟΣ in der Hl
Schrift, Jbch f Philosophie und spekulative
Theologie XXV (1911) 180 ff, 389 ff; Class
Rev 3 (1889) 131 a, 418 b; 5 (1891) 416 a.
[1] Älteres bei LMeyer, Kosmos, in: Zschr f
vergleich Sprachforschung 6 (1857) 161 ff (hsgg
AKuhn); ferner: KBrugmann, Indogerm Forschungen 28 (1911) 358 ff, dazu die Bemerkungen von PKretschmer, Glotta 5 (1914) 309.
Neueres bei Walde-Pok I 403; 474.

kommt besonders zur Geltung in der Bedeutung *Schmuck* (vorzugsweise vom Schmuck der Frauen).

Hom Il 14, 187; Hes Op 76; Hdt V 92 η; γυναικεῖος κόσμος Plat Resp II 373 b; auch im übertragenen Sinne wie lat decus *Zier, Ehre*: γύναι, γυναιξὶ κόσμον ἡ σιγὴ φέρει Soph Ai 293. Von den zahllosen Zeugnissen für diesen Gebrauch von κόσμος seien hier nur 5 noch einige Belege aus dem hell Orient zitiert: Ditt Or 383, 73. 131. 135. 223 (Antiochus v Kommagene); 90, 40; 423, 5; 514, 3; 525, 13; 531, 13; 595, 6 (*Schmuck* bei Bauten, Tempeln, Gewändern, Kulthandlungen usw); POxy VI 899, 12; XII 1467, 11; PFlor 384, 8. 78 (5. Jhdt n Chr); PLond 198, 10[2].

5. κόσμος = „Welt" I: Entstehung und Sinn des 10 griechischen Kosmosbegriffs.

Die bisher genannten Bedeutungen klingen sämtlich in der Bedeutung *Welt (Weltordnung, Weltsystem, Weltall, auch Himmel)* an, kraft deren κόσμος zu einem der wichtigsten Termini der griechischen Philosophie geworden ist, von hoher Bedeutung nicht nur für die allgemeine Geistesgeschichte, 15 sondern auch für die Religionsgeschichte des Altertums.

a. In der Bedeutung *Welt* gehört κόσμος noch für Plato (Gorg 507 e) zur Sprache der σοφοί. Das wird durch Xenoph bestätigt, der Mem I 1, 11 das Wort als Fachausdruck der σοφισταί bezeichnet. Nach einer seit etwa 100 n Chr nachweisbaren, aber vielleicht auf Theophrast zurückgehenden Überlieferung hätte 20 zuerst Pythagoras κόσμος zur Bezeichnung des Weltalls gebraucht: Πυθαγόρας πρῶτος ὠνόμασε τὴν τῶν ὅλων περιοχὴν κόσμον, ἐκ τῆς ἐν αὐτῷ τάξεως, Plut De Placitis Philosophorum II 1 (II 886 b) und Stob Ecl I 186, 14[3]. Diog L VIII 1, 25 (48) erwähnt eine Tradition, wonach Pythagoras als erster den Himmel κόσμος genannt habe. Nach der ansprechenden Vermutung von OGigon[4] ist οὐρανός hier aber vielleicht nur eine ungenaue 25 Wiedergabe von τὴν τῶν ὅλων περιοχήν in dem vorigen Zitat.

Der historische Wert dieser ganzen Überlieferung ist nicht mehr zu ermitteln. Falls Anaximenes fr 2 (I 26, 18 ff Diels) als echt zu betrachten wäre[5], hätten wir in dem Satz οἷον ἡ ψυχὴ ἡ ἡμετέρα ἀὴρ οὖσα συγκρατεῖ ἡμᾶς, καὶ ὅλον τὸν κόσμον πνεῦμα καὶ ἀὴρ περιέχει, *wie unsere Seele Luft ist und uns dadurch zusam-* 30 *menhält, so umspannt Odem und Luft die ganze Welt,* das älteste Zeugnis für die Bezeichnung der Welt als κόσμος. Mit Sicherheit läßt sich nicht mehr sagen, als daß κόσμος seine neue Bedeutung der jonischen Naturphilosophie des 6. Jhdts verdankt. Der Sache nach liegt der damals gebildete Kosmosbegriff bereits vor bei Anaximander fr 9 (I 15, 26 ff Diels): ἐξ ὧν δὲ ἡ γένεσίς ἐστι τοῖς 35 οὖσι, καὶ τὴν φθορὰν εἰς ταῦτα γίνεσθαι κατὰ τὸ χρεών· διδόναι γὰρ αὐτὰ δίκην καὶ τίσιν ἀλλήλοις τῆς ἀδικίας κατὰ τὴν τοῦ χρόνου τάξιν, *woraus aber dem Seienden sein Ursprung sei, dahinein müsse auch sein Untergang sein nach Schicksalsbestimmung. Denn es müsse eines dem anderen Strafe und Buße zahlen nach dem Richterspruch der Zeit*[6]. Dh es gibt eine Ordnung der Dinge, die der zwischen 40 den Menschen bestehenden Rechtsordnung entspricht. Die Einzeldinge liegen gleichsam in einem Rechtsstreit miteinander, in dem die Zeit den Urteilsspruch fällt (τάσσειν). Wie aber im Leben der Menschen die Δίκη (→ II 180 f) als immanente Gerechtigkeit den Ausgleich zwischen den widerstreitenden An-

---

[2] Weitere Beispiele bei Preisigke Wört sv κόσμος.
[3] HDiels, Doxographi Graeci[2] (1929) 327, 8 ff; vgl auch die dort angeführten Stellen aus Achill Tat und Cyr Alexandrinus, sowie dieses Zitat bei Gal De Historia Philosophiae 44, Diels aaO 621.

[4] aaO 54.
[5] Die Echtheit wird bestritten von KReinhardt, Parmenides (1916) 175; Kosmos und Sympathie (1926) 209 ff.
[6] Nach Jaeger (→ Lit-A) 217.

sprüchen schafft, so sieht Anaximander „diesen ewigen Ausgleich nicht nur im Menschenleben, sondern in der ganzen Welt, an allen Wesen sich verwirklichen" [7]. Was die Einzeldinge zusammenhält, sie zu einem Ganzen zusammenordnet, ist also eine immanente Weltnorm, die natürlich nicht mit dem modernen Begriff 5 des Naturgesetzes verwechselt werden darf. „Die Welt erweist sich durch sie als ein ‚Kosmos' im Großen, zu deutsch: als eine Rechtsgemeinschaft der Dinge" [8].

Eine noch im Bereich des Mythologischen bleibende Vorstufe dieses Gedankens einer universalen Ordnung der Dinge darf man bei Hes Theog 73 f erkennen, wo erzählt wird, wie Zeus nach seinem Siege εὖ δὲ ἕκαστα ἀθανάτοις διέταξεν ὁμῶς καὶ 10 ἐπέφραδε τιμάς.

b. Für die Frage nach dem Ursprung des griechischen Kosmosbegriffs ergibt sich daraus folgendes. Der κόσμος — gelegentlich steht in dieser Bedeutung dafür διάκοσμος [9] — ist zunächst die Ordnung, durch welche die Summe der Einzeldinge zu einem Ganzen zusammen-15 gefaßt wird, also das *Weltsystem* im Sinne der *Weltordnung*. Dann erst wird κόσμος weiter verstanden als das durch jene Ordnung zusammengehaltene Ganze, also die *Welt im räumlichen Sinne*, das *Weltsystem* im Sinne des *Weltalls*.

Wann diese weitere Bedeutungsstufe erreicht worden ist, läßt sich nicht mehr fest-20 stellen. Wer das oben (→ 869, 28) zitierte Anaximenesfragment 2 für echt hält, muß den räumlichen Kosmosbegriff schon in den Anfängen der milesischen Philosophie finden. Wer dagegen mit KReinhardt (→ A 5) die Echtheit des Fragments bestreitet, wird geneigt sein, die Bedeutung von κόσμος bei den Denkern des 6. und der ersten Hälfte des 5. Jhdts auf den Begriff der Weltordnung einzuschränken. Aber selbst 25 wenn κόσμος, wie man vermutet hat, erst vom Zeitalter des Peloponnesischen Krieges an im Sinne der räumlich verstandenen universitas rerum gebraucht worden sein sollte [10] und an allen älteren Stellen zwanglos allein als Weltordnung erklärt werden könnte — in der Tat herrscht ja der Gedanke der Ordnung im Kosmosbegriff noch lange vor —, so bliebe doch die Tatsache bestehen, daß der Begriff des räumlichen 30 Weltalls schon bei den alten Denkern eine große Rolle gespielt hat. Sie sprechen vom All als dem Inbegriff des Seienden in Ausdrücken wie τὰ ὄντα (zB Anaximand fr 9 [I 15, 23 Diels]), πάντα (zB Xenophanes fr 25 [I 63, 2 Diels), τὰ πάντα, ἅπαντα (zB Heracl fr 90 [I 95, 12 f Diels]). Wenn nach De Placitis Philos II 1, 6 [11] Melissos und Diogenes aus Apollo-nia lehrten: τὸ μὲν πᾶν ἄπειρον, τὸν δὲ κόσμον πεπεράνθαι, *das All sei unendlich, der Kosmos* 35 *aber begrenzt* [12], so bleibt natürlich ungewiß, ob nicht das Wort κόσμος erst von der späteren Tradition in die Aussagen dieser der zweiten Hälfte des 5. Jhdts angehören-den Denker hineingetragen worden ist. Die Sache aber, der Begriff des räumlich verstandenen Kosmos, ist bei ihnen vorhanden, und die Frage, die sie aufwerfen, die Frage nach der Unendlichkeit der Welt und ihrem Verhältnis zum Raum, hat, 40 wie wir aus glaubwürdiger Überlieferung [13] wissen, bereits die Naturphilosophie be-schäftigt.

c. Vollendet ist die räumliche Bedeutung von κόσμος und damit die Identifikation von κόσμος und Weltall bei Plato, wenn auch die alte Bedeutung „Weltordnung" nicht verschwindet. Der Kosmos ist für ihn

---

[7] Jaeger 218.
[8] Jaeger 219.
[9] Parm fr 8, 60 (I 159, 5 Diels), ferner bei Leukipp (fr 1 [II 9, 37 f Diels]) und De-mocr (fr 5 [II 58, 15 ff Diels]) als Titel ihrer Schriften μέγας διάκοσμος und μικρὸς διάκοσμος. Bei Democr fr 5 findet sich in gleicher Be-deutung auch διακόσμησις, das bei Plat und anderen Schriftstellern für die Anordnung von Gesetzen, die Einrichtung eines Staats-wesens udgl gebraucht wird. Vgl auch Anaxag fr 12 (I 405, 2 ff Diels): ὁποῖα ἔμελλεν ἔσεσθαι καὶ ὁποῖα ἦν . . . καὶ ὅσα νῦν ἐστι καὶ ὁποῖα

ἔσται, πάντα διεκόσμησε νοῦς; Aristot Cael I 10 p 280a 21.
[10] FrBuecheler, Kl Schriften I (1915) 631.
[11] HDiels, Doxographi Graeci [2] (1929) 328.
[12] Von den Stoikern wird an derselben Stelle berichtet, sie unterschieden zwischen τὸ πᾶν und τὸ ὅλον: πᾶν μὲν γὰρ εἶναι σὺν τῷ κενῷ τῷ ἀπείρῳ, ὅλον δὲ χωρὶς τοῦ κενοῦ τὸν κόσμον. Danach ist der Kosmos umgeben von dem unendlichen leeren Raum. Beide zusammen bilden das All. — → A 18.
[13] De Placitis Philosophorum II 3 bei HDiels, Doxographi Graeci [2] (1929) 327.

das Universum, das er sonst τὸ ὅλον [14] oder τὸ πᾶν [15] nennt, insofern in ihm alle Einzeldinge und Einzelwesen, Himmel und Erde, Götter und Menschen durch eine universale Ordnung zur Einheit zusammengefaßt werden: φασὶ δ' οἱ σοφοὶ ... καὶ οὐρανὸν καὶ γῆν καὶ θεοὺς καὶ ἀνθρώπους τὴν κοινωνίαν συνέχειν καὶ φιλίαν καὶ κοσμιότητα καὶ σωφροσύνην καὶ δικαιότητα, καὶ τὸ ὅλον τοῦτο διὰ ταῦτα κόσμον 5 καλοῦσιν ... οὐκ ἀκοσμίαν οὐδὲ ἀκολασίαν Gorg 507 e—508 a. Dieser κόσμος, „die Erscheinung der Idee im Raum und in der Zeit, das sinnliche und veränderliche Abbild des Ewigen" [16] muß als ein σῶμα bezeichnet werden (Phileb 29 e; Tim 32 c), und zwar als ein beseelter Leib, ein vernünftiges Wesen: δεῖ λέγειν τόνδε τὸν κόσμον ζῷον ἔμψυχον ἔννουν τε τῇ ἀληθείᾳ διὰ τὴν τοῦ θεοῦ γενέσθαι πρόνοιαν 10 Tim 30 b [17]. Eine Zusammenfassung seiner Gedanken über das Weltall (περὶ τοῦ παντός) gibt Plato in den Schlußworten des Tim (92 c): θνητὰ γὰρ καὶ ἀθάνατα ζῷα λαβὼν καὶ συμπληρωθεὶς ὅδε ὁ κόσμος οὕτω, ζῷον ὁρατὸν τὰ ὁρατὰ περιέχον, εἰκὼν τοῦ νοητοῦ θεὸς αἰσθητός, μέγιστος καὶ ἄριστος κάλλιστός τε καὶ τελεώτατος γέγονεν, εἷς οὐρανὸς ὅδε μονογενὴς ὤν, *mit sterblichen und unsterblichen* 15 *Lebewesen ausgestattet und erfüllt, ist dieser Kosmos ein sichtbares Lebewesen geworden, das Sichtbare umfassend, Abbild dessen, was nur mit der Vernunft erkannt werden kann, ein sinnlich wahrnehmbarer Gott, der größte und beste, schönste und vollkommenste, eben diese eine und eingeborene Welt.*

Der theologische Gehalt dieser Worte ist unten (→ 874, 35 ff) zu erörtern. Sprach- 20 lich fällt auf der Wechsel zwischen κόσμος und οὐρανός, die geradezu als Synonyma gebraucht werden. Während → οὐρανός hier wie wahrscheinlich gelegentlich schon bei den älteren Naturphilosophen seit Anaximander [18] als *Weltraum, Weltall* zu verstehen ist, geht an anderen Stellen die Bedeutung von κόσμος geradezu in *Himmel* über, zB in der Aussage Phaedr 246 b c über die Seele, die durch die Welt- und Him- 25 melsräume wandert: ψυχή ... πάντα δὲ οὐρανὸν περιπολεῖ ... μετεωροπορεῖ τε καὶ πάντα τὸν κόσμον διοικεῖ; vgl μετελθεῖν εἰς τὸν ἀέναον κόσμον (von der Seele nach dem Tode) Ditt Or 56, 48. Die *Fixsternsphäre* bedeutet κόσμος Pseud-Plat Epin 987 b, den *Sternhimmel* überhaupt Diog L VII 70 (138): αὐτὴν δὲ τὴν διακόσμησιν ἀστέρων κόσμον εἶναι λέγουσιν (Posidonius?). Auch Isoc bezeugt die Bedeutung *Himmel* für κόσμος, 30 wenn er IV 179 von *der ganzen unter dem Himmel liegenden Erde*, die in zwei Teile zerfällt (nämlich Asien und Afrika), spricht: τῆς ... γῆς ἁπάσης τῆς ὑπὸ τῷ κόσμῳ κειμένης δίχα τετμημένης. Ja, sogar die Sterne, insbesondere die Planeten, können κόσμοι heißen (Jambl Myst VIII 6; Corp Herm XI 7), ein Sprachgebrauch, der De Placitis II 13, 15 auf die Pythagoreer zurückgeführt wird (HDiels, Doxographi Graeci [2] [1929] 35 343; vgl HDiels aaO 476, 8 [Theophr Physicarum Opinionum fr 2]; 559, 17 [Hipp Philos 6, 1]). Aus dem Zusammenfließen der Bedeutungen *Weltraum* und *Himmelsraum* ergab sich die Unsicherheit in der terminologischen Unterscheidung von οὐρανός und κόσμος, wie Plat sie für seine ganze Zeit bezeugt Tim 28 b: ὁ δὴ πᾶς οὐρανὸς — ἢ κόσμος ἢ καὶ ἄλλο ὅτι ποτὲ ὀνομαζόμενος μάλιστ' ἂν δέχοιτο, τοῦθ' ἡμῖν ὠνομάσθω, *das ganze Himmels-* 40 *gebäude nun oder Weltall oder welchen anderen Namen es sich am ehesten gefallen lassen könnte, uns soll jeder recht sein.*

---

[14] ZB Phileb 28 d; Gorg 508 a.
[15] ZB Polit 270 b, 272 e; Tim 28 c, 30 b, 69 c, 92 b; Crat 412 d.
[16] EZeller, Die Philosophie der Griechen II 1 [5] (1922) 789; vgl Tim 29, wo ausgeführt wird, die εἰκών des ὅδε ὁ κόσμος sei τὸ ἀΐδιον. Die Welt ist nach der Idee des vollkommensten Lebewesens geschaffen. Vgl das → αἰών I 197, 26 ff zu den Begriffen Zeit und Ewigkeit bei Plat Gesagte.
[17] Vgl Antipater bei Diog L VII 70 (139): ὁ κόσμος ζῷον ἔμψυχον καὶ λογικόν.
[18] S KReinhardt, Parmenides (1916) 175

zu Anaximand fr 9 (I 15, 21 ff Diels), wonach Anaximand nicht das Wasser oder eines der anderen Elemente für den Grundstoff der Welt erklärt habe, ἀλλ' ἑτέραν τινὰ φύσιν ἄπειρον, ἐξ ἧς ἅπαντας γίνεσθαι τοὺς οὐρανοὺς καὶ τοὺς ἐν αὐτοῖς κόσμους (I 15, 25 f Diels). An dies Referat über Anaximand schließt sich unmittelbar das oben (→ 869, 35) besprochene im Wortlaut erhaltene Fragment an. Die Vorstellung ist die, daß es eine Vielzahl von κόσμοι gibt, von denen jeder von einem οὐρανός umgeben ist. → A 12.

d. Auch bei Aristoteles findet sich die Gleichsetzung von κόσμος und οὐρανός. So ist Cael III 2 p 301a 17 u 19 συστῆσαι τὸν οὐρανόν synonym mit συνέστηκεν ὁ κόσμος; vgl auch das Nebeneinander von κόσμος und οὐρανός Cael I 10 p 280a 21: ἡ δὲ τοῦ ὅλου σύστασίς ἐστι κόσμος καὶ οὐρανός, *die Zusammenordnung des Alls ist Welt und Himmel*[19]. Die ganze Schrift Περὶ οὐρανοῦ setzt ja überhaupt voraus — es wird besonders deutlich in I 9f ausgesprochen —, daß οὐρανός nicht nur den Himmel im engeren Sinne, also etwa die Region der Himmelskörper, bedeutet, sondern das Weltall. Besonders betont wird das in dem Ausdruck ὁ πᾶς οὐρανός Cael I 9 p 279a 25f; II 1 p 283b 26. — Aristot hat von Plato das Verständnis des κόσμος als des räumlichen Universums übernommen — auch er gebraucht κόσμος synon mit τὸ πᾶν und τὸ ὅλον — und seinen naturwissenschaftlichen und metaphysischen[20] Überzeugungen entsprechend umgebildet. Der Kosmos ist für ihn ein kugelförmiger[21] Körper, in dessen Mitte, von den Welt- und Himmelssphären umgeben, die kugelförmige Erde liegt, die Aristot als unbewegt betrachtet. Die Autorität des großen Gelehrten, die in diesem Falle noch durch das Ansehen Platos und der Stoa unterstützt wurde, hat den besseren Erkenntnissen eines Aristarch v Samos ua zum Trotz dies geozentrische Weltbild dem Abendland für 1800 Jahre aufgezwungen. Der Körper der Welt wird von Aristot nicht mehr als ein σῶμα ἔμψυχον verstanden. Die Weltseele Platos kennt er nicht mehr. Beseelt und von Vernunft durchwaltet sind nur die Himmelssphären (ὁ δὲ οὐρανὸς ἔμψυχος καὶ ἔχει κινήσεως ἀρχήν Cael II 2 p 285a 29)[22]. Der Kosmos, ohne Anfang und Ende in der Zeit gedacht, umfaßt alles, was an Raum und Zeit gebunden ist: φανερὸν ἄρα ὅτι οὔτε τόπος (Ort) οὔτε κενὸν (leerer Raum) οὔτε χρόνος ἐστὶν ἔξωθεν (Cael I 9 p 279a 17). Das Überweltliche, Transzendente (τἀκεῖ), das an keinem Orte ist und keine Zeit erlebt — denn Zeit gibt es nur für den κόσμος —, führt unveränderlich und leidenslos (ἀπαθῆ) das vollkommenste Leben[23]. So kann es auch keine Mehrzahl von Welten geben, weder im Sinne eines Nacheinander noch im Sinne der Gleichzeitigkeit.

e. In Aristot hat das klassische griechische Denken über den κόσμος seinen Abschluß gefunden. Die Weiterbildung der antiken Kosmologie im hellenistischen und römischen Zeitalter von der Stoa bis zum Neuplatonismus vollzieht sich unter immer stärkerer Einwirkung des Orients und unter immer deutlicherem Hervortreten des religiösen Interesses. Darüber wird → 876, 1ff zu handeln sein. Hier sei noch die Definition des κόσμος bei Pseud-Aristot Mund 2 p 391b 9 angeführt, weil sie zeigt, wie die unter dem Einfluß der späteren Stoa (Posidonius) stehende philosophische Kosmologie im Zeitalter des NT sich den Ertrag des klassischen griechischen Denkens über die Welt angeeignet hat: κόσμος μὲν οὖν ἐστι σύστημα ἐξ οὐρανοῦ καὶ γῆς καὶ τῶν ἐν τούτοις περιεχομένων φύσεων. λέγεται δὲ καὶ ἑτέρως κόσμος ἡ τῶν ὅλων τάξις τε καὶ διακόσμησις, ὑπὸ θεῶν τε καὶ διὰ θεῶν φυλαττομένη. ταύτης δὲ τὸ μὲν μέσον, ἀκίνητόν τε ὂν καὶ ἑδραῖον, ἡ φερέσβιος εἴληχε γῆ, παντοδαπῶν ζῴων ἑστία τε οὖσα καὶ μήτηρ. τὸ δ' ὕπερθεν αὐτῆς πᾶν τε καὶ πάντη πεπερατωμένον · ἧς τὸ ἀνωτάτω θεῶν οἰκητήριον οὐρανὸς ὠνόμασται. („... Die Mitte dieses Weltsystems [= διακόσμησις], unbewegt und fest, nimmt die lebenspendende Erde ein, der mannigfachen Lebewesen Heimat und Mutter. Was über ihr ist, ist das All, das sich nach allen Seiten hin ausdehnt. Das, was am höchsten über ihr ist, der Götter Wohnort, wird Himmel genannt.") Zu dem typisch stoischen Begriff des κόσμος als eines σύστημα vgl die Definition des Chrysipp bei Stob Ecl 184, 8 (→ 879, 40); ferner Philo Aet Mund 4 und Epict I 9, 4.

f. Der Begriff des κόσμος, dessen Entstehung wir hier zu verstehen gesucht haben, gehört zu den großen und originalen Schöpfungen des griechischen Geistes. Fragt man, wodurch sich der griechische Kosmos-

---

[19] Vgl auch den Ausdruck ὁ περὶ τὴν γῆν ὅλος κόσμος Meteor I 2 p 339a 19 uö. Die Bedeutungen Welt und Himmel gehen darin ineinander über. — Die Doppelbedeutung von κόσμος spiegelt sich noch wider in dem Gebrauch von mundus bei Cic Nat Deor II 12: ex mundi ardore motus omnis oritur (mundus = Himmel, Aether). Cic folgt dabei dem Gebrauch von κόσμος bei Pos; vgl KReinhardt, Posidonius (1921) 227f.

[20] So bedeutet die Kritik der Ideenlehre einen Wandel im Verständnis des κόσμος, weil das, was Plat im Reich der Ideen fand,

nun im sichtbaren κόσμος gesucht werden muß. Umgekehrt hat die Wiederentdeckung Platos bei Philo und im Neuplatonismus zu der unten zu erörternden Lehre vom κόσμος νοητός geführt.

[21] σφαιροειδής Cael II 2 p 285a 32; II 4 p 287b 14.

[22] Vgl De Placitis Philosophorum II 3, 4 bei Stob I 186, 5 = HDiels, Doxographi Graeci² (1929) 330, 7ff.

[23] Cael I 9 p 279a 18ff. Vgl dazu WJaeger, Aristoteles (1923) 316ff.

begriff von anderen Weltbegriffen unterscheidet, so läßt sich seine Eigenart in folgenden Merkmalen aussprechen:

1. Zum Wesen des κόσμος gehört die Einheit.

Auch da, wo man mit Anaximander, Anaximenes, Xenophanes, Leukipp, Demokrit eine Vielzahl von κόσμοι annimmt, gilt doch von jedem denkbaren Kosmos, daß er 5 eine aus vielen Einzeldingen und Einzelwesen gewordene vollkommene Einheit ist: ἐκ πάντων ἓν καὶ ἐξ ἑνὸς πάντα *aus allem eins und aus einem alles*, wie Heraklit sagt (fr 10 [I 80, 3 f Diels]), der ebenso wie später Plato, Aristot und die Stoa gegen die Lehre von vielen κόσμοι[24] kämpft; vgl auch den Satz des Philolaos (fr 17 [I 316, 25 Diels]), der in mannigfachen Variationen durch das griechische Denken bis zum Neu- 10 platonismus klingt: ὁ κόσμος εἷς ἐστιν, vgl vArnim I p 27, 5. 7; II p 169, 15; 170, 3. 5; 172, 13 uö.

2. Eine vollkommene Einheit ist der κόσμος — das ist das zweite Merkmal — durch die ihm immanente Norm, die die vielen Einzeldinge zu einem Ganzen ordnet. 15

Diese Norm suchte Anaximander zu verstehen, indem er die Ordnung der Polis auf das Weltganze projizierte, also als eine Art universale Rechtsnorm. Pythagoras fand die Norm in der Zahl und in den zwischen den Zahlen bestehenden Proportionen. Die mathematischen Normen, die zugleich ästhetische sind, schaffen die Harmonie des Kosmos. Noch einen Schritt weiter tat Heraklit mit der Entdeckung 20 des Logos (→ λόγος), der die höchste Norm für das Denken und Handeln der Menschen ist und zugleich die Norm, welche die vielen und im Widerstreit liegenden Dinge zur Einheit des Kosmos ordnet. Es ist kein Zufall, wenn nach den großartigen Konzeptionen des der göttlichen Vernunft unterworfenen Weltalls bei Plato und Aristot die Stoa auf den Logosgedanken zurückgreift, um das immanente Weltgesetz in sei- 25 nem göttlichen Wesen zu verstehen.

3. Das dritte Merkmal des griechischen Kosmosbegriffs ist die Schönheit der Welt.

Von den ältesten milesischen Denkern bis zu den Enneaden Plotins klingt ein gewaltiger Hymnus auf die Schönheit der Welt. Der κόσμος ist seinem Wesen nach 30 καλός (vgl den Superlativ κάλλιστος in dem feierlichen Schlußsatz von Plat Tim 92 c[25], wobei auch das κάλλιστος bei Heracl fr 124 [I 102, 1 Diels] in die Erinnerung zu rufen ist). Die den Griechen eigene mathematisch-ästhetische Betrachtung der Welt erkennt im κόσμος den Inbegriff aller Ordnung und aller Schönheit, das in seiner Form (Kugel) und in seiner Bewegung (Kreis) vollkommenste und darum schönste σῶμα. Diese 35 Schönheit zu schauen ist Seligkeit. Das spricht zB Euripides aus, wenn er den Forscher selig (ὄλβιος) preist, *welcher der unsterblichen Natur nimmer alternde Weltordnung betrachtet*: ἀθανάτου καθορῶν φύσεως κόσμον ἀγήρων (TGF 910).

4. Als viertes Merkmal nennen wir die eigentümliche Beziehung, in welche der Mensch zum Kosmos gesetzt wird. 40

Ob Anaximander die Weltordnung als Rechtsordnung versteht oder ob umgekehrt die Stoa der Weltordnung die Normen für die Gesellschaftsordnung entnehmen will[26], ob für Heraklit das Weltgeschehen wie das Menschenleben unter der Herrschaft des Logos steht, ob in jenem Anaximenesfragment der Kosmos mit dem Menschen ver-

---

[24] Vgl De Placitis Philosophorum II 1, 2; HDiels, Doxographi Graeci[3] (1929) 327, 10ff.
[25] Tim 29 a heißt der κόσμος καλός und κάλλιστος τῶν γεγονότων; vgl auch Proklos in Tim II 101 d (ed EDiehl I [1903] 332, 18 ff): ὅτι δὲ ὅ τε κόσμος ὀρθῶς εἴρηται κάλλιστος καὶ ὁ δημιουργὸς τῶν αἰτίων ἄριστος, ῥάδιον καταμαθεῖν. πρῶτον μὲν καὶ τὸ φαινόμενον τοῦ οὐρανοῦ κάλλος καὶ ἡ τάξις τῶν περιόδων καὶ τὰ μέτρα τῶν ὡρῶν καὶ ἡ ἁρμονία τῶν στοιχείων καὶ ἡ διὰ πάντων διήκουσα ἀναλογία δείκνυσι τοῖς μὴ παντάπασιν ἐσκοτωμένοις, ὅτι κάλλιστον τὸ πᾶν.
[26] Vgl auch die Parallele zwischen mundus und urbs Cic Nat Deor II 62. — Die Lehre vom Menschen als Mikrokosmos ist in ihren Konsequenzen vor allem von der Stoa, uz mit besonderer wissenschaftlicher Tiefe von Posidonius, entwickelt worden, der den Menschen als das „Band" versteht, das den κόσμος zusammenhält. Vgl dazu WJäger, Nemesios v Emesa (1914) 96 ff, und KReinhardt, Kosmos u Sympathie (1926). FCumont, Die oriental Religionen im römischen Heidentum[3] (1931) 157 u 296 A 41, führt die Lehre vom Mikrokosmos und von der Sympathie auf die Astrologie der „Chaldäer" zurück.

glichen wird: immer steht dahinter die Anschauung, daß zwischen dem Kosmos der Welt, dem Kosmos der menschlichen Gesellschaft und dem Kosmos des Menschen ein tiefer Wesenszusammenhang besteht. Darauf aber beruht nach dem Grundsatz der griechischen Erkenntnistheorie, daß τὸ ὅμοιον ἐκ τοῦ ὁμοίου καταλαμβάνεσθαι πέφυκεν, die Möglichkeit des Welterkennens für den Menschen als den μικρὸς κόσμος[27].

6. κόσμος = „Welt" II: Gott und der Kosmos bei den Griechen.

a. Unter den kosmologischen Streitfragen, welche seit dem 6. Jhdt die Philosophie bewegt haben, sind von theologischer Bedeutung die Fragen nach der Entstehung der Welt (ἡ τοῦ κόσμου γένεσις Plat Tim 27a, 29e; vgl Gn LXX A Überschrift: γένεσις κόσμου) und nach ihrer Dauer.

Von den kosmogonischen Spekulationen eines Hesiod und anderer Dichter und Denker der Frühzeit, bei denen Weltanschauung und Mythologie ineinander übergehen, können wir hier absehen, weil sie noch nichts dem Griechentum Eigentümliches besitzen.

b. Heraklit wendet sich gegen alle Lehren von einer Entstehung der Welt, auch soweit sie, wie bei seinen philosophischen Vorgängern, wissenschaftlich gemeint sind, in fr 30 (I 84, 1ff Diels): κόσμον τόνδε, τὸν αὐτὸν ἁπάντων, οὔτε τις θεῶν οὔτε ἀνθρώπων ἐποίησεν, ἀλλ᾽ ἦν ἀεὶ καὶ ἔστιν καὶ ἔσται πῦρ ἀείζωον, ἁπτόμενον μέτρα καὶ ἀποσβεννύμενον μέτρα, *diese Weltordnung, dieselbige für alle Wesen* — dh es gibt nichts, was nicht zum κόσμος gehörte — *hat kein Gott nnd kein Mensch* — dh überhaupt keiner — *gemacht, sondern sie war immerdar und ist und wird sein allzeit lebendiges Feuer, nach Maßen* — dh wohl in bestimmten Zeitabständen — *erglimmend und nach Maßen erlöschend*[28]. Es gibt also nur einen Kosmos, der ewig ist, ohne Anfang und Ende. Wohl gibt es ein periodisches „Erglimmen" und „Erlöschen", aber das spielt sich innerhalb der einen, immerwährenden Weltordnung ab.

Die mythologischen und philosophischen Spekulationen, gegen die Heracl polemisiert, dürfen nicht etwa im Sinne des Schöpfungsglaubens verstanden werden. Denn der Begriff der Schöpfung im eigentlichen Sinne (→ κτίζω) ist dem griechischen Denken unbekannt. Es kennt nur den Gedanken des Werdens (γένεσις) der Welt — etwa aus einem Urstoff oder aus dem ἄπειρον — und den Gedanken, daß das gegebene Gestaltlose durch einen göttlichen „Baumeister" (δημιουργός, ἀρχιτέκτων) zu einem κόσμος geordnet und gebildet wird.

c. In diesem Sinne beschreibt Plato, vielleicht Traditionen orientalischer Herkunft benutzend, Tim 28ff die „Erschaffung" — wie wir sagen würden — des Kosmos durch einen Gott (θεός, zB 30a), den er als δημιουργός (zB 28a, 29a), συνιστάς (29d) bezeichnet und ποιητὴν καὶ πατέρα τοῦδε τοῦ παντός (28c vgl ὁ γεννήσας πατήρ 37c) nennt. Dieser hat die Welt nach der Idee des vollkommenen Lebewesens gebildet, und zwar im leeren Raum, dem „Mutterschoß alles Werdens" (Tim 49a), der zugleich eine Art bildsame Materie darstellt[29].

Die für den echten Schöpfungsglauben charakteristische Unterscheidung zwischen Gott dem Schöpfer und der Kreatur, die nicht Gott ist, fehlt in diesem System. Der

---

[27] Zuerst Democr fr 34 (II 72, 7. 12 Diels); dann Aristot Phys VIII 2 p 252 b 26; Gal De Usu Partium Corporis Humani III 10 (III 241 Kühn); Nechepso fr 25 (ed ERieß, in: Philol Suppl 6 [1891—93] 325 ff) (Firm Mat Math III prooem 3 f); Phot Bibliotheca 249 (MPG 103 p 1584 d).
[28] Zur Interpretation s OGigon, Untersuchungen zu Heraklit (1935) 51 ff.
[29] S dazu FUeberweg-KPraechter, Grundriß der Geschichte der Philosophie I [12] (1926) 310.

Demiurg ist eigentlich nicht Gott in vollem Sinne, und der Kosmos ist eigentlich keine Kreatur. Streng genommen berichtet Plat in Tim 28 ff von der Schöpfung eines Gottes durch den anderen. Fragt man, inwiefern der κόσμος nach platonischer Lehre eine Manifestation Gottes sei, so erhält man eine doppelte Antwort. Die eine lautet: Der κόσμος ist der Beweis für das Dasein Gottes — Plato ist der Vater des kosmo- 5 logischen Gottesbeweises, der dann von Aristot und der Stoa fortgebildet worden ist[30]. Die zweite Antwort lautet: Der κόσμος selbst ist Gott. Er, dieses wundervolle Lebewesen, wie es am Schluß von Tim beschrieben wird, ist θεὸς αἰσθητός. Einen Widerspruch zwischen diesen Antworten bemerkt Plato nicht, weil es für ihn Stufen des Göttlichen gibt, deren unterste der Kosmos als der sinnlich wahrnehmbare Gott 10 sein kann. Und doch ist der Widerspruch ebenso offenkundig wie der — bereits von Aristot[31] gerügte — zwischen den Behauptungen, der Kosmos sei in der Zeit gewor- den, aber er sei unvergänglich.

So erweist sich Platos Lehre von der γένεσις τοῦ κόσμου als der vergebliche Versuch, den Schöpfungsgedanken, der immer die creatio ex nihilo und die 15 unüberschreitbare Grenze zwischen Gott und der Kreatur voraussetzt, mit der griechischen Idee des seinem Wesen nach göttlichen und daher ewigen Kosmos zu vereinigen.

d. Aristoteles ist sich bewußt (Cael I 10—12 p 279 b ff), als erster und im Gegensatz auch zu Denkern wie Heraklit, die von einer ewig 20 sich erneuernden Welt wissen — so später wieder die Stoa — die Anfangs- und Endlosigkeit der Welt zu lehren: ἡ . . . τοῦ κόσμου τάξις ἀΐδιος Cael II 14 p 296 a 33; ἀγένητον καὶ ἄφθαρτον ἔφη τὸν κόσμον εἶναι fr 17 p 1477 a 10 vgl fr 18 p 1477 a 25 und die Darlegung des Problems, ob der οὐρανός (Weltall) ἀγένητος ἢ γενητὸς καὶ ἄφθαρτος ἢ φθαρτός sei Cael I 10 p 279 b 4 ff. 25

Da die Zeit der Welt nach Aristot mit der Ewigkeit identisch ist — wie es außer- halb der Welt, obwohl sie endlich ist, keinen Raum gibt, so gibt es keine Zeit neben oder außer der Zeit der Welt; denn Zeit gibt es nur, wo es Bewegung gibt —, kennt er nicht wie Plat ein πρὶν γενέσθαι τὸν κόσμον (Cael III 2 p 300 b 17). Gott ist für Aristot nicht Bildner der Welt, sondern reiner νοῦς, der sich selbst denkt, reine Form 30 ohne Materie, darum das πρῶτον κινοῦν, aber nicht im zeitlichen Sinne. Wie die Bewegung immer da war, so war auch das Bewegte immer da. Der Gott des Aristot „bewegt ohne zu bilden und zu handeln, indem er selbst unbewegt bleibt, als das Gute und der Zweck, der außer sich keinen Zweck hat, dem aber alles zustrebt, ver- möge der Anziehung, die jedes Geliebte auf das Liebende übt"[32]. Dieser Gott ist 35 in seinem Wesen und in seinem Verhältnis zur Welt das Gegenteil des Gottes der Bibel. Er ist Gott, indem er nicht Schöpfer ist, indem er nicht handelt: ἀνάγκη εἶναί τινα ἀΐδιον οὐσίαν ἀκίνητον Metaph XI 6 p 1071 b 4. Er bewegt die Welt, nicht indem er sie liebt, sondern indem er von ihr geliebt wird, indem er der Gegenstand ihres ἔρως wird: κινεῖ δὲ ὡς ἐρώμενον, κινούμενον δὲ τἆλλα κινεῖ aaO XI 7 p 1072 b 3. Gott 40 wäre nach Aristot nicht mehr Gott, wenn er die Menschen liebte[33].

---

[30] Folgende Gründe für das Dasein der Götter nennt Plat Leg X 886 a: πρῶτον μὲν γῆ καὶ ἥλιος ἄστρα τε καὶ τὰ σύμπαντα, καὶ τὰ τῶν ὡρῶν διακεκοσμημένα καλῶς οὕτως, ἐνιαυτοῖς τε καὶ μησὶν διειλημμένα· καὶ ὅτι πάντες Ἕλληνές τε καὶ βάρβαροι νομίζουσιν εἶναι θεούς, vgl XII 966 e, wo die Bewegungen der Himmelskörper als Beweis dafür ange- sehen werden, daß νοῦς ἐστιν τὸ πᾶν διακε- κοσμηκώς. Aus der Ordnung der Welt wird auf den Ordner geschlossen. Nach Aristot fr 12 p 1476 a 8 ff (bei Sext Emp Math IX 20—22 p 395 Bekker) führt der An- blick der Gestirne zu dem Glauben εἶναί τινα θεὸν τὸν τῆς τοιαύτης κινήσεως καὶ εὐ- ταξίας αἴτιον dh also zu der Überzeugung, daß es einen Gott gibt, der die Ursache der Bewegung und Ordnung des Kos- mos ist; vgl fr 17 p 1477 a 7 (bei Philo Aet Mund 10). Zu den Gottesbeweisen des Aristot s WJaeger, Aristoteles (1923) 161 ff. Als Beispiel für den kosmologischen Gottesbeweis in der Stoa sei angeführt Chrysipp nach Cic Nat Deor II 6: atqui res caelestes omnesque eae, quarum est ordo sempiternus, ab homine confici non possunt; est igitur id, quo illa confici- untur, homine melius. Id autem quid potius dixeris quam deum? Weiteres zur Stoa: HDiels Doxographi[2] (1929) 292 f; vArnim II p 299, 10. Zur Nachwirkung dieser Gedanken im hell Judentum und im Urchristentum s Ltzm R zu 1, 20.

[31] Cael I 10 p 280 a 28 ff. Desgleichen in dem verlorenen Περὶ φιλοσοφίας III; s Jaeger (→ A 30) 320; 141.

[32] Ueberweg-Prächter (→ A 29) 383.

[33] → θεός 74, 14 ff.

e. Wieder anders löst die Stoa das Gott-Welt-Problem. Sie weiß von einem Werden (γίνεσθαι δὲ τὸν κόσμον, ὅταν ἐκ πυρὸς ἡ οὐσία τραπῇ δι' ἀέρος εἰς ὑγρότητα [Diog L VII 142]) und einem Vergehen des κόσμος, aber dabei handelt es sich um den Gedanken der ewigen Wiederkehr des Glei-
5 chen, der aus dem Weltbild der orientalischen Astrologie in die griechische Philosophie eingedrungen ist[34].

Die γένεσις τοῦ κόσμου ist für die Stoiker kein wirklicher Anfang der Welt, sondern nur Anbruch einer neuen Weltperiode, Wiederherstellung dessen, was schon war (→ ἀποκατάστασις I 388; παλιγγενεσία I 685). Ebenso bedeutet die Zerstörung der
10 Welt in der ἐκπύρωσις kein wirkliches Ende, sondern nur die Voraussetzung für die neue ἀποκατάστασις τοῦ παντός. Eine Lehre von der Gestaltung des κόσμος durch einen Schöpfergott im Sinne Platos hat in diesem System ebensowenig Raum wie die aristotelische Anschauung, die ein Handeln Gottes an und in der Welt leugnet. Gott und der Kosmos werden in pantheistischer Weise zusammengedacht: Gott ist
15 die Weltseele, die als Äther, als Hauch (πνεῦμα), als geistiges Feuer alles durchdringt[35]. Er ist die den Kosmos durchwaltende Vernunft. Seine πρόνοια ist identisch mit dem Gesetz der εἱμαρμένη, das die Welt beherrscht[36]. So kann man nicht nur sagen ὅτι ... καὶ ζῷον ὁ κόσμος καὶ λογικὸν καὶ ἔμψυχον καὶ νοερόν (Chrysipp nach Diog L VII 70 [142. 143]; vArnim II p 191, 34 ff], sondern man kann Gott und die Welt gelegentlich
20 geradezu gleichsetzen: νοερός ἐστιν ὁ κόσμος. νοερὸς δὲ ὢν καὶ θεὸς καθέστηκεν (Sext Emp Math IX 95; vArnim II p 303, 34); οὐσίαν δὲ θεοῦ Ζήνων μέν φησι τὸν ὅλον κόσμον καὶ τὸν οὐρανόν Diog L VII 73 (148). Dieser altstoische Pantheismus stellt den Höhepunkt dar, den die Apotheose der Welt bei den Griechen erreicht hat, wobei freilich nicht vergessen werden darf, daß neben der Stoa das epikureische System stand, das den
25 göttlichen Ursprung des κόσμος und dessen Leitung durch die göttliche πρόνοια entschieden leugnete.
Innerhalb der stoischen Schule selbst beginnt mit Posidonius ein Vorgang, den man an den philosophischen Schriften Ciceros, dann aber vor allem an Philo und an der etwa mit Paulus gleichzeitigen Schrift Περὶ κόσμου[37] verfolgen kann: der reine
30 Pantheismus weicht — anscheinend unter dem Einfluß einer vom Orient nach dem Westen ziehenden religiösen Erweckung — einem neuen Glauben an eine transzendente göttliche Macht, ohne daß allerdings der Glaube an die divinitas mundi (Cic Nat Deor II 15) dadurch eine Einbuße erlitte. So verbinden sich bei Posidonius in überaus eindrucksvoller Weise die Gedanken der Stoa und des platonischen Timaeus
35 über den κόσμος[38].

f. Die Geschichte des κόσμος-Begriffs, die bei den jonischen Denkern begann und in den großen Schulen von Athen ihren Höhepunkt erlebte, endet wie die Geschichte des griechischen Denkens überhaupt, in Alexandria. Dort ist das Wort und damit auch der Begriff des κόσμος vom Judentum
40 **übernommen und in die griechische Bibel aufgenommen worden.** Dort aber haben auch die letzten Denker des Hellenismus die philosophische Arbeit am Begriff des κόσμος zu Ende geführt. Diese beiden geistesgeschichtlichen Leistungen werden repräsentiert durch Philo. Kein antiker Denker hat das Wort κόσμος so häufig gebraucht wie er, ein Beweis dafür, wie wichtig

---

[34] Nemesius De Natura Hominum 38 (vArnim II p 190, 10): οἱ δὲ Στωϊκοί φασιν ἀποκαθισταμένους τοὺς πλάνητας εἰς τὸ αὐτὸ σημεῖον ... ἔνθα τὴν ἀρχὴν ἕκαστος ἦν, ὅτε τὸ πρῶτον ὁ κόσμος συνέστη, ἐν ῥηταῖς χρόνων περιόδοις ἐκπύρωσιν καὶ φθορὰν τῶν ὄντων ἀπεργάζεσθαι· καὶ πάλιν ἐξ ὑπαρχῆς εἰς τὸ αὐτὸ τὸν κόσμον ἀποκαθίστασθαι ... ἔσεσθαι γὰρ πάλιν Σωκράτη καὶ Πλάτωνα καὶ ἕκαστον τῶν ἀνθρώπων ... καὶ πᾶσαν πόλιν καὶ κώμην καὶ ἀγρὸν ὁμοίως ἀποκαθίστασθαι· γίνεσθαι δὲ τὴν ἀποκατάστασιν τοῦ παντὸς οὐχ ἅπαξ, ἀλλὰ πολλάκις.
[35] Vgl die Zitate sv θεός → 75, 1 ff.
[36] Vgl die Definition des Chrysipp (vAr-

nim II p 264, 18): εἱμαρμένη ἐστὶν ὁ τοῦ κόσμου λόγος.
[37] = Pseud-Aristot Mund; vgl das Zitat → 872, 35 ff.
[38] Zum Begriff des κόσμος bei Pos s WJaeger, Nemesios von Emesa (1914) 96 ff; KReinhardt, Kosmos und Sympathie (1926). Wichtig ist vor allem die Einordnung des Menschen in den Kosmos. Die Wirkungen des Pos in philosophischer und religiöser Hinsicht zeigt am besten Pseud-Aristot Mund 5 f p 396 ff. Zum geschichtlichen Zusammenhang s HLietzmann, Geschichte der Alten Kirche I (1932) 180 ff.

ihm der griechische Kosmosbegriff war und wie sehr er sich bemüht hat, gerade in dem Verständnis der Welt und ihres Verhältnisses zu Gott den jüdisch-biblischen Glauben mit der griechischen Philosophie in Einklang zu bringen. Seine philosophische Originalität zeigt sich nirgends mehr als in der Art, wie er, dem die Wahrheit des AT ebenso feststeht wie die Wahrheit der Hauptsätze 5 der (platonisch-stoischen) Philosophie, das Gott-Welt-Problem löst.

Während κόσμος bei den bisherigen Denkern stets die empirische Welt oder eine aus der Mehrzahl stofflicher Welten bezeichnet hatte, führt Philo das Wort auch zur Bezeichnung der „Welt" der Ideen ein, indem er zwischen κόσμος νοητός (= ἰδέα τῶν ἰδεῶν καθ' ἣν ὁ θεὸς ἐτύπωσε τὸν κόσμον Migr Abr 103), dem geistigen Urbild der 10 empirischen Welt, einerseits und dieser Welt, dem κόσμος οὗτος (Rer Div Her 75) oder κόσμος αἰσθητός (Op Mund 25), κόσμος ὁρατός (Op Mund 16) andererseits unterscheidet. Die exegetische Grundlage dieser Unterscheidung fand Philo in dem LXX-Text von Gn 1, 1 f, wo ἡ δὲ γῆ ἦν ἀόρατος καὶ ἀκατασκεύαστος die Schöpfung einer unsichtbaren Welt zu lehren schien. Op Mund 15 ff schildert auf Grund von Gn 1, 1—5 15 die Erschaffung der *gedachten Welt* am ersten Schöpfungstage, dh eines unkörperlichen Himmels und einer unsichtbaren Erde, dazu der Ideen der Luft und des leeren Raumes, der unkörperlichen Substanzen des Wassers und des Windes (πνεῦμα), dazu als des siebenten der Idee des Lichts (Op Mund 29). Die *sinnlich wahrnehmbare Welt* verhält sich zu jener wie das Abbild zum Urbild. Der philosophischen Tradition entsprechend 20 versteht Philo diese Welt als eine *geordnete Welt* (κόσμος im Gegensatz zu ἀταξία, ἀκοσμία uä Aet Mund 32; 54 uö; vgl Op Mund 28); als σύνοδός τε καὶ κρᾶσις τῶν στοιχείων, dh der vier Elemente der älteren griech Naturphilosophie, Det Pot Ins 8; als *Inbegriff aller einzelnen Dinge und Lebewesen*: λέγεται τοίνυν ὁ κόσμος καθ' ἓν μὲν σύστημα ἐξ οὐρανοῦ καὶ ἄστρων κατὰ περιοχὴν καὶ γῆς καὶ τῶν ἐπ' αὐτῆς ζῴων καὶ φυτῶν, καθ' 25 ἕτερον δὲ μόνος οὐρανός (Aet Mund 4). Philo kennt also auch die Bedeutung *Himmel* für κόσμος. Es gibt nur e i n e n κόσμος und dieser ist τέλειος, ein vollendetes Werk (zB Aet Mund 26; 50; 73), von dessen Schönheit Philo ebenso begeistert spricht wie die griechischen Denker. Auch darin folgt er ihrem Beispiel, daß er den κόσμος als ein lebendiges, beseeltes Wesen betrachtet, ein ζῷον oder φυτόν (zB Aet Mund 95). 30 Philos Gedanken über das Verhältnis zwischen Gott und Welt sind von dem Anliegen geleitet, die seit Plato und Aristot immer mehr gesteigerte Lehre von der Transzendenz Gottes, wie sie damals vor allem von den Neupythagoreern vertreten wurde, mit der stoischen Lehre von der die Welt lenkenden göttlichen πρόνοια und mit dem biblischen Glauben an Gott den Schöpfer zu versöhnen. Dem dient Philos Lehre vom 35 → λόγος. Der L o g o s ist der Vermittler zwischen Gott und der Welt. Er ist die εἰκὼν θεοῦ, δι' οὗ σύμπας ὁ κόσμος ἐδημιουργεῖτο Spec Leg I 81 (vgl Conf Ling 97; Deus Imm 57). Durch ihn und in ihm ist der transzendente Gott der Philosophie der Schöpfer und Herr der Welt, wie das AT ihn lehrt: ὁ τοῦ κόσμου πατήρ zB Vit Mos II 134; πατὴρ καὶ ἡγεμὼν τοῦ κόσμου Decal 90; πατέρα μὲν τὸν γεννήσαντα [τὸν] κόσμον 40 Det Pot Ins 54; γεννητὴν καὶ πατέρα καὶ σωτῆρα τοῦ τε κόσμου καὶ τῶν ἐν κόσμῳ θεόν Spec Leg II 198; er ist δημιουργός, ποιητής, κοσμοποιός, τεχνίτης, ἀρχιτέκτων, κυβερνήτης, ἡγεμών, βασιλεύς und wie die Ausdrücke alle lauten, in denen das im Logos gesetzte positive Verhältnis Gottes zur Welt ausgesprochen wird. Zu beachten ist dabei, daß wie bei Plato das Bild vom Vater und vom Künstler nebeneinander ge- 45 braucht werden. Die strenge Unterscheidung zwischen γεννᾶν und ποιεῖν ist ja auch in der Kirche erst im arianischen Streit verstanden worden. — Die Lehre von der W e l t s c h ö p f u n g entwickelt Philo in Op Mund[39] im engsten Anschluß an Platos Timaeus und im bewußten Gegensatz gegen die aristotelische Lehre von der Anfangslosigkeit der Welt. Indem er aber mit Plato die ἀφθαρσία τοῦ κόσμου (vgl Aet Mund) 50 behauptet, weicht er von der biblischen Lehre von der Welt ab. Denn die Lehre des Alten Testaments von der Schöpfung als dem von Gott gesetzten absoluten Anfang der Welt setzt voraus, daß es auch ein Ende der Welt gibt (→ αἰών I 202 ff). So steht Philo bei allem Bestreben, die biblische Wahrheit festzuhalten, dem Timaeus näher als der Genesis. Was er beschreibt, ist nicht eigentlich die Schöpfung der Welt 55 durch den allmächtigen Gott, der durch sein Wort das Nicht-Seiende ins Dasein ruft, sondern die Gestaltung eines Kosmos durch einen überlegenen Geist, der einen gege-

---

[39] Zu der Frage nach dem Verhältnis von Op Mund und Aet Mund s EZeller, Philosophie der Griechen III 2 [5] (1923) 437, und RLöwe, Kosmos und Aion (1935) 55 f. Wenn Philo selbst je die Anfangslosigkeit der Welt gelehrt haben sollte und Aet Mund nicht etwa nur, wie KReinhardt, Posidonius (1921) 212 f meint, eine Art Schularbeit über eine philosophische These wäre, dann könnte es sich nur um ein vorübergehendes Stadium seines Denkens handeln.

benen Stoff bearbeitet. Dies Gegebene ist τὸ παθητὸν ἄψυχον καὶ ἀκίνητον ἐξ ἑαυτοῦ (Op Mund 9). Die Schöpfung ist dann wie Sap 11, 17 ein κτίζειν τὸν κόσμον ἐξ
ἀμόρφου ὕλης, aber nicht οὐκ ἐξ ὄντων wie 2 Makk 7, 28. Darüber kann auch nicht
der Gebrauch von τὰ μὴ ὄντα für τὸ παθητόν (zB Op Mund 81) hinwegtäuschen. Denn
5 τὸ μὴ ὄν ist für Philo keineswegs das absolute Nichts, sondern der formlose Stoff. —
Daß wie in anderen Stücken seiner Lehre, so auch in der Kosmologie bei Philo noch
andere Traditionen wirksam sind als die jüdisch-alttestamentliche und die griechisch-
philosophische, zeigt die über den Timaeus hinausgehende Weiterführung des Gedankens, daß Gott der Vater des Kosmos sei. Ebr 30 wird eine Erzeugung des κόσμος
10 durch Gott und die ἐπιστήμη gelehrt: ἡ δὲ παραδεξαμένη τὰ τοῦ θεοῦ σπέρματα ... τὸν
μόνον καὶ ἀγαπητὸν αἰσθητὸν υἱὸν ἀπεκύησε, τόνδε τὸν κόσμον, vgl Deus Imm 31, wo
der κόσμος ebenfalls als υἱὸς θεοῦ bezeichnet wird (vgl auch das μονογενής Plat
Tim 92 c). Hier scheinen Einflüsse von orientalischen Kosmogonien vorzuliegen, wie
wir sie dann im Corp Herm wirksam finden[40].

15   *g*. Die Geschichte des κόσμος-Begriffs in der antiken
Philosophie endet mit dem **Neuplatonismus**. Ihr letztes Wort ist **Plotins**
Lehre von den beiden Welten, dem κόσμος ἐκεῖνος der **intelligiblen Welt**
und dem κόσμος οὗτος der **Erscheinungswelt**. Die platonische Verdoppelung
des κόσμος, die bereits Aristoteles an der Ideenlehre seines Meisters kritisiert
20 hatte (Metaph I 9 p 990 a 34 ff uö) und die wir in Philos Unterscheidung des
κόσμος νοητός und des κόσμος αἰσθητός wiederfanden, wird hier zur Vollendung
geführt.

    In ergreifenden Worten preist Plot Enn V 1, 4 die Schönheit des κόσμος νοητός.
Wenn man schon diese empirische Welt (κόσμον αἰσθητὸν τόνδε) wegen ihrer **Größe**
25 und **Schönheit** und der **Ordnung** ihrer ewigen Bewegung preist, wieviel mehr
Bewunderung müsse man jenem κόσμος zollen, der der ἀρχέτυπος dieser Welt sei und
ἀληθινώτερος als sie. Plot wird nicht müde, die Schönheit, Harmonie und Seligkeit
des κόσμος νοητός zu preisen (zB in der Schrift Περὶ τοῦ νοητοῦ κάλλους Enn V 8).
Zu den Vorzügen, welche die intelligible Welt der empirischen gegenüber besitzt,
30 gehört nicht nur das Fehlen alles dessen, was an dieser unvollkommen, endlich und
schlecht ist, sondern es gehört dazu auch die vollkommene **Einheit**, in der wir eines
der Merkmale des griechischen Kosmosbegriffs erkannten: ὑφίσταται γοῦν ἐκ τοῦ κόσμου
τοῦ ἀληθινοῦ ἐκείνου καὶ ἑνὸς κόσμος οὗτος οὐκ εἰς ἀληθῶς, *aus jener wahren und einen*
Welt hat diese nicht wahrhaft eine Welt ihr Dasein (Enn III 2, 2). Das eigentümlich
35 Griechische an der Weltanschauung Plotins wird sichtbar an der Art, wie er den
Konsequenzen dieses Dualismus zu entgehen sucht. Obwohl der κόσμος οὗτος nicht
die wahre Welt ist, obwohl die Materie nicht nur τὸ μὴ ὄν, sondern sogar τὸ πρῶτον
κακόν (Enn I 8, 3 ff) ist, vermag Plotin auch die Schönheit der Erscheinungswelt begeistert zu preisen (Enn III 2, 3 f; 11 ff). Ihre Schönheit besteht darin, daß sie das
40 Abbild, genauer: das Spiegelbild des κόσμος νοητός ist. So erhebt Plotin in einer
Schrift gegen die christlichen Gnostiker entschiedenen Einspruch gegen deren pessimistische Beurteilung der Welt: Πρὸς τοὺς κακὸν τὸν δημιουργὸν τοῦ κόσμου καὶ τὸν
κόσμον κακὸν εἶναι λέγοντας (Enn II 9 Überschrift). Der Widerspruch aber, den der Platoniker gegen eine die Ewigkeit und Göttlichkeit des κόσμος leugnende Weltanschauung
45 richtet, richtet sich natürlich erst recht gegen die Beurteilung des κόσμος οὗτος im
christlichen Glauben[41].

         h. Die nahezu tausendjährige Geschichte, die der Begriff
des κόσμος von den milesischen Denkern bis zu den letzten Neuplatonikern
durchgemacht hat, hat sich natürlich nicht nur im Bereich der eigentlichen
50 Philosophie abgespielt. Seitdem die platonischen und stoischen Gedanken über
den Kosmos die Weltanschauung und die Religiosität weiterer Kreise zu beeinflussen beginnen, dringt das Wort κόσμος auch in die **religiöse** und **kul-**
tische Sprache ein. Für das hellenistische **Judentum** wird dieser Vorgang

---

[40] → 879, 15 f; vgl Reitzenstein Poim 41.
[41] A Neander, Über die welthistorische Bedeutung des 9. Buchs in der II. Enneade des
Plotinos oder seines Buchs gegen die Gnostiker, AAB 1843, 299 ff (veraltet); C Schmidt,
Plotins Stellung zum Gnostizismus und kirchlichen Christentum, TU II 5, 4 (1901); HF Müller, Plotinos über die Vorsehung, Philol 72
(1913) 338 ff.

noch (→ 879, 45 ff) darzustellen sein. Für das hellenistisch-römische **Heiden-tum** müssen einige Hinweise genügen.

Der Kosmosbegriff hatte einst die Naturmythen besiegt, welche die Weltanschauung des alten Griechentums (Hesiod, Orphik) bestimmten. Aber die alten theogonischen und kosmogonischen Spekulationen sind niemals ganz verschwunden. Mit 5 dem Eindringen der orientalischen Religionen in die hellenistisch-römische Welt kamen die Naturspekulationen und Weltentstehungsmythen der Babylonier, Phönizier, Ägypter und Perser hinzu. Wie stark diese von der griechischen Wissenschaft eigentlich längst überwundenen Spekulationen die Geister beherrscht haben, zeigt die Blüte der synkretistischen Gnosis. Diese bemächtigt sich nun auch des inhaltschweren und 10 vieldeutigen Wortes κόσμος und führt es in den **Sprachschatz der synkretistischen Naturmythologie** ein. Dabei behält κόσμος zwar die Bedeutung Weltall, aber das „Weltall" wird zu einer mythologischen Gestalt und damit zum Gegenstand phantastischer Spekulationen. Schon in Philos Äußerungen über den κόσμος als Sohn Gottes bemerkten wir derartige Gedankengänge. Sie finden sich wieder in den 15 Schriften des Corp Herm[42], wo VIII 5; X 14 der κόσμος als Sohn Gottes bezeichnet wird. Die der platonischen und stoischen Kosmologie angehörenden Vorstellungen vom κόσμος als einem beseelten Lebewesen, welches Gottes Abbild ist und dessen Abbild der Mensch ist, wird ins Absurde vergröbert (zB Corp Herm X 11). Dabei wird eine ältere, weit verbreitete, ursprünglich vielleicht indo-arische Vorstellung vom 20 κόσμος als dem *Leib eines* (oder *des*) *Gottes*, dessen einzelne Körperteile mit den Teilen oder den Grundelementen der Welt identifiziert werden, aufgenommen[43]. Dann wieder finden wir den κόσμος in eine Stufenleiter des Seins eingeordnet und neben andere Begriffe gestellt, zB Corp Herm XI 2: ὁ θεὸς τὸν αἰῶνα ποιεῖ, ὁ αἰὼν δὲ τὸν κόσμον, ὁ κόσμος δὲ τὸν χρόνον, ὁ χρόνος δὲ τὴν γένεσιν. Der Sachgehalt, der von dem 25 Worte κόσμος unabtrennbar war, hat es allerdings verhindert, daß das mythologische Spiel so weit getrieben wurde wie etwa mit αἰών.

7. κόσμος als „Welt" im Sinne von *Erde, Oekumene, Menschheit.*

Wie die Bedeutung von κόσμος sich auf den Begriff des *Himmels* oder auch nur eines *Himmelskörpers* beschränken kann, so kann das Wort auch zur Bezeichnung der 30 *Erde* als eines wesentlichen Teils des Weltalls benutzt werden, zB Stob Ecl I 405, 1: ὁ ἐπιχθόνιος κόσμος im Unterschied vom Himmel, oder Jambl Vita Pyth 27, 123: ὁ ἄνω κόσμος im Gegensatz zur Unterwelt. Der Begriff der Erde wiederum kann sich mit dem der Erdbewohner verbinden. So finden wir in der späteren Koine κόσμος in der Bedeutung *Oekumene,* die *Erde und ihre Bewohner,* die *Menschheit* zB Ditt Or 458, 40: 35 ἦρξεν δὲ τῷ κόσμῳ τῶν δι' αὐτὸν εὐαγγελί[ων ἡ γενέθλιος] τοῦ θεοῦ, dh des Augustus; Ditt Syll³ 814, 31: ὁ τοῦ παντὸς κόσμου κύριος (von Nero), vgl Inscriptiones Graecae ad res Romanas pertinentes (ed RCagnat IV [1908]) Nr 982 (Samos). Daß κόσμος auch die in der Welt existierenden Wesen in ihrer Gesamtheit bedeuten kann, zeigt die bei Stob Ecl I 184, 8 Chrysipp zugeschriebene Definition des Kosmos: σύστημα ἐξ 40 οὐρανοῦ καὶ γῆς καὶ τῶν ἐν τούτοις φύσεων · ἢ τὸ ἐκ θεῶν καὶ ἀνθρώπων σύστημα; vgl Epict Diss I 9, 4. Häufig verblaßt die Bedeutung *Menschheit* zu *Welt* im Sinne von *alle Welt, die Leute* POxy X 1298, 8 (4. Jhdt n Chr): πᾶσαι αἱ λέσχαι τοῦ κόσμου *Allerweltsklatschereien;* PLond 1727, 15 (6. Jhdt n Chr).

B. κόσμος **in LXX. Der Kosmosbegriff im Judentum.** 45

1. Die Geschichte des Wortes κόσμος kennt kein einschneidenderes Ereignis als die Aufnahme von κόσμος in den Wortschatz der LXX. Denn von nun an trat neben den **philosophischen** ein **biblischer Kosmosbegriff,** der dann im NT seine eigene Entwicklung erlebte. Die Geschichte des Kosmosbegriffs wurde damit zur Auseinandersetzung zwischen zwei 50 Kosmosbegriffen, die in ihrem Gegensatz wie in ihrer Zusammengehörigkeit auf die kommende Geistesgeschichte wirken sollten.

---

[42] Reitzenstein Poim (1904); JKroll, Die Lehren des Hermes Trismegistos (1914) 118 ff; 233 ff. — Zu den Kosmogonien des Synkretismus s auch ADieterich, Abraxas (1891); Reitzenstein Ir Erl.
[43] Vgl WHRoscher, Die hippokratische Schrift von der Siebenzahl = Studien zur Geschichte und Kultur des Altertums hsgg von EDrerup 6, 3/4 (1913); RReitzenstein-HHSchaeder, Studien zum antiken Synkretismus ... = Stud der Bibl Warburg 7 (1926) 91 ff.

In LXX wird κόσμος gebraucht:

1. Zur Wiedergabe von צָבָא *Heer (des Himmels)* Gn 2, 1; Dt 4, 19; 17, 3; Js 24, 21; 40, 26 (13, 10); in den so entstandenen Ausdrücken ὁ κόσμος τοῦ οὐρανοῦ usw wird κόσμος von den Lesern der LXX in einem Sinne verstanden worden sein, in dem die Bedeutungen *Ordnung* → 868, 16 ff (*A 1—3*), *Schmuck, Welt, Himmel, Gestirne* ineinander übergingen.

2. In der Bedeutung *Schmuck* zur Wiedergabe verschiedener hbr Wörter, die teils Schmuck bedeuten, teils in diesem Sinne verstanden wurden: Ex 33, 5. 6; 2 Βασ 1, 24; Jer 2, 32; 4, 30; Ez 7, 20; 16, 11; 23, 40 für עֲדִי; Prv 20, 29 für תִּפְאֶרֶת; Js 3, 24 für מַעֲשֶׂה; Js 61, 10 für כְּלִי; Prv 29, 17 für מַעֲדַנִּים; 2 Βασ 1, 24 für עֶדֶן; Na 2, 10 für תְּבוּנָה; Js 3, 18 f für andere Wörter.

3. In der Bedeutung *Schmuck, Zier* (auch übertr), ohne daß ein bestimmtes hbr Wort als Vorlage nachweisbar ist, bzw in ursprünglich griechisch geschriebenen Stücken Js 49, 18; Prv 28, 17; Jdt 1, 14; 10, 4; 12, 15 (παντὶ τῷ κόσμῳ τῷ γυναικείῳ); Sir 6, 30; 21, 21; 22, 17; 26, 16; 32 (35), 5; 43, 9⁴⁴; 50, 19 (κόσμος κυρίου vom Altardienst, → 869, 6 ff *A 4*); 1 Makk 1, 22; 2, 11; 2 Makk 2, 2; 5, 3.

4. Da das Hebräische des AT kein Wort zur Bezeichnung des Universums kennt, den Weltbegriff vielmehr mit „Himmel und Erde", gelegentlich auch mit „All" (כֹּל oder הַכֹּל zB Ps 8, 7; Js 44, 24; Qoh 3, 1) umschreibt, lag für die Übersetzer kein unmittelbarer Anlaß vor, sich des Wortes κόσμος in der Bedeutung Welt zu bedienen. Erst die späte Übersetzung des Symmachus hat einmal אֶרֶץ statt mit γῆ mit κόσμος wiedergegeben (Hi 38, 4)⁴⁵. Dagegen findet sich das Wort überaus häufig in den ursprünglich griechisch geschriebenen Schriften. Ja, die jüdisch-hellenistischen Autoren, vor allem die von der griechischen Philosophie beeinflußten, haben κόσμος mit Vorliebe gebraucht (→ 876, 43 f über Philo) und das Wort auch in ihre religiös-theologische Sprache eingeführt. Es bedeutet die *Welt im räumlichen Sinne* und ersetzt den alten Ausdruck *Himmel und Erde*.

Der Vorgang, der Gn 1, 1 ff erzählt wird, heißt jetzt γένεσις κόσμου⁴⁶, vgl ἐποίεις τὸν κόσμον Sap 9, 9; deine allmächtige Hand κτίσασα τὸν κόσμον ἐξ ἀμόρφου ὕλης 11, 17 (→ 878, 2 f). Gott heißt daher *Schöpfer, Herrscher* und *König der Welt*: ὁ τοῦ κόσμου κτίστης 2 Makk 7, 23; 13, 14; 4 Makk 5, 25 (vgl Sap 13, 3 S² ὁ γὰρ τοῦ κόσμου [ABS¹ κάλλους] γενεσιάρχης ἔκτισεν αὐτά); τὸν μέγαν τοῦ κόσμου δυνάστην 2 Makk 12, 15; ὁ τοῦ κόσμου βασιλεύς 2 Makk 7, 9. Weitere Zeugnisse für κόσμος im Sinne des *Weltalls* sind: εἰδέναι σύστασιν κόσμου das System der Welt kennen Sap 7, 17⁴⁷; ὡς ῥοπὴ ἐκ πλαστίγγων ὅλος ὁ κόσμος ἐναντίον σου *wie ein Stäublein von der Waage ist die ganze Welt vor dir* Sap 11, 22 (vgl Js 40, 15); πρυτάνεις κόσμου θεούς *weltregierende Götter* Sap 13, 2; ὑπέρμαχος ὁ κόσμος ἐστὶν δικαίων *die Welt (= Natur) kämpft für die Gerechten* Sap 16, 17 vgl 5, 20, wo vom κόσμος gesagt wird, daß er im eschatologischen Kampf auf Gottes Seite gegen die Verkehrten kämpft; τὸν ὅλον κόσμον 2 Makk 8, 18; ἐπὶ γὰρ ποδήρους ἐνδύματος ἦν ὅλος ὁ κόσμος *auf seinem langen Talar war die ganze Welt [abgebildet]* Sap 18, 24 (von Mose)⁴⁸. — Die *irdische Welt, Erde* bedeutet κόσμος Sap 9, 3: *damit der Mensch herrsche über die Geschöpfe* καὶ διέπῃ τὸν κόσμον ἐν ὁσιότητι *und die Welt in Heiligkeit durchwalte*; τοῦ τετιμημένου κατὰ τὸν σύμπαντα κόσμον ἱεροῦ *des in der ganzen Welt geehrten* Tempels 2 Makk 3, 12; *in die Welt* εἰς τὸν κόσμον kommen: vom Tod Sap 2, 24; vom Götzendienst 14, 14; von allem Lebendigen Sap 7, 6 S: μία δὲ πάντων εἴσοδος εἰς τὸν κόσμον [AB: βίον]; μεταλαμβάνειν τοῦ κόσμου *an der Welt Anteil haben* 4 Makk 16, 18;

---

⁴⁴ κόσμος ist hier als Schmuck zu verstehen, doch legt der Zshg dem Leser kosmologische Gedankengänge nahe: κάλλος οὐρανοῦ δόξα ἄστρων, κόσμος φωτίζων ἐν ὑψίστοις κυρίου.

⁴⁵ Statt ποῦ ἧς ἐν τῷ θεμελιοῦν με τὴν γῆν; (LXX) übersetzt Σ: μὴ συμπαρῆς δημιουργοῦντι τῷ θεῷ τὸν κόσμον;

⁴⁶ So die Überschrift von Gn bei A. In σωτήριοι αἱ γενέσεις τοῦ κόσμου Sap 1, 14 ist γενέσεις als Geschöpfe zu verstehen.

⁴⁷ Vgl die Bezeichnung des Weltbildners als συνιστάς bei Plato → 874, 38.

⁴⁸ Nach dem Midrasch, vgl KSiegfried, Philo von Alexandria als Ausleger des AT (1875), 188 f, 223, 227. Bei Philo findet sich der Gedanke, daß das Gewand des Hohepriesters ἀπεικόνισμα καὶ μίμημα τοῦ κόσμου sei, Vit Mos II 117. 133; Spec Leg I 84. 96.

ἀποστεροῦμεν ἑαυτοὺς τοῦ γλυκέος κόσμου *uns der süßen Welt entziehen* 4 Makk 8, 23, hier wie an der vorigen Stelle κόσμος in Parallele zu βίος. Schließlich wird κόσμος im Sinne von *Menschenwelt* gebraucht: πρωτόπλαστον πατέρα κόσμου *den erstgebildeten Vater der Welt* Sap 10, 1 von Adam; ἡ ἐλπὶς τοῦ κόσμου ἐπὶ σχεδίας καταφυγοῦσα *die Hoffnung der Welt, in der Arche flüchtend* Sap 14, 6; πλῆθος δὲ σοφῶν σωτηρία κόσμου 5 *die Menge der Weisen ist das Heil der Welt* Sap 6, 24; ὁ δὲ κόσμος καὶ ὁ τῶν ἀνθρώπων βίος ἐθεώρει *die Welt und die Menschheit waren Zuschauer* 4 Makk 17, 14 — κόσμος wird hier als der *Inbegriff aller geistigen Wesen* zu verstehen sein.

2. So findet sich κόσμος in der Bedeutung *Welt* erst in den letzten, von vornherein griechisch konzipierten Schriften der LXX. Der 10 bemerkenswert häufige Gebrauch des Wortes in den jüngsten Teilen der LXX (Sap 19 mal, 2 Makk 5 mal, 4 Makk 4 mal) zeigt, wie vielleicht auch die Bevorzugung des Wortes bei Philo, daß κόσμος in der Bedeutung „Welt" zu einem Lieblingswort des hellenistischen Judentums geworden und von diesem gern als Ersatz für die älteren Bezeichnungen und Umschreibungen des Weltbegriffs 15 aufgenommen worden ist. So hat erst die griechisch sprechende Judenschaft einen festen Ausdruck zur Bezeichnung des Weltalls gewonnen. Man wird darin zunächst die Wirkung der hellenistischen Umgangssprache sehen dürfen, die den noch im 4. Jhdt der philosophischen Fachsprache angehörenden Ausdruck sich längst angeeignet hatte. Immerhin wird bei den Gebildeten auch eine 20 Einwirkung der philosophischen Lehre vom κόσμος anzunehmen sein, deren Vermittler Philo war. Zu beachten ist, daß die Bedeutungen, die κόσμος im Sinne von Welt in Sap, 2 u 4 Makk annimmt, formell schon genau dieselben sind, die wir dann im NT finden: *Weltall, Erde (Oekumene)* und *Menschheit*. Auch ein Ausdruck wie *in die Welt kommen* ist bereits fest geprägt. Die dem NT 25 in dieser Art fremde Verwendung von κόσμος in den Gottesbezeichnungen *Schöpfer, Herr* oder *König des Kosmos* läßt darauf schließen, daß κόσμος bei den Juden mit griechischer Kultussprache auch schon in den liturgischen Wortschatz Aufnahme gefunden hat und dort die Ausdrücke οὐρανὸς καὶ γῆ und αἰών zu ersetzen beginnt. 30

3. Es ist anzunehmen, daß von diesem Gebrauch von κόσμος im hellenistischen Judentum aus das hbr עוֹלָם bzw aram עָלְמָא die ihm bis dahin fremde räumliche Bedeutung gewonnen hat. Dafür spricht auch die Übernahme des Adj κοσμικός als Fremdwort in das rabb Hebräisch (→ κοσμικός 897, 34 ff). 35

Dem εἰσέρχεσθαι εἰς τὸν κόσμον Sap 2, 24 uö (vgl J 1, 9; R 5, 12) entspricht בָּא לְעוֹלָם bJeb 63 a; 92 b; aram אָתָא בְּעָלְמָא Tg Qoh 3, 14; 4, 2 vgl 5, 15 [49] (→ 888, 24 ff). Als Gegenstand der Schöpfung wird עוֹלָם bzw עָלְמָא im Sinne des räumlich verstandenen Weltalls genannt zB Ed 1, 13; Tg O Dt 33, 28; Tg Js 41, 4. Im Sinne der räumlichen Welt, des Universums, wird עוֹלָם u עָלְמָא schließlich oft auch in Formeln 40 wie מֶלֶךְ עָלְמָא Tg Sach 14, 17; מֶלֶךְ הָעוֹלָם Seder Rab Amram I 1 b [50]; אִילָהּ עָלְמָא Tg O Gn 21, 33; Tg Js 40, 28; 42, 5 verstanden worden sein, obwohl diese Gottesbezeichnungen ursprünglich zu den Ewigkeitsformeln (→ αἰών I 200 f) gehören.

Nachweisbar ist die räumliche Bedeutung von עָלְמָא am Ende des 1. Jhdts n Chr (→ αἰών I 204, 10 ff) seit 4 Esr und sBar. An diesem Zeitpunkt hat der 45 griechische Begriff des Kosmos auch das aramäisch sprechende Judentum soweit

---

[49] Vgl dazu und zum Folgenden Dalman WJ I 140 ff; → 888, 29 ff.

[50] Dalman WJ 142.

erobert, daß es sich genötigt sieht, an die Stelle der alten Umschreibungen des Weltbegriffs einen besonderen Terminus für Weltall zu setzen. Wie fest die neue Bedeutung von עוֹלָם steht und wie sehr darin der Einfluß des Hellenismus zum Ausdruck kommt, sei an einigen Beispielen gezeigt.

5   Tanch פקודי § 3 (Horeb [1924], 172 b) heißt es: *Die* [Herstellung der] *Stiftshütte hat eine solche Bedeutung, daß sie an Wichtigkeit der* [Erschaffung der] *ganzen Welt oder der Schöpfung des Menschen, der ja eine kleine Welt ist, gleichkommt:* המשכן שקול כנגד כל העולם וכנגד יצירת האדם שהוא עולם קטן. Griechischen Einfluß verrät dabei die Lehre vom Menschen als Mikrokosmos. Sie findet sich auch sonst. So sagt RMeir (um 150
10 n Chr)[51], der Staub, aus dem der erste Mensch gebildet wurde, sei מכּל הָעוֹלָם, *aus der ganzen Welt*, zusammengetragen worden (bSanh 38 a). Ähnlich äußert sich sein älterer Zeitgenosse RJose aus Galiläa[52]: *Alles, was der Heilige, gepriesen sei er, in seiner Welt geschaffen hat, hat er* [auch] *im Menschen geschaffen* (AbRN 31): כל מה שברא הקב"ה בעולמו ברא באדם[53]. Über die vier Elemente, aus denen Gott den עוֹלָם geschaffen
15 hat, spricht Nu r 14 z 7, 78 (Wilna 1887, 62 d).

C. κόσμος im NT.

1. Allgemeines. κόσμος in der Bedeutung „Schmuck".

    Im NT wird κόσμος in der Bedeutung *Ordnung* niemals, in der Bedeutung *Schmuck* nur 1 Pt 3, 3 vom weiblichen Putz gebraucht: ὁ
20 ἔξωθεν ἐμπλοκῆς τριχῶν καὶ περιθέσεως χρυσίων ἢ ἐνδύσεως ἱματίων κόσμος *der in der Haartracht, im Umtun goldener Kleinodien und im Anlegen von Gewändern bestehende äußere Schmuck.* Sonst ist diese Bedeutung von κόσμος im NT nur durch die Derivata → κοσμέω und → κόσμιος vertreten. An allen anderen Stellen bedeutet κόσμος in dem einen oder anderen Sinne *Welt,* und zwar verteilen sich
25 diese Stellen sehr ungleichmäßig. Über die Hälfte davon gehört den johanneischen Schriften an (J 78 mal, 1 J 22 mal, 2 J 1 mal, Apk 3 mal); es folgen die paulinischen Briefe (46 mal) und in weitem Abstand die übrigen Schriften (Synoptiker 15 mal einschließlich Parallelen; Hb, Jk, 2 Pt je 5 mal; 1 Pt 2 mal; Ag einmal). Dieser Statistik entspricht die Bedeutung von κόσμος für die Theologie der betreffen-
30 den Schriften. Im allgemeinen entspricht der urchristliche Sprachgebrauch auch hier dem des hellenistischen Judentums. Wieweit im Munde Jesu oder in der Sprache der ältesten aramäisch sprechenden Christenheit ein räumlich verstandenes עָלְמָא eine Vorstufe des späteren κόσμος gebildet hat, ist kaum noch festzustellen[54]. Jesus selbst wird den Weltbegriff mit dem at.lichen „Himmel und
35 Erde" (→ γῆ I 677 f) bezeichnet haben. Immerhin könnte κόσμος an einzelnen Stellen der synoptischen Evangelien, insbesondere des Mt, wo es 7 mal vorkommt, Wiedergabe des aram עָלְמָא sein.

---

[51] Bacher Tannaiten II 65.
[52] Bacher Tannaiten I ² 365, vgl Pal Am I 413 A 3.
[53] RudolfMeyer, der [schriftlich] auf die obigen Stellen über den Mikrokosmos hingewiesen hat, macht darauf aufmerksam, wie ähnliche Gedanken aus dem Judentum in das syr Christentum übergegangen sind, zB die Schilderung der Erschaffung Adams Syr Schatzhöhle II 7 ff: Gott nahm „aus der ganzen Erde ein Staubkörnchen, von allem Wasser ein Wassertröpfchen, von aller Luft oben ein Windlüftchen und von allem Feuer ein wenig Wärmehitze... Dann bildete Gott den Adam" (PRießler, Altjüd Schrifttum außerhalb der Bibel [1928] 944).
[54] S zu der Frage Dalman WJ I 137. Dalman nimmt an, daß nur bei κερδαίνειν τὸν κόσμον Mk 8, 36 u Par עָלְמָא im Sinne von Welt mit einiger Sicherheit im Munde Jesu angenommen werden könnte.

Ob man im NT noch die weitere Bedeutung *Gesamtheit, Summe, Inbegriff* finden darf, hängt ab von der Auslegung der schwierigen Stelle Jk 3, 6: ἡ γλῶσσα πῦρ, ὁ κόσμος τῆς ἀδικίας, ἡ γλῶσσα καθίσταται ἐν τοῖς μέλεσιν ἡμῶν, ἡ σπιλοῦσα ὅλον τὸ σῶμα.

Pr-Bauer[55] verweist zur Begründung der Übersetzung *Inbegriff der Ungerechtigkeit* 5 für κόσμος τῆς ἀδικίας auf Prov 17, 6a: τοῦ πιστοῦ ὅλος ὁ κόσμος τῶν χρημάτων, τοῦ δὲ ἀπίστου οὐδὲ ὀβολός (nur LXX); Ditt Syll³ 850, 10: τὸν κόσμον τῶν ἔργων *die Gesamtheit der Arbeiten*; Mart Pol 17, 2: τοῦ παντὸς κόσμου τῶν σῳζομένων. Die Bedeutung *Welt der Ungerechtigkeit,* dh *ungerechte, böse Welt* ist für κόσμος τῆς ἀδικίας jedoch durch aeth Hen 48, 7 und ähnliche Beispiele gesichert, das σπιλοῦσα erinnert die Leser von 10 Jk zudem an ἄσπιλον ἑαυτὸν τηρεῖν ἀπὸ τοῦ κόσμου 1, 27. So wird κόσμος als Prädikatsnomen zu dem darauf folgenden γλῶσσα καθίσταται zu verstehen und die Stelle mit MDibelius zu übersetzen sein: *als die böse Welt stellt sich die Zunge unter unseren Gliedern dar, sie, die den ganzen Leib befleckt*[56].

2. κόσμος = „Welt" I: κόσμος als Weltall, Inbegriff 15 des Geschaffenen.

a. In der Bedeutung *Welt, Weltall* wird κόσμος synonym mit dem at.lichen „Himmel und Erde" (→ γῆ) gebraucht: ὁ θεὸς ὁ ποιήσας τὸν κόσμον καὶ πάντα τὰ ἐν αὐτῷ, οὗτος οὐρανοῦ καὶ γῆς ὑπάρχων κύριος Ag 17, 24. κόσμος bezeichnet hier das aus Himmel und Erde bestehende Weltall, in wel- 20 chem sich die Gesamtheit der einzelnen Kreaturen (πάντα τὰ ἐν αὐτῷ) befindet. Stets haftet an dem Worte κόσμος der Begriff des Räumlichen, so wie der Begriff der Zeit zu dem ebenfalls zur Bezeichnung des Weltbegriffs gebrauchten → αἰών gehört. Als *Weltraum* im Sinne des größten Raumes, der gedacht werden kann, wird κόσμος verstanden in dem Satz: οὐδ' αὐτὸν οἶμαι τὸν κόσμον 25 χωρήσειν τὰ ... βιβλία *selbst die Welt würde, meine ich, die Bücher nicht fassen* J 21, 25, wozu Herm s 9, 2, 1 zu vergleichen ist, wo von einem Felsen geredet wird, der so groß ist, ὥστε δύνασθαι ὅλον τὸν κόσμον χωρῆσαι *daß er die ganze Welt hätte in sich fassen können*[57]. Die hyperbolische Verwendung von κόσμος zur Umschreibung eines unermeßlich großen Raumes zeigt, wie der Begriff des 30 Weltraums bis zu einem gewissen Grade von der Vorstellung der diesen Raum füllenden Dinge ablösbar ist. Die Unterscheidung zwischen dem κόσμος und πάντα τὰ ἐν αὐτῷ knüpft an die at.liche Umschreibung des Weltbegriffs an, die sich auch im NT noch erhalten hat; vgl zu τὸν κόσμον καὶ πάντα τὰ ἐν αὐτῷ Ag 17, 24 die synonymen Ausdrücke τὸν οὐρανὸν καὶ τὴν γῆν καὶ τὴν θάλασσαν 35 καὶ πάντα τὰ ἐν αὐτοῖς Ag 4, 24; 14, 15 (Ex 20, 11; ähnlich ψ 145, 6; vgl auch ψ 23, 1) und τὸν οὐρανὸν καὶ τὰ ἐν αὐτῷ καὶ τὴν γῆν καὶ τὰ ἐν αὐτῇ καὶ τὴν θάλασσαν καὶ τὰ ἐν αὐτῇ Apk 10, 6 (vgl 14, 7 u Neh 9, 6). Die Umschreibung des Weltbegriffs durch die Aufzählung der Bestandteile der Welt, wie wir sie im NT noch finden, ist somit ebenso wie die Unterscheidung des κόσμος von 40 dem ihn füllenden Inhalt noch eine Nachwirkung der älteren Weltanschauung des AT, welche die Welt noch nicht als Einheit zu denken vermochte[58]. Vollendet ist der Begriff des κόσμος als des *Inbegriffs alles Geschaffenen,* des *Weltraums und seines gesamten Inhalts* in Aussagen über die Schöpfung und den

---

[55] Pr-Bauer³ 742.
[56] S Dib Jk zSt; ebenso Hck Jk zSt. — Über die hier vorliegende Bedeutung von κόσμος → 894, 6 ff.

[57] S Dib Herm zSt; vgl die Vision Da 2, 35 Θ von dem Stein, der ἐπλήρωσεν πᾶσαν τὴν γῆν.
[58] → γῆ I 677, 15 ff.

Anteil des Logos daran wie J 1, 10: ὁ κόσμος δι᾽ αὐτοῦ ἐγένετο vgl 1, 3: πάντα δι᾽ αὐτοῦ ἐγένετο. Daß in solchen Sätzen ὁ κόσμος synonym und im Wechsel mit [τὰ] πάντα gebraucht wird, entspricht dem sonstigen nt.lichen (zB 1 K 8, 6; 15, 27f; Phil 3, 21; Kol 1, 16f; 1, 20; Eph 1, 10; Hb 1, 2f; 2, 8; 2, 10;
5 1 Pt 4, 7) und jüdischen (zB ἐποίεις τὸν κόσμον Sap 9, 9 vgl ὁ ποιήσας τὰ πάντα ἐν λόγῳ σου 9, 1) Sprachgebrauch, der dem Gebrauch von πάντα für das Universum in der Sprache der hellenistischen Philosophie[59] und der Bedeutung von כֹּל in den jüngeren Schichten des AT[60] analog ist. Als *Welt* im Sinne des *Inbegriffs alles Geschaffenen* ist κόσμος auch 1 K 3, 22 zu verstehen, wo das πάντα
10 ὑμῶν ἐστιν aufgelöst wird in εἴτε Παῦλος εἴτε Ἀπολλῶς εἴτε Κηφᾶς, εἴτε κόσμος εἴτε ζωὴ εἴτε θάνατος, εἴτε ἐνεστῶτα εἴτε μέλλοντα.

Als weitere Beispiele seien aus der nachkanonischen Literatur angeführt Herm m 12, 4, 2: ἔκτισε τὸν κόσμον ἕνεκα τοῦ ἀνθρώπου, v 2, 4, 1: διὰ ταύτην (sc: τὴν ἐκκλησίαν) ὁ κόσμος κατηρτίσθη, Dg 10, 2: ὁ γὰρ θεὸς τοὺς ἀνθρώπους ἠγάπησε, δι᾽ οὓς ἐποίησε τὸν
15 κόσμον. Die in diesen Sätzen beantwortete Frage, weshalb Gott den κόσμος geschaffen habe, hat das Judentum sehr beschäftigt[61]. Im NT wird sie nicht erörtert, erst in der außerkanonischen Literatur des Urchristentums beginnt sie wieder eine Rolle zu spielen.

b. Wie alles Geschaffene, so hat auch der κόσμος eine
20 begrenzte Dauer. Die von der Schöpfung und dem Weltende begrenzte Zeit der Welt heißt → αἰών oder αἰὼν τοῦ κόσμου τούτου Eph 2, 2. Während das Weltende mit einem das Ende der Zeit bezeichnenden Ausdruck wie συντέλεια τοῦ αἰῶνος (zB Mt 13, 40 → αἰών I 203, 15) umschrieben wird, reden die den Weltanfang bezeichnenden Formeln vom Anfang, von der Schöpfung oder
25 der Grundlegung des κόσμος als der räumlich verstandenen Welt: ἀπ᾽ ἀρχῆς κόσμου *seit Anbeginn der Welt* Mt 24, 21 (par: ἀπ᾽ ἀρχῆς κτίσεως Mk 13, 19, vgl ἀπὸ τοῦ αἰῶνος Jl 2, 2 u ἀφ᾽ οὗ γεγένηται ἔθνος ἐπὶ τῆς γῆς Da 12, 1 Θ); ἀπὸ κτίσεως κόσμου *seit der Schöpfung der Welt* R 1, 20. Der gewöhnliche Ausdruck lautet ἀπὸ καταβολῆς[62] κόσμου *seit Grundlegung der Welt* Lk 11, 50; Hb 4, 3; 9, 26;
30 dasselbe Barn 5, 5 im Sinne von *bei* (oder *alsbald nach*) *der Grundlegung der Welt*, während an Stellen wie Mt 25, 34; Apk 13, 8; 17, 8 die Bedeutung von ἀπὸ καταβολῆς κόσμου sich derjenigen von πρὸ καταβολῆς κόσμου *vor Grundlegung der Welt* J 17, 24 (= πρὸ τοῦ τὸν κόσμον εἶναι 17, 5); Eph 1, 4; 1 Pt 1, 20 im Sinne der Präexistenz nähert.

35 Zum Wesen des κόσμος als des Inbegriffs des Geschaffenen gehört demnach seine Vergänglichkeit. Er ist die Stätte der φθορά 2 Pt 1, 4, und so gilt von ihm: ὁ κόσμος παράγεται 1 J 2, 17; παράγει τὸ σχῆμα τοῦ κόσμου τούτου 1 K 7, 31. Insofern die eschatologische Erwartung sich auf eine ewige, unvergängliche Welt richtet, tritt der κόσμος dieser als der κόσμος οὗτος[63] gegen-
40 über, dessen Ende gekommen ist. Paulus gebraucht den Ausdruck κόσμος

---

[59] Vgl die Zitate → 870, 32 ff; 871, 1; ferner zB im Zeushymnus des Kleanthes bei Stob Ecl I 25, 3 = vArnim I p 121f.
[60] Seit Js 44, 24. Weitere Beispiele: Jer 10, 16; Ps 8, 7; 103, 19; Sir 36, 1.
[61] ZB s Bar 14, 18: Die Welt ist um des Menschen willen geschaffen. Weitere Stellen mit verschiedener Beantwortung der Frage sind in großer Fülle zitiert bei Str-B I 732.

[62] → καταβολή. Polyb 1, 36, 8; 24, 8, 9; Diod S XII 32, 2 findet sich ἀπὸ καταβολῆς im Sinne von *von Grund auf, von Anfang an*. Das bloße ἀπὸ καταβολῆς im Sinne von ἀπὸ καταβολῆς κόσμου kommt im NT Mt 13, 35 (ψ 77, 2) vor.
[63] Vgl dazu den Begriff des κόσμος οὗτος bei Plot → 878, 15 ff.

οὗτος neben αἰὼν οὗτος (1 K 3, 19; 5, 10; 7, 31; vgl Eph 2, 2) und gleichbedeutend damit, wie der Wechsel von σοφία τοῦ κόσμου 1 K 1, 20, σοφία τοῦ κόσμου τούτου 3, 19 und σοφία τοῦ αἰῶνος τούτου 2, 6 beweist. Bei Johannes ist κόσμος οὗτος in einer Wendung wie ὁ ἄρχων τοῦ κόσμου τούτου J 12, 31; 16, 11 (vgl τῶν ἀρχόντων τοῦ αἰῶνος τούτου 1 K 2, 6 u 8) Ersatz für das feh- 5 lende αἰὼν οὗτος. Es wird aber auch sonst häufig an Stelle des einfachen κόσμος gebraucht: vgl J 14, 30 (ὁ τοῦ κόσμου ἄρχων) mit 12, 31; 16, 11, sowie εἰς τὸν κόσμον τοῦτον ἦλθον 9, 39 mit ἐλήλυθα εἰς τὸν κόσμον 16, 28; 18, 37; weitere Belege für κόσμος οὗτος statt κόσμος: 8, 23; 11, 9; 12, 25; 12, 31; 13, 1; 18, 36; 1 J 4, 17. Wird κόσμος somit an Stelle von αἰὼν zur Bezeich- 10 nung dessen, was die jüdische Apokalyptik den עוֹלָם הַזֶּה nennt, so vermeidet man doch im NT das Wort κόσμος in den Umschreibungen der „zukünftigen Welt". Der Grund dafür liegt zweifellos in der Nebenbedeutung, die κόσμος im NT gewonnen hat und von der unten zu reden sein wird: weil κόσμος nicht nur das Weltall im Sinne des Inbegriffs des Geschaffenen ist, sondern zugleich 15 die Welt, insofern sie ihrem Schöpfer und Herrn entfremdet ist, darum weigert das Sprachgefühl der Urkirche sich, dies Wort auf die ewige Welt der eschatologischen Hoffnung anzuwenden [64].

Noch in der nachkanonischen Literatur ist das zu beobachten. ZB wird Herm v 4, 3, 2 ff dem κόσμος οὗτος, in dem die Christen jetzt wohnen und der dem Unter- 20 gang entgegeneilt, gegenübergestellt ὁ αἰὼν ὁ ἐπερχόμενος, ἐν ᾧ κατοικήσουσιν οἱ ἐκλεκτοὶ τοῦ θεοῦ (v 5). Die neue Welt wird also räumlich, als Wohnort verstanden, aber mit dem Zeitbegriff des künftigen Aion bezeichnet. Ähnlich stehen Barn 10, 11 οὗτος ὁ κόσμος und ὁ ἅγιος αἰὼν nebeneinander. Barn 15, 8, wo der Herrentag als ἄλλου κόσμου ἀρχή bezeichnet wird, ist das erste Beispiel für einen Wandel des ur- 25 christlichen Sprachgefühls in dieser Hinsicht. Die Beschränkung des Gebrauchs von κόσμος auf die Benennung des einmal von Gott geschaffenen und seinem Ende entgegeneilenden Universums sichert den biblischen Weltbegriff zugleich vor der phantastischen Annahme einer Vielzahl von nebeneinander oder nacheinander existierenden Welten. Derartige Theorien, wie sie sich auch im Judentum gelegentlich finden [65], 30 würden den Gedanken der Schöpfung aus dem Nichts gefährden, dem Gedanken des Weltendes seinen Ernst nehmen und mit der Einmaligkeit des Weltlaufs auch die Einmaligkeit der Geschichte und damit das ἐφάπαξ der Heilsgeschichte (Hb 7, 27; 9, 12; 10, 10) zerstören. Wenn der Plural αἰῶνες an Stellen wie Hb 1, 2; 11, 3 räumlich verstanden und mit Welten, Welträume übersetzt werden muß, so sind damit im 35 NT die Räume (Himmelssphären) des einen Kosmos gemeint. Das einzige Beispiel für den pluralischen Gebrauch von κόσμος als Welt in der urchristlichen Literatur ist 1 Cl 20, 8: ὠκεανὸς... καὶ οἱ μετ' αὐτὸν κόσμοι der Ozean und die Weltteile (= Erdteile) jenseits desselben. Von einer Mehrzahl von Welten ist also auch hier nicht die Rede. 2 Pt 2, 5 u 3, 6 ist κόσμος Bezeichnung für Menschheit (→ 890, 16 ff). 40

Dasselbe Motiv, das dem Sprachgefühl der Urkirche die Bezeichnung der zukünftigen Welt mit dem Worte κόσμος verwehrte, hat dem NT die Verwendung von κόσμος in Gottesbezeichnungen unmöglich gemacht. Zwar heißt Gott an der durch die Sprache der jüdisch-hellenistischen Apologetik beeinflußten Stelle Ag 17, 24 ὁ ποιήσας τὸν κόσμον [66], aber das NT vermeidet die dem 45

---

[64] J 12, 25 stehen sich ἐν τῷ κόσμῳ τούτῳ und εἰς ζωὴν αἰώνιον gegenüber. Es wird auch kein Zufall sein, daß in der Wendung „neuer Himmel und neue Erde" Apk 21, 1; 2 Pt 3, 13 οὐρανὸς καὶ γῆ nicht durch κόσμος ersetzt wird; → γῆ I 677, 19 ff.

[65] Den Anlaß zu solchen Spekulationen bot der Plural עוֹלָמִים, besonders in Gottesbezeichnungen, wenn man ihn räumlich verstand; Näheres → αἰὼν I 204. Von dem Nach-

einander mehrerer Weltschöpfungen ist Gn r 3 zu 1, 5 (→ I 204, 29 f) die Rede. Von 18 000 gleichzeitig existierenden Welten spricht bAZ 3 b, doch ist dabei an Welträume zu denken, die zusammen das Universum bilden. Viele Welten עוֹלָמוֹת הַרְבֵּה kennt Midr Ps 18 § 15 z 18, 11.

[66] Ähnlich ὁ κτίσας τὸν κόσμον Herm v 1, 3, 4; vgl ἔκτισε τὸν κόσμον m 12, 4, 2.

hellenistischen Judentum geläufige Bezeichnung Gottes als des Herrn und Königs des κόσμος. Wieder tritt hier für das offenbar als profan empfundene κόσμος das der liturgischen Sprache angehörende αἰών ein: βασιλεὺς τῶν αἰώνων 1 Tm 1, 17 ist sachlich gleichbedeutend mit ὁ τοῦ κόσμου βασιλεύς 2 Makk 7, 9. Eine
5 Gottesbezeichnung wie κύριος τοῦ οὐρανοῦ καὶ τῆς γῆς Mt 11, 25 ‖ Lk 10, 21; Ag 17, 24 wird im NT nicht zu κύριος τοῦ κόσμου fortgebildet, während im palästinensischen Judentum das entsprechende רִבּוֹנוֹ שֶׁל עוֹלָם außerordentlich häufig ist [67].

10   Erst die außerkanonischen Schriften vollziehen — hier wie an anderen Punkten dem Sprachgebrauch der hellenistischen Synagoge folgend — die Umwandlung der Gottesbezeichnungen. So nennt 1 Cl 19, 2 Gott τὸν πατέρα καὶ κτίστην τοῦ σύμπαντος κόσμου. Barn 21, 5 heißt Gott ὁ τοῦ παντὸς κόσμου κυριεύων, während 5, 5 Christus παντὸς τοῦ κόσμου κύριος genannt wird.

Das NT weiß, daß die Vollendung der Königsherrschaft Gottes über den κόσμος
15 Gegenstand der eschatologischen Erwartung ist; denn jetzt steht die Welt unter der Gewalt des ἄρχων τοῦ κόσμου. Erst wenn der Sieg über den κόσμος vollendet, das Gericht über den ἄρχων und die ἄρχοντες der Welt gehalten sein wird, soll der Triumphgesang erschallen: ἐγένετο ἡ βασιλεία τοῦ κόσμου τοῦ κυρίου ἡμῶν καὶ τοῦ χριστοῦ αὐτοῦ Apk 11, 15.

20   Vgl 2 Cl 17, 5: ἰδόντες τὸ βασίλειον τοῦ κόσμου ἐν τῷ Ἰησοῦ *wenn sie (dh die Ungläubigen) die Königsherrschaft über die Welt in Jesu Händen sehen.*

       c. Zu der Frage nach den Einzelheiten des nt.lichen Weltbildes ist folgendes zu bemerken. Der κόσμος als Weltall wird gedacht als ein System von Welträumen. Neben der at.lichen Zweiteilung der
25 Welt in → γῆ und → οὐρανός fanden wir oben die ebenfalls auf das AT zurückgehende Dreiteilung durch Hinzufügung des Meeres oder der Unterwelt [68].

30   Auch der Himmel wird nach at.lichem Vorbild (zB Neh 9, 6; vgl auch den hbr Plur שָׁמַיִם) und gemäß den Vorstellungen des spätjüdischen und überhaupt des orientalischen Weltbildes als ein System von Welträumen verstanden. Im Sinne solcher Welt- und Himmelssphären wird man auch das räumlich verstandene αἰῶνες an Stellen wie Hb 1, 2; 11, 3 aufgefaßt haben. Die Bedeutung *Himmel* im Sinne des über der Erde sich ausdehnenden *Weltraums, in dem die Gestirne ununterbrochen ihre regelmäßigen Bahnen ziehen,* findet sich 1 Cl 60, 1, wo es im liturgischen Gebet heißt: σὺ τὴν ἀέννανον τοῦ κόσμου σύστασιν *(die ewige dh unverbrüchliche Ordnung des Himmels)* . . .
35 ἐφανεροποίησας · σύ, κύριε, τὴν οἰκουμένην ἔκτισας. Ob diese Bedeutung auch Phil 2, 15 anzunehmen und φαίνεσθε ὡς φωστῆρες ἐν κόσμῳ *ihr leuchtet wie die Sterne im Weltraum* zu übersetzen oder im Sinne von Mt 5, 14 zu verstehen ist, ist umstritten [69].

       d. Sowohl die Aussagen des NT über den Himmel und die Gestirne wie auch die Andeutungen über die den κόσμος regierenden Mächte
40 und ein Ausdruck wie τὰ στοιχεῖα τοῦ κόσμου (Gl 4, 3; Kol 2, 8. 20) die *Elemente* (oder *Elementargeister) der Welt* (→ στοιχεῖον) weisen auf eine Fülle von kosmologischen Einzelvorstellungen hin, die sich für die nt.lichen Autoren mit dem

---

[67] ZB redet Taan 3, 8 Onias Gott an: רִבּוֹנוֹ שֶׁל עוֹלָם. Im Griechischen würde dem entsprechen κύριε τοῦ κόσμου (→ 880, 31 ff; 881, 40 ff).
[68] Vgl Phil 2, 10; → καταχθόνιος. Zu der Frage der Dreiteilung → I 677, 26 ff. — Bei den Rabb kommt eine Erweiterung der at.lichen Zweiteilung zur Dreiteilung vor durch Hinzufügung der Luft (אֲוִיר = ἀήρ): SNu

§ 134 zu Dt 3, 24 („Wo ist im Himmel oder auf Erden ein Gott?"): Außerhalb dieser beiden also ist (etwa doch noch ein Gott)? — (Antwort: Nein, gemäß Dt 4, 39); auch nicht in der Luft (ἀήρ) (ist ein Gott außer Jahwe). S KGKuhn, SNu übers u erkl (1933 ff) 554 A 118.
[69] S Loh Phil zSt.

Begriff des κόσμος verbanden. Über sie muß folgendes Grundsätzliche gesagt werden:

1. Diese kosmologischen Vorstellungen werden in der Bibel niemals wie in anderen Religionen oder auch in der jüdischen Apokalyptik (äth Hen, slav Hen, 4 Esr, sBar ua) zum Gegenstand der Verkündigung[70]. Auch da, wo im NT solche Vorstellungen mehr oder minder ausführlich dargelegt oder angedeutet werden, wie es in den Schilderungen der eschatologischen Ereignisse der Fall ist, finden wir keine ausdrücklichen kosmologischen Belehrungen.

2. Es gibt keine dem NT eigentümlichen kosmologischen Vorstellungen. Alle Anschauungen über den Aufbau und die äußere Gestalt der Welt teilt das NT vielmehr mit den Weltanschauungen seiner Umwelt. Die Einzelheiten der kosmologischen Vorstellungen der nt.lichen Schriften können daher nur unter Zuhilfenahme unseres Wissens von jenen Weltanschauungen erklärt werden. Fragt man also nach dem kosmologischen bzw naturphilosophischen Gehalt bestimmter Stellen des NT, so gilt der Satz nicht mehr, daß die hl Schrift sui ipsius interpres sei.

3. Selbst wenn mit Hilfe unserer Kenntnis der hellenistisch-orientalischen Naturvorstellungen jedes einzelne Wort und jede einzelne Stelle im NT mit kosmologischem Gehalt erklärt wäre, was ein zu erstrebendes Ziel der historischen Forschung ist, wäre es unmöglich, die Einzelvorstellungen zu einem Gesamtbild zusammenzufügen und dieses „die Weltanschauung des NT" zu nennen. Denn obwohl gewisse Vorstellungen allen Schriften des NT gemeinsam sind, bestehen zwischen den einzelnen Schichten des NT offenkundige Unterschiede (zB zwischen den kosmologischen Aussagen von Mk 13, 1 K 15, Apk, J), die es unmöglich machen, ein Bild der gemeinsamen Vorstellungen zu entwerfen.

4. Die werdende Kirche hat sowohl in der schon im NT (Past, 2 Pt, 1 J, Jd) beginnenden Ausscheidung der Gnosis mit ihren kosmologischen Interessen wie auch in der damit zusammenhängenden Abgrenzung des Kanons (Ausscheidung der Apokalypsen außer Apk) die Entscheidung der apostolischen Verkündigung bestätigt: die Kosmologie gehört nicht zur Botschaft des Evangeliums. Der κόσμος ist nur soweit Gegenstand der Verkündigung und damit der christlichen Theologie (Pls, J), als er in Beziehung zu Gott als seinem Schöpfer, Herrn, Richter und Erlöser steht.

3. κόσμος = „Welt" II: κόσμος als Wohnstätte der Menschen, Schauplatz der Geschichte, Oekumene, Erde.

a. Wird die Welt als Schauplatz des menschlichen Lebens und der irdischen Geschichte betrachtet, so kann die Bedeutung von κόσμος sich auf *Ökumene, Erde* beschränken.

---

[70] Über die unlösbare Verbindung zwischen der religiösen Verkündigung und den kosmologischen Theorien im Mithraskult spricht mit einem lehrreichen Hinweis auf das Christentum FCumont, Die orientalischen Religionen im römischen Heidentum, deutsch ABurckhardt-Brandenberg [8] (1931) 147.

Das NT folgt darin dem hellenistischen und jüdischen Sprachgebrauch, für den zwei
bereits zitierte Stellen mit dem Ausdruck *die ganze Welt* charakteristisch sind: die
Inschrift Ditt Syll ³ 814, 31, in der Nero ὁ τοῦ παντὸς κόσμου κύριος [71] heißt (vgl Ditt
Or 458, 40), und die Aussage 2 Makk 3, 12, daß der Tempel von Jerusalem κατὰ τὸν
5   σύμπαντα κόσμον geehrt werde.

In diesem Sinne ist κόσμος zu verstehen an Stellen wie Mt 4, 8: πάσας τὰς
βασιλείας τοῦ κόσμου *alle Reiche der Welt* (Lk 4, 5 τῆς οἰκουμένης); Lk 12, 30:
ταῦτα γὰρ πάντα τὰ ἔθνη τοῦ κόσμου (Mt 6, 32: nur τὰ ἔθνη) ἐπιζητοῦσιν, *die
Völker der Welt* = אֻמּוֹת הָעוֹלָם [72]. Im Hinblick auf Mt 4, 8 gehört in diesen Zu-
10 sammenhang auch κερδαίνειν τὸν κόσμον ὅλον *die ganze Welt gewinnen* (dh *alles
in seinen Besitz bringen, worüber Menschen verfügen können* [73]) Mk 8, 36; Mt 16, 26;
Lk 9, 25, wozu der (jBM 8c 26) Schimᵉon bSchetach um 90 v Chr zugeschriebene Ausspruch über den Gewinn dieses ganzen Olam [74] zu vergleichen ist. In
der Verheißung an Abraham κληρονόμον αὐτὸν εἶναι κόσμου R 4, 13 geht die
15 Bedeutung *Ökumene* in die der *Völker der Welt* (nach Gn 18, 18; 22, 18) über.
Ökumene bedeutet κόσμος ferner Mk 16, 15: πορευθέντες εἰς τὸν κόσμον ἅπαντα,
wozu sachlich zu vergleichen ist Ag 1, 8 und die Aussage 1 Cl 5, 7 über Paulus: δικαιοσύνην διδάξας ὅλον τὸν κόσμον, καὶ ἐπὶ τὸ τέρμα τῆς δύσεως ἐλθών ...;
R 1, 8: ἡ πίστις ὑμῶν καταγγέλλεται ἐν ὅλῳ τῷ κόσμῳ; Mt 26, 13: κηρυχθῇ τὸ
20 εὐαγγέλιον τοῦτο ἐν ὅλῳ τῷ κόσμῳ (anders Mk 14, 9 → 890, 5); Herm s 9, 17, 1f:
δώδεκα φυλαί ... αἱ κατοικοῦσαι ὅλον τὸν κόσμον *zwölf Stämme, die in der ganzen Welt wohnen*; 1 Pt 5, 9: τῇ ἐν τῷ κόσμῳ ὑμῶν ἀδελφότητι *euren Brüdern in
der Welt*.

b. Dieselbe Bedeutung besitzt κόσμος, obwohl hier schon
25 eine starke Berührung mit der Bedeutung *Menschheit* anzunehmen ist, in gewissen Wendungen, die das In-die-Welt-Kommen, In-der-Welt-Sein, Aus-der-
Welt-Gehen einer Person oder einer Sache ausdrücken und die zT genaue Parallelen bzw Vorbilder im Sprachgebrauch der Rabbinen haben.

In die Welt kommen, hbr בָּא לְעוֹלָם, aram אֲתָא בְּעָלְמָא, wird im Talmud von be-
30 stimmten Personen (zB Abraham, Isaak, Jakob SDt § 312 zu 32, 9) oder von den Menschen
überhaupt (בָּאֵי הָעוֹלָם *die in die Welt kommen*, dh *die Menschen* Pesikt 172b; ähnlich
alle, die in die Welt kommen MEx 18, 12 [67a]) [75] gebraucht, daneben auch von Ereignissen (zB Tg Qoh 3, 14: *Strafe kommt in die Welt*) und Sachen (zB bJeb 92b: *etwas,
was nicht in die Welt gekommen ist* בָּא לְעוֹלָם, dh was nicht existiert) [76]. Entsprechende
35 Wendungen mit der Bedeutung *aus der Welt gehen* (= *sterben*) sind עֲבַר מִן עָלְמָא Tg
J I Gn 15, 2; אֲזַל מִן עָלְמָא Tg J II Gn 15, 2; Tg Qoh 1, 4; תִּפָּטֵר מִן הָעוֹלָם *aus der
Welt scheiden* SNu 140 z 27, 18 ua [77]. Der rabbinische Sprachgebrauch hat seine Parallele im hellenistischen Judentum, wie Sap 2, 24; 14, 14; 7, 6 Σ zeigen.

Im NT wird als Subjekt zu (εἰσ)έρχεσθαι εἰς τὸν κόσμον *in die Welt kommen*
40 genannt: *jeder Mensch* J 1, 9 (vgl 16, 21 ἐγεννήθη εἰς τὸν κόσμον), falls hier
nicht ἐρχόμενον mit τὸ φῶς zu verbinden ist; Christus bzw der Logos als *das*

---

[71] → 879, 37; Barn 5, 5 heißt Christus: παντὸς τοῦ κόσμου κύριος → 886, 12 f.
[72] „Eine der häufigsten rabb Bezeichnungen
der außerisraelitischen Menschheit" Str-B II
191, woselbst eine Fülle von Belegstellen
zitiert wird, darunter die anscheinend älteste
Bezeugung bBB 10b (Jochanan bZakkai um
80 n Chr); s auch Str-B I 204; Dalman WJ
I 144 f.
[73] SchlMt z 16, 26 versteht κόσμος hier als

Menschheit: „Die Jünger gewinnen die Welt
dadurch, daß sie Menschen gewinnen und eine
Anhängerschaft sammeln, die ... die ganze
Menschheit umfaßt."
[74] Str-B I 749; Dalman WJ I 136 ff; → I
207, 6.
[75] Weitere Beispiele → 881, 36 f bei der Besprechung von Sap 2, 24; 14, 14 u Str-B II 358.
[76] Vgl Str-B II 358.
[77] Vgl Str-B II 556.

Licht J 3, 19; 12, 46; vielleicht 1, 9; *der Sohn Gottes* J 11, 27 vgl das Selbstzeugnis J 9, 39; 16, 28; 18, 37; *der Prophet* J 6, 14; *der Christus* J 11, 27;
Christus Jesus 1 Tm 1, 15; der im AT redende Christus Hb 10, 5; *Sünde* und *Tod*
R 5, 12 f (vgl Sap 2, 24 und die Aussage bJeb 63 a und Tg Qoh 3, 14, daß Strafe in
die Welt, בְּעָלְמָא bzw לְעָלְם, kommt); *Pseudopropheten* 1 J 4, 1; *Verführer* (πλάνοι) 5
2 J 7. — *In der Welt* ἐν τῷ κόσμῳ war der *Logos* J 1, 10; ist *Christus* nach
seinem Selbstzeugnis J 9, 5; ist er seit seinem Hingang zum Vater nicht
mehr J 17, 11; sind die *Jünger* J 13, 1; 17, 11; die Christen 1 J 4, 17 vgl
1 K 5, 10; wandeln die Christen 2 K 1, 12 und führen sie ihr natürliches Leben
1 J 3, 17; ist der *Geist des Antichrists* 1 J 4, 3; *in der Welt* ἐν κόσμῳ gibt es 10
γένη φωνῶν 1 K 14, 10, gibt es οὐδὲν εἴδωλον 1 K 8, 4. — *Aus der Welt gehen* ἐκ τοῦ
κόσμου ἐξελθεῖν müßten die Christen, wenn sie jeden Verkehr mit Unzüchtigen
meiden wollten 1 K 5, 10. *Aus dieser Welt* ἐκ τοῦ κόσμου τούτου geht Jesus zum
Vater J 13, 1.

> Vgl ἀπαλλάσσεσθαι τοῦ κόσμου *aus der Welt scheiden* 1 Cl 5, 7, ähnliche Ausdrücke 15
> Ign R 2, 2; 3, 2.

In derartigen Ausdrücken wird κόσμος zunächst ganz unbetont zur Bezeichnung des Schauplatzes, auf dem das menschliche Leben sich abspielt, gebraucht.
Redewendungen wie die, daß ein Mensch εἰς τὸν κόσμον geboren wird oder daß
wir nichts εἰς τὸν κόσμον bringen (1 Tm 6, 7 vgl Philo Spec Leg I 294), die Bezeichnung 20
des Sterbens als eines Hinausgehens ἐκ τοῦ κόσμου haben weder kosmologischen noch
theologischen Gehalt. Erst wenn an den angeführten Stellen von dem In-die-Welt-
Kommen, In-der-Welt-Sein usw Christi die Rede ist oder sonst an Tatsachen
erinnert wird, die für die Heilsgeschichte von Belang sind, erhält κόσμος eine
besondere Betonung. Indem das Wort dann nicht mehr nur die Wohnstätte 25
der Menschen und den Schauplatz der irdischen Geschichte bezeichnet, sondern
den Schauplatz des erlösenden Handelns Gottes, gewinnt es eine neue, dem nt.-
lichen Sprachgebrauch eigentümliche Bedeutung, für die es weder im Griechentum noch im Judentum eine Parallele gibt.

4. κόσμος = „Welt" III: κόσμος als Menschheit, gefal- 30
lene Schöpfung, Schauplatz der Heilsgeschichte.

a. Wie das *Weltall* zur *Ökumene* wird, sobald man die
Welt als Schauplatz des menschlichen Lebens betrachtet, so kann der Begriff
der *Ökumene* sich zu dem Begriff der die Erde bewohnenden *Menschheit* ver-
engen. Die Bedeutung *Menschenwelt*, *Menschheit* für κόσμος lernten wir bereits 35
in der Koine [78] und in LXX [79] kennen. Auch das hbr עוֹלָם bzw aram עָלְמָא hat
unter dem Einfluß des hellenistischen κόσμος-Begriffs diesen Bedeutungswandel
durchgemacht, wie die den Rabbinen geläufige Verwendung von כָּל־עָלְמָא und
כָּל־הָעוֹלָם im Sinne von *alle Welt, jedermann* (jBer 4 b Z 37; bSanh 101 b; bJeb 46 b [80])
zeigt. Wie leicht die Bedeutung *Ökumene* in *Menschheit* übergehen kann, zeigen 40
die Formulierungen des Gedankens, daß eine Botschaft *der ganzen Welt* verkündigt wird. Die εὐαγγέλια über Augustus, von denen die Inschrift von Priene [81]

---

[78] → 879, 34 ff.   [80] Weitere Stellen bei Str-B II 548.
[79] Sap 10, 1; 14,6; 4 Makk 17, 14; → 881, 2 ff.   [81] Ditt Or 458, 40; → 879, 35 f.

redet, gelten τῷ κόσμῳ dh *allen Erdbewohnern*. Der Aussendungsbefehl Mk 16, 15 lautet: πορευθέντες εἰς τὸν κόσμον ἅπαντα κηρύξατε τὸ εὐαγγέλιον πάσῃ τῇ κτίσει (vgl παντὶ τῷ λαῷ Lk 2, 10; πάντα τὰ ἔθνη Mt 28, 19; ἕως ἐσχάτου τῆς γῆς Ag 1, 8). Das bzw „dies" Evangelium soll nach Mt 26, 13 ἐν ὅλῳ τῷ κόσμῳ,
5 nach Mk 14, 9 εἰς ὅλον τὸν κόσμον verkündigt werden. In der Mt-Fassung kann κόσμος noch im rein räumlichen Sinne verstanden werden, dagegen überwiegt bei Mk schon die Bedeutung *Menschenwelt*; denn daß die Verkündigung *an die ganze Welt* ergehen soll, heißt, daß sie *allen Bewohnern der Erde* gilt.

Wie die Bedeutungen sich vermischen, zeigt auch Herm s 8, 3, 2: νόμος θεοῦ ἐστιν
10 ὁ δοθεὶς εἰς ὅλον τὸν κόσμον[82]. ὁ δὲ νόμος οὗτος υἱὸς θεοῦ ἐστι κηρυχθεὶς εἰς τὰ πέρατα τῆς γῆς.

Die Bedeutung *Menschenwelt, Menschheit* besitzt κόσμος an zahlreichen weiteren Stellen des NT, ohne daß sie sich jeweils im Einzelfall mit Bestimmtheit gegen die anderen Bedeutungen abgrenzen ließe, nämlich dreimal in Herrnworten im
15 Sondergut des Mt: ὑμεῖς ἐστε τὸ φῶς τοῦ κόσμου 5, 14[83]; ὁ ἀγρός ἐστιν ὁ κόσμος 13, 38; οὐαὶ τῷ κόσμῳ 18, 7; von der Menschheit zur Zeit der Sintflut: ἀρχαῖος κόσμος *die alte Welt*, κόσμος ἀσεβῶν *Welt der Gottlosen* 2 Pt 2, 5; ὁ τότε κόσμος *die damalige Menschheit* ὕδατι κατακλυσθεὶς ἀπώλετο 2 Pt 3, 6; κατέκρινεν τὸν κόσμον Hb 11, 7. Bei Paulus liegt die Bedeutung *Menschheit* vor 1 K 4, 13: περι-
20 καθάρματα τοῦ κόσμου *Abschaum der Menschheit*, während nach 1 K 4, 9 der κόσμος Engelwelt und Menschheit umfaßt: θέατρον ἐγενήθημεν τῷ κόσμῳ, καὶ ἀγγέλοις καὶ ἀνθρώποις. Dies Verständnis des κόσμος als der *Gesamtheit der vernünftigen Wesen* entspricht genau dem oben zitierten stoischen Wort über den κόσμος als τὸ ἐκ θεῶν καὶ ἀνθρώπων σύστημα[84]. Die Bedeutung *Menschheit* ver-
25 bindet sich bereits mit dem unten zu erörternden Begriff des κόσμος als *der im Gegensatz zu Gott stehenden Welt* in den Ausdrücken τὰ μωρὰ τοῦ κόσμου *das Törichte in der Welt*, τὰ ἀσθενῆ τοῦ κόσμου *das Schwache in der Welt*, τὰ ἀγενῆ τοῦ κόσμου *das Niedriggeborene in der Welt* 1 K 1, 27 f. Derselbe Übergang von der einfachen Bedeutung *Menschheit* zu der der *gottfeindlichen Welt* ist Hb 11, 38:
30 ὧν οὐκ ἦν ἄξιος ὁ κόσμος festzustellen. Dasselbe gilt von vielen der unten zu besprechenden johanneischen Stellen.

b. Es versteht sich von selbst, daß das Wort κόσμος im Sinne der *Menschheit* einen besonderen Klang erhalten muß, wenn die *Menschenwelt* nicht nur, wie es im Griechentum der Fall ist, in ihrem Zusammenhang
35 mit den übrigen Wesen der Welt und mit dem Universum betrachtet wird, sondern wenn man sie in ihrer Beziehung zu dem lebendigen Gott sieht. Daß der κόσμος in der Bibel stets als Gegenstand der göttlichen Schöpfung verstanden wird, ist oben dargelegt worden. Sobald der κόσμος nun im Zusammenhang mit dem Menschen verstanden wird als Schauplatz der Geschichte oder als
40 Menschheit, muß der at.liche Gedanke von Gott als dem שֹׁפֵט כָּל־הָאָרֶץ (Gn 18, 25; Ps 94, 2) auf das Verhältnis zwischen Gott und dem κόσμος Anwendung finden.

---

[82] Vgl den Ausspruch von RAqiba bSanh 101b, daß Hiskia כָּל־הָעוֹלָם *die ganze Welt* dh *jedermann* die Tora gelehrt habe, Str-B II 548.
[83] Vgl Midr HL 1, 3: יִשְׂרָאֵל אוֹרָה לָעוֹלָם;

Schl Mt 148; Str-B I 237, ebendort weitere Beispiele auch zu J 8, 12.
[84] Stob Ecl I 184, 8 → 879, 39 ff; vgl auch 4 Makk 17, 14 → 881, 6 f.

Aus dem κρίνειν τὴν γῆν (zB Gn 18, 25) oder τὴν οἰκουμένην (zB ψ 9, 9) muß ein κρίνειν τὸν κόσμον werden.

> Jedoch ist das Judentum in der Verwendung von κόσμος in diesem Zusammenhang weitaus zurückhaltender als das NT. Sib 4, 40 f; 184 wird κόσμος in Verbindung mit κρίσις und κρίνειν gebraucht. In der rabbinischen Literatur wird nur selten[85] der עוֹלָם als Gegenstand des göttlichen Gerichts genannt. Auch der Gedanke, daß die Welt die Stätte der Sünde sei und unter der Herrschaft des Bösen stehe und eben darum dem göttlichen Gericht verfallen sei, ist zwar dem Judentum vertraut, aber er spielt nicht entfernt die Rolle, die ihm im NT zukommt. Er wird vor allem dort ausgesprochen, wo der gegenwärtige und der zukünftige αἰών einander gegenübergestellt werden, was besonders in der Apokalyptik der Fall ist. Auf dem leuchtenden Hintergrund des kommenden αἰών wird der gegenwärtige αἰών und damit der κόσμος, dessen Zeit er ist, nicht nur als eine Welt der Schmerzen (slav Hen 66, 6), ein corruptum saeculum (im Sinne der Vergänglichkeit, 4 Esr 4, 11) verstanden, sondern auch als eine Welt der Ungerechtigkeit, dh eine ungerechte (gottlose) Welt äth Hen 48, 7, ein Aion der Gottlosigkeit Apk Abr 29, 8, eine Welt der Lüge (עוֹלָם הַשֶּׁקֶר, Lv r 26 z 21, 1), ein locus ubi seminatum est malum 4 Esr 4, 29, wo der erste Adam in Sünde und Schuld geriet und ebenso alle, die von ihm geboren sind 4 Esr 3, 21, wo wegen des bösen Triebes die Sünden zahlreich sind Tanch נח 13 a[86]. Die Herrschaft der Sünde aber hängt zusammen mit der Macht der Dämonen (zB Jub 10, 8) und des Satans, der mit der Verführung zur Sünde auch den Tod in die Welt gebracht hat (Sap 2, 24).

Sucht man die verschiedenen Aussagen des Judentums im nt.lichen Zeitalter über die Welt zu einem Gesamtbild zusammenzufassen, so ergibt sich Folgendes: Das Judentum vermag es zu einer einheitlichen Weltbetrachtung nicht zu bringen. Daß die Welt Gottes Schöpfung ist und daß sie unter dem Gerichte steht und der Erlösung bedarf: das bleiben zwei Gedankenreihen, die niemals ganz zur Einheit einer geschlossenen Weltbetrachtung zusammenwachsen. Darum stehen die optimistische Weltoffenheit der Alexandriner und der tiefe Pessimismus der Apokalyptik sich unversöhnlich als zwei Weltanschauungen gegenüber, zwischen denen man wechseln, die man aber nicht vereinigen kann. Beide ruhen auf einem biblischen Fundament, die erste auf dem Schöpfungsglauben, die zweite auf dem Gerichtsgedanken. Beide haben fremde Elemente in sich aufgenommen, um zu einer Weltanschauung zu werden: jene die hellenistische Freude an der Welt, diese den persischen Dualismus. Aber nicht nur diese extremen Weltanschauungen, zwischen denen das Judentum im Zeitalter des NT hin- und herschwankt, sind bezeichnend für die Unsicherheit in der Beurteilung der Welt. Auch nachdem beide ihre Aktualität verloren haben, bleibt diese Unsicherheit bestehen, wie die Aussagen des Talmud über das Nebeneinander von Gutem und Bösem in der Welt zeigen[87].

Ganz anders im NT! An dem Gebrauch des Wortes κόσμος läßt sich zeigen, wie in der Urkirche ein vollkommen neuer und einheitlicher Begriff der Welt entsteht. Wohl gibt es auch hier Unterschiede im Sprachgebrauch. Die Synoptiker, vor allem Mt, gebrauchen κόσμος nur selten und nur in den Bedeutungen, die wir kennen gelernt haben und die dem jüdischen Gebrauch von עוֹלָם entsprechen. Bei Paulus und Johannes aber

---

[85] ZB Midr Prv 11, 8; SDt 311 z 32, 8; 326 z 32, 36.

[86] „Die gegenwärtige Welt wird in der rabb Lit als ein Äon geschildert, in welchem der יֵצֶר הָרַע, der böse Trieb, die menschliche Leidenschaft, herrscht. Darum ist diese Welt eine Welt der Sünde u der Unreinheit, der Lüge und der Falschheit; eine Welt, in der Gutes und Böses, Heil und Unheil nebeneinander hergehen . . .“ Str-B IV 847.

[87] Str-B IV 847.

entwickelt sich, obwohl auch hier unverkennbare Unterschiede in der Verwendung von κόσμος bestehen, der neue, dem NT eigentümliche Weltbegriff. Indem der κόσμος als der Schauplatz der Heilsgeschichte, als der Ort der Offenbarung Christi verstanden wird, erscheint er in einem
5 völlig neuen Licht. Mit der Verkündigung der Apostel ἡμεῖς τεθεάμεθα καὶ μαρτυροῦμεν ὅτι ὁ πατὴρ ἀπέσταλκεν τὸν υἱὸν σωτῆρα τοῦ κόσμου (1 J 4, 14) beginnt das Weltverständnis der Kirche, das außerhalb der Kirche, also da, wo man einen falschen σωτὴρ τοῦ κόσμου[88] oder überhaupt keinen kennt, stets auf Widerspruch stößt. Das Verständnis des κόσμος hängt stets
10 davon ab, ob man von dem σωτὴρ τοῦ κόσμου (J 4, 42; 1 J 4, 14) weiß.

   c. In den Aussagen des Paulus über den κόσμος bemerkten wir oben (→ 884, 40 ff) die Identifikation des κόσμος mit dem αἰὼν οὗτος. Der Einfluß der Lehre von den beiden αἰῶνες macht sich vor allem darin bemerkbar, wie Paulus den Gegensatz zwischen Gott und dem κόσμος sieht.
15 Das πνεῦμα τοῦ κόσμου und das πνεῦμα τὸ ἐκ τοῦ θεοῦ sind nach 1 K 2, 12 Gegensätze, die einander ausschließen. Die σοφία τοῦ κόσμου ist μωρία παρὰ τῷ θεῷ (1 K 1, 20 f; 3, 19 vgl 1, 27), und die θεοῦ σοφία wird von den Weisen der Welt nicht verstanden (1 K 2, 6 ff. 14). Die Maßstäbe zur Beurteilung der Menschen sind bei Gott andere als in der Welt (1 K 1, 26 ff). Während ἡ
20 κατὰ θεὸν λύπη Buße wirkt und damit zur σωτηρία führt, wirkt ἡ τοῦ κόσμου λύπη den Tod (2 K 7, 10). Der tiefe Gegensatz, der zwischen Gott und dem κόσμος besteht, wird von Paulus auf die Sünde zurückgeführt, die durch den ersten Menschen εἰς τὸν κόσμον gekommen ist und den Tod mit sich gebracht hat (R 5, 12). Indem alle Menschen zu Sündern geworden sind, ist πᾶς ὁ κόσ-
25 μος *die ganze Menschheit* vor Gott schuldig geworden R 3, 19 und dem Gerichte Gottes verfallen, das daher ein Gericht über den κόσμος ist (κρίνειν τὸν κόσμον R 3, 6; 1 K 6, 2, ebendort κρίνεται ὁ κόσμος) und zur Verurteilung des κόσμος führt (1 K 11, 32). R 11, 12: εἰ δὲ τὸ παράπτωμα αὐτῶν πλοῦτος κόσμου καὶ τὸ ἥττημα αὐτῶν πλοῦτος ἐθνῶν ... und 11, 15: εἰ γὰρ ἡ ἀποβολὴ αὐτῶν
30 καταλλαγὴ κόσμου gebraucht Paulus zwar das Wort κόσμος synonym mit ἔθνη für die Völkerwelt außerhalb Israels und folgt damit dem jüdischen Sprachgebrauch, der Israel von den ἔθνη τοῦ κόσμου[89] unterscheidet. R 3, 19 aber wird Israel ausdrücklich in *die ganze Welt*, die vor Gott schuldig ist, einbezogen. Von dem κόσμος, über den Gericht und Verurteilung ergeht, werden
35 nur die ἅγιοι — als das wahre Gottesvolk — ausgenommen (1 K 11, 32), ja von ihnen heißt es: οἱ ἅγιοι τὸν κόσμον κρινοῦσιν 1 K 6, 2. Offenbar geworden ist die ganze Tiefe des Gegensatzes zwischen Gott und dem κόσμος daran, daß die ἄρχοντες τοῦ αἰῶνος τούτου den Herrn der Herrlichkeit gekreuzigt haben 1 K 2, 8. Wie der Gegensatz zwischen Gott und der Welt erst
40 an Christus ganz verstanden wird, so wird an ihm auch die Aufhebung des Gegensatzes in der Versöhnung offenbar: θεὸς ἦν ἐν Χριστῷ κόσμον καταλλάσσων ἑαυτῷ, μὴ λογιζόμενος αὐτοῖς τὰ παραπτώματα αὐτῶν

---

[88] Zu σωτὴρ τοῦ κόσμου als Kaisertitel (bes bei Hadrian zB CIG 4334; 4335; 4336; 4337   vgl W Weber, Untersuchungen z Geschichte des Kaisers Hadrianus [1907] 225 f, 229) → σωτήρ.
[89] Lk 12, 30 vgl Str-B II 191 zSt.

2 K 5, 19 vgl καταλλαγή κόσμου R 11, 15. Mit κόσμος ist, wie der Zusammenhang der Stellen zeigt, *Menschenwelt, Menschheit* gemeint. Die umfassende Bedeutung des Wortes κόσμος, die 1 K 4, 9 zB auch die Engel einschließt, mußte jedoch ebenso wie die Erwähnung der den κόσμος beherrschenden übermenschlichen Mächte gerade im Zusammenhang mit der Sünde der Menschheit (zB 5 1 K 2, 6; 2, 8; 2 K 4, 4; Eph 2, 2) dazu führen, daß κόσμος in solchen Sätzen über die Heilsgeschichte nicht nur im Sinne von Menschheit verstanden wurde. **Indem der κόσμος im Sinne des Universums als Schauplatz der Heilsgeschichte verstanden wurde, wuchs diese Geschichte über den Rahmen der menschlichen Geschichte hinaus.** Das ganze Uni- 10 versum, πᾶσα ἡ κτίσις im Sinne von R 8, 22, τὰ πάντα ἐν τοῖς οὐρανοῖς καὶ ἐπὶ τῆς γῆς, τὰ ὁρατὰ καὶ τὰ ἀόρατα, εἴτε θρόνοι εἴτε κυριότητες εἴτε ἀρχαὶ εἴτε ἐξουσίαι im Sinne von Kol 1, 16, nimmt an dieser Geschichte teil, und doch hört diese Geschichte nicht auf, wirkliche menschliche Geschichte zu sein. Der Christus, der πρωτότοκος πάσης κτίσεως ist und von dem es heißt: αὐτός ἐστιν 15 πρὸ πάντων καὶ τὰ πάντα ἐν αὐτῷ συνέστηκεν [90], ist der historische Mensch Jesus. Dessen Kreuzestod und Auferstehung, also historische Ereignisse auf Erden, sind der Anfang der Erlösung, die dann vollendet sein wird, wenn der Gekreuzigte und Auferstandene παραδιδοῖ τὴν βασιλείαν τῷ θεῷ καὶ πατρί, ὅταν καταργήσῃ πᾶσαν ἀρχὴν καὶ πᾶσαν ἐξουσίαν καὶ δύναμιν (1 K 15, 24). 20

In dieser Weltbetrachtung **ist die volle Einheit des Weltbegriffs** erreicht. Das Universum und alle einzelnen Kreaturen, sichtbare und unsichtbare Welt, Natur und Geschichte, Menschheit und Geisterwelt, sind hier in einem einheitlichen Begriff des κόσμος zusammengedacht. **Der κόσμος ist der Inbegriff der durch den Sündenfall zerrütteten und unter** 25 **dem Gericht stehenden Schöpfung Gottes, in welcher Jesus Christus als der Erlöser erscheint.**

Indem der κόσμος erlöst wird, hört er auf, κόσμος zu sein. Die mit Gott versöhnte und erlöste Welt ist nicht mehr κόσμος, nicht mehr αἰὼν οὗτος, sondern βασιλεία τοῦ θεοῦ, αἰὼν ἐρχόμενος, οὐρανὸς καινὸς καὶ γῆ καινή (→ γῆ I 677). 30 Während man die neue „Welt" mit diesen Ausdrücken der Apokalyptik und des at.lichen Schöpferglaubens bezeichnet, bleibt das der heidnischen Philosophie entstammende κόσμος die Bezeichnung für die der Sünde und dem Tode verfallene Welt. Das wird bei Paulus ganz deutlich. Wenn Christus Jesus ἦλθεν εἰς τὸν κόσμον ἁμαρτωλοὺς σῶσαι (1 Tm 1, 15), dann sind die von ihm geret- 35 teten Sünder von Gott der den κόσμος beherrschenden ἐξουσία τοῦ σκότους entnommen und in die βασιλεία τοῦ υἱοῦ τῆς ἀγάπης αὐτοῦ versetzt worden (Kol 1, 13 vgl Gl 1, 4). **Daher gehört die ἐκκλησία nicht zur Welt.** Wohl leben die ἅγιοι im κόσμος (1 K 5, 10; Phil 2, 15) und können nicht ἐκ τοῦ κόσμου ἐξελθεῖν. Dankbar ehren sie den Schöpfer des κόσμος (Ag 17, 24) und empfangen 40 seine Gaben (zB Ag 14, 15 ff). Sie gehorchen in dem Interim dieser Weltzeit den von Gott gesetzten Ordnungen (vgl θεοῦ διαταγή Dei ordinatio R 13, 2), durch welche Gott seine Schöpfung erhält. Ja, sie müssen sogar notgedrungen

---

[90] Kol 1, 15. 17; zu der Bedeutung von πάντα
→ 884, 2 ff.

τὰ τοῦ κόσμου μεριμνᾶν *um die Dinge der Welt sorgen* und sich dadurch im μεριμνᾶν τὰ τοῦ κυρίου behindern lassen (1 K 7, 32ff). Sie müssen χρῆσθαι τὸν κόσμον, *mit der Welt verkehren* (1 K 7, 31)[91]; aber sie sollen es tun, als hätten sie nichts davon, denn ihr eigentliches Leben ist nicht mehr ein ζῆν ἐν κόσμῳ (Kol 2, 20). Durch
5 das Kreuz Christi, sagt Pls Gl 6, 14, *ist mir die Welt gekreuzigt und ich der Welt.* So entsteht der eigenartige Nebenton, der seitdem in der Sprache des NT und der Kirche auf dem Worte κόσμος liegt. Die Welt ist der Inbegriff der unerlösten Kreatur. Zum Feinde Gottes geworden, ist sie das große Hindernis des Christenlebens, und es gehört, wie Jk 1, 27 in sachlicher Übereinstimmung mit Paulus (R 12, 2; 1 K 7, 31) ausgeführt wird, zu den Pflichten
10 der Gläubigen ἄσπιλον ἑαυτὸν τηρεῖν ἀπὸ τοῦ κόσμου. Die φιλία τοῦ κόσμου ist, so heißt es Jk 4, 4, ἔχθρα τοῦ θεοῦ. Wer ein Freund des κόσμος sein will, wird zum Feinde Gottes. Dieselbe Fremdheit, die zwischen Christus und dem κόσμος besteht, besteht auch zwischen der ἐκκλησία und dem κόσμος, und doch bedarf
15 die Welt der Kirche, wie sie ja auch Christi bedarf.

d. Seine Vollendung findet der biblische Begriff des κόσμος in den **johanneischen Schriften**. Sie enthalten kaum einen Gedanken über den κόσμος, der nicht wenigstens implicite schon in der Lehre des Paulus über die Welt vorhanden wäre, aber was bei Pls nur in Ansätzen
20 vorhanden war, das ist hier ausgebildet, die Terminologie sicherer und fester ausgeprägt. Außerdem steht der Begriff des κόσμος so im Mittelpunkt des theologischen Denkens, wie es in keiner anderen Schrift oder Schriftengruppe des NT der Fall ist. Der κόσμος ist der Schauplatz, auf dem das Drama der Erlösung sich abspielt, von dem das Evangelium berichtet. Alle Bedeutungen,
25 die κόσμος haben kann, fließen im Sprachgebrauch des vierten Evangeliums zusammen. Nicht nur der Prolog versteht unter κόσμος die Welt im Sinne des Universums. Vielmehr ist auch da das Weltall und nicht nur die Menschheit gemeint, wo Christus als τὸ φῶς τοῦ κόσμου bezeichnet wird J 8, 12; 9, 5 vgl 3, 19; 12, 46; 1, 9 und wenn er selbst oder der Evangelist von seinem Kommen oder
30 Gesandt-Werden εἰς τὸν κόσμον spricht: 3, 17; 10, 36; 11, 27; 12, 46f; 16, 28; 17, 18; 18, 37; 1 J 4, 9. Er ist nicht wie die Menschen ἐκ τοῦ κόσμου τούτου (8, 23), auch seine βασιλεία ist es nicht (18, 36). Nicht ἐκ τῶν κάτω wie die Menschen, sondern ἐκ τῶν ἄνω ist er (8, 23). Aus Liebe zur Welt sendet der Vater den Sohn: οὕτως ἠγάπησεν ὁ θεὸς τὸν κόσμον, ὥστε τὸν υἱὸν τὸν μονο-
35 γενῆ ἔδωκεν, nicht um die Welt zu richten, sondern um sie zu retten (3, 16f; 12, 47). Christus kommt als das Lamm Gottes, αἴρων τὴν ἁμαρτίαν τοῦ κόσμου 1, 29 vgl 1 J 2, 2, wo Jesus ἱλασμὸς περὶ τῶν ἁμαρτιῶν ἡμῶν, οὐ περὶ τῶν ἡμετέρων δὲ μόνον ἀλλὰ καὶ περὶ ὅλου τοῦ κόσμου genannt wird; als σωτὴρ τοῦ κόσμου (4, 42; 1 J 4, 14); als ζωὴν διδοὺς τῷ κόσμῳ (6, 33 vgl 51); als φῶς τοῦ κόσμου (8, 12;
40 9, 5 vgl 3, 19; 12, 46; 1, 9). Aber die Welt erkennt ihn nicht (1, 10). Sie erkennt damit Gott nicht (17, 25). Äußerlich scheint es zwar mitunter, als zöge ὁ κόσμος, dh *alle Welt*, ihm nach (12, 19). In Wahrheit aber glaubt die Welt nicht an ihn und begegnet ihm mit Haß (7, 7; 15, 18). Darum wird seine Sendung

---

[91] S Ltzm K zSt.

εἰς τὸν κόσμον statt zur Rettung der Welt zum Gericht über sie. Dies Gericht beginnt mit dem Tode Christi als Gericht über den ἄρχων τοῦ κόσμου τούτου (12, 31; 16, 11 vgl 14, 30: ὁ τοῦ κόσμου ἄρχων). Schon die Erwähnung dieses nicht zur Menschenwelt gehörenden ἄρχων verbietet die Einschränkung der Bedeutung von κόσμος an diesen Stellen auf „Menschheit" [92]. Indem aber bei Joh vom κόσμος 5 gesagt wird, daß er den Sohn Gottes nicht erkenne, daß er Gott nicht erkenne, daß er nicht glaube, daß er hasse, wird der κόσμος in gewisser Weise persönlich verstanden als der große **Gegenspieler des Erlösers** in der Heilsgeschichte. Er ist gewissermaßen eine gewaltige **Kollektivperson**, die durch den ἄρχων τοῦ κόσμου τούτου repräsentiert wird. Als Gegenspieler treten Chri- 10 stus und der κόσμος sich gegenüber in dem Satz: οὐ καθὼς ὁ κόσμος δίδωσιν ἐγὼ δίδωμι ὑμῖν (14, 27) oder in dem Zeugnis 1 J 4, 4: μείζων ἐστὶν ὁ ἐν ὑμῖν ἢ ὁ ἐν τῷ κόσμῳ. Unter ὁ ἐν τῷ κόσμῳ ist der → πονηρός zu verstehen — wenn πονηρός nach 1 J 5, 18 maskulinisch verstanden werden darf [93] —, von dem es heißt: ὁ κόσμος ὅλος ἐν τῷ πονηρῷ κεῖται (1 J 5, 19). Wie die an Christus 15 Glaubenden ἐν Χριστῷ sind, so ist der ungläubige Kosmos ἐν τῷ πονηρῷ, und wie Christus ἐν ὑμῖν ist, so ist der ἄρχων τοῦ κόσμου τούτου, ὁ πονηρός, der Böse, ἐν τῷ κόσμῳ, wie übrigens auch von dem Pneuma des → ἀντίχριστος gesagt wird: νῦν ἐν τῷ κόσμῳ ἐστὶν ἤδη (1 J 4, 3). So wird die Heilsgeschichte zu einem Kampf zwischen Christus und dem κόσμος bzw dem den κόσμος beherr- 20 schenden πονηρός. Von dem Sieg Christi in diesem Kampfe ist 16, 33 die Rede: ἐγὼ νενίκηκα τὸν κόσμον.

Wie bei Paulus die ἅγιοι, die zur ἐκκλησία Gehörenden, nicht dem κόσμος angehören, so sind auch bei Johannes die **Gläubigen** nicht ἐκ τοῦ κόσμου (15, 19; 17, 14; 17, 16), obwohl Christus sie ἐκ τοῦ κόσμου erwählt (15, 19), obwohl der 25 Vater sie ihm ἐκ τοῦ κόσμου gegeben hat (17, 6). Wenn sie auch physisch ἐκ τοῦ κόσμου sind, so gilt doch nun von ihnen, was 1, 12 f über die Kinder Gottes gesagt ist, die ἐκ θεοῦ ἐγεννήθησαν (vgl γεννηθῆναι ἐκ τοῦ πνεύματος 3, 6; ἄνωθεν γεννηθῆναι 3, 3; 3, 7). Bei ihnen bleibt und in ihnen soll sein τὸ πνεῦμα τῆς ἀληθείας, ὃ ὁ κόσμος οὐ δύναται λαβεῖν, ὅτι οὐ θεωρεῖ αὐτὸ οὐδὲ γινώσκει (14, 17). An 30 ihnen soll der κόσμος erkennen und glauben lernen, daß der Vater den Sohn gesandt hat und daß er sie liebt (17, 21; 17, 23). Gegen sie wird der Haß des κόσμος sich richten, so wie er sich gegen Christus erhob (15, 18 f; 17, 14; 1 J 3, 13). Aber trotz aller θλῖψις, die sie als solche haben (16, 33), die noch ἐν τῷ κόσμῳ sind (17, 11 vgl 15) und von Christus εἰς τὸν κόσμον gesandt werden 35 (17, 18), werden auch sie den κόσμος besiegen: ὅτι πᾶν τὸ γεγεννημένον ἐκ τοῦ θεοῦ νικᾷ τὸν κόσμον. Ja, dieser Sieg ist bereits erkämpft: αὕτη ἐστὶν ἡ νίκη ἡ νικήσασα τὸν κόσμον, ἡ πίστις ἡμῶν (1 J 5, 4). Jeder der glaubt, daß Jesus Christus der Sohn Gottes ist, ist ein νικῶν τὸν κόσμον (1 J 5, 5); denn an Christus glauben und von Gott geboren sein ist ja dasselbe. So sind die an Christus Glau- 40 benden ἐν τῷ κόσμῳ *in der Welt* (17, 11 vgl 13, 1; 1 J 4, 17: ἐν τῷ κόσμῳ

---

[92] Die Frage, wen man unter dem שַׂר הָעוֹלָם bei den Rabbinen zu verstehen hat, ob den Teufel (ASchlatter, Sprache und Heimat des 4. Evangelisten [1902] 121) oder „denjenigen Engelfürsten, der dem Naturleben der gesamten Schöpfung vorsteht" (Str-B II 552), ist umstritten.

[93] Vgl Pr-Bauer z πονηρός u z κεῖμαι.

τούτῳ), wie Christus in seinen Erdentagen *in der Welt* war (9, 5), aber sie gehören der Welt nicht mehr an, sind nicht mehr ἐκ τοῦ κόσμου. Wie bei Pls
und Jk gehört auch nach johanneischer Lehre die Kirche nicht zur Welt, obwohl die Welt die Stätte ist, in der die Kirche sich befindet. Der Warnung
5 vor der φιλία τοῦ κόσμου, *der Freundschaft mit der Welt*, Jk 4, 4, entspricht das
harte Verbot 1 J 2, 15: μὴ ἀγαπᾶτε τὸν κόσμον μηδὲ τὰ ἐν τῷ κόσμῳ· ἐάν τις
ἀγαπᾷ τὸν κόσμον, οὐκ ἔστιν ἡ ἀγάπη τοῦ πατρὸς ἐν αὐτῷ. Das scheint auf den
ersten Blick sowohl dem Gebot der Nächstenliebe als auch der Feststellung
von J 3, 16 über die Liebe des Vaters zum κόσμος zu widersprechen. Aber
10 der κόσμος, der 1 J 2, 15 ff gemeint ist, ist die Welt, die Christum verworfen hat und über die das Urteil bereits gesprochen ist. Es ist
die Welt, in der die ἐπιθυμία τῆς σαρκός, die ἐπιθυμία τῶν ὀφθαλμῶν und die
ἀλαζονεία τοῦ βίου herrschen. So besagt die Mahnung 1 J 2, 15 nichts anderes
als die des Pls R 12, 2: μὴ συσχηματίζεσθε τῷ αἰῶνι τούτῳ. Und auch die Begrün-
15 dung der Warnung vor der Welt ist bei Paulus und Johannes dieselbe. Dem
paulinischen παράγει γὰρ τὸ σχῆμα τοῦ κόσμου τούτου 1 K 7, 31 entspricht der
Satz 1 J 2, 17: ὁ κόσμος παράγεται καὶ ἡ ἐπιθυμία αὐτοῦ· ὁ δὲ ποιῶν τὸ θέλημα
τοῦ θεοῦ μένει εἰς τὸν αἰῶνα. Hier spricht nicht Weltverneinung oder Weltver-
achtung, sondern der Glaube, der die Welt überwunden hat.

20   † *κόσμιος*

              Im Profangriechischen. Seit Soph und Aristoph in der
       poetischen Sprache nachweisbar, seit Plat, Xenoph, Lys auch in der Prosa gebräuch-
       lich, bezeichnet κόσμιος das Wesen einer Person, die sich selbst in Zucht zu halten
       vermag und somit auf das Prädikat eines wahrhaft gesitteten, anständigen Menschen
25   Anspruch hat. Der zum griech Lebensideal gehörende Gedanke des Geordneten,
       Geformten, Maßvollen, Abgewogenen steckt in dem Begriff der κοσμιότης. Zuerst
       ein schwerer philosophischer Terminus, ist κόσμιος im Laufe der Zeit ein abgeblaßter
       „gesellschaftlicher“ Ausdruck geworden. In seiner philosophischen Bedeutung wird
       es erkennbar Plat Resp VI 500 c/d: θείῳ δὴ καὶ κοσμίῳ ὅ γε φιλόσοφος ὁμιλῶν
30   κόσμιός τε καὶ θεῖος εἰς τὸ δυνατὸν ἀνθρώπῳ γίγνεται, *indem also der Philosoph
       mit dem Göttlichen umgeht, wird er selbst göttlich und gesittet, soweit das einem Menschen
       möglich ist.* Zu den physiognomischen Merkmalen, den κοσμίου σημεῖα, wie sie bei Aristot
       Physiognomica 3 p 807 b 33 ff im Gegensatz zu den ἀναιδοῦς σημεῖα entwickelt wer-
       den, gehört in erster Linie, daß er ἐν ταῖς κινήσεσι βραδύς *in seinen Bewegungen gemessen*
35   (im Gegensatz zu ὀξύς) sei. So heißt die vor Freude rasch laufende Chrysothemis
       Soph El 872: τὸ κόσμιον μεθεῖσα *das Wohlanständige vernachlässigend.* Die Tugend der
       κοσμιότης (das Subst seit Plat, Aristot, Isoc, Demosth) wird beschrieben als Gegensatz
       zur ἀκολασία *(Zügellosigkeit)* Plat Gorg 507 e/508 a; Aristot Eth Nic II 8 p 1109 a 16,
       sowie durch die Zusammenstellung mit verwandten Tugenden, insbesondere mit der
40   σωφροσύνη, als deren Folge und Begleiterin die κοσμιότης oft erscheint: Vgl das
       Nebeneinander von σωφροσύνη und κοσμιότης Aristoph Pl 563 f; κοσμιότητα καὶ σωφρο-
       σύνην καὶ δικαιότητα Plat Gorg 508 a; κόσμιος καὶ σώφρων Lys 21, 19 vgl Plat Leg VII
       802 e; Luc Bis accusatus 17; Inschr Magn 162, 6; ferner Pseud-Plat Def 412 d: κοσμιότης
       ὑπείξις ἑκουσία πρὸς τὸ φανὲν βέλτιστον· εὐταξία περὶ κίνησιν σώματος und Aristot De
45   virtutibus et vitiis 4 p 1250 b 11: παρέπεται δὲ τῇ σωφροσύνῃ εὐταξία, κοσμιότης, αἰδώς,
       εὐλάβεια. Stets haftet am Begriff der κοσμιότης die Idee der Beherrschung des Kör-
       pers, seiner Bewegungen und seiner Triebe; vgl die Gegenüberstellung von αἱ ἐρω-
       τικαί τε καὶ τυραννικαὶ ἐπιθυμίαι und αἱ βασιλικαί τε καὶ κόσμιαι Plat Resp IX 587 a;
       ἐγκρατεῖς αὑτῶν καὶ κόσμιοι ὄντες Plat Phaedr 256 b; ferner die Bezeichnung eines
50   ruhigen Patienten als κόσμιος Hippocr Acut 65. Da die κοσμιότης vorzugsweise, wenn
       auch keineswegs allein, als Tugend edler Frauen gilt (vgl Aristot Pol III 4 p 1277 b 23;
       Epict Ench 40; Philo Spec Leg I 102; III 51, hier geradezu gleichbedeutend mit
       Keuschheit wie σωφροσύνη von einer Frau Jos Ant 18, 66), wird κόσμιος in der späteren

────────────

κόσμιος. Pape, Liddell-Scott sv.

Volkssprache ein beliebtes Epitheton für Frauen, zB ἡ κοσμιωτάτη αὐτοῦ θυγάτηρ PMasp 6 II 7 (6. Jhdt n Chr); τὴν ἐμὴν κοσμ(ιωτάτην) ἐλευθέραν γυναῖκα PGreci e Latini 97, 1. — So bedeutet das von κόσμος im Sinne von *Ordnung*, dann auch *Schmuck* abzuleitende κόσμιος: *sich selbst beherrschend, zuchtvoll, gesittet, ehrbar*. Die Nebenbedeutungen[1], die das Wort sonst noch annimmt, sind für das NT ohne Belang. 5

In Septuaginta fehlt das Adj κόσμιος. In der unrichtigen Übersetzung κόσμιον παραβολῶν für תִּקֵּן מְשָׁלִים („er hat Sprüche abgefaßt") Qoh 12, 9 ist (τὸ) κόσμιον die Diminutivform von κόσμος im Sinne von *Schmuck*.

Im Neuen Testament wird κόσμιος 1 Tm 3, 2 von einer Person gebraucht: δεῖ οὖν τὸν ἐπίσκοπον . . . εἶναι . . . νηφάλιον, σώφρονα, κόσμιον *der* 10 *Bischof muß . . . nüchtern, besonnen, ehrbar . . . sein*[2]. Dieselbe Bedeutung *ehrbar, zuchtvoll* hat κόσμιος 1 Tm 2, 9, wo es von dem Verhalten von Personen[3] gebraucht wird: Die Frauen sollen ἐν καταστολῇ κοσμίῳ, μετὰ αἰδοῦς καὶ σωφροσύνης κοσμεῖν ἑαυτάς *in zuchtvoller Haltung mit Scham und Besonnenheit sich schmücken*. Die von D G H 33 Orig gebotene Lesart κοσμίως für κοσμίῳ 15 ist sekundär. Die Tugend, die an diesen Stellen vom Bischof und von den christlichen Frauen gefordert wird, ist keine spezifisch christliche, sondern jene κοσμιότης, die wir bereits im klassischen Griechentum, dann aber auch in der populären Ethik des Hellenismus neben αἰδώς und σωφροσύνη finden[4].

† κοσμικός 20

Im Profangriechischen. Das Adj κοσμικός, von κόσμος in der Bedeutung *Welt* abgeleitet, ist seit Aristot nachweisbar und bedeutet *zur Welt gehörig, die Welt betreffend, kosmisch*. Aristot Phys II 4 p 196 a 25 spricht von Anschauungen über die Ursache τοῦδε τοῦ οὐρανοῦ καὶ τῶν κοσμικῶν πάντων *dieses Himmels („Welt")* *und alles dessen, was zum Universum gehört*. Philo Aet Mund 53 erklärt die Zeit (χρόνος) 25 als διάστημα . . . κοσμικῆς κινήσεως Zwischenraum (Abschnitt) der *Bewegung des Weltalls*. Plut Cons ad Apoll 34 (II 119 f) stellt τὴν τῶν ὅλων πρόνοιαν καὶ τὴν κοσμικὴν διάταξιν *die das All regierende Vorsehung und die Weltordnung* nebeneinander. Luc De Parasito 11 sagt von dem Gelehrten, der περὶ σχήματος γῆς καὶ κόσμων ἀπειρίας καὶ μεγέθους ἡλίου forscht: οὐ μόνον ἐν ἀνθρωπίναις ἀλλὰ καὶ ἐν κοσμικαῖς ἐστιν ἐνοχλήσεσιν 30 dh nicht nur die Menschen, sondern auch das Weltall bereiten ihm Schwierigkeiten. — Auch in der Fachsprache der Astrologen kommt das Wort vor, zB κοσμικὰ κέντρα Vett Val II 17 (p 79, 26).

Als Fremdwort ist κοσμικός in der Form קוֹזְמִיקוֹן oder קוֹסְמִיקוֹן in das rabb Hebräisch eingedrungen. In der Bedeutung *die ganze Welt angehend* findet es 35 sich jBer 13 d Z 7 ff, wo der „Wind des Elias" (1 Kö 19, 11) als קוֹסְמִיקוֹן bezeichnet wird; vgl die Par Gn r 24 z 5, 1; Midr Qoh z 1, 6[1].

Der Sprachgebrauch des Urchristentums bezeichnet mit κοσμικός etwas, *was dieser irdischen Welt angehört*, wobei entweder der Gedanke der Vergänglichkeit oder der der Gottfeindlichkeit des κόσμος anklingt. Im 40 NT wird Hb 9, 1 die Stiftshütte als τὸ ἅγιον κοσμικόν *das irdische Heiligtum* bezeichnet im Unterschied von der τελειοτέρα σκηνὴ οὐ χειροποίητος, τοῦτ' ἔστιν οὐ ταύτης τῆς κτίσεως (9, 11)[2]. Die κοσμικαὶ ἐπιθυμίαι, *weltliche Begierden*, welche

---

[1] ZB bedeutet es wie *modestus, moderatus*, womit es im Lateinischen wiedergegeben wird, *bescheiden* auch von Sachen: κοσμίας οἰκήσεις *bescheidene Wohnungen* Plat Critias 112 c; κοσμίαν δαπάνην Plat Resp VIII 560 d. Zu diesen Nebenbedeutungen s Liddell-Scott.

[2] Vgl ἄνδρα κόσμιον Ditt Or 485, 3.

[3] Vgl κόσμιος ἀναστροφή Inschr Magn 179, 4.

[4] S Dib Past z 1 Tm 2, 9; 3, 2.

κοσμικός. Liddell-Scott; Pr-Bauer sv.

[1] Vgl Str-B III 667.

[2] Dieser Unterschied beruht auf der bei den Rabbinen ganz geläufigen Vorstellung, daß alle religiösen Einrichtungen und Gebräuche ebenso wie bei ihnen auf der Erde auch oben im Himmel bestehen (→ ἄνω I 376 f). Der rabb Akademie auf Erden (מְתִיבְתָּא דְאַרְעָא) steht die מְתִיבְתָּא דִרְקִיעָא gegenüber

die Gläubigen nach Tt 2, 12 zusammen mit der ἀσέβεια verleugnen sollen, um σωφρόνως καὶ δικαίως καὶ εὐσεβῶς in dem gegenwärtigen Aeon zu leben, sind identisch mit dem, was 1 J 2, 16 ἡ ἐπιθυμία τῆς σαρκὸς καὶ ἡ ἐπιθυμία τῶν ὀφθαλμῶν καὶ ἡ ἀλαζονεία τοῦ βίου genannt wird und wovon es dort heißt, es exi-
5 stiere ἐν τῷ κόσμῳ und sei nicht ἐκ τοῦ πατρός, sondern ἐκ τοῦ κόσμου.

In der nachkanonischen Literatur finden sich die Ausdrücke κοσμικαὶ ἐπιθυμίαι 2 Cl 17, 3; τὰ κοσμικὰ ταῦτα *(diese irdischen Dinge)* ὡς ἀλλότρια ἡγεῖσθαι καὶ μὴ ἐπιθυμεῖν αὐτῶν 5, 6; τῶν κοσμικῶν κατεφρόνουν βασάνων, διὰ μιᾶς ὥρας τὴν αἰώνιον κόλασιν ἐξαγοραζόμενοι *sie verachteten die irdischen Peinigungen, indem sie innerhalb einer*
10 *Stunde sich von der ewigen Strafe loskauften* Mart Pol 2, 3 von den Märtyrern von Smyrna. In der schwer verständlichen, viel erörterten[3] Stelle Did 11, 11 ist ποιῶν εἰς μυστήριον κοσμικὸν ἐκκλησίας zu übersetzen: *handelnd nach dem irdischen Geheimnis der Kirche.* Die Meinungsverschiedenheiten betreffen nicht die Bedeutung von κοσμικός, sondern den Sinn von μυστήριον ἐκκλησίας. Es ist strittig, ob an symbolische
15 Handlungen der Propheten zu denken ist, in denen überirdische Wahrheiten in der Sphäre des Irdischen dargestellt werden[4], oder an ein asketisches Leben, in welchem das μυστήριον von Eph 5, 32 einen symbolischen, irdischen Ausdruck findet[5]. Im byzantinischen Sprachgebrauch wird κοσμικός zur Bezeichnung dessen, was *weltlich* im Gegensatz zum *Geistlichen* ist.

20   *Sasse*

κοσμοκράτωρ → κράτος

┌─────────────────────────────────┐
│ † *κράζω,* † *ἀνακράζω,*   │
│ † *κραυγή,* † *κραυγάζω*   │
└─────────────────────────────────┘

κράζω entspricht unserem „krächzen", wie überhaupt verschiedene
25 Schallwörter, bestehend aus kr + Vokal + Guttural für kreischende, rauhe, heisere Töne gebildet sind. Es ist dem Krächzen der Raben nachgebildet[1]. κράζω bedeutet *a. mit rauher und lauter Stimme schreien, kreischen*: σὺ δ᾽ αὖ κέκραγας κἀναμυχθίζῃ (oder ἀναμυχθίζει) (aufstöhnen) Aesch Prom 743 vl; ποίου κέκραγας ἀνδρὸς ὧδ᾽ ὑπέρφρονα; Soph Ai 1239; Κάτων . . . ἐδυσχέραινε (unzufrieden sein) καὶ ἐκέκραγει Polyb 31, 2, 5 vl.
30 Vom Schreien eines Esels steht es Hi 6, 5, einer Gebärenden Js 26, 17; Kriegsgeschrei: Jos 6, 16: εἶπεν Ἰησοῦς . . . κεκράξατε (von der EinnahmeJerichos)[2]. — *b. mit Schreien fordern*: κέκραγεν ἐμβάδας (Männerschuhe) Aristoph Vesp 103; ἐκέκραξεν δὲ ὁ λαὸς πρὸς Φαραω περὶ ἄρτων Gn 41, 55 vgl Ex 5, 8[3].

Die Formen von κράζω kommen meist im Perf κέκραγα, das Präsensbedeutung hat, und
35 im Plusquamperfekt mit Imperfektbedeutung vor. Das Fut wird gebildet κεκράξομαι zB Aristoph Eq 487. Das Praes ist selten[4], vgl zB Aristoph Eq 287; Aristot Hist An IX 1 p 609 b 24; Ex 32, 17; Ri 18, 22[5].

───────────────────────────

(bGit 68a; vgl die Str-B II 267 angeführten weiteren Beispiele). Dem irdischen Tempel in Jerusalem entspricht der בית המקדש של מעלה Cant r z 4, 4 (ed Wilna [1921] fol 25 c Z 4 v unt). [KGKuhn.]
[3] AHarnack, Lehre der zwölf Apostel (1884) 44 ff; EHennecke, Handbuch zu den NT.lichen Apokryphen (1904) 274 ff; Kn Did z St.
[4] PhBryennios, Διδαχὴ τῶν δώδεκα ἀποστόλων (1883) zSt; CTaylor, The Teaching of the Twelve Apostles (1886) zSt; JRHarris, The Teaching of the Apostles (1887) zSt; FHFunk, Patres Apostolici I [2] (1901) zSt; Zahn, Forsch III (1884) 301; Ders, ThLBl 5 (1884) 201 f.
[5] Harnack (→ A 3) zSt; HWeinel, Die Wir-

kungen des Geistes u der Geister (1899) 131 ff; Kn Did zSt.

κράζω κτλ. [1] Zur Etymologie vgl Walde-Pok I 413 ff. Krächzende Raben Hi 38, 41, deren Krächzen Rufen zu Gott ist: τίς δὲ ἡτοίμασεν κόρακι βοράν; νεοσσοὶ γὰρ αὐτοῦ πρὸς κύριον κεκράγασιν πλανώμενοι τὰ σῖτα ζητοῦντες.
[2] Hi 6, 5: נָהַק; Js 26, 17: זָעַק; Jos 6, 16: רוּע hi.
[3] An beiden Stellen צָעַק.
[4] Bl-Debr § 75 und 77; Winer (Schmiedel) § 13, 2.
[5] Ex 32, 17: רֵעַ; Ri 18, 22: זָעַק.

ἀνακράζω (meist im Aor II ἀνέκραγον) *aufschreien*: Xenoph An VI 4, 22: ἀκούσαντες δ' οἱ στρατιῶται ἀνέκραγον. Jos 6, 5: ... ἀνακραγέτω πᾶς ὁ λαὸς ἅμα, καὶ ἀνακραγόντων αὐτῶν ...

κραυγή *Geschrei*: κραυγὴν ἔθηκας Eur Or 1509, ... σε κραυγὴν στῆσαι ebd 1529; Xenoph Cyrop III 1, 4; Demosth Or 54, 5.   5

κραυγάζω (aus κραυγή) wie κράζω *schreien*, zB ... κύων ἐκείνη κραυγάζουσα ... Plat Resp X 607 b.

A. Die Verwendung der Begriffe außerhalb des Neuen Testamentes.

   1. Im Griechentum und Hellenismus gehören κράζω und ἀνακράζω in religiöser Bedeutsamkeit in den Bereich des Dämonischen. Bei Luc Nec 9 10 werden nach einem Blutopfer die Unterweltsgötter von dem Magier angerufen: ὁ δὲ μάγος ... οὐκέτ' ἠρεμαίᾳ (ruhig) τῇ φωνῇ, παμμέγεθες δέ, ὡς οἶός τε ἦν, ἀνακραγὼν δαίμονάς τε ὁμοῦ πάντας ἐπεβοᾶτο καὶ Ποινὰς καὶ Ἐρινύας καὶ νυχίαν Ἑκάτην καὶ ἐπαινὴν Περσεφόνειαν, παραμειγνὺς ἅμα καὶ βαρβαρικά τινα καὶ ἄσημα ὀνόματα καὶ πολυσύλλαβα. Das schreiende Be- schwören der Unterweltsgottheiten erfolgt mit unartikulierten langen und geheimnis- 15 vollen Worten, vgl auch Hipp Ref IV 28, 3: μέγα καὶ ἀπηχὲς κέκραγε καὶ πᾶσιν ἀσύνετον. So wird auch beim Zauber, der ja mit der Beschwörung auf das engste zusammenhängt, geschrieen; vgl Lucanus Pharsalia ed CHosius ³ (1913) VI 688 ff: die Stimme der Zau- berin ist wie das Bellen der Hunde, Heulen der Wölfe, Schreien des Uhus, Zischen der Schlange ... tot rerum vox una fuit. Auch der Dämon selbst schreit: ὁ δὲ ἀπελή- 20 λατο ὁ δαίμων, ἀνακραγὼν εὐλαβεῖσθαι μὲν τοὺς θεούς, αἰσχύνεσθαι δὲ καὶ αὐτόν Damas- cius, Vita Isidori ed AWestermann (1862) 55 f.
   Der antike Mensch, sowohl der Grieche als auch der Römer, haben weithin diese Art von Schreien für etwas den Göttern gegenüber Unpassendes, für etwas Bar- barisches gehalten; zB Juv Sat XIII 112 f, wo ein Beter verspottet wird, von dem es 25 heißt, er schreie in seinem Gebet zu Jupiter lauter als Stentor und der von Dio- medes verwundete Ares: tu miser exclamas ... audis Juppiter haec. Apollonius von Tyana hält für das wahre Reden des Menschen mit Gott nicht den λόγος ... ὁ κατὰ φωνήν, sondern διὰ δὲ σιγῆς καθαρᾶς καὶ τῶν περὶ αὐτοῦ καθαρῶν ἐννοιῶν θρησκεύομεν αὐτόν (Porphyr Abst II 34)⁶.   30
   Im Sinne eines proklamierenden Verkündens finden sich die Verben im Griechen- tum und Hellenismus ebenfalls. So verkündet der Hierophant die großen Geheimnisse von Eleusis: ... βοᾷ καὶ κέκραγε λέγων Hipp Ref V 8. Vgl dazu POxy IV 717, 9. 13: ἐγὼ οὖν ἐβόων καὶ ἔκραζον ... βοῶν καὶ κράζων ὅτι τοῦτο ἐστιν, oder Plut Cato Minor 58 (I 787 d): οὐχ ὑπέμεινεν ὁ Κάτων, ἀλλὰ μαρτυρόμενος καὶ κεκραγὼς ἐν τῷ συνεδρίῳ ... 35

   2. Das griechische Alte Testament gebraucht die Worte, vor allem κράζω, meist als Übersetzung von צעק, זעק und קרא, letzteres beson- ders in den Psalmen, im Zusammenhang des Rufens und Schreiens zu Gott in irgend- welcher Not des Volkes oder des Einzellebens. Gott sagt solchem Schreien Er- hörung zu in seiner Gnade, die den Bedrängten rettet: ἐὰν δὲ κακίᾳ κακώσητε 40 αὐτοὺς καὶ κεκράξαντες καταβοήσωσι πρός με, ἀκοῇ εἰσακούσομαι τῆς φωνῆς αὐτῶν Ex 22, 22 (von den bedrängten Witwen und Waisen). καὶ ἐκέκραξαν οἱ υἱοὶ Ισ- ραηλ πρὸς κύριον· καὶ ἤγειρεν κύριος σωτῆρα τῷ Ισραηλ καὶ ἔσωσεν αὐτούς Ri 3, 9 (vgl 3, 15; 4, 3; 6, 6. 7; 10, 12; ψ 21, 6: πρὸς σὲ ἐκέκραξαν καὶ ἐσώθησαν, ψ 33, 7. 18; 106, 6. 13. 19. 28: καὶ ἐκέκραξαν πρὸς κύριον ἐν τῷ θλίβεσθαι αὐτούς, 45 καὶ ἐκ τῶν ἀναγκῶν αὐτῶν ἐξήγαγεν αὐτούς ... Erfahrung der Volksgeschichte). Das Erhören Gottes kann aber auch versagt werden: κεκράξονται πρὸς κύριον καὶ οὐκ εἰσακούσεται αὐτῶν Mi 3, 4 vgl Sach 7, 13 und Jer 11, 11. Dem gottlos gewordenen Volk versagt Gott sein Erhören.
   Eine besondere Bedeutung hat das Rufen und Schreien des Beters in den 50 Psalmen. In den verschiedenen Lagen des Lebens wendet sich der Beter an

---

   ⁶ Vgl dazu HSchmidt, Veteres philosophi quomodo iudicaverint de precibus, RVV 4, 1 | (1907) 66 f; OCasel, De philosophorum Grae- corum silentio mystico, RVV 16, 2 (1919).

Gott: φωνῆ μου πρὸς κύριον ἐκέκραξα ψ 3, 5; vgl 17, 7; 87, 2. 10. 14. Solches Beten geschieht in der Gewißheit: κύριος εἰσακούσεταί μου ἐν τῷ κεκραγέναι με πρὸς αὐτόν ψ 4, 4; 16, 6; 21, 25; 30, 23. Aus dieser Gewißheit heraus bekommt die Gebetsanrede die Form: εἰσάκουσον, κύριε, τῆς φωνῆς μου, ἧς ἐκέκραξα ψ 26, 7.
5 Aus dieser Form spricht die Erschütterung der Gewißheit, die zu dem Ringen um Gottes Erhörung werden kann: πρὸς σέ, κύριε, ἐκέκραξα, ὁ θεός μου, μὴ παρασιωπήσῃς ἀπ' ἐμοῦ ψ 27, 1. Der Mensch, dem Gott als ein lebendiges und freies Du gegenübersteht, ist auf Gottes Erhören und Antworten gewiesen. Das ist gegenüber der griechisch-hellenistischen Verwendung der Begriffe eine andere
10 Welt. Hier gibt es keinen zauberischen Zwang, der die Grenze zwischen Gott und Mensch verwischt und überschreitet. So ist denn auch die Erfahrung zwiefach, die eine schwer: κεκράξομαι ἡμέρας καὶ οὐκ εἰσακούσῃ ψ 21, 3; und die andere freudig: ἐγὼ δὲ πρὸς τὸν θεὸν ἐκέκραξα, καὶ ὁ κύριος εἰσήκουσέν μου ψ 54, 17.

Besonderer Erwähnung bedürfen noch der himmlische Lobgesang der Engel
15 in der Jesajavision: καὶ ἐκέκραγον ἕτερος πρὸς τὸν ἕτερον καὶ ἔλεγον · Ἅγιος ἅγιος... καὶ ἐπήρθη τὸ ὑπέρθυρον ἀπὸ τῆς φωνῆς, ἧς ἐκέκραγον Js 6, 3. 4, ferner die deuterojesajanische Aussage über das stille Auftreten des Gottesknechtes: οὐ κεκράξεται οὐδὲ ἀνήσει Js 42, 2. Der Prophet Jeremia wird aufgefordert von Gott: κέκραξον πρός με, καὶ ἀποκριθήσομαί σοι καὶ ἀπαγγελῶ σοι μεγάλα καὶ ἰσχυρά — und
20 ihm wird verkündet die Erlösung aus Babel, das Kommen· des Messias und der neue Bund Ιερ 40, 3ff (Jer 33, 3ff).

3. Im Judentum finden sich die Worte κράζω und ἀνακράζω in verschiedener Form. Philo, der die Worte kaum hat, steht mit einem Beleg klar in der hellenistischen Linie: ἐκεκράγεσαν ἐν ἡμῖν αἱ ἄλογοι ὁρμαί Ebr 98. Im Sinne der
25 proklamierenden Verkündigung wird die Vokabel vor allem auf die Propheten angewendet: ὁ προφήτης 'Ιερεμίας οὐχ ἡσύχαζεν, ἀλλὰ ἐκέκραγεν καὶ ἐκήρυττε . . . Jos Ant 10, 117. Auch im rabb Judt findet sich diese Verwendung: „Jesaja schrie (צווח) vor Gott" Tanch תולדות 19 (69 bBuber); „schrie der Prophet Jeremia und sagte..." Tanch ויצא 14 (77 bBuber). Die Verbindung ist im rabb Judt zu einer Zitationsformel ge-
30 worden, mit der Schriftzitate als Belegstellen für die von den Rabbinen ausgesprochenen und vertretenen Anschauungen eingeleitet werden. Diese Zitationsformel trägt noch etwas von dem Charakter des Proklamierens und Kündens an sich. Von der Zitationsformel her ist eine Verwendung zu verstehen, wie wir sie zB MEx z 15, 2 (p 126, 11 Rabin) finden: ורוח הקדש צווחת ואומרת = „und der heilige Geist
35 schreit und spricht". Im ganzen Zusammenhang sind damit Schriftzitate eingeführt, die sich an das Volk wenden und es als das Auserwählte preisen. Der schreiende bzw kündende heilige Geist ist der vom Gott inspirierte Bibeltext. So hat der heilige Geist als Geist der Inspiration an den Heroen der Vorzeit gewirkt und an den Propheten. MEx z 14, 31 (p 114, 14 Rabin): „. . . denn zum Lohne für (ihren) Glauben
40 ruhte der heilige Geist auf ihnen und sie sangen ein Lied . . ."[7]. Es wird aber auch die alttestamentliche Linie fortgesetzt, und zwar in der Apokalyptik, zB Hen 71, 11: „Ich schrie mit lauter Stimme, mit dem Geiste der Kraft . . ."[8].

B. Die Verwendung der Begriffe innerhalb des Neuen Testaments.

1. Im Neuen Testament haben die Begriffe
45 ihre Bedeutung innerhalb der Geschichte des Christus. Die Dämonischen, die er heilt, erheben Geschrei, entweder unartikulierte Laute, einfaches lautes Schreien (Mk 5, 5; 9, 26; Lk 9, 39), oder auch ein deutliches,

---

[7] Vgl auch Cant r 1, 6 zu 1, 1, wo die Rede davon ist, daß der heilige Geist auf | Salomo ruhte und durch ihn die drei Bücher Sprüche, Qoheleth und Hoheslied verfaßte.
[8] Z 27—42: Hinweis von Kuhn.

schreiendes Aussprechen der Erkenntnis dessen, was Jesus Christus ist und will: Mk 1, 23: καὶ ἀνέκραξεν λέγων· τί ἡμῖν καὶ σοί, Ἰησοῦ Ναζαρηνέ; ἦλθες ἀπολέσαι ἡμᾶς. οἶδά σε τίς εἶ, ὁ ἅγιος τοῦ θεοῦ. Mk 3, 11: ἔκραζον λέγοντα ὅτι σὺ εἶ ὁ υἱὸς τοῦ θεοῦ. Mk 5, 7: καὶ κράξας φωνῇ μεγάλῃ λέγει· τί ἐμοὶ καὶ σοί, Ἰησοῦ υἱὲ τοῦ θεοῦ τοῦ ὑψίστου; ὁρκίζω σε τὸν θεόν, μή με βασανίσῃς (vgl Mt 8, 29; Lk 4, 33; 5 8, 28)[9]. Wir haben in jenen Dämonenworten, die zauberische Beschwörungsformeln[10] sind, den dämonischen Aufstand wider Jesus vor uns, der auf seinem Weg den Kampf mit dem Dämonenreich aufnimmt und es überwindet mit seinem Wort und seiner Tat[11]. Auch die zauberischen Mittel des Dämonenreiches haben vor ihm keine Gewalt. Zu Jesus kommt das aus Not und Furcht entspringende 10 Hilfeschreien; Kranke wenden sich an ihn, so zwei Blinde: κράζοντες καὶ λέγοντες· ἐλέησον ἡμᾶς, υἱὸς Δαυίδ Mt 9, 27; vgl 20, 30. 31 Par; so das kanaanäische Weib für ihre Tochter: ἔκραζεν λέγουσα· ἐλέησόν με, κύριε υἱὸς Δαυίδ· ἡ θυγάτηρ μου κακῶς δαιμονίζεται. ὁ δὲ οὐκ ἀπεκρίθη αὐτῇ λόγον. καὶ προσελθόντες οἱ μαθηταὶ αὐτοῦ ἠρώτων αὐτὸν λέγοντες· ἀπόλυσον αὐτήν, ὅτι κράζει ὄπισθεν ἡμῶν Mt 15, 15 22. 23. In seiner Glaubensnot schreit der Vater des besessenen Knaben auf, als Jesus zu ihm sagt: τὸ εἰ δύνῃ, πάντα δυνατὰ τῷ πιστεύοντι. εὐθὺς κράξας ὁ πατὴρ τοῦ παιδίου ἔλεγεν· πιστεύω· βοήθει μου τῇ ἀπιστίᾳ Mk 9, 23. 24. Aus Furcht schreien die Jünger — ἀπὸ τοῦ φόβου ἔκραξαν Mt 14, 26 (Mk 6, 49: καὶ ἀνέκραξαν) — auf, als sie den auf dem Meere wandelnden Jesus sehen, den sie 20 für ein Gespenst halten. Der ihm auf dem Meere entgegeneilende und versinkende Petrus ἔκραξεν λέγων· κύριε, σῶσόν με Mt 14, 30. Solches Schreien wendet sich an den Notwender und Heiland, als der Jesus seinen Weg geht. In die Geschichte Jesu klingt das Schreien des Jubels beim Einzug in Jerusalem (Mt 21, 9. 15; Mk 11, 9 — Jesus will in dieser Stunde diesen Jubel und sagt 25 den Pharisäern, die es verwehren wollen: λέγω ὑμῖν, ἐὰν οὗτοι σιωπήσουσιν, οἱ λίθοι κράξουσιν Lk 19, 40) wie das Schreien des Hasses, der seinen Tod fordert (Mt 27, 23; Mk 15, 13. 14) und die Freiheit des Mörders heischt (Lk 23, 18).

Von Jesus selbst heißt es bei seinem Ende: πάλιν κράξας φωνῇ μεγάλῃ ἀφῆκεν τὸ πνεῦμα Mt 27, 50. Dem ganzen Zusammenhang[12] und der im AT wie NT vor- 30 handenen Bedeutung der Vokabel nach handelt es sich bei diesem Schreien nicht um einen unartikulierten Todesschrei, sondern um ein letztes, herausgerufenes Gebetswort an Gott, wie es etwa bei Lk vorhanden ist: καὶ φωνήσας φωνῇ μεγάλῃ ὁ Ἰησοῦς εἶπεν· πάτερ, εἰς χεῖράς σου παρατίθεμαι τὸ πνεῦμά μου. τοῦτο δὲ εἰπὼν ἐξέπνευσεν Lk 23, 46[13]. Das Jesajawort vom Gottesknecht (Js 42, 2; → 900, 17 f) 35 wird von Mt auf den Christusweg angewendet, freilich in etwas anderem Wortlaut, als es uns in LXX überliefert ist: οὐκ ἐρίσει οὐδὲ κραυγάσει Mt 12, 19.

---

[9] Lk 4, 41: ἐξήρχετο δὲ καὶ δαιμόνια ἀπὸ πολλῶν, κραυγάζοντα καὶ λέγοντα ὅτι σὺ εἶ ὁ υἱὸς τοῦ θεοῦ.
[10] Vgl dazu die wichtige Arbeit von O Bauernfeind, Die Worte der Dämonen im Markusevangelium (1927).
[11] → ἰσχύω 403 f.
[12] Das πάλιν weist auf ein erstes κράζειν zurück. Dieses erste κράζειν ist das Gebet des Psalmes 22, vgl v 46: ἀνεβόησεν ὁ Ἰησοῦς φωνῇ μεγάλῃ λέγων· ἠλὶ ἠλὶ λεμὰ σαβαχθάνι;

[13] Dem κράξας φωνῇ μεγάλῃ Mt 27, 50 (46: ἀνεβόησεν.. φωνῇ μεγάλῃ) entspricht das φωνήσας φωνῇ μεγάλη... εἶπεν· πάτερ..., in das das κράξας entfaltet ist. Nach Lk ist auch der zweite Aufschrei, von dem Mt berichtet, ein Psalmwort gewesen, wie der erste, der so nur bei Mt und Mk steht. Mk hat an dieser Stelle: ἀφεὶς φωνὴν μεγάλην ἐξέπνευσεν (Mk 15, 37). Lk hat anstelle des ersten Aufschreies zwei andere Kreuzesworte.

2. Das Joh-Ev hat an den Stellen, wo in den Synpt
κράζειν und ἀνακράζειν steht, das Verbum κραυγάζειν: J 12, 13 der Jubelruf beim
Eintreffen Jesu in Jerusalem zum Fest: ἐκραύγαζον· ὡσαννά ...; 18, 40: ἐκραύγασαν οὖν πάλιν λέγοντες· μὴ τοῦτον, ἀλλὰ τὸν Βαραββᾶν, 19, 6: ἐκραύγασαν λέγον-
5 τες· σταύρωσον, ebenso v 12 gegen Pilatus: ἐκραύγασαν λέγοντες· ἐὰν τοῦτον ἀπο-
λύσῃς, οὐκ εἶ φίλος τοῦ Καίσαρος, v 15: ἐκραύγασαν οὖν ἐκεῖνοι· ἆρον ἆρον, σταύρωσον αὐτόν. Von Jesus selbst wird κραυγάζειν ausgesagt bei der Auferweckung
des Lazarus: φωνῇ μεγάλῃ ἐκραύγασεν· Λάζαρε, δεῦρο ἔξω 11, 43. Das starke
Verbum κραυγάζειν, das noch durch φωνῇ μεγάλῃ verstärkt wird, soll die Größe
10 des Wunders zum Ausdruck bringen: dem Tode seine Beute zu entreißen, erfordert letzten Einsatz. Das Verbum κράζειν ist im Joh-Ev an vier Stellen verwendet und drückt jeweils eine in mancherlei Widersprechen und Widerstreit
hineingesprochene Botschaft aus. Man übersetzt es am besten mit *rufen* im Sinne
proklamierenden Verkündens: Ἰωάννης μαρτυρεῖ περὶ αὐτοῦ καὶ κέκραγεν λέγων·
15 οὗτος ἦν ὃν εἶπον· ὁ ὀπίσω μου ἐρχόμενος ἔμπροσθέν μου γέγονεν, ὅτι πρῶτός μου
ἦν 1, 15; nach vorhergegangener Auseinandersetzung über seine Person ἔκραξεν
οὖν ἐν τῷ ἱερῷ διδάσκων ὁ Ἰησοῦς καὶ λέγων· κἀμὲ οἴδατε καὶ οἴδατε πόθεν εἰμί·
καὶ ἀπ' ἐμαυτοῦ οὐκ ἐλήλυθα, ἀλλ' ἔστιν ἀληθινὸς ὁ πέμψας με, ὃν ὑμεῖς οὐκ οἴδατε
... 7, 28; ἐν δὲ τῇ ἐσχάτῃ ἡμέρᾳ τῇ μεγάλῃ τῆς ἑορτῆς εἱστήκει ὁ Ἰησοῦς καὶ
20 ἔκραξεν λέγων· ἐάν τις διψᾷ, ἐρχέσθω ⟨πρός με⟩, καὶ πινέτω ὁ πιστεύων εἰς ἐμέ· καθὼς
εἶπεν ἡ γραφή· ποταμοὶ ἐκ τῆς κοιλίας αὐτοῦ ῥεύσουσιν ὕδατος ζῶντος 7, 37. 38[14];
Ἰησοῦς δὲ ἔκραξεν καὶ εἶπεν· ὁ πιστεύων εἰς ἐμὲ οὐ πιστεύει εἰς ἐμὲ ἀλλὰ εἰς τὸν
πέμψαντά με, καὶ ὁ θεωρῶν ἐμὲ θεωρεῖ τὸν πέμψαντά με 12, 44 ff. Jeweils handelt
es sich um Proklamationen von ganz bestimmten Geheimnissen seiner Person und
25 seines Werkes, die er feierlich kündet und ausruft (κράζειν). Für diesen Zweck
behält sich der Evangelist Joh das Verbum κράζειν, dessen übliche Bedeutung er
durch κραυγάζειν ausdrückt, vor[15].

3. In der Apostelgeschichte des Lk ist κράζειν, ἀνακράζειν
verwendet wie bei den Synpt: tumultuöses Schreien der Volksmenge: Ag 19, 28.
30 32. 34 (ἔκραζον λέγοντες· μεγάλη ἡ Ἄρτεμις Ἐφεσίων v 28); 21, 28 (bei der Gefangennahme des Paulus); 21, 36 (κράζοντες· αἶρε αὐτόν)[16]; 7, 57 (bei der Steinigung des
Stephanus). Das Ende des Stephanus erzählt Lk überhaupt ähnlich dem Jesu Christi:
θεὶς δὲ τὰ γόνατα ἔκραξεν φωνῇ μεγάλῃ· κύριε, μὴ στήσῃς αὐτοῖς ταύτην τὴν ἁμαρτίαν.
καὶ τοῦτο εἰπὼν ἐκοιμήθη 7, 60 (s auch Lk 23, 46 [vgl v 34]). Hier ist κράζειν *Gott anrufen.*
35 Um sich im Tumult mit einer Botschaft verständlich zu machen: Ag 14, 14; κράζειν
laut rufen, schreien, um etwas Entscheidendes in entscheidender Stunde zu sagen:
23, 6; 24, 21 κράζειν *laut rufen,* ähnlich wie im Joh-Ev. Auch das Schreien einer Besessenen
findet sich: αὕτη ... ἔκραζεν λέγουσα· οὗτοι οἱ ἄνθρωποι δοῦλοι τοῦ θεοῦ τοῦ ὑψίστου
εἰσίν, οἵτινες καταγγέλλουσιν ὑμῖν ὁδὸν σωτηρίας 16, 17.

---

[14] Die von uns entgegen dem Nestletext ein-
geführte Interpunktion dieses Logions setzt folgenden Sinn des Wortes voraus: „Wenn einer
dürstet, der komme ⟨zu mir⟩ (fehlt in einigen alten Zeugen); und es soll trinken, wer an mich
glaubt; wie die Schrift sagt: Ströme von leben-
digem Wasser werden aus seinem Leibe fließen." Danach ist das Schriftwort nicht eine
Verheißung für den Trinkenden, wie es die übliche kirchliche Exegese durch die Interpunktion unseres Textes auffaßt, sondern das Schriftwort ist als messianische Verheißung verstanden
und gibt den Grund für den Heilandsruf an.
Weil, wie die Schrift sagt, aus seinem Leibe

Ströme lebendigen Wassers fließen, darum kann
er rufen: Wenn einer dürstet, der komme. So
allein kommt auch der rhythmische Charakter
des Logions zum Ausdruck. Das Logion rückt in
engen Zshg mit J 4. Über den Zshg des Logions
mit dem letzten Tag des Festes s die Komm.
[15] Vgl auch R 9, 27: Ἠσαΐας δὲ κράζει ὑπὲρ
τοῦ Ἰσραήλ. Die prophetische Botschaft bekommt durch den term κράζειν einen ähnlichen Charakter. Paulus hat denselben Sprachgebrauch, wie er oben für das Judentum
festgestellt worden war.
[16] κραυγάζειν Ag 22, 23 im Sinne tumultuösen
Schreiens.

In der **Apokalypse** kommt κράζειν im Sinne des Rufens zu Gott, uz des Hilfe-
rufens (6, 10) und des Jubelrufs (7, 10) vor, in der Bedeutung des proklamierenden
Verkündens (18, 2) im Munde eines Engels, als befehlender Ruf, ebenfalls im Munde
eines Engels (7, 2; 19, 17), im Auftrag Gottes durch einen Engel an den Menschensohn (14, 15), als Schreien eines Engels (10, 3) und einer Gebärenden (12, 2), als Klage- 5
geschrei bei Babels Fall 18, 18. 19.

Jk 5, 4 ist κράζειν von dem zum Himmel schreienden Unrecht des vorenthaltenen
Arbeitslohnes gebraucht.

4. Zwei übereinstimmende Stellen bedürfen noch geson-
derter Erwähnung: R 8, 15: ἐλάβετε πνεῦμα υἱοθεσίας, ἐν ᾧ κράζομεν · Ἀββᾶ ὁ 10
πατήρ. Gl 4, 6: ὅτι δέ ἐστε υἱοί, ἐξαπέστειλεν ὁ θεὸς τὸ πνεῦμα τοῦ υἱοῦ αὐτοῦ
εἰς τὰς καρδίας ἡμῶν, κρᾶζον· Ἀββᾶ ὁ πατήρ.

Die beiden Stellen stehen am Ende eines ähnlich, in R ausführlich (Kp 3—8), in Gl
wesentlich kürzer durchgeführten Gedankenganges. Beide Male läuft die oft schwierige
und schwer verständliche Gedankenführung darauf hinaus, daß das Werk des Christus 15
sein Ziel in der Gotteskindschaft hat und daß diese Gotteskindschaft geistgewirktes
neues Leben ist. Die Gotteskindschaft wirkt sich aus in dem Beten: Abba, unser
Vater. GKittel (→ ἀββᾶ I 5 f) hat darauf hingewiesen, „daß der Gebrauch des Wortes
in der Gemeinde Anknüpfung an die Gottesbezeichnung Jesu und damit bewußte
Aneignung des von ihm verkündigten und gelebten Gottesverhältnisses ist. Der 20
jüdische Sprachgebrauch zeigt, wie das urchristliche Vater-Kindes-Verhältnis Gott
gegenüber alle im Judentum gesetzten Möglichkeiten an Intimität weit übertrifft,
vielmehr an deren Stelle etwas Neues setzt" [17]. Dieses Gottesverhältnis, eben die
Gotteskindschaft, ist ein → πνεύματι ἄγεσθαι (R 8, 14), wie denn Jesus Christus κατὰ
πνεῦμα (R 1, 4) Gottes Sohn ist. Dementsprechend ist das Beten „Abba, unser Vater" 25
aus dem Geiste kommend. Die Differenz zwischen Gl 4, 6, wo das πνεῦμα selbst
Subjekt des Betens ist, und R 8, 15, wo die ἡμεῖς Subjekt sind, ist nur eine scheinbare, weil nach R 8, 15 die ἡμεῖς nur durch den Geist so zu beten vermögen, nach
Gl 4, 6 der Geist gesandt ist εἰς τὰς καρδίας ἡμῶν. Es ist also der vom Geist ergriffene
Mensch das Subjekt des Gebets: Abba, unser Vater. 30

Was hat aber nun in diesem Zusammenhang das κράζομεν bzw κρᾶζον für eine
Bedeutung? Abzulehnen ist die Annahme eines ekstatischen Schreiens ähnlich
der Glossolalie. Es ist an keiner Stelle erkennbar, daß das menschliche Eigenleben bei solchem Beten ausgeschaltet wäre. Vielmehr ist von dem εἰς τὰς καρδίας gesandten Geist, bzw von dem λαμβάνειν des Geistes der Kindschaft, der 35
im Gegensatz zum Geist der Knechtschaft steht, die Rede. Und an R 8, 15
ist außerdem der deutende, ekstatisches Verständnis ausschließende Satz angeschlossen, daß dieser Geist unserem Geist — d. i. dem menschlichen Personleben —
die Gotteskindschaft bezeugt. So legt sich für κράζειν in R 8, 15 die in den Psalmen
und auch im NT gefundene Bedeutung des Anrufens Gottes nahe, zu dem der 40
Geist, der die Gotteskindschaft wirkt, den Menschen treibt. In dem Gebetsanruf handelt es sich zugleich (ἐν ᾧ κράζομεν und vor allem nach Gl 4, 6, wo κράζειν auch als „proklamieren, verkünden" verstanden werden kann) um eine durch den Geist sich vollziehende Offenbarung von Gottes Namen (→ ὄνομα) [18] und Wesen. Die Offenbarung ist
zuerst in und durch den Geistträger Jesus Christus vollzogen. Wahrscheinlich 45
ist mit dem Ἀββᾶ ὁ πατήρ der Anfang des vom Christus gelehrten Herrengebets
zitiert [19]. Das legt die Annahme nahe, daß Paulus hier dem oben besprochenen rabbinischen Sprachgebrauch formal folgt, wo die Formel רוח צווחת = πνεῦμα κρᾶζον
ist, dessen sachlicher Gehalt freilich in der Weise verändert ist, daß hier der

---

[17] → I 5, 35—6, 4.
[18] Der Gottesname des Neuen Testaments,
den Jesus offenbart, ist → ἀββᾶ, πατήρ → ὄνομα.
[19] Wenn in der alten Kirche der Brauch

herrschte, das Unser Vater den Katechumenen erst in der Taufstunde zu sagen, so
ist im kultischen Gebrauch die apostolisch-
urchristliche Auffassung aufgenommen.

Geist nicht vom Inspirationsdogma des Spätjudentums her, sondern als leben-schaffende Wirklichkeit verstanden ist. Darin ist die neue Art des Betens be-gründet. „Im Rufen äußert sich die Gewißheit und Freude, mit der sich die vom Geist Bewegten an Gott wenden. Die Rede der Knechte ist dagegen das
5 murmelnde Gebet, wie es die jüdische Gebetssitte vorschrieb"[20]. Das geistgewirkte Gebet „Abba, lieber Vater" und die geistgewirkte Gotteskindschaft sind eins.

5. Das Subst κραυγή kommt vor als Freudengeschrei (Lk 1, 42, Elisabeth begrüßt Maria; Mt 25, 6 das Geschrei, das den Bräutigam begrüßt), als Lärm und Tumult (Ag 23, 9 nach der Erklärung des Paulus; Eph 4, 31 als eine Art, die der Christ
10 von sich fern halten soll) und als Angstgeschrei (Apk 21, 4 etwas, was im ewigen Gottes-reich wegfällt; Hb 5, 7 von Jesu Beten auf seinem Leidensweg).

Grundmann

κράσπεδον

Wahrscheinlich urspr „Kopffläche". Das Wort ist zusammenge-
15 setzt aus κρασ- (zu κάρη κάρα κάρηνα gehörig) und πεδον[1]. Es entspricht etwa unserem Wort „Stirnseite".

Allgemein: *das Äußerste einer Sache*. Speziell, auf verschiedene Gegenstände bezogen: *a. Saum, Rand, Einfassung eines Gewandes* (Theocr Idyll II 53; Athen IV 49 [p 159 d]; IX 16 [p 374 a]); so auch öfter LXX (zB Sach 8, 23: ἐπιλάβωνται τοῦ κρασπέδου ἀνδρὸς
20 Ἰουδαίου); Preis Zaub VII 371: ἔξαψας κράσπεδον τοῦ ἱματίου σου (als Zaubermaßnahme vor dem Aussprechen der Zauberformel); *b. Grenze* oder *Ufer eines Landes* (Soph fr 545; Eur fr 381 [TGF]); *c. der äußerste Flügel eines Heeres* (Xenoph Hist Graec III 2, 12 uö). — Auch Ausdruck der Medizin. Bei Aret De Causis et Signis Acutorum Morborum I 8, 2 bezeichnet das Wort einen krankhaften Zustand des Zäpfchens, der uvula (das
25 Zäpfchen gleichsam als „Quaste" des weichen Gaumens vorgestellt). — Ez 8, 3 ᾿ΑΘ κράσπεδον τῆς κορυφῆς (für Σ μαλλός Haarlocke); LXX hat einfach: ἀνέλαβέν με τῆς κορυφῆς μου er ergriff mich bei meinem Haupte (hbr רֹאשׁ בְּצִיצִת).

In der biblischen Literatur neben der Bedeutung *Saum des Gewandes* vor allem Bezeichnung der *Troddel,* der *Quaste,* wie sie die Juden an den 4 Ecken ihres
30 Obergewandes zur beständigen Erinnerung an alle Gebote trugen (Nu 15, 38 f; Dt 22, 12). κράσπεδον = צִיצִת[2]. Jesus geißelt Mt 23, 5 die nach außen zur Schau getragene Frömmigkeit der Pharisäer: sie machen die Quasten mit den sog Schaufäden, die aus hyazinth-blauer und weißer Wolle bestanden[3], möglichst lang, um als eifrige Beter und Beobachter der Gebote zu gelten.
35 In der Erzählung von der Heilung des blutflüssigen Weibes spielt der Saum des Gewandes Jesu eine bedeutsame Rolle. Die Frau erwartet, daß sie durch das Berühren des κράσπεδον τοῦ ἱματίου Jesu (Mt 9, 20; Lk 8, 44)[4] die heilende Kraft Jesu empfangen wird[5]. Jesus erkennt, obwohl sich die Anschauungen der Frau einem zauberischen Magismus nähern, den Glauben der Kranken und spricht
40 ihr die Heilung zu.

JohSchneider

---

[20] Schl R 265.

κράσπεδον. [1] Vgl Boisacq 509 s v.
[2] Vgl dazu Str-B IV 276—292; Schürer II[4] 566 (dort Quellen und Lit). — Im Tg O ist an beiden at.lichen Stellen (Nu 15, 38 f; Dt 22, 12) das griech Wort κράσπεδον in der Form כְּרוּסְפְּדָא (Plur כְּרוּסְפְּדִין) als Lehnwort aufgenommen (s auch Str-B IV 277).
[3] Nach Str-B IV 277 waren zunächst 3 weiße und 1 blauer Faden üblich; später 2 weiße und

2 blaue. Doch „war die Farbe keine uner-läßliche Bedingung".
[4] Bei Mk (5, 27) fehlt der Hinweis auf das κράσπεδον; Mk hat nur (ἥψατο) τοῦ ἱματίου αὐτοῦ.
[5] Vgl zu Mt 9, 20 Schl Mt 317: „Eine heim-liche Berührung des Gewandes war nirgends so leicht möglich als bei den Quasten. Wenn eine derselben auf dem Rücken lag, war sie mit einem raschen Griff, der von niemand bemerkt werden konnte, erreichbar."

κράτος (ϑεοκρατία), κρατέω,
κραταιός, κραταιόω,
κοσμοκράτωρ, παντοκράτωρ

---

† κράτος (ϑεοκρατία)

1. κράτος, mit → ἰσχύς stärker verwandt als mit → δύναμις, inso- 5
fern die Vokabel mehr auf das Vorhandensein und die Bedeutung von Kraft, Macht
und Stärke abzielt als auf deren Auswirkung und Betätigung, findet sich von Homer
an in den verschiedensten Bereichen griechischen Schrifttums[1]. Es bedeutet zunächst
a. Kraft, Stärke als natürliche Eigenschaft, die vorhanden ist, etwa die Körperkraft,
über die ein Mensch verfügt Hom Il 7, 142, oder die Härte, die die Kraft des Eisens 10
ausmacht Hom Od 9, 393. Häufig die adv Wendung κατὰ κράτος *kräftig, kraftvoll,
mit Nachdruck, mit Macht:* besonders auch bei militärischen Verben, zB. αἱρεῖν κατὰ
κράτος im Sturm einnehmen (Ditt Or 90, 26 [2. Jhdt v Chr], PTebt 27, 83 [2. Jhdt
v Chr], Ditt Or 654, 3 [1. Jhdt v Chr]). Sodann *b.* die *Macht,* die jemand besitzt, erwirbt oder die ihm verliehen wird; von der Macht der Götter: τοῦ γὰρ κράτος ἐστὶ 15
μέγιστον (von Zeus) Hom Il 2, 118, ἐλθέ μοι θεὰ θεῶν, κράτος ἔχουσα μέγιστον (Anrufung der Isis) PLeid U col 2a 17 (2. Jhdt v Chr); von der den Menschen, besonders
Herrschern, von den Göttern verliehenen Macht: ἀνθ' ὧν δεδώκασιν αὐτῶι οἱ θεοὶ
ὑγίειαν, νίκην, κράτος καὶ τἄλλ' ἀγαθὰ πάντα Stein von Rosette Ditt Or 90, 35 (2. Jhdt
v Chr), ὑγίειαν, [ν]ίκην, κράτος, σθένος, κυριείαν τῶν [ὑ]πὸ τὸν οὐρανὸν χώρω[ν] PLeid G 14 20
(1. Jhdt v Chr), in der ägyptischen Königstitulatur: ᾧ ὁ Ἥλιος ἔδωκεν τὸ κράτος Mitteis-
Wilcken I 109, 10 f (3. Jhdt v Chr). In diesem Sinn besonders von der politischen
Macht: ἀρχὴ καὶ κράτος τυραννικόν Soph Oed Col 373, εἰς κράτος Ῥώμης Ditt Syll³
1125, 5 (1. Jhdt v Chr); in dieser Bedeutung findet sich auch der Plur, der sonst selten
ist: κράτη καὶ θρόνους Soph Ant 173. In den Fällen, in denen κράτος als politische 25
Vokabel anzusprechen ist, bezeichnet es fast immer die legitime, rechtmäßige und
darum Vorrang schaffende Obergewalt, die Macht, die (rechtlich, politisch und physisch)
den Ausschlag gibt. Zur politischen Bedeutung von κράτος gehören auch die Wortbildungen, die die verschiedenen Verfassungsformen und politischen Machtverhältnisse
bezeichnen: ἀριστοκρατία (seit Hdt), δημοκρατία (Xenoph), πλουτοκρατία (Xenoph); zu 30
θεοκρατία → 908, 9 ff. Ein term techn der Sprache des Kaiserkultes ist κράτος nicht in
hervorragender Weise (dagegen findet es sich Test Sal 4, 10 und 6, 2 als Prädikatur:
τὸ σὸν κράτος deine königliche Majestät). Mit dem Gen verbunden bekommt κράτος
die Bedeutung *c. Gewalt, Macht, Verfügungsgewalt über etwas:* Hdt III 69, τὸ κράτος
εἶχε τῆς στρατιῆς Hdt IX 42, κράτος ἔχειν ἑαυτοῦ Plat Polit 273a. Endlich findet sich 35
auch die Bedeutung *d. Übermacht, Sieg,* zB Hom Il 1, 509; 6, 387. — Als juristischer
term techn (wie → κρατέω und κράτησις) ist κράτος nicht geläufig, desgleichen nicht
im Bereich antiker Kraftvorstellungen[2] und Heilungsberichte. Göttliche oder dämonische Wesen werden nicht mit Hilfe von κράτος bezeichnet; der überwiegend singu-
larische Gebrauch der Vokabel — in ihm wirkt die primär komparative Bedeutung 40
von κράτος *Überlegensein* nach — würde zudem einer Personifikation zu einer Mehrzahl von Mächten entgegenstehen. Zu erwähnen ist ferner, daß eine Verwendung von
κράτος in Akklamationen, die eine Vorstufe zu seiner Verwendung in christlichen
Doxologien bilden würde, nicht in größerem Umfang nachzuweisen ist[3].

2. In der Septuaginta kommt κράτος an 50 mal vor (nur zwei 45
Fünftel der Belege finden sich in Schriften, die auch im hbr Kanon stehen[4]). κράτος

κράτος. Vgl die Lit bei → δύναμαι κτλ.
Zum Stamm κρατ- gehören im NT als Derivate noch κρείττων, κράτιστος, → προσκαρτερέω und προσκαρτέρησις sowie die → II 338 ff
behandelte Wortgruppe ἐγκρατ-. In der LXX
finden sich auch κραταιότης, κραταίωμα, κραταί-
ωσις, κράτησις, κρατύνω (Symmachus κρατερός).
— Etymologie: κρατ- und καρτ- entspricht
einer Tiefstufe krt- zur Grundform kret- (in
κρείττων); dazu deutsch *hart* (Walde-Pok I
354) [Debrunner].
¹ Vgl Liddell-Scott sv.
² Vgl JRöhr, Der okkulte Kraftbegriff im

Altertum (Philol Suppl-Bd XVII 1 [1923] 20).
In den Zauberpapyri finden sich vor allem
δύναμις Preis Zaub I 211; IV 1024 f; 2448 f;
2998; ἰσχύς II 182, σθένος IV 948. 964 (vgl
ἰσχὺν καὶ θάρσος καὶ δύναμιν IV 1665 f).
³ Die bei EPeterson, ΕΙΣ ΘΕΟΣ (1926) 168 f
stehenden Beispiele zeigen zudem die Bedeutung: politische Macht.
⁴ Unter den Äquivalenten steht יֹּץ voran.
Vgl die Tabelle bei WGrundmann, Der Begriff der Kraft in der nt.lichen Gedankenwelt
(1932) 125, die jedoch nur Subst berücksichtigt.

bezeichnet zunächst die natürliche *Kraft* und *Stärke*, wie sie des Menschen Hand (Dt 8, 17) eignet oder überhaupt dem Menschen (Hi 21, 23), anderseits auch Bogen (ψ 75, 4) und Pferden (Jdt 6, 3); auch von der ungestümen Kraft des Meeres (ψ 88, 10) kann gesprochen werden. Die Wendung κατὰ κράτος findet sich Ri 4, 3, außerdem als vl zu Js 22, 21 (als Verschreibung aus καὶ τὸ κράτος, die die Geläufigkeit dieser adv Wendung bezeugt); vgl auch μετὰ κράτους Gn 49, 24; 2 Makk 12, 28. An der überwiegenden Zahl der Stellen ist jedoch die *Macht Gottes* gemeint, zB 2 Εσδρ 8, 22; Hi 9, 19 B; 12, 16; ψ 61, 13, öfters in 2 und 3 Makk [5]. Gott kann Jdt 9, 14 θεὸς πάσης δυνάμεως καὶ κράτους genannt werden (vgl τὸν πᾶν κράτος ἔχοντα 3 Makk 1, 27). An der Macht Gottes erkennt der Mensch, wer er selbst ist und wer Gott ist (vgl Sap 11, 21; Sir 18, 5), daher gilt εἰδέναι σου τὸ κράτος ῥίζα ἀθανασίας Sap 15, 3 (vgl 15, 2 und 12, 17 vl). Der Mensch darf sich freilich Gottes κράτος erbitten ψ 85, 16, und Gottes Kraft kann dann im Menschen wirksam sein, gerade auch in dem Schwachen vgl Jdt 9, 11: οὐ γὰρ ἐν πλήθει τὸ κράτος σου. Drum kann die LXX den Frommen ψ 58, 10 Gott als τὸ κράτος μου anreden lassen. — Mit ἰσχύς ist κράτος verbunden: Hi 12, 16; Js 40 26; Da 4, 30; 11, 1 (vgl auch den Wechsel in den Lesarten bei Hi 9, 19 und in den Übersetzungen LXX und Θ bei Da 4, 30). Auch mit δύναμις wird κράτος verbunden zB Jdt 5, 23; 9, 14 (vgl Jdt 9, 8, wo ἰσχύς, δύναμις und κράτος, wennschon verschieden bezogen, nebeneinander stehen). — Der Plur findet sich nur ψ 75, 4 [6]. Auch die Bedeutung *Sieg* kommt vor: 4 Makk 6, 34. In eigentlichen Akklamationen bzw Doxologien steht κράτος nicht, wohl aber sind viele der Belegstellen Gebetsworte.

3. Bei Philo findet sich κράτος, ungleich seltener vorkommend als δύναμις und auch weniger häufig als ἰσχύς (dabei stets im Sing), in der Bedeutung *Kraft, Stärke* zB Poster C 28: τὰ κινούμενα κράτει τοῦ ἑστῶτος ἐπέχεταί τε καὶ ἵσταται das in Bewegung Befindliche wird durch die Kraft des Feststehenden angehalten und zum Stillstand gebracht; vgl ferner Deus Imm 85; Migr Abr 26; Det Pot Ins 114; Praem Poen 39. Auch das Adv κατὰ κράτος fehlt nicht (Leg All III 18), doch wird meist ἀνὰ κράτος gebraucht (zB Poster C 37). Weiterhin ist die Bedeutung *Macht* an vielen Stellen zu belegen, ferner *Vormachtstellung, Vorherrschaft* (Spec Leg III 184), *Sieg* (Conf Ling 34; Cher 74) sowie die Gen-Verbindung *Macht über etwas* Deus Imm 26, Op Mund 56 (τῆς μὲν ἡμέρας τὸ κράτος ὁ πατὴρ ἀνεδίδου τῷ ἡλίῳ) und 79; Spec Leg IV 177; Cher 63. Vor allem spricht Philo von Gottes κράτος. Es geschieht das zu mehreren Malen mit Hilfe der (auch anderweitig — vgl Sobr 57 — gebrauchten) Wendung κράτος (τῆς) ἀρχῆς, *Herrschermacht, Macht seiner Herrschaft* (zB Gig 47; Op Mund 45), an 9 Stellen mit Hilfe von κράτος (τοῦ) θεοῦ. Dabei wird gern durch Epitheta die Einzigartigkeit und Überlegenheit der göttlichen Macht hervorgehoben: sie ist ἀνίκητον Som II 141; Gig 47, αὐτεξούσιον Plant 46, ἀκαθαίρετον Som II 290, φοβερόν Som II 266; Gig 47; es kann daher von der Überfülle göttlicher Macht gesprochen werden: πρὸς τὰς ὑπερβολὰς τοῦ κράτους αὐτοῦ Spec Leg I 294. Alles ist der Macht Gottes unterworfen: τὸ ἐφ' ἅπασι κράτος Plant 58. Philo wendet sich deutlich gegen die (stoische) Anschauung, daß die ἡδονή (vgl → II 919, 7 ff) Macht über alles besitze: Op Mund 160. Gott vielmehr besitzt die Macht über alle Dinge: τῶν ὅλων τὸ κράτος Spec Leg I 307; sich allein hat er diese Macht vorbehalten: οὕτως οὖν αὐτὰ συνθεὶς τὸ μὲν κράτος ἁπάντων ἀνῆψεν ἑαυτῷ, woraus folgt, daß wir Menschen uns ἑαυτούς καὶ ὅσα περὶ ἡμᾶς nur von Gott als Lehen haben χρῆσιν ἔχομεν, daß unsere Macht nur eine geliehene, abgeleitete Macht ist Cher 113 [7]. Die Erkenntnis der Macht Gottes zwingt den Menschen zur Furcht und führt ihn zugleich zu vertrauensvoller Zuversicht: οὐκ ἀγνοῶ σου τὸ ὑπερβάλλον κράτος, ἐπίσταμαι τὸ φοβερὸν τῆς δυναστείας, δεδιὼς καὶ τρέμων ἐντυγχάνω καὶ πάλιν θαρρῶ Rer Div Her 24. Gottes Macht steht im Zusammenhang damit, daß er der Herr ist, vgl Spec Leg I 307. — κράτος wird bei Philo mit δύναμις Poster C 9; Plant 46, mit δυναστεία Leg All III 73; Rer Div Her 24, mit ἰσχύς Som II 90, mit ἐξουσία Spec Leg I 294 und mit ἡγεμονία Poster C 129; Spec Leg III 111 (vgl Leg All III 73) zusammengestellt.

Auch sonst wird im griechischen Judentum mit Hilfe von κράτος von Gottes Macht gesprochen. So läßt die Apk Mos 23 Adam im Paradiese zu Gott sagen: αἰδέσθην τὸ κράτος σου, δέσποτα. Auch Josephus bezeichnet Gottes Macht außer mit δύναμις, ἰσχύς und ἐξουσία mit κράτος [8].

---

[5] Dabei wird κράτος 3 Makk 2, 6 einmal auf den Erweis der Macht Gottes bei Anlaß des Auszugs aus Ägypten bezogen. Vgl → 912, 15.

[6] Vielleicht durch den Plur יְשֻׁעָֽי veranlaßt, der in dem wohl als Korrektur gedachten Zusatz in B am Versschluß mit τὰ κέρατα wiedergegeben ist (ist κράτη überhaupt Verschreibung?).

[7] Zu χρῆσις in der Bedeutung Darlehen, Nutznießung vgl Preisigke Wört sv und PMMeyer, Juristische Papyri (1920) sv.

[8] ZB Ant 10, 263 τὸ πάντων κράτος ἔχων; Ap 2, 165. Vgl Schl Jos 44; Schl Theol d Judt 28: „κράτος ist lediglich griechisch und hat kein jerusalemisches Wort neben sich." Vgl → A 10: κατὰ κράτος bei Jos.

4. Im Neuen Testament findet sich keine Stelle, an der vom Menschen ausgesagt wird, daß er κράτος besitze oder erwerben könne (doch vgl den Gebrauch von → κραταιόω).

An einer Stelle wird κράτος in Verbindung mit dem Teufel gebraucht: Hb 2, 14 wird vom Christus gesagt, daß er deswegen Mensch geworden sei, ἵνα διὰ τοῦ θανάτου καταργήσῃ τὸν τὸ κράτος ἔχοντα τοῦ θανάτου, τοῦτ' ἔστιν τὸν διάβολον. Nur hier liegt im NT die sonst häufige (vgl → 905, 33 ff; 906, 31 f) Gen-Verbindung vor, die angibt, worüber jemand Macht hat: der Teufel hat Macht und Verfügungsgewalt über den Tod, der Tod ist ihm untertan, er benutzt ihn als sein Werkzeug, der Tod steht im Dienst des Teufels und ist sein Trabant (vgl Sap 2, 24). Auch sonst findet sich ja die Anschauung, daß der Tod eine dämonische Größe ist, die in die Reihe der ἀρχαί, ἐξουσίαι und δυνάμεις gehört vgl 1 K 15, 24. 26, wo der Tod als der letzte und gefährlichste dieser den Troß des Teufels bildenden Feinde Christi (oder der Menschen) bezeichnet wird. Vgl → II 79, 23 ff; III 14, 22 ff[9].

An allen anderen Stellen ist κράτος stets auf Gott bzw den Herrn bezogen. Dabei wird allerdings κατὰ κράτος Ag 19, 20 wohl nicht mit dem folgenden τοῦ κυρίου zu verbinden sein, sondern dieses wird zu dem nachgestellten ὁ λόγος gehören, und in κατὰ κράτος *machtvoll, kraftvoll* wird die außerhalb des NT sehr geläufige (→ 905, 11 ff; 906, 4 f. 28) adverbiale Wendung vorliegen, bei der κράτος ohne Artikel gebraucht wird und keinen Zusatz verträgt[10].

Die Synpt, bei denen → κρατέω häufig ist, haben κράτος nur einmal, im Magnificat Lk 1, 51: ἐποίησεν κράτος ἐν βραχίονι αὐτοῦ. Der an at.licher Redeweise orientierte Satz[11] will im Zusammenhang von 1, 51—53 die Macht Gottes betonen, der sich niemand widersetzen kann und die souverän schaltet.

Auch im übrigen NT ist κράτος selten, und der Kreis der Bedeutungen ist sehr begrenzt. Eph 1, 19 heißt es, daß τὸ ὑπερβάλλον μέγεθος τῆς δυνάμεως αὐτοῦ, die überwältigende Größe der Kraft Gottes, wie sie an den Gläubigen sich erweist, auf der gleichen Linie liegt wie die Auswirkung der Macht seiner Stärke κατὰ τὴν ἐνέργειαν τοῦ κράτους τῆς ἰσχύος αὐτοῦ, wie sie in der Auferweckung Christi zum Ausdruck gekommen ist (1, 20). Unbeschadet der (der stilistischen Eigenart des Eph entsprechenden) Synonymität der verschiedenen Kraftbegriffe wird man sagen, daß mit κράτος mehr die Außenseite der göttlichen Stärke, vielleicht ihre Überlegenheit gemeint ist[12]. Auch Eph 6, 10 wird κράτος τῆς ἰσχύος[13] verwendet, diesmal auf den Herrn Christus bezogen: ἐνδυνα-

---

[9] Im Hintergrund steht der Zusammenhang zwischen Tod und Sünde vgl Rgg Hb 56. Die jüdische Anschauung vom Todesengel (vgl Str-B III 683, I 144 ff) ist nicht durchweg vergleichbar.

[10] Die mit dem Artk versehenen Wendungen Eph 1, 19; Kol 1, 11 können nicht zum Vergleich herangezogen werden (gg Zn Ag 685 f). Schl Lk 619 verweist darauf, daß κατὰ κράτος bei Josephus „eine oft wiederkehrende Formel" ist. Auch die in den Hdschren später vorgenommene Umstellung zu ὁ λόγος

τοῦ κυρίου zeigt, daß man in κατὰ κράτος die bekannte adv Wendung wiederfand. Vgl auch Wdt Ag 276.

[11] Zn Lk 106 A 49 verweist auf עָשָׂה גְבוּרָה 1 Kö 16, 27; 22, 46 (LXX hat δυναστεία bzw δυναστείαι); besser ist jedoch der Hinweis auf ψ 117, 15: δεξιὰ κυρίου ἐποίησεν δύναμιν bei Kl Lk 19 f und Schl Lk 170. Vgl auch → I 638, 1 ff.

[12] Vgl Haupt Gefbr 41, Grundmann aaO 109 A 2 und → II 314, 30 ff; III 405, 13 ff.

[13] Vgl → 906, 15 f u A 17.

μοῦσθε ἐν κυρίῳ καὶ ἐν τῷ κράτει τῆς ἰσχύος αὐτοῦ [14]. Kol 1, 11 steht κατὰ τὸ κράτος τῆς δόξης αὐτοῦ: die göttliche Herrlichkeit wirkt machtvoll in das Leben der Gläubigen hinein [15].

Außerdem findet sich κράτος in Doxologien [16]: für sich stehend 1 Pt 5, 11,
5 mit τιμή verbunden und als αἰώνιον bezeichnet 1 Tm 6, 16, in Verbindung mit δόξα 1 Pt 4, 11; Apk 1, 6; 5, 13 (hier außer auf Gott auch auf das Lamm bezogen), mit ἐξουσία Jd 25. Es ist damit die überlegene Macht Gottes gemeint, der auch der Endsieg gehören wird [17].

5. Anhangsweise soll auf die Vokabel θεοκρατία eingegangen
10 werden, die zwar im NT nicht vorkommt, deren Probleme aber das NT berührt. Es ist Josephus, dem die Wortprägung θεοκρατία verdankt wird. Er schreibt Ap 2, 164 f ... οἱ μὲν γὰρ μοναρχίαις, οἱ δὲ ταῖς ὀλίγων δυναστείαις, ἄλλοι δὲ τοῖς πλήθεσιν ἐπέτρεψαν τὴν ἐξουσίαν τῶν πολιτευμάτων. ὁ δ' ἡμέτερος νομοθέτης (Mose) εἰς μὲν τούτων οὐδοτιοῦν ἀπεῖδεν, ὡς δ' ἄν τις εἴποι βιασάμενος τὸν λόγον θεοκρατίαν ἀπέδειξε τὸ
15 πολίτευμα θεῷ τὴν ἀρχὴν καὶ τὸ κράτος ἀναθείς. Jos gebraucht also zwar nicht die Begriffe ἀριστοκρατία (ὀλιγαρχία), δημοκρατία, sondern umschreibt diese Verfassungsformen mit anderen Vokabeln, aber es ist gleichwohl deutlich, daß das von ihm geschaffene Wort θεοκρατία an den gleichgebildeten politischen Vokabeln ἀριστοκρατία, δημοκρατία, πλουτοκρατία (vgl → 905, 30) seine auch dem Leser einleuchtende Ana-
20 logie haben soll. Man mag nun — mit Recht — betonen, daß Jos den biblischen Befund in nicht ausreichender und wenig glücklicher Weise dargestellt hat, wenn er ihn ohne Vorbehalt „Verfassungsformen wie Monarchie, Aristokratie udgl gleichordnet, während der Begriff der mosaischen Theokratie in seinen Ansprüchen weiter und tiefer geht als irgendeine derselben und (sie) so wenig ihren Schwerpunkt im rein Po-
25 litischen hat, daß sie sogar unbeschadet ihres Prinzips mit verschiedenen bürgerlichen Verfassungen sich im Laufe der Zeit vereinigen ließ [18]“. Anderseits ist jedoch festzuhalten, daß Jos eben eine Aussage über die Verfassungsform auf der Ebene der Vergleichung mit anderen Verfassungsformen machen und also θεοκρατία in diesem Sinne verstanden wissen will.

30 Daraus ergibt sich, daß man jedenfalls nicht ohne weiteres wird sagen dürfen, daß Jos mit θεοκρατία den Begriff βασιλεία τοῦ θεοῦ habe ersetzen wollen. Diese These Schlatters vor allem ist der Anlaß, hier auf die Vokabel θεοκρατία einzugehen. Hatte Schlatter zunächst θεοκρατία noch eine Parallele zur palästinensischen מַלְכוּת שָׁמַיִם,
35 „soweit sie den gegenwärtigen Bestand der Gemeinde begründet“, genannt [19], so hat er sich zuletzt dahin geäußert: „Jos hat sich der unbeschränkten Selbstherrlichkeit und unbegrenzten Allgewalt der ‚Könige‘ widersetzt; das verdrängte den Namen ‚König‘ für Gott und bewog Jos, an die Stelle der βασιλεία τοῦ θεοῦ, mit der die Jerusalemiten sowohl das jetzt dem Volk geschenkte Verhältnis zu Gott als das herr-
40 liche Endziel der göttlichen Offenbarung benannten, das neue, erst von ihm gebildete Wort θεοκρατία zu setzen [20]“ („Theokratie der passende Name für die Verfassung der Judenschaft [21]“). Jedoch darf das Nichtvorkommen des Begriffs βασιλεία τοῦ θεοῦ bei Jos nicht ausschließlich von dem Vorkommen bzw der Neuprägung des Begriffs θεοκρατία aus erklärt werden noch umgekehrt. Das Nichtvorkommen von βασιλεία τοῦ
45 θεοῦ wird in der Hauptsache damit zusammenhängen, „daß Josephus es wie auch sonst vermieden haben mag, von der mit βασιλεία gegebenen eschatologisch-messianischen Haltung seines Volkes zu sprechen [22]“. Die Verwendung von θεοκρατία für die „Verfassung der Judenschaft“ muß eher unabhängig von der Nichtverwendung von βασιλεία τοῦ θεοῦ erklärt werden, nämlich als der — wie Jos selbst empfindet —
50 etwas gewagte Versuch, seinen Lesern die Eigenart der „Verfassung der Judenschaft“ dadurch nahezubringen, daß er sie mit einer Vokabel bezeichnete, die geläufigen Bezeichnungen von Verfassungsformen gleichgebildet war. Hingegen konnte βασιλεία τοῦ

---

[14] Vgl → II 314, 16 ff und III 402, 5 ff.
[15] Vgl → II 314, 33 ff und Grundmann aaO 21 A 20.
[16] Vgl → II 307, 46 ff, III 906, 20 f. Auch 1 Tm 6, 16 wird eine Doxologie vorliegen (gg Wbg Past 215).
[17] Auch in den Apost Vät kommt κράτος in Doxologien vor: 1 Cl 64; 65, 2; Mart Pol 20, 2, ferner in der Wendung κράτος τῆς ἰσχύος 1 Cl 27, 5, in Verbindung mit δόξα (und

nur hier auf Christus bezogen, sonst immer auf Gott) 2 Cl 17, 5, außerdem 1 Cl 33, 3; 61, 1.
[18] KvOrelli, Artk: Israel, Geschichte, biblische, in: RE³ IX (1901) 466.
[19] Schl Jos 12.
[20] SchlTheol d Judt 26. Vgl KLSchmidt → I 576, 3 ff.
[21] SchlTheol d Judt 48.
[22] KLSchmidt → I 576, 10 ff.

θεοῦ, auch „soweit sie den gegenwärtigen Bestand der Gemeinde begründet", wohl niemals (auch für Jos nicht) eine Verfassungsform beschreiben wollen. Vielmehr: „Theokratie und Gottkönigtum sind zwei auf ganz verschiedenen Ebenen liegende Begriffe [23]."

Insofern freilich der Begriff βασιλεία τοῦ θεοῦ im Laufe seiner Geschichte nicht 5 ohne Beziehung zum „gegenwärtigen Bestand der Gemeinde" geblieben ist und von diesem die „Verfassung der Judenschaft" nicht völlig abgetrennt werden kann, erscheint die These, daß θεοκρατία und βασιλεία auf ganz verschiedenen Ebenen liegen, vielleicht als zu starr. Auch wenn ihre Richtigkeit für die Zeit des Jos und des NT nicht bestritten wird, so wäre doch zu fragen, ob nicht in früherer Zeit Verbindungslinien 10 zwischen beiden Begriffen gelaufen sind. Damit ist auf das Problem der Vorgeschichte des nt.lichen Begriffs der βασιλεία τοῦ θεοῦ verwiesen, das zu erörtern hier nicht die Aufgabe sein kann. Es würde dabei einen Unterschied machen, welchen Abschnitt dieser Vorgeschichte man ins Auge faßt; es würde vor allem wichtig sein, ob die Fragestellung sich in engerem Sprachgebrauch an die Vorstufen des Begriffs βασιλεία 15 τοῦ θεοῦ bindet [24] oder ob in gelockerter Terminologie an Gottes Herrschersein überhaupt angeknüpft wird [25]. Auf jeden Fall wird es ratsam sein, den Begriff Theokratie auf die „verfassungsmäßige Festlegung einer geistlichen Herrschaft [26]" einzuschränken und in seiner Verwendung entsprechend vorsichtig zu sein. Gloeges Warnung vor „Vermengung von Gottesherrschaft und jüdischer Theokratie [27]" besteht sicher zu 20 Recht. Sie richtete sich gegen AvGall [28]; doch ist die Vermengung häufig anzutreffen [29]. Größte Vorsicht wird am Platz sein gegenüber der Verwendung des Begriffes der Theokratie bei MBuber [30].

Als Josephus den Begriff θεοκρατία prägte, war das ein sprachschöpferischer Akt von gleicher Eigenwilligkeit, wie wenn heute — ohne Anhalt in antikem Sprachge- 25 brauch — etwa die Begriffe „Nomokratie [31]" oder „Pneumatokratie [32]" verwendet werden. Jos hat θεοκρατία nur an der angeführten Stelle gebraucht, also seiner Wortprägung offenbar selbst keine weitreichende Bedeutung beigemessen. Tatsächlich hat sich das Wort denn auch zunächst nicht eingebürgert [33]. Die eigentliche, durch die vorhin angedeuteten Probleme nicht unbelastete Geschichte des Wortes beginnt erst 30 in den Sprachen, in die es als Fremdwort übergegangen ist [34], wobei zu beachten ist, daß theokratische Erscheinungen auch unter anderer Terminologie auftreten können.

---

[23] GGloege, Reich Gottes und Kirche im NT = Nt.liche Forschungen, 2. Reihe, 4. Heft (1929) 26 A 1.

[24] So verstehe ich die Ausführungen von vRad → I 563, 33 ff.

[25] Vgl WEichrodt, Gottes ewiges Reich und seine Wirklichkeit in der Geschichte nach at.licher Offenbarung, in: ThStKr 108 (1937) 1 ff; HWWolff, Herrschaft Jahwes und Messiasgestalt im AT, in: ZAW, NF 13 (1936) 168 ff, besonders 170: „Wir meinen also mit Herrschaft Gottes weder ein rein eschatologisches Walten, noch auch bloß ein immerwährendes königliches Regiment, sondern die dem Gott Israels eigene Herrschweise; wir könnten sogar sagen die Art, in der Jahwe seine Gottheit betätigt."

[26] Bertholet, Artk: Theokratie, in: RGG [2] V 1112.

[27] Gloege aaO 26 A 1.

[28] ΒΑΣΙΛΕΙΑ ΤΟΥ ΘΕΟΥ (1926); vgl besonders die Gleichsetzung 200: Gedanke „der Theokratie oder der βασιλεία τοῦ θεοῦ".

[29] Vgl zB die Überschrift bei PFeine, Theologie des NT [6] (1934) 48: „Gottessohnschaft Jesu im theokratischen oder messianischen Sinn"; Harnack Dg I 58 mit A 1.

[30] MBuber, Königtum Gottes (1932), besonders 137 ff Kp 8: Um die Theokratie. Bubers „unmittelbare Theokratie" der Frühzeit ist keine Theokratie im eigentlichen Sinn des Worts, ihre Kombination mit dem „Gottesreich" 143 ist fragwürdig, ihre Nachbarschaft zum Begriff Theopolitik 146 uö gefährlich, ihre Ableitung aus dem „anarchischen Seelengrund" des „Beduinentums" 142 bedenklich. Vgl auch die Bemerkungen vRads → I 568, 29 ff.

[31] ESalin, Civitas Dei (1926) 1. 218.

[32] Gloege aaO 320. Vgl auch den Ausdruck „Bibliokratie" bei EChoisy, La Théocratie à Genève au temps de Calvin (1897) 53. 168. 277. Auch „Hierokratie" wäre hier zu nennen (zB MWeber, Wirtschaft und Gesellschaft = Grundriß der Sozialökonomik III [1922] 780).

[33] Liddell-Scott, Pass und Sophocles Lex verzeichnen für den gesamten Bereich des von ihnen herangezogenen Schrifttums (bei Sophocles bis 1100) nur diesen einen Beleg.

[34] Auch dieser Übergang in andere Sprachen ist sehr spät erfolgt. CDduCange, Glossarium mediae et infimae latinitatis (ed GALHenschel) VIII [2] (1887) hat das Wort nicht. ASleumer, Kirchenlateinisches Wörterbuch [2] (1926) hat das Wort, führt aber keine Belege an. A New English Dictionary on Historical Principles, ed Murray, Bradley, Craigie, Onions, vol IX part II (1919) 272 führt als frühesten Beleg für „theocraty" eine Stelle aus dem Jahr 1622 an (für „theocracy" aus dem Jahre 1652). AHatzfeld und ADarmesteter, Dictionnaire général de la langue française … II [6] (1920) 2145 haben den frühesten Beleg für „théocratie" aus dem Jahr 1704. — Calvin zB hat das Wort nicht [Auskunft von Pfarrer PBarth, Madiswil].

Im Neuen Testament, in dem also die Vokabel θεοκρατία nicht vorkommt, ist aber auch die Sache nicht anzutreffen: daß die βασιλεία τοῦ θεοῦ nicht in irgendeiner Hinsicht als Theokratie im verfassungsmäßigen Sinn aufgefaßt werden darf, liegt auf der Hand; aber auch dem Kirchenbegriff
5 des Urchristentums ist das Theokratische ferngeblieben[35]. Zu einem theokratischen Verständnis bzw Mißverständnis der βασιλεία ist es erst sehr viel später, erstmalig unter Origenes, gekommen[36]. Eine umfassende Geschichte des Begriffs „Theokratie", der, wie es scheint, die theologische Bedeutung etwas eingebüßt hat, die er im Blick auf die Erfassung at.licher Tatbestände für frühere
10 Generationen noch hatte, ist noch nicht geschrieben.

κρατέω

1. Das Verbum κρατέω (Ableitung von → κράτος), von Homer an zahlreich belegt, bedeutet *stark sein, Macht besitzen.* Es kann abs gebraucht werden zB οἱ κρατοῦντες Aesch Choeph 267; Soph Oed Tyr 530; in der Bedeutung *Macht über*
15 *etwas besitzen, Herr sein über etwas* besonders mit dem Gen: αὐτοῦ Soph Ai 1099, ἡδονῶν καὶ ἐπιθυμιῶν Plat Symp 196 c, vgl in den Praecepta Delphica Ditt Syll [3] 1268 I 5: ἡδονῆς κράτει, I 2: θυμοῦ κράτει, II 9: ὀφθαλμοῦ κράτει, Orph (Abel) 55, 5. Sehr häufig ist (bei verschiedener Konstr) die Bedeutung *die Oberhand gewinnen, besiegen, erobern,* zB τὰ κατὰ πόλεμον κρατούμενα τῶν κρατούντων εἶναί φασιν Aristot Pol I 6
20 p 1255 a 6 f, τὰς φρένας τῶν ἀνθρώπων διὰ τοῦ λάρυγγος κρατῶ καὶ οὕτως ἀναιρῶ Test Sal 10, 3; pass ὑπὸ τῶν ἡδονῶν Plat Leg I 633 e. Ferner: *ergreifen, erlangen* (besonders mit Gewalt): zB θρόνους Soph Oed Col 1381, auch *festnehmen, verhaften*: Polyb 8, 18, 8; *halten, behalten*: PTebt 61 b, 229 (2. Jhdt v Chr). Als juristischer term techn: *Nutzungsrecht haben* οἱ κρατοῦντες τῶν ἱερῶν PTebt 5, 73 (2. Jhdt v Chr); *Besitzrecht haben,* vor
25 allem in der Wendung κρατεῖν καὶ κυριεύειν vgl Moult-Mill sv, Preisigke Wört sv (dazu als Subst κράτησις), auch *beschlagnahmen, sperren* vgl PMMeyer, Juristische Papyri (1920) sv; pass *verpfändet sein* vgl Preisigke Fachwörter. Selten und spät die Wendung *in der Hand halten:* Diosc 3, 93; κράτει τῇ ἀριστερᾷ σου τὸν δακτύλιον Preis Zaub V 451 f (4. Jhdt n Chr).
30   2. In der Septuaginta findet sich κρατέω an etwa 170 Stellen (sehr häufig als Wiedergabe von חזק hi). Die meisten der außerbiblisch belegten Bedeutungen (bei völligem Fehlen der juristischen) sind vertreten: *stark sein* ἐκράτησας καὶ ἠδυνάσθης Jer 20, 7; ἡ δὲ ἀλήθεια μένει καὶ ἰσχύει εἰς τὸν αἰῶνα καὶ ζῇ καὶ κρατεῖ εἰς τὸν αἰῶνα τοῦ αἰῶνος 1 Εσδρ 4, 38; *Macht über etwas besitzen:* Εσθ 1, 1 s; Prv 16, 32;
35 *beherrschen, regieren* häufig im 4 Makk in der Erörterung des Themas εἰ τῶν παθῶν ὁ λογισμός κρατεῖ 1, 5; *sich bemächtigen* zB τῆς ἀρχῆς der Herrschaft 1 Makk 10, 52; 2 Makk 4, 27; *ergreifen:* Ri 8, 12; ψ 136, 9; ὁ κρατῶν αὐτῆς ὡς ὁ δρασσόμενος σκορπίου Sir 26, 7; ἐκράτησαν αὐτὸν οἱ ἀλλόφυλοι Ri 16, 21 B (ἐπελάβοντο αὐτοῦ A); *festhalten* ἐκράτησα αὐτὸν καὶ οὐκ ἀφήσω αὐτόν Cant 3, 4. Mehrmals findet sich die
40 im NT wiederkehrende, aber außerbiblisch nicht belegte Wendung κρατεῖν τῆς χειρός: Gn 19, 16; Js 42, 6; ἐκράτησας τῆς χειρός τῆς δεξιᾶς μου ψ 72, 23; τῆς δεξιᾶς Js 41, 13; 45, 1 (vgl auch τὸν νεανίαν τὸν κρατοῦντα τὴν χεῖρα αὐτοῦ Ri 16, 26 B und 1 Βασ 15, 27).

Bei Philo ist der Kreis der Bedeutungen sehr viel enger: *herrschen:* zB ἀδικία κρατεῖ Leg All I 73. 100; ὅταν δὲ ἐπιθυμία κρατήσῃ Rer Div Her 269; pass *beherrscht*
45 *sein:* zB νῦν ὅτε ζῶμεν κρατούμεθα μᾶλλον ἢ ἄρχομεν Cher 115; κρατηθεὶς ἐπιθυμίᾳ Decal 149; *Herr sein über:* zB μηδ' αὐτοῦ κρατεῖν ἱκανὸς ὤν Poster C 42; *siegen, besiegen:* Ebr 105; act u pass Cher 75; *die Oberhand gewinnen:* Leg All III 92.

Auch bei Josephus findet sich ua κρατεῖν τῆς δεξιᾶς Bell 1, 352; Ant 14, 480.

                       3. Im Neuen Testament fehlt eine Reihe der Be
50 deutungen, die sonst bei κρατέω gelten. Es überwiegt die Bedeutung *ergrei-*

---

[35] Über die Gefahr „theokratischer Wucherung" in der Urgemeinde vgl KLSchmidt, Die Kirche des Urchristentums [2] (1932) 304. 306 A 1 (und → 511); dazu Gloege aaO 380 A.
[36] Vgl WVollrath, Das Reich Gottes in der altchristlichen und mittelalterlichen Theologie, in: ThBl 6 (1927) 125 ff und RFrick, Die Geschichte des Reich-Gottes-Gedankens in der alten Kirche bis zu Origenes und Augustin = Beih ZNW 6 (1928) 103. Auch hier fehlt jedoch das Wort.

fen, halten, festhalten. In den Synpt werden mit κρατέω häufig die Versuche der Gegner Jesu bezeichnet, sich seiner zu bemächtigen, Hand an ihn zu legen zB Mk 12, 12; 14, 1; auch bei der Gefangennahme des Täufers Mk 6, 17 = Mt 14, 3, bei der Jagd nach dem Jüngling Mk 14, 51. Bei dem Versuch der Familie Jesu ihn wieder in die Gewalt zu bekommen, wird das Wort verwendet Mk 5 3, 21, und diese Bedeutung liegt auch Ag 24, 6; Apk 20, 2 vor[1]. Ferner ist mehrmals in Heilungsberichten von κρατεῖν τῆς χειρός die Rede[2]: Mk 1, 31 (= Mt 8, 15: ἥψατο); Mk 5, 41 = Mt 9, 25 = Lk 8, 54; Mk 9, 27[3]. Lukas, in dessen Ev κρατέω selten ist (→ A 1), verwendet es 24, 16 in der Wendung: οἱ δὲ ὀφθαλμοὶ αὐτῶν ἐκρατοῦντο τοῦ μὴ ἐπιγνῶναι αὐτόν ihre Augen waren 10 wie gebannt, am Erkennen gehindert (Gegensatz: διηνοίχθησαν 24, 31)[4]. In der Ag findet sich κρατέω noch an folgenden Stellen: 2, 24 (behalten, festhalten; → II 305, 13 ff); 3, 11[5] und 27, 13: δόξαντες τῆς προθέσεως κεκρατηκέναι in der Meinung, ihren Vorsatz erreicht zu haben, dh ihn durchführen zu können[6]. Sind damit bereits Stellen erwähnt, an denen die Bedeutung *halten, festhalten* 15 vorliegt, so gehören die weiteren Belege in deren Nähe. Apk 2, 1: ὁ κρατῶν τοὺς ἑπτὰ ἀστέρας ἐν τῇ δεξιᾷ αὐτοῦ weist auf 1, 16: ἔχων ἐν τῇ δεξιᾷ χειρὶ αὐτοῦ ἀστέρας ἑπτά zurück. Das Festhalten eines Besitzes ist Apk 2, 25; 3, 11 gemeint. Die Bedeutung *eine Anschauung festhalten,* sich auf sie versteifen findet sich in Verbindung mit διδαχή Apk 2, 14f, dagegen ist Mk 7, 3. 4. 8 sowie 2 Th 2, 15 20 in Verbindung mit παράδοσις der Sinn mehr: *eine Überlieferung beachten,* sie befolgen[7]; verwandt ist Hb 4, 14: κρατῶμεν τῆς ὁμολογίας *(festhalten),* während Hb 6, 18: κρατῆσαι τῆς προκειμένης ἐλπίδος wohl mehr an *ergreifen* gedacht ist[8]. Auch Apk 2, 13: κρατεῖς τὸ ὄνομά μου ist hier zu nennen, und Kol 2, 19: οὐ κρατῶν τὴν κεφαλήν gehört in diesen Zusammenhang[9]. Mk 9, 10: τὸν λόγον ἐκρά- 25 τησαν wird sich weniger auf das Beachten des Schweigegebots Jesu beziehen als auf die sorgsame *Verwahrung* der vorangegangenen Worte Jesu überhaupt[10]. J 20, 23 endlich steht κρατέω in deutlichem Gegensatz zu ἀφίημι und bezeichnet das Nicht-Erlassen, das *Belassen der Sünden* [11. 12].

κρατέω. [1] Ob man κρατέω geradezu als „Vorzugswort" des Mk bezeichnen soll (so Hck Mk), kann fraglich sein, ebenso die Meinung, daß Lk das Wort möglichst „vermeide" (Kl Lk 193 z 20, 19, Bl-Debr[6] 300 Nachtrag z § 170); vielmehr scheint bei Lk die Nachwirkung at.licher Wendungen den Ausschlag zu geben vgl Schl Lk 120. 139 (auch die Josephus-Parallelen ebd 135. 140).

[2] Vgl Wbg Mk 167, FFenner, Die Krankheit im NT = UNT 18 (1930) 90 und → χείρ.

[3] Zur Konstr in diesen Fällen und überhaupt vgl Bl-Debr[5] 102 § 170, 2 und [6] 300 Nachtrag z § 170, z Mt 28, 9 ferner Zn Mt 720. Zur Konstr in den Papyri vgl Mayser II 2, 216.

[4] Vgl Hck Lk 293, Schl Lk 458, Str-B II 271 ff und Bl-Debr[5] 227 § 400, 4. Nicht unmittelbar verwandt ist der Gebrauch Apk 7, 1.

[5] Vielleicht weniger: der Lahme hielt Petrus und Johannes fest, so daß sie nicht weggehen konnten (so Pr-Bauer sv), sondern: er wich nicht von ihrer Seite.

[6] Vgl Bl-Debr[5] 102 § 170, 2. Vielleicht schlägt hier die Bdtg *Macht über etwas erlangen* durch.

[7] Wbg Th 162 verweist mit Recht auf 1 Tm 6, 20 φύλαξον. Mk 7, 8 spricht der Gegensatz zu ἀφίημι mit.

[8] Rgg Hb 175 A 71. Zum Gen vgl Bl-Debr[5] 102 § 170, 2.

[9] Vgl Ew Gefbr 401, Loh Kol 125 A 2 f, Haupt Gefbr 108. Auch hier steht der Gegensatz des ἀφίημι im Hintergrund (vgl → 910, 39).

[10] Vgl Wbg Mk 246; gg Hck Mk 109. Die Einfügung eines οὐ mit Unterstellung der Bedeutung *verstehen* bei APallis, Notes on St Mark and St Matthew (1932) 29 ist abwegig.

[11] Vgl Zn J 680 A 54 f, Schl J 360 und → I 508, 9 ff; III 752 A 85.

[12] Zum Vorkommen der Vokabel bei den Apost Vät vgl Pr-Bauer sv.

† κραταιός [1]

Das neben dem — in LXX und NT nicht vorkommenden — κρατερός sich von Homer an bei Dichtern findende, in der Prosa erst später auftretende Adj κραταιός, *kräftig, kraftvoll, mächtig* wird von Menschen zB Hom Od 15, 242, Tieren zB Hom Il 11, 119, Vorgängen zB κραταιὸς ἀγών Polyb 2, 69, 8 und Dingen zB κραταιὸν ἔπος Pind Pyth 2, 81 gebraucht. Als Prädikat von Gottheiten tritt es, nachdem schon Hom Il 16, 334 von der μοῖρα κραταιή gesprochen ist, in Zaubertexten (und astrologischen Schriften), die das Adj auch in anderer Beziehung aufweisen, entgegen zB θεοὶ κραταιοί PLond 121, 422; vgl auch τῷ μεγίστῳ κραταιῷ θεῷ Σοκνοπαίῳ bei Mitteis-Wilcken I 122, 1 (6. Jhdt n Chr). In Verbindung κείρ (oder βραχίων) kommt es öfters vor, schon Soph Phil 1110, auch Preis Zaub IV 1279 f. — In der Septuaginta kommt κραταιός 68 mal vor, mit Bezug auf Gott Dt 7, 21; 2 Εσδρ 19, 32; ψ 23, 8; 70, 7; Prv 23, 11. An 31 Stellen ist κραταιός mit → χείρ verbunden, an 2 Stellen mit → βραχίων, in den allermeisten Fällen ist dabei von der *mächtigen Hand Gottes* die Rede, vor allem im Blick auf seine rettende Erwählung beim Auszug aus Ägypten [2]. — Bei Philo findet sich κραταιός mehrmals, als Prädikat Gottes nur Spec Leg I 307 [3].

Im Neuen Testament nur 1 Pt 5, 6: ταπεινώθητε οὖν ὑπὸ τὴν κραταιὰν χεῖρα τοῦ θεοῦ, ἵνα ὑμᾶς ὑψώσῃ ἐν καιρῷ. Es ist an Schickungen und harte Strafen gedacht, die Gott verhängt und denen sich der Mensch nicht entziehen kann und soll (vgl Hi 30, 21) [4].

† κραταιόω

Diese späte Bildung, Ableitung von → κραταιός, *mache stark*, die das (auch nicht sehr häufige) κρατύνω ersetzt, ist außerbiblisch, wie es scheint [1], nur bei Philo belegt, bei dem sie med zB Conf Ling 101. 103 und pass zB Agric 160 vorkommt. In der LXX dagegen, in der sich κρατύνω nur Sap 14, 16 findet, wird κραταιόω an 64 Stellen gebraucht uz abs (zB Hi 36, 22), trans mit Acc (zB Jdt 13, 7), mit ὑπέρ oder ἐπί konstruiert (zB 2 Βασ 1, 23; 11, 23) oder pass (zB ψ 104, 4) [2].

Im Neuen Testament findet sich nur das Pass κραταιοῦσθαι *stark werden, erstarken.* Lk 1, 80; 2, 40 bezeichnet es — beide Male mit αὐξάνειν verbunden — das Wachstum im Knabenalter, wohl mehr nach der Seite des geistigen Selbständigwerdens [3]. 1 K 16, 13: ἀνδρίζεσθε, κραταιοῦσθε ist sicher durch das Nebeneinander dieser beiden Verben 2 Βασ 10, 12; ψ 26, 14; 30, 25 beeinflußt (vgl auch 1 Βασ 4, 9: κραταιοῦσθε καὶ γίνεσθε εἰς ἄνδρας) [4]. Auch die Wendung Eph 3, 16: δυνάμει κραταιωθῆναι διὰ τοῦ πνεύματος αὐτοῦ εἰς τὸν ἔσω ἄνθρωπον hat an 2 Βασ 22, 33: ὁ ἰσχυρὸς (dh Gott) ὁ κραταιῶν με δυνάμει ein gewisses Vorbild, steht aber im Übrigen im Zusammenhang nt.licher Anschauungen von der Auswirkung göttlicher Kraft im Gläubigen [5].

κραταιός. [1] Zur Bildung vgl Boisacq 510 A 1.

[2] Vgl WGrundmann, Der Begriff der Kraft in der nt.lichen Gedankenwelt (1932) 14. 110 A 2, KGalling, Die Erwählungstraditionen Israels (1928) 7 A 3 und → II 293 A 34.

[3] Vgl Leisegang sv.

[4] Das dem ὑπό korrespondierende ἐπί Ez 3, 14: χεὶρ κυρίου ἐγένετο ἐπ' ἐμὲ κραταιά (vgl 1 Εσδρ 8, 60) bezieht sich dagegen gerade auf den Beistand Gottes. — In den Apost Vät an 3 Stellen, stets auf Gott bezogen: Herm v 1, 3, 4, mit χείρ 1 Cl 28, 2; 60, 3.

κραταιόω. [1] Vgl Liddell-Scott sv.

[2] Häufiger ist κρατύνω in den anderen Übersetzungen, namentlich bei Σ: ψ 26, 14; 30, 25; 63, 6; Js 35, 3. Beachtlich ist, daß κραταιόω in LXX nur in den geschichtlichen Büchern Jos—Jdt, in Hi, Ps, Thr, Da und 1 Makk vorkommt. Es fehlt also in Pentateuch, bei den Propheten und in den meisten Hagiographen. Erst in den späteren Übersetzungen scheint es weiter vorzudringen. [Bertram.]

[3] Vgl Zn Lk 120; 1 Βασ 30, 6, worauf Schl Lk 181 verweist, ist keine eigentliche Parallele.

[4] Vgl Schl K 456, Nägeli 64.

[5] Vgl → II 315, 18 ff; 696, 24 ff. — In den Apost Vät fehlen κραταιόω und κρατύνω.

† κοσμοκράτωρ

Ein seltenes und spät belegtes Wort, dessen Bedeutungsgeschichte schwer zu verfolgen ist. Es ist verhältnismäßig verbreitet in der astrologischen Lit und bezeichnet dort die *Planeten,* ursprünglich vielleicht als die Beherrscher himmlischer Welten, dann jedenfalls als die Beherrscher des Weltalls, die auch die Geschicke 5 der Menschen bestimmen[1]. Daß diese Verwendung jedoch schon in vorchristliche Zeit zurückreiche, ist nicht zu erweisen[2]. Ebenso unwahrscheinlich ist, daß κοσμοκράτωρ als *Kaisertitel* älter sein sollte als das 3. christliche Jhdt[3]. Als *Bezeichnung von Göttern* ist κοσμοκράτωρ in der griechischen Welt erst spät (in den Orph Hymnen) belegt[4], doch wird die religionsgeschichtliche Wurzel des Begriffs in dieser Richtung 10 zu suchen sein[5]. Auch in den Zauberpapyri findet sich κοσμοκράτωρ: Preis Zaub III 135; IV 166. 1599. 2198 f; V 400; XIII 619; XVII b 1 (vgl IV 1966 δέσποτα κόσμου); meist ist Helios angeredet. — In der LXX fehlt das Wort, auch bei Philo, dagegen ist es als Lehnwort (קוזמוקראטור bzw קוזמוקרטור) in die rabb Sprache übergegangen, was immerhin für seine Gebräuchlichkeit spricht[6]. 15

Eph 6, 12 werden zwischen den → ἀρχαί und → ἐξουσίαι sowie den πνευματικὰ τῆς πονηρίας ἐν τοῖς ἐπουρανίοις die κοσμοκράτορες τοῦ σκότους τούτου aufgeführt. Es wird sich in dieser Aufzählung nicht um voneinander verschiedene Gruppen handeln, sondern um mehr oder weniger synonyme Kennzeichnungen der Streitkräfte des Teufels, mit denen die Gläubigen zu kämpfen haben[7]. Weltherrscher 20 werden diese Mächte genannt, weil an der unheimlichen Größe ihres Einflusses und an ihren umfassenden Plänen der Ernst der Lage gezeigt werden soll[8].

In den Apost Vät kommt κοσμοκράτωρ nicht vor, dagegen findet es sich Act Joh 23 (als Bezeichnung des Satans) und Act Phil 144. Wenn Test Sal 8, 2 die στοιχεῖα sich als κοσμοκράτορες τοῦ σκότους, 18, 2 als κοσμοκράτορες τοῦ σκότους τοῦ αἰῶνος 25 τούτου vorstellen, so ist diese Wendung sicher durch Eph 6, 12 beeinflußt (vgl die vl in ℜ). — Das mandäische „Herren der Welt" (zB Lidz Liturg 79, 5) ist kein Äquivalent.

† παντοκράτωρ

παντοκράτωρ, *Allmächtiger, Allherrscher* ist (wie auch das Fem παντοκράτειρα) außerbiblisch als Attribut von Gottheiten belegt, wenn auch nicht 30 häufig: zB Epigr Graec 815, 11 (Hermes); CIG 2569, 12 (Eriunios Hermes); IG V 2, 472

κοσμοκράτωρ. Vgl Liddell-Scott sv; MDibelius, Die Geisterwelt im Glauben des Paulus (1909) 163 f. 230; FCumont und LCanet, Mithra ou Sarapis ΚΟΣΜΟΚΡΑΤΩΡ, Académie des Inscriptions et Belles-Lettres. Comptes rendus des séances de l'année 1918 (1919) 313—328; JSchmid, Der Eph des Apostels Paulus (BSt 22, 3/4 [1928]) 145; HSchlier, Mächte und Gewalten im NT (ThBl 9 [1930] 289 ff). — Zu -κράτωρ vgl EFraenkel, Geschichte der griech Nomina agentis I (1910) 15 A 5; ebd 128 f; auch HFrisk, Zur indoiranischen und griech Nominalbildung (Göteborgs Kungl Vetenskaps- och Vittenhets-Samhälles Handlingar. 5. följden, Ser A, Bd 4 Nr 4 [1934] 67 ff). Wahrscheinlich ist -κράτωρ aus -κρατής (das zu κράτος gehört wie εὐγενής zu γένος usw) umgestaltet durch Anschluß an die sakralen und staatsrechtlichen Wörter auf -τωρ (ῥή-τωρ, πράκ-τωρ usw, αὐτοκράτωρ für αὐτοκρατής). [Debrunner.]
[1] Vgl die zahlreichen Belege bei Cumont aaO.
[2] Gg Cumont 318 A 2. Vgl auch die Bedenken von EPeterson, ΕΙΣ ΘΕΟΣ (1926) 173 A 1.
[3] Vgl Peterson aaO 173 A 1 über die Stellen bei Pseud-Callisth. Der bisher älteste Beleg ist eine ägyptische Inschrift aus dem Jahr 216,

die Caracalla κοσμοκράτωρ nennt (APF 2 [1902] 449 Nr 83). Bei Preisigke Wört ein Papyrusbeleg.
[4] Vgl Pr-Bauer sv und die von Cumont aaO behandelte Inschrift Εἷς Ζεὺς Μίτρας (ursprünglich Σάραπις) κοσμοκράτωρ ἀνείκητος.
[5] Vgl Cumont 321 A 1 und 4.
[6] Vgl SKrauß, Griech und lat Lehnwörter in Talmud, Midrasch und Targum II (1899) 502 und Str-B I 149; II 552 (hier ist der Satan als Todesengel gemeint). Auch im Syrischen findet sich die Vokabel als Lehnwort vgl Cumont 324 A 1.
[7] Vgl Ew Gefbr 249 f; → I 482, 10 ff.
[8] Von Welt ist dabei in etwas anderer Weise die Rede als in dem Ausdruck ἄρχων τοῦ κόσμου τούτου J 12, 31; dem Gen der joh Wendung entspricht hier vielmehr τοῦ → σκότους τούτου. — Wie die Eph-Stelle in den sonstigen Sprachgebrauch einzuordnen ist, ist schwer zu bestimmen. Daß die Vokabel erst im Christentum zur Bezeichnung satanischer Mächte „degradiert" worden sei, wie Cumont 324 will, ist nicht wahrscheinlich (vgl → A 6). CFGHeinrici, Die Hermes-Mystik und das NT (1918) 185 f empfindet auch diesen Ausdruck der nt.lichen Dämonologie „eigentümlich abgeblaßt".

(Isis). Gebräuchlicher waren offenbar Wendungen wie Διὶ τῷ πάντων κρατοῦντι καὶ Μητρὶ μεγάλῃ τῇ πάντων κρατούσῃ Ditt Syll ³ 1138, 2 ff (2. Jhdt v Chr). Sehr häufig ist das Wort dagegen in der LXX uz als Äquivalent des als Gottesname gefaßten צְבָאוֹת (vgl Schebu IV 13) bzw שַׁדַּי, und diese Beliebtheit setzt sich im spätjüdischen Schrifttum fort[1]. Bei Philo kommt παντοκράτωρ nur Sacr AC 63 und Gig 64 vor (Philo bevorzugt παντηγεμών). Josephus hat das Wort nicht[2]. Die Zauberpapyri kennen es — wohl unter jüdischem Einfluß — zB Preis Zaub IV 968. 1375[3]. Auch in den Inschriften der σεβόμενοι θεὸν ὕψιστον von Gorgippia begegnet παντοκράτωρ. Dort heißt es zB: θεῷ ὑψίστῳ παντοκράτορι εὐλογητῷ. Das ist die einleitende Weiheformel[4]. Für jüdische Gebete ist der Titel Const Ap VII 33, 2; 38, 1, auch ep Ar 185 bezeugt[5]. An letzterer Stelle heißt es: πληρῶσαι σε, βασιλεῦ, πάντων τῶν ἀγαθῶν ὧν ἔκτισεν ὁ παντοκράτωρ θεός. Dieser liturgische Sprachgebrauch hat offenbar auf Apk eingewirkt. Immerhin hat der Begriff auch weltanschaulichen, philosophischen Charakter und ist in der patristischen Lit Ausdruck des universalistischen Anspruchs des Christentums geworden. Daneben entspringt die Anwendung einem starken religiösen, zT eschatologisch begründeten Pathos[6].

Im Neuen Testament findet sich 2 K 6, 18: λέγει κύριος παντοκράτωρ und zwar als Abschluß einer at.lichen Zitatenkollektion[7]. Ferner steht — als Nachwirkung des Sprachgebrauchs der LXX, daher schwerlich als Zeichen einer Wandlung im urchristlichen Denken zu werten[8] — Apk 1, 8; 4, 8; 11, 17; 15, 3; 16, 7; 19, 6; 21, 22 die Aussage: κύριος ὁ θεὸς ὁ παντοκράτωρ, 16, 14; 19, 15: ὁ θεὸς ὁ παντοκράτωρ[9].

An Gottes Schöpferwirksamkeit ist dabei nicht zu denken[10], sondern an seine Überlegenheit, daß er Macht über alles bzw alle hat[11]. Die Bezeichnung ist mehr statisch als dynamisch gemeint und hat insofern nur eine lose Beziehung zu dem dogmatischen Lehrbegriff der Allmacht Gottes, soweit dieser üblicher Weise mit dem Gedanken der Allwirksamkeit Gottes verbunden ist[12].

Michaelis

παντοκράτωρ. [1] Vgl Bousset-Greßm 312 A 2; dort auch verwandte Wendungen. Vgl → II 293, 40 ff.
[2] Vgl Schl Jos 44 A 2, SchlTheol d Judt 26. Ant 10, 263 steht dagegen die Umschreibung: τὸ πάντων κράτος ἔχων.
[3] Vgl Deißmann B 29 Bleitafel von Hadrumetum Z 9 und Test Sal 3, 5. 7 vl; 6, 8; 3, 3 D; 4, 7 D.
[4] Vgl ESchürer, Die Juden im bosporanischen Reiche und die Genossenschaften der σεβόμενοι θεὸν ὕψιστον ebendaselbst, in SAB 13 (1897) 204 ff.
[5] Vgl HLietzmann, Symbolstudien, in ZNW 22 (1923) 274. Dem παντοκράτωρ der LXX entsprechend findet sich schon in der älteren nachbiblischen Lit die bis in die heutige Zeit als Umschreibung für den Gottesnamen geläufige und auch in den Islam übergegangene Formel רִבּוֹן הָעוֹלָמִים; vgl MLidzbarski, Ephemeris für semitische Epigraphik I (1902) 258.
[6] GBertram in: FRosen - GBertram, Juden und Phönizier. Das antike Judentum als Missionsreligion und die Entstehung der jüdischen Diaspora (1929) 507. 144. — Z 7 bis 16 u A 4—6 von Bertram.
[7] Vgl Wnd 2 K 217.
[8] Gg Loh Apk 11. Vgl Had Apk 30. 72. 232 und Zn Apk 178.
[9] In den Apost Vät kommt das Wort (in verschiedener Verbindung) mehrfach vor, vgl

Pr-Bauer sv. In den christl Pap ist es vom 4. Jhdt ab zahlreich belegt vgl Preisigke Wört III 403 sv und Moult-Mill sv.
[10] Die Übersetzung „Allwirker" (vgl HFrick, Deutschland innerhalb der religiösen Weltlage [1936] 177) ist abwegig. Auch „Allwalter, Allwaltender" (EvDobschütz, Das Apostolicum in biblisch-theologischer Bedeutung = Aus der Welt der Religion, Biblische Reihe 8 [1932] 19) wird dem Sinn der Bezeichnung nicht gerecht. Dagegen bietet der Hinweis von PFeine, Die Gestalt des apostolischen Glaubensbekenntnisses in der Zeit des NT [1925] 93 auf 1 Tm 6, 15: ὁ μακάριος καὶ μόνος δυνάστης eine gute sachliche Parallele.
[11] Die Deutung „der Macht hat über das All" liegt jedoch fern (für sie wäre eher an → κοσμοκράτωρ zu denken).
[12] Der konventionelle Charakter, den παντοκράτωρ im NT hat, macht es schwer, der Vokabel eine spezifisch nt.liche Bedeutung abzugewinnen. Diese Beobachtung und die geringe Zahl der Stellen machen es wahrscheinlich, daß die Aufnahme von παντοκράτωρ in das Symbolum weniger durch das Gewicht des nt.lichen als vielmehr des at.lichen Sprachgebrauchs veranlaßt wurde. Daß dabei später der Zusatz „Schöpfer Himmels und der Erde" für nötig befunden wurde, zeigt übrigens auch, daß sich παντοκράτωρ selbst nicht eigentlich auf die Schöpfermacht Gottes beziehen ließ.

κραυγή, κραυγάζω → 898 ff.

---

† *κρεμάννυμι (κρεμάω),*
† *κρέμαμαι,* † *ἐκκρέμαμαι*

Inhalt: 1. Mt 18, 6. — 2. Gl 3, 13. — 3. Mt 22, 40. — 4. Lk 19, 48.

κρεμάννυμι, daneben κρεμάω, das aus dem Aor ἐκρέμασα zurück- 5
gebildet ist, κρεμάζω und das der Volkssprache zugehörige κρεμνάω kommen in der
griechischen Bibel nicht häufig vor [1]. Die hbr Grundlage ist im allgemeinen תלה oder
תלא. Der Bedeutungsumfang ist bei diesem Begriff im Hebräischen und Griechischen
im ganzen derselbe. κρεμάννυμι von dem indogermanischen Stamme qer ist häufig mit
dem gotischen hramjan, kreuzigen (ahd. rama, Gestell, Rahmen?) zusammengebracht 10
worden; doch gehört hramjan wahrscheinlicher zu der auch sonst im Germanischen
vertretenen Sippe qrom, Gestell aus Latten [2]. Das Wort bedeutet *hängen, an-, auf-,
abhängen* (auch Komposita mit ἐπι-, ἐκ-), *henken, hangen, schweben.* Das Dep κρέμαμαι steht intr. Im griech AT ist Ez 15, 3 vom Aufhängen von allerlei Geräten die
Rede; besonders werden Cant 4, 4; Ez 27, 10. 11 Schild, Helm und Köcher genannt, 15
dazu ψ 136, 2 Musikinstrumente und Ez 13, 18 (Hbr: Hexapla) Amulette (Mas anders). In
Ez 17, 22 tritt das Verbum für *pflanzen* in Mas ein. In 1 Makk 1, 61 [3] und 2 Makk 6, 10
werden die Kinder den hinzurichtenden jüdischen Frauen an die Brust oder den Hals
gehängt. Nach Hi 26, 7 schwebt die Erde über dem Nichts und 2 S 18, 9. 10 erzählt:
Absalom blieb *hängen* in den Zweigen (חזק) und schwebte zwischen Himmel und Erde 20
(נתן). Das κρεμάμενος in 18, 10 hat rückwirkend die Ersetzung von חזק und נתן in
18, 9 durch κρέμαμαι veranlaßt [4]. Ag 28, 4: Die Schlange hängt von der Hand des
Paulus herab (κρεμάμενον . . . ἐκ τῆς χειρός).

1. Mt 18, 6.

Im Sinne von *Anhängen* oder *Umhängen* ist das Verbum 25
im NT nur einmal Mt 18, 6 in dem Wort von dem Mühlstein gebraucht. Es
ist an dieser Stelle zunächst nicht an eine irdische Strafe gedacht. Eine solche
entspricht nicht dem jüdischen Gesetz. Das Wort knüpft äußerlich an einen
fremden, wohl aus Syrien oder Griechenland bekannten Brauch an.

So Aristoph Eq 1363: ἐκ τοῦ λάρυγγος ἐκκρεμάσας ὑπέρβολον (ein Gewicht), wozu der 30
Scholiast (ed GDindorf IV 2 [1838]) bemerkt: ὅτε γὰρ κατεπόντουν τινάς, βάρος ἀπὸ τῶν
τραχήλων ἐκρέμων. Vgl auch Suet (Aug) Caes II 67 (ed MIhm [1907]): superbe avareque
in provincia grassatos oneratis gravi pondere cervicibus praecipitavit in flumen. Daß
der Brauch in Galilaea bekannt war und gelegentlich geübt wurde, zeigt Jos Ant
14, 450, vgl auch Ap 1, 307, wo von einer Beschwerung der zu Ertränkenden mit Blei 35
die Rede ist. Hier tritt vielleicht auch eine mythische Beziehung des βυθίζειν auf:
ὡς τοῦ ἡλίου ἀγανακτοῦντος ἐπὶ τῇ τούτων ζωῇ (Ap 1, 306) [5].
Das Wort in der ev Überlieferung ist ein Wort der Offenbarung des Zornes
Gottes. Kein menschlicher Richter kann die hier gemeinte Verfehlung nach
menschlichem Recht feststellen oder die ihr entsprechende Strafe verhängen [6]. 40
Ob man das συμφέρει und die parallelen Ausdrücke bei Mk und Lk kompara-

---

κρεμάννυμι κτλ. Thes Steph; Liddell-
Scott; Pr-Bauer; Komm z Mt 22,40, bes SchlMt.
[1] Radermacher 44. 98.
[2] Walde-Pok I 412 sv qer, 487 sv qrom-.
[3] Vgl Jos Ant 12, 256 (ἀπαρτάω).
[4] Josephus braucht in der Absalom-Erzäh-
lung Ant 7, 239. 241 ἀνακρεμᾶται (vl!) und κρεμάμενον. Die Korrektur von Mas nach LXX
in 2 Βασ 18, 9 empfiehlt sich nicht.

[5] Vgl 2 S 21, 6. Auch in diesem Zshg ist
wie Ap 1, 307 von einer Hungersnot die Rede.
Auf Beziehungen zum Sonnenkult weist AJeremias, Das AT im Lichte des Alten Orients [3]
(1916) 415, vgl 468. 569. Die Versenkung ins
Meer ist als Sühnemittel der Stadt Athen aus
dem Poseidonkult bekannt.
[6] Zn Mt zSt (567 A 31).

tivisch[7] übersetzt: dem wäre besser, daß er dieser zeitlichen Vernichtung verfällt als der ewigen Verdammnis, oder ob man es positiv versteht: dem gehört[8],
daß er der Vernichtung verfällt — die Tiefe des Meeres ist das Reich des
Hades[9] — mag zweifelhaft bleiben. Wahrscheinlich handelt es sich jedenfalls
5 um die ewige Rettung auf Kosten des Lebens (und dem entspricht ja am besten
das komparativische Verständnis), so wie es sich in den folgenden Worten vom
Ärgernis um die ewige Rettung auf Kosten eines Gliedes handelt. Dem, der
die Geringen mißachtet, die an Jesus glauben, kann Rettung nur widerfahren,
wenn sein irdisches Leben vernichtet wird.

10   Die Rettung auf Kosten des Lebens kennt auch die rabb Überlieferung. So heißt
es Sanh 8, 7: Folgende sind es, die man durch ihr Leben retten darf: wer seinem
Nächsten nachjagt, um ihn totzuschlagen, und einer Mannsperson und der verlobten
Maid[10]. Nach RSimon b Jochaj kommt dazu noch, wer Götzendienst treibt, und nach
R Eleazar b RSimon, wer Entweihung des Sabbats begeht[11]. Ebenso kennt Paulus
15   nach 1 K 5, 5 die Rettung auf Kosten des Lebens. Auch bei den Rabb taucht in
ähnlichem Zshg die Frage auf, ob es sich um eine gerichtliche Bestrafung oder um
eine Verwünschung handle[12]. Bei Paulus ist jedenfalls das letztere der Fall. Ebenso
liegt es auch bei Jesus. Er braucht das Bildwort von der Ertränkung und deutet
damit auf das 'Ersäuftwerden' des sündigen Menschen in der Tiefe der Wasser des
20   Todes, „damit der Geist gerettet werde an dem Gerichtstage des Herrn".

2. Gl 3, 13.

Am häufigsten kommt unser Verbum im biblischen Sprachgebrauch zur Bezeichnung des Aufhängens als einer gerichtlichen Strafe vor.

Das at.liche Gesetz kennt diese Strafe im allgemeinen nur als Zusatzstrafe vor
25   allem zur Steinigung und spricht also nur von dem Aufhängen von Leichnamen[13]. So
liegt es in dem grundlegenden Gesetz Dt 21, 22. 23, das auch nach der Auflösung des
israelitischen Volkstums für die innerjüdischen Verhältnisse bestimmend bleibt. Das
zeigt die Darstellung des at.lichen Gesetzes durch Josephus, in der er die Vorschrift
Dt 21, 22. 23 in folgender Form mitteilt (Ant 4, 202): ὁ δὲ βλασφημήσας θεὸν κατα-
30   λευσθεὶς (gesteinigt) κρεμάσθω δι' ἡμέρας καὶ ἀτίμως καὶ ἀφανῶς θαπτέσθω. Das zeigen
auch die einzelnen Fälle in der at.lichen Überlieferung, soweit dabei vom Aufhängen
von Getöteten nach israelitischem Recht die Rede ist. In Betracht kommen dafür
Jos 8, 29; 10, 26; 2 S 4, 12 (תלה); Jdt 14, 1. 11; 2 Makk 15, 33. Zwar ist Jos 8, 29
nicht ausdrücklich gesagt, daß der König von Ai vor der Pfählung getötet wurde;
35   nach Sitte und Zshg ist das aber wenigstens für den ursprünglichen Text vorauszusetzen. Die LXX allerdings unterscheidet nicht mehr scharf zwischen dem at.lichen
Gesetz des Aufhängens des Leichnams und der in der Umwelt üblichen Erhängung,
Pfählung oder Kreuzigung. Jos 8, 29: τὸν βασιλέα τῆς Γαι ἐκρέμασεν ἐπὶ ξύλου διδύμου,
hat sie offenbar an die Kreuzigung gedacht und das διδύμου deshalb von sich aus
40   hinzugefügt. In der auf Σ zurückgeführten Übersetzung finden sich noch zwei weitere
bezeichnende Fälle. In Nu 25, 4 und 2 S 21, 6. 9. 13 steht in Mas das seltene und
schwierige Verbum יקע, das LXX den einen Falle mit παραδειγματίζειν, an den
anderen Stellen in Βασ aber mit ἐξηλιάζειν, der Sonne preisgeben, aussetzen, wiedergibt. Σ hat dafür unser Verbum, während 'Α an beiden Stellen ἀναπήγνυμι setzt. Viel-
45   leicht verwechseln sie beide יקע mit תקע, das anheften, anschlagen bedeutet und von
LXX gelegentlich[14] mit πήγνυμι übersetzt wird. Es ergibt sich dann, daß κρεμάννυμι

---

[7] Vgl Cramer Cat zSt: τὸ δὲ 'συμφέρει'
πρόσκειται, δεικνύς, ὅτι καὶ τούτου χαλεπω-
τέραν ὑποστήσονται κόλασιν οἱ τοιοῦτοι. Vgl
auch Mt 5, 29 und dazu Str-B I 302 u I 775
z Mt 18, 6.
[8] So neuerdings WMichaelis, Das NT I
(1934) zSt.
[9] In der christlichen Symbolsprache ist die
Meerestiefe Bild des Todes und der Sünde,
in die der Mensch versenkt ist und aus der
er durch die Menschenfischer-Apostel gerettet
wird. Vgl FJDölger, Ichthys II (1922) 32.

[10] SKrauß, Gießener Mischna (1933) 248 f
zSt. Vgl auch Str-B I z Mt 5, 29.
[11] bSanh 73 b, vgl LGoldschmidt, Der babyl
Talmud (1925 ff) zSt.
[12] Str-B I 302 z Mt 5, 29.
[13] Str-B I 1034 z Mt 27, 26: „Die Juden
kannten zwar auch das Ans-Holz-Hängen,
aber diese Strafe hatte mit der römischen
Kreuzigungsstrafe nichts gemein."
[14] Gn 31, 25; Ri 4, 21 vl; 16, 14 vl; Jer 6, 3.
An diesen Stellen ist von Zelten oder Zelt-
pflöcken die Rede.

und ἀναπήγνυμι mit עקת, mit Nägeln anhängen, anschlagen, gleichgesetzt und beide in der Bedeutung: ans Kreuz heften oder hängen, pfählen angewendet werden. Natürlich können die griech Übersetzer auch einfach einen ihnen dem Sinne nach passend erscheinenden Ausdruck gewählt haben. Nu 25 wie 2 Βασ 21 handelt es sich weder im Urtext noch in den Übersetzungen um die altisraelitische Zusatzstrafe der Auf- 5 hängung des Leichnams, sondern um die Pfählung als Hauptstrafe, die bei Σ mit unserem Verbum bezeichnet wird, obwohl 'Hängen' in der israelitischen Rechtssphäre eigentlich einen anderen Sinn hat. 'A scheint mit seinem ἀναπήγνυμι dieselbe Vorstellung zu verbinden. Zu der Σ-Überlieferung in Nu 25 bemerkt Thdrt (MPG 80 p 396 b): τοῦ μέντοι λαοῦ ἡμαρτηκότος οἱ ἄρχοντες ἐκρεμάσθησαν, ὡς ὁ Σύμμαχος ἔφη, ὡς 10 μὴ ἐξάραντες τὸ πονηρὸν ἐξ αὐτῶν[15]. 2 Βασ 21, 6 scheint ein astral-kultisch bedingter Brauch zugrunde zu liegen, den die späteren griechischen Übersetzer der ihnen bekannten Strafübung entsprechend deuten[16]. An zahlreichen Stellen des AT bezieht sich schon der hbr Text mit seinem תלה nicht auf die israelitische Zusatzstrafe, sondern auf die in der Umwelt üblichen Strafformen der Erhängung, Pfählung oder Kreu- 15 zigung. So setzt Gn 40, 19. 22; 41, 13 wohl ägyptische Verhältnisse voraus, und für Thr 5, 12; 1 Εσδρ 6, 31 und das Estherbuch mit 8 Stellen kommen die jeweiligen Strafgerichtsbarkeitsverhältnisse im Zweistromland in Frage. In 1 Εσδρ ist erst der Übersetzer das κρεμασθῆναι ἐπὶ ξύλου eingeführt. Mas steht זָקִיף יִתְמְחֵא, was 2 Εσδρ 6, 11 (die spätere Übersetzung desselben Buches) mit ὠρθωμένος παγήσεται wieder- 20 gibt[17]. Ξύλον steht in beiden Übersetzungen für 'Balken', muß aber in diesem Zshg sofort als 'Pfahl' verstanden werden. So ist in der griech Überlieferung der schon in der Mas sprachlich nicht hervorgehobene Unterschied zwischen der israelitischen und der heidnischen Sitte des Hängens vollends verwischt.

So erklärt es sich, daß auch im NT Lk 23, 39 (Mt Mk συσταυροῦσθαι); Ag 25 5, 30; 10, 39 (vgl 2, 23 προσπήγνυμι[18]; 2, 36; 4, 10 σταυρόω) der Begriff der Kreuzigung (→ σταυρός) mit unserem Verbum wiedergegeben wird und daß von christlicher wie von jüdischer Seite die at.lichen Stellen, namentlich Dt 21, 23 ohne weiteres als sachlich entsprechende Aussagen bei der polemischen und apologetischen Behandlung der Kreuzestatsache herangezogen werden. 30

Die LXX-Übersetzung von Dt 21, 23 (κεκατηραμένος ὑπὸ θεοῦ πᾶς κρεμάμενος ἐπὶ ξύλου) ist nicht ganz wörtlich. Πᾶς und ἐπὶ ξύλου fehlen in Mas und werden deshalb auch in der hexaplarischen Überlieferung durch Asteriskus gekennzeichnet. Der typologisch hochbedeutsame Zusatz ἐπὶ ξύλου (→ ξύλον) stammt wohl aus den zahlreichen Stellen, wo er im hbr Grundtext entspricht. Die wörtliche 35 Übersetzung der Mas כִּי קִלְלַת אֱלֹהִים תָּלוּי findet sich bei 'ΑΘ: κατάρα θεοῦ κρεμάμενος. So braucht auch Pls in Gl 3, 13a zunächst das Subst κατάρα, während das ἐπικατάρατος in Gl 3, 13 b aus Dt 27, 26, der kurz vorher in Gl 3, 10 zitierten Stelle stammt. Σ hat ein anderes Verständnis: διὰ τὴν βλασφημίαν τοῦ θεοῦ ἐκρεμάσθη[19]. Σ setzt also einen Gen obj voraus und ebenso die sonst bezeugte Ersetzung von קִלְלַת אֱלֹהִים 40 durch ὕβρις (Verspottung) θεοῦ oder λοιδορία θεοῦ[20]. Dagegen fassen 'A, Pls und die rabb Überlieferung (Sanh 6, 4) κατάρα θεοῦ als Gen subj auf. Die rabb Überlieferung wendet auf Jesus regelmäßig die Vokabel תלה an[21]. Das geschieht offenbar absichtlich. Jesus steht damit für die Auffassung der Juden unter dem Fluch von Dt 21, 23[22], und er rückt neben den gehenkten Haman[23] und neben Absalom, dessen 45

---

[15] Vgl Field zSt.

[16] → A 5.

[17] זקף heißt im Aram pfählen, im Hbr aufrichten (Ps 146, 8; vgl ψ 145, 8: ἀνορθόω); es liegt also ein Hebraismus der LXX-Übersetzung gegenüber dem aramäischen Texte vor.

[18] Nur hier in der griech Bibel.

[19] Hier Gal II 435 (MPL 26 p 387 a).

[20] Zn Gl zSt 158.

[21] bSanh 43 a (ed princ; Cod M 95; — fehlt infolge Zensur in einem Teil der üblichen Talmuddrucke); 67 a (falls auf Jesus zu beziehen, was fraglich). Sonst ist kreuzigen צלב.

[22] Vgl Just Dial 32, 1: οὗτος δὲ ὁ ὑμέτερος λεγόμενος Χριστὸς ἄτιμος καὶ ἄδοξος γέγονεν,

ὡς καὶ τῇ ἐσχάτῃ κατάρᾳ τῇ ἐν τῷ νόμῳ τοῦ θεοῦ περιπεσεῖν· ἐσταυρώθη γάρ. Die Antwort Justins weist auf Js 53 und die 2. Parusie; 89, 3; 90, 1; Tertullian adv Judaeos 10 (MPL 2 p 665 a): non esse credendum, ut ad id genus mortis exposuerit Deus filium suum quod ipse dixit: maledictus omnis homo, qui pependit in ligno.

[23] Zn Gl 157. Während Haman nach dem Buch Esther ans 'Holz' gehängt wird, braucht Josephus in seiner Darstellung die Vokabel 'Kreuz' (σταυρός). Von Blandina heißt es im Martyrium Lugdunensium (bei Eus Hist Eccl V 1, 41): σταυροῦ σχήματι κρεμαμένη. Hier ist offenbar an eine bestimmte Kreuzform gedacht. Vgl auch Jos 8, 29 das ξύλον δίδυμον.

Schicksal ihn als Gehenkten charakterisiert[24]. Das κρεμάννυμι der LXX ermöglicht
am ersten dieses Verständnis. Vielleicht weist Gl 3, 13 darauf hin, daß Paulus sich
von Anfang an mit einer solchen jüdischen Polemik auseinanderzusetzen hatte. Die
Bedeutung der Antwort des Paulus auf solche Angriffe hat Justin so festgestellt:
ἡμῶν τονοῖ τὴν ἐλπίδα ἐκκρεμαμένην ἀπὸ τοῦ σταυρωθέντος Χριστοῦ[25]. Für Paulus und
damit für die Christenheit ist aus dem Wort des Fluches ein Wort des Heils geworden,
und die at.lichen Stellen, die die Christen heranziehen, weisen auf dieses Heil voraus.
Bezeichnend dafür ist die typologische Deutung einer freien Übersetzung des נֶאֱחַז
in Gn 22, 13, der Geschichte von Isaaks Opferung, das sich auf den Widder bezieht,
der sich wunderbarer Weise im Dickicht 'verfangen' hatte. Hebr und Syr setzen
dafür κρεμάμενος, wozu Melito von Sardes bemerkt, diese Wiedergabe sei eingeführt:
ὡς σαφέστερον τυποῦν τὸν σταυρόν[26].

3. Mt 22, 40.

An dieser Stelle kommt unser Verbum in übertragenem
Sinne mit der Bedeutung *abhängig sein* vor.

Bei κρεμάννυμι in diesem Sinne ist der Gebrauch einer Präposition (ἐξ oder ἐν) üblich. So sagt Xenoph Sym 8, 19: ὁ ἐκ τοῦ σώματος κρεμάμενος; Plat Leg VIII 831 c
heißt es: ἐξ ὧν κρεμαμένη πᾶσα ψυχὴ πολίτου. In ähnlichem Sinn wie bei Xenoph
begegnet die Formel auch bei Philo Poster C 61, der den Nu 13, 22 vorkommenden
Namen Θαλαμειν von תלה ableitet und daher mit κρεμάμενός τις deutet. An diese
Etymologie knüpft der folgende Gedankengang an: ἀνάγκη γὰρ ψυχαῖς ταῖς φιλοσωμά-
τοις ἀδελφὸν μὲν νομίζεσθαι τὸ σῶμα, τὰ δὲ ἐκτὸς ἀγαθὰ διαφερόντως τετιμῆσθαι· ὅσαι δὲ
τούτων διάκεινται τὸν τρόπον, ἀψύχων ἐκκρέμανται καὶ καθάπερ οἱ ἀνασκολοπισθέντες ἄχρι
θανάτου φθαρταῖς ὕλαις προσήλωνται. Agric 97 braucht Philo das Kompositum: αἰσθήσεως καὶ σαρκῶν ἐκκρεμαμένης ζωῆς. In der profanen Gräzität kommt in übertragenem
Sinne allerdings weniger unser Verbum als vielmehr ἀρτάω, ἀρτέω vor, das im biblischen Griechisch völlig fehlt. Vor allem Aristot bevorzugt ἀρτάω. So heißt es bei
ihm Metaph III 2 p 1003 b 17: τὸ πρῶτον ... καὶ ἐξ οὗ τὰ ἄλλα ἤρτηται (sc: Probleme). Bei
Plato findet sich folgendes Beispiel: ἐκ γὰρ δὴ τοῦ τοιούτου (der Mißachtung der Rechte
des Nächsten) πάντα ἠρτημένα τά τε εἰρημένα κακὰ γέγονε καὶ ἔστι καὶ ἔσται (Leg X 884 a).

Bekannt und in unserem Zshg besonders wichtig ist Plut Cons ad Apoll 28
(II 116 c): τὸ γνῶθι σαυτὸν καὶ τὸ μηδὲν ἄγαν · ἐκ τούτων γὰρ ἤρτηται τὰ λοιπὰ πάντα.
Hier liegt auch eine sachliche Parallele zu Mt 22, 40 vor. Das sittliche Verhalten des Menschen erscheint als abhängig von zwei Grundvoraussetzungen,
die natürlich andersartig sind als die des Evangeliums. Was aber in beiden
Fällen sichtbar wird, ist das Einheitsstreben des menschlichen Geistes gegenüber aller Zersplitterung einer kasuistischen Gesetzlichkeit. Auch die at.liche
Überlieferung kennt diese Ausrichtung auf eine einheitliche Erfassung des Gesetzes. Ps 15; Js 33, 15; Mi 6, 8; Am 5, 4; Js 56, 1; Hab 2, 4[27] sind immer
neue Versuche einer Zusammenfassung. Die Vokabel κρεμάννυμι begegnet im
griech AT allerdings nicht in diesem Zusammenhang.

Als sprachliche Parallelen kommen höchstens die folgenden Stellen in Betracht:
Jdt 8, 24: ἐξ ἡμῶν κρέμαται ἡ ψυχὴ αὐτῶν, und Gn 44, 30: ἡ δὲ ψυχὴ αὐτοῦ ἐκκρέ-
μαται ἐκ τῆς τούτου ψυχῆς, Mas: קְשׁוּרָה; Ἀ: συνδεδεμένη; Σ: ἐνδέδεται[28]. Wohl aber
wird die Formel von den Rabbinen verwendet, für die allerdings die sachliche Frage
nach der Möglichkeit der einheitlichen Erfassung der at.lichen Gebote — 613 werden
gezählt — keineswegs geklärt ist. Nach Schab 31 a hat Schammai eine Zusammenfassung des Gesetzes einem Heiden gegenüber, der Proselyt werden wollte, abgelehnt.
Hillel dagegen, Schammais jüngerer Zeitgenosse, gibt sie in der negativ formulierten
goldenen Regel[29]. Das Verbum תלה begegnet in der Formel SDt 41 z 11, 13:

---

[24] Euagrius, Altercatio Legis inter Simonem
Judaeum et Theophilum Christianum 2, 4 (ed
EBratke [1904] p 25 f).
[25] Just Dial 96, 1.
[26] Field z Gn 22, 13.
[27] HGrotius, Adnotationes in Novum Te-

stamentum ed CEvWindheim (1755) zSt. Vgl
dazu die Überlieferung von RSimlai (um 250)
bei Str-B I 907.
[28] Vgl auch die ob zitierte Stelle Just Dial 96,1.
[29] Vgl Str-B I 357 z Mt 5, 43. Die Versuche der alten Synagoge, die Forderungen

‏המעשה תלוי בתלמוד ואין תלמוד במעשה‎: Das Handeln hängt ab von der Lehre und nicht die Lehre vom Handeln. Eine Zusammenfassung des Gesetzes findet sich mit unserem Stichwort eingeleitet in Ber 63 a in einer auf bar Qappara (um 220) zurückgeführten Überlieferung: „Welches ist der kleinste Schriftabschnitt, an welchem alle wesentlichen Bestimmungen der Tora hängen (‏תלויין‎)?" Die Antwort ist Prv 3, 6: 5 „Auf allen deinen Wegen erkenne ihn, so wird er den Pfade ebnen [30]." — Auch das Gebot der Gottesliebe ist gelegentlich von den Rabbinen so betont worden, zB Ber 9, 5 a: „Schuldig ist man zu preisen beim Bösen, so wie man preist bei dem Guten; denn es heißt: du sollst lieben Jahwe, deinen Gott, von ganzem Herzen, von ganzer Seele, mit aller Macht [31]." 10

Im NT findet sich die Herausstellung des Gebotes der Liebe nicht nur bei Jesus, sondern auch bei Paulus. R 13, 9 schreibt der Apostel: τὸ γὰρ οὐ μοιχεύσεις . . . οὐκ ἐπιθυμήσεις, καὶ εἴ τις ἑτέρα ἐντολή, ἐν τῷ λόγῳ τούτῳ ἀνακεφαλαιοῦται, und Gl 5, 14 heißt es: ὁ γὰρ πᾶς νόμος ἐν ἑνὶ λόγῳ πεπλήρωται, ἐν τῷ · ἀγαπήσεις τὸν πλησίον σου ὡς σεαυτόν. Dabei ist es von keiner besonderen sach- 15 lichen Bedeutung, daß Paulus das Gebot der Nächstenliebe, Jesus aber das Doppelgebot der Gottes- und Nächstenliebe anführt und daß bei den drei Synoptikern die beiden Gebote in verschiedener Weise nebeneinanderstehen. Nur bei Lk kann man eigentlich von einem Doppelgebot sprechen; bei Mk ist das Gebot der Nächstenliebe als das 2. gezählt. Bei Mt stehen beide Gebote gleich- 20 wertig nebeneinander. Aber das sind nur Besonderheiten der Überlieferung, wie ja auch der abschließende Satz 22, 40 Sondergut des Mt und vielleicht ähnlich wie 7, 12 die Unterstreichung der goldenen Regel: οὗτος γάρ ἐστιν ὁ νόμος καὶ οἱ προφῆται, als Zusatz des Mt zu betrachten ist [32].

Der besondere Sinn des bei Mt angewendeten Bildes des Hängens an (ἐν nicht 25 ἐξ) führt auf das folgende Gleichnis: Wie Gegenstände an einem Nagel hängen und stürzen würden, wenn der Nagel nicht hielte, also völlig in ihrem Sein von ihm abhängig sind [33], so sind die Einzelheiten des sittlichen Verhaltens (jüdisch gesprochen: die Einzelgebote des Gesetzes) abhängig von dem Gebot der Liebe. Damit ist nicht etwa das Gesetz als ein Weg zur Verwirklichung der Gottes- 30 und Nächstenliebe anerkannt [34]. Und erst recht ist damit nicht eine Wertstufenfolge der verschiedenen Gebote „je nach ihrer näheren oder ferneren Beziehung zu den beiden Kardinalgeboten" [35] aufgestellt. Sondern hier ist die Liebe Gottes als der tragende Grund alles menschlichen Handelns und aller menschlichen Haltung erkannt. Die Liebe Gottes in den Menschen und damit auch die Liebe 35 der Menschen zu Gott offenbart und verwirklicht sich aber in der Nächstenliebe [36]. „Gott ist der Gott der Liebe, und wer ein Gotteskind werden will, muß von dem Strom göttlicher Liebe erfaßt und getrieben sein und in seinem Leben die Gottesliebe widerstrahlen [37]." Es handelt sich im NT also nicht um

der Tora auf einzelne Grundsätze zurückzuführen, sind ebd 907 z Mt 22, 40 zusammengestellt.

[30] Str-B ebd; Schl Mt zSt.

[31] OHoltzmann, Gießener Mischna (1912) zSt 92 f.

[32] Bultmann Trad 93.

[33] Vgl auch das Bild von Weinrebe und Ulme bei Herm s 2, 3, 4 und ἐπικρεμάννυμι Hos 11, 7; Js 22, 24, Mas: abhängen (von einem Nagel, v 25).

[34] HJacoby, NT Ethik (1899) 83.

[35] Zn Mt 646. Nach Schlatter haben die Satzungen ihren Wert nicht mehr in sich selbst, sondern darin, daß sie der Liebe die Mittel angeben, durch die sie ihr Werk vollführt (Gesch d Chr 282).

[36] GBertram, in: Die Entwicklung zur sittlichen Persönlichkeit im Urchr hsgg JNeumann (1931) 59 ff, bes 77. Vgl auch → ἔργον II 646 ff.

[37] PFeine, Theologie des NT [2] (1911) 95. Damit ist auch jedes bloß ethische Verständnis ausgeschaltet, wie es etwa bei HEGPaulus, Philol-kritischer u hist Komm über das NT [2]

eine logische Ableitung oder Zurückführung der vielen Gebote auf eines, sondern um die Erkenntnis des Grundgesetzes alles Handelns aus Glauben; κρέμαται, ἀνακεφαλαιοῦται, πεπλήρωται sind sachlich parallele Ausdrücke, die dieselbe Tatsache meinen. Der Glaubende ist in seinem Handeln nicht an eine Vielzahl
5 von Vorschriften gebunden; er handelt vielmehr aus der Kraft der Liebe. Damit steht er in der Einheit, Reinheit und Freiheit der Kinder Gottes.

4. Lk 19, 48.

In Lk 19, 48 findet sich in der handschriftlichen Überlieferung im allgemeinen das Kompositum ἐκκρεμάννυμι. Nur D (und eine Minuskel) hat auch
10 hier das Simplex [38]. Die Bedeutung ist die des *Gespanntseins* (im übertragenen Sinne) oder: des *am-Munde-Hängens*. Das entspricht einer auch sonst zu belegenden Verwendung unseres Verbums. Vgl Aristot Rhet III 14 p 1415 a 12 ἵνα προειδῶσι περὶ οὗ ἦν ὁ λόγος καὶ μὴ κρέμηται ἡ διάνοια. Auch LXX gebraucht κρέμαμαι gelegentlich in einem ähnlichen Sinn, so Dt 28, 66: ἔσται ἡ ζωή σου κρεμαμένη ἀπέναντι τῶν ὀφθαλμῶν
15 σου, καὶ φοβηθήσῃ ἡμέρας καὶ νυκτὸς καὶ οὐ πιστεύσεις τῇ ζωῇ σου. Und Philo Poster C 24. 25 urteilt mit Bezug auf das Leben des ἄφρων: ζωὴ κρεμαμένη, βάσιν οὐκ ἔχουσα ἀκράδαντον (unerschütterlich) [39].

Die Bemerkung bei Lk entspricht der historisierenden und psychologisierenden Art dieses Evangelisten. Der Verfasser des Evangeliums schildert auf
20 diese Weise die Haltung des Volkes gegenüber Jesus. Durch seine besondere Formulierung verdrängt er an dieser Stelle den für die Erfassung der Wirkung Jesu auf seine Umgebung typischen Ausdruck ἐξεπλήσσοντο (Mt 22, 33; Mk 11, 18) [40]. Es ist ein mehr „menschliches" Jesusbild, dem auch dieser kleine Zug sich einordnet.

25   *Bertram*

κρίνω, κρίσις, κρίμα, κριτής, κριτήριον,
κριτικός, ἀνακρίνω, ἀνάκρισις, ἀποκρίνω,
ἀνταποκρίνομαι, ἀπόκριμα, ἀπόκρισις,
διακρίνω, διάκρισις, ἀδιάκριτος, ἐγκρίνω,
30   *κατακρίνω, κατάκριμα, κατάκρισις,*
ἀκατάκριτος, αὐτοκατάκριτος,
πρόκριμα, συγκρίνω

κρίνω

Inhalt: A. Sprachliches. — B. Der at.liche Begriff מִשְׁפָּט: 1. Der Stamm
35 שׁפט; 2. Gott als Geber und Hüter des מִשְׁפָּט; 3. מִשְׁפָּט als Verhältnisbegriff; 4. Die ethische

---

[38] (1812) besonders krass hervortritt (zSt): „Alle speziellen Pflichtforderungen wird derjenige sich von selbst aufgeben, welcher diese zwei universellen an sich macht."
[38] Ἐξεκρέματο vl: ἐξεκρέμετο, dazu Tisch NT: forma κρέμομαι pro κρέμαμαι a vulgari usu haud aliena videtur fuisse.
[39] Vgl κρέμαμαι ἀπ᾽ ἐλπίδος, ἐπ᾽ ἐλπίδι, „in Erwartung, Ungewißheit schweben", bei Anacr 92, 17 (Preisendanz XVII 17 p 679); Porphyr Abst 1, 54. Gelegentlich liegt deutlich das Bild vom Auf die Folter gespannt sein zu-

grunde. Vgl die ob zitierte Philo-Stelle, Poster C 61, wo sich die Zusammengehörigkeit der verschiedenen Bedeutungen: „abhängen, am Kreuz hängen, gespannt sein", zeigt.
[40] → θαῦμα 36 ff.

κρίνω. Zum Ganzen: Cr-Kö sv. — Zu A: Liddell-Scott, Pape, Pass, Pr-Bauer sv. — Zu B: AAlt, Die Ursprünge des israelitischen Rechts, Berichte der Sächsischen Akademie der Wissenschaften zu Leipzig, Phil-Hist Klasse 86 (1934) Heft 1; WWGrafBaudissin, Kyrios und religiöse Bestimmtheit des Begriffes מִשְׁפָּט; 5. Der Bedeutungswandel von מִשְׁפָּט; 6. מִשְׁפָּט in seiner Beziehung zu den Völkern. — C. Der Gerichtsgedanke im Griechentum. — D. Der Gerichtsgedanke im Judentum. — E. Der Gerichtsgedanke im NT: 1. beim Täufer; 2. in der synoptischen Verkündigung Jesu; 3. bei Paulus; 4. bei Johannes: Briefe und Evangelium; 5. in der Offenbarung des Johannes; 6. Petrus- und 5 Hebräerbrief; 7. Menschliches Richten; 8. Zusammenfassung.

A. Sprachliches.

Das Wort ist wurzelverwandt mit dem lateinischen cerno: *sondern*[1]. In seiner Grundbedeutung: *sondern, sichten* ist es bei Homer noch nachweisbar (Il 5, 500: ὅτε τε ξανθή Δημήτηρ κρίνη . . . καρπόν τε καὶ ἄχνας [Spreu]. Aus dieser ergibt sich 10 die Bedeutung: *aussondern, auswählen* (Hom Il 1, 309: ἐς δ' ἐρέτας ἔκρινεν ἐείκοσιν), *schätzen* (κρίνοντες τὸν Ἀπόλλω . . . πρὸ Μαρούου Plat Resp III 399 e). Die verbreitetste Bedeutung ist: *entscheiden* (νείκεα κρίνειν Hom Od 12, 440), *richten, urteilen*, auch *beurteilen*; im Medium ergibt sich aus *richten* die Bedeutung: *miteinander rechten, streiten* (Τιτήνεσσι κρίναντο Hes Theog 882), auch: *sich Recht sprechen lassen*, woraus geradezu: 15 *angeklagt werden* wird (θανάτου δίκη κρίνεσθαι Thuc III 57, 3); aus *beurteilen* wird im Medium: *auslegen* (ὁ γέρων ἐκρίνατ' ὀνείρους Hom Il 5, 150; ὀνειροκρίτης der Traumdeuter). Aus: *urteilen* wird: *meinen, halten für* und: *bestimmen, beschließen* (Isoc 4, 46: τὰ γὰρ ὑφ' ἡμῶν κριθέντα τοσαύτην λαμβάνει δόξαν). Das Wort, das am häufigsten in der Rechtssprache vorkommt, gehört also dieser weder allein noch ursprünglich an. 20

Die Septuaginta übersetzen mit κρίνειν weit überwiegend Worte der Rechtssprache, vor allem שׁפט, seltener דִין und רִיב. κρίνειν bezeichnet demgemäß das Richten und das gerade auch dann, wenn es dem Bedrängten Rettung, Heil schafft, zB ψ 71, 2: κρίνειν τὸν λαόν σου ἐν δικαιοσύνῃ καὶ τοὺς πτωχούς σου ἐν κρίσει. Sach 7, 9: κρίμα δίκαιον κρίνατε καὶ ἔλεος καὶ οἰκτιρμὸν ποιεῖτε. Entsprechend der Bedeutung von 25 שׁפט → 922, 20 ff bezeichnet κρίνειν auch das Regieren, nicht nur das Richten, Ri 3, 10; 4, 4 uö; 1 Βασ 4, 18; 4 Βασ 15, 5[2]. Damit überschreitet der Sprachgebrauch der LXX den allgemein-griechischen.

als Gottesname im Judentum und seine Stelle in der Religionsgeschichte III (1929) 379—428; Ders, Der gerechte Gott in altsemitischer Religion, in: Festgabe AvHarnack dargebracht (1921) 1 ff; WCoßmann, Die Entwicklung des Gerichtsgedankens bei den at.lichen Propheten, Beih ZAW 29 (1915); KCramer, Amos, Versuch einer Theologischen Interpretation, BWANT 15 (1930); HCremer, Die paulinische Rechtfertigungslehre im Zusammenhang ihrer geschichtlichen Voraussetzungen (1899); LDiestel, Die Idee der Gerechtigkeit, vorzüglich im AT. bibl-theologisch dargestellt, Jbcher f deutsche Theologie 5 (1860) 173 ff; WEichrodt, Theologie des AT I (1933) 121—126. 246—273; K.HFahlgren, צְדָקָה nahestehende u entgegengesetzte Begriffe im AT (Diss Uppsala 1932); HFuchs, Das at.liche Begriffsverhältnis von Gerechtigkeit (צדק) u Gnade (חסד) in Profetie und Dichtung, in: Christentum u Wissenschaft 3 (1927) 101—118. 149—158; JHempel, Gott u Mensch im AT, BWANT 3. Folge 2 (1926); Ders, Gottesgedanke u Rechtsgestaltung in Altisrael, ZSTh 8 (1931) 377—395; HWHertzberg, Die Entwicklung des Begriffes מִשְׁפָּט im AT, ZAW 40 (1922) 256—287; 41 (1923) 16—76; Ders, Die prophetische Botschaft vom Heil u die at.liche Theologie, NkZ 43 (1932) 513—534; EKautzsch, Über die Derivate des Stammes צדק im at.lichen Sprachgebrauch (1881); FNötscher, Die Gerechtigkeit Gottes bei den vorexilischen Propheten (1915); OProcksch, Die hbr Wurzel der Theologie, in: Christentum u Wissenschaft 2 (1926) 405—417, 451—461; HSchultz, Die Beweg-

gründe zum sittlichen Handeln in dem vorchristlichen Israel, ThStKr 63 (1890) 1 ff; MWeber, Ges Aufsätze z Religionssoziologie III: Das antike Judt (1923). — Zu C: OGruppe, Griech Mythologie u Rel Gesch (1906); Rohde; Bertholet-Leh II 280—417 (von MPNilsson); OKern, Die Religion der Griechen I (1926), II (1935); UvWilamowitz-Moellendorff, Der Glaube der Hellenen I (1931), II (1932); LRühl, De Mortuorum Iudicio, RVV 2, 2 (1903). — Zu D: Bousset-Greßm 202 ff; PVolz, Die Eschatologie der jüdischen Gemeinde (1934) 89—97. 272—309; Str-B IV 1199—1212; ASchlatter, Jochanan ben Zakkai, in: BFTh 3, 4 (1899) 72 f → ᾅδης, γέεννα, παράδεισος. — Zu E: HCremer, Die paulinische Rechtfertigungslehre (1899) 187 ff, 256 ff, 359 ff; MKähler, Artk „Gericht", RE[3] VI 568 ff; HBraun, Gerichtsgedanke u Rechtfertigungslehre bei Pls (1930); PFeine, Theologie des NT[4—7] (1923—36) 130—132, 246 bis 250, 382—384; HWeinel, Biblische Theologie des NT[4] (1928) 53 ff; FBüchsel, Theologie des NT (1935) 35—40, 68—71, 122—123, 141 bis 142; PAlthaus, Römerbrief (in: NT Dtsch 2 [1935]) 19; WLütgert, Joh Christologie[2] (1916) 157 ff, 235 ff; PAlthaus, Die letzten Dinge[4] (1933) 165 ff.

[1] Diese Wurzelverwandtschaft tritt noch deutlicher hervor in den Verbalformen und Ableitungen, in denen der Stamm κρι- und cre (cri) lautet: κέ-κρικα, ἐ-κρί-θην, κρι-τής, κρί-σις usw und cre-vi, cre-tum, cri-men, cribrum (das Sieb, das voneinander sondert usw.)

[2] Daß die LXX an diesen und ähnlichen Stellen κρίνειν nur als Richten, nicht als Regieren verstanden hätten, ist sehr unwahrscheinlich, wenn auch nicht ausgeschlossen.

Im Neuen Testament [3] bedeutet κρίνειν vorzugsweise: *richten*, zB das Richten Gottes R 2, 16; 3, 6, das Richten von Menschen Ag 23, 3; J 18, 31 uö, auch das nicht amtliche, rein persönliche Richten im Sinne einer absprechenden Beurteilung eines anderen Mt 7, 1. 2; Lk 6, 37; R 2, 1. 3; 14, 3. 4. 10. 13; Jk 4, 11. 12. Das Medium in der Bedeutung: *angeklagt werden* zeigt Ag 23, 6; 26, 6, in der Bedeutung: *sich Recht sprechen lassen, im Rechtsstreit liegen* Mt 5, 40; 1 K 6, 6. Die Bedeutung: *beschließen, bestimmen* hat κρίνειν Ag 16, 4: τὰ δόγματα τὰ κεκριμένα ὑπὸ τῶν ἀποστόλων, 20, 16; 25, 25; 27, 1; 1 K 2, 2; 7, 37: τοῦτο δὲ κέκρικεν . . . τηρεῖν τὴν ἑαυτοῦ παρθένον, die Bedeutung: *schätzen* R 14, 5: ὃς μὲν κρίνει ἡμέραν παρ᾽ ἡμέραν, ὃς δὲ κρίνει πᾶσαν ἡμέραν, der eine schätzt einen Tag höher als den andern, der andere schätzt jeden Tag. Es kommt auch vor in den Bedeutungen: *beurteilen, halten für* Ag 13, 46; 16, 15; 26, 8; *meinen* Ag 15, 19; 2 K 5, 14, im Aor: *sich eine Meinung, ein Urteil bilden* Lk 7, 43; Ag 4, 19; 1 K 10, 15; 11, 13. Mt 19, 28; Lk 22, 30 heißt κρίνειν nicht: „richten", sondern *regieren* [4]. Dieser Sprachgebrauch geht zurück auf den der LXX und weiterhin auf den des hebräischen שׁפט [5]; da er dem nicht-biblischen Griechisch fremd ist, haben wir hier wieder einmal einen Fall von „Bibel-Griechisch". Das theologische Interesse haftet an κρίνειν in der Bedeutung: *richten* uz des göttlichen Richtens.

Büchsel

B. Der at.liche Begriff מִשְׁפָּט.

1. Der Stamm שׁפט [6].

Für den Stamm שׁפט läßt sich im AT eine doppelte Bedeutung herausstellen: a. Herrschen, b. Richten. Dabei kann man an Stellen wie Gn 16, 5, an denen durch das hinzugesetzte בֵּין einwandfrei die juristische Bedeutung des Stammes שׁפט vorliegt, erkennen, daß es weniger darum geht, daß überhaupt eine Entscheidung erfolgt, als darum, daß die in der Benachteiligung des einen Rechtspartners vorliegende Störung des Rechtsverhältnisses wieder behoben wird. Auch in Js 2, 4; Mi 4, 3 liegt der Ton nicht auf dem „Entscheiden" im distributiven Sinn — trotz des בֵּין —, sondern auf dem durch die Betätigung des שׁפט heraufgeführten שָׁלוֹם-Zustand. Daneben aber finden sich auch Stellen, an denen die Bedeutung „entscheiden" im distributiven Sinne vorliegt (zB 1 S 24, 13).

Angesichts dieser zweifachen Sinnmöglichkeit ergibt sich die Frage, ob das Amt des Herrschers das Richten mit einschließt, oder ob das Richteramt zugleich Herrscheramt ist [7]. Ex 2, 14 heißt es מִי שָׂמְךָ לְאִישׁ שַׂר וְשֹׁפֵט עָלֵינוּ. Darin, daß Mose sich das Amt eines אִישׁ שַׂר anmaßt, ist es gegeben, daß er zugleich über das Volk richten will. Offenbar wird das Richten als ein Teil des Herrschens angesehen. Ähnlich liegt der Tatbestand 2 S 15, 4: Absalom kann nur so sein Ziel, über Israel zu richten, erreichen, daß er das Amt des Königs anstrebt. Es stimmt damit überein, daß uns das Nomen שׁפט vielfach in Aufzählungen begegnet, in denen sonst nur solche Stände angeführt sind, die ausschließlich ein Amt des Regierens innehaben [8]. Vielleicht am deutlichsten tritt das Verhältnis des Richtens zum Herrschen 1 S 8 entgegen, wo das Volk sich dadurch von den ungerecht richtenden Samuelsöhnen befreien will, daß es Samuel um die Einsetzung eines Königs bittet. 8, 20 heißt es ausdrücklich: „Unser König soll uns richten" — das Recht-Schaffen ist also eine Seite des Königsamtes. Damit ist die äußere Einheit der beiden durch den Stamm שׁפט ausgedrückten Handlungen gegeben: Sie liegt im Amt des Regenten, dessen vorzüglichste Aufgabe es ist,

---

[3] Eine ausgezeichnete Übersicht über den nt.lichen Sprachgebrauch, mit zahlreichen Parallelen aus dem hell Sprachgebrauch, bietet Pr-Bauer. Das Wort ist verhältnismäßig häufig in den Lk-Schriften, bei Pls und im Joh-Ev.

[4] Die SchlMt 583 z 19, 28 angeführten rabb Par lassen es zwar als möglich erscheinen, daß κρίνειν an dieser Stelle *richten* und nicht *regieren* bedeutet. Aber Zahn hat doch wohl mit Recht geltend gemacht, daß die Israeliten abzuurteilen dh ganz überwiegend zu verdammen für Israeliten kaum ein Vorzug sein

dürfte. Auch Apk 20, 4 ist die Tätigkeit derer, die auf den Thronen sitzen und κρίμα erhalten: βασιλεύειν dh regieren.

[5] Zur Bdtg „regieren" für שׁפט vgl noch die Titulierung der leitenden Beamten in Karthago als sufetes, Liv 28, 37, 2; 30, 7, 5 uö.

[6] Zum Sprachgebrauch von LXX → δίκη.

[7] Vgl Hertzberg (→ Lit-A) 257.

[8] Neben שַׂר bzw שָׂרִים Ex 2, 14; Am 2, 3; Mi 7, 3; Zeph 3, 3; Ps 148, 11; Prv 8, 16; 2 Ch 1, 2; neben מֶלֶךְ Hos 7, 7; Ps 2, 10; neben beiden Hos 13, 10 vgl auch Js 33, 22; 40, 23.

durch seine Entscheidungen Recht zu schaffen. Unschwer aber läßt sich auch die Sinneinheit der beiden Bedeutungen erkennen: Es ist der Wille eines Subjektes, das sich in seinen Herrscher- bzw Richterentscheidungen einem Objekt gegenüber durchsetzt und damit einen bestimmten Zustand herbeiführt — mag es sich um die einmalige Wiederherstellung eines gestörten Rechtsverhältnisses oder um die dauernde 5 Aufrichtung eines Herrschaftsbereiches handeln. Js 2, 4; Mi 4, 3 zeigen, wie hier die Bedeutungen ineinander übergehen.

Ein Vergleich mit anderen semitischen Sprachen ist nicht sonderlich ergiebig. Im Assyrischen findet sich šapatu (mit Taw) in der Bedeutung „Richten", ebenso šiptu (mit Tet) für „Strafgericht". Beachtlich ist, daß für šapitu auch die Bedeutung 10 „Befehlshaber einer Abteilung" nachgewiesen ist[9], so daß sich die gleiche Doppelheit der Bedeutung des Stammes wie im Hebräischen ergibt.

Am häufigsten kommt das mit praefigiertem מ gebildete Nomen מִשְׁפָּט vor. Es begegnet in den wesentlichen Bedeutungsstufen der Nomina der Miqtalform, die einen Zustand oder eine Handlung bezeichnen, durch welche die in dem zugehörigen Verbal- 15 stamm enthaltene Tätigkeit zum Ausdruck gebracht wird. Ist dies der allgemeinste Sinn, so lassen sich von hier aus die drei Bedeutungsmöglichkeiten dieser Nomina ableiten: *1.* Es ist ein Übergang zu einem konkreteren Sinn festzustellen, vor allem wenn das Nomen das Werkzeug bedeutet, das zur Ausübung der diesbezüglichen Tätigkeit dient. *2.* Eine Reihe von Worten geht — neben dem Zustand, der die im Verb 20 ausgedrückte Tätigkeit wiedergibt — gleichzeitig oder auch allein auf das Objekt, dem diese Tätigkeit gilt. *3.* Eine dritte Reihe ist — neben der ersten Bedeutung — gleichzeitig Bezeichnung des Ortes, an dem die Tätigkeit des Verbums geschieht[10].

So bezeichnet מִשְׁפָּט das *Richten = Rechtschaffen*, sowohl in der konkreten Bedeutung des *Urteilsspruches*, der *Entscheidung*, als auch in der mehr abstrakten 25 Form der *Gerichtshandlung*, des *Strafgerichts*. Dauernde Bestimmtheit kommt in den Bedeutungen: *Rechtsbrauch, Rechtsnorm, Rechtsanspruch* zum Ausdruck. Doch läßt sich neben diesen üblichen Bedeutungsstufen im AT ein eigenartiger Bedeutungswandel des Nomens feststellen, das nicht nur den Sinn von *Religion* oder *Wahrheit*, sondern geradezu von *Gnade* und *Heil* annimmt. Auf diesen 30 wesentlich in der Eigenart des at.lichen Gottesverhältnisses begründeten Wandel wird noch zurückzukommen sein.

2. Gott als Geber und Hüter des מִשְׁפָּט.

Es ist alte, gemeinsemitische Vorstellung, daß Gott Richter ist (→ δίκη). Diese Anschauung dürfte zurückgehen auf die Stammes- 35 religion, in der Gott zugleich als Rechtssetzer und Rechtsgenosse angesehen wird. Sein Richten besteht darin, daß er über dem im Stamm gegebenen Gemeinschaftsverhältnis wacht und für den Stamm in dessen kriegerischen Auseinandersetzungen eintritt. So ist sein מִשְׁפָּט also bezogen auf die Gemeinschaft, deren Gott er ist. Die doppelte Bedeutung von שפט ist zu beachten: Als der 40 Herrscher des Stammes ist der Gott der Stammesreligion zugleich der Richter. Seine Herrschaft wirkt sich im Richten aus, und an seinem Richten erkennt man, daß er der Herr ist. Die Vorstellung des Herrschens ist nicht ethisch bestimmt. Dagegen kann von einem Richten sowohl bei Menschen wie bei Gott nur gesprochen werden, wenn dabei irgendwie die Vorstellung der Gerech- 45 tigkeit mit anklingt. Es ist deutlich, daß dabei eine Spannung zwischen der im Herrschen sich auswirkenden Macht Gottes und der beim Richten vorausgesetzten Gerechtigkeit Gottes eintreten kann. So kommt schon in der Doppel-

---

[9] Vgl Zschr f Assyriologie 4 (1889) 278 ff. | [10] Vgl Hertzberg (→ Lit-A) 260 f.

heit der Bedeutung von שפט das Problem zum Ausdruck, das dort vorliegt, wo
juridische Begriffe zu theologischen Termini geworden sind.

Die Gesetzescorpora des AT, in denen es besonders deutlich wird, daß das Gottesverhältnis juridisch aufgefaßt ist, stammen in ihrer heutigen Fassung alle aus einer
Zeit, in der aus den Stämmen bereits das Volk geworden ist. Dennoch spiegeln auch
sie das in der Stammesreligion gegebene Verhältnis wider. Es entspricht dem ein-
mütigen Zeugnis des AT, daß das Volk Israel durch das Faktum eines Bundesschlusses
(→ διαθήκη) mit Jahwe geworden ist. Dieser Bund bestand darin, daß Jahwe in ein
Rechtsverhältnis zu Israel trat, indem er zugleich Setzer des Rechtes und Rechts-
„partner" wurde. Jahwes מִשְׁפָּטִים sind Auswirkung dieses Bundes, in dem Jahwe als
höchster Herr und Richter die Gemeinschaftsverhältnisse des Gottesvolkes so regelt,
daß er selber über die Einhaltung seiner מִשְׁפָּטִים wacht. Segen und Fluch spiegeln
ebenso die unmittelbare Bezogenheit dieser מִשְׁפָּטִים auf den Bundesherrn wider, wie
die persönliche Anrede des: „Du sollst", in der das „Ich" des Bundesgottes zu seinem
Volke spricht.

Damit ist für Israel das gesamte Recht auf den Herrn und Richter Jahwe
bezogen. Hierin zeigt sich die Eigenart des at.lichen Gottesverhältnisses. Der
theologische Gebrauch juristischer Termini ist nur dort möglich, wo der Glaube
an die Naturgottheiten überwunden ist durch den Glauben an einen persönlichen
Gott, der zu der ihn verehrenden Gemeinschaft ein geschichtliches Verhältnis
gewonnen hat. Die Eigenschaft des Richtens und der Gerechtigkeit kann konsequenterweise einer Naturgottheit nicht ursprünglich eignen, sondern nur von
außen übertragen werden; so ist es zB bei dem babylonischen Gott Schamasch
der Fall. Angesichts der Vielheit naturgebundener Gottheiten ist bestenfalls
ein casuistisches Recht möglich, das auf Grund einer langen Praxis gewisse
Rechtsnormen konstatiert, das aber nicht in der Lage ist, im apodiktischen Stil
des: „Du sollst" rechtliche Entscheidungen zu treffen. Die Eigenart des at.li-
chen Gottesglaubens kann man innerhalb der kanonischen Gesetzescorpora gerade
deshalb erkennen, weil in ihnen das alte casuistische Recht eingefügt ist in die
von der Vorstellung des einmaligen geschichtlichen Bundesschlusses bestimmten
Gesamtzusammenhänge. So geben sie selbst das Ringen zwischen dem — kanaanäischen — casuistischen Recht und dem apodiktischen Jahwerecht wieder,
das uns in besonders eindringlicher Weise im Dekalog entgegentritt, der mit
seiner Einleitung: „Ich bin dein Gott" deutlich die Situation des Bundesschlusses
voraussetzt, bei dem Jahwe selber durch sein Wort die Initiative ergreift und
die Bundessatzungen erst auf der Grundlage der Bundeszusage ergehen[11]. Daß
die kanonischen Schriften des AT die gesamten Rechtssatzungen auf jenen
Bundesschluß am Sinai zurückführen, zeigt das Ergebnis dieses Ringens: In
Israel ist für ein „profanes" Recht grundsätzlich kein Raum.

Dem entspricht der lexikalische Befund, der uns einen Eindruck nicht nur von der
die gesamten Glaubensvorstellungen beherrschenden theologischen Verwendung juristischer Termini, sondern auch von der unmittelbaren Bezogenheit alles juristischen
Gebarens in Israel auf den obersten Herrn und Richter vermittelt. So werden auch
שפט und מִשְׁפָּט nur im abgeblaßten Sinn profan gebraucht[12].

Sind durch die Willensoffenbarung Jahwes bei der Bundesschließung die Gemeinschaftsverhältnisse innerhalb des Gottesvolkes geregelt, so erweist sich Jahwe
auch als der Hüter des מִשְׁפָּט dadurch, daß er für sein Volk gegenüber kriegerischen
Bedrohungen von außen eintritt. Es ist bezeichnend, daß die Siege Israels

---

[11] Vgl Alt (→ Lit-A) 68.   [12] Vgl Gn 40, 13; 1 S 27, 11; 2 Kö 1, 7 (?);
                                               2 Kö 25, 6; Jer 32, 7. 8.

צִדְקוֹת יהוה genannt werden; sie sind also Auswirkung der richterlichen Entscheidungen Jahwes. Als der Richter ist Jahwe der Helfer seines Volkes (vgl Ri 11, 27; 2 S 18, 31; Dt 33, 21). An der Frage des Abraham: „Sollte der Richter der ganzen Erde nicht מִשְׁפָּט tun?" Gn 18, 25 erkennen wir, wie diese Vorstellung den Gottesglauben vorwärtstreibt: die Gemeinschaft, die sich der 5 Herrschaft und damit dem Richten ihres Gottes unbedingt unterworfen weiß, gewinnt das Vertrauen, daß der in der eigenen Geschichte erfahrene מִשְׁפָּט Gültigkeit im Weltgeschehen überhaupt hat[13].

3. מִשְׁפָּט als Verhältnisbegriff.

Haben wir den Ursprung der theologischen Verwendung juri- 10 discher Begriffe in der Stammesreligion erkannt und die entscheidende Bedeutung der Bundschließung für die Entwicklung dieser Gedankenreihen in Israel beachtet, so ist damit deutlich, daß es sich beim מִשְׁפָּט Jahwes nicht um eine abstrakte, absolute Norm einer Sittlichkeit oder um ein Rechtsprinzip handelt, nach dem die richterlichen Entscheidungen auf der Erde ergehen. Es gilt die at.liche Vorstellung des 15 מִשְׁפָּט abzugrenzen gegen den römischen Gedanken des Rechts, aber auch gegen die abstrakte Vorstellung eines Ethos, einer Tugend- oder Rechtsidee. מִשְׁפָּט ist vielmehr ein Verhältnisbegriff — ebenso wie der Begriff צְדָקָה —, der die Beziehungen innerhalb einer bestimmten Gemeinschaft regelt und nur von seiner Geltung in dieser Gemeinschaft her verstanden werden kann. Die Vorstellung des Richters, der auf 20 Grund seiner Herrschereigenschaft die Gemeinschaftsverhältnisse innerhalb seines Stammes regelt, wie der Gedanke des Gottes, der sich in der Bundschließung als Herr und Richter an sein Volk gebunden hat, indem er ihm seinen Willen offenbarte und nun auf die Einhaltung dieser Willensoffenbarung innerhalb des Volkes ebenso achtet wie auf die Aufrechterhaltung der in der Bundschließung gegebenen Verheißung, 25 steht im Gegensatz zu der Vorstellung des Richters, der nach einer bestimmten Rechtsnorm auf Grund einer justitia distributiva Recht spricht. Daher sind die Wertungen der at.lichen Geschichten verfehlt, die von dem Gedanken einer justitia distributiva her vorgenommen werden, welche nach einer feststehenden Norm absoluter Sittlichkeit verfährt; sie treffen den Sinn des vom AT Bezeugten deshalb nicht, weil nicht be- 30 achtet wird, daß Jahwes richterliche Entscheidungen innerhalb des Gottesvolkes und seiner Geschichte einem bestimmten Ziele dienen. Seine Gerechtigkeit, die sich in diesem Richten auswirkt, ist nicht eine justitia distributiva, sondern eine justitia salutifera. Nur von hier aus ist auch die in ihrer Weise großartige Geschichtskonstruktion des deuteronomistischen Kreises zu verstehen. 35

Daß מִשְׁפָּט ursprünglich nicht objektive Norm, sondern ein Verhältnisbegriff ist, ergibt sich auch daraus, daß nicht nur von dem מִשְׁפָּט Jahwes, sondern auch vom מִשְׁפָּט und den מִשְׁפָּטִים anderer Götter gesprochen werden kann. So heißt es 1 Kö 18, 28, daß sich die Baalspriester Einschnitte machen mit Schwertern und Lanzen, bis das Blut hervorquillt — כְּמִשְׁפָּטָם —, dh nach dem מִשְׁפָּט, der unter den Baals- 40 priestern gilt. Es ist deutlich, daß mit diesem מִשְׁפָּט die Art gemeint ist, in der die Baalspriester mit ihrem Gott verkehren, bzw auf ihn Einfluß zu gewinnen suchen. Der מִשְׁפָּט der Baale steht offenbar dem מִשְׁפָּט Jahwes, dh der Art, in der Jahwe verehrt wird, gegenüber. Ähnlich wird von den durch den König von Assur in Samarien angesiedelten Leuten berichtet, daß sie den מִשְׁפָּט des Landesgottes nicht kennen. 45 Aus dem Zusammenhang geht hervor, daß damit die Verehrungsweise Jahwes gemeint ist. Nachdem sie über den מִשְׁפָּט des Landesgottes belehrt sind, verehren sie Jahwe, aber gleichzeitig ihre eigenen Götter nach dem מִשְׁפָּט der Völker, aus denen man sie fortgeführt hatte (2 Kö 17, 24—28. 33)[14]. Der Tatbestand des מִשְׁפָּט anderer Völker neben dem מִשְׁפָּט des Gottesvolkes gibt die Frage des Verhältnisses Jahwes zu den 50

---

[13] Gn 18, 25 dürfte zu den jüngsten Partien von J gehören.
[14] Ri 18, 7 meint das כְּמִשְׁפַּט צִדנִים wohl zunächst die profane Lebenshaltung der Sidonier. Doch ist es möglich, daß der Ausdruck auch ihre religiösen Bräuche mit einschließt.

מִשְׁפָּטִים der Völker auf. In Gn 18, 25 ist bereits die Richtung der Beantwortung dieser Frage aufgezeigt, die von Ezechiel berührt und dann in besonderer Weise durch Deuterojesaja aufgenommen wird.

4. Die ethische und religiöse Bestimmtheit des Begriffes מִשְׁפָּט.

Jahwe hat als der Herr und Richter in der Bund-schließung sich sein Volk zu eigen gemacht. Bezieht sich der Begriff מִשְׁפָּט auf dieses mit בְּרִית bezeichnete Verhältnis, so könnte man als allgemeinste und um-fassendste inhaltliche Bestimmung des מִשְׁפָּט den Satz bezeichnen: „Ich will euer Gott sein und ihr sollt mein Volk sein." Ausführung dieses מִשְׁפָּט sind nach dem Zeugnis der kanonischen Schriften des AT die in den Gesetzescorpora zu-sammengefaßten מִשְׁפָּטִים, die im einzelnen die bei der Bundschließung erfolgte Willensoffenbarung Jahwes darstellen und für das Volk verpflichtende Norm bedeuten. So beruht auf Jahwes Willenskundgebung — dh auf seinem מִשְׁפָּט — ebenso die Verpflichtung des Gesamtvolkes und des einzelnen Volksgenossen wie der Rechtsanspruch des einzelnen (zB des Armen) — aber auch des Volkes.

Weil diese Beziehung zu Grunde liegt, wo im AT von מִשְׁפָּט und מִשְׁפָּטִים ge-redet wird, geht es dort nicht um die verpflichtende Norm einer allgemeinen Sittlichkeit. Doch liegt allerdings in der Tatsache, daß das Gemeinschaftsver-hältnis der בְּרִית durch Gott als den Richter gesetzt ist, bereits eine gewisse ethische Bestimmtheit, da, wie wir sahen, die Tätigkeit des Richters nicht ohne irgend ein Maß von Gerechtigkeit gedacht werden kann. So zeigt sich denn auch deutlich, wie — nicht nur in der prophetischen Predigt — der Begriff im ethischen Sinne konkretisiert wird. Das ist nicht allein daraus zu ersehen, daß מִשְׁפָּט und צְדָקָה ständig in einer Weise nebeneinander genannt werden, die es nahe legt, daß diese beiden Worte trotz ihrer ursprünglichen Verschiedenheit weithin als synonyme Begriffe betrachtet wurden[15]. Darüber hinaus wird מִשְׁפָּט inhaltlich geradezu bestimmt als die Fähigkeit der grundsätzlichen und fakti-schen Unterscheidung von Gut und Böse.

So betet 1 Kö 3, 9 Salomo zu Jahwe: „Du mögest deinem Knecht ein Herz geben, das hinhört, dein Volk zu richten, das entscheidet zwischen Gutem und Bösem, denn wer kann dies dein so zahlreiches Volk richten?" In Jahwes Antwort v 11: „Du hast dir Einsicht erbeten, um מִשְׁפָּט zu hören" — ist die Fähigkeit der Entscheidung zwi-schen Gut und Böse zusammengefaßt durch den Begriff מִשְׁפָּט. Die gleiche ethische Konkretisierung läßt sich feststellen in der qualifiziert theologischen Verwendung des Begriffes מִשְׁפָּט Mi 3, 1 f: „Ist es nicht an euch, zu kennen הַמִּשְׁפָּט, die ihr das Gute haßt und das Böse liebt?" Wird hier deutlich מִשְׁפָּט in Parallele gesetzt zu der rechten Entscheidung zwischen Gut und Böse, so entspricht in v 9 das מִשְׁפָּט הַמְתַעֲבִים dem שֹׂנְאֵי טוֹב in v 2. In gleiche Richtung weist Js 1, 17: „Lernet Gutes zu tun, fragt nach מִשְׁפָּט" (vgl Am 5, 15), und ein ethischer Ton liegt auch in Stellen wie Am 5, 7 und 6, 12, in denen von einer Verkehrung des מִשְׁפָּט in „Wermut" bzw in „Gift" gesprochen wird. Ähnlich heißt es Hos 10, 4, daß מִשְׁפָּט „wie Giftkraut her-vorsprießt". Mag auch der Sinn umfassender sein, so enthalten doch die ironischen Formulierungen ein positives Werturteil über den מִשְׁפָּט. Eine ethische Bestimmtheit ist ebenfalls dort zu erkennen, wo der Begriff מִשְׁפָּט in Beziehung gesetzt wird zu

---

[15] Procksch (→ Lit-A) 454 sieht den Unter-schied darin, daß מִשְׁפָּט ein juristischer Be-griff ist, während צְדָקָה streng genommen ins sittliche Gebiet gehört. Diese Scheidung aber läßt sich schon deshalb nicht durch-führen, weil beide Begriffe theologisch ver-wendet werden.

den Armen und Elenden. Dt 10, 18 ist von Jahwe gesagt, daß er ein Gott ist, der Waisen und Witwen מִשְׁפָּט schafft (vgl 24, 17; 27, 19). Damit stimmt die Forderung der Propheten überein, vor Gericht für die Sache der Waisen und Witwen einzutreten (Js 1, 17; 10, 2 vgl Am 5, 11. 15; 8, 4ff; Jer 5, 28; 21, 12; 22, 15; Ez 22, 29). Dabei wird der Arme offenbar angesehen als der צַדִּיק Am 5, 12. Ist er auch nicht sittlich gerecht, so ist er doch im Recht gegenüber seinem Bedränger. Daß Jahwe מִשְׁפָּט übt allen Bedrängten (Ps 103, 6; 140, 13), ist eine Glaubensüberzeugung, die letzten Endes beruht auf dem in der Erwählung begründeten Verhältnis Jahwes zu seinem Volk und dessen einzelnen Gliedern. Alle Wege Jahwes sind מִשְׁפָּט, und seine Rechtsordnung ist nicht krumm, sondern gerade. Das wirkt sich darin aus, daß er die Niedrigen erhebt und die Hohen erniedrigt. So wird es Js 5, 15f bezeugt: „Und gebeugt wird der Mensch und niedrig der Mann und die Augen der Großen erniedrigt, und groß ward Jahwe der Heere im מִשְׁפָּט, und der heilige Gott heiligt sich in Gerechtigkeit [16]." Dabei geht es ebenso wie Js 3, 13—15 a u c h um einen ethischen Gegensatz. Aber das Wirken des מִשְׁפָּט in Geradheit reicht weiter: Ihm ist alles unterworfen, was Jahwes Willen physisch oder ethisch entgegensteht (vgl Js 2). So finden wir Ez 34, 16 keine ethische Begründung für Jahwes Handeln: „Das Zerbrochene werde ich verbinden und das Schwache stärken, und das Fette und das Starke werde ich vernichten, ich werde es weiden בְּמִשְׁפָּט."

Der Begriff מִשְׁפָּט ist eben in der Tat nicht in erster Linie ethisch, sondern religiös bestimmt. Eindeutig kommt das Hos 6, 5b und 6 zum Ausdruck: „Und mein Recht (מִשְׁפָּט) trat wie das Licht hervor: An Frömmigkeit (חֶסֶד) habe ich Wohlgefallen und nicht an Schlachtopfern, an Gotteserkenntnis mehr als an Brandopfern [17]."

Daß in dem in v 6 Gesagten Jahwes Rechtsordnung besteht, ist durch die Offenbarung seines Willens „wie das Licht" hervorgetreten, indem er als der Richter sein widerstrebendes Volk züchtigte. Jahwes מִשְׁפָּט besteht also darin, daß der Mensch מִשְׁפָּט tue. מִשְׁפָּט tun aber bedeutet für den Menschen: חֶסֶד üben und Jahwe erkennen — oder, wie es Jer 5, 1 zum Ausdruck kommt, מִשְׁפָּט tun und nach Wahrheit begehren. In entsprechender Weise tritt die religiöse Bestimmtheit von מִשְׁפָּט Mi 3, 8 entgegen: Wenn der Prophet von sich bekennt, daß er erfüllt sei „von Kraft und מִשְׁפָּט und Heldenmut, Jakob seine Missetat zu verkünden und Israel seine Sünde", so enthält von den drei Begriffen גְּבוּרָה, מִשְׁפָּט, כֹּחַ allein מִשְׁפָּט die inhaltliche Bestimmtheit, aus der sich die Fähigkeit der Sündenpredigt ableiten läßt, während כֹּחַ und גְּבוּרָה lediglich formale Voraussetzungen sind [18]. Ähnlich ist מִשְׁפָּט Zeph 3, 5 gebraucht: Angesichts der religiösen und sittlichen Verderbtheit der Bewohner Jerusalems bezeugt der Prophet: „Jahwe ist gerecht in ihr, er tut kein Unrecht. Morgen für Morgen läßt er seinen מִשְׁפָּט ans Licht treten, es bleibt nicht aus . . ." Weil das Volk den מִשְׁפָּט nicht achtet, so bedeutet Jahwes Recht-Schaffen Gericht über den Empörer; denn der מִשְׁפָּט bleibt nur so bestehen, daß die Stolzen erniedrigt werden und die Geringen Recht erhalten. Ihre theologische Formulierung finden diese Gedanken Jer 9, 22. 23: Der Mensch soll sich allein dessen rühmen, daß er Jahwe erkennt. Jahwe erkennen aber heißt: Erkennen, daß er מִשְׁפָּט, חֶסֶד und צְדָקָה auf Erden schafft. Daß aus dieser Erkenntnis für den Menschen die Verpflichtung erwächst, auch seinerseits מִשְׁפָּט, חֶסֶד und צְדָקָה zu tun, kommt hier zwar nicht so eindeutig zum Ausdruck wie Hos 12, 7 und Mi 6, 8, ist aber doch auch wohl mit dem Schluß v 23 gemeint vgl Jer 22, 15 [19]. Jedenfalls ist durch die Nebeneinanderordnung von מִשְׁפָּט, חֶסֶד und צְדָקָה die umfassende religiöse Bestimmtheit des Begriffes מִשְׁפָּט hervorgehoben.

---

[16] Obschon v 15. 16 an ihrer jetzigen Stelle den Zusammenhang durchbrechen, dürften sie von Jesaja stammen. Sie stimmen sachlich zu der Schilderung des Gerichtes in Kp 2.

[17] Es ist zu lesen: וּמִשְׁפָּטִי כָאוֹר BH.

[18] Zwar könnte gerade von hier aus die übliche Streichung der Worte אֶת־רוּחַ יהוה

fraglich erscheinen. Behält man רוּחַ יהוה bei, so wird dadurch die religiöse Bestimmtheit von מִשְׁפָּט noch deutlicher. Vgl Js 42, 1.

[19] Das Mask אֵלֶּה bezieht sich auf diejenigen, die die rechte Gotteserkenntnis haben. LXX liest allerdings: ὅτι ἐν τούτοις τὸ θέλημά μου.

Nur von dieser inhaltlichen Vertiefung des Begriffes מִשְׁפָּט her verstehen wir die Gerichtspredigt der Propheten. Ist bereits dort, wo unter der Willensoffenbarung Jahwes wesentlich die formulierten מִשְׁפָּטִים verstanden werden, der ungeheure Ernst der in ihnen enthaltenen Verpflichtung dadurch zum Ausdruck ge-

5 bracht, daß die Einhaltung unter den Segen und Fluch Gottes gestellt wird und so bereits die Möglichkeit und Konsequenz des Bundesbruches gerade da auftaucht, wo man — wie in der deuteronomistischen Literatur — offenbar zunächst durchaus mit der Erfüllbarkeit der מִשְׁפָּטִים rechnete, so bedeutet die alle aufzeigbaren Grenzen der מִשְׁפָּטִים durchbrechende Ausweitung des Begriffes מִשְׁפָּט

10 durch die Propheten in der Tat die Infragestellung des Verhältnisses zwischen Gott und Gottesvolk. Hatte man zunächst den Tag des Gerichtes Jahwes als einen Tag des Sieges über die Feinde Israels angesehen, so wandelt sich diese Vorstellung, wie sie in Am 1 und 2 vorausgesetzt ist, dahin, daß der Tag Jahwes zunächst ein Gerichtstag über Israel sein wird (vgl Hos 4, 1 ff; Js 1, 2. 18 ff;

15 Mi 1, 2—4; Zeph 3, 8; Jl 4, 2; Mal 3, 2). Ja, das Gericht über Israel steht im Mittelpunkt des allgemeinen Völkergerichtes. Als eine Konsequenz der Erwählung erscheint eine Bevorzugung Israels im Gericht nur insofern, als Israel besonders hart gestraft wird (Am 3, 1 ff; Js 5, 1 ff). Zeigt sich diese Auswirkung der Erwählung bereits in den im Lauf der Geschichte des Gottesvolkes

20 vollzogenen Strafgerichten, so wird das Gerichtsurteil dahin verschärft, daß nur ein Rest des Gottesvolkes gerettet werden soll, schließlich aber wird auch diese noch in rationalen Kategorien gehaltene Vorstellung dadurch aufgehoben, daß der „Rest" ironisch als eine nicht mehr existente Größe gekennzeichnet wird, Am 3, 12 [20]. Gerade im Gericht über das Bundesvolk erweist sich der Richter als

25 der Herr und König (→ βασιλεύς) des Himmels und der Erde, der alle Mächte wider das erwählte Volk aufbietet [21]. So muß das Gericht die Aufhebung des Bundes bedeuten, sofern in der Existenz des Gottesvolkes kein Anknüpfungspunkt für die Wiederaufrichtung des Bundes erhalten scheint. Bleibt der Bund dennoch bestehen, so kann davon nur in der Form einer völligen Neusetzung ge-

30 redet werden. Die Möglichkeit für eine solche Neuschöpfung aber könnte allein in Jahwes sich stets gleichbleibender חֶסֶד und אֱמֶת bestehen. Wir erkannten, daß Jahwes Wesen durch die Nebeneinanderstellung der Begriffe מִשְׁפָּט, חֶסֶד und צְדָקָה gekennzeichnet wurde. Damit ist die Frage gestellt, ob angesichts der Tatsache, daß Jahwes מִשְׁפָּט die Aufhebung des Bundes bewirkte, eine in der

35 חֶסֶד begründete Neusetzung des Bundes Jahwes מִשְׁפָּט und צְדָקָה widerstreiten würde, oder ob die Begriffe מִשְׁפָּט und צְדָקָה in einer Weise inhaltlich bestimmt erscheinen, daß sie auch sachlich dem Begriff חֶסֶד gleichgeordnet werden können, weil die in ihnen liegende Tätigkeit dem gleichen Ziele dient [22].

---

[20] Daß dies der Sinn des Spruches ist, kann trotz des verderbten Schlusses nicht zweifelhaft sein. ESellin (Das Zwölfprophetenbuch [2. 3] [1929]) verfehlt in seiner Auslegung den Vergleichspunkt des Bildes.

[21] Am 9, 2; vgl zB Am 5, 3. 16 ff; 7, 1 ff; 8, 8 ff; Hos 5, 12 ff; 9, 6; 10, 14; 13, 8. 14 ff;

Js 3, 1 ff; 5, 9 ff; 8, 5 ff; 29, 2 ff; Mi 3, 12; Jer 4, 5 ff; 7, 30 ff; 9, 9 ff; Ez 5, 7 ff; 7, 1 ff.

[22] Dabei ist zu beachten, daß auch חֶסֶד ein an rechtlichem Denken ausgerichtetes Handeln meint. Doch bleibt die Tatsache, daß zwischen חֶסֶד und מִשְׁפָּט zunächst ein tiefgreifender Unterschied besteht.

5. Der Bedeutungswandel von מִשְׁפָּט.

Daß מִשְׁפָּט inhaltlich geradezu die Bedeutung von *Gnade* und *Barmherzigkeit* annehmen kann, erkennen wir an einer Stelle wie Js 30, 18ff: „Darum harrt Jahwe darauf, sich euch gnädig zu erweisen, und darum erhebt er sich, euch barmherzig zu sein; denn ein Gott des מִשְׁפָּט ist Jahwe, Heil allen, 5 die auf ihn harren. Ja, du Volk in Zion ... er wird dich gewiß begnadigen[23].“ Für das Verständnis dieses Bedeutungswandels ist es wesentlich zu beachten, daß das Heil, welches Auswirkung des מִשְׁפָּט Jahwes ist, dem Volk zugesprochen wird, das ein Rest, wie eine einsame Stange auf dem Berggipfel geworden ist. Jahwes מִשְׁפָּט steht also in Beziehung zu einem bedrückten Volk. Diese 10 Bezogenheit des „Richtens" auf die Elenden und Bedrängten aber ließ sich von Anfang an beobachten, weil sie in der Sache gegeben ist: Der Richter verhilft denen zum Recht, die rechtlos geworden sind[24]. Doch wird eine eigenartige Weiterführung dieses Gedankens sichtbar: Dt 10, 18 ist der Begriff מִשְׁפָּט in der besonderen Ausrichtung auf die Waisen und Witwen qualifiziert theologisch 15 verwendet; dabei entspricht dem עשׂה מִשְׁפָּט ein אהב (v 19). Offenbar ergibt sich der Rechtserweis Jahwes für die Schutzlosen und Elenden nicht allein aus seiner Gerechtigkeit, sondern auch aus seiner Liebe und Barmherzigkeit. Weil Jahwes Recht schaffendes Richten Erniedrigung des Hohen, aber auch Erhöhung des Niedrigen bedeutet, darum kann für den Bedrängten und Armen der Begriff 20 מִשְׁפָּט keinen beängstigenden Sinn haben; er erfährt das Gericht als Errettung und Hilfe.

So wird Ez 34, 16 verständlich, wo gesagt ist, daß Jahwe die Schafe weidet בְּמִשְׁפָּט. Das bedeutet für die Starken Vernichtung, für das Zerbrochene und Schwache aber ein Verbinden und Stärken. Wesentlich aber ist vor allem, daß dies Wort gesagt 25 ist im Blick auf das Volk Israel: denn mit dem Anbruch des Exils nimmt Israel den Platz des Armen, Zerbrochenen und Bedrängten ein. Darum erhofft es nun von seinem Richter, der es gestraft hat, מִשְׁפָּט als Schutz und Heil des Schwachen, weil מִשְׁפָּט der Rechtsanspruch ist, der dem Armen und Elenden zusteht. Die Anerkennung dieses Rechtsanspruches durch Jahwe ist gemeint, wenn es Dt 32, 4 heißt: „Alle seine Wege 30 sind מִשְׁפָּט." Daß aber dieses Rechtswirken Jahwes von den Elenden nicht nur als Ausdruck der Gerechtigkeit empfunden wird, zeigt v 36: „Denn Jahwe wird seinem Volke Recht schaffen (יָדִין) und über seine Diener sich erbarmen" (vgl Dt 10, 18; Js 30, 18ff). Je stärker es betont wird, daß Jahwes Rechtschaffen Retten und Helfen ist (zB Ps 76, 10; 82, 3 f), umso deutlicher wird die inhaltliche Wandlung des Begriffes מִשְׁפָּט 35 von Recht zu „Heil". Besonders dort, wo מִשְׁפָּט das Handeln Jahwes einschließt, das für den Menschen Sündenvergebung bedeutet (Ps 25, 6 ff; 103, 6 ff), erkennen wir, daß dieses heilbringende Richten Jahwes nicht so sehr aus seiner Gerechtigkeit wie aus seiner Barmherzigkeit und Gnade erwächst[25].

Damit scheint allerdings der juridische Inhalt von מִשְׁפָּט aufgehoben. Denn 40 die Sündenvergebung steht in Spannung zu dem Rechtsdenken, wie es sich etwa in der Lehre von der individuellen Vergeltung (vgl Ez 18) ausprägt, und scheint die fundamentale Bedeutung des Satzes in Frage zu stellen, daß dem

---

[23] Der Sinn dieses Wortes u seine Bedeutung für den Zusammenhang sind umstritten. Daß Jahwes heilbringendes Handeln nicht dadurch begründet werden könne, daß Jahwe ein Gott des מִשְׁפָּט sei, ist bei OProcksch (Komm [1930] zSt) die Voraussetzung seiner Auslegung. Aber eben diese Voraussetzung hat — wenn nicht der Prophet selber — so jedenfalls derjenige, der v 18 und 19 aneinanderfügte, nicht geteilt.

[24] Vgl Ex 23, 6; Dt 24, 17; 27, 19; Ps 25, 9; 146, 7; Hi 36, 6; Js 10, 2; Jer 5, 28.

[25] Ps 33, 5; 48, 10—12; 89, 15; 101, 1; 119, 149.

Halten der מִשְׁפָּטִים Jahwes das Wohlergehen des Volkes und des einzelnen entspricht. Aber wir können zB aus dem Gebet Salomos 1 Kö 8 erkennen, daß es sich nicht um zwei verschiedene Linien handelt, wenn der at.liche Fromme sein Vertrauen auf die Gerechtigkeit und die Gnade Jahwes setzt.

Während v 58. 59 das Wohlergehen des Volkes in Beziehung steht zu der Einhaltung der מִשְׁפָּטִים Jahwes (vgl v 61), folgt v 49. 50 auf die Bitte: „Du mögest ihnen מִשְׁפָּט verschaffen": „Du mögest ihnen ihre Sünden, die sie gegen dich getan haben, und alle ihre Frevel, die sie gegen dich begangen haben, vergeben und wollest sie ... Barmherzigkeit finden lassen." So ist hier — nicht allein darin, daß um מִשְׁפָּט gebetet wird — die Verbindung von מִשְׁפָּט = Vergebung und Barmherzigkeit sichtbar.

Es wurde bereits angedeutet, daß schon grundsätzlich die qualifiziert theologische Verwendung juridischer Begriffe eine Infragestellung dieser Begriffe darstellt. Jahwes Herrschaft, die in seiner Allmacht begründet ist, widerstreitet jeder durch Anwendung rechtlicher Termini versuchten Verobjektivierung. Daß darum von Jahwes מִשְׁפָּט nicht geredet werden kann, indem der Mensch ausgeht von seinem מִשְׁפָּט, sondern daß Jahwes Recht-Schaffen eben als das Unerfaßbare Beugung und Vertrauen erfordert, ist die Antwort, die der Dichter des Hiobbuches auf die Frage nach der Gerechtigkeit des richtenden Handelns Jahwes gibt. Ähnlich bezeugt Deuterojesaja die Allmacht Jahwes, der sich seines Volkes erbarmt und die Völker richtet 40, 14: „Mit wem hat er sich beraten, daß er ihn unterrichte und unterweise בְּאֹרַח מִשְׁפָּט." Aber es reicht nicht aus, zur Begründung der Begnadigung des Gottesvolkes und des einzelnen Frommen auf die Allmacht Jahwes hinzuweisen. Was Israel zum Gottesvolk macht, ist eben der Tatbestand, daß es von Jahwe mehr erfahren hat als seine Allmacht: Der Bund, der sich in der Offenbarung des מִשְׁפָּט Jahwes ausgewirkt hat, ist der Erweis des gnädigen, errettenden Handelns Jahwes an seinem Volk. Hierauf beruht die Einheit von Recht und Gnade. In der Bundschließung — dh aber in der Gnadentat Gottes — ist Israels מִשְׁפָּט begründet; denn Jahwe bleibt seinem Bunde treu. Diese Konsequenz seines gnädigen Handelns kann geradezu als Jahwes מִשְׁפָּט bezeichnet werden (Dt 32, 4; Ps 105, 5—9; Ps 111), und erst von der Erfahrung dieses rettenden und begnadigenden Handelns Jahwes kommt das Gottesvolk zu dem Zeugnis von Jahwe als dem Herrn und Richter der Welt.

Aber das erwählte Volk wird um seiner Sünde willen von Jahwe gerichtet. Diese Tatsache ist auch dadurch nicht aufgehoben, daß Israel im Exil sich als das Schwache und Zerbrochene ansieht, das gegenüber seinem Bedränger im Recht ist. Denn auch das Volk, das ganz auf der Seite des Armen und Unterdrückten steht, weiß sich als ein überaus sündiges Volk. Seine Sünden stehen als eine Scheidewand zwischen ihm und seinem Gott: „Darum ist מִשְׁפָּט ferne von uns, und nicht erreicht uns צְדָקָה; wir warten auf Licht und siehe Finsternis ... wir warten auf מִשְׁפָּט, und es ist nicht da. Denn viel sind unsere Missetaten vor dir und unsere Sünde klagt uns an; denn unsere Missetaten sind bei uns und unsere Verfehlungen, wir kennen sie" Js 59, 9 ff. Das gilt von dem Volke, innerhalb dessen der Prophet offenbar durchaus um eine Unterscheidung der צַדִּיקִים und רְשָׁעִים weiß. Aber so wenig in der Psalmenfrömmigkeit der Hinweis auf die eigene Unschuld oder Frömmigkeit des Beters die Bitte um Er-

rettung und Gnade ausschließt [26], so wenig setzt das Vorhandensein von Gerechten für das Volk den Satz außer Geltung, daß vor Gott kein Lebendiger gerecht ist. Mußte die Unterscheidung von צַדִּיקִים und רְשָׁעִים innerhalb des Volkes
vor allem nach dem Eintritt des Exils zu einer Individualisierung des Gerichtsgedankens führen, wie sie sich in der Lehre von der individuellen Vergeltung 5
und der Vorstellung des Läuterungsgerichtes darstellt, so wurde durch das
Wissen um die allgemeine Sündigkeit der Menschen auch diese Form der Zukunftserwartung in Frage gestellt. Je deutlicher die Sünde des Volkes auch
nach dem mit dem Exil eingetretenen Gericht gesehen wurde, umsomehr mußte
die Hoffnung auf die Zukunft absehen von dem Zustand des Volkes und der 10
Menschen und sich gründen auf das heilbringende Handeln Jahwes, dessen Gnade
und Treue allein die Aufrichtung der Gottesherrschaft verwirklichen konnte.
Dabei erwies sich sein מִשְׁפָּט nicht nur in der Wahrung des Gnadenbundes, sondern
auch in der Tilgung der Sünden durch Gericht oder Vergebung. Aber selbst bei
diesen Gedanken konnte die eschatologische Verkündigung dort nicht stehen bleiben, 15
wo das Gericht als radikale Aufhebung des Bundes gesehen war. Jeremia muß
den neuen Bund verkündigen (Kap 30. 31), und von dem Kommen der Gottesherrschaft kann nur geredet werden, weil Jahwe selber dem Volk מִשְׁפָּט und צְדָקָה
schenken wird: Neben אֱמוּנָה, רַחֲמִים, חֶסֶד und דַּעַת יהוה sind צֶדֶק und מִשְׁפָּט die Brautgaben Jahwes für das Volk bei dem neuen Verlöbnis, das nun für ewig gelten 20
soll (Hos 2, 21. 22) [27]. Wird das Reich der Zukunft nur dadurch Bestand haben,
daß Jahwe in Zion einen neuen Eckstein legt, so gehört dazu, daß er selber
מִשְׁפָּט zur Meßschnur und צְדָקָה zum Richtblei macht (Js 28, 17). מִשְׁפָּט und צְדָקָה
sind die Mittel, durch die der Messias das kommende Friedensreich stützt (Js
9, 6). Daß Jahwes Geist auf dem von ihm erweckten Zukunftsherrscher ruht, 25
wirkt sich darin aus, daß er die Armen בְּצֶדֶק richtet (Js 11, 1—5), und Ezechiel
verheißt, daß das Volk die מִשְׁפָּטִים Jahwes halten wird, weil der Herr ihnen
seinen Geist ins Innere legen und selber das Halten der Gebote schaffen wird
(Ez 36, 27; vgl 37, 24). Auch nach Jeremias Zeugnis besteht das kommende
Reich darin, daß der messianische König מִשְׁפָּט und צְדָקָה übt. So wird sich 30
Jahwes Handeln als die Gerechtigkeit des Volkes erweisen (Jer 23, 5. 6). מִשְׁפָּט
und צְדָקָה ist auch Js 1, 27 das Handeln Jahwes genannt, das für Zion und seine
Bekehrten die Erlösung bedeutet. Dabei ist es zu beachten, daß auch hier das
Gericht über den Frevler die andere Seite der durch מִשְׁפָּט bezeichneten Heilstat Gottes ist (v 28). Aber die durch die Vorstellung des Läuterungsgerichtes 35
bedingte logische bzw causale Aufeinanderfolge von Gericht und Heil mußte
dort aufgegeben werden, wo als Begründung für den Eintritt der Heilszeit allein
Jahwes Heil schaffende Gnade blieb [28]. So wird gerade an dem Punkte, an

---

[26] Ps 99, 4 ff; 106, 1 ff; vgl 33; 89, 15;
101, 1; 111.
[27] Diese Zeugnisse der justitia salutifera
Jahwes stehen dort in Gefahr umgedeutet zu
werden, wo die Auslegung bestimmt ist von
der Voraussetzung, daß die Propheten Künder des sog sittlichen Monotheismus gewesen seien. Dann muß naturgemäß die sittliche Erneuerung des Volkes die Bedingung

für den Eintritt des Heils sein. Es ist von
wesentlicher Bedeutung, daß dieses rationale
Schema bereits durch die at.liche Botschaft
selbst durchbrochen wurde.
[28] Der Gedanke, daß es sich hier um ein
„Läuterungsgericht" handle, in dem die Sünde
gerichtet, der Sünder aber begnadigt werde,
ist von Hertzberg (→ Lit-A) 67 in den Text
eingetragen. Auch Js 4, 4 kann nicht in dieser

dem die juridische Bestimmtheit von מִשְׁפָּט scheinbar ganz in den Hintergrund getreten ist, die Spannung deutlich, die dadurch gegeben ist, daß in den Begriffen בְּרִית, מִשְׁפָּט und צְדָקָה von vornherein die Bedeutung von „Gnade" und „Recht" ineinander liegt.

5   **6.** מִשְׁפָּט **in seiner Beziehung zu den Völkern.**

Ist das Richten nur die eine Seite des Herrscheramtes, so ist der Raum der Gottesherrschaft zugleich der Wirkungsbereich des göttlichen Richtens. Damit ist die Beziehung von מִשְׁפָּט zu den Völkern gegeben. In besonders eigenartiger Weise kommt diese Bezogenheit zum Ausdruck bei
10 Ezechiel, der 5, 6 ff nicht nur neben מִשְׁפָּטִים Jahwes auch von den מִשְׁפָּטִים der Heiden spricht, sondern offenbar auch annimmt, daß die מִשְׁפָּטִים der Heiden irgendwie mit Jahwe zusammenhängen. Ebenso führt er 20, 25 die falschen מִשְׁפָּטִים, die den Israeliten nicht zum Leben dienen, auf Jahwe zurück. Scheint bereits hier der Gedanke anzuklingen, daß alle מִשְׁפָּטִים auf Jahwe zurückgehen,
15 so wird מִשְׁפָּט Js 40, 14 als Ausdruck für Jahwes weltumfassendes Handeln gebraucht. Das Gericht über die Völker, das als fester Bestandteil der at.lichen Eschatologie erscheint, ist die negative Seite dieser Weltherrschaft [29].

Aber auch dort, wo von den positiven Beziehungen Jahwes zu den anderen Völkern geredet werden soll, ist der Ausdruck מִשְׁפָּט gebraucht. Damit tritt
20 auch an dieser Stelle der Bedeutungswandel von מִשְׁפָּט in Erscheinung. So wird im ersten Ebed-Jahwelied Js 42, 1—4 als Auftrag des Ebed genannt, daß er den מִשְׁפָּט zu den Völkern hinausbringen soll [30]. Für diesen Auftrag ist er dadurch gerüstet, daß Jahwe seinen Geist auf ihn gelegt hat. Der מִשְׁפָּט geht also auf Jahwe selbst zurück. Wird das Hinausbringen zu den Völkern besonders betont,
25 so ist das darin begründet, daß der מִשְׁפָּט bis dahin Israel allein gegeben war. Durch das Amt, das der Ebed לֶאֱמֶת durchführen wird, sind diese Grenzen durchbrochen. Das Hinausbringen des מִשְׁפָּט bedeutet Heil für die Völker, Barmherzigkeit für die Unterdrückten, es ist die gnadenreiche Willensoffenbarung Jahwes, die einst den Bund mit Israel begründet hatte. Daß
30 der מִשְׁפָּט den Völkern gebracht wird, bedeutet die Ausweitung des Bundes auf die Welt [31]. In ähnlicher Weise ist מִשְׁפָּט Js 51, 4 gebraucht. Doch wird hier der Auftrag, den 42, 1—4 der Ebed empfing, durch Jahwe selber ausgeführt. Er wird seinen מִשְׁפָּט als Licht der Völker aufleuchten lassen. Ist auch in v 5 gesagt, daß sein Arm die Völker richten wird, so beweisen die Ausdrücke
35 „Licht", „Heil" und „Hilfe", daß es sich um ein heilbringendes Richten handelt. Die umfassende Bedeutung von מִשְׁפָּט tritt vor allem dadurch in Erscheinung, daß der Prophet den Ausdruck absolut gebraucht: מִשְׁפָּט ist zur zu-

---

Richtung gedeutet werden. Dort ist vielmehr מִשְׁפָּט einfach im Sinne von „Strafgericht" gebraucht.

[29] Vgl Am 1, 3—2, 16; Js 1, 2; Jer 1, 14 ff; 25, 15 ff; Mi 1, 2 ff; Zeph 3, 8 ff; Jl 4, 2 ff; Mal 3, 2 ff.

[30] Man kann die Verwendung des Begriffes מִשְׁפָּט an dieser Stelle mit dem arabischen Wort *din* vergleichen, das die Bedeutung von Recht und Religion hat.

[31] Die eigenartige Bedeutung des מִשְׁפָּט kommt an dieser Stelle gerade dadurch zum Ausdruck, daß der Begriff einerseits absolut gebraucht ist, andererseits von dem „Hinaustragen des מִשְׁפָּט zu den Völkern" geredet und so die geschichtliche Bestimmtheit des מִשְׁפָּט sichtbar wird.

sammenfassenden Bezeichnung der Offenbarung Jahwes geworden, in der das Verhältnis Jahwes zu seinem erwählten Volk gesetzt war und die auch das Verhältnis Jahwes zu den Völkern begründet.

Herntrich

C. Der Gerichtsgedanke im Griechentum. [5]

Wo Götter verehrt werden, gelten sie gemeinhin als Hüter von Recht und Sitte, also irgendwie als Richter der Menschen. So auch im giechischen Volksglauben[32]; seit wann, läßt sich bei der Unübersehbarkeit der Entwicklung nicht näher bestimmen. Freilich beherrschte diese Anschauung die griechische Religion nicht. In der Frühzeit waren die Götter zu sehr nur [10] gesteigerte Menschen mit menschlichen Leidenschaften, und das nicht nur in der Dichtung. Man hat vor der Reifezeit des Griechentums wirklich gemeint, die Götter oder „das Göttliche" seien neidisch, gönnten dem Menschen ein allzu-großes Glück nicht und nutzten irgend eine Äußerung seines Selbstgefühls aus, ihn zu stürzen[33]; man könne ihren Zorn durch äußere Sühneleistungen wie [15] Opfer und Weihgeschenk stillen und sie wieder gnädig machen (→ ἱλάσκομαι 312, 10 ff; 314, 34 ff); sie seien im Grunde nur Vollstrecker eines Schicksals, dessen Entscheidungen nicht nach der Regel der Gerechtigkeit fallen[34]. Aber die Besten des griechischen Volkes sind über diese Anschauungen emporgewachsen und haben sie bewußt bekämpft. Sie glaubten, daß Zeus, der göttlichste der grie- [20] chischen Götter, als Richter walte und das Recht zum Siege bringe. Dieser Glaube setzt sich bei der geistigen Oberschicht durch; er wird oft mit hohem Ernste ausgesprochen und trotz gegenteiliger Erfahrungen festgehalten[35]. Dike, das Recht, ist Tochter des Zeus und teilt seinen Thron[36].

Das göttliche Gericht erwarteten die Griechen in diesem Leben. Es mochte [25] sich vielleicht erst oder noch an Kindern und Enkeln des Schuldigen aus-wirken[37]: dieses Leben ist sein Bereich. Auf ein zukünftiges Weltgericht hoffte man nicht[38]. Den Glauben an ein Gericht nach dem Tode scheint die Frühzeit nicht zu kennen. Das klägliche Los der Schatten in der Unterwelt ist nicht Strafe, zuerkannt von einem göttlichen Richter, sondern das allgemeine [30] menschliche Geschick. Schon der Bericht über die Hadesfahrt des Odysseus[39] erzählt von einzelnen berühmten Beispielen menschlicher Frevelhaftigkeit und göttlicher Strafgerechtigkeit, die in der Unterwelt zu sehen sind[40]. Die eleu-sinischen Mysterien lassen die Eingeweihten in der Unterwelt Vorzüge vor den andern haben[41]. Aber ein Gericht, das in der Unterwelt über alle Menschen [35] gehalten wird und ihr Geschick in dieser bestimmt, verkünden erst die Orphiker[42],

---

[32] Gruppe II 1000.

[33] Gruppe II 1000; Kern II 261. Seit Platon wird die Vorstellung vom Neide der Götter ausdrücklich abgelehnt.

[34] Gruppe II 989 ff. Über die Nemesis vgl Pauly-W 16, 2 (1935) 2338 ff.

[35] Bes von Hesiod und Aischylos. Vgl Kern I 281, II 156.

[36] Vgl Pauly-W 5 (1905) 574 f.

[37] Rohde II ⁹˙¹⁰ 228 A 1.

[38] Die ἐκπύρωσις der Stoiker ist kein Welt-gericht, sondern eine kosmische Naturkata-strophe, die alles vernichtet.

[39] Über andere Hadesfahrer vgl Rohde I ⁹˙¹⁰ 302.

[40] Hom Od 11, 576 ff. Der Abschnitt gilt heute meist als späterer Zusatz, kaum mit Recht.

[41] Hom Hymn Cer 482 f.

[42] Minos ist Hom Od 11, 568 ff wohl noch nicht der Richter, der den Neuankommen-den ihr Geschick zuteilt, wie Platon Gorgias 526 d auslegt, sondern der Schiedsrichter über die Toten, da sie ihn um ihre Rechtsange-legenheiten befragen.

im Zusammenhange mit der Lehre vom göttlichen Wesen der Seele und ihrer
Wanderung durch verschiedene irdische Existenzen[43]. Ihr Unterweltsgericht
ist nicht eine endgültige Vergeltung, sondern die Zuteilung eines Durchgangs-
stadiums nach einer irdischen Existenz vor der nächsten[44]. Von ihnen aus-
5 gehend, hat der Glaube an ein Gericht, das im Jenseits über die Seelen ergeht,
großen Einfluß erreicht[45]. Männer, in denen das griechische Leben zu seiner
höchsten Reife kam und richtungweisende Gestalt für die Folgezeit annahm, wie
Pindar[46], Aischylos[47] vertreten ihn. Durch Platon wurde er zu einem Bestandteil
der philosophischen Überlieferung[48]. Der tiefe Ernst ihrer sittlichen Lebensauffas-
10 sung spricht sich in ihm aus. Platon hat von ihm aus die sophistische Zersetzung
bekämpft[49]. Dieser Glaube bewies deshalb auch eine fortzeugende Kraft[50].

Soweit die Aufklärung sich durchsetzte, zerstörte sie auch den Glauben
an das göttliche Richten. Man spottete über den Zeus, dessen Blitze nicht
die Meineidigen, sondern die Gipfel der Berge träfen. Man erklärte die
15 Lehre von den all-sehenden und -hörenden, das Unrecht strafenden Göttern
als eine Erfindung gerissener Staatsmänner[51]. Der alte Schicksalsglaube kehrte
in neuen Gewändern wieder. Aber beseitigt hat die Aufklärung den Glauben
an das Richten der Götter und das Gericht nach dem Tode nicht. Er hat sich
sowohl beim Volke[52] als bei den philosophisch Gebildeten[53] erhalten. Er gehört
20 zu dem Erbe, das die Antike hinterließ[54].

[43] Vgl WStettner, Die Seelenwanderung bei
Griechen und Römern (1934); KHopf, Antike
Seelenwanderungsvorstellungen (Diss Leipzig
1934).
[44] Rohde II 129; Kern II 162.
[45] Über die Orphiker (seit ca 600 v Chr) vgl
Kern II 147—173. Daß die Orphik außergriech,
orientalischen Ursprungs ist, wird nur vermutet.
Jedenfalls verdankt das griechische Geistesleben ihr viel an Bereicherung und Vertiefung.
[46] Rohde[9,10] II 204—222. Bes Pind Olymp 2,57
bis 60. Uv Wilamowitz-Moellendorff (Pindaros
[1922] 243) sieht in Olymp 2,57—60 den Glauben
des Theron, für den das Lied gedichtet ist, nicht
des Pindar, schwerlich mit Recht, wenn die
Stelle auch Poesie, nicht Lehre gibt.
[47] Suppl 220 ff; Eum 269 ff; Rohde II 232.
[48] Apol 40 c ff bringt Platon die Anschauung
vom Totengericht mit dem Vorbehalt, daß
der Tod vielleicht das völlige Ende und von
keiner neuen Existenz gefolgt sei. Da die
Totenrichter „diesen angeblichen Richtern"
gegenübergestellt werden, sind sie Richter
über das, was der Mensch zu seinen Lebzeiten getan hat (gegen Rohde I 310 A 1). Gorg
523 a—527 a vertritt Platon den Gedanken
vom Gericht nach dem Tode mit vollster
Überzeugung, 523 a. 524 a. Auch Resp X 614 b bis
615 d und Axiochus 371 a—372 a bringt er ihn.
Die Einkleidung des Gedankens ist an allen
drei Stellen verschieden und absichtlich einmal griechischer, einmal armenischer, einmal
persischer Überlieferung entlehnt, so daß ihre
anschaulichen Elemente auch für Platon nur als
mythisch gelten dürfen. Aber Platon hätte diese
Mythen überhaupt nicht gebracht, wenn er nicht
an das Gericht nach dem Tode geglaubt hätte.

[49] Die schneidige Polemik gegen die Sophistik im Gorgias läuft in die Bezeugung des
Gerichts nach dem Tode aus. Mag der Mythos
auch dem künstlerischen Schmuck des Dia-
logs dienen, der in ihm sich darstellende
Glaube ist die persönliche Überzeugung Platons, die freilich ringt mit der Unerfaßbarkeit
des Jenseitigen.
[50] Bezeichnend ist, daß von der Befürchtung, im Endgericht nicht bestehen zu können, sich keiner der Angeführten beschwert
zeigt. Das persönliche moralische Selbstgefühl
ist unerschüttert.
[51] Kritias in seinem „Sisyphos" (fr 25 [II
320, 14 ff Diels]).
[52] Rohde II 366 ff, 382.
[53] Zum Teil übernehmen diese den genannten Glauben aus der Volksreligion und darum
in ihrer Form, wenn sie die Volksreligion
auch „reinigen", dh rationalisieren. Zum Teil
nimmt der Glaube neue Formen an. Der
Glaube an die göttliche Gerechtigkeit erscheint im Vorsehungsglauben; denn eine
sinnvoll geordnete Welt ist auch nicht ungerecht geordnet. Aber die Vorstellung von
einer göttlichen Gerechtigkeit ist härter als
die von einer freundlichen Vorsehung. Der
Glaube an das Gericht über die Toten wird
zurückgedrängt von dem an eine jenseitige
Seligkeit. Dazu melden sich an beiden Punkten skeptische Vorbehalte, die ein verwickel-
tes Debattieren und Problematisieren gerade
über „religiöse Fragen" erzeugen. So liegt
es bei Cicero. Plutarch, die Neupythagoreer
und Neuplatoniker sind wieder gläubiger.
[54] Der Deismus hätte das Gericht nach dem
Tode nicht zu den Wahrheiten der natürlichen

D. Der Gerichtsgedanke im Judentum.

Zu den feststehenden Glaubensartikeln des Judentums gehörte, daß Gott richte, daß er das Böse nicht einfach geschehen lasse, ohne dagegen einzuschreiten, daß er sein heiliges Gesetz mit seinen Forderungen und Verboten durch Strafen und Belohnungen aufrecht erhalte und gerade seinen 5 Verächtern gegenüber unwiderstehlich zur Geltung bringe. Dieser Glaube, dessen Wurzeln in die älteste Zeit der israelitischen Religion zurückreichen, war vom Gesetz unabtrennlich und mit ihm überkommen. Der Jude erlebte Gottes Gericht in allerlei Unglück und Errettung, die über den Menschen kamen, und war bereit, aus der Tatsache eines besonderen Unglücks auf eine besondere Schuld 10 des Betroffenen zu schließen. Freilich diese Rechnung ging nicht auf und verstrickte den Glauben in allerhand Problematik. Die sicherste Form des Glaubens an das Richten Gottes war deshalb die Erwartung eines zukünftigen Gerichtes Gottes über die Welt, die in Israel schon früh auftritt. Diese Erwartung richtete sich gegen die Sünder in der jüdischen Gemeinde und gegen die Hei- 15 den, die die Juden knechteten. Insofern sah der Jude mit Hoffnung und Freude auf das Endgericht, das Israel die Erlösung bringen sollte. Die Gerichtserwartung konnte sich aber ebensogut gegen jeden Juden selbst wenden. Denn niemand wußte, ob ihn Gott zu den Gerechten oder zu den Sündern rechnete.

Besonders schwer war diese Frage für die Pharisäer, da sie an eine Aufer- 20 stehung der Toten glaubten, die den Menschen vor Gottes Gericht stellte, auch wenn es ihn zu Lebzeiten nicht getroffen hatte[55]. Deshalb wurde die pharisäische Frömmigkeit zu einem unablässigen Bemühen, im Gerichte Gottes zu bestehen bzw sich Verdienste zu erwerben, durch die die Sünden im Gerichte Gottes aufgewogen würden → ἀποδίδωμι, μισθός. Aber der Pharisäer erreichte keine 25 Gewißheit des Bestehens im göttlichen Gericht. Er schwankte zwischen einer überheblichen Zuversicht zu seinen guten Werken, die ihn gegen seine Sündigkeit blind werden ließ[56], und einer hoffnungslosen Angst vor Gottes Zorn, die freilich nur selten zum Ausdruck kam[57]. Sein Gottesdienst war ein Ringen mit einem ungelösten und schließlich unlösbaren Problem, so daß sein gesamtes 30 Wesen sich verkrampfte. Er hatte, aufs Letzte gesehen, an seiner Frömmigkeit nicht die Kraft, die sein Leben trug, sondern die schwärende Wunde, an der er krankte. Wohl suchte er Vergebung und rechnete auf sie. Aber gewiß konnte er ihrer nicht werden. In dem Messias sah er den Vollstrecker des göttlichen Gerichts, aber nicht einen Helfer gegen seine Schuld (PsSal 17. 18). 35

Über die Modalitäten des göttlichen Gerichts, besonders über das Verhältnis zwischen dem allgemeinen Endgerichte und dem, was der einzelne unmittelbar

---

Religion gerechnet, wenn er diese Wahrheit nicht in der antiken, also nicht-christlichen Überlieferung gefunden hätte. Mit der Ablehnung des Lebens und des Gerichts nach dem Tode hat sich nicht nur die Wertung des Christentums, sondern auch das Bild der Antike einschneidend verändert, wie an Rohde und seinen Nachfolgern zu sehen ist.

[55] Bei den Sadduzäern war der Glaube an das göttliche Richten erheblich erweicht: Jos Bell 2, 164; Ant 13, 173. Ein Gericht nach dem Tode lehnten sie ab.

[56] Vgl Lk 18, 9—14.

[57] Vgl die erschütternde Erzählung vom Ende des Jochanan bZakkai, der in der ratlosen Angst vor Gottes Gericht stirbt, ohne Gewißheit seines Heiles erreicht zu haben, bBer 28b uö (ASchlatter, Jochanan bZakkai BFTh 3, 4 [1899] 72ff) und die hilflosen Klagen über die menschliche Sündhaftigkeit in 4 Esr 3—4. 7—8. → ἐλπίς II 524, 20ff.

nach seinem Sterben erlebt, besteht die bunteste Mannigfaltigkeit der vertretenen Meinungen[58]. Sie kann hier nicht geklärt werden. Noch weniger die Frage nach der religionsgeschichtlichen Herkunft dieser Meinungen[59].

E. Der Gerichtsgedanke im NT.

5 **1.** In der Verkündigung des Täufers wurde diese Gerichtserwartung noch gesteigert: Das Endgericht Gottes bzw seines Christus gewinnt unmittelbare Gegenwartsbedeutung für jeden Mt 3, 10; niemand ist vor ihm geschützt Mt 3, 7—9. Es gibt nur eine Rettung: umkehren, sich demütigen im Schuldbekenntnis bei der Taufe und rechtschaffene Frucht der Umkehr brin-
10 gen. Dann bewirkt die Taufe Vergebung; dann wird der Christus, der Richter, zum Erretter.

2. In der synoptischen Verkündigung Jesu steht der Gerichtsgedanke im Mittelpunkt. Der Aufruf Jesu zur Buße hat seine Dringlichkeit darin, daß Gottes Gericht über jedem Menschen schwebt. Jesus sieht
15 es deshalb als seine Aufgabe an, den Ernst dieses Gerichts immer wieder einzuprägen und die Furcht vor dem Richter zu erwecken[60], so in der Bergpredigt Mt 5, 22. 26. 29 f; 7, 1 f. 21—23. 24—27, in der Jüngerrede Mt 10, 28. 33, in den Himmelreichsgleichnissen Mt 13, 30. 47—50, in den Wiederkunftsgleichnissen Mt 24, 50. 51; 25, 11 f. 30. 41—46, in der Auseinandersetzung mit
20 dem Volke Mt 11, 20—24; 12, 41 f; 21, 40 f; 22, 7; 23, 38 wie mit den Pharisäern Mt 12, 32; 23, 13—35. Verdienste, durch die der Mensch sich vor dem Gerichte Gottes zu schützen vermöchte, gibt es für ihn nicht Lk 17, 7—10, auch nicht stellvertretende Verdienste anderer, der „Väter" oder sonstiger Heiliger. Mit dem Herr-Sein Gottes und dem Verpflichtet-Sein des Menschen wird
25 restlos Ernst gemacht, so daß alle menschlichen Mittel zum Schutz in Gottes Gericht entfallen. Der Maßstab des göttlichen Gerichts ist bekannt: das Gesetz, dh das Liebesgebot[61]. Über die Modalitäten des Gerichts hat Jesus nähere Aussagen nicht gemacht[62]; ob es von Gott gehalten wird Mt 10, 32 f oder von Jesus Mt 7, 22 f; 16, 27; 25, 31—46; 26, 64, macht in der Sache keinen
30 Unterschied[63]. Nicht einmal das macht in der Sache einen Unterschied, ob die

[58] Vgl Volz aaO 256—309.
[59] Des Josephus Anschauungen vom Richten Gottes und vom Endgericht sind die pharisäischen, wenn auch im hellenistischen Gewande; vgl Schl Theol d Jdt 38—45, 259 bis 263. Philo glaubt an das göttliche Richten, aber in der Eschatologie tritt bei ihm das Nationale und Kosmische gegenüber dem Individuellen sehr zurück; vgl Volz (→ Lit-A) 59—62.
[60] Dem entspricht, daß Jesus die Gültigkeit des Gesetzes (der Liebesforderung Gottes) ausdrücklich anerkennt Mt 5, 17 ff. Weder der eine noch der andere Zug läßt sich aus dem synpt Bilde Jesu entfernen, ohne es im Tiefsten zu entstellen.
[61] Also nicht eine Summe von allerlei Verboten und Geboten. Letztlich entscheidet das Verhältnis des Menschen zu Jesus Mt 10, 32—33, aber nur darum, weil Jesus das Liebesgebot in seiner ganzen Reinheit verkündet und seine Erfüllung verkörpert, so daß jede einem

Bedürftigen erwiesene Liebestat ihm erwiesen ist: Mt 25, 40. Vgl Kähler (→ Lit-A) 572, 23 ff.
[62] Jesus versteht das Gericht Gottes als eine Gewissenswirklichkeit dh als eine solche, die dem seiner sittlichen Verantwortung Bewußten unbedingt feststeht, auch ohne daß das Wie, Wann und Wo des Vorgangs vorstellbar, geschweige denn einsichtig zu machen wäre, sodaß eine Aufklärung über die Unvorstellbarkeit eines göttlichen Gerichtes bzw den mythischen Charakter aller Endgerichtsbilder, auch solcher wie Mt 25, 31—46, völlig belanglos ist. Über die Vorstellung vom Feuer des Gerichts uäm, die aus dem AT stammt und weit durchs NT geht, → πῦρ.
[63] Denn immer entscheidet Jesu Wort über den Menschen, sei er als der Richter oder als dessen Beisitzer gedacht. „Nichts und niemand in der Menschenwelt kommt zu seinem Ende, ohne daß sich sein Schicksal an der Person Christi entschiede." Kähler 570, 45 ff.

Gerichteten Heiden oder Juden sind Mt 25, 32. Eine Errettung im Gericht gibt es nur durch Gottes Vergeben, nicht durch menschliche Leistungen. Aber dieses Vergebens darf der Gläubige sicher sein. Dieses Vergeben Gottes ist schlechthin Gnade, ein völliges Wunder. Aber Jesus sagt es dem Menschen zu (Mk 2, 9) uz ganz abgesehen von der Schwere seiner Schuld Lk 7, 36—50; 5 Mt 18, 21—35; 21, 31 f. Er verheißt seinen Jüngern, daß er sich vor dem göttlichen Richter zu ihnen bekennen und sie dadurch vor jeder Verurteilung sichern wird Mt 10, 32. So wird das Endgericht für sie zu der Erlösung, auf die sie sehnlich warten, und das umso mehr, als ihre Jüngerschaft ihnen Verfolgungen einbringt Lk 21, 28 vgl 18, 6—8. Das Kommen des Reiches Gottes, 10 dh des Endgerichts ist Gegenstand ihrer täglichen Bitte Mt 6, 10. Die Vergebung, durch die Jesus den Menschen über das Gericht und die Furcht vor ihm erhebt, ist nur im Umschluß der persönlichen Gemeinschaft mit ihm zu haben, nicht ein sachlicher Besitz. Sie muß deshalb täglich neu erbeten werden Mt 6, 12 und sich umsetzen in Barmherzigkeit gegenüber den andern Mt 6, 14; 15 18, 21—35. In Jesu Verkündigung ist der Empfang der Vergebung von Gott und die Erteilung der Vergebung an den Bruder untrennbar verbunden. Andernfalls tritt das Gericht Gottes voll wieder in sein Recht. Das besagt aber nicht, daß die von Jesus vollzogene göttliche Vergebung nur eine vorläufige, bedingte, probeweise wäre. Denn die Unbarmherzigkeit, durch die der Mensch sie ver- 20 liert, ist schlechthin sinnlos und unberechtigt und dem von Gottes Vergebung wirklich Erfaßten innerlich unmöglich.

In seinem Selbstzeugnis: „Ich bins!" (Mk 14, 62) vollendet sich Jesu Gerichtsverkündigung. Durch die Tatsache, daß der Verkündiger zugleich der Richter im Endgericht ist, gewinnt diese Verkündigung unüberbietbare Nachdrücklich- 25 keit und Andringlichkeit für die Hörer. Als Wort dessen, der das für ewig gültige Gericht vollzieht, bringt es die Entscheidung über den Menschen, nicht nur für sein Heute, sondern für seine Ewigkeit. Wäre sie nur das Wort eines letzten Propheten vor dem Endgericht, so wäre sie nur ein vorläufiges Gotteswort und bedürfte der Bestätigung durch den Richter im Endgericht, wie das 30 Wort des Täufers seine Bestätigung durch Jesus als den Richter im Endgericht benötigte und erhielt Mt 11, 7—19. Solange es diese Bestätigung aber nicht erhalten hätte, dh solange es Menschen in diesem Leben hören oder lesen, wäre es eben nicht als das über die Ewigkeit des Hörers entscheidende Gotteswort gewiß. Indem man die Messianität Jesu streicht, nimmt man dem Worte Jesu 35 seine eigentliche Aktualität und damit seine geschichtsbildende Kraft[64].

Jesu Verkündigung nimmt den Gerichtsgedanken in seiner letzten Tiefe. Seinem Gerichtsgedanken gegenüber ist der jüdische ohne wirkliche Durchschlagskraft, weil ohne letzte Klarheit, vor allem, da der Jude dem Menschen die Hoffnung

[64] Die Bergpredigt des Mt enthüllt die Bedeutung des Predigers, indem sie ihn vor den Schlußgleichnissen 7, 22 f als den Richter im Endgericht zeigt. Nur weil er das ist, haben seine Gesetzauslegung, seine Kritik des Pharisäismus und seine Seligpreisungen ihr eigentümliches Gewicht: hier redet nicht einer Gottes Wort, von dem 1 K 13, 10—12 gelten müßte; hier redet der, von dem Mt 24,35 gilt. — Nimmt man dem Worte Jesu seinen messianischen Charakter, so werden die Ergebnisse seiner Arbeit mit dem Worte, sein Sterben und der Glaube seiner Gemeinde an ihn, nicht mehr verständlich. Vgl RBultmann Jesus (1926) 29 f; Ders, Erforsch d synpt Ev (1925) 34; Ders, Glauben u Verstehen (1933) 203.

läßt, seine Sünden durch Verdienste aufzuwiegen, so daß er sich Gott gegenüber nicht völlig schuldig zu geben braucht, nicht ganz auf Gnade gestellt ist.

Anderseits gibt aber Jesus eine wirkliche Befreiung von dem göttlichen Gerichte, da er Gottes Vergeben vom Himmel auf die Erde bringt Mk 2, 10. Die
5 Majestät des göttlichen Gerichts und der göttlichen Vergebung kommt bei ihm uneingeschränkt zu ihrem Rechte, während im Judentum der Mensch noch immer versucht, mit seiner Leistung Geltung vor Gott zu behalten und deshalb nie zur Freiheit vom Gerichte Gottes gelangt. Das im Judentum ungelöste und unlösbare Problem ist hier gelöst und damit die Frömmigkeit wirklich zur tragenden Kraft
10 des Lebens geworden. Den Juden war Jesu Vergeben gänzlich unverständlich. Sie konnten die Befreiung vom göttlichen Gericht, die Jesus erteilte, nur als Gotteslästerung ablehnen (Mk 2, 7) und ihn töten[65]. So wurde sein Tod die Bedingung dafür, daß die Seinen durch ihn die Befreiung vom göttlichen Gerichte erhielten (→ λύτρον). Das ist nicht etwa erst nachträglich von seiner Gemeinde
15 behauptet, sondern gehört für jeden, der sein Werk nimmt, wie es war, zu der geschichtlichen Wirklichkeit seines Vergebens. Zu seiner Gesamtleistung, durch die er das Judentum überwand, weil er dem Menschen den Frieden mit seinem Schöpfer und Richter schenkte, gehört auch sein Tod. Davon ist nichts abzumarkten.

An dem Verständnis des Gerichtsgedankens Jesu hängt schlechterdings das
20 Verständnis der Verkündigung und Person Jesu. Gibt es das Gericht Gottes nicht, von dem Jesus zeugt, so kann Jesus samt seiner Verkündigung nur historische, dh sich beständig verringernde Bedeutung haben, aber keine für das Verhältnis des Menschen zu Gott. Umgekehrt: Gibt es dies Gericht Gottes, so ist das Menschenleben hoffnungslos und unerträglich ohne die Zusage Jesu:
25 Dir sind deine Sünden vergeben[66].

3. Die Verkündigung des Paulus ist beherrscht von der Erwartung des Tags des Zornes und des gerechten Richtens Gottes, der einem jeden vergelten wird nach seinen Werken R 2, 1—11. Die Werke sind hier die persönliche Haltung des Menschen, wie sie sich in concreto dar-
30 stellt, nicht Äußerlichkeiten, die unabhängig davon Geltung beanspruchen dürften; denn der Richter ist der Allwissende, der den Menschen völlig durchschaut. Alle Menschen ohne jede Bevorzugung müssen vor Gottes Gericht, auch die Christen 2 K 5, 10. Davon, daß dieser Gerichtsgedanke nur in der Auseinandersetzung mit den Juden Gültigkeit habe, nur dialektisch gemeint sei[67],
35 kann keine Rede sein, da er auch für die Christen geltend gemacht wird 2 K 5, 10; er hat vielmehr axiomatische Bedeutung vgl R 3, 6. Wie Paulus den Zorn Gottes als eine schon jetzt offenbare Wirklichkeit kennt R 1, 18 ff, so liegt ihm schon seit Adams Sünde Gottes κατάκριμα über der Menschheit R 5, 16. 18. 19. Jetzt gönnt Gottes Güte und Geduld den Menschen noch Zeit zur Um-

---

[65] So völlig unjüdisch war die Gottesgemeinschaft, die Jesus seinen Jüngern vermittelte. Sie war zwar die Antwort auf eine jüdische Frage, aber eine solche Antwort, daß sie das Judt völlig aus den Angeln hob.
[66] Die Frage, ob Jesus ein Gericht über die einzelnen Verstorbenen gleich nach ihrem Tod Lk 23, 43; 16, 23 gelehrt oder ob er das Gericht nur im Zusammenhange mit der allgemeinen Auferstehung und seinem Kommen erwartet hat, ist für den, der Jesu Verkündigung nimmt, wie sie gemeint ist, belanglos (→ ᾅδης, → γέεννα, → παράδεισος).
[67] A Ritschl, Rechtfertigung u Versöhnung II (1900) 319.

kehr R 2, 4. Die letzte Entscheidung ist noch zukünftig. Die Frage nach der Rechtfertigung ist deshalb die Hauptfrage des Menschenlebens. Sie wird gelöst durch Gottes versöhnende Gnade → καταλλάσσω, ἱλαστήριον. Für die Gläubigen ist Paulus der Errettung im Endgericht gewiß R 8, 31—39, sogar für den Blutschänder 1 K 5, 5. Sie sind gerechtfertigt. Er gründet diese Zuversicht aber durchaus nicht auf die sittliche Erneuerung, die mit der Rechtfertigung verbunden ist, bzw aus dem Geistbesitz folgt, sondern allein auf Christus R 5, 9. 10; 8, 33. 34. Er kann deshalb auch für solche, deren Lebenswerk sich im Endgericht nicht bewährt, Errettung erwarten 1 K 3, 15 [68].

4. In den Briefen und dem Evangelium des Johannes ist die Erwartung des Tags des Gerichtes 1 J 4, 17, an dem alle Toten auferstehn J 5, 28,f, feststehende Voraussetzung. Nicht nur die Juden, auch die Jünger Jesu werden durch ihn selbst mit Gericht bedroht J 15, 6. Das Gericht ist in seinem ganzen Umfange dem Sohne übertragen 5, 22. 27. In seinem geschichtlichen Leben ist er freilich gekommen zu retten, nicht zu richten 3, 17; 8, 15; 12, 47. Aber er kann nicht umhin zu richten 8, 16; sein Wort wird am jüngsten Tage richten 12, 48. Über die Ungläubigen hat das Gericht schon jetzt stattgefunden 3, 18. 19. Entsprechend kann auch von den Gläubigen gesagt werden, daß sie nicht ins Gericht kommen, daß sie schon vom Tode zum Leben hinübergeschritten sind J 5, 24 vgl 1 J 3, 14. Sie haben demgemäß Zuversicht am Tage des Gerichts 1 J 4, 17 vgl 2, 28; 3, 21. Ebenso ist das Gericht über die Welt schon vollzogen 12, 31. Ihr Beherrscher, der Teufel, ist gerichtet 12, 31; 16, 11, in der Stunde nämlich, als der Sohn Gottes den Entschluß faßte, sich zur Ehre des Vaters aufzuopfern, und Gott ihm die Verherrlichung zusagte 12, 27—31. In dieser eigentümlichen Vergegenwärtigung des Gerichts nach seinen beiden Seiten liegt das Besondere, auch der Paulusverkündigung gegenüber Besondere, des johanneischen Gerichtsgedankens. Er zeigt die vollendete Entschlossenheit und Gewißheit des Urteils, zu der der Glaube des Johannes hindurchgedrungen ist. Vor der überzeitlich gültigen Offenbarung Gottes in seinem Sohne schwindet der Unterschied von Zukunft und Gegenwart: in der Zeit begibt sich das Ewige [69].

[68] Die Lehre vom Gericht nach den Werken steht deshalb nicht im Gegensatz zur Lehre von der Rechtfertigung durch Glauben; sie ist auch nicht ein Rest jüdischer Theologie, der Pls noch anhaftete. Die Lehre vom Gericht nach den Werken ist die beständig gültig bleibende Voraussetzung der Lehre von der Rechtfertigung durch Glauben; ohne die erstere verlöre die letztere ihren Ernst und ihre Tiefe. Selbstverständlich hebt der Gedanke der Rechtfertigung ohne Werke den Gedanken des Gerichts nach den Werken auf, aber so, daß er ihn als bleibend gültig einschließt, nicht so, daß er ihn als Lüge oder Irrtum ausschließt. Vgl FBüchsel, Theologie des NT (1935) 122 ff.
[69] Damit ist das Zeitliche aber nicht entwertet, im Gegenteil zur höchsten Bedeutsamkeit erhoben. Jesu Wort und Werk und die Stellung des Menschen zu ihm, dh Begebnisse in der Zeit, entscheiden über des Menschen Ewigkeit. — Die Wertung der Rede „von dem Gericht am jüngsten Tage 5, 28. 29; 12, 48" „als Anpassung an die volkstümliche Anschauung" (BauJ z 3, 18) ist nicht berechtigt. Da vor der Welt nicht in Erscheinung getreten ist (1 J 3, 2), daß der Ungläubige bereits gerichtet und der Gläubige bereits ins Leben hinüber gegangen ist, bedarf es eines Gerichtes am jüngsten Tage, das diesen Unterschied offenbar macht. Gericht und Lebensbesitz sind nicht nur eine Angelegenheit zwischen Gott und dem Einzelnen, sondern auch zwischen dem Einzelnen und seiner Umgebung. Die Vorstellung vom Endgericht findet in dieser Beziehung ihre genaue Parallele bei der von der Auferstehung. Wer jetzt schon das Leben hat, bedarf auch

5. Die Offenbarung Johannis bringt allgemeine Gerichtsgemälde von erschütternder Furchtbarkeit 20, 11—15 uö und ernste Gerichtsdrohungen an die Gemeinden 2, 5. 16. 22—23; 3, 3. 16. Ihr Christus ist für jedermann durchaus Richter. Auch hier zeigt sich die zentrale Bedeutung
5 des Gerichtsgedankens im NT.

6. Im 1 Pt wird nachdrücklich zur Furcht vor Gott als dem Richter aufgerufen 2, 17; 1, 17 und betont, daß das Gericht beim Hause Gottes, dh der Gemeinde anfängt 4, 17. Der Hb warnt nachdrücklich vor dem Leichtnehmen des göttlichen Gerichts 10, 26—31, das sich gerade gegen das
10 Volk Gottes richtet, und läßt scharf heraustreten, daß man Gott recht nur dient mit Furcht (μετὰ εὐλαβείας καὶ δέους 12, 28). Denn auch unser Gott ist verzehrendes Feuer 12, 29.

7. Aus der Tatsache, daß dem Menschen Gottes Gericht droht, wird mehrfach gefolgert, daß kein Mensch das Recht hat, einen
15 andern zu richten Mt 7, 1 f; Jk 4, 11; R 14, 4. 10; 1 K 4, 5. Damit ist nicht eine schlaffe Gleichgültigkeit gegen den sittlichen Zustand der anderen, auch nicht blinder Verzicht auf Bildung eines richtigen und ernsten Urteils über die Menschen, mit denen man zu leben hat, gewollt. Aber unbedingt verlangt ist die Unterordnung solch eines Urteils unter die Gewißheit, daß Gottes Urteil auch
20 den Urteilenden trifft, so daß alle Überheblichkeit, Unbarmherzigkeit und Blindheit gegen die eigenen Fehler ausgeschlossen und Bereitschaft zu Verzeihung und Fürbitte gewahrt bleiben. Die nachdrückliche Ausdehnung des Liebesgebots durch Jesus in dieser Beziehung hatte weittragende Folgen. Sie bewirkte, daß die Bußzucht mit Prügeln, die die Synagoge mit unbarmherziger Härte übte
25 2 K 11, 24, und überhaupt die Roheit, Verächtlichkeit und Überheblichkeit, in der die Pharisäer die behandelten, die in ihren Augen die Sünder waren, in der Kirche nicht fortgesetzt wurde, so daß die Kirchenzucht vorwiegend, wenn auch nicht ausschließlich, mit erzieherischen und seelsorgerlichen Mitteln geübt werden konnte. Zu dieser Überwindung einer bloßen Gesetzlichkeit in Frömmig-
30 keit und Sittlichkeit der Gemeinde führte gerade das uneingeschränkte Ernstmachen mit dem Gerichtsgedanken im Evangelium.

8. Dem Verständnis des nt.lichen Gerichtsgedankens steht heute eine aufgeklärte Kritik entgegen, die ihn als mythisch und unethisch ablehnt. Ihr gegenüber muß zunächst hervorgehoben werden,
35 daß das Gericht im Neuen Testament nicht eine Willkür- oder gar Affekthandlung Gottes ist, wie oftmals in den Gerichtsmythen, sondern die innerlich notwendige Folge der menschlichen Sünde. Alle Tat des Menschen ist Saat; Gottes Gericht ist die zugehörige, selbstverständlich eintretende Ernte (Gl 6, 7. 8).

---

noch einer zukünftigen Auferstehung 5, 24—29; 6, 40. 44. 54, da der Tod jeglichen Unterschied zwischen ihm und den anderen zunichte gemacht hat. Das eine ist so wenig Anbequemung an volkstümliche Anschauung wie das andere. Mit dieser Vorstellung trägt man etwas ganz Fremdes in das Bild des Joh hinein. Die allg urchr Vorstellung vom Endgericht und der Auferstehung am jüngsten Tage sind vielmehr der Boden, auf dem die eigentümlich joh Vorstellungen vom Endgericht und der Auferstehung als jetzt schon geschehener erwachsen sind.

Gottes Gericht bringt die notwendige Vergeltung des menschlichen Handelns
(R 1, 27). Der Mensch trägt vor dem göttlichen Richterstuhl davon, was er
getan hat (2 K 5, 10). Ein organischer Zusammenhang verbindet die menschliche Tat und ihre Folge im göttlichen Gericht. Daß dieser Zusammenhang
von Gottes Handeln hergestellt wird, macht ihn nicht zu einem zufälligen. Denn 5
der Gott des Neuen Testamentes ist gerade in seinem Richten der Heilige und
Gerechte, dessen Verfahren wohl über menschliches Verstehen hinaus liegt, aber
auch dann anbetungswürdig ist (R 11, 33—36). Auch der Zorn, in dem er
richtet, ist heilig, keine bloße Leidenschaft (→ ὀργή). Gottes Wille an den Menschen, rein ethisch formuliert: die sittliche Ordnung, ist Ordnung nicht nur des 10
Sollens, sondern zugleich des Seins. Denn Gott ist nicht nur „der moralische
Gesetzgeber", sondern zugleich der Schöpfer und Regierer der Welt, ohne den
sich keine kleinste Kleinigkeit im Leben der Welt wie des Menschen ereignet
(Mt 10, 29—31), ohne den es kein Heil und keine Zerrüttung im Menschenleben
gibt (R 1, 18—32). Seine Forderung an den Menschen ist nichts anderes als 15
das mit dem Dasein des Menschen Gewollte, diesem Dasein zu Grunde Liegende.
Sie bestimmt deshalb unweigerlich das Geschick des Menschen, so daß an ihrer
Erfüllung für den Menschen die richtige oder unrichtige Verfaßtheit seines
Daseins hängt. Die Geordnetheit seines Lebens und die Einpassung desselben
in das Ganze des Daseins, anderseits die Ungeordnetheit des Menschendaseins 20
in sich und die Reibungen desselben mit den andern Existenzen sind die unum-
gänglichen Folgen des Gehorsams und des Ungehorsams gegen Gottes Forderung,
da diese einen Bestandteil seiner heiligen, schöpferischen Weltordnung bildet.
Ungehorsam gegen Gottes Ordnung muß Lebensminderung und zuletzt den Tod
(R 6, 23), die Ausstoßung des Menschen aus der Welt, dem Hause Gottes (J 8, 25
34. 35), nach sich ziehen. Der Tod vollendet sich als ewiger, als Ausschluß
des Menschen von der Erneuerung seines Daseins zu ewigem Bleiben im Hause
des Herrn, der als solcher ewig erfahren wird. Wer wirklich sittlich und nicht
zuletzt doch nur naturalistisch denkt, wer im Tun des Guten und Überwinden
des Bösen den eigentlichen Gehalt des Menschendaseins und nicht nur eine 30
Nebensächlichkeit sieht, kann sich der Wahrheit des nt.lichen Zeugnisses vom
Richten Gottes nicht entziehen. Es ist auch ein Irrtum, anzunehmen, daß das
Neue Testament das Gericht Gottes nur in ein uns unbekanntes, mythisches
Jenseits verlegte. Das Gericht beginnt in diesem Leben und findet in jenem
Leben nur seine Vollendung. Das zeigt zB das Verhältnis von R 1, 18—32 35
und 2, 3—10 deutlich. Die Lebensminderung, die der Mensch durch Gottes
Richten erfährt und die schon ein Vorauswirken des Todes ist, darf freilich nicht
in erster Linie auf dem Gebiete des äußeren Lebens und seiner Güter gesucht
werden. Sie wirkt sich vornehmlich auf dem Gebiete des inneren Lebens aus,
in der Verblendung und Verkrampfung zu Hohlheit und Selbstsucht, wie sie 40
Lk 16, 19—31; 18, 10—12; 12, 16—20 uö von Jesus gezeichnet sind, oder in
der Entwürdigung und Zerrüttung der eigenen Existenz, die R 1, 21—32 von
Paulus gezeigt sind. Macht man aus dem „Sittengesetz" eine bloße Ordnung
des Sollens, so hat man dem Dasein seine eigentliche Bedeutung genommen
und es damit entwürdigt, so daß man notwendig endet bei einem rein negativen 45

Verhältnis des sittlichen Menschen zu dem Dasein, das er hat und das ihn umgibt. Freilich der Zusammenhang zwischen der Ordnung des Sollens und der
des Seins kann nur in Gott gefunden werden; und solange Gott nicht als der
schlechthin heilige und gerechte geglaubt wird wie im Neuen Testament, mag
5 es dem seines sittlichen Wertes bewußten Menschen entwürdigend erscheinen,
unter Gottes Gericht zu stehn. Die anschaulichen Redeweisen, in denen das
Neue Testament vielfach vom Richten Gottes spricht, der Richterstuhl, rechts
und links vom Richter, Feuer, Wurm oder Finsternis als Strafvollstreckung usw,
sind traditionell und durchaus unwesentlich. Sie begründen kein Recht, von einem
10 „Gerichtsmythos" zu sprechen. Zieht sich ein Mensch an dem nt.lichen Zeugnis
von Gottes Gericht eine Verunreinigung seiner sittlichen Beweggründe zu, so
ist er selbst und nicht das Neue Testament daran schuld, indem er das nt.liche
Zeugnis von dem göttlichen Gerichte nicht ernst genug nimmt. Denn im Neuen
Testament ist gerade das bezeugt, daß Gottes Gericht die Heuchelei und Schein-
15 frömmigkeit trifft, die um äußeren Lohnes willen handelt (Mt 6, 1—18; Mk 7, 6 uö),
daß Gottes Gericht das verborgene Wesen des Menschen offenbart (R 2, 16;
1 K 4, 5. 6; Apk 2, 23 uö). Wer das Gute nur tut, weil er für seine Person
Furcht vor Gottes Richten hat, ist nicht zur Erfüllung des Hauptgebotes: Gott
von ganzem Herzen zu lieben (Mk 12, 29. 30) durchgedrungen. Wenn das nt.-
20 liche Zeugnis den Menschen mit dem Hinweis auf Gottes Gericht aus seiner
Gleichgültigkeit und Schlaffheit aufrüttelt, so will es, daß er sich auf die Pflicht
besinne, das Gute als solches, dh aus der Liebe zu seinem Schöpfer zu tun.

Der Gerichtsgedanke läßt sich aus dem Evangelium des NT in keiner Weise
entfernen, nicht einmal aus seinem Zentrum an die Peripherie verweisen. Auch
25 die Verkündigung der Liebe Gottes setzt im NT immer voraus, daß jeder Mensch
dem Gericht Gottes entgegengeht und ihm hoffnungslos verfallen ist. Gottes
Liebe ist Gnade. Deshalb sind Mystik wie Aufklärung, die den Gedanken des
göttlichen Gerichts aufheben bzw einschränken, schlechthin gegensätzlich zum
Evangelium des NT.

30   κρίσις

bezeichnet wie die sonstigen mit dem Suffix -σις von Verbal-
stämmen gebildeten Worte die Handlung, die der Verbalstamm ausdrückt. Es hat
außerhalb des AT und NT einen reich entfalteten Sprachgebrauch und bedeutet
entsprechend der Bedeutung von κρίνειν: a. Scheidung, auch Entzweiung, Streit Hdt
35 V 5; VII 26; parallel mit ἔρις Plat Resp II 379 e; b. Auswahl; c. Entscheidung des Kampf-
richters oder des Strafrichters, das Gericht Thuc I 131, 2; auch Urteil Xenoph An I 6, 5;
sogar Anklage Lyc 31; d. Entscheidung in einer Schlacht Thuc I 23, 1 oder in einer
Krankheit [1].

1. Im Neuen Testament ist es die Entscheidung des
40 Richters, *das Gericht*, und zwar das göttliche und das menschliche, zumeist *das
Strafgericht*. Das Wort ist bei Paulus selten, häufig dagegen bei Johannes und
in den katholischen Briefen [2].

κρίσις. [1] Weitere Belege bei Liddell-Scott
sv.
[2] Jud 9: Μιχαὴλ . . . οὐκ ἐτόλμησεν κρίσιν
ἐπενεγκεῖν βλασφημίας und 2 Pt 2, 11: ἄγγελοι . . . οὐ φέρουσιν κατ' αὐτῶν παρὰ κυρίῳ

βλάσφημον κρίσιν, ist κρίσις das Gericht als
Verurteilung. Michael bzw die Engel wagen
nicht das den Teufel bzw die δόξαι verur-
teilende Gericht auszuüben; selbstverständlich würde das im Wort geschehen, aber des-

2. Bei Johannes ist κρίσις das (Welt-)Gericht des Christus, ursprünglich zukünftig 5, 28. 29 und 1 J 4, 17, aber doch auch schon gegenwärtig 3, 18—21; 5, 24. 25. 30; 12, 31; 16, 11 → 939, 10 ff. Damit kommt in dem Wort κρίσις die Bedeutung: *Entscheidung, Scheidung* wieder zur Geltung. Das besagt aber nicht, daß bei Joh κρίσις irgend etwas anderes hieße 5 als *Gericht*. Das Weltgericht ist immer Scheidung vgl Mt 25, 31—46, bes v 32: ἀφορίσει αὐτοὺς ἀπ' ἀλλήλων.

3. Die Septuaginta gebraucht κρίσις häufig, in den meisten Fällen zur Übersetzung von מִשְׁפָּט (→ 944, 4; 921, 21). Damit kommt κρίσις zu der Bedeutung: *das Recht*, besonders: das des Unterdrückten, das der Richter 10 zur Geltung, zur Durchsetzung bringt. κρίσις ist dann Parallele zu ἔλεος ψ 100 (101), 1: ἔλεος καὶ κρίσιν ᾄσομαι, zu ἐλεημοσύνη ψ 32 (33), 5: ἀγαπᾷ ἐλεημοσύνην καὶ κρίσιν, zu ἀλήθεια ψ 110 (111), 7: ἔργα χειρῶν αὐτοῦ ἀλήθεια καὶ κρίσις. Aus diesem Sprachgebrauch der LXX erklärt sich der n e u t e s t a m e n t l i c h e von Mt 23, 23: ἀφήκατε τὰ βαρύτερα τοῦ νόμου, τὴν κρίσιν καὶ τὸ ἔλεος καὶ τὴν 15 πίστιν, Lk 11, 42: παρέρχεσθε τὴν κρίσιν καὶ τὴν ἀγάπην τοῦ θεοῦ. An beiden Stellen soll den Pharisäern nicht der Vorwurf gemacht werden, daß sie die Ausübung des Gerichts unterlassen, sondern daß ihnen das Recht (der Armen) gleichgültig ist. Auch bei den Anführungen aus Dtjs 42, 1—4 in Mt 12, 18—21 und von 53, 7 f in Ag 8, 32 f ist κρίσις Übersetzung von מִשְׁפָּט *Recht*. 20

κρίμα

ältere Bildungsweise κρεῖμα, hellenistisch κρίμα[1] bezeichnet die *Entscheidung des Richters*, *a*. als Handlung J 9, 39; Ag 24, 25; R 11, 33; 1 K 11, 29. 34; Hb 6, 2; 1 Pt 4, 17; 2 Pt 2, 3; Apk 20, 4, *b*. als Ergebnis dieser Handlung, als Urteil, so an den übrigen, den meisten Stellen des 25 NT, abgesehn von 1 K 6, 7; Apk 18, 20[2]. Meist ist diese Entscheidung dem Betroffenen ungünstig, also *Verurteilung*. Es wird sowohl vom menschlichen als vom göttlichen Gericht gebraucht. Bezeichnende Wendungen sind: κρίμα λαμβάνειν Mk 12, 40 Par (Mt 23, 14); Lk 20, 47; Jk 3, 1; R 13, 2, κρίμα βαστάζειν Gl 5, 10, κρίμα ἔχειν 1 Tm 5, 12, ἐμπίπτειν εἰς κρίμα 1 Tm 3, 6[3], ἐν τῷ κρίματι 30 εἶναι Lk 23, 40[4]; in allen diesen Wendungen ist κρίμα *strafendes Urteil* → *a*[5]. 1 K 6, 7: κρίματα ἔχετε μεθ' ἑαυτῶν steht κρίμα im Sinne von *Rechtshandel, Pro-*

---

halb ist κρίσις doch nicht mit *Urteil* zu übersetzen. Die Vorstellung 2 Pt 2, 11 ist mindestens wegen des παρὰ κυρίῳ die: der Zeuge, der die Schuld als solche vor dem Richter geltend macht, bringt die Verurteilung über den Schuldigen vgl Mt 12, 27. 41 → κριτής A 4. Dazu passen auch am besten die Verben ἐπενεγκεῖν, φέρειν, die J 18, 29; Ag 25, 18 von Anklagen, 2 Pt 1, 17 von Zeugen gebraucht werden. κρίσις βλασφημίας Gen qual vgl βλάσφημον κρίσιν.

[2] Beide Bedeutungen lassen sich nicht immer scharf gegeneinander abgrenzen.
[3] Der διάβολος ist hier der menschliche Lästerer vgl v 7, nicht der Teufel (→ II 80, 37 ff).
[4] Dem entspricht τὸ κρίμα τῆς πόρνης Apk 17, 1, der einzige Fall, wo κρίμα mit dem Gen obj im NT steht; mit dem Sprachgebrauch der LXX (→ A 7) hat dieser Gen obj nichts zu tun.
[5] Der Sache nach hat κρίμα in diesen Wendungen für unser Denken die Bedeutung: Strafe; es bedeutet aber das Urteil, das freilich die Strafe herbeiführt. Ebenso auch Lk 24, 20: παρέδωκαν αὐτὸν ... εἰς κρίμα θανάτου.

κρίμα. [1] Vgl Bl-Debr § 13; 109, 3.

zeβ; diese Bedeutung ist sonst nicht nachgewiesen[6], ergibt sich aber aus *b*. Auf dem Sprachgebrauch der LXX beruht Apk 18, 20: ἔκρινεν ὁ θεὸς τὸ κρίμα ὑμῶν ἐξ αὐτῆς *er hat euren Rechtsanspruch durch sein Gericht über sie vollstreckt*. Die LXX gibt mit κρίμα in den weitaus meisten Fällen מִשְׁפָּט wieder. κρίμα kann
5 dann *die richterliche Entscheidung* bedeuten. Es bedeutet auch: *das Recht, das jemand hat*, namentlich der Unterdrückte[7]; es wird deshalb auch mit δικαιοσύνη, ἔλεος, ἐλεημοσύνη verbunden. κρίμα abhängig von κρίνειν kommt vor in: κρίμα δίκαιον (εἰρηνικὸν) κρίνατε Sach 7, 9; 8, 16 vgl Jer 21, 12, τὰ κρίματά μου κρινοῦσιν Ez 44, 24; τὰ βραχέα τῶν κριμάτων κρινοῦσιν αὐτοί Ex 18, 22; κρίνων
10 καὶ ἐκζητῶν κρίμα Js 16, 5; κρινεῖ ἡ συναγωγὴ … κατὰ τὰ κρίματα ταῦτα Nu 35, 24. Eine vollständige Par z Apk 18, 20 bietet also die LXX nicht.

† κριτής

ist die im NT meist gebrauchte Bezeichnung des Richters[1]. κριτής heißt der menschliche Richter als Amtsperson Mt 5, 25 (Lk 12, 58); Lk
15 18, 2. 6[2]; Ag 18, 15; 24, 10 und der Mensch, der richterliche Tätigkeit ausübt, ohne dazu berufen zu sein Jk 2, 4[3]; 4, 11, aber auch der, durch den das Unrecht eines andern offenbar wird Mt 12, 27 (Lk 11, 19)[4]. Auch die at.lichen „Richter" heißen κριταί, Ag 13, 20[5]. Von Gott wird κριτής gebraucht 2 Tm 4, 8; Hb 12, 23; Jk 4, 12; 5, 9, von Jesus als dem Messias Ag 10, 42[6].

20   ## † κριτήριον

Das Adjektiv κριτήριος, das von κριτήρ (= κριτής) gebildet ist wie σωτήριος von σωτήρ, ἱλαστήριος zu ἱλαστής[1], kommt als solches nicht vor[2], nur als substantiviertes Neutrum. Dies bezeichnet das Mittel zum Richten, zur Entscheidung, also *das Kennzeichen, das Merkmal, den Prüfstein*[2], oder den
25 Ort des Richtens, die *Gerichtsstätte*[2], oder das *Gericht* als Gesamtheit der Rich-

---

[6] Ex 18, 22 nähert sich κρίματα dieser Bedeutung, wenn sie nicht gar vorliegt.
[7] Ex 23, 6; Hi 13, 18; 19, 7; 31, 13; 32, 9 uö.

κριτής. Cr-Kö, Pr-Bauer sv.
[1] κριτής ist im echt-Attischen und Jonischen nur Beurteiler, Kampfrichter, nicht Strafrichter, den δικαστής bezeichnet. Seit Aesch und Soph ist es synon mit δικαστής, EFraenkel, Gesch d griech nomina agentis… II = Untersuchgen z indogerm Sprach- u Kulturwissenschaft 4 (1912) 32 f. δικαστής kommt im NT nur bei Lk Ag 7, 27. 35 in Anlehnung an die LXX Ex 2, 14 vor. Lk 12, 14 ist κριτήν, nicht δικαστήν zu lesen. Ein sachlicher Unterschied zwischen den Bedeutungen beider Worte besteht nicht. δικαστής ist das überhaupt weniger häufige Wort. ASchlatter, Wie sprach Josephus von Gott? (BFTh 14, 1 [1910] 56) sucht bei Josephus einen Bedeutungsunterschied festzustellen: κριτής denkt „an die rechtsgültige Entscheidung, die das weitere Verhalten normiert", δικαστής an den Schutz des bestehenden Rechts durch Urteil und Strafvollzug; das trifft schwerlich zu.

[2] κριτής τῆς ἀδικίας ist Gen qual Bl-Debr § 165 (vgl ὁ μαμωνᾶς τῆς ἀδικίας Lk 16, 9 = ὁ ἄδικος μαμωνᾶς Lk 16, 11), also eine semitisierende Konstruktion.
[3] διαλογισμῶν πονηρῶν gleichfalls Gen qual: von bösen Gedanken geleitete Richter.
[4] Die Ausdrucksweise ist jüdisch; der Zeuge „richtet" den Angeklagten, wenn dieser auf Grund des Zeugnisses seines Unrechts überführt wird. Vgl κατακρινοῦσιν Mt 12, 41 und dazu Str-B I 650 und Schl Mt 418 zSt.
[5] So auch in der LXX, die nur in seltenen Fällen δικαστής hat → κρίνω.
[6] Die Formel ζῶντας καὶ νεκρούς ist alt vgl R 14, 9; als Objekt zu κρίνειν findet sie sich 2 Tm 4, 1; 1 Pt 4, 5; sie ist jüdischen Ursprungs.

κριτήριον. [1] Vgl zur Bedeutung von -τήριον PChantraine, La formation des noms en grec ancien = Collection Linguistique 38 (1933) 62 ff.
[2] Vgl Liddell-Scott sv. Die Bedeutung „Gerichtsstätte" findet sich zuerst bei dem alternden Plato, vgl EFraenkel aaO (→ κριτής A 1).

tenden[3], so im NT Jk 2, 6[4]. 1 K 6, 2. 4 muß es die Bedeutung: *Rechts-handel, Prozeß* haben[5].

† κριτικός

Seit Plato nachweisbare Adjektivbildung zu κριτής (oder κριτός): wer die Art des Richters an sich hat, zum Richten befähigt und be- rechtigt, im Richten geübt ist, auch gebraucht in Bezug auf die Beurteilung im allgemeinen und die literarische im besonderen[1]. Hb 4, 12 Prädikat des Wortes Gottes, das die Absichten und Gedanken des Herzens zu richten befähigt ist[2].

† ἀνακρίνω, † ἀνάκρισις

erforschen, untersuchen[1], namentlich von der gerichtlichen Untersuchung, besonders der Voruntersuchung, die dem eigentlichen Prozesse vorausgeht[2]. In LXX selten, im NT nur bei Lukas und Paulus. Meist von der gerichtlichen Untersuchung des Angeklagten Lk 23, 14; Ag 4, 9; 12, 19; 24, 8; 28, 18; 25, 26 (ἀνάκρισις); von einer quasi-gerichtlichen Untersuchung, die die Auf- geblasenen in Korinth gegen Paulus abhalten 1 K 4, 3 (Gegensatz: 4, 4: das echte ἀνακρίνειν des κύριος); 9, 3; parallel mit ἐλέγχειν 1 K 14, 24; in einem allgemeineren Sinne: *nachforschen, untersuchen* 1 K 10, 25. 27; Ag 17, 11 von der Schriftforschung der Juden in Beröa, 1 K 2, 14. 15 zur Bezeichnung der Urteilsfähigkeit und Über- legenheit des πνευματικός, an der letzten Stelle mit dem Nebensinn der juristischen Untersuchung, die zugleich Beurteilung, Bewertung ist, im Blick auf das 4, 3; 9, 3 von Paulus Berührte gebraucht. Die geradezu ungeheuere Kühnheit dieses Satzes wird durch v 16 begründet und erklärt: der Pneumatiker ist mit Christus so ver- bunden, daß sein Denken das Denken Christi ist. Die Behauptung, daß durch dieses Pneumatiker-Selbstbewußtsein, wenn jeder das Recht darauf für sich in Anspruch nehme, der Gemeindezusammenhang zerstört werde, ist indessen falsch. Dieser so mit Christus verbundene Pneumatiker ist Glied am Leibe Christi 1 K 12, 12—27, dh steht im Lebenszusammenhange der Gemeinde. Freilich unter- worfen ist er nur seinem Herrn R 14, 4, nicht einem Mehrheitsbeschluß oder auch einem einzelnen der anderen. Für die andern Christen ist er geradezu der Knecht eines fremden Herrn. Demgemäß ist Paulus mit seinen Gemeinden und mit den Uraposteln umgegangen. Er hat seinen Gemeinden, soweit in ihnen Leben aus Christus vorhanden war, nicht Autorität, nur Helfer zur Freude sein

---

[3] So meist in der LXX und schon bei Plat Leg VI 767 b.

[4] ἕλκειν εἰς τὸ κριτήριον ist anscheinend eine geläufige Wendung vgl P Tor I Nr 1 p 6, 11 (117 v Chr): ἑλκυσθέντων ἁπάντων εἰς τὸ κρι- τήριον.

[5] Vgl κρίμα v 7 und 943, 32 Diod S I 72, 4: προετίθεσαν (die Priester) κατὰ νόμον τῷ τετελευτηκότι (dem ägyptischen König) κριτήριον τῶν ἐν τῷ βίῳ πραχθέντων kann κριτήριον nur die Bedeutung *Gericht als Vorgang, Prozeß* haben! Vgl die in § 5 fol- gende Beschreibung desselben.

κριτικός. [1] Vgl Liddell-Scott sv. PChan- traine, La formation des noms en grec ancien (Paris 1933) 385 ff.
[2] Vgl Rgg, WndHb zSt.

ἀνακρίνω κτλ. [1] Belege bei Pape, Pass, Liddell-Scott, Pr-Bauer.
[2] Demosth Or 48, 31: ὁ ἄρχων . . . ἀνακρί- νας εἰσήγαγεν εἰς τὸ δικαστήριον . . , 48, 43: ἐπειδὴ ἀνεκρίθησαν πρὸς τῷ ἄρχοντι ἅπασαι αἱ ἀμφισβητήσεις (Zweifelsfragen) καὶ ἔδει ἀγωνί- ζεσθαι ἐν τῷ δικαστηρίῳ . . .

wollen 2 K 1, 24. Er war durchaus nicht die „Herrennatur", die „mit allen Kräften das eigene Empfinden andern als Norm aufzwingen will[3]." Er wollte, daß jeder nach seinem eigenen Gewissen lebe R 14 f. Aber wo seine Gemeinden nur fleischlich lebten 1 K 3, 3, hat er sie schonungslos zurechtge-
5 wiesen 2 K 12, 19—13, 10. Gemeindezusammenhang entsteht für Paulus nur über Christus, aus der gemeinsamen Verbundenheit mit ihm, nicht unmittelbar aus der Verbundenheit der Gläubigen untereinander. Die Gemeinde ist nicht pneumatische Demokratie, sondern pneumatischer Organismus[4]. Ihre Einheit ist Liebe, nicht Zwang.

10   *ἀποκρίνω*, † *ἀνταποκρίνομαι*

Der Sprachgebrauch von ἀποκρίνω ist mannigfach verzweigt. ἀποκρίνω act heißt: *a. absondern, trennen,* auch: *aussondern* zB von den Ausscheidungen des Körpers, oder anderseits: *aussondern* mit der Nebenbedeutung: *weihen;* — *b.* ἀποκρίνομαι pass heißt: *sich absondern, neigen zu;* — *c.* ἀποκρίνω act: *verurteilen, verwerfen;* —
15   *d.* ἀποκρίνομαι med: *sich verantworten;* — *e.* ἀποκρίνομαι med: *antworten,* so seit Herodot, der aber noch häufiger ὑποκρίνομαι für: antworten hat. Der pass Aor zum Med wird von den Attizisten verworfen, findet sich aber in der späteren Sprache oft[1]. — Die Septuaginta hat ἀποκρίνομαι häufig uz weit überwiegend in den Formen des pass Aor. Sie übersetzen damit meist עָנָה, das *antworten, anheben* bedeutet[2], auch הֵשִׁיב
20   in der Bedeutung *antworten.*

Im Neuen Testament kommt ἀποκρίνομαι nur im Med in der Bedeutung: *antworten* usw vor. Das Beantwortete kann außer einer Frage auch eine Bitte oder sonstige Rede sein. Der Aor ist im NT 7 mal med ἀπεκρινάμην, 195 mal pass ἀπεκρίθην[3]. ἀπεκρίθη steht bei den Evangelisten in der Mehrzahl der Fälle
25 in Verbindung mit λέγει, εἶπεν usw; dabei kommt es bei Joh oft vor, daß beide verba finita sind: ἀπεκρίθη καὶ εἶπεν J 2, 19; 3, 3. 9. 10. 27; 4, 10. 13; 6, 26. 29. 43; 7, 21; 14, 23; 18, 30 (plur); 20, 28 uö; bei den Synoptikern selten: ἀπεκρίθη καὶ λέγει Mk 7, 28. Bei Mt, Mk, Lk steht meist das Part ἀποκριθείς mit folgendem εἶπεν, so Mt 11, 25; 15, 3; 17, 4; 21, 29. 30; 22, 1; 25, 12.
30 26. 40 (ἐρεῖ); 26, 23. 25. 63 (vl); 28, 5; Mk 9, 5 (λέγει); 10, 51; 11, 14; 12, 35 (ἔλεγεν); Lk 1, 60 (ἀποκριθεῖσα); 11, 7 (εἴπῃ); 13, 14 (ἔλεγεν). 25 (ἐρεῖ); 14, 3; 15, 29; Ag 19, 15; 25, 9 uö. Verbindungen von ἀπεκρίθη usw mit dem Part von λέγειν sind seltener. ἀπεκρίθη λέγων steht J 1, 26; Mk 15, 9; Ag 15, 13, ἀπεκρίθησαν λέγουσαι Mt 25, 9, ἀποκριθήσονται λέγοντες Mt 25, 37. 44. 45 (λέγων),
35 ἀποκρίνεται λέγων J 12, 23. Die Urform der Wendung ist augenscheinlich die parataktische, die wie das hebräische וַיֹּאמֶר . . . וַיַּעַן zwei verba finita hat, dh die joh: ἀπεκρίθη καὶ εἶπεν. Die Konstruktionsform mit einem Part ἀποκριθείς ist besseres Griechisch, also sekundär. Unfraglich steht hinter diesem Sprachgebrauch der Evangelien der der LXX, bei denen ἀποκριθεὶς εἶπεν und
40 ἀπεκρίθη καὶ εἶπεν häufig sind, was aus dem hbr וַיֹּאמֶר . . . וַיַּעַן stammt. In den genannten Verbindungen von ἀποκρίνεσθαι mit λέγειν, εἰπεῖν usw liegt also ein Stück richtiges Bibelgriechisch vor, namentlich in ἀπεκρίθη καὶ εἶπεν. Am deut-

---

[3] Reitzenstein Hell Myst 378.
[4] FBüchsel, Der Geist Gottes im NT (1926) 352.

ἀποκρίνω κτλ. Die Wörterbücher sv, Dalman WJ I 19, 20.
[1] Liddell-Scott, Pape, Pass sv.
[2] Ges-Buhl sv.
[3] Bl-Debr § 78, Pr-Bauer sv.

lichsten wird dies daran, daß ἀπεκρίθη uam bei den Evangelien wie den LXX in diesen Wendungen durchaus nicht immer eine Antwort auf eine vorhergehende Rede einführt, sondern mit: *er hob an* übersetzt werden muß, was dem echt griechischen Sprachgebrauch nicht entspricht, aber dem des hbr עָנָה gemäß ist. Es verdient Beachtung, daß gerade im Joh-Ev das dem וַיַּעַן וַיֹּאמֶר des AT am näch- 5 sten entsprechende ἀπεκρίθη καὶ εἶπεν so sehr häufig ist. Durch die Sprache dieses Ev scheint die des (hbr) AT besonders stark hindurch. „So wird auch erzählt im 1. Makkabäerbuch, Tobit, Henoch, Baruchapokalypse, 4 Esra, Assumptio Mosis, auffallend selten aber im Jubiläenbuch und Juditbuch, gelegentlich auch im 2. Makkabäerbuch[4].“ 10

> Die Regel Meïrs (um 150 n Chr): „Überall wo es (im AT) heißt: Er antwortete und sprach so und so: siehe da hat der Betreffende im heiligen Geist geredet[5a]“, läßt sich in den Evangelien freilich nicht durchführen. Aber Mt 11, 25 könnte das ἀποκριθεὶς ὁ Ἰησοῦς εἶπεν nach der Lk-Parallele: ἠγαλλιάσατο τῷ πνεύματι τῷ ἁγίῳ καὶ εἶπεν (Lk 10, 21) so gemeint sein. 15

ἀνταποκρίνομαι, ein verstärktes ἀποκρίνομαι, entsprechend der Vorliebe des späteren Griechisch für Bikomposita, haben die LXX 3mal für עָנָה[6]. Im NT Lk 14, 6; R 9, 20 mit dem Nebensinn: *unberechtigte Vorhaltungen machen, hadern, „meckern“.*

† *ἀπόκριμα* 20

ἀπόκριμα ist noch von Deißmann[1] als „offenbar sehr selten“ bezeichnet. Es fehlt in LXX und bei Philo. Indessen ist es nachgewiesen bei Polyb 12, 26 b, 1; Jos Ant 14, 210; IG XII 1, 2, 4 (51 n Chr); Ditt Syll[3] 804, 5 (mit A 3!); Or 335, 95. 119; 494, 18: PTebt II 286, 1[2]. Es „ist ein technischer Ausdruck der Amts- und Gerichtssprache“ und bezeichnet einen amtlichen Bescheid auf eine Anfrage, Ein- 25 gabe usw, der eine Sache entscheidet.

Auch 2 K 1, 9, wo es allein im NT vorkommt, hat es diesen Sinn: wir erhielten in uns selbst den auf „Tod“ lautenden Bescheid (τὸ ἀπόκριμα τοῦ θανάτου)[3]. Paulus mußte nach menschlichem Ermessen seine Lage beurteilen wie die eines zum Tode Verurteilten, auf dessen Gnadengesuch der Bescheid ergan- 30 gen ist: er muß sterben[4]. Der Gen ist wohl als Gen appos (vgl Bl-Debr § 167) zu verstehen, jedenfalls nicht als subjektiver Genitiv, so daß der Tod Paulus Bescheid erteilt hätte. Daß Paulus den Urheber des Bescheids nicht nennt, ist besondere Feinheit.

---

[4] Dalman aaO 19.
[5] Str-B I 606, wo Midr Qoh 7, 2 (32 b) als Belegstelle angegeben ist.
[6] ἀνταποκρίνομαι ist auch mathematischer Terminus, vgl Nicomachus Arithmetica Introductio (ed RHoche [1866]) I 8 vgl auch Nägeli 43.

ἀπόκριμα. [1] NB 85.
[2] Vgl Wnd 2 K zSt, der noch Nägeli 30, Moult-Mill I 64 und SRMantey, Exp 9th Ser, Vol I (1922) 376 f anführt.
[3] Weniger genau ist die übliche Übersetzung: „von uns aus mußten wir uns das

Todesurteil“ sprechen (Weizsäcker, entsprechend Ltzm K zSt; HDWendland im NT Dtsch zSt). ἀπόκριμα ist nicht Urteil. Diese ungenaue Übersetzung geht zurück auf Theodoret: ἀπόκριμα δὲ θανάτου τὴν τοῦ θανάτου ψῆφον ἐκάλεσε (III 291, MPG 82 p 380 c).
[4] Wnd 2 K zSt vergleicht die antike Sitte, in schweren Lebenslagen ein göttliches Orakel zu erbitten, und 2 Kö 8, 7 ff und Js 38, 1. — In was für einer Todesnot Paulus damals steckte, läßt sich nur vermuten, am nächsten liegt eine schwere Krankheit, da die Quellen von einer Gefangenschaft des Paulus in Ephesus nichts sagen.

† *ἀπόκρισις*

ist seit früher Zeit (Theognis) viel gebraucht, auch in Inschr, Pap und LXX. Es bezeichnet *a.*, vom Act des Verbums abgeleitet, die *Absonderung, Ausscheidung,* namentlich bei Medizinern Pseud-Plat Def 415 d: — *b.*, vom Med des Verbums abgeleitet, die *Antwort* [1].

Im NT findet es sich nur in der Bedeutung *Antwort (b),* und zwar bei Lk 2, 47; 20, 26 und J 1, 22; 19, 9, bei Joh stets in der Verbindung ἀπόκρισιν δοῦναι. SchlJ zitiert zu 1, 22 MEx 18, 27: לוֹ שֶׁנָּתַן תְּשׁוּבָה, die Antwort, die er ihm gab. Bei LXX steht ἀπόκρισιν δοῦναι mehrfach für עָנָה und הֵשִׁיב.

† *διακρίνω*

1. Da das Simplex κρίνω schon: *trennen, sondern* bedeutet, ist δια-κρίνω: *auseinander sondern* ursprünglich nur ein verstärktes κρίνω (vgl dis-cerno). Viel gebraucht, hat das Wort mancherlei Bedeutungen angenommen [1]. Die LXX übersetzt eine ziemlich große Zahl von Worten mit διακρίνω, am häufigsten שָׁפַט und דִּין [2]. Im NT kommt es in seiner ursprünglichen, räumlichen Bedeutung nicht vor, nur in übertragener. *Unterschied machen* zwischen Personen Ag 15, 9: Gott hat keinen Unterschied gemacht zwischen uns (Juden) und den Heiden; ebenso 11, 12 [3]. *Auszeichnen* 1 K 4, 7: wer hat dich (vor andern) ausgezeichnet? 11, 29: μὴ διακρίνων τὸ σῶμα, weil er den Leib des Herrn nicht auszeichnet (von profaner Speise unterscheidet) [4]. Aus der Bedeutung: „einen Unterschied machen zwischen Personen" ergeben sich die anderen: *Recht sprechen zwischen zweien:* 1 K 6, 5 διακρίνειν ἀνὰ μέσον τοῦ ἀδελφοῦ [5] (διακρίνω ist in diesem Sinne term techn der Gerichtssprache [6]) und: *beurteilen* uz eine Sache Mt 16, 3: τὸ πρόσωπον τοῦ οὐρανοῦ, oder eine Person 1 K 11, 31: ἑαυτοὺς διεκρίνομεν [7], objektslos 1 K 14, 29 [8]. Das Medium διακρίνομαι (mit pass Aor) bedeutet *kämpfen* [9] Jd 9: τῷ διαβόλῳ διακρινόμενος, Ag 11, 2: διεκρίνοντο πρὸς αὐτὸν (Petrus) οἱ ἐκ περιτομῆς, oder *zweifeln*. Diese Bedeutung ist nicht vor dem NT nachweisbar. Sie findet sich Mk 11, 23; Mt 21, 21; Jk 1, 6; 2, 4; R 4, 20; 14, 23; Ag 10, 20 [10].

ἀπόκρισις. [1] Vgl die Wörterbücher, namentlich Pr-Bauer sv.

διακρίνω. Pass, Pape, Pr-Bauer sv, Schl Mt z 21, 21; Hck, Wnd, Dib z Jk 1, 6; 2, 4; JohW, Bchm, Ltzm z 1 K 6, 5; 11, 29; Kn, Wbg, Wnd z Jd 22.
[1] Vgl Pape, Pass sv.
[2] Vgl Hatch-Redp sv.
[3] Jedenfalls ist das act διακρίναντα, nicht das med διακρινάμενον zu lesen. Die Vergleichung von 10, 20 liegt zwar nahe, aber die von 15, 9 liegt näher.
[4] So mit Bchm u Ltzm gegen JohW: nicht richtig beurteilt. Die bei Weiß' Deutung unentbehrliche nähere Bestimmung: richtig liegt in διακρίνειν als solchem nicht, wohl aber ein Bevorzugen.
[5] Zur Verbindung von διακρίνειν mit ἀνὰ μέσον vgl Ez 34, 17. 20: διακρινῶ ἀνὰ μέσον προβάτου καὶ προβάτου (προβάτου ἰσχυροῦ καὶ προβάτου ἀσθενοῦς). Der Sing ἀδελφοῦ nach ἀνὰ μέσον ist trotz PSchmiedel (Hand-Kommentar z NT II 1: Die Briefe an die Thess und Korinther [1893]) zSt; JohW zSt nicht durch Konjektur zu beseitigen. Die Inkorrektheit ist wohl so zu erklären, daß das korrekte doppelte ἀνὰ μέσον ἀδελφοῦ καὶ ἀδελφοῦ (vgl Ez 34, 17. 20) als zu weitläufig erschien. Bezeichnend ist, daß Sir 25, 18: ἀνὰ μέσον τῶν πλησίον ein ἀνὰ μέσον τοῦ πλησίον αὐτοῦ als Variante neben sich hat (vgl Ryssel in Kautzsch Apkr I 360 zSt und dazu 248): ein nicht kollektiver Singular nach ἀνὰ

μέσον kam zwar vor, wurde aber als inkorrekt empfunden.
[6] Xenoph Hist Graec V 2, 10; Ditt Syll [3] 545, 18; Or 43, 4. 11; ep Ar 110.
[7] Die von JohW bevorzugte LA ἐκρίνομεν ist unzulänglich bezeugt und zerstört den Anschluß von v 31 an v 29. Der Bedeutungswechsel beim Stichwortanschluß von v 29 zu v 31 darf nicht befremden; dergleichen liegt im Wesen solcher losen Verbindung. Mit v 31 fordert Paulus das Selbstgericht im allgemeinen, mit v 29 fordert er nur die Unterscheidung des sakramentalen Leibes des Herrn von sonstigem Brote. Lietzmanns Übersetzung: „prüfen" mit Berufung auf δοκιμαζέτω v 28 und Bachmanns Deutung: „unterscheiden" lassen die erforderliche Bedeutungsgleichheit zwischen den Verben des Vordersatzes und des Nachsatzes und v 31 vermissen.
[8] Gedacht ist nicht so sehr an das von den Propheten Gesagte als an die Geister der Propheten 12, 10. Subjekt sind die in 12, 10 genannten Charismatiker oder die Propheten, die mit prophetischer Rede nicht zu Worte kommen, sondern die Gemeinde. Die Vorstellung der Gemeindesouveränität im demokratischen Sinne darf nicht eingetragen werden.
[9] Diese Bedeutung ist auch außerhalb des NT, besonders bei Polyb reichlich belegt, vgl Pape, Pass sv.
[10] Jd 22 ist mit Wbg, Kn, Wnd gegen Nestle der dreigliedrige Text zu bevorzugen (vgl die ausführliche Erörterung bei Kn, Wbg): οὓς μὲν ἐλέγχετε διακρινομένους, οὓς δὲ σῴζετε ἐκ πυρὸς ἁρπάζοντες, οὓς δὲ ἐλεᾶτε ἐν φόβῳ

2. Die Haltung, die das NT mit διακρίνεσθαι *zweifeln* ausdrückt, erscheint im Gebet und im Handeln, bezeichnenderweise nicht im nur reflektierenden Denken. Nicht eine menschliche Lehre, Gottes Wort steht in Frage beim διακρίνεσθαι. Die Zeit des NT kannte eine wissenschaftlich begründete Skepsis, auch die Kulturkrankheit der Lähmung von Gewißheit und 5 Entschlossenheit durch widerstreitende Motive im persönlichen Leben. Aber das διακρίνεσθαι des NT stammt nicht aus jener, noch ist es ein Spezialfall dieser. Es ist eine spezifisch religiöse Erscheinung. Mk 11, 23; Mt 21, 21 hat der Mensch Gottes Verheißung und hält sich an sie, indem er das gläubige Wort zu Gott bzw zu dem Berge spricht, aber er hält es zugleich für unmöglich, 10 mindestens ungewiß, „daß, was er sagt, geschieht". Er ist in sich gespalten, vertraut und vertraut zugleich nicht. Für Jesus ist diese Haltung Gegenteil zum Glauben, wie auch Mk 9, 14—29 Par vgl v 19, 23 und Mk 4, 40 Par zeigen. Jk 1, 6 schildert den Beter, der ein διακρινόμενος ist, anschaulich; er steht nicht in sich fest auf der Verheißung Gottes, sondern schwankt haltlos wie die Meeres- 15 welle; er ist „doppelseelig" und unbeständig in seinem gesamten Verhalten v 8. Das δίψυχος macht die innere Zerspaltenheit sehr deutlich. R 4, 20 hat Abraham Gottes Verheißung, die weit über Erwartungen auf Grund seines natürlichen Zustandes hinausgeht. Er ist erfüllt (πληροφορηθείς) davon, daß Gott seine Verheißung wahr macht. Hier liegt der Ton sichtlich auf der Uneingeschränktheit 20 seiner Zuversicht; er traut mit ganzem Herzen und überwindet, was ihn am Trauen hindern könnte. Das ist οὐ διεκρίθη, man könnte geradezu übersetzen: er zerspaltete sich nicht . . . R 14, 23 stehn sich gegenüber der διακρινόμενος und der, der sich nicht zu verurteilen braucht um deswillen, was er für gut befindet, also tut. Der διακρινόμενος ist der, bei dem Urteil und Tat nicht ein- 25 hellig sind, der mit bösem Gewissen tut, was er nicht lassen mag, der in sich zerspaltene Mensch[11]. Entsprechend ist es Ag 10, 20. Jk 2, 4 besteht das διακριθῆναι darin, daß man in die christliche Versammlung geht, also Glauben beweist und zugleich den Armen verächtlich behandelt, also nach den Maßstäben der Welt und nicht nach der von Gott den Armen gegebenen Verheißung v 5 30 handelt. Diese Gespaltenheit der Haltung ist Sünde[12].

3. Zweifel gibt es, solange es Glauben gibt. Indessen die Aufmerksamkeit auf den Zweifel und seine Verurteilung sind später.

κτλ. ἐλεᾶτε im ersten Gliede statt ἐλέγχετε ist Angleichung an das dritte. Im dritten Gliede ist ἐλεᾶτε besser als ἐκβάλετε (Wnd) oder ἐλάσατε (Wbg). διακρινομένους kann hier heißen: 1. gerichtet (Vulgata: arguite iudicatos), 2. wenn sie kämpfen, 3. wenn sie zweifeln. Am besten paßt die dritte Bedeutung, die erste ist nicht möglich.

[11] διακρινόμενος zu übersetzen: der einen Unterschied der Speisen macht (Ltzm), läßt den hier wesentlichen Gegensatz zwischen διακρινόμενος und πίστις (vgl R 4, 20!) verschwinden. Zudem würde dann nach Analogie von 1 K 11, 29; 4, 7; Ag 11, 12; 15, 9 das Act statt des Med stehen.

[12] Die Übersetzung: habt ihr nicht bei euch selbst Unterscheidungen (zwischen Arm und Reich) gemacht (Wnd u Hck, ähnlich Dib), setzt das act διεκρίνατε voraus und wird mit dem ἐν ἑαυτοῖς nicht fertig, das seinerseits ausgezeichnet zu der Bdtg: „zweifeln" paßt. Es müßte auch begründet sein, warum in diesem Falle das Unterschiede-Machen Unrecht wäre. Aber für den Gläubigen (vgl v 1!) ist die Gespaltenheit der Haltung freilich Unrecht, da sie Bruch des Glaubens ist. So gewiß v 2—4 den Satz von v 1 begründen, daß Glaube und Menschen-Ansehen sich ausschließen, so gewiß redet v 4 vom Gegenteil des Glaubens, dem Zweifel.

Im AT ist vielfach von der Ablehnung des göttlichen Wortes die Rede Gn 18, 12; Js 7, 1—25 uö, aber nicht vom Zweifel, dh einer nur halben Bejahung, die zugleich halbe Verneinung ist. Dergleichen kommt im AT nur in Betracht, sofern es gewollte Verstellung, Heuchelei ist, nicht sofern es nicht erreichte
5 Einheitlichkeit der persönlichen Haltung in der Bejahung des Wortes Gottes ist. Hiob ist nicht als Zweifler, sondern als Kämpfer gezeichnet; seine Haltung ist nicht zerspalten, sondern einheitlich gegen Gott gerichtet. Im Spätjudentum wird der Kleinmut beim Gebet (ὀλιγοψυχεῖν) getadelt Sir 7, 10. Das ist eine ähnliche, aber nicht dieselbe Forderung wie Mk 11, 23 (Mt 21, 21) und
10 Jk 1, 6.

In der Apk Elias 24, 3. 4 heißt es: Ebenso darf niemand an den heiligen Ort gehen, der in seinem Herzen zweifelt. Wer in seinem Gebete zweifelt, ist gegen sich feindlich und auch die Engel stimmen nicht mit ihm überein. Darum seid einigen Herzens alle Zeit in dem Herrn, damit ihr alles erkennt. (Sahidischer Text etwas abweichend.)
15 Wäre dies Wort jüdisch, vorchristlich, so wäre die Mk 11, 23 (Mt 21, 21); Jk 1, 6 erhobene Forderung aus dem Judentum abzuleiten. Es ist indessen auf jeden Fall mit christlichen Interpolationen in dem von Steindorff herausgegebenen Text zu rechnen. Wahrscheinlich ist dieser ganze Text christlich, was nicht ausschließt, daß es auch jüdische secreta Eliae prophetae gab (vgl Schürer III⁴ 361 ff).

20 Die Aufmerksamkeit auf den Zweifel ist im NT deutlich die Kehrseite der unbedingten Verheißung, die der Glaube erhält. Die eine wie die andere stammt von Jesus und folgt aus der Vollendung der Gottesgemeinschaft, die er hatte und brachte. Weil es zur Gottesgemeinschaft auf Seiten des Menschen nichts bedarf als des Glaubens, ist der Zweifel schon Bruch der Gottesgemeinschaft,
25 Sünde, die von Gottes Hilfe ausschließt. Mit der Gnade Gottes vertieft sich seine Forderung an den Menschen ganz unmittelbar. Weil bei der Gemeinde Jesu, vor allem bei Paulus und auch bei Jakobus (!) Jesu Schätzung des Glaubens wiederkehrt, kehrt auch seine Verurteilung des Zweifels wieder.

4. Sprachgeschichtlich ist διακρίνεσθαι: *zweifeln* eine Hervorbringung des griechisch redenden Christentums. Die griechische Sprache hat für
30 zweifeln διστάζω, ἀμφισβητέω, ἀμφιβάλλω. Von ihnen kommt im NT nur διστάζω vor, bei Mt an Stellen, die er nicht mit Mk oder Lk gemein hat, 14, 31; 28, 17[13]. Das NT drückt zweifeln auch noch durch διαλογισμός aus. διακρίνομαι zweifeln fehlt bei den Apostolischen Vätern, findet sich dagegen Prot Ev Jk 11, 2; PsClem Hom I 20, II 40.
35 Das Wort hat sich also nur in geringem Maße durchgesetzt; wahrscheinlich war es der Konkurrenz von διστάζω nicht gewachsen. Das aram Äquivalent zu διακρίνεσθαι zweifeln ist augenscheinlich פלג in pass bzw reflexiven Bildungen. Freilich heißen diese nirgends „zweifeln", aber פְּלִיגָה מַלְכוּ Da 2, 41 ist das in sich uneinheitliche, zwiespältige Reich (LXX: διμερής, Θ: διῃρημένη) und פָּלִיג bezeichnet denjenigen, der
40 abweichender Meinung ist, oder auch eine abweichende Überlieferung; vgl Tg J II z Gn 49, 1; bBM 5 a; jKil 32 a Z 18 ff[14]. פְּלַגְנוּ ist: *die Hälfte* und die *Zerspaltenheit der Haltung*. פְּלוּגְתָּא ist *der Streit*. לָשׁוֹן פְּלַג ist *die Zunge zwiespältig machen*[15]. „Du sagst dies mit Geteiltheit des Mundes" בְּפַלְגוּת פּוּמָךְ steht gegenüber בְּכָל פּוּמָךְ „mit ganzem Munde" jPes 32 c Z 44[16]. Die Geteiltheit, die man im Judentum

---

[13] Die Apost Vät haben διστάζω häufiger: Did, 1 Cl, 2 Cl, Barn, Herm vgl EJGoodspeed, Index Patristicus … (1907). Dagegen fehlt διστάζω in LXX. ἀμφισβητέω und ἀμφιβάλλω in der Bedeutnng: zweifeln fehlen im NT, LXX und Apost Vät.
[14] Levy Wört IV sv.
[15] JFürst, Hbr u chald Handwörterbuch³ (1876) II sv.

[16] Die Deutung von בכל פומך u בפלגות פומך ist schwierig. Nach MJastrow, ADictionary of the Targumim (New York - Berlin 1926) sv פלג [Hinweis von RMeyer] bedeutet: „Sagst du das mit deinem ganzen Munde?" *Bist du der eigentliche Urheber dieser Meinung?* und: „Geteiltheit deines Mundes" *Die von dir geäußerte Meinung stammt von einem andern. Aus dem Wort-*

bisher bei der Zunge bzw dem Munde oder bei der Meinung einer Mehrzahl von Menschen beachtet hatte, beachtete Jesus beim Verhalten des Menschen gegenüber der göttlichen Verheißung. פְּלִיג und פַּלְגִי gewinnen so für ihn eine neue Bedeutung. פלג in dieser neuen Bedeutung wurde dann mit διακρίνομαι übersetzt, als Jesu Glaubenspredigt von aramäischem auf griechisches Sprachgebiet weiter gegeben wurde. [5] Hbr Äquivalent ist חלק, das im Part q Pass und im ni bedeutet: geteilter, verschiedener Ansicht sein, streiten, von den Gelehrten, die nicht unter sich übereinstimmen [17]. Die Bestätigung dafür, daß פלג das aramäische Äquivalent ist, liefert die syrische Übersetzung von Mt 21, 21: וְלָא תִתְפַּלְגּוּן [18]. Unsere Übersetzung von διακρίνεσθαι mit: „zweifeln", das eine ähnliche Bildung von „zwei" ist, wie dubito von duo und διστάζω [10] von δίς, verschiebt die Vorstellung etwas, es kommt bei διακρίνεσθαι auf die Gespaltenheit, nicht auf die Zweiheit an. Vielleicht ist es auch die Einsicht in diese Tatsache, was die Übersetzung der Jesusworte mit פלג durch διακρίνομαι einer durch διστάζω vorziehen ließ [19].

Jedenfalls beweist διακρίνομαι, und was sich von seiner Geschichte noch aufhellen läßt, die sprachbildende Kraft des Evangeliums. [15]

† διάκρισις

διάκρισις ist wie διακρίνειν in vielen und recht auseinandergehenden Bedeutungen belegt: *Trennung, Unterscheidung, Kampf, Beurteilung, Auslegung* [1]. In LXX nur Hi 37, 16 mit dunkler Bedeutung. [20]

Im Neuen Testament meist: *Unterscheidung*: 1 K 12, 10 der Geister in den Propheten, Hb 5, 14 von Gut und Böse. R 14, 1: μὴ εἰς διακρίσεις διαλογισμῶν ist infolge seiner rätselhaften Kürze nicht eindeutig. Zahns bestechende Erklärung: nicht zum Zweck von Disputationen über Gedanken, hat gegen sich, daß man statt des Gen διαλογισμῶν περί mit dem Gen oder dgl erwartet. Am [25] besten ist διάκρισις als: *Beurteilung* zu nehmen [2]. Der Schwache soll als der christliche Bruder genommen werden, als der er sich gibt, ohne daß man sich über die seiner Haltung zu Grunde liegenden Gedanken ein Urteil bildet; die gehn nur Gott und ihn an vgl v 22 [3].

† ἀδιάκριτος [30]

seit Hippokrates († 356 v Chr) nachweisbar, auch als Adverbium. Es wird viel und deshalb in mancherlei Bedeutungen gebraucht [1]. Grundsätzlich zu

---

sinne von פלגו läßt sich dies aber nur schwer ableiten. Auch paßt es schlecht in den Zshg der St. Besser ist die Deutung von: „Mit deinem ganzen Munde" *Mit voller Überzeugung* (von der Richtigkeit deiner Meinung) und von: „Mit Geteiltheit deines Mundes" *Mit Bedenken* (gegen die Richtigkeit deiner Meinung). Vgl Levy IV sv פַּלְגּוּ.

[17] Levy Wört II sv; Sanh 110 a: Jeder, der נחלק gegen seinen Lehrer, ist wie wenn er נחלק gegen Gott. Vgl auch die von Schl z Mt 21, 21 angeführten St mit לֵב חָלוֹק.

[18] Vgl Schl zSt. Dasselbe Ethpaal von פלג hat die syrische Übersetzung z Jk 2, 4. So gelingt ihr das richtige Verständnis der Stelle, das die meisten Übersetzungen verfehlen vgl Hck zSt A 97. Auch für den ägyptischen Christen, der die Apk Elias (950, 11) interpolierte oder verfaßte, ist Gegenteil zum Zweifel das einige Herz, also Zweifel Geteiltheit des Herzens.

[19] Daß man schon vor Jesus פלג mit δια-

κρίνομαι übersetzt hat, läßt sich zwar nicht beweisen (Da 2, 41!), ist aber möglich. Dagegen ist nicht anzunehmen, daß man mit פלג und διακρίνομαι die Zerspaltenheit der Haltung gegenüber der göttlichen Verheißung, den Gegensatz zur einfältigen Bejahung derselben im Glauben bezeichnet habe.

διάκρισις. Pape, Pr-Bauer, BWeiß, Erklärung des Römerbriefs [9] (1899) u Zn z R 14, 1.
[1] Belege bei Pape uam.
[2] So Ltzm nach BWeiß, Chrysostomus, Augustin.
[3] „Zweifel" (so Cr-Kö) bedeutet διάκρισις nicht.

ἀδιάκριτος. Pass-Cr, Pr-Bauer, Moult-Mill sv; Dib, Hck, Wnd z Jk 3, 17; JBLightfoot, The Apostolic Fathers II 1 (1885) p 39 A 5 z Ign Eph 3, 2; ThZahn, Ignatius von Antiochien (1873) 429 A 1.
[1] Vgl Pass-Cr mit reichen Belegen.

unterscheiden sind passive Bedeutungen: *nicht zu unterscheiden, unbestimmbar, unklar* und aktive: *nicht unterscheidend, unparteiisch, einmütig, unterschiedslos* [2].

In S e p t u a g i n t a kommt das Wort nur Prv 25, 1 vor: αἱ παιδεῖαι (παροιμίαι) Σαλωμῶντος αἱ ἀδιάκριτοι, wahrscheinlich die „unsichern" Sprüche im Unterschied von den
5   von Salomo selbst in Kp 1—24 aufgezeichneten echten bezeichnend [3]. Philo hat es Op Mund 38: εἰς μίαν ἀδιάκριτον καὶ ἄμορφον φύσιν zu einer unterschieds- und gestaltlosen Wesenheit, Det Pot Ins 118: ἀγωγαὶ δύο σφόδρα ἀδιάκριτοι καὶ σπουδῆς ἄξιαι zwei unter sich zusammenstimmende . . . Methoden, Spec Leg III 57: ὧν (der Tiere) ἀδιακρίτους εἶναι καὶ ἀνεπιστάτους τὰς ὀχείας συμβέβηκε, deren Begattungen triebhaft (un-
10   geklärt) und unbewußt . . . Es hat also bei ihm passive Bedeutung. Im Test Seb 7, 2 heißt es: ἀδιακρίτως πάντας σπλαγχνιζόμενοι ἐλεᾶτε, nicht: ohne Bedenken, sondern ohne Unterschied.

Im N e u e n T e s t a m e n t erscheint ἀδιάκριτος nur Jk 3, 17 als Prädikat der Weisheit von oben neben ἀνυπόκριτος, am besten: *ohne Zweifeln* [4] *und Heucheln.*
15 Eine passive Bedeutung ist nicht anzunehmen, auch nicht die: ohne Geteiltheit, also: unbeirrt, im Sinne der Forderung von 3, 9ff [5]. Auch die Bedeutungen: unparteiisch, und: einfältig [6], passen nicht [7]. Von den Apost Vät hat ἀδιάκριτος nur Ign. Es drückt die eigentümliche Gewißheit und Entschlossenheit des Glaubens wie die Zuverlässigkeit Jesu Christi aus; zu übersetzen ist es wohl:
20 ohne Wanken, unerschütterlich [8]. Eph 3, 2: Ἰησοῦς Χριστός, τὸ ἀδιάκριτον ἡμῶν ζῆν unser Leben, das unerschütterlich ist, Mg 15, 1: ἀδιάκριτον πνεῦμα einen unerschütterlichen Geist, Tr 1, 1: διάνοιαν . . . ἀδιάκριτον ἐν ὑπομονῇ eine Gesinnung, die in Geduld unerschütterlich ist, in der Zuschrift zu R: πεπληρωμένοις χάριτος θεοῦ ἀδιακρίτως erfüllt unerschütterlich von Gottes Gnade. Zuschrift des
25 Phld: ἀγαλλιωμένη ἐν τῷ πάθει τοῦ κυρίου ἀδιακρίτως die in ihrer Freude am Leiden des Herrn unerschütterlich ist [9].

† ἐγκρίνω

seit Euripides im attischen Griechisch häufig nachweisbar, auch in Inschriften, nicht in LXX.
30   Im N e u e n T e s t a m e n t nur 2 K 10, 12: *in eine Reihe oder Haltung oder Gemeinschaft einrechnen, einreihen, zuzählen, zulassen, zuwählen*; vgl Plat Resp VI 486 d: ἐπιλήσμονα (vergeßlich) . . . ψυχὴν ἐν ταῖς ἱκανῶς φιλοσόφοις μήποτε ἐγκρίνωμεν, CIG II 2715 a 11: ἐγκρίνειν εἰς τοὺς ἐφήβους.

---

[2] P-Oxy IV 715, 36: κατακεχώ[ρικα] ἀδιακ[ρίτως] ich habe kurzer Hand (ohne sachliche Prüfung) eingetragen vgl UWilcken, APF 4 (1908) 254.
[3] Haucks Deutung (z Jk 3, 17): „Sprüche, bei denen es kein Schwanken gibt", überzeugt nicht.
[4] So auch Wnd, der freilich daneben die Bedeutung: „nicht auf Parteiung gerichtet" zuläßt. Die Bdtg: „ohne Zweifel" läßt sich nur aus der entsprechenden von διακρίνεσθαι ableiten, die aber für Jk gesichert ist, vgl 1, 6; 2, 4.
[5] JHRopes im ICC, ihm folgend Hauck aaO.
[6] Dib nimmt auf Grund des Sprachgebrauchs bei Ign trotz des von ihm festgestellten „schwebenden Charakters der ignatianischen Sprache" an: „einfältig, einträchtig", was er aus: „parteilos" ableitet.
[7] Von den alten Übersetzungen haben Vul-

gata: non diiudicans, entsprechend sa bo ff Corbeiensis: sine diiudicatione irreprehensibilis, die Peschittha: בֵּלָד פְּלִיגוּתָא = „ohne Geteiltheit (des Herzens)" dh „ohne Zweifel." Daß die Peschittha die richtige Übersetzung erhalten hat, ist darin begründet, daß διακρίνεσθαι in dem spezifisch nt.lichen Sprachgebrauch Übersetzung eines aramäischen reflexiven פלג ist.
[8] Die von Dib behauptete Bdtg: „einfältig, einmütig" läßt sich Eph 3, 2 nicht durchführen; auch Tr 1, 1 paßt sie schlecht.
[9] Cl Al Paed II 3, 38 nennt den Glauben ἀδιάκριτος: „zweifelsfrei"; ähnlich bezeichnet Orig Comm in Joh XIII 10, 63 z 4, 17 den Glauben der Samariterin als ἀδιάκριτος.

ἐγκρίνω. Pape, Pass, Liddell-Scott, Pr-Bauer sv.

κατακρίνω, † κατάκριμα, † κατάκρισις

κ α τ α κ ρ ί ν ω: *verurteilen* [1], vom göttlichen und menschlichen Richter, Mt 12, 41. 42 Par Lk 11, 31. 32 sogar vom Zeugen → κριτής A 4. Während bei dem κατακρίνειν durch menschliches Gericht die Verurteilung von ihrer Vollstreckung deutlich unterschieden ist [2], ist bei dem göttlichen κατα- 5 κρίνειν dieser Unterschied unwesentlich, beides, Verurteilung und ihre Vollstreckung kann geradezu in eins gesehen werden Mk 16, 16; 1 K 11, 32; 2 Pt 2, 6: πόλεις Σοδόμων καὶ Γομόρρας τεφρώσας καταστροφῇ κατέκρινεν, wobei τεφρώσας (einäschernd) zeigt, daß κατέκρινεν Verurteilung und Strafvollzug zugleich bedeutet. Zum Verständnis der viel verhandelten [3] Stelle R 8, 3: κατέ- 10 κρινεν τὴν ἁμαρτίαν ἐν τῇ σαρκί kommt man am ehesten, wenn man diese Worte, bei denen nach dem Gesagten Fällung und Vollstreckung des Urteils eins sind [4], von dem ἠλευθέρωσέν σε v 2 und dem οὐδὲν ἄρα νῦν κατάκριμα τοῖς ἐν Χριστῷ Ἰησοῦ v 1 aus deutet. Nach einer einzelnen geschichtlichen Tatsache, in der diese Verurteilung ausgesprochen und vollzogen ist, darf man nicht fragen. 15 Paulus denkt sichtlich an das Ganze dessen, was Gott durch seinen Sohn getan hat und tut, von seiner Menschwerdung bis zur Mitteilung des Geistes an die Gläubigen v 4. Der Gehorsam des Sohnes bis zum Tod am Kreuz Phil 2, 8 darf jedenfalls von diesem κατέκρινεν τὴν ἁμαρτίαν ἐν τῇ σαρκί nicht ausgenommen werden [5]. Aber Paulus nennt hier, nachdem er im R mehrfach über die Heils- 20 veranstaltung Gottes in seinem Sohne gehandelt hat, keine Einzelheiten mehr. Das κατέκρινεν gilt uneingeschränkt, wird aber wirksam nur an denen ἐν Χριστῷ v 1, dh den Gläubigen. Es ist identisch mit der Versöhnung, die allgemein gilt, aber sich vollendet, indem der Mensch das neue Geschöpf wird 2 K 5, 17, das nicht mehr für sich lebt, sondern von der Liebe Christi beherrscht ist 2 K 25 5, 14—15. Es ist die Beseitigung der Sünde als der Feindschaft zwischen Gott und Mensch R 8, 7, die das Gesetz nicht beseitigen konnte. Schuld und Macht der Sünde sind hier so wenig zu scheiden wie bei der Versöhnung → καταλλάσσω I 255, 11 ff. Das Gesetz verurteilte die Sünder so, daß der Mensch dabei zu Grunde ging. Die Sünde so zu verurteilen, daß der Mensch frei wurde v 2, 30 vermochte nur Gott in Christus [6].

κατακρίνω κτλ. [1] Im klassischen Griechisch konstruiert mit dem Acc d Pers und Gen d Sache oder mit dem Gen d Pers und dem Acc bzw Inf d Strafe (Belege bei Pape, Pass, Liddell-Scott), in LXX (in der das Wort nur 7 mal vorkommt) und dem NT mit dem Acc d Pers und dem Dat d Strafe (statt θανάτῳ auch εἰς θάνατον); diese Konstruktion auch bei Jos Ant 10, 124, bei Diod S (Bl-Debr § 195, 2), auf Inschriften (Ditt Syll³ 736, 160 ff): τὸν μὴ ποιοῦντα κατακριναντω εἴκοσι δραχμαῖς, also hellenistisch.
[2] Mk 14, 64.
[3] Die exegetischen Schwierigkeiten sind bequem zu studieren bei B Weiß (1899) und Ltzm R zSt; vgl auch Zn R zSt.
[4] Auch Zn R, der (1910) 383 κατέκρινεν als „Urteilsspruch" versteht, ergänzt die Vorstellung vom Spruch Gottes durch die eines

„grundlegenden Anfangs der Verwirklichung dieses Willens Gottes" 384. Dabei bleibt freilich unklar, wie es zur Fortsetzung nach diesem Anfange kommt, was schließlich die Hauptsache ist.
[5] Von diesem ist der Sache nach auch das sündlose Leben Jesu nicht zu trennen. Aber das alles sind Explikationen der viel knapper gehaltenen Aussagen des Paulus, die freilich unumgänglich werden, wenn man nicht bloß die Worte des Paulus, sondern den damit von ihm gemeinten Sachverhalt deutlich machen will. — Nach P Althaus (NT Deutsch zSt) denkt Paulus an Christi Tod. Aber dem entspricht das ganz allgemein gehaltene πέμψας nicht; mindestens müßte dann vor περὶ ἁμαρτίας etwas wie παραδούς stehn.
[6] Wer R 8, 3 nicht von der paul Versöhnungslehre her verstehen will (dh letztlich von

κατάκριμα: *Verurteilung*[7], im NT nur R 5, 16. 18; 8, 1 von göttlicher Verurteilung, also (→ 953, 9) den Vollzug der Strafe einschließend, *Verdammung*. Gerade R 8, 1 ist also nicht nur an das Urteil Gottes, sondern auch an seine tatsächlichen Folgen gedacht, vgl auch das ἠλευθέρωσέν σε v 2, das eine Tatsächlichkeit bezeichnet.

κατάκρισις: *Verurteilung*, ein seltenes Wort, in LXX fehlend, im NT nur bei Paulus 2 K 3, 9; 7, 3. Der Dienst des alten Bundes ist Dienst der Verdammung, weil er infolge der Sünde nichts als Tod über den Menschen bringt, vgl 3, 6. 7.

† ἀκατάκριτος, † αὐτοκατάκριτος

beide Worte gebildet aus dem Verb-Adj von κατακρίνω κατάκριτος, ἀκατάκριτος mit α privativum, also: *unverurteilt.*

ἀκατάκριτος im NT nur in rechtlicher Beziehung: Ag 16, 37; 22, 25 bei Beschwerden des Paulus gegen geschehene oder drohende widerrechtliche Mißhandlung durch Prügelstrafe bzw -folter, sonst selten. αὐτοκατάκριτος: *selbstverurteilt* in sittlicher Beziehung von dem Menschen, der mit Bewußtsein sündigt, Tt 3, 11 von dem zweimal zurechtgewiesenen, also über das Unrecht seiner Haltung nicht mehr unklaren Ketzer.

In einem Philofragment aus der Sacra Parallela des Johannes Damascenus ed TMangey II (1742) 652: μηδενὶ συμφορὰν ὀνειδίσῃς... μήποτε τοῖς αὐτοῖς ἁλοὺς αὐτοκατάκριτος ἐν τῷ συνειδότι εὑρεθῇς von dem Menschen, der in die Sünde gerät, die er selbst an andern verurteilt hat. Sonst selten.

† πρόκριμα

gehört der späteren Sprache an. Bei Plato findet sich πρόκρισις[1]. LXX haben nur das Verbum προκρίνω Sap 7, 8[2].

πρόκριμα kommt im NT nur 1 Tm 5, 21 vor. Seit dem 2. Jhdt n Chr ist es in Pap als juristischer term techn belegt[3]. Es entspricht dem lateinischen praeiudicium: *Vorurteil* als vorausgehendes Urteil, das „eine vorgängige, vorgreifende Entscheidung, die einer späteren Entscheidung in einer andern oder derselben Sache als Norm dienen kann oder muß" bedeutet[4]. 1 Tm 5, 21 kann es nicht im streng juristischen, nur in einem allgemeineren moralischen Sinne gebraucht

---

dem, was die Verkündigung des Wortes vom Kreuz durch Paulus bei ihm selbst als Versöhnung mit Gott gewirkt hat), hat nur die Wahl, entweder mit seinen Bemühungen in unfruchtbarer exegetischer Skepsis zu enden oder mit AJülicher, Schriften d NT (1908) II 275 uam: „eine bloß der Phantasie erreichbare Vorstellung mit einem Stich ins Mythologische" festzustellen; in diesem Falle ist es freilich ziemlich gleichgültig, mit welchen Vorstellungen die Phantasie die des Phantasten Paulus erreichen zu können meint.
[7] Das Wort ist zuerst nachgewiesen bei Dion Hal Ant Rom 6, 61 (Zeit des Augustus), auch in Papyrus POxy II 298, 4; Papyrus Erzherzog Rainer I ed CWessely (1895) 1, 15 ff; 188, 14 f; Mitteis-Wilcken I 2, 28, 12. Sir 43, 10 ist wohl nicht κατάκριμα, sondern κατὰ κρίμα zu lesen; so Swete u Rahlfs. Deißmann NB (1897) 92 f

hat auf die Bedeutung aufmerksam gemacht, die Papyrus Erzherzog Rainer (s ob) 1, 15 ff vorkommt: „gerichtlich auferlegte Verpflichtung, die auf einem Grundstück ruht".

ἀκατάκριτος κτλ.   Dib z Tt 3, 11.

πρόκριμα.   [1] Polit 298 e.
[2] Dies Verbum im Perf Pass auch bei Ign Sm 6, 1; Mg 1, 2 im Sinne von: „Vorrang haben".
[3] Vgl Preisigke Wört sv, wo angeführt sind: PFlor 68, 13; 16 f. (2. Jhdt n Chr): χωρὶς προκρίματος; Sammelbuch 6000 II 19 (6. Jhdt n Chr): παθεῖν πρόκριμα; PMasp 6 II 71 (6. Jhdt n Chr): προκρίματος μὴ γιγνομένου; Mitteis-Wilcken II 2, 88 col II 30 (2. Jhdt n Chr): μέχρι προκρίματος.
[4] KEGeorges, Lat Handwörterbuch II (1918) sv unter Anführung von Quint Inst Orat V 2, 1.

sein, wie sich bei uns auch der übliche Sprachgebrauch von „Vorurteil" aus dem Juristischen ins Moralische verschoben hat. πρόκριμα bedeutet hier *das Vorurteil, die vorgefaßte Meinung* zu Gunsten eines Angeklagten oder Klägers, die den Richtenden hindern würde, der Gerechtigkeit in der Kirchenzuchtübung, wie sie v 19—20 gefordert wird, ihren Lauf zu lassen, vgl die folgende Warnung 5 vor πρόσκλισις (Bevorzugung).

† *συγκρίνω*

seit Epicharmus im nichtbiblischen Griechisch häufig zu belegen, in der LXX samt seinen Derivaten σύγκριμα und σύγκρισις öfters.

Im NT ohne Derivate und nur 1 K 2, 13; 2 K 10, 12. συγκρίνω ist das Gegen- 10 teil von διακρίνω: „trennen, unterscheiden"; seine Bedeutung entfaltet sich nach verschiedenen Seiten, *a. verbinden, zusammensetzen; b. vergleichen; c. messen, beurteilen; d. deuten*[1]. 2 K 10, 12 ist συγκρῖναι *vergleichen* mit dem Nebensinne, daß das, was zu vergleichen ist, in irgend einem Sinne gleichwertig ist[2]. Paulus lehnt es ironisch ab, sich mit den aufgeblasenen Pseudaposteln 11, 13 in Korinth 15 auch nur zu vergleichen, und macht ihnen den Vorwurf, daß sie sich nur mit sich selbst vergleichen, sich nur an sich selbst messen, so daß sie natürlich ihrer eigenen Armseligkeit nicht gewahr werden. Die abgerissenen Worte πνευματικοῖς πνευματικὰ συγκρίνοντες von 1 K 2, 13 sind nicht mit Sicherheit zu deuten. Sie müssen irgendwie den Gedanken weiterführen, daß Paulus die ihm 20 vom Geist gewordenen Offenbarungen in vom Geist gelehrten Worten verkündet. Unter Rückgriff auf die Bedeutung: *verbinden* (→ Z 12) zu erklären: „geistgewirkte Inhalte mit geistgewirkter Form verbindend," hat wenig Wahrscheinlichkeit, da „verbinden" eine zu blasse Vorstellung ergibt. Unter Rückgriff auf die Bedeutung *vergleichen* (→ Z 12) erklären: „mit Geistesgaben und Offen- 25 barungen (die wir schon besitzen) Geistesgaben und Offenbarungen (die wir erhalten . . .) vergleichen und sie danach beurteilen und verstehen"[3], trägt einen fremden Gedanken ein. Vom Vergleichen verschiedener Offenbarungen, überhaupt von verschiedenen Offenbarungen ist hier nicht die Rede. Das Beste ist, unter Rückgriff auf die Bedeutung: *deuten, auslegen, erklären*, die in LXX vor- 30 herrscht[4], zu erklären: „Geistesoffenbarungen deutend."

Daß die πνευματικά der Deutung bedürfen, ist in Anbetracht dessen, daß sie die Weisheit Gottes im Geheimnis, die verborgene, sind (v 7), wohl veranlaßt. πνευματικοῖς ist dann am besten persönlich zu nehmen, als Dat des entfernteren Obj: „für Geistesmenschen." Diese Auslegung bringt den Vorteil, daß sich dann v 14: „Der Nicht- 35 Geistesmensch n i m m t die Geistesoffenbarungen nicht a n", ausgezeichnet anschließt[5]. Die instrumentale Fassung von πνευματικοῖς hat gegen sich, daß Paulus im Vorhergehenden nicht den instrumentalen Dat, sondern die Verbindung mit ἐν (ἐν ... λόγοις) benutzt.

Büchsel 40

συγκρίνω. Pape, Pass, Pr-Bauer sv und die Komm von Ltzm, JohW, Bchm, Schl z 1 K 2, 13.

[1] Belege bei Pape u → A 4.

[2] Vgl CIG 5002: ὁ πατὴρ τῶν ἱερέων . . . ᾧ οὐδεὶς τῶν ἱερέων συγκρίνεται.

[3] Reitzenstein Hell Myst 336, dem sich Ltzm K bedingt anschließt.

[4] Gn 40, 8. 16. 22; 41, 12. 13. 15; Δα LXX

5, 7; Da Θ 5, 12. 16, wo es sich überall um das Deuten göttlicher Offenbarungen in Träumen uam handelt. Auch σύγκρισις und σύγκριμα verwenden LXX in entsprechendem Sinne. „Auch Theodoros kennt diese Bedeutung, obwohl er sie für unsere Stelle ablehnt: οὐκ ἀντὶ τοῦ „παρεξετάζοντες" λέγει Cramer Cat 45, 14." LtzmK zSt.

[5] Die LA πνευματικῶς B, 33 verkennt diesen Zusammenhang.

---

† κρούω

κρούειν heißt *stoßen, pochen* in den verschiedensten Zusammenhängen und mit mannigfachen davon abgeleiteten Bedeutungen. Im biblischen Griechisch findet sich die Vokabel nur im Sinne des *an-die-Türe-Klopfens*, teils mit teils ohne τὴν θύραν. 5 Im profanen Griechisch begegnet dieser Ausdruck zB bei Plat Symp 212 c; Prot 310 a; 314 d; die Attizisten dagegen ziehen κόπτειν τὴν θύραν vor. Im griechischen AT werden alle anderen Bedeutungen von κρούειν durch Komposita wie ἀνακρούειν, schlagen von Musikinstrumenten (Philo hat Mut Nom 139 κρούειν τὸ φωνῆς ὄργανον [1]), ἐγκρούειν, κατακρούειν für יקע (Nägel, Pflöcke) einschlagen, wiedergegeben; auch ἐπι-, παρα-, προς-, 10 συγκρούειν kommen in verschiedenen Bedeutungen vor. Das Simplex findet sich in LXX nur dreimal Ri 19, 22 und Cant 5, 2 für דפק [2] q, hitp mit על, und dazu ohne hbr Grundlage Jdt 14, 14. An allen drei Stellen ist vom Klopfen an die Tür, bzw an den Zeltvorhang (Jdt) die Rede. Bedeutsam ist Cant 5, 2: φωνὴ ἀδελφιδοῦ μου, κρούει ἐπὶ τὴν θύραν, wozu Cod S die szenische Bemerkung macht: ἡ νύμφη ἔσθετε (ἤσθηται) 15 τὸν νυμφίον. Die Stelle hat auf Prägung und Verständnis der nt.lichen Verwendung des Bildes eingewirkt.

Im Neuen Testament begegnet, von der profanen Anwendung [3] Ag 12, 13. 16: [τοῦ Πέτρου] ... κρούσαντος; ἐπέμενεν κρούων, abgesehen, das Bild vom an-die-Türe-Klopfen in zwei verschiedenen Zshgen. Das eine Mal sind es die 20 Gläubigen, die Einlaß begehren, das andere Mal ist es der Herr, der bei ihnen anklopft.

1. In Mt 7, 7. 8 und Lk 11, 9. 10 [4], in dem Spruch vom Bitten, ist der sachliche Inhalt des ersten Gliedes durch die beiden Bildworte vom Suchen und vom Anklopfen [5] im 2. und 3. Glied stark unterstrichen. Das 25 Wort ist nicht der Ausdruck eines volkstümlichen Gottesglaubens, der auf die Erhörung des Gebetes baut [6], sondern eine der mannigfaltigen Formen der Heils- verkündigung, wie sie der Bergpredigt eigentümlich sind [7]. Diese Imperative fordern nicht Leistungen, deren Erfüllung die Voraussetzung für die Erfüllung der Zusage Gottes bildete, sondern die Zusage ihrerseits als das wirkende Wort 30 des Herrn schafft das Vertrauen, auf dem alles Bitten beruht. Nun erst kann der Mensch, der dieser Zusage glaubt, sich mit der dem Kind dem Vater gegen- über so natürlichen und selbstverständlichen Äußerung der Bitte an Gott, den Vater, wenden. Wie auf das Suchen das Finden folgt, oder auf das Anklopfen das Öffnen der Tür, so folgt auf das Bitten das Geben. Dieses Verständnis 35 bestätigt sich in v 8. Dabei sind hier so wenig wie sonst etwa in der bibli-

---

κρούω. Lit: Pr-Bauer; Liddell-Scott sv; weiteres → θύρα 173.
[1] Vgl zB Aristot De Audibilibus p 802 a 32; An II 12 p 424 a 32; Probl XIX 39 p 921 a 25.
[2] Das Verb begegnet in Mas sonst nur noch vom zu heftigen Viehtreiben Gn 33, 13.
[3] Zu der Sitte des Anklopfens im Judt s Str-B z Mt 7, 7, I 458, und zu Apk 3, 20, III 798.
[4] Die Sprüche werden am besten als ein- zelne Logien genommen. Der Zshg geht auf Rechnung der Redaktoren. Es besteht also auch keine Abhängigkeit von dem bei Lk vorausgehenden Gleichnis vom bittenden

Freund, aus dem Zahn das Wort vom Klopfen herleiten möchte (vgl Zn Lk zSt).
[5] Die Rabb brauchen das Bild vom An- klopfen an die Tore des Erbarmens im Gebet (bMeg 12 b) und vom Anklopfen mit Bezug auf das Studium (Pesikt 176 a). Weitere Stellen bei Str-B I 458 z Mt 7, 7. Kl Mt 7, 7 zitiert aus dem Qolasta (ed JEuting [1867]) S 67: „Dem, der vor verschlossenem Tore steht, wirst du das verschlossene Tor öffnen."
[6] Bultmann Trad 109.
[7] GBertram, Bergpredigt und Kultur, Zschr f den Evangelischen Relig-Unterricht 43 (1932) 333 ff.

schen Bildsprache alle möglichen, auch widersprechenden Erfahrungen des menschlichen Lebens berücksichtigt, sondern es ist von dem Regelfall ausgegangen, daß man an eine Tür klopft — es ist das ja vielfach nur eine Anstandsform [8] — in der berechtigten Erwartung, daß sie daraufhin geöffnet wird. Solch sichere Erwartung, wie sie die Menschen in irdischen Dingen besitzen [9], will das Heilandswort im Menschen auch als Grundlage seines Verhaltens zu Gott wecken. So gehört es mitten hinein in die auf das Kommen des Reiches ausrichtende, Zuversicht und Hoffnung mitteilende Heilsverkündigung Jesu.

Das Wort von dem vergeblichen Anklopfen in Lk 13, 25 widerspricht dieser Auslegung nicht. Es ist wohl ad vocem θύρα „die enge Pforte" an v 24 angehängt, obwohl es sich in den beiden Versen nicht um dieselbe Tür handelt [10]. Es bildet die Einleitung zu der Abweisung der Zeitgenossen Jesu in v 26f, ist aber deshalb doch nicht nur ein erst von Lk gebildeter Übergangsvers [11]. Auch ist der Satz nicht grammatisch abhängig von dem οὐκ ἰσχύσουσιν in v 24 [12]. Sachlich bedeutet das Wort die Scheidung zwischen den Teilnehmern an dem Festmahl im Hause des Herrn (im Reiche Gottes), vgl Lk 22, 30; 14, 1ff Par, und den Ausgeschlossenen [13]. Das Bild des Klopfens ist hier nicht von der Anstandsregel genommen, bei der das Türöffnen als selbstverständliche Folge des Klopfens anzusehen ist, sondern es ist der Versuch derer, die die gegebene offene Tür [14] verschmäht haben, nun nach Toresschluß ihren Fehler wieder gut zu machen. Zur rechten Zeit hat ihnen Glauben und Vertrauen auf das sichere „Herein", das ihrem Anklopfen folgen würde, gefehlt. Sie haben dem nicht vertraut, von dem es heißt, er ist ὁ ἀνοίγων καὶ οὐδεὶς κλείσει, καὶ κλείων καὶ οὐδεὶς ἀνοίγει [15]. Sie haben an diese seine Schlüsselvollmacht nicht geglaubt und sind deshalb seiner Aufforderung, anzuklopfen und so hereinzukommen, nicht nachgekommen. Damit haben sie sich selbst gerichtet. Sie sind und bleiben ausgeschlossen. Die Anbietung des Heils Mt 7, 7 schließt die Möglichkeit der Ablehnung und damit die Androhung des Gerichts Lk 13, 25 in sich.

2. In Lk 12, 36 und Apk 3, 20 ist es der Herr, der anklopft. Das Wort im Lk-Ev gehört in den großen Zshg der Worte und Gleichnisse vom Wachen (→ ἐγείρειν). Vor allem kommt es neben Mt 25, 1—13 zu stehen, und man hat gefragt, ob in dem vorliegenden Wort und in Lk 13, 25 die Elemente gegeben sind, aus denen jenes Gleichnis entstanden ist oder ob hier nur Trümmer des Gleichnisses übrig geblieben sind [16]. Jedenfalls hat Lk in 12, 35—59 eschatologische Worte zusammengestellt, und 12, 36 enthält in der Form eines Vergleichs eine Mahnung zur Wachsamkeit [17]. Der Herr, der von dem Festmahl (γάμος muß nicht Hochzeit sein) zurückkehrt, wird unter

---

[8] → A 3. Vgl auch Sir 21, 22. 23 und dazu VRyssel bei Kautzsch zSt.
[9] καὶ πάλιν δὲ τὸ »κρούειν« σημαίνει τὸ μετὰ σφοδρότητος προσιέναι καὶ θερμῆς διανοίας, διὰ τῶν ἀνθρωπίνων ὑποδειγμάτων συγκαταβαίνων τῇ ἀσθενείᾳ ἡμῶν (Cramer Cat z Mt 7, 7. 8).
[10] Wellh zSt.
[11] Bultmann Trad 137f.
[12] Zn Lk zSt.

[13] Hck zSt.
[14] Apk 3, 8. Das Anklopfen gehört auch bei offener Tür zum guten Ton. Vgl Str-B I 458.
[15] Apk 3, 7.
[16] HJHoltzmann, Erklärung der Synpt [3] (1901) zSt. Bultmann Trad 125 entscheidet sich für die zweite Möglichkeit.
[17] Bultmann Trad 350.

dem Einfluß der Bildworte vom messianischen Bräutigam als der wiederkehrende Christus verstanden, auf dessen Rückkehr von dem himmlischen Freudenmahl die Gemeinde wartet [18]. So ist die Frage, ob es sich hier um ein Wort des irdischen Jesus oder um eine Offenbarung des erhöhten Christus handelt, unwichtig. Die Überlieferungsgeschichte der Evangelien zeigt, daß die älteste Gemeinde hier verständlicherweise nicht scharf getrennt hat [19]. Das Wort stammt aber nicht aus einer Zeit der Erschlaffung der eschatologischen Spannkraft; es atmet vielmehr männliche Bereitschaft und verhaltenen Drang [20].

In Apk 3, 20 spricht der Erhöhte. Auch dieses Wort gehört zu den Mahnungen und Warnungen der urchristlichen Verkündigung, die wohl ihre besondere Prägung der Erwartung der unmittelbar bevorstehenden Ankunft Christi zum Gericht verdanken, darüber hinaus aber den Ernst christlicher Lebenshaltung überhaupt zum Ausdruck bringen.

Das Wort ist unter dem starken Einfluß der Brautmystik des Hohen Liedes [21] und der nt.lichen Bilder vom Bräutigam — auch Lk 12, 36 gehört dazu — schon in der alten Kirche nicht so sehr als Ausdruck der gespannten Christuserwartung der Gemeinde als vielmehr als Erfüllung der Sehnsucht des einzelnen nach Christusgemeinschaft verstanden worden [22]. So heißt es in der Catenenüberlieferung: τὴν θύραν τῆς καρδίας κρούω καὶ τοῖς ἀνοίγουσιν ἐπὶ τῇ ἑαυτῶν σωτηρίᾳ συνευφραίνομαι . . . ὁ ἀγαθὸς καὶ πρᾷος κρούσας τὴν θύραν καὶ μὴ τυχὼν ἀνοίξεως ἄπεισιν ἀψοφητί (still). Und dann wird Cant 5, 2 (s o) zitiert. Auch bei diesem Verständnis ergibt sich die Möglichkeit des verpaßten Augenblicks, Cant 5, 6: ἤνοιξα ἐγὼ τῷ ἀδελφιδῷ μου, ἀδελφιδός μου παρῆλθεν oder, wie die Catene sagt: καὶ εἰ μὲν ἀνοίξει τις αὐτῷ, εἰσέρχεται, εἰ δὲ μή, παρέρχεται. So hat das erwartete Kommen des Herrn auch richtende Bedeutung, so daß sich die mystische Auffassung mit der eschatologischen vereinen läßt: Vgl Jk 5, 9: ἰδοὺ ὁ κριτὴς πρὸ τῶν θυρῶν ἕστηκεν. Aber diese Seite der Sache tritt Apk 3, 20 ebensowenig hervor wie die in Vers 19 berührte des ἐλέγχειν καὶ παιδεύειν [23]. Eher schon wird man an die Geschichte der angeredeten Gemeinde von Laodicea denken dürfen. So hat man das Wort als ein Bild der Versöhnung des zürnenden Herrn mit dem Bischof von Laodicea als dem reumütigen Knecht verstanden [24]. Aber es geht hier wohl nicht um ein Erlebnis eines einzelnen und um die Zulassung der bessernden Tätigkeit des Herrn an ihm [25] und die damit gegebene Wiederherstellung der Gemeinschaft; vielmehr bezeugt sich in diesem Wort die werbende Liebe des Herrn, wie sie sich in der Ausbreitung des Evangeliums offenbart. In einem ähnlichen Sinne findet sich dasselbe Bild auch in S Dt 33, 2 § 343 (142 b) mit Bezug auf die Offenbarung des at.lichen Gottes [26]: „Es war keine Nation unter den Nationen, zu der er nicht gegangen wäre und geredet hätte, an deren Tür er nicht geklopft hätte, ob sie die Tora annehmen wollten." Im NT aber geht es nicht um Lehre, sondern um die Kraft des Lebens, die aus der immer wieder neu erfahrenen Christusgemeinschaft fließt. Damit steht das Wort jenseits des Gegensatzes von Eschatologie und Mystik. Es kündet das zeitlose Kommen des Christus, das ebenso gegenwärtig wie endzeitlich ist [27]. Es ist ernste, aufrüttelnde Mahnung und ergreifende, beseligende Gnadenbotschaft zugleich. Es weckt den einzelnen und schafft die Gemeinde. Es ist Christusbotschaft in umfassendem Sinn.

Bertram

---

[18] Kl Lk zSt und BWeiß, Erklärung des Mk- u Lk-Ev [9] (1901) zSt.

[19] GBertram, Die Himmelfahrt Jesu vom Kreuz aus . ., in: Deißmann-Festgabe (1927) besonders 188 ff.

[20] Wellh zSt.

[21] Die messianische Deutung des Hohen Liedes im nt.lichen Zeitalter ergibt sich aus 4 Esr 5, 25; vgl zu dieser Stelle HGunkel bei Kautzsch.

[22] → θύρα 178.

[23] Had Apk zSt. Vgl Prv 3, 11. 12. In der LXX ist an dieser Stelle von der Leidenszucht des Herrn die Rede, nicht nur von einer bessernden Erziehung. GBertram, Der Begriff der Erziehung in der griechischen Bibel, in: Imago Dei, Festschr für GKrüger (1932) 38 f.

[24] Zn Apk zSt.

[25] BWeiß, Das NT, Handausgabe [1. 2] (1902) zSt.

[26] Vgl Str-B III 39 z R 1, 20.

[27] Loh Apk zSt.

**† κρύπτω, † ἀποκρύπτω, † κρυπτός,
† κρυφαῖος, † κρυφῇ, † κρύπτη,
† ἀπόκρυφος**

A. Vorkommen und Wortbedeutung.

κρύπτω ist schwerlich bloße Nebenform zu → καλύπτω[1], son- 25
dern geht zurück auf √grāu-, qru- *aufeinanderlegen, zudecken, verbergen*, litauisch
kráuti, altslavisch kryti *hlufen, laden, verbergen, decken*, lettisch mit Labialerweiterung
krâpju, krâpu, krâpt *stehlen, betrügen*[2]. Das griechische Wort scheint im Unterschied
von → καλύπτω, das in seiner weiteren Bedeutung den neutralen Begriff des Ver-
hüllens wiedergibt, und κεύθω, das die Spurlosigkeit des Verbergens mehr objektiv 30
heraushebt, das subjektive Moment stärker zu betonen: *verbergen, verstecken, verhehlen.*

Eigentlich. In den ältesten Quellen poetisch *schützend bergen.* Hom Il 14, 372 f:
κεφαλὰς δὲ παναίθῃσιν (rings strahlend) κορύθεσσιν (Helm) κρύψαντες, ebd 8, 272 (von
Aias): ὁ δέ μιν σάκεϊ (Schild) κρύπτασκε φαεινῷ. Entfernt verwandt ist Jos 2, 4. 6 (von
der Hure Rahab): ἔκρυψεν αὐτούς, vgl v 16: κρυβήσεσθε, 6, 25. Sonst allgemein *verbergen, be-* 35

κρύπτω κτλ. Liddell-Scott, Pr-Bauer[3],
Moult-Mill, Preisigke Wört, Cr-Kö sv; RE[8]
19, 663 ff, RGG[2] II 291 ff, 1355, V 1130 ff;
Wettstein, bes z Mt 10, 26 f (I 374), u 1K
4, 5 (II 112 f); KFNägelsbach, Homerische
Theologie[8] (1884) 26 ff. 144 ff; Ders, Nach-
homerische Theologie ... (1857) 23 ff; ASHunt,
A Greek Cryptogram, Proceedings of the
British Academy 25 (1929) 4 ff; dazu Preis
Zaub LVII u die dort (II p 184) angegebene Lit;
JHempel, Gott und Mensch im AT[2] (1936);
RBultmann ZNW 29 (1930) 169 ff;
EFascher, Deus invisibilis, Marburger Theo-
logische Studien I (1931) 41 ff; ROtto, Das
Heilige[17—22] (1929); Ders, Aufsätze das
Numinose betreffend[4] I (1929) 11 ff. → 565
Lit-A. — Zu C I: GHölscher, Kanonisch und
apokryph (1905); HGraetz, MGWJ 35 (1886)
281 ff; FBuhl, Kanon u Text des AT (1891);
HLStrack, RE[3] IX 741 ff; ESchürer, RE[3] I
622 ff; FHamburger, Realencyclopädie für
Bibel und Talmud II (1883) 66 ff; Schürer

II[4] 363 ff; HEberharter, Der Kanon des AT
zZt des Ben Sira (1911) (dazu: NPeters, in:
OLZ 16 [1913] 267 ff); GFMoore, in: Jew Enc II
1 ff; LBlau-NSchmidt, in: Jew Enc III 140 ff;
Bousset-Greßm 142 ff; Moore I 235 ff; SBern-
feld, EJ IV 485 ff; JKaufmann, EJ II 1161 ff;
OEißfeldt, Einleitung in das AT (1934) 614 ff;
Str-B IV 415 ff. — Zu C II: RE[3] I 622 ff. 653 ff;
RGG[2] I 407 ff, wo ältere Lit angegeben ist;
IV 1630 f; Kautzsch Apkr u Pseudepigr, vor
allem die Einleitungen; Hennecke; Schürer
III[4] 188 ff; Zahn Kan I (1888) 117 ff; II (1890)
passim; AvHarnack, Geschichte der altchristlichen Literatur, vor allem I (1893) 845 ff,
II 1 (1897) 560 ff; WReichardt, Die Briefe
des Sextus Julius Africanus an Aristides und
Origenes, TU 34, 3 (1909) 63 ff.
[1] Von Prellwitz Etym Wört sv erwogen.
[2] Walde-Pok I 477. Vgl auch schon LMeyer,
Handbuch der griech Etymologie II (1901)
415.

decken. So in einer schwer verständlichen zweisprachigen Grabschrift eines Knaben aus Rom IG XIV 1909: πα]ῖδά με πενταέτη ὀλίγη ἐκρύψατο κρ(ω)σσό[ς (Aschenkrug). Ein gewisses Gegenstück dazu bietet die Erzählung von der Mutter des Mosekindes Ex 2, 3 : οὐκ ἠδύναντο αὐτὸ ἔτι κρύπτειν (vgl Hb 11, 23). Jeremia muß auf Jahwes Befehl einen leinenen Schurz
5 am Euphrat *verstecken* (ἔκρυψα αὐτὸ ἐν τῷ Εὐφράτῃ Jer 13, 5, vgl v 4 κατάκρυψον), um ihn später verdorben wieder auszugraben — ein Gerichtszeichen für das hochmütige Juda. Test B 2, 4 (vl): κρύψαι τὸ ἱμάτιον. — Das Verbergen geschieht öfters in selbstsüchtiger Absicht, um das Objekt fremdem Gebrauch zu entziehen, es für den eigenen Bedarf zu sichern. Die Oligarchen haben ihre Raubnester, wo sie ihre Schätze *bergen* (οἱ
10 θέμενοι ἂν αὐτὰ κρύψειαν, Plat Resp VIII 548a). Die Anklageschrift einer erbosten Frau aus dem 4. Jhdt n Chr gibt an, daß der Ehemann ihr seine sämtlichen Schlüssel vorenthalte. Er habe vor dem Bischof einen Eid geleistet: οὐ μὴ κρύψω αὐτὴν πάσας μου τὰς κλεῖς, aber umsonst: ἔκρυψεν πάλιν ἐμὲ τὰς κλεῖς (POxy VI 903, 16. 18). Das Himmelreichsgleichnis Jesu erzählt von einem Schatz κεκρυμμένῳ ἐν τῷ ἀγρῷ, den der
15 Finder sogleich wieder *zudeckte* (ἔκρυψεν), um ihn später zu heben (Mt 13, 44). Falsche Vorsicht *vergräbt* anvertrautes Kapital, anstatt es arbeiten zu lassen (Mt 25, 18. 25). In seltenen Fällen kann das subjektive Moment scheinbar zurücktreten, so daß einfach objektiv das Ergebnis, das V e r s c h w i n d e n, festgestellt wird: *hineintun, hinein-mischen.* Lk 13, 21: ζύμη, ἣν λαβοῦσα γυνὴ ἔκρυψεν (Mt 13, 33 l ἐνέκρυψεν) εἰς ἀλεύρου
20 σάτα τρία. Der Ausdruck ist aber theologisch absichtsvoll gewählt → 973, 45 ff. Das letztere gilt auch für Mt 5, 14: οὐ δύναται πόλις κρυβῆναι ἐπάνω ὄρους κειμένη eine Stadt, die auf einem Berge liegt, kann nicht *verborgen bleiben, sich nicht verstecken.* Die Bdtg *verbergen* spezialisiert sich dann vor allem nach zwei Richtungen hin. *a. In der Erde verbergen, bestatten,* → καλύπτω 558, 32 ff. Soph Ant 196 gebietet Kreon, den
25 Eteokles τάφῳ τε κρύψαι καὶ τὰ πάντ' ἀφαγνίσαι. Vgl Plat Leg XII 958 e, und das eigenartige Wortspiel Pseud-Empedocl fr 157 (I 281, 15 Diels). Nicht bloß technisch dagegen, sondern mit Hindeutung auf das Lichtscheue des Verhaltens Ex 2, 12 (Ag 7, 24 D) und Prv 1, 11 *verscharren.* — *b.* a s t r o n o m i s c h uz entweder pass vom regulären Untergang der Gestirne (Anaxim [I 23, 26 Diels]) oder von Finsternissen, Theon
30 Smyrnaeus ed EHiller (1878) p 193, 2 ff: ἡ μὲν σελήνη, προσγειοτάτη οὖσα, . . . πάντα τὰ πλανώμενα, τινὰ δὲ καὶ τῶν ἀπλανῶν, κρύπτει, ἐπειδὰν μεταξύ τινος αὐτῶν καὶ τῆς ὄψεως ἡμῶν ἐπ' εὐθείας καταστῇ, αὐτὴ δὲ ὑπ' οὐδενὸς ἄστρου κρύπτεται.

Ü b e r t r : etwas *verhehlen, geheimhalten:* *a.* mit einfachem Acc, Hom Od 4, 350 (Menelaos zu Telemachos): οὐδέν τοι ἐγὼ κρύψω ἔπος οὐδ' ἐπικεύσω. Auch med, Soph Trach
35 474. *b.* mit doppeltem Acc, Soph El 957 (Elektra zum Chor): οὐδὲν γάρ σε δεῖ κρύπτειν μ' ἔτι. *c.* mit Präp: τὶ πρός τινα Soph Phil 588; τὶ ἀπό τινος Gn 18, 17. Offenheit, die nichts verbirgt, ist grundlegend für alle Gemeinschaft. Man verbirgt Dinge, deren man sich zu schämen hat; Heracl fr 95 (I 97, 1 f Diels): ἀμαθίαν γὰρ ἄμεινον κρύπτειν, Plat Phileb 66 a von sexuellen Dingen: ἀφανίζοντες κρύπτομεν ὅτι μάλιστα,
40 νυκτὶ πάντα τὰ τοιαῦτα διδόντες, ὡς φῶς οὐ δέον ὁρᾶν αὐτά. κεκρυμμένος bedeutet daher auch geradezu *hinterhältig, hinterlistig.* Der Schädling, der die Miene eines Sanften aufsteckt, bedeutet für seine Mitmenschen eine κεκρυμμένη παγίς (Menand fr 689 [CAF]). Vgl Jer 18, 22: παγίδας ἔκρυψαν ἐπ' ἐμέ. Andromache wird von Hermione beschuldigt, daß sie diese φαρμάκοις κεκρυμμένοις kinderlos, ihrem Gatten verhaßt mache (Eur
45 Andr 32). Im Gegensatz zum geordneten Gerichtsverfahren steht versteckte Wühlerei (κεκρυμμένη σκευωρία) (Mitteis-Wilcken II 2, 31 col VI 14). Test R 4, 10: πονηρὸς κεκρυμμένος θάνατος böser, *tückischer* Tod. κρύπτειν kann aber auch bedeuten: etwas n a c h s i c h t i g *übersehen,* es *hingehen lassen, verzeihen.* Bei Soph (El 823 ff) antwortet der Chor auf Elektras Klage: ποῦ ποτε κεραυνοὶ Διός ἢ ποῦ φαέθων Ἅλιος, εἰ ταῦτ' ἐφ-
50 ορῶντες κρύπτουσιν ἔκηλοι (ruhig *mit ansehen*); von menschlicher Verzeihung Prv 17, 9: ὃς κρύπτει ἀδικήματα, ζητεῖ φιλίαν · ὃς δὲ μισεῖ κρύπτειν, διίστησιν φίλους καὶ οἰκείους. Nicht dagegen in der Bibel von göttlicher Vergebung. Im guten Sinn wird κρύπτειν ferner vom Hüten anvertrauter Geheimnisse, speziell der Mysterien, gebraucht. So in einem aus Miletopolis stammenden Katalog der sog delphischen Lebensregeln,
55 die in der Antike lange Zeit fast die Rolle eines „Dekalogs" gespielt zu haben scheinen (Ditt Syll [3] 1268 II 16): ἀπόρρητα κρύπτε.

ἀ π ο κ ρ ύ π τ ω (bei Hom nur im Aor) ist bei Dichtern, auch bei LXX, seltener, in attischer Prosa dagegen häufiger als das Simplex. Es ist im ganzen mit diesem gleichbedeutend. E i g e n t l i c h : *verbergen, verdecken.* So in dem berühmten Wort des
60 Lakedämoniers Dienekes vor der Schlacht bei Thermopylai: ἀποκρυπτόντων (*verfinstern*) τῶν Μήδων τὸν ἥλιον (scil: ὑπὸ τοῦ πλήθεος τῶν ὀιστῶν) ὑπὸ σκιῇ ἔσοιτο πρὸς αὐτοὺς ἡ μάχη καὶ οὐκ ἐν ἡλίῳ (Hdt VII 226). Vgl Eur fr 153 (TGF); Mt 25, 18 vl; pass ψ 18, 7. Die Spezialbedeutungen des Simplex sind nicht entwickelt, jedoch → 962, 42 ff (κατακρυπτω). Ü b e r t r a g e n : *verheimlichen* Plat Leg III 702c: οὐ γὰρ ἀποκρύψομαι σφῷ τὸ νῦν ἐμοὶ
65 συμβαῖνον, auch PGreci e Latini 169, 13 (2. Jhdt v Chr); Griechische Papyrus der Kaiserlichen Universitäts- u Landesbibliothek zu Straßburg ed FPreisigke I (1906) 42, 17; Test G 2, 3 *unterschlagen.* Das Part Perf Pass wird im Unterschied vom Simplex an-

scheinend nur im anerkennenden Sinn, wenn auch nicht immer ohne Ironie, gebraucht. Plat Phaedr 273 c: Tisias „scheint eine geheime Kunst (ἀποκεκρυμμένην τέχνην) entdeckt zu haben". Vgl Prot 348 e, Vett Val I 3 (p 15, 25 f) ζητητικαὶ τῶν ἀποκεκρυμμένων. Bei LXX steht das Wort meist übertr: Sap 6, 22: οὐκ ἀποκρύψω ὑμῖν μυστήρια, Js 40, 27; Ιερ 39, 17 (32, 17). 5

κρύπτω und ἀποκρύπτω stehen gelegentlich im Aktiv intr. In einer aus dem 6. Jhdt v Chr stammenden Ordnung der Vogelschau (Ditt Syll³ 1167, 7) wird es als ein günstiges Vorzeichen gedeutet, wenn der Vogel ohne Flügelschlag der Sicht entschwindet: ἦμ μὲν ἰθὺς ἀποκρύψει (= ἐὰν . . . ἀποκρύψῃ). Eur Phoen 1116 f (vom Schild des Hippomedon): τὰ μὲν σὺν ἄστρων ἐπιτολαῖσιν (Aufgang) ὄμματα βλέποντα, τὰ δὲ κρύπ- 10 τοντα (die Augen sind *verdeckt, geschlossen*) δυνόντων μέτα, ὡς ὕστερον θανόντος εἰσορᾶν παρῆν. Vielleicht ist von da aus auch die Bdtg von ἀποκρύπτειν *außer Sicht kommen* zu erklären, zB Plat Prot 338 a: φεύγειν εἰς τὸ πέλαγος . . . ἀποκρύψαντα γῆν.

κ ρ υ π τ ό ς *verdeckt, verborgen*: e i g t l: κρυπτὴ διῶρυξ ein unterirdischer Gang (Hdt III 146), ὀχετὸς κρυπτός ein verdeckter Kanal (Ditt Syll³ 973, 5), 15 κρυπτοὶ καρκίνοι tiefsitzende Krebsgeschwüre (Hippocr Aphorismi 6, 38 [IV 572 Littré]). — Ü b e r t r a g e n: *geheim*. κρυπτή hieß der Geheimdienst, den die Athener in unterworfenen Staaten unterhielten, κρυπτοί nannte man die mit ihm Betrauten (Anecd Graec p 273, 33 ff sv κρυπτή: ἀρχή τις ὑπὸ τῶν Ἀθηναίων πεμπομένη εἰς τοὺς ὑπηκόους, ἵνα κρύφα ἐπιτελέσωσι τὰ ἔξω γινόμενα· διὰ τοῦτο γὰρ καὶ κρυπτοὶ ἐκλήθησαν). Im Staate 20 Platos (Leg VI 763 b) sind die κρυπτοί Geheimpolizisten, eine Art Flurschützen. In Sparta soll die κρυπτεία die Aufgabe gehabt haben, die überflüssigen Heloten hinterrücks zu erdolchen. Das Wort bezeichnet zugleich eine Form der militärischen Ausbildung, während der sich die Jünglinge unter allerlei Entbehrungen von Jagd, Raub und Diebstahl zu ernähren hatten (Plat Leg I 633 b). κρυπτός erhält wie κεκρυμμένος 25 öfter eine üble Nebenbedeutung. κρυπτὸν πάθος ist (BGU I 316, 28, 4. Jhdt n Chr) eine beim Kauf verschwiegene lasterhafte Angewohnheit eines Sklaven, für die der Verkäufer innerhalb eines halben Jahres haftpflichtig ist. Die Vokabel steht häufig bei Tragikern geradezu im Sinne von *hinterlistig*. Philoktet klagt, daß ihm listiger Sinn Pfeil und Bogen entwendet: ἀλλά μοι ἄσκοπα κρυπτά τ' ἔπη δολερᾶς ὑπέδυ φρενός (Soph Phil 30 1111 f). Sie kann aber freilich auch einen Vorzug bezeichnen. Hera öffnet ihre Gemächer κληῖδι κρυπτῇ· τὴν δ' οὐ θεὸς ἄλλος ἀνῷγεν (Hom Il 14, 168). Das Subst τὸ κρυπτόν ist in der außerbiblischen Literatur selten. Es steht teils neutral: Thuc V 68, 2 spricht davon, daß der Geheimcharakter des lakedämonischen Staates (τῆς πολιτείας τὸ κρυπτόν) genaue Zahlenangaben über die Kämpfenden ausschließe; teils im 35 auszeichnenden Sinn: Preis Zaub LVII 13, aus einer an eine nicht näher bezeichnete göttliche Macht gerichteten Beschwörung: ἀπάγγελλε τὰ κρυπτὰ (die *Geheimnisse*) τῆς μυριωνύμου θεᾶς Ἴσιδος, endlich in übler Bdtg: Jos Bell 5, 402: τὰ κρυπτὰ τῶν ἁμαρτημάτων die *Greuel* der Sünden. Daß Wendungen wie ἐν κρυπτῷ in der außerbiblischen Gräzität (außer Test Jud 12, 5) anscheinend nicht zu belegen sind, kann Zufall sein. 40 Sie fehlen freilich auch bei LXX. Dagegen → ἐν ἀποκρύφῳ 962, 10 f. Subst τὸ κρυπτόν 4 Βασ 21, 7 ν] (Orig; B ua: τὸ γλυπτὸν τοῦ ἄλσους [das Steinbild des Hains] ἐν τῷ οἴκῳ), τὰ κρυπτά Dt 29, 28; Sir 1, 30; 3, 22; 4, 18; Js 22, 9; 29, 10; Ιερ 30, 4; Sus 42 (Θ). Im NT τὸ κρυπτόν Lk 8, 17, τὰ κρυπτά R 2, 16; 1 K 4, 5; 14, 25; 2 K 4, 2; ἐν τῷ κρυπτῷ Mt 6, 4. 6; zu v 18 → κρυφαῖος Z 52; J 7, 4. 10; 18, 20; R 2, 29. Zu Lk 11, 33 45 → κρύπτη 961, 1 ff.

κ ρ υ φ α ῖ ο ς seltenes Adj zu κρύφα, synon zum vorigen, seit Pind Isthm I 67, e i g t l bei Plat Tim 77 c anatomisch: ὀχετοὺς κρυφαίους *verborgene* Kanäle, ü b e r t r Plat Soph 219 e: τὸ δὲ κρυφαῖον αὐτῆς πᾶν θηρευτικόν. Substantiviert anscheinend nicht in außerbiblischer Literatur, LXX Jer 23, 24: εἰ κρυβήσεται ἄνθρωπος ἐν κρυφαίοις, Thr 3, 10: λέων ἐν κρυφαίοις (Löwe *im Hinterhalt*). Im NT nur Mt 50 6, 18: ὅπως μὴ φανῇς τοῖς ἀνθρώποις νηστεύων ἀλλὰ τῷ πατρί σου τῷ³ ἐν τῷ κρυφαίῳ· καὶ ὁ πατήρ σου ὁ βλέπων ἐν τῷ κρυφαίῳ ἀποδώσει σοι → 974, 37 ff.

κ ρ υ φ ῇ⁴, Adv seit Soph Ant 85 uö; Xenoph Sym 5, 8; POxy I 83, 14 (κρυβῇ); Test S 8, 2; Seb 1, 6; G 2, 3: *heimlich*. Im NT nur Eph 5, 12: τὰ γὰρ 55 κρυφῇ γινόμενα ὑπ' αὐτῶν αἰσχρόν ἐστιν καὶ λέγειν → 976, 32 ff.

---

³ Das τῷ vor ἐν τῷ κρυφαίῳ mit Wellh Mt zSt durch Konjektur zu beseitigen, besteht kein genügender Grund. Auch in Mt 6, 6 ist das entsprechende τῷ überwiegend bezeugt. Es fehlt nur in D Sy^sc, einigen Lateinern und den Minuskeln der Lake-Gruppe.

⁴ Über die Schreibung, ob mit oder ohne Jota subscriptum s Bl-Debr § 26. Daß das Wort mindestens in späterer Zeit nicht als Instrumentalis auf -η, sondern als Dativ auf -η empfunden worden ist, scheint die in LXX häufige Zusammensetzung ἐν κρυφῇ (ψ 138, 15; Js 29, 15; 45, 19; 48, 16; auch Test Jos 4, 2; Test B 12, 3) zu beweisen. Für die nt.liche Zeit dürfte daher, wie die Sache sich sprachgeschichtlich auch verhalten mag, die Schrei-

κ ρ ύ π τ η Callixenus 1 (3. Jhdt v Chr, in FHG III [1849] p 56);
Strabo 17, 1, 37; Jos Bell 5, 330 (Niese: κρυπτήν) *Gruft, verdeckter Gang, Kellerloch.*
Im NT nur Lk 11, 33 → 975, 39 ff.

ἀ π ό κ ρ υ φ ο ς zuerst Hdt II 35: τὰ μὲν αἰσχρὰ ἀναγκαῖα ἐν ἀπο-
5   κρύφῳ ἐστὶ ποιέειν, Eur Herc Fur 1070; auch Vita Philonidis fr 3, 1 (ed WCrönert, SAB 41
[1900] 943). Die Vokabel fehlt bei Plato, im allgemeinen auch in Inschriften (über
den Isishymnus von Andros → 964, 17 ff) und Pap, ist dagegen Lieblingswort einzelner
Zauberbücher sowie des Vett Val und überhaupt der Astrologen → 965, 56 ff. E i g t l :
versteckt, von Schätzen Da 11, 43 (Θ); 1 Makk 1, 23; ü b e r t r : *verborgen, geheim*, häufig
10   bei LXX in Wendungen wie ἐν ἀποκρύφῳ (→ 968, 38 ff): Dt 27, 15; ψ 30, 21; Js 4, 6
oder ἐν ἀποκρύφοις: ψ 9, 29; 63, 5; Sir 16, 21. Im NT nur adjektivisch Mk 4, 22;
Lk 8, 17; Kol 2, 3.

B. Die theologische Bedeutung der Vokabeln.

In aller echten Religion lebt irgendwie das Bewußtsein
15   um eine Wirklichkeit, an die der Mensch mit der alltäglichen Sinneswahrnehmung
nicht heranreicht. In der religiösen Bedeutung unserer Vokabeln spezialisiert
sich dieses Bewußtsein nach verschiedenen Richtungen hin.

I. Griechentum und Hellenismus.

1. Die Volksreligion.

20   Die Gottheit ist *verborgen*. Das weiß selbst der unkom-
pliziert diesseitige homerische Mensch.

Nebel des Geheimnisses (ἀχλύς) umgibt sie. Niemand schaut sie ohne ihren Willen
(Od 10, 573; 16, 161). Oft ist nur an gewissen Zeichen ihre Gegenwart erkennbar.
Der Mensch ahne sie und schweige (Od 2, 400 ff; 19, 29 ff)! Die griechische Allge-
25   meinheit empfindet das Numinose noch stärker. Die Götter zur Unzeit zu schauen
bringt Verderben. „Laß uns fliehen, Mutter", ruft Ion bei Euripides (Ion 1549 ff),
„damit wir nicht, was der Götter ist, schauen — es sei denn die rechte Zeit für uns
zu schauen." Zeus' Tochter verbirgt sich im Himmel (οὐρανῷ κρύπτεται Eur Hel 606).

Eine Verstärkung erfährt das numinose Moment durch das Rätsel des Todes
30   und den dazu in Beziehung stehenden Kult der chthonischen Gottheiten und
Heroen.

Unsere Wortfamilie wird technisch für das *Verborgensein* in dem oft unterirdischen
Adyton, das als Entrücktsein und ewiges Leben verstanden wird[5]. Paus II 3, 11 erzählt die an das Grabmal der Kinder der Medea unfern der Sikyoner Straße in Korinth
35   sich knüpfende Kultlegende, nachdem er die örtliche, zur Begründung eines Kinder-
heroenfestes dienende Form wiedergegeben hat (vgl II 3, 6 ff), auch in derjenigen
Fassung, die sie bei Eumelos in seinen „Korinthiaka" erhalten hatte. Hiernach hätten
nicht die Korinther die Söhne der Medea gesteinigt und zur Sühne dafür ihre eigenen
Kinder geopfert, bis diese grausame Einrichtung durch ein alljährliches Tieropfer ab-
40   gelöst wurde, sondern Medea habe selbst ihre Kinder in den Tempel der Hera gebracht
in der Hoffnung, sie dadurch unsterblich zu machen, worin sie sich allerdings getäuscht
hätte. μηδείᾳ δὲ παῖδας μὲν γίνεσθαι, τὸ δὲ ἀεὶ τικτόμενον κατακρύπτειν αὐτὸ ἐς τὸ ἱερὸν
φέρουσαν τῆς ῞Ηρας, κατακρύπτειν δὲ ἀθανάτους ἔσεσθαι νομίζουσαν (II 3, 11). Diese Fassung
legt, wiederum modifiziert, auch Eur Med zugrunde: Medea tötet ihre Kinder selbst
45   und bestattet sie im heiligen Bezirk der Hera, damit kein Feind ihre Grabesruhe
störe. Verständlich wird die Legende in ihren verschiedenen Formen am besten durch
den Hinweis, daß man in der nur den Priestern zugänglichen Adyta mancher Tempel,
ursprünglich vor allem in Höhlen, angeblich dort begrabene Heroen verehrte, die man
für unter die Götter versetzt und daher für ewig lebend hielt. Ein besonders schönes

bung κρυφῇ angebracht sein. So auch das
Ostrakon APF 6 (1920) 220 Nr 8, 2 f (3. Jhdt
v Chr): ἀπόστειλον τοῖς ὑπογεγραμμένοις τὰς
πεταλίας (Blätter) κρυφῆι καὶ μηθεὶς αἰσθανέσθω.

[5] FPfister bei Pauly-W XI (1922) 2141 sv
Kultus; Rohde I[9·10] 136; FPfister, Der
Reliquienkult im Altertum, RVV 5, 1 (1909)
313 f; 5, 2 (1912) 570; HGüntert, Kalypso (1919)
28 ff [Hinweis von GBertram].

Beispiel liefert der Kult des Rhesos am Pangaion. In der gleichnamigen Tragödie des Eur wird die Leiche des vor Troja getöteten Helden von seiner Mutter, einer Muse, nach dem Pangaiongebirge gebracht und dort — am späteren Kultort — bestattet oder richtiger: *verborgen*:

κρυπτὸς δ' ἐν ἄντροις τῆς ὑπαργύρου (silberhaltig) χθονὸς 5
ἀνθρωποδαίμων κείσεται βλέπων φάος,
Βάκχου προφήτης ὥστε Παγγαίου πέτραν
ᾤκησε σεμνὸς τοῖσιν εἰδόσιν θεός.
(Eur Rhes 970 ff).

κρυπτός nähert sich hier der Bdtg *unter die Götter versetzt*. Über verwandte Motive 10
→ καθεύδω 436, 48 ff; 440, 28 ff.

Das numinose Moment darf jedoch nicht überschätzt werden.

Der sonst so gottesfürchtige Xenophon kann die Betätigung der natürlichen Habgier, sofern sie auf Anlage beruht, als ein ὑπηρετεῖν τοῖς θεοῖς bezeichnen! Der Weise korrigiert sie, indem er sich Freunde macht mit dem überflüssigen Mammon (Xenoph 15 Cyrop VIII 2, 22; vgl Lk 16, 9). Die sittlichen Tendenzen berühren sich, aber nur äußerlich. Die religiöse Grundhaltung ist in beiden Fällen grundverschieden.

Eine Wirklichkeit, die über den Menschen schlechthin verfügt, auch in dem Sinne, daß er vor ihr nichts *verbergen* kann, ist die griechische Gottheit zu keiner Zeit gewesen. Die Allwissenheit der Götter wird, schon für Eideszwecke, 20 theoretisch zwar behauptet, sie wird aber praktisch keineswegs anerkannt[6].

Vgl einerseits Od 4, 379. 468: θεοὶ δέ τε πάντα ἴσασιν, anderseits die zahlreichen Beispiele bei Hom (Il 18, 185 f: Iris kommt zu Achill, von Hera gesandt, οὐδ' οἶδε Κρονίδης ὑψίζυγος, οὐδέ τις ἄλλος ἀθανάτων, οἳ Ὄλυμπον ἀγάννιφον [schneebedeckt] ἀμφινέμονται, 1, 540 ff uö) und aus späterer Zeit (Paus VIII 42, 2; IX 3, 1), wo Götter sich unwissend 25 zeigen und betrogen werden. Auch die Götter unterstehen der unpersönlichen Macht des Schicksals und wissen nicht, was es bestimmt hat. Die goldene Waage in der Hand des Zeus untersteht nicht seinem Willen oder Wissen (Hom Il 22, 208 ff). Im strengen Sinn allwissend ist allein die Zeit. Soph fr 280 (TGF): πρὸς ταῦτα κρύπτε μηδέν · ὡς ὁ πάνθ' ὁρῶν καὶ πάντ' ἀκούων πάντ' ἀναπτύσσει χρόνος. 30

Nicht zufälligerweise begegnet unsere Wortfamilie in religiösen Zusammenhängen zunächst selten.

Der Grieche steht mehr als der Orientale mit seinen Göttern auf vertrautem Fuß. Das Götterbild wird mehr und mehr der Scheu, mit der es die ältere Zeit noch umgab[7], entkleidet und in die Linie mehr oder weniger idealisierter Menschlichkeit eingereiht[8]. 35 Die stete bildliche Vergegenwärtigung zumal in der Form des nicht für kultische Zwecke bestimmten Kunstwerkes mußte den Prozeß der Angleichung, den sie dokumentiert, zugleich ihrerseits befördern. Aus der gefürchteten Gottheit wird die leutselige[9] und zuletzt die macht- und hilflose, ein Gegenstand des unflätigen Spottes der Phlyakenposse[10]. Hier gibt es keine verborgenen Tiefen mehr. Soweit aber das 40 Numinose in der griechischen Religiosität erhalten bleibt, lautet der charakteristische Ausdruck dafür nicht κρυπτόν, sondern μυστήριον. Dieser aber besagt, daß das Göttliche zwar nicht jedermann, wohl aber dem Eingeweihten als δεικνύμενον zugänglich ist.

---

[6] Die landläufige Meinung und den Protest eines hochstrebenden Geistes dagegen spiegelt Xenoph Mem I 1, 19: ἐπιμελεῖσθαι θεοὺς ἐνόμιζεν (ὁ Σωκράτης) ἀνθρώπων οὐχ' ὃν τρόπον οἱ πολλοὶ νομίζουσιν· οὗτοι μὲν γὰρ οἴονται τοὺς θεοὺς τὰ μὲν εἰδέναι, τὰ δ' οὐκ εἰδέναι· Σωκράτης δὲ πάντα μὲν ἡγεῖτο θεοὺς εἰδέναι, τά τε λεγόμενα καὶ πραττόμενα καὶ τὰ σιγῇ βουλευόμενα. Eine Parallele aus einer politischen Rede findet sich bei Dion Hal Ant Rom 10, 10: ἐπεὶ δὲ ἡ τοῦ δαιμονίου πρόνοια... τὰ κεκρυμμένα βουλεύματα καὶ τὰς ἀνοσίους ἐπιχειρήσεις τῶν ἀσεβῶν εἰς φῶς ἄγει...
[7] EvDobschütz, Christusbilder = TU II 3 (1899) 18; LRadermacher, Festschr ThGomperz dargebracht (1902) 200 ff; Weinreich AH

147; EWilliger, Hagios RVV 19, 1 (1922) 5 f.
[8] Kaum ein Bildwerk ist dafür so bezeichnend wie der Apollon Sauroktonos des Praxiteles (um 350 v Chr), römische Kopie im Louvre, Abb Haas Lfrg 13/14 Rumpf (1928) 61.
[9] Charakteristisch ist ein schon dem hohen 5. Jhdt v Chr entstammendes im sog Perserschutt der Akropolis aufgefundenes athenisches Weihrelief: Athene besucht einen Handwerker am Handwerkstisch und reicht ihm huldvoll die Hand (Photo Alinari 24 605), ferner ein mehrfach überliefertes Terrakottarelief der römischen Kaiserzeit: Athene als Lehrerin der Schiffsbaukunst, Britisches Museum, Diapositiv Seemann 84 094.
[10] Beispiel einer Phlyakenvase Haas aaO 66.

2. Mystik, Gnosis, Philosophie.

Zwischen Volksreligion, Mystik, Gnosis und Philosophie lassen sich völlig scharfe Grenzen nicht ziehen. Im Sinne eines Schemas verstanden hat aber die Einteilung ihr Recht.

a. Die im engeren Sinn griechischen Mysterien betonen den Begriff der Verborgenheit grundsätzlich nicht besonders stark. Und in der Praxis waren bei der großen Zahl der Eingeweihten gewisse Erweichungen vollends unvermeidlich. Die Eleusinien zB nähern sich den privaten Kultvereinigungen ohne Mysteriencharakter und haben sogar zum Staatskult Beziehungen. Anders liegen die Dinge da, wo land- und volksfremde Mysterien wirken.

Ob die Gegenüberstellung des verborgenen und offenbaren Gottes in den Dionysosmysterien unter diesen Gesichtspunkt gestellt werden darf, ist umstritten (→ II 449, 1 ff). Daß man es mit der Geheimhaltung der bakchischen Mysterien bitter ernst nahm, zeigt das Schicksal des Pentheus in der Sage, zeigt auch der Bakchanalienprozeß in Rom Liv 39, 8 ff. Vor allem Ägypten mit seiner eigenartigen Sprache und Schrift, mit seiner uralten, von einer Priesterkaste gehüteten Religion gilt dem antiken Menschen, ähnlich wie heutzutage Indien, als das Land verborgener Dinge. Der Isishymnus von Andros (1. Jhdt v Chr)[11] legt der Isis die Worte in den Mund:

δειφαλέω δ' Ἑρμᾶνος ἀπόκρυφα σύνβολα δέλτων
εὑρομένα γραφίδεσσι κατέξυσα, ταῖσι χάραξα
φρικαλέον μύσταις ἱερὸν λόγον· ὅσα τε δᾶμος
ἀτραπὸν ἐς κοινὰν κατεθήκατο, πάντα βαθείας
ἐκ φρενὸς ὑφάνασα διακριδόν.

„Ich habe des klugen Hermes *verborgene* Zeichen der Tafeln gefunden und mit Griffeln abgeschrieben, mit denen ich die den Mysten frommen Schauer einflößende heilige Lehre aufgezeichnet habe. Und was das Volk auf den gemeinsamen Weg niedergesetzt hat, das alles habe ich aus tiefem Herzen gewoben." Der zugrundeliegende Passus der Inschrift von Kyme lautet: ἐπαιδεύθην ὑπ[ὸ] Ἑρμοῦ καὶ γράμματα εὗρον μετὰ Ἑρμοῦ τά τε ἱερὰ καὶ τὰ δημόσια ⟨γράμματα⟩, ἵνα μὴ ἐν τοῖς αὐτοῖς πάντα γράφηται (Peek aaO 122, 3 a. b). Hier wird also die Erfindung der Hieroglyphen als gemeinsame Tat des Hermes-Toth und der Isis bezeichnet und die Unterscheidung der hieratischen und demotischen Schrift auf die Absicht einer Variation, vielleicht auch der Geheimhaltung gewisser Stoffe zurückgeführt. Diese Fassung steht echt ägyptischem Empfinden näher. Der hellenistische Bearbeiter macht daraus, daß die große Göttin in die Geheimnisse des noch größeren Gottes eindrang. Wir sehen hier die technische Verwendung von ἀπόκρυφος (→ 965, 44 ff) in der Gnosis in der Entstehung begriffen. Plutarch berichtet (Is et Os 9 [II 354 b ff]): wenn ein ägyptischer König aus der Kriegerkaste hervorging, so wurde er sogleich unter die Priester aufgenommen und „erhielt Anteil an ihrer Philosophie, die größtenteils verborgen war hinter Mythen und Sakralworten, die einen undeutlichen Widerschein der Wahrheit und rätselhafte Bedeutungen haben" (μετεῖχε τῆς φιλοσοφίας ἐπικεκρυμμένης τὰ πολλὰ μύθοις καὶ λόγοις ἀμυδρὰς ἐμφάσεις τῆς ἀληθείας καὶ διαφάσεις ἐχούσης). Symbole dieser Geheimweisheit seien die vor den Tempeln aufgestellten Sphinxe, ὡς αἰνιγματώδη σοφίαν τῆς θεολογίας αὐτῶν ἐχούσης. Den ägyptischen Namen des Zeus, Ammon, deute Manetho von Sebennytos im Sinne der Verborgenheit (τὸ κεκρυμμένον ... καὶ τὴν κρύψιν ὑπὸ ταύτης δηλοῦσθαι τῆς φωνῆς). Hekataios von Abdera aber halte das Wort für einen Anruf, durch den die Ägypter den höchsten Gott hätten veranlassen wollen, sich zu offenbaren (τὸν πρῶτον θεόν, ὃν τῷ παντὶ τὸν αὐτὸν νομίζουσιν, ὡς ἀφανῆ καὶ κεκρυμμένον ὄντα προσκαλούμενοι καὶ παρακαλοῦντες ἐμφανῆ γενέσθαι καὶ δῆλον αὐτοῖς Ἀμοῦν λέγουσι)[12]. Die Geheimhaltung der Isismysterien war besonders streng. Paus X 32, 18 berichtet: ein Römer, der mit Geld sich den Eintritt in das Heiligtum der Isis erkauft hatte, wurde, als er das Gesehene verriet, von der Göttin mit dem Tode bestraft. Noch Apuleius legt sich in seinem Bericht Met XI merkliche Zurückhaltung auf. Aber die Verborgenheit der Gottheit ist keine wesenhafte. Die Scheidelinie läuft zwischen Mysten und Nichtmysten.

b. Zur Gnosis kann man in gewissem Sinn bereits die Orphik rechnen.

---

[11] Der Isishymnus von Andros und verwandte Texte erklärt von WPeek (1930) p 15 Z 10 ff. Zur Übers und Erklärung ebd p 31 ff.

[12] Zu Text und Erklärung vgl die Ausgabe von GParthey (1850).

Außerordentlich charakteristisch ist ein durch Porphyrius und Stobäus überlieferter Zeushymnus (Orph Fr Nr 168 [Kern]). Nachdem „Zeus" als alles Sein von der Sonne bis zum Tartarus umfassender Universalleib geschildert worden ist, schließt das Gedicht (Z 31 f):

πάντα δ' ἀποκρύψας αὖθις φάος ἐς πολυγηθὲς
μέλλεν ἀπὸ κραδίης προφέρειν πάλι, θέσκελα ῥέζων.   5

„Nachdem er alles verborgen hatte, wollte er es wieder von Herzen an das erfreuende Licht bringen, indem er Wunderbares verrichtete." Der Sinn von ἀποκρύπτω berührt sich hier mit den früher aufgewiesenen Bdtgen *bestatten* und *entrücken*. Die Neubelebung tritt hier als zweiter Akt hinzu. Gemeint ist wohl die ewige Polarität von Tod und Geburt (→ II 449, 23 ff). Die als kosmischer Leib verstandene Gottheit ist 10 zwar im All völlig offenbar, zugleich aber auch verborgen. Denn die Lehre von der Alleiblichkeit der Gottheit ist esoterische Geheimlehre. Aber um wesenhafte Verborgenheit handelt es sich ebendeshalb nicht. Daß Gott nichts verborgen ist, wird so stark wie möglich betont (aaO Z 17 ff):

νοῦς δέ οἱ ἀψευδὴς βασιλήϊος ἄφθιτος αἰθήρ,   15
ὧι δὴ πάντα κλύει [13] καὶ φράζεται· οὐδέ τίς ἐστιν
αὐδὴ οὐδ' ἐνοπὴ οὐδὲ κτύπος οὐδὲ μὲν ὅσσα,
ἣ λήθει Διὸς οὖας ὑπερμενέος Κρονίωνος.

„Und er hat einen untrüglichen, königlichen Verstand, das ist der unvergängliche Aether, dem alles hörbar ist und berichtet wird; es ist kein Laut und kein Klang 20 und kein Geräusch und kein Raunen, das den Ohren des übermächtigen Kronossohnes verborgen bliebe." Die Voraussetzungen sind aber trotz der anthropomorphistischen Einkleidung völlig pantheistisch. Die Aussage geht daher sachlich über die oben (→ 963, 29 f) mitgeteilte kaum hinaus. Die erheblich persönlicher empfundene Anschauung des Sokrates (→ 963 A 6) steht im Griechentum ziemlich allein.   25

Wenn schon bei der Orphik fernöstliche Einflüsse mit im Spiele sein werden, so vollends bei der Gnosis im engeren Sinn.

Seltsam mischen sich orientalische, ägyptische und griechische Einflüsse in der bei Hippolyt überlieferten Naassenerpredigt [14]: διὰ τοῦτό φησιν ἀκίνητον εἶναι τὸ πάντα κινοῦν· μένει γὰρ ὅ ἐστι ποιοῦν τὰ πάντα καὶ οὐδὲν τῶν γινομένων γίνεται. τοῦτο εἶναί 30 φησι τὸ ἀγαθόν, καὶ τοῦτ' εἶναι τὸ μέγα καὶ κρύφιον τῶν ὅλων καὶ ἄγνωστον μυστήριον τὸ παρὰ τοῖς Αἰγυπτίοις κεκαλυμμένον καὶ ἀνακεκαλυμμένον. οὐδεὶς γάρ, φησίν, ἔστιν ἐν ᾧ ναῷ πρὸ τῆς εἰσόδου οὐχ ἕστηκε γυμνὸν τὸ κεκρυμμένον κάτωθεν ἄνω βλέπον καὶ πάντας τοὺς καρποὺς τῶν αὐτοῦ γινομένων στεφανούμενον. Die nach Reitzensteins Vermutung in Alexandrien gehaltene Rede hat hier, wie die Fortsetzung zeigt, phallische Hermen [15] 35 im Auge. Das membrum erectum läßt sich als Ursache alles Lebens mit der Gottheit als causa causarum vergleichen, und die nicht bloß in Ägypten übliche offene Aufstellung des sonst verborgen gehaltenen Gliedes symbolisiert insofern nach des Verfassers Meinung die Offenbarung des Göttlichen. Auf das Ganze gesehen bevorzugt die Gnosis das esoterische Geheimwissen. Das wird besonders deutlich an den Doku- 40 menten absinkender Gnosis, den Zauberbüchern und den Schriften der Astrologen. Der Leidener Pap V leitet die Übergabe einer als großer Uphôr bezeichneten Zauberformel ein mit den Worten: ἔχε ἐν ἀποκρύφῳ ὡς μεγαλομυστήριον. κρύβε, κρύβε (Preis Zaub XII 321 f). Das Wort ἀπόκρυφος wird technisch für Geheimbücher oder -inschriften, die als besonders wertvoll gelten (Preis Zaub IV 1115: στήλη ἀπόκρυφος, ebd XIII 343 f: 45 Μουσέως ἱερὰ βίβλος ἀπόκρυφος ἐπικαλουμένη ὀγδόη ἡ ἁγία, ebd 731: Μουσέως ἀπόκρυφος η᾽, ebd 1059: Μουσέως ἀπόκρυφος Σεληνιακή). Trotz des Mose-Namens ist diese Geheimwissenschaft ihrem Ursprung und ihrem Wesen nach nicht jüdisch, sondern heidnisch. Um das Geheimnis dieser Bücher zu wahren, schrieb man sie wohl in Geheimschrift, so das „Kryptogramm" Preis Zaub LVII [16]. Obwohl hier von den „Geheimnissen der 50 tausendnamigen Isis" die Rede ist (→ 961, 37 ff), liegt echte Ehrfurcht vor dem w e s e n - h a f t verborgenen Göttlichen doch außerordentlich fern. Der Redende macht, um eine untergeordnete dämonische Macht zur Preisgabe jener Geheimnisse zu veranlassen, dieser allerlei Versprechungen, darunter auch: σὲ κατακρύψω ἐκ (schützend bergen vor) τῶν γιγάντων (Z 8 f).   55

Besonders beliebt ist unsere Wortfamilie bei den Astrologen, uz vor allem ἀπόκρυφος. ἀπόκρυφα [πράγματα] sind *dunkle* Angelegenheiten im kriminalistischen oder mantischen Sinn (Vett Val IV 11 [p 176, 6]; II 35 [p 108, 3 f]). Sofern die Aufdeckung derartiger

---

[13] Wie der Zshg zeigt, steht κλύειν hier intr oder geradezu pass. Vergleichbar ist der intr Gebrauch von ἀκούειν bei Tragikern. Liddell-Scott sv.

[14] Zitiert nach Reitzenstein Poim 87.

[15] Beispiele bei Haas Lfrg 13/14 Rumpf (1928) 29, 30, 32, 67, 70.

[16] ASHunt, A Greek Cryptogram, Proceedings of the British Academy 25 (1929) 127 ff.

Dinge ein Zeichen von Scharfsinn, Kombinationsgabe, vielleicht auch Beweis übernatürlichen Beistandes ist, gewinnt die Bezeichnung ἀποκρύφων μύσται einen auszeichnenden Sinn. Sie steht in den häufigen Aufzählungen rühmlicher Eigenschaften
neben φρόνιμοι (I 2 [p 7, 30]), περίεργοι (Zauberer, I 2 [p 10, 16]) usw. Daß es sich
5 um degenerierte Theologie handelt, läßt schon der Ausdruck μύσται vermuten, und
es wird in anderen Zshgen völlig gewiß. Vgl I 21 (p 37, 27 ff): οὐκ ἀπόρους . . . οὐδὲ
ἀσυνέτους, πολυπείρους καὶ πολυΐστορας ἢ προγνωστικοὺς φιλομαθεῖς περιέργους, ἀποκρύφων
μύστας, εὐσεβοῦντας εἰς τὸ θεῖον, δυσσυνειδήτους [17]. IV 12 (p 179, 22 ff): ὁ φιλίας (scil
τόπος, astrologischer Terminus) ἀποδημίας ξένων ὠφελείας θεοῦ βασιλέως δυνάστου
10 ἀστρονομίας χρηματισμῶν, θεῶν ἐπιφανείας, μαντείας, μυστικῶν ἢ ἀποκρύφων πραγμάτων
κοινωνίας. Mißgünstige Leute fluchen (VIII 5 [p 301, 21 ff) διὰ τὴν τῶν μυστικῶν καὶ ἀποκρύφων φωταγωγίαν. Der Schreibende hält gegen sie die erforderlichen
Gegenflüche bereit. Diese Aftertheologie wird immer säkularer. Spätere Astrologen
stellen τὼν ἀποκρύφων μύστας zusammen mit Mathematikern und Athleten (παλαίστρας
15 ἡγεμόνας Catal Cod Astr Graec VIII 4 p 151, 26). In solchen Zshgen treten dann wohl
auch wieder libri apocryphi auf. So bei einem gewissen Rhetorios (ebd 176, 16): ἐὰν
Κρόνος ἐπίδῃ τινὰ αὐτῶν τῶν ε' λαμπρῶν ἀστέρων ὁμονοοῦντα, ἰατρικῆς ἔμπειροι γίνονται
καὶ προγνῶσται, ἀποκρύφων βίβλων καὶ τελετῶν πολυΐστορες. Über die jüdisch beeinflußte Gnosis → 973, 1 ff.

20   *c.* Spätere Zeiten haben die griechische Philosophie zu ehren
geglaubt, wenn sie deren Anfänge auf orientalisches Geheimwissen zurückführten.

Suidas berichtet von Pherekydes von Syros, dem angeblichen Lehrer des Pythagoras,
er habe keinen Lehrer gehabt, ἀλλ' ἑαυτὸν ἀσκῆσαι κτησάμενον τὰ Φοινίκων ἀπόκρυφα
βιβλία (II 199, 25 ff Diels). Daß diese Angabe auf alte Quellen zurückgeht, zeigt die
25 Darstellung Jos Ap I 6—14, die neben Pherekydes und Pythagoras noch Thales als
Schüler des Orients nennt (vgl im allg auch Cl Al Strom I 15, 77 ff).

Daß die griechische Philosophie von Heraklit bis zum Neuplatonismus manche
orientalische Anregungen verarbeitet hat, ist in der Tat richtig [18]. Das Neue
liegt aber bei ihr darin, daß sie zuerst eine rein rationale Welterklärung ver-
30 sucht hat (die ionischen Naturphilosophen, die Eleaten). Das Empfinden für
die Undurchsichtigkeit der Natur bleibt allerdings bis zu einem gewissen Grade
lebendig.

Heraklit schrieb: ἡ φύσις κρύπτεσθαι φιλεῖ (fr 123 [I 101, 13 Diels]). An dieser Rätselhaftigkeit des Seins haben auch die Götter Anteil (→ das Heraklitzitat 568, 38 f). Man
35 kann ihren Sinn treffen, aber auch verfehlen. Um eine wesenhafte Verborgenheit
handelt es sich jedoch hier wieder nicht. Im ganzen setzt sich innerhalb des reinen
Griechentums mehr und mehr die Überzeugung durch, daß das wahre Sein den Logos
in sich hat und mit dem Nus zu erfassen ist [19]. Dieser unbedingte Rationalismus tritt
aber in der ausgehenden Antike wieder stark zurück. Der Verfall der exakten
40 Naturwissenschaft, die Müdigkeit einer alternden Kultur, erneuter Einfluß des Orients [20],
alles dies wirkt zusammen, um den Sinn für das „Verborgene" zu schärfen und das
Verlangen nach Offenbarung zu wecken. Technische Bedeutung scheint aber unsere
Wortfamilie in diesen Zusammenhängen nicht erlangt zu haben. Sie kommt in den
hermetischen Schriften und bei den Neuplatonikern selten vor [21]. Zwar wird immer

[17] Die von den Wörterbüchern für δυσσυν-
είδητος durchweg angegebene Bdtg *mit
bösem Gewissen* paßt schlecht in den Zshg.
Wenn man nicht annehmen will, daß völlig
widersprechende Eigenschaften zusammengestellt sind — was allerdings vorzukommen
scheint — oder daß ein Schreibfehler vorliegt, so muß man sich nach einer anderen
Bedeutung umsehen. Ist vielleicht an die
okkulte Fähigkeit zur Ausschaltung des Bewußtseins gedacht?
[18] Vgl LvSchroeder, Pythagoras und die
Inder (1884); RReitzenstein, Plato und Zarathustra, Vorträge der Bibliothek Warburg
1924/25 (1927) 20 ff.
[19] → 570, 26 ff. Vgl auch die Schilderung
bei ENorden, Agnostos Theos (1913) 83 ff.

[20] Über diese Verbindungen AOepke, Karl
Barth und die Mystik (1928) 10 und die dort
genannte Literatur.
[21] Vgl die Wörterbücher und Indices zu
Porphyr und Jambl, die Register bei JKroll,
Die Lehren des Hermes Trismegistos (1914),
Norden aaO; Reitzenstein Poim und Hell
Myst. Jambl Myst II 4 (75, 12 Parthey) bedeutet τὸν οὐρανὸν ἀποκρύπτειν den Himmel
verfinstern. Ebd I 6 (19, 17): das Geschlecht
der Heroen nimmt das von oben her herzu-
tretende und gewissermaßen in sein Inneres
verborgene Bessere in sich auf (ἄνωθεν
ἐφεστηκότα καὶ οἷον ἀποκρυπτόμενα εἰς τὸ ἔσω
τὰ βελτίονα παραδεχόμενον). Der Gebrauch
nähert sich hier dem in Mt 13, 33 Par, ist
aber nicht eigentlich theologisch. Am ehesten

wieder betont, daß Gott nicht bloß jeder sinnlichen Wahrnehmung entzogen, sondern auch über alles menschliche Denken erhaben, der Urgrund des Nus, aber nicht selbst Nus sei. Es begegnen viele Ausdrücke, die beinahe als Synonyma zu κρυπτός oder ἀπόκρυφος erscheinen können, wie ἀόρατος, ἀθεώρητος, ἀκατάληπτος, ἀφανής, νοῦ κρείσσων [22]. Unsere Vokabeln dagegen fehlen in lehrhaften Zshgen so gut wie ganz. Das ist schwerlich Zufall. Selbst die Philosophie der Spätzeit grenzt sich bewußt gegen die gemeine Mystik und Gnosis ab. Sie hat sich eine gewisse spekulative Tendenz bewahrt. Ihr Leitwort lautet: ἅγιος ὁ θεός, ὃς γνωσθῆναι βούλεται, καὶ γινώσκεται τοῖς ἰδίοις (Corp Herm I 31). Vgl ebd vol I 474, 15; 486, 30 f.

Eine stark betonte ethische Wendung nimmt der Begriff „verbergen" in der jüngeren Stoa. Epiktet führt in seinem berühmten Hymnus περὶ κυνισμοῦ (Diss III 22, 14 ff) aus, daß der Kyniker im Unterschied von anderen nichts zu verbergen hat. Von den letzteren gilt: τὰ κρύψοντα πολλὰ ἔχουσιν. κέκλεικε τὴν θύραν, ἔστακέν τινα πρὸ τοῦ κοιτῶνος· 'ἄν τις ἔλθῃ, λέγε ὅτι ἔξω ἐστίν, οὐ σχολάζει'. Der Kyniker hat dagegen als einzigen Deckmantel nur sein eigenes Ehrgefühl (αἰδώς). Das ist ihm Haus und Tür und Wächter und Finsternis. οὔτε γὰρ θέλειν τι δεῖ ἀποκρύπτειν αὐτὸν τῶν ἑαυτοῦ (εἰ δὲ μή, ἀπῆλθεν, ἀπώλεσε τὸν Κυνικόν, τὸν ὕπαιθρον, τὸν ἐλεύθερον, ἤρκταί τι τῶν ἐκτὸς φοβεῖσθαι, ἤρκται χρείαν ἔχειν τοῦ ἀποκρύψοντος) οὔ τε ὅταν θέλῃ δύναται. ποῦ γὰρ αὐτὸν ἀποκρύψῃ ἢ πῶς; (III 22, 14 ff). Offen, „unter freiem Himmel", liegt das Leben des Kynikers vor jedermann da. Diese schöne Ausführung ist in ihrer Bibelnähe und Bibelferne gleich charakteristisch.

II. Das Alte Testament.

Während die griechische Sprache überhaupt und so auch das griechische AT, um die Begriffe des *Verbergens* und *Verborgenseins* auszudrücken, im wesentlichen nur unsere Vokabeln, dazu noch einige andere Kompos wie ἐπι-, κατα-, συγκρύπτω sowie → καλύπτω und Komposita zur Verfügung hat, stehen dem im Hebräischen, wenn man von Textverderbnissen, Fehlübersetzungen und ähnlichen Einzelheiten absieht, mindestens sieben verschiedene Wurzeln gegenüber: חבא bzw חבה, טמן, כחד, כסה, סתר, עלם und צפן, wozu noch mehrere sinnverwandte Ausdrücke wie חשך, לוט, מנע, כמס, נצר, ספן, חפש und כנף in den betreffenden Stammformen hinzutreten. Liegen auch nicht überall direkt religiöse Zshge vor, so läßt doch schon die Menge der Synonyma auf den Reichtum der Beziehungen schließen, in denen innerhalb der at.lichen Religion die Begriffe *verbergen*, *verborgen sein* und *verborgen* stehen, eine Fülle, die sich bei LXX fast ausschließlich in das schier zu enge Bett eines einzigen Wortstammes ergießt. Doch kommen allerdings die mannigfachen Nebenbedeutungen der hbr Vokabeln in den zahlreichen griech Wörtern zum Ausdruck, die LXX ihrem eigenen Verständnis der jeweiligen Zusammenhänge nach dafür wählt. So kommt bei עלם das Moment des λανθάνειν und des ὑπεριδεῖν zur Geltung, bei סתר das ἀφιστάναι, ἀποστρέφειν und ἀπαλλάσσειν, bei מנע findet sich das κωλύειν, ἀφαιρεῖν usw (im ganzen 22 griechische Vokabeln); כחד ist vor allem ἀφανίζειν, ἐκλείπειν, bei צפן begegnet auch θησαυρίζειν uä. כסה wird vor allem durch καλύπτειν und seine Kompos und durch περιβάλλειν wiedergegeben. Eine gewisse Verlegenheit angesichts des Nuancenreichtums im Hbr macht sich hier bemerkbar [23].

Die Beziehungen, in denen unsere Wortfamilie im AT vorkommt, sind so vielseitig und anderseits so wenig fest umrissen, daß eine Entwicklungsgeschichte des theologischen Gebrauchs nicht gegeben werden kann. Es läßt sich darüber nur soviel sagen, daß die späteren Schriften, besonders die Psalmen und die Weisheitsliteratur, den meisten Einblick geben. Eine systematische Entfaltung des Tatbestandes führt am ehesten zum Ziel.

---

technisch ist Corp Herm XIII 16: ὅθεν τοῦτο (der Preis der Wiedergeburt) οὐ διδάσκεται, ἀλλὰ κρύπτεται ἐν σιγῇ. Dieser Satz ist aber nach Scott von späterer Hand hinzugefügt. Die κρυπτοὶ λόγοι als Zauberformel Gottes bei der Weltschöpfung (ebd vol I p 468, 1, vgl 464, 20) sind nur ein harmloser Anklang an volkstümliche Redeweise. ἐκέκρυπτο (ebd vol I p 462, 7) ist wohl unecht.

[22] Diese Ausdrücke begegnen sogar schon seit Plato immer wieder. Das platonische

Gegenstück lautete jedoch νοητός. Gott ist nicht mit den Sinnen, wohl aber mit dem Nus erfaßbar, also nicht schlechthin verborgen. ἄγνωστος begegnet selbst in der Κόρη κόσμου des Hermes Trismegistos nur einmal, uz von dem Gott v o r der Schöpfung; θεῷ τῷ ἔτι ἀγνώστῳ (vielleicht unecht, Corp Herm vol I p 458, 3 f) (Kroll [→ A 21]). νοῦ κρείσσων sagt Ps-Archytas (Norden [→ A 19] 84).

[23] Z 34—42 von Bertram.

1. Die Vokabeln charakterisieren den Wesensunterschied zwischen Schöpfer und Geschöpf. Gott ist mit allem, was zu ihm gehört, *verborgen.* Dabei bleiben erkenntnistheoretische Erwägungen gänzlich außer Betracht. Daß Gott sich den Sinnen zu erkennen gibt, gilt als möglich. Es
5 hat aber wegen der Unnahbarkeit und verzehrenden Heiligkeit Jahwes im allgemeinen den Tod zur Folge (Js 6, 5 uö). Der Nachdruck ruht darauf, daß Gott allein über sich selbst und über alles Seiende verfügt. Er kann deshalb auch mit der Vernunft nicht wirklich erfaßt werden. Im Unterschied vom Griechentum wird hier seine Verborgenheit als eine im strengen Sinn wesenhafte und
10 willentlich bedingte gefaßt (→ 964, 53 f; 965, 50 ff; 966, 35 ff).

Jahwe wohnt in der Verborgenheit des Wolkendunkels (ἐν ἀποκρύφῳ καταιγίδος ψ 80, 8; synon σκότος, γνόφος, θύελλα Dt 4, 11; Ex 20, 21). Er will im Dunkeln wohnen (1 Kö 8, 12; 2 Ch 6, 1). Seine Werke sind κρυπτά (Sir 11, 4), ἀπόκρυφα (43, 32), ἐν ἀποκρύφοις (16, 21). Ihm gehören vor allem die kommenden, noch ver-
15 borgenen Dinge (τὰ ἀπόκρυφα par zu τὰ ἐσόμενα 48, 25, τὰ κρυπτὰ κυρίῳ τῷ θεῷ ἡμῶν Dt 29, 28). Die göttliche Weisheit ist dem Blick jedes Menschen entzogen und sogar vor den Vögeln des Himmels verborgen (Hi 28, 21).

2. Vor diesem Gott, der über alles Seiende schlechthin verfügt, ist dagegen nichts *verborgen.* Mit der alles durchdringenden Allgegen-
20 wart und Allwissenheit Gottes wird im AT in einer Weise Ernst gemacht, wie in keiner Religion sonst. Die Ahnungen, wie wir sie etwa bei Sokrates und Dion Hal fanden (→ 963 A 6), sind hier, sachlich angesehen, zur Erfüllung gebracht.

Jahwe deckt alles Verborgene auf (Da 2, 22 Θ: ἀποκαλύπτει βαθέα καὶ ἀπόκρυφα, 47 LXX: ὁ ἐκφαίνων μυστήρια κρυπτὰ μόνος, Sus 42 Θ: ὁ τῶν κρυπτῶν γνώστης). Vor
25 ihm kann sich nichts verbergen (Σιρ 39, 19 [24]), selbst das Zukünftige nicht (42, 19; 48, 25). Seine Augen sind zehntausendmal heller als die Sonne und durchschauen alles (Σιρ 23, 19). Kein Frevler kann sich vor ihm verstecken (Jer 16, 17; 23, 24; Ιερ 30, 4 [49, 10]; Hi 34, 22; Σιρ 1, 30; 16, 17; 17, 15. 20). Mit einer allen Pantheismus weit überbietenden persönlichen Eindringlichkeit wird in Ps 139 — in Verbindung
30 freilich mit einer noch kindlichen Weltvorstellung — geschildert, wie der Mensch unentrinnbar dem göttlichen Mitwissen verfallen ist.

3. Naturgemäß ist der sündige Mensch vor dem allwissenden Gott ständig auf der Flucht. Das *Verborgene, Versteckte* ist auch im AT das Hinterhältige und Lichtscheue, zunächst vor Menschen. Aber diese Bedeu-
35 tung (→ 960, 41 ff; 961, 27 ff) wird radikalisiert, indem alles auf den lebendigen Gott bezogen wird, dem der Verächter seines Willens sich umsonst zu entziehen versucht.

Wie ein Löwe in seinem Versteck, so lauert der Gottlose ἐν ἀποκρύφῳ (ψ 9, 30 = 10, 9), den Armen zu rauben. Seine Absicht geht dahin, den Unschuldigen insgeheim
40 umzubringen (ἐν ἀποκρύφοις ψ 9, 29 = 10, 8; 63 [64], 5). Sie freveln im Verborgenen (Ez 8, 12; Js 29, 15), stellen ihre Götzenbilder auf ἐν ἀποκρύφῳ (Dt 27, 15). Im Bewußtsein seiner Schuld meidet der Sünder das Licht Gottes: Adam nach dem Fall (Gn 3, 8. 10), der Mörder Kain (Gn 4, 14), der Dieb Achan (Jos 7, 19. 21. 22). Wenn das Gericht hereinbricht, möchten sich die Schuldigen in die Felsklüfte bergen
45 (Js 2, 10 vgl 29, 14; Jer 4, 29). Umsonst!

4. Der Fromme gibt diese sinnlose Flucht auf. Er *verbirgt* nichts vor seinem Gott, sondern deckt ihm alles auf. Damit ist die Voraussetzung für die Wiederherstellung der Gemeinschaft gegeben. Die Parallelen,

---

[24] Vgl auch Ιερ 39 (32), 17. 27. LXX lasen wohl statt יִפָּלֵא‬ : יִכָּלֵא‬.

die man aus anderen Religionen hierzu anführen kann, beweisen zuletzt nur, mit welch einzigartiger Intensität das sittliche Gottesverhältnis auf dem Boden der at.lichen Offenbarungsreligion erlebt wird.

Auch der Fromme steht zunächst in Gefahr, seine Schuld zu verdecken und erliegt dieser Versuchung wohl auch eine Weile. Dann liegt aber die Hand Gottes so schwer 5 auf ihm, daß er sich entschließt, seine Missetat nicht länger zu verhehlen. Nun fühlt er sich erleichtert und beglückt (Ps 32, 1—5). Er bekennt Jahwe auch seine geheimste Schuld (ψ 68 [69], 6; 18 [19], 13: ἐκ τῶν κρυφίων μου καθάρισόν με). Der Sache nach gehören vor allem die sog Bußpsalmen (6; 32; 38; 51; 102; 130; 143) hierher. Diese zeigen eine starke formale Verwandtschaft mit den babylonischen Bußpsalmen („die 10 Sünde, die ich nicht weiß"), deren Sprache öfter ebenso ergreifend, deren Inhalt aber polytheistisch und ritualistisch gebunden und von trostlosem Pessimismus erfüllt ist[25]. Noch weniger halten die phrygischen und lydischen Beichtinschriften[26] einen Vergleich mit den at.lichen Psalmen aus.

5. Auf Grund der wiederhergestellten Gemeinschaft wird 15 es dem Frommen nun zum Trost, daß sein Weg Jahwe nicht *verborgen*, sein Flehen ihm offenbar ist.

Der Gerechte braucht sich vor dem Angesicht Gottes nicht zu verstecken (Hi 13, 20). Er weiß zwar sehr wohl, daß seine Verfehlungen vor Gott nicht verborgen sind (ψ 68 [69], 6). Er hat aber zugleich das Vertrauen, daß auch sein Seufzen vor Gott 20 nicht verborgen ist (ψ 37 [38], 10). Jahwe verlangt solches Vertrauen. Vorwurfsvoll fragt der Prophet das kleingläubige Volk, warum es meine und sage, sein Schicksal und sein Recht seien Jahwe verborgen (Js 40, 27). Recht verstanden ist es ein Grund zum Preise, daß Gott das Verborgene offenbar macht und richtet (2 Makk 12, 41).

6. Den Erwählten gibt Jahwe Anteil an seinem eigenen 25 *verborgenen* Leben. Er birgt sie schützend und schenkt ihnen *verborgene* Weisheit. Wenn dabei alte Entrückungsvorstellungen mitsprechen mögen, so ist besonders bemerkenswert, daß das hier Gemeinte sich im diesseitigen Leibesleben und im nüchternen Licht des Tages mittels der geschichtlichen Leitung Gottes vollzieht und daß vor einem **ausschweifenden** Trachten nach dem 30 *Verborgenen* sogar **gewarnt** wird.

Jahwe verbirgt den Gerechten schützend in seinem Gezelt zur Zeit der Not (ψ 26 [27], 5; 30 [31], 21: κατακρύψεις αὐτοὺς ἐν ἀποκρύφῳ τοῦ προσώπου σου ἀπὸ ταραχῆς ἀνθρώπων), birgt seinen Knecht unter der Decke seiner Hand (Js 49, 2), ist für die Seinen ein Schutzdach gegen Unwetter und Regen (Js 4, 6). Sein Volk darf 35 in die Kammer gehen und sich verbergen, bis der Zorn vorüber ist (Js 26, 20). Im Hades selbst würde sich der Fromme in Gottes Hand geborgen wissen (Hi 14, 13). Jahwe hat seine Güte verborgen, aufgehoben für die, welche ihn fürchten (ψ 30 [31], 20). Der Bußfertige redet ihn an: ἰδοὺ γὰρ ἀλήθειαν ἠγάπησας, τὰ ἄδηλα καὶ τὰ κρύφια τῆς σοφίας σου ἐδήλωσάς μοι (ψ 50 [51], 8). Schwärmerischer Okkultismus aber wird abge- 40 lehnt. Das Verborgene und Zukünftige steht in Jahwes Hand, der Mensch soll sich ohne Vorwitz an den ihm offenbaren Willen Gottes halten (Dt 29, 28). In praktische Lebensweisheit übertragen: Worüber dir Macht gegeben ist, darüber sinne nach, denn das Verborgene geht dich nichts an (אֵין לְךָ עֵסֶק בַּנִּסְתָּרוֹת, ἃ προσετάγη σοι, ταῦτα διανοοῦ, οὐ γάρ ἐστίν σοι χρεία τῶν κρυπτῶν, Sir 3, 22). 45

7. Anderseits tritt Gott auch aus seiner Verborgenheit heraus, er offenbart sich (→ ἀποκαλύπτω 565 ff), in erster Linie seinen Werkzeugen, denen er — normalerweise — nichts *verbirgt*, in steigendem Maße aber der ganzen Gemeinde, sofern sie sich empfänglich zeigt.

Nach der Darstellung des Jahwisten verbarg Jahwe schon dem Abraham nicht, was 50 er tun wollte (Gn 18, 17). Normal ist, daß die Führer Israels, vor allem die Propheten,

---

[25] HZimmern, Babylonische Bußpsalmen (1885). Zu den vor allem durch Friedrich Delitzsch angeregten Fragen vgl etwa Bertholet-Leh I 580 ff; RKittel, Die at.liche Wissenschaft[5] (1929) 274 ff. [26] Über sie Steinleitner 10—61.

das Verborgene sehen (Js 29, 10 [27]). Den Feinden des Gottesvolkes dagegen zwingt die göttliche Leitung zuletzt das Bekenntnis ab, daß der Gott Israels für sie ein Gott war, der sich verbarg (Js 45, 15 [28]). In der Spätzeit tritt die lebendige Gegenwartsoffenbarung zurück. Die geschehene Offenbarung wird kodifiziert. Dadurch werden
5 die Grenzen aber zugleich erweitert. Jedem empfänglichen Gemeindegliede steht nun der Zugang zu der verborgenen Weisheit Gottes offen (ψ 118 [119], 19; Σιρ 39, 3). Dabei schwebt das Bild von verborgenen Schatzkammern (vgl 1 Makk 1, 23; Da 11, 43 Θ; Js 45, 3) vor (Prv 2, 4).

8. Jahwe behält sich aber stets die Verfügung über seine
10 Offenbarung vor. Er kann, wenn er will, sich erneut richterlich *verbergen*. Selbst dem Frommen bleiben solche Erfahrungen nicht immer erspart.

Manchmal verbirgt er sogar seinen Propheten seine Absicht (2 Kö 4, 27). Gesteigerte Unempfänglichkeit führt mit Notwendigkeit zu einem unheilvollen richterlichen Sichverbergen Gottes (Js 29, 10 auch nach dem ursprünglichen Text, → A 27, zur
15 Sache Js 6, 9 ff; 28, 11; 51, 17; 57, 17 uö). Teils in diesen Zshg, teils unter Nr 9 gehört Js 8, 16: Bewahre die Offenbarung, versiegle die Lehre in meinen Jüngern. Die Pseudepigraphik konnte sich nur mit einem Schein des Rechtes auf diesen Befehl Jahwes berufen. Esoterische Tendenzen im engeren Sinn liegen dem Worte fern. Selbst der Fromme kennt die schmerzliche Erfahrung, daß Gott sein Angesicht oder
20 sein Ohr vor ihm verbirgt. Er bittet, daß dies nicht geschehe, und erlebt auch immer wieder die Gewährung dieser Bitte, aber als unverdiente, freie Gnade (Hi 3, 23 hbr; 13, 24; 34, 29; Thr 3, 56; im Psalter drückt LXX diesen Begriff des Verbergens durch andere Vokabeln aus, meist durch ἀποστρέφειν = סתר hi, vgl ψ 9, 32; 21, 25; 43, 25; 50, 11; 68, 18; 88, 47; 101, 3; 142, 7). Die Verborgenheit Jahwes kann sich bis zur Unerträg-
25 lichkeit steigern. Da führt er die Seinigen in die Finsternis (Thr 3, 6), wird für sie zum lauernden Bären, zum Löwen im Hinterhalt (λέων ἐν κρυφαίοις 3, 10. → 968, 28 ff). Aber Jahwes Gnaden sind noch nicht aus, jeden Morgen ist sein Erbarmen neu. Darum halte der Fromme stille, vielleicht ist noch Hoffnung da (3. 22. 28 f). So flüchtet sich der Beter vom verborgenen Gott zum offenbaren Gott. Solche Klänge
30 sind außerhalb der Bibel nirgends laut geworden.

9. Da Gottes Wort der höchste Schatz ist, so ist es die nächste Aufgabe des Frommen, diesen Schatz in sich zu *bergen*. Ähnliches wird in der Hermesmystik gefordert, aber mit anderen Ausdrücken.

Hiob (23, 12) bekennt: Von seinen Vorschriften bin ich nicht abgewichen, ἐν δὲ
35 κόλπῳ μου ἔκρυψα ῥήματα αὐτοῦ. Ähnlich der Psalmist: ἐν τῇ καρδίᾳ μου ἔκρυψα τὰ λόγιά σου, ὅπως ἂν μὴ ἁμάρτω σοι (ψ 118, 11). Der Weise stellt seiner Weisheitslehre den Satz voran: υἱέ, ἐὰν δεξάμενος ῥῆσιν ἐμῆς ἐντολῆς κρύψῃς παρὰ σεαυτῷ, ὑπακούσεται σοφίας τὸ οὖς σου (Prv 2, 1). Damit läßt sich das Wechselgespräch am Anfang des Poimandres vergleichen (der Gott): τί βούλει ἀκοῦσαι καὶ θεάσασθαι, καὶ νοήσας μαθεῖν
40 καὶ γνῶναι; . . . (der Weisheitsuchende): μαθεῖν θέλω τὰ ὄντα καὶ νοῆσαι τὴν τούτων φύσιν, καὶ γνῶναι τὸν θεόν . . . (der Gott): ἔχε νῷ σῷ ὅσα θέλεις μαθεῖν, κἀγώ σε διδάξω (Corp Herm I 1 ff). Das Interesse richtet sich im Psalm auf die Tora als das geschichtlich gegebene Gotteswort, in der Weisheitsliteratur auf religiös fundierte praktische Lebensweisheit, in der Hermesmystik auf kosmische Gnosis.

45 **10.** In bloß scheinbarem Widerspruch mit dem Vorhergehenden wird endlich gefordert, daß das, was Gott sagt und tut, nicht *verborgen gehalten* werden soll. Auch in der Hermesmystik tritt neben der esoterischen Tendenz eine exoterische, ein Missionsanliegen, hervor, aber mit andersartigem Inhalt.

---

[27] Hbr: Weil Jahwe einen Geist tiefen Schlafes über euch ausgegossen und eure Augen (die Propheten) verschlossen und eure Häupter (die Seher) verhüllt hat. Die eingeklammerten Worte sind wohl Glossen. LXX: ὅτι πεπότικεν ὑμᾶς κύριος πνεύματι κατανύξεως καὶ καμμύσει τοὺς ὀφθαλμοὺς αὐτῶν καὶ τῶν προφητῶν αὐτῶν καὶ τῶν ἀρχόντων αὐτῶν, οἱ ὁρῶντες τὰ κρυπτά. Diese Übers ist sprachlich weithin falsch, gibt aber die allg at.liche Anschauung wieder.

[28] Hbr: אֵל מִסְתַּתֵּר. LXX (σὺ γὰρ εἶ θεός, καὶ οὐκ ᾔδειμεν) las wohl ebenso. HGreßmann, Der Messias, FRL 26 (1929) 63. 339 ändert nach Ehrlich מִסְתַּתֵּר in מַסְתִּיר: ein schützender Gott.

An ein Wort Heraklits (→ 960, 38 f) erinnert der Rat des Siraciden, ἀποκρύπτειν τὴν μωρίαν. Er steht aber in einem Zshge, der darüber hinausführt: σοφία κεκρυμμένη καὶ θησαυρὸς ἀφανής, τίς ὠφέλεια ἐν ἀμφοτέροις; κρείσσων ἄνθρωπος ἀποκρύπτων τὴν μωρίαν αὐτοῦ ἢ ἄνθρωπος ἀποκρύπτων τὴν σοφίαν αὐτοῦ (Σιρ 20, 30 f; gleichlautend 41, 14 f). Ähnlich sagt der Verfasser der Weisheit Salomos von der Weisheit (7, 13): τὸν πλοῦτον 5 αὐτῆς οὐκ ἀποκρύπτομαι. Vor allem verhehlt der Fromme Jahwes Gerechtigkeit und Treue nicht (ψ 39, 11; 77, 4; vgl 21, 23). Wie es denen ergeht, die sich dem göttlichen Auftrage entziehen und Gottes an sie ergangenes Wort zu verbergen suchen, wird verschiedentlich geschildert, am ergreifendsten von Jeremia (20, 9 vgl auch Jon 1). Die Aufforderung, Jahwes Worte und Taten auszubreiten, wird öfter in stark 10 rhetorischer, fast dithyrambischer Form wiederholt (Ιερ 27, 2; ψ 95, 2. 3). Lobpreis für empfangene Gnade und Predigt berühren sich auch im Schluß des Poimandres (ἅγιος εἶ, ὁ κρείττων πάντων ἐπαίνων. δέξαι λογικὰς θυσίας ἁγνὰς ἀπὸ ψυχῆς καὶ καρδίας πρός σὲ ἀνατεταμένης, ἀνεκλάλητε, ἄρρητε, σιωπῇ φωνούμενε. αἰτουμένῳ τὸ μὴ σφαλῆναι τῆς γνώσεως τῆς κατ' οὐσίαν ἡμῶν ἐπίνευσόν μοι· καὶ ἐνδυνάμωσόν με, ἵνα τῆς χάριτος 15 ταύτης τυχὼν φωτίσω τοὺς ἐν ἀγνοίᾳ τοῦ γένους μου, ἀδελφούς ἐμούς, υἱοὺς δὲ σοῦ (Corp Herm I 31 f; vgl auch die Fortsetzung). Die Verschiedenartigkeit des Inhaltes ist aber so wenig zu übersehen wie → 9.

III. Das Judentum.

Das Judentum nimmt neben der at.lichen Erkenntnis 20 auch hellenistische und orientalische Anregungen auf und bildet den Sprachgebrauch selbständig, aber nicht einheitlich, weithin im Sinn der Verflachung und Verknöcherung, fort.

1. Das palästinische Judentum.

Das Judentum fühlt sich im ganzen von gegenwärtiger 25 Gottesoffenbarung verlassen.

(→ 580, 7 ff; außerdem Ps 74, 9 [makkabäisch]; s Bar 85, 1. 3: die Propheten haben sich schlafen gelegt; Jos Ap I 41: διὰ τὸ μὴ γενέσθαι τὴν τῶν προφητῶν ἀκριβῆ διαδοχήν. bSota 48 b Bar par: „Mit dem Tode von Haggaj, Zekharja und Maleakhi wich die Prophetie von Israel, aber immerhin bedienten sie sich noch der Hallstimme." Hillel der Ältere 30 und Samuel der Kleine wären es wert gewesen, daß die Göttlichkeit auf ihnen ruhe, aber ihr Zeitalter war es nicht wert. Ähnlich schon TSota 13, 2 [Str-B II 133; I 127] [29]). Die Apokalyptik ist ein etwas krampfhafter, aber zunächst sehr beliebter Versuch, dem Mangel abzuhelfen. Die Aufdeckung alles Verborgenen, verborgener Schuld sowohl wie der letzten Absichten Gottes, wird in ihr in steigendem 35 Maße mit der Eschatologie verknüpft.

So empfängt Henoch die Ankündigung: „Dies ist der Menschensohn, der die Gerechtigkeit hat, bei dem die Gerechtigkeit wohnt, und der alle Schätze dessen, was verborgen [30] ist, offenbart" (äth Hen 46, 3). Der Messias und das Gottesreich sind verborgen, bis sie enthüllt werden (→ 580, 26 ff). Geheimbücher sind noch um die 40 Wende der Zeiten beliebt. Das beweist die Entstehung der meisten Apokalypsen auf palästinischem Boden. Sogar der fingierte Esra des vierten Esrabuches empfängt noch den Befehl, von den vierundneunzig Büchern, die er in vierzig Tagen niedergeschrieben hat, nur die ersten vierundzwanzig zu veröffentlichen, den Würdigen und Unwürdigen zum Lesen, die letzten siebzig aber nur den Weisen seines Volks zu 45 übergeben, weil in ihnen der Born der Einsicht, der Quell der Weisheit, der Strom der Wissenschaft fließe (4 Esr 14, 44 ff). Dagegen trägt Josephus bereits eine gewisse Verachtung der apokryphen Literatur zur Schau (→ C I). Die Annahme, daß das Judentum ein ganz besonders starkes Empfinden für den Deus absconditus gehabt haben müsse, würde trotz aller Vorliebe für das 50 Verborgene nicht ganz das Richtige treffen.

Während das rabb Judentum auf der einen Seite die Majestät Jahwes betont und einer mystischen Vereinigung mit der Gottheit im allgemeinen ablehnend gegenüber-

---

[29] Bousset-Greßm 394.

[30] Diese Zusammenstellung ist besonders beachtenswert.

steht, weiß es auf der anderen Seite von Jahwes Gegenwart in Natur und Geschichte.
Der Glaube an Jahwes Gegenwart führt zuweilen zu stark anthropomorphen Vorstellungen; so wird der mit der Tora gegebene Offenbarungsbesitz je länger desto mehr
derart massiv verstanden, daß dadurch geradezu die numinose Verborgenheit
5 Gottes gefährdet wird. Immerhin waren die Führungen Gottes für den Juden rätsel-
haft genug, um auch für sie das Verständnis wachzuhalten. Angesichts der Katastrophe des Jahres 70 n Chr hat der Verfasser des 4 Esr in ergreifender Weise darum
gerungen, das Walten des verborgenen Gottes zu verstehen (vgl vor allem Kp 4).
        Technische Bedeutung erlangt der Gegensatz zwischen „geheim" und „offen-
10 bar" in der Kasuistik und Buchstabenexegese. Das ist für die Veräußerlichung
des Rabbinentums bezeichnend, wiewohl das Streben nach Verinnerlichung auch
hier nicht völlig fehlt.
        Man unterscheidet zwischen Dingen, die man öffentlich (בְּפַרְהֶסְיָא = ἐν παρρησίᾳ)
und die man im Verborgenen (hb בְּצִנְעָה; ar בְּצִנְעָא = ἐν κρυπτῷ) tut, wie das Hinaus-
15 geleiten des Toten und das Einführen einer Braut unter den Traubaldachin, und folgert,
daß das Gebot des verborgenen Wandels (Mi 6, 8) bei den letzteren besonders streng
zu beachten sei (bSukka 49a, Str-B II 485), oder bezeichnet das Sabbatgebot als ein
solches, das im Verborgenen gegeben sei (bBesa 16a, ebd). Andere Gegenüberstellungen
sind בַּסֵּתֶר ... בְּפַרְהֶסְיָא oder בְסֵתֶר ... בְּגָלוּי. Verborgene Schuld wird öffentlich bestraft,
20 verborgene Heiligung des Namens Jahwes aber auch öffentlich anerkannt (Str-B II 486).
Im 3. Jhdt n Chr wurde darüber verhandelt, ob man in Verfolgungszeiten sein be-
drohtes Leben durch Götzendienst retten dürfe, auch wenn dieser nicht bloß im Geheimen, sondern öffentlich geschehe. Die Frage wurde verneint (bSanh 74a, Str-B
I 414).

25   2. Das hellenistische Judentum.

        Das hellenistische Judentum läßt, soweit der Gebrauch
unserer Vokabeln theologisch bedeutsam ist, mystische Einflüsse erkennen.
        So schon im Test XII: Ruben will seinen Brüdern und Söhnen sterbend sagen, was
er an verborgenen Dingen in seinem Herzen trägt (ὅσα ἔχω ἐν τῇ καρδίᾳ μου κρυπτά,
30 Test R 1, 4). Daß dabei an geheime Offenbarungen gedacht ist, macht Test L 8, 19
wahrscheinlich, wo Levi im Anschluß an den Bericht über Gesichte, die ihm das
Priestertum seines Stammes kundtaten, fortfährt: καὶ ἔκρυψα καί γε τοῦτο ἐν τῇ καρδίᾳ
μου, καὶ οὐκ ἀνήγγειλα αὐτό τινι ἀνθρώπῳ ἐπὶ τῆς γῆς. κρύπτεσθαι kommt ferner in
zunächst paränetischen Zshgen vor, aber so, daß der Einfluß mystischer Ontologie,
35 des Gedankens der coincidentia oppositorum, sich deutlich verrät. Test A 5, 1: δύο
εἰσὶν ἐν πᾶσιν, ἓν κατέναντι τοῦ ἑνός, καὶ ἓν ὑπὸ τοῦ ἑνὸς κέκρυπται· ἐν τῇ κτήσει ἡ
πλεονεξία, ἐν τῇ εὐφροσύνῃ ἡ μέθη, ἐν τῷ γέλωτι τὸ πένθος, ἐν τῷ γάμῳ ἡ ἀσωτία. Es
folgen die Gegensätze: Leben und Tod, Ehre und Schande, Tag und Nacht. Philo
weiß etwas von der wesenhaften Verborgenheit Gottes. Er bezeichnet Gott als
40 ἀκατάληπτος und ἀόρατος (Poster C 15). Unsere Vokabeln braucht er in solchen Zshgen
nicht. Die Allwissenheit Gottes betont er in einer Weise, die gewiß auch at.lich,
bei ihm aber doch wohl bereits von pantheistischen Hintergründen mitbestimmt
ist: ἄνθρωπος δ' ἂν ἤ τι τῶν γενομένων κρύπτεσθαι δυνηθείη θεόν; ποῦ; τίνα ἐφθακότα
πάντῃ, τὸν ἄχρι περάτων ἀποβλέποντα, τὸν πεπληρωκότα τὸ πᾶν, οὗ τῶν ὄντων οὐδὲ τὸ
45 βραχύτατον ἔρημον; καὶ τί παράδοξον, εἰ μηδενὶ τῶν γενομένων ἐφικτὸν κρύπτεσθαι τὸ ὄν;
(Det Pot Ins 153). Die Terminologie der Arkandisziplin dient zur Charakterisierung der mystischen Erkenntnis, die der Philosoph in das AT hineindeutet.
Fug 179: οἱ ἀλληγορίας καὶ φύσεως τῆς κρύπτεσθαι φιλούσης ἀμύητοι. Sacr AC 60:
κεκρύφθαι δεῖ τὸν ἱερὸν περὶ τοῦ ἀγενήτου καὶ τῶν δυνάμεων αὐτοῦ μύστην λόγον, ἐπεὶ
50 θείων παρακαταθήκην ὀργίων οὐ παντός ἐστι φυλάξαι. Ebd 62: (Sie plauderten die ihnen
zuteil gewordene Gnade nicht aus), ἀλλ' ἐν ἀποκρύφοις ... ἐθησαύρισαν. Der ganze
Zshg deutet Mysterienriten in das AT hinein. Auch das Wort μυστήρια kommt vor.
Sehr bezeichnend ist ferner die Anrede an Gott als Mystagogen Som I 164: (Höre
nicht auf), ἕως ἐπὶ τὸ κεκρυμμένον ἱερῶν λόγων φέγγος ἡμᾶς μυσταγωγήσας ἐπιδείξῃς τὰ
55 κατάκλειστα καὶ ἀτελέστοις ἀόρατα κάλλη. Aus der mystischen Grundanschauung ergibt
sich eine überwiegend negativ orientierte Ethik. Auch sie wird mit Hilfe unserer
Vokabeln zum Ausdruck gebracht. So macht Philo zu Gn 31, 20f die Bemerkung:
φυσικώτατόν (voll tiefer Naturerkenntnis) ἐστι τὸ κρύπτειν ὅτι ἀποδιδράσκει (Leg All
III 16). Wenn man durch Schönheit in Gefahr gerät, soll man davonlaufen und es
60 dem Nus, dh hier dem sinnlich gebundenen Verstand, nicht melden. Ähnlich zu Gn
35, 4: ὁ γὰρ ἀστεῖος (der Gebildete) οὐδὲν λήψεται πρὸς περιουσίαν τῶν ἀπὸ κακίας, ἀλλὰ
κρύψει καὶ ἀφανιεῖ λάθρᾳ (ebd III 23).

3. Jüdisch beeinflußte Gnosis.

Eine Vorstufe der jüdischen Gnosis bilden die Essener[31]. Von ihnen berichtet Josephus (Bell II 141), daß sie im Novizeneid versprechen mußten, μήτε κρύψειν τι τοὺς αἱρετιστὰς μήθ᾽ ἑτέροις αὐτῶν τι μηνύσειν. Die volle Offenheit gegen die Ordensgenossen, die hier gefordert wird, liegt zunächst auf dem Gebiet 5 der Disziplin. Aber durch den Gegensatz, das Schweigegebot gegenüber den Draußenstehenden, gewinnt κρύπτειν indirekt auch theologische Bedeutung. Es handelt sich um esoterisches Wissen. Dies ist niedergelegt in geheimzuhaltenden Schriften (συντηρήσειν ὁμοίως τά τε τῆς αἱρέσεως αὐτῶν βιβλία, ebd 142). Daß diese nicht geradezu als ἀπόκρυφα bezeichnet werden, beruht auf Zufall. In der späteren jüdischen Gnosis hat der 10 Begriff des Verborgenen sicher technische Bdtg erlangt. Das beweist der Name des Stifters der Elkesaiten[32]. Der Name ist gleichzusetzen mit חֵיל כְּסָי = δύναμις κεκαλυμμένη bzw κεκρυμμένη. Daß er nicht ein wirklicher Eigenname, sondern ein Ehrentitel ist, den das Sektenhaupt für sich in Anspruch nahm oder den seine Anhänger ihm beigelegt hatten, macht der Vergleich von Ag 8, 10: οὗτός ἐστιν ἡ δύναμις τοῦ 15 θεοῦ ἡ καλουμένη μεγάλη (von Simon Magus) höchst wahrscheinlich. Der Begriff der Verborgenheit hat also entsprechend dem Sprachgebrauch in der sonstigen Gnosis (→ 965, 39 ff) ehrenden Sinn. Das Göttliche ist als solches das Verborgene, nur wenigen Auserwählten Zugängliche. Dem entspricht völlig der Sprachgebrauch der Mandäer (→ I 534, 23 ff), zB Lidz Ginza R XV 5, 314 (p 316): „Es gewährte ihm die sieben 20 verborgenen, reinen, bewahrten Mysterien, durch die er in vollkommener Weise bewahrt werde.“ Ebd 315 (p 317): „Wir werden dir verborgene Gebete gewähren.“ Die Unerforschlichkeit Gottes wird mit Vorliebe in den mandäischen Schriften geschildert, etwa Lidz Ginza R I 2, 7 (p 6); I 3, 15 (p 7) uö. Vergleichen läßt sich auch die überaus häufige Bezeichnung der jenseitigen Wesen als der „fremden“ (aaO I 1, 1 [p 5] uö), 25 sowie der geläufige Begriff des Mysteriums (Lidz Ginza Regist sv). Auch der Begriff Ginza gehört in diesen Zshg → C II 6). Eine völlig andere Wendung nimmt die Wertung des Verborgenen und des verborgenen Buches im späteren genuinen Judentum. → C I 4. 5.

IV. Das Neue Testament.   30

Das Neue Testament übernimmt, auch wo dies nicht ausdrücklich zu belegen ist, im allgemeinen die at.lichen, teilweise auch jüdische Voraussetzungen, mit dem grundlegenden Unterschiede jedoch, daß es die Erfüllung der eschatologischen Erwartung bezeugt, so freilich, daß die letzte Erfüllung immer noch aussteht. Das vorliegende Material reicht weder dazu 35 aus, eine nt.liche Begriffsgeschichte zu geben, noch dazu, die Begriffe systematisch zu entfalten. Wir beschränken uns darauf, die theologisch bedeutsamen Stellen in geschichtlicher Reihenfolge, dabei möglichst in sachlicher Anordnung, einzeln zu besprechen. Die Verweisungen auf die früheren Abschnitte suchen Fortführung und Abgrenzung anschaulich zu machen.   40

1. Die Synoptiker.

Alles Göttliche ist von Hause aus wesenhaft verborgen (→ 968, 1 ff). Es ist nur durch Offenbarung zugänglich. Das wird in den überlieferten Herrnworten zwar nur selten ausdrücklich hervorgehoben, aber ständig vorausgesetzt. Die Gottesherrschaft speziell gleicht in ihren diesseitigen An- 45 fängen einem verborgenen Schatz (Mt 13, 44), einem in der Mehlmasse schier verschwindenden Sauerteig (Lk 13, 21; Mt 13, 33: ἐνέκρυψεν). Darin eben zeigt

---

[31] Über Wesen und Ursprung des Essenismus vor allem Schürer II⁴ 668 ff; WBauer bei Pauly-W Suppl IV (1924) 386 ff.

[32] RGG² II 116; Hennecke 422 ff. Der in verschiedener Schreibweise überlieferte Name ist nach der heute herrschenden Auffassung

nicht Bezeichnung des heiligen Buches, sondern des Verfassers, der als historische Persönlichkeit zu betrachten ist. Der Name seines angeblichen Bruders Jexai ist dagegen wohl durch Ableitung von El und Verwechslung von El und Jah = Jahwe entstanden.

sich ihre göttliche Wesensart. Eine esoterische Tendenz, wie im Hellenismus (964, 11 ff; 972, 46 ff), entspringt daraus nicht, gerade deshalb nicht, weil die Verborgenheit als eine wesenhafte gedacht wird. Denn Gott offenbart sich ja. Der Schatz wird gefunden, der Sauerteig beginnt zu wirken. Mit Hilfe eines Allgemein-
5 satzes (→ 559, 30 ff) schärft Jesus seinen Jüngern ein, daß die Sache Gottes, die er ihnen anvertraut, aus ihrer anfänglichen Verborgenheit heraustreten und daß Gott sich dann in aller Öffentlichkeit zu ihr bekennen wird (Mt 10, 26 f; Lk 12, 2 f; Mk 4, 22; Lk 8, 17; → 970, 45 ff). Menschlicher Unempfänglichkeit bleibt freilich die Offenbarung verschlossen. Der Leidensankündigung Jesu
10 stehen sogar seine Jünger völlig verständnislos gegenüber: ἦν τὸ ῥῆμα τοῦτο κεκρυμμένον ἀπ' αὐτῶν. Lk (18, 34, vgl 9, 45) unterstreicht diesen Zug besonders stark mit dreifacher Wendung, während er den Zusammenstoß zwischen Jesus und Petrus (Mk 8, 32 f; Mt 16, 22 f) und die Zebedaidenbitte (Mk 10, 35 ff Par) wegläßt. Es geht dem Evangelisten vor allem um das unfaßliche gött-
15 liche Geheimnis. Ein numinoses Moment mischt sich bei ihm öfter ein (24, 16). Das mag mit seinem Hellenismus zusammenhängen. Mehr at.lich empfunden (→ 970, 9 ff) ist der Gedanke, daß Gott selbst die Heilserkenntnis denen, die nicht ernstlich nach ihr fragen, richterlich verbirgt. Er wird sich bei dem νῦν δὲ ἐκρύβη ἀπὸ ὀφθαλμῶν σου Lk 19, 42 mindestens mit einmischen. Mit voller
20 Deutlichkeit spricht Jesus ihn in Mt 11, 25 f; Lk 10, 21 aus: den Weisen und Klugen, dh den rabbinisch-pharisäischen Gelehrten und Musterfrommen, hat sein himmlischer Vater die Heilserkenntnis verborgen (Mt ἔκρυψας, Lk ἀπέκρυψας), den Unmündigen, dh den 'Amme ha'areṣ, hat er sie enthüllt. Der Lobpreis bezieht sich auf beide Hälften der Aussage in ihrer Zusammengehörigkeit, ist
25 daher keinesfalls auf die zweite Hälfte zu beschränken. Jesus verehrt die göttliche Führung eben in ihrer Paradoxie, durch die aller menschliche Hochmut ins Unrecht gesetzt wird. Von da aus wird auch der düstere Ernst des Wortes Mk 4, 11 f Par einigermaßen verständlich (→ 584, 5 ff). Dagegen gibt die zusammenfassende Bemerkung der Evangelisten Mk 4, 33 f Par eine in palästi-
30 nischer Umgebung auffallende esoterische Tendenz wieder. Unter ihrem Einfluß hat Mt 13, 35 auch das Zitat aus Ps 78, 2 eingefügt und gegen LXX (77, 2: φθέγξομαι προβλήματα ἀπ' ἀρχῆς) nach hbr (אַבִּיעָה חִידוֹת מִנִּי־קֶדֶם) übersetzt: ἐρεύξομαι κεκρυμμένα ἀπὸ καταβολῆς. Das rechte Verhalten des Menschen angesichts empfangener Offenbarung bildet der Schatzfinder ab, der den gefundenen
35 Hort in freudiger Eile wieder verbirgt, dh für sich sichert (Mt 13, 44 → 960, 15). Die Ausdrucksweise ist durch das Gleichnis bedingt, das Zusammenklingen mit gewissen Sachparallelen des AT (→ 970, 31 ff) aber bemerkenswert. Ein weiterer Gegensatz gegen den Pharisäismus ergibt sich daraus, daß dieser seine Leistungen anerkennungshungrig zur Schau stellt, während Jesus um die Keuschheit
40 der Frömmigkeit eifert. Almosen, Beten und Fasten sollen im Verborgenen geschehen, damit der himmlische Vater, der im Verborgenen sieht, es vergelte (ἐν τῷ κρυπτῷ, ἐν τῷ κρυφαίῳ, Mt 6, 4. 6. 18 → 961, 44 f. 52 f).

Die theatralische Art der pharisäischen Gerechtigkeitsübung (→ ὑποκριτής *Schauspieler*) läßt sich aus der rabbinischen Literatur reichlich belegen. Während die Mittel für die kommunale Armenpflege durch Umlagen aufgebracht wurden[33], beruhte die darüber hinausgehende Liebestätigkeit auf freiwilligen Gaben. Diese wurden in den Synagogen und bei den auf offener Straße stattfindenden Fastengottesdiensten vor versammelter Gemeinde bekanntgemacht. Besonders freigebigen Spendern wurden Ehrenplätze an der Seite der Rabbinen angewiesen[34]. Manche vergaßen hinterher, die ausgelobten Summen zu bezahlen. Das Pflichtgebet hatte man zu halten in der Synagoge oder da, wo man sich gerade befand. Die Rabbinen haben das Verhalten bei solchem öffentlichen Beten bis ins einzelne geregelt[35]. Manche ließen sich wohl von den Gebetszeiten gern auf Straßen und Plätzen überraschen, um mit ihrer Frömmigkeit zu paradieren. Über das im Gesetz für den Versöhnungstag befohlene und sonst behördlicherseits angeordnete allgemeine Fasten hinaus fastete man aus persönlichen Anlässen oder rein um der Verdienstlichkeit willen. Damit war eine Anzahl von Nebenleistungen verbunden: Anlegen sackartiger Trauerkleidung, Sitzen in Asche und Bestreuen des Kopfes mit Asche (Mt 11, 21), Unterlassung des Waschens und Salbens des Körpers (Mt 6, 17), Ablegen der Sandalen usw[36]. Die Versuchung war groß, durch besonders wehleidiges Gebaren die Aufmerksamkeit der Mitmenschen zu erregen. Diese breitspurige, auch vor Gott sich spreizende Art verkörpert sehr lebendig der Pharisäer Lk 18, 11 f. Die Auswüchse sind allerdings die Kehrseite einer ernsten und opferwilligen Frömmigkeit, und auch von jüdischer Seite ist manches treffende Wort gegen sie gesagt worden. „Wer Almosen im Verborgenen gibt, ist größer als unser Lehrer Mose" (Beweis aus Dt 9, 19 u Prv 21, 14; bBB 9b, Str-B I 391). Joseph betet in seiner Kammer, um der Versuchung durch Potiphars Weib zu widerstehen (Test Jos 3, 3: εἰσερχόμενος εἰς τὸ ταμιεῖον [κλαίων] προσηυχόμην Κυρίῳ). Wenn Rabbi ʿAqiba mit der Gemeinde betete, dann machte er es kurz der Gesamtheit wegen; wenn er aber für sich allein betete, so kniete er von einer Seite des Zimmers bis zur anderen (TBer 3, 5 [7]). Man warnt vor übertriebenen und zu öffentlichen Kasteiungen (TSota 15, 11 ff, Str-B I 195; bTaan 14b, Str-B IV 114). Aber die Meinungen über dies alles sind geteilt, und die Gesichtspunkte sind andersartig als in der Bergpredigt. Man soll Beschämung des Almosenempfängers vermeiden, die Gemeinde nicht durch zu langes Beten ermüden und sich nicht dem Spott bei Nichterhörung gar zu eifrigen Betens aussetzen. Die Praxis war im ganzen wohl so, wie Jesus sie schildert.

Jesus gibt der Frömmigkeit die verlorene Keuschheit zurück, indem er sie ins *Verborgene* weist. So wenig er aber gemeinsames Beten verwehrt (Mk 6, 41), so wenig will er andere Lebensäußerungen der Frömmigkeit unterbinden. Im Gegenteil: die empfangene Gabe selbstsüchtig und überängstlich zu verbergen, ist sträfliche Untreue (Mt 25, 18. 25 ff; vgl Lk 19, 20 ff). Wie die Stadt auf dem Berge ihrem Wesen nach nicht verborgen bleiben kann, so soll das Licht der Jünger Jesu leuchten, daß man ihre guten Werke sehe und den Vater im Himmel preise (Mt 5, 14. 16). Die brennende Lampe gehört nicht unter das Scheffelmaß, unter das Bett oder ins Kellerloch (→ κρύπτη 962, 1 ff), sondern auf den Lichtträger, → λύχνος, λυχνία (Mt 5, 15; Lk 11, 33; vgl Mk 4, 21; Lk 8, 16[37])! → 970, 45 ff.

2. Das Johannesevangelium.

Das vierte Evangelium kennt heimliche Jünger Jesu. So Joseph von Arimathaia (ὢν μαθητὴς τοῦ Ἰησοῦ κεκρυμμένος J 19, 38). Wenn Nikodemus, so oft er genannt wird, als derjenige bezeichnet wird, der bei Nacht

---

[33] Sehr anschauliche Bilder gibt der Traktat jPea, übersetzt von JJRabe (1781).
[34] Reiches rabb Material bei Str-B I 388, IV 536 ff. SchlMt z 6, 2 denkt daran, daß das „Trompeten" möglicherweise eigentlich zu verstehen sei.
[35] Str-B I 396 ff.
[36] Str-B IV 77 ff.
[37] Das doppelte Auftreten des Wortes bei Lk beweist, daß der ursprünglich als kleine Einheit überlieferte Spruch sowohl in Mk

wie in Q stand. Die Einordnung bei Mt überzeugt sachlich am meisten. Die Gedankenverbindung in Mk 4, 21 und Lk 8, 16 ist allenfalls erträglich, diejenige in Lk 11, 33 dagegen mit ihrer Fortsetzung ad vocem λύχνος außerordentlich gezwungen. Vgl zu Mt 5, 14 das Agraphon P Oxy I 1 recto 15 ff: λέγει Ἰησοῦς, πόλις οἰκοδομημένη ἐπ' ἄκρον ὄρους ὑψηλοῦ καὶ ἐστηριγμένη οὔτε πεσεῖν δύναται οὔτε κρυβῆναι. Hier fehlt der imperativische Klang.

zu Jesus kam (J 3, 2; 7, 50; 19, 39), so ist die Meinung dieselbe. Die Absicht geht aber kaum dahin, die beiden Männer wegen ihrer Furchtsamkeit zu tadeln. Es soll vielmehr anerkennend hervorgehoben werden, daß sie ihre aus der Schwierigkeit der Situation gut verständliche Zurückhaltung im entscheidenden

5 Augenblick aufgaben. So sollten es die verschämten Christusverehrer unter den Juden zur Zeit des Evangelisten auch machen. Das vierte Evangelium erweist sich hier als Werbeschrift für die Juden[38]. Vor allem aber treten unsere Vokabeln in den Dienst der numinosen Christusauffassung des Evangelisten. Dem Unglauben erscheint es anstößig, daß Jesus sich ἐν κρυπτῷ hält und doch

10 gleichzeitig ἐν παρρησίᾳ sein, dh auf die Öffentlichkeit Eindruck machen will (→ 972, 9 ff). Aber so eben entspricht es, wenigstens zu Zeiten, der Rätselhaftigkeit seiner Sendung (J 7, 4). Eben darum kommt Jesus, als er in souveräner Unberechenbarkeit sich gegen seine frühere Absicht[39] doch noch zum Besuch des Festes entschließt, οὐ φανερῶς ἀλλὰ ὡς ἐν κρυπτῷ (7, 10). Als die Juden

15 nach dem erregten Streitgespräch J 8 Steine aufheben, um ihn zu töten, verbirgt Jesus sich (ἐκρύβη) und geht zum Tempel hinaus (8, 59[40]). Er kann sich seinen Feinden jederzeit entziehen. Er entschwindet beinahe wie die enteilende Gottheit. An einer zweiten Stelle (12, 36) trägt das ἐκρύβη geradezu richterlichen Charakter (→ 970, 9 ff). Die Gnadenzeit der „Juden" ist vorüber. Nur

20 noch einmal erklingt, wie ein Klang aus der andern Welt, Jesu Stimme an das Volk (12, 44 ff[41]). Diese numinose Zurückhaltung ist aber nur die eine Seite der Sache. Dem ihn verhörenden Hohenpriester gegenüber versichert Jesus mit allem Nachdruck, daß er παρρησίᾳ vor aller Welt und nichts ἐν κρυπτῷ geredet habe (18, 20). Die Leser des Evangeliums, die Juden zumal, sollen wissen, daß das

25 Christentum keine Winkelsache ist (→ 974, 4 ff) und keine Hinterhältigkeit (→ 961, 25 ff; 968, 32 ff) kennt.

3. Die übrigen nt.lichen Schriften.

Im übrigen NT tritt Entsprechendes 2 K 4, 2 hervor. Paulus versichert, daß er in seiner Amtsführung heimliche Schande meide: ἀπ-

30 ειπάμεθα τὰ κρυπτὰ τῆς αἰσχύνης, μὴ περιπατοῦντες ἐν πανουργίᾳ μηδὲ δολοῦντες τὸν λόγον τοῦ θεοῦ, ἀλλὰ τῇ φανερώσει τῆς ἀληθείας κτλ. Die lichtscheue Art des natürlichen Menschen (Eph 5, 12: τὰ γὰρ κρυφῇ γινόμενα ὑπ' αὐτῶν αἰσχρόν ἐστιν καὶ λέγειν) sucht sich dagegen vor dem richtenden Gott zu verstecken (→ 968, 32 ff). Der Seher der Offenbarung sieht die Zeit kommen, wo sich die

35 Machthaber dieser Welt *verbergen* werden in Felsklüften, wo sie zu den Bergen sprechen werden: Fallt auf uns und *verbergt* uns vor dem, der auf dem Thron

---

[38] KBornhäuser, Das Johannesevangelium eine Missionsschrift für Israel (1928) 121 f arbeitet diese Tendenz nicht deutlich genug heraus. Er findet 26 f hinter dem Kommen bei Nacht esoterische Tendenzen.

[39] In 7, 8 ist die durch ℵ D sowie lateinische und syrische Texte bezeugte schwierigere Lesart οὐκ wohl der verbreiteteren οὔπω vorzuziehen.

[40] C und ℜ haben die Paradoxie durch Zusätze noch verstärkt.

[41] Daß Jesus nochmals das Wort ergreift, ist nach v 36 ff befremdlich. EHirsch, Studien zum vierten Evangelium (1936) 27. 98 hält v 44—50 für ein versprengtes Stück aus Kp 8, „das hier ad vocem Gericht das letzte Wort bekommen hat", BWBacon, The Gospel of the Hellenists (1933) 280 für Zutat des kirchlichen Redaktors. Der Vergleich der beiden Analysen im ganzen gibt wenig Vertrauen zur Zuverlässigkeit des Verfahrens.

sitzt, und vor dem Zorn des Lammes (Apk 6, 15f; vgl Hos 10, 8; Lk 23, 30).
Umsonst! Auch für das NT ist das Wissen darum grundlegend, daß sich keinerlei
Böses vor Gott verstecken kann (→ 968, 18ff; 1 Tm 5, 25: τὰ ἔργα τὰ καλὰ πρόδηλα, καὶ τὰ ἄλλως ἔχοντα κρυβῆναι οὐ δύνανται). Der Richter, der da kommt,
wird τὰ κρυπτὰ τοῦ σκότους ans Licht bringen und die Ratschläge der Herzen 5
offenbaren (1 K 4, 5; R 2, 16; vgl 2 K 5, 10; Qoh 12, 14). Schon jetzt erfährt
der Fernerstehende unter dem Eindruck christlicher Prophetie, wie τὰ κρυπτὰ τῆς
καρδίας αὐτοῦ offenbar wird (1 K 14, 25), und erkennt daran das Wirken Gottes
in den Redenden[42]. Häufig und stark wird betont, daß das Göttliche seinerseits seinem Wesen nach verborgen ist, daß aber Gott den Seinen an seinem ver- 10
borgenen Wesen Anteil gibt (→ 969, 25ff). Einen guten Schlüssel zum Verständnis solcher Aussagen bildet die in dem Sendschreiben an die Gemeinde von
Pergamon enthaltene Verheißung: τῷ νικῶντι δώσω αὐτῷ τοῦ μάννα τοῦ κεκρυμ-
μένου (Apk 2, 17). Die Vorrangstellung der Gläubigen besteht, kurz gesagt,
darin, daß ihnen die *verborgenen* eschatologischen Heilsgüter durch Enthüllung 15
zugänglich werden (→ ἀποκαλύπτω 578, 46ff; 579, 44ff; 583, 5ff; 585, 10ff;
586, 19ff). Das Geheimnis, das von Aeonen und Generationen her verborgen
war, ist jetzt geoffenbart den Heiligen Gottes (Kol 1, 26; vgl Eph 3, 9). In
Christus sind alle Schätze der Weisheit und Erkenntnis als verborgene vorhanden (Kol 2, 3; vgl Js 45, 3; Prv 2, 3f). Daher reden denn auch die Sprecher 20
des Evangeliums, mag ihre Botschaft dem „natürlichen" Menschen Ärgernis und
Torheit sein, Gottes Weisheit im Geheimnis, die verborgene, die Gott vor aller
Ewigkeit zur Verherrlichung der Gläubigen bestimmt hat. Keiner der Machthaber dieser Welt hat sie erkannt, es gilt von ihr, was geschrieben steht (→
989, 3ff): Was kein Auge sah und kein Ohr hörte und was in keines Menschen 25
Herz stieg, was Gott alles bereitete denen, die ihn lieben (1 K 2, 7ff). Es ist
kein Zufall, daß solche Gedankengänge bei Paulus gerade immer da auftreten,
wo er sich in der Auseinandersetzung mit hochfliegender Weisheitslehre und
Gnosis befindet. Er will zum Ausdruck bringen, daß das Anliegen dieser Geisteshaltung, soweit es berechtigt ist, gerade in Christus seine Erfüllung findet. Es 30
ist deshalb verständlich, daß seine Ausdrucksweise mit durch diese Beziehung
getönt ist. Seine Anschauung wurzelt aber überwiegend im AT. Von den Aussagen der Propheten, der Psalmen und der Chokmaliteratur (→ 969, 37ff) führt
ein steil ansteigender Weg zu den Aussagen des Apostels über die verborgene
Weisheit Gottes. Vor allem aber ist seine Auffassung christlich[43]. Die pneu- 35
matische Erkenntnis der verborgenen Weisheit hängt ganz an dem geschichtlich in Christus verwirklichten Heilsplan Gottes und hat diesen zum Gegenstand
(vgl 1 K 2, 6ff mit 1, 18. 24; Kol 1, 26 mit v 27. 18ff). Dies darf freilich
nicht im Sinn der Abweisung und Ableugnung aller nicht geschichtlich und

---

[42] Übernatürliches Wissen, besonders Ge-
dankenlesen ist nach antiker Auffassung ein
Kennzeichen der θεῖοι ἄνθρωποι: Euthyphron
bei Plato (Euthyphr 3 e); Apollonius v Tyana
bei Philostr Vit Ap I 19: „Ich kenne alle
Sprachen der Menschen, kenne ich doch sogar die stummen Gedanken der Menschen";

ebd VII 22: Apollonius sagt dem Damis, was
dieser fragen will; G P Wetter, Der Sohn
Gottes (1916) 69f; H Windisch, Paulus und
Christus (1934) 27f; 54.
[43] Reitzenstein Hell Myst 333ff übersieht
beides und deutet infolgedessen Paulus einseitig hellenistisch. → 587 A 42.

eschatologisch gebundenen Frömmigkeit verstanden werden. Ein im weiteren
Sinn „mystisches" Grundmoment (→ 579, 49 ff) bleibt in der nt.lichen Frömmigkeit durchaus erhalten. Der „*verborgene* Mensch des Herzens" gibt im Gegensatz zu allen Äußerlichkeiten (R 2, 29) und zu allem aufdringlichen, lauten
5 Wesen (1 Pt 3, 4) vor Gott den Ausschlag. In welchem Maße aber diese allgemeinen religiösen Grundvoraussetzungen von der Eschatologie überstrahlt und
durchdrungen werden, zeigt Kol 3, 3: τὰ ἄνω φρονεῖτε . . . ἀπεθάνετε γάρ, καὶ
ἡ ζωὴ ὑμῶν κέκρυπται σὺν τῷ Χριστῷ ἐν τῷ θεῷ. Die Vokabel wird hier zum
Kennwort der Innerlichkeit einer eschatologischen Mystik, die in ihrer geschicht-
10 lichen Konkretheit und in ihrer sittlichen Abzweckung (vgl Kol 3, 5 ff) doch
auch wieder unmystisch, einzig in ihrer Art ist.

        4. Wir übersehen nun das Ganze. Sowohl die empha-
tisch niedrige (→ 960, 37 ff; 961, 25 ff) wie die emphatisch hohe (→ 961, 1. 31 ff;
964, 15 ff; 965, 39 ff) Bedeutung unserer Wörter im allgemeinen Sprachgebrauch
15 findet im NT ihre Fortsetzung. Sachlich wurzelt der Sprachgebrauch des NT
überwiegend im AT. Alle zehn oben aufgezeigten Linien (→ 967—971 [*II 1—10*])
lassen sich vom AT zum NT verfolgen, am wenigsten deutlich Nr 4 und 5, aber vielleicht nur zufälligerweise. Gnostische Anklänge sind daneben nicht zu bestreiten.
In der echten Gnosis aber läuft die eigentliche Grenzlinie zwischen Gno-
20 stiker und Nichtgnostiker, Pneumatiker und Psychiker bzw Hyliker. In der
Bibel läuft sie dagegen zwischen Schöpfer und Geschöpf. Die andere zwischen
σωζόμενοι und ἀπολλύμενοι ist an der ersten orientiert und ihr untergeordnet.
Gott ist wesenhaft verborgen, offenbart sich aber für alle. Der Begriff des
Verborgenen führt daher im NT nicht zum Esoterismus, sondern zur Welt-
25 mission. Einzelne Ansätze zur Arkandisziplin — vielleicht bei Lk zu beobachten
— ändern daran nichts. Und der zweifellos vorhandene Erwählungsgedanke
ist nirgends im Sinne eines decretum absolutum verhärtet, sondern steht in
echt numinoser Spannung und trägt Entscheidungscharakter.

V. Übergang zur Kirchengeschichte.

30   In der ältesten kirchlichen Literatur kommen unsere Vokabeln
überwiegend in biblischen Zitaten vor (1 Cl 12, 3; 18, 6; 28, 3; 56, 10; Barn 11, 4).
Im übrigen wird betont, daß Gott das Verborgene aufdeckt (καὶ τὰ κρυπτὰ ἡμῶν ἐγγὺς
αὐτῷ ἐστιν Ign Eph 15, 3). Es entgeht ihm nichts . . . οὔτε τι τῶν κρυπτῶν τῆς καρδίας (Pol 4, 3). Vom Geist heißt es: τὰ κρυπτὰ ἐλέγχει (Ign Phld 7, 1, Anklang an das
35 Johannesevangelium!). Neben dem Gerichtsgedanken steht der Offenbarungsgedanke.
So heißt es anderseits: der große Hohepriester πεπίστευται τὰ κρυπτὰ τοῦ θεοῦ
(Ign Phld 9, 1). Der „Hirt" versichert dem Hermas: οὐδὲν ὅλως ἀποκρύψω ἀπὸ σοῦ
(Herm s 9, 11, 9). Mit dem allen ist die biblische Linie innegehalten, mögen auch
zwischen dem „Hirten" und der Hermesmystik gewisse Verbindungsfäden laufen[44].
40 Eigenartig ist, daß Dg 9, 5 die sühnende Bedeutung des Todes Jesu als κρυβῆναι der
ἀνομία πολλῶν charakterisiert wird. Diesen Sinn hat κρύπτειν in der biblischen Gräzität nirgends (→ 960, 47 f).
      Außerordentlich bezeichnend für die verschiedene Auffassung vom verborgenen Gott
in Christentum und Hellenismus und für den Konkurrenzkampf der Religionen ist
45 eine in den Apophthegmata patrum überlieferte Anekdote, die auf Wahrheit beruhen
dürfte[45]. „Der Abt Olympios erzählte: Es zog einst ein Priester der Heiden (τῶν
Ἑλλήνων) nach Sketis hinab und kam in meine Zelle und übernachtete dort. Und als

---

[44] Reitzenstein Poim 11 ff. | [45] Nach Reitzenstein Poim 34.

er die Lebensweise der Mönche sah, sprach er zu mir: ‚Bei solcher Lebensweise seht ihr nichts bei eurem Gott?‘ Ich gab ihm zur Antwort: ‚Nein.‘ Da sagte der Priester zu mir: ‚Wenn wir so lange unserem Gott dienen, *verbirgt* er nichts vor uns, sondern offenbart uns seine Geheimnisse (οὐδὲν κρύπτει ἀφ' ἡμῶν, ἀλλὰ ἀποκαλύπτει ἡμῖν τὰ μυστήρια αὐτοῦ). Und ihr macht euch soviel Mühe, (nehmt) Nachtwachen, Schweigen, 5 asketische Übungen (auf euch), und du sagst: wir sehen nichts? Ganz gewiß, wenn ihr nichts seht, so habt ihr schlechte Gedanken in euren Herzen, die euch von eurem Gott trennen, und deswegen werden euch seine Geheimnisse nicht offenbar‘. Und ich ging hin und verkündigte den Greisen die Worte des Priesters Und sie verwunderten sich und sprachen: ‚Es ist wirklich so, denn die unreinen Gedanken trennen Gott vom 10 Menschen.‘ "

Oepke

C. Beilage: Kanonisch und apokryph [46].

I. Kanonisch und apokryph im Judentum.

1. Der Begriff Kanon. 15

Von einem Kanon als einer abgeschlossenen Offenbarungsurkunde von normativer Geltung kann man im Judentum seit dem Beginn des 2. Jhdts n Chr reden.

Vor der Kanonwerdung liegt zunächst die nur literarisch zu wertende Sammlung und Bearbeitung der einzelnen Schriften. In der folgenden Periode gewinnen einzelne Bücher bzw Sammlungen, etwa durch kultische Verwendung, gesteigerten Wert. 20 Damit beginnt die normative Bewertung der Schriften. Schließlich erfolgt infolge innerer Entwicklung und in der Auseinandersetzung mit der Umwelt eine Auswahl unter dem vorhandenen religiösen Schrifttum. Damit ergibt sich der Kanon und als sein Gegenstück die apokryphe Literatur [47]. 25

2. Die Vorgeschichte des Kanons.

Der übliche Name für das AT ist „Gesetz, Propheten und Schriften" [48]. Er weist auf die Entstehung des Kanons aus einzelnen Teilen hin.

a. Das Gesetz (→ νόμος). Um 300 v Chr war die Thora wohl bereits abgeschlossen [49]. Sie wurde als Ganzes aus dem Tempel, wo sie am Ver- 30 söhnungstage gebraucht wurde (Joma 7, 1 par), in den synagogalen Gottesdienst übernommen. Darauf verweisen die Vorschriften für die Lesungen [50], die kontinuierliche Perikopeneinteilung [51] und die kanonische Ordnung der Rabb (→ 986, 27). Die Thora hat sehr früh eine zentrale Stellung im Gottesdienst erhalten [52]. Infolge der Epigonenstimmung der Spätzeit wurde aus einem zwar auf göttlicher Eingebung beruhenden, 35 doch jederzeit durch einen neuen Entwurf ablösbaren Gesetz allmählich ein Kodex von normativer Geltung, der nur noch Kommentare neben sich duldete [53].

b. Die Propheten (→ προφήτης). Die „Propheten" umfassen nach der rabb Ordnung Jos, Ri, (1 u 2) S, (1 u 2) Kö, Jer, Ez, Js und das Dodekapropheton [54]. Ob der heutige Umfang der Propheten älter als die rabb Ordnung (→ 986, 27 ff) 40 der Schriften ist, ist zweifelhaft. Sir, vielfach als Gewährsmann für eine um 200 v Chr der Zahl nach feststehende Prophetensammlung angesehen [55], nennt neben den ange-

---

[46] Vorbemerkung. Diese Beilage wird, obschon über den Rahmen eines ThW-Artikels hinausgehend, beigegeben, weil um besonderer, in der Gegenwart erörterter Fragen willen aus dem Leserkreis dahingehende Bitten ausgesprochen wurden.

[47] Harnack Dg I⁵ 372 ff; Hölscher (→ Lit-A) 1 ff.

[48] bSanh 90 b: Gamliel II. (um 90 n Chr).

[49] Eißfeldt 621.

[50] Meg 4, 4: ‏מדלגין בנביא ואין מדלגין בתורה‎: bei der Thoralesung ist im Gegensatz zur Prophetenlesung Überspringen verboten.

[51] Meg 4, 10.

[52] Vgl zB Ag 15, 21; IElbogen, Der jüd Gottesdienst in seiner geschichtl Entwicklung⁸ (1931) 159 ff.

[53] Das erste Werk über einen Teil des Pentateuchs ist Jub; vgl Eißfeldt 661 ff.

[54] 2 Makk 2, 13 liegt anscheinend noch eine Erinnerung daran vor, daß die Propheten-Sammlung aus historischen und prophetischen Büchern zusammengewachsen ist.

[55] Vgl Hölscher 21; Eißfeldt 621 ff; daß das Buch Daniel keine Aufnahme unter die Propheten gefunden hat, wäre nur dann ein Beweis für die Abgeschlossenheit der

führten Büchern Hi [56] und setzt ihn den 3 großen Propheten gleich: 49, 9 [57]. Auch
das chronistische Werk benutzt er, ohne es gegen die Propheten abzugrenzen (→ A 56).
Der Enkel des Siraciden (um 130 v Chr) redet in seinem Prolog vom Gesetz, den
Propheten und ihren Nachfolgern bzw den übrigen von den Vorfahren überkommenen
5   Büchern. Damit bezeugt er die Vorstufe zum späteren dreigeteilten Kanon. Doch
fehlt bei ihm noch der Glaube an die Einzigartigkeit der von ihm gegen das übrige
Schrifttum abgegrenzten Propheten. So wie Jesus bSirach sich durchaus berufen fühlt,
die Propheten fortzusetzen (24, 33), trägt auch sein Enkel keinerlei Bedenken, das unzweifelhaft junge Werk der alexandrinischen Gemeinde zugänglich zu machen. Er bekundet
10 somit, daß er Jesus bSirach zu den Nachfolgern der Propheten rechnet [58]. — Die freie
Stellung, die das 2. Jhdt v Chr zur historisch-prophetischen Literatur hat, spiegelt sich
noch im Kultus der Spätzeit wider: man verwendet nur ausgewählte Stücke [59], fertigt
Lektionarien an [60], erlaubt Freiheiten beim Vorlesen (→ A 50) und verbietet manche
Perikopen überhaupt [61]. Daraus ergibt sich, daß die Propheten zunächst nur Erbau-
15 ungsliteratur im Kultus darstellten.

    c. Die Schriften (→ I 750, 49 ff). Aus den im Sir-Prolog
neben Gesetz und Propheten erwähnten Büchern entwickelt sich später die Hagio-
graphensammlung. Die 11 von den Rabb geschaffenen „Schriften" (→ 986, 27 ff) gehören
ursprünglich nicht zusammen. Rt und Thr zählten als Anhänge zu Ri und Jer unter
20 die Propheten. Darauf verweisen das Schweigen des Siraciden, die LXX-Ordnung, Josephus' Kanontheorie (→ 986, 16 ff) und die Verfasserüberlieferung in b BB 14 a/15 b. —
Daniel, von Josephus u Mt 24, 15 als Prophet angesehen, wird Sib 3, 390 ff benutzt und
1 Makk 2, 59 f gleichberechtigt neben den älteren Propheten gebraucht. — Esther,
bereits zur Zeit des Lysimachos in Palästina in hohem Ansehen, zählt noch Jos zu
25 den historisch-prophetischen Schriften. — Hiob gilt Sir 49, 9 (→ Z 1) und bei
Jos als Prophet. — Das chronistische Werk wird bereits von Jesus bSirach neben
der übrigen prophetischen Literatur benutzt (→ Z 1 f). — Dagegen standen die
Psalmen, da sie keinen historisch-prophetischen Inhalt aufwiesen, von Anfang an
außerhalb der historisch-prophetischen Literatur, was ihrer Hochschätzung jedoch
30 nichts abtrug. Auch Prv, Qoh [62] und Cant gehörten wohl von Anbeginn an zu den
„übrigen von den Vätern überkommenen Büchern".

Um 130 v Chr gibt es noch keinen abgeschlossenen Kanon. Nur die Thora
steht als Corpus fest. Daneben gibt es eine Erbauungsliteratur, die sich in
eine historisch-prophetische Gruppe und eine solche, die hymnische und lehr-
35 hafte Literatur enthält, gliedert. Feste und dogmatisch bedingte Grenzen kennt
diese Erbauungsliteratur noch nicht.

    3. Das at.liche Schrifttum im 1. Jhdt n Chr.

    Im 1. Jhdt n Chr hat sich unter dem Einfluß der Rabb
der Gedanke einer normativen „Schrift", ausgehend von der Thora, durchgesetzt.
40 Man redet nunmehr von einem Schriftganzen. Aber im Unterschied zur Zeit
des Kanonabschlusses denkt man den Gedanken von der Ganzheit der Offenbarungsurkunde noch nicht folgerichtig zu Ende. Es fehlt noch die Abgrenzung
gegen zwar auch religiöses, aber nicht für normativ erklärtes Schrifttum.

    a. Die Schriften des späteren Kanons. Als Zeugen für
45 die Kanonvorstufe kommen Philo und die nt.lichen Schriftsteller in Betracht. Philo

---

„Propheten" zu Sirachs Zeiten, wenn entweder nachgewiesen werden könnte, daß die
rabb Ordnung bis 200 v Chr zurückreicht, oder
gezeigt würde, daß die Rabb bei ihrer Ordnung des Kanons literarkritisch vorgegangen
sind. Darüber, daß Da noch in nt.licher Zeit
zu den Propheten zählte, → 981, 19 ff.
 [56] Hölscher (→ Lit-A) 20 A 7.
 [57] Der Text muß lauten: וגם אזכיר את איוב
[?הנביא]. Statt אזכיר liest fr B (Strack)
הזכיר nach Ez 14, 14. 20; vgl RSmend, Die

Weisheit d Jesus Sirach (1906/1907) zSt u
Ryssel bei Kautzsch Apkr 466.
 [58] Doch ist anderseits zu beachten, daß zu
seiner Zeit in Palästina die pseudepigraphe
Prophetenlit bereits aufgekommen ist → 982,
25 ff.
 [59] Elbogen (→ A 52) 176.
 [60] bGit 60 a: ספר אפטרתא.
 [61] ZB ist nach Meg 4, 10 verboten, Ez 1
vorzulesen (→ 985, 24 ff).
 [62] Der Sage nach bereits von Simon bSchetach zitiert: jBer 11 b; offenbar bekämpft
von Sap 2, 1 ff → 985, 33 f.

kennt den Begriff des Schriftganzen, wenn er von ἱεραὶ γραφαί redet (→ I 751, 3 ff).
Er denkt dabei vor allem an die Thora; doch haben auch die übrigen Schriften gleiches
Ansehen. Philo weist im Gegensatz zu den Rabb eine an Plato orientierte Inspirations-
lehre auf[63]. Aus ihr geht hervor, daß Philo keinen Wert auf die Begrenzung der
von ihm als normativ angesehenen Literatur legt und daß er bewußt auch der Gegen- 5
wart das Walten prophetischen Geistes zuspricht[64]. — Die nt.lichen Schriftsteller setzen den Gedanken des Schriftganzen voraus. Der ehemalige Pharisäer
Paulus redet von der „Schrift" (γραφή), ebenso Joh, Ag, Jk, 1 u 2 Pt[65]. Der Begriff
entspricht dem rabb כתוב[66], ferner dem term מקרא[67] = aram קרא[68]. Die Synpt, Pls,
Joh und Ag gebrauchen ferner den Plur γραφαί (→ A 65) = rabb כתבי הקדש (→ A 66). 10
Pls u Joh bezeichnen auch mit νόμος[69] = rabb תורה[70] das Schriftganze. Dieses wird
von Synpt u Pls auch mit ὁ νόμος καὶ οἱ προφῆται bezeichnet[71], was dem sehr seltenen
rabb תורה ונביאים entspricht[72]. Häufiger steht dafür תורה וקבלה: „Gesetz und Überlieferung" (→ A 72). Lk 24, 44 wird das Schriftganze als dreiteilig nach Art des rabb
Kanons zitiert[73]. Ob freilich Lk tatsächlich auf den rabb Kanon Bezug nimmt, ist 15
fraglich. Ebensowenig sicher ist es, ob man aus Mt 23, 35 schließen darf, daß zur
Zeit der Abfassung von Mt Ch bereits am Ende des Kanons gestanden hat[74]. — An
einzelnen Sammlungen erwähnt das NT das Gesetz, die Propheten und das Dodekapropheton[75]. Von den Erwähnungen at.licher Einzelschriften ist Mt 24, 15 von Bedeutung für die Kanongeschichte, da hier Da wie bei Jos (→ 986, 16 ff) unter die Pro- 20
pheten gerechnet wird.

b. Die späteren Apokryphen. Daß zur Zeit des NT
die Grenzen zwischen kanonischem und außerkanonischem Schrifttum noch nicht gezogen sind, zeigt das Ansehen der später für nichtkanonisch erklärten Schriften. Wie
Philos Schrifttheorie zeigt, gibt es für ihn und wohl auch für die alexandrinische 25
Gemeinde keinen Unterschied innerhalb der Erbauungsliteratur. Für ihn sind Prv
und Sir durchaus Bücher von gleichem Rang. — Auch die christl Schriftsteller
des 1. u 2. Jhdts kennen keinen abgegrenzten Kanon. So zitiert Pls 1 K 2, 9 ein
Apokryphon aus der Apk Elias (?). Lk 11, 49 wird ein verlorengegangenes Apokryphon
zitiert, Jd 14 Henoch als Prophet bezeichnet. 2 Tm 3, 8 wird eine Erzählung über 30
Jannes und Jambres als bekannt vorausgesetzt und lehrhaft verwendet (→ 192 f)[76]. —
Auch im Judentum Palästinas liegen die Grenzen des Schriftganzen noch nicht

---

[63] Hölscher (→ Lit-A) 23; Moore I 239.
[64] Ebenso wie Philo denkt, natürlich auf
Grund anderer Voraussetzungen, der wahrscheinlich sadduzäische Verfasser von 1 Makk.
Hier heißt es 4, 44—46: καὶ ἐβουλεύσαντο περὶ
τοῦ θυσιαστηρίου τῆς ὁλοκαυτώσεως τοῦ βεβη-
λωμένου, τί αὐτῷ ποιήσωσιν · καὶ ἔπεσεν αὐτοῖς
βουλὴ ἀγαθὴ καθελεῖν αὐτό, μήποτε γένηται
αὐτοῖς εἰς ὄνειδος ὅτι ἐμίαναν τὰ ἔθνη αὐτό ·
καὶ καθεῖλον τὸ θυσιαστήριον καὶ ἀπέθεντο τοὺς
λίθους ἐν τῷ ὄρει τοῦ οἴκου ἐν τόπῳ ἐπιτηδείῳ
μέχρι τοῦ παραγενηθῆναι προφήτην τοῦ ἀπο-
κριθῆναι περὶ αὐτῶν. Daß bei der Wiederherstellung des Tempels durch Judas Makk die
Steine des entweihten Altars hinweggeräumt
werden und man bezüglich ihrer Verwendung
warten will, bis ein Prophet ersteht, der die
entsprechende Auskunft gibt, wird nach der
üblichen Deutung als Zeichen für die Pro-
phetielosigkeit der Gegenwart angesehen.
Diese Deutung ist nicht ganz zutreffend.
Vielmehr wird man bei der Auslegung davon
ausgehen müssen, daß der Verf überhaupt das
Auftreten eines Propheten in der Gegenwart
für möglich hält (2 Makk 10, 1 ff enthält übrigens das Prophetenmotiv nicht!). Mit dieser
religiösen Grundhaltung gehört 1 Makk in
eine Reihe mit Sir und seinem Enkel. Es
darf nicht wundernehmen, daß zu einer Zeit,
wo die Neoprophetie bereits pseudepigraphisch
auftritt, noch derartige Gedankengänge möglich sind; denn die einzelnen Vorstellungen

haben sich ja nicht einfach abgelöst, sondern
sie haben lange Zeit nebeneinander gestanden. Die rabb Theorie von der Prophetielosig-
keit der Gegenwart hat sich, wie wir weiter
unten (→ 983, 4 ff) zeigen werden, erst später,
in nachapostolischer Zeit, durchgesetzt. Selbst
der Pharisäer Jos redet dort noch unbefangen von Prophetie, wo die Rabb der späteren Zeit diesen Begriff vermeiden (→ A 79).
Die Feststellung einer Gedankenlinie. die
auch in Palästina noch an der Möglichkeit
prophetischen Auftretens festhält, ist wichtig
für den nt.lichen Begriff → προφήτης.
[65] EHühn, Die messian Weissagungen des
isr-jüd Volkes II: Die at.lichen Zitate u Reminiszenzen im NT (1900) 276. → auch γραφή
I 750 ff.
[66] WBacher, Die exegetische Terminologie
d jüd Traditionslit I (1899) 90 ff.
[67] Bacher aaO I 117 ff.
[68] Bacher aaO II (1905) 195 f.
[69] Bacher aaO 277.
[70] Bacher aaO I 197.
[71] Hühn 277; vgl auch Ag 13, 15.
[72] Str-B IV 416.
[73] Vgl 2 Makk 2, 13 (→ A 54); Kl Lk 241.
[74] Zum Problem Kl Mt 189 f. — Jos hat wahrscheinlich Est als letztes Buch der Propheten-
Sammlung gekannt → A 80.
[75] Hühn (→ A 65) 277.
[76] Weiteres Hühn 270 f, Hölscher 66 ff;
→ I 756, 13 ff; ferner → III 988 ff.

fest. Josephus (Ap 1, 38 ff) ist ein Vertreter der Zeit, die zwar die Kanontheorie schon entwickelt hat, jedoch in der Praxis noch die alte Haltung vertritt. Nach seiner Theorie sind alle Werke, die seit Artaxerxes I. (→ Z 37 ff) geschrieben wurden, weniger glaubwürdig als die, die der klassischen Zeit angehören. Das schließt zwar nicht aus, daß er für die spätere Zeit zB 1 Makk benutzt. Wohl aber zeigt seine Verwendung der LXX-Zusätze zu Esr u Est für die Darstellung der klassischen Zeit, sowie seine Behauptung, er habe für seine „Altertümer" nur ἱεραὶ βίβλοι (Ant 20, 261) benutzt, daß der strenge Kanonbegriff der Rabb bei ihm noch nicht fest verwurzelt ist[77]. — Ein weiterer Beweis für das Fließen der Kanongrenzen ist die Stellung des rabb Judt zu Sir. Da die spätere rabb Kanontheorie (→ 983, 3 ff) Sir ausdrücklich als ausgeschlossen erwähnt, muß man annehmen, daß das Buch in rabb Kreisen zäh verteidigt wurde. Auch die Apokalypsen scheinen bis zum Abschluß des Kanons noch in Ansehen gestanden zu haben[78].

c. Die LXX als Kanonvorstufe. Aus dem Angeführten ergibt sich: zur Zeit Jesu gibt es weder in Palästina noch in Alexandrien einen abgeschlossenen Kanon. Wohl aber ist die Vorstellung von einem Schriftganzen, die ihren Ausgang von der Thora genommen hat, lebendig. Dieser Zeit der Kanonvorstufe gehört die alexandrinische Sammlung an. Hier steht noch ohne Abgrenzung 1 Makk neben den älteren historischen Büchern und Sir neben Prv.

4. Der Abschluß des Kanons durch die Rabbinen.

a. Die Begrenzung des prophetischen Zeitalters.

Der Kanon verdankt seine Entstehung vor allem der Epigonenstimmung der nachexilischen Zeit. Das Bewußtsein der Trennung von der klassischen Zeit war in ständigem Wachsen. Schon Sach 13, 2ff kündigt es sich an. Die Weisheit des Jesus bSirach ist das letzte Buch, das den Namen seines Verfassers trägt und einen gewissen prophetischen Anspruch erhebt. Doch bereits das Buch Daniel, das die neoprophetische Literatur eröffnet, ist ein Pseudepigraphon. Einen scharfen Trennungsstrich zwischen prophetischer Vergangenheit und der Gegenwart haben allerdings erst die Rabb gezogen[79].

So sagt Jos Ap 1, 38ff: „Nicht Zehntausende einander widersprechender und widerstreitender Bücher gibt es bei uns, sondern nur 22 Bücher, die die Beschreibung des ganzen Zeitraumes [jüdischer Geschichte] enthalten. Sie werden mit Recht für glaubwürdig angesehen. Zu ihnen gehören die 5 Bücher Moses. Sie enthalten die Gesetze und die Überlieferung von der Entstehung des Menschen bis zu seinem (Moses) Tod... Vom Tode Moses bis zu Artaxerxes (I.)... haben die nachmosaischen Propheten die Begebenheiten ihrer Zeit... aufgezeichnet... Von Artaxerxes bis in unsere Zeit ist zwar einzelnes aufgezeichnet; aber es verdient nicht die gleiche Glaubwürdigkeit wie das Frühere, da die genaue Nachfolgeschaft der Propheten fehlt." Daß diese Theorie bei Jos noch neben der älteren und freieren Haltung gegenüber dem überkommenen Schrifttum steht, ist bereits gezeigt worden.

Der Theorie des Jos entspricht mit sachlich unbedeutenden Abweichungen die der Rabb nach Seder Olam r 30: „Bis hierher (= Zeit Alexanders d Gr) haben die Propheten im heiligen Geiste geweissagt. Von da an und weiter neige dein Ohr und höre auf die Worte der Weisen"[80]. In der Begrenzung der Prophetenzeit ist zugleich folgender Anspruch der Rabb enthalten: für die Gegenwart haben allein die Rabb das

---

[77] Zur Rettung des angeblichen strengen Kanonbegriffes in Palästina macht man Jos zum Alexandriner, zB Buhl (→ Lit-A) 44.

[78] Allerdings weist das 1. Jhdt in Bezug auf diese Lit eine gewisse Spannung auf; sie beruht auf dem Gegensatz Traditionalismus—Neoprophetie, nicht auf weltanschaulichem Gegensatz. Dgg Hölscher (→ Lit-A) 56 f — Zur Selbsteinschätzung der Neopropheten vgl 4 Esr 14, 45 ff.

[79] Die dogmatische Grenzziehung wirkt sich zB in der Beurteilung von Hyrkan I. aus.

Nach Jos Bell 1, 68 besitzt er prophetische Gabe (προφητεία). Dgg jSota 24 b Z 27 par ist nur noch von einer בת קול die Rede.

[80] Zitiert n ed Hamburg 1757, 19 b: עד כאן היו הנביאים מתנבאים ברוח הקודש. מכא[ן] ואילך הט אזנך ושמע דברי חכמים. Die historische Differenz zwischen Jos u Rabb liegt darin begründet, daß Jos Est als letztes Buch der Propheten kannte und אחשורוש mit Artaxerxes Longimanus verwechselt hat: Buhl 35.

Recht, als Träger der mündlichen Überlieferung rechtliche und weltanschauliche Aussagen von Gültigkeit zu formulieren Damit fällt der religiöse Anspruch aller nachprophetischen Literatur TJad 2, 13: „Sir und alle Bücher, die von da an und weiter geschrieben sind, verunreinigen die Hände nicht"[81]. Diese Theorie, die naturgemäß den Widerspruch anderer jüdischer Gruppen hervorrief, setzte sich gegen Ende 5 des 1. Jhdts n Chr mit dem Siege des Rabbinismus endgültig durch. Spuren davon, daß die scharfe Grenzziehung zwischen prophetischer und nachprophetischer Lit auch in rabb Kreisen nicht ohne Widerstand erfolgt ist, finden sich noch im 4. Jhdt. In bSanh 100 b diskutieren die Babylonier Joseph und Abaje darüber, warum Sir außerkanonisch sei. RJoseph stellt das Verbot, Sir in Synagoge und Lehrhaus zu gebrauchen, fest[82]. 10 Abaje sucht den Grund darin, daß Sir unpassende Dinge enthalte[83]. Doch RJoseph entgegnet darauf: „[Wenn unsere Lehrer das Buch Sir nicht verborgen hätten,] würden wir die trefflichen Worte, die in ihm enthalten sind, auslegen"[84]. Darauf gibt er eine Auslegungsprobe. Die Behandlung der Frage durch RJose zeigt, daß man sich nur der Autorität einer früheren Zeit beugt. 15

Auch gegen die vormosaische Zeit zogen die Rabb Grenzen. Da die Thora als Quelle aller Erkenntnis galt, durfte es keine Schrift von höherem Alter geben, wenn nicht ihr System durchbrochen werden sollte. Damit war der religiöse Anspruch der Lit, die unter den Namen der Väter der Vorzeit lief, zurückgewiesen. Soweit man den Gedanken von der literarischen Tätigkeit der Väter festhielt, erklärte man das von 20 ihnen überkommene Gut als in den kanonischen Schriften enthalten. So erklärt sich bBB 14 b/15 a, wonach David die Psalmen nach der Überlieferung von 10 Alten, darunter Adam, Melchisedek und Abraham, geschrieben habe. Eine Ausnahme machte man nur mit Hi, das den Namen eines Mannes trägt, den die Legende entweder als Zeitgenossen der Patriarchen oder als Ratgeber des Pharao ansah. Das anscheinend sehr 25 angesehene Werk rettete man für den Kanon, indem Mose als Verfasser ausgegeben wurde. Von Abweichungen im Einzelnen abgesehen, galten nach bBB 14a/15 b Mose, Josua, Samuel, David, Jeremia, Hiskia, die Männer der „großen Versammlung" und Esra als Autoren der heiligen Schriften.

b. Die sakramentale Heiligkeit der Schriften. 30

Die Verunreinigung der Hände. Die Vorstellung, daß den im Kultus gebrauchten Schriften eine materielle Heiligkeit innewohne, mag zunächst mit den Thorarollen, die im Tempel niedergelegt waren, verbunden gewesen sein. Daran erinnert TKel BM 5, 8, wonach die Thora des Vorhofs, die nach außen gelangt, die Hände verunreinigt. Später hat man diese tabu-Vorstellung (→ 424, 2 ff) 35 auf alle übrigen im Tempelvorhofe niedergelegten Schriften ausgedehnt (ebd). Die Pharisäer übertrugen die Vorstellung von der sakramentalen Heiligkeit der Schriften auf alle im Umlaufe befindlichen at.lichen Bücher. Eine kanonische Schrift mußte man nunmehr im Umschlage (מִטְפַּחַת) gebrauchen. Die tabu-Vorstellung wurde dadurch verstärkt, daß man den Tetragrammen (אַזְכָּרוֹת) magische Heiligkeit zusprach. Sie 40 war so stark, daß man selbst bei Ketzerschriften, die Jahwes Namen enthielten, nicht bedenkenlos verfuhr (→ 984, 22ff). Da die Heiligkeit der hervorstechendste Unterschied zwischen kanonischen und nichtkanonischen Schriften wurde, galt das Verunreinigen der Hände als term techn für den Begriff der kanonischen Geltung überhaupt[85]. Wie sehr die Theorie von der Heiligkeit der Schriften volkstümlichem Empfinden 45 entsprach, zeigt Jos Ant 20, 115 ff. Als bei einer Plünderung ein römischer Soldat eine Thorarolle zerreißt, muß der Prokurator Cumanus ihn hinrichten lassen, will er nicht einen Aufruhr hervorrufen.

Das Verbergen der Schriften. Auch der Begriff der Verbergung von Schriften גנז hängt mit der Vorstellung der kultischen Heiligkeit zusammen[86]. Nach bJoma 50

---

[81] Zur Verunreinigung der Hände → Z 30 ff.

[82] בספר בן סירא נמי אסור למיקרי; damit gibt er wohl die tatsächliche Praxis wieder; dgg Graetz (→ Lit-A) 287 f, dem Hölscher (→ Lit-A) 44 A 8 folgt.

[83] Nach Graetz bezieht sich Abajes Bedenken auf das Alphabet des Sir. Es stehen zwar einige angeführte Zitate nicht in Sir, doch zeigt die Anführung von Sir 42, 9 f, daß dem Rabb tatsächlich Sir vorgeschwebt hat. Das Versehen Abajes erklärt sich leicht daraus, daß man Sir als Verkünder volkstümlicher Weisheit betrachtete, so daß beim freien Zi-

tieren auch Pseudepigraphes unterlaufen konnte.

[84] Die Ergänzung ist Rand-LA in Cod Mon 95; vgl zur Bezeugung dieser LA RNRabbinovicz, Variae Lectiones in Mischnam et in Talmud Babylonicum IX (1878) p 304 u CGMontefiore, JQR 3 (1891) 700 A 30.

[85] ZB Jad 3, 5: כל כתבי הקדש מטמאין את הידים; daneben heißen speziell die Hagiographen „heilige Schriften"; zB TSchab 13, 1.

[86] גנז (allgemein) bedeutet *1. sammeln* = θησαυρίζειν; zB bBB 11a → 137, 16 ff; *2. aufbewahren;* zB bPes 119a; daher „der Schatz"

12 b wurde Lv 16, 23 so aufgefaßt, daß man die Kleider, die der Hohepriester am Versöhnungstage getragen hatte, verbergen mußte: sie waren kultisch unbrauchbar und mußten dem natürlichen Verfall überlassen werden; doch durfte man sie anderseits auch nicht profan verwenden. Der Unterschied zwischen bloßem Wegwerfen und Verbergen geht aus bMeg 26 b hervor: Gebrauchsgegenstände, die zur Erfüllung von Geboten notwendig sind, werden im Falle der Unbrauchbarkeit weggeworfen, dagegen solche, die zu heiligem Gebrauche dienen, überläßt man an geschütztem Orte dem Verfall: תשמישי מצוה נזרקין תשמישי קדושה נגנזין. Dementsprechend werden die heiligen Schriften behandelt. Nach Sanh 10, 6 darf das, was bei der Einnahme einer abtrünnigen Stadt Jahwe gehört. nicht verbrannt werden. Daraus haben die Gelehrten geschlossen, daß man das Geheiligte (ההקדשות) der Stadt auslösen, die Priesterabgaben (תרומות) verfallen lassen, den zweiten Zehnt [87] aber und die heiligen Schriften verbergen soll: ומעשר שני וכתבי הקדש יגנזו. Die Zusammenstellung der Schriften mit zweitem Zehnt bedeutet, daß sie als Eigentum Abtrünniger entweiht, daher kultisch untauglich sind. Anderseits sind sie als entweihtes Heiliges vor profanem Zugriff zu schützen [88]. Daher werden sie an geschützter Stelle dem Verfall preisgegeben.

Ebenso verfährt man in der Synagoge mit Schriften, die entweder unbrauchbar geworden sind oder einen Makel aufweisen. Nach Schab 16, 1 verbirgt man alle heiligen Schriften, in welcher Sprache sie auch immer geschrieben sind, im Falle der Unbrauchbarkeit. Man wirft sie entweder in die Rumpelkammer der Synagoge oder setzt sie im Grabe eines Gelehrten bei: bMeg 26 b. Eine gewaltsame Vernichtung der Schriften ist unstatthaft. Wie sehr beim Verbergen der Schriften der Heiligkeitsbegriff bestimmend ist, zeigt TSchab 13, 5: Fallen einem nach RJose aus Galiläa (um 140 n Chr) am Wochentage Evangelien oder Ketzerschriften in die Hände, so soll man die Tetragramme ausschneiden und verbergen [89], da sie untauglich gewordenes Heiliges darstellen, den Rest dagegen als ketzerisch verbrennen [90].

Eine etwas andere Bedeutung hat גנז in TSchab 13, 2 f: RChalafta traf Gamliel II. (um 100 n Chr) in Tiberias bei der Lektüre einer aram Hiobübersetzung an. „Da sprach Chalafta zu ihm: ich erinnere mich an Rabban Gamliel, deinen Großvater, wie er auf einer Stufe am Tempelberge saß, und [jemand] brachte ihm ein Hiobtargum. Und er sprach mit dem Baumeister, und [dieser] baute es unter der Mauer ein. In jener Stunde sandte auch Rabban Gamliel II. hin und ließ es verbergen.“ Die Erzählung weist auf einen symbolischen Akt hin, durch den ein Buch, das zwar weder ketzerisch noch untauglich, aber aus irgendeinem nicht mehr greifbaren Grunde unerwünscht ist. aus dem Verkehr gezogen werden soll. Da es sich bei dem Hiobtargum um die Übersetzung einer heiligen Schrift handelt, bei der eine profane Verwendung ausgeschlossen ist, so kommt der symbolische Akt einem generellen Verbot gleich.

Dort jedoch, wo eine profane Verwendung denkbar ist, bedeutet גנז Ausweisung aus dem Bereiche des Kultus, dh aus Synagoge und Lehrhaus, wozu das Verbot des r e l i g i ö s e n Studiums der betreffenden Schrift überhaupt kommt. Daher heißt es von

---

גנז, גנזא; zB bChag 12 b: גנזי חיים, bPes 119 a: בית גנזיו של קרח = „Schatzhaus“; 3. verbergen, dem Zugriff der Öffentlichkeit entziehen; zB bJoma 52 b: משנגנז ארון נגנז עמו צנצנות המן, ferner Pes 4, 9 (Bar aus b Pes 56 a): חזקיהו המלך גנז ספר רפואות = der König Hiskia ... entzog der Öffentlichkeit ein (magisches?) Heilmittelbuch (vgl jSanh 18 d). Das Derivat גְּנִיזָה — eine Abstraktbildung — bedeutet das Sammeln, Aufbewahren, Verbergen; daher bPes 118 b בית גניזה = Schatzkammer und die zB Schab 16, 1 sich findende Wendung טעון גניזה. — Vgl Levy Wört I 346 f; MJastrow, Dictionary ... I² (1926) 258 f. — Versuche, das Ab RNat 1 (1 b) vorkommende גנז als Vorbild für ἀπόκρυφος darzustellen, bieten zB Zahn Kan I 123 ff und (vorsichtiger) Hölscher (→ Lit-A) 59 ff. — Soweit ἀπόκρυφος „geheim“ bedeutet, sind vor allem die Wurzeln סתם Da 8, 26 uö und סתר Sir 3, 22 b u bMeg 3 a (Gegensatz: גלה im Piel) heranzuziehen. Das von Höl-

scher 64 beigebrachte conservare (4 Esr 14, 46) läßt sich ohne Not auch mit סתם übersetzen. Die Frage, ob גנז je mit „geheimer“ Lit etwas zu tun hatte, bleibt also auch nach Hölscher noch offen.

[87] Lv 27, 30.

[88] Anders HLStrack, Sanhedrin-Makkoth (1910) 40 A 23.

[89] בחול קורא (קודר :l) את האזכרות וגונזן ושורף את השאר; vgl jSchab 15 c. Durch falsche grammatikalische Beziehung: וגונז + ושורף ergibt sich für Hölscher (62) die Verwendung von גנז bei Ketzerschriften.

[90] TSchab ebd setzt sich Tarphon als besonderer Eiferer über die kultischen Bedenken hinweg. Bezeichnend für die kultische Verehrung des Tetragramme ist, daß TSchab 13, 5 ausdrücklich erwähnt werden muß, daß bei einer Feuersbrunst die Ketzerschriften samt ihren אזכרות nicht gerettet werden.

Sir in bSanh 100 b, daß er zu lesen verboten ist. Dieses Leseverbot stellt sich im weiteren Verlaufe der Diskussion als Untersagung des Auslegens heraus. Wenn die Marginal-LA in bSanh 100 b (→ 983, 8 ff) zuverlässig ist, dann wäre in Sir ein Buch erhalten, das man vor der Festlegung des Kanons etwa wie Prv behandelt hat, und das mit der Festlegung der Grenzen zur profanen Schrift erklärt worden ist. Bei Ez, 5 Qoh, Prv u Cant, die eine Zeitlang umstritten waren, ist es nur beim Versuche des „Verbergens", dh Profanierens geblieben.

c. Der Kampf um einzelne Schriften.

Über die Theorie von der idealen Vorzeit und über den Glauben an den sakramentalen Charakter der Schriften waren sich die Rabb des 1. Jhdts n Chr 10 im Prinzip einig. Doch verlief der Abschluß des Kanons nicht reibungslos. Einmal machte es Mühe, die Grenze des Kanons gegen Bücher wie Sir festzulegen. Außerdem aber wirkte das Dogma von der inneren Einheit der Offenbarungsurkunde, das bereits Jos Ap 1, 38 ff (→ 982, 31 ff) vertritt, selbst auf die Schriften zurück, gegen die vom Standpunkte der historischen Theorie über das prophetische Zeitalter nichts 15 einzuwenden war. Dazu kam, daß die Auseinandersetzung mit anderen jüdischen Gruppen auch bei einzelnen durch die Tradition geheiligten Büchern die Frage nach der Übereinstimmung mit der rabb Religiosität nahelegte. Freilich begann diese Kritik erst in einer Zeit, wo die Tradition schon zu stark wirkte; daher mußte sie ergebnislos verlaufen. 20

Ezechiel. Nach bSchab 13 b erhoben sich in der Schule Schammais Stimmen, die Ez aus dem Kanon ausschließen wollten. Man machte — nach Rab († 247) — Ez den Vorwurf des Widerspruches gegen das Gesetz; man stellte zB Ez 46, 7 Nu 15, 4 ff entgegen[91]. Ein anderer Einwand, der aus einer Legende bChag 13 a (Bar) hervorgeht, war, daß Ez 1 einen Ausgangspunkt für kosmogonische und theosophische Spekula- 25 tionen darstellte. Daß dieser Einwand schwerwiegend war, ersieht man daraus, daß die Mischna Ez 1 für die Vorlesung in der Synagoge verbietet (→ A 61). Doch siegte [Eleasar b]Chananja bChiskia (→ A 91), ein Zeitgenosse von Pls, über seine Schulgenossen, indem er einerseits, ebenfalls vom Dogma der inneren Widerspruchslosigkeit der Schrift ausgehend, die Schwierigkeiten hineininterpretierte, anderseits aber den 30 Vorwurf, daß Ez gnostische Spekulationen begünstigte, damit zurückwies, daß die darin enthaltene Geheimwissenschaft nur wenigen erlauchten Geistern vorbehalten sei.

Qohelet. Bereits Sap 2, 1 ff polemisiert gegen die Religiosität in Qoh, die pharisäisch-rabbinischem Denken zuwiderläuft. Anderseits trug Qoh den Namen Salomos, galt also als ein Werk der klassischen Zeit. So zitiert es Jochanan bSakkai (um 70 35 n Chr) unbeschadet der geteilten Meinung der Rabb[92]. Nach Jad 3, 5 hat die Schule Schammais Qoh die kanonische Geltung aberkannt. Der Streit um dieses Buch wurde offiziell durch den Gerichtshof zu Jabne (Jamnia) gegen 100 n Chr entschieden (ebd). Nachwirkungen dieses Kampfes um Qoh lassen sich noch aus dem ganzen 2. Jhdt belegen[93], doch blieben sie für die tatsächliche Geltung des Buches ohne Belang. Nach 40 Rab warf man Qoh inneren Widerspruch vor: bSchab 30 b, nach der Aussage späterer Amoräer hat man ihn des Antinomismus bezichtigt[94].

Proverbien. Nach Rab hat man auch Prv für profan erklären wollen, indem man ihm innere Widersprüche nachwies: bSchab 30 b. Freilich auch hier setzte sich die Tradition durch. 45

Hoheslied. Neben Qoh war Cant am meisten umstritten. Es war ebenfalls Gegenstand der Verhandlung im Synedrium zu Jabne: Jad 3, 5. Auch bei ihm zeigen sich noch im 2 Jhdt Nachwirkungen seiner Bekämpfung. Man scheint Cant vor allem den Vorwurf der Weltlichkeit gemacht zu haben, nicht zu Unrecht, da es dementsprechende Verwendung fand. Vielleicht wurde es auch zu mystischen Spekulationen 50 benutzt[95]. Um Cant für den Kanon zu retten, verbot Akiba († 135 n Chr) den Gebrauch des Liedes bei Gastmählern, indem er jedem, der Cant als weltliches Lied betrachtete, den Anteil am künftigen Äon absprach: TSanh 12, 10. Zugleich setzte er die allegorische Deutung von Cant durch, indem er die Gestalt des Freundes auf Jahwe, die der Geliebten auf Israel und den Chor der Frauen auf die Völker deutete. Diese 55 Allegorie hat nicht nur auf das Judentum, sondern auch auf das Christentum entscheidend eingewirkt. Wie stark sich Akiba für Cant eingesetzt hat, geht daraus hervor, daß er Cant hyperbolisch als allezeit unbestritten und als heiliger als alle anderen Hagiographen bezeichnet: Jad 3, 5.

---

[91] Vgl SDt § 294 z 25, 14. — Zum Namen des Schammaiten s RMeyer, Hellenistisches in der rabb Anthropologie = BWANT IV 22 (1937) 137 A 1.

[92] Bacher Tannaïten I² 41 f.
[93] Hölscher (→ Lit-A) 31 f.
[94] Pesikt 8 (68 b) par.
[95] Hölscher 53.

E s t h e r. Anders geartet waren die Bedenken gegen Est. Über die dogmatische
Unbedenklichkeit von Est, das als einziges Hagiographon seit langem im Kultus Verwendung fand, war man sich einig: bMeg 7a. Die Bedenken der Rabb gegen Est
waren politischer Art. Man fürchtete auf Grund dieses nationalen Volksbuches den
5   Haß der anderen Völker. So kämpfte Josua bChananja (um 90 n Chr) gegen die
kanonische Geltung von Est (ebd). Doch scheiterte sein Einspruch daran, daß Est
zu tief im religiösen Bewußtsein des Volkes verankert war. Eleasar aus Modeïm
widerlegt Josua bChananja, und Josuas Zeitgenosse Elieser bHyrkanos, sowie Akiba
ua sehen Est als inspiriert und damit als kanonisch an (ebd). Die gelegentlichen
10   Zweifel späterer Zeit an Est waren für seine tatsächliche Geltung ohne Belang.

d. Der Kanon und das apokryphe Schrifttum.

Die Angriffe auf einzelne durch die Tradition geheiligte Bücher
hielten die Entwicklung zum Kanonabschluß nicht auf. Neben die Theorien vom
prophetischen Zeitalter und von der Heiligkeit der Schriften trat die Theorie vom
15   Umfange des Kanons.

D i e   k a n o n i s c h e   Z a h l. Josephus teilt Ap 1, 38 eine rabb Zahlentheorie aus der
Zeit um 60 n Chr mit. Er zählt 5 Bücher des Pentateuchs, 13 Propheten: Jos, Ri (+ Rt),
S, Kö, Js, Jer (+ Thr), Ez, Dodekapropheton, Hi, Da, Est (→ A 80), Esr u Ch, dazu
4 „Loblieder auf Gott und Lebensregeln für die Menschen": Ps, Prv, Qoh, Cant. Auch
20   die Kirchenväter kennen diese Schulmeinung [96]. Bei den Rabb hat sich die wohl ältere
kanonische Zahl 24, wonach Rt und Thr als selbständige Werke angesehen werden,
durchgesetzt und zu mancherlei Allegorien Anlaß gegeben. Der älteste Beleg hierfür,
4 Esr 14, 18 ff, stammt etwa aus der Zeit der Synode zu Jabne [97].

D i e   k a n o n i s c h e   O r d n u n g. Mit der Festlegung der kanonischen Zahl war auch
25   eine Neuordnung der Schriften verbunden. Im Gegensatz zu LXX knüpfte man an
die bereits vom Enkel des Siraciden vertretene Vorstellung, daß es dreierlei Schriften
gäbe, an. Das Thora-Corpus blieb unverändert. Unter den Propheten wählte man 8
aus, die künftig zur zweiten Sammlung gehören sollten: Jos, Ri, S, Kö, Jer, Ez. Js,
Dodekapropheton. Die ausfallenden 7 Schriften wurden mit den vier übrigen Büchern
30   zu den Hagiographen vereinigt: Rt, Ps, Hi, Prv, Qoh, Cant, Thr, Da, Est, Esr, Ch:
bBB 14 b. Die Gründe für die Umstellung sind nicht mehr deutlich [98]. Vielleicht hat
die Häufigkeit der Verwendung in der Synagoge eine Rolle dabei gespielt. Zuweilen
begegnet in der rabb Lit auch die Zweiteilung: תּוֹרָה וְקַבָּלָה, die an die LXX-Zählung
erinnert. In der kanonischen Ordnung ist zugleich der Grad der Heiligkeit der ein-
35   zelnen Sammlungen sowie der Grad der Inspiration ausgedrückt [99].

D i e   d r a u ß e n s t e h e n d e n   B ü c h e r. Nicht die Ketzerschriften bedrohten den
durch die Rabb zum endgültigen Abschluß gebrachten Kanon, wohl aber die an sich
rechtgläubigen Bücher, die durch die Theorien der Rabb betroffen waren. Hier lag,
wie bSanh 100 b (→ 983, 8 ff) zeigt. die Gefahr nahe, daß man sie über profanen Ge-
40   brauch hinaus zum Gegenstand religiösen Studiums machte. Von hier aus ist Sanh
11, 1 zu verstehen: unter diejenigen, die keinen Anteil an der künftigen Welt haben,
rechnet Akiba auch die, die in den „draußenstehenden Büchern" lesen: אַף הַקּוֹרֵא
בַּסְּפָרִים הַחִיצוֹנִים. Unter den סְפָרִים חִיצוֹנִים sind die außerkanonischen Bücher zu
verstehen [100]. Eine Analogiebildung hierzu findet sich Nu r 18 z 16, 35: danach heißt
45   die Rechtssatzung, die keine Aufnahme in das Corpus der Mischna mehr gefunden
hat, eine „draußenstehende Mischna": מִשְׁנָה חִיצוֹנָה; das dafür häufiger gebrauchte
Wort Baraita: בְּרַיְתָא ist einfach die aram Entsprechung. Man hat häufig Anstoß
daran genommen, daß Akiba so scharf gegen die Lektüre der außerkanonischen
Lit vorgegangen ist. Doch muß man die Aussage aus der Situation heraus
50   verstehen: wie Akiba bei Androhung des ewigen Todes den im Volke üblichen
weltlichen Gebrauch von Cant untersagt (→ 985, 51 ff), so verbietet er das
religiöse Studium der außerkanonischen Schriften. Um mehr als das, also um ein
generelles Verbot, wird es sich kaum handeln. Akibas Ziel ist, eine reinliche Schei-

---

[96] Hölscher (→ Lit-A) 26.
[97] Zu den kanonischen Zahlen vgl Hölscher
25 ff
[98] Von den „Schriften" werden außer Ps
die einen nur selten im Gottesdienst gebraucht,
die andern überhaupt nicht. Sie spielen nur
im Lehrvortrage eine Rolle. Hölscher 29 behauptet, die Versetzung von Rt u Thr unter
die Hagiographen sei dem Wunsche ent-

sprungen, die 5 Megillot zu vereinigen. Von
den 5 an den Festen verwendeten Megillot
können wir jedoch erst frühgaonäischer
Zeit reden! Daß dies nicht der Grund war,
erkennt man auch aus der Anordnung der
Schriften.
[99] Vgl TMeg 4, 20.
[100] Anders Hölscher, doch schwerlich überzeugend 42 ff.

dung zwischen heiliger und profaner Lit durchzuführen und Übergänge unmöglich zu machen. Daher ist die palästinische Gemara (jSanh 28 a) durchaus im Recht, wenn sie Akibas Ausspruch durch Sir und ein anderes, nicht mehr erhaltenes Buch erläutert, anderseits aber feststellt, daß die Lektüre griechischer Bücher, da man sie nur wie einen Brief lese, erlaubt sei. Die babylonische Gemara (bSanh 100 b) denkt bei den [5] „draußenstehenden Büchern" an Ketzerschriften [101], indem sie ein Stück aus einer kaum hierhergehörigen Baraita zitiert [102]. Doch RJoseph weist darauf hin. daß das Verbot des religiösen Studiums (מיקרי) auch für ein so rechtgläubiges Buch wie Sir besteht. Und Qoh r z 12, 12 heißt es, daß jeder, der mehr als die 24 kanonischen Schriften zum Zwecke religiösen Studiums in sein Haus bringt, Verwirrung stiftet. [10] Die außerkanonische Lit darf eben nur als profane Lektüre benutzt werden [103].

5. Die Nachwirkung der außerkanonischen Schriften.

Die „Apokryphen" hatten zwar mit dem Abschluß des Kanons am Anfange des 2. Jhdts n Chr ihre gleichberechtigte Stellung neben den kanonischen [15] Schriften verloren. Nichtsdestoweniger wirkten sie im rabb Judt weiter fort, uz dienten sie, die ja zT recht eigentlich der Frömmigkeit der Rabb entsprachen, zur „Auslegung" der kanonischen Schriften. Man gebrauchte sie ebenso, wie man altes jüdisches und gemeinorientalisches Gut, daneben aber auch Motive aus der griechischen Sage und Philosophie verwendete, dh als profanes Gut. [20]

Nur einige Beispiele seien angeführt. Aus der außerkanonischen Weisheitsliteratur werden eine Reihe Sir-Zitate von den Rabb gebraucht [104], oft in einer Weise, daß manche Forscher die Kanonizität dieses Buches noch für das 4. Jhdt angenommen haben [105]. — Aus der Apokalyptik sei das Motiv vom entrückten und verborgenen Messias erwähnt [106], das in der hbr rabb Lit in einer Trostlegende über die Geburt und [25] Entrückung des Messias seinen Niederschlag gefunden hat: Thr r 1 z 1, 16 par. Auch die Spekulationen über die Himmel und ihren Inhalt gehören hierher: bChag 12 b. — Aus der apokryphen Geschichtslit sei das Motiv vom Bel zu Babel angeführt: es begegnet uns Gn r 68 z 28, 12. Das aus 2 Makk 7, 1 ff bekannte Martyrium der Mutter und ihrer 7 Söhne hat unter Motivübertragung in die rabb Lit Eingang gefunden: Thr r 1 [30] z 1, 16. Auch das Jannes- und Jambres-Motiv findet sich noch in der targumischen Lit (→ 192 f), während auf zahlreiche Motive in dem bSota 11 a ff enthaltenen Kommentar zu Ex 1, 8 ff durch ein apokryphes Geschichtswerk, Ps-Philo, das nur in einer sekundären lat Übersetzung erhalten ist, Licht fällt [107].

RMeyer [35]

II. Βίβλοι ἀπόκρυφοι im Christentum.

Technische Bedeutung erlangt der Begriff βίβλοι ἀπόκρυφοι in der Kirchengeschichte. Der im Protestantismus herrschend gewordene Sprachgebrauch, wonach man die im hbr Kanon nicht enthaltenen Bestandteile der LXX als at.liche Apokryphen — nach Luthers berühmter Definition: gut und nützlich zu lesen, aber [40] nicht Gottes Wort —, und in Anlehnung daran gewisse altchristliche Schriften, deren Kanonisierung nicht durchgedrungen ist, als nt.liche Apokryphen zu bezeichnen pflegt, ist aber verhältnismäßig jung. Ersteres deutet sich bei Hier (Praefatio zu den Büchern Samuelis [MPL 28 p 556 a]) und einigen mittelalterlichen Autoren an, wird aber erst von Karlstadt in seiner Schrift De Canonicis Scripturis (Witten- [45] bergae 1520), ferner in der Frankfurter Bibel von 1534 und der Erstausgabe der Lutherbibel aus dem gleichen Jahre durchgeführt. Keines der später zu erwähnenden Kanonsverzeichnisse (→ C II 6) dagegen führt diese Bücher als „Apokryphen" auf, vielmehr als „umstrittene" oder „außerkanonische" oder „solche, die nicht in der Kirche, nur vor den Katechumenen verlesen werden". Eine Sammlung von „Apokryphen des [50]

---

[101] ספרי מינין: Rabbinovicz (→ A 84) IX p 303, Str-B IV 408.

[102] Vgl EJ II 1165.

[103] Vgl ferner Nu r 15 z 11, 16 par; weniger deutlich Pesikt r 3 (9 a); Nu r 14 z 7, 48.

[104] Vgl Montefiore (→ A 84) 682 ff.

[105] Schürer II [4] 369 A 14; EJ II 1167.

[106] Vgl 4 Esr 13, 1 ff.

[107] Philonis Judaei Alexandrini Libri Antiquitatum (Basel 1527); übers bei PRießler, Altjüd Schrifttum außerhalb der Bibel (1928) 735 ff.

NT" hat zuerst Michael Neander Soraviensis veranstaltet und sie seiner Catechesis
Martini Lutheri Parva, Graeco-Latina (1564, ² 1567) beigefügt. Der Begriff „apokryph"
tritt seit Irenaeus in der Kirche auf, aber zunächst in anderer Bedeutung. Er hat
eine verwickelte, mehrfach umstrittene Geschichte durchgemacht. Es empfiehlt sich,
5   zunächst an der Hand des altkirchlichen Sprachgebrauchs etwa um 200 den Tatbestand der Apokryphenbenutzung zu schildern und dann der Begriffsgeschichte nachzugehen.

1. Septuaginta und hebräischer Kanon in der alten Kirche.

10   Da das Christentum früh auf griechischen Sprachboden überging,
wurde die LXX sein ältester Bibelkanon. Schon im NT wird das AT mit geringen
Ausnahmen nach LXX zitiert. Für die patristische Literatur ist dies letztere selbstverständlich. Damit gingen auch die nicht im hbr Kanon befindlichen Stücke der
griechischen Bibel von Anfang an in den Besitz des Christentums über. Daß sie be-
15   sonders fleißig benutzt und zitiert worden wären, kann man allerdings nicht sagen.
Im NT fehlen derartige Zitate ganz. Die apostolischen Väter kennen Sap, Sir, Est,
Jdt und Tob, zitieren sie aber nicht als „Schrift". Bei Just finden sich Anklänge an
Sap. Iren schätzt die Zusätze zu Da als prophetisch und zitiert Bar als „Jer". Über die
Abweichung vom hbr Kanon ist man sich anscheinend nicht im klaren, macht sich
20   jedenfalls keine Gedanken darüber. Die Alexandriner benutzen ohne jede Zurückhaltung die ganze LXX. Um diese Zeit regen sich aber auch bereits Zweifel, die
sich später so sehr verstärken, daß man zu den oben (→ 987, 49 f) aufgeführten Formeln kommt, ohne aber diese Stücke ganz auszuscheiden. Von größter grundsätzlicher Bedeutung ist ein Briefwechsel zwischen Julius Africanus und Origenes aus
25   dem Jahre 240 (MPG 11, 41 ff). Den Anlaß dazu gab ein von Origenes mit einem
gewissen Bassus geführtes Gespräch, in dem der erstere sich auf die Susannaperikope
berufen hatte. Africanus bestreitet in gedrungener Kürze die Kanonizität der „nett
erfundenen" Erzählung mit sehr beachtlichen stilkritischen und zeitgeschichtlichen
Gründen. Origenes muß zugeben, daß er ἐν ὀλίγοις viele προβλήματα aufgezeigt habe.
30   Seine eigenen langatmigen Ausführungen wirken demgegenüber nicht besonders überzeugend, zeigen aber den gründlichen Kenner und sind für den alexandrinischen Standpunkt äußerst charakteristisch. Daß die Lage der Juden im Exil in der Susannaperikope falsch dargestellt werde, könne der Gegner nur an der Hand des Buches
Tobit beweisen, das gleich der Susannaperikope und dem Buche Judit auch im hbr
35   Kanon fehle und verläßlichen Nachrichten zufolge bei den Juden nicht einmal ἐν
ἀποκρύφοις hebräisch überliefert sei. Die jüdischen Gelehrten und Ältesten hätten
vermutlich die ἐν ἀπορρήτοις gewiß einst vorhandene und geschichtlich zuverlässige
Susannageschichte unterdrückt, um ihre eigene Bloßstellung vor dem Volke zu vermeiden. Ironisch fragt der Briefschreiber, ob denn etwa die Kirche ihre eigenen
40   Bibelexemplare vernichten und den Juden gute Worte geben solle, um von ihnen die
reinen, nicht interpolierten Texte zu erhalten. Das hindert ihn jedoch nicht, nun in
der Hitze des Gefechts für die jüdischen Geheimbücher, nach heutigem Sprachgebrauch:
Pseudepigraphen, eine Lanze zu brechen, wenn diese auch teilweise von den Juden
verfälscht seien, um sie für die Christen unbrauchbar zu machen. Durch ihre Benutzung
45   im NT seien manche dieser Schriften geradezu für die Kirche kanonisiert. Wie steht
es um die geschichtlichen Voraussetzungen dieser Argumentation?

2. Apokryphe Zitate im NT.

                     Die etwa seit dem 1. Jhdt v Chr langsam zunehmende
Abneigung des Judentums gegen „verborgene Bücher" → 986, 36 ff hat auf das
50 Christentum nicht sogleich übergegriffen. Im NT und von den Kirchenvätern bis
ins 3. Jhdt hinein werden vielmehr solche Bücher ohne Bedenken zitiert, öfters
geradezu als heilige Schriften, wenn auch nicht so häufig, wie man gelegentlich angenommen hat.

         Für das NT ist allerdings die Sachlage mehrfach umstritten. Der sicherste Fall ist
55   der späteste. Jd 14: ἐπροφήτευσεν δὲ καὶ τούτοις ἕβδομος ἀπὸ Ἀδὰμ Ἑνὼχ λέγων (folgt
äth Hen 1, 9). Über die Henochtraditionen → II 553 ff, bes 556, 6 ff. Derselbe Brief
(Jd 9) spielt auf die Legende vom Kampf des Erzengels Michael mit dem Satan um
den Leichnam des Mose an, die nach Cl Al (Adumbrationes In Ep Judae 9 [GCS 17
p 207, 23 ff]), Orig (Princ III 2, 1 [→ C II 3 b]) und anderen in der Ass Mos vorkam, aber

freilich auch sonst weitverbreitet war [108]. — Hb 11, 37 streift wohl Asc Js 5, 2. 11. 14, ohne aber ausdrücklich zu zitieren [109].

Gegebenenfalls der früheste Beleg eines apokryphen Zitats im NT, aber besonders stark umstritten, ist 1 K 2, 9: ἀλλὰ καθὼς γέγραπται · ἃ ὀφθαλμὸς οὐκ εἶδεν καὶ οὖς οὐκ ἤκουσεν καὶ ἐπὶ καρδίαν ἀνθρώπου οὐκ ἀνέβη, ὅσα ἡτοίμασεν ὁ θεὸς τοῖς ἀγαπῶσιν 5 αὐτόν. Wenn es sich hier wirklich um ein Apokryphon handelt, ist die solenne Zitationsformel besonders bedeutsam. Für diese Annahme macht man geltend, daß sich das Wort nicht im AT, wohl aber sonst häufig findet. So 1 Cl 34, 8; Mart Pol 2, 3; ferner 2 Cl 11, 7 zwischen einem nicht identifizierbaren Zitat (11, 2 ff) und einem solchen aus dem Ägypterevangelium (? 12, 2 Hennecke 58); in den gnostischen Act Thom 36, 10 Act Pt Verc 39; im lateinischen Text der Asc Js (11, 34; vgl Hennecke 314) und bei Lidz Liturg 77, 4. Der Ophite Justin las es vielleicht in einem von ihm hochgeschätzten Baruch-buch (Hipp Ref V 24, 1; 26, 16; 27, 2. 5) unmittelbar neben einem „mandäisch" anmutenden Satz, der das Trinken des Taufwassers voraussetzt (ebd 27, 2). Nach Orig stand es in der Eliasapokalypse (Comm Series 117 in Mt 27, 9, GCS 38 p 250, 4 ff): et apostolus 15 scripturas quasdam secretorum profert, sicut dicit alicubi: ‚quod oculus non vidit nec auris audivit'; in nullo enim regulari libro hoc positum invenitur, nisi in secretis Eliae prophetae. Ähnlich ebd Series 28 in Mt 23, 37 (51, 5 ff): si autem aspiciat et quod ad Corinthios prima positum est: (wie vorhin, nur quae), numquid poterit haec omnia aliquis abdicare? (vgl noch „Secretum Esaiae": ebd 50, 28) [110]. Hier Comm in Is XVII zu 20 64, 4 (MPL 24 p 622 b ff) kann nicht bestreiten, daß das Wort in der Eliasapokalypse und in der Asc Js steht, hält aber apocryphorum deliramenta für sekundär gegenüber 1 K 2, 9, das er als Paraphrase von Js 64, 3 f verstehen zu können glaubt (vgl auch Ep 57, 9 [MPL 22 p 575 f]; Praefatio in Pent [MPL 22 p 150]). Den Wortlaut der betr Stelle der Apk Elias hat uns vielleicht Cl Al in seinem originellen Zitat Prot X 94, 4 aufbewahrt: 25 ὅθεν ἡ γραφὴ εἰκότως εὐαγγελίζεται τοῖς πεπιστευκόσιν · »οἱ δὲ ἅγιοι κυρίου κληρονομή-σουσι τὴν δόξαν τοῦ θεοῦ καὶ τὴν δύναμιν αὐτοῦ«. ποίαν (ὦ μακάριε (Anrede an einen Deuteengel?), δόξαν; εἰπέ μοι · (Antwort) ἣν ὀφθαλμὸς οὐκ εἶδεν οὐδὲ οὖς ἤκου-σεν, οὐδὲ ἐπὶ καρδίαν ἀνθρώπου ἀνέβη · καὶ χαρήσονται ἐπὶ τῇ βασιλείᾳ τοῦ κυρίου αὐτῶν εἰς τοὺς αἰῶνας, ἀμήν. Die Frage, ob Pls ein Apokryphon 30 zitiert, spitzt sich also dahin zu, ob die Apk Elias jüdisch und vorpaulinisch ist. Das erstere ist wahrscheinlich, denn die Apk Elias wird in alten Kanonsverzeichnissen [111] unter jüdischen Pseudepigraphen erwähnt. Immerhin ist dies Argument für die vorpaulinische Entstehung und die Abhängigkeit des Pls nicht zwingend. Christliche Interpolation der Apk Elias auf Grund von 1 K 2, 9 (wie der Asc Js → Z 11) wäre 35 denkbar. Pls und Apk Elias könnten ferner unabhängig voneinander auf ältere Tradition zurückgehen. Daß ein Zusammenhang mit Js 64, 3 besteht, macht nun die rabbinische Auslegung dieser Stelle auf jeden Fall wahrscheinlich. Der Grundtext dieser Stelle lautet: „Hat man doch von Ewigkeit her nicht vernommen, nicht gehört, ein Auge nicht gesehen einen Gott außer dir, der wirkt für den, der seiner harrt." 40 LXX: ἀπὸ τοῦ αἰῶνος οὐκ ἠκούσαμεν οὐδὲ οἱ ὀφθαλμοὶ ἡμῶν εἶδον θεὸν πλὴν σοῦ καὶ τὰ ἔργα σου, ἃ ποιήσεις τοῖς ὑπομένουσιν ἔλεον. Die rabbinische Deutung dieser Stelle, die sich bis in die tannaitische Zeit zurückverfolgen läßt, verstand אֱלֹהִים als Vokativ und ergänzte es außerdem nochmals als Subjekt zu יַעֲשֶׂה oder vokalisierte dies als ni. So kommt der Sinn heraus: Kein Auge hat gesehen, o Gott, außer dir, was 45 (Gott) bereitet dem, der seiner harrt [112]. Diese Deutung kann sehr wohl schon dem Paulus bekannt gewesen sein. Sie lief etwa als geflügeltes Wort um [113], wurde auch von der Apk Elias benutzt und verbreitete sich später nicht ohne Mitwirkung von 1 K 2, 9 weiter. Den Ausspruch als „Leitfossil" vorchristlicher Gnosis [114] zu benutzen, ist darnach irreführend. Richtig ist nur, daß derselbe — was bei seinem geheimnis- 50 vollen Inhalt ohne weiteres erklärlich ist — vor allem in gnostischen Kreisen Eingang gefunden hat. Von da aus erklärt sich auch seine Verwendung in den manichäischen

---

[108] Näheres Wnd Kath Br z Jd 9; Schürer III ⁴ 294 ff, bes 301 ff. 2 Pt 2 übergeht beide Zitate, vielleicht aus Apokryphenscheu.

[109] Vgl WndHb zSt; Schürer III ⁴ 386 ff; Hennecke 303 ff. Die patristischen Zeugnisse über die Asc Js → C II 3 b.

[110] In dem wohl vor der Bekanntschaft mit der Apk Elias geschriebenen Korinther-kommentar (Cramer Cat V p 42, 12 ff) möchte Origenes das Wort auf Js 52, 15 oder ein im Exil verlorengegangenes at.liches Buch zurück-führen.

[111] Abgedruckt bei Schürer III ⁴ 357 ff.

[112] Zuerst nachweisbar unter dem Namen des RSchim'on ben Chalaphta (um 190, Qoh r 1, 8). Die namenlose Tradition SNu 135 z 27, 12 (Dt 3, 26) (p 558 Kuhn) weist aber vielleicht in noch ältere Zeit. Str-B III 327 ff.

[113] 1 Cl 34, 8: ὅσα ἡτοίμασεν κύριος τοῖς ὑπομένουσιν αὐτόν klingt stärker an Js 64, 3 an. Unabhängigkeit von 1 K 2, 9 ist bei den sonstigen Berührungen beider Briefe nicht anzunehmen. Aber der Verfasser ist sich des Zusammenhanges des Wortes mit dem AT noch bewußt gewesen.

[114] BauJ ³ 4 f.

Handschriftenresten aus Turfan[115]: „. . . damit ich euch erlöse von dem Tode und der Vernichtung, ich will geben euch, was ihr mit dem Auge nicht gesehen, den Ohren nicht gehört und nicht ergriffen mit der Hand." Daß Paulus bewußt ein Apokryphon als „Schrift" hat zitieren wollen, läßt sich nach allem nicht im strengen Sinn beweisen. Der Apostel konnte infolge des Anklangs an Js 64, 3 sehr wohl der Meinung sein, ein Schriftwort zu zitieren[116].

Gl 6, 15: οὔτε γὰρ περιτομή τί ἐστιν οὔτε ἀκροβυστία, ἀλλὰ καινὴ κτίσις soll nach dem Zitatenverzeichnis des Euthalius (MPG 85 p 721 b, vgl Georgius Syncellus ed GDindorf I [1829] p 48, 6 ff, Photius, Quaestiones ad Amphilochium 151 [183], MPG 101 p 813 c) in einem Μωϋσέως ἀπόκρυφον gestanden haben. Die Nachrichten sind nicht sehr alt und mögen sich so erklären, daß das Wort in die Ass Mos interpoliert war oder daß es mit einem jüdischen Wort über בְּרִיאָה חֲדָשָׁה kombiniert und dann irrtümlich einem Moseapokryphon zugewiesen wurde. Es dürfte sich um eine paulinische Originalprägung handeln. Dafür spricht auch die bei aller inhaltlichen Übereinstimmung von den Parallelen (Gl 5, 6; 1 K 7, 19) stark abweichende Fassung. — 1 K 9, 10: δι᾽ ἡμᾶς γὰρ ἐγράφη, ὅτι (daß) ὀφείλει ἐπ᾽ ἐλπίδι ὁ ἀροτριῶν ἀροτριᾶν, καὶ ὁ ἀλοῶν ἐπ᾽ ἐλπίδι τοῦ μετέχειν ist ebenfalls nicht Zitat aus einem unbekannten Apokryphon, sondern Auslegungszusatz nach rabbinischer Methode (vgl 1 K 15, 45), mittels dessen Paulus das Zitat v 9 (Dt 25, 4) zunächst vom Tier auf den Menschen überträgt, um es dann weiter auf das geistliche Gebiet anzuwenden[117].

Eph 5, 14: ἔγειρε, ὁ καθεύδων, καὶ ἀνάστα ἐκ τῶν νεκρῶν, καὶ ἐπιφαύσει σοι ὁ Χριστός[118] hätte nach Epiph[119] im Elias (einer Eliasapokalypse?), nach Hipp[120] im Js (60, 1?), nach Euthalius[121] in einem Apokryphon Jeremiae gestanden. Diese Nachrichten verdienen schon um ihres Auseinandergehens willen kein Vertrauen. Es handelt sich vielmehr zweifellos um ein Stück ältester christlicher Dichtung, das um seines prophetischen Charakters willen als Gotteswort zitiert wird[122]. Das Gedicht ist ein Dreizeiler mit Homoioteleuton[123]. Wenn es bereits vorher schriftlich fixiert war, könnte uns Cl Al (Prot IX 84, 2) die Fortsetzung erhalten haben: ὁ τῆς ἀναστάσεως ἥλιος, ὁ πρὸ „ἑωσφόρου γεννώμενος", ὁ ζωὴν χαρισάμενος ἀκτῖσιν ἰδίαις. Es mag sich hier aber auch um eine — nicht ungeschickte — Weiterdichtung handeln. Wenngleich der Inhalt des Wortes spezifisch christlich ist, scheinen doch für die Gestaltung des Gedankens iranische oder griechische Einflüsse mitbestimmend gewesen zu sein[124]. Im weiteren Sinn ragt hier die Welt der βίβλοι ἀπόκρυφοι gewiß in das NT hinein. — Einen christlichen Hymnus, nicht ein Apokryphon, gibt auch 1 Tm 3, 16 wieder. Auch hier aber läßt sich eine gewisse Vertrautheit mit apokryph-apokalyptischen Überlieferungen schwer abstreiten[125].

2 Tm 3, 8 werden die ägyptischen Zauberer Jannes und Jambres erwähnt, die dem Mose Widerstand leisteten. Die Namen kommen im AT (Ex 7, 8 ff) nicht vor, stammen vielmehr aus apokrypher Tradition. Das vorläufig älteste Zeugnis für dieselbe ist Damask v 18—19[126]: „Vorzeiten, als aufgetreten ist Mose und Aaron in Kraft des Fürsten der Lichter, ließ Belial sich erheben den Jachne und seinen Bruder in seinen bösen Plänen, damals, als Israel das erste Mal errettet wurde." Die Legende ist außerordentlich weit verbreitet, nicht bloß in der jüdischen[127] und christlichen Literatur[128], sondern auch bei heidnischen Autoren: Plin Hist Nat XXX 1, 11, Apul Apologia 90 (ed RHelm [1905]), Numenius bei Eus Praep Ev IX 8. Wegen der Ungleichheit der Namen ist es unwahrscheinlich, daß alle diese Traditionen auf ein einziges Buch „über Jannes

---

[115] II ed FWKMüller, AAB 1904, Anhang, 68 M 789, vgl 67 f M 551 Rückseite.
[116] Vgl Ltzm 1 K z 2, 9; Zahn Kan II 801 ff; Schürer III⁴ 361 ff.
[117] Str-B III 385 ff.
[118] D e Ambst nonnulli apud Chrys: ἐπιψαύσεις τοῦ Χριστοῦ.
[119] Haer 42, 12, 3 (refutatio 37) zu dem obigen Zitat: πόθεν τῷ ἀποστόλῳ τὸ „διὸ λέγει" ἀλλὰ ἀπὸ τῆς παλαιᾶς δῆλον διαθήκης· τοῦτο δὲ ἐμφέρεται παρὰ τῷ ᾽Ηλίᾳ. Es scheint an ein kanonisches Zitat gedacht zu sein. Vielleicht ist in ᾽Ησαΐᾳ zu ändern. Vgl Holl (GCS) zSt (II 179, 25 ff).
[120] Vor allem Comm in Da IV 56.
[121] MPG 85 p 721 c.
[122] Dib Gefbr zSt. Einen Gedächtnisfehler braucht man nicht anzunehmen.
[123] EPeterson, Εἷς Θεός (1926) 132.

[124] Vgl einerseits aus dem manichäischen fr 7 (abgedruckt bei Reitzenstein Hell Myst 58) „Schüttle ab die Trunkenheit, in die du entschlummert bist, wach auf, sieh auf mich!"; Act Thom 110: ἀνάστηθι καὶ ἀνάνηψον ἐξ ὕπνου, καὶ τῶν ἐπιστολιμαίων ῥημάτων ἄκουσον, καὶ ὑπομνήσθητι υἱὸς βασιλέων ὑπάρχων (→ II 335, 35 ff) — anderseits Aristoph Ra 340 ff: ἔγειρε· φλογέας λαμπάδας ἐν χερσὶ γὰρ ἥκεις τινάσσων, /᾽Ίακχ᾽ ὦ ᾽Ίακχε, / νυκτέρου τελετῆς φωσφόρος ἀστήρ. Clemen 306 f.
[125] Eine gewisse Verwandtschaft im Stil zeigt OSal 19, 10 f. Dib Past z 1 Tm 3, 16.
[126] Übersetzt von WStaerk, BFTh 27, 3 (1922) 24.
[127] Die Belege bei Schürer III⁴ 403, Str-B III 660 ff, Dib Past z 2 Tm 3, 8. → 192, 35 ff.
[128] Belege Schürer III⁴ 404, Dib aaO.

und Jambres" zurückzuführen sind [129]. Ein solches erwähnen: *1.* Origenes → 193, 40 ff. *2.* Ambrosiaster zu 2 Tm 3, 8 (MPL 17 p 521): Exemplum hoc de apocryphis est; Iannes enim et Mambres fratres erant magi (folgt die Legende). *3.* Decretum Gelasii → 193, 42 ff. Ein Fragment ist vielleicht in einem lateinischen Traktat mit angelsächsischer Übersetzung in einer Handschrift des 11. Jhdts erhalten [1⁵⁰]. Ob der Verfasser des 2 Tm aus diesem Buche geschöpft hat, muß dahingestellt bleiben. Zitiert hat er es jedenfalls nicht.

Jk 4, 5: ἢ δοκεῖτε ὅτι κενῶς ἡ γραφὴ λέγει · πρὸς φθόνον ἐπιποθεῖ τὸ πνεῦμα ὃ κατῴκισεν ἐν ἡμῖν; enthält ein Zitat unbekannter Herkunft. Die Vermutung, daß es dem Buch Eldad und Modad (→ *C II 3 a*) entstamme [131], ist haltlos. Liest man πνεῦμ' ὃ und κατῴκισ' ἐν, so kann das Wort allenfalls als Hexameter verstanden werden und würde dann etwa einem jüdisch-hellenistischen Lehrgedicht entnommen sein [132]. Der Verfasser kann es aber trotzdem für ein Schriftwort gehalten haben. Die Rabbinen zitieren gelegentlich Folgerungen aus Thoraworten (bewußt oder irrtümlich?) als Thora [133].

Strittig ist wieder J 7, 38: ὁ πιστεύων εἰς ἐμέ, καθὼς εἶπεν ἡ γραφή, ποταμοὶ ἐκ τῆς κοιλίας αὐτοῦ ῥεύσουσιν ὕδατος ζῶντος. Wie schon Chrysostomus und Ischodad beobachtet haben, kommt ein genau entsprechendes Wort im AT nicht vor. Ersterer schließt daraus (Cramer Cat II p 269, 11), daß καθὼς εἶπεν ἡ γραφή nur zu ὁ πιστεύων εἰς ἐμέ gehöre. Dann wäre aber das Zitat reichlich allgemein, nichtssagend und deshalb zwecklos. Der Schwerpunkt liegt vielmehr in den Schlußworten, sie enthalten wohl überhaupt erst das „Zitat". Da im Zusammenhang nur von Christus als dem Wasserspender die Rede ist, möchte man den überlieferten Ausspruch auf ihn beziehen und den Sinn umschreiben: Wer an mich glaubt, (der wird erleben, daß es so zugeht,) wie die Schrift gesagt hat: „Ströme werden aus seinem (des Erlösers) Leibe fließen lebendigen Wassers." Es handle sich, so meint man, um einen als Schriftstelle gewerteten Spruch unbekannter apokrypher Herkunft [134]. Grammatisch liegt aber die Verbindung von αὐτοῦ mit ὁ πιστεύων εἰς ἐμέ [135] näher (vgl 6, 39). Der Gedanke, daß von den Jüngern Jesu analoger Segen ausgeht wie von dem Herrn selbst, ist dem johanneischen Denken so geläufig, daß er auch in dem vorliegenden Zusammenhange nicht überrascht (vgl J 4, 14 mit 4, 36; 15, 16; 17, 18; 20, 21 uö). κοιλία ist vermutlich Übersetzung des hbr גֵּו, das wörtlich die *Höhlung*, speziell die *Bauchhöhle*, dann den *Leib* und zuletzt ganz allgemein die *Persönlichkeit* bezeichnet. ἐκ τῆς κοιλίας αὐτοῦ ist hiernach kaum mehr als *von ihm* [136]. Es steht dann nichts im Wege, das Zitat als zusammenfassende Umschreibung (→ Z 13 f) at.licher Stellen wie Js 58, 11: ἔσῃ ὡς κῆπος μεθύων καὶ ὡς πηγὴ ἣν μὴ ἐξέλιπεν ὕδωρ, καὶ τὰ ὀστᾶ σου ὡς βοτάνη ἀνατελεῖ oder Sir 24, 30 ff: κἀγὼ ὡς διῶρυξ ἀπὸ ποταμοῦ καὶ ὡς ὑδραγωγὸς ἐξῆλθον εἰς παράδεισον · εἶπα Ποτιῶ μου τὸν κῆπον κτλ (vgl etwa noch Js 43, 20; 44, 3; 55, 1; Ez 47, 1 ff; Jl 2, 23; 4, 18; Sach 13, 1; 14, 8; Cant 4, 15) aufzufassen. Auf die Formulierung mögen die Berichte vom Quellwunder (Ex 17, 6: καὶ ἐξελεύσεται ἐξ αὐτῆς [מִמֶּנּוּ] ὕδωρ, Nu 20, 11: καὶ ἐξῆλθεν ὕδωρ πολύ) eingewirkt haben. Daß ein Apokryphon als Heilige Schrift zitiert sei, ist also hier nicht nachweisbar.

In Mt 27, 9 liegt ein Gedächtnisfehler des Evangelisten vor [137], der eigentlich die Stelle Sach 11, 13 im Auge hatte, sie aber unter Verwertung der wohl falschen LA אֶל־הַיּוֹצֵר (zum Töpfer) für אֶל־הָאוֹצָר (zur Schatzkammer) mit Jer 18, 3 und 32 (LXX: 39), 9 konfundierte. Die Erdichtung eines Jeremiae apocryphon [138] ist daher ebenso grundlos wie die Annahme, die Worte seien bei Jeremia

---

[129] Schürer III⁴ 403 schließt bei dieser Annahme auf vorchristliche Entstehung des Buches.

[1³⁰] Näheres bei Schürer III⁴ 405.

[131] FSpitta, Der Brief des Jk (zur Gesch u Lit des Urchr II [1896]) 121 ff.

[1³²] Wnd Kath Br zSt.

[133] Belege Str-B III 297 z R 12, 14; 608 z Eph 5, 14.

[13⁴] BauJ zSt. Man kann allerlei religionsgeschichtliche Analogien in dieser Richtung geltend machen. Die Babylonier stellen die Flußgötter gern als die Bringer des Lebenswassers dar, auch in der Form, daß der Strom aus der Schulter oder dem Leibe der Gottheit hervorbricht. Der Nil entspringt aus dem Schenkel des Osiris. Hermes Psycho-

pompos oder eine ähnliche Gottheit tränkt die Seligen aus dem redenden Quell (Rohde 390). Der das Lebenswasser spendende Erlöser ist auch mandäisch. Alle diese Analogien liegen jedoch ferner als die at.lichen.

[135] Zn J ua.

[136] Belege Str-B II 492, zB freveln בְּגוּפָן „für die eigene Person".

[137] So schon Aug De Consensu Evangelistarum III 7, 29 f (CSEL 43 p 304 ff), aber: alle Propheten stimmen überein. Die auch in 22 sich findende Randlesart der revidierten syrischen Bibel Ζαχαρίου sowie die Streichung des Namens bei Φ 33 157 a b syr sind Notauskünfte.

[138] Die Nazaräer nach Hier Comm in Mt 27, 9 (MPL 28, 213). Vgl Zahn Kan II 696 f. 806.

zufällig oder absichtlich getilgt worden [139]. — Lk 11, 49 könnte an sich Zitat aus einem uns unbekannten Stück hbr oder hellenistischer Weisheitsliteratur sein, erklärt sich aber auch, wenn nur dem Sinne nach der Plan der göttlichen Weltleitung (ἡ σοφία τοῦ θεοῦ = Gott in seiner Weisheit) aufgedeckt werden soll, mag dabei nun mit an frühere Jesusworte oder — wohl eher — an at.liche Stellen wie Jer 7, 25 f gedacht sein [140].

Die Beispiele apokrypher Zitate im NT schmelzen bei genauer Prüfung zusammen, sind aber immerhin nicht sämtlich zu bestreiten.

3. Apokrypha bei den Kirchenvätern.

a. Die apostolischen Väter. Nicht als apokryphe Zitate sind aufzufassen Stellen wie 1 Cl 8, 3 [141]; 26, 2 [142]; 2 Cl 13, 2 [143]; Barn 7, 4 [144]. 8 [145]; 11, 9 [146]. Hier handelt es sich vielmehr, wie manche Anklänge zeigen, um gedächtnismäßige, ungenaue Paraphrasierung at.licher Worte oder Gedankengänge. Von da aus sind die Einführungsformeln verständlich. Zur Annahme eines Apokryphons liegt allenfalls da ein Anlaß vor, wo unter der Formel γέγραπται oder ähnlich ein im AT nicht vorkommendes, nach Inhalt und Form originelles Zitat auftaucht, wie 1 Cl 17, 6: πάλιν λέγει · Ἐγὼ δέ εἰμι ἀτμὶς ἀπὸ κύθρας (Kessel) [147] und 46, 2: γέγραπται γάρ · Κολλᾶσθε τοῖς ἁγίοις, ὅτι οἱ κολλώμενοι αὐτοῖς ἁγιασθήσονται [148], oder wo ein und dasselbe Zitat unverändert oder mit ganz geringen Veränderungen wiederholt auftaucht, wie 1 Cl 23, 3 f = 2 Cl 11, 2 ff [149]: . . . ἡ γραφή . . ., ὅπου λέγει (λέγει γὰρ καὶ ὁ προφητικὸς λόγος) · Ταλαίπωροί εἰσιν οἱ δίψυχοι, οἱ διστάζοντες τῇ ψυχῇ (καρδίᾳ), οἱ λέγοντες · Ταῦτα (+ πάλαι) ἠκούσαμεν καὶ ἐπὶ τῶν πατέρων ἡμῶν, 'καὶ ἰδοὺ γεγηράκαμεν καὶ οὐδὲν ἡμῖν τούτων συμβέβηκεν (ἡμεῖς δὲ ἡμέραν ἐξ ἡμέρας προσδεχόμενοι οὐδὲν τούτων ἑωράκαμεν). Ὦ (—) ἀνόητοι, συμβάλετε ἑαυτοὺς ξύλῳ, λάβετε ἄμπελον · πρῶτον μὲν φυλλοροεῖ, εἶτα βλαστὸς γίνε-

---

[139] Eus Dem Ev X 4, 13. Orig Comm Series 117 zSt (GCS 38 p 249, 20 ff) läßt dagegen die Wahl zwischen einem error scripturae und einer secreta Hieremiae scriptura. Vgl Kl Mt zSt.

[140] Kl Lk zSt.

[141] Vgl Js 1, 16 ff.

[142] Vgl ψ 27, 7; 87, 11.

[143] Vgl Js 52, 5; Ign Tr 8, 2; Pol 10, 3.

[144] τί οὖν λέγει ἐν τῷ προφήτῃ; Καὶ φαγέτωσαν ἐκ τοῦ τράγου τοῦ προσφερομένου τῇ νηστείᾳ ὑπὲρ πασῶν τῶν ἁμαρτιῶν. προσέχετε ἀκριβῶς· Καὶ φαγέτωσαν οἱ ἱερεῖς μόνοι πάντες τὸ ἔντερον ἄπλυτον μετὰ ὄξους. Dies Zitat widerspricht besonders gegen Schluß hin völlig der at.lichen Bestimmungen, berührt sich dagegen mit einer von Jos Ap II 95 dem Apion zugeschriebenen böswilligen Legende, daß die Juden alljährlich die Eingeweide eines geschlachteten Griechen unter Eidschwüren der Feindschaft gegen die Griechen verzehrt hätten. Sachlich schweben dem Verfasser wohl die at.lichen Anordnungen über den Versöhnungstag (Lv 16, 7 ff) und das Sündopfer (Lv 6, 19) vor. Auf die Formulierung mögen ferner Ex 29, 32 f; 12, 8 f; Nu 29, 7—11 eingewirkt haben. Möglicherweise hat Barn auch aus der mündlichen Tradition des Judentums geschöpft. Daß der Bock des Versöhnungstages, wenn dieser auf den Vorabend eines Sabbats fiel, — entgegen der Bestimmung Lv 16, 27 — von den „Babyloniern", was vielmehr Schimpfname für alexandrinische Priester sei, roh gegessen wurde, wird bMen 99 b/100 a berichtet. Vgl WndBarn zSt. In höchst lehrreicher Weise kann man hier die Entstehung eines „apokryphen Zitats" beobachten.

[145] Als at.liche Grundlage kommt Lv 16, 21; 14, 4; Nu 19, 6 in Frage. Im übrigen scheint Barn auch hier ἐξ Ἰουδαϊκῆς ἀγράφου παραδόσεως (Eus Hist Eccl IV 22, 8 von Hegesipp) zu schöpfen. Vgl Joma 6, 4 f, wo erzählt wird, daß die „Babylonier" (→ A 144) dem Bock das Haar zerrten. Vgl ferner Joma 6, 6: „Er teilte den rotglänzenden Wollstreifen, die eine Hälfte band er an den Felsen (von dem er den Bock dann hinabstieß) und die andere Hälfte band er dem Bock zwischen die Hörner." Barn 7, 8 spricht davon, daß der Wollstreifen an einen Brombeerstrauch gebunden worden sei. Vielleicht handelt es sich um eine Übersetzungsvariante (ῥαχία, ῥάχος vertauscht mit ῥάχις Bergrücken, hbr צוּר oder סֶלַע). WndBarn zSt.

[146] Vgl Ez 20, 6.

[147] Vielleicht aus einem Mosebuch, etwa der Ass Mos, Kn Cl zSt. RHarris, JBL 29 (1910) 190 ff hat jedoch nachgewiesen, daß sich dieselbe Wendung in der targumartig umschreibenden syrischen Übersetzung von 1 Ch 29, 15 und fast wörtlich ebenso in der syrischen Übersetzung von 1 Cl findet. Er ist geneigt, „a targumized Greek version of Chronicles" als gemeinsame Quelle und einen Gedächtnisfehler des Briefschreibers anzunehmen. Also auch hier reichen vielleicht at.liche Beziehungen zur Erklärung aus.

[148] Die Herkunft ist nach Kn Cl zSt unbestimmt.

[149] Kn Cl zSt denkt an ein apokryphes Buch, das unter at.licher Flagge ging und vermutlich jüdischen Ursprungs war. Das Zitat ist nach 1 Cl gegeben. Die Abweichungen von 2 Cl sind in Klammern notiert. Wo sie mehrere Wörter umfassen, ist der Anfang durch ' angedeutet.

ται, ᵉεἶτα φύλλον, εἶτα ἄνθος, καὶ (—) μετὰ ταῦτα ὄμφαξ (Herling), εἶτα σταφυλὴ παρεστη-
κυῖα ᵉ(+ οὕτως καὶ ὁ λαός μου ἀκαταστασίας καὶ θλίψεις ἔσχεν, ἔπειτα ἀπολήψεται τὰ ἀγαθά).

Sicherer noch werden jüdische Apokryphen in folgenden Fällen zitiert: Barn 4, 3:
τὸ τέλειον σκάνδαλον ἤγγικεν, περὶ οὗ γέγραπται, ὡς Ἐνώχ λέγει hat wohl eine als Schrift
gewertete Henochweissagung von den Wehen der Endzeit im Auge, wie etwa äth 5
Hen 99, 1 ff; 100, 1 ff [150]. — Barn 16, 5 taucht, umgeben von Prophetenworten, unter
der Einleitung λέγει ἡ γραφή ein Wort auf, das ohne wörtliche Übereinstimmung an äth
Hen 89, 56. 66 erinnert: καὶ ἔσται ἐπ᾽ ἐσχάτων τῶν ἡμερῶν, καὶ παραδώσει κύριος τὰ πρόβατα
τῆς νομῆς καὶ τὴν μάνδραν (Stall, Hürde) καὶ τὸν πύργον αὐτῶν εἰς καταφθοράν. 16, 6
scheint durch äth Hen 91, 13 (neben Da 9, 24 ff) beeinflußt zu sein. — Barn 6, 13: 10
λέγει δὲ κύριος· Ἰδοὺ ποιῶ τὰ ἔσχατα ὡς τὰ πρῶτα ist apokryph unbekannten Ursprungs.
Stellen wie 4 Esr 6, 6 sind nicht schlagend. Es kann sich um eine freie Komposition
des Barn auf Grund von Schriftstellen wie Js 43, 18 f; 46, 10; Da 11, 29 LXX Θ; Thr
5, 21; Ez 36, 11; Mt 19, 30; 20, 16; Apk 21, 4 f handeln. Möglich ist aber auch, daß
das Wort schon länger umlief und in irgend einer Apokalypse stand. Verwandt, aber 15
vielleicht von Barn abhängig sind Didask 26 p 136, Didascalia Apostolica Latina III
(ed EHauler [1900] p 75, 30 f), Hipp Comm in Da IV 37, 5 [151]. — Barn 12, 1 bringt nach
einem an Ez 47, 1 ff anklingenden Zitat als Wort eines ἄλλος προφήτης: Καὶ πότε ταῦτα
συντελεσθήσεται; λέγει κύριος· Ὅταν ξύλον κλιθῇ καὶ ἀναστῇ, καὶ ὅταν ἐκ ξύλου αἷμα στάξῃ.
Das Wort ist zusammengesetzt aus 4 Esr 4, 33: quo et quando haec? und 5, 5: et de 20
ligno sanguis stillabit. Vgl Pseud-Hier Comm in Mk 15, 33 (MPL 30 p 639 c): hic stillavit
sanguis de ligno; Greg Nyss, Testimonia adversus Judaeos 7 (MPG 46 p 213 d): bis auf
τότε für πότε wörtlich wie Barn. Der Sinn ist ursprünglich das eines endzeitlichen
Schreckenswunders. Die Deutung auf das Kreuz Christi ist eingetragen. Die Worte
ὅταν ξύλον κλιθῇ καὶ ἀναστῇ sind im heutigen Text von 4 Esr nicht zu belegen. Eine 25
Sachparallele ist Hi 14, 7: ἔστιν γὰρ δένδρῳ ἐλπίς· ἐὰν γὰρ ἐκκοπῇ, ἔτι ἐπανθήσει, καὶ
ὁ ῥάδαμνος (Zweig) αὐτοῦ οὐ μὴ ἐκλίπῃ [152]. — Herm v 2, 3, 4 fährt nach einer Warnung an Maximus fort: ἐγγὺς κύριος τοῖς ἐπιστρεφομένοις, ὡς γέγραπται ἐν τῷ Ἐλδὰδ
καὶ Μωδάτ, τοῖς προφητεύσασιν ἐν τῇ ἐρήμῳ τῷ λαῷ. Das hier genannte Buch nimmt
Bezug auf die Erzählung Nu 11, 26 ff. Weitere Zitate aus der pseudepigraphen Schrift 30
sind nicht bekannt (→ 991, 10). Ihr Umfang wird in der Stichometrie des Nicephorus
auf 400 Stichen angegeben. Sie wird außerdem in der sog Synopsis Athanasii und
in einem anonymen Kanonverzeichnis des Codex Coislinianus erwähnt. Der Zshg läßt
dort darauf schließen, daß es sich um eine Apokalypse jüdischen Ursprungs handelt [153].
— In Papias᾽ Auslegung der Herrenworte scheint nach Iren Haer V 33, 4 ein Zitat aus sBar 35
29, 5 gestanden zu haben, vermutlich als Herrnwort zitiert und etwas weiter ausgesponnen. Iren Haer V 33, 3 führt es allgemein über die „Presbyter" auf das Zeugnis des
Zebedaiden Johannes zurück. Das Wort schildert in phantastischer Weise die ungeheure Fruchtbarkeit der Erde im anderen Aeon und liegt von der Art Jesu weit ab [154].

b. Die späteren Kirchenväter. Just folgt in der Schil- 40
derung des Falls der Engel Apol II (Anhang zu Apol I) 5 einer dem Henochbuche
(vgl äth Hen 7) nahestehenden Tradition, wenn nicht diesem selbst, freilich ohne es
zu erwähnen, geschweige denn zu zitieren. Er kennt auch die heute in Asc Js 5 vorliegende, dem ursprünglich jüdischen Mart Js entstammende Legende von der Zersägung Jesajas [155] (Dial 120). 45

Iren Haer IV 16, 2 setzt die Geschichte von der Sendung Henochs zu den Engeln, von
der äth Hen 12—16 berichtet wird, als glaubwürdig voraus. Derselbe folgt III 21, 2
bei seinem Bericht über die Entstehung der LXX zwar nicht dem Aristeasbriefe, wohl
aber einer dessen Erzählung an Wunderbarkeit stark überbietenden späteren jüdischen
Legende. Er verwertet auch die 4 Esr 14, 37 ff sich findende Legende von der Wieder- 50
herstellung der heiligen Schriften durch Esra (III 21, 2). An die heilsgeschichtliche
Auffassung der Test XII (in christlicher Überarbeitung? → 995, 15) erinnert Iren
Fr 17 (MPG 7 p 1239 b). Die Echtheit desselben ist aber nicht unbestritten [156].

---

[150] Der Hinweis auf äth Hen 89, 61—64;
90, 17 f paßt nicht, da dort von Aufzeich-
nungen für das Gericht, nicht vom τέλειον
σκάνδαλον die Rede ist. Die Worte ὡς Ἐνώχ
λέγει sind wohl genauere Bestimmung zu
περὶ οὗ γέγραπται. ADLoman, ThT 18 (1884)
192 hält sie für eine Glosse, WndBarn
zSt für spätere Hinzufügung des Verfassers.
Der Hinweis auf Da (9, 27; 12, 11) wäre
passender. So die lateinische Übersetzung,
wohl aus Apokryphenscheu.
[151] WndBarn zSt.

[152] WndBarn z 12, 1.
[153] Schürer III ⁴ 358 ff.
[154] Hennecke 544 f.
[155] Über die Unterscheidung einer jüdischen
Grundschrift von der christlichen Bearbeitung
vgl Schürer III ⁴ 386 ff; Hennecke 303.
[156] Zur Abstammung des Christus von Levi
und Juda vgl Test L 2, 11; 8, 14; Test Jud 24.
Aber eben diese Anschauung spricht nicht
der sonstigen des Iren. AvHarnack, Geschichte der altchristlichen Literatur I (1893)
853, II 1 (1897) 521. 569.

Bei den alexandrinischen Theologen schaffen romantische Wißbegierde und Weichheit des kirchlichen Empfindens eine den Apokryphen besonders günstige Stimmung. Sie zitieren sie nicht bloß fast wie kanonische Schriften, sondern berufen sich dafür ausdrücklich auf das NT. Cl Al kennt eine Menge jüdischer Apokrypha[157]: ein Mosebuch, vielleicht Ass Mos (τρίτον ὄνομα ἐν οὐρανῷ μετὰ τὴν ἀνάληψιν, ὥς φασιν οἱ μύσται, Strom I 23, 153, 1; VI 15, 132, 2; Adumbrationes in Epist Judae 9: Hic confirmat [= erkennt als kanonisch an] assumtionem Moysi)[158]; ein Propheticum des Ham (von dem Gnostiker Isidor nach Pherekydes zitiert, Strom VI 6, 53, 5); die Apk Elias → 989, 25 ff; äth Hen (6—8: Strom I 17, 81, 4; 7ff [vgl GCS 17 p 152, 8 f. dazu A], bes 8, 3: Ecl Proph 53, 4; 16, 3: Strom V 1, 10, 2); slav Hen (40, 1. 12: Ecl Proph 2. 1; Adumbrationes in Epist Judae 14: His verbis prophetam comprobat): ein nicht näher zu bestimmendes Propheticum des Parchor[159] (Strom VI 6, 53, 2); Sib (zB Prot VI 70, 2, sehr häufig, aber neben profanen Zitaten); Apk Sophonias[160] (Strom V 11, 77, 2 im Anschluß an Platos Bekämpfung kostbarer Weihgeschenke): ἆρ' οὐχ ὅμοια ταῦτα τοῖς ὑπὸ Σοφονία λεχθεῖσι τοῦ προφήτου; »καὶ ἀνέλαβέν με πνεῦμα καὶ ἀνήνεγκέν με εἰς οὐρανὸν πέμπτον καὶ ἐθεώρουν ἀγγέλους καλουμένους κυρίους, καὶ τὸ διάδημα αὐτῶν ἐπικείμενον ἐν πνεύματι ἁγίῳ καὶ ἦν ἑκάστου αὐτῶν ὁ θρόνος ἑπταπλασίων φωτὸς ἡλίου ἀνατέλλοντος, οἰκοῦντας ἐν ναοῖς σωτηρίας καὶ ὑμνοῦντας θεὸν ἄρρητον ὕψιστον«; 4 Esr (5, 35: Strom III 16, 100, 3: Ἔσδρας ὁ προφήτης λέγει, 14, 18—22. 37—47: Strom I 22, 149, 3: τὰς παλαιὰς αὖθις ἀνανεούμενος προεφήτευσε γραφάς).

Origenes ist den Apokryphen ebenso gewogen, wenn auch der Kritik nicht ganz abgeneigt. Zwar weist er gelegentlich darauf hin, daß von den Apokryphen manches gefälscht sei, aber nur, um daran um so kräftiger zu betonen, daß man sie deshalb nicht in Bausch und Bogen zu verwerfen, sondern sorgfältig von Fall zu Fall zu prüfen habe. Comm Series 28 in Mt 23, 37 ff (GCS 38 p 51, 8 ff) will Orig beweisen, daß die Apokryphen zur Erklärung und Bestätigung der nt.lichen Schriften kaum entbehrlich sind: Haec omnia diximus . . . non ignorantes quoniam multa secretorum ficta sunt ab impiis . . . et utuntur quidem quibusdam fictis Ypythiani, aliis autem qui sunt Basilidis, oportet ergo caute considerare, ut nec omnia secreta quae feruntur in nomine sanctorum suscipiamus propter Judaeos, qui forte ad destructionem veritatis scripturarum nostrarum quaedam finxerunt confirmantes dogmata falsa, nec omnia abiciamus quae pertinent ad demonstrationem scripturarum nostrarum. magni ergo viri est audire et adinplere quod dictum est: »omnia probate, quod bonum est tenete«. tamen propter eos, qui non possunt quasi trapezitae inter verba discernere utrum vera habeantur an falsa, . . . nemo uti debet ad confirmationem dogmatum libris, qui sunt extra canonizatas scripturas. Origenes kennt und schätzt mehr oder weniger Mart Js (Ep ad Africanum [→ 988, 23 ff) 9; Comm in Mt X 18 z 13, 57 [GCS 40 p 24, 6 ff]: εἰ δέ τις οὐ προσίεται τὴν ἱστορίαν, διὰ τὸ ἐν τῷ ἀποκρύφῳ Ἡσαΐα αὐτὴν φέρεσθαι, πιστευσάτω τοῖς ἐν τῇ πρὸς Ἑβραίους . . . γεγραμμένοις [→ 989, 1 f], Comm Series 28 z Mt 23, 37 [GCS 38 p 50] nach vorheriger Erwähnung von libri secretiores qui apud Iudaeos feruntur: fertur ergo in scripturis non manifestis serratum esse Esaiam et Zachariam occisum etc[161]); ein Buch Jannes und Jambres → 990, 37 ff; äth (und slav?) Hen (Cels V 54: ἐν ταῖς ἐκκλησίαις οὐ πάνυ φέρεται ὡς θεῖα τὰ ἐπιγεγραμμένα τοῦ Ἐνὼχ βιβλία[162]); Ass Mos (Princ III 2, 1: in ascensione Moysi, cuius libelli meminit in epistola sua apostolus Judas, Michahel archangelus cum · diabolo disputans etc); gr (?) Bar (Princ II 3, 6); Test XII (Hom in Jos XV 6: sed et in aliquo quodam libello, qui appellatur testamentum duodecim patriarcharum, quamvis non habeatur in canone, talem tamen quendam invenimus sensum, quod per singulos peccantes singuli Satanae intelligi debeant, vgl Test R 2 f, mehrfache Anklänge im Comm in Joh); das Gebet Josephs (Comm in Joh II 31, 188: εἰ δέ τις προσίεται καὶ τῶν παρ' Ἑβραίοις φερομένων ἀποκρύφων τὴν ἐπιγραφομένην Ἰωσὴφ προσευχήν, so kann er aus ihr geradezu das δόγμα [→ 994, 35] von der Bevorrechtung gewisser präexistenter Seelen entnehmen, ebd 192: οὐκ εὐκαταφρόνητον γραφὴν[163]); die Apk Abr (Hom in Lk 35 aA [GCS 35 p 207]: legimus — si tamen cui placet huiuscemodi scripturam recipere — justitiae et iniquitatis angelos super Abrahae salute et interitu disceptantes)[164]; die Apk Elias → 989, 15 ff.

---

[157] Zusammengestellt bei OStählin, Cl Al Regist (GCS 39 [1936]) 26 ff.

[158] Nach Harnack aaO I 852 wäre die von Kirchenvätern öfter erwähnte Ἀνάληψις Μωϋσέως der nicht erhaltene christliche Nachtrag zu der jüdischen Ass Mos. Ebenso Schürer III[4] 303.

[159] Vielleicht identisch mit dem von Agrippa Castor genannten Propheten Barkob (Hier De Viris Illustribus 21 [MPL 23]), Harnack aaO I 159. Nach legendarischen Nachrichten hätte Buddha mit einem Propheten Πάρκος verhandelt. AHilgenfeld, Die Ketzergeschichte des Urchristentums (1884) 214.

[160] Schürer III[4] 367 ff.

[161] Weitere Belege bei Schürer III[4] 390 f.

[162] Schürer III[4] 285. Origenes macht die Einschränkung mehr aus taktischen Gründen.

[163] Näheres bei Schürer III[4] 359 f.

[164] Vgl Schürer III[4] 336 ff; Harnack (→ A 156) I 857 f.

Seit Origenes geht es mit der Wertschätzung der Apokryphen innerhalb der Kirche schnell abwärts. Um 380 konnte Priscillian nur noch unter allgemeiner Mißbilligung die alexandrinische Linie innezuhalten versuchen (Tractatus III 58 f. 68, ed GSchepss, CSEL 18 [1889]). Schriften wie die Apokrypha Mosis, Adams, Jesajas galten nun als „verderbenstiftend und wahrheitsfeindlich" (Const Ap VI 16). 5

4. Christliche Erhaltung, Überarbeitung, Kanonisierung jüdischer Apokryphen.

Wie die Vorrede des Hier zum Danielkommentar lehrt, spotteten die Juden damals längst über die von den Christen gelesenen Apokryphen. Die Erhaltung des größeren Teils dieser Schriften ist daher nicht dem Judentum, sondern 10 dem Christentum zu danken. Zeugnis dafür geben die zahlreichen Übersetzungen, manchmal in entlegene Sprachen [165]. Um die Schriften für den christlichen Gebrauch geeigneter zu machen, hat man sie teilweise nicht unerheblich überarbeitet. Am sichersten ist dies von folgenden Schriften zu behaupten: Mart Js (heute enthalten in der Asc Js), Sib (Buch 1, 2, 3, 4, 12, 13 ?), gr Bar (Kp 4), Test XII [166], Vit Ad [167]. 15 Manche Apokryphen sind in den Kanon barbarischer Kirchen übergegangen [168] oder, obwohl als Apokryphen auf den Index gesetzt [169], per nefas selbst in abendländischen Bibeln lange Zeit mitgeführt worden. 4 Esr findet sich noch in der protestantischen Zürcher Bibel von 1524 ff.

5. Christliche „Apokryphen". 20

Das Christentum hat selbst in den ersten Jahrhunderten außer den kanonischen Schriften eine weitverzweigte Literatur hervorgebracht, die man mit größerem oder geringerem Recht als apokryph bezeichnet hat. Soweit es sich dabei um eine lediglich praktisch bedingte, völlig farblose Sammelbezeichnung handelt, kann hier von Weiterem abgesehen werden [170]. Über — im engeren Sinn — apokryphe 25 Evangelien, Apostelgeschichten, Briefe und Apokalypsen bedarf es aber wenigstens einiger dürftiger Andeutungen. Nicht hierher gehören die bei den apostolischen Vätern und den Apologeten sich findenden Zitate von Herrnworten, die im allgemeinen synoptischen Typus zeigen, aber nicht mit Sicherheit einem bestimmten Evangelium zugewiesen werden können [171]. Aus ihnen auf unbekannte apokryphe Evan- 30 gelien zu schließen, wäre unmethodisch. Es handelt sich vielmehr hier wie bei den at.lich gefärbten Zitaten (→ 992, 10 ff) um ungenaue Reproduktion. Von den judenchristlichen Evangelien — wenn die Unterscheidung mehrerer überhaupt zutrifft — verdient allenfalls das Hebräerevangelium die Bezeichnung apokryph. Echt apokryph sind das Protevangelium des Jakobus, das Thomasevangelium, das Ägypterevangelium, 35 das Petrusevangelium, die Bruchstücke gnostischer Evangelien und Legenden sowie manche Agrapha, etwa die Oxyrhynchossprüche. In diesem Zusammenhang gehört auch das neuentdeckte, 1935 veröffentlichte Evangelienfragment [172]. Die nachkanonischen Apostelgeschichten sind sämtlich apokryph. Dies gilt sogar von den Act Pl, obwohl sie das Werk eines kirchlichen Presbyters sind, der allerdings seine Schriftstellerei 40 mit dem Verlust seines Amtes bezahlte, in erhöhtem Maße aber von den übrigen Apostelakten [173]. Sie enthalten gnostische Lehren in romanhafter Form. Apostolischen

[165] Latein, Griechisch, Syrisch, Arabisch, Koptisch, Aethiopisch, Altslavisch. Für alles einzelne sei verwiesen auf Schürer, bes III [4] 268 ff, die Einleitungen bei Kautzsch Pseudepigr und Harnack (→ A 156) I 852 ff, II 1, 560 ff.
[166] Zuletzt, aber wohl zu Unrecht, bestritten von ELohmeyer, Kyrios Jesus, SAH 1927/28 4 (1928) 69.
[167] Zur Frage der christlichen Überarbeitung im allgemeinen vgl ebenfalls die A 165 angeführte Literatur. Nach AMeyer, Das Rätsel des Jakobusbriefes (1930), wäre schon Jk ein christlich überarbeitetes jüdisches Patriarchen-Pseudepigraphon.
[168] So Hen und Jub in den Kanon der abessinischen Kirche, s Bar und 4 Esr haben sich in einer Mailänder Peschittho-Handschrift gefunden.
[169] Beweis dafür sind die Stichometrie des Nicephorus, das öfter den Quaestiones des

Anastasius angehängte Kanonverzeichnis des codex Coislinianus, die Synopsis Athanasii. Vgl Schürer III [4] 357 ff. Vollständiger bei Zahn Kan II 289 ff.
[170] → 987, 41 ff. Auf diesem Sprachgebrauch beruht die Sammlung von Hennecke.
[171] Vgl die Stellenregister in den Textausgaben.
[172] Fragments of an Unknown Gospel and Other Early Christian Papyri ed HIdris Bell and TCSkeat (1935).
[173] → Abkürzungsverzeichnis sv Act; ferner Hennecke 163 ff. Eine vollständige Gesamtausgabe existiert nicht. Eine mit den gängigen Act Thom nicht identische Fassung hat MRJames, T St V 1 (1897) herausgegeben. Für alle weiteren Arbeiten an den Act Pl ist grundlegend: Πραξεις Παυλου, Acta Pauli. Nach dem Papyrus der Hamburger Staats- und Universitätsbibliothek ... hsgg CSchmidt (1936).

63*

Männern untergeschobene Briefe gibt es schon im NT, so wahrscheinlich Jd und mit Sicherheit 2 Pt[174]. Diese sind aber ihrer Tendenz nach eher antiapokryph. Nicht eigentlich apokryph sind auch der Laodizenerbrief, eine dürftige Kompilation, und der in Ephraems Kommentar armenisch erhaltene, wohl den Act Pl entstammende Brief-
5   wechsel des Pls mit den Korinthern[175]. Das sog „Apostolische Sendschreiben" läßt sich dagegen, trotz seiner teilweise kirchlichen Tendenz, wegen der in ihm enthaltenen Zukunftsoffenbarungen des Auferstandenen wohl als apokryph bezeichnen. Apokryphe Apokalypsen sind die von orphischen Ideen beeinflußte Offenbarung des Petrus und der mit den Hermetischen Schriften wohl in irgendeinem Zshg stehende Hirt des
10   Hermas. → auch 994, 8 ff. 27 ff.

Die Stellung der Kirche zu dieser Literatur ist nicht einheitlich. Der Hirt des Hermas zB wird von den Alexandrinern häufig als Autorität zitiert, gelegentlich im Anschluß an Prophetenworte oder Herrnworte (zB Cl Al Strom VI 15, 131, 2; II 12, 55, 3; Orig Comm in Joh I 17, 103; XXXII 16, 187 ff). Tertullian hat ihn in seiner
15   vormontanistischen Zeit ebenfalls anerkannt, später dagegen als apokryph heftig bekämpft (Pud 10: sed cederem tibi, si scriptura Pastoris, quae sola moechos amat, divino instrumento meruisset incidi, si non ab omni concilio ecclesiarum, etiam vestrarum, inter apocrypha et falsa iudicaretur). Nach Kanon Muratori 73 ff (ed HLietzmann KlT 1 ² [1908]) soll er zwar gelesen werden, aber nicht öffentlich. Das Muratorische
20   Fragment erkennt neben der Johannesapk die Apk Pt als kanonisch an, aber mit dem Zusatz: quam quidam ex nostris legi in ecclesia nolunt. Cl Al scheint das Ägyptereevangelium anstandslos als echte Bezeugung von Herrnworten gelten zu lassen und es nur gegen die falsche Auslegung der Enkratiten in Schutz nehmen zu wollen (Strom III 5, 45, 3; III 9, 63, 1 ff uö; Exc Theod 21, 2; 67, 2 ff). Der sonst so milde
25   Origenes rechnet es dagegen deutlich zu den häretischen Schriften (Hom in Lk 1). Die apokryphen Apostelakten sind nie kirchlich anerkannt worden, noch weniger die weitverzweigte Geheimliteratur der Gnostiker und sonstigen Häretiker. Auch die zunächst anerkannten christlichen Apokrypha sind zuletzt nicht in den Kanon gelangt. Die Ausscheidung war noch radikaler als bei den jüdischen Apokryphen.

30   ## 6. Der Begriff „apokryph".

Nach der herkömmlichen Auffassung wäre ἀπόκρυφος von Hause aus technische Bezeichnung der von der öffentlichen gottesdienstlichen Vorlesung ausgeschlossenen, reifen Gemeindegliedern aber zur privaten Lesung freigegebenen oder gar empfohlenen Bücher. Dieser Sprachgebrauch hätte sich allerdings nicht selbständig
35   auf christlichem Boden entwickelt, sondern in engem Anschluß an das Judentum. ἀπόκρυφος wäre einfach die Übersetzung des hbr נִגְנַז[176]. Diese Ableitung ist jedoch schon vom Judentum her gesehen nicht überzeugend (→ 983, 49 ff). Denn in den seltenen Fällen, wo נגז in der jüdischen Literatur nicht die Ausmerzung unbrauchbar gewordener Exemplare der heiligen Schriften bezeichnet, sondern sich auf ganze
40   Schriften als solche bezieht, meint es nicht bloß deren Ausschluß von der öffentlichen Verlesung, sondern ihren Ausschluß vom Studium überhaupt. נגז bedeutet also soviel wie auf den Index librorum prohibitorum setzen. In der patristischen Literatur aber steht freilich ἀπόκρυφος bzw secretus im Gegensatz zu φανερός bzw manifestus oder κοινὸς καὶ δεδημευμένος vulgatus, publicus[177], und dabei ist faktisch im wesent-
45   lichen an die Vorlesebücher gedacht. Bei der von niemand bestrittenen sachlichen

---

[174] Vgl darüber und über die sonst in ihrer Echtheit bestrittenen Briefe des NT die Lehrbücher der Einleitung in das NT.

[175] Vgl Zahn Kan II 592 ff. Diese und die übrigen Texte vollständig oder doch im Auszuge bei Hennecke.

[176] Am einseitigsten Zahn Kan I 123 ff. Schürer RE ³ I 622 ff macht richtig auf die verschiedenen Bdtgen von ἀπόκρυφος: 1. verborgen gehalten a. wegen besonderer Kostbarkeit, b. wegen Verwerflichkeit des Inhalts, 2. verborgenen Ursprungs, untergeschoben aufmerksam, trennt sie aber nicht klar genug und entscheidet sich auch für die Ableitung aus dem Judentum. Hölscher (→ Lit-A) 59 ff. 69 ff ist im Begriff, neue Wege einzuschlagen, behält aber die Verknüpfung mit נגז bei und mischt Nichthergehöriges ein, wenn er meint,

die heiligen Schriften der Christen seien vom Standpunkt der Draußenstehenden aus sämtlich βίβλοι ἀπόκρυφοι. Das ist nicht bloß kirchengeschichtlich falsch, da Gegenstand der Arkandisziplin im Christentum nur Taufe und Abendmahl sind, nicht die Schriften und die Verkündigung, sondern es verdunkelt auch den ursprünglichen und spezifischen Sinn des Wortes bei den Kirchenvätern.

[177] Orig Ep ad African (→ 988, 23 ff) 9: ὧν τινα σῴζεται ἐν ἀποκρύφοις ... ἐν οὐδενὶ τῶν φανερῶν βιβλίων γεγραμμένα ... ἔν τινι ἀποκρύφῳ τοῦτο φέρεται. Comm in Mt X 18 in Mt 13, 57: (Jesus Mt 23, 35 gab Zeugnis) γραφῇ οὐ φερομένῃ μὲν ἐν τοῖς κοινοῖς καὶ δεδημευμένοις βιβλίοις, εἰκὸς δ' ὅτι ἐν ἀποκρύφοις φερομένῃ. Comm Series 28 in Mt 23, 37—39: ex libris secretioribus = in scripturis

Beziehung zwischen Kirche und Synagoge wäre auch ein etwaiges nachträgliches Ineinanderfließen des Sprachgebrauchs ohne weiteres verständlich. Allein die Wurzel des Sprachgebrauchs liegt nicht in der Synagoge, sondern in dem oben (→ 965, 40 ff; 966, 22 ff) aufgewiesenen heidnisch-gnostischen Sprachgebrauch. In der patristischen Literatur taucht das Wort nicht in Verbindung mit dem Kanon, sondern in der Auseinander- 5 setzung mit Irrlehrern zuerst auf. Die βίβλοι ἀπόκρυφοι des Zoroaster, welche die Anhänger des Gnostikers Prodikos zu besitzen sich rühmten[178], erhielten diese Bezeichnung natürlich nicht als Schriften, die vom jüdischen oder christlichen Lektionsplan abgesetzt waren, sondern als Quellen esoterischer Geheimweisheit, vom Standpunkt ihrer Benutzer aus eindeutig im Sinne der Anerkennung. Die Kirchenväter nehmen das Wort 10 zunächst im Sinn der Verehrer der Geheimliteratur auf, geben ihm aber von ihrem entgegengesetzten Standpunkt aus bald einen tadelnden Akzent. Unmißverständlich ist der Satz des Irenaeus von den Irrlehrern: πρὸς δὲ τούτοις (außer den Irrlehren über Gott) ἀμύθητον πλῆθος ἀποκρύφων καὶ νόθων γραφῶν, ἃς αὐτοὶ ἔπλασαν, παρεισφέρουσιν εἰς κατάπληξιν τῶν ἀνοήτων καὶ τὰ τῆς ἀληθείας μὴ ἐπισταμένων γράμματα 15 (Haer I 20, 1). Hier mischt sich bereits die Bedeutung *dunklen Ursprungs, gefälscht* ein. Für Tertullian sind apocrypha und falsa Wechselbegriffe (→ 996, 18). Hipp (Ref VII 20) will zeigen, wie sehr Basilides, indem er sich auf λόγους ἀποκρύφους berief, die Matthias von dem Herrn empfangen habe, gegen Matthias wie gegen den Herrn selbst log. Cl Al (Strom III 4, 29, 1) ruft empört über die Gemeinheiten der Prodikianer 20 aus: ἐρρύη δὲ αὐτοῖς τὸ δόγμα ἔκ τινος ἀποκρύφου, wobei er dahingestellt sein lassen will, ob sie dieses Machwerk selbst verbrochen oder unter Mißverständnis und Verdrehung ihre Weisheit von anderen übernommen haben. Das folgende Zitat weist auf gnostisch-heidnische Metaphysik[179]. Alle hier als apokryph bezeichneten Schriften sind im Sinne ihrer Verehrer ἀπόρρητα, im Sinne der rechtgläubigen Väter aber obscura 25 oder νόθα. Für Schriften, die die katholische Kirche verwendet, wird das Wort zunächst nicht gebraucht.

Das wird zeitweilig anders, weil sich auch die in der Kirche weithin beliebten, teilweise beinahe kanonisierten jüdischen Apokalypsen unter den Begriff βίβλοι ἀπόκρυφοι stellen lassen. Ob die Synagoge diese Bezeichnung verwandt hat, ist durchaus 30 fraglich. Es könnte dann nur in Anlehnung an den allgemeinen dh „gnostischen" Sprachgebrauch, nicht an die technische Bedeutung von גנז geschehen sein[180]. Sicher

---

non manifestis. Ebd Series 46 in Mt 24, 23—28: secretas et non vulgatas scripturas. Ebd Series 117 in Mt 27, 3—10: non in publicis scripturis, sed in libro secreto (GCS 38 p 250).

[178] Cl Al Strom I 15, 69, 6: Ζωροάστρην δὲ τὸν Μάγον τὸν Πέρσην ὁ Πυθαγόρας ἐζήλωσεν, ⟨καὶ⟩ βίβλους ἀποκρύφους τἀνδρὸς τοῦδε οἱ τὴν Προδίκου μετιόντες αἵρεσιν αὐχοῦσι κεκτῆσθαι.

[179] Wenn CSchmidtTU 20, 4 a (1901) 54 meint, Clemens habe die Worte zweifellos in einer (jüdischen?) Apokalypse gelesen, so legt er einen zu engen Begriff von ἀπόκρυφος zugrunde. προφητεία ἁγία (Strom III 4, 29, 3) ist natürlich im Sinne der Irrlehrer gemeint, also in Anführungszeichen zu setzen.

[180] Eus Hist Eccl IV 22, 9 (über Hegesipp): καὶ περὶ τῶν λεγομένων δὲ ἀποκρύφων διαλαμβάνων, ἐπὶ τῶν αὐτῶν χρόνων πρός τινων αἱρετικῶν ἀναπεπλάσθαι τινὰ τούτων ἱστορεῖ beweist für die jüdische Bezeichnung der Apokalypsen als Apokrypha nichts, da wir nicht wissen, ob Eus Hegesipp wörtlich zitiert und ob dieser dem jüdischen Sprachgebrauch folgte (gegen Zahn Kan I 135 f). Da die rabbinische Literatur über die Apokryphen grundsätzlich schweigt, läßt sich aus ihr zwar kein Gegenbeweis, aber auch kein Beweis entnehmen. Die einzige Stelle, die ernste Beachtung verdient, ist 4 Esr 14, 45 ff: „Als aber die vierzig Tage voll waren, da sprach der Höchste zu mir also: Die vierundzwanzig Bücher, die du zuerst geschrieben, sollst du veröffentlichen, den Würdigen und Unwür-

digen zum Lesen; die letzten siebzig aber sollst du zurückhalten und nur den Weisen deines Volkes übergeben (conservabis, ut tradas eos sapientibus de populo tuo). Denn in ihnen fließt der Born der Einsicht, der Quell der Weisheit, der Strom der Wissenschaft." Die stillschweigende Gleichsetzung von conservare mit גנז (Hölscher [→Lit-A] 64) steht aber auf schwachen Füßen (→ A 86). Der syrische Text (Translatio Syra Peschitto Vet Test ex cod Ambr photolithographice ed AMCcriani II 4 [1883]) hat für conservare netar, für tradere selam aph, an keiner Stelle genaz. Beweisen läßt sich also mit dieser Stelle nur, was ohnehin niemand bezweifelt, daß das Judentum auch einmal Sinn für esoterische Geheimliteratur gehabt hat, nicht aber, daß der technische Sinn von גנז mit der Ausmerzung der Geheimliteratur zusammenhängt, oder anders ausgedrückt, daß die Kirche, wie in sachlicher Hinsicht, so auch in ihrer Ausdrucksweise, die Synagoge mit einem Abstand von einigen Jahrhunderten kopiert hätte. Wenn die Mandäer ihr heiliges Buch Ginza nennen, so entspricht hier die Bdtg von גנז allerdings genau dem gnostischen Sinn von ἀπόκρυφος: es handelt sich um esoterische Geheimliteratur. Von da aus den technischen Gebrauch des Wortes in der Synagoge verstehen zu wollen, wäre jedoch übereilt. Dieser ist von der Grundbdtg *hinterlegen* (→ A 86) aus ohne Zuhilfenahme gnostischer Terminologie verständlich.

feststellbar ist dieser Gebrauch von ἀπόκρυφος zuerst bei Origenes (→ 994, 21 ff). Er
handhabt ihn aber schon mit solcher Selbstverständlichkeit, daß er schwerlich sein Erfinder ist[181]. Es mochte der Kirche lieb sein, daß sie den „geheimen Büchern" der
Gnostiker auch ihrerseits „geheime Bücher" entgegenstellen konnte, und es ist be-
5 zeichnend, daß sie sich diese ausschließlich von der Synagoge borgte. Dadurch erschien, wegen der heilsgeschichtlichen Stellung des jüdischen Volkes, die Echtheit der
Prophetie, soweit nicht spätere jüdische Generationen die Bücher verfälscht hatten,
gewährleistet. Diese Anschauung war um so leichter durchzuführen, als das Judentum
selbst seine Apokryphen damals bereits ausgeschieden und verworfen hatte. Den
10 Parallelen in der Kanonisierung und Reduzierung der LXX nachzugehen (→ 988, 8 ff)
ist reizvoll. ἀπόκρυφος erhält, auf die jüdischen Geheimschriften spezialisiert, vorübergehend wieder einen anerkennenden Klang.

Der Rückschlag kommt freilich schnell. Selbst Origenes wagte die Apokryphen schon
nicht mehr so hemmungslos wie sein großer Lehrer zum Schriftbeweis heranzuziehen
15 (→ 994, 21 ff). Er steht aber auch mit seiner bedingten Verehrung der Apokryphen
bereits ziemlich allein. In Zukunft gerät diese Verehrung — mit der gesamten orige-
nistischen Theologie — vollends in Mißkredit. Andere Gründe kommen hinzu, vor allem
die Verfestigung der Kanonsidee, die trotz Eusebius von dem ordnungsliebenden
Westen auf den Osten mehr und mehr übergreift. Die ablehnende Haltung der
20 Synagoge bleibt auf die Dauer wohl auch nicht ohne Wirkung. Die Entwicklung
innerhalb der Kirche folgt derjenigen innerhalb des Judentums mit einem Abstand
von zwei bis drei Jahrhunderten. Um 400 ist die abschätzige Bdtg von ἀπόκρυφος,
nun unter Einschluß der jüdischen Apokryphen, erneut und völlig durchgedrungen.
So schreibt Aug Faust 11, 2: de his qui appellantur apocryphi, — non quod habendi sint
25 in aliqua auctoritate secreta, sed quia nulla testificationis luce declarati de nescio quo
secreto, nescio quorum praesumtione prolati sunt. Ähnlich Hieronymus → 989, 20 ff.

Durch das Ausscheiden der Apokryphen wird der Ausdruck nun frei zur Anwendung
auf die im hbr Kanon nicht enthaltenen Stücke der LXX. Man ist aber aus nahe-
liegenden Gründen darin zunächst sehr zurückhaltend. Erst im Protestantismus dringt
30 der neue Sprachgebrauch wirklich durch. (→ 987, 43 ff).

Den im ganzen unzweideutigen, im einzelnen freilich nicht immer konsequenten
Sprachgebrauch etwa zur Zeit des Ausganges der Alten Kirche spiegeln die jüngeren Kanonverzeichnisse in lehrreicher Weise wider. Wir wählen als Beispiele
das Verzeichnis des Codex Coislinianus bzw Baroccianus, die Synopsis Athanasii, die
35 Stichometrie des Nicephorus und das Decretum Gelasii in den einschlägigen Abschnitten[182]. Diese alle geben, sei es fortlaufend, sei es durch die zweite Gruppe
unterbrochen, zunächst die kanonischen Schriften des AT und NT, erstere nach Maßgabe
des hbr Kanons, in der Reihenfolge aber mehr nach LXX. Die nur in LXX enthaltenen Bücher werden teils als genügend bezeugt einfach angereiht, teils als außer-
40 kanonisch, aber nicht verwerflich nachgefügt (ὅσα ἔξω τῶν ε'[183], ὅσαι ἀντιλέγονται καὶ
οὐκ ἐκκλησιάζονται[184], οὐ κανονιζόμενα μέν, ἀναγινωσκόμενα δὲ μόνον τοῖς κατηχουμένοις[185]).
Soweit dementsprechend auch eine nt.liche Gruppe von Antilegomena gebildet wird,
handelt es sich um Apk Joh, Apk Pt, Barn, Ev Hebr, aber wohl auch um Act Pt,
Joh, Thom, Ev Thom, Did, 1 u 2 Cl. Als dritte Gruppe endlich folgt ein Verzeichnis
45 der Apokrypha. Schon durch diese Anordnung wird deutlich, daß es sich hier nicht
um ein Verzeichnis von Schriften handelt, die von der gottesdienstlichen Lesung ausgenommen, aber für reife Christen gut und nützlich zu lesen sind, sondern vielmehr
um einen Index librorum prohibitorum. Dem entsprechen die Umschreibungen
und Synonyma des Begriffs apokryph: νόθα καὶ ἀπόβλητα . . . ἀποκρυφῆς μᾶλλον
50 ἢ ἀναγνώσεως ὡς ἀληθῶς ἄξια[186], libri apocryphi, qui nullatenus a nobis recipi
debent[187]. . . . Haec et his similia, quae . . . haeretici haereticorumque discipuli sive

---

[181] Die Vermutung, daß Origenes unter dem
Eindruck der Ausführungen des Julius Africanus (→ 988, 27 ff) „nach jüdischem Vorbilde
fortan" den Begriff des Apokryphen gebrauche
(Hölscher 70), trifft schon chronologisch nicht
zu. Denn Origenes braucht den Ausdruck ganz
im späteren Sinn schon im zweiten Buche
des Johanneskommentars, das vermutlich bald
nach 220 verfaßt worden ist (II 31, 188 GCS,
vgl die Einleitung LXXVIII f). Der Briefwechsel mit Julius Africanus entstammt dagegen erst dem Jahre 240 (TU 34, 3 [1909] 65).
[182] Die Texte sind am besten zugänglich
bei ZahnKan II 289 ff und EPreuschen, Analecta II² (1910) 27 ff. Das Alter, wesentlich
höher als das der vorliegenden Handschriften,

ist schwer festzustellen. Wahrscheinlich sind
die Verzeichnisse überhaupt nicht auf einmal
entstanden, sondern allmählich ergänzt worden.
Für das Decretum Gelasianum ist das allgemein anerkannt. Hier werden die Werke des
Caecilius Cyprianus zum Studium zugelassen,
diejenigen des Thascius Cyprianus dagegen
als apocrypha bezeichnet!
[183] Codex Baroccianus, Zahn Kan II 291.
[184] Stichometrie des Nicephorus 34, Zahn
Kan II 299.
[185] Synopsis Athanasii p 128, Zahn Kan II 316.
[186] Synopsis Athanasii p 202, Zahn Kan II 317.
[187] Decretum Gelasianum, Preuschen (→ A
182) 58, 31 f.

schismatici docuerunt vel conscripserunt, quorum nomina minime retinemus, non solum repudiata, verum ab omni Romana catholica ecclesia eliminata atque cum suis auctoribus auctorumque sequacibus anathematis insolubili vinculo in aeternum confitemur esse damnata [188]. Dem entspricht endlich die Auswahl der hier verzeichneten Schriften. Wo zwischen Apokryphen des Alten und des Neuen Bundes unterschieden wird, stehen 5 unter der ersten Gruppe die Titel der uns bekannten jüdischen Pseudepigraphen (ausdrücklich so bezeichnet), darunter auch eine Apk des Zacharias, des Vaters des Johannes, unter der zweiten alle Evangelien mit Ausnahme der vier kanonischen, namentlich das Ev Thom, und die Apostelakten. Und wo die Aufzählung ohne Unterscheidung, wohl gar in bunter Mischung fortgesetzt wird, ist der Tatbestand der gleiche. 10 ἀπόκρυφος schließt hier also den technischen Sinn von גָּנַז „vom Kanon ausgeschlossen und auf den Index gesetzt" ein. Das bedeutet aber nicht, daß es die Übersetzung dieses Ausdrucks sein müßte. Denn die für den technischen Gebrauch von ἀπόκρυφος grundlegenden Bedeutungen „esoterisch" und „dunkler Herkunft, untergeschoben" lassen sich für גָּנַז nicht nachweisen. Höchstens mit einem nachträglichen Ineinander- 15 fließen des jüdischen und christlichen Sprachgebrauchs wäre also zu rechnen. Aber für diese späte Zeit ist ein so starker Einfluß der Synagoge kaum mehr anzunehmen.

Auf ein erneutes Schwanken des Sprachgebrauchs muß aber nun noch aufmerksam gemacht werden. Unter den Apokryphen des NT erscheinen in den Kanonverzeichnissen auch 1/2 Cl, Did, die Briefe des Ign und Pol, Herm. Ernstgemeinte Verwerfung 20 ist höchstens für die letzte dieser Schriften denkbar. Bei den anderen kann die Meinung wohl nur die sein, daß sie nicht zum Kanon gerechnet werden sollen. Der Begriff ἀπόκρυφα nähert sich also hier wieder dem der ἀντιλεγόμενα. Der vorliegende Tatbestand läßt sich wohl nur so erklären, daß in die ursprünglich als Index gedachte Liste nachträglich, als der Sprachgebrauch sich bereits wieder zu mildern begann, 25 neue Namen eingesetzt worden sind. Wir sind hier auf dem Wege zu dem späteren protestantischen Sprachgebrauch → 987, 38 ff.

Der Verzicht auf die βίβλοι ἀπόκρυφοι hat innerhalb der Kirche eine andere Bedeutung gehabt als im Judentum. Das letztere hat durch Ausscheidung der Apokalyptik sich selbst aller lebendigen Prophetie beraubt und ist in nomistischer Kasuistik ver- 30 knöchert. In die christliche Frömmigkeit dagegen waren von ihrem ersten Ursprung an die brauchbaren Bestandteile der Apokalyptik eingeschmolzen. Ebendeshalb sind die Apokryphen, wie erst die Neuzeit ganz erkannt hat, für die religionsgeschichtliche und theologische Forschung von großer Bedeutung. Der Kirche aber haben sie für ihre praktischen Aufgaben nichts zu bieten, was nicht auch, uz besser, aus den 35 kanonischen Schriften des AT und NT zu entnehmen wäre. Die Ausscheidung der Apokryphen bedeutete unter diesem Gesichtspunkt verstanden die Verstopfung einer ständigen Gefahrenquelle. Die dogmatische Verfestigung war, wenn auch nicht das letzte Ziel, doch der geschichtlich gegebene Weg.

Oepke 40

---

† *κτίζω*, † *κτίσις*,
† *κτίσμα*, † *κτίστης*

Inhalt: A. Religionsgeschichtlicher Überblick. — B. Der Schöpfungsglaube im AT: 1. Die Entwicklung des at.lichen Schöpfungsglaubens; 2. Schöpfungsterminologie und Schöpfungsvorstellungen im AT; 3. Der at.liche Schöpfungsglaube. — 45 C. Die Lehre von der Schöpfung im Spätjudentum: 1. Terminologie; 2. Gott

---

[188] ebd 61, 22; 62, 1 ff.

κτίζω κτλ. Zu A: LPreller, Die vorstellungen der alten, bes der Griechen, von dem ursprunge u den ältesten schicksalen des menschlichen geschlechts, in: Philol 7 (1852) 1—60; FLukas, Die Grundbegriffe in den Kosmologien der alten Völker (1893); OGruppe, Griech Mythologie u Religionsgeschichte I (1906) 411—432; ODähnhardt, Natursagen I (1907); WWundt, Völkerpsychologie VI 3² (1915) 268—290; KSeeliger, in: Roscher VI (1924 ff) sv „Weltschöpfung" 430—505; KZiegler, in: Roscher V (1916/24) 1469—1554; Bertholet-Leh passim; CAScharbau, Die Idee der Schöpfung in der vedischen Lit (1932). — Zu B: die Theologien u at.lichen Religionsgeschichten von ADillmann (1895) 284 ff; RSmend ² (1899) 112. 348. 434 ff; BStade-ABertholet (1905/11); EKönig ³·⁴ (1923) 202 ff; ESellin (1933) 37—40; WEichrodt I (1933), II (1935); LKöhler (1936); BDuhm, Kosmologie und Religion (1892); JHänel, Die Religion der Heiligkeit (1931) s Regist; FStrothmann, Schöpfungsanschauungen u Schöpfungsge-

als Schöpfer der Welt; 3. Die Welt als Gottes Schöpfung; 4. Der Mensch als Gottes Geschöpf. — D. δημιουργέω und κτίζω im Griechischen und die sprachliche
Leistung der LXX. — E. Schöpfung im NT: 1. Terminologie; 2. Gott der
Schöpfer der Welt; 3. Die gefallene Schöpfung; 4. Der Mensch als Geschöpf und die
neue Schöpfung.

Die Frage nach dem „Woher"[1] der Welt und des Men-
schen in ihr führt unweigerlich an die Grenze unseres Denkens, wo unserem
Denken das begegnet, was „über" ihm steht und was es als „Grenze" empfinden muß, die ihm von außen gesetzt wird — oder wo es, immer weiter ins
Leere stoßend, sich selbst zu verlieren droht. Die Frage ist, ob es an die Grenze
geführt wird, die es als die ihm von oben gesetzte Grenze ehren muß und darf.

In der Antwort auf die Frage nach dem Woher der Welt liegt die Antwort
auf die entscheidenden Fragen des Lebens überhaupt beschlossen. Mit dem
„Woher" ist nicht nur das „Wohin" unlöslich verbunden, sondern auch das „Was"
und damit der Sinn der Welt und des Menschen. Nicht grundlos ist im Welt-
anschauungskampf der Gegenwart die Schöpfung ein Hauptangriffspunkt.

A. Religionsgeschichtlicher Überblick.

In der Religion vieler Völker steht am Anfang des Seins und
Werdens das „Chaos[2]". Ob es mythologisch als Tiamat, als Urwasser[3], als Abgrund,
als Nacht[4] und Dunkelheit angenommen wird — entscheidend ist, daß damit nach
einer möglichst negativen, „abgezogenen", unqualifizierten Größe getastet wird: das
Chaos ist die Welt ohne ihre Formung in der Geschichte, dh in Raum und Zeit, ist
der ungestaltete Stoff als mythologische Größe[5]. Darum kann es philosophisch auch
als ἄποιον, als das Qualitätslose, oder als das μὴ ὄν, das, dem kein Sein in eigentlichem Sinne zukommt[6], bezeichnet werden. Der Mensch tastet also vom gegenwärtigen Sein der Welt soweit zurück, wie es abstrahierendem Denken möglich ist. —
Aus dem Chaos entsteht die Welt darum, weil in ihm „Keime[7]" sind oder ein „Ei[8]",
das Weltenei, oder eine „Knospe". Oder es wird von der „Chaosmutter, die alles

danke im AT (ungedruckte Lic-Diss Münster
1932); RHönigswald, Erkenntnistheoretisches
zur Schöpfungsgeschichte der Gn (1932); Gv
Rad, in: Werden u Wesen des AT, hsgg
JHempel (1936) 138—147. — Zu C: Weber
196 ff; LCouard, Die religiösen u sittlichen
Anschauungen der at.lichen Apkr u Pseudepigr
(1907) 73 ff; Bousset-Gressm 358—360; Moore
I 380 ff; III 119 Nr 120; JBFrey, Dieu et le
monde d'après les conceptions juives au temps
de Jésus-Christ, in: Rev Bibl NS 13 (1916)
33—60; RMeyer, Hellenistisches in der rabb
Anthropologie (1937). — Zu E: Cr-Kö 640
bis 642; SchlTheol d Ap s Regist; HWeinel,
Bibl Theol d NT [4] (1928) s Regist; CFBurney,
Christ as the ἀρχή of Creation, JThSt 27
(1925/26) 160—177; MTeschendorf, Der Schöpfungsgedanke im NT, ThStKr 104 (1932)
337—372; WGutbrod, Die paul Anthropologie
(1934) 9—18; GBornkamm, Gesetz u Schöpfung
im NT (1934). — Zum Systematischen vgl ua
Lütgert (→ A 1); EBrunner, Der Mensch im
Widerspruch (1937); EGerstenmaier, Die
Kirche u die Schöpfung (1937).
[1] Diese Formulierung bei WLütgert, Schöpfung u Offenbarung (1934) 74.
[2] Seeliger (→ Lit-A) 462—464; Bertholet-Leh
I 106 f; Hes Theog 116; Seeliger 438 462.
[3] Seeliger aaO 432. „Nun" bei den Ägyptern:

AErman, Die Religion der Ägypter (1934)
61. 90.
[4] So zB Eudemus; Aristoph Av 695; nach
Damascius auch die Orphiker. Das Alter dieser
orphischen Vorstellung ist umstritten; Seeliger 433. 436. 465.
[5] Schon von Hesiod urteilt Bertholet-
Leh II 356: „Die mythologischen Namen
des Hesiod sind nicht mehr als eine durchsichtige Verkleidung der ersten Naturphilosophie." Eine ganz abstrakte Größe ist auch
die Zeit, die im Iran u auch in Griechenland
oft an den Anfang gestellt wird, Seeliger
474—479; Hönigswald (→ Lit-A) 16 (Urzeit u
Urraum in Ägypten).
[6] Vgl die indischen Spekulationen bei
Scharbau (→ Lit-A) 75 ff; ebd 79: „Das Nicht-
seiende ist also kein absolutes Nichts, ...
sondern . . . die metaphysische Substanz . . .
in einem bestimmten unkristallisierten Zustand."
[7] Im Brahmanismus ist Prajapati, der Weltschöpfer, als ein goldener Keim bezeichnet,
Bertholet-Leh II 59.
[8] So die Japaner, ELehmann, Textbuch zur
Religionsgeschichte (1912) 29; die Ägypter,
Lukas (→ Lit-A) 47; die Inder, Bertholet-
Leh I 107; vielleicht auch die Orphiker
ebd II 371; weiteres Seeliger 479—482.

gebildet", gesprochen[9]. Das bedeutet ein „Weltenwerden", und zwar nach Analogie des Werdens in der Natur. Wie anscheinend ohne Anlaß aus einem „leblosen" Samenkorn eine Pflanze entsteht, so entsteht aus dem unqualifizierten Chaos die Welt. Grundsätzlich ähnlich ist es, wenn an die Stelle der organischen Lebensvorgänge in der Natur Vorgänge im Bereich des psychischen Lebens treten: Sehnsucht, Begehren, Eros uä[10]; denn damit sind unter den psychischen Vorgängen die naturgebundenen „Strebungen" (im Unterschied von bewußten Willensvorgängen) bezeichnet. Im indischen Denken steht an dieser Stelle auch das Selbst-bewußt-werden, die erste Regung des sich selbst erfassenden Menschen[11]. Die naturhaften Kategorien schlagen auch durch, wenn die Umarmung eines mythologischen Götterpaares[12] am Anfang des Werdens steht. Alle diese Vorstellungsreihen sind jeweils Endpunkte, bis zu denen das Denken vordringen kann, wenn es das Woher der Welt in ihm einsichtige Kategorien fassen will[13]. Aber, wenn auch das Weltenei sich fast wie von selbst entwickelt, das Begehren noch so unwillkürlich-naturhaft gefaßt wird, es wird damit doch nur ein Rätsel verhüllt, das etwa die ägyptische Vorstellung von dem sich selbst begattenden Urgott grell ans Licht zieht[14]. Der „Anfang", auf den das Denken in diesen Gedankengängen stößt, ist naturgemäß nur ein relativer[15].

Im Verlaufe dieses naturhaften Geschehens entstehen nun Gestalten ganz anderer Art, Ordnungsmächte, die willentlich gestaltend diesem naturhaften Werden und Streben g e g e n ü b e r treten: δημιουργοί (über diesen Ausdruck → 1022, 44 ff). Als letztlich aus dem Chaos entstanden[16], sind sie nicht absolut frei: Zeus steht unter dem Schicksal[17], das Chaos verschlingt in der Götterdämmerung seine Kinder und Enkel wieder. Aber doch haben diese Gestalten eine gewisse Selbständigkeit dem Chaos gegenüber, ja, sie treten zu ihm in Gegensatz und kämpfen gegen ihre eigenen Ahnen[18] und gestalten aus ihren Leichen die Welt[19]. Durch diese Ordnungs- und Gestaltungsmächte wird der Mensch gebildet, aber aus der besiegten Chaosmacht[20]. Damit ist der Mensch den Ordnungsmächten verpflichtet, und es ist kein Zufall, daß in diesem Zusammenhang von einem Ziel des Menschenlebens gesprochen wird, das sich auf die Götter bezieht[21]. Diese Mythen besagen, daß der Mensch ein Stück Natur ist und doch nicht in ihr aufgeht und nicht in ihrem Sein seines Lebens Ziel und Sinn hat und nicht ihr einzig seine Existenz verdankt. Die ihn gebildet, haben Anrecht auf ihn, sie sind mit Recht seine „Herren" (→ κύριος). Insofern aber die den Menschen gestaltenden δημιουργοί selbst der Chaosmacht gegenüber sekundär sind, ist die Bindung des Menschen an sie keine letzte, können sie auch dem Menschen kein letztes Ziel seines Daseins geben.

---

[9] Enuma eliš (Übers im Auszug bei AUngnad, Die Religion der Babylonier u Assyrer [1921] 27 ff) Tafel 1; Hes Theog 126 ff; Seeliger 439 A*.

[10] Rigveda X 129, 4: Verlangen. Ebd 3: Tapas = Brunst (?) vgl Scharbau aaO 86 f. Eros bei Hesiod (Theog 120) u den Orphikern; vgl Seeliger 482—485. Πόθος bei den Phöniziern, Damascius, De Principiis (ed CARuelle [1889]) 125 ter (p 323). Einiges weitere bei Seeliger 485.

[11] Scharbau 10.

[12] Apsu u Tiamat, Himmel (Zeus) u Erde (Seeliger 431; 434; 435; 439; 466); Okeanos u Tethys Hom Il 14, 201; orphischer Vers bei Plat Crat 402 b c; Seeliger 432; 435; 458; 463; Aer u Chaos in der Kosmogonie der Phönizier, Eus Praep Ev I 10, 1; Epimenides: Ἀήρ u Νύξ, Seeliger 465 f; 471 f; weiteres Seeliger 438 ff. — Schon philosophischer Pherekydes: Αἰθήρ u Χθονίη (neben Χρόνος), Gruppe (→ Lit-A) 427 f.

[13] Vgl Scharbau 24: „Ein metaphysisches Schaffen aus einem absoluten Nichts transzendiert menschliche Erfahrung u ist daher auch als metaphysisch-dogmatische Behauptung fragwürdig."

[14] Lehmann (→ A 8) 71. Vgl auch den babylonischen Hymnus an Sin: Frucht, die von selbst erzeugt wird ... Mutterleib,

der alles gebiert, Bertholet-Leh I 548, u die Begattung der beiden Füße des Riesen Ymir, ebd II 593. Für die Veden vgl Scharbau 110 f. Scharbau sagt (110) freilich mit Recht von ähnlichen Spekulationen: „Hier wird versucht, letzte innergöttliche Vorgänge: wie im Göttlichen durch geistige Polarisierung, Spannung u Tat die Schöpfung entsteht, zu schauen u diese Ideen (Schauungen) in Anschauung zu bringen" u ebd 110 f: „Vom primitiven zum erhabenen philosophischen Gedanken ist oft nur ein Schritt!" — Aber das primitive Bild kann auch das Ungenügen des erhabenen philosophischen Gedankens ans Licht ziehen!

[15] Scharbau 90: „«Im Anfang» bedeutet hier [in der vedischen Literatur] den Zustand der Wirklichkeit v o r dem Anfang d i e s e r Welt."

[16] Für Griechenland vgl → 69, 13—27.

[17] → 70, 22 ff.

[18] Marduk-Tiamat; Zeus-Kronos; auch Indra kämpft mit mythischen Mächten, Lehmann (→ A 8) 177.

[19] Belege außer dem Epos Enuma eliš (→ A 9) Bertholet-Leh II 68 (Rigveda X 90); 212 (Urkuh); 497 (Mithras); 593 (Ymir).

[20] Enuma eliš 6. Tafel. Orphiker.

[21] Enuma eliš 6. Tafel Z 8 (Ungnad [→ A 9] 47); ein anderes babylonisches fr ebd 57 ob.

Mit dem Schicksal, besonders dem Todesgeschick, findet man sich mehr oder minder resigniert ab [22].

Tritt hier die Zuordnung von Stoff und Gestalter hinter dem Gegensatz, dem Kampf des Demiurgen mit den Chaosmächten, zurück, so setzt eine andere Auffassung beide Größen mehr oder minder in eins, eine Auffassung, die außer den Indern [23] besonders die griechische Philosophie entwickelt hat, angefangen von den Hylozoisten [24], die im Urstoff zugleich das Urprinzip alles Lebens sahen, über die Eleaten [25], Empedocles [26] bis hin zur Stoa, für die grundsätzlich das πάσχον, die Materie, und das ποιοῦν, das leitende Prinzip = Zeus = Urfeuer = πρόνοια = εἱμαρμένη zusammenfallen [27]. Die Welt ist für die Stoa ein großer, in sich zurückkehrender Kreislauf; sich in diesen Kreislauf einzufügen, die Rolle, die die Natur, Zeus oder die Vorsehung dem Menschen zuerteilen, gut zu spielen, ist die durch seine Stellung im Kosmos, durch sein naturhaftes So-sein dem Menschen gegebene Aufgabe: ὁμολογουμένως τῇ φύσει ζῆν. Wie die Welt durch die Vernunft geleitet ist, so soll auch der Mensch der Vernunft folgen, wie die Welt ein harmonisches Ganzes ist, so soll auch der Mensch nach Harmonie, nach ἀταραξία, streben. Wie die Demiurgen dem Chaos gegenüber selbständig und doch nicht von ihm los sind, so wird umgekehrt von der Stoa die πρόνοια als materiell aufgefaßt. Und doch kann gerade der Stoiker in den persönlichsten Ausdrücken von Zeus reden und ihn preisen [28]. Diese Inkonsequenz steht neben einer anderen: Der Lauf der Welt erfolgt mit Notwendigkeit, wie denn auch nach einer ἐκπύρωσις sich derselbe Geschehnisablauf wieder abspielt. Der Kreislauf der Welt hat seinen Sinn nur darin, daß er „sich abspielt" [29]. Woher dann das ethische Pathos etwa von Epiktet stammt, ja, wie es kommen kann, daß überhaupt der Mensch seine Rolle im Weltendrama auch schlecht spielen kann, darauf kann das System keine Antwort geben, und die damit angedeutete zweite Inkonsequenz ist neben der ersten ein Zeichen dafür, daß ohne ein persönliches Gegenüber eines Schöpfers und des Geschöpfes Mensch es weder eine begründete ethische Mahnung noch überhaupt ein lebbares Leben gibt.

Endlich kann man Stoff und Gestalter einander gegenüberstellen und letzteren dem ersten mindestens logisch vorangehen lassen. Dabei muß vielfach der Sinn und die wirkliche Tragweite der Aussagen fraglich bleiben. Ob zB hinter der Vorstellung von den sog Urhebergöttern wirklich die Idee der creatio e nihilo steht [30], muß hier wenigstens unentschieden bleiben. Aber es ist in vielen Religionen die Neigung zu beobachten, einen Gott — er kann innerhalb des polytheistischen Pantheons einer Religion ziemlich beliebig wechseln — als den Schöpfer allen anderen Göttern und allem sonst voranzustellen. So wird zB der Mondgott Sin in einem Hymnus [31] genannt: Frucht, aus sich selbst erzeugt — Mutterleib, Gebärer des Alls — Vater, Erzeuger der Götter und Menschen, Erzeuger des Alls, und: Herr, Herrscher der Götter, der im Himmel und auf Erden allein erhaben ist — der die Entscheidung im Himmel und auf Erden fällt, dessen Geheiß niemand ändert, und es wird von ihm gesagt, daß sein Wort grünes Kraut erzeugt, Hof und Hürde fett macht und Wahrheit und Recht werden läßt. Damit werden die naturhaften Formeln, die ursprünglich von dem uranfänglichen Chaos galten, auf einen Demiurgen übertragen und dieser dadurch der durch kein vorgegebenes Chaos gehemmte erste Gott von unumschränkter Macht über

---

[22] Das ist die Lehre des babylonischen Gilgameschepos.

[23] Bertholet-Leh II 70 f. 147. 157.

[24] Heracl fr 30: κόσμον τόνδε, τὸν αὐτὸν ἁπάντων, οὔτε τις θεῶν οὔτε ἀνθρώπων ἐποίησεν, ἀλλ' ἦν ἀεὶ καὶ ἔστιν καὶ ἔσται πῦρ ἀείζωον (I 84, 1 ff Diels).

[25] Ξενοφάνης . . . εἰς τὸν ὅλον οὐρανὸν ἀποβλέψας τὸ ἓν εἶναί φησι τὸν θεόν, Aristot Metaph I 5 p 986 b 21 ff.

[26] Die vier Elemente u Liebe u Haß als Grundlagen des Weltgeschehens; in „Liebe" u „Haß" spielen die naturhaften Strebungen eine Rolle, → 1001, 3 ff.

[27] Wenn Diog L VII 68 (134) von den Stoikern sagt: δοκεῖ δ' αὐτοῖς ἀρχὰς εἶναι τῶν ὅλων δύο, τὸ ποιοῦν καὶ τὸ πάσχον. τὸ μὲν οὖν πάσχον εἶναι τὴν ἄποιον οὐσίαν, τὴν ὕλην, τὸ δὲ ποιοῦν τὸν ἐν αὐτῇ λόγον, τὸν θεόν, so beweist das nur, daß der stoische Monismus

nicht zu widerspruchsfreien Aussagen kommen kann.

[28] ZB im Zeushymnus des Kleanthes, vArnim I p 121 f Nr 537.

[29] Es ist nicht zufällig, daß Epict so oft das Bild vom Spielen einer Rolle gebraucht.

[30] So WSchmidt, Der Ursprung der Gottesidee VI 2 (1935) 407 als Zusammenfassung seiner Untersuchungen: in den arktisch-amerikanischen Urkulturen begegne am öftesten die Auffassung der Schöpfung aus dem Nichts. Schmidt gibt zu erwägen, ob mit dieser Glaube an die creatio e nihilo Eigentum der Gesamtheit jener alten Menschheit war. Vgl auch EJohanssen, Geistesleben afrikanischer Völker im Lichte des Ev (1931) 219—234 u Bertholet-Leh I 180—182; NSöderblom, Das Werden des Gottesglaubens (1916) Kp 4.

[31] Bertholet-Leh I 547 ff; Ungnad (→ A 9) 165 ff.

die Natur, Menschheit und Götterwelt[32]. Ähnlich ist es in Ägypten[33], bei den Assyrern[34], in Indien[35]. Am ausgesprochensten ist in dieser Beziehung Aelius Aristides, der in seinem Zeushymnus ausdrücklich die Mythen, die Zeus den Chaosmächten unterordnen, bestreitet und also mit vollem Bewußtsein ihn das erste und den ersten sein läßt: ἦν τε ἄρα ἐξ ἀρχῆς καὶ ἔσται εἰσαεί (Or 43, 9 [Keil]), er ist aus sich selbst entstanden, 5 die Folgerung ist: οὕτω δὴ ἀρχὴ μὲν ἀπάντων Ζεύς τε καὶ ἐκ Διὸς πάντα. Und wenn Aelius Aristides Zeus und die Welt zugleich sein läßt (ebd 10), so nur, um die Schnelligkeit des Machens zu zeigen (ποιεῖν): es war kein ἀντικόψων da[36]. In diesem Zusammenhang müssen mannigfache, im Einzelnen verschiedene Versuche, den Schöpfungsvorgang als „Wunder", als einen personhaften Machtvorgang zu verstehen, genannt wer- 10 den, sei es die Vorstellung einer Schöpfung durch das Wort, sei es die einer Schöpfung durch besondere psychische Zustände des Schaffenden: etwa in der Ekstase. Tendiert wird damit auf eine Vorstellung der Schöpfung als einer menschliches Begreifen übersteigenden Tat. Ist aber das Schaffen eine Zauberhandlung, so liegt die entscheidende Macht nicht in dem Sinn des gesprochenen Wortes, sondern in der davon mindestens 15 grundsätzlich zu trennenden magischen Kraft des Wortes: Zauber wirkt durch eine vom Zauberer unterscheidbare Kraft; Schöpfung als Zauber verstehen heißt, in ihr eine vom Schöpfer zu trennende geheimnisvolle Kraft wirksam sehen, also gerade nicht den Schöpfer als „Person". — Diese Vorstellungen zielen alle freilich auf einen personhaften Willensakt, können ihn aber nicht erreichen, weil die Schöpfung allein 20 nicht genügt, ein personhaftes Gottesbild zu konstituieren. Darum können diese Göttergestalten nicht voll in ihrer Personhaftigkeit erfaßt werden. Das entscheidende personhafte Moment, das Handeln in der Geschichte, wird nicht von ihnen ausgesagt. Das zeigt sich auch im Griechentum: aus Zeus wird bei philosophischer Besinnung eine abstrakte Größe. So schon bei Anaxagoras, der den νοῦς alles durchwalten (δια- 25 κοσμεῖν) ließ[37]. Es ist dann die Idee des Guten oder das absolute Sein, dem die Welt ihren Bestand verdankt. In Platos Timaeus freilich spielt ein δημιουργός eine nicht recht geklärte Rolle als eine Art Mittler zwischen der Welt der Ideen und der der Erscheinungen[38]; Diogenes Laertius gibt als Platos Lehre: δύο . . . ἀρχάς, θεὸν καὶ ὕλην, ὃν καὶ νοῦν προσαγορεύει, καὶ αἴτιον. Die Hyle ist ἀσχημάτιστος καὶ ἄπειρος, ἀτάκ- 30 τως κινουμένη, der Gott hält aber die τάξις für besser als die ἀταξία, darum gestaltet er die Hyle[39]. Sonst aber werden gerne Emanationsformeln und -bilder gebraucht[40]. Im Neuplatonismus ist diese Anschauung konsequent durchgeführt; nach Plotin hat der nur durch Negation zu erfassende höchste Gott die Stufenleiter der Wesen nach Naturnotwendigkeit in sich und entläßt sie aus sich: noch nicht einmal auf dem Wege 35 der Emanation, denn das wäre eine Substanzminderung[41]. Das Ergebnis ist einerseits der Preis der Schönheit des Kosmos, des Abglanzes göttlicher Harmonie, andererseits eine Abkehr von den irdischen Dingen und der Materie und ein asketisches Streben zum All-Einen. Wie aus dem Einen das Viele und wie aus dem Allguten das Böse, wie aus dem Überseienden die Materie herausfließen kann, wird auch durch noch so 40 große Verlängerung der Emanationsreihen und -stufen nicht deutlich, und konsequenterweise kann für den Menschen das Ziel des Lebens nur im Unpersönlichen liegen; der Mensch wird zu einem Bündel verschiedener Teile, das sich wieder aufzulösen bestimmt ist. Die Gnosis hat diese Anschauungswelt in vielfältiger Weise abgehandelt. Eine Sonderstellung nimmt die Lehre Zarathustras ein, nach der zwei uranfängliche 45 Größen des Guten und des Bösen angenommen werden, die im Kampf miteinander liegen, in dem Stellung zu nehmen der Mensch aufgerufen ist[42]. Später ist dann die

---

[32] Ähnlich zB mit Ea, Bertholet-Leh I 544.
[33] Ebd I 436. 451.
[34] Ebd I 534.
[35] Ebd I 83 f. II 31 f.
[36] Hier wäre auch der orphische Vers zu nennen (Eus Praep Ev III 9, 2): Ζεὺς πρῶτος γένετο, Ζεὺς ὕστατος ἀργικέραυνος / Ζεὺς κεφαλή, Ζεὺς μέσσα, Διὸς δ' ἐκ πάντα τέτυκται. Auch sonst haben die Griechen neben anderen immer wieder Zeus an die Spitze der Weltgestaltung gestellt, Seeliger 484 unt, vgl ferner Soph (fr 1017 TGF [Seeliger 468]) von Helios: ὃν οἱ σοφοὶ λέγουσι γεννητὴν θεῶν καὶ πατέρα πάντων. Des weiteren wäre auf den Atonhymnus des Amenophis IV. zu verweisen (Erman [→ A 3] 111 ff; vgl ferner AOepke, Die Missionspredigt des Apostels Paulus [1920] 84 ff).
[37] KPrächter, Die Philosophie des Alter-

tums[12] (1926) 100. Eine Art Übergang bildet Pherekydes (Mitte 6. Jhdt v Chr), bei dem sich der Äther, genannt Zas, u Chthonie gegenüberstehen, Gruppe (→ Lit-A) § 171.
[38] → 74, 5 ff.
[39] Diog L III 41 (69).
[40] Die Bezeichnung πατήρ für den höchsten Gott im Gegensatz zum δημιουργός als dem ποιητής bei Numenius (Prächter 521. 602) weist in dieselbe Richtung.
[41] Prächter 603, auch → 77, 19 ff.
[42] Daß mit der Vorstellung eines persönlichen Gottes sich die Empfindung vollständiger Abhängigkeit des Menschen u des Berufenseins zum Handeln verbindet, zeigen Inschr von Darius I., die beginnen: „Ein großer (Gott ist) Ahuramazda, welcher der größte über allen Göttern ist, der Himmel u Erde schuf u die Menschen schuf, der allen

ganze Schöpfung auf diese beiden Mächte zerteilt. Ähnlich löst der erste Traktat des Corpus Hermeticum das Welträtsel, indem er zwei Mächte uranfänglich, aber nicht gleichzeitig vorhanden sein läßt, ähnlich die Manichäer.

B. Der Schöpfungsglaube im AT.

5 ### 1. Die Entwicklung des at.lichen Schöpfungsglaubens.

Vorexilische Aussagen über die Schöpfung sind im AT nicht gerade häufig. Auch wenn man aus ihnen und aus mancherlei Indizien schließen will, daß der Glaube an die Schöpfung der Welt durch Gott „in Israel 10 uralt" ist[43], so bleibt doch bestehen, daß die vorexilischen Propheten diesen Gedanken wenig verwandt haben. Neben der Erzählung von der Bildung des Menschen aus der Erde bei J (Gn 2, 4b ff; 6, 6f; vgl 7, 4)[44] und der Vorlage von P Gn 1, 1 ff[45], dem schwer datierbaren Schluß von Gn 14 (v 19 u 22, Segen und Schwur bei אֵל עֶלְיוֹן קֹנֵה שָׁמַיִם וָאָרֶץ) ist besonders der Tempelweihspruch 15 Salomos zu nennen, den LXX 3 Βασ 8, 53a in der Form beginnt: Ἥλιον ἐγνώρισεν ἐν οὐρανῷ κύριος. Hier wird ἐγνώρισεν für ein aus הֵכִין verlesenes הֵבִין stehen[46], also die Vorlage davon sprechen, daß Gott die Sonne am Himmel „festgemacht" hat.

Mit allen anderen Aussagen kommen wir schon nahe an die exilische Zeit[47]. 20 Bei Jer werden die Schöpfungsaussagen deutlicher: Jer 5, 22—24 spricht von Jahwe, der dem Meer die Düne als ewige Grenze gesetzt hat, Jer 27, 5 sagt Gott: „Ich habe die Erde, die Menschen und die Tiere, die es auf der ganzen Erde gibt, durch meine große Kraft und meinen ausgestreckten Arm geschaffen und gebe sie, wem ich will." Jer 31, 35—36 oder 37 spricht von der 25 ewigen Ordnung Jahwes, daß die Sonne am Tag leuchte[48]. Ez 28, 13 begegnet endlich das Wort ברא in Bezug auf den König von Tyrus in einem stark mit mythologischen Anspielungen durchsetzten Abschnitt.

Dieser Tatbestand hängt damit zusammen, daß das primäre Zeugnis des AT das von dem geschichtsmächtigen Gott ist, dem Gott Abrahams, Isaaks und 30 Jakobs, dem Gott, der das Volk Israel aus Ägypten durch das Rote Meer und den Jordan in das gelobte Land führte, dem Gott, der die Kriege Israels leitete. Es geht im AT nicht von der Schöpfung zur Geschichte, sondern umgekehrt, also nicht: der Schöpfer (Subj) ist Jahwe (dh der Gott Israels), sondern: Jahwe (Subj) ist der Schöpfer. Der Inhalt des Wortes יהוה wird primär durch seine

---

Segen gab den Menschen, die auf ihr leben, der den Darius zum König machte u dem König Darius die Herrschaft verlieh auf diesem weiten Erdboden, auf dem viele Länder (sind)" (FHWeißbach, Die Keilinschriften der Achämeniden [1911] 85. 87. 99 usw).

[48] Eichrodt (→ Lit-A) II 47.

[44] Vielleicht ist auch Gn 2, 4b בְּיוֹם עֲשׂוֹת יְהֹוָה אֱלֹהִים אֶרֶץ וְשָׁמָיִם Hinweis auf einen Bericht vom „Machen" des Himmels u der Erde durch den Jahwisten, FMThBöhl, in: At.liche Studien für RKittel (1913) 59.

[45] GvRad, Die Priesterschrift im Hexateuch (1934) 11—18; LRost, Der Schöpfungsbericht der Priesterschrift, in: Christentum u Wissenschaft 10 (1934) 172—178.

[46] Vgl OEißfeldt in Kautzsch z 1 Kö 8, 12; Hänel (→ Lit-A) 211.

[47] Strothmann (→ Lit-A) 200f zählt noch als älter auf: 1 S 2, 8ff; Js 17, 7; Na 1, 4; Hab 3, 6ff. An den letztgenannten St findet er einen Anklang an den Chaoskampfmythus. Die Zeit der meisten St ist indessen umstritten.

[48] Vgl dazu Jer 38, 16. — Jer 10, 11f. 16; 32, 17 sind wohl nicht echt.

Offenbarung in der Geschichte bestimmt[49]. In den Vätergeschichten macht sich Gott nicht als der, der Himmel und Erde geschaffen hat, bekannt, sondern als der Gott der Väter[50]. Aber diese Offenbarung in der Geschichte war von Anfang an so, daß in ihr der Keim zur Entfaltung auch der Schöpfungsaussagen enthalten war[51]: Jahwe ist von Anfang an nur Subjekt geschichtlichen Handelns, neben dem kein anderes gottheitliches Subjekt solchen Handelns erscheint — und zwar ein Subjekt, das personhaft, dh bewußt wollend (im Gegensatz zu den „Strebungen" kosmogonischer Mächte in der Religionsgeschichte) und zielstrebig handelt. Jahwe gibt vorher kund, was er tun wird — wie hat Dtjs dieses Motiv später im Kampf gegen die Götzen verwandt! —, es handelt sich nicht, wie in den Achämenideninschriften (→ A 42), nur um die dankbare Zurückführung geschehener Ereignisse auf eine Gottheit, sondern „von fernher" hat Gott es gemacht und gebildet Js 22, 11, ähnlich 2 Kö 19, 25 = Js 37, 26. Der Ausdruck schlechthinniger Überlegenheit Jahwes allen Faktoren der Geschichte gegenüber ist das Bild vom Ton und Töpfer, Jer 18, 1—6[52]. Geschichtliches Handeln ist Handeln in Raum und Zeit, und in Raum und Zeit bewegt sich die Natur; der Geschichtsmächtige ist zugleich der Naturmächtige. Auch auf dem Gebiete der Natur gibt es Jahwe gegenüber nur Objekte seines Handelns: die Erde bebt und die Berge wanken schon bei Jahwes bloßem Erscheinen, Ri 5, 4f; Hab 3, 3ff usw; bezeichnend ist, wie in Am 9, 2—4 die äußersten Bereiche des Kosmos: Himmel, Erde, Totenreich, Karmelgipfel und der Grund des Meeres Jahwe zugänglich und dienstbar sind.

Mit den Ordnungen der Natur, die Jahwe nach Gn 8, 22 (J) verbürgt hat, ist der Schöpfungsgedanke schon weiter gereift: Jer 5, 22—24 (vgl 14, 22) wird als Motiv der Furcht Gottes, vor dem Spenden des Regens zu seiner Zeit und vor der Sicherung der festen Ordnungen der Erntezeit die Tatsache genannt, daß Gott dem Meere die Düne als Grenze „gesetzt" (שִׂים) hat als ewige Satzung, ähnlich wie im Tempelweihspruch Salomos in Bezug auf die Sonne[53]. So erscheint bei Jer (27, 5) auch die erste deutliche und umfassende Schöpfungsaussage אָנֹכִי עָשִׂיתִי אֶת־הָאָרֶץ אֶת־הָאָדָם וְאֶת־הַבְּהֵמָה אֲשֶׁר עַל־פְּנֵי הָאָרֶץ בְּכֹחִי הַגָּדוֹל וּבִזְרוֹעִי הַנְּטוּיָה וּנְתַתִּיהָ לַאֲשֶׁר יָשַׁר בְּעֵינָי[54]. Hier ist zum ersten Mal die absolute Geschichtsmächtigkeit Gottes auf sein Schöpfersein zurückgeführt. Der Zusammenhang zwischen Geschichtsmächtigkeit und Schöpfermacht ist im AT eng, denn die Gestaltung der Geschichte ist auch ein Schaffen, und es werden von ihr dieselben Worte ge-

---

[49] Eichrodt (→ Lit-A) I 10: „In Israel dagegen erweckte das Wissen um den Bundesgott u seine Erlösungstat die Fähigkeit, das geschichtliche Geschehen zunächst im Rahmen des Volksgeschicks, dann aber auch der Weltgeschichte als Wirkung des einen göttlichen Willens zu begreifen u darzustellen, ja auch den Naturmythus der Ausführung dieses Gedankens dienstbar zu machen."

[50] Vgl demgegenüber Jub 32, 18: Ich bin der Gott, der Himmel u Erde geschaffen hat. (Gott erscheint Jakob.)

[51] Eichrodt I 115 f: „Die wirksamsten Voraussetzungen für die Unterordnung des ge-

samten Naturlebens unter das machtvolle Walten des einen göttlichen Herrn, in dem altisraelitischen Glauben an den Bundesgott enthalten . . ."

[52] Vielleicht schon früher Js 29, 16, aber die Echtheit der St ist umstritten.

[53] Ähnlich Jer 31, 35—36 (ob v 37 echt ist, ist fraglich).

[54] Echt nach PVolz, Der Prophet Jeremia (1922) 255 (Eingriff späterer Hand möglich, die religiösen Grundgedanken aber in Jeremias Mund begreiflich) und Strothmann aaO 64—66; עשׂה = „durch Arbeit hervorbringen", Strothmann 66.

braucht wie vom Gestalten und Schaffen der Welt und des Menschen. So begegnen עשה und יצר vom geschichtlichen Walten Js 22, 11; 29, 16f; Jer 18, 11;
פעל: Hab 1, 5. So ist auch das Volk Israel „gebildet", dh durch die geschichtliche Führung nicht zum Volk schlechthin, sondern zu Gottes Volk gemacht:
5 Js 27, 11 (עשה und יצר). Bei Dtjs erscheint dann dieser Sprachgebrauch fest:
43, 7. 15. 21; 44, 2. 21. 24; 45, 11; 49, 5. In diesem Sinne des Herbeiführens
geschichtlicher Tatbestände begegnet auch das Wort ברא, das dann term techn
für das göttliche Schaffen geworden ist: Ex 34, 10 (J?): אֶעֱשֶׂה נִפְלָאֹת אֲשֶׁר לֹא־נִבְרְאוּ
בְּכָל־הָאָרֶץ וּבְכָל־הַגּוֹיִם; Nu 16, 30 (JE): וְאִם בְּרִיאָה יִבְרָא יְהוָה וּפָצְתָה הָאֲדָמָה אֶת־פִּיהָ: ge-
10 meint sind hier außerordentliche geschichtliche Tatbestände. Mit Dtjs und P,
mit dem Wort ברא und der Vorstellung des allmächtigen Schaffens durch das
Wort ist dann der at.liche Schöpfungsglaube zu voller Klarheit gediehen.

2. Schöpfungsterminologie und Schöpfungs-
vorstellungen im AT.

15   Es kommen in Betracht einmal die eigentlichen Schöpfungstermini
ברא, פעל, עשה, יצר, קנה, dann bildliche Ausdrücke, die mit dem antiken Weltbild
zusammenhängen, נטה, יסד, כון, סכך (= „weben", Ps 139, 13), הוליד (Ps 90, 2), endlich Anspielungen auf Schöpfungsmythen.

קנה [55] von der Schöpfung: Gn 14, 19. 22: אֵל עֶלְיוֹן קֹנֵה שָׁמַיִם וָאָרֶץ (LXX beide Male:
20 ἔκτισεν); Ps 139, 13: אַתָּה קָנִיתָ כִלְיֹתָי neben „weben" im Mutterleib (LXX für קנה:
κτάομαι); Prv 8, 22 sagt die Weisheit: יְהוָה קָנָנִי רֵאשִׁית דַּרְכּוֹ (LXX: κτίζω); Dt 32,
6 (Zeit etwa Exil): הֲלוֹא־הוּא אָבִיךָ קָּנֶךָ הוּא עָשְׂךָ וַיְכֹנְנֶךָ (LXX in derselben Reihenfolge: κτάομαι, ποιέω, κτίζω). Ges-Buhl gibt für diese Stellen die Bedeutung „gründen,
schaffen", aber es können von diesen Stellen nicht die getrennt werden, die das Wort
25 auf das Verhältnis Gottes zu Israel anwenden: wie Dt 32, 6 so Ex 15, 16 (Schilfmeer-
lied, jünger als J und E) זְכֹר עֲדָתְךָ קָנִיתָ יַעֲבֹר עַם־זוּ קָנִיתָ (LXX: κτάομαι); Ps 74, 2:
קֶדֶם גָּאַלְתָּ שֵׁבֶט נַחֲלָתֶךָ (LXX: κτάομαι); Js 11, 11 (spät): an jenem Tage wird Gott zum
zweiten Mal seine Hand ausstrecken, לִקְנוֹת אֶת־שְׁאָר עַמּוֹ (LXX: ζηλοῦν); Ps 78, 54
vom Tempelberg: הַר־זֶה קָנְתָה יְמִינוֹ (LXX: κτάομαι). Es wird überall die Bedeutung
30 „sich verschaffen" anzunehmen sein [56]: Gott hat den Himmel und die Erde „sich erworben", „sich verschafft", „sich zubereitet"; die Bildung des Volkes Israel und die
von Himmel und Erde werden mit denselben Ausdrücken bezeichnet. Das Wort ist
Gn 14 wohl älter, sonst ist es poetisch gebraucht. Auch LXX hat קנה noch nicht
als „schaffen" aufgefaßt, denn für die Übersetzer der Gn hat κτίζω nicht den Sinn
35 wie in den anderen Teilen der LXX, → 1026, 17ff.

יצר bezeichnet die Tätigkeit des Töpfers, der mit seinen Händen Gefäße und Sta-
tuen formt und bildet. Es entspricht also dem griechischen πλάσσειν, womit es LXX
auch meist übersetzt [57]. Die buchstäbliche Auffassung des „Bildens" liegt sicher Gn
2, 7. 8. 19 vor; schon Jer 1, 5, wo es vom „Bilden" im Mutterleib gebraucht wird,
40 ist es nur Bild für Gottes unsichtbares und allmächtiges Handeln. Das Bildhafte tritt
immer mehr zurück, und es ist müßig zu fragen, in welchem Maße das Bild hier oder
da noch buchstäblich aufgefaßt sein mag. Mit Sicherheit vorexilisch ist keine weitere
Stelle von יצר im Sinne des Schaffens. Js 45, 7 hat es als Obj das Licht und steht
neben ברא — Letzteres geschieht auch sonst: Js 45, 18; Am 4, 13; Js 43, 1 — oder
45 neben עשה Js 27, 11; 44, 2; 45, 18. Dtjs wendet יצר besonders gerne auf das Volk
Israel an, das Gott sich gebildet hat (43, 1. 21; 44, 2. 21. 24; 45, 9. 11; 49, 5). Die

---

[55] Zu קנה: Dillmann (→ Lit-A) 287; Hänel
(→ Lit-A) 176 f; LKöhler, ZAW 52 (1934) 160;
Ders, Theologie des AT (1936) 68; Eichrodt
(→ Lit-A) II 50; Burney (→ Lit-A) 166.
[56] Köhler (→ Lit-A) 68 f: „mühsames, sorg-
liches Tun, durch das Gott sich in den Besitz
der Dinge bringt".

[57] Anders: Js 45, 18: καταδείκνυμι (von der
Erde); Js 43, 21: περιποιεῖσθαι (vom Volk Israel); Js 22, 11; 46, 11: κτίζω; Js 37, 26:
συντάττω (Ereignisse); Js 45, 7: κατασκευάζω
(Licht); Am 4, 13: στερεόω (Berge, LXX:
βροντήν); Js 29, 16 u 45, 11: ποιέω.

Eignung des Bildes zum Ausdruck des Verhältnisses der Kreatur zum creator liegt einmal darin begründet, daß in ihm die Andersartigkeit, die Überlegenheit und auch die überlegene Weisheit des „Bildners" dem Gebilde gegenüber kräftig zum Ausdruck kommt, wie denn auch das Bild vom Ton und Töpfer, auch abgesehen von der eigentlichen Schöpfung, die schlechthinnige Abhängigkeit des Menschen von Gott auszudrücken vermag (vgl Js 29, 16 f; Jer 18, 1 ff). Zum andern — und das hat besonders für Dtjs Geltung — liegt in diesem Bild, daß die Kreatur nicht nur ihr Geschaffensein, sondern auch ihr So-Geschaffen-Sein, ihre konkrete Gestalt, Gott verdankt.

פעל und Subst פֹּעַל wird nur einmal (Hi 36, 3: פֹּעֲלִי) vom Schöpfer gebraucht, sonst bezieht es sich oft auf Gottes Taten in der Geschichte.

עשה ist der allgemeinste Ausdruck für Schaffen und ist im AT ebenso wie ποιέω in LXX das am häufigsten hierfür gebrauchte Wort. Wenn J Gn 3, 1 auf das „Bilden" der Tiere des Feldes, wovon er 2, 19 mit וַיִּצֶר יְהוָֹה אֱלֹהִים מִן־הָאֲדָמָה כָּל־חַיַּת הַשָּׂדֶה berichtet hatte, zurückblickt mit den Worten: כָּל־חַיַּת הַשָּׂדֶה אֲשֶׁר עָשָׂה יְהוָֹה, so ist עשה zweifellos von J im Sinn von יצר gebraucht, es bezeichnet da also ein „Machen" aus einem vorhandenen Stoff. Wenn anderseits P Gn 1, 6 neben „Es sprach Gott: es werde eine Feste" v 7 setzt: וַיַּעַשׂ אֱלֹהִים אֶת־הָרָקִיעַ, so zeigt das wohl eine ältere Stufe der Erzählung an, die Gott unmittelbar eine Feste bilden, die Wasser selbst scheiden läßt[58]; aber für den, der Gn 1, 6 mit v 7 verbunden hat (ebenso auch Gn 1, 14 f mit 16 f und v 24 mit v 25), ist zwischen dem Ins-Dasein-„Rufen" und dem „Machen" kein störender Unterschied. Das gilt auch von ברא: denn neben dem Befehlswort, mit dem Gn 1, 20 Kriechtiere und Vögel ins Dasein gerufen werden, steht v 21 וַיִּבְרָא אֱלֹהִים אֶת־הַתַּנִּינִם als ältere Stufe der Überlieferung, so daß demnach ברא auch einmal eine יצר verwandte konkrete Bedeutung besessen haben muß[59]. Wenn vielfach von den Händen (dem Finger) gesprochen wird (zB Ps 8, 4; Hi 12, 9), mit denen Gott geschaffen hat, so ist auch dies nur bildlich zu fassen. Dtjs, über dessen Auffassung von der Schöpfung durch Gottes Befehl ein Zweifel nicht möglich ist, gebraucht 45, 18 nebeneinander ברא, יצר, עשה und כּוֹנֵן[60].

ברא bei P Gn 1, 1. 21. 27 (2 mal); 2, 3. 4; 5, 1. 2 (2 mal); 6, 7 (J, aber wohl aus P dahingekommen[61]); Dt 4, 32; 20 mal in Dtjs; 6 mal im Psalter, ferner Am 4, 13 (unecht[62]); Js 4, 5 (unecht; LXX las statt בְּרָא: בָּא); Jer 31, 22; Ez 21, 35; 28, 13. 15; Mal 2, 10; Qoh 12, 1; außerdem Ex 34, 10; Nu 16, 30 (→ Z 35 f). ברא hat natürlich auch ursprünglich eine konkrete Bedeutung gehabt, aber sie ist nicht mehr mit Sicherheit festzustellen[63]. Das Wort wird ausschließlich vom göttlichen Schaffen gebraucht; an den quellenkritisch vielleicht ältesten Stellen, Ex 34, 10[64] und Nu 16, 30 (JE), bezieht es sich auf ein wunderbares, mächtiges geschichtliches Handeln Gottes. Ebenso ist es Jer 31, 22 und auch sonst noch gelegentlich (Js 45, 7. 8; 48, 7; 65, 18). ברא bleibt damit den anderen Schöpfungsausdrücken parallel. Das Wort ist durch diese seine Beschränkung auf ein Tun Gottes zu einem besonderen theologischen Wort gestempelt und zum Träger des Schöpfungsglaubens gemacht, den P und Dtjs mit besonderer Klarheit herausgestellt haben. Voraussetzung ist, daß tatsächlich von Gottes Schaffen etwas auszusagen ist, das keine Analogien im Bereich des menschlichen Lebens und Wissens hat.

Neben diesen Worten steht eine Reihe von solchen, die auf die besondere Art, wie der Orientale sich die Welt begründet dachte, bezogen sind: den Himmel hat Gott wie ein Zelttuch „ausgespannt" נטה (Js 40, 22[65]; 44, 24; 45, 12; 51, 13; Sach 12, 1; Ps 104, 2; Hi 9, 8 [vgl 26, 7]; Jer 10, 12 = 51, 15[66]) oder טפח Js 48, 13, oder der Himmel wird „festgemacht" wie ein Metallspiegel Hi 37, 18[67]; die Erde ist auf Säulen

---

[58] Rost (→ A 45); vRad (→ A 45) 12 ff.
[59] Ebenso 1, 26: 27.
[60] Daneben ist noch auf St wie Gn 2, 8 f hinzuweisen, wonach Jahwe einen Garten „pflanzte"; vgl Gn 3, 21.
[61] So auch Böhl (→ A 44) 47.
[62] Böhl 48—49 verteidigt die Echtheit der Schöpferdoxologien Am 4, 13; 5, 8 f; 9, 5 f. Aber der poetische Schwung erinnert an Dtjs, u 9, 5 f ist kein Abschluß zu v 1—4, die eines solchen nicht bedürfen; die Allmacht Jahwes ist 9, 2—4 genug bezeugt.

[63] Näheres bei Böhl (→ A 44) 42 f. — Zu ברא: Die at.lichen Theologien (Lit-A) von Dillmann 286 f; HSchultz[5] (1896) 449; Smend 348 A 1; Sellin 37; Eichrodt II 51; Köhler 69; ferner Hänel (→ Lit-A) 249.
[64] Die quellenkritische Zuteilung ist nicht sicher, vgl Böhl 47 f.
[65] Neben מָתַח כָּאֹהֶל.
[66] Diese beiden St stammen wohl nicht von Jer.
[67] Vgl Strothmann aaO 53.

„gegründet", יסד, im Psalter, bei Dtjs, Sach 12, 1; Hi; Prv; Am 9, 6 (unecht, → A 62); 1 S 2, 8, also an keiner Stelle sicher vorexilisch. Oder die Erde ist „festgemacht" (הֵכִין) כּוֹנֵן), Ps 93, 1; 96, 10 = 1 Ch 16, 30; Js 45, 18; Ps 24, 2; 119, 90; Jer 10, 12 =
5 51, 15 (unecht). Auch die Sterne sind „festgestellt" Ps 8, 4, ebenso der Himmel, Prv 3, 19; 8, 27 und die Berge Ps 65, 7; dasselbe gilt von den Ordnungen der Erde, von Getreide und von Regen: Ps 65, 10; 147, 8: Schöpfung und Erhaltung gehen ineinander über. Auch ganz andere Bilder begegnen: vom Geborenwerden der Berge spricht Ps 90, 2; Hi 15, 7; vgl Hi 38, 8, vom Gewoben- oder Gewirktwerden des Menschen Ps 139, 13. 15; Hi 10, 11; Gottes Söller ist im Wasser „gebälkt" Ps 104, 3
10 usw. Diese Ausdrücke tauchen in besonderer Stärke in der Zeit des Exils auf, also gerade in der Zeit, in der die Schöpfung durch das Wort ausgesprochen wird: als dieser Standpunkt erreicht war, konnten ohne Gefahr diese anthropomorphen Bilder gebraucht werden; so stellt Dtjs (48, 13) nebeneinander: meine Hand hat die Erde gegründet, und meine Rechte hat den Himmel ausgebreitet, und: ich rufe sie, sie
15 stehen zugleich da, und ברא steht im Parallelismus membrorum neben יסד ua: zB Ps 89, 12 f; Js 45, 18. Indem diese Bilder gleichsam mit Menschenmaß rechnen, zeigen sie, daß Gott Menschenmaß schlechthin überschreitet: der, dessen Hand den Himmel ausgespannt hat, ist eben nicht ein Mensch mit Riesenmaß, sondern etwas ganz anderes als ein Mensch, eben Gott, ist der Erste und Letzte, der bleibt, wenn Himmel
20 und Erde, die „Werke seiner Hände" (Ps 102, 26) vergehen, ist der, angesichts dessen es sinnlos wird, sich vor Menschen zu fürchten Js 51, 13. Die Festigkeit, mit der die Erde „hingestellt" ist, verbürgt die Treue Gottes Ps 119, 90. Endlich weisen diese bildlichen Ausdrücke auf Gottes Macht und Weisheit hin: Jer 10, 12: עֹשֵׂה אֶרֶץ בְּכֹחוֹ מֵכִין תֵּבֵל בְּחָכְמָתוֹ וּבִתְבוּנָתוֹ נָטָה שָׁמָיִם vgl etwa Prv 3, 19; 8, 27; Hi 38 f; Ps 65, 7 [68].

25 Eine Reihe von anderen Stellen zeigt uns den mythologischen Untergrund des orientalischen Weltbildes [69] (→ 1001, 18 ff), nach dem der eigentlichen „Weltgestaltung" ein Kampf gegen eine oder mehrere persönlich dargestellte Chaosmächte vorangeht. Von deutlichen Hinweisen auf diesen Mythus unter Nennung mythologischer Namen (Rahab, Leviathan) bis zu den abgeblaßtesten Anklängen daran (zB das „Schelten"
30 Jahwes dem Meer gegenüber) sind alle Stufen der Bezugnahme vertreten — nur der eigentliche Mythus nicht. Die Anspielungen begegnen durchweg in gehobener Rede, besonders in den Ps, Dtjs und Hi. Das beleuchtet schon die Tragweite dieser Aussagen. Es ist auch zu bemerken, daß in ein und derselben Schrift verschiedene „Stadien" der Verwendung dieses Mythus begegnen: Hi 9, 13 spricht von den Helfern Rahabs,
35 die sich Gott beugen mußten, Hi 38, 8 aber nur davon, daß Gott das Meer mit Toren umschlossen habe, als es hervorbrach — beides bezieht sich auf dasselbe, die Schöpfung als Kampf mit dem Chaos, und ein letzter Anklang an diesen Mythus steht in Ps 33, 7 ff neben der Schöpfung durch das Wort. Noch deutlicher steht bei Dtjs die Plerophorie der mythologischen Bildersprache neben der Schöpfung durch das Wort.
40 Und faßt man die Art, wie der Mythus verwendet wird, ins Auge, so ergibt sich, daß bei allen Anklängen und Anspielungen auf ihn doch die mythischen Ungeheuer stets nur Objekte des göttlichen Handelns sind, am deutlichsten Ps 89, 11: du hast Rahab zermalmt wie einen tödlich Verwundeten. Diese Urchaosmacht ist Jahwe gegenüber so ohnmächtig wie ein tödlich Verwundeter, der den Gnadenstoß bekommt. Die
45 mythologischen Anspielungen sollen eine Aussage über Gott, nicht über die Chaosmächte machen [70].

3. Der at.liche Schöpfungsglaube.

a. Alle Aussagen über den Schöpfer haben im AT ihr Merkmal darin, daß sie nicht für sich das Gottesbild konstituieren, sondern auf
50 den bestimmten, in geschichtlichen Ereignissen sich kundtuenden Gott Jahwe

---

[68] Ein deutlicher Hinweis auf die Bildhaftigkeit wäre es, wenn Prv 8, 23 zu lesen wäre: נְסַכֹּתִי „ich bin gewoben worden", von der Weisheit, so zuletzt BGemser, Sprüche Salomos (1937) zSt.

[69] Das Material ist von HGunkel, Schöpfung u Chaos [2] (1921) u Strothmann vorgelegt.

[70] Eine alte mythologische Anspielung enthält wohl auch das Jauchzen der Morgensterne, als Gott den Eckstein der Erde legte, Hi 38, 6 f; das ist darum aber keine explizit andere Vorstellung von der Weltschöpfung als in Gn 1, wie BDuhm (→ Lit-A) 26 und Stade-Bertholet (→ Lit-A) II 130 es will. An die mythologische Vorstellung von dem fruchtbaren Chaos erinnert der Ausdruck, daß die Berge „geboren" werden, Ps 90, 2; Hi 38, 28 ff.

bezogen sind. Nicht die Schöpfung ist die grundlegende Offenbarung, sondern das geschichtliche Handeln, das an den Vätern begann [71].

b. Seinen eigentlichen Ausdruck hat der Schöpfungsglaube des AT in dem Schöpfungsbericht von P in Gn 1 gefunden, in der Schöpfung als einer Tathandlung; durch Gottes Wort entsteht aus dem Nichts die Schöp- [5] fung. Was an mythologischen Vorstellungen und an bildhaften Ausdrücken, die eine bildnerische Tätigkeit Gottes benennen, im AT verwandt wird und somit mit dem Schöpfungsglauben des ersten Schöpfungsberichtes in Widerspruch stehen sollte, läßt Raum für diese eigentliche Entfaltung des at.lichen Schöpfungsglaubens, indem die Gott feindlichen Chaosmächte und der Stoff, der [10] „gebildet" wird, stets nur Objekt des göttlichen Handelns sind (→ 1005, 17 ff).

Die Schöpfungserzählung von Gn 1 wird in Ps 33, 9 in die Worte gefaßt: הוּא אָמַר וַיֶּהִי הוּא־צִוָּה וַיַּעֲמֹד. Dieser Satz enthält eine logische Unvollziehbarkeit, die Pls R 4, 17 noch deutlicher macht: (κατέναντι ... θεοῦ) καλοῦντος τὰ μὴ ὄντα ὡς ὄντα. Rufen kann man nur das, was schon existiert [72], Gott aber ruft das, [15] was noch nicht existiert, und befiehlt ihm, und im Gehorsam gegen diesen Befehl vollzieht sich das Geschaffenwerden. Man darf die vollständige Unbegreiflichkeit dieser Aussage sich nicht dadurch billig vom Halse schaffen, daß man das μὴ ὄντα in irgendeinem Sinn doch als ὄντα annimmt [73]. Diese at.liche Vorstellung geht auch über die sonst belegbare Vorstellung vom Schöpfungsvorgang [20] als einem Zauber hinaus, denn es wird nicht ein Zauberwort gesprochen, das abgesehen von seinem Sinn noch eine Macht in sich trüge (→ 1003, 14 ff), sondern der Befehl in seinem konkreten Wortlaut ist das Schöpfungswort. Auch kann man nicht einwenden, diese Schöpfungsvorstellung sei unorganisch. Schöpfung ist so, wie sie im AT geschaut ist, Setzung des Organischen und als solche [25] ein personhafter Akt, eine Tat [74], auf die die Kategorie des Organischen und Unorganischen gar nicht angewandt werden kann, ebensowenig wie (in gewissem Maß) auf menschliche Willenshandlungen. Auch als letzte Ursache erscheint die Schöpfung hierbei nicht, wie auch auf die Taten und Willenshandlungen des Menschen die Kategorie der Kausalität nicht anzuwenden ist. So ist der [30] Begriff der Schöpfung im AT einer, der in strengem Sinn nur an einer Stelle,

---

[71] Von vRad (→ Lit-A) 138 ff stark herausgehoben. Vgl GvRad in: AAlt, JBegrich, GvRad, Führung zum Christentum durch das AT (1934) 57; Eichrodt → A 49 und 51.
[72] Scharbau (→ Lit-A) 137: „Die Idee des Befehls setzt gleichsam mit, daß dienende, gehorsame Mächte da sind, die den Schöpfungswillen vollführen."
[73] Das versucht Scharbau aaO 17—28.
[74] Vgl Hönigswald (→ Lit-A) 18 f. Für eine gewisse Auflockerung dogmatischer Verfestigung in der Naturwissenschaft mag ein Wort von ASEddington dienen. (Die Naturwissenschaft auf neuen Bahnen [1935] 55 f): „Philosophisch ist für mich die Vorstellung eines plötzlichen Beginnes der gegenwärtigen Ordnung in der Natur abstoßend, so wie sie es wohl für die meisten Menschen sein muß.

Und sogar diejenigen, die einen Beweis für das Eingreifen eines Schöpfers begrüßen würden, werden sich doch vermutlich sagen, daß ein einziges Aufziehen der Weltenuhr zu einer längst vergangenen Zeit eigentlich doch nicht gerade eine Beziehung zwischen Gott u seiner Welt ist, die das Gemüt befriedigt. Aber ich sehe keinen Ausweg aus dieser Schwierigkeit." Auch wenn die Naturwissenschaft für den Bestand der Welt u die Geltung der „Naturgesetze" zu ähnlichen Schlüssen kommen sollte wie Eddington für den Beginn der Welt, so kann sie doch nicht selbst zur biblischen Verkündigung der Schöpfung u Erhaltung als personhafter Tat vordringen, da personhafte Kategorien ihr nicht zur Verfügung stehen. Sie kann nur einen „Hohlraum" dafür schaffen.

nämlich bei Gott, Sinn hat. Damit wird deutlich, warum בָּרָא im AT nur von
einem Handeln Gottes gebraucht wird (→ 1007, 34 ff). Als Schöpfer ist Gott der
Herr, → κύριος und steht allem Geschaffenen als solcher gegenüber. Die
Schöpfung ist absolute Machthandlung. Nur hier ist der Schöpfer ganz person-
5 hafter Wille und von jeder Begrenzung seiner Macht frei.

Zwischen Vater und Sohn im Bereich irdischen Lebens besteht ein „organischer" Zusammenhang, der Sohn kann werden wie der Vater; zwischen Schöpfer
und Geschöpf besteht kein naturhafter Zusammenhang, das Geschöpf ist und
bleibt grundlegend verschieden von seinem Schöpfer, und keine Zeit löscht die-
10 sen Unterschied aus oder verringert ihn auch nur [75]. Das AT hat ein starkes
Gefühl für diesen Abstand von Schöpfer und Geschöpf: Ex 33, 23 darf Mose
Gott von hinten sehen, וּפָנַי לֹא יֵרָאוּ, Elias verhüllt sein Angesicht, als er Gott
vorüberziehen weiß, 1 Kö 19, 13; Js ruft (6, 5): Weh mir, ich vergehe, denn
meine Augen haben den König, Jahwe Zebaoth, gesehen. Darum ist im AT
15 Gott auch der verborgene Gott, Js 45, 15, sein Tun ist verborgen: Ps 139, 15;
Hi 11, 7; 42, 1—6. Weil Gott so als Schöpfer schlechthin anders, überlegen
ist dem Menschen und der ganzen Natur gegenüber, darum durchzieht das AT der
Preis dieses Schöpfers. Denn loben und preisen kann der Mensch nicht das, von
dem er selbst ein Teil ist, loben und preisen kann er nur den, der ganz über ihm
20 steht und das Recht dazu hat: das ist der Schöpfer [76]. So preist im AT nicht
nur der Mensch zB Ps 8; 95, 1—5; 104, sondern auch die ganze Natur ihren
Schöpfer, „Die Himmel rühmen des Ewigen Ehre". Wenn es Hi 38, 6 f heißt, daß,
während die Morgensterne jubelten, Gott den Grundstein der Erde legte, so mag
da eine andere Vorstellung von der Weltschöpfung vorliegen als in Gn 1 (→ A 70)
25 — aber diese Morgensterne erkennen durch ihr Preisen die Majestät und Überlegenheit und (ohne daß es ausgesprochen wäre) das Schöpfersein Gottes auch
für sich an. So ist es innerlich begründet, daß Dtjs, der immer wieder Gott
als den Schöpfer bezeugt, ebenso auch immer wieder von Gottes Ehre spricht,
die er keinem andern lassen will, 42, 8; 45, 23.
30 Der Schöpfer hat die Macht, das Geschöpf in das Nichts, aus dem es gerufen,
wieder hineinzusenden: Ps 102, 26—28; 104, 29; Dt 32, 39, vgl Hi 34, 14 f.
Zwischen dem Rufen aus dem Nichts und dem Senden in das Nichts steht die
Erhaltung. Welches auch immer der Sinn des „Ruhens" Gottes am siebten Tage
war (Gn 2, 2 f) — Tatsache ist, daß das AT von einer fortwährenden schaffen-
35 den Tätigkeit Gottes redet: Jer 1, 5. Bei Dtjs ist Israel von Gott geschaffen
oder gebildet, und wir sahen, daß die Ausdrücke der Schöpfung zugleich auch
für das Handeln Gottes in Natur und Geschichte gebraucht werden. Besonders
eindrücklich ist das in Ps 104, zusammengefaßt in v 27 f, und Neh 9, 6. Auch
die regelmäßigen Geschehnisse im Laufe der Natur stehen unter seinem Befehl,
40 Js 40, 26; vgl Gn 8, 22. Während das alte Israel wohl Gottes Macht vorzugsweise in den gewaltigen Naturereignissen, Donner und Sturm, sah [77], sind es

---

[75] Darin liegt auch die Begründung für
das Bilderverbot im AT, → II 379, 13 ff.
[76] Eichrodt I 221: „Das jubelnde Echo, das
Gn 1 in vielen Psalmen findet, zeigt die be-
freiende Wirkung, die von dem monothei-

stisch geformten Schöpfungsgedanken ausgeht u gerade in der absoluten Bindung als
höchste Erhebung erlebt wird."
[77] Ps 29; vgl Eichrodt II 79.

später die Satzungen der Natur, die Gottes Herrlichkeit zeigen. Im Unterschied vom Griechentum ist es aber nicht die klare Ordnung des Gestirnlaufs, die die Planmäßigkeit und rationale Ordnung des κόσμος zeigt, sondern Israel hat bei dem Betrachten der Natur immer an die חֻקּוֹת, die Satzungen Gottes gedacht, die er der Natur auferlegt hat[78]. So ist im Werden, Sein und Vergehen die ganze Schöpfung vom Willen des Schöpfers restlos abhängig.

c. Gegenüber den Bildern und Ausdrücken, die die Macht des Schöpfers im Schöpfungsakt betonen (→ 1008, 16 ff), ist die Schöpfung durch das Wort der theologisch adäquate Ausdruck (soweit das möglich ist) für Gottes Schaffen. Das Schaffen durch das „Wollen" ist demgegenüber immer der möglichen Fehldeutung als naturhafter Trieb oder als ein Aus-Sich-Heraus-Setzen ausgesetzt; das Wort erst sichert die Schöpfung vor jedem emanatischen Mißverständnis und zeigt den Schöpfer als „Person", denn es ist die Äußerung des bewußt Wollenden und Handelnden. Was Gott „will" (חָפֵץ), tut er, Ps 115, 3; 135, 6. Zugleich stellt die Schöpfung durch das Wort den wunderbaren, „geistigen" Charakter der Schöpfung heraus und die absolute Überlegenheit des Schöpfers dem Geschöpf gegenüber, das ihm noch nicht einmal den passiven Widerstand entgegensetzen kann, den die „träge" Materie dem Bearbeitetwerden entgegensetzt. Von der Schöpfung durch das Wort spricht zuerst Dtjs: קרא (auch wieder von der Schöpfung am Anfang und vom Bestimmen der Geschichte) 41, 4; 48, 13; vgl 44, 26 f (אמר) und 45, 12 (צוה); dazu Am 9, 6 (קרא) (vgl Hi 37, 5 f) und besonders Ps 33, 6: בִּדְבַר יְהֹוָה שָׁמַיִם נַעֲשׂוּ, dazu v 9; 148, 5; Hi 38, 11; Jon 4, 6 f. Neben Dtjs steht der Schöpfungsbericht von P mit seinem lapidaren וַיֹּאמֶר אֱלֹהִים—וַיְהִי כֵן[79].

Die Schöpfung durch das Wort vollendet sich in der creatio e nihilo. Diese ist in Gn 1, 1 f nicht ausgesprochen, sondern das Erdenchaos als vorhandener Ausgangspunkt der Darstellung gewählt. In Gn 1, 1 ist nicht von der Erschaffung dieses Chaos die Rede[80], vielmehr umfaßt שָׁמַיִם וָאָרֶץ den „Kosmos". Aber Gn 1, 1 ist als Überschrift über den Schöpfungsbericht gesetzt und beherrscht damit auch v 2. Zu בְּרֵאשִׁית ist die Aussage von Dtjs zu vergleichen, daß Gott der Erste und der Letzte ist, 44, 6; 48, 12, wobei zu beachten ist, daß an der letztzitierten Stelle die Aussage in enger Beziehung dazu steht, daß Gott Himmel und Erde durch sein Wort geschaffen hat. Am Anfang „ist" Gott, aber „wird" die Kreatur, der Anfang ist der Anfang der Kreatur, vor dem sie nicht war. Es entspricht der praktischen Art des AT, daß es die Schöpfung aus dem Nichts nicht als Lehrsatz formuliert hat, aber stets, soviel wir es überhaupt verfolgen können, von Gott nur Aussagen macht, die ihn keiner vorgegebenen Bedingung unterworfen oder von ihr beeinflußt erscheinen lassen.

---

[78] Eichrodt II 80 f; Jer 8, 7; 31, 35 ff.
[79] Daß auch bei dem Befehl תַּדְשֵׁא הָאָרֶץ Gn 1, 11 bzw תּוֹצֵא הָאָרֶץ Gn 1, 24 nicht nur an die mütterlichen Kräfte der Erde appelliert ist (Strothmann 81 f), zeigt Ps 104, 14: מַצְמִיחַ חָצִיר לַבְּהֵמָה: es genügt eben nicht ein einmaliger Appell an die mütterlichen

Kräfte der Erde, sondern stets bringt die Erde auf Gottes Befehl die Pflanzen hervor.
[80] Gegen Hänel (→ Lit-A) 249. Zu Gn 1 vgl außer den Komm noch KBudde ZAW 35 (1915) 65—97 (בְּרֵאשִׁית Gn 1, 1 ist Präp; so auch HSchultz [→ A 63] 449); ABertholet in: JBL 53 (1934) 237—240; GvRad (→ A 45) 11 ff.

Je deutlicher der Gedanke der Schöpfung gedacht ist, desto weiter wird der Kreis der Gedanken, die mit ihm zusammenhängen oder von ihm begründet werden. Neben der Allmacht bezeugt die Schöpfung die Weisheit und Allwissenheit Gottes, Jer 10, 12 = 51, 15; Ps 104, 24; Hi 28, 24—26; Prv 3, 19; 8, 27.
5 Besonders aber begründet die Schöpfertat Gottes sein Recht auf die Kreatur; weil er sie geschaffen, gehören ihm Himmel und Erde, Ps 24, 1f; 89, 12; 95, 5; Εσθ 4, 17b. c; die Schöpfertat Gottes begründet seine Geschichtsmächtigkeit, Jer 27, 5, begründet die Pflicht zum Vertrauen und das Recht Gottes, Vertrauen und Dankbarkeit zu fordern, Js 17, 7; 22, 11; 40, 26ff; 43, 1; 44, 2; Hos 8, 14;
10 Dt 32, 6. 15; Ps 103, 22 und die Pflicht zum Gehorsam, Ps 119, 73. Dabei entnimmt erst Tritojs (64, 7) dem Geschaffensein für die Geschöpfe eine Art Anrecht auf Erbarmen. In Dtjs ist es der Schöpfer selbst, der seine Geschöpfe zum Vertrauen aufruft, und Dtjs sucht darum mit dem Hinweis auf Gottes Schöpfersein Israel zum Glauben und Vertrauen aufzurufen, weil der Zweifel an
15 Gottes Macht angesichts der Ohnmacht des Volkes das Vertrauen lähmte. Aus demselben Grunde erinnert der Beter im Gebet gerne an Gottes Schöpfermacht, er stellt sich damit angesichts der Not, in der er bittet, die Macht Gottes vor Augen, der aus dieser Not retten kann, 2 Kö 19, 15; Neh 9, 6. Die Schöpfertat Gottes begründet, daß das Geschöpf seinem Schöpfer nicht entrinnen und sich nicht
20 vor ihm verbergen kann, Ps 33, 15; 94, 9; 139; begründet, daß das Geschöpf Ton in des Schöpfers Hand ist, Jer 18, 1ff (19, 11); Js 29, 16; 45, 9. Daß er Himmel und Erde geschaffen hat, unterscheidet den Gott Israels von den Götzen: Jer 10, 12—16 (vgl 14, 22); 51, 15—19; Ps 96, 5; 115, 3f; Jon 1, 9. Dabei ist aber nicht einem allgemeinen Gottesbegriff als notwendiges Merkmal das
25 Schöpfersein hinzugefügt, sondern von Jahwe, dem Gott Israels, wird bezeugt, daß er der Schöpfer ist und kein anderer. Mit diesem Schöpfersein ist die Einzigkeit Gottes unlöslich verbunden, zB Js 44, 24: Israel hat es im Guten und im Bösen nur mit diesem Einen zu tun, „der das Licht bildet und schafft (ברא) die Finsternis, der Heil (שָׁלוֹם) macht und Böses schafft", Js 45, 7. So mündet
30 die Botschaft von dem Schöpfer wieder in die von dem einen geschichtsmächtigen Gott, worin sie von vornherein wie im Keime beschlossen lag.

Dieser Glaube an den Schöpfer, von dem alles, שָׁלוֹם und רָע, kommt, vor dem die Geschöpfe wie Ton in des Töpfers Hand sind, schließt ferner in sich die Erkenntnis, daß Gottes Taten und Wirken „gerade" sind: Elihu begründet Hi
35 34, 12f den Satz, daß der Allmächtige das Recht nicht beuge, mit der Frage: „Wer hat die Erde seiner Obhut anvertraut und wer den ganzen Erdkreis gegründet?" Ähnlich Ps 33, 4f: 6ff, wobei die Stetigkeit der Naturordnungen ein Hinweis auf Gottes von Geschlecht zu Geschlecht währende Treue ist.

Alles aber, Schöpfung und Geschichte, zusammenfassend ist die Formulierung
40 von Dtjs: 44, 6; 48, 12: אֲנִי רִאשׁוֹן וַאֲנִי אַחֲרוֹן וּמִבַּלְעָדַי אֵין אֱלֹהִים. Damit ist nun gegeben, daß auch das Ziel der Welt und des Menschen in ihm beschlossen ist. Freilich begegnen wenige Aussagen, die das letzte Ziel umfassend formulieren. Wohl wird gesagt, daß Jeremia schon im Mutterleib zum Propheten „geheiligt" ist, 1, 5, und ähnliche Aussagen gibt Dtjs in Bezug auf Israel, das zum „Knecht"
45 gebildet ist, um das Licht vor die Heiden zu bringen (42, 1. 6; 44, 21; 49, 5f).

Mit welcher Sicherheit aus dem Glauben an den Schöpfer der Welt die Zuversicht zu einem Sinn dieser Welt hervorgeht, zeigt Dtjs: die Erde ist zum Wohnen gebildet (45, 18), und beide Schöpfungsberichte sprechen von einer gottgewollten Aufgabe des Menschen auf dieser Erde, wenn auch in verschiedener Weise. In dem Schöpfungspsalm 104 bildet das Arbeiten-dürfen des Menschen einen Grund 5 zum Lobe Gottes, v 19—23; vgl Prv 31, 10 ff. Aber damit ist schwerlich das letzte Ziel der Schöpfung formuliert. Js 43, 21 heißt es: „Das Volk, das ich mir gebildet, wird mein Lob erzählen", und ein ähnlicher Ziel- und Endpunkt der Geschichte ist Js 45, 24 genannt in dem Bekenntnis: בַּיהוָה לִי צְדָקוֹת וָעֹז.

d. Hier muß allerdings erst noch die Frage nach der 10 Gestalt der Welt, nach der „gefallenen Schöpfung", erwogen werden. Zunächst treten die beiden Schöpfungsberichte in dieser Beziehung auseinander. J gibt als Ziel für die Menschen an das Bebauen des Gartens Eden, nach dem Fall wird der Mensch aus dem Paradies vertrieben. In dem dunklen Wort an die Schlange mag ein Ausblick in ferne Zeiten getan sein — nach der Sintflut und 15 dem dunklen Urteil über das Dichten und Trachten des menschlichen Herzens wird die Zusage gegeben, daß ein solches Gericht nicht mehr über die Erde ergehen soll. Die Geschichte der Väter, des Auszugs und des Einzugs sollte ja auch eine Beziehung zur Schöpfungsgeschichte haben, aber jedenfalls ist sie schwer erkenntlich. P hat die Paradies- und Sündenfallgeschichte nicht, 20 aber die Sintflutgeschichte hat bei ihm einen ähnlichen Platz: „Diese Katastrophe entspricht im Negativen genau dem Schöpfungsvorgang in Gn 1. Was dort aufgebaut und geschieden ist, fällt hier chaotisch zusammen[81]." So muß denn auch der Segen über die Kreaturen von Gn 1, 28 in Gn 9, 1 ff erneuert werden, nicht ohne Hinweis auf die veränderte Situation (Gn 9, 2. 3. 6). Auch 25 hier fehlt ein Hinweis auf ein letztes Ziel der Geschichte. Daß allerdings die mit den Erzvätern beginnende Geschichte einen Sinn hat, geht aus der Abrahamsverheißung „In dir sollen gesegnet werden alle Geschlechter auf Erden" hervor, auch Ex 19, 5 f deutet in dieselbe Richtung. Aber die Keime, die zur Entfaltung der Vorstellung von einer gefallenen Schöpfung in diesen beiden Schöp- 30 fungsgeschichten gelegt sind, sind im AT noch nicht zur Entwicklung gekommen. Zwar wird in Js 11 von einer Aufhebung des durch Gn 9, 1 ff angedeuteten Zustandes gesprochen; Js 11, 7 c: der Löwe wird Stroh fressen wie das Rind, ist Rückkehr zu dem Gn 1, 30 geschaffenen ursprünglichen Zustand, und auch nicht zu übersehen ist, daß in Gn 9, 2 von der Furcht der Tiere vor dem Men- 35 schen gesprochen ist im Gegensatz zu Gn 1, und Js 66, 22 ist direkt von einem neuen Himmel und einer neuen Erde die Rede, die Gott schaffen wird. Wenn aber der deutlichste Ausdruck der „gefallenen Schöpfung" die Aufhebung des Todes ist, so zeigt noch das Hiobbuch, wie fern dieser Gedanke lag.

Die Speisegesetzgebung hat nichts mit einer dualistischen Weltanschauung 40 zu tun. Schweinefleisch ist auch im AT kein Exponent der gefallenen Schöpfung. Anderseits kann durch das AT der Preis der Schöpfung (Gn 1, 31 טוֹב מְאֹד; Qoh 3, 11) eben nur deswegen so hell und rein hindurchklingen, weil nie die

---

[81] vRad (→ A 45) 172.

Schöpfung an sich, sondern der Schöpfer an seinen Werken gepriesen wird. So fehlt ganz jene schlaff machende Verherrlichung der Natur an sich, und der Blick auf den Schöpfer gibt der Schöpfung und den Menschen die rechte Stellung.

e. Auch die Auffassung des AT vom Menschen ist durch den Schöpfungsglauben bestimmt. Ist das Entscheidende an diesem, daß der Schöpfer als personhafter Wille dem Geschöpfe gegenübersteht, so teilt sich das auch dem Menschen mit. In beiden Schöpfungsberichten ist der Mensch aus der übrigen Natur, deren Teil er auch ist, herausgehoben durch die Beziehung zu Gott. Bei J ist zwar Mensch und Tier gleicherweise נֶפֶשׁ חַיָה (Gn 2, 7. 19), aber nur beim Menschen ist ausdrücklich gesagt, daß diese lebendige Seele von Gottes Hauch ist, und der Mensch benennt die Tiere und findet unter ihnen kein עֵזֶר כְּנֶגְדוֹ. Was J dadurch ausdrückt, daß der Mensch den Tieren Namen gibt, nennt P: herrschen über die Erde und über die ganze Tierwelt. P prägt auch den in seiner Tiefe nicht auszuschöpfenden Ausdruck: Gott schuf den Menschen בְּצַלְמוֹ בְּצֶלֶם אֱלֹהִים. Es muß vorweg bemerkt werden, daß diese Gottesebenbildlichkeit bei P nicht durch den Sündenfall verloren geht, da P keine Sündenfallserzählung bietet. Wenn es Gn 5, 3 P von Adam heißt וַיּוֹלֶד בִּדְמוּתוֹ כְּצַלְמוֹ, so soll dieses Abbild des Abbildes Gottes nicht die größere Entfernung und allmähliche Trübung der Gottesebenbildlichkeit des Menschen andeuten, denn P hat bei der Schöpfung der Pflanzen hervorgehoben, daß sie Samen nach ihrer Art bringen sollen und läßt auf Tier und Mensch den göttlichen Segen der Fruchtbarkeit gelegt sein: da ist kein Raum für natürliche Abwärtsentwicklung nach der Sintflut. Gn 9, 6 heißt es denn auch in Bezug auf jeden beliebigen Menschen, daß Gott ihn בְּצֶלֶם אֱלֹהִים gemacht hat. צֶלֶם und דְּמוּת ist weder für P noch überhaupt ohne Bezogenheit auf die Gestalt des Menschen zu denken, → II 387—390. Doch bekommt dieser Ausdruck seine Füllung und Bedeutsamkeit für das Ganze des AT und fernerhin durch das Verständnis von dem אֱלֹהִים, nach dessen „Bild" der Mensch geschaffen ist. Wie auch immer die Bezogenheit des Menschen auf Gott vermittelt, woran auch immer sie schaubar ist, wichtiger ist, daß damit der Mensch ʟ.it diesem Schöpfergott verbunden wird, von dem die Erzählung berichtet, von der Gn 1, 26f einen Teil bildet[82]. Wie der Schöpfer der Natur *gegenüber* steht als bewußter persönlicher Wille, so steht auch der Mensch — ein Stück Natur und mit ihr verbunden — ihr doch gegenüber und geht nicht in ihr auf. Weil der Mensch im AT sich dem personhaften Gott gegenüberstehen weiß, wird er selbst als Person gegründet; weil Gott den Menschen als ganzen geschaffen, so ist er auch ein Ganzes mit Leib und Seele; weil Gottes Schöpfung ein Handeln ist, ist auch der Mensch zum Handeln aufgerufen; weil Gott der Schöpfer *Einer* ist, ist auch die Menschheit ihm gegenüber *eine*[83].

Gerade indem der Mensch so nicht nur als ein Stück Natur aufgefaßt wird, tritt etwas anderes als ein Rätsel in Sicht. Wenn schon ein Tier seinen Herrn

---

[82] Außer der Lit z → εἰκών *C*ff neuerdings Eichrodt II 60—64; Köhler (→ Lit-A) 135; ThCVriezen, Onderzoek naar de paradijs- voorstelling bij de oude semietische volken, Diss Utrecht (1937) 85 ff; 130.

[83] Die sozialen Konsequenzen aus letzterem werden Prv 17, 5; Hi 31, 13—15 gezogen.

kennt, wieviel mehr sollte das der Mensch, Js 1, 3! Das „Unnatürliche" dieses Tatbestandes kommt in Gn 6, 6 zum drastischen Ausdruck. Die Sünde ist nie im AT etwas Naturhaftes, sondern stets eine persönliche Stellungnahme und zu tiefst ein großes Geheimnis[84]. Der Sitz dieses Geheimnisses ist das menschliche „Herz", das „trotzige und verzagte Ding" (Jer 17, 9). J spricht es aus, daß das Gebilde des Denkens des Menschenherzens nur böse ist von Jugend auf, Gn 6, 5, vgl 8, 21. Die Propheten kommen im Ringen um den Herzensgehorsam des Volkes zu demselben Ergebnis: nicht als zu einem von vornherein feststehenden Lehrsatz, sondern als zu einer ihnen abgerungenen Erfahrung ihrer Tätigkeit, Jer 5, 4f. Das Siegel darauf ist die Verheißung eines neuen Herzens Ez 36, 26 ff vgl Jer 31, 33 ff und Ps 51, 12. Im Zusammenhang damit wird als letztes Ziel der Geschichte Gottes mit dem Volk Israel genannt, daß Gott dann ihr Gott sein will und daß dann der Zustand der Welt da ist, der Gottes Willen entspricht, Ez 36, 26 ff. Freilich darf die momentane Tragweite dieser Aussagen über das menschliche Herz nicht überschätzt werden. P läßt nicht nur Pflanzen, Tiere und Menschen sofort mit der Fähigkeit der Fortpflanzung geschaffen sein und setzt damit das Sterben als von vornherein gegeben voraus, sondern derselbe Segen ergeht über die Geschöpfe nach der Sintflut, mit Andeutung freilich eines geänderten Zustandes; aber daß das Gebilde des Denkens des Herzens böse ist, sagt P nicht; auch in Ps 8 hat es keinen Platz[85].

C. Die Lehre von der Schöpfung im Spätjudentum.

1. Terminologie.

Neben den häufigsten Ausdrücken für das Schaffen Gottes bei den Rabbinen, ברא[86] und עשה[87], begegnet פעל[88] und oft יצר[89], dieses auch 4 Esr 3, 4 von der Erde und 3, 5 von Adam. קנה findet sich zB in der ersten Bitte des Achtzehnbittengebetes (קונה שמים וארץ)[90]. Gebräuchlich ist von der Schöpfung der Welt auch das Bild vom Bauen eines Palastes oder einer Stadt[91]. Das alte Bild vom „Ausspannen" des Himmels begegnet zB Gn r 1, 3 z 1, 1 (מתח p 1 b Wilna). Ein besonderes Wort erfordert das Subst בְּרִיָה, בְּרִיאָה, Plur בְּרִיּוֹת[92]. Es heißt das Erschaffen und das Geschaffene, die Kreatur, ob vernünftig oder unvernünftig, belebt oder unbelebt[93]. Besonders häufig aber bezeichnet es die Menschen: im Sing בריה אחת = ein Mensch[94], Plur die Menschen, Ab 1, 12: (הוי) אוהב את הבריות ומקרבן לתורה (Hillel). Eine Inschrift in der Katakombe am Monteverde zu Rom lautet: אַנְיָה חַתְּנָה דְּבַר כֹּול־בְּרִיָה[95]. Im Rabbi-

---

[84] Vgl zB Js 5, 1—7.

[85] Die damit gegebene Spannung in den at.lichen Aussagen wird von Köhler (→ Lit-A) 119 vielleicht zu scharf als unvereinbarer Gegensatz dargestellt.

[86] AMarmorstein, The old rabbinic Doctrine of God I (1927) 74—76. ברא in Gn 1 als „ins Leben rufen" von עשה „fertigstellen" unterschieden, jChag 2, 77 d 5 ff; Str-B III 245 unt.

[87] Vgl zB מעשה בראשית = Weltall, Str-B III 246. עשה als Wort für „schaffen" im Gegensatz zu נתן u שים = jem zu etwas machen: Gn r 39 z 12, 2 (p 44 b Wilna). עֹשֶׂה = der Schöpfer, Damask 2, 21 (Schechter).

[88] Tanch בשלח 2 (p 54 Buber); Marmorstein (→ A 86) 95, REleazar b RJose ha-Gelili.

[89] Tannaitisch u amoräisch, Marmorstein 86 f.

[90] Ähnlich Chag 2, 1; weitere Belege Marmorstein 98.

[91] MEx z 15, 11 (Str-B I 733); Gn r 1 z 1, 1 (p 3 a Wilna) (Streit der Schulen Schammais u Hillels) = bChag 12 a; Gn r 12 Anf z 2, 4.

[92] Str-B III 245 f.

[93] Ab RNat 37 (Str-B III 246 c) nennt ua die „Feste" eine בריה.

[94] Cant r 1 z 1, 3.

[95] NMüller u NABees, Die Inschr der jüdischen Katakombe am Monteverde zu Rom (1919) Nr 142. — JBFrey, Corpus Inscriptionum Iudaicarum I (1936) Nr 290 liest freilich אניה חתנה דבר קלבריה „Annia, gendre de Bar-Calabria."

nischen nicht belegt ist בריה = ἡ κτίσις als zusammenfassender Ausdruck für das Geschaffene überhaupt, *die Schöpfung*[96], so doch wohl Damask 4, 21 (Schechter): יסוד הבריאה זכר ונקבה ברא אותם; nach dem Zusammenhang bezeichnet בריאה hier die Schöpfung überhaupt. Ähnlich findet sich „Schöpfung" in 4 Esr 7, 75; sBar 32, 6; Ass
5   Mos 10, 1 und im NT.

Bei den Pseudepigraphen begegnet neben κτίζειν und ποιεῖν (beide Ausdrücke nebeneinander zB Apk Sedr [ed MRJames, TSt 2, 3, 1893] 8 und Test Abr Rec B 12), πλάσσω (πλάσμα) von der Bildung des Menschen = יצר, Apk Sedr 3. 7. 13; Sib 3, 24 f; 8, 440 ff; ebenso, nur in Anlehnung an Gn 2, 7 von der Bildung des Menschen Jos[97]; τεχνίτης
10 Sap 13, 1; κτίσμα Test Abr Rec B 13; ep Ar 17; Sib 4, 16.

κτίσις: *das Schaffen*, Ps Sal 8, 7: ἀπὸ κτίσεως οὐρανοῦ καὶ γῆς; Sib 8, 439; Ass Mos 1, 2. 17; 12, 4; Jos Bell 6, 437. Sonst ist κτίσις, wie überwiegend in der LXX → 1026, 40 ff, zusammenfassender Ausdruck für *das Geschaffene, die Schöpfung*, ep Ar 136. 139; Test R 2, 3. 9; L 4, 1; N 2, 3; vgl äth Hen 18, 1; 36, 4; 75, 1; 82, 7; 84, 2;
15 93, 10; 4 Esr; Ass Mos 1, 13; 10, 1; Apk Esr 7, 5. So nicht bei Jos[98]. „Schöpfer" wird Gott in den Apokryphen und Pseudepigraphen oft genannt[99]. Da im Hbr das Part ברא das Subst ersetzen mußte, überrascht es nicht, daß ὁ κτίσας in reichlichem Gebrauch bleibt neben dem mehr griechisch empfundenen κτίστης: so hat Jos das Subst nicht von Gott[100], öfter dagegen ὁ κτίσας: Ant 4, 314; Bell 3, 354. 356. 369. 379; 5, 377.
20 Im Gegensatz dazu nennt Jos Gott nicht den δημιουργήσας ἀνθρώπινα καὶ θεῖα, sondern δημιουργὸν ἀνθρωπίνων καὶ θείων, Ant 7, 380; ähnlich Ant 1, 155. 272: δημιουργός stammt eben aus dem griechischen Begriffsschatz. Außerdem findet sich dieses Wort und seine Derivate Test N 3, 4; Test Hiob (ed MRJames, TSt 5, 1 [1897]) 39; Apk Esr (ed CTischendorf, Apocalypses Apocryphae [1866]) p 32 M.

25   **2. Gott als Schöpfer der Welt.**

Im Spätjudentum, sowohl bei den Rabbinen wie in der pseudepigraphischen Literatur, ist klar ausgesprochen, daß Gott allein und durch sein Wort „schuf", dh aus dem Nichts ins Dasein rief und darum Herr und König der Welt ist und ihr in Allwissenheit und Allmacht Anfang und Ziel bestimmte. Dieser Glaube
30 an den Schöpfer trennt das Judentum von den „Völkern" ep Ar 139[101].

Zwar ist die Schöpfung aus dem Nichts nicht immer klar gedacht worden. Welche Gedanken die Übersetzer der LXX bei der Formulierung von Gn 1, 2 ἡ δὲ γῆ ἦν ἀόρατος καὶ ἀκατασκεύαστος bewegten, ist nicht mehr auszumachen, ob sie griechisch-philosophische Gedanken von einem Sein des „Unbereiteten" bewegten, oder ob sie
35 trotz v 8 in Gn 1, 1 Schaffung des Chaos gesehen haben. In den at.lichen Apokryphen stehen zwei Aussagen einander gegenüber: Sap 11, 17, wo Gottes allmächtige Hand das Prädikat κτίσασα τὸν κόσμον ἐξ ἀμόρφου ὕλης erhält, und 2 Makk 7, 28: οὐκ ἐξ ὄντων[102] ἐποίησεν αὐτά (sc: τὸν οὐρανὸν καὶ τὴν γῆν καὶ τὰ ἐν αὐτοῖς πάντα) ὁ θεός. Dabei zeigt die Stelle aus der Weisheit, daß freilich der Gedanke an eine Schöpfung
40 aus dem Nichts ferne liegt[103], aber wie der ganze Zusammenhang, so soll auch dieser Hinweis auf die Weltgestaltung die Allmacht Gottes zeigen: 4 Verse weiter heißt es: τὸ γὰρ μεγάλως ἰσχύειν σοι πάρεστιν πάντοτε, καὶ κράτει βραχίονός σου τίς ἀντιστήσεται; ὅτι ὡς ῥοπὴ ἐκ πλαστίγγων (der Ausschlag an der Zunge der Waage) ὅλος ὁ κόσμος ἐναντίον σου (Sap 11, 21 ff). Merkwürdige Spekulationen von einem Schaffen aus dem
45 Nicht-Sein und aus dem Unsichtbaren begegnen slav Hen 24, 2 ff. Aber sBar 14, 17; 21, 4 ff und 48, 2 ff ist deutlich die Schöpfung aus dem Nichts ausgesprochen. Dasselbe meint die Stelle Sib 3, 20 ff, wenn sie die „mächtige Mutter Tethys" von Gott geschaffen sein läßt ebenso wie die Nächte, denn Tethys und Νύξ waren für die Griechen ja kosmogonische Chaosprinzipien. Die Sib-Stelle besagt also in bewußter
50 Ablehnung griechischer Spekulationen, daß Gott auch das Chaos geschaffen hat. Ebenso ist es mit äth Hen 69, 16: durch Gottes Eid sind die Himmel befestigt, bevor die

---

[96] Str-B III 246 A.
[97] SchlTheol d Judt 3 A 2.
[98] SchlTheol d Judt 3.
[99] Belege bei Bousset-Greßm 360 A 2. — Zum Ganzen vgl die Zusammenstellung von RMarcus, Divine Names and Attributes in Hellenistic Jewish Literature, in: Proceedings of the American Academy for Jewish Research 1931—32 (1932) 43—120; bes 86 f.
[100] SchlTheol d Judt 3. — Sonst Ap 2, 39.
[101] Die Macht des Glaubens an den Schöpfer der Welt u an den in der Geschichte handelnden Gott ist für die Verfasser der Zauberliteratur, als sie nach Vorstellungen eines machtvollen Gottes suchten, Ursache gewesen, at.-liche Wendungen zu übernehmen.
[102] Zur Stellung der Negation s Bl-Debr[6] § 433, 3. οὐκ ἐξ ὄντων also = ἐξ οὐκ ὄντων; die Schlußfolgerungen von Scharbau aaO 25 sind also zweifelhaft.
[103] Couard (→ Lit-A) 74 f; anders Frey (→ Lit-A) 36—39.

Welt geschaffen wurde: wenn auch die Stätte von Gottes Wohnen geschaffen ist, so liegt doch der Gedanke an ein von Anfang an Existierendes fern[104].

Auch im rabbinischen Schrifttum scheinen einige Stellen gegen die Schöpfung aus dem Nichts zu sprechen. Resch Laqisch[105] läßt Gott gesagt haben, wenn Israel die Thora nicht annehmen würde, würde er die Welt ins Chaos zurückkehren lassen: אני 5 מחזיר ... לתהו ובהו. Weber führt[106] noch einige Spekulationen an, in denen Geschöpfen eine gewisse Selbständigkeit, sogar die Möglichkeit des Ungehorsams gegen Gott zugeschrieben wird. Aber diese Ausführungen bei den Rabbinen sind exegetische Spielereien ohne dogmatische Tragweite, und Weber verkennt die rabbinische Anschauung von der Belebtheit der Weltenkörper (→ ἀστήρ). Wichtiger ist, daß sowohl 10 Jub 2, 2 wie 4 Esr 6, 38 ff und Jos Ant 1, 27 Gn 1, 1 von der Schöpfung des ersten Tages verstehen, dh dieser Vers wird von der Schöpfung des in v 2 genannten Chaos verstanden. Damit stimmt ein Streitgespräch zwischen einem „Philosophen" und RGamaliel[107] überein: Der Philosoph sagt, der jüdische Gott sei ja ein großer Künstler (צַיָּר), aber er habe auch gute Stoffe gehabt, die ihn unterstützten: תהו, בהו, חשך, 15 רוח, מים, תהומות. Gamaliel weist von jedem nach, daß ihre Schöpfung (בריאה) in der Schrift erzählt ist. Anderwärts, und schon in der mischnischen Zeit, sind Spekulationen, die hinter die Weltschöpfung zurückgehen, wie solche, die sich die Zeit der Vollendung vorzustellen suchen und nach dem, was über dem Himmel und unter der Erde ist, fragen, scharf abgelehnt[108]. Das bedeutet, daß das Rabbinat diese Fragen 20 für unnütz und darum für schädlich angesehen hat: es genügt die Aussage, daß Gott die Welt und alles, was darin ist, geschaffen hat. Wie ferne den Rabbinen aber der Gedanke an eine Präexistenz der Materie gelegen hat, zeigt die Spekulation über die präexistenten Dinge, die teils wirklich, wie Gottes Thron und die Thora, geschaffen wurden, teils nur in Gottes Gedanken aufstiegen. Nicht nur, daß ein Stoff, etwa 25 das Chaos, fehlt, ist hier wichtig, sondern, daß auch Gottes Thron als, wenn auch vor der Welt, erschaffen bezeichnet wird, zeigt, daß die Rabbinen zwischen Gott und schlechterdings allem, was auch nur gedacht werden kann, den Unterschied wie zwischen Schöpfer und Geschöpf machten. In diesem Sinne ist auch der Gottesname קדמונו של עולם aufzufassen[109]. 30

Von der Schöpfung durch das Wort wird in den Apokryphen (Jdt 16, 14; Sap 9, 1; 11, 25; Bar 3, 33) und Pseudepigraphen (Jub 12, 4; 4 Esr 3, 4; 6, 38 ff; sBar 14, 17; 21, 4 ff; 48, 2 ff; 56, 4; Sib 3, 20) wie bei den Rabbinen gesprochen. Für letztere ist auf den tannaitischen Gottesnamen „Der sprach, und es ward die Welt" מי שאמר (והיה העולם)[110], auf mischnische Stellen wie Ber 6, 2 (שהכל נהיה בדברו) und Ab 5, 1 35 zu verweisen. MEx z 15, 17[111] heißt es, daß Gott, als er schuf, nur durch das Wort geschaffen habe, und die Tragweite von Ps 33, 6 wird durch einen Amoräer dahin erläutert, daß Gott mühelos schuf לא בעמל ולא ביגיעה ברא הקדוש ברוך הוא את עולמו אלא בדבר השם וכבר שמים נעשו[112]. Damit stimmt Jos[113] überein: ταῦτα (Licht, Himmel, Erde usw) θεὸς ἐποίησεν οὐ χερσὶν οὐ πόνοις οὔ τινων συνεργασομένων 40 ἐπιδεηθείς, ἀλλ' αὐτοῦ θελήσαντος καλῶς ἦν εὐθὺς γεγονότα[114].

---

[104] Erwähnenswert sind einige Umänderungen des MT in LXX. Js 54, 16 wird durch Einfügen einer Negation ausdrücklich das Bild eines Handwerkers als Vergleich für Gottes Tun bei dem Schaffen der Menschen abgelehnt u ψ 88, 48 wird aus dem Hinweis auf des Menschen Vergänglichkeit im HT die abwehrende Frage: μὴ γὰρ ματαίως ἔκτισας πάντας τοὺς υἱοὺς τῶν ἀνθρώπων; ψ 92 hat LXX als Überschrift hinzugefügt εἰς τὴν ἡμέραν τοῦ προσαββάτου, ὅτε κατῴκισται ἡ γῆ· αἶνος ᾠδῆς τῷ Δαυίδ. Der Inhalt des Psalms ist, daß Gott seine Herrschaft angetreten hat: das geschah mit der Schöpfung. 1 Εσδρ 6, 12 ist aus dem „Gott Himmels u der Erde" des HT (Esr 5, 11) κύριος ὁ κτίσας τὸν οὐρανὸν καὶ τὴν γῆν geworden, wohl erweitert, weil es sich im Zshg um den Gegensatz zu dem Polytheismus handelte.

[105] bSchab 88 a; Cant r z 7, 1 (anderer Tradent).

[106] 200—203.

[107] Gn r 1 z 1, 1 (p 2 a Wilna).

[108] Chag 2, 1; Gn r 1 z 1, 1 (p 2 b Wilna).

[109] Marmorstein (→ A 86) 97 f. Der Vollständigkeit halber sei erwähnt, daß auch Rabb sich an Gn 1, 2 gestoßen haben. Gn r 1 z 1, 1 (p 1 d Wilna) sagt RHuna im Namen des Bar Qappara: stünde Gn 1, 2 nicht geschrieben, so würde man es nicht aussprechen, daß die Erde aus תהו ובהו geschaffen sei.

[110] Str-B II 3101; Marmorstein 89 u 7 A 1.

[111] Str-B III 671.

[112] Gn r 3 z 1, 3 (vgl auch den Text zSt ed Theodor p 19 Z 6); par 12 z 2, 4 uö. Weitere rabb Belege zur Schöpfung durch das Wort Str-B III 671; II 304 f.

[113] Ap II 192.

[114] Kein wesentlicher Unterschied ist die Schöpfung durch den Geist, Ass Mos, Fragment aus Gelasius Cyzicenus, in der Ausgabe von CClemen (KlT 10 [1904]) 15.

Wie im AT wird auch später zwischen Schöpfung und Erhaltung kein wesentlicher Unterschied gemacht, vgl Sir 42, 15—43, 33. Oft wird mit paränetischer Tendenz darauf hingewiesen, daß die Natur Gottes uranfänglichen Befehl treu befolgt, Sir 16, 26 ff; Gebet Man 2 ff (Gott hat das Meer gebunden); Ps Sal 18, 10; Test N 3, 4; äth Hen 2, 1 ff; 5, 2 ff; 69, 16 ff; 83, 11; 101, 6—8; an den letztgenannten Stellen wird im gleichen Zusammenhang erwähnt, daß Gott Regen zurückhält, und sBar 48, 2 ff wendet die Schöpfungsausdrücke „rufen", „gehorchen" usw auf den Lauf der Zeiten an. Äth Hen 5, 2 heißt es nicht: wie Gott befohlen hat, sondern: wie er befiehlt, geschieht alles, ebd 84, 3: du hast alles geschaffen und regierst es [115].

Bei den Rabbinen begegnet der Gedanke, daß Gott jeden Morgen die Werke der Schöpfung erneuert [116]; ein rabbinischer Gottesname ist שׁוֹמֵר עוֹלָמִים [117]. Es ist nicht verwunderlich, daß man zwei entgegengesetzte rabbinische Aussprüche nennen kann: MEx z 31, 17 [118]: Gott ruht = er schöpft Atem: von עֲבוֹדָה oder von דִּין (= Weltregiment)? Die Antwort lautet: אֵין הַדִּין בָּטֵל מִלְּפָנָיו לְעוֹלָם. Anderseits aber stritten sich die Rabbánan darüber, ob es bei dem Segensspruch über das Brot zu heißen habe: מוֹצִיא, „der das Brot aus der Erde hervorgebracht hat", oder הַמּוֹצִיא, was nach den Rabbanan dasselbe bedeutet, nach dem Tannaiten RNehemja aber präsentisch zu fassen ist — seine Meinung ist indessen nicht durchgedrungen [119]. Mag sich hier auch kasuistische Unterscheidung vordrängen, so zeigt ein freilich späterer Ausspruch (Eka r z 3, 23) die theologische Bedeutung der Frage für den Glauben: daß Gott jeden Morgen „neu macht", zeigt, daß er Tote erwecken wird oder daß er Israel erlösen wird. Verwandt ist damit der Ausspruch von RJochanan (bTaan 2 a), daß Gott die drei Schlüssel (→ κλείς 744, 16 ff) des Regens, der Geburt und der Totenerweckung keinem anderen anvertraut: damit ist ebensosehr die Gegenwart göttlichen Wirkens in jedem Lebensakt behauptet wie darauf hingewiesen, daß sich im damaligen Judentum mancherlei Engelmächte zwischen Gott und die Natur schieben können [120].

Die Bedeutung dieses Schöpfungsglaubens für die Frömmigkeit des Spätjudentums wird an der Rolle deutlich, die er im Zusammenhang der Aussagen spielt. Es ist bemerkenswert, wie oft gerade im Gebet des Schöpfers gedacht wird; darin sind sich Apokryphen (Εσθ 4, 17 c; Jdt 9, 5 f. 12; 13, 18; 16, 14; 3 Makk 2, 3; Gebet Man 2 ff; Δα 4, 37) und Pseudepigraphen (Ps Sal 18, 10 ff; äth Hen 81, 3; 84, 2 ff; Jub 25, 11; sBar 21, 4 ff) mit Josephus (Ant 1, 272; 7, 380) und den Rabbinen (Achtzehnbittengebet, Qaddisch) einig. Im Preis und Dank wie in der Bitte und im Flehen wird des Schöpfers gedacht, ein Zeichen, daß der Glaube an den Schöpfer für die lebendige Frömmigkeit des Spätjudentums unentbehrlich ist. In Not und Verfolgung durch übermächtige Feinde ruft man den an, der gegen den Augenschein doch allmächtig ist, weil er der Schöpfer ist, und wenn die Notzeit gar die Bitte um Herbeiführung des Weltendes abpreßt, dann appelliert der Beter besonders eindringlich an des Schöpfers Allmacht (sBar 21, 4 ff), denn das ist auch für das Judentum sicher, daß der Schöpfer der Schöpfung auch als der Geschichtsmächtige ihr Ziel setzt (äth Hen 39, 11; 4 Esr 6, 1 ff, bes 6, 6). Vor dem Auge des allwissenden Schöpfers prüft sich der Beter (Εσθ 4, 17 c. d), die erfahrene Hilfe löst die Zunge zum Dank gegen den Gott, der durch die Hilfe seine schöpferische Allmacht aufs neue erwiesen hat (Jdt 16, 14). — Besonders aber wird mit dem Schöpfungsgedanken die Verpflichtung zum Gehorsam begründet: Jdt 16, 14; 4 Makk 11, 5; äth Hen 5, 2 ff; Damask 2, 21 (Schechter). Ab RNat 16, 5 ist das Gebot „Du sollst deinen Nächsten lieben wie dich selbst" mit dem „großen Schwur" „ich bin Gott, der dich geschaffen hat" gegeben: der Hinweis auf den Schöpfer ist Hinweis auf den, der Gehorsam verlangen kann. Josephus begründet das biblische Verbot des Selbstmordes mit dem Hinweis auf Gott, den Schöpfer des Menschen, Bell 3, 369. 379; und jBer 7 d Z 61 spricht es aus: wir sind geschaffen, deinen Willen zu tun [121]. Stark wird das Schöpfersein Gottes als Unterscheidungsmerkmal den Götzen gegenüber betont (Δα 4, 37; Βηλ 5; ep Ar 136. 139; Jub 12, 4. 19; Jos Ant 1, 155). Dabei ist dann die Schöpfung der Taterweis der Lebendigkeit Gottes im Gegensatz zum Totsein der Schnitzbilder. Abraham kann nach der Legende (Jub 12) von sich aus zur Erkenntnis des Schöpfers kommen. Das ist dem AT gegenüber neu und hängt damit zusammen, daß auf des Menschen frommes Verhalten der Nachdruck fällt. Das hebt nicht auf, daß auch im Achtzehnbittengebet der

---

[115] Vgl Sap 11, 25; ep Ar 16. 132. 157.

[116] Gebet יוֹצֵר אוֹר (ed WStaerk, KlT 58 [1910] 4) aA.

[117] Marmorstein 103.

[118] Bacher Tannaiten I [1] (1884) 85 A 1.

[119] bBer 38 a.

[120] ZB Gn r 10 z 2, 1: RSimon (Amoräer): jedes Kraut hat sein Sternbild (מַזָּל) am Himmel, der ihm zu wachsen gebietet.

[121] Str-B IV 478 bb. Es ist nicht zufällig, daß die Verpflichtung zum Gehorsam mit dem Vaternamen Gottes begründet wird, zB Ab 5, 20.

Ausgangspunkt alles Bekennens und Bittens nicht der Schöpfer, sondern der Gott der Väter ist. Oft appelliert 4 Esr (5, 33; 8, 8 ff. 45. 47; 11, 46; vgl Apk Sedrach [ed MRJames, St 2, 3, 1893] 13) daran, daß doch der Schöpfer sein Geschöpf lieb habe und es gerade als sein Geschöpf schonen solle. In ähnlicher Weise weist Jos darauf hin, daß Gott der Schöpfer, doch wohl der „Schöpfer der Juden", ihr Rächer ist, 5 wenn ihnen Unrecht geschieht[122]; auch das ist eine Weiterentwicklung dem AT gegenüber, von der schon in LXX Spuren begegnen, → II 634, 36 ff.

In den Kämpfen, die seit der syrischen Zeit in vielfacher Wiederholung die Existenz des jüdischen Volkes an der Wurzel bedrohten, war der Glaube an den Gott, der als Schöpfer in lebendiger, persönlicher Allmacht und Allwissenheit der gesamten Kreatur 10 schlechthin überlegen gegenübersteht, eine entscheidende Hilfe[123]. Darum haben auch die apokalyptischen Schriften, die mit der Deutung der Weltgeschichte rangen, die Obmacht des Schöpfers betont: äth Hen 84, 2 ff; Ass Mos 12, 4.

3. Die Welt als Gottes Schöpfung.

Daß diese Welt als Gottes Schöpfung Gott gegenübersteht als 15 schlechthin von ihm abhängig, von ihm durchschaut und gelenkt, haben wir oben gesehen[124]. Als geschaffene ist die Kreatur eben nicht Gott, ist nicht anzubeten, so sehr das Judentum auch dem einzelnen Teil der Natur Gehorsam, dh persönliche Funktion, zuschrieb.

Das Wesen der Welt bestimmt ihr Sinn. Über ihn hat das Spätjudentum sich 20 deutlich ausgesprochen. Er liegt in der Thora, dh in Gottes Willen. Die Bar in bPes 54 a läßt sieben Dinge vor der Welt geschaffen sein, an erster Stelle die Thora. Wenn auch später[125] die Reihenfolge und die Zahl der Glieder schwankt, so behält die Thora stets den ersten Platz und wird noch dadurch hervorgehoben, daß sie nebst dem Thron der Herrlichkeit wirklich geschaffen, die anderen Dinge nur ins Auge gefaßt sind. 25 Gleichfalls schon tannaitische Tradition ist es, daß ohne die Thora die Welt gar nicht geschaffen wäre[126] oder bestanden hätte[127]. Ass Mos 1, 12 ist wohl zu lesen: creavit enim orbem terrarum propter legem[128] suam. Aus vormakkabäischer Zeit ist derselbe Gedanke von Simon dem Gerechten tradiert in der Form, daß die Welt auf drei Dingen „steht" (עמד), auf der Thora, dem Kultus und den Liebeserweisungen[129]. 30 Dies ist also ein Fundamentalsatz des Judentums. Neben ihm steht nun in mannigfacher Abwandlung im einzelnen, daß die Welt um Abrahams[130], der Väter[131], Israels[132], Moses[133] oder um der Gerechten willen[134] geschaffen sei. Den Sinn dieser Spekulation zeigt die weitere, daß die Schöpfung nur für den Fall Bestand haben sollte, daß Israel die Thora annehmen würde[135], oder daß Gott voraussah, 35 daß Israel die Thora annehmen würde und darum die Welt schuf[136]. So ist die Thora gleichsam der objektive Sinn der Weltschöpfung und der Weltgeschichte. Dieser Sinn ginge verloren, wenn nicht Menschen da wären, die die Thora hielten. Darum sind unter den präexistenten Dingen auch die Väter und Israel genannt. Der Sinn der Schöpfung ist also, eine Stätte zu schaffen, an der Gottes Wille 40 getan wird[137]. Grundsätzlich anders ist es nur slav Hen 65, 2 ff, wo jedenfalls dieser

---

[122] Bell 5, 377. Der hell Einfluß bei Jos zeigt sich nicht nur im Gebrauch von δημιουργός, sondern auch in dem unpers γένεσις τῶν ὅλων von Gott, Ant 7, 380.

[123] Vgl die obengenannten St aus Da, Jdt, 4 Esr u sBar.

[124] Vgl noch Sir 39, 19; Sap 11, 25; Εσθ 4, 17 c; äth Hen 9, 5.

[125] ZB Gn r 1 z 1, 1.

[126] Gn r 1 z 1, 1: RBenaja: העולם ומלואו לא נברא אלא בזכות התורה.

[127] REleazar (Tannait), bNed 32 a: אילמלא תורה לא נתקיימו שמים וארץ.

[128] Handschriften: plebem.

[129] Ab 1, 2.

[130] Ältester rabb Beleg Gn r 12 z 2, 4 (RJosua bQorcha, um 150): בהבראם Gn 2, 4 sei gleich באברהם (dieselben Buchstaben!) = בזכות של אברהם (בזכות) nicht: durch das Verdienst, sondern: um ... willen, → A 126: בזכות התורה).

[131] sBar 21, 24; Ex r 15 z 12, 17.

[132] 4 Esr 6, 55. 59; 7, 11; Jub 16, 26; Gn r 1 z 1, 1, Tradition im Namen des RSchemuel bRJiçchaq.

[133] Gn r 1 z 1, 1, RBerechja.

[134] sBar 15, 7; tannaitisch bJoma 38 b, REleazar: אפילו בשביל צדיק אחד עולם נברא.

[135] bSchab 88 a.

[136] Ex r 40, 1 z 31, 1 f, RTanchuma bAbba (späterer Amoräer).

[137] Der oben angedeuteten Fülle von Zeugnissen gegenüber kann der Ausspruch des Tannaiten RSimeon b Jochaj, daß die Thora um Israels willen geschaffen sei, kein Gewicht haben, zumal er nach einem an derselben Stelle (Qoh r z 1, 4) angewandten Schema zur Erläuterung von Qoh 1, 4 gebildet ist. Auch, daß die Welt allgemein um des Menschen willen geschaffen ist (4 Esr 8, 44; sBar 14, 18; Qoh r z 1, 4, Josua b Qorcha, Tannait), kann das obige Resultat nicht ändern. Die Menschen sind eben die, die das Gesetz halten sollen, u nach der oben

Aeon mit seiner Zeitlichkeit geschaffen ist, damit der Mensch seine Zeit erkenne, sein Leben zähle und seine Sünden bedenke. An dieser Stelle wird ein Bruch in der Welt sichtbar, den die sonstigen Aussagen übergehen.

Das weckt die Frage, wie denn der Sündenfall in diesem Gedankengang seine Stelle hat. Die sechs oder sieben präexistenten Dinge (Thora, Gottes Thron, die Väter, Israel, das irdische Heiligtum, der Name des Messias und die Buße) begleiten sozusagen die Weltgeschichte von ihrer Planung bis zu ihrem Ziel im messianischen Reich. Gottes Wille geschieht schon in dieser Welt, Gottes Stätte ist auf ihr, nur die Knechtschaft unter Rom, der der Messias ein Ende machen soll, besteht noch, und sie ist in Israels Sünde begründet. Ergreift ganz Israel die von vornherein ins Auge gefaßte Möglichkeit der Buße, so kann die Heilszeit kommen. Angesichts dieses durchaus einlinigen Geschichtsaufrisses kann man kaum von einer gefallenen Schöpfung reden. Was hauptsächlich durch den Sündenfall verloren gegangen ist, ist, in Bezug auf den Menschen: der Glanz des Angesichtes, die Länge des Lebens, die Größe seiner Gestalt, und in Bezug auf die Schöpfung: die Fruchtbarkeit der Erde und der Bäume und die Helligkeit der Himmelslichter [138]. RSchemuel prägt mit Beziehung darauf wohl den Ausdruck „verdorben werden" (אתקלקל): obgleich alle Dinge zu ihrer Fülle erschaffen sind, so wurden sie doch, sogleich als der erste Mensch sündigte, verdorben, und sie kehren nicht zu ihrer „Ordnung" (תקון) zurück, bis daß der ben-perez kommt [139]. Doch ist dies Verdorbensein der Schöpfung für die Rabbinen eher ein Krankheitszustand als eine gänzliche Änderung des Seins. So ist es nicht verwunderlich, daß auf die Heilszeit der terminus „Heilung" angewandt wird [140].

Jedenfalls sind die Aussagen der Pseudepigraphen an diesem Punkt zwar nicht einhellig, aber doch bedeutend grundsätzlicher. Die durchgreifendste Aussage bei den Rabbinen über die Andersartigkeit dieser und jener Welt ist die, daß auf den kommenden Aeon der Vers Js 64, 3 „was kein Auge gesehen . . .", angewandt wird [141]. Diese Welt ist nicht fähig, auch nur Vorstellungsformen für jene abzugeben. Bei 4 Esr und sBar scheiden sich dieser und jener Aeon gegenüber, und dieser Aeon ist zum Untergang verurteilt, weil die Beziehung zur Sünde ihm inhärent ist: er ist „die Stätte der bösen Saat" und vermag es nicht, die Verheißungen, die dem kommenden Aeon gegeben sind, zu tragen [142]. Für den neuen Aeon erwarten sBar 30, 3 und slav Hen 65, 7 ein Vergehen der Zeitlichkeit selbst, die mit diesem Aeon so unlöslich verbunden ist, daß das Aufhören der Zeit eine ganz neue Daseinsform bedeutet. Bei den Pseudepigraphen kann man um so mehr mit einem gewissen Recht von einer gefallenen Schöpfung reden, als sie auch dem Satan und den Dämonen eine grundsätzlichere Stellung geben als die Rabbinen [143]. Bei den Pseudepigraphen begegnet auch an betonter Stelle der Ausdruck „neue Schöpfung" [144]. 4 Esr legt zwischen diesen und jenen Aeon eine Rückkehr der Welt in das Schweigen der Urzeit (7, 30). — Dies alles bedeutet nun nicht, daß die Welt mit der Sünde identifiziert würde. Test N 2, 3 heißt es: σταθμῷ γὰρ καὶ μέτρῳ καὶ κανόνι πᾶσα ἡ κτίσις ἐγένετο [145].

4. Der Mensch als Gottes Geschöpf.

Daß der Mensch als Geschöpf Gottes ihm zum Gehorsam verpflichtet ist, daß der Schöpfer auch ihm das Ziel seines Lebens bestimmt hat, haben wir schon gesehen (→ 1018, 44). Hier ist zunächst die Wirkung der at.lichen Vorstellung von der Gottesebenbildlichkeit des Menschen zu besprechen. Sie hat kräftig bei Pseudepigraphen und Rabbinen gewirkt. Wie im AT, ist auch hier die Gottesebenbildlichkeit eine bleibende Bestimmtheit des Menschen (→ II 391, 15 ff). Beide, Mann und Weib, sind nicht ohne die שכינה, Gn r 8 z 1, 26. Das Entscheidende an der Gottesebenbildlichkeit ist דיעה [146]; das Sprechen ist ein wesentlicher Ausdruck von ihr, das den Menschen auf eine Stufe mit den

---

skizzierten Anschauung sind die Thora u die, die sie halten, nicht voneinander zu trennen, so daß man gelegentlich tatsächlich auch umgekehrt wie sonst sagen kann, daß die Thora um Israels willen geschaffen sei.

[138] Str-B III 247.

[139] Gn r 12 z 2, 4: RSchemuel um 260.

[140] Amoräisch Gn r 10 z 2, 1: Js 30, 26 die Wunde seines Schlages wird er heilen, wird auf die Welt bezogen: מחץ מכתו של עולם ירפא. Gn r 20 z 3, 15: לעתיד לבא הכל מתרפאין. Weiteres Str-B III 247—255.

[141] Str-B IV 828 unt.

[142] 4 Esr 4, 27. 29. Nach Adams Fall wurde die Schöpfung gerichtet, ebd 7, 11.

[143] → II 12 ff; 74 ff.

[144] 4 Esr 7, 75 (6, 16); sBar 32, 6 (40, 3); 44, 12; 57, 2; Jub 1, 29; 4, 26; 19, 25; äth Hen 45, 4 f; 72, 1; 91, 16; Apk Abr 17; Sib (3, 82); 5, 273, vgl Test L 4, 1; 4 Esr 13, 26.

[145] Weiteres Couard (→ Lit-A) 75 f; zum Ganzen vgl W Foerster, Die Erlösungshoffnung des Spätjudt, in: Morgenland Heft 28 (1936) 24—37.

[146] Ab RNat 37; Str-B III 246.

Engeln des Dienstes oder sogar darüber stellt [147]. Tg O und Tg J I geben Gn 2, 7 נפש חיה mit רוח ממללא wieder. Gelegentlich bricht auch die Erkenntnis durch, daß Gottesebenbildlichkeit etwas Geheimnisvolles, etwas Unaussprechliches umfaßt, das sich nicht in der natürlichen Ausstattung erschöpft, sondern im Verhalten des Menschen gewonnen — oder verloren wird: „wenn der Mensch es wert ist, sagt ‚man' 5 zu ihm, du gehst den Engeln des Dienstes voran, wenn nicht, sagt ‚man' zu ihm, eine Fliege geht dir voran, eine Mücke geht dir voran, ein Regenwurm geht dir voran [148]." Die Gottesebenbildlichkeit ist ein Erweis der Liebe Gottes [149].

Die Tragweite der Gottesebenbildlichkeit des Menschen wird nach zwei Seiten hin entfaltet. Einmal stehen damit a l l e Menschen in gleicher Weise den Forderungen Gottes 10 gegenüber. Keiner hat etwas voraus [150]; wenn also Israel das Gesetz annimmt und die Heiden es ablehnen, wenn ein einzelner Israelit das Gesetz hält, ein anderer nicht, so ist das freie Entscheidung. Zum andern ist die Gottesebenbildlichkeit ein sittliches Motiv im Verhalten zu dem Nächsten, wie schon in der at.lichen Weisheitsliteratur, und nicht nur zu dem Nächsten, sondern zu jedem Menschen, ein Motiv, ihn 15 zu ehren (slav Hen 44, 1 ff); Ben Azzai bezeichnet ausdrücklich Gn 5, 1 als einen größeren Grundsatz als das Gebot der Nächstenliebe [151]. Wenn in 4 Esr (6, 8—10) und bei den Rabbinen Esau Deckname für Rom ist, so ist damit ebensosehr die schöpfungsmäßige Verbundenheit von Israel und den Heidenvölkern ausgedrückt wie in demselben Augenblick ihre Geschiedenheit in der Willensentscheidung für oder 20 gegen Gott.

Adams Fall hat nach den Rabbinen keine wesentliche Änderung der Existenz des Menschen gebracht [152]. Das wird an der Lehre vom „bösen Trieb" deutlich. Diese geht schon in die Zeit von Sir zurück (15, 14: אלהים מבראשית ברא האדם ויתנהו ביד יצרו; καὶ ἀφῆκεν αὐτὸν ἐν χειρὶ διαβουλίου αὐτοῦ). In der Mischna wird schon von dem 25 guten und dem bösen Trieb gesprochen (Ber 9, 5). Die beste Erläuterung bietet Gn r 9 z 1, 31: die Worte: „und siehe es war sehr gut" gehen auf den bösen Trieb; denn wenn der nicht wäre, würde kein Mensch ein Haus bauen, heiraten, Kinder zeugen und Handel treiben. Es sind die selbstverständlichen natürlichen Strebungen des Menschen, die beherrscht sein wollen, unbeherrscht aber zur Sünde führen 30 und herrschen wollen. (Den guten Trieb könnte man etwa mit der Stimme des Gewissens gleichsetzen.) So gibt es einen bösen Trieb zum Götzendienst genau so wie einen zur Unkeuschheit oder zum Widersprechen gegen Gottes Gebote. Das Entscheidende ist nun, daß nach den Rabbinen Gott den bösen Trieb geschaffen hat [153] und mit ihm sofort als Gegenmittel das Gesetz [154]. Damit ist ge- 35 wahrt, was bei den Rabbinen immer zu beobachten ist, die Einlinigkeit und Bruchlosigkeit der gesamten Weltanschauung. Die Schöpfung, wie sie jetzt ist, ist im Wesentlichen nichts anderes als Gottes Schöpfung, nur getrübt durch Mächte des Bösen, aber nicht wesentlich geändert. In einem gewissen Widerspruch dazu steht freilich die Erwartung, daß Gott einst den bösen Trieb vor den Augen der Frommen 40 schlachten wird.

In den Pseudepigraphen herrscht in mancher Hinsicht eine andere Stimmung. Den Anfang von 4 Esr bildet die Feststellung, daß Gott Adam nach Leib und Seele geschaffen habe, aber Adam habe das eine von Gott gegebene Gebot übertreten und Gott den Tod über ihn verhängt. Die Ursache von Adams Fall wird auf das böse 45 Herz zurückgeführt (3, 21); davon, daß Gott es geschaffen, wird nichts gesagt, bis auf 4, 30: „ein Körnchen bösen Samens war im Anfang in Adams Herz gesät." Aber das ist doch dasselbe wie die Erschaffung des bösen Triebes durch Gott. Die klagende Frage von 4 Esr ist, warum Gott die Übertretung nicht gehindert habe (3, 8), das böse Herz nicht weggenommen habe. Entsprechend wird für die Endzeit eine Ver- 50 änderung des Herzens der Erdbewohner erwartet (6, 26), wo das Böse vertilgt und die Verderbnis überwunden ist (6, 27f, vgl 8, 53). Überhaupt spielt für die Pseudepigraphen die Frage nach dem Ursprung der Sünde eine andere Rolle als bei den Rabbinen. Nicht nur der Fall Adams ist als quälendes Ereignis immer wieder bedacht worden [155], sondern auch die Erzählung von Gn 6, 1ff, dem Fall der Engel, ist breit ausgesponnen 55 und in der Ausmalung des Gerichts über sie schafft sich das Empfinden von der Last,

[147] Gn r 8, 11 z 1, 27; Pesikt 34a, Str-B III 681.

[148] Gn r 8, 1 z 1, 26; Moore I 452.

[149] Ab 3, 14 (RAqiba); vgl Sir 17, 1 ff.

[150] TSanh 8, 4, Str-B II 744.

[151] SLv קדושים 4, 12 z 19, 18; Bacher Tannaiten I¹ 420 A 1; jNed 41 c M; Moore I 446 u A 5.

[152] Moore I 479.

[153] SDt 32 z 6, 5, Gn r 14, 4 z 2, 7.

[154] SDt 45 z 11, 19: Gott zu Israel: בני בראתי לכם יצר הרע בראתי לכם תורה תבלין, Moore I 481 A 2.

[155] Auch für RJoḥanan bZakkai bedeutet der als Trost gemeinte Hinweis auf Adam eine Qual, Ab RN 14, Str-B IV 604.

die dieser Fall über die Menschheit gebracht hat, einen deutlichen Ausdruck. Jub 5 schildert den Fall der Engel. Sie werden in der Tiefe der Erde gebunden und ihre Kinder ausgerottet, dann macht Gott (5, 12) „allen seinen Geschöpfen eine neue und gerechte Natur, daß sie nach ihrer ganzen Natur bis in Ewigkeit nicht mehr sündigten und gerecht wären". Das bedeutet nach dem Folgenden nicht die Unmöglichkeit, zu sündigen, sondern die Möglichkeit, nicht zu sündigen. Die gefallenen Engel waren offenbar als übermächtig gedacht, und die Natur des Menschen im Zusammenhang mit den gefallenen Engeln verändert. Man kann also von einer gefallenen Menschheit reden; aber die Folgen dieses Falles werden durch einen neuen Schöpfungsakt Gottes beseitigt. Aber zum zweitenmal (10, 1 ff) kommen unreine Dämonen über die Menschheit mit übermächtiger Gewalt und beginnen sie zu verführen. Auf Noahs Bitten sollen auch diese Geister gebunden werden, aber auf Mastemas Eintreten für sie bleibt der zehnte Teil von ihnen frei. Die Macht Satans und der Dämonen ist also begrenzt, und vielleicht liegt der Sinn der ganzen Spekulation darin, daß demnach nur ein geringer Teil· der Menschheit, Abraham und sein Same, sich von der verführenden Macht der Dämonen frei machen kann. Auch er aber wird erst durch viele Schicksalsschläge hindurch den Weg zu voller Umkehr finden (23, 23—26), und dann werden sie ganz „geheilt" werden, und Satan und das Böse wird nicht mehr sein [156]. Nur durch besondere, schmerzliche Führungen wird also ein Teil der Menschheit den Weg zum Guten finden, und die letzte Heilung des Falles kommt von Gott. Diese Antwort des Jub-Buches auf die Frage nach der gefallenen Menschheit steht trotz mancher Unterschiede neben der von 4 Esr, für den die Zahl der Gerechten zwar schmerzvoll klein ist, aber es doch solche gibt, die darum um so kostbarer sind, 4 Esr 7, 45—61.

Obwohl sich bei den Rabbinen weithin eine einlinige Welt- und Menschenanschauung durchgesetzt hat, haben auch sie von einem Neuwerden des Menschen und von einer neuen Schöpfung gesprochen. Neu, eine neue Schöpfung, ist der Mensch, wo das Verhältnis zwischen Gott und ihm ein neues geworden ist. Das gilt zunächst von dem Proselyten, der durch den Übertritt wie ein eben geborenes Kind wird [157]. Das Bild der Schöpfung liegt dabei in der Nähe, Cant r 1 z 1, 3: jeder, der einen Menschen unter die Flügel der Schekhina bringt, dem rechnet „man" es an, als ob er ihn geschaffen (ברא), gebildet (יצר) und geformt (רקם) hätte. Das gilt dann insbesondere von der ersten Einführung des Zeichens der Beschneidung: durch die Beschneidung wurde Abraham zu einem neuen Geschöpf gemacht, Gn r 39 z 12, 2 [158] und RBerechja erläutert ausdrücklich, daß es nicht heiße נתן oder שׂים, sondern עשׂה. Dasselbe gilt von jeder Erneuerung des Verhältnisses Gott-Mensch durch die Buße und Vergebung. Buße und Vergebung gehören dabei zusammen. Denen, die umkehren, ist Gottes Vergebung bereitet [159]. Gottes und des Menschen Tun treffen auf einer Ebene zusammen. Der Ausdruck Schöpfung ist daher nicht eigentlich zu fassen, zeigt aber doch, daß das at.liche Wort von der Vergebung nicht ganz leer geblieben ist.

Wenn auch gewisse Ansätze zur dualistischen Zerteilung des Menschen nicht zu verkennen sind, so ist doch im Spätjudentum von einem wirklichen Dualismus, einer Feindlichkeit dem Leibe gegenüber, nicht die Rede, bSanh 91 a b [160].

D. δημιουργέω und κτίζω im Griechischen und die sprachliche Leistung der LXX.

Zur Bezeichnung der Schöpfertätigkeit Gottes standen in der griechischen Sprache der LXX außer dem einfachen ποιεῖν (= עשׂה) und den hbr Bildern entsprechenden Wendungen wie πλάσσειν (= יצר), θεμελιοῦν (= יסד) besonders δημιουργός und seine Derivate zur Verfügung. Diese Wortgruppe hatte das griechische Heidentum immer wieder zum Ausdruck seiner Weltgestaltungsanschauungen gebraucht [161]. Die LXX aber hat diese Wortgruppe nicht ein einzigesmal in Bezug auf die Schöpfertätigkeit Gottes gebraucht (→ δημιουργός), sondern hat eine Wortgruppe gewählt — κτίζω und seine Derivate —, deren Anwendung in diesem Sinn neu ist.

---

[156] Dieselbe Erwartung äth Hen 91, 14 ff; 92, 5; 100, 5; 107, 1.

[157] RJose (um 150) bJeb 48 a; bJeb 22 a gg E. Vgl KHRengstorf zu Jeb 11, 2 a (Gießener Mischna 1929) 138—139.

[158] Str-B II 421, dort auch weiteres.

[159] SDt 30 z 3, 29; Ex r 15, 6 z 12, 1 f;

jRH 59 c Z 60 f; weiteres Str-B II 422 c. Ex 4, 12: Gott gibt dem Mose Kraft zum Reden, wird Tanch שׁמות § 18 z Ex 4, 12 (p 5 b Buber) gedeutet als אני עושׁה אותך בריה חדשׁה.

[160] Vgl dazu jetzt RMeyer (→ Lit-A).

[161] Plat Tim, → 1003, 27 ff; von da ab bis zum Neuplatonismus immer häufiger.

Um das zu verstehen, müssen wir sowohl den Bedeutungsumfang wie das soziale Niveau der beiden Wortgruppen und ihr Verhältnis zur griechischen wie biblischen Schöpfungsanschauung untersuchen.

δημιουργός bezeichnet eigentlich den, *der für die Allgemeinheit Bestimmtes arbeitet*, bei Hom vom Seher, Arzt, Baumeister, Herold und Sänger gebraucht, dann den, der 5 berufsmäßig bestimmte Artikel (eben zum allgemeinen Gebrauch) herstellt, *den Handwerker*, ob es sich nun um einen Töpfer, Bildhauer, Maler, Schiffsbauer, Weber, Färber, Salbenbereiter oder Koch handelt. Als solcher ist er der *Fachmann* im Gegensatz zum Laien [162], *der Hersteller und Verfertiger* von etwas. Im Laufe der Zeit ist immer mehr das Moment d e s u n m i t t e l b a r e n A r b e i t e n s a n u n d m i t e i n e m 10 S t o f f , d a s „A n f e r t i g e n" in den Vordergrund getreten. Darum kann Aristot sagen: (Pol VIII 4 p 1325 b 40—1326 a 1). ὥσπερ γὰρ καὶ τοῖς ἄλλοις δημιουργοῖς, οἷον ὑφάντῃ (Weber) καὶ ναυπηγῷ, δεῖ τὴν ὕλην ὑπάρχειν ἐπιτηδείαν οὖσαν πρὸς τὴν ἐργασίαν . . . Übertragen wird δημιουργός von dem *Urheber* unmittelbarer Wirkung gebraucht: die κακία ist δημιουργός eines elenden Lebens [163], bringt es unmittelbar 15 hervor, der πολιτικός ist δημιουργός εὐνομίας καὶ δίκης: das entsteht durch sein Wirken, er bringt es zuwege [164]. Die Bewegungen von Sonne und Mond sind δημιουργοί von Tag und Nacht [165]. Auch wo δημιουργός der Bedeutung „Erfinder" nahe kommt, bezeichnet es den ersten Verfertiger. So sagt Plut [166], daß Athen keinen berühmten δημιουργός der epischen und lyrischen Poesie hatte, und wenn derselbe Schriftsteller 20 an anderer Stelle [167] von δημιουργοί der Feste spricht, so meint er nicht ihre Stifter, sondern die, die Siege erfochten haben und dadurch unmittelbar ein Fest verursacht haben: ihre Arbeit hat das Fest geschaffen, während der κτίστης durch seinen Willen und Befehl es stiftete. So wird deutlich, in welchem Sinne Plato die μαντική als φιλίας θεῶν καὶ ἀνθρώπων δημιουργός [168] und Plutarch die Natur als δημιουργός von 25 Krankheiten bezeichnen kann [169].

Δημιουργός wurde später auf den sozial wenig geachteten Handwerker eingeschränkt. Das beweisen manche Stellen. Aristot sagt [170]: παρ' ἐνίοις οὐ μετεῖχον οἱ δημιουργοί τὸ παλαιὸν ἀρχῶν, πρὶν δῆμον γενέσθαι τὸν ἔσχατον. τὰ μὲν οὖν ἔργα τῶν ἀρχομένων οὕτως οὐ δεῖ τὸν ἀγαθὸν οὐδὲ τὸν πολιτικὸν οὐδὲ τὸν πολίτην τὸν ἀγαθὸν μανθάνειν, εἰ μή ποτε 30 χρείας χάριν αὐτῷ πρὸς αὐτόν. Plato [171] teilt die Bürger in γεωργοί und δημιουργοί, προπολεμοῦντες und ἄρχοντες. Plutarch spricht [172] von einer Verfassung des Theseus, in der die δημιουργοί, an letzter Stelle stehend, nur den Vorzug haben, am zahlreichsten zu sein, auch sonst kommt die Verachtung des Griechen dem δημιουργός gegenüber kraß zum Ausdruck [173]. Dieselbe Haltung zeigt sich bei Sir (38, 24 ff). Das 35 gilt auch dem Kunsthandwerk gegenüber: Aristodemus [174] bewunderte wohl zB Polyclet wegen seiner ἀνδριαντοποιία, aber auch hier zeigt Plutarch, wie das gemeint ist: er trennt [175] die Bewunderung der Werke von der Verachtung gegen die, die sie schufen. Das gilt nicht nur für die Flötenspieler und Salbenbereiter, sondern Plut bezieht es ausdrücklich auch auf die „Künstler": οὐδεὶς εὐφυὴς νέος ἢ τὸν ἐν Πίσῃ 40 θεασάμενος Δία γενέσθαι Φειδίας ἐπεθύμησεν ἢ τὴν Ἥραν τὴν ἐν Ἄργει Πολύκλειτος, οὐδ' Ἀνακρέων ἢ Φιλητᾶς ἢ Ἀρχίλοχος ἡσθεὶς αὐτῶν τοῖς ποιήμασιν. Οὐ γὰρ ἀναγκαῖον, εἰ τέρπει τὸ ἔργον ὡς χαρίεν, ἄξιον σπουδῆς εἶναι τὸν εἰργασμένον [176]. Wenn nun δημιουργός als Bezeichnung für die Welt gestaltenden Macht in der griechischen Religion und Philosophie gebraucht wurde, so darum, weil der δημιουργὸς τοῦ κόσμου die Welt aus 45 vorhandenem Stoff „hergestellt" hat, wie der δημιουργός des täglichen Lebens aus seinem Material seine Erzeugnisse „herstellt"; das Wesentliche für den Griechen ist die Überführung der Welt aus der ἀταξία in den κόσμος. Wieder sagt Plut seine Meinung: Βέλτιον οὖν Πλάτωνι πειθομένους τὸν μὲν κόσμον ὑπὸ θεοῦ γεγονέναι λέγειν καὶ ᾄδειν· ὁ μὲν γὰρ κάλλιστος τῶν γεγονότων, ὁ δὲ ἄριστος τῶν αἰτίων· τὴν δὲ οὐσίαν 50 καὶ ὕλην ἐξ ἧς γέγονεν, οὐ γενομένην, ἀλλὰ ὑποκειμένην ἀεὶ τῷ δημιουργῷ, εἰς διάθεσιν καὶ τάξιν αὐτῆς, καὶ πρὸς αὐτὸν ἐξομοίωσιν ὡς δυνατὸν ἦν ἐμπαρασχεῖν. Οὐ γὰρ ἐκ τοῦ

---

[162] Plat Ion 531 c: περὶ ὁμιλιῶν πρὸς ἀλλήλους ἀνθρώπων ἀγαθῶν τε καὶ κακῶν καὶ ἰδιωτῶν καὶ δημιουργῶν (Laie—Sachverständiger). Von der urspr Bedeutung des öffentlich Tätigen aus wird δημιουργός (δημιουργέω) auch sakrales (zB CIG 4415 b [Priester]) wie politisches Wort (ὁ δημιουργῶν und ὁ στρατηγῶν gegenüber „den anderen", Artemid II 22 [obrigkeitliche Person]).
[163] Plut Ser Num Pun 9 (II 554 b) (neben τεκταίνεσθαι als Verbalbegriff).
[164] Plut Praec Ger Reip 13 (II 807 c).
[165] Plut Superst 12 (II 171 a).

[166] Bellone An Pace Clariores Fuerint Athenienses 5 (II 348 b).
[167] Suav Viv Epic 18 (II 1099 f).
[168] Symp 188 d.
[169] Quaest Conv IX 1 (II 731 b).
[170] Pol III 4 (p 1277 b 1—6).
[171] Praechter (→ A 37) 270.
[172] Thes 25 (I 11 c. d).
[173] Pericl 1 (I 152 e. f).
[174] Xenoph Mem I 4, 3.
[175] Pericl 1 (I 152 e).
[176] Pericl 2 (I 153 a).

μὴ ὄντος ἡ γένεσις, ἀλλ᾽ ἐκ τοῦ μὴ καλῶς μηδ᾽ ἱκανῶς ἔχοντος, ὡς οἰκίας καὶ ἱματίου καὶ ἀνδριάντος [177]. Aus ähnlicher Anschauung heraus hat auch die christliche Gnosis den Weltgestalter δημιουργός genannt, gegen die biblische Tradition. Eben darum aber hat die LXX dies Wort gemieden, denn der Gott des AT ist eben nicht nur der Weltgestalter.

Das Verb δημιουργεῖν wird dementsprechend ebenfalls vom handwerklichen Verfertigen gebraucht: der τέκτων „macht" (δημιουργεῖν) die Spindel [178] oder das πηδάλιον [179].

κτίζω [180] bei Hom *ein Land bewohnbar machen*, es *anbauen* und *bevölkern* (affiziertes Objekt), Od 11, 263: Amphion und Zethos οἳ πρῶτοι Θήβης ἕδος ἔκτισαν ἑπταπύλοιο; Hdt I 149: οἱ Αἰολέες χώρην μὲν ἔτυχον κτίσαντες ἀμείνω Ἰώνων. Dann *eine Stadt erbauen*, sie *gründen* (effiziertes Obj), Hom Il 20, 216: Dardanos κτίσσε δὲ Δαρδανίην; Hdt I 168: ἐνθαῦτα ἔκτισαν πόλιν Ἄβδηρα. In dieser Bedeutung zur Zeit des NT häufig, zB bei Plut Thes 2 (I 1 d); 20 (I 9 a); 26 (I 12 d); Romulus 9 (I 22 d); 12 (I 24 a); Camillus 20 (1 139 b); Nicias 5 (1 526 b); Pomp 39 (I 639 e); Praec Ger Reip 17 (II 814 b); Col 33 (II 1126 f) *(wieder aufbauen)*. Auch von der *Errichtung* bzw *Gründung* von Hainen, Tempeln, Theatern, Bädern, Gräbern, von der *Stiftung* von Festen und Spielen. Dabei bezeichnet das Verb im allgemeinen, im Gegensatz zu δημιουργέω, nicht das tatsächliche handwerkliche Erbauen und Errichten, sondern b e n e n n t d e n e n t - s c h e i d e n d e n , g r u n d l e g e n d e n W i l l e n s a k t z u r E r r i c h t u n g , G r ü n d u n g u n d S t i f t u n g , dem die handwerkliche Ausführung, das δημιουργεῖν, erst folgt. Freilich kann κτίζω auch im Sinne des letzteren das Tun, das Ausführen bezeichnen, bes bei den Tragikern, Soph Trach 898: Selbstmord κτίσαι; Aesch Choeph 483 f οὕτω γάρ ἄν σοι δαῖτες ἔννομοι βροτῶν κτιζοίατ'. „τροπὴν κτίσαι entspricht in äschyleischer Redeweise dem in Prosa geläufigen τροπὴν ποιεῖν (ποιεῖσθαι)" [181] (Empedocles sagt von den Künstlern, sie „schaffen" = κτίζοντε Bäume, Menschen und Vieh) [182]. Aber dieser Sprachgebrauch ist — von vornherein anscheinend nicht recht populär — im Laufe der Zeit zurückgetreten. Dagegen ist die andere Seite des Sprachgebrauchs weiter entwickelt worden. κτίζω wird auch vom *Erfinden,* dh vom grundlegenden geistigen Akt [183] und vom *Gründen* zB *von Philosophenschulen* gebraucht.

In nt.licher Zeit ist die ganze Wortgruppe vorzugsweise vom „Gründen" von Städten, Häusern, Spielen, Sekten, dazu vom Erfinden und auch vom Bebauen des Landes gebraucht. κ τ ί ζ ω b e d e u t e t a l s o d e n g r u n d l e g e n d e n g e i s t i g e n u n d w i l l e n t l i c h e n A k t , d u r c h d e n e t w a s e n t s t e h t , u n d b e i d e m , w a s e n t - s t e h t , h a t m a n i n e r s t e r L i n i e a n S t ä d t e g e d a c h t . Das zeigt auch die Liste der Derivate [184]: ἐγκτίζω Städte darin bauen; εὔκτιμενος wohlgebaut, schön gelegen, von Häusern, Inseln, Städten; εὔκτιτος schön gebaut; θεόκτιτος von Athen; νεόκτιστος kürzlich gegründet, von Städten; νεόκτιτος neu erwacht, von der ἐπιθυμία, Bacchyl 16, 126; αὐτόκτιστος bei Aesch von Höhlen, die sich selbst angelegt haben; φιλόκτιστος, φιλοκτίστης baulustig; κτισμός Gründung, von einer Stadt; κτιστεῖον Heiligtum eines κτίστης; κτιστόν das Gebäude; κτιστήρ = κτίστης. κτίσις, κτίσμα, κτίστης, → 1026, 37 ff. Auf die Bedeutung „machen" gründen nur wenige Komposita und sie sind alle poetisch gebraucht: εὔκτιμενος wird bei Hom auch von allem gebraucht, „on which man's labour has been bestowed"; κτιστός *gemacht* bei Hom. Wenn es also auch nahe läge anzunehmen, daß LXX wegen der in der Poesie möglichen Gleichung κτίζω = ποιέω für den Begriff des Schaffens κτίζω gewählt hat, so spricht doch der allgemein übliche Sprachgebrauch dagegen [185]. Gehen wir also von der Gleichung κτίζω = gründen aus, so springt sofort in die Augen, daß dieser Begriff gerade seit Alexander d Gr eine besondere Note bekommen hatte. Gründen ist damals die Sache des Herrschers gewesen, und zwar des Herrschers im hellenistischen Sinn, des selbstherrlichen, an die Götter heranreichenden Herrschers. So sagt Philo (Op Mund 17): ἐπειδὰν πόλις κτίζηται κατὰ πολλὴν φιλοτιμίαν βασιλέως ἤ τινος ἡγεμόνος αὐτοκρατοῦς ἐξουσίας μεταποιουμένου . . . dh also: die Gründung einer Stadt ist Sache der αὐτοκρατὴς ἐξουσία und zwar darum, weil der Herrscher ja nicht die Stadt selbst mit seinen Händen baut

---

[177] De Animae Procreatione in Timaeo Platonis 5, 3 (II 1014 a. b); ferner → 74 Z 5 ff.
[178] Albinus, Introductio in Platonem (ed CFHermann, Plato Bd 6 [1892]) 7.
[179] Plut, Maxime Cum Principibus Viris Philosophis Esse Disserendum 4 (II 779 a).
[180] Indogermanische Grundbdtg: siedeln, wohnen; Walde-Pok I 504. [Debrunner.]
[181] WSchadewaldt, Hermes 71 (1936) 34 [HSchöne.] — Ähnlich sagt schon Pind Olymp

9, 444 f von Deukalion und Pyrrha: ἄτερ δ᾽ εὐνᾶς ὁμόδαμον κτισσάσθαν λίθινον γόνον.
[182] Emped fr 23 (I 235, 6 Diels).
[183] Schon bei Soph Oed Col 715.
[184] Zum größten Teil HSchöne verdankt. Belege zumeist bei Liddell-Scott.
[185] Für Plut vgl DWyttenbach, Lex Plutarcheum (1843) sv; für ep Ar s 36; 115; z Jos vgl SchlTheol d Judt 3; SchlJk 137 A 1. Merkwürdig ist nur in Test XII der Gebrauch des Pass κτίζεσθαι = entstehen, Test R 2, 4. 7; 3, 1.

(das wäre δημιουργεῖν), sondern sein Wort, sein Befehl, sein Wille es ist, der die Stadt entstehen läßt, und hinter seinem Wort seine tatsächliche Macht steht, die ihm Gehorsam (also auch einen geistigen Akt) verschafft → II 560, 1 ff. Wenn auch „die neugegründeten Städte immer irgendwie an das schon Vorhandene anknüpften"[186], so war Art und Maß dieser Anknüpfung lediglich in das Belieben des „Gründers" gestellt; 5 vielfach war diese Anknüpfung ein beziehungsloses Nebeneinander einer alten Siedlung und der neuen πόλις. Ihre Existenz als πόλις verdankt die Stadt lediglich dem κτίστης, der demgemäß als solcher göttliche Ehren in der Stadt erhielt[187]. Auch in den Namen kommt die Abhängigkeit der hellenistischen Stadtgründungen vom κτίστης zum Ausdruck, es überwiegen Anspielungen auf den 10 Gründer[188].

Damit sind die Gesichtspunkte, die LXX zur Wahl der Wortgruppe κτίζω statt des vom Griechentum nahegelegten δημιουργεῖν bewogen haben, klar: δημιουργεῖν läßt an das eigentliche handwerkliche Verfertigen denken, κτίζειν dagegen an den Herrscher, dessen Befehl etwa aus dem Nichts eine Stadt ent- 15 stehen läßt, weil dem Wort des Herrschers die Macht des Herrschers zu Gebote steht. δημιουργεῖν ist ein handwerklich-technischer, κτίζειν ein geistiger und willentlicher Vorgang.

Mit der Vermeidung von δημιουργεῖν ist noch ein weiteres mögliches Mißverständnis vermieden. Abgesehen von der allgemeinen Schätzung des Künstlers 20 in der Antike könnte man denken, daß δημιουργός als „Künstler" sich gut als Ausdruck für den Schöpfer eignete. Aber die Künstlerschaft hat ein starkes emanatisches Moment in sich[189], das gerade dem biblischen Schöpferglauben fehlt. So beleuchtet zusammenfassend Philos Erklärung den Unterschied von δημιουργός und κτίστης, Som I 76: ἄλλως τε ὡς ἥλιος ἀνατείλας τὰ κεκρυμμένα 25 τῶν σωμάτων ἐπιδείκνυται, οὕτως καὶ ὁ θεὸς τὰ πάντα γεννήσας οὐ μόνον εἰς τοὐμφανὲς ἤγαγεν, ἀλλὰ καὶ ἃ πρότερον οὐκ ἦν, ἐποίησεν, οὐ δημιουργὸς μόνον ἀλλὰ καὶ κτίστης αὐτὸς ὤν[190].

Von den 46 Stellen, an denen LXX ברא im Sinne von „schaffen" las (Js 4, 5 nicht mitgerechnet), sind nur 17 Stellen mit κτίζειν wiedergegeben, davon keine in Gn, wo 30 vielmehr fast stets ποιέω gebraucht ist. Im Pentateuch ist überhaupt nur Dt 4, 32 κτίζειν Übersetzung von ברא. Bei den Propheten, abgesehen von Dtjs, sind von den 6 ברא-Stellen 5 (nicht: Ez 21, 35) mit κτίζειν übersetzt. Von den 20 Dtjs-Stellen sind nur 4 mit κτίζειν, 6 mit ποιεῖν, 3 mit καταδείκνυμι, je zwei mit κατασκευάζω und εἰμί und drei gar nicht (45, 12; 57, 19; 65, 18 a) wiedergegeben. In den Ps aber (6 mal) und in 35 Qoh (1 mal) steht für ברא immer κτίζειν. In Sir entspricht ihm κτίζειν (40, 10), ποιεῖν (15, 14) und ὁ κύριος (3, 16, בּוֹרְאָ). Umgekehrt ist κτίζω in LXX außer von ברא, das es 17 mal (und einmal in Sir) vertritt, Übersetzung von קנה (Gn 14, 19. 22; Prv 8, 22;

---

[186] VTscherikower, Die hell Städtegründungen von Alexander dem Großen bis auf die Römerzeit = Philol Suppl-Bd 19, 1 (1927) 128, der zum Ganzen zu vergleichen ist.

[187] Ebd 132.

[188] Ebd 115.

[189] Scharbau (→ Lit-A) 22.

[190] Im allgemeinen freilich tritt bei Philo κτίζειν gegen δημιουργεῖν zurück. Das hängt damit zusammen, daß sich bei ihm jüdische Tradition von der Gründung einer Stadt als Bild für Gottes Schaffen mit griech Vorstellungen von dem Weltgestalter kreuzen. Letztere haben seine Vorstellungen nicht mehr als seine Sprache beeinflußt. Darum begegnet bei ihm eine Reihe von unbiblischen, aus der allg

Religionsgeschichte bekannten Gedanken u Bildern: Schöpfung durch das Denken (Op Mund 24: die νοητὴ πόλις ist nichts anderes als τοῦ ἀρχιτέκτονος λογισμός); Gott als αἴτιος und πατήρ, die ὕλη als μήτηρ (Ebr 61); Schaffen aus dem Nichtseienden ist ein solches aus dem Qualitätslosen (Spec Leg IV 187: τὰ γὰρ μὴ ὄντα ἐκάλεσεν εἰς τὸ εἶναι τάξιν ἐξ ἀταξίας καὶ ἐξ ἀποίων ποιότητας . . . ἐργασάμενος). Zu Philos Schöpfungslehre vgl JHorovitz, Untersuchungen über Philons u Platons Lehre von der Weltschöpfung (1900) mit älterer Lit; EBréhier, Les Idées Philosophiques et Religieuses de Philon d'Alexandrie (1907) 78—82; Stade-Bertholet (→ Lit-A) II 489; Bousset-Greßm 441 f; Praechter (→ A 37) 575; Frey (→ Lit-A) 39—45; → 76, 34 ff.

Ιερ 39, 15 B), יסד (Ex 9, 18), יצר (Js 22, 11; 46, 11; Sir 39, 28. 29; 49, 14), חלק (Sir 38, 1; 39, 25; 44, 2) und vereinzelt von anderen Wörtern (Lv 16, 16; ψ 32, 9; Sir 10, 18; 38, 4).

Bei der Überschau fällt nicht nur auf, daß κτίζω vom göttlichen Schaffen im Penta-teuch nur verhältnismäßig selten vorkommt: 4 bzw mit Dt 32, 6 (A) 5 mal: in den geschichtlichen kanonischen Büchern fehlt es, in den Propheten steht es. abgesehen von Da, 15mal, in den Hagiographen 9mal, in den Apkr 36mal (einschließlich Δα 4, 37) — es fällt auch auf, daß κτίζω in den beiden Schöpfungsberichten ganz fehlt. Da der Pentateuch zuerst übersetzt wurde und die anderen Teile des AT in wahr-nehmbarem Abstand folgten, so ist die Gleichung ברא = κτίζω, ja die theo-logische Prägung dieses griechischen Begriffs überhaupt, erst nach Vollendung der Übersetzung der Thora geschaffen worden. Denn Lv 16, 16: τῇ σκηνῇ τοῦ μαρτυρίου τῇ ἐκτισμένη ἐν αὐτοῖς (שכן) und Ex 9, 18: χάλαζαν ... ἥτις τοιαύτη οὐ γέγονεν ἐν Αἰγύπτῳ ἀφ᾿ ἧς ἡμέρας ἔκτισται (= יסד) ist κτίζω ganz eigentlich vom Gründen und Errichten gebraucht, und zwar im Sinne des Verfertigens. Darum überrascht es auch nicht, wenn Gn 14, 19. 22 κτίζω Übersetzung von קנה ist und Dt 32, 6 A כונן mit κτίζω (vl: πλάσσω) wiedergibt. Der Schluß ist, daß κτίζω für die LXX-Über-setzer der Thora noch nicht den späteren Vollinhalt hat; es bedeutet ein tatsächliches, handwerkliches Tun, wie Hag 2, 9; 1 Εσδρ 4, 53 κτίζω nicht vom Gründen der Stadt durch den Herrscher, sondern von der (Wieder-)Erbauung durch ihre Bewohner steht, vgl Ιερ 39, 15 B* S* (ἔτι κτισθήσονται ἀγροὶ καὶ οἰκίαι καὶ ἀμπελῶνες).

Bei den hexaplarischen Übersetzern wird κτίζω offenbar terminologisch gebraucht und vor allem für ברא regelmäßig eingesetzt So steht es Gn 1, 1 (᾿Α); 1, 27 (᾿ΑΣΘ) und dazu bei Dtjs 7mal bei ᾿ΑΣΘ (40, 26; 41, 20; 43, 7; 54, 16; 57, 19; 65, 17. 18). In ψ 50, 12 hat ᾿Α ἀνάκτισον von der (Neu-)Schöpfung des Herzens. LXX: καρδίαν καθαρὰν κτίσον ἐν ἐμοί. Bei Σ kommt Js 43, 15 einmal κτίστης für ברא Part vor. In Ez 2, 10 hat ᾿Α den Inhalt der Buchrolle auf Grund eines Mißverständnisses von Mas neu for-muliert. Er las offenbar statt קינים = θρῆνος, Klage קיגין und übersetzte: καὶ γεγραμ-μένον ἦν ἐπ᾿ αὐτοῦ κτίσις καὶ ἀντίβλησις καὶ ἔσται. Das Buch, das der Prophet ver-schlingen soll, enthielt demnach eine Darstellung der Schöpfung und dessen, was ihr gegenübersteht (ἀντίβλησις ist ein Hapaxlegomenon) und eintreten wird (ἔσται), also wohl eine Apokalypse, wie sie im hellenistischen Judentum weit verbreitet waren. In Sir 1, 14 findet sich ebenso wie ἀνακτίζειν ψ 50, 12 ᾿Α als Hapaxlegomenon συγκτίζειν : μετὰ πιστῶν ἐν μήτρᾳ συνεκτίσθη αὐτοῖς (Subj: φοβεῖσθαι τὸν κύριον): den Herrn zu fürchten wurde bei den Gläubigen im Mutterleibe mit ihnen zugleich geschaffen. HT hatte vielleicht hier יצר (so Hatch-Redp III 192) in Anlehnung an Jer 1, 5; vgl auch Sir 49, 6 HT [191].

κτίσις das *Ansiedeln, Gründen*, von Städten, Thuc VI 5, 3: ἔτεσιν ἐγγύτατα πέντε καὶ τριάκοντα καὶ ἑκατὸν μετὰ Συρακουσῶν κτίσιν. Dichterisch auch = πρᾶξις, das *Tun* [192]. Diese verbale Bedeutung ist auch bei Plut die einzige. Sie fehlt aber gerade in LXX. Dort bedeutet κτίσις *das einzelne Geschaffene* [193] Tob 8, 5. 15; Jdt 9, 12; ψ 103. 24 vl; 104, 21 vl; Prv 1, 13 A; 10, 15 א* (1 wohl κτῆσις); Sir 43, 25 (= גבורות), dann aber be-zeichnet der Sing κτίσις *die Gesamtheit des Geschaffenen, die Schöpfung*, Jdt 16, 14: σοὶ δουλευσάτω πᾶσα ἡ κτίσις σου; ψ 73, 18 B; Sap 2, 6: 16, 24; 19, 6; Sir 16, 17 (wie LXX den HT las, ist undurchsichtig); 49, 16 (= תפארת?); 3 Makk 2, 2. 7; 6, 2.

κτίσμα *das Gegründete*, von Städten, Häusern etc, Strabo VII 5, 5: Tragurion ᾿Ισσέων κτίσμα, eine Gründung der Isser, dh etwas von ihnen Gegründetes. In LXX nur in den Apkr (6mal) *das einzelne Geschaffene, das Geschöpf*. Nur Sir 38, 34: κτίσμα αἰῶνος στηρίσουσιν (nämlich die Handwerker) bezeichnet κτίσμα zwar auch etwas Geschaffenes, aber dies ist eine „Ordnung", denn Sir spricht oft davon. daß Gott die γεωργία (7, 15), den Wein (31, 27), den Arzt (38, 1. 12) und die Heilmittel (38, 4). ja, alles zur χρεία der Menschen „geschaffen" habe (κτίζειν), und den Gesamtkomplex dieses Ge-schaffenen stützt (oder nach B bewahrt) der δημιουργός. Das ist der in Ägypten viel ausgesprochene Gedanke, den auch das hellenistische Judentum in seiner Art über-nommen hat, daß die Götter, besonders Isis, die Kultur „erfunden" haben (→ II 645, 17 ff).

κτίστης *der Gründer, Stifter*, ist in hellenistischer Zeit (vgl aber schon Hdt V 46: συγκτίστης [194]) ein häufiger Ehrentitel, zB Plut Camillus 1 (I 129 b) bzw 31 (I 144 e); Mar 27 (I 421 d): Camillus bzw Marius der zweite (dritte) κτίστης Roms. D e m

---

[191] 1026 Z 22—36 von Bertram.
[192] Beleg bei Liddell-Scott.
[193] → II 633, 31 f.

[194] Vgl EFraenkel, Gesch der Griech Nomina agentis I (1910) 44, 161, 180, 222. Älter scheint κτίστωρ (und κτίτωρ „Bewohner") zu sein; vgl Fraenkel II (1912) 246 (Index). [Debrunner.]

Willen, der Persönlichkeit des κτίστης verdankt eine Stadt, wo nicht ihre ganze Existenz, so doch das für ihre Existenz Entscheidende. Der hellenistische Herrscher gründet durch seinen Willen und seine Macht ein Fest, er ist sein κτίστης; das zeigt noch einmal den Unterschied zu δημιουργός → 1025, 12 ff.

Wie κτίσις und κτίσμα, hat auch κτίστης im HT kein festes Äquivalent, denn בָּרָא 5 behält im HT seine verbale Natur, dh es wird im AT Gott nicht als Schöpfer charakterisiert, sondern von seinem Schaffen gesprochen. LXX aber bildet mit dem 8mal (darunter 7mal in den Apkr) begegnenden κτίστης ein Attribut und eine Bezeichnung Gottes: 2 S 22, 32: מִי־אֵל מִבַּלְעֲדֵי יְהוָה וּמִי צוּר מִבַּלְעֲדֵי אֱלֹהֵינוּ = 2 Βασ 22, 32: τίς ἰσχυρὸς πλὴν κυρίου; καὶ τίς κτίστης ἔσται πλὴν τοῦ θεοῦ ἡμῶν; zeigt, wie für LXX 10 sich Schöpfertum und Machterweis vereinte und Gottes Schöpfersein ihn von den Götzen schied.

E. Schöpfung im NT.

1. Terminologie.

Der häufigste Ausdruck für Schaffen im NT ist κτίζειν mit 15 seinen Derivaten; in ziemlich weitem Abstand folgt → ποιέω und ποίημα, während ποίησις und ποιητής in dieser Bedeutung fehlen. Dann folgt πλάσσω mit πλάσμα, während von δημιουργέω nur das Subst δημιουργός einmal. Hb 11, 10. neben τεχνίτης, vertreten ist. Κατασκευάζω findet sich Hb 3, 4 im Wortspiel, θεμελιόω nur Hb 1, 10 im Zitat.   20

κτίζω und seine Derivate werden im NT nur vom *göttlichen Schaffen* gebraucht. κτίζω *schaffen*; κτίστης *der Schöpfer*, nur 1 Pt 4, 19; wie im Hbr und den älteren Teilen der LXX wird im NT statt des Subst eher ein Part (R 1, 25; Kol 3, 10; Eph 3, 9; vgl Lk 11, 40; Ag 4, 24; 17, 24; R 9, 20; Hb 3, 2) oder ein Relativsatz gebraucht, Apk 10, 6; vgl Ag 14, 15. κτίσμα *das Geschöpf*, dh das einzelne Geschaffene, 1 Tm 4, 4; Jk 1, 18; Apk 5, 13; 8, 9. κτίσις *a. das Schaffen* als Akt, R 1, 20; *b. das Geschöpf*, R 8, 39; 2 K 5, 17; Gl 6, 15 (?); Kol 1, 15; Hb 4, 13; 1 Pt 2, 13 (→ 1034, 14 ff); *c. die Schöpfung*, dh die Gesamtheit des Geschaffenen, als umfassender Ausdruck, Hb 9, 11: οὐ ταύτης τῆς κτίσεως, Apk 3, 14; hierher gehören wohl auch die Stellen Mk 10, 6; 13, 19; 2 Pt 3, 4: ἀπ' ἀρχῆς κτίσεως[195]. Je nach dem Zusammenhang ruht der Blick 30 dabei vorzugsweise auf der Menschheit (wie ähnlich oft im Rabbinischen, → 1015, 28 ff) Mk 16, 15; Kol 1, 23. oder auf der Natur, R 1, 25; 8, 19—22 (belebte und unbelebte Natur)[196]. Dieser auch in LXX auftretende Sprachgebrauch bietet ein großes Rätsel, da er weder Parallelen im Griechischen noch im Rabbinischen hat[197].

2. Gott der Schöpfer der Welt.   35

Daß Gott die Welt, dh Himmel und Erde und was darinnen ist, geschaffen hat, begegnet im NT in einer Reihe von Aussagen, deren Ziel allerdings meist nicht ist, eine Aussage über die Art der Schöpfung zu machen. Welche näheren Vorstellungen also hinter diesen Aussagen stehen, muß aus ihnen erst entfaltet werden. Da ist zunächst das häufige Zurückgehen auf 40 den Anfang der Welt zu nennen: Mk 10, 6: ἀπὸ δὲ ἀρχῆς κτίσεως (= Mt 19, 4: ὁ κτίσας ἀπ' ἀρχῆς, wohl so zusammenzunehmen), vgl Mt 19, 8: ἀπ' ἀρχῆς und R 1, 20: ἀπὸ κτίσεως κόσμου, ferner Mk 13, 19: ἀπ' ἀρχῆς κτίσεως ἣν ἔκτισεν ὁ θεός (par Mt 24, 21: ἀπ' ἀρχῆς κόσμου), 2 Pt 3, 4: ἀπ' ἀρχῆς κτίσεως, vgl Apk 3, 14: ἡ ἀρχὴ τῆς κτίσεως τοῦ θεοῦ, Hb 1, 10 = ψ 101, 26: σὺ κατ' ἀρχάς . . . 45 τὴν γῆν ἐθεμελίωσας und J 8, 44: ἀνθρωποκτόνος ἀπ' ἀρχῆς; 2 Th 2, 13; 1 J 1, 1; 2, 13 f; 3, 8 und die häufige Wendung ἀπὸ bzw πρὸ καταβολῆς κόσμου[198]; Mt 13, 35; 25, 34; Lk 11, 50; J 17, 24; Eph 1, 4; Hb 4, 3; 9, 26; 1 Pt 1, 20; Apk 13, 8; 17, 8; vgl auch 1 K 11, 9.

---

[195] Nach Gutbrod (→ Lit-A) 12 f = actus creationis.

[196] Gutbrod 15—18 beschränkt κτίσις hier auf die Menschheit, wohl zu Unrecht.

[197] Für das Rabb → 1015, 33 ff.

[198] Über die Bdtg von καταβολή in diesem Zshg s Pr-Bauer³ sv gg SchlMt z 13, 35.

Diese Wendungen zeigen, daß die Schöpfung für die Welt den Anfang ihrer Existenz bedeutet, daß also mit einem vorgegebenen Stoff nicht zu rechnen ist. Pls drückt das R 4, 17 aus durch (θεοῦ) καλοῦντος τὰ μὴ ὄντα ὡς ὄντα (→ 1009, 12ff). An dieser Stelle und 2 K 4, 6: (ὁ θεὸς ὁ εἰπών · ἐκ σκότους φῶς λάμψει) wird
5 auf die Schöpfung durch das Wort Bezug genommen. So liegt die Schöpfung aus dem Nichts durch das Wort den nt.lichen Aussagen ausgesprochen oder unausgesprochen zugrunde.

Geschaffen ist „alles", τὰ πάντα, Eph 3, 9; Kol 1, 16; Apk 4, 11 oder auseinandergefaltet Apk 10, 6: (ὃς ἔκτισεν) τὸν οὐρανὸν καὶ τὰ ἐν αὐτῷ καὶ τὴν γῆν
10 καὶ τὰ ἐν αὐτῇ καὶ τὴν θάλασσαν καὶ τὰ ἐν αὐτῇ, ähnlich Ag 4, 24 u 14, 15: τὸν οὐρανὸν καὶ τὴν γῆν καὶ τὴν θάλασσαν καὶ πάντα τὰ ἐν αὐτοῖς (vgl Apk 5, 13), zusammengefaßt Ag 17, 24: τὸν κόσμον καὶ πάντα τὰ ἐν αὐτῷ, nach einer anderen Seite hin auseinandergelegt Kol 1, 16: τὰ πάντα ἐν τοῖς οὐρανοῖς καὶ ἐπὶ τῆς γῆς, τὰ ὁρατὰ καὶ τὰ ἀόρατα, εἴτε θρόνοι εἴτε κυριότητες εἴτε ἀρχαὶ εἴτε ἐξουσίαι.
15 Daß hierbei jegliche Emanation ebenso wie eine vorgegebene Materie ausgeschlossen ist, ist deutlich; aber ausdrücklich muß bemerkt werden, daß in οὐρανός auch der Himmel im Sinn der dritten Bitte des Vaterunsers eingeschlossen ist. Diese Bitte zeigt zugleich, daß auch im NT die Schöpfung ein Gegenüber von Schöpfer und Geschöpf begründet: der Wille des Schöpfers wird im
20 Himmel getan. In anbetendem Lobpreis geben die vier „Wesen" dem Schöpfer Preis, Ehre und Dank, indem sie ihn als den dreimal Heiligen, dh den von aller Kreatur Abgesonderten, anbeten und in verständlicher Symbolhandlung legen die 24 Ältesten ihre Kronen vor Gottes Thron und bekennen dadurch, daß sie sie von Gott haben, und einen sich mit dem Lobgesang der Wesen, indem
25 sie als recht (ἄξιος) ausrufen, daß Gott Preis, Ehre und Macht nimmt, weil er der Schöpfer ist, Apk 4, 8—11. Auch diese dem Thron am nächsten Stehenden sind nichts an sich und aus sich; sie erfüllen den Sinn ihrer Existenz in der Anbetung und dem Lobpreis Gottes. Dieser Lobpreis ist eine persönliche, willentliche Handlung, ein „Sagen" (im Unterschied zu einem naturhaften „Sein").
30 So sagt auch der Sohn sein „Ja" zur εὐδοκία des Vaters, der als Schöpfer → κύριος, rechtmäßiger Herr des Himmels und der Erde ist, Mt 11, 25f: ἐξομολογοῦμαί σοι, πάτερ, κύριε τοῦ οὐρανοῦ καὶ τῆς γῆς, ὅτι ἔκρυψας ταῦτα ἀπὸ σοφῶν καὶ συνετῶν, καὶ ἀπεκάλυψας αὐτὰ νηπίοις · ναί, ὁ πατήρ, ὅτι οὕτως εὐδοκία ἐγένετο ἔμπροσθέν σου. So macht das in der Verkündigung des Schöpfers liegende Gegenüber von
35 Schöpfer und Geschöpf dieses zu einem wollenden; denn Geschöpf sein heißt gewollt sein, gewollt sein schließt in sich, zu einem Ziel gewollt sein, zum Wollen aufgerufen sein, zu dem Wollen nämlich, zu dem es geschaffen ist[199]. So faßt Paulus in sachlicher Notwendigkeit in seinen zusammenfassenden Aussagen das „von-her" und „zu-hin" zusammen und stellt sich selbst mit der
40 Doxologie an den Platz des εἰς αὐτόν Geschaffenen, R 11, 36: ἐξ αὐτοῦ καὶ δι' αὐτοῦ καὶ εἰς αὐτὸν τὰ πάντα · αὐτῷ ἡ δόξα εἰς τοὺς αἰῶνας · ἀμήν (vgl 1 K 8, 6). So sieht Paulus als Ziel aller Geschichte an, daß auch der Sohn dem Vater „untertan sein" wird, und dieses Untertansein ist ein personhaftes Verhältnis,

---

[199] Vgl Lütgert (→ A 1) 93—95.

nicht ein „Aufgehen", und danach ist der Schluß des Verses zu verstehen: 1 K 15, 28: ὅταν δὲ ὑποταγῇ αὐτῷ τὰ πάντα, τότε καὶ αὐτὸς ὁ υἱὸς ὑποταγήσεται τῷ ὑποτάξαντι αὐτῷ τὰ πάντα, ἵνα ᾖ ὁ θεὸς πάντα ἐν πᾶσιν.

Ein wichtiges Zeugnis von Gott dem Schöpfer ist Apk. Apk 4 u 5 stehen am Anfang der eigentlichen Offenbarung in planvoller Ordnung: vor der Schau 5 und andeutenden Darstellung der geschichtlichen Ereignisse steht das Gesicht der Thronherrlichkeit Gottes. Über allem Ablauf der Geschichte thront in ewiger Ruhe und Klarheit, „der auf dem Thron sitzt". Wenn auch von dem Thron „Blitze, Schall und Donner" ausgehen (v 5), so ist doch die eigentliche Beschreibung des Thrones voll majestätischer Ruhe. „Der auf dem Thron sitzt", 10 den der Seher nicht weiter zu nennen wagt, erscheint als ὅμοιος ὁράσει λίθῳ ἰάσπιδι καὶ σαρδίῳ (v 3). Auch im Vergleich mit der pseudepigraphen [200] und rabbinischen [201] Literatur fällt auf, daß nicht von einem verzehrenden Glanz die Rede ist. Was dies Bild dann aussagt, ist „die Botschaft, die wir von ihm gehört haben . . ., daß Gott Licht ist und es in ihm keine Finsternis gibt". Die Edel- 15 steine deuten dies deutlicher an als etwa der verzehrende Glanz der Sonne: ein Edelstein ist nur dann „Edelstein", wenn seine Klarheit und sein Glanz fleckenlos und gänzlich ungetrübt ist. Da nun Apk 4 Gott den Schöpfer schaut (4, 11), besagt dies, daß auf Gottes Schöpferherrlichkeit auch nicht der Schatten einer Unklarheit liegt. Zugleich zeigt dies Gesicht den Einen, der allein genug- 20 sam durch das Prädikat ὁ καθήμενος gekennzeichnet ist [202], und zwar als der eine Herr und König, von dem alles sein Sein und Wesen hat; zeigt ihn aber umgeben nicht nur von Repräsentanten der belebten Natur (ζῷα), sondern auch von Ältesten, dh von solchen, die der Thronende der Teilnahme an seiner Weltregierung gewürdigt hat, die als „Älteste", dh Menschen vergleichbar, mit Be- 25 wußtsein und Freiheit als „Personen" daran teilnehmen [203]. Gott der Schöpfer schafft personhaftes Sein. Vor seinem Thron brennen sieben Fackeln, dh sieben Geister: Gottes Lebensgeist (vgl ψ 103, 30) durchdringt und erhält in der Mannigfaltigkeit der Schöpfung alles Geschaffene. Alles, was Gott schafft, ist Leben, auch die sog unbelebte Natur ist voller „Leben". Zugleich deuten die 30 „Blitze, Donner und Schall" (4, 5) auf die gefallene Schöpfung hin.

3. Die gefallene Schöpfung.

Hb 9, 11 sagt, daß Christus διὰ τῆς μείζονος καὶ τελειοτέρας σκηνῆς (als die Stiftshütte) οὐ χειροποιήτου, τοῦτ' ἔστιν οὐ ταύτης τῆς κτίσεως in das Heiligtum eingegangen sei. Alles, was mit Händen gemacht ist, 35 gehört zu „dieser Schöpfung". Gegensatz ist Hb 9, 24 αὐτὸς ὁ οὐρανός, dh die Stätte der Gegenwart Gottes. Paulus nennt Eph 2, 11 die jüdische Beschnei-

---

[200] ZB äth Hen 14, 20 ff: Sein Gewand war glänzender als die Sonne u weißer als lauter Schnee. Keiner der Engel konnte in dies Haus eintreten u sein Antlitz vor Herrlichkeit u Majestät schauen. Kein Fleisch konnte ihn sehen. Loderndes Feuer war rings um ihn; ein großes Feuer verbreitete sich vor ihm, u keiner (der Engel) näherte sich ihm. Apk Abr 18 gg E: (Der Thron) war bedeckt mit Feuer, u Feuer umfloß ihn ringsum, u

siehe, unbeschreibliches Licht umstand eine feurige Schar.
[201] PRE1 4: Die Tiere kennen die Stätte der Herrlichkeit nicht, sie stehen da in Angst u Furcht.
[202] Wer sitzt, ist Gott, bChag 15 a; hbr Hen 16, 3; → II 569 A 63.
[203] Das muß auf dem Hintergrunde der zeitgenössischen jüdischen Transzendentalisierung gesehen werden.

dung χειροποίητος und erläutert den darin angedeuteten Gegensatz zweier Beschneidungen R 2, 28 f dahin, daß die eine ἐν τῷ φανερῷ ἐν σαρκί geschehe, die andere sei eine περιτομὴ καρδίας ἐν πνεύματι, οὐ γράμματι. Damit steht hinter dieser Unterscheidung der paulinische Gegensatz von Fleisch und Geist, und
5 „Fleisch" ist, in der Terminologie des Hb, was zu „dieser Schöpfung" gehört. Was mit Händen gemacht wird, befindet sich im Raum; was sich im Raum befindet, gehört zu „dieser Schöpfung". — Apk 20, 11 sieht Joh, wie der Himmel und die Erde vor dem „Thronenden" flieht und sich für sie keine Stätte mehr findet (vgl Apk 6, 14). In at.lichen Worten hatte schon Hb 1, 10—12
10 dasselbe gesagt und der Vergänglichkeit von Himmel und Erde die Ewigkeit des Gottessohnes gegenübergestellt (Hb 1, 12; vgl Hb 13, 8). Also auch, was sich in dieser Zeit vollzieht, gehört zu „dieser Schöpfung". „Himmel" ist also im NT in doppelter Bedeutung gebraucht, einmal als Stätte des Wohnens Gottes, zum andern als רָקִיעַ, der zu dieser Sichtbarkeit und Vergänglichkeit gehört.
15 Damit hängt ein anderes zusammen: geschaffen ist alles, auch die Engel und Mächte, selbst dem Sohn gegenüber spricht Hb 3, 2 von Gott als dem ποιήσας αὐτόν, doch gehören die Engel nicht zu „dieser Schöpfung". So singen den Lobgesang in Apk 5, 8—14: die vier Wesen und die 24 Ältesten, dann unzählige Engel, und endlich πᾶν κτίσμα ὃ ἐν τῷ οὐρανῷ [204] καὶ ἐπὶ τῆς γῆς καὶ ὑπο
20 κάτω τῆς γῆς καὶ ἐπὶ τῆς θαλάσσης καὶ τὰ ἐν αὐτοῖς πάντα. Der Lobgesang zieht gleichsam konzentrisch sich erweiternde Kreise, und der äußerste Kreis ist „diese Schöpfung", sie umfaßt auch himmlische Mächte, aber nicht die Engel. Was Theosophie, Anthroposophie usw auch an „übersinnlichen" Tatbeständen erfassen mögen, gehört jedenfalls alles in die Sphäre „dieser Schöpfung", denn
25 es ist Mitteln des Raumes und der Zeit zugänglich (im Unterschied zu dem, was „der Geist Gottes" wirkt). Anderseits gehört auch Satan nicht zu „dieser Schöpfung". Auf denselben Umfang „dieser Schöpfung" führt auch R 8, 19 f. κτίσις ist dort auf die gesamte „Schöpfung" zu beziehen [205], da diese recht eigentlich der φθορά und der ματαιότης unterworfen ist; denn die Pflanzen- und
30 Tierwelt hat von natürlicher Perspektive aus nur den Sinn, Nachkommen hervorzubringen, die ihrerseits Nachkommen hervorbringen sollen, ein unbegreifliches Wunder (Gn 1, 12) und zugleich ein gigantischer Leerlauf: ματαιότης; daneben steht die φθορά, der Tod, der mit der Zeitlichkeit gegeben ist. Die κτίσις nun ist der ματαιότης und φθορά unterworfen διὰ τὸν ὑποτάξαντα. Die Deutung dieser
35 Worte auf Adam hat darum wohl so viele Ablehnung erfahren, weil der Gedanke merkwürdig klingt, daß etwas Unschuldiges um des Schuldigen willen gestraft werden soll. Aber gerade bei dieser Auffassung und nur bei ihr ist dieser Satz keine mehr oder weniger selbstverständliche oder abschweifende Aussage, sondern Hinweis auf einen merkwürdigen Tatbestand, zugleich ein
40 erstes Anklingen der ἐλευθερία τῆς δόξης τῶν τέκνων τοῦ θεοῦ. Dann ergibt sich der Satz: „Diese Schöpfung" ist alles das, was um des Menschen willen der Vergänglichkeit unterworfen wurde (vorab der Mensch selbst!). Man spricht

---

[204] = שָׁמַיִם, es ist also kein ἐστίν zu ergänzen. | [205] Gg Gutbrod → A 196.

dann besser nicht von einer gefallenen Schöpfung, sondern von einer, die unter die Vergänglichkeit gebeugt wurde. Auch von hier aus gehört Satan nicht zu „dieser Schöpfung".

Läßt sich das διὰ τὸν ὑποτάξαντα noch weiter erläutern? Die Vergänglichkeit, der die Schöpfung um Adams willen unterworfen wurde, ist mit der Form der 5 Zeit gegeben. Zeit aber ist das Auseinanderfallen von Ursache und Wirkung[206]. Damit ist Raum für die ἀνοχὴ τοῦ θεοῦ und Raum für die Buße gegeben. Die ἀνοχὴ τοῦ θεοῦ aber, die Gestalt dieser Welt, gewährt ebensosehr auch die Möglichkeit des Anstoßnehmens, führt zu der Frage: Wo ist nun dein Gott? Das bedeutet, daß von dieser Schöpfung ein Reiz der Versuchlichkeit ausgeht 10 (wenn wir nicht zu unserer Existenz des Geldes bedürften, gäbe es keinen „ungerechten Mammon"). Diese Schöpfung steht unter der Herrschaft des „Gottes dieser Welt". Vielleicht gewinnt angesichts dieses Tatbestandes das διὰ τὸν ὑποτάξαντα noch einen besonderen Sinn: Wenn das Ziel der Erörterung von R 1—11 in 11, 32 lautet: συνέκλεισεν γὰρ ὁ θεὸς τοὺς πάντας εἰς ἀπείθειαν ἵνα 15 τοὺς πάντας ἐλεήσῃ und dieser Ton durch den ganzen ersten Teil des Römerbriefes hindurchklingt, so darf man das vielleicht nicht nur von der geschichtlichen Führung der Menschheit verstehen, sondern auch von der Gestalt dieser Schöpfung: auch sie soll den Menschen unentschuldbar von seiner Sünde überführen, darum zeigt sie gleicherweise Gottes Gottsein εἰς τὸ εἶναι αὐτοὺς ἀν- 20 απολογήτους (R 1, 20), wie sie als κόσμος den Menschen verführt. Dann ist über diese Schöpfung stets ein doppeltes Urteil zu fällen: zum einen ist sie Offenbarungsstätte von Gottes Herrlichkeit, es rühmen auch nach dem NT „die Himmel des Ewigen Ehre", zum andern ist die Gestalt dieser Schöpfung σάρξ in paulinischem Sinne. Der Mensch kann an der Natur Gott nur „in Christus" 25 erkennen. Nur in ihm kann die „Erkenntnis" Gottes an der Natur ihre Norm bekommen und zur Klarheit und Gewißheit gelangen. Nur der Sohn kann sagen: „Sehet die Lilien auf dem Felde an ..." (Mt 6, 28) und die Apostel führen in unlöslichem Zusammenhang mit der Christusbotschaft von der Offenbarung Gottes in der Natur (Ag 14, 17; R 1, 19 f) zu der Erkenntnis des Schuldigseins 30 der Menschheit vor Gott (R 1, 20)[207].

In Apk 5 sieht Joh den Engel, der durch die Himmel, über die Erde und bis in die Unterwelt hinein ruft und fragt, wer würdig sei, das Buch mit den sieben Siegeln zu öffnen. Dieses Buch enthält den Willen Gottes mit der Welt. Aber dieser Wille ist versiegelt, es liegt ein Bann über der Schöpfung, 35 den Menschen- und Engelkraft nicht zu lösen vermag. Wenn im Sieg des „Lammes" durch seinen Tod hindurch der Sieg über den Satan angedeutet ist, so heißt das, daß diese Schöpfung unter der Macht Satans liegt und daß das Lamm sie befreit hat. Nun können die Siegel geöffnet und kann der Inhalt des Buches „gesehen" werden, worüber πᾶν κτίσμα im Himmel und auf Erden, 40 die belebte und „unbelebte" Kreatur, in Jubel ausbricht[208]: denn das Öffnen

---

[206] A Schlatter, Das christliche Dogma[1] (1911) 52—54.
[207] Zu R 1, 20 s G Kuhlmann, Theologia naturalis bei Philon u bei Paulus (1930) 39 ff mit weiterer Lit; H Schlier, Über die Er-

kenntnis Gottes bei den Heiden, in: Evangelische Theol 2 (1935/36) 9—26.
[208] Die Erde wird ebenso wie der Himmel als empfindend aufgefaßt, Apk 12, 12.

des Buches bedeutet „einen neuen Himmel und eine neue Erde“, Apk 21, 1; 2 Pt 3, 13. So wird also einst die ματαιότης, die über der ganzen Schöpfung liegt, aufgehoben. Das bedeutet Aufhebung aller mit Raum und Zeit gegebenen Ordnungen, Mk 12, 25 par; 1 K 15, 26. 42 ff.

5 Aus dem Gesagten wird auch deutlich, daß die Schöpfung ἐν Χριστῷ geschaffen ist mit allen sie durchwaltenden „Mächten“: 1 K 8, 6; Kol 1, 16; Hb 1, 2. 10; J 1, 1 ff [209]; Apk 3, 14. Ihr Sinn liegt ja in der Erlösung der Menschheit durch Christus. Er „trägt“ das All, Hb 1, 3; der Ratschluß Gottes in Christus ist πρὸ καταβολῆς κόσμου gefaßt: Eph 1, 4; 1 Pt 1, 20; vgl J 17, 24; 10 Mt 25, 34; Apk 13, 8; 17, 8.

Die Gestalt dieser Welt ist um des Menschen willen: um seinetwillen, weil er gefallen ist, um seinetwillen, weil er zur Herrlichkeit berufen ist. Diese Gestalt der Schöpfung gibt dem Menschen die Zeit, die er benutzen kann und soll. Darum darf er alles benutzen, was ihn als Glied dieser Schöpfung erhält, 15 und alles mit dankbarem Herzen nehmen, was ihn auf den Schöpfer hinweist. Von dem, was zum Leben nötig ist, ist nichts unrein, gemein, das sagt nach dem Vorgang Jesu (Mk 7, 14 ff par), der alle Speisen „gereinigt“ hat, Mk 7, 19 d, Paulus R 14, 14: οἶδα καὶ πέπεισμαι ἐν κυρίῳ Ἰησοῦ ὅτι οὐδὲν κοινὸν δι' ἑαυτοῦ, und er hat diesen Grundsatz immer wieder geltend gemacht, wo sich asketische 20 Tendenzen geltend machten, ob auf dem Gebiet der Nahrung (1 K 8—10; bes 10, 25 f; Kol 2, 22 a; 1 Tm 4, 3 b—5; Tt 1, 14 f — ähnlich Hb 13, 9) oder in Bezug auf die Ehe (1 K 7; 1 Tm 2, 15; 4, 3 a; vgl 1 K 11, 9). Was mit Danksagung genommen werden kann, ist nicht zu verwerfen 1 Tm 4, 4. Durch den Dank wird die Gabe als Gabe, die Schöpfung als Schöpfung anerkannt und der Geber und 25 Schöpfer geehrt. Diese Haltung hält sich auf dem schmalen Grat zwischen den beiden Abgründen, die in der Religionsgeschichte immer wieder zu beobachten sind: entweder der Schöpfung statt dem Schöpfer zu dienen, dh in der Schöpfung zu versinken, oder sie in der Askese zu verwerfen (bzw im Libertinismus zu verachten). Beides ist „unnatürlich“, denn beides behandelt die Schöp-30 fung als das, was sie nicht ist: sie ist nicht in sich letzte Norm und ist nicht das Böse. Das, was die ἀρχὴ κτίσεως Mk 10, 6 von dem gegenwärtigen Zustand unterscheidet, ist grundlegend die σκληροκαρδία der Menschen Mk 10, 5.

4. Der Mensch als Geschöpf und die neue Schöpfung.

Nach dem Gesagten ist der Mensch und sein Geschick 35 der Zielpunkt dieser Schöpfung. Um seinetwillen ist sie der Vergänglichkeit unterworfen, in ihm hat das Böse seinen eigentlichen Ansatzpunkt und seine Stätte, während das Übel in der außermenschlichen Schöpfung, ματαιότης und φθορά, erst die Folgen sind.

Der Mensch ist als Gottes Geschöpf ψυχὴ ζῶσα, 1 K 15, 45, und der ψυχικὸς 40 ἄνθρωπος ist, wie Luthers meisterhafte Übersetzung lautet, eben der „natürliche Mensch“. Grundlage seiner natürlichen Existenz ist das unausdenkbare Geheimnis des natürlichen Lebens. Dieses bewegt sich in starken Spannungen;

---

[209] Das ἐγένετο J 1, 3 ist ebensowenig wie das ἐκ θεοῦ 1 K 8, 6 emanatisch zu verstehen.

der Lebenshauch des ewigen Gottes wird im Tod von ihm genommen; er ist geschaffen, die Welt sich untertan zu machen, und doch wäre dieses Ziel als letztes unausdenkbare Qual[210]; er ist geschaffen als Ebenbild Gottes und soll sich darum als Person frei Gottes Willen unterordnen und ist doch den Trieben verhaftet. Der Ursprung des Bösen im Menschen ist in undurchdringliches 5 Dunkel gehüllt. Wie Gottes Geschöpf „fallen" konnte, ist, wie bei jeder einzelnen sündigen Tat aufs neue, so auch im Prinzip uns zwar als „menschlich" nur zu begreiflich, und doch ganz unverständlich. Denn das Böse reicht in die Wurzel unserer Existenz, die für uns verborgen ist, und Satan ist eine „pneumatische" Größe, Eph 6, 12 und darum für „Fleisch und Blut" unzugänglich. Das Rätsel 10 des Bösen nicht lösen zu wollen, ist die einzige Art, die sachlich angemessen ist.

Der Mensch ist Gottes Geschöpf. Das bedeutet, daß er Gott gegenüber keinen Anspruch hat. Paulus hat das im Bild vom Ton und Töpfer dargestellt, R 9, 20 ff. Das Bild ist nicht nur auf die geschichtliche Stellung der Menschen zu beziehen[211], sondern auf das Gesamtverhältnis des Menschen zu Gott. Es fehlt darum 15 im NT die Bitte um Gnade mit dem Hinweis auf die Zusammengehörigkeit von Schöpfer und Geschöpf.

Auch auf den Menschen ist die Formel „diese Schöpfung" anzuwenden. Als ψυχὴ ζῶσα gehört der Mensch zu dieser Schöpfung, denn ψυχή ist ihr Lebensprinzip. πνεῦμα ist das Lebensprinzip der Welt Gottes. So steht dem ψυχικὸς 20 ἄνθρωπος der πνευματικός, der Geburt aus Fleisch die aus dem Geist, und dem alten Menschen die „neue Kreatur" gegenüber. εἴ τις ἐν Χριστῷ, καινὴ κτίσις · τὰ ἀρχαῖα παρῆλθεν, ἰδοὺ γέγονεν καινά, 2 K 5, 17; οὔτε γὰρ περιτομή τί ἐστιν οὔτε ἀκροβυστία, ἀλλὰ καινὴ κτίσις, Gl 6, 15. Daß κτίσις hier nicht einfach wie im Rabbinischen „Wesen", „Mensch" bezeichnet, sondern daß die volle Bedeu- 25 tung des Begriffes vorliegt, zeigt die Verwendung des Verbums: Eph 2, 10: αὐτοῦ γάρ ἐσμεν ποίημα, κτισθέντες ἐν Χριστῷ Ἰησοῦ ἐπὶ ἔργοις ἀγαθοῖς, Eph 2, 15: ἵνα τοὺς δύο κτίσῃ ἐν αὐτῷ εἰς ἕνα καινὸν ἄνθρωπον, Eph 4, 24: ἐνδύσασθαι τὸν καινὸν ἄνθρωπον τὸν κατὰ θεὸν κτισθέντα ἐν δικαιοσύνῃ, Kol 3, 10: ἐνδυσάμενοι τὸν νέον τὸν ἀνακαινούμενον εἰς ἐπίγνωσιν κατ' εἰκόνα τοῦ κτίσαντος αὐτόν, vgl 30 auch Jk 1, 18: βουληθεὶς ἀπεκύησεν ἡμᾶς λόγῳ ἀληθείας, εἰς τὸ εἶναι ἡμᾶς ἀπαρχήν τινα τῶν αὐτοῦ κτισμάτων. Alles Schaffen Gottes geschieht durch seinen Geist und sein Wort, aber diese neue Kreatur hat ihre Existenz im Geist, das neue Leben ist jetzt „verborgen mit Christus in Gott", Kol 3, 3. Neu ist die Existenz des Menschen durch das neue Verhältnis zu Gott, das Gegenüber 35 des Menschen vor Gott bestimmt sein Sein. Dieses Verhältnis ist durch Christus neu geworden. Das Entscheidende an der neuen Kreatur ist also nicht eine Änderung des moralischen Verhaltens des Menschen, sondern sein Ja-Sagen (dh Glauben) zu einem neuen Verhältnis zu Gott. Dieses neue Verhältnis ist gebunden an Christus, durch den es in die Geschichte eintrat, Geschichte wurde. 40 Dieses neue Verhältnis kann und soll freilich nicht ohne Auswirkung auf das Verhalten des Menschen bleiben, R 6, 1 ff.

---

[210] Eine Ewigkeit auf dieser Erde zubringen zu müssen, wäre darum Qual, weil dann jeglicher Anreiz wegfiele. Es wäre dann ja gleich, ob eine Entdeckung in hundert oder in Millionen von Jahren geschähe.
[211] Gg Zn R zSt.

Indem in Christi Person und Werk das πνεῦμα (Mt 12, 28[212]) in diese Welt eintritt, bricht die neue Welt sich in ihr Bahn[213]. Wo auch immer Gottes Handeln zum Heile der Menschen wirksam wird, ist Gott „schaffend" tätig: auch die Einigung der getrennten Menschheit zu einem „neuen Menschen" Eph 5 2, 15 ist ein κτίζειν. Das Ziel ist die neue Schöpfung gegenüber der Gesamtheit „dieser Schöpfung". Die volle Offenbarung der neuen Schöpfung, die an Mensch und Welt die Neugestaltung sichtbar herbeiführt, tritt erst ein, wenn Christus sich offenbart, Kol 3, 4, wenn dieser Himmel und diese Erde vergeht und der neue Himmel und die neue Erde erscheint, der Tod und die Vergäng-10 lichkeit abgetan wird. Dann wird sich Christus als πνεῦμα ζωοποιοῦν in der Gesamtheit der Welt offenbaren und die Herrlichkeitsfreiheit der Kinder Gottes, R 8, 21, an den sterblichen Leibern der Christus Angehörenden und an der ganzen κτίσις zeigen.

15 Besondere Schwierigkeiten bietet 1 Pt 2, 13: ὑποτάγητε πάσῃ ἀνθρωπίνῃ κτίσει διὰ τὸν κύριον. Meist wird für κτίσις die Bedeutung „Ordnung" vorgeschlagen[214], wobei gedacht ist an die Ordnung des Staates, die durch die βασιλεῖς und ἡγεμόνες des Zusammenhanges vertreten ist. Ein Beleg für diesen Sprachgebrauch ist weder aus profangriechischen Quellen, noch aus LXX oder dem rabbinischen Schrifttum bisher beizubringen gewesen. Die einzige entfernte Parallele ist Sir 38. 34 κτίσμα. Aber 20 dort handelt es sich um die Ordnung der Kultur. deren materielle Grundlagen die Handwerker erhalten, nicht um die Ordnung des Staates. Es muß zunächst versucht werden, die Pt-Stelle auf Grund des zu belegenden Sprachgebrauchs zu erklären. Dabei ist aber ferner die Erörterung des Zusammenhanges der Stelle von entscheidender Wichtigkeit Schon das artikellose πᾶς (πᾶσα ἀνθρωπίνη κτίσις = jede Art mensch-25 licher κτίσις) deutet auf größere Zusammenhänge hin. Darüber hinaus aber ist unverkennbar, daß das Stichwort ὑποτάσσεσθαι im weiteren Zusammenhang noch mehrfach bewußt aufgenommen wird: 2, 18; 3. 1. und was 3, 7 den Männern im Verhältnis zu ihren Frauen und zusammenfassend 3, 8 f allen gesagt wird. ist die Mahnung. einander zu dienen, was eine Art freiwilliger Unterordnung unter den anderen bedeutet. 30 So ist 2. 13 Überschrift zu dem ganzen Abschnitt 2. 13 — 3, 9. Darum ist es verfehlt, κτίσις als staatliche Ordnung oder überhaupt als Ordnung zu fassen. Nicht von einer Ordnung, von Menschen ist die Rede. Als sprachliche Parallele für κτίσις an dieser Stelle bietet sich das rabbinische בְּרִיאָה (→ 1015. 28 ff) an, das dort, ohne daß ein Mißverständnis zu befürchten gewesen wäre, den einzelnen Menschen bezeichnen konnte. 35 ἀνθρώπινος ist hier beigefügt, um die Deutung des Ausdrucks im griechischen Sprachbereich sicherzustellen. Die Mahnung, die Pt hier an seine Gemeinden richtet. lautet dahin. sich jeglicher Art von Menschen unterzuordnen. Er entfaltet sie, indem er die Freien mahnt, sich der Obrigkeit, die Sklaven, sich ihren Herren, die Frauen. sich ihren Männern unterzuordnen, und indem er die Männer mahnt. auf ihre Frauen Rück-40 sicht zu nehmen, und alle, sich in Demut einander „unterzuordnen": ταπεινόφρονες (3, 8) sein, heißt, sich dem anderen unterordnen: ein Sich-Unterordnen ist auch. den schmähenden Feind zu segnen, vgl, daß Pls Phil 2, 3 als genau entsprechende Formulierung die Wendung τῇ ταπεινοφροσύνῃ ἀλλήλους ἡγούμενοι ὑπερέχοντας ἑαυτῶν gebraucht.

45   *Foerster*

---

† κυβέρνησις

1. κυβέρνησις ist Subst zu κυβερνάω. Dies heißt *ein Schiff steuern, lenken.* Demgemäß ist κυβερνήτης der *Steuermann.* So zB, wie der Zshg eindeutig zeigt,

---

[212] In der Formulierung freilich ist das ἐν πνεύματι θεοῦ theologische Deutung des bei Lk aufbewahrten bildlichen Ausdrucks ἐν δακτύλῳ θεοῦ.
[213] Einen Zshg zwischen Jesu Wundern u der neuen Schöpfung erwägt Schl Gesch d Chr 242.

[214] ZB Pr-Bauer[3] sv.

κυβέρνησις. Moult-Mill 363; Lit zur Frage der Kirchenverfassung und des Amtes der Gemeindeleitung → ἐπίσκοπος II 604.

Ag 27, 11 [1] und Apk 18, 17. Die Klarheit des Bildes von der Tätigkeit eines Steuermanns legte es früh nahe, den Begriff in übertragenem Sinne etwa für den Staatsmann zu verwenden. Plat Euthyd 291c sagt, ἡ πολιτικὴ καὶ ἡ βασιλικὴ τέχνη sei πάντα κυβερνῶσα Polyb (6, 4. 2) spricht von einer βασιλεία τῇ γνώμῃ τὸ πλεῖον ἢ φόβῳ καὶ βίᾳ κυβερνωμένη. Hier heißt κυβερνάω unzweifelhaft *regieren*. Schon Pindar hat das Wort in diesem 5 Sinne auf die Tätigkeit der Gottheit angewendet, Pyth 5, 164: Διός τοι νόος μέγας κυβερνᾷ δαίμον' ἀνδρῶν Diese Vorstellung von Gott als dem κυβερνήτης ist dann sehr beliebt geworden, zB: Plat Symp 197 d. e, wo von Ἔρως gesagt wird, er sei ἐν πόνῳ, ἐν φόβῳ, ἐν πόθῳ, ἐν λόγῳ κυβερνήτης, ἐπιβάτης, παραστάτης τε καὶ σωτὴρ ἄριστος . . . ἡγεμὼν κάλλιστος καὶ ἄριστος. Polit 272 e wird der Gott τοῦ παντὸς ὁ . . . κυβερνήτης genannt, 10 wie im Zeushymnos des Kleanthes νόμου μέτα πάντα κυβερνῶν (vArnim I p 121, 35). Die gleiche Vorstellung 3 Makk 6, 2. Jos Ant 10, 278 ereifert sich gegen die Epikureer, die leugnen, daß alles Geschehen in der Welt von einem seligen und über jeden Wechsel erhabenen Wesen gesteuert werde. Philo hat das Bild des Rosselenkers mit dem des Steuermanns zusammengestellt Decal 155: ἡγεμὼν καὶ βασιλεὺς εἷς ὁ ἡνιοχῶν 15 καὶ κυβερνῶν τὰ ὅλα σωτηρίως oder Ebr 199: ἡνιοχοῦντος καὶ κυβερνῶντος . . . θεοῦ. Auch Epiktet kennt diesen Gedankenkreis, Diss II, 17, 25 uö.

Das Subst κυβέρνησις ist seltener. Es wird genau so im wörtlichen und im übertragenen Sinne gebraucht. Bei Plat Resp VI 488 b und d bezeichnet es *die Führung des Steuers* bzw *die Steuermannskunst*. Der κυβερνήτης ist ὁ ἐπιστάμενος τὰ κατὰ ναῦν, 20 derjenige, der Bescheid weiß über Jahres- und Tageszeiten, Himmel, Sterne, Luftströmungen usw. Er ist damit zugleich νεὼς ἀρχικός, der zur Führung des Schiffes Geeignete. Daran kann der übertragene Gebrauch des Wortes unmittelbar anknüpfen. Pind Pyth 10, 112 nennt das Lenken und Regieren von Staaten πολίων κυβερνάσεις. (Man beachte den Plural!) Plut Sept Sap Conv 18 (II 162 a) bezeichnet das Walten 25 Gottes als θεοῦ κυβέρνησις. PLond 1349, 20 und 1394, 17; 22, die allerdings beide erst aus dem Jahre 710 n Chr stammen und arabische Verhältnisse voraussetzen, verwenden die übertr Bedeutung in Bezug auf die zweckmäßige Regelung des Verwaltungsdienstes.

2. In LXX erscheint κυβέρνησις dreimal als Übersetzung von 30 תַּחְבֻּלוֹת und zwar in den Prv. Das Wort ist hier eng mit dem Begriff σοφία verbunden und bedeutet *kluge Leitung*, 1. 5: ὁ δὲ νοήμων κυβέρνησιν κτήσεται: durch die Weisheitssprüche Salomos wird ein Weiser sein Wissen vermehren, der Unverständige aber die rechte Anleitung zur Erkenntnis der Wahrheit und zum guten Handeln gewinnen. 11, 14: οἷς μὴ ὑπάρχει κυβέρνησις, πίπτουσιν ὥσπερ φύλλα, σωτηρία δὲ ὑπάρχει ἐν πολλῇ 35 βουλῇ: wo keine rechte Führung da ist, kommen die Menschen, die Völker zu Fall. 24, 6: μετὰ κυβερνήσεως γίνεται πόλεμος: nur mit kluger Leitung kann erfolgreich Krieg geführt werden, denn der Weise ist mächtiger als der Starke.

3. Von der wörtlichen Bedeutung ebenso wie von dem vorstehend belegten Sprachgebrauch her wird deutlich, was es heißt, wenn Pau- 40 lus 1 K 12, 28 unter den Gnadengaben, die Gott Einzelnen in der Kirche gibt, neben den → δυνάμεις, → χαρίσματα ἰαμάτων, → ἀντιλήμψεις und γένη → γλωσσῶν auch κυβερνήσεις nennt. Es kann sich hier nur um die besonderen Gaben handeln, die einen Christen fähig machen, seiner Gemeinde als Steuermann, als rechter Leiter ihrer Ordnung und damit ihres Lebens zu dienen [2]. Welchen Umfang solche 45 leitende Tätigkeit bereits zur Zeit des Paulus gehabt hat, wissen wir nicht. Die Entwicklung wird im Fluß gewesen sein. In der Zeit des Sturms wächst die Bedeutung des Steuermanns. So mag auch das Amt der Gemeindeleitung

---

[1] Dabei ist aber zu beachten, daß κυβερνήτης hier nicht einfach der Rudergänger ist, der gegebene Befehle auszuführen hat, sondern der verantwortliche Kapitän unter dem die Fahrt ebenfalls mitmachenden Schiffseigentümer, dem ναύκληρος. Bisweilen ist es so, daß dieser nur den κυβερνήτης anheuert, der κυβερνήτης die übrige Schiffsbesatzung Plut Praec Ger Reip 13 (II 807 b). Der κυβερνήτης ist also νεὼς ἀρχικός (Plat Resp VI 488 d;

→ Z 19 ff). Vgl den ἀληθινὸς κυβερνήτης (ebd), der ebenfalls als der Mann zu verstehen ist, der das Schiff verantwortlich führt, der Kapitän. Dazu Class Rev 16 (1902) 386 f.

[2] „Der Plur geht wie bei δυναμεις auf einzelne Betätigungen . . . der κυβέρνησις, der Verwaltung und Regierung" JohW 1 K 308. Er ist aber auch in der Prof-Gräz belegt (→ Z 24). Hesych sv erklärt κυβερνήσεις als προνοητικαὶ ἐπιστῆμαι καὶ φρονήσεις.

gerade in inneren und äußeren Nöten sich besonders entfaltet haben. Die Wortverkündigung wird ursprünglich nicht zu seinen Aufgaben gehört haben. Für sie sind die Apostel, Propheten und Lehrer da. Eben diese können dann aber nicht die Inhaber des erst danach in der Aufzählung genannten
5 χάρισμα κυβερνήσεως im besonderen Sinne des Wortes sein. Die Zusammenstellung von ἀντιλήμψεις und κυβερνήσεις macht es gewiß, daß als Träger dieser Gnadengaben die zuerst Phil 1, 1 genannten ἐπίσκοποι (→ II 611 ff) und διάκονοι (→ II 89 f) anzusehen sind bzw die → προϊστάμενοι von R 12, 8. Keine Gemeinschaft kann ohne Ordnung und darum ohne Führung bestehen. Es ist Gnade
10 Gottes, wenn er die Gaben schenkt, die zu solchem Führeramt fähig machen. Es fällt freilich auf, daß in v 29 in der Reihe der Fragen „Sind etwa alle Apostel, sind etwa alle Propheten . . ., haben etwa alle Gaben der Heilung?" usw die entsprechenden Fragen in Bezug auf ἀντιλήμψεις und κυβερνήσεις fehlen. Das hat seinen natürlichen Grund. Wenn es sein muß, hat jedes Gemeinde-
15 glied für den Dienst der Diakonie und der Ordnung einzuspringen[3]. Darum können diese Ämter auch im Gegensatz zu den in v 29 genannten durch Wahl der Gemeinde vergeben werden. Aber dadurch wird die Tatsache nicht aufgehoben, daß auch zur rechten Führung dieser Ämter das Charisma Gottes unentbehrlich ist[4].

20   4. In der Alten Kirche ist früh das Bild der Kirche als eines Schiffes und Christi als seines Steuermannes beliebt geworden[5]: Tertullian, De Idolo-latria 24 (CSEL 20 p 58); Bapt 8 (CSEL 20 p 208). Hippolyt De Antichristo 59 (GCS, ed H Achelis I 2 p 39) sagt in einer Auslegung von Js 18, 1 f: „Das Meer ist die Welt, in der die Kirche wie ein Schiff auf dem Ozean vom Sturme umhergeworfen wird, aber nicht untergeht;
25 denn sie hat bei sich den erfahrenen Steuermann Christus." So ist er auch auf einem Sarkophag aus Spoleto dargestellt worden, mit der Linken das Steuer haltend, die Rechte befehlend ausgestreckt[6]. Der Belege in Schrifttum und Kunst gibt es viele[7].

Das Bild stammt nicht einfach aus dem NT. Die Erzählung von der Stillung des Sturmes durch Jesus zeigt zwar seine Jünger in einem Schiff und ihn als den, der
30 über Wind und Wellen Gewalt hat, aber nicht als Steuermann. Offenbar haben at.-liche Vorstellungen dazu beigetragen, das Bild auszuprägen. Schon bei Tertullian ist nicht das Fischerboot auf dem See Genezareth, sondern die Arche Noah das Gleichnis für das Kirchenschiff. Sie gehört zu den beliebtesten Darstellungen der altchristlichen Malerei[8]. Gottes rettende Tat an der Arche wird gepriesen. Sap 14, 3 ff: ἡ δὲ σή,
35 πάτερ, διακυβερνᾷ πρόνοια, ὅτι ἔδωκας καὶ ἐν θαλάσσῃ ὁδὸν . . . ἡ ἐλπὶς τοῦ κόσμου ἐπὶ σχεδίας (der Arche Noah) καταφυγοῦσα . . . τῇ σῇ κυβερνηθεῖσα χειρί. Gott ist hier gleichsam als der Pilot des Schiffes gedacht. So heißt es in den Pseudoklementinen 14 (hsgg ARMDressel [1853] S 20): „Es sei euch nun der Herr dieses Schiffes Gott, und verglichen sei der Steuermann mit Christus." Allmählich haben auch Bischof und
40 Klerus ihre festen Plätze in dem immer weiter ausgemalten Bilde erhalten. Christus als der Steuermann ist in dieser Symbolik der Lenker seiner Kirche in allen Gefahren, und der Retter der in den Stürmen des Lebens bedrohten Gläubigen. Das Meer der Sünde verschlingt den Menschen wie einen, der im Schiff über die See fährt: Prv 23, 34. Aber Christus lenkt das Lebensschiff aus dem Meer der Zeit in den Hafen der
45 Ewigkeit. Vgl Andreas Gryphius: „Steur selbst dein Schiff und richt den Lauf" oder Johann Daniel Falk: „Wie mit grimm'gem Unverstand Wellen sich bewegen. . . ."

Beyer

---

[3] H Lietzmann, in: ZwTh 55 (1914) 108 f.
[4] Zur weiteren Entwicklung der leitenden Ämter in den Gemeinden → II 611 ff.
[5] Dabei ist der in A 1 geschilderte Begriff des κυβερνήτης vorausgesetzt Zum Folgenden vgl FJDölger, Sol Salutis (Liturgiegeschichtliche Forschungen 4—5 [2] [1925]) 272 ff.

[6] RGarrucci, Storia dell' Arte Cristiana V (1879) Tav 395, 6.
[7] FXKraus, Realencyklopädie der christlichen Altertümer II (1886) 731.
[8] JWilpert, Die Malereien der Katakomben Roms (1903) 344 ff.

---

† κύμβαλον

Das im NT nur 1 K 13, 1 vorkommende Wort ist abzuleiten von κύμβη, κύμβος (jede Höhlung, besonders: hohles Gefäß, Schüssel, Becken) und bezeichnet ein *metallisches Becken,* das mit einem anderen zusammengeschlagen einen gellenden Ton von sich gibt. Ein solches Gerät wurde vor allem im kultischen Leben verwendet. 5 In späteren Texten werden κύμβαλα öfters neben τύμπανα genannt.

Der jüdische Sprachgebrauch ergibt sich aus einer größeren Anzahl von LXX-Stellen, wo den κύμβαλα die מְצִלְתַּיִם [1] entsprechen (von צלל *klirren, klingen, gellen*). So öfters 1 u 2 Ch, Esr, Neh. 1 Ch 13, 8 und sonst werden verschiedene Musikinstrumente nebeneinander genannt: ἐν ψαλτῳδοῖς καὶ ἐν κινύραις καὶ ἐν νάβλαις, ἐν 10 τυμπάνοις καὶ ἐν κυμβάλοις καὶ ἐν σάλπιγξιν. Ähnlich ohne hebräische Vorlage 1 Makk 4, 54; 13, 51; Jdt 16, 1. In Ps 150, 5 (vgl auch Σ) αἰνεῖτε αὐτὸν ἐν κυμβάλοις εὐήχοις, αἰνεῖτε αὐτὸν ἐν κυμβάλοις ἀλαλαγμοῦ, steht κύμβαλα für צֶלְצְלִים (ebenfalls von צלל). Vereinzelt sind 1 Βασ 18, 6, wo dem κύμβαλον שָׁלִישׁ entspricht (vielleicht eine dreieckige Harfe, also ein Zupfinstrument, oder ein Triangel), und 2 Βασ 6, 5, wo κύμ- 15 βαλα und מְנַעַנְעִים gleichgesetzt werden (ein Schüttelinstrument, von נוע). Die מְצִלְתַּיִם dienten nach 1 Ch 15, 19 den drei Leitern des ganzen Chors zur Leitung des Orchesters und waren aus Erz. Es handelt sich um *Schlaginstrumente* zum gottesdienstlichen Zweck [2], hauptsächlich für das Tempelorchester [3]. Im Anschluß an Sach 14, 20 מְצִלּוֹת הַסּוּס könnte man auch an *Schellen* denken. Es ist jedoch zu bedenken, daß die Pferde 20 nicht nur mit Schellen versehen waren, sondern daß das Pferdegeschirr auch mit *Buckeln* verziert war, die den *Becken,* also den *Cymbeln* in ihrer äußeren Gestalt sehr ähnlich sahen. Über die Cymbeln im Tempelgottesdienst, über Material, Größe, Klang, Gebrauch, Herkunft wird mancherlei von den Rabbinen erzählt [4]. Jos Ant 7, 306 berichtet: κύμβαλά τε ἦν πλατέα καὶ μεγάλα χάλκεα. 25

Dem Juden Paulus waren diese jüdischen Kultdinge ohne weiteres geläufig, so daß er mit dem κύμβαλον ἀλαλάζον gegenüber der ἀγάπη wie ein Prophet des Alten Bundes auf das lärmende, nichtige, eitle Wesen eines äußerlichen Kultes hinweisen mochte.

Dabei mag Paulus vor den korinthischen Christen, die in der Hauptsache 30 früher Heiden gewesen waren, auch heidnisch-griechische Kultus- und Kulturdinge ins Auge gefaßt haben [5]. Wie schon gesagt, wird neben κύμβαλον öfters τύμπανον genannt. Und dieses ist ein besonders beim Gottesdienst der Kybele gebräuchliches Instrument, das wie eine Pauke oder Trommel geschlagen wurde [6]. 35

Neben Trommel und Becken werden PHibeh 54, 12 f [7] noch Klappern genannt: τύμπανον καὶ κύμβαλα καὶ κρόταλα. Wenn auch die griechischen Cymbeln aus Erz waren, so darf daran erinnert werden, daß gerade das korinthische Erz wegen seiner vorzüglichen Mischung besonders berühmt war [8]. Und Paulus spricht ja in unserem Zusammenhang auch vom χαλκὸς ἠχῶν (= aes sonans). Über das Kultische im engeren 40 Sinne hinaus ist zu beachten, daß eine solche gellende Cymbel die Bezeichnung für einen prahlenden, sich aufblähenden, nichtigen Allerweltsschwätzer abgeben konnte [9].

κύμβαλον. [1] S Ges-Buhl sv.
[2] Vgl HGreßmann, Musik u Musikinstrumente im AT, RVV 2 (1903). Mehr Aufschluß gibt die ältere, von Greßmann nicht genannte Schrift des kath Theologen JWeiß, Die musikalischen Instrumente in den heiligen Schriften des ATs (1895).
[3] 2 Εσδρ 22, 27 findet sich das Verbum κυμβαλίζω.
[4] Vgl Str-B z 1 K 13, 1.
[5] EPeterson in → ἀλαλάζω I 228 denkt unter Außerachtlassung des vielleicht vorhandenen jüdischen Hintergrundes nur an das

Heidnisch-Griechische: „Hier liegt eine Übertragung des *ekstatischen Lärmens* in den orgiastischen Kulten auf das in diesen Kulten (speziell Kybele-Kult) gebräuchliche κύμβαλον vor."
[6] Vgl Pape sv.
[7] S die Behandlung dieses Pap bei Deißmann LO 131 f: „An solche für religiöse Musik dienende Becken denkt Paulus 1 K 13, 1."
[8] Vgl Weiß (→ A 2) 101.
[9] Nach dieser Seite hat FJDölger, Antike u Christentum I (1929) 184 f 1 K 13, 1 belegt und behandelt.

Nach Plin (d Ä) Hist Nat praef 25 hat der Kaiser Tiberius den Grammatiker Apion die Klingel des Erdkreises, cymbalum mundi, genannt. Hierher gehört, daß Tertullian De Pallio 4 (MPL 2 p 1098 a) von dem Philosophen in seiner Fragwürdigkeit so spricht: „Digne quidem, ut bacchantibus indumentis aliquid subtinniret, cymbalo incessit [10].“
5   Der eitle Philosoph ist also nichts anderes als ein rasender Bacchant [11]; das weltliche Philosophieren ist nichts anderes als die gellende Klingel im Bacchantenanzug mit ihrem sinnlosen, nichtigen Geräusch [12]. Dort hat im Gegensatz zur ἀγάπη mancherlei dem korinthischen Christen so liebes Gebaren, vor allem das Zungenreden, seinen Platz.

Jedenfalls gewinnt durch solche Hinweise die Nennung von κύμβαλον ἀλα-
10 λάζον eine kräftige Farbe [13].

KLSchmidt

κυνάριον → κύων.

κύριος, κυρία, κυριακός, κυριότης,
κυριεύω, κατακυριεύω

---

15   κύριος

Inhalt: A. Die Bedeutung des Wortes κύριος: 1. Das Adjektiv κύριος; 2. Das Substantiv ὁ κύριος. — B. Götter und Herrscher als κύριοι: 1. κύριος für Götter und Herrscher im klass Griechentum; 2. Götter und Herrscher als Herren im Orient

---

[10] Hierher gehört das Urteil des Diogenes über Antisthenes bei Dio Chrys Or 8, 2: ἔφη αὐτὸν εἶναι σάλπιγγα λοιδορῶν· αὐτοῦ γὰρ οὐκ ἀκούειν φθεγγομένου μέγιστον. Ein Musikinstrument (σάλπιγξ) ist das Bild eines Menschen, dessen an sich wertvolles äußeres Hervortreten nicht von entsprechenden inneren Eigenschaften getragen wird. Vgl dazu AFridrichsen, ThStKr 94 (1922) 73, ferner Clemen 327.

[11] FJDölger aaO I Tafel 13 bringt das Bild von einem solchen Bacchanten mit dem Schellengurt (Relief in der Loggia scoperta des Vatikanischen Museums).

[12] Reiches Material über das cymbalon in diesem Zshg mit Abbildungen bei ChDaremberg-ESaglio, Dictionnaire des Antiquités Grecques et Romaines I 2 (1887) sv. Eine anschauliche Schilderung der orgiastischen Kultmusik, bei der auch die κύμβαλα eine Rolle spielen, gibt HHepding, Attis, RVV 1 (1903) 128, der Firm Mat Err Prof Rel 18, 1 zitiert: „De tympano manducavi, de cymbalo bibi et religionis secreta perdidici‘, quod graeco sermone dicitur ἐκ τυμπάνου βέβρωκα, ἐκ κυμβάλου πέπωκα. γέγονα μύστης Ἄττεως“ (ebd 49) Wendland Hell Kult Tafel VII (dazu S 424) zeigt das im kapitolinischen Museum zu Rom befindliche Relief eines sog Archigallus — die verschnittenen Galli stellen das phrygische Kultpersonal der Göttermutter Kybele in Rom dar —, über dessen erhobener rechter Hand ein Paar cymbala hängen, dem auf der anderen Seite eine Handpauke entspricht. Am 24. März (dies sanguinis) vereinigten die Flöten ihren Schall mit dem gellenden Klang auch der cymbala, im Tanze drehten sich die heulenden Galli, geißelten sich blutig, bis in höchster Ekstase die Priester mit Dolchen ihre Arme zerfleischten und

die von der Gegenwart ihrer Gottheit berückten Jünger das blutige Opfer der Selbstentmannung vollzogen. Das genannte Bild des Archigallus auch bei JQuasten, Musik und Gesang in den Kulten der heidnischen Antike und christlichen Frühzeit, Liturgiegeschichtliche Quellen u Forschungen 25 (1930) Tafel 18; dazu auf Tafel 22 das Bild eines heiligen Baumes, an dem cymbala hängen. Diese Bilder auch bei FJDölger, Antike u Christentum IV (1934), der im Anschluß an seinen → A 9 genannten Aufsatz Ausführungen bietet über „Die Glöckchen am Gewande des jüdischen Hohenpriesters nach der Ausdeutung jüdischer, heidnischer u frühchristlicher Schriftsteller“, „Glöckchen im Dienst der Arvalbrüder“ und „Klingeln, Tanz und Händeklatschen im Gottesdienst der christlichen Melitianer in Ägypten“; es wird klar, eine wie große Bedeutung die Glöckchen, Klingeln usw im jüdischen, heidnischen u christlichen Kult gehabt haben u wie die κύμβαλα ein besonders wichtiges Instrument der orgiastischen Kultmusik gewesen sind; s vor allem ebd 257 f.

[13] Dölger aaO I 185 macht übrigens selbst eine einschränkende Bemerkung: „Bei der reichen Verwendung der Klingel als Kinderspielzeug und als Instrument der Unheil- und Dämonenabwehr in der Antike wäre aber sehr wohl denkbar, daß der Apostel an das viele sinnlose Hantieren mit der Klingel überhaupt gedacht hätte.“

κύριος. Zum Ganzen: Die Lit bis 1924 bei WFoerster, Herr ist Jesus (1924) 11—56, daraus hier genannt: WBousset, Kyrios Christos ² (1921); Deißmann LO 298—310; Ltzm R z 10, 9; Cr-Kö 644—655; ferner ERohde, in: ZNW 22 (1923) 43 ff; Williger, in: Pauly-W

und Ägypten; 3. Das hellenistische κύριος. — C. Der at -liche Gottesname: 1. Der Gottesname in LXX; 2. „Herr" als Bezeichnung Jahwes; 3. Der Name Jahwe als Erfahrungs-begriff; 4. Die Stiftung Moses; 5 Die Herkunft des Gottesnamens; 6. Form und Wortsinn des Namens Jahwe; 7. Die Ursachen der Zurückhaltung gegenüber dem Namen; 8. Der Gottesname in der Erzählung von Jahwes Offenbarung an Mose Ex 3, 14; 9. Der Jahwe- [5] name als Grundform der at.lichen Aussage über Gott; 10. Das Bekenntnis zu Jahwe in Dt 6, 4. — D „Herr" im Spätjudentum: 1. Die Wahl des Wortes κύριος in LXX; 2 „Herr" in den Pseudepigraphen; 3. „Herr" im rabbinischen Judentum. — E. κύριος im NT: 1. Der profane Sprachgebrauch; 2. Gott der Herr; 3. Jesus der Herr; 4. Die irdischen κύριος-Verhältnisse. [10]

Das Wort „Herr" in der deutschen Sprache ist der all-gemeinste Ausdruck eines nur im personhaften Bereich des Lebens, dh unter Menschen vorhandenen Tatbestandes, und zwar eines solchen, der einen wesent-lichen Teil des Personseins bildet, des Tatbestandes, daß es personhafte Macht-ausübung über Menschen und Dinge gibt. Dabei ist der Mensch, abgesehen [15] davon, ob er im Bereich des Menschlichen selbst Subjekt dieser Machtausübung ist („Herr") oder ihr Objekt („Knecht"), als Mensch in seiner Beziehung zu Gott ihr Objekt. Im Begriff des Herren sind zwei Dinge zu einer organischen Ein-heit verbunden: die Machtausübung als solche und die personhafte, über den unmittelbaren äußeren Zwang ins Sittlich-Rechtliche hineinragende Art ihrer [20] Ausübung. Die Machtausübung als solche begegnet auch im außermenschlichen Bereich des Daseins als Ausdruck einer Nützlichkeitsordnung (das stärkste Tier als Leittier). Das entscheidende Moment an der Machtausübung unter Menschen ist, daß sie im Grundansatz nicht durch einen wie auch immer gearteten Nutzen zu legitimieren ist, sondern durch ein über alles nur Naturhafte und nur Nutzhafte [25] hinausgehendes Moment des Rechtes, das aus dem bloßen zeitweisen Besitzen den sittlichen Begriff des Eigentums, aus einer augenblicklichen Überlegenheit des Stärkeren die Autorität des Herrschers, aus der Unterwerfung erzwingenden

XII (1924) 176—183; KPrümm, Herrscherkult u NT, in: Biblica 9 (1928) 1 ff; WWGrafBau-dissin, Kyrios als Gottesname ... (1929); IASmith, in: JThSt 31 (1930) 155—160; ADNock, in: Essays on the Trinity and In-carnation ed AEJRawlinson (1928) 51 ff; CHDodd, The Bible and the Greeks (1935) 8—11. — Zu A: KStegmann v Pritzwald, Zur Geschichte der Herrscherbezeichnungen von Hom bis Plat (1930) § 86. 110. 155. — Zu B: WDrexler bei Roscher sv; JLeipoldt, War Jesus Jude? (1923) 24 ff, bes 27 f. 38. 42 f; FDoppler. in: Opuscula Philologa I (1926) 42—47; OEißfeldt, Götternamen u Gottes-vorstellung bei den Semiten, ZDMG 83 (1929) 21—36. — Zu C (→ θεός Lit-A B): AAlt. Jahwe, in: Reallexikon der Vorgeschichte 6 (1926) 147 ff; WRArnold, The Divine Name, JBL 24 (1905) 107 ff; FBDenio, On the Use of the Word Jehovah in Translating the Old Testament, JBL 46 (1927) 146—149; MBu-ber. Königtum Gottes ² (1936); MBuber-FRosenzweig, Die Schrift und ihre Ver-deutschung (1936) 184 ff, 332 ff; AGanschi-nietz, Jao, Pauly-W IX (1916) 698 ff; FGiese-brecht, Die at.liche Schätzung des Gottes-namens (1901); OGrether, Name u Wort Gottes im AT (1934); JHänel, Jahwe, NkZ 40 (1929)

608 ff; JHempel, Jahwegleichnisse der israelit Propheten. ZAW, NF 1 (1924) 74 ff; RKittel, Jahve, RE⁸ VIII (1900) 529 ff; HSchmökel. Jahwe u die Fremdvölker (1934); CToussaint, Les Ori-gines de la religion d' Israel I: l'ancien Jah-visme (1931); KGKuhn, יי, יהו, יהוה, in: Orien-talist Studien, ELittmann-Festschr (1935) 25 ff. — Zu D (→ θεός 93—95): Dalman WJ 266—280; BStade-ABertholet, Biblische Theologie des AT II (1911) 370 373; Str-B III 672 z Hb 1, 2; Bous-set-Greßm 307—316; Moore I 423 ff; AMarmor-stein, The Old Rabbinic Doctrine of God I (1927): The Names and Attributes of God; Schl Theol d Judt 24—26. 61. — Zu E: Die nt.lichen Theologien von BWeiß ⁷ (1903); HWeinel ⁴ (1928); PFeine ⁶ (1934) 140 f. 175; FBüchsel (1935) 84 f. 87. 103; ELohmeyer, in: SAH 18 (1927/28) Abh 4; Ders, ZNW 26 (1927) 164—169; FHStead, The chief Pauline Names for Christ. Exp 3 Ser 7 (1888) 386—395; BWeiß, in: ThStKr 84 (1911) 503—538; CFabri-cius, in: RSeeberg-Festschrift I (1929) 26—92; EdeWittBurton, Gl (1921) (ICC) 393 399—404; ChAAScott, Dominus noster (1918); KHoll, Ges Aufsätze II (1928) 115—122; OMichel, in: ZNW 28 (1929) 324—333; Ders, ebd 32 (1933) 10—12; EvDobschütz, ZNW 30 (1931) 97—123; WSchmauch, In Christus (1935).

Überlegenheit der Eltern über die Kinder, aus der sozialen Obmacht des Dienstherren über den „Untergebenen" ihre Gehorsam fordernde und Verantwortung auferlegende Würde macht. Es scheint, daß im Laufe der Menschheitsgeschichte, von den aus der Sprache zu erschließenden Anfängen her, das Bewußtsein von
5 einer eigentümlichen Einheit der beiden Momente sich erst entwickeln mußte, und die mannigfachsten Versuche zu ihrer rechten Erfassung begegnen uns, ohne daß es in der allgemeinen Geistes- und Religionsgeschichte der Menschheit je zu einer vollen Erfassung dessen kommt, daß beide Momente sich in ihrer Ganzheit organisch zu durchdringen bestimmt sind. Zu einer solchen Erfassung ist
10 es nur da gekommen, wo dem Menschen in Gott als dem Schöpfer der entgegentritt, der ihn in absoluter Macht „setzt", dh schafft und als solcher zugleich absolute Autorität ist, dem sich zu beugen nicht Knechtschaft, sondern Freiheit bedeutet, — im Bereich der biblischen Offenbarung. Dort tritt einer Menschheit, die die Botmäßigkeit unter ihren Schöpfer von sich geworfen hat, der ent-
15 gegen, der mit der Autorität der dienenden und vergebenden Liebe Gottes um ihren Gehorsam wirbt und alle Herrenverhältnisse neu macht.

A. Die Bedeutung des Wortes κύριος.

ὁ κύριος, substantiviertes Adj κύριος, das seinerseits vom Subst τὸ κῦρος abgeleitet ist. Diesem liegt eine indogermanische √ keu(ā), kū mit der Bedeu-
20 tung „schwellen" (vgl κυέω, ἔγκυος, ἐγκύμων, κῦμα), dann auch „stark sein" zugrunde; zu κύρ-ιος ist altindisches śūra (stark, tapfer, Held) zu nennen[1]. τὸ κῦρος (seit Aesch) = Gewalt, Machtfülle, Aesch Suppl 391: οὐκ ἔχουσιν κῦρος οὐδὲν ἀμφὶ σοῦ, auch Veranlassung: Soph El 918f: ἡ δὲ νῦν ἴσως πολλῶν ὑπάρξει κῦρος ἡμέρα καλῶν.

25 **1.** Daher das Adjektiv κύριος machthabend, bes Gesetzeskraft habend, rechtmäßig, gültig, berechtigt, befugt, bevollmächtigt, und: wichtig, entscheidend, hauptsächlich. Als Adj ist κύριος von der klass bis zur nt.lichen Zeit in Gebrauch, fehlt dagegen im NT und in der spätjüdischen Literatur. Das muß damit zusammenhängen, daß das dem Subst ὁ κύριος entsprechende hbr-aram Äquivalent kein entsprechendes Adjektiv neben sich hat.

30 a. Macht habend: Pind Olymp 1, 104 δύναμιν κυριώτερον: an Macht höher; vgl fr 260 (ed WChrist [1896]) von Palamedes: ὄντα μὲν αὐτὸν κυριώτερον τοῦ Ὀδυσσέως εἰς σοφίας λόγον. Dazu ist Isthm 5, 53: Ζεὺς ὁ πάντων κύριος zu nennen, vgl Plut Def Orac 29 (II 426a): wenn es mehrere Welten gibt, was besteht für eine Notwendigkeit, daß es auch mehrere Zeus gibt, und nicht einen, οἷος ὁ παρ' ἡμῖν κύριος ἁπάντων καὶ
35 πατὴρ ἐπονομαζόμενος[2]; Den Besitz physischer Kraft zeigt κύριος im allgemeinen nicht an; am nächsten kommt dem Plut Aristides 6 (I 322b): drei Gefühle beseelen den Menschen gegenüber dem Göttlichen, ζῆλος, φόβος, τιμή, . . . ἐκπλήττεσθαι δὲ καὶ διέναι κατὰ τὸ κύριον καὶ δυνατόν. Es handelt sich vielmehr um die Macht, die verfügen kann. Demosth Or 50, 60 von der sterbenden Mutter: οὐκέτι τῶν ὄντων κυρία οὖσα,
40 8, 69: eine Verfassung, in der πλειόνων ἡ τύχη κυρία γίνεται ἢ οἱ λογισμοί; 18, 194: οὐ . . . τῆς τύχης κύριος ἦν, ἀλλ' ἐκείνη τῶν πάντων, ebd 321: τούτου γὰρ ἡ φύσις κυρία τοῦ δύνασθαι δὲ καὶ ἰσχύειν ἕτερα. Oft begegnet vom kriegerischen Sich-Bemächtigen einer Stadt der Ausdruck κύριος γενόμενος, Plut Quaest Conv VI 8, 2 (II 694c). Dann bezeichnet κύριος auch den Besitz, zB von Geld, Demosth Or 21, 98; 27, 55f usw; Plut Fort 1
45 (II 97c). Besonders ferner den Besitz der Verfügungsgewalt des Menschen über sich selbst: Plat Ep 7, 324b: εἰ θᾶττον ἐμαυτοῦ γενοίμην κύριος. Aristot Eth Nic III 6 p 1113b 32: κύριος τοῦ μὴ μεθυσθῆναι, Plut Quaest Conv VIII 9, 2 (II 731c): αὐτοκρατές δὲ ἡ ψυχὴ καὶ κύριον, Apophth praef (II 172d): τῶν μὲν λόγων ἔφη κύριος αὐτὸς εἶναι, τῶν δὲ πράξεων τὴν τύχην. Überhaupt: den ausschlaggebenden Faktor darstellend:
50 Plat Resp IV 429b: ob eine Stadt tapfer oder feige ist, entscheidet sich an ihren Soldaten, die anderen in der Stadt οὐ . . . κύριοι ἂν εἶεν ἢ τοίαν αὐτὴν εἶναι ἢ τοίαν, haben es nicht in der Hand. So ist der δαίμων eines Menschen bei Dio Chrys Or 25, 1

---

[1] Walde-Pok I 365f.

[2] An der Pind-St ist κύριος wohl noch Adj, bei der Plut-St neigt es mehr zum Subst hin.

als τὸ κρατοῦν ἑκάστου bezeichnet und die Frage, ob er etwas im Menschen oder etwas ἔξωθεν ὂν ἄρχον τε καὶ κύριον τοῦ ἀνθρώπου sei, wird bejahend beantwortet und dies daran erläutert, daß Könige, Führer und Feldherrn gute oder böse „Dämonen" für ihre Untertanen geworden sind; κύριος sein bedeutet also, einen machtvollen Einfluß ausüben. Wer κύριος ist, übt gerade nicht unmittelbare, brutale, äußere Gewalt 5 aus, seine Macht kann so ungreifbar und doch unentrinnbar wirken wie die des Schicksals. Darum ist κύριος auch das rechte Wort, um *gültig*, dh *Gesetzeskraft habend*, auszudrücken. Den Übergang mag Andoc 1, 87 zeigen: ψήφισμα δὲ μηδὲν μήτε βουλῆς μήτε δήμου νόμου κυριώτερον εἶναι. Von Gesetzen, die *in Kraft* sind: *rechtskräftig, gültig*. Demosth Or 24, 1 vom Gesetz: κύριος εἰ γενήσεται. So oft in den Pap von Verträgen, Ver- 10 einbarungen, Unterschriften, zB POxy II 261, 17 f: κυρία ἡ συγγραφήι (Schreibfehler; l: συγγραφή) (55 n Chr). Von Personen: mit Inf oder Part: *bevollmächtigt, berechtigt, befugt zu*, Demosth Or 59, 4: κύριον δ' ἡγούμενος δεῖν τὸν δῆμον εἶναι περὶ τῶν αὑτοῦ ὅ τι ἂν βού- ληται πρᾶξαι; Eur Suppl 1189 f: οὗτος κύριος, τύραννος ὤν, πάσης ὑπὲρ γῆς Δαναϊδῶν ὁρκωμοτεῖν (Eid leisten); mit Part PEleph 1, 15 f (Ehevertrag, 311/10 v Chr): κύριοι 15 δὲ ἔστωσαν Ἡρακλείδης καὶ Δημητρία . . . τὰς συγγραφὰς αὐτοὶ τὰς αὑτῶν φυλάσσοντες, Polyb 6, 37, 8: κύριος δ' ἐστὶ καὶ Ζημιῶν ὁ χιλίαρχος καὶ ἐνεχυράζων (pfänden); mit Inf Andoc 4, 9: τοὺς δικαστὰς ἀπολέσαι μὲν κυρίους εἶναι. Mit Gen *bevollmächtigt über*, Antiphon Or III 1, 1 (ed LGernet [1923]): ὑπὸ . . . τῶν ψηφισαμένων, οἳ κύριοι πάσης τῆς πολιτείας εἰσίν, Isoc 19, 34: τὴν μητέρα καὶ τὴν ἀδελφὴν τῶν αὑτοῦ κυρίας . . . κατέστησε, Plat Leg XI 20 929 d: wenn der krank oder verrückt gewordene Vater οἰκοφθορῇ . . . ὡς ὢν τῶν αὑτοῦ κύριος: das Gesetz gibt ihm die Vollmacht, mit seinem Vermögen zu machen, was er will. Der νόμος ist κύριος βασιλεύς, Plat Ep 8, 354 c; Gegensatz ist τύραννος. PEleph 2, 4 f (285/4 v Chr, Testament): ἐὰν δέ τι πάσχῃ Καλλίστα Διονυσίου ζῶντος, κύριον εἶναι Διονύσιον τῶν ὑπαρχόντων. Darum τὰ κύρια *die gesetzliche Gewalt* im 25 Staat, Demosth Or 19, 259: τὰ κύρι' ἄττα ποτ' ἐστὶν ἐν ἑκάστῃ τῶν πόλεων.

b. *entscheidend, wichtig, hauptsächlich.* Pind Olymp 6, 32: κυρίῳ δ' ἐν μηνί, Aesch Ag 766: ὅτε τὸ κύριον μόλῃ (kommt): *die Entscheidung.* Eur Or 48 f: κυρία δ' ἥδ' ἡμέρα, ἐν ᾗ διοίσει ψῆφον Ἀργείων πόλις, Eur Iph Aul 318: οὑμὸς οὐχ ὁ τοῦδε μῦθος κυριώτερος λέγειν: *wichtig*; Aristot Eth Nic VI 13 p 1143 b 34: (ἡ φρόνησις) τῆς σοφίας κυριω- 30 τέρα; Plat Leg I 638 d: λέγειν τι κυριώτερον, *etwas Richtiges sagen*; Phileb 67 b: κύριοι μάρτυρες: *vollgültige* Zeugen; Symp 218 d: οἶμαί μοι συλλήπτορα οὐδένα κυριώτερον εἶναι σοῦ: *geeigneter* Beistand. Darum steht vielfach κυριώτατος neben μέγιστος, zB Plat Soph 230 d; Polit VIII 565 a (neben πλεῖστος); Tim 84 c; 87 c; für Aristot s den Index. Ähnlich wird κύριος als Adj etwa bei Epict gebraucht: Diss I 20, 18 wird 35 Epikur gefragt: τί κυριώτερον ἔχεις als den Körper, während Epict selbst Diss II 10, 1 sagt, der Mensch habe nichts κυριώτερον προαιρέσεως. Von den drei τόποι für den προκόψων ist der κυριώτατος ὁ περὶ τὰ πάθη, Diss III 2, 3, *der wichtigste, die Haupt- sache.* κυριώτατος neben μέγιστος: Diss I 9, 4; 12, 15; III 1, 37. Ebenso bei Plut: zB Praec Ger Reip 15 (II 811 d); Sept Sap Conv 21 (II 163 d); Stoic Rep 45 f (II 1055 d. e) [3]. 40

2. Das **Substantiv** ὁ κύριος taucht vereinzelt und noch kaum von einem substantivierten Adj sich unterscheidend bei den attischen Tragikern auf: Aesch Choeph 658: κύριοι δωμάτων, ebd 688 f: εἰ δὲ τυγχάνω τοῖς κυρίοισι καὶ προσή- κουσιν λέγων, ähnlich Soph Ai 734; Soph Oed Col 1643 f heißt der γῆς ἄναξ (v 1630) Theseus: ὁ κύριος Θησεύς, ebd 288 f sagt Oedipus zum Chor: ὅταν δ' ὁ κύριος παρῇ τις, ὑμῶν ὅστις 45 ἐστὶν ἡγεμών. Bei Eur bezeichnet κύριος einmal den Vater als den, der das Kind zur Ehe gibt (Iph Aul 703), und Andr 558 ist Neoptolemus κύριος der kriegsgefangenen Andromache [4].

Vergleichsweise mag genannt sein, daß bei Eur δέσποινα 62 mal und δεσπότης 106 mal begegnet, für Aesch sind die entsprechenden Zahlen 5 und 17. Bei den Vorsokratikern 50 ist nur Democrits Ausspruch [5] τόλμα πρήξιος ἀρχή, τύχη δὲ τέλεος κυρίη zu nennen, wo wohl zu übersetzen ist: *hat über das Ende zu bestimmen.*

Als Subst mit bestimmtem Sinn begegnet κύριος erst in der ersten Hälfte des 4. Jhdts v Chr und beginnt in doppelter Hinsicht „fest" zu werden: der „Herr" als der Ver- fügungsberechtigte eines Sklaven, Demosth Or 36, 28. 43 f; 37, 51; 47, 14 f (dagegen 55 etwa 16 mal δεσπότης vom Sklavenherrn); Xenoph Oec 9, 16; dazu Aristot Pol II 9 (1269 b 9 f): *Herr* der unterworfenen Völker, die τῶν ἴσων ἀξιοῦσιν ἑαυτοὺς τοῖς κυρίοις,

---

[3] Auf weitere Anwendungen des Adj, wie κυρία ἐκκλησία, κύριος τόνος, κύριον ὄνομα usw braucht hier nicht eingegangen zu werden, s Liddell-Scott u etwa den Wortindex zu Aristot sv.

[4] κύριος ist auch das Familienhaupt POxy II 288, 36 (1. Jhdt n Chr). Anderseits nennt

noch Plut den Hausherrn als solchen δεσπό- της: Sept Sap Conv 12 (II 155 d): das beste Haus ist das, ἐν ᾧ τοιοῦτός ἐστιν ὁ δεσπότης δι' αὑτόν, οἷος ἔξω διὰ τὸν νόμον. Für die klass Zeit vgl GBusolt, Griech Staatskunde, Regist von FJandebeur (1926) sv κύριος.

[5] fr 269 (II 115, 8 f Diels).

Herr des Hauses: Demosth Or 47, 60 (→ A 4). In dem Sinne des, der „zu etwas da ist", der mit bestimmten Dingen beauftragt ist und sie nun „unter sich" hat, wohl auch Antiphon Or II 4, 7 (ed LGernet [1923]) von einem Sklaven, der nicht gefoltert wurde: οὐδὲν θαυμαστὸν ἔπαθεν ὑπὸ τῶν κυρίων, vgl Plat Crito 44 a: φασί γέ τοι δὴ οἱ τούτων κύριοι. Der zweite Sinn, in dem κύριος fest zu werden beginnt, ist: der gesetzmäßige *Vormund* einer Frau, eines Mädchens: Isaeus 6, 32; Demosth Or 46, 15 uö (für Pap s APF 3 [1906] 409 f; 5 [1913] 472 u bes 4 [1908] 78—91). Beide Gebrauchsweisen des Subst schließen sich an das Adj an im Sinn des „Bevollmächtigten". Der Begriff des Rechtmäßigen, der darin eingeschlossen ist, ist in PHibeh 34, 3 (243/2 v Chr) noch deutlich: ein Antrag ἢ τὸ ὑποζύγιον ἀποδοῦναι τῷ κυρίῳ (dem rechtmäßigen Besitzer) oder den Preis zu bezahlen. Wie stark der Begriff des Rechtmäßigen um 400 in Athen in dem Wort lag, zeigt Aristoph Pl 6 f, wo das Los eines Sklaven (sein Herr heißt v 2 δεσπότης) düster geschildert wird: τοῦ σώματος γὰρ οὐκ ἐᾷ τὸν κύριον κρατεῖν ὁ δαίμων, ἀλλὰ τὸν ἐωνημένον: das Geschick läßt nicht den r e c h t m ä ß i g e n Herrn, nämlich den Sklaven selbst, über seinen Körper verfügen, sondern den, der ihn gekauft hat; stünde statt ἐωνημένον: δεσπότην, so wäre der Unterschied von κύριος und δεσπότης augenscheinlich[6]. Im Attischen behält κύριος vom Adj her die Beschränkung auf die rechtmäßige Verfügungsgewalt (die es auch in der Koine nie ganz verliert): Dio Chrys gebraucht in seinen Reden De Servitute (Or 14 u 15) stets δεσπότης vom Herrn des Sklaven. Bezeichnend für ihn und den Attizismus ist Or 14, 22: Odysseus als Bettler οὐδὲν ἧττον βασιλεὺς ἦν καὶ τῆς οἰκίας κύριος. Auch Lucian gebraucht δεσπότης, wie in der Koine κύριος gebraucht wird: Dial Mar 7, 2 sagt Zephyrus von der Io: ἡμῶν ἔσται δέσποινα, ὄντινα ἂν ἡμῶν ἐθέλῃ ἐκπέμψαι. Antiatticistes (Anecd Graec I p 102, 20): κυρίαν οὔ φασι δεῖν λέγειν, ἀλλὰ κεκτημένην · τὸν δὲ κεκτημένον μὴ λέγεσθαι ἀντὶ τοῦ δεσπότου. Σατυρικοῖς (?) κεκτημένον λέγει, Φιλήμων κυρίαν, letzteres ist also eine Ausnahme. In den Fragmenten der attischen Komiker findet sich 56 mal δεσπότης, 11 mal δέσποινα[7]; wo κύριος substantivisch begegnet, da meist in Zusammenhängen, in denen δεσπότης nicht paßt, oder in einem Zusammenhang, der die Grenze zwischen Adj und Subst verwischt: Philemon[8]: ἐμοῦ γάρ ἐστι κύριος μὲν εἷς ἀνήρ (vom Sklaven gesagt), τούτων δὲ καὶ σοῦ μυρίων τ' ἄλλων νόμος: κύριος = *hat zu sagen*, δεσπότης würde dies nicht so unmittelbar ausdrücken; Alexis fr 262[9]: wenn du heiratest, οὐδὲ σαυτοῦ κύριον ἔξεστιν εἶναι, → 1040, 45; Ders, fr 149[10]: οὐκ ἀρχιτέκτων κύριος τῆς ἡδονῆς μόνος καθέστηκ' der Kunstgenuß *hängt nicht allein* vom Künstler *ab*. Den *Besitzer* bezeichnet κύριος nur bei Crito (CAF III 354 fr 3): μεγάλου κύριον βαλλαντίου ... ποιήσας. Bei Menand ist κύριος als Subst vom Vormund des Kindes (Epit 89), vom Herrn des Sklaven (Peric 186) und Sam 287 von Ἔρως (ὁ τῆς ἐμῆς νῦν κύριος γνώμης Ἔρως) gebraucht[11]. WSchmid, Der Atticismus in seinen Hauptvertretern (1887—1897) nennt im Regist κύριος nur als Adj. Eustath Thessal (Opuscula ed ThLF Tafel [1832] p 40 Z 90) heißt es: ὅπου γε ἡ εὐγενὴς ἀττικὴ γλῶσσα τὸν κύριον ἐπὶ ἀνδρὸς τίθησιν, ᾧ γυναῖκα ὁ νόμος συνέζευξε. Dion Hal Ant Rom II 27, 2: τὴν ἐλευθερίαν εὑράμενος (sc: ὁ θεράπων) αὐτοῦ τὸ λοιπὸν ἤδη κύριός ἐστιν zeigt den oben beschriebenen Sprachgebrauch. Wie sich κύριος u δεσπότης später verhalten, zeigt Manuel Moschopulos (um 1300 n Chr), Sylloge Vocum Atticarum[12] sv δεσπότης: δεσπότης λέγεται πρὸς δοῦλον, κύριος δὲ πρὸς ἐλεύθερον, sv δέσποινα: δέσποινα λέγεται οὐ μόνον ἡ βασιλίς, ἀλλὰ καὶ ἡ τοῦ οἴκου δεσπότις, ἣν ἰδιωτικῶς κυρίαν φαμέν. So hat im Attizismus κύριος ein eng begrenztes Anwendungsgebiet. Die Erweiterung des Sprachgebrauchs, die wir auch im NT sehen, gehört der Koine an; insbesondere ist die ausgedehnte Verwendung des Subst ihr zuzuschreiben[13].

---

[6] Stegmann v Pritzwald (→ Lit-A) 105 f formuliert, „daß man für κύριος überall mit der Auffassung ‚derjenige, der die Befugnis,gewalt, Vollmacht hat‘ rechnen muß, dh mit einem rechtlichen Nebensinn".

[7] Nach der Ausgabe von AMeineke (1839 ff).

[8] CAF II 486 fr 31.

[9] Ebd II 393.

[10] Ebd II 351.

[11] Die Menand-St (ebd III 116 fr 403) ist nur durch Konjektur verständlich: κυρίαν τῆς οἰκίας καὶ τῶν ἀγρῶν καὶ τῶν πατρῴων ἄντικρυς ἔχομεν.

[12] Über die Ausgaben s KKrumbacher-AEhrhardt-HGelzer. Geschichte der byzantinischen Lit ² (1897) 547 f; im folgenden zitiert nach dem Nachdruck Paris 1532.

[13] Besonders muß betont werden, daß De-

mosth Philipp nicht κύριος n e n n t, sondern das auf ihn angewandte κύριος (stets mit Gen) sagt von ihm aus, daß er, der eine, über das bevollmächtigt ist, worüber bei den Griechen das Gesetz das Volk bevollmächtigt hat: Or 18, 235 f τὰ ... τοῦ Φιλίππου ... πρῶτον μὲν ἦρχε τῶν ἀκολουθούντων αὐτὸς αὐτοκράτωρ ὤν ... ἔπειτα ... ἔπραττεν ἃ δόξειεν αὐτῷ οὐ προλέγων ἐν τοῖς ψηφίσμασιν, οὐδ' ἐν τῷ φανερῷ βουλευόμενος, οὐδὲ γραφὰς φεύγων παρανόμων, οὐδ' ὑπεύθυνος (verantwortlich, Rechenschaft schuldig) ὢν οὐδενί, ἀλλ' ἁπλῶς αὐτὸς δεσπότης ἡγεμὼν κύριος πάντων. (Daß κύριος hier als Adj empfunden ist, zeigt auch die Fortsetzung, wo Demosth, sich mit Philipp vergleichend u auf die vorhergehende Formulierung anspielend, fragt: ἐγὼ δ' ... τίνος κύριος ἦν;) Or 19, 64: τηλικούτων μέντοι καὶ

In der **Koine** werden δεσπότης und κύριος in weitem Maß nebeneinander gebraucht. κύριος ist *der Besitzer* von Sklaven und Hab und Gut. Im Vertrag zwischen Milet und Heraclea[14] werden die (rechtmäßigen) Eigentümer entlaufener Sklaven κύριοι genannt. Doch bleibt ein Unterschied zwischen beiden Worten fühlbar. Epict gebraucht κύριος und δεσπότης, oft im Zusammenhang wechselnd, für den Herrn des Sklaven, zB Diss 5 IV 1, 116. Aber Epict bevorzugt κύριος zur Erläuterung seines Freiheitsbegriffs, weil dieses Wort weiterer Anwendung fähig ist: Diss IV 1, 59 ist κύριος πᾶς ὅς ἂν ἐξουσίαν ἔχῃ τῶν ὑπ' αὐτοῦ τινος θελομένων πρὸς τὸ περιποιῆσαι ταῦτα ἢ ἀφελέσθαι, die Reichen sind οἱ τὸν κύριον τὸν μέγαν ἔχοντες καὶ πρὸς τὸ ἐκείνου νεῦμα καὶ κίνημα ζῶντες, IV 1, 145. — Der Unterschied der beiden Worte liegt in ihrem Wechsel, Diss IV 1, 12 f, 10 offen zutage: der Senator fragt, wer ihn zwingen könne, εἰ μὴ ὁ πάντων κύριος Καῖσαρ, worauf Epict erwidert: οὐκοῦν ἕνα μὲν δεσπότην σαυτοῦ καὶ σὺ αὐτὸς ὡμολόγησας. Als den, der über alles Verfügungsmacht und -recht hat, nennt der Senator den Kaiser κύριος, von Epiktets Freiheitsbegriff aus aber ist er damit ein Sklave, der seinen δεσπότης über sich hat. Darum liegt in δεσπότης leicht das Moment des Harten, wie 15 auch Plut zeigt; Lucull 18 (I 503 a) beklagt eine Kriegsgefangene ihre Schönheit ὡς δεσπότην... ἀντ' ἀνδρὸς αὐτῇ... προξενήσασαν (verschaffen). Von Philipp, dem Vater Alexanders, wird das Wort berichtet, Plut Apophth Philippus 4 (II 177 d): μᾶλλον πολὺν χρόνον ἐθέλειν χρηστὸς ἢ δεσπότης ὀλίγον καλεῖσθαι. Korrelat ist τύραννος (Phoc 29 [I 754 e]) und κτῆμα, Plut Praec Coniug 33 (II 142 e): κρατεῖν δὲ δεῖ τὸν ἄνδρα τῆς 20 γυναικὸς οὐχ ὡς δεσπότην κτήματος, ἀλλ' ὡς ψυχὴν σώματος. κύριος aber ist der, der ἐξουσία hat. Das Moment der Rechtmäßigkeit, das auch in diesem Wort liegt, tritt gelegentlich deutlicher heraus: Plut Aratus 9 (I 1031 b) von den Verbannten: κατελθόντες δὲ οἱ πλεῖστοι πένητες ὧν κύριοι πρότερον ἦσαν ἐπελαμβάνοντο. — κύριοι τῆς ὁλκάδος sind die, die im Schiff zu sagen haben: Plut Mar 37 (I 427 a); Arat sagt zu Philipp von 25 Mazedonien, Arat 50 (I 1050 e): „Wenn du mit πίστις und χάρις (Vertrauen und Freundlichkeit) anfängst, τῶν μὲν (der Kreter) ἡγεμών, τῶν δὲ (der Peloponnesier) κύριος ἤδη καθεστηκας." Die Erläuterung zu beiden Begriffen gibt er kurz vorher: „Obgleich du, Philipp, keine festen Plätze erobert hast, πάντες ἑκουσίως σοι ποιοῦσι τὸ προστασσόμενον": κύριος ist der, dessen Autorität man gehorcht. Vgl Plut Apophth Lac, Pausanias Plistonactis 1 30 (II 230 f): τοὺς νόμους ... τῶν ἀνδρῶν, οὐ τοὺς ἄνδρας τῶν νόμων κυρίους εἶναι δεῖ. Den Herrn des Sklaven bezeichnet κύριος Plut Apophth, Agathocles 2 (II 176 e). Die Götter endlich sind κύριοι genannt als solche, die über einen Bereich verfügen können: Lat Viv 6 (II 1130 a): τὸν δὲ τῆς ἐναντίας (der Sonne entgegengesetzt) κύριον μοίρας ... Ἅιδην ὀνομάζουσιν, Def Orac 29 (II 426 a [→ 1040, 32 f]); Quaest Conv V 3. 1, 4 35 (II 675 f): Poseidon und Dionysos τῆς ὑγρᾶς καὶ γονίμου κύριοι δοκοῦσιν ἀρχῆς εἶναι. κύριος ist das Wort, das der Niedriggestellte gerne dem Übergeordneten gegenüber in den Mund nimmt, weil es die Autorität und Rechtmäßigkeit seiner Stellung betont. Darum wird Cassius in Rhodus als βασιλεὺς καὶ κύριος begrüßt, und schneidend ist die Antwort: οὔτε βασιλεὺς οὔτε κύριος, τοῦ δὲ κυρίου καὶ βασιλέως φονεὺς καὶ κολαστής (Plut 40 Brutus 30 [I 998 b]), während Brutus selbst sagt (ebd 22 [I 994 c]): οἱ δὲ πρόγονοι ... ἡμῶν οὐδὲ πράους δεσπότας ὑπέμεινον.

κύριος ist der, der über etwas oder jemand verfügen kann, δεσπότης der, der etwas oder jemanden besitzt. Das zeigt, inwieweit sich beide Worte berühren, inwieweit sie auseinander gehen. Je mehr Volkssprache und je näher der Zeit 45 des NT, desto mehr verdrängt κύριος δεσπότης, je mehr Berührung mit der

---

τοιούτων πραγμάτων κύριος εἷς ἀνὴρ Φίλιππος γέγονε, Or 6, 6: ἡλίκος ἤδη καὶ ὅσων κύριός ἐστι Φίλιππος, Or 18, 201: ἡγεμὼν ... καὶ κύριος ᾑρέθη Φίλιππος ἁπάντων, Or 1, 4: τὸ γὰρ εἶναι πάντων ἐκεῖνον (sc τὸν Φίλιππον) ἕνα ὄντα κύριον καὶ ῥητῶν καὶ ἀπορρήτων, καὶ ἅμα στρατηγὸν καὶ δεσπότην καὶ ταμίαν (beachte, wie wohl δεσπότης, aber nicht das Adj κύριος eines Gen entbehren kann). Demgegenüber die griechische Auffassung von dem Volk (bzw dem νόμος), das zu allem bevollmächtigt, κύριος ἁπάντων, ist, Or 13, 31: τότε μὲν ὁ δῆμος δεσπότης ἦν καὶ κύριος ἁπάντων ... νῦν δὲ τοὐναντίον κύριοι μὲν τῶν ἀγαθῶν οὗτοι, καὶ διὰ τούτων ἅπαντα πράττεται (auch hier hat nur κύριος einen Gen bei sich); Or 20, 107: ἐκεῖ μὲν γάρ ἐστι τῆς ἀρετῆς ἆθλον τῆς πολιτείας κυρίῳ γενέσθαι μετὰ τῶν ὁμοίων, παρὰ δ'

ἡμῖν ταύτης μὲν ὁ δῆμος κύριος, καὶ ἀραὶ καὶ νόμοι καὶ φυλακαὶ ὅπως μηδεὶς ἄλλος κύριος γενήσεται.., vgl etwa noch Or 23, 69 (der Kläger, auch wenn er im Recht ist, wird nicht κύριος τοῦ ἁλόντος, ἀλλ' ἐκείνου μὲν οἱ νόμοι κύριοι κολάσαι καὶ οἷς προστέτακται ταῦτα). Als Subst, das die Stellung des Königs zu seinen Untertanen und den untergebenen Städten u Ländern benennt, gebraucht Demosth δεσπότης: Or 5, 17; 6, 25; 15, 27; 18, 296; 19, 69; 20, 16 [= τύραννος 20, 15] und einige der oben genannten St. κύριος sein heißt die höchste Staatsgewalt in Händen haben, GBusolt, Griech Staatskunde I (1920) 304 mit A 4.
[14] Ditt Syll[8] 633, 95. Weitere Belege s bei Preisigke Wört sv.

Schriftsprache und je näher noch dem Beginn des hellenistischen Zeitalters, desto mehr tritt in κύριος das autoritative und rechtliche Moment hervor. Den Schluß mag die interessante Stelle aus Luc Nigrinus 26 bilden: Der Philosoph verachtet irdische Güter, indem er darlegt, ὅτι τούτων μὲν φύσει οὐδενός ἐσμεν
5 κύριοι, νόμῳ δὲ καὶ διαδοχῇ τὴν χρῆσιν αὐτῶν εἰς ἀόριστον παραλαμβάνοντες ὀλιγοχρόνιοι δεσπόται νομιζόμεθα. κύριος und δεσπότης sind hier nicht zu vertauschen.

Nicht jeder, der über etwas oder jemand verfügen kann, wird darum auch ohne Zusatz κύριος genannt. Genannt wird so im allgemeinen der (rechtmäßige) Besitzer (auch des Sklaven), abgesehen von besonderen juristischen Verwendungsarten. Insbesondere wurden Staatsbeamte als solche nicht κύριοι genannt. Es bildete sich aber
10 allmählich ein Sprachgebrauch heraus, zunächst die Höhergestellten mit κύριε (κυρία) anzureden und von ihnen mit ὁ κύριος zu reden, Beamten gegenüber vielfach mit Hinzufügung ihrer Amtsbezeichnung. Die Briefe des Strategen Apollonius aus dem Anfang des 2. Jhdt n Chr lassen erkennen, daß nicht nur seine Angestellten und
15 Sklaven, sondern auch etwa Dorfbewohner ihn mit κύριε anreden (PGiess 61, 17 [119 n Chr]), während ein reicher ναύκληρος ihm gegenüber mit der Anrede φίλτατε und κύριε wechselt (PGiess 11, 12. 20 [118 n Chr]) und seine Familie (mit einer Ausnahme, s u) ihn nicht so anredet. Apollonius seinerseits redet seinen Vorgesetzten mit ἡγεμὼν κύριε an (PGiess 41 I 4. 9. 13). Dieser Sprachgebrauch läßt sich bis ins 1. Jhdt n Chr
20 zurückverfolgen: Epict läßt hohe Beamte (Diss IV 1, 57), gefeierte Philosophen (Diss III 23, 11. 19), den Arzt (II 15, 15; III 10, 15) und den μάντις (II 7, 9) mit κύριε angeredet werden; den Kyniker gar mit κύριε ἄγγελε καὶ κατάσκοπε (III 22, 38); Ench 40 sagt er allgemein, daß die Frauen mit 14 Jahren von ihren Männern κυρίαι genannt würden. Nach Dio C 61, 20, 1 redete Nero als Lautenspieler die Zuschauer an mit
25 κύριοί μου, von dem κύριος ἡγεμών spricht schon 45 n Chr POxy II 283, 18; ähnlich POxy I 37 II 8 (49 n Chr) τὰ ὑπὸ τοῦ κυρίου ἡγεμόνος κριθέντα, und aus dem Jahre 71/72 n Chr ist (PTebt 302, 11. 20) dem ἡγεμών gegenüber die Wendung belegt: σοῦ τε τοῦ κυρίου γράψαντος. Ein anscheinend vereinzelter Beleg geht ins 1. Jhdt v Chr zurück: BGU 1819, 2 (60/59 v Chr): τῷ κυρίῳ στρατηγῷ. Wenn schon im 1. Jhdt n
30 Chr (BGU 665 II 18) ein Sohn den Vater, wenn wahrscheinlich Hermaios seinen Bruder, den Strategen Apollonius (PGiess 85, 16, Anfang 2. Jhdt n Chr) mit κύριέ μου anredet, so mag das immer noch Ausdruck einer gewissen Unterordnung sein; schließlich redet aber auch der Vater den Sohn mit κύριε an: POxy I 123, 1: κυρίῳ μου υἱῷ Διονυσοθέωνι ὁ πατὴρ χαίρειν, Z 24: κύριε υἱέ (3/4. Jhdt n Chr). Weiteres vgl Dölger → κυρία 1094 Lit-A).
35 Noch vor Beginn der konstantinischen Ära beginnt δεσπότης κύριος auf allen Gebieten zu verdrängen. In POxy I 67, 10 (338 n Chr) wird δεσποτία zur Bezeichnung der rechtmäßigen Eigentümerschaft gebraucht, aber schon 266 n Chr findet sich die Anrede δέσποτα ἡγεμών (PTebt 326, 3), u in dem eben erwähnten Brief eines Vaters an seinen Sohn (POxy I 123) nennt ersterer den Adressaten Z 7 δεσπότά μου und spricht
40 von der δέσποινά μου μήτηρ ὑμῶν (Z 22). Auch in der Kaisertitulatur wird κύριος immer mehr durch δεσπότης ersetzt.

Man kann die ganze Entwicklung dahin zusammenfassen, daß κύριος, ursprünglich der Bevollmächtigte, der Verfügungsberechtigte, des Momentes der Willkür, das aus δεσπότης leicht herausgehört wurde, entbehrte und darum gerade
45 zunächst von Sklaven ihrem Herrn gegenüber in einer Art feiner Schmeichelei, angewandt wurde [15] und so allmählich in der Umgangssprache δεσπότης stark zurückdrängte. Aus demselben Grund wiederum, weil δεσπότης die Unmittelbarkeit und Unbeschränktheit des „Besitzens" stärker betonte, wurde dieses Wort im Zeitalter des beginnenden Byzantinismus wieder bevorzugt.
50 Im Beginn des hellenistischen Zeitalters wurde also substantivisches κύριος noch verhältnismäßig selten und in dem enger begrenzten Sinn des rechtmäßigen Herrn und Besitzers und des Bevollmächtigten gebraucht. Wenn später Götter und Herrscher κύριοι genannt werden, so kann sich dieser Sprachgebrauch erst im Hellenismus entwickelt haben. Weder von Philipp von Mazedonien noch

---

[15] In zwei Briefen, die Jos Ant 17, 137. 139 mitteilt, nennt die Sklavin ihre Herrin ἡ ἐμὴ κυρία, Jos dagegen nennt sie ebd 138 δέσποινα.

von Alexander dem Großen noch von einem der ersten Diadochen können wir belegen, daß sie κύριοι genannt werden, ebensowenig von irgendwelchen Göttern in dieser Zeit. Denn die bekannte Stelle im Päan, den die Athener 306 v Chr auf Demetrius Poliorketes sangen[16]: πρῶτον μὲν εἰρήνην ποίησον, φίλτατε, κύριος γὰρ εἶ σύ, ist zu übersetzen: denn du kannst es, hast es in der Hand (→ 1040, 38 ff). 5 Der erste Beleg eines auf einen Gott angewandten κύριος ist die LXX, deren Anschluß an einen schon feststehenden Sprachgebrauch nach obigen Darlegungen schon recht unwahrscheinlich ist[17]. Der älteste Beleg für den sich entwickelnden hellenistischen Sprachgebrauch ist der von Polyb[18] mitgeteilte Vertrag zwischen Philipp VI. von Mazedonien und Hannibal: ἐφ' ὧτ' εἶναι σωζο- 10 μένους . . . κυρίους Καρχηδονίους καὶ Ἀννίβαν τὸν στρατηγόν. Zeitlich folgt dann die griechische Übersetzung des ägyptischen Pharaonentitels mit den Wendungen κύριος βασιλειῶν[19] und κύριος τριακονταετηρίδων[20].

B. Götter und Herrscher als *κύριοι.*

In keiner Religion kann im Gottesbegriff das Element 15 der rechtmäßigen Macht fehlen, dh der Macht, der der Mensch Autorität zuerkennen muß und von der er weiß, daß er sich ihrer Überlegenheit beugen soll. Fehlt das Moment der Rechtmäßigkeit, so tritt an die Stelle von „religio" Furcht vor Geistern, deren sich der Mensch auf jede Weise zu erwehren sucht, gegen die er kämpft. Fehlt das Moment der Macht, so ist die Gottheit nur 20 eine Idee. Beides zusammen, Macht und Recht als einheitlicher Begriff, ist aber gebunden an das Personsein seines Trägers. Denn Recht und seine Entsprechung, Verantwortung, sind nur zwischen Personen anwendbare Kategorien. Auch in der griechischen Religion fehlt im Gottesbegriff nicht ganz das Element der personhaften, rechtmäßigen Macht. Ihr Ausdruck ist der Begriff „Herr". Nun wird 25 wohl δεσπότης (δέσποινα) im klassischen Griechisch und vereinzelt auch noch später auf die Götter angewandt und bezeichnet die Beziehung der Götter zur Natur und zu den Menschen. Doch trennt im Gesamtbereich des Menschlichen, im Politischen wie im Religiösen, Griechen und „Barbaren" eben dies, daß die Griechen ihre Götter im Grundansatz nicht als Herren ansehen und sich nicht als 30 δοῦλοι (→ δοῦλος II 264 ff). Das hängt damit zusammen, daß im griechischen Gottesbegriff der grundlegende personhafte Akt, die Schöpfertätigkeit Gottes, fast ganz fehlt (→ 1002, 3 ff).

1. Freilich wird auch das Wort κύριος seit der klassischen Zeit auf die griechischen Götter angewandt, bis hin in die 35

---

[16] Athen VI 63 (p 253 e): Die ganze St, soweit sie in Betracht kommt, bei Foerster (→ Lit-A) 110. Die St wird allerdings verschieden gedeutet, s Baudissin (→ Lit-A) II 288; aber die adj Deutung scheint mir auch aus dem Zshg hervorzugehen, sie vertritt auch WSchubart, Die religiöse Haltung des frühen Hellenismus (1937) 19.

[17] An sich ist ein argumentum e silentio aus dem Schweigen der Quellen nicht unbedingt beweiskräftig (doch → 1048, 89—45), es

gewinnt aber Gewicht im Zshg der sprachlichen Beobachtungen.

[18] 7, 9. 5. Vgl dazu UKahrstedt, NGG 1923 (1924) 99 f: die Bürger einer Stadt ihre „Herren" zu nennen, ist semitisch. Hellenistisch ist die Wahl gerade von κύριος.

[19] APF 1 (1901) 480 f = Deißmann LO 300 A 2. (Ptolemäus IV. Philopator, 221—205 v Chr): Ditt Or 90 Z 1 = CIG 4697 (196 v Chr).

[20] Ditt Or 90 Z 2 (→ A 19). Vgl zu den beiden letzten Anmerkungen Baudissin (→Lit-A) II 288 A 2 u 3.

Kaiserzeit, zuerst als Adj, dann mehr als Subst, und zwar, wenn von den Göttern ausgesagt werden soll, daß sie über bestimmte Bereiche verfügen können.

Pind Isthm 5, 53: Ζεὺς ὁ πάντων κύριος, Plat Leg XII 13 (966 c): die φύλακες müssen wissen von den Göttern, ὡς εἰσίν τε καὶ ὅσης φαίνονται κύριοι δυνάμεως, vgl Resp VII 517 c [21]; Xenoph Mem I 4, 9: gegen den Gottesbeweis aus dem νοῦς des Menschen wird eingewandt: οὐ γὰρ ὁρῶ τοὺς κυρίους. Ders, Oec 6, 1: mit den Göttern muß man beginnen, ὡς τῶν θεῶν κυρίων ὄντων οὐδὲν ἧττόν τῶν εἰρηνικῶν ἢ τῶν πολεμικῶν ἔργων, Demosth Or 60, 21: ὁ πάντων κύριος δαίμων. Ders, Ep 4, 6 von den Göttern: ἁπάντων τῶν ἀγαθῶν ἐγκρατεῖς ὄντας κυρίους εἶναι καὶ αὐτοὺς ἔχειν καὶ δοῦναι τοῖς ἄλλοις. Sosiphanes fr 3 (TGF):

ἦν δ' εὐτυχῆτε, μηδὲν ὄντες εὐθέως
ἴσ' οὐρανῷ φρονεῖτε, τὸν δὲ κύριον
Ἅιδην παρεστῶτ' οὐχ ὁρᾶτε πλησίον.

Dio Chrys Or 37 (Corinth) 11 nennt Poseidon und Helios τὸν μὲν τοῦ πυρὸς κύριον, τὸν δὲ τοῦ ὕδατος, Plut Is et Os 35 (II 365 a): οὐ μόνον τοῦ οἴνου Διόνυσον, ἀλλὰ καὶ πάσης ὑγρᾶς φύσεως Ἕλληνες ἡγοῦνται κύριον καὶ ἀρχηγόν. Ders, Quaest Conv V 3, 1 (II 675 f): ἀμφότεροι γὰρ οἱ θεοὶ (Poseidon und Dionysos) τῆς ὑγρᾶς καὶ γονίμου κύριοι δοκοῦσιν ἀρχῆς εἶναι. Ders, Def Orac (→ 1040, 32 ff); Ders, Lat Viv (→ 1043, 34 ff); Ael Arist Or 37, 17 (Keil): nicht ist Nike der Athene, sondern Athene der Nike κυρία, Plut Is et Os 40 (II 367 a) heißt Isis ἡ κυρία τῆς γῆς θεός, ebd 12 (II 355 e) berichtet er von einer sagenhaften Stimme, die Osiris bei seiner Geburt als ἁπάντων κύριος begrüßt habe und ebd 49 (II 371 a) sagt er: ἐν μὲν οὖν τῇ ψυχῇ νοῦς καὶ λόγος ὁ τῶν ἀρίστων πάντων ἡγεμὼν καὶ κύριος Ὄσιρίς ἐστιν. Philo von Byblos sagt von Beelsamen (FHG III p 566 a): ὅ ἐστι παρὰ Φοίνιξι κύριος οὐρανοῦ, Ζεὺς δὲ παρ' Ἕλλησι. In diese Linie gehört es auch, wenn Epict (Diss IV 1, 12) von ὁ πάντων κύριος Καῖσαρ spricht (Weiteres dazu → A 49; → 1052, 41 ff).

Im Vergleich zu den orientalischen und ägyptischen Gottesbenennungen fällt aber auf, daß die Götter hier nicht eigentlich κύριοι über ihren Bereich genannt werden, daß also das Herr-Sein sie nicht eigentlich charakterisiert, während sie in Babylon und Ägypten geradezu danach benannt werden, worüber sie Herr sind: „Sehen mögen die Taten Marduks, des Herrn der Götter, die gesamten Götter, alle Göttinnen, Anu, Enlil, der Herr des Ozeans, der waltende Ea [22]." Dieser Tatbestand hängt mit der grundlegenden Struktur des griechischen Gottesbegriffs zusammen, daß nämlich für die Griechen die Götter im Grunde nur „die Grundgestalten der Wirklichkeit" sind (→ 68, 13), der Welt und dem Menschen also nicht eigentlich personhaft als Schöpfer oder Gestalter gegenübertreten und auch nicht die Herren der Wirklichkeit sind, die alle Wirklichkeiten zusammenfaßt, des Schicksals. Dies steht vielmehr (vielfach) selbständig neben den Göttern (→ 70, 22 ff). Weil Götter und Menschen „aus einer Mutter atmen" (→ 70, 17), organisch verbundene Glieder einer Wirklichkeit sind, kann ihr gegenseitiges Verhältnis nicht mit dem Begriffspaar κύριος/δοῦλος umschrieben werden [23]. Eine persönliche Verantwortung hat der Mensch diesen Göttern gegenüber im Grundansatz nicht, wie sie auch nicht dem Menschen

---

[21] Plat Ep 6, 323 d: τὸν τῶν πάντων θεὸν ἡγεμόνα τῶν τε ὄντων καὶ τῶν μελλόντων, τοῦ τε ἡγεμόνος καὶ αἰτίου πατέρα κύριον ἐπομνύντας. Es entspricht sich θεὸς ἡγεμών u πατὴρ κύριος. Ob κύριος die Stellung des „Vaters" als Familienoberhaupt betonen soll, → A 4?

[22] A Ungnad, Die Religion der Babylonier u Assyrer (1921) 174, ähnlich oft. In Ägypten werden die Götter nicht nur Herren einer Stadt (zB G Roeder, Urkunden zur Religion des alten Ägypten [1915] 5 ob: Amon-Re, Herr von Karnak), sondern auch Herr der Ewigkeit,

Herr des Existierenden (Roeder aaO 5), Herr des Rechts, Herr des Getreides (ebd 7), Aton auch Herr des Himmels, Herr der Erde (ebd 69) genannt. Auch ein uneigentlicher Gebrauch von „Herr" findet sich dort häufig (wie im AT bei בַּעַל), zB Herr der Anbetung (ebd 5 unt). Weiteres A Erman u H Grapow, Wörterbuch der ägypt Sprache II (1928) sv nb.

[23] Ob wohl δεσπότης (δέσποινα) darum in klassischer Zeit auf Gottheiten angewandt werden konnte, weil es an den pater familias, also an den organischen Zshg zwischen Göttlichem u Menschlichem, denken ließ?

persönlich strafend gegenübertreten. Ein Bittgebet an sie ist im Grunde inkonsequent, genau so wie die Tatsache, daß Zeus dann doch wieder als Herr des Schicksals erscheint. Aber das zeigt nur, daß sich auch hier ein anderes Element bemerkbar macht, daß ein Gottesbegriff, in dem die Götter nur die Grundgestalten der Wirklichkeit sind, zerfallen muß.

Die jeweilige Auffassung von dem Herrsein der Götter steht in unlöslichem Zusammenhang mit der jeweiligen Anschauung von den Herrenverhältnissen im ganzen Bereich der Wirklichkeit. Sind die Götter der Sinn der Wirklichkeit, so gilt es in den übrigen Bereichen der Wirklichkeit, diesen Sinn der Wirklichkeit zu finden. Politisch ist die Folge davon die Demokratie, in der jeder einzelne mit dazu beiträgt, den Sinn der Wirklichkeit zu erfassen. Indem der Grieche den Gesetzen „dient" (→ II 265, 33 ff), gibt er sich frei dem Verpflichtenden hin, das er in seiner Vernunft selbst als solches erkannt hat und zu dessen Gestaltung und Bejahung er selbst seinen Teil beigetragen hat. Recht ist aber nicht einfach das, was die Bürger beschließen, sondern es steht über ihnen; das zeigt die oben mitgeteilte Stelle aus Andoc → 1041, 8 f.

So weit auch die hellenistischen Monarchien von der griechischen Demokratie entfernt scheinen und so sehr die Griechen späterhin immer wieder die Proklamierung ihrer „Freiheit" begrüßten, so muß doch betont werden, daß der hellenistische Herrscherkult eine Wurzel im Griechentum hat. Denn im Herrscher hat sich das Göttliche, des die Welt voll ist, in besonderem Maße niedergelassen (→ 68, 24 ff), er bedarf nicht der Zustimmung des Volkes, da dessen Beschlüsse ja doch mit denen des Herrschers, der in besonderem Maße der „Tugend" teilhaft ist, übereinstimmen würden. Er ist θεός, θεὸς ἐπιφανής, νέος Διόνυσος usw, aber nicht κύριος, er steht auch dem Volk nicht gegenüber, ihn beseelt nur in besonderem Maße das Göttliche, das in allen Hellenen lebt. Der hellenistische Herrscher ist νόμος ἔμψυχος [24].

2. Für den **Orientalen** sind die Götter Herren der Wirklichkeit, sie haben das Schicksal in der Hand. Den Göttern gegenüber, die ihn geschaffen, hat der einzelne Mensch persönliche Verantwortung → 1001, 31, wie sie auch strafend in sein Leben eingreifen [25]. Von diesen beiden Gesichtspunkten aus ist es notwendig, daß die Götter dort „Herren" heißen, Herren über die Welt und ihre Teile, Herren über das Schicksal, Herren über die Menschen. Was bei den Griechen das Wesentliche ist, daß sich die Wirklichkeit dem Menschen als göttlich erweist und der Mensch als Freier ihr gegenüber Stellung nimmt, das fehlt hier. Wie die Götter das Recht setzen, so verkündigt es der Herrscher den Untertanen, und diese haben keine andere Möglichkeit, als sich schweigend zu unterwerfen. Hier liegt das, was die Griechen als sklavenhaft empfanden. Aber dafür ist im Orient das Gefühl lebendig, daß die Verwaltung des Rechtes einer persönlichen Autorisierung bedarf. Das führt auf den orientalischen Herrscherkult. Dort ist der König

---

[24] ERGoodenough, The Political Philosophy of Hellenistic Kingship, in: Yale Classical Studies 1 (1928) 55—102.
[25] Vgl die babylonischen Bußpsalmen, zB

Ungnad (→ A 22) 220: „Als ob ich meinen Gott, meine Göttin nicht fürchtete, so ergeht es mir! Zuteil geworden sind mir Schmerz, Krankheit, Untergang und Verderben."

nicht erfaßt als eine neue Erscheinungsform des Göttlichen, sondern die Macht, die er hat, und das Recht, das er verwaltet, stellt ihn über die Menschen und in die Nähe der Götter, denen er seine Stellung verdankt. Als König, als Verwalter des Rechtes, steht der Herrscher über den Menschen und darf darum, 5 weil ihm die Verwaltung des Rechtes von den Göttern übertragen ist, den Menschen unbedingt befehlen, und diese haben ihm ebenso unbedingt zu gehorchen wie den Göttern. Hier steht alles auf dem personhaften Gegenüber von Gott und Mensch.

3. Für die Betrachtung des auf Götter und Herrscher angewandten 10 **hellenistischen** κύριος-**Titels** ist eine Übersicht über das Vorkommen nötwendig.

a. **zeitlich.** Kein auf Götter oder Herrscher angewandtes κύριος (abgesehen von κύριος mit Gen. → 1041, 18 ff; 1042 A 13) geht weiter als in das 1. Jhdt v Chr zurück [26]. Am frühesten ist κύριος in Ägypten für Isis belegt: CIG 4897a (99—90 v Chr): 15 τὸ προσκύνημα ... παρὰ τ[ῇ κυρίᾳ ῎Ισιδι], ähnlich aus dem 1. Jhdt v Chr CIG 4898; 4899; 4904; 4917; 4930 b; 4931; Ditt Or 186. 8 f. Schon 81 v Chr begegnet die Formel προσκυνήσας τὴν κυρίαν θεὰν ῎Ισιν (CIG 4936 d addenda); alles aus Philae. Ebenso heißt es vom Gott Soknopaios (Seknebtynis) schon im 1. Jhdt v Chr: ὡς θέλει ὁ Σεκνεβτῦ[νις] ὁ κύριος θεός (PTebt 284. 5 f). Aus Gizeh stammt die Weihung eines Gebäudes τῷ θεῷ καὶ κυρίῳ 20 Σοκνοπαίῳ (Ditt Or 655; 24 v Chr). Aus Augustus' oder Tiberius' Zeit stammt die syrische Inschrift mit der Formel θεὸς Κρόνος κύριος Ditt Or 606.

Für Herrscher ist κύριος βασιλεύς zwischen 64 und 50 v Chr mehrfach in Ägypten belegt (BGU 1767, 1; 1768, 9; 1816. 3. Ditt Or 186. 8); aus 52 v Chr wird von Festen τοῖς κυρίοις θεοῖς μεγίστοις gesprochen. womit Ptolemaeus XIII. und seine Mitregenten 25 gemeint sind SAB (1902) 1096; ähnlich CIG 4717 Z 25 und ebd Z 29: θύειν τοῖς κυρίοις θεοῖς (45—37 v Chr). von Baudissin freilich auf Götter gedeutet ([→ Lit-A] II 285); BGU 1834. 6 f nennt sich der Schreiber „Oberstiefelwart" τῶν θεῶν καὶ κυρίων βασιλέων (51/50 v Chr), vgl BGU 1764. 8 (διὰ τὴν τύχην τοῦ θεοῦ καὶ κυρίου βασιλέως). Ebenfalls in Ägypten wird Augustus 12 v Chr θεὸς καὶ κύριος Καῖσαρ Αὐτοκράτωρ genannt (BGU 1197 I 15, 30 allerdings zT ergänzt); BGU 1200. 10 ff: εἰς τὰς] ὑπὲρ τοῦ θε[οῦ] καὶ κυρίου Αὐτοκράτορος Κα[ίσαρος καθηκούσας] θυσίας καὶ σπονδάς, POxy VIII 1143, 4: θυσίας καὶ σπονδὰς ὑπὲρ τοῦ θεοῦ καὶ κυρίου Αὐτοκράτορος (1 n Chr); Herodes der Große wird Ditt Or 415 βασιλεύς ῾Ηρῴδης κύριος genannt: ähnlich Agrippa I. und II. κύριος βασιλεύς ᾽Αγρίππας (Ditt Or 418: 423; 426) und βασιλεὺς μέγας ᾽Αγρίππας κύριος (Ditt Or 425; Hondius [→ A 26] VII 35 [1934] 970 B); in Oberägypten heißt die Königin Kandake ἡ κυρία βασίλισσα (13 v Chr), Mitteis-Wilcken I 2, 4. Ein ptolemäischer στρατηγός heißt BGU 1819, 2: ὁ κύριος στρατηγός (60/59 v Chr) und ebd 1838, 1: ὁ θεότατος καὶ κύριος στρατηγός (51/50 v Chr).

Demzufolge taucht κύριος in Ägypten innerhalb eines Menschenalters in Anwendung auf Götter, Herrscher und hohe Staatsbeamte auf. Da wir eine nicht unbeträchtliche 40 Anzahl griechischer Dokumente jeglicher Art aus den vorhergehenden Jahrhunderten aus Ägypten haben. in denen κύριος in dieser Anwendung fehlt. ist nicht zu vermuten, daß Lückenhaftigkeit unseres Quellenmaterials uns ein wesentlich falsches Bild von dem Zeitpunkt des Aufkommens von κύριος in diesen Zusammenhängen gibt, oder daß neue Funde dies Bild wesentlich ändern werden.

45 Wenn es auch grundsätzlich für **Syrien** anders liegen könnte. da dort griechische sakrale Inschriften aus dem 3. und 2. vorchristlichen Jhdt fehlen (Baudissin [→ Lit-A] II 258), so wird doch wohl tatsächlich auch in Syrien das griechische κύριος nicht vor dem 1. Jhdt v Chr auf Götter und Herrscher angewandt worden sein. Das älteste syrische Zeugnis für das zur Rede stehende κύριος ist die oben mitgeteilte Inschrift Ditt 50 Or 606, in der außer Kronos auch das kaiserliche Haus so genannt wird: ὑπὲρ τῆς

[26] Zwei thrazische Inschr, eine mit (κυρ)ίῳ Διί, die andere mit (κυ)ρίῳ ᾽Ασκληπιῷ, sollen nach JJEHondius, Supplementum Epigraphicum Graecum III (1929) Nr 510 u 511 aus dem 3 Jhdt v Chr stammen. Da ist aber, wie aus Revue des études anciennes 26 (1924) 32 u ebd A 1 u 2 hervorgeht, ein Irr- tum oder Druckfehler (III a statt III p); sie stammen aus dem 3. Jhdt n Chr. — Recht unsicher muß die Ergänzung einer Inschr aus Susa von ca 200 v Chr heißen (ebd VII [1934] Nr 18): [ἀφιέρωσεν κυρίᾳ ᾽Αρτέμιδι (?) Ν]αναίᾳ.

τῶν κυρίων Σεβαστῶν σωτηρίας, Z 1 f. Dieser Tatbestand ist dahin zu deuten, daß erst im 1. Jhdt v Chr der Gegenstoß des Orients begann, der die orientalische Herrenvorstellung auch in griechische Form goß.

Auffällig ist, daß κύριος fast sofort in enger Verbindung mit den Substantiven θεός, βασιλεύς, στρατηγός (ohne dazwischenstehendes καί) begegnet. Dieser Sprachgebrauch 5 kann unmöglich den Anfang bilden, sondern er bezeichnet ein Ende. Da er aber kein Ende eines griechischen Sprachgebrauchs ist, so muß er Umformung eines schon länger bestehenden ägyptisch-syrischen Sprachgebrauchs sein. Dort ist das κύριος entsprechende Wort ohne Kopula mit Begriffen wie Gott oder König verbunden gewesen (→ 1052, 31). 10

b. Was nun die örtliche Verbreitung des Gebrauchs von κύριος für Götter anbelangt, so beginnen wir zweckmäßig mit Ägypten. Je einmal erhalten dieses Prädikat Ammon, Anubis, Apoll, Asklepios, die Dioskuren, Horogebthios, Priotos, Rhodosternos, Sruptichis, 2mal Soknopaios, 3mal Pan, 4mal Bes, 9mal Mandulis, 16mal Hermes, je 38mal Sarapis und Isis [27]. Außerhalb Ägyptens finden wir 15 sicher ägyptische Götter κύριος genannt: Sarapis 1mal in Kleinasien, 2mal in Kreta, 1mal in Italien, Helios 1mal in Spanien, Isis 2mal in Kleinasien, 1mal in Rom. Außerdem ist nach POxy XI 1380 κυρεία der offizielle Name für Isis in Heracliu Pelagos (Z 61 f), ebd wird sie auch κυρία ʼΙσι angeredet (Z 142) und oft κυρία mit dem Genitiv des beherrschten Bereichs genannt; ähnlich Z 210 f u 265 f Horus und Hermes. Ebenso spricht 20 Plut von Osiris 1046, 20 ff, und im Isishymnus von Cyrene [28] nennt sich Isis 4mal κυρία mit dem Gen eines Subst. Von den 119 Malen, die ich für κύριος in Ägypten zähle, steht es 95mal in der Wendung τὸ προσκύνημά τινος ποιεῖν παρὰ τῷ κυρίῳ (τῇ κυρίᾳ) und dem nachfolgenden Namen der Gottheit oder ähnlichen Wendungen, die sich auf ein προσκύνημα beziehen. 25

In Syrien ist κύριος zu belegen je 1mal für Balmarkos, ʼΟαου, Echo, Jupiter Heliopolitanus, Marnas, je 2mal für Atargatis, Dionysos, Kronos, Nemesis, 4mal für Artemis, 5mal für Πατρίς, 7mal für Athene, 12mal für Zeus. Dazu aus Arabien je ein Beleg für Ameros und Athene. Sicher syrische Gottheiten erhalten außerhalb Syriens den Titel κύριος (κυρία): je 1mal Athene (Allat) und Helios in Spanien. 30

In Kleinasien ist κύριος (κυρία) belegt je 1mal für Asklepios, Hermes, Sarapis, Tiamos, Zeus, je 2mal für Helios, Isis, Sabazios und Apoll, 3mal für Nemesis, 4mal für Πατρίς, 13mal für Artemis. Die ephesinische Artemis ist einmal in Italien κυρία genannt, außerdem ist sie wohl noch auf zwei weiteren Inschriften aus Italien gemeint, die die κυρία ῎Αρτεμις (ohne ʼΕφεσία) nennen. 35

Außerdem begegnet κύριος (κυρία) ohne Götternamen noch 4mal in Syrien und dort 1mal die Wendung: θεῷ οὐρανίῳ πατρῴῳ τῷ κυρίῳ [29], ferner mehrfach in Ägypten die Wendung ὁ κύριος θεός.

Als Gegenprobe sei darauf hingewiesen, daß Jupiter Heliopolitanus nur 1mal, Jupiter Dolichenus keinmal κύριος heißt. 40

Das bedeutet, daß κύριος als Götterprädikat so gut wie nicht gewandert ist, sondern da und nur da üblich ist und geblieben ist, wo es einheimischem, nichtgriechischem Gebrauch entsprach. Das auf Götter angewandte κύριος ist also im Grunde Übersetzung fremden Sprachgebrauchs und nicht mehr. Dem entspricht, daß, gemessen an dem vielfältigen Gebrauch 45

---

[27] Die hier u im folgenden gegebenen Zahlen erheben keinen Anspruch auf Vollständigkeit; das Material, aus dem sie gewonnen sind, dürfte aber so umfangreich sein, daß sich schwerlich die daraus gewonnenen Folgerungen als falsch erweisen dürften. Grundlage der Zählung ist die Liste von Drexler (→ Lit-A), ergänzt durch das Material aus PAmh, PFay, PGieß, PHibeh, POxy I—XVII, PTebt, BGU, Hondius (→ A 26) uam.

[28] WPeek, Der Isishymnus von Andros und verwandte Texte (1930) 122 ff.

[29] In Anmerkung seien die Zahlen für Thrazien gegeben: dort heißen κύριος: je 1mal Artemis, Dionysos, die Dioskuren, Helios, Heracles, Pluto, 2mal Sabazios, je 3mal

Apollo und Hera, 4mal Asklepios, 5mal Zeus, je 6mal ῞Ηρως und die Nymphen, 1mal κύριος θεός ohne Namen. Als einziger Beleg aus Griechenland selbst ist in Sparta einmal Πατρίς κυρία genannt. Die gnostischen Belege sind nach dem Vorgang von Baudissin (→ Lit-A) II 270 A 2 nicht herangezogen, aber ebenso auch nicht die Zauberliteratur, in der sich sicher manches Alte erhalten hat, in der aber die verschiedensten Einflüsse kreuzen. Auch κύριος in astrologischen Texten, deren Heranziehung EPeterson fordert (Byzantinisch-Neugriech Jbcher 5 [1926/27] 224) führt uns, wie aus dem Gang der Untersuchung deutlich wird, nicht weiter.

von אדון auf semitischen Inschriften, auf syrischen griechischen Inschriften die Zahl der zu erwartenden κύριος-Belege erheblich größer sein müßte. Griechisches κύριος ist verhältnismäßig seltener in Syrien angewandt als seine semitische Entsprechung, die Verfasser griechischer Inschriften in Syrien haben also κύριος vielfach gemieden [30].

c. Der Sinn und Inhalt des auf Götter angewandten κύριος muß nach dem Gesagten im Wesentlichen aus dem einheimischen Sprachgebrauch erhoben werden. Immerhin lassen auch die griechischen Zeugnisse schon eine gewisse Richtung deutlich erkennen.

Zunächst will das Prädikat κύριος nicht große oder herrschende Götter von anderen, untergeordneten unterscheiden [31]. In Syrien hat eine solche Unterscheidung überhaupt keine Stelle und in Ägypten werden auch wenig bedeutende lokale Gottheiten κύριος genannt [32]. Auch ist es nicht ein Kreis von besonders im Kult verehrten Gottheiten, der so genannt wird. Vielmehr weisen die Beobachtungen dahin, daß κύριος der persönlichen Beziehung eines Einzelnen zu einem Gott Ausdruck gibt. Für Ägypten mag sich so zunächst die auffällige Häufung von κύριος bei den προσκυνήματα erklären, die ja ein Gebet oder eine Fürbitte darstellen. Dann begegnet κύριος besonders in Dankinschriften: für die ephesinische Artemis ist κυρία nur in der Verbindung εὐχαριστῶ σοι, κυρία Ἄρτεμι belegt [33], ähnlich aber auch bei ägyptischen Göttern: εὐχαριστῶ τῷ κυρίῳ Σεράπιδι, ὅτι μου κινδυνεύσαντος εἰς θάλασσαν ἔσωσε εὐθέως [34], von Mandulis: εὐχαριστῶ τῷ κυρίῳ, ὅτι (CIG 5070), von Hermes [35] und der Νέμεσις [36], sowie mit etwas anderer Formulierung bei den Dioskuren [37]. Im Bittgebet wird Sarapis κύριε Σάραπι angeredet [38], dieselbe Anrede ist bei Orakelanfragen belegt [39] und bei der Aufforderung an Helios zur Rache [40]. Eine persönliche Beziehung zu einem nicht genannten Gott liegt auch vor in der Inschrift καθαρμοῖς κὲ θυσίαις ἐ[τίμησα τὸν κ]ύριον ἵνα μυ (= μοι) τὸ ἐμὸν σῶ[μα σῴζ]ει (= σῴζοι) [41] und wohl auch in jener bekannten Einladung zur κλείνη τοῦ κυρίου Σαράπιδος [42] wie dem ἐγκατοχήσας τῷ κυρίῳ Σαράπιδι [43]. In Syrien begegnet κύριος als Gottesname sehr oft in der Widmung von Weihdenkmälern, in der der Urheber des Denkmals seine persönliche Beziehung zu diesem Gott ausspricht. Dagegen wird κύριος in Zusammenhängen, aus denen eine persönliche Beziehung zur Gottheit nicht ohne weiteres hervorgeht, nur selten gebraucht [44]. Es bleibt dann, neben Texten, deren Zusammenhang nicht recht deutlich ist, noch eine Gruppe von Inschriften mit κύριος, in der ihr Urheber sich als unter einem Befehl der Gottheit stehend, die er κύριος nennt, bezeichnet: Λούκιος . . . πεμφθεὶς ὑπὸ τῆς κυρίας Ἀταργάτης [45]; κατ' ἐπι-

---

[30] Eine Stichprobe möge das zeigen. In dem Teil des großen Werkes von PhLeBas-WHWaddington, Inscriptions grecques et latines recueillies en Grèce et en Asie Mineure III (1870), der die syrischen Inschr umfaßt (Nr 1826—2677), kommt für Zeus 6mal κύριος vor, aber 5mal heißt er nur Ζεύς, 1mal θεὸς Ζεύς; 1mal Ζεὺς Κεραύνιος, 1mal Ζεὺς ὕψιστος, 5mal Ζεὺς ὕψιστος καὶ ἐπήκοος, 5mal hat er verschiedene andere Beinamen. Athene freilich heißt dort 5mal κυρία Ἀθηνᾶ u nur 1mal θεὰ Ἀθηνᾶ u 2mal Ἀθηνᾶ. Insgesamt stehen 20 κύριος-Stellen 100 sonstige Benennungen eines Gottes gegenüber.
[31] Baudissin aaO II 271 ff.
[32] Vgl die obige Zusammenstellung.
[33] BMI 578 c; 580; 582 a; 586 a; 587 b; 588; 588 b; 590; Hondius (→ A 26) IV (1930) 535, 9 f.
[34] BGU 423, 6 ff (2. Jhdt n Chr).
[35] PGiess 85, 6 f: τοιουτό σοι μόνῳ εὐχαριστῶ παρὰ τῷ κυρίῳ Ἑρμῆ (Trajan/Hadrian).
[36] Hondius (→ A 26) VII (1934) 804: τῇ κυρίᾳ Νεμέσι . . . ἀνέθηκα εὐχαριστῶν (1/2. Jhdt n Chr).
[37] LHeuzey-HDaumet, Mission Archéologique de Macédoine (1876) 407 Nr 185 (Drexler [→ Lit-A] 1760): πα]ρὰ [τ]οῖς κυρ[ίοις Διοσκού]ροις ἐμν[ήσθη] Σωτήριχ[ος].

[38] κύριε Σάραπι, δὸς νείκην, das Weitere ist nicht gesichert. St bei Drexler (→ Lit-A) 1763; CIG 4710 (Lycopolis): κύριε Σάραπι, δὸς αὐτῷ τὴν κατεξουσίαν κατὰ τῶν ἐχθρῶν αὐτοῦ (Grabinschrift); CIG 4712 b: ἀντιλαβοῦ, κύριε Σάραπι . . .; ein ungenannter Gott ist angeredet: κύριε, βοήθει τὸν δοῦλόν σου Βαρι . . . HBöhlig, Die Geisteskultur von Tarsos . . . (1913) 55 A 8.
[39] POxy VIII 1148, 1 (1. Jhdt n Chr): κύριέ μου Σάραπι Ἥλιε εὐεργέτα; PFay 138 (1/2. Jhdt n Chr. Dioskuren).
[40] JHS 5 (1884) 253 Nr 4; Hondius (→ A 26) VI (1932) 803.
[41] JHS 8 (1887) 388 Nr 17.
[42] POxy I 110; III 523; XII 1484; XIV 1755 (1./2.—2./3. Jhdt n Chr).
[43] CIG 3163 (Smyrna).
[44] ZB LeBas/Waddington (→ A 30) 1879: ἐθεμ[ελιώθη] . . . ἐκ τῶν τοῦ κυρίου Διὸς (προσόδων); Hondius (→ A 26) II (1925) 830, 3 ff: ᾠκοδομήθησαν . . . ἐκ τῶν τοῦ κυρίου Διός, so auch ebd 832 (3. bzw 4. Jhdt n Chr). Ich zähle insgesamt 13 solcher St, an denen eine pers Beziehung des Redenden zu dem κύριος genannten Gott nicht sichtbar wird.
[45] LeBas/Waddington (→ A 30) 1890.

ταγὴν τῆς κυρίας Ἀρτέμιδος [46]; ἐπικέκριταί μοι μὴ καταβῆναι ἕως τῆς κε, καὶ ὡς θέλει ὁ Σεκνεβτῦνις ὁ κύριος θεὸς καταβήσομαι ἐλευθέρως [47].

Besonders ist also κύριος gebräuchlich als Ausdruck einer persönlichen Beziehung des Menschen zur Gottheit, die sich in Bitte, Dank und Gelübde ausdrückt, und als Korrelat zu δοῦλος, womit der Betreffende den Gott, den er 5 κύριος nennt, als seinen Gebieter anspricht. Von diesem ganzen Gedankenkreis ist nun aber nicht zu trennen die Macht der Götter über die Natur oder Teile von ihr. Es wird nicht zufällig sein, daß bei Isis und Sarapis, die beide am häufigsten κύριος (κυρία) heißen, uns auch die Idee der Herrschaft über die Natur und das Schicksal am eindrücklichsten entgegentritt. Für Isis ist etwa 10 auf POxy XI 1380, 121ff, den Hymnus von Cyrene (→ A 28) und auf Apul Met XI 5 hinzuweisen, für Sarapis auf die Sarapis-Aretalogien [48]. Das Moment der Macht tritt endlich bei κύριος im hermetischen Schrifttum beherrschend hervor [49].

Damit ist vom Griechischen her ein ähnliches Resultat erreicht, wie es Baudissin 15 in ausführlicher Besprechung des entsprechenden semitischen Wortes als dessen Sinn analysiert hat. κύριος entspricht nämlich nicht semitischem בעל, sondern phönizisch-kanaanäischem אדון Fem רבת und aramäischem מרא. Diese Worte werden als Epitheta häufig einem Gottesnamen vorangestellt, wie das hellenistische κύριος auch, und zwar werden sie durchgängig mit einem Personalsuffix verbunden, das sich auf den 20 Verehrer des Gottes bezieht und gelegentlich als Genitiv eines Personalpronomens auch zu dem griechischen κύριος als Gottesnamen hinzutritt [50]. Die persönliche Beziehung, die sich in diesem Personalsuffix bzw Personalpronomen ausdrückt, fehlt bei den Griechen und Römern [51]. Das hängt mit dem oben besprochenen Gesamtunterschied der orientalischen und griechischen Frömmigkeit zusammen. Daß das 25 Korrelat zu diesem Herrenbegriff „Knecht“, griechisch δοῦλος ist, zeigen einige Inschriften (→ 1050, 31ff), zeigt für den Bereich des Semitischen die häufige Verwendung von עבד in theophoren Personennamen. Es ist nun nicht möglich, in dem mit dem Gottesnamen verbundenen „Herr“ nur das Moment persönlicher Zugehörigkeit und nicht auch das Moment der persönlichen Autorität, die der Verehrer seinem Gott zu- 30 schreibt und der auf seiner Seite Willensunterwerfung entspricht, herauszuhören. Ferner ist es nicht möglich, das Moment der Macht von dem der Größe so zu trennen, wie es Baudissin einmal ausspricht [52]. Wenn alle anders als mit „Knecht“ gebildeten theophoren semitischen Personennamen etwas aussagen, was der Gott zum Heil seiner Verehrer getan hat oder tun will, oder eine Eigenschaft benennen, auf die sich die 35 Gewißheit oder Hoffnung des Eintretens der Gottheit für den Verehrer begründet [53], so liegt doch darin eingeschlossen, daß der Gott die Macht hat, so für seinen Knecht zu handeln. Ob dabei sein Machtbereich sich vielleicht nur auf das erstreckt, wovon

[46] Hondius (→ A 26) III (1929) 691 (Mytilene).
[47] PTebt 284, 2ff (1. Jhdt v Chr). Vgl auch die nabatäische Inschr mit עלימי מראנא, Rev Bibl 42 (1933) 415 Nr 5.
[48] OWeinreich, Neue Urkunden z Sarapis-Religion (1919).
[49] Die inhaltliche Füllung von κύριος im Corp Herm (I 6; V 2; XIII 17. 21) ist nicht so deutlich wie in der übrigen hermetischen Literatur, in der es mit Allheitsbezeichnungen verbunden wird: ὁ τῶν ὅλων κύριος, Κόρη Κόσμου 25; πάντων κύριος fr 12. 23. 24. 29, 33; Herr und aller Schöpfer: Ascl I 8; fr 32; pater omnium vel dominus Ascl III 29 b; summa vero gubernatio summo illi domino paret, Ascl III 19 c; bes Ascl III 20 a: deus etenim vel pater vel dominus omnium quocumque [alio] nomine ... nuncupatur ... Non enim spero totius maiestatis effectorem om-

niumque rerum patrem vel dominum uno posse quamvis e multis conposito nuncupari nomine. Zusammenstellung von deus und pater auch Ascl III 22 b, 23 b, 26 a (letztere Stelle: ille dominus et pater, deus primipotens et unius gubernator dei). (Zitate nach Corp Herm ed WScott [1924].)
[50] ἐκ τῶν τοῦ κυρίου αὐτῶν θεοῦ Ἀμέρου, Hondius (→ A 26) VII (1934) 1069, 7 (Arabien); ἀπὸ τοῦ κυρίου ἡμῶν Ἑρμοῦ καὶ Ἀσκληπιοῦ (Theben, 138 n Chr, PPar 19, 5); κύριέ μου Σδραπι → A 39.
[51] Baudissin (→ Lit-A) III 556 u A 1.
[52] Ebd 631: „In der Benennung des Gottes als des Herrn kommt zum Ausdruck das Sichbeugen des Menschen unter eine Macht, der er widerstandslos gegenübersteht, als unter eine Größe, der gegenüber ihm nur zusteht sich bescheidende Ehrfurcht.“
[53] Ebd 527.

die Lebensentfaltung des Verbandes oder einzelner Glieder desselben abhängig ist [54], ist dabei unwesentlich, wenn es auch für die Zeit des NT wichtig ist, daß die Macht des Gottes immer weiter ausgedehnt wird und in Palmyra sich die Gottesbezeichnung מרא עלמא und כל מרא findet [55]. Und wenn auch für den Orientalen sich die Macht des Herrschers in den ältesten Zeiten nicht im Herrschen, sondern im Richten äußert [56], so setzt die Verwaltung des Rechtes doch eine Autorität voraus, der Folge geleistet wird, dh aber doch tatsächlich „Macht". „Die übergeordnete Stellung als die überragende schließt überall die Macht dessen ein, der sie inne hat [57]." Wohl aber muß uns die Verbindung eines Personalsuffixes mit der Herrenbezeichnung nachdrücklich darauf aufmerksam machen: es „gewährt doch, und schon in primitiven Zuständen, sein (des Sklaven) Verhältnis zum Herrn als dessen Eigentum die Garantie des Schutzes gegen Gefährdung durch andere [58]".

Das hbr בעל bezeichnet mehr den Besitzer, dagegen אדון den Herrn mehr als denjenigen, der die Gewalt hat [59]. Baethgen formuliert: „Der Herr heißt im Verhältnis zum Sklaven בעל, insofern er der Besitzer des Sklaven ist; er heißt אדון, insofern er mit diesem Besitz verfügen kann, wie er will [60]." Dann ist der Unterschied beider Worte dem von δεσπότης und κύριος verwandt und κύριος ist sprachlich das gegebene Äquivalent für אדון.

Vielleicht liegt für das Ägyptische die Verbindung der Herrschaft der Gottheit über die Natur oder über Teile von ihr und der sprachliche Ausdruck davon im Begriff des Herrn noch häufiger vor. Es wird so sein, daß die Übertragung von κύριος auf Götter auf grund eines einheimischen, nichtgriechischen Sprachgebrauchs in Ägypten und in Syrien sich unabhängig voneinander vollzogen hat; die Annahme von Baudissin, daß dieser Gebrauch von κύριος als Gottesepitheton von Syrien nach Ägypten gekommen sei, ist sehr unwahrscheinlich [61]. Dazu hat Baudissin verführt die irrige Annahme, in Ägypten sei „Herr" nie „für sich alleinstehendes oder mit einem Pronominalsuffix verbundenes Epitheton [62]", für die er sich auf eine offenbar mißverstandene Auskunft Ermans beruft [63]. In Wirklichkeit ist die Verbindung von nb (Herr) und (seltener) nb.t (Herrin) nicht nur mit einem Genitiv, sondern auch mit Personalsuffix „der normale, zu allen Zeiten belegte Gebrauch". „Der Gebrauch mit Suffix der 1. Pers ‚mein Herr‘ als Anrede, ‚o mein Herr Re‘, ‚o König mein Herr‘ usw ist naturgemäß besonders häufig, aber auch mit allen anderen Suffixen wird nb (nb.t) verbunden: ‚dein Herr‘, ‚seine Herren‘, ‚unser Herr‘, ‚eure Herrin‘ usw [64]." Damit entspricht der ab 1. Jhdt v Chr in Ägypten belegte Gebrauch von κύριος (→ 1048, 14 ff) altem einheimischem Sprachgebrauch, bei dessen Übertragung ins Griechische, griechischem Sprachempfinden gemäß, das Personalsuffix in Wegfall kam [65].

Das mit einem Genitiv des Herrschaftsbereichs verbundene κύριος [66] und das κύριος, das als Epitheton zum Gottesnamen hinzutritt, und dessen Personalsuffix bei der Übertragung ins Griechische meist verloren ging, sind also trotz deutlichen Unterschiedes sachlich nicht zu trennen.

d. Die frühesten Belege für das auf Herrscher angewandte κύριος haben wir oben schon kennengelernt. Ganz außer Betracht bleiben muß die ägyptischer Titulatur entnommene Wendung κύριος βασιλειῶν und κύριος τριακονταετηρίδων (→ 1045, 13). Dies ist eine dem fremden Sprachgebrauch angepaßte, für Griechen als uneigentlich empfundene Ausdrucksweise.

[54] Ebd 625.
[55] Ebd 684 f.
[56] Ebd 613 ff.
[57] Ebd 620.
[58] Ebd 526.
[59] Ges-Buhl sv אדון. GDalman, Der Gottesname Adonaj u seine Geschichte (1889) 10 f.
[60] FBaethgen, Beiträge z semitischen Religionsgeschichte (1888) 41.
[61] Baudissin aaO II 266—269.
[62] Ebd 266.
[63] Ebd 267 A 1.
[64] Auskunft von HGrapow.
[65] Der Gebrauch von „Herr" ohne Gen oder Suffix ist freilich „gegenüber der Riesenmenge von Belegen aller Zeiten für den Gebrauch mit Gen bzw Suffix verhältnismäßig selten". Er beschränkt sich auf a. den Vorgesetzten, bes im Briefstil (seit dem mittleren Reich, im Briefstil später durch „mein Herr" ersetzt) b. auf den König (Statue des Herrn, beim Leben des Herrn schwören, seit dem mittleren Reich) c. auf Götter, mehrfach, aber nicht häufig, ab etwa 500 v Chr, besonders von Osiris. [HGrapow.] — Zum Ganzen s Erman-Grapow (→ A 22).
[66] Belege besonders zahlreich für Isis, → 1049, 19 ff.

Die → 1048, 23—38 gegebenen Belege für Wendungen wie κύριος θεός, κύριος βασιλεύς, κύριος Καῖσαρ und θεός καί κύριος βασιλεύς ua hören spätestens unter Tiberius auf (Ditt Or 606: ὑπὲρ [τ]ῆ[ς] τῶν κυρίων Σε[βαστῶν] σωτηρίας stammt aus des Augustus oder des Tiberius Zeit). Diese im Orient zu belegenden Wendungen sind Übertragungen einheimischen Sprach- 5 gebrauchs und haben ihre Parallelen daran, daß auch der στρατηγός ähnlich genannt (→ 1048, 36f) und auch von priesterlichen Vorgesetzten ὁ θεὸς καὶ κύριος gebraucht wird[67]. Im semitischen Bereich können wir für die Ptolemäer die Formel אדן מלכם belegen[68].

Statt dessen begegnet in der Kaiserzeit κύριος statt in feierlichen und aus- 10 geführten Formeln gerade als kurze Zusammenfassung der Stellung des Kaisers in unbetonten Wendungen, besonders Datierungen.

Ältester Beleg ist POxy I 37, 5f: ζ (ἔτους) Τιβερίου Κλαυδίου Καίσαρος τοῦ κυρίου und ein gleichzeitiges Ostrakon[69]. Für Nero bietet POxy II 246 einen interessanten Beleg: der Kleinbauer datiert dort seine Meldung nach dem Jahre Νέρωνος Κλαυδίου Καίσαρος Σεβαστοῦ 15 Γερμανικοῦ Αὐτοκράτορος und gebraucht dieselbe Formel bei der Beeidigung seiner Angaben (Z 11f. 24f). Die drei bescheinigenden Beamten aber datieren nach dem Jahr Νέρωνος τοῦ κυρίου bzw Νέρωνος Καίσαρος τοῦ κυρίου (Z 30. 33. 36). Diese Art zu datieren beginnt auf den Ostraka eigentlich mit Nero und wird seitdem dort immer mehr vorherrschend[70]. In den längeren, offiziellen Kaisernamen tritt κύριος vereinzelt schon 20 unter Nero auf: PLond 280, 6 τοῦ κυρίου Νέρωνος Κλαυδίου Καίσαρος Σεβαστοῦ Γερμανικοῦ Αὐτοκράτορος, vgl Ditt Syll³ 814, 55: εἰς τὸν τοῦ κυρίου Σεβαστοῦ [Νέρωνος οἶκον]. Gebräuchlicher aber wird der Zusatz von κύριος zum vollen Namen des Kaisers ab Trajan. Zu κύριος tritt dann in steigendem Maße ἡμῶν: Ditt Or 677, 1ff: ὑπὲρ τῆς τοῦ κυρίου Αὐτοκράτορος Καίσαρος Νέρουα Τραιανοῦ Ἀρίστου Σεβαστοῦ Γερμανικοῦ Δακικοῦ 25 τύχης, PGiess 7, 10ff: ἐπεὶ οὖν ὁ κύριος ἡμῶν Ἀδριανὸς Καῖσαρ Σεβαστὸς Γερμανικὸς Δακικὸς Παρθικὸς ἐκούφισεν τῶν ἐνχωρίων τὰ βάρη … Weiterhin heißt es: ἐκ τῶν τοῦ κυρίου ἐντολῶν προνοούμενος, ebd 2 21f; ebd 6 II 11ff: κατὰ τὴν τοῦ κυρίου Ἀδριανοῦ Καίσαρος εὐεργεσίαν. Dieses langsame Eindringen von κύριος in die Kaiserbezeichnungen ist unabhängig von dem wechselnden Maß, in dem die Kaiser sich göttliche 30 Ehren zuerteilten oder zuerteilen ließen; nach der Herrschaft des Nero und des Domitian, die in dieser Beziehung einen Höhepunkt darstellten, verschwindet die genannte Verwendung von κύριος nicht, nimmt auch nicht an Häufigkeit ab. Obwohl Domitians dominus ac deus noster nach seinem Tode verabscheut wurde, verschwindet weder auf den Ostraka die kurze Formel mit κύριος noch sonst κύριος bei dem vollen Namen. 35 Es ist also von Nero ab eine stetige Zunahme dieses Gebrauchs von κύριος wahrzunehmen.

Neben diesem κύριος mit dem Namen des Kaisers steht das absolut gebrauchte κύριος, für das einer der ersten Belege Ag 25, 26 ist: περὶ οὗ ἀσφαλές τι γράψαι τῷ κυρίῳ οὐκ ἔχω[71]. Auch das Adj κυριακός = kaiserlich ist hier zu nennen, das in der 40 Verwaltungssprache üblich ist[72].

Bei Beginn der Kaiserzeit spielt das Wort dominus (κύριος) aber auch noch eine andere Rolle. Wenn wir der Formulierung des Plut Glauben schenken dürfen, ist Cassius in Rhodus als βασιλεὺς καὶ κύριος begrüßt worden, lehnt es aber ab mit den Worten: οὔτε βασιλεὺς οὔτε κύριος, τοῦ δὲ κυρίου καὶ βασιλέως φονεὺς καὶ κολαστής 45

---

[67] BGU 1197 I 1 (5/4 v Chr); 1201, 1 (2 n Chr).

[68] Baethgen (→ A 60) 41.

[69] Deißmann LO 301.

[70] Deißmann LO 301 u PViereck, Griech u griech-demotische Ostraka der Universitäts- u Landesbibliothek zu Straßburg I (1923) Regist: für Nero 8mal die längere Formel, 15mal Νέρων ὁ κύριος, für Vespasian 3mal nur Name, 1mal längere Formel, 8mal Οὐεσπασιανὸς (Καῖσαρ) ὁ κύριος, Domitian: 8mal nur Name, 4—5mal Δομιτιανὸς ὁ κύριος, 3mal Δομιτιανὸς Καῖσαρ ὁ κύριος, Nerva: 3mal Νέρουας (ὁ) κύριος, Trajan: je 1mal Τραιανός

und Τραιανὸς Ἄριστος, je 17mal Τραιανὸς Καῖσαρ ὁ κύριος und Τραιανὸς ὁ κύριος, 1mal Τραιανὸς Ἄριστος Καῖσαρ ὁ κύριος.

[71] Belege bes aus Syrien: LeBas/Waddington (→ A 30) 2640 (115 n Chr, Durbah); 2186 (178 n Chr, Djenîn); 2481 (Zor'a); FLukas, Repertorium der griech Inschr aus Gerasa, in: Mitteilungen u Nachrichten des Deutschen Palästina-Vereins 7 (1901) 68 Nr 54 (Hadrian); ebd 71 Nr 71; ferner Ditt Syll³ 880, 8 (Pizos, 202 n Chr); PGieß 3, 12 (Hadrian); 7, 21f (→ Z 27f); PTebt 286, 10 und Münzen und Akklamationen, → A 76.

[72] Belege bei Foerster (→ Lit-A) 115 A 3.

(→ 1043, 40 f), und Brutus spielt ebenfalls auf Cäsar an, wenn er sagt: οἱ δὲ πρόγονοι ἡμῶν οὐδὲ πράους δεσπότας ὑπέμεινον (→ 1043, 41 f). Hier wird mit κύριος und δεσπότης eine orientalisch geartete Monarchie abgelehnt. So hat sich Cäsars Erbe Augustus nicht dominus nennen lassen. Sueton sagt [73]: Domini appellationem ut maledictum et opprobrium semper exhorruit. Cum spectante eo ludos pronuntiatum esset in mimo: O dominum aequum et bonum! et universi quasi de ipso dictum exultantes comprobassent, et statim manu vultuque indecoras adulationes repressit et insequenti die gravissimo corripuit edicto; dominumque se posthac appellari ne a liberis quidem aut nepotibus suis vel serio vel ioco passus est, atque eius modi blanditias etiam inter ipsos prohibuit. Ähnlich ist die Haltung des Tiberius, von dem Dio C den Ausspruch überliefert hat (57, 8, 2): δεσπότης μὲν τῶν δούλων, αὐτοκράτωρ δὲ τῶν στρατιωτῶν, τῶν δὲ δὴ λοιπῶν πρόκριτός εἰμι. In diesen Stellen ist „Herr" ein bestimmter Begriff einer absoluten Stellung eines Monarchen, der auch eine staatsrechtlich faßbare Seite hat.

Das Besondere der Situation der römischen Kaiserzeit ist nun aber, daß sich unter einer verhüllenden verfassungsmäßigen Decke tatsächlich die absolute Monarchie durchsetzte, für deren Träger der Orient stets den Ausdruck „Herr" gebraucht hat. Schon die von Sueton berichtete Szene unter Augustus zeigt, wie sehr das Wort hierfür auch in Rom in der Luft lag. Die oben gegebene Darstellung des Aufkommens des Wortes κύριος als kurzen Ausdrucks für den Kaiser zeigt, wie sich, unbeschadet der offiziellen Gegenwehr der meisten Kaiser, das Wort „Herr" doch langsam, aber sicher durchsetzte, zeigt aber zugleich, daß es in diesen Wendungen nicht „mit Hochton" gesprochen wurde. Mit dem Kaiserkult hat das Wort κύριος ebenso wie das Adj κυριακός zunächst an sich gar nichts zu tun. Es gibt keine Stelle, in der ein auf römische Kaiser angewandtes κύριος für sich allein den Kaiser als Gott bezeichnet. Der Priester des Kaisers heißt so gut wie nie ἱερεὺς τοῦ κυρίου [74]. Ähnlich ist es mit der Formel des Eides beim Kaiser [75], den Münzinschriften und meist auch mit den Akklamationen [76]. Auf den privaten Hausaltären des Hadrian in Milet, die anscheinend einmal „in jedem milesischen Bürgerhaus" gestanden haben, fehlt κύριος [77]. Das auf die Kaiser angewandte κύριος hat mit dem oben besprochenen Gottesprädikat κύριος gar nichts zu tun.

Die Schwierigkeit liegt auf einem anderen Gebiet. Wenn der Kaiser nicht als Gott κύριος ist, so kann er als κύριος Gott sein.

---

[73] Caes (Augustus) 53.

[74] Foerster aaO 103. Zu der dort A 1 genannten Ausnahme ist LeBas/Waddington (→ A 30) Nr 2606: ἐπίτροπον [Σεβ]αστc[ῦ τοῦ κυρίου] zu nennen (Palmyra, 263 n Chr).

[75] Foerster 114 f.

[76] κύριος ist auf Münzen selten u anscheinend nicht vor dem 2. Jhdt n Chr. Die Stellen hat BPick, in: Journal International d'Archéologie Numismatique 1 (1898) 451—463 gesammelt. WWruck, Die syrische Provinzialprägung von Augustus bis Trajan (1931) bietet keinen Beleg für κύριος, ebensowenig PLStrack, Untersuchungen zur römischen Reichsprägung des 2. Jhdts I (1931), II (1933) einen für dominus. In Alexandrien erscheint im 2. Jahr des Hadrian die Münzlegende ΤΡΑΙΑΝΟΣ ΣΕΒΑΣΤΟΣ ΠΑΤ ΚΥ u im 10. Jahr des Gallienus eine solche mit ΔΕΚΑΕΤΗΡΙΣ ΚΥΡΙΟΥ, JVogt, Die alexandrinischen Münzen II (1924) 40. 155. Die meisten Münzen bieten κύριος in Akklamationen, dort tritt es auch sonst auf, Suet Caes (Domitian) 13: domino et dominae feliciter; Dio C 72, 20, 2 (Commodus): καὶ κύριος εἶ καὶ πρῶτος εἶ καὶ πάντων εὐτυχέστατος. νικᾷς. νικήσεις. ἀπ' αἰῶνος, Ἀμαζόνιε, νικᾷς, POxy I 41, 3. 11. 20. 30 (3/4. Jhdt n Chr), vgl dazu EPeterson, Εἷς θεός (1926) Regist sv Akklamation u κύριος. κύριος in der Kaiserakklamation ist zumeist Bezeichnung des Empfängers der Akklamation, die ebensowenig einen religiösen Hochton trägt wie in Phil 2, 10 — falls es sich dort um Akklamation handelt — 'Ἰησοῦς. Dem κύριος an der Phil-St entspricht bei den Kaiserakklamationen eine Formel wie εἰς αἰῶνας uä. Wo aber κύριος der eigentliche akklamatorische Ruf ist, wie an der Dio C-St, da wird es „mit Hochton" gesprochen und erhält leicht einen religiösen Klang (→ 1055, 1 ff).

[77] ThWiegand, Milet I 7 (1924) 350 ff, Nr 290—297.

Im Epigramm auf Augustus:

Καίσαρι ποντομέδοντι καὶ ἀπείρων κρατέοντι
Ζανί, τῷ ἐκ Ζανὸς πατρός, Ἐλευθερίῳ
δεσπότᾳ Εὐρώπας τε καὶ Ἀσίδος, ἄστρῳ ἁπάσας
Ἑλλάδος, [ὃς] σωτ[ὴ]ρ Ζεὺς ἀν[έ]τ[ει]λ[ε] μέγας   5

(CIG 4923) sind die gesamten Prädikate gleichmäßig in eine Art religiöser Luft getaucht: wie Zeus über alles herrscht, so ist Augustus ποντομέδων und ἀπείρων κρατέων,
und wie Helios über die Weltteile leuchtet, so ist Augustus Herr über die damals
bekannte Welt. Deutlicher spricht noch eine Göttlichkeit, die mit der Universalität
des Herrschaftsbereichs gegeben ist, die Ehreninschrift für Nero aus: ὁ τοῦ παντὸς   10
κόσμου κύριος Νέρων [78], von Hadrian heißt es in Pergamum: (πάντων ἀνθρώπ)ων δεσπότης, βασιλεὺς δὲ (τῶν τῆς γῆς χω)ρῶν [79] und von Antoninus Pius: ἐγὼ μὲν τοῦ κόσμου
κύριος, ὁ δὲ νόμος θαλάσσης [80]. Welche Stimmung sich dahinter verbirgt, zeigt die
Huldigung des Tiridates vor Nero: in Neapel begrüßt er ihn als δεσπότης und erweist
ihm die Proskynese, in Rom spricht er feierlich aus: ἐγώ, δέσποτα, Ἀρσάκου μὲν ἔκγο-   15
νος, Οὐολογαίσου δὲ καὶ Πακόρου τῶν βασιλέων ἀδελφός, σὸς δὲ δοῦλός εἰμι. καὶ ἦλθόν τε
πρὸς σὲ τὸν ἐμὸν θεόν, προσκυνήσων σε ὡς καὶ τὸν Μίθραν, καὶ ἔσομαι τοῦτο ὅ τι ἂν σὺ
ἐπικλώσης (verhängen)· σὺ γάρ μοι καὶ Μοῖρα καὶ Τύχη [81]. Wenn hier auch κύριος nicht gebraucht ist: wer Μοῖρα und Τύχη für einen anderen ist, ist sein Herr. Deutlich zeigt einen
Zusammenhang von dominus und Gottsein Tacitus Annales II 87 (ed KNipperdey-   20
GAndresen I [11] [1915]) von Tiberius: acerbeque increpuit eos, qui divinas occupa-
tiones ipsumque dominum dixerant. Aber an einer Stelle wird ein mit Hochton
gesprochenes dominus auf den Kaiser angewandt, und zwar auf seine Veranlassung:
Domitian ließ sich nicht nur im Theater die Akklamation: domino et dominae
feliciter gefallen [82], sondern er ließ amtliche Briefe beginnen mit: dominus et   25
deus noster hoc fieri iubet [83]. Vielleicht ist ihm in dieser Formel schon Caligula
vorangegangen [84]; von Aurelian haben wir einige Münzen, die die Inschrift
tragen: dominus et deus (natus), freilich aus einer provinzialen Münzstätte [85].
Ob bei Domitians Formel die Griechen für dominus κύριος und nicht vielmehr
δεσπότης eingesetzt haben, ist zweifelhaft [86]. Reichlich ist dominus und dominus   30
et deus bei Statius und Martial belegt [87]. Von Martial ist ein Gedicht erhalten, in
dem er sich später von seiner Sitte, Domitian dominus et deus zu nennen, lossagt [88].
Beide Titel sind nun nicht ein ἓν διὰ δυοῖν [89], hängen aber doch aufs engste miteinander zusammen. Gerade, weil hier dominus die Stellung des Herrschers seinen
Untertanen gegenüber bezeichnet [90], nennt sich der Träger dieses Titels auch deus. 35
Keiner der beiden Titel könnte hier fehlen. Welche Gedanken dabei mitsprachen,
mag der große Vorgänger Domitians, Cäsar, zeigen, der einem haruspex, der ihm ein
ungünstiges Vorzeichen meldete, erwiderte: futura laetiora, cum vellet [91]. Es ist die
gleiche Anschauung, die Tiridates Nero gegenüber ausdrückt: das mit diesem Ton
gesprochene dominus bindet den Menschen so, wie ein Gott ihn bindet, und wenn er   40
sich so binden läßt, muß er die Bindung an Gott aufgeben, und wer so bindet, muß
sich an die Stelle der Gottheit oder des Schicksals stellen.

Aber wir müssen bezweifeln, daß κύριος dem Kaiser gegenüber im allgemeinen diesen Ton trug. Das stetige Anschwellen des Gebrauchs von κύριος, das
wir oben beschrieben haben, ist nur zu erklären, wenn es im allgemeinen nicht   45
in diesem Sinn gebraucht wurde. Zutreffend unterscheidet darum Tertullian
zwischen dominus und dominus: dicam plane imperatorem dominum, sed more
communi, sed quando non cogor, ut dominum dei vice dicam [92]. Es ist nicht

---

[78] Ditt Syll [3] 814, 31.
[79] Inschr Perg 365.
[80] Justinianus, Digesta (in: Corpus Juris
Civilis rec ThMommsen-PKrüger I [11] [1908])
14, 2, 9. Caracalla als ὁ γῆς καὶ θαλάσσης
δεσπότης, IG XII 3, 100.
[81] Dio C 63, 1, 2 ff, bes 63, 2, 4; 63, 5, 2.
[82] Suet, Caes (Domitian) 13, 1.
[83] Ebd 13, 2
[84] Sextus Aurelius Victor, Liber de Cae-
saribus (ed FPichlmayr [1911]) 39, 4, die St
bei Foerster (→ Lit-A) 104.
[85] WKubitschek, in: Numismatische Zeitschrift 48 = NF 8 (1915) 167—178.
[86] Dio C 67, 4, 7 (nur bei Zonaras erhalten):

ἤδη γὰρ καὶ θεὸς ἠξίου νομίζεσθαι, καὶ δεσπότης καλούμενος καὶ θεὸς ὑπερηγάλλετο. ταῦτα
οὐ μόνον ἐλέγετο, ἀλλὰ καὶ ἐγράφετο.
[87] FSauter, Der römische Kaiserkult bei
Mart u Statius (1934) 31—40.
[88] X 72, bei Sauter 31.
[89] Ltzm R z 10, 9.
[90] Mart X 72: non est hic dominus, sed
imperator, zeigt die staatsrechtliche Bedeutung von dominus auch hier, wo Martial sich
von der Formel dominus et deus noster. lossagt. S auch Sauter 39 unt.
[91] Suet Caes (Julius) 77.
[92] Apologeticus 34.

verwunderlich, daß in den christlichen Märtyrerakten der Gegensatz gegen einen auch die Bindung an Gott in sich begreifenden Absolutheitsanspruch des römischen Staates auch in der Form auftritt, daß dem domnus noster imperator der domnus meus, rex regum et imperator omnium gentium entgegengestellt wird[93], aber der Gebrauch von rex und imperator neben domnus zeigt, daß es nicht um den Herrentitel ging, sondern um den religiösen Anspruch des Staates, mit dessen Ablehnung die Christen ihre Treue gegen Gott und den Staat unter Beweis stellen mußten. Das Gegenbild dazu sind die Sikarier, die den Kaiser als solchen, als ihr Oberhaupt, ablehnten und sich darum weigerten, ihn δεσπότης zu nennen[94]. Bei den christlichen Märtyrern stieß Religion auf Religion, bei den Sikariern — im Licht von Mt 22, 21 — Politik auf Politik. Da diese von der Verpflichtung zur Teilnahme am Kaiserkult befreit waren, ging es hier nicht um das mit Hochton gesprochene „Herr". Die Füllung des auf den Kaiser angewandten κύριος konnte je nach Zusammenhang und nach der inneren Haltung dessen, der das Wort gebrauchte, recht verschieden sein: in einer der heidnischen Märtyrerakten, POxy I 33, redet der Verurteilte, Appian, der den Kaiser τύραννος nennt, ihn, als er noch eine Bitte an ihn hat, an mit κύριε Καῖσαρ (III, 1), anderseits drückt die Anrede δέσποτα im Munde des Tiridates (→ 1055, 15) schon die ganze religiöse Verehrung aus, die er Nero dann erweist und ausspricht. Und wiederum haben die Juden, die den Kaiserkult ablehnten, doch eine Synagoge geweiht ὑπὲρ σωτηρίας τῶν κυρίων ἡμῶν Καισάρων Αὐτοκρατόρων Λ. Σεπτιμίου Σεουήρου Εὐσεβοῦς Περτίνακος Σεβαστοῦ κτλ[95]. Das zeigt beiläufig, wie abgeschliffen damals, 197 n Chr, schon das ursprünglich die religiöse Würde des Kaisers ausdrückende Σεβαστός geworden war, zeigt aber insbesondere, daß die Juden kein Bedenken trugen, die Herrscher mit: οἱ κύριοι ἡμῶν zu benennen[96].

Foerster

C. Der at.liche Gottesname.

1. Der Gottesname in LXX.

a. Das Wort κύριος „Herr" als Bezeichnung für Gott ist in LXX nur in den Fällen, wo es für אָדוֹן oder אֲדֹנָי (im Ketīb) eintritt, eine wirkliche Übersetzung. In der Regel aber steht es als deutende Umschreibung für den Gottesnamen יהוה, soll also ungefähr das ausdrücken, was im Grundtext der Name oder der Gebrauch des Namens bedeutet. Daß dies nicht vollauf gelingen kann, ist aus der Umschaltung des Namens auf den Gattungsbegriff sofort ersichtlich und weiterhin aus der Tatsache, daß in demselben Bibelwerk wie in der Umgangssprache überhaupt κύριος keineswegs auf die Funktion als Gottesbezeichnung beschränkt ist. Vielmehr entspricht es hebräischem אָדוֹן „Herr" in der Anwendung ebensowohl auf Menschen, zB in der 192 mal belegten Ergebenheitsanrede אֲדֹנִי, im Plural אֲדֹנָי (Gn 19, 2), wie auf Gott. Auch בַּעַל, wo es in der profanen Bedeutung „Besitzer" vorkommt, ist regelmäßig (15 mal) mit

---

[93] Akten der scilitanischen Märtyrer, ed RKnopf, Ausgewählte Märtyrerakten ² (1913) 33.
[94] Jos Bell 2, 118; 7, 418.
[95] RCagnat, Inscriptiones Graecae ad res Romanas pertinentes III (1906) 1106.
[96] Es ist also wohl so, wie Prümm (→ Lit-A) 134 sagt, daß die „Voll"- u „Schwundstufe" der religiös verwandten Kaiserbezeichnung κύριος neben einander herliefen, aber die „Schwundstufe" war das Normale, von der aus gelegentlich zur Vollstufe aufgestiegen werden konnte.

κύριος übersetzt[97]. Dasselbe gilt von גְּבִיר „Gebieter" (Gn 27, 29. 37) und dem allerdings schon auf Gott angewandten aram מָרֵא „Herr" (Da Θ 2, 47; 4, 16. 21 [19. 24]; 5, 23) und שַׁלִּיט „Herrscher" (Da Θ 4, 14 [17]). Wo hingegen בַּעַל eine heidnische Gottheit meint, behandelt LXX das Wort entweder als Eigenname (ὁ bzw ἡ) Βάαλ oder interpretiert mit εἴδωλον (Jer 9, 13; 2 Ch 17, 3; 28, 2) oder αἰσχύνη (1 Kö 18, 19. 25). Auf dem Gebiet der religiösen Sprache bleibt also die Bezeichnung κύριος oder ὁ κύριος dem legitimen Gott vorbehalten und entspricht dann, abgesehen von belanglosen Umschreibungen des Namens in der Bildrede, nahezu regelmäßig, nämlich 6156 mal, dem göttlichen Eigennamen יהוה in allen seinen Punktationen sowie in der Verbindung יהוה צְבָאוֹת und in der Kurzform יָהּ. Nur ausnahmsweise erscheinen auch die Appellativa für „Gott" als κύριος: 60 mal אֵל, 23 mal אֱלוֹהַּ, 193 mal אֱלֹהִים, 3 mal אֱלֹהֵי צְבָאוֹת. Die Wendungen κύριος θεός, κύριος ὁ θεός und ὁ κύριος θεός meinen meist ein masoretisches יהוה mit oder ohne Apposition אֱלֹהִים. δεσπότης aber entspricht יהוה nur Jer 15, 11 (im Vokativ); sonst steht gelegentlich δέσποτα κύριε für אֲדֹנָי יהוה (Gn 15, 2 [Swete]. 8; Jer 1, 6; 4, 10), das sonst gewöhnlich mit κύριος κύριος übersetzt wird.

b. Das Vorkommen oder Fehlen des Artikels vor κύριος scheint nicht als grundsätzlich belanglos für die Sinngebung des griechischen Ausdrucks angesehen werden zu dürfen, so stark auch mit Willkür in der Überlieferung zu rechnen ist[98]. Denn als freie Umschreibung für יהוה soll doch κύριος in irgend einer Weise auch eine Deutung des Grundwortes darstellen, und ob es dabei die singuläre Natur des Namens mit erfassen soll oder nicht, würde am Artikelgebrauch gut zu beobachten sein. Leider ist der Überlieferung in diesem Stück nicht mehr ein ganz klares Bild des Sachverhalts zu entnehmen; doch wenn für den Artikelgebrauch bei θεός in LXX sich eine gewisse methodische Ordnung beobachten läßt[99], so wird vielleicht eine ähnliche auch bei κύριος, wenigstens für einzelne der beteiligten Übersetzer, als ursprünglich vorhanden vermutet werden dürfen. Jedenfalls ist bei artikellosem κύριος der Charakter des hebräischen Grundwortes als Eigenname deutlicher gewahrt als in der Determination ὁ κύριος, die wie εὐεργέτης oder σωτήρ einfach eine appellativische Würdebezeichnung darstellt.

Der Consensus der Übersetzer im Gebrauch dieser Würdebezeichnung „Herr" oder „der Herr" als Entsprechung für יהוה ist durch die Annahme, daß von ihnen eine einheitliche Vorlage benutzt wurde, gewiß nicht ganz ausreichend erklärt. Insbesondere ist das dann nicht der Fall, wenn diese Vorlage in dem Qerē אֲדֹנָי gesehen wird, das in der endgültigen masoretischen Fassung des Bibeltextes üblich ist. Man müßte dann schon eine weit vor der christlichen Zeit verbreitete Frühgestalt dieser Vokalüberlieferung in griechisch geschriebenen Transkriptionen, ἀντίγραφαι, wie sie vermutlich Origenes nennt, voraussetzen, in denen αδωναι für den Gottesnamen zu lesen war[100]. Bei der Unsicherheit dieser Annahme behält aber auch die andere, freilich nicht minder unsichere, noch Raum, daß die griechischen Übersetzer aus der im hellenistischen Judentum geläufigen Erkenntnis des Wesens des at.lichen Gottes in freier Neuschöpfung und unter Verwendung bestehenden Sprachgebrauchs von κύριος als Gottheitsepitheton den Namen Gottes durch κύριος umschrieben. Besteht doch Grund genug, zu vermuten, daß אֲדֹנָי als Qerē erst infolge der Auswirkung des griechischen Textes in Übung kam[101], und selbst als Ketīb scheint es erst verhältnismäßig spät in den hebräischen Bibeltext eingedrungen zu sein, so daß es besonders in den prophetischen Büchern nur mit Vorbehalt als eigene Ausdrucksweise der Autoren angesehen werden darf[102].

Recht und Unrecht des Gebrauchs von κύριος als at.licher Gottesbezeichnung wird sich also weniger aus dem Gebrauch von אָדוֹן oder אֲדֹנָי als aus der Unter-

---

[97] Vgl Gn 49, 23; Ex 21 u 22 (11 mal); Ri 19, 22 f; Js 1, 3; Hi 31, 39.

[98] Vgl BWeiß, Der Gebrauch des Artikels bei den Gottesnamen (ThStKr 84 [1911] 319 ff).

[99] → 91, 4; Baudissin (→ Lit-A) I 441 f. Artikelloses κύριος ist in der Regel auf den Gebrauch als Gottesbezeichnung beschränkt u begegnet als solche im Nominativ öfter als in den Casus obliqui, wo der Artikel durch hbr לְ oder אֶת veranlaßt gedacht werden kann, so ADebrunner, Zur Übersetzungstechnik der LXX, Festschr KMarti (= Beih ZAW 41) (1925) 69 ff. Vgl dazu Baudissin aaO I 17 ff.

[100] So FWutz, Die Transkriptionen von der LXX bis zu Hieronymus (1925/1933) 145 f.

[101] Die Texte, auf die EStauffer (→ 92 A 121) seine Bedenken gegen diese Theorie gründet, berühren die Probleme des Bibeltextes kaum. Gleichwohl sind sie ein gewichtiger Unsicherheitsfaktor.

[102] Zu diesem Ergebnis kommen die umfassenden Untersuchungen Baudissins, Kyrios (→ Lit-A), bes II 305. Aus der Form δέσποτα κύριε zB für masoretisches אֲדֹנָי יהוה schließt Baudissin (I 523), daß dem Übersetzer weder die masoretische Aussprache ädonāj ĕlohīm noch ädonāj für einfaches יהוה bekannt war.

suchung der Gründe und des Sinnes der Anwendung des Namens יהוה im Grundtext ergeben.

2. „Herr" als Bezeichnung Jahwes.

Indessen ist nicht zu verkennen, daß der Umschreibung
5 „Herr" in der Geschichte der Bibel und in der Wirkung ihrer Botschaft eine gleich starke Bedeutung zukommt wie dem Namengebrauch im Grundtext, dessen Funktion sie zwar nicht bis zur Kongruenz vollständig, aber doch in so weit ausreichendem Maße übernommen hat, daß der Sachgehalt der Aussagen, gleichmäßig ausgerichtet auf das Grundmotiv der Anerkennung göttlicher Willens-
10 macht, sich lebendig auswirken kann.

אֲדֹנָי und אָדוֹן unterscheiden sich darin, daß die mit Afformativ ausgezeichnete Form der sakralen Sprache vorbehalten ist, während einfaches אָדוֹן auch auf menschliche Herrschaft angewandt wird. Was zunächst אָדוֹן betrifft, so dient es im AT als weiteste Bezeichnung für den Inhaber einer Gewalt über Menschen (Ps 12, 5; vom König
15 gesagt Jer 22, 18; 34, 5[108]), weniger über Dinge (Gn 45, 8; Ps 105, 21 בַּיִת, was Menschen einbezieht), dem Begriff בַּעַל „Besitzer" nahe verwandt, doch bezeichnenderweise minder nach der Seite des Rechts als des Gefühls betont, wie sich aus der Anrede אֲדֹנִי „mein Herr" entnehmen läßt, die auch im rechtlich festgelegten Untergebenenverhältnis zum בַּעַל vorherrscht[104]. So sagt der Sklave zu seinem Besitzer
20 (zB Gn 24, 12; Ex 21, 5) oder die Frau zu ihrem Eheherrn (zB Gn 18, 12). Aber auch in der Sprache des Hofes (אֲדֹנִי הַמֶּלֶךְ zB 1 S 26, 17), der Verehrung (zB Nu 11, 28; Gn 31, 35) und der allgemein durch die Sitte gebotenen Höflichkeit (Gn 23, 6; Ri 4, 18) ist es so üblich.

Als Besonderheit fällt schon im profanen Gebrauch des Wortes auf, daß es häufig
25 Pluralform und Pluralsuffixe annimmt, ohne auf eine Mehrheit von Personen bezogen zu sein[105]. Da bei בַּעַל dasselbe vorkommt (zB Js 1, 3), könnte man die Erklärung einfach in dem Bedürfnis der Steigerung des Ausdrucks zur Totalität des Begriffs suchen[106]. Schwierig bleibt dann nur die Dehnung des ā in אֲדֹנָי, die sich nicht als durch Pausa bedingt erweist und deshalb nur als ein gewähltes Charakteristikum des
30 Wortes in der Funktion als Gottesbenennung und Gottesepitheton verstanden werden kann. Die Vermutung, daß dieses von der Masora so gekennzeichnete Afformativ überhaupt kein solches, sondern ein Wurzelbestandteil, das Wort also ein nichtsemitisches Lehnwort sei[107], überschätzt freilich den sprachgeschichtlichen Quellenwert der Masora erheblich, zumal auch punische Belege die pronominale Natur des Suffixes
35 deutlich erkennen lassen[108]. Aber anderseits steht אֲדֹנָי auch in Wir-Texten (zB Ps 44, 24), so daß die Deutung als Possessivform „mein Herr" in den biblischen Texten nicht durchführbar ist, ohne daß formelhafte Erstarrung eines ursprünglich gemeinten Vokativs zum Nominativ vorausgesetzt wird[109]. Diese Voraussetzung zugegeben, dürfte wohl unbeschadet der besagten sprachgeschichtlichen Möglichkeit angenommen werden,
40 daß אֲדֹנָי als Gottesbezeichnung aus einer privaten Gebetsanrede hervorgegangen ist, wie sie auch in der Masora tatsächlich noch öfter als solche zu lesen ist[110]. Die Dehnung

---

[103] Der Klageruf הוֹי אָדוֹן hat ein formales Analogon in der phönikischen Adonisklage αιαι Αδωνιν, vgl WWGraf Baudissin, Adonis u Esmun (1911) 91.

[104] בַּעֲלִי kommt nur Hos 2, 18 vor.

[105] Typisch ist אֲדֹנִים קָשֶׁה „ein harter Herr" Js 19, 4.

[106] Ges-K § 124 i.

[107] HBauer u PLeander, Historische Grammatik der hbr Sprache ... I (1922) § 2 h. 29 t. אָדוֹן wäre dann ein „sekundärer Sing": § 61 i α (S 469). — Das Wort gehört nicht zum gemeinsemitischen Sprachgut, sondern findet sich nur bei Israeliten u Phönikern. Auch

aus diesem Befund könnte ein Hinweis auf Entlehnung genommen werden.

[108] Vgl zB אדני בעלשמם „mein Herr Baal-šamem" (Umm-el-ʿAwâmîd, Corpus Inscriptionum Semiticarum ed ERenan I 1 [1881] 7 Z 7; MLidzbarski, Altsemitische Texte I [1907] 22.) Weiteres Material bei Baudissin Adonis (→ A 103) 66.

[109] Zum Übergang des Vokativs in andere Kasusfunktionen vergleicht Baudissin Kyrios II 35 ff רַבִּי als Titel, syrisch מרי, auch das akkadische belti.

[110] Die Tabelle bei Baudissin Kyrios 60 zählt 55 Fälle, dazu 31 für אֲדֹנָי יהוה.

des a wird auf das Bemühen der Masoreten zurückzuführen sein, durch ein kleines äußerliches Mittel das Wort als heiliges zu markieren. Da ihnen wahrscheinlich auch an der dem Tetragramm entsprechenden Vierbuchstabigkeit von אדני lag[111], erklärt sich vielleicht auch die Tatsache, daß statt der Unser-Form אֲדֹנֵינוּ (Ps 8, 2. 10; 147, 5; 135, 5 uö) die Mein-Form sich im Gebrauch verhärtete[112]. 5

Auf Jahwe angewandt bezeichnet אָדוֹן wie מֶלֶךְ eindeutig seine Herrschergewalt. Es ist ein Titel, der seinem Wesen entspricht. Nur selten ist damit seine Zuständigkeit als Landesherr gemeint. So vielleicht in der appositionellen Verbindung „der Herr Jahwe" in Ex 23, 17; 34, 23[113], weil dort von Erntefesten gesprochen ist. Als אֲבִיר יִשְׂרָאֵל „der Starke Israels" (vgl Gn 49, 24) heißt er in Js 1, 24 אָדוֹן. Von da aus läßt sich 10 schließen, daß Jesaja das Wort auch anderwärts[114] vielleicht nur in diesem Sinn gebrauchte, wenn es dort wirklich überall zu seinen eigenen Ausdrucksformen gehören sollte[115]. Im übrigen aber sind die at.lichen Aussagen über Jahwe als אָדוֹן bereits über die Vorstellung von Jahwe als dem Herrn des Landes und Volkes hinausgeschritten und setzen mehr oder minder deutlich den prophetischen Glauben an Jahwe 15 als den Allherrn voraus. Die Wendung „Herr der ganzen Erde" (Mi 4, 13; Sach 4, 14; 6, 5; Ps 97, 5; Jos 3, 11. 13) zeigt am klarsten den in die Totalität gesteigerten Sinn. So wird es dann auch gemeint sein, wenn אָדוֹן isoliert steht (nur Ps 114, 7)[116], und vollends außer Frage steht der totale Sinn für das auch in der Form gesteigerte אֲדֹנָי.

An die Fragwürdigkeit des Ketīb אֲדֹנָי wurde freilich schon → 1057, 44 ff erinnert. Tat- 20 sache ist aber, daß dieses Ketīb schon dort, wo es als im Text bodenständig gelten darf, wie in Js 6, ebenso wie das aus ihm hervorgegangene Qerē in der Masse seiner Belegstellen dem Zwecke dient, den Namen Gottes zu vermeiden. In Js 6, 11 gebraucht der Prophet den Vokativ אֲדֹנָי spontan unter dem ungemilderten Eindruck der nahen Majestät des Heiligen, und man könnte nur fragen, ob dort nicht אֲדֹנָי gesagt war. 25 Aber das Motiv, den Namen zu vermeiden, weil die Majestät, welche „die ganze Erde füllt", dem Menschen begegnet, wird an jener Stelle so deutlich wie selten sonst. Hingegen entsteht schon bei der Setzung von אֲדֹנָי im Eingang des Berichts Js 6, 1 und weiterhin in 6, 8[117] der Eindruck, als liege eine lehrhafte Absicht vor, den im Saraphenhymnus ausgesagten Gedanken durch eine Wortwahl, die der ehrfürchtigen Haltung des 30 Propheten entspricht, dem Leser nachdrücklich einzuprägen. So ist dann wohl auch die im Ezechielbuch besonders häufige Formel (212 mal nach Baudissins Zählung) אֲדֹנָי יהוה oder יהוה אֲדֹנָי zu verstehen; sie soll eine gewisse Erläuterung des Namens als eines Ausdrucks für die göttliche Hoheit sein, und die Verlagerung des Akzents auf den Titel ist unverkennbar. So scheint der Gebrauch des Ketīb אֲדֹנָי eine Ent- 35 wicklung der Überlieferungstechnik eingeleitet zu haben, die schließlich im Qerē zur völligen Ausschaltung des göttlichen Namens aus der Lesung führte. Stark angeregt sind solche Bestrebungen vermutlich auch durch den in den Sodomsagen Gn 18f vorliegenden, von der Masora unverkennbar lehrhaft ausgewerteten[118] Gebrauch der Höflichkeitsanrede „meine Herren" an die Besucher Abrahams und Lots, unter denen sich, 40 wie dem Leser erst aus dem Zusammenhang klar wird, der „Richter der ganzen Erde" (18, 25), der „herabstieg" (18, 21), befand.

Die Substitution von אֲדֹנָי, die im Ketīb zunächst zurückhaltend, im Qerē schließlich radikal bis zur völligen Beseitigung der Klangform des göttlichen Namens durchgeführt ist, stellt nichts Geringeres als eine Gesamtexegese der heiligen Schrift Israels 45 dar. In Verbindung mit dem κύριος-Gebrauch der LXX bedeutet sie eine religionsgeschichtliche Tat von unabsehbarer Tragweite. Die Erwägungen, die sie vorberei-

---

[111] Vgl A Geiger, Urschrift u Übersetzungen der Bibel ² (1928) 262.

[112] Baudissin aaO II 27 hält adonēnu für eine adonāj nachgebildete Form.

[113] Vgl Buber (→ Lit-A) 124.

[114] Die volltönende Gruppe הָאָדוֹן יהוה צְבָאת ist auf das Buch Jesaja beschränkt, wo sie zweimal in der Auditionsformel (1, 24; 19, 4), dreimal in freieren Einführungen von Drohworten (3, 1; 10, 16. 33) auftritt.

[115] Die Überlieferung schwankt, vgl BHK ² zu den in → A 114 genannten Belegen.

[116] Auch Mal 3, 1 הָאָדוֹן könnte trotz Baudissins Bedenken (Kyrios II 305) so verstanden werden.

[117] BHK ² notiert zu diesen Stellen: ca 100 MSS יהוה !

[118] Die Anrede an die drei (18, 3) ist als Gottesbezeichnung punktiert, weil Gott unter ihnen sein muß. Die zwei anderen Männer werden von Lot mit der profanen Form der Anrede begrüßt (19, 2). Schließlich ist das mythische Motiv der drei Männer ganz fallen gelassen, u es handelt sich um Jahwe allein (19, 18).

teten und trugen, sind nicht mehr mit voller Sicherheit zu rekonstruieren (→ 1068, 5 ff). Nicht einmal die schon oben (→ 1075, 30 ff) berührte Frage, ob LXX oder ihre Vorlagen den ersten Vorstoß getan haben, kann eine ausreichende Antwort finden. Ausgesprochen missionarische Tendenz ist, wenigstens als Hauptmotiv, kaum anzunehmen, da das aktive Missionszeitalter des Judentums noch nicht angebrochen war, als die LXX angefertigt wurde, und schon vorüber war, als die abschließende Masora das Qerē festsetzte. Aber die missionarische Wirkung läßt sich aus dem Wortlaut der LXX an vielen Stellen ermessen.

Welche propagandistische Wucht liegt etwa in dem Schluß des 134. (135.) Psalms, wenn dort nach dem Haus Israel, Aaron und Levi auch die φοβούμενοι τὸν κύριον zum Preis des Allherrn aufgerufen werden! Es steht wohl außer Zweifel, daß diese theologisch aus der Prophetie kommende Ausweitung der Terminologie der Gottesbezeichnung einen sehr wesentlichen Anteil an der Ausbreitung der at.lichen Botschaft gehabt hat. Bedeutete sie eine Lockerung ihrer Bindung an die Geschichte, so doch nicht eine Lösung davon. Milderte sie für Israel ihre numinose Dynamik, so gab sie am entscheidenden Punkt den völkischen Charakter des Kanons preis und interpretierte damit seinen tiefsten Sinn. Der Gott, von dem der Kanon zeugt, ist „Herr" genannt, weil er dort gezeigt ist als der ausschließliche Träger der Gewalt über den Kosmos und alle Menschen, als der Schöpfer der Welt und Gebieter über Tod und Leben. Der Begriff „Herr" stellt also eine Summierung der Glaubensaussagen des AT dar. Er ist der treffend gelungene Versuch, das was Gott ist, was das Heilige für den Menschen praktisch bedeutet, nämlich Eingriff eines personhaft gestalteten Willens, mit annähernd der gleichen Prägnanz und Verbindlichkeit auszusagen, die das eigentümliche Merkmal der den Namen Jahwe gebrauchenden Redeform ausmacht.

3. Der Name Jahwe als Erfahrungsbegriff.

Der at.liche Gottesglaube ist in geschichtlicher Erfahrung begründet und hat sich in fortwährender Berührung mit der Geschichte entfaltet. Sinnfälligster Ausdruck dieser Tatsache ist der Gebrauch des Namens Jahwe im Reden von der Gottheit und im Anruf.

Dieser Name ist wie jeder Göttername ein Erfahrungsbegriff und als solcher von den in das Gebiet des Abstrakten weisenden Gattungsbegriffen אֵל, אֱלוֹהַּ und אֱלֹהִים (→ θεός 81, 16 ff) und von der Würdebezeichnung אָדוֹן durch die konkrete, individuelle Art seines Sachgehalts graduell unterschieden. Er benennt nicht irgend eine beliebige, sondern eine unzweideutig bestimmte göttliche Person. Er füllt jene Begriffe Gott und Herr mit so starkem numinosem Gehalt, daß es schließlich dahin kommt, daß er ihre generelle Funktion völlig lahmlegt und „Gott" kein vielfältig anwendbares Appellativum mehr ist und „Herr" den Allherrn bedeutet. Infolgedessen können jene Gattungsbezeichnungen, obwohl sie im Kanon weit weniger häufig vorkommen, oft geradezu synonym mit Jahwe gebraucht werden und אֲדֹנָי selbst an seine Stelle treten. Sie haben den Sinn des persönlichen Namens in sich aufgenommen, sind Erfahrungsbegriffe von eindeutiger Gestalt geworden. Das Verständnis der Übersetzungen muß sich dann orientieren an Sätzen wie „der Herr ist Gott" (1 Kö 18, 39; vgl Jos 24, 15) oder „Herr ist sein Name" (Ex 15, 3), wenn die klare Ausrichtung des biblischen Sprachgebrauchs auf die Gestalt Jahwes gewahrt bleiben soll. Denn es

heißt im Grundtext nirgends, daß „Gott" oder „Herr" ein Name sei, sondern
in den Namenbegriff ist mit ganz besonderer Betonung ausschließlich das Wort
Jahwe eingeordnet. „Jahwe ist sein Name", oder: „Jahwe der Heere (יהוה צְבָאוֹת)
ist sein Name" sind oft gebrauchte hymnische Wendungen [119]. Sie tun vorerst
und grundsätzlich dar, daß die Personbezeichnung Gottes mit dem starken Be- 5
wußtsein ihrer Tragweite als Bekenntnis zu einer ganz bestimmten Erfahrung
des Göttlichen angewandt wurde. Der mit dem Namen genannte Gott ist für
seine Bekenner wie für andere eine scharf umrissene Gestalt, das numen praesens in Person. „Mit dem Namen Jahwe rufen" (קָרָא בְּשֵׁם יהוה zB Js 65, 1 uö)
heißt sich zu der Begegnung mit dieser Gestalt bekennen und bereit halten [120]. 10
Nur wer ihn nicht „kennt", wie die Heiden (Ps 79, 6; Jer 10, 25), weiß mit
dem Namen Jahwe nichts anzufangen, welcher das anredbare „Du" für den
Beter [121], Symbol aller Kraft und alles Willens der Gottheit ist. In der Sprache
der Dogmatik kann man das auch so ausdrücken, daß man sagt: „Der schem
ist immer Name des Deus revelatus [122]."   15

Überall also, wo dieser göttliche Eigenname in den Texten vorkommt, macht
er, ganz unabhängig von seinem Wortsinn, allein kraft seiner sprachlichen Natur
als Erfahrungsbegriff eine unlösbare Bindung der Religion an die Geschichte
geltend, nämlich an eben die Geschichte, in welcher der Gebrauch dieses Namens
entstand und sich in der oben bezeichneten Weise abwandelte. Der Name Jahwe, 20
gleichviel, ob und wo er vordem genannt wurde (→ 1064, 1 ff), ist in der Religions-
stiftung des Mose die Offenbarungsgestalt gewesen und weist auf diese geschichtliche Begegnung von Gott und Mensch und alles, was sich in kausaler Folge
weiterhin aus ihr ergab, implicite zurück. Er ist so ungeistig, wie das eine
Gottesbezeichnung nur sein kann, und gibt so gut wie keine Gelegenheit zur 25
Spekulation über das Göttliche, sondern erinnert [123] stillschweigend und ständig
an eine aktivierende Kundgebung des Gottes, die man in der Frühzeit des
Volkes Israel geschehen weiß, und an Begegnungen im Leben prophetischer
Männer, die berufen wurden, als Jahwes Mund zu reden, in der Vollmacht:
„So hat Jahwe gesprochen." Durch die Verwendung des Namens werden die we- 30
sentlichen und untilgbaren Züge des Gottesbildes sichtbar, welches die biblische
Überlieferung in der Darstellung der inneren Geschichte des Gottesvolkes und
der geistigen Gestaltung seiner religiösen Führer bis zum unausweichlichen
Erweis göttlicher Wirklichkeit ausformt. Das leidenschaftliche Pathos, die fort-
reißende Echtheit at.licher Frömmigkeit wurzelt in der Botschaft von Jahwe, 35
an dessen klar umrissener göttlicher Person, an dessen andringendem Willen
der Mensch Maßstab und Norm für Welt und Leben findet, bald im Kreaturgefühl vor dem Heiligen erschreckend, bald sich sättigend im Anschauen der

---

[119] Vgl den vollständigen Nachweis der Belegstellen bei Grether (→ Lit-A) 55; zum
Sinn Buber-Rosenzweig (→ Lit-A) 335.
[120] Zur Entmagisierung der Formel vgl
Grether aaO 21 f.
[121] Dies mag der Sinn der fast unübersetz-
baren Worte וְאַתָּה־הוּא in Ps 102, 28 sein,
ein Stammeln „du bist's!" mit einzigem Akzent auf „du." הוּא füllt nur den Klang wie

in אֲנִי־הוּא Js 41, 4 uö; vgl Hi 3, 19. Daraus
ergibt sich, daß alle diese Stellen für die Etymologie von יהוה ausfallen.
[122] Grether aaO 18; vgl 159 ff.
[123] Vgl das Synon זֵכֶר für שֵׁם zB Ex 3, 15,
u die kultische Wendung „den Namen in
Erinnerung bringen", Ex 23, 13.

„Gestalt" (Ps 17, 15), in der alles Heil verbürgt ist. „Daß an Jahwe die Züge des Persönlichen so unvergleichlich stark sind, gehört zu seiner Würde und zu seiner Überlegenheit über alle Götter der Völker [124]."

4. Die Stiftung Moses.

5 Die at.liche Religion als Jahwereligion ist gestiftete Religion. Die Kundgebung des göttlichen Namens durch Mose bedeutete nicht nur „eine jahwistische Reformation des kanaanäischen Animismus" [125], sondern einen durch keine Entwicklungs- und Ausgleichstheorie faßbaren Neuanfang religiösen Lebens. Alte und junge Tradition weiß freilich auch schon von einer

10 Geschichte des Jahweglaubens in den vormosaischen Generationen der „Väter" manches zu melden. Die Wanderung Abrahams aus Mesopotamien nach Kanaan sei im Gehorsam gegen Jahwe unternommen worden und unter Absage an den Dienst anderer Götter (Jos 24, 2f; Gn 12, 8; 35, 2; Jdt 5, 5—7). Der Kern dieser Traditionen, deren heilsgeschichtliche Bedeutung in Gn 12, 1ff beson-

15 ders eindrucksvoll hervortritt, wird sich indessen auf die Nachricht beschränken, daß religiöse Bewegungen an den in ihrem Verlauf im einzelnen kaum durchsichtigen Vorgängen in der Vorgeschichte der Israelstämme einen gewissen, wenn auch vielleicht nicht entscheidenden Anteil hatten [126]. Auch die jahwistische Geschichtserzählung, die im Gegensatz zu E und P davon ausgeht, daß

20 schon in der frühesten Zeit des Menschengeschlechts auf Grund einer Art von Uroffenbarung Gott mit dem Namen Jahwe angerufen wurde (Gn 4, 26), kann angesichts der Unerfindbarkeit von präzisen Aussagen wie Hos 12, 10 („Ich bin Jahwe, dein Gott von Ägyptenland her"; ebenso 13, 4) oder Ex 6, 3 („Unter meinem Namen Jahwe bin ich ihnen nicht bekannt geworden", P) den geschicht-

25 lichen Wert der Tradition von der Stiftung der Jahwereligion durch Mose nicht ernstlich in Frage stellen. Religionsgeschichtlich gesehen ist der Versuch, den Namen Jahwe als Inbegriff des Schöpfers und Herrn der Welt in die Darstellung der Frühgeschichte der Menschen einzuordnen, und besonders die gelehrte Bemerkung in Gn 4, 26 wohl nur ein schwacher Reflex der kaum noch erfaß-

30 baren Tatsache, daß der Gottesname bereits vorhanden war und irgendwo seinen vorgeschichtlichen Ort hatte, ehe Mose ihn den Israelsöhnen brachte (→ 1064, 10ff).

In dem Zeitalter Moses erst tritt die Jahwereligion in den Bereich der Geschichte, wenn nicht überhaupt zuerst ins Leben. Jedenfalls beginnt sie erst da als Religion eines völkisch geschlossenen Stämmebundes Israel [127], als Antrieb

35 zu politischem Handeln und verbindliche Norm der Lebensgestaltung sichtbare

---

[124] ROtto, Das Gefühl des Überweltlichen (1932) 269.

[125] GvanderLeeuw, Phänomenologie der Religion (1933) 581. Zu dem Begriff des Stifters vgl ebd 618ff. Die Funktionen des Zeugen, des Propheten, des Lehrers u selbst des Theologen sind in der biblischen Tradition über Moses Lebenswerk enthalten, deren sagenhafte Fülle gerade dafür bürgt, daß man ihn als den Stifter kannte.

[126] Vgl RKittel, Geschichte des Volkes Israel I⁶ (1923) 289f. FBöhl, Das Zeitalter Abrahams (1930) 41f verwenden den in diesem Zusammenhang unbrauchbaren Begriff des Monotheismus zur Bestimmung der religionsgeschichtlichen Bdtg der Abrahamüberlieferung. Weiteres → 1079, 9ff.

[127] Dieser Name, schon um 1223 v Chr auf einer Stele Merneptahs belegt, setzt die Jahwereligion nicht voraus, aber bezeichnet treffend ihr Grundmotiv, wenn die nächstliegende Bedeutung „Gott kämpft" richtig ist. Vgl WCaspari Zschr f Semitistik 3 (1924) 194ff.

Wirkungen hervorzubringen. Die Geschichte der Stiftung selbst ist freilich in einer von legendenhaften Zügen nicht ganz freien Sage von einer dem Mose zuteil gewordenen Theophanie verborgen. Infolge der empfangenen Offenbarung wurde Mose Gründer des im Bund (→ II 115 ff) beschworenen Treueverhältnisses eines Verbandes von Israelstämmen zu dem gebietenden und bewahrenden Gott Jahwe. Der religiöse Besitz dieser Stämme, der vordem eine bunte Mannigfaltigkeit göttlicher Wesen umfaßt zu haben scheint[128], deren jedes seinen eigenen ἱερὸς λόγος hatte, war fortan streng auf die konkret gestaltete Wirklichkeit ausgerichtet, welche Mose erschaut hatte. Ein vordem nicht lebendiger Gedanke beherrschte infolgedessen nunmehr alle Lebensäußerungen des „Volkes Jahwes" (Ri 5, 11), das Vertrauen in die Führergewalt und den Führerwillen des keiner naturhaften Bindung unterworfenen Gottes, der im kritischsten Augenblick der Wanderung der Moseschar aus Ägypten seine überragende Hoheit erwiesen hatte, als er Roß und Reiter des Feindes ins Meer warf (Ex 15, 21)[129]. Seit Mose datiert sich die Überlieferung von einem gemeinsamen Kult Jahwes[130]. Die Stämme verlassen Ägypten, um ihm in der Wüste ein Fest zu feiern (Ex 3, 12 [E]; 4, 23 [J] uö). Ferner kommen seit diesem Zeitalter theophore Personennamen auf, die ein Bekenntnis zu Jahwe darstellen; יְהוֹשֻׁעַ ist vermutlich der früheste, wenn man יוֹכֶבֶד, den Namen der Mutter Moses (Ex 6, 20 P) als nicht jahwehaltig oder als nicht authentisch überliefert ansehen will[131]. Jetzt auch beginnen die „Kriege Jahwes" (Nu 21, 14; 1 S 18, 17), welche die den Stamm der Eidgenossenschaft bildenden Gruppen unter der Führung ihres Gottes offensiv in nicht immer erfolgreichen Einzelaktionen gegen kanaanäische Staatengebilde führen. „Erhebe dich, Jahwe, daß deine Feinde zerstieben und deine Hasser vor dir fliehen" (Nu 10, 35), heißt der Kampfruf, wenn Jahwes Panier[132] vorangetragen wird, vermutlich der heilige Schrein als Symbol der Gegenwart des Kultgottes. Der Sieg ist Jahwes Sieg, die Niederlage bedeutet Jahwes Zorn. „Wer ist wie du unter den Göttern, Jahwe! Als Furchtbarer gepriesen, der Wunder tut!" (Ex 15, 11). Mit der Rezeption des Namens Jahwe begann Israels Religion als kämpferisches und exklusives Bekenntnis zum Führergott, als handelnder Gehorsam gegen seinen Willen (vgl auch Jos 24, 16 ff).

[128] Vgl AAlt, Der Gott der Väter (1929) 3 ff; KElliger, ThBl 9 (1930) 97 ff; CSteuernagel, Festschr GBeer (1935) 62 ff.

[129] OEißfeldt, Baal Zaphon ... (1932) 66 ff erörtert mit allem Vorbehalt die Möglichkeit, daß die erfahrene Hilfe „zunächst dem Gott dieser Gegend", erst später dem Jahwe zugewiesen worden sei. Diese Hypothese ist nur bei stärkster Verkennung der Aktualität von Ex 15 möglich. Das Meerlied besingt etwas, was an einer für alle Zukunft Israels entscheidenden Zeitwende geschehen ist u was zum eisernen Bestand der Hymnenmotive gezählt wird, vgl AWeiser, Glaube u Geschichte im AT (1931) 3 f. Eine transponierte Sage kann nicht solche Bedeutung gewinnen. Zudem ist vorausgesetzt, daß die Jahweoffenbarung nach dem Auszug aus Ägypten lag,

worüber wir nichts wissen. Schließlich muß die topographische Vermutung richtig sein.

[130] Sie bildet die Grundlage der These, daß die Gemeinschaftsform der Jahwestämme eine Analogie zu der altgriech Amphiktyonie dargestellt habe, vgl AAlt, RGG² III (1929) 438 f. Am ausführlichsten begründet bei MNoth, Das System der zwölf Stämme Israels (1930) 61 ff.

[131] Der Name fehlt in Ex 2, 1, wo er stehen sollte. Vermutlich ist er von P aus anderem Zshg genommen und der Mutter Moses erteilt worden. Doch vgl MNoth, Die israelitischen Personennamen (1928) 111 u HBauer, ZAW, NF 10 (1933) 92 f.

[132] So noch Ex 17, 15 יְהוָה נִסִּי. Vielleicht ist aber auch von einem Thron die Rede, vgl כסיה als Ketīb in v 16.

5. Die Herkunft des Gottesnamens.

Woher kommt der Name dieses kraftvollen Gottes? Die Tradition in Ex 3 antwortet: aus dem Munde des Gottes selbst, und deutet damit das Unerklärbare des Vorgangs an, in welchem Göttliches in der Form menschlicher Rede sich gestaltet. Ist aber diese Form nun von dem Stifter der Religion neugeschaffen, oder hat er sie einer Tradition entnommen? Niemand weiß darüber eine sichere Auskunft zu geben. Wird nämlich die erste Frage verneint, so muß für die zweite irgend eine Wahrscheinlichkeit geltend gemacht werden können. Eine solche ist bisher noch nicht überzeugend dargetan.

Nur die Frage nach außerisraelitischem und vorisraelitischem Jahwe, der man schon früher, veranlaßt durch einen gewissen Befund in akkadischen Personennamen, viel Aufmerksamkeit zugewandt hatte [133], ist durch Texte aus Ras Schamra, einem syrischen Küstenort, deren Herkunft aus einem Zeitalter vor Mose (15. bis 13. Jhdt) feststeht, aufs Neue gestellt worden [134] Wenn es zutrifft, daß dort eine Gottheit יו bezeugt ist, deren Name einen unverkennbaren Zusammenklang mit der in Eigennamen gebräuchlichen, inschriftlich auch selbständig belegten Form des Namens יהוה aufweist, so ist kaum zu beweisen, daß es sich um einen sprachgeschichtlichen Zufall handelt [135], obwohl zunächst eine gewisse Wahrscheinlichkeit dafür vorhanden ist. Auch auf die ägyptische Religion, insbesondere auf Amon-Reʻ, den „König der Götter", der in Theben residierte, könnte sich die Vermutung richten [136], wenn es gilt, eine Göttertradition aufzuspüren, die möglicherweise Gedankengut an die Jahwetradition abgegeben haben oder die Entstehung des Namens erklären könnte. Aber solche Vermutungen führen zu keinem festen Ergebnis [137].

Das Gleiche gilt von der sogenannten Keniterhypothese [138], die als relativ konkreteste Füllung des Vakuums eine gewisse Bedeutung erlangt hat. Fußend auf der Nachricht von der Verschwägerung Moses mit Jitro, dem Priester der Midianiter (Ex 3, 1; ein anderer Name steht 2, 18), und dessen Hilfeleistung bei der Organisation der Obrigkeit unter den Israelstämmen (Ex 18, 1 ff) nimmt sie an, Jahwe sei Gott des nomadischen Keniterstammes gewesen, dem nach Ri 1, 16 (vgl auch 4, 11) Mose als Eidam verbunden war. Mittels einer Kultgemeinschaft mit den Kenitern habe Israel den Namen übernommen. Einen gewissen Rückhalt hat diese These an den Überlieferungen vom Wohnen Jahwes am Berge Sinai (J) oder Horeb (E). Dorthin wird die aus Ägypten wandernde Moseschar geführt (Ex 19, 3f), dort ist sein τέμενος, sein „heiliger Boden" (Ex 3, 5 J). Von dort zieht er mit dem Volk in den Kampf um Kanaan (בָּא מִסִּינַי Dt 33, 2). Minder bestimmt heißt es im Deboralied (Ri 5, 4), daß Jahwe von Seïr auszog, daherschritt vom Gefilde Edoms [139], um die Schlacht zu führen. Diese Texte wissen also Jahwe in den südlich an Kanaan grenzenden Gebieten

---

[133] Vgl die Zusammenstellung des Materials bei JHehn, Die bibl u die babylonische Gottesidee (1913) 230 ff; GRDriver, The Original Form of the Name ,Yahweh' (ZAW, NF 5 [1928] 7 ff); RKittel (→ A 126) I 452 ff. Gut bezeugte Identität theophorer Elemente mit Jahwe ist selten u weist bisher noch immer nicht über die Prophetenzeit hinaus. Zu dem bes aufschlußreichen Namen Ja'u-bi'di vgl Noth (→ A 131) 110.

[134] Vgl die vorläufige Mitteilung über jw bei Bauer (→ A 131) 92 ff. Zum Ganzen OEißfeldt, ZDMG, NF 13 (1934) 173 ff; AJirku ebd 14 (1935) 372 ff; RDussaud, Les textes de Ras Schamra et l'Ancien Testament (1937).

[135] So Bauer aaO.

[136] KSethe, Amun u die acht Urgötter von Hermopolis (AAB [1929] Nr 4), begründet seine Vermutung der Möglichkeit eines ägyptischen Vorbilds der Jahwevorstellung von Aussagen her, die Jahwe in Verbindung mit רוּחַ bringen (119 f), wozu er den Namen Jahwe

selbst zählt, → dazu A 154. Diese Aussagen müßten aber in der Jahweverkündigung wohl stärker betont sein und auch früher sich nachweisen lassen, wenn das Vorbild Amuns greifbar werden soll. Das wirklich Gemeinsame zwischen Jahwe u Amun ('imn „versteckt") würde die Verborgenheit des wahren Namens sein, wenn der Jahwename von Anfang an verhüllt worden wäre, wie es in der Spätzeit üblich wird. אֵל מִסְתַּתֵּר „der sich verbergende Gott" begegnet erst Js 45, 15 u hat keine Beziehung zur Geistvorstellung.

[137] Sammlung weiterer zT phantastischer älterer Hypothesen bei ASchleiff, ZDMG 90 (NF 15) (1936) 683 ff.

[138] Zuerst eingehend begründet von BStade, ZAW 14 (1894) 250 ff, zuletzt mit starker Zuversicht ausgesprochen von HSchmökel, Jahwe u die Keniter, JBL 52 (1933) 212 ff.

[139] Bezeichnend ist die harmonisierende Glosse in v 5: „das ist Sinai."

heimisch. Auch von Elia wird noch berichtet, daß er am Horeb Jahwes Nähe sucht und findet (1 Kö 19, 8 ff). Wenn also Jahwe, hiernach zu schließen, wirklich dort ein Gott von in der Landschaft zeltenden Nomaden gewesen sein sollte, so würde die Geschichte seines Namens aus der geschichtslosen Vergangenheit jener Stämme auftauchen [140].

Sicheres festzustellen, das zu Schlußfolgerungen ausreichte, ist aber in jeder 5 Hinsicht versagt, und die Lücke mit Vermutungen über Moses persönlichen Anteil an der Form des Gottesnamens auszufüllen [141], hat vollends keinen Wert. Greifbar wird nur die Möglichkeit, daß der Gott Jahwe ein örtlich gebundener Kultgott war, wie es deren viele gab, so daß die Mosestiftung auch Reformation in dem Sinn bedeutet hätte, daß sie eine uralte Form der Epiklese mit 10 neuem Inhalt füllte.

6. Form und Wortsinn des Namens Jahwe.

Unter diesen Umständen wäre es von großer Bedeutung, den Wortsinn des Namens Jahwe zu kennen, da man aus ihm, selbst wenn er vielleicht den Redenden und Hörenden nicht immer gegenwärtig gewesen sein 15 sollte, vermutlich wichtigen Aufschluß über Wurzel und ursprüngliche Farbe der in dem Namen geformten Gottesanschauung gewinnen würde. Allein schon was die Form des Namens betrifft, so liegen in der Überlieferung Schwierigkeiten vor, die es verhindern oder meistens geradezu verhindern sollen, das Wort in seiner vollen lautlichen Gestalt einwandfrei zu lesen. 20

a. Schon der Konsonantenbestand ist nicht einhellig überliefert. Das sogenannte Tetragramm יהוה, im Kanon 5321 mal belegt, wechselt mit dem Digramm יָהּ, das 25 mal auftritt, und das Verhältnis zwischen Kurzform und Langform ist nicht klar, → 1067, 14 ff. Die Elephantine-Papyri schreiben יהו, wofür wohl nur irrtümlich auch יהה eintritt. יהו, das auch sonst epigraphisch nachweisbar ist, begegnet mit יו wech- 25 selnd am Anfang von Eigennamen, vgl יְהוֹיָקִים, יוֹאֵל ua; am Schluß der Namen wechselt es mit יה, vgl יְשַׁעְיָה, אֵלִיָּהוּ ua. Welche von diesen Formen die ursprüngliche ist, ist nicht mit Sicherheit zu sagen. Am frühesten bezeugt ist יהוה, das in altsemitischer Schrift, welche den in der Quadratschrift leicht möglichen Zweifel an der richtigen Tradition so prekärer Schriftzeichen wie jōd, wāw und hē völlig ausschließt, 30 schon auf der dem 9. Jahrhundert angehörenden Stele des Königs Meša von Moab erscheint [142].

Dieser Konsonantenbestand erlaubt weder eine sichere Lesung noch eine eindeutige Interpretation, da auch in der Masora die Vokale zum Tetragramm wechseln und in jedem Fall sich als eine dem Wort fremde Zutat erweisen. Neben der häufigsten 35 Form יְהֹוָה steht in Verbindung mit einem vor oder nach dem Tetragramm gesetzten אֲדֹנָי die Lesart יֱהֹוִה. In alten und wichtigen Handschriften mit tiberischer Vokalisation wie beispielsweise in dem der dritten Bearbeitung der Biblia Hebraica von R Kittel und P Kahle zugrundegelegten Kodex B 19 a Leningradensis (Sigel L) [143] kommt regelmäßig יְהוָה (ohne Ḥolem) [144] vor, während Texte mit babylonischer Punktation in 40 der Regel ganz auf Vokalisierung des Gottesnamens verzichten oder sich darin der

---

[140] Alt (→ A 128) 6 A 2 verweist auf אהיו in nabatäischen Namen des 3. Jhdts.
[141] Vgl Schleiff aaO 696.
[142] Meša-Inschrift Z 18; vgl M Lidzbarski, Hndbch der nordsemitischen Epigraphik (1898) 415 u 286. In Quadratschrift steht יהוה auch in dem vormasoretischen Papyrus Nash im Text des Dekalogs, s das Faksimile bei N Peters, Die älteste Abschrift der zehn Gebote (1905); J Goettsberger, Einl in das AT (1928) Tafel III.
[143] Vgl A Harkavy u HL Strack, Catalog

der hbr Bibelhandschriften der Kaiserlichen Öffentlichen Bibliothek in St Petersburg (1875) 263 ff; P Kahle, Masoreten des Westens I (1927) 66 f.
[144] J Fischer, Biblica 15 (1934) 50 ff stellt in einer scholastischen Quelle die Punktation יְהֹוָה (ohne Ḥolem und mit Pataḥ) fest; ein Qames ist der Hdschr überhaupt unbekannt. Vgl „Werden u Wesen des AT" (= ZAW Beih 66) (1936) 198 ff.

tiberischen Tradition anschließen [145]. Aus diesem wechselnden Befund ergibt sich, daß die Vokalisation sicher weder in diesem noch in jenem Fall dem Wort gerecht wird, sondern stets ein umschreibendes Qerē bedeutet. יְהוָה soll als אֲדֹנָי „Allherr", יֱהֹוִה als אֱלֹהִים „Gott", יְהוָה als שְׁמָא „der Name" gelesen werden, während der Eigenname Gottes selbst aus Lesung und Meditation verschwinden soll [146]. Er ist שֵׁם הַמְפוֹרָשׁ „ausdrücklicher Name" [147].

b. Versuche, die ursprüngliche vollständige Form und die Wortbedeutung von יהוה zu ermitteln, können also auf eine Hilfe durch die biblische Tradition nicht rechnen, sondern sind ausschließlich auf philologische Kombination angewiesen. Auch Ex 3, 14, wie sogleich zu zeigen ist (→ 1069, 35 ff), trägt nichts bei, so daß schon von vornherein erwartet werden darf, daß keines der etwa zu gewinnenden Ergebnisse solcher Überlegungen den Grad von Sicherheit erreichen wird, der für Schlußfolgerungen im Dienst der Interpretation des Sprachgebrauchs von יהוה ausreichen könnte. Gleichwohl ist an diese Versuche viel Scharfsinn gewandt worden, indem die beiden Möglichkeiten 1. einer Wurzel הוה als Grundbestand, 2. einer Bildung auf einer anderen Basis verfolgt wurden.

α. Das vokallose Tetragramm יהוה stellt sich dar entweder als eine Verbal- oder als eine Nominalform der Wurzel הוה. Als das Nächstliegende scheint eine verbale Bildung in Betracht zu kommen, zumal wenn der Nachricht des Theodoret von Kyros [148], daß die Samaritaner 'Ιαβέ gesprochen hätten, und der des Clemens von Alexandria [149], wonach der Name 'Ιαουε laute, Rechnung getragen wird. Dabei erhebt sich freilich sofort die Frage nach dem Subjekt der verbalen Aussage. Nach der Analogie vieler verbaler Personennamen, zB יִצְחָק, יַעֲקֹב, wäre an ein Hypokoristikon zu denken, welches das als Subjekt des Verbalsatzes fungierende Element ausgeschieden hat [150]. Stünde es so, dann würde der Wortsinn des Namens in dem vorhandenen Bestand nur zur Hälfte enthalten sein. Da jedoch das Schema solcher Namenbildung wohl für theophore Personennamen häufig verwandt ist, für Götternamen hingegen nicht mit Sicherheit nachgewiesen werden kann, dürfte es geraten sein, die verbale Deutung zugunsten der nominalen zurückzustellen [151].

Ist aber יהוה ein Nomen mit präfigiertem jōd, so muß sein Sinn ebenfalls von dem der Wurzel הוה abhängen, die weniger im Hebräischen als im Aramäischen zuhause zu sein scheint. Die beiden im AT begegnenden Bedeutungen: a. „fallen", b. „sein", haben so wenig miteinander zu tun, daß man gut tut, sie nicht zu vermengen [152]. Hi 37, 6: הֱוֵא אָרֶץ „falle zur Erde" entspricht genau dem arabischen הוא „fallen" [153]. Ist יהוה der, welcher „fällt", so könnte der Blitz oder Meteorstein gemeint sein, und die Sphäre eines Gewittergottes wäre gegeben [154]. Kommt aber das aramäische הוה „sein" (vgl Gn 27, 29: הֱוֵה גְבִיר לְאַחֶיךָ; Js 16, 4) in Betracht, so könnte יהוה so etwas wie der „Seiende" oder das Sein in Person bedeuten, was indes viel zu abstrakt ist, als daß es überzeugen könnte.

---

[145] PKahle, Der masoretische Text des AT nach der Überlieferung der babylonischen Juden (1902) 11.

[146] Kommt das Tetragramm außerhalb des Kanons, zB in Targumen vor, so ist die masoretische Anordnung als gültig vorausgesetzt.

[147] Geiger (→ A 111) 264; Bousset-Greßm 309 A 2.

[148] Quaestio 15 in Ex 7 (MPG 80 p 244 a. b).

[149] Strom V 6, 34 (II p 348): τὸ τετράγραμμον ὄνομα τὸ μυστικόν, ὃ περιέκειντο οἷς μόνοις τὸ ἄδυτον βάσιμον ἦν· λέγεται δὲ 'Ιαουε.

[150] Der früher viel mißverstandene akkadische Personenname jawi-ilu bzw jawi-Dagan (ThBauer, Die Ostkanaanäer [1928] 56. 61 63. 74), in welchem jawi nicht Name, sondern Verb ist, belegt besonders eindrucksvoll die sprachliche Möglichkeit. (Für die alte Deutung tritt jetzt HBauer (→ A 131) 93 wieder ein).

[151] Die Frage, ob hi oder q vorliege, bleibt

dann am besten auf sich beruhen. Alle Versuche kausativer Deutung erscheinen künstlich und darum verfehlt.

[152] EKönig, Hbr u aram Wörterbuch z AT (1910) 76 f sv הוה, versucht eine sehr gewaltsame Kombination, indem er lat cecidit und accidit vergleicht. Die Bedeutung „werden, sein" sei eine metaphysische, vergeistigte Auffassung von „fallen". Das ist wohl kaum so denkbar.

[153] Verwandt ist הַוָּה (auch הֹוָה) „Sturz"; in Psalmen häufig für die Tat, die einen Sturz herbeiführt, sinngemäß also Frevel.

[154] Die Herleitung von arab hwj „wehen" hat für Sethe's Vermutungen (→ A 136) eine gewisse Bedeutung; leider ist sie nicht „gewiß richtig" (aaO 120), sondern entbehrt jedes zwingenden Moments wie alle anderen Deutungsversuche auch.

β. So unsicher diese Feststellungen sind, die andere Möglichkeit, יהוה von seinen Kurzformen aus zu deuten, welche die Wurzel הוה minder deutlich erkennen lassen, führt auch zu keiner Evidenz. Die im Bibeltext hauptsächlich in der liturgischen Formel הַלְלוּ־יָהּ belegte selbständige Kurzform ist יָהּ [155]. In den Elephantinepapyri steht der Gottesname als יהו, was wohl nur infolge Willkür oder Nachlässigkeit gelegentlich als 5 יהה erscheint [156]. Als Endung in theophoren Personennamen (יִרְמְיָהוּ usw) spricht ihn die Masora יָהוּ, am Anfang solcher Namen יְהוֹ (zB יְהוֹנָתָן) oder mit Elision יוֹ (zB יוֹחָנָן) [157]. Die in zahlreichen, auch vorchristlichen Belegen [158] vorliegende Transkription 'Ιαώ tritt hinzu [159], mag auch eine große Menge dieser Belege als Zeugnisse für den bibli- 10 schen Gottesnamen ausscheiden müssen, da schon Iren (Haer I 30, 5) und Orig (Cels VI 32) daran erinnern, daß Jao (oder Jaoth) bzw 'Ιαώ von Gnostikern offenbar infolge Entlehnung als Name eines Gottes oder Dämons gebraucht werde. יהו kann also so- wohl Jāhū wie Jāhō [160] gesprochen worden sein.

γ. Das Verhältnis der Kurzformen zur Langform stellt ein undurchsichtiges Problem dar. Sieht man in der Kurzform יָהּ eine auch im Arabischen vorkommende Inter- 15 jektion [161], einen „Gottschrei" [162], so liegt eine richtige Überlegung zugrunde, daß Eigennamen aus praktischem Anlaß, nämlich um anrufen zu können, hervorgehen [163]. Aber die Überlegung kann zur Deutung nichts beitragen angesichts der Tatsache, daß יָהּ ebenso wie das Tetragramm auf die göttliche Person angewandter Name ist. Der Anruf mit dem bloßen Laut ist doch völlig farblos und macht keinen Namen, auch 20 dann nicht, wenn man ein הוּא „er" zur Füllung heranzieht. Ein Er ist kein Du [164]. Auch müßte dann die Langform, das Tetragramm, in einer Art von gelehrtem Verfahren [165] entstanden gedacht werden, wogegen nicht nur die frühe Bezeugung von יהוה (→ A 142), sondern auch die auf die Langform zurückgehenden Bildungen mit -jama in akkadischen jahwehaltigen Personennamen [166] sprechen. Die Möglichkeit, daß die vor- 25 liegenden Kurzformen und die Langform von Haus aus gar nicht dasselbe Wort sind, verdient bei der Schwierigkeit, das Verhältnis zu erklären, eine gewisse Beachtung [167]. Aber ein sicher gangbarer Weg zeigt sich auch nach dieser Richtung nicht.

7. **Die Ursachen der Zurückhaltung gegenüber dem Namen.** 30

Der Befund lehrt, daß schlechterdings nicht mehr einwandfrei festzustellen ist, was יהוה heißt. Alle Versuche der etymologischen Deutung, die ja immer auch zugleich den Frömmigkeitsgehalt des Wortes ermitteln möchten und unter dem Einfluß bestimmter Theorien hierüber stehen, leiden unter der Vieldeutigkeit. Am meisten erschwerend wirkt nach dieser 35 Richtung jener Zaun, den die biblische Überlieferung um den Gottesnamen ge-

---

[155] Transkribiert 'Iά bei Orig Cels VI 32 vl, nach Hieronymus (Breviarium in Psalmos z Ps 146 [MPL 26 p 1253 b]) auch bei Θ.

[156] ESachau, Aramäische Papyrus u Ostraka aus einer jüd Militärkolonie zu Elephantine (1911) 9 f. 277.

[157] Ähnlich ist der epigraphische Befund, vgl Lidzbarski (→ A 142) 286.

[158] Diod S I 94, 2.

[159] Unklar bleibt 'Ιαή (Orig Comm in Ps, ed CHELommatzsch XI [1841] 396). 'Αϊά bei Thdrt (Comm in Ex interrogatio 15 [MPG 80 p 244 b]) ist אֶהְיֶה Ex 3, 14.

[160] Auch Hier (→ A 155) z Ps 8 (p 838 a) bezeugt Jaho in einem sehr lehrreichen Satz: Nomen domini apud Hebraeos quatuor litterarum est, jod, he, vau, he, quod proprie dei vocabulum sonat: et legi potest Jaho, et Hebraei ἄρρητον, id est, ineffabile opinantur.

[161] Driver (→ A 133) 24.

[162] So FRosenzweig, Der Ewige (1929) 108.

[163] Vgl Buber (→ Lit-A) 236; ROtto (→ A 124) 210 vermutet unter Hinweis auf die nebiim einen „Derwischruf".

[164] Der Name Jehu läßt vermuten, daß ein הוא in dem Namen Jahwe nicht enthalten ist, vgl ThBauer (→ A 150) 31.

[165] Daran denkt wohl auch Kuhn, (→ Lit-A), der Jahwe als verbale Aufmachung eines nominalen Plur (?) ansieht.

[166] Siehe die Liste bei Driver (→ A 133) 13; dazu OEißfeldt, ZAW NF 12 (1935) 65 ff, der durch יהביה in jüdisch-babylonischen Namen des 7. nachchristl Jhdts (= יהוה!) die Deutung von -jama als יהוה stützt und zugleich (74) eine viel länger als bisher vermutet während lebendige Sitte unbefangener Aussprache des Jahwenamens annimmt.

[167] Vgl Schleiff (→ A 137) 699; HGrimme, BZ 17 (1926) 29 ff.

zogen hat, weil ihr die Gefahren, die in der Tatsache eines Eigennamens der Gottheit beschlossen sind, gegenwärtig waren. Das lag teils an einer Tabu-Empfindung, teils — und das darf nicht ganz übersehen werden — an reifer Erkenntnis des Wesens der Gottheit.

5   *a.* Für naive Empfindung weckt naturgemäß ein Götter-name eine gewisse Scheu, die sich aus dem Sinn, der in Namengebung über-haupt und insbesondere für die Antike liegt, bis zu gewissem Grad verständ-lich machen läßt. Der Name bringt die Person seines Trägers gleichsam auf eine handliche Formel, er umfaßt sein Wesen [168]. „Wie sein Name, so ist er",
10 kann man sarkastisch und doch in ganz ernster Meinung von jemandem sagen (1 S 25, 25). Im Namen Gottes ist also Gottes Wesen zusammengeballt. Der Name ist gleichsam Quintessenz seiner Person und Träger seiner Kraft; mit Nennung seines Namens ist allem, was an dem Gott wahrnehmbar ist, eine konkrete Gestalt gegeben. Nicht zuletzt ist dann aber das spezifisch Göttliche, das
15 Heilige und Wunderbare (פֶּלִאי Ri 13, 18) in ihm sichtbar und wirksam. So ist der Name Gottes eine numinose Potenz, נִכְבָּד „machtgeladen" und נוֹרָא „gefürch-tet" (Dt 28, 58) wie Gott selbst [169].

          b. Allerdings ist auch in dieser Weise der Name ein-seitig gesehen, so gewiß in dem Gott Israels nicht nur solche dynamistische
20 und schreckende Züge erkennbar sind. Gewiß muß auch mit der Tatsache voll gerechnet werden, daß die überwiegende Mehrzahl der biblischen Autoren in dem Augenblick, als sie das Tetragramm in ihren Texten zu Papier brachten, einen Sprachgebrauch in Ohr und Gefühl gehabt haben müssen, der den Namen, wie er war, ohne Hemmung auszusprechen wagte. So taten jedenfalls die Beter,
25 die mit dem Wort יהוה im Vokativ als dem allerpersönlichsten Ausdruck des Vertrauens und der Hoffnung begannen [170]. Man empfand im Namen stark das Positivum, das den Menschen schützende Moment göttlicher Wirklichkeit und Gegenwart, nicht allein das Negativum, das ihn ablehnte oder gefährdete. Im Kanon wird dementsprechend bei den Autoren selbst eine Neigung zum Abbau
30 des Namengebrauchs, abgesehen vom Elohisten und Qoheleth, selten sichtbar [171]. Auch wo man ĕlohīm sagt, spricht man vom „Namen" als der Kraft Gottes: „Gott, durch deinen Namen hilf mir und durch deine Kraft schaffe mir Recht!" (Ps 54, 3). Für diese Autoren ist dabei schwerlich eine numinose Scheu im Spiele, wie sie für Redaktoren sicher maßgebend war, wenn sie etwa in Lv
35 24, 11 in einer Erzählung, die von Verfluchung Gottes redet, als Objekt der Verfluchung den „Namen" einsetzten [172], oder für den griechischen Übersetzer von Ex 4, 24 LXX, der ἄγγελος κυρίου für Jahwe schrieb [173]. Zwar ist das Distanzgefühl in der Jahwereligion von Anfang an stark ausgeprägt und bil-dete sogar eines ihrer Grundelemente (vgl Ex 3, 6: Mose fürchtet sich, zu Gott

---

[168] Vgl JPedersen, Israel (1926) 245 ff.
[169] Weil der Name gefürchtet ist, scheut man sich, ihn auszusprechen: Am 6, 10 vgl Zeph 1, 7; Hab 2, 20. — Vgl auch RHirzel, Der Name (ASG 36, 2, [1918]).
[170] Vgl Ps 27, 4: Jahwes Nähe ist Wonne.

[171] Vgl Bousset-Greßm 307 f; BJacob, Im Namen Gottes (1903) 164 ff.
[172] Baudissin, Kyrios (→ Lit-A) II 174 ff.
[173] Weiteres vgl bei Geiger (→ A 111) 264 ff.

hinzublicken, und bes Js 8, 13: „Er ist es, der euch fürchten macht, und er, der euch schreckt") [174]. Aber erst infolge einer Neubelebung uralter dynamistischer Gedankengänge des Heidentums, die im Judentum vielleicht als Folge engerer Berührung mit Beschwörungskulten erfolgte, konnte es zu der Überwucherung des Distanzgefühls kommen, die sich ebenso in der masoretischen 5 Behandlung des Gottesnamens wie in dem שֵׁם-Gebrauch der Samaritaner wahrnehmen läßt.

c. Aber eine grundsätzliche, von geistiger Kraft getragene Kritik am Namen Gottes, eine zielbewußte Anfechtung seiner auf mythischem Denken beruhenden Struktur ging diesen in engen Bahnen laufenden 10 Ängstlichkeiten vorauf und hat vielleicht ungewollt ihr Wuchern mit fördern helfen. Diese Kritik liegt in dem Verfahren vor, das in der sogenannten elohistischen Rezension der Hexateucherzählung mit Bezug auf den Namen Gottes geübt wird, dann auch als eine Bestätigung der Auswirkung jener Gedanken in dem sog elohistischen Psalter (Ps 42—83) [175]. 15

> Unbeschadet der noch immer umstrittenen Frage nach der literarischen Selbständigkeit der elohistischen Erzählungen [176] wird sich nicht verkennen lassen, daß hier zum ersten Mal in großem Stil versucht worden ist, mit dem Gebrauch des Eigennamens יהוה zu brechen [177]. Die Überlieferung, daß dieser Name in der Stiftung des Mose eine entscheidende Bedeutung hatte, stand diesem Versuch jedoch hindernd im Wege. 20 Ihr Recht ist jener Überlieferung deshalb im heutigen Text in der Weise eingeräumt worden, daß in den Teilen der Erzählung, die hinter die Sage von der dem Mose geschenkten Theophanie in Ex 3 gehören, der Name Jahwe nach und nach aufgenommen ist. Da dies aber nur unregelmäßig durchgeführt ist, könnte vermutet werden, daß der Jahwegebrauch in E überhaupt erst infolge redaktioneller Eingriffe statt- 25 fand, während der Autor selbst in seinem ganzen Werk אֱלֹהִים sagte [178].

Aus was für Gründen er auch so verfahren sein mag, so hat er doch jedenfalls unmißverständlich angedeutet, daß die göttliche Individualität sich nicht in der gebräuchlichen Weise durch Namengebrauch gegenüber anderen Individualitäten abgrenzen läßt, da göttliche Art nicht mehrere, sondern nur einen 30 Träger besitzt [179].

8. Der Gottesname in der Erzählung von Jahwes Offenbarung an Mose Ex 3, 14.

a. Diese bewußte Zurückhaltung gegenüber dem Namen Jahwe läßt sich bei E nun aber auch gerade an der Stelle seines Berichts be- 35 sonders eindrücklich wahrnehmen, an welcher er notgedrungen doch auf den Namen zu sprechen kommen muß, nämlich in der Erzählung von der Offenbarung Jahwes an Mose Ex 3 [180]. Daß der Kernpunkt dieser Geschichte die Mitteilung des göttlichen Namens war, lehrt abgesehen von dem leicht als redaktio-

---

[174] Ferner Jos 24, 19; Lv 10, 3.
[175] Vgl HGunkel, Einleitung in die Psalmen (1933) 447 ff.
[176] Zuletzt behandelt durch PVolz u WRudolph, Der Elohist als Erzähler — ein Irrweg der Pentateuchkritik? (1933), vgl bes 19. 82 ff.
[177] Anders Baudissin, Kyrios II 171.
[178] So JWellhausen, Die Composition des Hexateuchs ² (1889) 72; OProcksch, Das nordhebräische Sagenbuch . . . (1906) 197 f.

[179] RKittel I (→ A 126) 258 sieht in dem Elohimgebrauch nicht eine monotheistische Tendenz, sondern nur eine vorjahwistische Form, die sich an kanaanäische Nomenklatur anlehnt. Wenn E wirklich so religionsgeschichtlich korrekt verfuhr, tat er es aber doch wohl in einer erzieherischen Absicht; welche war das?
[180] Zu E gehört 1. 4 b. 6. 9—14.

nelle Zutat erkennbaren v 15 [181] der priesterliche Bericht über denselben Vorgang Ex 6, 2 f. Gleichwohl enthalten die den Kernpunkt berührenden Worte in Ex 3, 14 nicht das Tetragramm. Sondern auf die Frage, was Mose als Auskunft über den Namen des redenden Gottes sagen soll, spricht Gott zu Mose:
5 „Ich bin derjenige, welcher ich bin. Und er sprach: So sollst du zu den Israelsöhnen sagen: ,Ich bin' hat mich zu euch gesandt." Diese rätselhaften Worte sollen entweder den Namen יהוה durch alliterierende Umschreibung seines Sinnes erklären oder unter einem gewissen Eingehen auf die Form des Namens ihn ausdrücklich vermeiden und seinen Gebrauch als problematisch erscheinen lassen.

10   b. Es liegt zunächst recht nahe, den die Antwort Gottes darstellenden Satz als einen in geistreicher Manier gewagten Versuch einer Deutung des sonst nirgends erörterten Wortsinns des Namens יהוה aufzufassen, wie es in der Regel geschieht. Dann wäre der Satz ähnlich zu beurteilen wie etwa der Versuch, חַוָּה aus חַיִּים (Gn 3, 20) oder אַבְרָהָם aus הָמוֹן (Gn 17, 5) zu
15 erklären, dh als ein sehr laxes, mit dem gegebenen Wortbild in voller Freiheit schaltendes Verfahren, wie es Erzähler lieben, um damit die Aufmerksamkeit ihrer Zuhörer auf den Symbolgehalt von Namen zu lenken. Die Tatsache, daß es solche sprachlich unzulängliche Etymologien in der biblischen Sage in nicht geringer Zahl gibt, muß gewiß stark dafür sprechen, daß es auch hier so steht,
20 zumal mit dem naiven Ernst aller dieser Versuche, an das Wesen der Namen heranzukommen, zu rechnen ist, so verschieden auch die Stimmung sein mag, von der sie getragen sind [182]. Im vorliegenden Fall wäre der Tiefsinn unleugbar: der Name Gottes soll so etwas wie Existenz (הָיָה) ausdrücken [183]. Aber wie wäre das gemeint? Schließt doch jeder Name, auch jeder Göttername die
25 einfache Existenzaussage selbstverständlich ein, indem er eine konkrete Erscheinung bezeichnet. Und wozu sollte dann der Relativsatz „welcher ich bin" dienen?

Darauf gibt es keine sichere Antwort, und dieser Umstand verlockt darum seit Raschi bis heute die Interpreten immer aufs neue, in der Analyse dieses אֶהְיֶה viel Tiefsinn zu entfalten. Dabei kann manches in sich Richtige und Unanfechtbare über einen
30 Existenz- oder Wirklichkeitsbegriff gesagt, auch manche Betrachtung über „Entmagisierung des Glaubens [184]", über Deus revelatus und Deus absconditus angestellt werden. Aber man bleibt mit alledem in demselben Grad spekulativ wie LXX mit ihrem ἐγώ εἰμι ὁ ὤν [185], das mit אֶהְיֶה אֲשֶׁר אֶהְיֶה recht wenig zu tun hat [186].

c. Die spekulative Sinntiefe eines ὁ ὤν läßt sich in dem
35 HT schlechterdings nicht feststellen. Der Wortlaut verliert die Unergründlichkeit, sobald man darauf verzichtet, ihn als ätiologische Etymologie zu erfassen.

---

[181] „Und Gott sprach *weiter* zu Mose ..."
[182] Vgl zu יַעֲקֹב Gn 27, 36 mit 25, 26 u die satirischen Anspielungen auf Edom u Seir in 25, 25; die gehässigen auf Moab u Ammon Gn 19, 37 f ua.
[183] Vgl Hi 3, 16 לֹא אֶהְיֶה „ich existiere nicht;" Gn 1, 2 (?); 2, 18.
[184] Vgl Buber (→ Lit-A) 85. Eine deutende Umschreibung stellt „Ich walte" dar (J Hempel, Gott u Mensch im AT² = BWANT, 3. F 2a [1936] 69).
[185] Das könnte zur Not aus אֶהְיֶה אֲשֶׁר יִהְיֶה hervorgegangen sein, vgl P Haupt OLZ 12

(1909) 211 ff; W F Albright, JBL 43 (1924) 370 ff.
[186] Denn die Nota relationis אֲשֶׁר ist vieldeutig, u die Wahrscheinlichkeit, daß אֲשֶׁר אֶהְיֶה die statische Funktion eines Part wie ὁ ὤν ausübe, ist nur gering. Denn wo wirklich im Hbr im Relativsatz partizipiale Funktion eines Verbums beabsichtigt ist, ist auch dessen partizipiale Form durchaus üblich, vgl אֲשֶׁר יוֹשֵׁב (Dt 1, 4) oder אֲשֶׁר מְבַקְשִׁים (Jer 38, 16) ua, und ein Part, das dem spekulativen griech ὤν entspräche, gibt es im Hbr überhaupt nicht.

Denn daß er eine solche sein soll, wird durch starke formale und sachliche Mängel, die sich nicht alle aus der üblichen Wunderlichkeit at.licher Etymologien verstehen lassen, weithin in Frage gestellt.

Gegen die Deutung als Etymologie spricht *1.* daß der Konsonantenbestand des Tetragramms ignoriert wird, sofern von הָיָה die Rede ist statt von הוה, wie zu erwarten wäre. היה und הוה aber sind für das Ohr zweierlei, so eng sonst die Verwandtschaft ist [187]. — *2.* Die Imperfektform אֶהְיֶה beseitigt gerade das für das Tetragramm wesentliche wortgestaltende Präformativ יְ. Die im Zusammenhang der Erzählung begründete syntaktische Notwendigkeit, die 1. Person zu gebrauchen, hätte einen Autor, der die Form יהוה erklären wollte, abhalten müssen, eine solche Erklärung gerade hier zu versuchen. — *3.* Nirgends sonst in der at.lichen Literatur wird auf היה als Wurzelgrund von יהוה zurückgegriffen. Denn man kann unmöglich jedes Vorkommen der Form אֶהְיֶה oder ähnlicher im Munde Gottes [188] als Anklang an Ex 3, 14 deuten. — *4.* Der Offenbarungsstil ist die am wenigsten angemessene noch überhaupt übliche Form für Etymologien. „Etymologien werden nicht offenbart [189]."

d. Dann aber liegt die Sache entweder so, daß die Worte אֶהְיֶה אֲשֶׁר אֶהְיֶה und das isolierte אֶהְיֶה einen Eingriff in den ursprünglichen Text darstellen, also das sind, was man später ein תִּקּוּן סוֹפְרִים nannte [190], und nichts anderes bedeuten sollen als eine Ablehnung der Frage nach dem Namen Gottes, oder daß sie im Sinn des Autors selbst die Frage ablehnen.

α. Den ersten Fall angenommen, würde die Entstehung des vorliegenden Wortlauts etwa so zu denken sein: Der Erzähler hatte unter Zurückstellung aller Reflexion der ihm vorliegenden Tradition folgend berichtet, wie Gott zu seiner eigenen Legitimation seinen Namen nannte. Indem sich aber Gott in dieser Form legitimierte, legitimierte er zugleich auch in unzweideutiger Weise die polytheistische Voraussetzung der ganzen Erzählung, nämlich die schon in sich problematische Tatsache [191], daß die Israelsöhne im Zweifel sein konnten, welche von den als Gott der Väter etwa in Betracht kommenden Gottheiten (vgl Jos 24, 14f) Auftraggeber des Mose wäre. Es ist leicht vorzustellen, wie angesichts dieses Sachverhalts eine so pointiert mythische Aussage über Offenbarung eines göttlichen Namens an der wichtigsten Stelle der heilsgeschichtlichen Tradition beanstandet werden konnte. Kommt es doch fast so zu stehen, als ob den „anderen Göttern", von denen Jos 24 redet, ihre Geltung als Vätergötter bestätigt würde. So mag ein Redaktor, dabei zugleich elohistischen Tendenzen folgend, den Namen aus der Antwort des Gottes entfernt haben, weil eben an dieser Stelle und im Wortlaut eines Gottesspruchs der ganze mit dem Namen gegebene Fragenkomplex besonders drückend empfunden wurde [192]. Die Gewaltsamkeit der Korrektur ist freilich geradezu meisterhaft ausgeglichen worden durch Verwertung der schon in v 12 vorhandenen Wendung אֶהְיֶה עִמָּךְ „ich bin neben Dir", in der gleichsam rekapitulierenden Form: „ich bin derjenige, welcher ich bin." Fast unmerklich ist die Steigerung des היה in die existentielle Funktion vollzogen und das Geheimnis göttlichen Wesens als tiefster Sinn in aller Anrufung zu verstehen gegeben. Um den Kontext allerdings bekümmert sich der Autor des Tiqqūn nicht weiter.

β. Schwieriger als diese Annahme eines frühen redaktionellen Eingriffs würde die Deutung des Wortlauts als einer durch den Erzähler selbst vertretenen Ablehnung der an Gott gerichteten Frage sein. Sie wäre in der Form einer folgenleeren Tautologie „Ich bin ich" gegeben. Man könnte zur Not so vermuten [193], denn auch der Dämon, der am Jabboq mit Jakob kämpft, verweigert ihm den Namen (Gn 32, 30): „Warum fragst du nach meinem Namen?" Der Gottesbote, der Simsons Eltern begegnet, antwortet dasselbe unter Hinzufügung der Begründung, daß sein Name פֶּלְאִי „zum Göttlichen gehörig", also für Menschen unzugänglich oder gefährlich sei (Ri 13, 18). Nur stößt die

---

[187] Js 38, 11: יָהּ יָהּ ist Vokativ der Kurzform in litaneiartiger Wiederholung.

[188] Vgl etwa Hos 1, 9; Ez 14, 11; 34, 24 uö.

[189] HGunkel, Genesis⁵ (1922) XXII.

[190] Zu diesem Begriff vgl EEhrentreu, Untersuchungen über die Massora (1925) 8f.

[191] Vgl dazu Alt (→ A 128) 12 ff.

[192] Ein Analogiefall wäre vielleicht שִׁילֹה Gn 49, 10. Dort mag ein Name des Messias gestanden haben, den zu verhüllen aus irgendwelchen Gründen ratsam schien.

[193] EMeyer, Die Israeliten . . . (1906) 6; HGreßmann, Mose u seine Zeit (1913) 35f; zuletzt LKöhler, Theologie des AT (1936) 234.

Annahme, daß die Analogie dieses Motivs der Namensverweigerung den Erzähler möglicherweise beeinflußt habe, auf die Schwierigkeit, daß in der ganzen Schilderung der Begegnung von ablehnendem Verhalten Gottes auch nicht durch die geringste Wendung irgendetwas angedeutet ist. Im Gegenteil erscheint v 14 b: „so sollst du zu den Israelsöhnen sagen: אֶהְיֶה hat mich gesandt" als Gewährung der Bitte [194]. Die Ablehnung würde also allein in dem Wort אֶהְיֶה ausgesprochen sein, eine stilistische Härte, die hier an stark exponierter Stelle auffällig wäre, zumal sie selbst den beiden die These stützenden Erzählungen fremd ist. Deshalb wird angenommen werden dürfen, daß die → 1071, 21 ff vorgetragene Erklärung dem Sachverhalt eher entspricht.

9. D e r J a h w e n a m e a l s G r u n d f o r m d e r a t . l i c h e n A u s s a g e ü b e r G o t t (→ 79, 15 ff).

Die Aussagen des AT über Jahwe sind vielgestaltig, von verschiedener Intensität des Glaubensbewußtseins, durch mancherlei große und kleine Autoren nach Fähigkeit und Charakter verschieden ausgeprägt, mitunter wunderlich in seltsames Denken verschachtelt, meist aber in klarer Ordnung der Begriffe entfaltet. Die Bindung an die Geschichte, an das hic et nunc wirkt sich in solcher Vielgestaltigkeit aus, ohne jedoch das Grundmotiv, daß Jahwe der Herr sei, je abwandeln zu können. Der Mensch hat über ihn keine Gewalt; wenn er auf ihn einwirken kann, so doch nur in dem Maß, als es dem Knecht gegenüber dem Herrn gestattet ist. Aber niemand kann Jahwe beschwören, und wer es versucht, hat seines Geistes keinen Hauch verspürt. So reihen sich die Aussagen zusammen zu einem einheitlichen Gottesbild, das seine vollendete Deutung empfängt aus dem Verständnis der Macht des zum Menschen redenden Du. Weniger daß diese Macht als totale empfunden wurde, als daß ihre Lebendigkeit in dem auf das Heil, die Sinnfülle der Existenz gerichteten Willen sich zeigte, ist die Offenbarung, um deretwillen die Geschichte Jahwes mit Israel, ihr Anfang, ihre Höhe und ihr Auseinanderstreben in die Geschichte Gottes mit der Welt im Kanon des AT gesammelt worden ist. Man könnte also diesen Sachverhalt so zusammenfassen, daß man sagt: Der Name Jahwe ist die Grundform aller at.lichen Aussagen über Gott, oder die Jahwegestalt ist die Urform der biblischen Offenbarung.

a. Dies Urteil stößt freilich schon bei einfacher phänomenologischer Betrachtung auf die Schwierigkeit, daß der Gott, welcher den Eigennamen Jahwe trägt, damit als Gott unter Götter gestellt ist; und tatsächlich bestätigen wichtige Urkunden des Gottesglaubens wie der doppelt überlieferte Dekalog (Ex 20, 3 ff; Dt 5, 7 ff) oder Psalmen wie 58 oder 82, Erzählungen wie Jos 24, 14 f, Prophetien wie Am 5, 26, daß in der Jahwereligion von vornherein und weiterhin eine Unterscheidung Jahwes von den Göttern sowohl verstandesmäßig wie gefühlsmäßig vollzogen worden ist (→ 88, 31). Das geschieht nun freilich in der Regel unter Ablehnung der fremden Götter, aber es finden sich auch positive Belege für mythisches Denken. In fremdem Land kann man nicht Jahwes Lieder singen (Ps 137, 4), man ist dort gedrängt, anderen Göttern zu dienen (1 S 26, 19); in Damaskus ist Rimmon (2 Kö 5, 18), in Moab Kemoš Herr (Ri 11, 24; 2 Kö 3, 27). Fremdes Land ist unreines Land: Am 7, 17; Hos 9, 3 f. Der sicherste Beweis für die Lebendigkeit mythischen Denkens in

---

[194] Buber (→ Lit-A) 237 f; Grether (→ Lit-A) 22.

der Jahwegemeinde ist aber die Tatsache, daß die Rivalität der „anderen Götter" nicht aufgehört hat, den Glaubensgehorsam von Generation zu Generation
aufs neue in die Krise zu führen. Die Erzählung 1 Kö 18, 17 ff zeigt sie an
dem Ordal, das Elia zum Erweis der Zuständigkeit seines Gottes für die im
Karmelgebiet Anbetenden herbeiführte 195. Auch hier wie fast immer wurde die 5
Krise durch die politische Entwicklung ausgelöst, in welcher Machtverschie-
bungen unter den Göttern sich Ausdruck zu geben schienen. Staatsgottheiten
fremder Mächte, „das ganze Himmelsheer" (2 Kö 21, 3), fanden zu Zeiten ihren
offiziellen Platz neben Jahwe 196; Ischtar, die „Himmelskönigin" (Jer 7, 18),
Adonis, der syrische Vegetationsbaal (Js 1, 29 f), zog die Frauen an. „So viel 10
deiner Städte, so viel deiner Götter" konnte Jeremia (2, 28) feststellen. In den
prophetischen Büchern ist fast auf jeder Seite zu lesen, daß der Sinn des Jahweglaubens in Frage gestellt und seine Geschlossenheit gefährdet war.

b. Aber nicht nur Abirren in fremden Mythus, sondern
Mangel des numinosen Gefühls überhaupt ist zu beobachten. In ruhigen Zeiten 15
und in gesichert lebenden Volksschichten ist Jahwe mit einer gewissen offiziellen Sachlichkeit anerkannt worden, die in der mythischen Konzeption einen
Rückhalt gewann. Die politische Spaltung des Volkes Jahwes schuf insbesondere im Nordstaat eine Empfänglichkeit für fremde Mythen, die auf eine verhängnisvolle Ratlosigkeit und Instinktlosigkeit in Sachen der Religion schließen 20
läßt. Von einer das gesamte Lebensgebiet umfassenden Herrschaft Jahwes
fühlte man sich nicht berührt und wollte es auch nicht. „Sie schlachteten den
Baalen und opferten den Bildern" (Hos 11, 2). Zu Jahwe rufen sie „nicht aus
dem Herzen" (Hos 7, 14), unvermögend, seiner Forderung zu genügen (Jer 6, 10).
Die Kinderopfer zu Manasses und Ahas' Zeit muten wie Verzweiflungsakte Ent- 25
wurzelter an. Anderseits gab es gemeine Sattheit, von der Propheten nur in Zorn
und Ekel reden können. Man höhnt den Heiligen Israels, drückt sich von ihm weg
(Js 1, 4), weil der Wille sich nicht mehr ansprechen läßt, sondern nur trieb-
haftes Lebensbedürfnis den Menschen leitet, so daß Dienst für die Symbolgötter
viel eher artgemäß erscheint. Im ungestörten Genuß bürgerlichen Wohlstandes 30
blieb man gleich ungepflegtem Wein (Jer 48, 11) „auf den Hefen liegen" (Zeph
1, 12), unberührt von der Furcht Gottes: „Jahwe tut weder Gutes noch Böses",
dh seine Aktivität ist grundsätzlich zweifelhaft. „Er fragt nicht nach" (Ps 10, 4;
vgl Jer 5, 12). Was heißt „Jahwes Werk"? (Js 5, 12). Nur Spott hat man
für dies Thema: „Er beeile sich nur mit seiner Tat, daß wir den Ratschluß des 35
Heiligen Israels noch erleben!" (Js 5, 19). So sucht der satte Bürger den gott-
ergriffenen Sprecher der Lächerlichkeit zu überantworten, verrückt nennt er ihn
(Hos 9, 7; Jer 29, 26); Gottesfurcht ist eine lehr- und lernbare Menschensatzung
(Js 29, 13), kein Erlebnis. Selbst Erzähler der Vätersagen haben nicht unterlassen können, einen solchen frivolen Zug in das Bild des Jakob zu legen, der 40

---

195 AAlt, Das Gottesurteil auf dem Karmel;
Beer-Festschr (1935) 1 ff erklärt den Vorgang
als einen gegen die Phöniker gerichteten
politischen Hoheitsakt des Staatsgottes Israels.

196 Ez 8, 10 ff sind vermutlich ägyptische
Kulte gemeint. Seit Salomo zeigt sich offi-
ziell gepflegter Synkretismus; vgl RKittel
(→ A 126) II 192 ff.

in der Bedrängnis seine Lüge mit Jahwes Namen zu stützen wagt, sich selbst vorsichtig distanzierend („Jahwe, dein Gott" Gn 27, 20).

Gewiß sind solche Verirrungen nicht aus mythischem Denken allein zu erklären, für welches Gott eine wechselbare und darum gelähmte Autorität be-
5 deutet. Aber es ist durch die Religionsgeschichte zu erhärten, daß die indifferente Haltung schlauer Selbstsicherheit des Menschen durch mythische Gottesauffassung gestützt zu werden pflegt; der begrenzte Gott ist ein beschränkter Herr. Für die Jahwereligion ward entscheidend, daß die mit manchem mythischen Zug behaftete Jahwegestalt kein Sondergott mit bestimmtem Ressort war,
10 sondern auf jedem Lebensgebiet unbedingte Autorität geltend machte. „Fraget nach mir, und lebet!" (Am 5, 4), so faßt er Forderung und Verheißung zusammen, und die mythischen Formen des Redens und Denkens über ihn verlieren das Menschenmaß und werden zu monumentalen Ausdrucksmitteln eines weltmächtigen Willens.

15   c. So ist Jahwe für seine Verkünder nie ein abstrahierter Begriff, eine euhemeristische Idee, sondern tritt vor sie und zwingt sich ihnen auf als hörbare, sichtbare und fühlbare Potenz. Sie meinen nicht zu träumen, wenn seine Hand sie packt; Jeremia spricht sehr scharfe Worte über solche Art eines vermeintlichen Offenbarungsempfangs (Jer 23, 28). Sie sehen
20 Jahwe und wissen doch nicht zu sagen, wie er aussieht. Das Bild, das ihr inneres Auge schaut, hat nichts von der Naivität mythischer Gestaltung; es ist in jeder Hinsicht zwingend und erdrückend. Besonders lehrreich ist die Beschreibung der Theophanie bei Ezechiel. Ein wunderliches Bild wird entworfen, bestehend aus einem Wirrsal von Tieren und Rädern und schlagenden Flügeln,
25 und erst ganz zuletzt wird gewagt, in sorgsam verschachtelten Worten das Wesentliche zu sagen: es war da etwas, das so aussah wie ein Abbild der Majestät Jahwes. Fast erschrickt der Prophet davor, daß er vorher gesagt hat, was auf dem thronähnlichen Gebilde gesessen habe, habe wie ein Mensch ausgesehen. So wiederholt er, sich selbst gleichsam korrigierend, die ganze Aus-
30 sage, indem er sie auf Kabōd hinausführt. Kabōd, die königliche Machtfülle, kommt als Ersatz für Person, Mensch, zu stehen (Ez 1) [197].

Von Aussagen wie diesen aus gesehen, hat es keinen rechten Sinn, auf die menschlich-mythischen Züge im Jahwebild, die so oft begegnen, einen entscheidenden Wert zu legen, wenn es sich darum handelt, den Sinn der Glaubens-
35 aussage festzustellen. Es hat nur den Wert eines Vergleichs, zu sagen, daß Jahwe einen Mund hat oder ein Herz, daß seine Lippen voll Grimm sind, sein Arm wie der eines Riesen ausgereckt ist. Der Zwang künstlerischer Gestaltung hat besonders auch in der religiösen Dichtung zum Gebrauch solcher Formen geführt, die zur Darstellung der voluntativen, männlichen Motive in der Gottes-
40 erfahrung die einzig möglichen zu sein scheinen. Die herbe Ursprünglichkeit des Personerlebnisses spricht sich in ihnen aus ohne Rücksicht auf Deutungsmöglichkeiten, die abseits vom zentralen Erlebnis der Offenbarung führen könn-

---

[197] Selbst der Apokalyptiker von Da 7, der von dem „Alten der Tage" spricht u von seinem weißen Haar, deutet nur an, freilich nicht ahnend, daß er einen zeitgebundenen Begriff für Autorität gebraucht, indem er vom Alter Gottes spricht.

ten. Die starke Willenskraft der Propheten entsteht ebenso wie die hymnische oder klagende Inbrunst der Dichter aus der Berührung mit dem persongestaltigen Willen Jahwes. Daran liegt es, daß aus der Botschaft von ihm der Gedanke göttlicher Größe und Macht mit gebietender Gewalt eindringt auf jeden, der den überlieferten Erscheinungen nachgeht, so daß selbst schon aus den bescheidensten und trümmerhaften Urkunden über die Stiftung des Jahweglaubens sich ganz von selbst die Wirklichkeitsfrage erhebt und das existentielle Urteil über die göttliche Person und ihren Willen keinem Leser erspart bleibt.

d. Auch die großen dichterischen Versuche, in den in die Unendlichkeit projizierten Dimensionen der Zeit (Ps 90) und des Raumes (Ps 139) das göttliche Walten Jahwes zu erschauen, führen beide zwar an die Grenzen der menschlichen Vorstellung des Personbegriffs, geben jedoch die Offenbarungserkenntnis der göttlichen Personhaftigkeit nicht auf und verlassen damit nicht die Linie der biblischen Religion. Die außergewöhnlichen spekulativen Züge dieser Betrachtungen[198] sind weder resigniert noch quietistisch, sondern entstehen aus dem Verantwortungsgefühl des von Gott angesprochenen Menschen, das sich zu rein numinoser Furcht zu steigern droht. Sucht der Dichter ein „Wissen" (Ps 139, 6) um das Geheimnis göttlicher Existenz, so stößt er auf ein „Wunder" (פלא), und das Bewußtsein, daß Jahwe ihn immer ansieht, ihn einschließt, erzeugt in ihm eine kreatürliche Angst: „Wohin soll ich gehen vor deinem Geist und wohin vor deinem Antlitz fliehen?" Drohworte des Amos (9, 2 f) leben in ihm auf, und das Motiv der Flucht vor Gott bezeugt ein Grundgefühl der „Religion der Heiligkeit"[199], wie es besonders die Hiobdichtung in Worten hilfloser Qual aus dunkler Erlebnistiefe gestaltet hat. Es klingt dort wie bittere Travestie von Ps 8, 5, wenn Hiob sich umsonst Gott zu entwinden sucht: „Laß mich los! Was ist denn ein Mensch, daß du ihn so groß machst und auf ihn dein Wollen richtest, ihn anschaust jeden Morgen, jeden Augenblick ihn prüfest! Warum blickst du nicht einmal von mir weg?" (Hi 7, 16 ff). Selbst Schuldgefühl erstickt dann in panischer Angst: „Ob fromm, ob Frevler, es ist eines: er vernichtet." (Hi 9, 22.) Aber Ps 139, darin Ps 73, 13 ff verwandt, ist ein Beispiel, wie solches lähmende Gefühl, dämonischer Willkür verfallen zu sein, sich in die ruhige Haltung des Hymnus auf den Herrn zurückfindet und in die Bitte: „Leite mich auf ewigem Weg!" ausklingt.

e. Naive mythische Gedankenbildung ist eher in den Aussagen der Priesterschrift über den Menschen als „plastisches Bild" und „Ähnlichkeit" Gottes erkennbar (Gn 1, 26 f; 9, 6) (→ II 387, 35). Sie zeigt sich schon im Wir-Stil der Gottesrede an und erreicht in dem Wort צֶלֶם stärksten Ausdruck. Es ist wiederum bezeichnend, daß die asyndetisch beigefügte Wendung כִּדְמוּתֵנוּ „entsprechend unserer Ähnlichkeit" den massiv dinghaften Ausdruck sofort ein wenig nach der Seite der Allegorie abzudrängen versucht. Aber einfach logisch, ohne Abstra-

---

[198] Ps 90, 4: tausend Jahre wie ein Tag; Ps 139, 5: „von vorn u von hinten schließest du mich ein"; zu beiden Motiven liegen indische Parallelen vor, vgl H Gunkel, Die Psalmen (1926) 397. 590; H Hommel, Das religionsgeschichtliche Problem des 139. Ps, ZAW, NF 6 (1929) 110 ff.

[199] J Hänel, Die Religion der Heiligkeit (1931) 1. 317 ff.

hierung und Spiritualisierung erfaßt, besagt doch der Satz: „Wir wollen Menschen machen als unser plastisches Bild entsprechend unserer Ähnlichkeit"
zweierlei: *1.* daß der redende Gott wie die Götter alle eine Gestalt hat, die
man als צֶלֶם darstellen, sich also auch vorstellen kann; *2.* daß man beim An-
5 blick der Menschengestalt auf den Gedanken kommen kann: so etwa sieht Gott
aus[200]. Daß man die Aussage spiritualisieren muß, geht weniger daraus hervor, daß weiterhin gesagt ist, daß er sie als Mann und Weib schuf, denn Mann
und Weib sind beide „Mensch"[201], als aus dem Zusammenhang der Erzählung,
von der man nach dieser Einschränkung im übrigen mit Recht sagen darf, daß
10 sie den Stoff „auf letztmögliche Weise entmythologisiert"[202].

f. Dieselbe Beobachtung bestätigt sich auch gegenüber den
wenigen, einigermaßen greifbaren Zeugnissen über die Frühzeit der Jahwereligion.
Das betont männliche Gottesbild, welches aus der Tradition über die Stiftung Moses
hervorwächst, hat die at.liche Frömmigkeit in ihrer Grundhaltung nicht nur als
15 Gehorsam und Treue, sondern auch als Liebe bestimmt, nicht weil sein Mythus
besonders imposant gewesen wäre, sondern weil darin die unerkannte Dynamis
des Heiligen in einen auf Ziele gerichteten, den Menschen zu Gehorsam und
Treue verpflichtenden Willen des Führergottes umgesetzt war. Jahwe, der
„Kriegsmann" (Ex 15, 3), ist kein Berserker; er kämpft nicht um des Kampfes
20 willen, sondern für den Sieg seines Entschlusses, diesem Volk, das den Namen
„Gott kämpft" führt und ihm verschworen ist, den Erbbesitz, die Lebensgrund-
lage, das Glück zu geben. Um zu verstehen, wie wenig theoretisch die Treue
zwischen Gott und Volk, ihr gegenseitiger חֶסֶד gemeint ist, ist es besonders
bedeutsam zu sehen, wie stark aus dieser mächtigen Gottesgestalt das drängende
25 Gefühl wahrgenommen ist. Jahwe heißt im Dekalog und anderwärts אֵל קַנָּא „eifersüchtiger Gott" (Ex 20, 5 uö)[203]. Kann man das sogar seinen „Namen" nennen
(Ex 34, 14), eine Umschreibung des Geheimnisses seiner Person, so ist die Bedeutung des Begriffes für die Erkenntnis Jahwes auch durch die Überlieferung
scharf hervorgehoben. Seine Tragweite für die gesamte biblische Gottesbot-
30 schaft ist tatsächlich nicht zu übersehen. Er besagt nach dem Wortsinn[204]
nichts anderes, als daß Jahwe geliebt sein will von denen, die er liebt, daß
Treue zu ihm eine unbedingte, weil gegenseitige sein muß. Es gibt kaum eine

---

[200] Daß an dessen Körpergestalt gedacht ist, beweist 5, 3. → II 389, 25. — Eine wohl aus Gaza stammende Silbermünze des 5. (?) Jhdts v Chr mit der Legende יהו zeigt einen bärtigen Mann auf einem Flügelwagen sitzend. Abbildung bei Haas Lfrg 9/10 Leipoldt (1926) Nr 81; stark vergrößert bei J Hempel, Die althebräische Lit … (1930) 111. Sollte hier Jahu als Landesgott einer heidnischen Provinz oder ein heidnischer Gott als Landesgott einer israelitischen Provinz dargestellt sein? Vgl H Greßmann, ZAW, NF 2 (1925) 16f; Leipoldt aaO XI.

[201] Anders Köhler (→ A 193) 133.

[202] GvRad, Die Priesterschrift im Hexateuch (1934) 168.

[203] Der Gedanke erscheint so unreflektiert spontan, daß er sich dadurch von seiner nächsten Umgebung im Dekalogtext scharf abhebt. Er gehört zum alten Bestand der Jahwebotschaft, wie HSchmidt (im Eucharisterion für HGunkel [1923] 86ff) richtig erkannt hat. Durch Verwendung als paränetisches Drohmotiv im Dt wird sein an sich schon verhüllter Kern, der Liebesgedanke, so zurückgedrängt, daß er schwer ins Bewußtsein tritt.

[204] Also ohne „verdämmernde Auslegung" (Köhler [→ A 193] 50), die eher dann vorzuliegen scheint, wenn man die Eifersucht Jahwes in der Heiligkeit wurzeln läßt (ebd 34). Heiligkeit müßte dann als Gefühl gefaßt werden, was nicht wohl angeht. Nein, Eifersucht wurzelt im Gefühl, dh in der Liebe.

stärkere Aussage für das persönliche, aus dem Gefühl erwachsende Verhalten Gottes zum Menschen, das man nur halb sieht, wenn man seinen negativen Drohcharakter betrachtet. Eine innerste Lebenssphäre des Gottes ist scheu angedeutet, indem von einem Elementargefühl gesprochen wird, das als schmerzvolle Reaktion gegen fremden Eingriff in diese Sphäre sich mit unaufhaltsamer Ge- 5 walt regt. Als אֵל קַנָּא ist Jahwe kein in sich ruhender Baal, weil an ihm Liebe spürbar wird. Es macht gerade den männlichen Ernst dieser Gottesbotschaft aus, daß die Aussage in Negation verhüllt ist und erspürt werden muß. קִנְאָה ist beim Menschen das verwundete Liebesgefühl, der wühlende „Fraß im Gebein" (Prv 14, 30), Korrelat der נְקָמָה „Rache", des beleidigten Rechts- und 10 Ehrgefühls. Der eifersüchtige und rächende Gott (Na 1, 2; Ps 94, 1) ist also der in seiner Seelenkraft verwundbare, ist Person im Vollsinn als Träger von Empfindung, reizbar [205] durch mißachtenden Zweifel an seinem fordernden Ernst. In seine Weisung und in sein Handeln legt er sein Gefühl, und zwar so völlig und ohne Vorbehalt, daß er der Menschen geradezu zu bedürfen scheint, denen 15 er vertraut, daß sie nach seiner Weisung tun. So könnte man sagen, der אֵל קַנָּא sei ein junger Gott, denn nur ein alter Mann wie der abgeklärte Eliphas findet Eifersucht albern (Hi 5, 2). Um so stärker macht sich die leidenschaftliche Fülle des Begriffs geltend, je deutlicher seine logische Unzulänglichkeit zutagetritt, sobald versucht wird, seine Konsequenzen geordnet zu entwickeln, 20 wie es in der Glossierung des Dekalogtextes geschieht, die ihn zur Stütze einer Vergeltungstheorie zu machen sich bemüht [206]. Verstehen kann man den Begriff nur notdürftig im Rahmen des Gesamtbildes von Jahwe, dem Mann, der doch kein Mensch ist, sondern ein Gott. Das heißt: das Imponderabile des Dynamistischen und Dämonischen ist als Imponderabile der Person des Heiligen gestaltet. 25 An sie gewiesen ist der Mensch ratlos nur dann, wenn er sich ihr zu entziehen sucht. Dann verfällt er dem Zorn [207]. Aber das Gefühl sagt dem Menschen doch, daß es besser ist „in Jahwes Hand zu fallen" als in die der Menschen, „denn seine Barmherzigkeit ist groß" (2 S 24, 14).

g. In seiner Weisung wird Jahwe als der Herr erkannt und 30 anerkannt. Sie ist total, das ganze Leben umfassend, wovon schon die klassische Urkunde der Thora, der Dekalog [208], einen Eindruck gibt. Das Ich des redenden Gottes wendet sich an ein Du. Wer mit Du angeredet ist, ob ein Kollektivum als

---

[205] Vgl בַּעַם Ps 85, 5 uö u das Verb הִכְעִים.

[206] Ex 20, 5 f; Dt 5, 9 f ist theologisch nicht durchdacht u muß sich deshalb durch deutende Ergänzungen („die mich lieben", „die mich hassen") eine ihrerseits wiederum nicht geratene Korrektur gefallen lassen.

[207] Auch Zorn ist eine Umschreibung der Machtwirkung des Heiligen, die dessen Gestaltung in persönlichem Fühlen voraussetzt. Zorn ist im AT nie wie anderwärts (vgl Otto [→ A 124] 123) als Wesenheit des Gottes gemeint, sondern beschreibt eine bestimmte Reaktion seines Fühlens. פַּחַד יִצְחָק (Gn 31, 42) ist nicht Jahwe, sondern ein Baal von Beerseba.

[208] Gegen die Bemühungen, die Herkunft des Dekalogs von Mose zu erweisen, ist mit Recht, zuletzt von LKöhler, ThR, NF 1 (1929) 161 ff, eingewandt worden, daß sie zu keinem evidenten Ergebnis führen können u selbst ein Wahrscheinlichkeitsschluß nicht im Bereich des Möglichen liegt. Die beiden Texte sind Corpora für sich, woraus sich ergibt, daß sie auf jeden Fall älter sind als irgendeine der großen Erzählungsquellen des Hexateuch, worin sie an wichtiger Stelle, im Rahmen des Berichts über die Konstituierung der Volksgemeinde, angeführt werden.

Rechtsgemeinde oder der einzelne Mensch, bleibt zunächst dunkel[209]. Deutlich ist jedenfalls die praktische Zuspitzung der Anrede: „Ich bin Jahwe, dein Gott" in der Wendung: „andere Götter sollen nicht da sein für dich, mir zum Trotz." Sind andere Götter für dich da, so bedeutet das nicht eine theoretische Aner-
5 kennung ihrer Wesenheit, sondern praktische, willentliche Aneignung ihrer Kräfte, „Dienst" im weitesten Sinn. Derartiges soll nicht geschehen „mir zum Trotz". Hier liegt also keinerlei lehrhafte Aussage über Sein oder Nichtsein von Göttern im Unterschied von Gott vor; das Theologumenon „Monotheismus" hat in der Anwendung auf die biblische Religion überhaupt nur untergeordnete
10 Bedeutung, weil es im Leben nicht praktisch wirksam ist. Der zum Du redende Gott, der seinen Willen autoritativ und menschlichem Fassungsvermögen verständlich kundtut, ist für den Hörenden Gott. Daß dies Autoritätsverhältnis jedes andere ähnlich oder gleich geartete ausschließt, das ist nun der Satz, der als selbstverständlich empfunden den biblischen Gottesglauben mit unaufhalt-
15 samer Stoßkraft über alle völkischen und mythischen Grenzen hinaus vorangetrieben hat. Die prohibitive Form: „andere Götter sollen nicht da sein für dich", die weiterhin auch die meisten Sätze des Dekalogs aufweisen, gibt zu verstehen, daß der Rechtscharakter des Satzes als Lebensordnung ausschließlich herrscht. Seine Tragweite als Eingriff in die mythischen Gestaltungstriebe
20 der Stammesreligionen, ja in das ewig wuchernde mythische Wachstum religiösen Denkens überhaupt vermag wohl der heutige Mensch in nachschauendem Überblick über die Religionsgeschichte zu ermessen. Die Menschen aber, zu welchen der Autor des Satzes sprach, fühlten sich zunächst nur an die Wirklichkeit des Wollens ihres Gottes Jahwe verbindlich erinnert und sahen sich genötigt, sich
25 seinem Willen zu stellen. Die stärkste Keimzelle religiösen Lebens, die Berührung der Gotteserfahrung mit dem Willen, ist damit getroffen.

Hier wird also deutlich, was Herrschaft Gottes ist. Im Willen und Gefühl gleich stark erfaßt, empfängt der Mensch unbedingt gültige Weisung, die seinem Leben Sinn, Maß und Ziel setzt und einen Gehorsam fordert, der sich nicht in
30 elegischer Pflege des Kreaturgefühls erschöpft, sondern in dem konkreten Tun, insbesondere an anderen Menschen, in der Erfüllung einer gesetzten Treuepflicht sich beweist. „Wir tun und wir hören" (Ex 24, 7), lautet die Antwort der am Gottesberg Versammelten auf den Empfang des Gesetzes. Die Erkenntnis, daß Offenbarung des Göttlichen den Menschen verpflichtet, und zwar in keinem Be-
35 lang nur theoretisch oder grundsätzlich, sondern immer zu konkretestem Tun, für welches sie die einfachen und großen Normen gibt, dies darf man das stärkste Vermachtnis des gesamten AT an seine Leser nennen. An der sittlichen Forderung ist die Erfahrung der Jahwegemeinde mit ihrem Gotte zuerst als allgemeingültige erkannt worden. „Man hat dir kund getan, Mensch, was
40 sinnvoll ist und Jahwe von dir fordert: Recht tun, Treue lieben, zusammen mit

---

[209] Jahwe ist Israels Gott; also wird das Du kollektiv Israel meinen. Der Schluß wäre leichter, wenn er sich in der Fortsetzung der Sätze mit derselben Zwanglosigkeit ergeben würde, doch ist er angesichts von Sätzen, die das Handeln am Volksgenossen (רֵעַ) regeln, ausgeschlossen. Will man nicht, was durchaus möglich wäre, einen schwankenden Sprachgebrauch annehmen, so wäre auch dies denkbar, daß schon in der ersten Anrede eine direkte Wendung an den Volks- u Kultgenossen vorliegt.

deinem Gott den Weg in Demut gehen", Mi 6, 8. Das Kollektivwort „Mensch"
kommt dem Propheten unreflektiert aus der Dynamik seines Gottesauftrags,
wie schon dem Amos seine Drohworte wider Damaskus und die anderen Fremden
(Am 1, 3ff) aus der unversehens aufleuchtenden Erkenntnis geboren wurden,
daß die Völker nicht tun und lassen können, was sie wollen, sondern dem 5
gleichen göttlichen Riesen Rechenschaft schulden, dessen dröhnende Stimme er
von Zion her vernahm (Am 1, 2; vgl 9, 12).

10. Das Bekenntnis zu Jahwe in Dt 6, 4.

Die religionswissenschaftliche Formel „Monotheismus"
kann der at.lichen Religion nur insofern gerecht werden, als sie eine theoretische 10
Wertung ihres Gesamtertrages für die religiöse Erkenntnis bedeutet. Aber ein
spekulatives Bedürfnis ist dem Jahweglauben selbst fremd[210]. Das gilt auch
von dem Anfang des sogenannten שְׁמַע Dt 6, 4, der als spekulative Aussage
gelten dürfte, wenn nicht die Form des Bekenntnisses und der Zusammenhang
erkennen ließen, daß auch hier nicht Anregung oder Rechtfertigung des Denkens 15
beabsichtigt ist, sondern durch emotionale Aussage über den Gott der Wille
seiner Bekenner aktiviert werden soll. Die Liebe zu Jahwe gibt sich Ausdruck,
um die Liebe der Gemeinde zu ihm stark zu halten. Die reiche kultische und
theologische Auswertung der vier knappen Worte יְהֹוָה אֱלֹהֵינוּ יְהֹוָה אֶחָד rechtfertigt
eine besondere Untersuchung ihres viel umstrittenen Sinnes.   20

Der Wortlaut, durch eine nur im Dt übliche (Dt 5, 1; 9, 1; 20, 3; 27, 9)
paränetische Formel „Höre, Israel!" gehoben, sieht eben deswegen aus wie ein
Zitat einer schon vorhandenen Formulierung. Sie könnte wohl hymnisch gemeint gewesen sein, weil sie die prägnante Kürze hymnischer Motive aufweist,
die sonst nicht Art des Dt ist. Sie enthält — und darin liegt ihre Schwierig- 25
keit — entweder zwei Sätze oder nur einen einzigen. Grammatisch ist die
Annahme zweier Nominalsätze die leichtere. Der erste: „Jahwe ist unser Gott"
ist eine Art von Grundbekenntnis des Gottesvolks, monolatrisch wie der erste
Satz des Dekalogs. Daneben tritt ein zweiter, vielleicht auch hymnisch ge-
meinter, aber doch in viel stärkerem Grad lehrhaft anmutender Satz: „Jahwe 30
ist einer." Versteht man ihn nach Analogie einer ganz gleichen Konstruktion
wie Gn 41, 25 חֲלוֹם פַּרְעֹה אֶחָד הוּא, dh es handelt sich um einen einzigen Traum,
nicht um zwei, so würde er besagen, daß Jahwe eine einzige Person ist, nicht
mehrere Personen. Das wäre eine platte Selbstverständlichkeit, die aber nur
dann entstehen kann, wenn man den Nachdruck auf אֶחָד legt und dadurch eine 35
Zahlangabe gewinnt, die sinnlos ist[211]. Aber das Überraschende und deshalb
Wirkungsvolle der mathematischen Zuspitzung liegt unverkennbar an der
emphatischen Betonung des Namens, der dadurch den Wert einer Gattungsbezeichnung erhält. „Jahwe ist einer" besagt: in Jahwe ist alles, was er ist,

---

[210] Eine Ausnahme liegt vielleicht bei Qohelet vor, vgl sein dunkles Wort von dem
„einen Hirten" (12, 11).
[211] Der Verfasser von Sach 14, 9 hat offenbar
so gelesen u verstanden. Dem entspricht die
Fragwürdigkeit seines leeren Satzes, mit dem
er etwas ganz anderes sagen will als er tatsächlich sagt.

schlechterdings erschöpfend und ausschließlich gegenwärtig [212]. Der zweite Satz ist also ein analytischer, nicht ein synthetischer; er würde den Sinn des ersten überhöhend etwa an Js 45, 6: אֲנִי יהוה וְאֵין־עֹוד anklingen und dürfte nach Sätzen wie Dt 4, 35: יהוה הוּא הָאֱלֹהִים אֵין־עֹוד מִלְּבַדֹּו oder Dt 7, 9 uä umschrieben werden,
5 nämlich: keiner ist das, was Jahwe ist, Gott.

Für diese Auffassung liegt indes eine Schwierigkeit in der Kombination der beiden Sätze; die Frage, warum der weiter greifende Satz den engeren neben sich hat, kann eben nur durch Hinweis auf die möglicherweise vorhandene hymnische Tendenz des Ganzen beantwortet werden. Aber die Annahme, daß
10 der zweite Satz den ersten nicht überhöhe, gerät in die Plattheit, daß יהוה אֶחָד tatsächlich eine Zahlangabe sei, was nicht dadurch erträglicher wird, daß man darin Polemik gegen einen Polyjahwismus entdeckt, der die Vielgestaltigkeit des Baal in den Jahweglauben zu tragen versuche [213].

Ein wesentlich verschiedener Sinn kann aber auch nicht durch andere Auf-
15 teilung der bisher als zwei Sätze konstruierten Worte in einen einzigen Satz gewonnen werden. אֱלֹהֵינוּ wäre dann Apposition zu יהוה, hinter welcher das Subjekt יהוה von neuem aufgenommen wird: „Jahwe, unser Gott, Jahwe ist einer [214]." Diese Aufteilung, so schlecht sie im Stil ist, befriedigt immerhin noch eher als die andere, die יהוה אֶחָד als Apposition zu אֱלֹהֵינוּ stellt. Das
20 Empfinden, daß ein Zahlwort beim Eigennamen nicht konzinn ist, muß dann zu umschreibenden Wendungen greifen wie: „Jahwe ist unser Gott, Jahwe als einziger." Dabei ist zwar die monolatrische Höhenlage innegehalten, aber um den Preis sprachlicher Klarheit.

Der Befund ist also von der Art, daß es nicht möglich ist, den Sinngehalt
25 dieser Worte in einwandfreier gedanklicher Schärfe zu bestimmen. Diese Tatsache in Verbindung mit dem rhythmischen Schwung der Sprache und der unverkennbaren Größe des Gegenstandes der Aussage macht die Worte zu einem in seiner Art einzigen Zeugnis der gehaltenen und doch unruhvoll drängenden Kraft des Jahweglaubens. Sie scheinen auf einer Grenze zu stehen. Die akti-
30 vierende Dynamik der Volksreligion bedient sich eines Ausdrucksmittels, das ihr schon nicht mehr adäquat ist, und so rührt gerade der fragwürdige Tiefsinn an das Geheimnis des Wirklichkeitsgehalts der Jahweoffenbarung. Jahwe als Summationszentrum aller religiösen Empfindung ist nach diesem Bekenntnis die causa einer einzigen und einheitlichen geschichtlichen Offenbarung. Wie
35 viele und was für ähnliche Offenbarungen es gebe, bleibt gewiß zu fragen möglich. Aber auf das Erfahrene soll gehört werden.

Quell

---

[212] Ähnlich ist eine Wendung wie Hi 12, 2 אַתֶּם־עָם: Ihr seid die Gattung Mensch ganz u ausschließlich.

[213] Derartiges hat es gewiß gegeben (vgl Gn 16, 13; 12, 7; 18, 1 ff; 28, die Göttertrias im Tempel von Jeb), aber es liegt hier ohne Zweifel ganz abseits, u ein so doktrinärer Gedanke könnte sich überdies in der Kürze von zwei Worten unmöglich Geltung verschaffen.

[214] So LXX: κύριος ὁ θεὸς ἡμῶν κύριος εἷς ἐστιν. Auf die altchristliche Formel εἷς θεός hat Dt 6, 4 vermutlich keinen Einfluß geübt, es sei denn, daß eine von LXX abweichende griechische Form des Schma (1 Kor 8, 4 ff? Jk 2, 19) diesen Text geboten hätte; vgl EPeterson, Εἷς θεός (1926) 293 ff.

D. „Herr" im Spätjudentum.

1. Die Wahl des Wortes κύριος in LXX.

An dieser Stelle ist nur noch der Grund für die Wahl gerade des Wortes κύριος für LXX zu erörtern. Baudissin hat [215] als Sinn des at.lichen אָדוֹן den des Übergeordneten herausgestellt, im Unterschied von dem, der Macht über etwas 5 oder jemanden hat. Dies Übergeordnetsein könne betätigt werden durch Machtausübung, sei aber davon zu trennen. Auf Gott sei אדון im AT so angewandt, daß es diesen bezeichne als den Übergeordneten, der in dieser Eigenschaft dem Redenden angehöre (Baudissin II 249). Ähnlich sei der Sinn des κύριος der LXX. Aber Baudissins Argumentation ist an diesem Punkt nicht überzeugend. Wenn Baudissin für seine These an- 10 führt, daß im AT die Anrede אֲדֹנִי auch vom Unabhängigen gebraucht wird, der dem Angeredeten mit dieser Anrede nur bezeugen will, daß er ihn ehrt und daß er mit ihm in Beziehung zu treten wünscht (Baudissin II 246), so verkennt er, daß eine solche Anrede im Zusammenhang die Selbstbezeichnung des Redenden als „Knecht" neben sich hat und daß diese Redeweise — auch wenn sie gar nicht in strengem Sinne ernst gemeint 15 ist — die Abhängigkeit des Redenden vom Angeredeten aussagen soll: sie ist „unterwürfig". Die Tatsache, daß für גְּבִירָה, das der Königin gilt, nicht κυρία, wie sonst, steht, sondern Ausdrücke, die eindeutig das Herrschen bezeichnen (Baudissin II 253), hängt nicht damit zusammen, daß κυρία nur Ausdruck einer Überordnung, nicht aber des Herrschens sei, sondern damit, daß κυρία nicht speziell die Königin bezeichnet; 20 an den meisten der von Baudissin hier genannten Stellen (Baudissin ebd A 1) würde κυρία den Sinn nicht eindeutig genug wiedergeben, da die Königin auch im Verhältnis zu ihren Sklaven κυρία ist.

Vielmehr ist auszugehen von der griechischen Bedeutung des Wortes κύριος zur Zeit von LXX. Da κύριος als heidnisches Gottesepitheton damals noch ungebräuch- 25 lich war, kommt sein von Baudissin dargelegter ethnischer Gebrauch für LXX nicht in Betracht. κύριος bezeichnete damals, wo sich der spezifisch hellenistische Sprachgebrauch erst anbahnte, den, der rechtmäßig verfügen kann. Das Moment der Rechtmäßigkeit muß umsomehr herausgehoben werden, als die Ersetzung des Tetragramms durch κύριος einheitlich in der ganzen LXX beobachtet ist, also in die ersten Anfänge 30 dieser Übersetzung zurückreicht. Mit der Wahl gerade von κύριος statt des auch möglichen, vom damaligen Griechisch her näherliegenden δεσπότης spricht LXX also ein starkes, bewußtes Ja zur Herrenstellung Gottes als einer rechtmäßigen. Dieses Ja kann nun begründet sein einmal in der geschichtlichen Tat der Erwählung Israels: der es aus dem „Schmelzofen Ägypten" errettet hat, hat dadurch ein Anrecht auf 35 dieses Volk. κύριος bezeichnet dann Gott als den Herrn seines Volkes und der Seinen. Das Ja kann aber auch in dem Schöpfersein Gottes begründet sein: der die ganze Welt und die Menschen geschaffen, ist ihr rechtmäßiger Herr. Baudissin hat sich für das erstere ausgesprochen; ein Hauptargument dafür, abgesehen von dem oben genannten, ist, daß κύριος gelegentlich אֱלֹהִים mit Suffix wiedergibt (Baudissin 40 I 449 ff). Indessen muß eine Erfassung der Motive für gelegentliche Abweichungen vom MT, wie diese, stets recht unsicher bleiben. Es muß auch fraglich bleiben, ob LXX bei der Wahl eines Ersatzes für יהוה (wenn anders, was Baudissin in sorgfältiger Untersuchung verfochten hat, LXX dabei nicht von אֲדֹנָי als Ersatz für יהוה beeinflußt ist) sich auf ein Wort beschränkt hat, das nur besagt: der Übergeordnete, 45 der sich seinen Verehrern zu eigen gibt. Vor allen Dingen ist der Sinn des LXX-κύριος, den Baudissin ihm beilegt, aus dem griechischen Wort und auch aus seiner Anwendung in LXX durchaus nicht ohne weiteres zu entnehmen, zumal die Stütze an einem geprägten heidnischen Gebrauch fehlte. Es würde allerdings auch ein solcher Anschluß an einen heidnischen Gebrauch für LXX eher ein Grund gewesen sein, dieses Wort zu 50 meiden. Der durchgängige Gebrauch des absoluten κύριος läßt an die rechtmäßige, unumschränkte und dabei unsichtbare Verfügungsmacht Gottes über alles, seine ἐξουσία, denken. Selbst wenn die Motive der LXX bei der Wahl von κύριος im Vorstehenden nicht richtig getroffen sein sollten, wenn etwa אֲדֹנָי doch das Vorbild für das κύριος der LXX abgegeben haben sollte, so bleibt auch dann die tatsächliche Tragweite dieser, warum 55 auch immer gewählten „Übersetzung". Das eine Wort κύριος, ohne Hinzufügung eines Gottesnamens (wie späterhin im ethnischen Gebrauch und wie seit undenklichen Zeiten in Babylon und Ägypten) das entsprechende Wort, war in sich selbst genugsam, einen Gott, dh dann aber den einen Gott, zu benennen. Das mußte den Hörer immer wieder auf die unumschränkte Verfügungsmacht Gottes über alles führen. „In the one case 60 (im ethnischen Gebrauch) the title is added to the name, and the name distinguishes

---

[215] (→ Lit-A) II 241—257.

its bearer from numerous other gods and men who may bear, or may have borne, the title ... In the other case (bei LXX) the title is substituted for the name, and the implication is that the bearer is ‚sovereign‘ in the absolute sense. There is no exact parallel to this in earlier or contemporary Greek [216]."

2. „Herr" in den Pseudepigraphen.

Baudissin hat mancherlei Gründe gegen die verbreitete Ansicht vorgebracht, daß אֲדֹנָי als Ersatz für das Tetragramm älter als die LXX sei. Er verlegt die Entstehung dieser künstlichen Form in das 1. Jhdt v oder n Chr. Doch ist der Gebrauch des Tetragramms außerhalb der Schriftlektüre vielleicht noch bis ins 1. Jhdt n Chr nicht unbedingt vermieden, besonders wegen der von 4 Esr gebrauchten Gebetsanrede dominator domine (Baudissin II 189 ff). Der Tatbestand ist folgender (→ auch 93, 13—95, 23): A und Σ haben das Tetragramm, mit hbr Buchstaben geschrieben, in ihrer griechischen Übersetzung stehen gelassen; für masoretisches אֲדֹנָי im Vokativ hat A einmal und Σ öfter δέσποτα, sonst κύριος, das Θ für יהוה und אֲדֹנָי bietet. Masoretisches אדני יהוה ist von diesen Übersetzungen verschieden wiedergegeben (Baudissin II 98 ff). Die Apokryphen gebrauchen bis auf 1, 3 und 4 Makk mehr oder minder häufig κύριος, ebenso PsSal. bei denen sich κύριος bzw (seltener) ὁ κύριος und κύριε einerseits, θεός bzw ὁ θεός (häufiger) und ὁ θεός als Vokativ anderseits ungefähr die Waage halten. In der etwas jüngeren Ass Mos überwiegt dominus stark gegenüber deus, ebenso, wenn auch nicht in demselben Maße, in Test XII, während 4 Esr als ständige Gottesbezeichnung altissimus hat, und daneben gelegentliches fortis, 1 mal excelsus. Dominus kommt hier nur als Vokativ Gott und (gelegentlich mit meus) Engeln gegenüber vor. s Bar hat meist „der Allmächtige", häufig ist auch „der Höchste", 8 mal findet sich „Herr", 1 mal „der erhabene Herr", 6 mal „Gott" (bzw „der allmächtige Gott"), 1 mal „der Erhabene". Als Anrede steht aber nur 1 mal „Allmächtiger", 7 mal „Herr, mein Gott", ebenso oft „Herr", 2 mal „mein Herr". Ein buntes Bild gewährt äth Hen. In dem wohl ältesten Bestandteil, der Tiervision, Kp 83—90, ist im Gleichnis „Herr der Schafe" Bezeichnung Gottes, gelegentlich steht aber auch einfaches „Herr" (83, 2; 89, 14. 15. 16. 18. 54; 90, 17. 21. 34. Als Anrede 84. 6 [„mein Herr"]). Einmal „Gott" (84, 1). In den Bilderreden ist die ständige Gottesbezeichnung „Herr der Geister", seltener einfaches „Herr", „unser Herr", „Herr der Welt", „Herr der Könige", „der Höchste" [217], noch seltener „Gott" (55, 3; 61, 10; 67, 1). In den anderen Teilen dieser Schriftensammlung begegnet „Gott" und „Herr" etwa gleich oft, daneben mannigfache Umschreibungen, besonders „der Höchste" (11 mal), „der Große". „der Heilige" und „Herr" mit mannigfaltigen Genitiven: Herr des Himmels, der Welt, der Schöpfung, der Herrlichkeit. des Gerichts. der Gerechtigkeit: dazu „der Gott der Herrlichkeit", „der König der Welt", „der König der Herrlichkeit". In Jub endlich überwiegt außerordentlich stark das einfache „Gott" (neben Zusammensetzungen wie: der höchste Gott, der Gott Abrahams. unser Gott usw). Einfaches „Herr" steht fast nur [218] als Anrede. sonst findet sich „Herr" in Verbindungen wie Gott der Herr, der Herr unser Gott (letzteres im Munde des Offenbarungsengels) uä. Damask hat meist אֵל. 1 mal עֶלְיוֹן. 3 mal הַיָּחִיד. In Zitaten aus dem AT ist יהוה ausgelassen oder durch אֵל ersetzt. Verboten ist der Eid mit Aleph und Daleth (אֲדֹנָי) und mit Aleph und Lamed (אלהים) 15, 1 (Schechter).

Dieser Tatbestand läßt sich auch anders erklären, als es Baudissin tut, nämlich damit, daß die Pseudepigraphen ihre Schriften als heilige gelten lassen wollten und darum in der Schreibung das Tetragramm anwandten, wie es im AT gebraucht war, daß sie es aber in der Lesung des AT אדני aussprachen. Dann stünde der Annahme nichts im Wege, daß LXX mit ihrem κύριος sich an den schon gebräuchlichen Ersatz des Tetragramms durch אדני angelehnt habe (→ 93, 13—95, 23). Die Gesichtspunkte für die Wahl gerade von κύριος bleiben hierdurch unberührt. Auch wird sich wohl schwerlich je eine vollkommene Sicherheit bezüglich des Alters von אדני erreichen lassen, zumal der Gebrauch von „Herr" in den Pseudepigraphen noch beträchtliche individuelle Unterschiede aufweist. Anderseits zeigt der reiche Gebrauch von mannigfachen Ersatzworten zur Gottesbezeichnung etwa bei äth Hen eine starke Ängstlichkeit den

---

[216] Dodd (→ Lit-A) 11.
[217] Herr: 39, 9. 13; 41, 2; 62, 1; 65, 6; 67, 3. 10; 68, 4. Unser Herr: 63, 8. Herr der Welt: 58, 4. Herr der Könige: 63, 4. Herr der Herr-

lichkeit: 40, 3; 63, 2. Der Höchste: 46, 7; 60, 1; 62, 7.
[218] Ausnahmen: die Einl (vl); 27, 27; 49, 22.

einfachen Gottesbezeichnungen gegenüber. Jedenfalls zeigt Jos[219] wie auch der Grundbestand der Synoptiker und das Joh-Ev, daß יהוה und אדני aus dem alltäglichen Sprachgebrauch verschwunden waren. Die Ersatzworte bei den Pseudepigraphen geben uns ein gutes Bild von den den Schreibern im Gottesbild wichtigen Zügen. In den dem Hellenismus aufgeschlossenen Kreisen, aus denen die Verfasser der ep Ar, des 3. und 5 4. Makk-Buches und der Sib[220] stammen, fehlt κύριος nicht aus religiöser Scheu, sondern weil es, ohne dazutretenden Gottesnamen, für den Hellenismus unverständlich war. — Philo stand vor der Tatsache, daß ihm in seiner Bibel, der LXX, θεός und κύριος als die beiden Hauptbezeichnungen Gottes nebeneinander entgegentraten. Er hat in allegorischer Weise in κύριος einen Hinweis auf die βασιλική δύναμις, in θεός 10 einen auf die χαριστική δύναμις gesehen[221].

3. „Herr" im rabbinischen Judentum.

In Palästina ist zur Zeit Jesu die buchstäbliche Aussprache des Tetragramms auf wenige Fälle beschränkt gewesen (→ 93, 26—31). Auch die Rabbinen haben mit den beiden hauptsächlichen Gottesbezeichnungen ihrer Bibel, יהוה und 15 אלהים, Spekulationen verbunden, und zwar über die beiden „Maße" Gottes, das Maß des Erbarmens und das Maß des Richtens, sie aber auf die Namen anders als Philo verteilt[222].

Im allgemeinen Sprachgebrauch ist אדון weitgehend zurückgetreten. Es ist wohl noch gelegentlich als Anrede in Verbindung mit einem Titel gebraucht, אדני 20 הרופא[223], an den König: אדני המלך[224], an den Hohenpriester: אדני כהן גדול[225], אדנינו ורבינו als Anrede an den König[226]. Vom Pharao wird gesagt, er habe sich אדון העולם genannt[227]. Auf Gott findet אדון noch verschiedentlich Anwendung, in Verbindung mit כל ברירת, לכל באי עולם, לכל מעשים (כל) העולמים, העולם[228]. Wenn die Rabbinen die Frage erörterten, wer zuerst Gott אדון genannt habe[229], so zeigt diese Er- 25 örterung die Bedeutung, die die Rabbinen diesem Namen beilegten. Dabei wird die Verbindung vom „Herr"sein mit dem Schöpfersein deutlich[230]. Im allgemeinen gebrauchen die Rabbinen für „Herr" מרא, רבונא, רבון, רבא, רב, später auch קירים (κύριος) bzw קירי (= κύριε). מרא ist „Herr" in den verschiedensten Verwendungen dieses Wortes: Herr eines Sklaven, Besitzer von Hab und Gut, Herr der Seele, dh 30 der Leidenschaften (entsprechend κύριος), als Anrede (stets mit Personalpronomen) ist es höfliche Anrede von Untergebenen (Dienern und Untertanen) wie zwischen Gleichgestellten, entsprechend אדון im AT[231]. Auf Gott wird מרא in Verbindung mit שמיא[232] und עלמא[233] angewandt, מרי als Anrede an Gott findet sich zB Gn r 13, 2 z 2, 5[234], das Abstraktum מרותא דעלמא begegnet Gn r 55 z 22. 2[235]. 35

רב ist im allgemeinen, auch ohne Suffix, der Lehrer[236], besonders aber in der Suffixform רַבִּי als Anrede an den Lehrer gebräuchlich. Das Suffix erstarrte bald[237]. Doch

---

[219] Jos gebraucht adj κύριος öfters: Ap I 19. 146; II 177. 200; die Römer nennt er οἱ κύριοι νῦν Ῥωμαῖοι τῆς οἰκουμένης, Ap II 41; auch weiß er, daß κύριος hbr אדון entspricht, Ant 5, 121. κύριος in Bezug auf Gott hat er ganz gemieden bis auf ein Gebet, Ant 20, 90 (Anrede δέσποτα κύριε ... τῶν πάντων δὲ δικαίως μόνον καὶ πρῶτον ἥγημαι κύριον) und ein Schriftzitat (Ant 13, 68). Häufig dagegen ist δεσπότης und die Gebetsanrede δέσποτα Gott gegenüber: ASchlatter, Wie sprach Jos von Gott, BFTh 14, 1 (1910) 8—11; Ders, Theol d Judt 25 f.
[220] Ähnlich ist es mit den jüdisch-hell Schriftstellern Artapan usw.
[221] Som I 163. Weitere Stellen bei Foerster (→ Lit-A) 119 A 3 u → A 222.
[222] S darüber zuletzt AMarmorstein, Philo and the names of God, in: JQR NS 22 (1931/32) 295—306; dort Literatur.
[223] jBer 9 b, Dalman WJ 399.
[224] Dalman ebd.
[225] Lv r 3, 5 z 2, 1, Dalman ebd unt = SchlMt z 15, 22.

[226] Ebd.
[227] Ex r 5, 14 z 5, 2; Marmorstein (→ Lit-A) 63.
[228] Belege bei Marmorstein 62 f.
[229] Zuerst Simeon b Jochaj (Mitte 2. Jhdt n Chr) bBer 7 b; Marmorstein 62.
[230] RAha. Marmorstein ebd: du bist wert, Herr zu heißen, denn du bist wirklich Herr über alle deine Geschöpfe.
[231] Dalman WJ 267, woselbst Belege. Ferner hierfür u für das Folgende SchlMt z 6, 24; 7, 21; SchlJ z 5, 3.
[232] Sachau (→ A 156) Nr 1, 15; Qoh r z 3, 2; Weiteres Marmorstein aaO 93 f. 94 A 45; SchlMt z 11, 25.
[233] Gn r 99 z 49, 27; Marmorstein 94 A 46; SchlMt z 11, 25.
[234] SchlMt z 7, 21.
[235] Marmorstein 93 A 44.
[236] Ab 1, 6. 16. Zu Rabbi vgl auch Moore III 15—17.
[237] Dalman WJ 274.

bezeichnet רב auch sonst den Herrn, etwa des Sklaven[238]. רבי ist jedenfalls „eine außerordentlich respektvolle Anrede[239]". Neben רב steht רבּוֹן (später רִבּוֹן), das nach den Evangelien in der Anrede gebraucht wurde und sich auch in den Targumen findet[240], und zwar für biblisches אדון, wo es nicht Gottesbezeichnung ist. Später aber ist dieses Wort fast nur für Gott üblich, besonders in den Wendungen רבון של עולם, ר" העולמים[241].

Nicht unwichtig ist auch בעל, das den Besitzer bezeichnet[242] und in der Verbindung בעל הבית oft in Gleichnissen Gott meint[243]. Daneben aber müssen noch einige mit בעל gebildete Namen Gottes erwähnt werden[244] (die freilich nur „Namen" in einem übertragenen Sinn sind). ב" מלאכה (Ankläger), ב" חוב (Gläubiger), בעל דין (Dienstherr), ב" המשפט (Richter), ב" הפקדון (dem ein Pfand anvertraut ist, in Bezug auf gute Taten); ferner ב" הנחמות und ב" הרחמים und auch ב" העולם.

Gegenüber der griechischen Sprache bezeichnend ist bei dem hbr u aram „Herr", daß es nie absolut, ohne abhängiges Subst[245] oder Suffix gebraucht wird, und daß die Anrede „Herr" gelegentlich verdoppelt wird[246].

Gottes Herrsein ist dem Spätjudentum in doppelter Beziehung wichtig: einmal, daß Gott Herr und Leiter der ganzen Welt und ihrer Geschichte, zum andern, daß er Herr und Richter des Einzelnen ist. Aus der Zahl der Bezeichnungen Gottes, die ihn in dieser zweifachen Hinsicht benennen, geht die Bedeutung dieser beiden Gedankenkreise hervor. Ersteres ist besonders (aber durchaus nicht ausschließlich) in den Pseudepigraphen ausgesprochen, die ja die Gewißheit vermitteln wollen, daß die Weltgeschichte trotz aller Gegenmächte doch ihr von Gott bestimmtes Ziel hat[247]. Als charakteristische Wendungen seien hierfür genannt äth Hen 9, 4: σὺ εἶ κύριος τῶν κυρίων καὶ ὁ θεὸς τῶν θεῶν καὶ βασιλεὺς τῶν αἰώνων und 25, 3: ὁ μέγας κύριος ὁ ἅγιος τῆς δόξης, ὁ βασιλεὺς τοῦ αἰῶνος, vgl ebd 25, 7; 27, 3; 91, 13. Auch die Vorliebe von 4 Esr und s Bar für die Namen „der Höchste", „der Allmächtige" hängt hiermit zusammen. Für das Letztere sei auf die oben genannten mit בעל zusammengesetzten Gottesnamen hingewiesen, dazu auf äth Hen 83, 11: „Herr des Gerichts." Das Herrsein Gottes ist absolut, aber noch verborgen. Noch kann jeder „Schulden machen"[248] und vor dem „Herrn der Arbeit" lässig sein (Ab 2, 19), noch können die Könige der Welt ihre Macht gegen Gott und sein Volk betätigen. Das ist eine Folge der Sünde des Volkes. Würde es zB auch nur einen Sabbat halten, so würde es sofort erlöst (jTaan 64 a Z 31 f). Unter diesem Vorzeichen steht die Haltung des Judentums zu den Mächten dieser Welt.

Daß Gott absolut Herr ist über diese Welt und ihren Lauf und über den Einzelnen, hat seinen Grund darin, daß er „Allschöpfer"[249] ist: äth Hen 84, 2 f: „Gepriesen bist du, o Herr, König, groß und mächtig in deiner Größe, Herr der ganzen Schöpfung des Himmels, König der Könige und Gott der ganzen Welt! Deine Macht, Königsherrschaft und Größe bleibt in alle Ewigkeit, und deine Herrschaft durch alle Geschlechter; alle Himmel sind dein Thron in Ewigkeit und die ganze Erde der Schemel deiner Füße immerdar. Denn du hast alles geschaffen und regierst es[250]." Diese Verbindung mit dem Schöpfungsgedanken gibt dem „Herrsein" Gottes seine letzte, unausweichliche Begründung, gibt der ethischen Verpflichtung ihre Unentrinnbarkeit: 4 Esr 8, 60: die Geschöpfe haben den Namen des, der sie doch geschaffen, verunehrt und Undankbarkeit bewiesen gegen den, der ihnen doch das Leben bereitet hat. Deshalb naht mein Gericht jetzt bald heran. jBer 7 d Z 61[251] בראתנו לעשות רצונך. Da-

---

[238] bḤaḡ 26 b gg E; bUit 23 b.

[239] Dalman WJ 275.

[240] Dalman WJ 266 f; Str-B II 25 z Mk 10, 51.

[241] Belege Str-B III 671 f; Marmorstein aaO 98 f.

[242] בעל התאנה (= aram מרא דתאינתא) jBer 5 c Z 16; SchlMt 256 M.

[243] Marmorstein 77 f.

[244] Marmorstein 78 ff.

[245] Dalman WJ 268. Doch gilt das nicht ausnahmslos: bBer 61 b gg A: RAbajje zu Rab: לא שביק מר חיי לכל בריה, als sich dieser den Mittelmäßigen zurechnete.

[246] König Josaphat soll jeden Gelehrten mit אבי אבי רבי רבי מרי מרי begrüßt haben: bMak 24 a; Dalman WJ 268 ob.

[247] Wie stark die Spannung empfunden wurde, geht etwa aus äth Hen 89, 57 f. 70 f. 75—77; 90, 3 hervor.

[248] Vgl den Ausspruch RAqibas, Ab 3, 16.

[249] Dieser Ausdruck Jub 2, 21. 31. 32; 17, 3; 22, 4; 31, 29; 45, 5 vgl 22, 27.

[250] Vgl ebd 9, 4 f: σὺ εἶ κύριος τῶν κυρίων . . . σὺ γὰρ ἐποίησας τὰ πάντα.

[251] Str-B IV 478 bb.

hinter tritt die Erwählung Israels als verpflichtendes Motiv stark zurück, sie begegnet uns im wesentlichen in der Form, daß Gott der Schöpfer Israels ist (s Bar 78, 3; 79, 2; 82, 2).

E. κύριος im NT.

1. Der profane Sprachgebrauch.   5

Im NT bezeichnet κύριος den *Herrn und Besitzer* eines Weinberges Mk 12, 9 par; eines Esels Lk 19, 33; eines Hundes Mt 15, 27; den *Herrn des* (freien) *Verwalters* (Lk 16, 3. 5. 8?) und den *Herrn der* unfreien *Sklaven* (oft in den Gleichnissen, dazu Ag 16, 16. 19; Eph 6, 5. 9; Kol 3, 22; 4, 1), dann den, *der verfügen kann und zu sagen hat:* über das Ernten Mt 9, 38 par[252]; über den Sabbath Mk 2, 28 par. In orien- 10 talischer Höflichkeit mag (rein auf den Sprachgebrauch gesehen) Elisabeth die Maria „Mutter meines Herrn" nennen, Lk 1, 43.· Die Überordnung, der sich unterzuordnen gilt, liegt in κύριος, wenn 1 Pt 3, 6 darauf aufmerksam macht, daß Sara Abraham κύριος nennt (Anspielung auf Gn 18, 12 LXX), und in dem Zitat von Ps 110 in Mk 12, 36 f par; Ag 2, 34. Festus spricht von Nero als dem κύριος, Ag 25, 26 → 1053, 38 ff. 15 In strengerem Sinne, mit dem Unterton des rechtmäßigen, nicht tatsächlichen Besitzes, dem Adj κύριος sich nähernd, steht κύριος Gl 4, 1: ἐφ᾽ ὅσον χρόνον ὁ κληρονόμος νήπιός ἐστιν, οὐδὲν διαφέρει δούλου κύριος πάντων ὤν. Mit wenigen Ausnahmen (Mt 18, 25; 24, 45; Lk 12, 37. 42; 14, 23; vgl J 13, 13 f) steht in den Ev und Ag bei diesem κύριος stets ein Genitiv, sei es eines Subst, 20 sei es eines Personalpronomens (auch bei Sachen: Lk 20, 13. 15), ein Zeichen des Nachwirkens palästinischen Sprachgebrauchs → 1084, 13 f. Darum fehlt ein ent- sprechender Gen in den Briefen: Eph 6, 5. 9; Kol 3, 22; 4, 1; 1 Pt 3, 6, ferner Ag 25, 26. Auf palästinischem Boden kann diesem κύριος sowohl רבון, רב wie מרא ent- sprechen → 1083, 27 ff. Als Anrede ist κύριε häufig, nicht nur bei den Sklaven ihrem 25 Herrn gegenüber (in den Ev gebrauchen sie nie eine andere Anrede), sondern auch der Weinbergbauer redet den Weinbergbesitzer so an Lk 13, 8, die Juden Pilatus Mt 27, 63, der Sohn den Vater Mt 21, 29 (was noch etwas Besonderes ist)[253], Maria den unbekannten Gärtner J 20, 15, der Gefängniswärter in Philippi drückt mit seiner An- rede κύριοι den Gefangenen seine Ehrfurcht aus, Ag 16, 30. κύριε ist ferner Anrede 30 an Engel: Ag 10, 4; Apk 7, 14 (+ μου), wie an die unbekannte Erscheinung, Ag 9, 5; 22, 8. 10; 26, 15; 10, 14; 11, 8. Auch ein doppeltes κύριε, κύριε (Mt 7, 21. 22; 25, 11; Lk 6, 46) entspricht palästinischem Sprachgebrauch → 1084, 14 f. Dem κύριε in den Ev entspricht מָרִי mit Suffix, da die Evangelisten רַבִּי Jesus gegenüber anders übersetzt haben und es als Anrede an Nicht-Gelehrte selten gewesen ist. Über die Anrede 35 Jesu mit κύριε 1092, 32 ff. Dieses κύριε hat nie ein Personalpronomen neben sich, ebenso- wenig wie die Anrede ἐπιστάτα und διδάσκαλε (außer J 20, 28 und Apk 7, 14), ob- gleich „Herr" in der Anrede im palästinischen Sprachgebrauch stets ein Suffix bei sich hatte. Die Anrede „Herr" wird einem größeren Kreis von Personen zuteil als die Bezeichnung „Herr", und ist darum früher abgeschliffen. Semitisch ist statt des 40 Vokativs der Gebrauch des Nominativs mit Artk: J 20, 28; Apk 4, 11[254].

Von den Genitivverbindungen κύριος τῆς δόξης (1 K 2, 8), τῆς εἰρήνης (2 Th 3, 16 a) hat die letztere eine Stütze an בעל הנחמות, → 1084, 12, die erstere zeigt wohl einen semitisierenden Gen statt eines Adj.

δεσπότης begegnet in den Ev nur im Vokativ der Gebetsanrede an Gott, vom 45 Sklavenherrn 1 Tm 6, 1 f; Tt 2, 9; 1 Pt 2, 18; vom Hausherrn und Besitzer 2 Tm 2, 21. Es ist wohl Zeichen einer etwas gewählteren Sprache, → 1043, 45 f.

2. Gott der Herr.

(ὁ) κύριος wird Gott im NT zunächst genannt in Zitaten und zitatgleichen Anspielungen auf das AT, bei denen im allgemeinen der LXX gefolgt 50 wird: So Mk 1, 3 par; Mk 12, 11 par; Mk 12, 36 par u Ag 2, 34 (hierbei steht in LXX ὁ κύριος, an den nt.lichen Stellen aber hat B, zT von anderen Zeugen unterstützt, den Artk weggelassen); Mt 27, 10; Lk 1, 46; 4, 18. 19; Mk 11, 9 par; J 12, 38 (2mal); Ag 2, 20. 21. 25; 4, 26; 13, 10 (gegen die LXX haben die meisten Hdschr den

---

[252] Vgl dazu SchlMt z 9, 38.

[253] Mt 21, 29. Der andere Sohn gebraucht keine Anrede. Der Unterschied zwischen den Worten u den Taten des Ja-Sagers wird da- durch noch schneidender, daß man sich ver-

gegenwärtigen muß, daß damals eine solche Anrede eines Sohnes an seinen Vater die Unterordnung nachdrücklich betont, → 1044, 29 ff.

[254] Vgl Bl-Debr [6] § 147, 3.

Artk nicht); 15, 17 (in LXX hat nur A τὸν κύριον, die anderen lassen es ganz aus); R 4, 8; 9, 28 (LXX hat, außer B, statt κύριος: ὁ θεός); 11, 3 (gerade κύριε ist gegen-über der LXX hinzugefügt); 11, 34 = 1 K 2, 16; R 15, 11; 1 K 1, 31 (gerade die Worte ἐν κυρίῳ finden sich so nicht in der LXX); 3, 20; 10, 22 (τὸν κύριον ist gerade nicht Zitat); 10, 26; 2 K 3, 16; 8, 21; 10, 17; 2 Th 1, 9; 2 Tm 2, 19 (LXX hat statt κύριος: ὁ θεός); Hb 1, 10; 7, 21; 8, 2 (LXX ohne, Hb mit Artk); 8, 8—10. 11; 10, 30; 12, 5. 6; 13, 6; Jk 5, 11 (B ohne Artk); 1 Pt 1, 25 (LXX: τοῦ θεοῦ); 2, 3; 3, 12 (2mal); Jd 9 κύριος Σαβαώθ: R 9, 29; Jk 5, 4. κύριος ὁ θεός mit nachfolgendem Gen: Mt 4, 7. 10 par; Mk 12, 29. 30 par; Ag 3, 22 (gegen LXX ohne Personalpronomen); 2, 39 (gegen LXX + ὁ θεὸς ἡμῶν). ὁ κύριος (LXX + πάσης) τῆς γῆς: Apk 11, 4.

Im synpt Grundbestand, dem Mk-Stoff und Q, wird Gott nicht (ὁ) κύριος genannt bis auf Mk 5, 19 (Sondergut des Mk): Jesus zum geheilten (heidnischen) gerge-enischen Besessenen: ἀπάγγειλον αὐτοῖς ὅσα ὁ κύριός σοι πεποίηκεν und Mk 13, 20: εἰ μὴ ἐκολόβωσεν κύριος τὰς ἡμέρας (Mt und Lk haben anders formuliert bzw anderen Text). In den Ev begegnet sonst κύριος von Gott in der Vorgeschichte des Mt und Lk wie in der Nachgeschichte des Mt [255], außerdem Lk 5, 17; 20, 37, beide Male als Eigengut des Lk. Das zeigt, daß in der palästinischen Urgemeinde אֲדֹנָי ungebräuchlich war [256]. Die auffällige Häufung von κύριος in der Vorgeschichte des Lk hängt mit der bewußten Bibelsprache zusammen und zeugt von Anschluß eher an LXX als an lebenden palästinischen Sprachgebrauch. Demgemäß ist kein wesentlicher Unterschied zwischen κύριος mit und ohne Artk zu machen. Von der LXX beeinflußt ist auch κύριος in bestimmten feststehenden Wendungen: χεὶρ κυρίου (Lk 1, 66; Ag 11, 21; 13, 11); ἄγγελος κυρίου (Mt 1, 20. 24; 2, 13. 19; 28, 2; Lk 1, 11; 2. 9; Ag 5, 19; 8, 26; 12, 7. 23); ὄνομα κυρίου (Jk 5, 10. 14); πνεῦμα κυρίου (Ag 5, 9; 8, 39) und die Wendung λέγει κύριος, die R 12, 19; 2 K 6, 17; Apk 1, 8 formelhaft hinzugefügt ist und Hb 8, 9. 10 das φησὶν κύριος der LXX verdrängt hat. — Hierbei steht überall κύριος ohne Artk, dagegen bei ὁ λόγος τοῦ κυρίου stets mit: Ag 8, 25; 12, 24; 13, 48. 49; 15, 35. 36; 19. 10. 20 [257]. Außerdem findet sich sicher κύριος für Gott noch 1 K 10, 9; 1 Tm 6, 15 (+ τῶν κυριευόντων); 2 Tm 1, 18; Hb 7, 21; 8, 2; Jk 1, 7; 3, 9 (+ καὶ πατήρ); 5, 11a; 2 Pt 3, 8; Jd 5 und in der Apk, die in ihrem feierlichen Stil das at.liche κύριος ὁ θεός (+ ὁ παντοκράτωρ) häufig gebraucht: 1, 8; 4, 8; 11, 17; 16, 7; 18, 8; 19, 6; 21, 22; 22, 5. Ohne Parallelen sind die Formeln in Apk 4, 11: ὁ κύριος καὶ ὁ θεὸς ἡμῶν; 11, 15 (τοῦ κυρίου ἡμῶν) und 22, 6: ὁ κύριος ὁ θεὸς τῶν πνευμάτων.

(ὁ) κύριος ist demnach besonders auf palästinischem Boden, aber auch in der Gemeinde, die die LXX als ihre Bibel hatte, keine Bezeichnung Gottes, die außerhalb ihrer Begründung in der Bibel besonders gebräuchlich wäre. Doch kann der im Wort κύριος liegende Inhalt in seiner ganzen Fülle jederzeit gleichsam aktualisiert werden. Das geschieht auch an einigen bedeutungsvollen Stellen. Vor allem und zunächst Mt 11, 25 (fast wörtlich = Lk 10, 21): ἐξομολογοῦμαί σοι, πάτερ, κύριε τοῦ οὐρανοῦ καὶ τῆς γῆς, ὅτι ἔκρυψας ταῦτα ἀπὸ σοφῶν καὶ συνετῶν, καὶ ἀπεκάλυψας αὐτὰ νηπίοις· ναί, ὁ πατήρ, ὅτι οὕτως εὐδοκία ἐγένετο ἔμπροσθέν σου, wo die feierliche Anrede ein organischer Teil der freien Beugung vor der Vollmacht der göttlichen εὐδοκία ist und diese eine weltbewegende Tragweite hat. Die volle Ursachlosigkeit göttlicher Willensentscheidung wird anbetend auf den Herrn über Himmel und Erde zurückgeführt. Im freien Ja zu dieser εὐδοκία zeigt sich, daß die Beugung vor diesem Herrn nicht willenlos macht. In ähnlichem Zusammenhang steht der gleichnishafte Ausdruck κύριος τοῦ θερισμοῦ Mt 9, 38 par. Die Ernte ist die große Menschheitsernte, ihr Herr also der Herr über die ganze Weltgeschichte. In Verbindung mit

---

[255] Mt 1, 20. 22. 24; 2, 13. 15. 19; 28, 2; Lk 1, 6. 9. 11. 15. 17. 25. 28. 38. 45. 58. 66; 2, 9. 15. 22 23. 24. 26. 39.

[256] Darum sehe ich keinen Raum für die Bemerkung von Schlatter (SchlJ 42), daß für den Palästiner κύριος ohne Artk = אֲדֹנָי, mit Artk = מָרָא = Jesus sei.

[257] Wenn daneben in Ag nur ὁ λόγος τοῦ θεοῦ begegnet, mag ὁ λόγος τοῦ κυρίου wohl damit gleichzusetzen sein. Ob Pls 1 Th 1, 8; 2 Th 3, 1 ὁ λόγος τοῦ κυρίου ebenfalls als Wort Gottes aufgefaßt hat, ist vielleicht nicht zu entscheiden und sachlich eben von Belang. Hier kommt es zunächst auf die Nachwirkung des LXX-Sprachgebrauchs an.

dem Tag, dessen Stunde niemand weiß, auch nicht der Sohn, nennt Pls 1 Tm 6, 15 Gott: ὁ μακάριος καὶ μόνος δυνάστης, ὁ βασιλεὺς τῶν βασιλευόντων καὶ κύριος τῶν κυριευόντων, nennt ihn damit als den, der als Geschichtslenkender über allen Mächten steht, die auf Erden Geschichte machen. An einer betonten Stelle seiner Ag, in der Areopagrede, hat Lk Pls auch zum Wort κύριος greifen las- 5 sen, Ag 17, 24, in Verbindung mit den Genitiven οὐρανοῦ καὶ γῆς, um von dieser Herrenstellung Gottes aus den heidnischen Kult zu entwurzeln. In diesem Zu- sammenhang ist das Herrsein Gottes auf sein Schöpfersein zurückgeführt. Daß für Apk die volle Formel κύριος ὁ θεὸς ὁ παντοκράτωρ eine so große Rolle spielt, ist natürlich nicht zufällig, aber nicht weniger wichtig ist die neugeprägte 10 Wendung ὁ κύριος καὶ ὁ θεὸς ἡμῶν, mit der 4, 11 die 24 Ältesten, die doch wohl nicht ohne Verbindung mit der gesamten Menschheit als Gottes Schöpfung zu denken sind, ihre Stellung zu Gott umschreiben. Auch in der Gebetsanrede kann κύριε einen besonderen Ton tragen, wie zB Ag 1, 24: σὺ κύριε καρδιο- γνῶστα πάντων. Ferner ist Jk 3, 9 zu nennen, wo κύριος die Verpflichtung zum 15 Lobpreis begründet[258]. Wofür aber das Wort κύριος Ausdruck ist, das ist, auch abgesehen von diesem Wort, im NT vorhanden: die personhafte, rechtmäßige, umfassende Obmacht Gottes.

3. Jesus der Herr.

Zur Darstellung empfiehlt es sich, von Pls auszugehen, 20 da sein κύριος-Gebrauch deutlich ist. Die anderen nt.lichen Schriften werden zur Unterstützung und Erhärtung und zum Zeichen der Einheitlichkeit des Sprachgebrauches herangezogen.

In 1 K 12, 3 setzt Pls gegenüber: ἀνάθεμα Ἰησοῦς und κύριος Ἰησοῦς. Das Erstere ist der Ausdruck für das, was Ag βλασφημεῖν nennt: Jesus als wider- 25 göttlich und darum Gottes Gericht verfallen um Gottes willen Gottes Gericht überantworten. Es ist eine streng religiöse Stellungnahme, um Gottes willen, gegen etwas. Eine Entsprechung für das Gegenteil fehlt; es wäre etwa εὐλο- γητός = בָּרוּךְ, das aber im NT für Gott reserviert ist. So ist κύριος Ἰησοῦς dem ἀνάθεμα Ἰησοῦς nicht genau parallel, denn dieses kann man seiner Art 30 nach von vielen und vielem sagen, jenes aber nicht. Es schließt aber jedenfalls eine religiöse Stellungnahme für Jesus, „um Gottes willen" ein; diese Stellung- nahme aber ist nur Einem gegenüber möglich und legitim.

Zu weiterem leitet uns die bekannte, nie auszuschöpfende Stelle Phil 2, 6—11 (v 9 ff): διὸ καὶ ὁ θεὸς αὐτὸν ὑπερύψωσεν καὶ ἐχαρίσατο αὐτῷ τὸ ὄνομα τὸ ὑπὲρ 35 πᾶν ὄνομα, ἵνα ἐν τῷ ὀνόματι Ἰησοῦ πᾶν γόνυ κάμψη ἐπουρανίων καὶ ἐπιγείων καὶ καταχθονίων, καὶ πᾶσα γλῶσσα ἐξομολογήσηται ὅτι κύριος Ἰησοῦς Χριστὸς εἰς δόξαν θεοῦ πατρός. Der Name, der durch das zweimalige τό als ein ganz bestimmter gekennzeichnet ist, kann nur der κύριος-Name sein. Er ist also Jesus „gegeben" als göttliche Antwort (διό) auf sein Todesleiden in Gehorsam. In dem Namen, 40 den „Jesus", der Knechtsgestalt angenommen hat, erhalten hat, dh also vor dem „Geschichtlichen", der erhöht ist, beugt sich die ganze Welt. So sagt auch die Apk

---

[258] Es sind im Vorstehenden also die Stellen hervorgehoben, an denen das auf Gott an- gewandte κύριος einen besonderen Ton trägt u nicht ohne Änderung des Gedankens etwa durch θεός hätte ersetzt werden können.

(5, 12) gerade von dem ἀρνίον ὡς ἐσφαγμένον, daß es „würdig" sei, zu nehmen das Buch, das die Lösung der Weltgeschichte in sich faßt, zu nehmen δύναμις, δόξα und εὐλογία [259]. Der κύριος-Name schließt gottgleiche Stellung in sich: das Knie-Beugen und das Ausrufen von κύριος Ἰησοῦς Χριστός sind zusammenge-
5 hörende Handlungen, und wenn auch an der Phil-Stelle Js 45, 23 f nicht eigentlich zitiert ist, besonders bei Js die ἐξομολόγησις in LXX, aber auch im MT so lautet, daß κύριος Ἰησοῦς Χριστός daran nicht anknüpft, so ist doch für das ἐμοί (sc: κάμψει πᾶν γόνυ) aus Gottes Munde hier ἐν τῷ ὀνόματι Ἰησοῦ getreten. Daß dieser Jesus aber als κύριος bekannt wird, ist zur Ehre Gottes. Der κύριος-
10 Name umschreibt also die Stellung des Erhöhten. Ob das ὑπέρ in ὑπερύψωσεν auf das ἐν μορφῇ θεοῦ ὑπάρχων zu beziehen ist oder nur besagen soll: über alle Maßen, kann dabei unentschieden bleiben. Wenn κύριος Ἰησοῦς an dieser Stelle formal eine Akklamation ist, so ist damit inhaltlich nichts gegen ihre vorgetragene Deutung gesagt [260].

15   Daß Jesus κύριος ist als der Auferweckte, geht durch das ganze NT. R 10, 9 stellt Pls doch nicht ohne Grund das Bekenntnis des Mundes zum Herrsein Jesu und den Glauben des Herzens daran, daß Gott ihn von den Toten auferweckt hat, nebeneinander. Ag 2, 36 läßt Petrus als Abschluß der Pfingstpredigt sagen: ἀσφαλῶς οὖν γινωσκέτω πᾶς οἶκος Ἰσραὴλ ὅτι καὶ κύριον αὐτὸν καὶ χριστὸν
20 ἐποίησεν ὁ θεός, τοῦτον τὸν Ἰησοῦν ὃν ὑμεῖς ἐσταυρώσατε. Je größer der Anteil des Lk an der Formung dieser Stelle ist, desto deutlicher zeigt sich der für ihn bestehende Zusammenhang zwischen der Auferweckung und der κυριότης Jesu. Ohne daß das Wort κύριος besonders hervorträte, zeigt sich der Zusammenhang zwischen Leiden, Auferstehung und der gottgleichen Stellung Jesu, deren Aus-
25 druck κύριος ist, noch vielfältig: so folgt Hb 2, 6 ff auf das Zitat von Ps 8, 5 ff zuerst in v 8 der Erweis, daß es sich nicht auf den Menschen schlechthin beziehen kann, vielmehr (v 9) sich auf Jesus bezieht, der wegen seines Todesleidens mit δόξα und τιμή gekrönt ist: darin schon ist das Herrsein Jesu angedeutet, ohne daß der Verfasser noch ausdrücklich ausführt, daß sich in ihm
30 auch das πάντα ὑπέταξας ὑποκάτω τῶν ποδῶν αὐτοῦ erfüllt. Den gleichen Zusammenhang zwischen Auferweckung und Herrsein zeigt ferner Mt 28, 18 das Wort des Auferstandenen: ἐδόθη μοι πᾶσα ἐξουσία ἐν οὐρανῷ καὶ ἐπὶ γῆς: κύριος ist, wer ἐξουσία hat (→ II 565, 22—24). Besonders aber zeigt diesen Zusammenhang die Verwendung von Ps 110, 1. Für die Vorstellung von dem Sitzen zur Rechten
35 Gottes ist diese Psalmstelle die einzige Grundlage, abgesehen davon begegnet sie nirgends. In diesem Psalm aber ist das Sitzen zur Rechten Gottes verbunden mit einem Herr-Sein, im Psalm mit dem Herr-Davids-Sein. Mit einem οὖν läßt Ag 2, 36 ja den Petrus die Folgerung aus diesem Psalmvers für Jesus ziehen. Das Sitzen zur Rechten Gottes bedeutet Mitregentschaft [261], also gott-
40 gleiche Würde, wie schon das Sitzen in Gottes Gegenwart an sich (bChag 15 a; hb Hen 16, 3).

---

[259] Apk 5, 12. Nur die kennzeichnendsten Subst sind im Text genannt.
[260] S FJDölger, Sol Salutis ² (1925) 135; gg Peterson (→ A 76) 317.

[261] Jos Ant 6, 235; vgl Ges-Buhl sv יָמִין Nr 5 c.

Die Anklänge an diese Psalmstelle im NT lassen meist die Verbindung von Auferstehung und Erhöhung deutlich erkennen (noch: Ag 5, 31; R 8, 34; Kol 3, 1; Hb 1, 3. 13; 8, 1; 12, 2; Apk 3, 21 [vgl R 1, 4]) und von Erhöhung und universaler Herrschaft (1 K 15, 25 ff [wo auch Ps 8, 7 verwendet ist], ähnlich Eph 1, 20 f: ἐγείρας αὐτὸν ἐκ νεκρῶν, καὶ καθίσας ἐν δεξιᾷ αὐτοῦ ἐν τοῖς ἐπουρανίοις ὑπεράνω πάσης ἀρχῆς καὶ ἐξουσίας 5 καὶ δυνάμεως καὶ κυριότητος καὶ παντὸς ὀνόματος . . ., 1 Pt 3, 22: ὅς ἐστιν ἐν δεξιᾷ θεοῦ, πορευθεὶς εἰς οὐρανόν, ὑποταγέντων αὐτῷ ἀγγέλων καὶ ἐξουσιῶν καὶ δυνάμεων, ferner Hb 10, 12 f).

1 K 11, 3 nennt Pls eine Reihe von Unter- und Überordnungen: θέλω δὲ ὑμᾶς εἰδέναι ὅτι παντὸς ἀνδρὸς ἡ κεφαλὴ ὁ Χριστός ἐστιν, κεφαλὴ δὲ γυναικὸς ὁ ἀνήρ, 10 κεφαλὴ δὲ τοῦ Χριστοῦ ὁ θεός. Daran, daß Pls sagen will, daß die Frau Christus ferner steht als der Mann[262], ist nicht zu denken. Im ganzen Abschnitt handelt es sich um die natürliche Überordnung des Mannes. Der gesamte Bereich der Wirklichkeit, von der das Verhältnis Mann/Frau ein Teil ist, hat keine direkte Bezogenheit auf Gott, sondern nur eine durch Christus. Ohne ihn könnte die 15 „Welt" nicht vor Gott bestehen. Christus ist der, durch den sie vor Gott bestehen kann, der der Welt gegenüber Gottes Vollmacht ausübt. Wie die Himmlischen, Irdischen und Unterirdischen vor ihm ihre Knie beugen, Phil 2, 10, so ist er Kol 2, 10 κεφαλὴ (also derselbe Ausdruck wie 1 K 11, 3) πάσης ἀρχῆς καὶ ἐξουσίας, er ist πρὸ πάντων καὶ τὰ πάντα ἐν αὐτῷ συνέστηκεν Kol 1, 17, und 20 mit Bezug auf diese im Vorhergehenden dargelegte „kosmische"[263] Stellung Christi sagt Pls Kol 2, 6 zusammenfassend (οὖν): ὡς οὖν παρελάβετε τὸν Χριστὸν Ἰησοῦν τὸν κύριον . . . Das nachdrücklich betonte (vgl den doppelten Artikel) κύριος faßt alles' zusammen, was Pls über Christus den Kolossern im Vorhergehenden gesagt hat. Daß die Welt so nicht vor Gott bestehen kann, ist in 25 ihrem Gefallensein begründet: Kol 1, 20: δι' αὐτοῦ ἀ π ο κ α τ α λ λ ά ξ α ι τ ὰ π ά ν τ α εἰς αὐτόν, εἰρηνοποιήσας διὰ τοῦ αἵματος τοῦ σταυροῦ αὐτοῦ, δι' αὐτοῦ εἴτε τὰ ἐπὶ τῆς γῆς εἴτε τὰ ἐ ν τ ο ῖ ς ο ὐ ρ α ν ο ῖ ς, vgl Eph 1, 20 f; 1 Pt 3, 22 (→ II 570, 16 ff). D e r S o h n ü b t d i e H e r r s c h a f t G o t t e s d e r W e l t g e g e n ü b e r a u s, um nach Überwindung aller Gegenmächte sie und mit ihr sich dem Vater zu Füßen zu legen: 30 1 K 15, 28: ὅταν δὲ ὑποταγῇ αὐτῷ τ ὰ π ά ν τ α, τότε καὶ αὐτὸς ὁ υἱὸς ὑποταγήσεται τῷ ὑποτάξαντι αὐτῷ τ ὰ π ά ν τ α, ἵνα ᾖ ὁ θεὸς πάντα ἐν πᾶσιν. Die Herrenstellung Jesu, daß er der Welt gegenüber Gottes Allmacht ausübt, hat also ihr Ziel darin, die versöhnte und gerichtete Welt Gott untertan zu machen.

In diesem Geschehen aber ist die Menschheit der Angelpunkt. Unbeschadet 35 des oben dargelegten kosmischen Umfangs des Herrseins Jesu liegt sein Schwerpunkt in dem Herrsein der Menschheit gegenüber: R 14, 9: εἰς τοῦτο γὰρ Χριστὸς ἀπέθανεν καὶ ἔζησεν, ἵνα καὶ νεκρῶν καὶ ζώντων κυριεύσῃ. Das zeigt der Sprachgebrauch des Pls[264]: (ὁ) Χριστός ist der, der am Kreuz starb und auferweckt ist (R 5, 6. 8; 6, 4. 9; 14, 9; 1 K 1, 23 f; 5, 7; 8, 11; 15, 3. 12 ff; 40 Gl 3, 13 usw)[265]; dieses Wort erscheint, wenn vom Werk der Erlösung die Rede ist (R 8, 35; 15, 7; 2 K 3, 14; 5, 14. 18 f; Gl 3, 13); dieses Werk steht vor Augen, wenn Pls mahnt bei der πραΰτης καὶ ἐπιείκεια τοῦ Χριστοῦ, 2 K 10, 1 vgl 1 K 11, 1. Es heißt: τὸ εὐαγγέλιον τοῦ Χριστοῦ: R 15, 19; 1 K 9, 12;

---

[262] JohW 1 K 270.
[263] „Kosmisch" aber so verstanden, daß es die Menschen mit einschließt.

[264] Vgl Stead, Burton, Dobschütz (→ Lit-A); ferner HEWeber, in: NkZ 31 (1920) 254—258.
[265] Zum Folgenden vgl die Tabellen bei Foerster (→ Lit-A) 237 ff.

2 K 2, 12; 4, 4; 9, 13; 10, 14; Gl 1, 7 vgl 1 K 1, 6; 2 K 3, 3; mit „Christus" gekreuzigt, gestorben R 6, 8; 7, 4; Gl 2, 19; auf ihn getauft Gl 3, 27. „Christus" hat die Galater in Gnade gerufen Gl 1, 6, mit der Fülle des Segens „Christi" ist Pls gewiß, nach Rom zu kommen R 15, 29, „Christus" 5 hat ihn gesandt 1 K 1, 17; R 16, 9; 1 K 4, 1; Gl 1, 10; 2 K 11, 13. 23; die Gemeinde ist ein Leib „in Christus" R 12, 5; Gl 1, 22.

Dagegen blickt κύριος nach dem Gesagten auf den erhöhten Herrn, der Autorität ist 1 K 4, 19; 14, 37; 16, 7 (Jk 4, 15); dem „Herrn" gilt der Dienst der Gläubigen R 12, 11; 1 K 12, 5; Eph 6, 7; Kol 3, 23. Jeder steht und fällt 10 seinem „Herrn" R 14, 4—8; vgl 1 K 7, 32—35; R 16, 12. 22; 2 K 8, 5; das gilt auch für das „private" Leben 1 K 7, 39. Dem „Herrn" entsprechend (→ ἄξιος) gilt es zu wandeln 1 K 11, 27; R 16, 2. Es ist der erhöhte Herr, der jedem das Maß des Glaubens zuteilt 1 K 3, 5; 7, 17. Der „Herr" ist der Kommende (1 Th 4, 15ff; 1 K 4, 5; 11, 26; Phil 4, 5) und der Richter (1 Th 15 4, 6; 2 Th 1, 9; 1 K 4, 4; 11, 32; 2 K 5, 11; 10, 18), in diesem Leben wandelt Pls ferne vom „Herrn" 2 K 5, 6ff. Er ist der Herr seiner Diener, denen er Vollmacht gibt, 2 K 10, 8; 13, 10, an dessen Werk die Gemeindeglieder genau so stehen 1 K 15, 58 wie etwa Timotheus 1 K 4, 17; 16, 10. Des Pls „Werk im Herrn" ist die Korinthergemeinde 1 K 9, 1. 2; „im Herrn" ist Pls 20 eine Tür in Troas geöffnet 2 K 2, 12. Er ist der eine Herr aller R 10, 12, „als Herr" wird „Christus" verkündet 2 K 4, 5. Dieser erhöhte „Herr" ist der Geist 2 K 3, 17, zum „Herrn" betet Pls um Befreiung von seinem Leiden 2 K 12, 8. Die Zusammenfassung des Gesagten gibt 1 K 8, 5f: εἴπερ εἰσὶν λεγόμενοι θεοὶ εἴτε ἐν οὐρανῷ εἴτε ἐπὶ γῆς, ὥσπερ εἰσὶν θεοὶ πολλοὶ καὶ κύριοι πολλοί, ἀλλ' 25 ἡμῖν εἷς θεὸς ὁ πατήρ, ἐξ οὗ τὰ πάντα καὶ ἡμεῖς εἰς αὐτόν, καὶ εἷς κύριος Ἰησοῦς Χριστός, δι' οὗ τὰ πάντα καὶ ἡμεῖς δι' αὐτοῦ. Es gibt viele sogenannte Götter im Himmel und auf Erden — dabei denkt Pls daran, daß auch die Herrscher mit Göttern gleichgesetzt werden. Tatsächlich, fügt er dann hinzu, gibt es — mehr als die, die von Göttern im Himmel und auf Erden reden, wissen — viele Götter 30 (vgl Phil 3, 19: ὧν ὁ θεὸς ἡ κοιλία) und viele „Herren", vieles, wovon Menschen abhängig sind, und das sind reale Mächte. Pls macht also keinen Unterschied zwischen θεός und κύριος in dem Sinn, als ob κύριος eine Mittlergottheit bezeichne; dafür bietet die Umgebung des Urchristentums keine Belege[266]. κύριος ist hier ein Verhältnisbegriff, es bezeichnet das, wovon Menschen sich abhängig 35 machen oder tatsächlich abhängig sind. Für die Christen gibt es nur einen Gott, mit dem sie zu rechnen haben, von und zu dem alles ist (vgl 1 K 15, 28 → 1089, 29ff) und einen Herrn, von dem sie abhängig sind, durch den alles ist, durch den sie ihr Christsein haben. Hier ist noch einmal deutlich, daß κύριος der ist, durch den Gott rettend und handelnd in diese Welt eingegriffen hat.

---

[266] Bousset. (→ Lit-A) 99 muß selbst seine Behauptung: „indem der Apostel mit Hilfe des Kyriosbegriffes seinen Herrn einerseits direkt auf Gottes Seite stellt und ihn andrerseits doch in bestimmter Weise unterordnet, glaubt er für diese Abstufung innerhalb der göttlichen Wesenheit Analogien im hellenistischen Kult vorzufinden," in der Anmerkung (A 2) dahin erläutern, daß es nicht ganz klar sei, „woran der Apostel gedacht haben mag, wenn er den Wertunterschied der Begriffe θεός und κύριος als bekannt voraussetzt".

Es ist nun nicht so, als ob die Verteilung von Χριστός und κύριος sich nach einem starren Schema vollzöge [267]. εἰς Χριστὸν ἁμαρτάνετε (nicht: εἰς τὸν κύριον) sagt Pls 1 K 8, 12, und will damit den Korinthern deutlich machen, daß sie durch ihr rücksichtsloses Verhalten gegen den sündigen, der für sie und den Bruder gestorben ist. Ähnlich ist es mit R 14, 18: ὁ . . . ἐν τούτῳ δουλεύων τῷ Χριστῷ. Anderseits heißt es 1 K 11, 26: τὸν θάνατον τοῦ κυρίου καταγγέλλετε, gegen den geläufigen Sprachgebrauch, vielleicht, weil folgt: ἄχρι οὗ ἔλθῃ. 1 K 7, 22 wechselt Pls, wohl aus stilistischen Gründen, mit dem Ausdruck: ὁ γὰρ ἐν κυρίῳ κληθεὶς δοῦλος ἀπελεύθερος κυρίου ἐστίν· ὁμοίως ὁ ἐλεύθερος κληθεὶς δοῦλός ἐστιν Χριστοῦ.

Neben dem Gebrauch des einfachen κύριος bzw (Ἰησοῦς) Χριστός stehen nun verschiedene Verbindungen von beiden. Auch hier muß man mit einem gewissen Spielraum in der Anwendung rechnen. Wenn von den 27 Malen, an denen ὁ κύριος (ἡμῶν) Ἰησοῦς ohne Χριστός in den Pls-Briefen begegnet, 10 sich in den Th-Briefen finden, und von den 18 Stellen außerhalb der paul Schriften 14 in Ag, so wird das mit der „Jugend" der Gemeinde von Thessalonich zusammenhängen und mit dem missionarischen Charakter der Ag, → 288, 36 ff. Die Wendung ὁ κύριος (ἡμῶν) Ἰησοῦς (Χριστός) tritt neben das einfache (Ἰησοῦς) Χριστός bzw κύριος. Gl 6, 14: καυχᾶσθαι . . . ἐν τῷ σταυρῷ τοῦ κυρίου ἡμῶν Ἰησοῦ Χριστοῦ steht neben den zahlreichen Fällen, in denen in diesem Zusammenhang nur Χριστός steht, ähnlich etwa Eph 3, 11; R 5, 1; 6, 23; 8, 39; 1 K 15, 57; 1 Th 5, 9; und in Zusammenhängen, in denen sonst nur ὁ κύριος erscheint, begegnet die ausführlichere Wendung: R 15, 30; 16, 18; 1 K 1, 7. 8. 10; 2 K 1, 14; 1 Th 2, 15. 19; 3, 13; 4, 2; 5, 23; 2 Th 2, 1; 1 Tm 6, 14. Man kann deutlich beobachten, wie aus der ausführlicheren Gestaltung des Namens Jesu ein gewisser Nachdruck, eine gewisse Feierlichkeit spricht: so besonders in den Eingangs- und Schlußgrüßen und an entscheidenden Stellen des Gedankengangs: R 5, 1; 8, 39; 1 K 15, 57; R 15, 30. Ein neues Moment aber bringt der Zusatz eines Personalpronomens, meist ἡμῶν, zu κύριος. Den allgemeinen Sinn macht Phil 3, 8 deutlich: ἡγοῦμαι πάντα ζημίαν εἶναι διὰ τὸ ὑπερέχον τῆς γνώσεως Χριστοῦ Ἰησοῦ τοῦ κυρίου μου: den einer persönlichen Verbundenheit. Dabei ist nachdrücklich darauf hinzuweisen, daß es nicht eine Verbundenheit ist, wie sie auch zwischen einem faulen Sklaven und seinem Herrn, und zwischen jedem Sklaven und auch dem grausamsten Herrn, den sein Sklave innerlich verachtet, besteht. Das ἡμῶν bei ὁ κύριος ἡμῶν Ἰησοῦς Χριστός besagt nicht ein einfaches Aneinandergekoppeltsein. „Ich habe euch nie erkannt," lautet die Antwort des Herrn an „viele", Mt 7, 23. Weil er ihn seinen Herrn nennen darf, weil es der Herr ist, der für ihn ist, der ihn „für treu hielt" 1 Tm 1, 12, darum nennt Pls ihn Χριστὸς Ἰησοῦς ὁ κύριός μου, vgl Apk 11, 8. Das sonst immer gebrauchte „unser" bezieht sich auf die gesamte Christenheit, nicht etwa auf eine einzelne Gemeinde, wie auch nie ein „euer Herr Jesus Christus" vorkommt. Die Christenheit hat alles, was sie ist und hat, dadurch, daß sie „sein" ist und er „ihr Herr". Darum kann gelegentlich bei dem „unser" noch ein anderes Moment

---

[267] Schmauchs (→ Lit-A) Ausführungen tragen dem wohl doch nicht genug Rechnung.

mitsprechen, das der Zusammengehörigkeit der Gemeinde untereinander, die verpflichtet: R 15, 30: παρακαλῶ δὲ ὑμᾶς διὰ τοῦ κυρίου ἡμῶν Ἰησοῦ Χριστοῦ . . .
συναγωνίσασθαί μοι ἐν ταῖς προσευχαῖς ὑπὲρ ἐμοῦ (vgl 1 K 1, 10), die verbindet:
1 K 1, 2: σὺν πᾶσιν τοῖς ἐπικαλουμένοις τὸ ὄνομα τοῦ κυρίου ἡμῶν Ἰησοῦ Χριστοῦ,
5 die aber auch von anderen trennt: R 16, 18: οἱ γὰρ τοιοῦτοι τῷ κυρίῳ ἡμῶν
Χριστῷ οὐ δουλεύουσιν.

            b. In den Briefen des NT und in Ag findet sich nun
κύριος noch gebraucht in einem bisher nicht besprochenen Sinn, nämlich für
den „geschichtlichen" Jesus: „ich befehle, nicht ich, sondern ὁ κύριος" 1 K 7, 10;
10 damit bezieht sich Pls auf ein „Herrenwort". Ähnlich 1 K 9, 14. 1 K 7, 25
sagt Pls mit Bezug darauf, daß er kein bestimmtes Herrenwort über diese Frage
hat: ἐπιταγὴν κυρίου οὐκ ἔχω. Derselbe Tatbestand steht hinter 1 K 7, 12: λέγω
ἐγώ, οὐχ ὁ κύριος. Wahrscheinlich bezieht sich Pls auch 1 Th 4, 15: τοῦτο γὰρ
ὑμῖν λέγομεν ἐν λόγῳ κυρίου auf ein uns nicht erhaltenes Herrenwort. Könnte
15 man hier noch denken, κύριος sei gewählt, um die Autorität zu bezeichnen,
so versagt dieser Gesichtspunkt bei Gl 1, 19; 1 K 9, 5: Jakobus, der Bruder,
die Brüder τοῦ κυρίου. An den Geschichtlichen denkt auch Hb 2, 3: (σωτηρία)
ἥτις ἀρχὴν λαβοῦσα λαλεῖσθαι διὰ τοῦ κυρίου, ὑπὸ τῶν ἀκουσάντων εἰς ἡμᾶς ἐβε-
βαιώθη. Ein nicht erhaltenes Herrenwort zählt Pls zu den λόγοι τοῦ κυρίου
20 Ἰησοῦ, Ag 20, 35; ein erhaltenes ist Ag 11, 16 mit ἐμνήσθην δὲ τοῦ ῥήματος
τοῦ κυρίου eingeleitet. Dieser Sprachgebrauch hat nun an den Evangelien
eine Parallele. Lk gebraucht 13 mal [268], stets im Sondergut oder bei selbständiger Formulierung des Zusammenhangs, ὁ κύριος, ebenso J 5 mal [269].
Sonst wird in den Ev κύριος, abgesehen von der Anrede, nur noch Mk 11, 3 par
25 von Jesus gebraucht: καὶ ἐάν τις ὑμῖν εἴπη · τί ποιεῖτε τοῦτο; εἴπατε · ὁ κύριος αὐτοῦ χρείαν ἔχει und J 21, 7 im Mund des Petrus: ὁ κύριός ἐστιν. Mk 11, 3 ist
freilich nicht ganz deutlich, ob im Aramäischen, in dem „Herr" ein Suffix nicht
entbehren kann, die Jünger haben sagen sollen: unser, dein oder sein (des Esels)
Herr, oder (vgl Mk 5, 19) ob ὁ κύριος hier Gottesbezeichnung sein soll. Die
30 Par mit Mk 14, 14 macht es wahrscheinlich, daß ein auf die Jünger bezogenes
„unser" als Suffix an dem ursprünglichen aram Wort gehaftet hat.

    Die Anrede an Jesus ist besonders zu behandeln. Bei Mk gebraucht nur die Syro-
phönikerin κύριε (7, 28), sonst die Jünger, die Pharisäer und das Volk διδάσκαλε [270].
Mt hat im Mk-Stoff διδάσκαλε nur im Munde der Pharisäer, des Judas Ischarioth und
35 Unentschiedener beibehalten, es sonst durch κύριε ersetzt; es liegt also für ihn in
der Anrede διδάσκαλε eine deutliche Zurückhaltung Jesu gegenüber. Lk hat im Mk-
Stoff διδάσκαλε beibehalten oder durch ἐπιστάτα ersetzt. Wo er keine Mk-Vorlage hat,
läßt er häufig κύριε gebraucht sein, besonders im Munde von Jüngern. J hat überwiegend κύριε. Mk und J haben uns den ursprünglichen Wortlaut der Anrede aufbe-
40 wahrt: ῥαββί, Mk 9, 5; 11, 21; 14, 45 (= Mt 26, 49); J 1, 38. 49; 3, 2; 4, 31; 6, 25; 9, 2; 11, 8
(J 3, 26: Anrede an den Täufer); ῥαββουνί Mk 10, 51; J 20, 16. Beides übersetzt Joh ausdrücklich mit διδάσκαλε. Lk (stets) u Mt (meist) haben dieses fremde Wort durch κύριε
(Mt; Lk zB 18, 41 für ῥαββουνί) und ἐπιστάτα wiedergegeben. In einem Sonderstück,
Mt 26, 25, redet Judas Jesus mit ῥαββί an. Was den Sinn dieses Wortes anlangt, so muß
45 man Mk und J als seine ältesten und besten Deuter ansehen. Auch der selbständige
Übersetzungsversuch von Lk (ἐπιστάτα) deutet an, daß zwischen רבי und מרי ein Unterschied empfunden wurde.

---

[268] 7, 13. 19; 10, 1. 39. 41; 11, 39; 13, 15; | 20. 18. 20. 25; 21, 12, dh den Stellen, die sich
17, 5. 6; 18, 6; 19, 8; 22, 61 (2 mal); ausge- | auf den Auferstandenen beziehen.
lassen ist 16, 8 u 24, 34. | [270] Genaueres bei Foerster aaO 216 ff.
[269] 4, 1; 6, 23; 11, 2; 20, 2. 13, abgesehen von |

Nach Mk ist also Jesus nur einmal von einer Heidin mit κύριε angeredet worden, sonst mit ῥαββί (natürlich nur, wenn überhaupt eine Anrede gebraucht wurde). Dieses hat den Sinn einer ehrenden Anrede, wie sie besonders Gesetzeslehrern gegenüber üblich war. Das seltenere ῥαββουνί steht der Anrede מרי näher, wenngleich J es als mit רבי im Sinn identisch behandelt; Lk gibt es mit κύριε 5 wieder. Es ist freilich zu bezweifeln, daß wir der Mk-Überlieferung soviel Gewicht zumessen dürfen, daß die Folgerung geboten sei, Jesus sei nie mit מרי angeredet worden. Denn Lk 6, 46; Mt 7, 21 f; 25, 11 ist das doppelte κύριε, jedenfalls was diese Verdoppelung anbetrifft, semitisch, warum dann nicht auch das Wort selbst? Dazu kommt, daß J 13, 13 Jesus sich ausdrücklich auf die beiden An- 10 reden ὁ διδάσκαλος und ὁ κύριος bezieht, und eine Anrede מרי wäre auch einem Gelehrten gegenüber nicht unmöglich[271], als Anrede überhaupt aber gebräuchlicher als רבי. Daß מרי in Mt 23, 7 ff unter den Titeln, die Jesus den Jüngern untereinander verbietet, fehlt, hängt damit zusammen, daß Rabbinentitel genannt werden, zu denen es jedenfalls nicht ausgesprochen gehörte. 15

διδάσκαλος ist auch das Wort, mit dem Jesu Stellung zu seinen Jüngern von Jesus selbst und von anderen umschrieben wird: von Jesus selbst: Mk 14, 14 par; Mt 10, 24 f par; (23, 8); vgl J 13, 14; von andern bei Mk nur 5, 35 par, sonst Mt 9, 11; 17, 24; J 3, 2; 11, 28. In nennenswertem Maße ist also Jesus während seines Erdenwandels weder mit „Herr" angeredet worden, noch von 20 ihm als dem „Herrn" gesprochen worden.

Trotzdem liegt hier die Wurzel für einen späteren Sprachgebrauch, nämlich für den, vom geschichtlichen Jesus als dem κύριος zu sprechen. Die Bezeichnung der Angehörigen der Familie Jesu als δεσπόσυνοι, Eus Hist Eccl I 7, 14 führt doch in der Formulierung nach Palästina. Hier liegt keine μετάβασις εἰς ἄλλο 25 γένος vor, sondern eine Überhöhung des in den Evangelien belegbaren Sprachgebrauchs. Daß erst spät, im Sondergut des Lk und in J, die Möglichkeit auftaucht, von Jesus als dem κύριος zu erzählen, hängt damit zusammen, daß der Stoff der Evangelien seine Formulierung Missionszwecken verdankt[272].

Aber von diesem κύριος ist das uns in den Briefen Entgegentretende scharf 30 zu trennen. Vielleicht ist aus den Reden der Ag soviel zu schließen, daß der Herrenname nicht sofort für den Erhöhten gebraucht wurde (dagegen steht Ag 2, 36 und 10, 36; aber nach 3, 20 ist zunächst der Messiasname lebendig gewesen). Es gilt, nicht die Herkunft, aber wohl die Wurzeln für den am deutlichsten bei Pls zu beobachtenden κύριος-Sprachgebrauch zu suchen. Entschei- 35 dend ist die Auferstehung Jesu. Ohne sie hätten die Jünger im Rückblick ihr Verhältnis zu Jesus wohl jederzeit in das Wort kleiden können, daß er ihr Herr war, hier handelt es sich aber darum, daß er es ist. Das Verhältnis der persönlichen Gebundenheit an Jesus, das den Verkehr der Jünger mit ihm bestimmte, wurde nun, durch die Auferstehung, lebendig erneut und versiegelt. Nun bekamen 40 die Gleichnisse, in denen das Verhältnis Jesu zu seinen Jüngern unter dem Bild eines Herrn und seiner Sklaven bzw. Knechte erscheint, ihre tiefste Bedeutung; jetzt waren die Jünger die Knechte, die auf ihren Herrn warteten. Weil die Jünger Jesus zur Rechten Gottes wußten, wurde ihr Verhältnis zu ihm jeder

---

[271] jKet 28 d Z 43, Dalman WJ 267. | [272] Foerster aaO 213 ff.

menschlichen Analogie enthoben und rein religiös, dh auf Glauben gegründet.
Eine weitere Wurzel für den Herrennamen Jesu ist die Verwendung, die Jesus
2 mal, Mk 12, 35 ff par und 14, 62 par, von Ps 110 gemacht hat[273]. Wie stark
dieser Psalm im NT nachwirkt, haben wir (→ 1088, 33 ff) gesehen. Wer „Davids Herr"
5 ist, ist damit auch Israels Herr, und im Glauben der Urgemeinde Herr des
neuen Israel. Vielleicht ist die palästinische Urgemeinde nicht weiter gegangen.
„Herr" hatte bei ihr immer einen Genitiv oder ein Personalsuffix bei sich, „unser
Herr" ist dort der Name Jesu gewesen. Das zeigt auch das aramäische Wort,
das uns 2 mal im Urchristentum, 1 K 16, 22 und Did 10, 6 begegnet: μαραναθα.
10 Die Deutung davon ist umstritten, ebenso, ob מָרַן אֲתָא oder מָרַנָא תָא zu trans-
skribieren ist[274]. Jedenfalls aber ist dort von „unserem Herrn" die Rede und ist
Jesus damit gemeint. Es ist kein Grund vorhanden, das Wort nicht aus der
palästinischen Urgemeinde stammen zu lassen, da alle uns erhaltenen aramäischen
Worte in den Evangelien daher stammen und die Beibehaltung des fremden Wort-
15 lautes nur Sinn hat, wenn er nicht aus einer aramäisch sprechenden Gemeinde
Syriens, sondern aus der Urgemeinde selbst stammt. In den griechisch redenden
Gemeinden fiel das dem Suffix entsprechende Personalpronomen ἡμῶν weg, wie
es auch bei dem heidnischen κύριος für Götter zu beobachten war (→ 1052, 33 ff).
Nun konnte κύριος, absolut gebraucht, das umfassende Herrsein Jesu ausdrücken,
20 besagen, daß „der Vater alles Gericht dem Sohne gegeben hat" J 5, 22, und ihm
alle ἐξουσία im Himmel und auf Erden gegeben ist, Mt 28, 18. Drückte κύριος
dies aus, dann konnten die LXX-Stellen, die vom κύριος sprachen, auf Jesus
bezogen werden: in ihm handelt Gott so, wie es das AT vom κύριος aussagt.

4. Die irdischen κύριος-Verhältnisse.

25   Die irdischen Über- und Unterordnungsverhältnisse erhalten im NT ein neues Gesicht. Das wird deutlich am Verhältnis der Sklaven
zu ihren Herren: Kol 3, 22: οἱ δοῦλοι, ὑπακούετε κατὰ πάντα τοῖς κατὰ σάρκα
κυρίοις, μὴ ἐν ὀφθαλμοδουλίαις ὡς ἀνθρωπάρεσκοι, ἀλλ' ἐν ἁπλότητι καρδίας φοβούμενοι τὸν κύριον. ὃ ἐὰν ποιῆτε, ἐκ ψυχῆς ἐργάζεσθε ὡς τῷ κυρίῳ καὶ οὐκ ἀνθρώ-
30 ποις, εἰδότες ὅτι ἀπὸ κυρίου ἀπολήμψεσθε τὴν ἀνταπόδοσιν τῆς κληρονομίας. Es ist
von einem ganzen Gehorsam gegenüber den Herren die Rede, der auch die
ὀφθαλμοδουλία, das äußere Scheindienen, meidet, also ganz Treue ist. Diese
Treue ist nur dadurch möglich, daß ihnen der Dienst für ihre Herren ihr „Herren-
dienst", ihr Gottesdienst ist; dadurch können sie als die ganz von Menschen
35 Freien in der Gebundenheit an Christus ihren Herren ganz dienen. Damit
spiegelt sich an einem der Über- und Unterordnungsverhältnisse die grundsätzliche Lösung des ganzen mit dem Wort „Herr" angedeuteten Problems wider,
mit dem die Völker, jedes in seiner Weise, versucht haben, fertig zu werden.

† κυρία

40   Fem zu κύριος, also *Herrin* im Verhältnis zum Sklaven, *Besitzerin*,
Hausfrau, Plut Quaest Rom 30 (II 271 e), die junge Frau zu ihrem Mann: ὅπου σύ

---

[273] So auch Meyer Ursprung III 218 A 1.
[274] Dazu Peterson (→ A 76) 130 f; Fabricius
(→ Lit-A) u die Komm.

κυρία Die Komm zu 2 J 1 und die Einleitungen, bes Zahn Einl II 593 f. Weiteres
bei Pr-Bauer³ sv; FJ Dölger, Antike u Christentum 5 (1936) 211—217.

κύριος καὶ οἰκοδεσπότης, καὶ ἐγὼ κυρία καὶ οἰκοδέσποινα, dann *Anrede* an die Frau (→ 1044, 22 ff) und Herrin (Dio C 48, 44, 3).

Im NT nur 2 J 1 als Adresse ἐκλεκτῇ κυρίᾳ und v 5 als Anrede κυρία. Gemeint ist damit zweifellos die Gemeinde, an die der Brief gerichtet ist; denn die Anrede geht unvermittelt von der 3. Pers Sing zur 2. Pers Plur über, v 6, 5 und wieder in dem Augenblick zur 3. Pers Sing zurück, wo der symbolische Sprachgebrauch wieder einsetzt: v 13. Nach diesem symbolischen Sprachgebrauch sind die Gemeinden untereinander „Schwestern" (v 13), ihre Glieder sind die „Kinder" (v 4. 13). Dieselbe Symbolik liegt auch in Apk 12, 17: οἱ λοιποὶ τοῦ σπέρματος αὐτῆς vor, ob man nun die „Frau, bekleidet mit der Sonne, und der 10 Mond zu ihren Füßen und ein Kranz von zwölf Sternen auf ihrem Haupt" als Israel κατὰ σάρκα oder κατὰ πνεῦμα faßt. κυρία nennt Joh die Gemeinde nun nicht als Braut des κύριος[1], sondern κυρία in Adresse und Anrede ist der damals übliche Ausdruck der Ehrfurcht, Ausdruck dafür, daß man die Angeredete höher stellt als sich selbst → 1044, 10 ff. Joh spricht dadurch aus, daß er die Gemeinde 15 als ein Werk Gottes zu ehren hat und ehrt. Auch wenn er also der Gemeinde in 2 J als der entgegentritt, der ihr Verhalten in Freude und Mahnung beurteilt (v 4: ἐχάρην λίαν; v 8: βλέπετε . . . [Imp]), so ist er doch nur Diener an eines Anderen Werk. Die Anwendung des Wortes κυρία ist dem πρεσβύτερος dadurch nahegelegt, daß er die Gemeinde nicht selbst gegründet hat. Dies hat ihm das 20 Bild vom Vater und Kindern, das Pls auf sein Verhältnis zu seinen Gemeinden anwendet, verwehrt.

† κυριακός

Vom Subst κύριος abgeleitetes Adj „Herren-", in Bezug auf den κύριος als Eigentümer: πρὸς τὸν κυριακὸν λόγον „zu Lasten des Eigentümers"[1]. Beson- 25 ders als terminus technicus der Verwaltungssprache *kaiserlich*, κυριακὸς λόγος, στρατιώτης, φόρος usw[2].

Im NT zweimal, 1 K 11, 20: συνερχομένων οὖν ὑμῶν ἐπὶ τὸ αὐτὸ οὐκ ἔστιν κυριακὸν δεῖπνον φαγεῖν, Apk 1, 10: ἐγενόμην ἐν πνεύματι ἐν τῇ κυριακῇ ἡμέρᾳ. Dieses Adj ist auf griechischem Boden in dieser Anwen- 30 dung aufgekommen, da im Semitischen ein entsprechendes Adj fehlt. κυριακὸν δεῖπνον steht neben τράπεζα κυρίου 1 K 10, 21; κυριακὴ ἡμέρα neben dem Doppelausdruck κυριακὴ κυρίου Did 14, 1. Es könnte statt des Adj auch ein Gen τοῦ κυρίου stehen. Doch ist die Wahl des gerade an κύριος anschließenden Adj nicht weiter auffällig, da es das einzige Adj zur Bezeichnung der Verbindung einer 35 Sache mit Christus war, das die griechische Sprache von einer der üblichen Bezeichnungen Christi bildete: Χριστιανός ist eine Bezeichnung für Personen, σωτήριος war in anderer Bedeutung als „zum σωτήρ gehörig" fest. Warum gerade die beiden Subst δεῖπνον und ἡμέρα statt mit τοῦ κυρίου mit dem Adj κυριακός verbunden wurden, ist dahin zu beantworten, daß es sich hier um eine 40 mittelbare Beziehung zum Herrn handelt, man vergleiche nur diese Ausdrücke mit λόγος τοῦ κυρίου, παρουσία τοῦ κυρίου usw.

---

[1] So ThZahn Einl II 593 f.

κυριακός. ThZahn, Geschichte des Sonntags (1878) 23 ff; GLoeschcke, Jüdisches u Heidnisches im christl Kult (1910) 1 ff; JWeiß,

Das Urchristentum (1917) 502 A 1; Deißmann LO 304—309; SVMcCasland, The Resurrection of Jesus (1932) 111—129.
[1] Beleg bei Preisigke Wört sv.
[2] Belege ebd.

Der Herrentag hat seine Bedeutung von der Auferstehung Christi. Die κυριακὴ ἡμέρα ist bald der Versammlungstag der Gemeinden geworden: Ag 20, 7; Did 14, 1: κατὰ κυριακὴν δὲ κυρίου συναχθέντες. Joh-Ev betont, daß Jesus am ersten Tag der Woche auferstanden ist, J 20, 1. 19. 26, während die Erwähnung der

5 κυριακὴ ἡμέρα Apk 1, 10 über die Bedeutung dieses Tages für die Versammlung der Gemeinde nichts sagt. Die Sitte, am Herrentag nicht zu arbeiten, konnte natürlich in einer judenchristlichen Gemeinde neben dem Sabbat nicht aufkommen; ebensowenig in einer heidenchristlichen Gemeinde, die auch Sklaven zu ihren Gliedern zählte und in mannigfacher Weise in das heidnische Alltagsleben

10 verflochten war. Nur durch Zusammenkommen konnte der Tag ausgezeichnet werden. Pls schreibt außerdem 1 K 16, 2 vor, an diesem Tag (ohne daß der Ausdruck fällt) jeweils etwas für die Kollekte für Jerusalem zurückzulegen. Ob das mit Löhnungsterminen zusammenhängt, wie Deißmann vermuten möchte[3], ist unsicher; vielleicht ist eher anzunehmen, daß Pls gerade den Tag nimmt,

15 an dem sich wegen der Versammlung der Gemeinde die Gedanken sowieso mit Angelegenheiten der Gemeinde beschäftigten. Es gibt freilich keinen Beweis dafür, daß die paulinischen Gemeinden an jedem Herrentag und nur an ihm zusammenkamen. Doch hatte der erste Tag der Woche schon im Judentum einen gewissen Glanz, da an ihm die Weltschöpfung begann[4]. Für die Christenheit ist die

20 Auferweckung Jesu der Anfang einer neuen Zeit. Auch das Fasten am 4. und 6. Tag der Woche (Did 8, 1) hat doch wohl Beziehung zur Geschichte Jesu; es sind die Tage des Todesanschlages (Mk 14, 1) und der Kreuzigung.

† κυριότης

Herrenmacht und -stellung. Im NT zunächst Bezeichnung

25 der Glieder einer Engelklasse, Kol 1, 16: ἐν αὐτῷ ἐκτίσθη τὰ πάντα ἐν τοῖς οὐρανοῖς καὶ ἐπὶ τῆς γῆς . . . εἴτε θρόνοι εἴτε κυριότητες εἴτε ἀρχαὶ εἴτε ἐξουσίαι, Eph 1, 20f: καθίσας ἐν δεξιᾷ αὐτοῦ ἐν τοῖς ἐπουρανίοις ὑπεράνω πάσης ἀρχῆς καὶ ἐξουσίας καὶ δυνάμεως καὶ κυριότητος καὶ παντὸς ὀνόματος . . . Diese Mächte erscheinen stets im Plur (slav Hen 20, 1, äth Hen 61, 10; Schatzhöhle[1] 1, 3; Test Sal D 8, 6).

30 Zum Sachlichen → II 568, 31—570, 29. Umstritten ist die Deutung von Jd 8, wo es von den Irrlehrern heißt: σάρκα μὲν μιαίνουσιν, κυριότητα δὲ ἀθετοῦσιν, δόξας δὲ βλασφημοῦσιν, parallel 2 Pt 2, 10: κυριότητος καταφρονοῦντας. Der Sing läßt hier nicht an Engel denken[2]. κυριότης steht hier für Gottes Majestät und damit für Gott selbst, den die Irrlehrer in ihrem Libertinismus bewußt ver-

35 achten. Die Neigung, Abstracta für Concreta zu setzen, ist im Judentum gerade bei Gottesbezeichnungen deutlich, מרותא דעלמא ist rabbinisch belegt, → 1083, 35, an שכינה ist nur zu erinnern. Auch auf griechischem Boden ist dieselbe Neigung zu Abstracta zu beobachten: POxy II 237 V 6 (186 n Chr): γράφειν τῇ ἡγεμονίᾳ, vgl auch „Ew Majestät".

---

[3] LO 309.
[4] Str-B I 1052—1054.

κυριότης. → II 255, 11 ff; 568, 31 ff.

[1] Bei PRießler, Altjüdisches Schrifttum außerhalb der Bibel (1928) 942.
[2] א bietet freilich Jd 8 den Plur, aber die Par aus 2 Pt spricht dagegen.

† κυριεύω

κύριος *sein bzw werden*; urspr: *als* κύριος *sich betätigen.* Xenoph Mem III 5, 11: ἀγωνιζόμενοι πρὸς τοὺς κυριεύοντας τῆς τε Ἀσίας πάσης κτλ von den politischen Herren, Polyb 2, 11, 14: ἐκυρίευσαν δὲ καὶ λέμβων (Nachen) εἴκοσι, *sich bemächtigen.* Mit Inf Aeschin 1, 35: κυριευέτωσαν οἱ πρόεδροι μέχρι πεντήκοντα δραχ- 5 μῶν ἐγγράφειν, *sie sollen berechtigt sein.* Von dem Verfügungsrecht des Verpächters über die Ernte des verpachteten Landes bis zur Bezahlung des Pachtzinses: PTebt 105, 47 (2. Jhdt v Chr). Also = κύριος-Sein mit dem juristischen Nebenbegriff, der in κύριος liegt.

In LXX oft, besonders für משל, sowohl von der Fremd- und Gewaltherrschaft und 10 Eroberung (zB 1 Makk 10, 76) als auch vom selbstgewählten König (Ri 9, 2), mehrfach von Gott in ep Ar (16. 17. 18. 45. 269). Vgl äth Hen 22, 14.

Im NT Lk 22, 25 in der selbständigen Formulierung eines synoptischen Spruches: οἱ βασιλεῖς τῶν ἐθνῶν κυριεύουσιν αὐτῶν, καὶ οἱ ἐξουσιάζοντες αὐτῶν εὐεργέται καλοῦνται ist wohl an die Machtanwendung an sich (ohne ihren Mißbrauch) und das damit 15 verbundene Ansehen gedacht. Dann von den „Mächten", die das Menschenleben beherrschen: vom Tod, dessen „Herrschen" Christus ein für alle Mal enthoben ist R 6, 9; von der Sünde, deren „Herrschen" die Christen dadurch entbunden sind, daß sie nicht mehr unter dem Gesetz, sondern unter der Gnade sind R 6, 14; und vom Gesetz, dem sich der, der ihm gehört, nicht eigenmächtig entziehen 20 kann, ebensowenig wie die Frau sich nach jüdischem Recht von ihrem Mann trennen kann R 7, 1; endlich vom κύριος-Sein Christi als dem Ziel seines Leidens und seiner Auferstehung R 14, 9. Auf alle irdischen Herrenverhältnisse, besonders die politischen, blickt 1 Tm 6, 15, wo Gott ὁ βασιλεὺς τῶν βασιλευ- όντων καὶ κύριος τῶν κυριευόντων heißt. Hinter der Verwendung von κυριεύω in 25 all diesen Zusammenhängen steht ein Menschen- und Weltverständnis, das den Menschen nicht als freien Herrn über sich ansieht, sondern immer als unter einer „Herrschaft" befindlich — einer verderbenden oder einer heilsamen.

2 K 1, 24 sieht Pls sich veranlaßt, der Mißdeutung seines soeben formulierten Satzes entgegenzutreten, der dahin lautete, er sei, um die Korinther zu schonen, 30 nicht mehr nach Korinth gekommen. Er tut das mit dem Satz: οὐχ ὅτι κυριεύ- ομεν ὑμῶν τῆς πίστεως, ἀλλὰ συνεργοί ἐσμεν τῆς χαρᾶς ὑμῶν· τῇ γὰρ πίστει ἑστή- κατε. Der erste Satz hätte so aufgefaßt werden können, als sei Pls der Herr, der gnädigerweise seine Untergebenen einmal schonen will. Das wehrt er ab. Wie das Verhältnis zu Christus jeden einzelnen Sklaven von seinem Herrn „frei" 35 macht und ihn in Freiheit, um des Herrn willen, wieder an seinen irdischen Herrn bindet (→ κύριος *D 4*), so haben die korinthischen Christen ein eigenes Ver- hältnis zu Christus, stehen selbst im Glauben, und des Pls Aufgabe ist es, Mit- helfer zu ihrer Freude zu sein.

† κατακυριεύω 40

= κυριεύω, Diod S XIV 64, 1: οἱ Συρακόσιοι . . . κατακυριεύ- σαντες (sc: σιτηγοῦ πλοίου) κατῆγον εἰς τὴν πόλιν. Apk Mos 14: θάνατος κατακυριεύων παντὸς τοῦ γένους ἡμῶν. Später verlor sich die Bedeutung der Präp ganz, im 6 Jhdt n Chr bedeutet es = *Eigentumsrecht an einer Sache besitzen*[1]. In LXX auch fast nur von der *Herrschaft eines Fremden*: des Menschen über die Erde, Gn 1, 28; über die Tiere, 45 Sir 17, 4; der Sünde über den Menschen ψ 118, 133; von feindlicher *Eroberung und Beherrschung* Jos 24, 33 b (A), von Gott nur Jer 3, 14.

κατακυριεύω. [1] Ein Beleg bei Preisigke sv.

So wird auch im NT Mk 10, 42 par: οἱ δοκοῦντες ἄρχειν τῶν ἐθνῶν κατακυριεύουσιν αὐτῶν καὶ οἱ μεγάλοι αὐτῶν κατεξουσιάζουσιν αὐτῶν das im Parallelismus membrorum zweimal gebrauchte κατά nicht bedeutungslos sein, das Wort also die Ausübung der Herrschaft gegen jemand, dh zu eignem Vorteil, bedeuten.
5 So auch Ag 19, 16 vom Besessenen: κατακυριεύσας ἀμφοτέρων ἴσχυσεν κατ᾽ αὐτῶν, ὥστε . . . τετραυματισμένους ἐκφυγεῖν. Ebenso ist in 1 Pt 5, 2 f: ποιμάνατε τὸ ἐν ὑμῖν ποίμνιον τοῦ θεοῦ . . . μηδ᾽ ὡς κατακυριεύοντες τῶν κλήρων ἀλλὰ τύποι γινόμενοι τοῦ ποιμνίου die Kraft des κατά noch wirksam: die Ältesten sollen, jeder über seinen Teil (→ κλῆρος), nicht ihre Macht für sich und damit gegen die
10 ihnen Anvertrauten ausüben.

Foerster

> ### *κυρόω, ἀκυρόω, προκυρόω*

† *κυρόω*

15 Hauptbedeutungen: *a. bekräftigen, bestätigen, rechtsgültig machen* von Rechtshandlungen der verschiedensten Art. zB Gesetzen Andoc 1, 85: τοὺς κυρωθέντας (sc: νόμους) vgl 84 u Demosth Or 20, 93, Beschlüssen IG VII 303, 45: τὸ ψήφισμα τὸ κυρωθὲν περὶ τούτων (ähnlich ChMichel, Recueil d'Inscriptions Grecques [1900] 478, 6: κυρωθέντος τοῦδε τοῦ ψηφίσμ[ατο]ς), ep Ar 26: οὕτω δοχθὲν (sc: τὸ πρόσταγμα) ἐκεκύρωτο ἐν ἡμέραις ἑπτά, Friedensbedingungen Polyb 1. 17. 1: τοῦ δήμου . . . κυρώ
20 σαντος τὰς . . . διαλύσεις, Verträgen Gn 23, 20; Lv 25, 30 (hbr קום[1]); Polyb 5, 56, 1: τούτων (sc: τῶν συνθηκῶν) . . . κυρωθέντων, PPetr II 13, 18 b 15: [περὶ] δὲ τοῦ κυρωθῆναι τὰ ἔργα, Testamenten Gl 3, 15 (vgl die häufige Klausel in Testamentsurkunden: ἡ διαθήκη κυρία *das Testament ist rechtskräftig* POxy III 491. 12; 493, 12; 494. 30; Preisigke Sammelbuch 5294. 15 usw). bei Versteigerungen *den Zuschlag erteilen* BGU 992 I 9 uö.
25 Freiere Verwendung 4 Makk 7, 9: τὴν εὐνομίαν ἡμῶν διὰ τῶν ὑπομονῶν εἰς δόξαν ἐκύρωσας, Jos Ant 10, 254: κυρώσειν τὴν προαίρεσιν αὐτῶν, Bell 4, 362: ἃ δὴ πάντα κατὰ τῶν ἀσεβῶν ἐκύρωσεν ὁ θεός, Mitteis-Wilcken I 2 Nr 122, 5 f: ὑπόδειξόν μοι κα[ὶ] κύρωσ[όν] μοι τοῦτο τὸ γραπτόν (sc: die Orakelfrage und Bitte). — *b. festsetzen, beschließen*
30 Hdt VI 86 β: ταῦτα . . . ὑμῖν ἀναβάλλομαι κυρώσειν ἐς τέταρτον μῆνα ἀπὸ τοῦδε, VI 126: ὡς κυρώσοντος Κλεισθένεος τὸν γάμον ἐν ἐνιαυτῷ. VIII 56: ἔνιοι τῶν στρατηγῶν οὐδὲ κυρωθῆναι ἔμενον τὸ προκείμενον πρῆγμα. Thuc VIII 69, 1: ἡ ἐκκλησία οὐδενὸς ἀντειπόντος ἅμα κυρώσασα ταῦτα διελύθη, Polyb 1. 11, 3: κυρωθέντος δὲ τοῦ δόγματος ὑπὸ τοῦ δήμου (vgl 1; 4. 26, 1 f); 6, 13, 9: τὰ σφῶν πράγματα σχεδὸν πάντα τὴν σύγκλητον κυροῦν,
35 7, 5, 5: τὰ μὲν τοῦ πολέμου τοῦ πρὸς Ῥωμαίους ἐκεκύρωτο τὸν τρόπον τοῦτον. 5, 49, 6: ἐκυρώθη τὸ διαβούλιον, Da 6, 10; Jos Ant 2, 18: ταύτην κυρώσαντες τὴν βουλήν (ebs 9, 76), IG VII 4133, 3 f: τ]ιμαὶ καὶ δω[ρ]εαὶ κεκυρωμέναι, Preisigke Sammelbuch 7457, 24 f: τὰς διὰ τοῦ προκειμένου δόγματος κεκυρωμένας εἰκόνας δύο. — *c.* med *zur Geltung bringen, seine Bestimmung erreichen* Plat Gorg 451 b: καὶ αὕτη (sc: ἡ λογιστικὴ τέχνη) ἐστὶν ὅτι λόγῳ τὸ πᾶν κυρουμένων. 451 c: καὶ αὕτη (sc: ἡ ἀστρονομία) λόγῳ κυροῦται τὰ πάντα, vor
40 allem 451 d, wo κυρουμένων mit dem sicher medialen διαπραττομένων parallel steht.

In dem Beispiel aus dem Rechtsleben Gl 3, 15: ἀνθρώπου κεκυρωμένην διαθήκην (→ II 132, 5 ff) οὐδεὶς → ἀθετεῖ ἢ ἐπιδιατάσσεται ist κυρόω im juristisch-technischen Sinn gebraucht von dem *rechtskräftig gewordenen Testament* (→ Z 22 ff).

κυρόω κτλ Moult-Mill 366. 20; Pr-Bauer³ 764 f. 55. 1181; Preisigke Wört 855 f. 50 f; Preisigke Fachwörter 115; Liddell-Scott 1014. 59. 1487; OEger, Rechtswörter und Rechtsbilder in den paulinischen Briefen ZNW 18 (1917/18) 88 ff; Ders, Rechtsgeschichtliches zum NT (1919) 31 ff; Nägeli 29; Zn Gl, Ltzm Gl; E de Witt Burton, A Critical and Exegetical Commentary to the Epistle to the Galatians (1921) (ICC); MJLa-grange, Saint Paul Épitre aux Galates ² (1926); AOepke, Gl (1937) z 3, 15. 17; Bchm K, Ltzm K, Wnd 2 K u Schl K z 2 K 2, 8; Zn Mt z 15, 6; Hck Mk u JSchniewind, Das Evangelium nach Markus (NT Deutsch 1 ² [1935]) z 7. 13.

¹ Vgl Σ Ez 13, 6: κυρῶσαι λόγον (τοῦ κυρίου), wo Mas קום pi, LXX ἀναστῆσαι, Θ στῆσαι haben [GBertram].

Daß das Beispiel auf die Verheißung (→ II 579, 5 ff) Gottes nicht genau zutrifft, zeigt deren rechtlich widersinnige Bezeichnung als διαθήκη προ-κεκυρωμένη (→ 1100, 5 ff) ὑπὸ τοῦ θεοῦ v 17. Zur Sache → II 132, 15 ff. — 2 K 2, 8: παρακαλῶ ὑμᾶς κυρῶσαι εἰς αὐτὸν ἀγάπην *ich ermahne euch, Liebe gegen ihn zu beschließen*[2], ergibt die Zusammenordnung der einander fremden Begriffe ἀγάπη (→ I 50 ff) und κυροῦν, des ethischen Grundbegriffs des paulinischen Evangeliums und des juristischen Terminus des werdenden Kirchenrechts, nicht zufällig ein wirkungsvolles Oxymoron[3]. In der Angelegenheit des ἀδικήσας (7, 12 vgl 2, 5), den die Gemeinde bestraft hat (2, 6), und der jetzt seine Tat ehrlich bereut (2, 7), hat die Gemeinde noch einmal Beschluß zu fassen. Paulus wünscht einen Beschluß, dessen Inhalt Liebe ist: Recht soll durch Recht aufgehoben werden, indem verzeihende Liebe den letzten Rechtsentscheid diktiert und krönt.

† ἀκυρόω

ungültig machen, außer Geltung setzen, term techn der Rechts-sprache, zB Dinarch 1. 63: αὐτὸς τὸ ψήφισμα ἀκυροῖς: 1 Εσδρ 6. 31[1]; Ditt Syll[3] 742. 30 f: ἠκυρῶσθαι τὰς κ[α]τ᾿ αὐτῶν ἐκγραφὰς καὶ ὀφειλήμ[ατα], Dion Hal Ant Rom 2, 72. 5: εἰρήνην.. γεγενημένην... ἀκυροῦν. BGU 1167, 26: κατὰ τὴ[ν] ἠκυρω[μένην] (sc: συγχώρησιν) (vgl 1053 II 14). Jos Ant 20. 183: ἐπιστολὴν ἀκυροῦσαν τὴν Ἰουδαίων πρὸς αὐτοὺς ἰσο-πολιτείαν, Plut De Lycurgo 9 (I 44 d): ἀκυρώσας πᾶν νόμισμα χρυσοῦν καὶ ἀργυροῦν, POxy III 491. 3: ἐφ᾿ ὃν μὲν περίειμι χρόνον ἔχειν μ ε] τὴν τῶν ἰδίων ἐξου[σί]αν δ ἐὰν βού-λωμαι ἐπιτελεῖν ... καὶ ἀκυροῦν τ[ὴν διαθήκην] ταύτην. Preisigke Sammelbuch 5676. 9: ὁ . .. ἡγεμὼν ... ἀκυρώσας ... τὴν οὐ δεόντως γενομένην ὑπο[θήκην]ν. Seltener im all-gemeinen Sinne *unwirksam machen, außer Kraft setzen, vereiteln* zB Diod S IV 34, 4: ἀκυροῦντες . . . τὴν δωρεάν, Jos Ant 18, 304: μηδαμῶς ἀκυροῦν αὐτοκράτορος ἀνδρὸς ἐντολάς, 4 Makk 2, 1. 3. 18; 5, 18; 7, 14; 17, 2.

Auch im NT behält ἀκυρόω juristischen Klang. Mk 7, 13 (Mt 15, 6): wenn die Juden kultische Pflichten über die Erfüllung des Gebotes Gottes im Dekalog stellen[2], so *setzen* sie *Gottes Wort außer Kraft* einer menschlichen Bestimmung von zweifelhaftem religiösem Wert zuliebe: ἀκυροῦντες (vgl v 9: → ἀθετεῖτε) τὸν → λόγον τοῦ θεοῦ τῇ παραδόσει ὑμῶν ᾗ παρεδώκατε (→ II 173, 33 f; 174, 18 ff). — Gl 3, 17 zeigt Paulus an der Analogie des rechtsgültigen Testaments, das nicht mehr umgestoßen werden kann (v 15 → 1098, 41 ff), die Unverbrüchlichkeit der in der Verheißung an Abraham und seine Nachkommenschaft (v 16. 18 vgl 6 ff) ergangenen Willenskundgebung Gottes (→ II 132, 5 ff): an der Geltung dieser διαθήκη von unbedingter Rechtskraft ändert das viel später entstandene Gesetz nichts. Die ursprüngliche und unerschütterliche Gottesordnung ist die Gnaden-verheißung der Glaubensgerechtigkeit.

† προκυρόω

vorher rechtskräftig machen, aus vorchristlicher Zeit bisher nur bezeugt durch eine Inschrift in Rhodus (2. Jhdt v Chr), die sich auf die Ausführung

[2] Die von Pr-Bauer[3] 765 erwogene Möglich-keit, daß das Act hier die Bdtg *zur Geltung bringen* hat. wie das Med bei Plat Gorg 451 b—d (1098. 37 ff). hat den Sprachgebrauch des Act und den Zshg von 2 K 2, 5 ff gegen sich, in dem Pls das Recht der autonomen Ge-meinde zu freier eigener Entscheidung sorg-sam achtet.

[3] Über Evangelium und Recht bei Pls vgl JBehm. Religion und Recht im NT (Rek-toratsrede, Göttingen 1931) 6 ff, 12 f.

ἀκυρόω. [1] Vgl 2 Εσδρ 6, 11 ἀλλάσσειν = שנא haph. 1 Εσδρ hat Doppelübersetzung: παραβαίνειν καὶ ἀκυροῦν. Ἀ verwendet ἀκυρόω zur Übers von פרר und פור „(einen Bund) brechen, (einen Plan) vereiteln" Nu 30, 13 (zweimal); Dt 31, 20; Hi 5, 12; ψ 32, 10; 118, 126 (τὸν νόμον); Js 24, 5 LXX hat da-für meist διασκεδάζω [GBertram].

[2] S dazu Str-B I 717.

von Beschlüssen des κοινόν bezieht; vgl Suppl Epigr Graec . . . ed JJEHondius III (1929) Nr 674 A 28 f: καθὼς ἐν τῷ προκεκυρωμένῳ ψαφίσματι ποτιτέτακται. ebd 30: τὰ ποτιτεταγμένα ἐν τῷ προκεκυρωμένῳ ψαφίσματι. Später gelegentlich bei Kirchenvätern, zB Eus Praep Ev X 4, 1.

5 Gl 3, 17 bezeichnet Paulus die Verheißung in ihrer schlechthinigen Überlegenheit über das Gesetz (→ II 579, 5 ff) als *ein vorher* — dh lange vor der
Entstehung des Gesetzes[1] —, oder *im voraus*[2] *von Gott rechtskräftig gemachtes
Testament* (διαθήκην προκεκυρωμένην ὑπὸ τοῦ θεοῦ), wobei Bild und Sache sich
kräftig stoßen: während ein menschliches Testament erst nach dem Tode des
10 Testators Rechtskraft erhält, ist das „Testament" Gottes (v 15 → II 132, 5 ff),
die Heilsverheißung an Abraham und seine Nachkommenschaft (v 6 ff. 16. 18; vgl
Gn 12, 3; 17, 2 ff; 18, 18 usw), unmittelbar mit seinem Ergehen rechtswirksam
geworden und gilt fortan ausschließlich und unumstößlich (→ 1098, 41 ff; 1099, 31 ff).

Behm

15 **κύων, κυνάριον**

† **κύων**[1]

1. *Hund*, bes der lästige und verachtete orientalische *Straßenhund*,
im AT כֶּלֶב, aram כַּלְבָּא. Das Wort wird seit Hom im eigentlichen wie im übertragenen Sinn gebraucht, vgl auch Pap und LXX[2]. Obwohl es auch im Judentum nicht
20 an Stimmen fehlt, die von der Treue des Hundes reden, gilt doch allgemein der Hund
als „das verachtetste, frechste und elendeste Geschöpf" (Str-B I 722). Der Vergleich
mit dem Hund ist schimpflich und entehrend (1 S 17, 43), die Bezeichnung „toter
Hund" (ὁ κύων ὁ τεθνηκώς) verrät äußerste Geringschätzung und Selbsterniedrigung
(1 S 24, 15; 2 S 9, 8; 16, 9). In diesem Sinne bekennt Hasaels Wort vor Elisa: Τίς
25 ἐστιν ὁ δοῦλός σου, ὁ κύων ὁ τεθνηκώς, ὅτι ποιήσει τὸ ῥῆμα τοῦτο; (4 Βασ 8, 13)[3]. Von
den Hunden auf der Straße oder von den Vögeln auf dem Felde gefressen zu werden
ist das Zeichen eines besonderen Gerichtes Gottes und wird im prophetischen Gerichtswort angekündigt (1 Kö 14, 11; 16, 4; 21, 24). Elias prophezeit Ahab: „An der
Stätte, da Hunde das Blut Naboths geleckt haben, sollen auch Hunde dein Blut lecken"
30 (1 Kö 21, 19; 22, 38). Es gilt also als eine besondere Schmach, den Hunden preisgegeben
zu werden[4]. Der Leidenspsalm 22 (LXX: 21) spricht von Hunden, die den Beter umringen und sein Leben bedrohen (v 17. 21); hier werden die gottlosen Gegner mit
Büffeln der Steppe und gierigen Straßenhunden verglichen. Leidenschaftlich klagt
der Prophetenspruch Js 56, 10—11 die Führer des Volkes an, daß sie stumme Hunde

---

προκυρόω. [1] Vgl FSieffert, Der Brief an die Galater[9] (1899) zSt; Burton (→ κυρόω Lit-A) zSt; Oepke (→ κυρόω Lit-A) zSt. Anders, doch wohl zu weit hergeholt unter Bezugnahme auf Gn 15, 8 ff (bes 17 f), Eger, Rechtswörter u Rechtsbilder . . . (→ κυρόω Lit-A) 01 A 1. [2] S Zn Gl zSt; WBousset (in: SchrNT) zSt.

κύων. AZeller, Das Pferd, der Esel und der Hund in der Hl Schrift, Beitrag zur bibl Archäologie (1890).
[1] Altes indogerm Wort, lat canis, deutsch Hund, Walde-Pok I 465 f.
[2] AJeremias, Das AT im Lichte des Alten Orients[4] (1930) 438: „Die aasfressenden Hunde bilden im Orient die Landplage, aber auch die Wohlfahrtspolizei Asurb Ann VII 74 ff (Vorderasiatische Bibliothek, hsgg AJere-mias u HWinkler [1906 ff] VII 39) zeigt Zu-

stände der babylonischen Städte, wie sie noch heute wenigstens in Bezug auf die Hunde im Orient zu finden sind. Hunde und Schweine versperren die Straßen und füllen die Plätze und nähren sich vom Aas; s 1 Kö 14, 11; 2 Kö 9, 05 ff; Ps 59, 17. 21, vgl Jer 15, 3." Zum Sprachgebrauch von κύων auch in späterer Zeit vgl Class Rev 4 (1890) 44 a und Classical Quarterly 3 (1909) 281.
[3] AJeremias aaO 612 A 1: „Die Selbstbezeich-nung: dein Knecht, dein Hund (2 Kö 8, 13) ist servile Demütigung, wie das österreichische servus. Es kommt auch im assyrischen Brief-stil vor, auch in den Amarna-Briefen, zB Vor-derasiat Bibl (→ A 2) II Nr 71, 16 f. Im übrigen ist Hund (toter Hund) die stärkste Beschimp-fung (2 S 16, 9)."
[4] Verachtungsvoll sagt der Midrasch von Goliath: „Er starb wie ein Hund" (Ex r 31, 3 z 22, 25 p 56 d [Wilna]).

(κύνες ἐνεοί) sind, die nicht warnen und wachen, anderseits aber gierig und unersättlich sind (ἀναιδεῖς), wenn es gilt, den eigenen Vorteil wahrzunehmen. Wie verachtet der Hund ist, zeigt der Vergleich Prv 26, 11: „Wie ein Hund zu seinem Auswurf zurückkehrt, so ist der Narr, der seine Narrheit wiederholt." Hyäne und Hund, Wolf und Schaf, Löwe und Wild passen nicht zueinander; ebensowenig reich und arm, gott 5 los und fromm (Sir 13, 17ff). Schon Dt verbietet Hurenlohn und Hundegeld (מְחִיר כֶּלֶב) in das Heiligtum Gottes zu bringen (23, 19); weibliche und männliche Hierodulen (letztere „κύνες"?) werden also vom Kult Israels ausgeschlossen.

Im Spätjudentum ist es ungewiß, ob der Hund zu den Haustieren (בְּהֵמָה) oder zu dem in Freiheit lebenden Wild (חַיָּה) zu zählen ist; Kil 8, 6 sagt darüber: „Der Hund 10 gehört zum Wild, RMeïr sagt: zum Vieh." Daß der Hund treu ist und sogar sein Leben für den Herrn einsetzt, erzählt Pesikt 79b (Buber): נפשא דכלבא („das Denkmal des Hundes"). Nach einer mehrfach berichteten Tradition (RSchimeon bLakisch, RJakim) gibt es drei Hartnäckige (Starrsinnige): unter den Tieren den Hund, unter den Vögeln den Hahn, unter den Nationen Israel. Diese Überlieferung wird nicht zum Schimpf, 15 sondern zum Ruhm Israels erzählt (bBeça 25b mit Par; Str-B I 723). RJannai lädt einen schöngekleideten Menschen als Gast ein, wundert sich aber über seine Unkenntnis in der Schrift und Mischna, nennt ihn darum wegen dieser Unwissenheit einen „Hund" (Lv r 9, 3 z 7, 11 p 13a [Wilna]). Dies Wort Jannais schließt den Gast von dem Erbgut Israels aus. Nach Ps 59, 3 und 110, 2 schlägt Jahwe die 20 Gottlosen mit einem Stecken, weil sie Hunden gleichen (Ex r 9, 2 z 7, 9; Str-B I 724). RAqiba nennt seine Hunde Rufus und Rufina, weil die Heiden in ihrer Lebensweise den Hunden gleichen (Tanch תרומה p 107b [Warschau]; Str-B I 725). **Man verachtet einen Menschen, indem man ihn einen Hund nennt oder einen Hund nach ihm benennt.** 25

2. Die **Überlegenheit Israels über die Heiden** besteht in dem Besitz der Thora. Daß die Thora als göttliches Geheimnis den Völkern nicht kundgetan werden soll, wird im Midr HL 2, 7 (מסטרין = μυστήριον) und bKet 111a ausdrücklich vorgeschrieben (allerdings nicht als Halacha). Die Hoheit der Thora verlangt ihre Abgeschlossenheit vor der Allgemeinheit. 30 RAmmi folgert aus Ps 147, 20: „Man überliefert die Thora nicht einem Kuthäer (= Goi)" (bChag 13a). Die Unterlegenheit des Heidentums besteht also in dem Ausgeschlossensein von der Thora. **Jesus überwindet in Mt 7, 6 die alte rabbinische Abgrenzung und beschreibt die Hoheit des Evangeliums auf eine neue Weise.** Der Jünger soll zwar 35 nicht richten (Mt 7, 1—5), er soll aber auch nicht glauben, jeden Widerstand von sich aus überwinden zu können. „Jesus sagt, daß es unüberwindliche Hemmungen gebe, die kein missionarischer Eifer durchbrechen kann[5]." Es handelt sich in Mt 7, 6 um ein in sich abgeschlossenes Mahnwort, das von der Botschaft selbst im Doppelgleichnis (κύνες, χοῖροι) umschreibend und andeutend redet. Das 40 Logion Jesu verrät die Ehrfurcht vor dem göttlichen Wort, unterscheidet sich darum von der Würde menschlicher Weisheit[6].

Das erste Bildwort: μὴ δῶτε τὸ ἅγιον τοῖς κυσίν hat formal kultischen Klang und schließt sich an eine bekannte jüdische Kultregel an. τὸ ἅγιον[7] ist das „Opferfleisch"

---

[5] SchlMt 243.
[6] Bultmann Trad 107 rechnet Mt 7, 6 zu den profanen Meschalim, die erst durch die Tradition zu Jesusworten gemacht sind, und erinnert an Lidz Ginza R VII 217 (p 218): „Die Worte des Weisen an den Toren sind wie Perlen für eine Sau."
[7] τὸ ἅγιον bezeichnet nach dem Sprachgebrauch der LXX und ebenso קֹדֶשׁ (קָדָשִׁים) bei den Rabb a. zum Opfer bestimmte Tiere

(auch Opferfleisch), b. überhaupt Tiere, die Gott geweiht, dh zur Abgabe an die Priester entweder in natura oder „in Auslösung" (durch entsprechenden Geldwert) bestimmt sind, also zB Tiere, die der Besitzer durch ein Gelübde zum Opfer bestimmt hat, oder die Erstgeburt des Viehs. Von einem solchen Tier darf der Besitzer, weil es τὸ ἅγιον ist, keinerlei Nutznießung mehr haben. Wenn nun ein solches Tier, bevor es geopfert wird

nach Ex 29, 33; Lv 2, 3; 22, 10—16; Nu 18, 8—19 (nicht etwa = קְדָשָׁא, Ohrring); vom „Opferfleisch" gilt das mehrfach bezeugte Wort: „Man löst Heiliges nicht aus, um es die Hunde fressen zu lassen" (bBek 15 a Bar z Dt 12, 15; Tem 6, 5; vgl bTem 130 b [bzw 30 b]; bTem 117 a Bar; bSchebu 11 b [in Frageform] und bPes 29 a [wonach der
5 Grundsatz nicht allgemein anerkannt ist]). „Hunde" und „Schweine" werden als unreine Tiere oft nebeneinander gestellt (2 Pt 2, 22; Horat Ep I 2, 23 ff; bSchab 155 b; POxy V 840, 33); sie sind nicht Hinweise auf bestimmte Klassen von Menschen, sondern auf Menschen aller Volksschichten, die sich dem Evangelium widersetzen (vgl unsern Ausdruck „zynisch").

10 Die Hoheit des Evangeliums soll den Jünger vor einer falschen Ausrichtung der Botschaft schützen; er soll nicht entscheiden, wem er die Botschaft des Evangeliums zu sagen oder zu versagen habe, sondern er soll die Grenze seines Dienens erkennen. Der Glaube ist die Frucht des heiligen Geistes, nicht der Erfolg des Jüngers; der heilige Geist ist an keine Grenze gebunden, unser
15 menschlicher Dienst dagegen bleibt klein und beschränkt. Die kultische Form dieses Jesuswortes legte es nahe, auch seinen Sinn auf den kirchlichen Kultus zu beziehen; in diesem Sinn hat Did 9, 5 die Teilnahme an der Eucharistie abgegrenzt: „Niemand aber esse noch trinke von eurer Eucharistie außer denen, die getauft sind auf den Namen des Herrn. Denn hiervon hat der Herr gesagt:
20 ‚Ihr sollt das Heilige nicht den Hunden geben.' "

Im Gleichnis vom reichen Mann und armen Lazarus (Lk 16, 19 ff) wird erzählt, daß die Hunde dazu kamen und die Schwären des Armen leckten (16, 21). Es handelt sich nicht um das Mitgefühl der Tiere als Gegensatz zu der Teilnahmslosigkeit der Menschen, sondern um das tiefste Elend überhaupt:
25 der Arme muß sogar die Berührung dieser unreinen Tiere dulden[8]. Es scheint so, als sei Lazarus in seinem Elend und Sterben ganz und gar dem göttlichen Gericht verfallen; um so wunderbarer ist der plötzliche Wandel aller Dinge nach dem Tode.

3. Polemisch klingt die Warnung des Paulus in Phil
30 3, 2. Jesu Wort Mt 7, 6 ist ein Bildwort und vergleicht Menschen, die sich dem Evangelium widersetzen, mit bekannten unreinen Tieren; bei Pls werden bestimmte jüdische bzw judaistische Gegner als „Hunde" (κύνες) bezeichnet. Wendet er die jüdische Waffe gegen ihre eigenen Träger an? Er denkt aber wie Mt 7, 6 nicht an Unwissenheit, sondern Verachtung der Botschaft, nicht allein an
35 ein Ausgeschlossensein vom Heil, sondern auch an die Zerstörung der Gemeinde. Hat der Apostel das Bildwort Mt 7, 6 gekannt und auf seine Situation bezogen? Oder will er die böse und zudringliche Art seiner Gegner kennzeichnen? Ähnlich klagt ja der Psalmist über seine Widersacher: „Allabends kehren sie wieder, heulen wie die Hunde, durchstreifen die Stadt. Ja, sie geifern mit ihrem Mund,
40 Schwerter sind auf ihren Lippen" (Ps 59, 7 f. 15)[9]. Wie stark at.liche Motive in der urchristlichen Polemik mitwirken, zeigt der Rückgriff von 2 Pt 2, 22

---

bzw bevor die „Auslösung" dafür bezahlt ist, stirbt, dann darf der Besitzer auch von dem Kadaver keine Nutznießung haben, er darf ihn also auch nicht als Hundefutter verwenden, sondern er muß ihn vergraben. Der Besitzer darf auch nicht nachträglich für das gefallene Tier die „Auslösung" bezahlen, um dann den Kadaver frei verwenden zu können.

Vgl KGKuhn, SNu bearb u erklärt (1933 ff) 386 A 28, auch Str-B I 447 z Mt 7, 6.
[8] Anders Zn Lk [3.4] (1920) 585; Wettstein zSt.
[9] Anders Loh Phil zSt: „Dann aber sind ‚Hunde' alle, die von der urchr Gemeinschaft geschieden sind" (125).

auf Prv 26, 11, sowie die Verbindung von „Hund" und „Schwein" in einem Sprichwort (παροιμία). Der in Irrlehre und Sünde zurückfallende Christ nimmt den Schmutz wieder auf, den er bei der Taufe abgelegt hat, er wird also der im Sprichwort geschilderte „Tor" (ἄφρων) [10]. Die im Sprichwort (παροιμία) geschilderte Unreinheit wird zu einem Bild für die Befleckung in der Welt und das Verderben der Sünde.

Das Scheltwort „κύνες" bleibt aber in der Verkündigung der Kirche erhalten, wie der Abschluß der Apokalypse (22, 15) beweist. Wer seine Kleider wäscht, darf in die himmlische Stadt einziehen (22, 14), aber die Hunde, Zauberer, Unzüchtigen, Mörder, Götzendiener, alle, die die Lüge lieben und ausführen, sind ausgeschlossen. Der Ausdruck κύων (κύνες) ist hier ebenfalls durch das AT und die von ihm ausgehende Tradition geformt, meint aber auch hier den dem Willen Gottes widerstrebenden und sich in Dämonie und Lüge verstrickenden Menschen überhaupt [11]. Die abschließende Formel πᾶς φιλῶν καὶ ποιῶν ψεῦδος charakterisiert den ganzen Zusammenhang. Es handelt sich weder um Juden noch Heiden schlechthin, sondern um Menschen, die dem Reich der Lüge verfallen sind und am Reich der Lüge bauen. Widerstand gegen die Botschaft und Verstockung gegen Gottes Gnade, das Hangen am Bösen und der Rückfall zum Bösen sind vielleicht die verschiedenen Momente, die das Scheltwort der Apostel veranlassen. Gewiß vergleicht Jesus nur in einem Bildwort Menschen mit unreinen Tieren (Mt 7, 6), und doch klingen Phil 3, 2 und Apk 22, 15 wie eine apostolische Auslegung des geheimnisvollen Jesuswortes. Jedenfalls unterscheidet sich das nt.liche Scheltwort deutlich von dem spätjüdischen Sprachgebrauch.

Ign Eph 7, 1 bildet ein besonderes Stück nachapostolischer Ketzerbestreitung. Bestimmte Momente des früheren Scheltwortes sind auch in diesem Bilde enthalten, allerdings sind die Farben verstärkt: „Tolle Hunde sind es, heimtückisch beißende; ihr müßt euch vor ihnen hüten als vor schwer Heilbaren." Die Gemeinde muß ihrem Angriff ausweichen, weil er sie gefährdet. Die Irrlehre wird nicht als intellektuelle Abweichung von der kirchlichen Wahrheit, sondern als Einbruch einer dämonischen Macht geschildert, die das Denken, Wollen und Handeln in Beschlag nimmt. Die Kirche weiß noch um die ihr in Mt 7, 6 aufgezeigte Grenze und spricht nur von einem Arzt, der helfen kann: Jesus Christus, der Herr selbst (Ign Eph 7, 2).

† κυνάριον

Plat Euthyd 298 d; Xenoph Cyrop VIII 4, 20; Epict Diss IV 1, 111; daneben auch κυνίδιον Euthyd 298 d; Philo Spec Leg IV 91; Verkleinerungsformen von κύων: *Stubenhund*, nicht Straßen- oder Hofhund.

Im NT findet sich κυνάριον nur in dem Bildwort Jesu Mt 15, 26; Mk 7, 27. Es ist fraglich, ob Jesus den jüdischen Sprachgebrauch, mit κύων den Andersgläubigen zu bezeichnen, aufnimmt (vgl das Bildwort Mt 7, 6); sein Wort Mt 15, 26; Mk 7, 27 vergleicht im Bildwort das verschiedene Anrecht der Kinder und der Haushündchen miteinander [1]. Die Wahl der Verkleinerungsform κυνάριον zeigt, daß Jesus an kleine Hunde denkt, die in der Wohnung des Menschen

---

[10] Vgl dazu Wettstein und Str-B III 773.
[11] Nicht ganz deutlich bei Bss Apk 458, Loh Apk 177: „ein verbreitetes Wort jüdischer Verachtung für die andern Völker."

κυνάριον. [1] Vgl Zn Mt zSt.

geduldet werden[2]. Das Gleichnis Jesu erkennt die von Gott geforderte Trennung zwischen Juden und Heiden an, bekennt sich damit zu dem geschichtlichen Vorrecht Israels (Dtjs, Pls, Ag) und begrenzt Jesu irdisches Wirken wie
J 12, 20—26[3]. In diesem Sinn deutet auch Mk 7, 27 das Herrenwort: zuerst
5 (πρῶτον) müssen die Kinder des Hauses satt werden! Die Antwort der heidnischen Frau Mt 15, 27; Mk 7, 28 zeigt, daß sie im Gehorsam gegen den Willen
Gottes das Vorrecht Israels anerkennt; sie beruft sich nur auf die helfende Güte
Jesu, die über alle Grenzen hinausgeht. Der Glaube der Heidin stellt sich be-
dingungslos unter die Messiasherrschaft Christi und empfängt gerade in dieser
10 Bedingungslosigkeit Jesu Anerkennung und Verheißung.

Michel

---

[2] bKet 61b: eine Frau, die mit kleinen Hunden (aram: גּוּרְיָיתָא קְטַנְּיָיתָא) oder mit einem Schachbrett spielt; vgl auch bSchab 155b; Str-B I 722. 726.
[3] Vgl SchlMt 490.